U0110185

自由人（二）

自由人總目錄

動盪時代的印記——《自由人》三日刊始末

陳正茂（北台灣科學技術學院通識教育中心教授）

一、前言：《自由人》三日刊創刊之背景

民國三十八年是中國歷史上驚天動地的一年，隨著戡亂戰局的逆轉，中共席捲大陸，國府敗退遷台，真是國命如絲風雨飄搖的危急存亡之秋。處此動盪時代中，除大批軍民同胞隨政府播遷來台外；尚有一部分人士選擇避難香江，南下港九一隅，這些人當中，有不少是失意政客和知識份子。基本上，當年選擇避秦來港的知識份子，其心態上有兩種，一則對國、共兩黨均感不滿；再則係看上香港為自由民主之地，較能有揮灑發展的空間。此情勢考量，誠如雷嘯岑所言：「在一九四九－五〇年之間，因大陸淪陷，香港乃成了反共非共的中國人士望門投止的逋逃之藪」。

這些投奔港九的政治難民，以高級知識份子居多；兼以香港時為英屬自由之地，所以只要不違背港府法令，一般而言從事任何活動是百無禁忌，相當自由的。不僅可以高談政治問題，甚至於從事政治活動亦不加以限制。於是，「從大陸流亡到港九的高級知識份子群，乃相率呼朋引類，常舉行座談會，交換對國事意見，而美國國務院的巡迴大使吉塞普（Philip Jessup），斯時亦在香港鼓勵中國人組織『第三勢力』運動，目的以反共為主。」在此背景下，港九地區的自由民主人士，在美國幕後撐腰下，「各種座談會風起雲湧，熱鬧非凡；而諸多以反共為職志的大小刊物，更是應運而興，琳瑯滿目了。」[1]所以，《自由人》三日刊，就是在此大時代氛圍下孕育而生的。

二、《自由人》三日刊誕生之經過

《自由人》三日刊醞釀誕生之經過，最早鼓吹者，一般而言，說法有二，一為由王雲五號召發起。據其《岫廬八十自述》書中提及：「自民國三十九年開始以來，由於中共匪幫建立偽政權，並先後獲得蘇俄、緬甸、印度、巴基斯坦及英國的承認，於是匪幫的勢力在香港突然大振，不少反共分子漸呈動搖態度。旅港有識之士深感囂風日長，漸使全港華人隨而動搖，乃相與集議挽救之道。我因在港主辦一個小規模出版事業（按：即華國出版社），尤以一貫堅持反共方針，遂由多數參加集議人士推任領導。由臨時的集會，變為固定的座談；其地點經常利用國民黨在銅鑼灣某街所租賃之四樓房屋一層。每次參

1 馬五，〈「自由人」之產生與夭折〉，見馬五（雷嘯岑）著，《政海人物面面觀》（香港：風屋書店出版，一九八六年十二月初版），頁二一二。又此種座談會多在週末舉行，也有人稱之為「週末座談會」或「星期六座談會」。見馬五先生著，《我的生活史》（台北：自由太平洋文化事業公司出版，民國五十四年三月一日初版），頁一六一。

加座談者，多至三十餘人，少亦一二十人，皆為文化界人士，或為舊日與政治有關係者，各政黨及無黨派人士皆有之。後來我以香港政府最忌政治性的集會，凡參加人數較多，尤易引起猜疑，動輒干涉。加以如此散漫的座談，亦未必能持久，因於某次座談中提議創辦一小型之定期刊物，每週或半週出版一次，既可藉此刊物益鞏固反共人士之維繫，且刊物一經向港政府註冊，則在刊物辦公處所舉行的座談，皆可諉稱編輯會議，可免港政府之干涉。此議一出，諸人咸表贊同，遂計劃如何組織與籌款。結果決辦三日刊，定名為自由人，其資金由參加坐談人士各自量力提供。我首先代表華國出版社提供港幣一千五百元，此外各發起人分別擔任，或一千，或五百不等；並經決定撰文者一律用真姓名，以明責任。其後，又決定委託香港時報代為印刷發行。因是，籌備進行益力，發起人等每星期至少集會一次，間或二次，一切進行甚為順利。」[2]

二為眾人集議，早有志於此，雷嘯岑即主此說。雷言：「這時候，即有原在大陸上服務新聞界的報人成舍我、陶百川、程滄波，協同青年黨人左舜生、民社黨人金侯成，以及國民黨人阮毅成、無黨無派的王雲五，外加香港時報社社長許孝炎、新聞天地雜誌社社長卜少夫一干人等，於每週末午後在香港高士威道某號住宅中，舉行文化座談會。大家談來談去，得到一項結論，要辦一份刊物，以闡揚民主自由思想，在文化上進行反共鬥爭。……適韓戰爆發，預料東亞局勢將有變化，刊物必須及時問世，刊物取名「自由人」，由程滄波書寫報頭兼撰〈發刊詞〉，標題是〈我們要做自由人〉。」[3]

2 王雲五，《岫廬八十自述》（台北：商務版，民國五十六年七月一日初版），頁一〇四～一〇五。

3 馬五，〈「自由人」之產生與夭折〉，同註一，頁二一二～二一三。

然由當事人之一的阮毅成事後追記，似乎《自由人》三日刊能草創成功，仍是由王雲五一手主導的。阮說：「民國三十九年十二月二十日，雲五先生在香港高士威道約大家茶敘，其中特別提及『今日我約諸位來，是想創辦一份反共的刊物，以正海外的視聽。間接幫助臺灣，說幾句公道話。我們讀書人，今日所能為國家效力的，也只有此途。』」[4]由阮之記載，合理推論，《自由人》三日刊能順利催生問世，王氏為登高呼籲之首倡者，可能性是很高的！

但就在王氏積極創辦《自由人》三日刊之際，突發一件暗殺事件，則頗值得一述；且對後來《自由人》三日刊的發展不無影響。事緣於三十九年十二月下旬，王氏在《自由人》三日刊諸人集會散會後，在香港寓所遭遇暗殺，幸子彈未命中，逃過一劫，這突如其來之舉，使王氏決定立即離港赴台定居。此事來台後，王氏曾將真相告訴繼我而來的成舍我。王氏謂：「到臺以後，除將此次提前來臺的秘密暗中告知兒女外，他人皆不使知。後來事過境遷，才漸漸透露給若干至好的朋友，首先是對於不久繼我而來的成舍我君；因為他覺得我向

又見馬之驌，《雷震與蔣介石》（台北：自立晚報社文化出版部出版，一九九三年十一月一版），頁八一。

4 阮毅成，〈王雲五先生與自由人三日刊〉，見蔣復璁等著，《王雲五先生與近代中國》（台北：商務版，民國七十六年六月初版），頁三〇～三一。有關《自由人》之發起，另有一說為萬麗鵑博士論文所言：「《自由人》為『自由中國協會』成員所辦之三日刊。」見萬麗鵑，〈一九五〇年代的中國第三勢力運動〉（台北：國立政治大學歷史研究所博士論文，民國九十年七月），頁一六四。但根據「自由人」社發起人之一的雷嘯岑回憶說：「『自由中國協會』為當時在美國的胡適、蔣廷黻、曾琦等人所發起，胡、蔣、曾諸氏希望以『自由人』全體發起人為主幹，先在香港成立總會，台灣暨歐美各省都設立分會。嗣經提出座談會詳細研討，大家認為總會以設在台灣為妥，香港亦只設分會，庶合體制。結果不知如何，這個會沒有成立，終於流產了。」馬五，〈「自由人」之產生與夭折〉，同註一，頁二一四～二一六。故萬氏此說，恐不確。

來很少患病，在約定聯合宴客之日，我竟稱病缺席，舍我不免將信將疑。其後到我家探病，見我毫無病容，更不免懷疑。及我不別而赴臺，他懷疑益甚，所以在他來臺後，偶爾和我詳談及此，我也就不好意思對朋友有所隱瞞了。」[5]

上述言及之十二月下旬，實際上是民國三十九年十二月三十一日，除夕。阮氏說：是日「王雲五先生約在高士威道午餐，我應約前往，王臨時以腹瀉未到，由成舍我兄代作主人，謂『自由人』籌備事，大致已妥。」而四十年的元月三日，阮氏也說到是日，「應卜少夫、程滄波二兄之約，到高士威道二十二號四樓午膳。據滄波兄言，是日原應由王雲五先生作東，而王於當天上午，離港飛台，臨行前以電話托其代為主人。」[6]

王氏的不告而別倉促離港赴台，也使得後續有不少參與「自由人」社同仁跟進，紛紛來台，這對於原本人力吃緊資金短絀的《自由人》三日刊之發展，當然有不小的影響。至於《自由人》三日刊籌組的經過梗概，雖在王氏離港來台後，仍按部就班的進行。四十年元月十日下午，阮毅成與程滄波及左舜生又約至高士威道聚談。關於創辦刊物事，左舜生主張宜立即出版，卜少夫則以須現款收有相當數目，方能創刊。是月三十一日，雷震自台灣來，亦參加「自由人」社活動。會中大家一致決定《自由人》三日刊，於農曆年後出版。並在職務安排上初步有了規劃，即推程滄波撰〈發刊詞〉，以辦報經驗豐富的成舍我任總編輯，陶百川為副總編輯。又另推編輯委員十四人，分別是劉百閔、雷嘯岑、陶百川、彭昭賢、程滄波、陳石孚、許孝炎、張丕介、吳俊升、金侯城、成舍我、左舜生、王雲五、卜少夫。[7]

四十年二月九日，內定為總編輯的成舍我自香港致函王雲五，說到：「自由人半週刊已將登記手續辦妥，『館主』係由少夫出名，因渠後來未再提出不能兼任之困難，……編輯人經由弟以本名登記。股款雖交者仍不太多，但讀者則頗踴躍。……據弟觀察，維持六個月，在經濟上當可辦到。惟編輯方面，則危機太大，因主力軍如我兄及秋原兄均不在此，其他如滄波兄等不久亦將赴臺，（即弟本身亦恐將於三月間來臺）稿件來源，異常枯涸，然既已決定辦，弟亦只有勉力一試。」[8]尚未正式創刊，但資金人才捉襟見肘的窘境，已被成氏料中，這對好事多磨的《自由人》三日刊日後之發展，已埋下艱困之伏筆。

二月十四日，成舍我向雷震、洪蘭友等人報告，《自由人》三日刊已得港府核准登記，一俟台灣方面准予內銷，即行出版。二十八日，成舍我向「自由人」社同仁報告：台灣內銷事已辦好，《自由人》三日刊即將出版，並出示創刊號大樣。因與會者多係辦報老手，提供不少意見，而成舍我也很有風度，博採眾議，為慎重起見，同意改遲數日出版，以便從容改正，並呼籲社員踴躍撰稿以光篇幅。[9]可見在王氏離港後，《自由人》三日刊真正之台柱角色，已責無旁貸的落到成舍我肩上。

5 王壽南編，《王雲五先生年譜初稿》第二冊（台北：商務版，民國七十六年六月初版），頁七四三。

6 阮毅成，〈「自由人」參加記〉，《傳記文學》第四十三卷第六期（民國七十二年十二月），頁一四～一五。

7 見《自由人》創刊號（民國四十年三月七日）第一版的編輯委員會名單。《自由報二十年合集》（一）（香港：自由報社出版，民國六十年十月十日）。阮毅成說為十六人，疑有誤。見阮毅成，〈「自由人」參加記〉，同上註。

8 〈成舍我致王雲五函〉，同註五，頁七四六。

9 阮毅成，〈「自由人」參加記〉，同註六，頁一五。

三月七日，《自由人》三日刊正式創刊，社址位於香港德輔道中一四九號四樓。目前所知參與的發起人有王雲五、王新衡、王聿修、端木愷、程滄波、胡秋原、吳俊升、黃雪村、閻奉璋、樓桐孫、陳石孚、陳訓悆、陶百川、雷震、阮毅成、劉百閔、左舜生、雷嘯岑、徐道鄰、徐佛觀、陳克文、成舍我、金侯城、張丕界、彭昭賢、許孝炎、卜少夫、卜青茂、范爭波、陳方、張純鷗、張萬里、丁文淵等三十餘人。[10]

發刊後，一紙風行，各方咸予重視，發行之初，每期印八千份。為打開台灣銷路市場，內容安排方面，特別增加一些軟性文字，勿使論文過多，淪為說教。雷嘯岑即言：「『自由人』的作者確實很自由，各人所寫的文字題材雖相同，而見解不必一致，祇要不違背民主憲政與反共抗俄的大前提，儘可各抒己見，言人人殊，真有百家爭鳴，百花齊放的景象，……首任的『自由人』主編是成舍我兄，他包辦大陸通訊版，把大陸上的共報消息，參以陸續從國內逃到香港的難民所述情形，寫成有系統的通訊稿，可謂費苦心。」[11]

誠然如是，由於文章精彩，見解深入，內容多元，析論入理，所以出版後不久，南洋各地僑報即紛紛轉載《自由人》文章。故在香港一隅辦一刊物，無形中等於在數地辦了幾個刊物，影響所及，至為廣大。不僅如此，有關《自由人》所發揮的影響力，可以曾任該刊主編雷嘯岑之回憶為證，雷說：「自由人半週刊，頗受台灣以及海外；尤其是美國一般華僑的注意，原有的每週座談會照常舉行，參加的人亦陸續增多了，風聲所播，國際人士來到香港的，亦來參加我們的座談

10 「自由人」社成員，據筆者統計為此三十餘人，且各會員加入時間先後不一，有關會員名單散見於雷嘯岑、阮毅成等人之回憶文章及《雷震日記》中。

11 馬五先生著，《我的生活史》，同註一，頁一六一。

會，交換政治意見，如美聯社遠東特派員竇定，南韓內閣總理李範，日本工商與新聞界人士前來訪談者尤多，……唯有駐在香港鼓勵華人組織『第三勢力』的美國巡迴大使吉塞普，始終沒有接觸過，大概是他認為『自由人』半週刊這些人，多數係國民黨員，氣味不相投，我們亦以對『第三勢力』之說，不感興趣，因而絕交息游，毫無來往。」[12]

雷氏這段記載很重要，不只說明了《自由人》發刊後之影響力；也道出了《自由人》與「第三勢力」毫無瓜葛，這對坊間有不少人一直以為《自由人》是「第三勢力」刊物有澄清作用。《自由人》三日刊甫發行，負責盡職之成舍我隨即寫信給王雲五提到：「連日為自由人半週刊事，頭昏腦暈，尊函稽答，至為罪歉。現半週刊已於今日出版，附奉一份，即希鑒察。大著分兩期刊佈，並盼源源見賜。今後應如何改進之處，統希指示為荷。」[13]另針對其後外界對《自由人》諸多揣測，如與「自由中國協會」之關係等等，「自由人」社也在三月二十一日的高士威道聚會中也做出決議，大家皆一致表示，「自由人」應獨立組織，以別於其他團體，乃推定董事九人，以左舜生為董事長。監事三人，為金侯城、王雲五、雷儆寰。成舍我為社長兼總編輯，卜少夫為總經理。[14]

12 馬五，〈「自由人」之產生與夭折〉，見其著，《政海人物面面觀》，同註一，頁二一三～二一四。另萬麗鵑博士論文也提到，為打擊「第三勢力」運動，「國民黨亦透過黨報如《香港時報》、新加坡《中興日報》、美國《美洲日報》，及其所資助的報刊如《自由人》報、《民主評論》等，展開對第三勢力的文宣戰，此即是《香港時報》社長許孝炎所說的以『與論對與論』的鬥爭。」萬麗鵑，〈一九五〇年代的中國第三勢力運動〉，同註四，頁一六四～一六五。又見〈許孝炎意見〉，《總裁批簽》，台（四一）央秘字第〇〇八五號（一九五二年二月二十二日），黨史會藏。

13 〈成舍我致王雲五函〉，同註五，頁七四七。

14 阮毅成，〈「自由人」參加記〉，同註六，頁一五。至於《自由人》與「自由中國協會」之關係，馬五在〈「自由人」之產生與夭折〉已言之甚

為了稿源，三月二十二日總編輯成舍我又致函王雲五拉稿，其中說到：「自由人在香港銷路尚好，一般觀感亦不錯。惟共匪刊物正以全力抨擊，弟等亦一反過去自由派刊物置之不理的辦法，強烈反攻。臺灣發行未辦好，少夫兄不日來臺，或能有所改進。同人撰稿，此間仍不太踴躍，盼公能以日撰五千字之精神，多寫數篇，並乞即賜惠寄，無任感幸。又此間稿酬，公議千字港幣十元，前稿之款，已送託香港書局轉交。此數雖微細不足道，然吾輩合力創業，知識勞動之所獲，在道德標準上說，固遠勝於以吃人為業之共匪萬萬矣。盼尊稿如望歲，望即賜寄，以慰饑渴。」[15]除簡略報告社務外，重點仍是稿源問題，而此問題也是《自由人》三日刊以後長期揮之不去的夢魘。

三、《自由人》之命名與經費及發刊宗旨

華路藍縷，創業維艱，有關《自由人》之命名，似乎是由阮毅成所起。原本成舍我欲名為《自由中國》，因與台灣雷震負責的《自由中國》半月刊同名而不獲採納。故阮毅成認為可參考台灣趙君豪所辦之《自由談》，而稍改其為《自由人》，卒獲大家一致同意，名稱問題因此而敲定。[16]其實若從五〇年代的背景去觀察，刊物取名為《自由人》並不足為奇。蓋彼時海外正刮起一陣「自由中國反共運動」浪潮，其中尤以香港地區為最。為壯大「自由中國反共運動」，於是乎，海內外的一些知識份子刻意以「自由」二字為雜誌刊物名稱，以凸顯有別於大陸的獨裁極權。職係之故，各種以「自由」為名之刊物如《自由中國》、《自由陣線》、《自由談》、《自由世界》等雜誌，如雨後春筍般紛紛出籠，《自由人》三日刊之命名，應該是在此時代背景下而正名的，且的確有其時空的特殊意義存在。[17]

至於現實的經費來源問題，早在三十九年十二月二十日的聚會中，王雲五即定調說：「我要先與諸位約定，這是一份自由的刊物，所以，一不能接受外國的幫助，二不能接受政府的支援。同仁不但要寫稿，還要負擔經費。」[18]王氏之所以要如此約法三章，是要避免外界將《自由人》視為拿美國人錢所辦的「第三勢力」之刊物的疑慮或揣測；另外，不接受政府支援，也是想以獨立身分之姿，能在言論上暢所欲言，而不受政府掣肘，更不想貼上政府刊物之標籤。揆之《自由人》草創之初，因經費來源由各會員出資，確實能夠如此。例如在籌備階段，王雲五首捐港幣三千元，各會員至少認捐港幣一千元，所以誠如雷嘯岑言：「大家分途進行，未到一個月，即籌募到港幣一萬七千元了。」[19]

創刊經費有著落，但接下來長期的經費支出，恐怕就不是由會員認捐可解決。到最後仍不得不仰賴台灣國府的金錢支助，在《雷震日記》中即披露不少箇中內幕，茲舉日記一則為證。民國四十年五月二十五日：「雪公（按：指王世杰（字雪艇），時任總統府秘書長）

詳，同註一。

15 〈成舍我致王雲五函〉，同註五，頁七四七～七四八。為稿源及素質起見，成舍我亦曾寫信向阮毅成拉稿，信上提到：「在臺同人寫稿，原約每期供給八千字。希望以兄之熱忱毅力，催請同人，公誼私交，達此標準。」又說：「自由人聲譽，雖日有增進。惟經濟及稿件，均危機太大。現此間已只賸左（舜生）、許（孝炎）、雷（嘯岑），及弟共四人，稿荒萬分。如濫用一般投稿，則水準即無法維持。」阮毅成，〈「自由人」參加記〉，同註六，頁一六。可見身為主編的成舍我，為稿源及《自由人》之內容水準，真是心力交瘁，煞費苦心。

16 同註六，頁一四。

17 馬之驌，《雷震與蔣介石》，同註三。

18 同註六，頁一四。

19 同註一二，頁二一三。

來電話，可助《自由人》三千港幣，但不可明言，因《新聞天地》一再要求援助而未允許也。……《自由人》因經費困難，而負責又無專人，致有停頓之可能，由予（雷震）約集雲五、滄波、孝炎、毅成、端木愷、少夫諸君會商，由予等籌款接濟，每月假定虧二千五百元，至年底約為一萬七千五百港元，改組組織，推定成舍我為社長，左舜生代理董事長，予負臺北催稿及催款之責，總統府之三千元，由予負責，予另外再籌五百元。」[20]由《雷震日記》可知，創刊才二月餘之《自由人》，經費已拮据如此，而不得不靠政府補貼，在此情況下，其日後之文章言論，就頗受台灣國府當局之制約影響了。

另有關《自由人》之創刊宗旨，其實早在刊物出版以前，對於未來言論與編輯方針，「自由人」社同仁即做了幾點規約：（一）、發揚民主自由主義；（二）、發起人按期撰寫頭條論文，且須署出真姓名；（三）、文責各人自負，但須不違背民主自由思想暨反共救國的大原則；同時將全體發起人的姓名亦在報頭下面，表示集體責任。[21]創刊後，首由程滄波撰發刊詞，題為〈我們要做自由人〉，擲地有聲的強調：「我們今天大膽向全世界人類提出一個問題：便是世界人類，現在與將來，要不要做人？如果想做人，從什麼地方去著手奮鬥？……今天世界人類只有兩個壁壘，一個是『人的社會』之壁壘，一個是「非人社會」之壁壘。這兩個社會的磨擦，今天已到了白熱化的程度。『人的社會』中每一個人，是有人性，有人格，根據人性與人格，發揮其個性，以增加社會之幸福與個人之生活水準，從而增進世界的和平與人類的文明。反觀『一個非人社會』中，人除了具備人的形態外，沒有思想與靈魂。『非人社會』中，人只是一群動物，既不許其有人性，亦不讓其有人格，他們是奴隸、是機器。」

程滄波言：很不幸的，今天的中國大陸，全大陸數萬萬同胞一年來，即陷入共匪的非人社會中。因此我們和全世界愛好和平民主的人們，要發動正義的呼聲，救自己，救同胞，救人類。我們要揹著自由的大纛，叫著「做人」的口號，開始「自由人」的運動。爭自由，爭人性，發動全人類自由人性的力量，去打倒與剷除共產帝國主義反人性的非人社會。不殘殺，不掠奪，在不流血革命的原則下，使人人有飯吃。本此目的，以建立新中國新世界。所以，「從今天起，根據以上主張，我們謹以此小刊物『自由人』，貢獻於全世界凡是不願做奴隸的人們，也就是我們這一群人，決心獻身於這一運動的開始。全世界和平民主的人士：我們要做人，我們要做自由人。每個人爭取了自由，世界才有民主和平，人類才有幸福與光明。」[22]我們要做人，我們要做自由人，起來，不願做奴隸的人們！程滄波這篇發刊詞，簡直是一篇慷慨激昂的宣示詞，代表全世界不願在「非人社會」生活下的自由人，向共產專制極權政權，發出堅決的怒吼。[23]

《自由人》三日刊，每星期出兩次，每次十六開一張。主編人規定由原先的「座談會」同仁輪流擔任，一年一換，為義務職，故內部人事組織極為簡單，只有一主編，一助理員和事務員，共三人而已。

20《雷震日記》（民國四十年五月二十五日），見傅正主編，《雷震全集》（三三）（台北：桂冠版，一九八九年八月初版），頁一〇〇～一〇一。

21 同註一二，頁二一三。吳相湘，〈成舍我為新聞自由奮鬥〉，見其著，《民國百人傳》第四冊（台北：傳記文學出版社印行，民國六十年元月初版），頁二七五。

22 程滄波，〈「自由人」發刊詞〉，見其著，《滄波文存》（台北：傳記文學出版社印行，民國七十二年三月十五日初版），頁一五七～一六〇。

23 阮毅成也說到，這是一篇代表知識份子愛國反共心聲的大文章，義正辭嚴，擲地有聲。同註六，頁一五。

該刊內容，第一版分「專論」、「時局漫談」、「自由談」各欄；第二版刊大陸共區消息；三版則記述港、台的社會新聞；四版是「副刊」。「專論」亦由座談會同仁分別撰寫，或徵用外界志同道合人士之作品；唯「時局漫談」和「自由談」二專欄，係由左舜生與雷嘯岑二氏負責包辦。《自由人》三日刊，因撰寫團隊堅強，且作者大多具有清望，故在海隅香港頗有號召力，銷路亦不壞；又可以銷台灣，雖無廣告收入，仍可勉強維持下去，在五〇年代的香港，可謂雜誌期刊界之奇葩。[24]

四、《自由人》的艱苦經營

平情言，《自由人》三日刊從四十年三月七日發行，到四十八年九月十三日停刊，維持約八年餘。這八年多的歲月，可謂艱辛撐持，多災多難。

首先為組織渙散不健全，於是才有民國四十年下半年的重組之舉。此中最大原因為「自由人」社大多數同仁均已離港在台，分別有：王雲五、王新衡、端木愷、程滄波、胡秋原、吳俊升、黃雪村、閻奉樟、樓桐孫、陳石孚、陶百川、陳訓悆、雷震，及阮毅成，幾乎佔了一半以上；而在港的僅有左舜生、金侯城、許孝炎、成舍我、劉百閔、卜少夫、雷嘯岑等人。其後在台參加的，又增加徐道鄰，共二十二人。為連絡方便起見，在台同仁乃公推王雲五為董事長，但又因刊物在港出版，故推左舜生為在港之代理董事長，就近處理刊物，成舍我則為社長。[25]

24 雷嘯岑：《憂患餘生之自述》（台北：傳記文學出版社印行，民國七十一年十月十五日初版），頁一七六。

25 同註二三，頁一六。

然因「自由人」社未有組織章程，也未在台辦理社團登記，所以才有民國四十一年一月十日，在台同仁在王新衡家為此商議之事。時適值端木愷甫自香港返台，報告港方同仁最近決定取消社長制，亦推左舜生代董事長，成舍我為總經理，劉百閔為總編輯。此事，在台「自由人」社同仁有不同意見，在三月七日及十五日的兩次餐敘商討論中，均決定仍採社長制，並仍推成舍我兄任社長。只是一個三十餘人的「自由人」社，就為了區區的刊物人事組織問題，港、台同仁即不同調，其他之事就可想而知了。所幸意見儘管有異，但同仁感情尚佳，阮毅成即言：「自由人在香港創辦之初，同仁常有餐會，交換意見。在臺同仁，於民國四十年七月十二日起，舉行聚餐或茶會，由同仁輪流作東，平均每兩週一次。除談自由人社各事外，亦泛論時局，交換見聞。」[26]

民國四十一年二月九日，「自由人」社在台同仁餐敘時，有鑒於《自由人》三日刊創刊已近一年，但組織與人事及編輯立論之困擾問題仍在，因此大家有必要提出意見交換，以尋求解決之道。席間程滄波首次提出編輯態度問題，但遭雷震反對。程又謂：「劉百閔不宜任總編輯，上次，此間同仁推成舍我任社長，何以改變？此間皆未知悉。」雷震與陶百川又認為，台方不宜干涉港方人事，雙方爭論甚久。最後由阮毅成提出折衷解決方案為：（一）、自由人本係超黨派立場。只知民主、自由、反共，不知其他。此後仍須守定此項立場。（二）、港方報刊如對台灣中華民國政府，有惡意攻訐，或無理批評，自由人不可自守中立，須起而加以駁斥。（三）、人事問題，另函在港之許孝炎查詢，不作決議。

26 同上註，頁一七。

眾皆贊成阮毅成之方法，並請其起草一函，致在香港之左舜生、許孝炎、成舍我、劉百閔、雷嘯岑諸人。阮函送各人簽名後發出，信中報告：「弟等今午聚餐，談及自由人編輯態度。回溯創辦之初，原屬超於黨派之外。……兄等在港主持，辛勞至佩，自亦必贊同弟等態度也。邇後港方報刊如對於臺灣中華民國政府惡意攻訐，或無理批評，自由人似不便自居中立，宜即加以駁斥。如有中國之聲作者來稿，希勿予以刊登，以嚴立場。再則，此間對第三方面各事，多持私人消息。語多片斷，難窺全貌。斯後尚懇時將各方動態，擇要見示。既可為撰稿時之參考，亦為知彼知己之一道。自由人素以民主反共為宗旨。署名：王雲五、程滄波、黃雪村、王新衡、樓桐孫、吳俊升、陳石孚、陶百川、雷震、阮毅成。」[27]

民國四十一年三月十五日，《自由人》創刊已屆滿一年，留台「自由人」社舉行全體會議。會議主席推王雲五擔任，其中：

（一）報告事項：（甲）、經費小組許孝炎報告——擬募集港幣三萬元（其中成舍我、許孝炎約洪蘭友，被分配擬向各紗廠募台幣一萬元）。（乙）、編輯小組成舍我報告：1、組織擬仍採現制，並請加推一人為必要時接替編務工作之用。2、發行擬請先行籌集基金以期達到日後之自給自足。3、編輯方針方面：積極在倡導民主自由，消極在反共抗俄，至對於台灣態度應仍許有批評，但不可損及自由中國之根本。4、在台同人集體意見推定專人執筆寄港，決登載第一版，並不易一字，如係個人稿件，在編輯方面擬請仍保有斟酌之權。5、每期需要稿件二萬四千字，在港同人無多未能盡任，在台同人時惠稿件。

（二）討論事項：（甲）、《自由人》三日刊社是否仍採社長制案。決議：仍採社長制，成舍我擔任社長。（乙）、《自由人》三日刊社費應如何加募案。決議：1、經費小組在進行籌募之港幣三萬元，於兩個月內籌足，作為基金，備日後擴充發行之用。2、另由經費小組加募港幣一萬元，作為最近數月經常費不足之需，在未募起前由許孝炎、成舍我負責維持現狀。3、加推樓桐孫、程滄波參加經費小組，並以王董事長雲五兼經費小組召集人。（丙）、《自由人》立論態度應如何確定案。決議：1、除積極的主張民主自由，消極的反共抗俄外，並須維護現行憲法倡導議會政治。2、凡外界對台灣有惡意攻擊影響國本時，應予駁斥，立場務須堅定，態度務須明確。3、除專門問題研究外，宜多載通訊及趣味性文字，理論文字及新聞性宜各佔三分之一。[28]此次會議至關重要，它為已紛擾年餘的《自由人》定調，但此為台方同仁之共識，港方同仁只是被動告知，並不見得完全同意，所以日後港、台雙方仍存有歧見。

其次更嚴重的是經費短絀，入不敷出，以至於時有停刊之議。這棘手問題其實打從創刊起即已浮現，只是苦撐待變，能維持多久算多久，但情況並沒改善且持續惡化中。四十一年六月十四日，王雲五、阮毅成與程滄波等聚會，商議如何應付《自由人》三日刊之困難。王雲五謂得左舜生與成舍我二君信，信上，成舍我堅辭社長，又每月不足港幣二千元。如無法解決，則自本月十八日起停刊。劉百閔則說香

27 〈阮毅成致左舜生諸氏函〉，見王壽南編，《王雲五先生年譜初稿》第二冊，同註五，頁七六八。

28 同註五，頁七七〇～七七一。

港紙價日跌，印刷係由《香港時報》代辦，印費可以欠付。以往亦每月虧空，並不自今日始。

對此，王雲五建議是否能改為月刊，移台出版，但眾意覺得移台出版，則《自由人》功用全失，仍宜繼續在港發行。最後決定由王雲五函復，請成舍我維持至七月底止。[29]是年十二月二日，「自由人」社同仁又再行會商，由王雲五主持，會中卜少夫表示願接辦，至少可免招致停刊命運。然未幾（十二月六日），卜少夫以有人表示異議，乃謂其《新聞天地社》同仁不贊成其再兼辦另一刊物，打消原意。王雲五即席宣布仍在港出版，推成舍我兄回港主持，並改為有給職。[30]成謙辭未果，旋即表示接受。後當場推定王雲五、程滄波、樓桐孫、胡秋原、陶百川、黃雪村為在臺撰述委員，程為召集人。另推成舍我、程滄波、胡秋原三人起草言論方針。王雲五、端木愷、王新衡為財務委員。香港方面撰稿委員，由成到港後約定人員擔任。事後，當事者之一的阮毅成，對是晚之會的結果表示很滿意，還稱為是《自由人》中興之會，同仁莫不興奮。但其後，主要的重點之一，《自由人》未來的言論方針並未草成。[31]四十二年三月十四日下午，「自由人」社同仁聚集在成舍我處，參加茶會。會中，成舍我出示香港許孝炎來信，謂自由人又不能維持。因已積欠《香港時報》印刷費港幣六千元，稿費十一期。且人力亦明顯不足，雷嘯岑將來台灣，左舜生又將赴日本旅行，主持無人，不如停刊。經同仁交換意見，仍認為不能停辦，並催成舍我兄速赴港負責。

因茲事體大，三月二十一日，「自由人」社另一要角阮毅成，也在家中約集在台同仁茶敘。會上，成舍我表示其有困難不願赴港，而港方近日來函，支持為難。眾意乾脆移台編印，仍推成舍我主持。[32]二十五日下午阮氏親訪成舍我，成表示三點立場：（一）、決不去香港。（二）、《自由人》如移台出版，願意主持。（三）、未移台前，可先在台編輯，寄港印行。同月二十八日下午，以《自由人》問

---

29 同註五，頁七七四。《自由人》經費之窘困，自創刊伊始至結束均如此，阮毅成即言：「我只記得在創刊第一年中，就賠去了港幣叁萬叁仟元。時歷八年半，為數甚為可觀。這尚是距今三十多年前的幣值，如以現在幣值計算，則更為巨大。」阮毅成，〈王雲五先生與自由人三日刊〉，同註四，頁三四。到《自由人》停刊止，其經費仍入不敷出，茲舉結束前致王雲五等人之二信函為證。四十八年九月十一日許孝炎自港來信王雲五，報告「自由人」結束時經費情況。「雲五先生並轉鑄秋舍我傚寰滄波新衡秋原佩蘭少夫諸兄惠鑒：關於自由人停刊事，前經兄等決定函達克文。兄弟回港後，復經再三磋商，始於前日由在港各有關友人舉行特別會議議決定停刊，並於本月十三日起實行。茲將會議紀錄抄奉敬祈鑒察。」「預計自由人可能收入之款（連登記費在內）約為乙萬四千餘元，支出除舊欠稿費約乙萬三千元；及克文兄之欠薪近九千三百元暫不計入外，此外薪工紙張印刷房租，今年稿費應退報費及空運費等，共計約為二萬乙千餘元，不敷之數約為七千餘元。倘預計可能收入之款有一部分不能收入時則虧欠之數將必更多，如何籌還以資結束頗費周章。而有把握之登記費乙萬元則尚待少夫兄回港簽字後始能提出備用。」又十二日社長陳克文亦致函王雲五。「岫公賜鑒：茲奉上『自由人』在港同人特別會議紀錄一份，請　察閱。『自由人』經濟情形截至本年九月十二日止，共欠債務三萬餘元，除登記費一萬元外，尚可能收回之款二千餘元，結束用費約五百餘元，並此奉告，統請轉知在台各位同人為禱。」見王壽南編，《王雲五先生年譜初稿》第三冊（台北：商務版，民國七十六年六月初版），頁一〇五二～一〇五三。

30 同註五，頁七七九。《自由人》主編是不支薪的，可見其艱困於一般。同為主編的雷嘯岑曾說：「首任主編人成舍我兄苦幹了一年之後，因為準備移家台灣，不能繼續盡義務了——主編人不支薪——大家公推下走承其乏，因係義務職，唯有接受而已。」馬五，〈「自由人」之產生與夭折〉，同註一，頁二一六。

31 同註五，頁七七九。

32 雷震日記當天即記載：「下午三時半至《自由人》座談會，阮毅成提議《自由人》表面在港，實際遷台，無一人反對。我內心不贊成，但不願表示，因《自由人》遷台完全失去效用。今日雲五未到，他們囑我報告。」《雷震日記》（民國四十二年三月二十一日），見傅正主編，《雷震全集》（三五）（台北：桂冠版，一九九〇年七月二十日初版），頁四八。

題緊迫，急待解決。「自由人」社同仁乃在端木愷家中餐敘。對《自由人》前途，共有四種主張：（一）、停刊。（二）、移台出版。（三）、在台編輯，寄港印行。（四）、推成舍我赴港主持。討論結果，決定用第四法，成亦首肯。然成謂：《自由人》除發行收入外，每月須虧四千元，此問題亟需解決。[33]

四月十八日，因港方同仁頻頻催促速做決定，眾議又思移台編印，王雲五亦同意移台出版，但謂須改為半月刊或月刊。三十日下午，成舍我與端木愷、阮毅成、王新衡、程滄波等人，又應王雲五約茶敘。時端木愷甫自港返，謂港方「自由人」社已無現款，勢不能繼續。因以由今日到會者商定：（一）、香港方面自五月十日起停刊。（二）、在台登記改為月刊，推王雲老為發行人，成舍我兄為總編輯。[34]然不久，港方同仁又變掛，五月十一日，阮毅成訪成舍我，成即謂卜少夫前日到台，攜有左舜生致王雲五函，主張《自由人》仍在港出版。

此事經緯，雷震在其日記亦提到：「見到雷嘯岑來函，對我們囑香港停刊，決議移臺辦月刊則大不以為然，來信措詞甚劣，決定去電並去函說明，以免誤會。」[35]雷嘯岑甚至為此來函欲辭去社長職務。

33 雷震日記載：「下午四時，在端木愷處討論《自由人》移台問題，王雲五、徐佛觀、端木愷及我均不贊成，程滄波、阮毅成、成舍我願移台，最後決定請成舍我至港辦至六月再說，因行政院之款發至六月底止，如停刊或移台亦須至六月底再說。」《雷震日記》（民國四十二年三月二十八日），見傅正主編，《雷震全集》（三五），同上註，頁五二。

34 這問題一直延伸至四十三年依舊如此。雷震日記：「《自由人》在港不易維持，決遷台辦週刊，由成舍我任社長，王雲五任發行人。」《雷震日記》（民國四十三年八月七日），見傅正主編，《雷震全集》（三五），同上註，頁三一四。

35 《雷震日記》（民國四十二年五月九日），見傅正主編，《雷震全集》（三五），同上註，頁七四。

《雷震日記》記載：「今日午間約來臺之《自由人》報有關各位來鄉午膳，除端木鑄秋、阮毅成、吳俊升、胡秋原外，到有十五人，即王新衡、樓桐孫、陶百川、張純鷗、陳訓悆、卜少夫、卜青茂、程滄波、范爭波、王雲五、成舍我、黃雪村、閻奉璋等及另約陳方。飯後討論雷嘯岑來函辭去社長職務一事，經決議慰留。」為此事，雷震感慨的說：「《自由人》發起人在臺者，不過十餘人，港方不過數人，兩方意見不合，終會扯垮。民主自由人士之不易合作，於此可見一班。」[36]

由於雷嘯岑堅決辭社長職務，八月一日，《自由人》在台同仁藉由茶敘機會，聽取甫自香港來台之劉百閔報告，劉謂：在港同仁意見為（一）、必須在港繼續出版。（二）、改推陳克文任社長。（三）、每月不足港幣八百元，在港有辦法可以籌得。王雲五說：「左舜生有信來，克文係其物色，本人絕對贊同。」眾亦皆表示贊成。但成舍我認為每月八百元之說，計算必有錯誤，至少每月亦需賠二千五百元，所以決定請王雲五再去函新社長，請重為估計。其實《自由人》經費之短絀，可由總其事的總編輯都不支薪一事更可看出，四十三年七月十日，左舜生自香港致函王雲五即說到：「弟意，自由人編輯者，原規定每月可支三百元，以舍我、百閔兩兄任編輯時，未支此款，後任編輯一年，亦即未支。」[37]如此窘境，要不是有台灣國府當局在幕後經費贊助，《自由人》三日刊能支撐八年餘，根本是不可能的。[38]

36 《雷震日記》（民國四十二年六月二日），見傅正主編，《雷震全集》（三五），同上註，頁八五。

37 〈左舜生致王雲五函〉，同註五，頁八二四。

38 雷震日記：「王雲五約『自由人』社在台同仁晚餐，以「自由人」在港經濟困難，重申移台出版，由成舍我任編輯之議。」《雷震日記》（民國最後為文章之尺度問題，除上述言及《自由人》三日刊甫創刊即面臨稿源不濟的困難外，更麻煩的為自從接受政府補助後，基本上，《自由人》的言論立場在相當程度上已受政府箝制。以至於在很多議題上，不僅不能秉公立論、暢所欲言；且須為政府妝抹門面，極力辯解。稍一不慎，隨即惹禍，遭致抗議。如民國四十一年六月一日，「自由人」社王新衡即訪阮毅成，談話重點就說到，《自由人》最近兩期，刊載左舜生〈論中國未來的政黨〉一文，有人表示不滿。[39]為避免誤會，乃一起同訪王雲五，請其以董事長身份，致函香港總編輯成舍我，請其勿再刊出此類文字。[40]

雖係如此，但言論自由乃是知識份子的普世價值觀，用強制力約束是沒用的。果然到民國四十四年又發生更嚴重的文字賈禍事件，差一點讓《自由人》無法在台銷售。事緣於是年三月二十三日，王雲五即接到司法行政部部長谷鳳翔來函，表示《自由人》三日刊，登載雷嘯岑文章，影響政府信譽，要求王雲五代向該社方面解釋。全函內容為：「頃閱本月二十三日自由人刊載『自由談』及『半週展望』雷嘯岑先生文內謂，揚子公司貪污案牽涉本部，曷勝駭異，此種無稽之詞，殊足影響政府信譽，茲特寄上函稿二份，送請　察閱，並祈賜檢一份轉致雷君查明更正，仍乞代向該報社方面照拂解釋為幸。」[41]

由於《自由人》所刊文章得罪當道，引起了國民黨中央黨部對《自由人》言論的不滿。三月二十六日，時任《中央日報》社長，亦是「自由人」社同仁的阮毅成至中央黨部參加宣傳政策指導小組會議時，即受到中央黨部秘書長張厲生的警告：「香港《自由人》三日刊，近日言論記載，愈益離奇，須採取停止進口處分。」幸阮毅成趕快緩頰，除報告《自由人》艱難創辦經過外，並謂：「現在台北各同仁，久未與聞港事。王雲老曾去函港方，請以後勿再刊載不妥文字。又以所載台省情形，與事實相距甚遠，曾通知港方，以後遇有記載台省情形稿件，先行寄台複閱。認為可用者，方予刊布，亦未承照辦。惟自由人參加者，多為各方知名之人。如忽予停止進口，恐反而使海外人士，對政府有所批評。不如一面先採取警告程序，依照出版法，由內政部為之。一面通知在台之董事長王雲五氏，促其改組。如再有違反政府法令之事發生，則採取停止進口處分。」[42]

為此，是晚十時，阮氏尚先訪成舍我，說明會議經過；再與成同訪王雲五，報告此事。王雲五似乎對此頗為不悅，乃決定於三月三十日下午五時，在端木愷家中，約集「自由人」社在台全體同仁會商。在三月三十日的決議中，提到《自由人》的現實問題，「本刊如不能銷台，勢必停刊。為避免使政府蒙受摧殘言論之嫌，希望政府妥慎處理，使其能繼續出版。在台同仁，願意退出。惟在港同仁意見如何，亦盼政府逕與洽商。」並推阮毅成與許孝炎二人將此項決議，轉達黃少谷，另函告在港同仁。[43]

四十三年七月十一日），見傅正主編，《雷震全集》（三五），同註三二，頁三〇二。有關國民黨高層提供《自由人》之經費支援，尚可參閱〈對港澳政治活動之指示〉，見中國國民黨中央改造委員會第一六五次會議紀錄（一九五一年七月四日——附件），黨史會藏。

39 左舜生〈中國未來的政黨〉（上）、〈中國未來的政黨〉（下）二文分別發表在《自由人》第一二九期（民國四十一年五月二十八日）、《自由人》第一三〇期（民國四十一年五月三十一日）。

40 同註五，頁七七三。

41 雷嘯岑，〈半週展望〉，《自由人》第四二三期（民國四十四年三月二十三日）。雷文所寫之論揚子公司案，因涉及上海時期之揚子公司，對孔祥熙有所批評，遂奉命查辦。又〈谷鳳翔致王雲五函〉，同註五，頁八四七。

42 同註五，頁八四七～八四八。

43 同上註，頁八四九。

換言之，針對當局對《自由人》的不滿，「自由人」社在台同仁採取了委曲求全的態度，一方面願意退出，此舉可能有兩層深意，一為逼香港「自由人」社同仁，小心謹慎，莫再刊登批評政府之文章，否則與渠無關，二為多少有向政府交心之意，明哲保身，不想惹禍上身；再方面亦有請政府介入之意，希望儘量保留能讓《自由人》繼續在台銷售。[44]果然如此，四月七日，王雲五即致函總統府秘書長張群，說明「自由人」之情形，並建議將「自由人」社改組，由政府指定負責主持言論之人實行接辦。信的內容為：「惟是該刊經費本奇絀，全恃內銷而維持，一旦停止內銷，勢必停止刊行，外間不察，或不免對政府妄加揣測，弟愛護政府，耿耿此心，竊認為消極制裁，不如積極輔導，將該刊改組，由政府指定負責主持言論之人實行接辦，可變無用為有用，弟當力勸原發起各人，本擁護政府之初衷，竭誠合作。」[45]

一週後，以國民黨並無接手之意，在恐不能銷台的情況下，成舍我與王雲五、陶百川、徐道鄰、陳訓悆、程滄波、胡秋原、吳俊升、端木愷、黃雪村、阮毅成等決議：「茲因環境困難，經濟無法支持，決議停刊，由主席（王雲五）根據本決議徵求在港同人意見。」其後，在台同仁復在成舍我宅聚餐，決定在台同仁既已必須退出，而中央黨部又規定不得再與《香港時報》，發生關聯，則無地可以印刷，亦無處可再欠印刷費。外界聞知中央處分，亦必不願再行認指，環境困難如此，只可宣布停刊。並請王雲五函詢港方同仁意見，如港方同仁堅持續辦，在台同仁自不能再行參加。[46]

由於文章得罪當局，以致有禁止銷台之聲，在港負責《自由人》編輯工作之陳克文旋致函阮毅成、王雲五等人，表示「咎衍實無可辭」，「自由人停止出版，唯覺可惜，形勢如此，亦復無可如何，文與左劉兩公對此均無成見，惟此間尚有其他股東，又年來出錢出力者，頗不乏人，此事似不宜由文等三人遽作決定，即為港方同人之全體意見，擬於最近邀集會議，提出報告，徵求多數意見，再作正式答覆。」[47]但不久，事情又有變化，四月二十九日，一向敢言的左舜生，終於自香港來函，明確表示反對《自由人》停刊，並謂在港「自由人」社同人決暫予維持。信中言：

「雲老賜鑒：四月七日阮毅成兄來信，並附有留台同人退出決議一紙，十八日奉　公手書，知同人復有集議，以經濟環境關係，主張停刊；均已誦悉。此間於當地環境，已洞悉無遺；對　公等所採態度，並無不能諒解之處。惟念同本刊宗旨，一面在『堅決反共』，一面在『爭取民主』，四年以來，奉此週旋，雖不無一、二開罪他人之處，但大體上並未

44《自由人》三日刊，國民黨中央當指示「扶助」之，以批判中共，擁護政府並同情國民黨為原則。故該刊早期立場為中間偏右，後來對國民黨的批評言論日益激烈，台灣當局乃禁止其輸入，並停止所有經費資助。故《自由人》能否銷台，對該刊影響至鉅。萬麗鵑，〈一九五〇年代的中國第三勢力運動〉，同註四，頁一六四。

45〈王雲五致總統府秘書長張群函〉，同註四三。

46同註五，頁八五〇。有關王雲五在此問題之角色，阮毅成有相當持平之看法，阮說：「雲五先生名為董事長，出錢出力，卻不使範圍各黨及無黨人士，一定均作統一的宣傳，致反而完全成為俗套，失去向海外為政府說話的影響力。於是在發刊期中，常常發生選稿欠當的問題。每次有問題發生，雲五先生首當其衝，常為他人所不諒解，致生煩惱。臺港兩地同仁，為此書信往返，謀求各種補救辦法，效果均不甚彰。」阮毅成，〈王雲五先生與自由人三日刊〉，同註四，頁三六。

47〈陳克文致王雲五、阮毅成信〉，同註五，頁八五一～八五二。

逾越範圍。今赤燄正復高張，而民主亦勢非實現不可；大約在二、三月內或有變化，前途殊未可知！故此間同人，經過再三考慮，仍決定暫予維持，並囑舜代為奉復，即乞轉達諸友為荷。公等即不得已而必須退出，仍望不遺在遠，隨時予以指導，除宗旨不能犧牲以外，同人無不樂於接受。海天遙望，曷勝悲憤憂念之至！」[48]

從此以後，《自由人》三日刊似乎終於渡過了這段風風雨雨的歲月，儘管港、台大多數「自由人」社同仁情誼依舊，但經費、稿源、立論尺度等問題仍在。《自由人》三日刊即帶此痼疾，跌跌撞撞的支撐八年餘，在民國四十八年九月十三日宣佈停刊。[49]

五、結論——從《自由人》到《自由報》

無論如何，在五〇年代那段風雨飄搖的歲月，《自由人》能以香江一隅之地，在內外環境相當險惡的情況下，擎起「我們要做自由人」的大旗，反抗共產極權，與中共做誓不兩立的言論鬥爭，其勇氣和決心仍另人刮目相看的。另一方面，《自由人》雖義無反顧的支持台灣國府當局，但在恨鐵不成鋼的期待心理下，對台灣當局若干錯誤的舉措，仍一本忠言逆耳之立場，毫不留情的提出批判或建言，即使在經費斷炊的威脅下，亦不為所動，這份苦心孤詣之意，也令吾人感佩。

而此即所以《自由人》在發行的八年餘中，雖屢有遷台之議，但大多數同仁始終仍以在香港立足為佳之看法，因其言論立場較客觀中立，雖稍偏向國府，但非無原則的一面倒，兼以香港為基地，較少政府、政黨色彩之觀感，且因對國、共雙方均有批評，是以其在香港作用較大之故也。當然《自由人》之悲劇，除上文已詳述之經費、稿源、言論立場受到制約等外緣因素外，尚有深一層內緣因素存在，此即中國傳統知識份子屬性使然。知識份子主性強的「書生本色」，誰也不服誰之個性，長落人「秀才造反，三年不成」之譏，因渠主觀意識強，所以容易堅持己見，是其所是，不大能夠為大局著想，且因自視太高，未能屈己就人，所以較乏團隊精神。

這情況在「自由人」社這批高級知識份子間亦是如此，雷嘯岑曾舉一事證明之，在《自由人》是否遷台之際，「王雲五以董事長資格，致函於我，囑將自由人報遷赴臺北發行，且將繳存港府的押金萬元一併匯去。旋由代董事長左舜生召集在港同仁會商，決議仍在香港出版，但在臺北的同仁，亦可刊行臺灣版，然王雲五很不高興，說我不以他為對象，悻悻然嘖有煩言，殊堪詫異。未幾，許孝炎由臺北回港，主張自由人停刊，他怕我不贊成，先囑我莫持異議，我表示無所謂，而自由人三日刊，即於一九五八年九月十二日宣告停刊了。現代中國高級知識份子之沒有團隊精神，於此又得一實驗的證明，曷勝慨嘆！」[50]所以當年左舜生在《自由人》創辦之初，樂觀的夸談「自由人」社同仁可以組織聯合政府，永遠合作無間之見解，雷嘯岑說，實係幼稚幻想。文人相輕，自古而然，《自由人》三日刊的緣起緣滅，依然落得一個「殺雞聚會，打狗散場」的結局，這也是中國現代高級知識份子的悲劇，想來仍不禁令人浩歎！[51]

48 〈左舜生致王雲五函〉，同上註。

49 雷嘯岑說為四十八年九月十二日停刊，恐有誤。雷嘯岑，《憂患餘生之自述》，同註二四，頁一八二。

50 同上註。

51 馬五，〈「自由人」之產生與夭折〉，同註一，頁二二〇。其實雷嘯岑自己亦如是，當《自由人》剛成立時，「大家的情感很融洽，精神上團結

《自由人》雖然走入歷史停刊了，但未及五個月，一份延續《自由人》餘波的《自由報》在民國四十九年二月十七日，另起爐灶又在香港創刊了。《自由報》社址位於香港銅鑼灣高士威道二十號四樓，也是採取半週刊（三日刊）的形式，於每個星期三、六發行。社長為雷嘯岑，督印人黃行奮，出版第一期有由以本社同人署名撰寫的〈我們的志願和立場〉為發刊詞。該文強調「我們是一群崇尚自由主義的文化工作者。對社會生活篤信『人是生而平等的』這項義理，珍重個人的人格尊嚴；對政治生活認定『政府是為人民而存在的』，要求基本人權之確立與保障。……我們膺受著共產極權主義的荼毒，深感國破家亡之痛苦，流落海隅，於茲十載，內心上大家不期然而然地具有強烈的愛國情操和政治理想，要從文化思想方面，努力培育民主自由精神，發揚其潛能，成為救國救民的偉大力量。職是之故，本報的言論方針是國家至上，民生第一，我們的立場是超黨派的。」[52]

簡言之，民主、自由、愛國、反共乃為《自由報》創刊之四大宗旨，嚴格而言，此宗旨仍是延續《自由人》三日刊的精神而來。阮毅成曾說：「後來，雷嘯岑兄在香港出版自由報，乃係另一新刊物，與原來的自由人，完全無關。」[53]此話恐有商榷之餘地。《自由報》在《自由人》的基礎上，發行至民國六十幾年才結束，期間刊布了《香港自由報二十年合集》、《自由報》合訂本、《自由報二十週年年鑑》，影響力不在《自由人》之下。

無間，對任何事體決無爾詐我虞，或以多數箝制少數的作風。我（雷嘯岑）當時曾聲言：假使憑這種精神組織『聯合政府』，擔當國家政務，國事沒有不振興的。」馬五先生著，《我的生活史》，同註一，頁一六一。

52 本社同人，〈我們的志願和立場〉，《自由報二十年合集》（一九）（香港：自由報社出版，民國六十年十月十日）。

53 阮毅成，〈「自由人」參加記〉，同註六，頁一八。

自由人

THE FREEMAN

（半週刊每星期三六出版）

（第一三九期）

每份港幣壹毫

督印人：李光[illegible]

社址：香港高士打道六六號

電話：二〇八四八

GLOUCESTER RD. HONGKONG

TEL: 20848

承印者：東南印務出版社

地址：高士打道六四號

台灣總辦事處：台北市館前街五十號

台灣經銷處：台北市中華路一二五九號

應付中共崩潰的對策

分析中共崩潰的三種形式

・左舜生・

（社論）

一個出賣國家民族利益而又殘民以逞的政權，說它可以繼續維持於不墜，一部人類歷史，還沒有發見過這種奇蹟，因此中共必然陷於崩潰的這一趨勢，乃是絲毫無可懷疑的。

但中共崩潰的途徑，[illegible]能有三[illegible]形式。第一種，由於世界[illegible]第三次世界大戰[illegible]發生，蘇聯演變龐大的紙老虎，以不戰自焚的結果，[illegible]時間，慘敗到無以自存；中共驟然失其所憑依，[illegible]亂手忙，而軍隊的缺口，人民的武器，國軍的反攻，[illegible]萬夥發，一切向毛澤東等[illegible]共的直指，凡散在[illegible]民賊[illegible]，一一正式的或非正式的[illegible]政權[illegible]者，乃一舉而雲散煙消[illegible]也。

第二種，由於世界[illegible]形勢，日非一日，自南而北，蘇聯指導[illegible]撤退，[illegible]殘破交通，焚燒房屋，[illegible]分子，造成一個中國歷史上空前未有的大流竄，完成毛澤東所抱「千古風流人物」的本懷，雖然出於蘇聯之自救不遑，反共武裝的窮追截擊，中共內部的倒戈暴動，中國北部西部人民的一致奮起，最後亦終歸消滅，但這種困獸之鬥，在時間上卻可能有相當的持續，或必待三次大戰結束，始能全部歸於清結。

第三種，由於世界冷戰的繼續相持，蘇聯則威迫利誘，依然慫使中共四處闖禍，而國軍反攻又以國際的牽制，一時無法實行，於是中共[illegible]老百姓，因為軍費的負担，壯丁的[illegible]，勞役的壓榨，共幹的貪污，人民券的變成廢紙，天災疫癘的四處發作，乃陷於剝床及膚，剜肉見骨，敲骨吸髓，髓盡血枯，為[illegible]死不顧一生之計，[illegible]桿，以石頭磚瓦代炸彈，終亦不能不起而自救。於是自北京以迄各地，秩序到底無法維持，原本來自民間的軍隊，眼見這類慘絕人寰悲劇，可能激發其良知，為人民灑一掬同情之淚，一面為了自救，一面也當[illegible]要為人民服務，始而有三縣五縣倒戈，繼而有一省兩省的獨立，鋼山西崩，洛鐘東應，四方八面，處處騷然，若干較有頭腦的中共將領，感於形勢的嚴重，屈於人民的威力，積於中共一般領導者的貪錢橫暴，眼見一羣一羣的俄探深入，慨然興亡國滅種之悲，終亦不能不服從公意，投袂奮起，儼然以小狄托自居，掀起共產陣營中的一度狂風巨浪，向蘇聯北京的一羣共酋，來一次澈底的大清算，於是所[illegible]感於[illegible]計，盡[illegible]之，[illegible]潰逸，亦消於支離破碎，[illegible]不成軍，毛澤東輩不能遠走高飛，亦即只靜待最後之一絞！此亦年來國際所期待，可能實現之一事實，要亦不失為中共崩潰形式之一種。

中共的崩潰既屬必然，而崩潰的過程式，要不出上舉三種形式之一，或由三種形式參伍錯綜而陷於百孔千瘡，我們都不難想像收復大陸這一工作是何等艱鉅，不問一次收復或逐漸收復，其復興重建的工作，又是何種的複雜而困難。今日自由中國一切熱心大陸收復的人們，第一，不要以為現有努力即可實現收復工作而有餘，而只須靜待收復機會的自然成熟；第二，不可稍存幻想，以為一旦回到大陸以後，依然可以因陋就簡，舊夢重溫；第三，更不可以為饑易為食，渴易為飲，今後人民對於政治以及執行政治的人物，即可漫無別擇，而能取得其衷心悅服；第四，尤其不能不注意及預防在收復過程中，可能來自國際與國內的非常變化。

為今之計，自當以台灣為中心，一切為了收復工作，從事種種切實而有效的準備：一，要教育一大批確實可以散布在未來大陸都會與農村中的中下級幹部，消極的要預防他們再犯以往在抗戰後從事收復工作的錯誤；積極的要鍛鍊他們堅苦耐勞踏實工作可能博得老百姓歡迎的一種品格。二，要根據中共已經破壞或未來可能破壞的一切事實，小心謹慎來釐定我們在重建中的經濟政策，文化政策，土改政策，救濟政策。……三，未來國際的變化，最可憂慮。我們應如何想像中國未來的現實，以及我們今後立國的旨趣，來釐定我們的外交政策，這是既要大胆，又要小心，萬不可出之以魯莽滅裂，以召致國家民族的災害！

上舉三點，好像是大而無當，但在我的心情，即令跡近杞憂，却是出之於一種沉痛，實則不容忽視。

中共對轟炸的反應

王干一

聯合國軍突破顧慮，把鴨綠江水豐電廠炸得稀爛，給敵人帶來了黑暗，舉世稱快。這一炸把敵人炸悶了；好一會兒出不得氣。到底還是莫斯科先說話，說「鴨綠江水電廠的附近的和平村莊被炸了」。直到二十八日，中共的人民日報才有一社論，說「美國必須對鴨綠江發電廠的罪行負責」。並特別強調「水力發電廠完全是與軍事無關的和平建設。」這話說來何等軟弱無力。因為聯軍轟炸這電廠，正是對敵人挺起胸膛，不再顧慮的有力表示，負責不負責豈非廢話。說水力發電廠是和平建設，但北韓東北許多支持韓戰的軍需工業，正靠着這電廠的供應，設在鴨綠江西岸的米格機場的空中指揮，需遠設備，又那一樣不靠這電廠，然則這電廠可說是「和平」的嗎？故共黨說這話，顯為無可奈何的表示，意思實在是表示，「喲，這下給你打中了要害，你再不能這樣打了。」

無數的經驗教訓告訴我們，共黨一向是欺軟怕硬的，你怕它，他就更兇，你多顧慮，它就用這許多顧慮綑縛你。你如比他更利害，它就可低頭，美國務院說，轟炸這水電廠，有助於板門店談判。這正是美國務院所受經驗教訓的結論。

但是要注意，水豐發電廠只是共黨助力的一部份，中共支持韓戰，除這之外，還有其他許多東西，而這許多東西，是在東北境內，以及大陸各地活動的，故轟炸這電廠，可以使中共發悶，實在還不能使他低頭，美國務院的估計，還嫌尺度過窄。

怎樣才可以使他低頭呢？第一步是炸東北，再不低頭，就得炸大陸，炸幾個中共[illegible]正在全力建築着的四個工業城市，即瀋陽，太原，西安，蘭州。到那時它不低頭也就低頭了，板門店談判，才能保證得到結果。

或者說，炸了東北，再炸上述大陸四大城，蘇俄能不參戰嗎？這問題在美國及聯合國間討論了兩年，即[illegible]韓戰一起就討論這問題，始終沒有結論，因為不實行，蘇俄是不會交答案的。而共黨就看準這一點，你愈顧慮，愈討論，它就拿這點來恐嚇你威脅。使它的後方可以用這顧慮來保障不受毀，其實這顧慮是那些恐蘇病者自作聰明的製造出來的，還有些人專門長他人志氣，滅自家威風，其用意本來已值得追究，但却偏又能賣他的嘴。

蘇俄的指使中共，援濟中共，鞏固中共是事實，可是它並不敢明目張胆，只是暗底裏偷偷的幹。因其目的祇在利用中共製造「為了蘇聯的利益」，如中共失敗了，打垮了，他還需藉詞袖手旁觀，故它決不會立即參戰，再說，蘇俄如為中共而參戰，那就等於沒有得到中共利益，反而受中共牽連，則正違反「為了蘇聯利益」了。所以應該沒有什麼可以顧慮的，正像炸鴨綠江水電廠一樣，蘇俄頂多只是哼一聲，在宣傳上幫幫腔。

戰局像下棋一樣，進退迂迴，到了一定局面，不管那一方面願不願，該撐士時必得撐士，該將軍時必得將軍。早將軍早勝利，何必拖呢？

轟炸水豐電廠，證明聯軍有進步，證明聯軍開始在摸中共底了，而從中共軟弱的反映看，這底該已一下子就摸清楚了。

瑞典中立面臨考驗

在過去一世紀中，瑞典始終置身於大小戰爭之外，而保持其傳統的中立。瑞京斯德哥爾摩，在一九五〇年春，曾經被國際共產黨徒作為召開「世界和平大會」的地址。直到去年秋天，瑞典政府對共產黨還採取一種各適其適的態度。但自去年年底，海軍軍官安德森案審訊終結以後，瑞典反共的情緒即開始勃發。最近恩彭間諜網被破獲，接着又發生蘇俄噴射機在波羅的海公海上空襲擊瑞典與加達林納飛機，瑞典朝野對共產集團的態度，業已作一百八十度的轉變，許多人開始在推測瑞典是否將放棄中立？

恩彭間諜案的破獲

恩彭間諜網的破獲，是瑞典認識蘇俄陰謀的主要關鍵。恩彭原是瑞典人，現年三十三歲，一九四一年即開始担任一家共產黨報紙的記者。後任職於瑞典北區的波登鐵路局。波登為瑞典國防要地，那裏有空軍基地和要塞，為防守芬蘭邊界的主要基地。和波登毗鄰的加利斯防綫的主要基地。又為瑞典鐵礦砂的主要出產地。一九四一年，德國曾由此運取鐵礦砂，並強迫瑞典允許其假道進入芬蘭及挪威。就在那個時候，恩彭即開始受俄國人僱用，把德軍活動情形供給蘇聯。

大戰結束以後，恩彭的活動轉向瑞典本身。他先後吸收了好幾名助手，協助探取情報。他們有一套完整的密碼和暗號。恩彭本人經常和斯德哥爾摩蘇俄大使館的三個重要官員保持接觸。

恩彭最大的陰謀，乃是生於一九四九年。那時候他預料蘇聯即將進攻北歐。因此計劃從瑞典軍隊及機關中，招集二百名共產黨及共同路人，把他們藏在一輛貨車中，秘密運至波登軍營，準備發動突擊。這一間諜組織直到最近才被瑞典政府破獲。同時被捕的共產黨員共六名。預料這一間諜案審訊的結果，可能有更多同樣案件被揭發。

在過去三年中，由於這些共諜活動的結果，瑞典同情共產黨的人正逐漸增加，據非正式的統計，在今年的大選中，瑞典共產黨可能獲得十五萬至廿萬的選票。但自從這次恩彭案被破獲後，瑞典人已警覺到蘇俄對瑞典的陰謀，使瑞典的共產黨受到嚴重的打擊。

加達林納機被襲以後

自一九四〇年蘇俄併吞拉脫維亞、愛沙尼亞、立陶宛三國以後，即有意把波羅的海變成「史達林湖」。因此對於巡邏波羅的海上空的外機，時常採取挑釁的態度。一九五〇年四月，美國海軍巡邏機即在拉脫維亞海岸外上空被[illegible]擊落。這次[illegible]瑞典[illegible]，除[illegible]外，還[illegible]瑞典[illegible]間諜案[illegible]成份。

自從瑞機被擊落後，六月廿三日瑞典首相恩德蘭即向蘇聯大使當迪安那夫提出[illegible]抗議，一方面抗議間諜活動，一方面抗議飛機被毀。六月廿四日蘇俄覆牒中表示瑞機先開火，廿五日[illegible]拒絕瑞典照會。瑞典政府亦憤怒拒絕[illegible]蘇俄覆牒[illegible]。對[illegible]瑞典國防部長[illegible]任何[illegible]，瑞典[illegible]中立問題[illegible]瑞典報紙輿論的中心。

瑞典的實力及中立問題

[illegible]

目前瑞典空軍的實力，[illegible]僅次於英、美、蘇，[illegible]居世界第四位，其戰鬥機數約[illegible]。

[illegible]「飛行沙布」，「飛行桶」[illegible]（時速每小時六〇〇哩[illegible]），[illegible]瑞典[illegible]。瑞典海軍主力[illegible]三艘巡洋艦，二十七艘[illegible]，[illegible]。瑞典[illegible]訓練[illegible]六十萬[illegible]。瑞典[illegible]中立[illegible]。由於瑞典[illegible]，[illegible]瑞典[illegible]中立[illegible]。（鄭[illegible]取材自六月三十日新聞週刊）

「樂園」探險者的表情

暗中受着使命，表面潛出國門，走到莫斯科和北平去大談其貿易的日本三個探險者之一——高良富子，最近取道香港小住，昨天轉赴歐洲去了。

她在香港除向人否認其會由港發電回國主張日俄復交，藉以交換十八萬日俘那件事情而外，對共區情形，不願多談，只是私下對日本駐港記者表示：她訪問中俄共區之後，覺得沒有甚麼值得模仿學習的東西，日本還是維持現狀的好！這是探險者對其理想樂園感到失望的悲鳴之辭，難怪她要求再回莫斯科轉赴瑞士而遭俄共拒絕哩！

凡是憧憬着共產樂園生活的人，最好就讓他去實地領略一番，只要他的人性未泯滅，準會感到幻滅的悲哀。像英國工黨的貝凡，呆在民主世界的英倫海峽彼岸，而高唱「世界危機並非來自蘇俄」那類「前進」腔調的人，尤其有教他到蘇俄去長期觀光之必要。

另外兩個探險者——帆足計，宮腰喜助——也到了香港，未聞其公開對人談過甚末話，只在共黨報紙上寫着他們的一大堆官論，不外是強調「日本非與中國貿易不可」等理由，這正是他們此行探險的使命。吉田茂現刻正與東南亞的行政當局密談日本今後的經濟出路問題，他們要提回去報告一切。回去之後，大概再不會說「美國不應該干涉日本與中國貿易」的話了。誠不是怕美國干涉的問題，而是實際有甚末貿易能做的問題！

半週展望

雷嘯岑

俄軍在東德演習

蘇俄駐東歐軍隊，最近要在東德舉行夏季演習，西歐方面已掀起了一片緊張揣測氣氛。他們害怕俄軍由演習而突變實戰，裝上槍彈，直指巴黎殺來，好不危險！同時又自己安慰自己，說「西方戰略家却認定蘇聯或者不會選定此一時期來襲擊」。這情形，够得上中國那兩句寫景語文的涵義了：「驚弓之鳥，畏蹈秋霜，脫餌之魚，怕見新月」。

英法各國正強迫美國同意召開四強會議，而史大林又正要設法破壞西德建軍。三國對四強會議的復文尚未送出，俄軍在東德作夏季演習的「駭人」消息已傳遍西歐了，這就是史大林的攻心戰略！如果英美之間為着韓戰問題還要爭吵不歇，法國還要耽心西德建軍之後，起來復仇，而情願向蘇俄低頭，我可担保史大林不但在東德作軍事演習而已，在接近西歐的海上與空中，還有不斷的威脅性軍事行動，藉以加強英法人士的畏戰心情，而使貝凡一流人更對反美工作，振振有詞。

跟經常維持戰時體制的俄帝較短長，而隨時抱着慄慄危懼戰禍來臨的心理，形於詞色，演為內閧，還談甚末冷戰的鬥爭策略呢？史大林的一顰一笑，都成了英法社會的政治寒暑表，民主世界祇有永遠處於俯仰隨人的劣勢地位了。好戰與畏戰，同樣是招致戰禍的因素，只有「憑實力談判問題」之說，對俄帝是正確的原則。

和平的方法

艾契遜在維也納美國使館的游園會中，跟蘇俄駐奧高級專員史威里多夫談話時，史氏問艾：「閣下亦將是帶同和平而來此間者乎？」艾答：「閣下該明白需要兩人纔能媾和的事實」。這一問一答的外交詞令，很有意思。

和談不僅是需要兩人纔有媾和之可言，更需要彼此都有和平的誠意，威脅或告饒的方法，都不能促成和平的。不幸，民主陣營內的若干國家，竟想以告饒方式向俄帝乞和，當非時代悲劇？艾契遜的答話，不亢不卑，歐洲一些政治人物，應該向他學習學習，以求進步！

七月美國競選白熱化
共和民主兩黨全代會將先後在芝加哥舉行

・殷明・

美國兩大黨，在本月內都要舉行「全國代表大會」了，共和黨已擇吉七月七日，民主黨稍後爲七月廿一日。地點都定在芝加哥。「全國代表大會」只有一個任務，即是推出誰來作總統候選人，兩黨各推一個，讓美國人民二者擇一。

這兩黨全國代表大會，各有代表一千二百餘人，因分配代表的方法不同，民主黨代表大會，人數較多。只有經過這兩個黨的代表大會選出來的，才是合法的候選人，選不出來的人，無論你有飛天的本領，永遠不能登白宮的寶座，永遠成爲歷史遺忘的人物。美國現在國力，日益膨大，美國總統，無形間是西方民主陣營的領袖，握世界命運的牛耳。多少人想攀龍附鳳，多少人從此墜入政治深淵，永無出頭之一日。世界億兆資源，供其支配，億兆人民，直接間接，供其驅策。所以代表大會的代表們，推選的人，是否得當，有關美國前途，也有關世界的命運，固不可以兒戲視之。

推出的候選人　有關世界命運

代表大會的代表是怎樣產生的呢？說來相當麻煩，簡略的只能如此說：

美國不是四十八州嗎？全國代表大會的代表，代表各州黨員，各州不同。美國政黨產生代表的方法，也像聯邦政府的制度一般，選舉的事情，各州自有決定之權，全國黨部，不能干涉。所謂黨的全國委員會者，委員都是由各州黨部推舉出來的，全國委員會，不過是各州代表的聯絡機構，其各州「分權」的性質，遠較政府爲甚。

這四年一度的全國代表大會，四十八州中僅有十八州舉行黨員初選，選出代表。其中四州，黨員初選，是任意的，可舉行，亦可不舉行。不過這十八州，都是人口較多的地方，代表人數，約可佔全國代表大會的一半，其餘三十州代表，是另外的一半。

代表大會代表　是這樣產生的

十八州舉行黨員投票選代表，唯一的作用，不過藉此試驗各總統提名人，對於民意有多少吸引號召的能力？這個初步試驗，可以作爲將來代表大會正式提名的參考，但也不過是一種參考而已。

另外的三十州，代表的產生方法，一部份由各州代表大會選出，一部份各州黨部自行推選。各州代表大會的代表，都是各地方黨部的負責人。美國各地方的黨部，多數由黨魁（Party bosses）負責，其中最有力量的地方黨魁，就操縱全州黨部。各州代表大會，事前由黨魁擬定代表名單，舉行一個通過的形式。如該州黨魁不祇一人，那麼必須相互間交換條件。州代表大會如此，各地方的代表大會，無不如法泡製。

三十州中，尚有若干州，連州代表大會都可以不開，該州出席全國代表大會的代表，逕由州黨部的委員會通過一張名單。

此外如哥倫比亞區（即華盛頓京城所在地）及海外殖民地（夏威夷群島，阿拉斯加，還有大西洋上二個小島），也有代表，均由當地黨部指派。

第三黨無機會　競選另有作用

在兩大黨之外，也有第三黨活動，但第三黨活動有時害多於利，因爲兩個候選人中，總有一位，比較好的，無論怎樣，人與人之間，一定有個區別，照理你應當去投比較好的一位，現在有第三黨出來，吸收了許多廢票，這無異替那一位比較壞的製造機會。不過美國有許多第三黨，組織的目的，就是要替敵人張目，那就另當別論了。政治的鬥爭，到了尖銳的時候，自己的同志，好像比敵人還要可惡。美國的政制，第三黨沒有機會，人人都知道，組織第三黨，老百姓想在兩個候選人之外，投第三者的選票，那就是廢票，結果反使敵黨增加當選機會。老百姓有選擇自由，但自由的範圍，如果僅限於二人擇一，老百姓祇能選壞處較少的一位。

黨魁可起作用　不能自由控制

全國代表大會，由各種勢力交織而成，全國有力人物，都想趁這個機會，施展一點法寶，有的人能耐有限，廢然而返，有的人因緣時會，運用技巧，居然發生作用。按諸實際，各州的黨魁，向來服務黨部，這原是他們安身立命之地，當然最有發揮力量的機會。可是沒有人能夠自由控制，選舉出來的候選人，也是全國各種勢力的總和，這是民主政制必然的現象。而且他們過半數舉出的候選人，並不就是總統，敵黨還有人出來競爭。美國兩黨，可能的選民，人數相差有限，大約全國有五分之一至四分之一的選民，是中間份子，這些人有最後決定之權。一黨代表大會提名的候選人，不過是本黨最出色當行的人物，而敵黨的候選人，可能聲望更加卓越，競選更有辦法，到十一月選舉失利，該黨所損失的，不僅爲總統與副總統，還連帶許多國會議員，甚至許多地方官職，都要落選。

難產大政治家　也無頂壞總統

所以全國代表大會，他們不能不竭盡全力，網羅人才，希望推出最孚衆望的人，出來競選，有時候選人「手抱琵琶半掩面」，必須黨中有力人士，千呼萬喚，總肯接受提名，歷史上亦不無先例。

美國民主政治的要訣，是競選總統者，有二個人，兩黨代表大會，無論是否有人操縱，推選出來的人，總要像個樣子，必爲全國人民衆望所歸，方可與敵黨爭強。美國政制，雖然不容易產生出類拔萃的大政治家，做白宮的主人，但歷史上也沒有頂壞的總統。

劉斐窮途漢口

朱則

「中南區水利部」部長室有二位祕書與他對案工作，家中有一位祕書聽他「差遣」，而跟他多年的劉副官卻被「光榮」參軍去了。

劉斐於抗戰時期任軍令部次長，是時的軍令部，即等於今日國防部參謀本部，司掌全國軍令發佈，人員佈署，與作戰決策。劉斐以詳熟全國兵要地理，受知於白崇禧將軍。

三十七年春，劉斐由國防部參謀次長職調戰略顧問委員，遺缺由李及蘭將軍充任，外而不知道的人，以爲不過是一個經常的高級軍事人員調換，而殊不知是劉斐犯了軍事大錯誤，才由最高當局這樣斷然處決下來的。劉斐在東北之戰，錯估共軍兵力佈署，提供錯誤判斷，影響參謀本部軍令指揮，以致東北一敗塗地，無可收拾。平津之戰，劉斐又妄斷「共軍不過黃河」，造成參謀本部兩大意見的紛歧，劉斐在幾次論辯桌口交責下，才悄然離開國防部。

劉斐以地方軍人文書出身，受何成濬與朱培德的培持而完成了他軍人的知識，抗戰時期常列席最高軍事會議備作咨詢，作用還不大。其後，升入國防部，劉斐的影響，才一天天的伸張起來。

劉斐的性格習慣，就他一慣的一般生活情形來說，缺乏眞正的智慧與透澈的思考力。好利而善反側，他在南京曾佔用聯勤總部陰陽營招待所爲其私人住宅，並用公款自蓋側屋以容納他致不淸的親眷戚屬，酒非威士忌白蘭地不飲，煙非三五茄力克不吸，他自誇他的太極拳，可以「打通國防部」。他以參謀次長的地位，常藉種種矛盾以自重，在有形無形的人事關係上，劉斐對中央以桂系自居，對桂系以中央自居，對湖南以湖南人先進自居，對地方間題則又以湖南人代表自居。由這一個性格的發展，所以他才在失勢以後，在湖南淪落了一個時期，又隨着程潛趕來南京，由於他參加李宗仁的對共「和談」，認識中共搞統一戰綫工作的李維漢，他又以湖南人的故舊關係，參入了「北上和談五代表」，以至於最后步入投共叛國的罪行。

在軍事隔江對峙時，兩軍已可隔江互擊，南京李宗仁一流，猶在夢寐於「和談」的這一段時間，劉斐的表現，可說是達於昏愚幼稚極點。劉斐在這一段時間，他所表現出的活躍，欣然自得，可謂是他自任國防部次長以後所少見。他終日奔走於傅厚崗李宗仁與鄰海路湯恩伯之門，一如是時是地，天下國家大事，非他的「長材」不可了。國共兵端，非他不足以「創造和談奇蹟」。是時的劉斐，他怎能知今日不啻待死傀儡的後集。

有人說劉斐是中共早已潛伏政府的高級匪諜，這話說來頗有不甚確切之處；以劉斐的實際才能，性格，生活形式，劉斐絕少可能是共黨預有安排的共諜，有人，則庶幾近之。劉斐的一貫中心思想，是在爲名爲利，「告老還鄉，當湖南省主席」。他還沒有一個胆量，在國防部裏面當共產黨的間諜。以名利始，以名利終，最后總逃不出尖刻現實的殘酷裁判，這是一般精於名利昧於眞知的人的一般下場。

劉斐今天在漢口，當了「中共中南軍政委員會」的「水利部長」，就名義與劉斐實際所能，已經是一個極大的諷刺，而劉斐恍若樂而不疲，在漢口今日的各種公衆集會的場台上，他與賀耀祖這一對寶貝，總是「踴躍發言」，擁護「決策」；劉斐在他內心中，自有他自己的一番滋味。在事實上，劉斐今天在漢口與賀耀祖同住在勝利街上，每日步行至楊森花園「水利部辦公」，一室之內，有祕書兩名，文書員三名，在那裏與他對案工作，家裏也有一位祕書，聽候他的「差遣」。但劉斐本人連想自用一個勤務員，他也沒有權力，這話從追隨他已經多年的湖北劉副官的北上參加「志願軍」可以見得出來。每月「人民津貼他」人民券五十餘萬元，在日前漢口的生活情形，十夠得上兩石多一點的食米。而他本人即使要見鄧子恢，也非三天以前提報告不可見。他那嬌小玲瓏的東二太太，在今天也是與他一樣天天憔悴了。

隨着漢口市民間心情的強烈反應，劉斐自然不能無動於中，他今日的蒼黃瘦臉，正可說明他內心想像的一切。急流勇退，今天在劉斐已成絕想。「三反」「五反」中的中共臉孔，劉斐在夢寐中怕也不能忘懷。

高良富的活動

粗胖的女人

自稱代表日本商人、潛赴共區、與共黨勾勾搭搭的高良富，在莫斯科和北平完成了「親善」的任務以後，六月二十八日溜到香港來，七月一日又神祕地飛往瑞士去了。

這位年逾五十、滿身粗胖的日本婦人，中國人對她是陌生的，且更不感興趣，所以當她走上由羅湖南下的火車，到達尖沙嘴車站的時候，除了共黨的幾個嘍囉，奉命前去迎接外，場面冷淡得出奇。可見香港的居民沒有一個人屑於理會這個人的。

莫斯科受訓

在日本，高良富是一個議員，是日議會二十三個共黨議員之一，直屬德田球一、野坂參三的領導。在日共策動的反對對日和約，反對美日協定，反對治安立法，反對再整軍備等非法運動中，她也是在幕前或者幕後主持的。

今年三月，她向日外務省申請赴歐洲旅行的護照，說是到歐洲遊覽，等出國護照拿到手，就馬上跑到蘇俄，參加莫斯科召開的「經濟會議」了。在「會議」上，她所報告的，全越出經濟的範圍，而是強調日本應如何加強與蘇俄合作，以擔任史大林指定擔任的角色。會後並受短期訓練，增加他的「鬥爭」技術。

「電報」的祕密

六月初，她又率同日共帆足計和宮腰喜助兩人，參加中共跑到北平發起的「亞洲及太平洋區域和平會議」的「國家籌備會議」。她表示支持此次日共會議的「力量」，所以決定的武器「反對使用日本爲軍事基地」、「反對美國」。她並打了一封電報給日本左派社會黨首腦松岡駒吉，說：「日本若與蘇聯單獨構和，則蘇聯將遣返十八萬二千日本俘虜。」不料這電報一出後，史大林大爲光火，因爲蘇俄扣留日本俘虜是一件祕密的事情，對外不能承認。於是她趕緊轉口，說她不知道這件事，是別人代她發的。因而這「電報」也成爲一件祕密了。

她想做生意

她對香港的共黨報紙「談話」，說她不是共產黨，只是一個有情感的女人，爲了兒女的生活，她要同共黨做生意。所以她居然又以日本代表身份同中共訂了一件「中日貿易協定」。這「協定」分甲乙丙三類，中共規定輸出的物資是大豆，豬鬃，棉花，羊毛等。日方輸出的物資是銅，銅板，銅管，馬口鐵，起重機，無綫電器材，載重卡車，測量儀器，照像機，錄音機，擴大器等。

從這些來看，中共需要的是軍事器材，是能殺人的武器。高良富是能滿足中共的慾望嗎？而中共會有便宜給日本商人佔嗎？

安娜保格的道路

我們覺得高良富共產程度，遠不如羅馬尼亞共黨的安娜保格。安娜保格爲了事業，奉蘇俄默媚史大林，曾殺死親夫，殺死兒女，一度換得羅共中央政治局委員及羅外長職務。但是此次清黨，她終成爲整肅的對象，不僅各項職務和根拔掉，而其本人也鋃鐺下獄，而生死莫卜。何況高良富還沒有安娜那樣殺夫屠子的「成績」。這是一面明朗的鏡子，高良富能不趕快回頭嗎？但是，那過去許多事情爲例，共產國際的許多祕密工作都是由這些表面上不是共黨的份子推行的，所以自由日本應該特別慎防這些腳色。（富民）

飛彈「嘯童」

用無綫電控制，二萬四千八百六十哩外中的。

新式飛彈，定名爲（whiz kids）可意譯爲「嘯童」。它的內部組織較德國之V二飛彈爲複雜。長約四十六呎半，重約十四噸，完全由電鈕按擊來管理飛行及爆炸。飛彈上昇高度可達一百三十二哩。使用無綫電控制，可以操縱自如，當第一次按開電鈕使飛彈衝出飛昇後，如發覺雷達偵測器所指示之目標，有錯誤時，可立刻另按其他電鈕。便可截斷所有綫路。令飛彈停止飛行，然後再加以控制。

在幾年以前，各國使用之飛彈，其襲擊目標之有效距離不過一百五十哩，但現在新式之飛彈有效距離可達二萬四千八百六十哩，軍事專家認爲，如果希特勒當年能製造此種飛彈，他或許可以獲得戰爭勝利，很多人預料，在下一次戰爭中，此種飛彈會代替白砲來作爲殲滅敵人地面部隊之武器，在海岸防守戰中，能遠追擊敵人戰艦，在空防中代替了高射砲之消極防禦性能，活動飛行之飛彈。

使用新飛彈時，須特別小心。飛彈需用高壓電流，及硝酸和生色精作爲動力燃料。硝酸和生色精都是易爆炸之物體，因爲硝酸和生色精是一經混合，即可燃燒之燃料，並且能產生巨大動力，支持飛彈每小時千哩速度之飛行。不過生色精一經人身體吸收，會將人體內紅血球細胞消滅的。需要小心防避的。

當飛彈要起飛時，便須將彈架放置一特製之施放架上，然後將壓縮空氣，及燃料硝酸和生色精輸送飛彈體內。又用另一空氣導管以冷卻電子設備直至離地飛行爲止。又通過電導綫於彈體內，輸入電源，以起動飛彈，所有各電子綫路，都由另一電子裝置箱內。由電鈕控制。起飛時，先接電源開關。接通電路起動飛彈，再按第二電鈕排放壓縮空氣，使飛彈之舵能起動飛行。當初飛行時速度較慢，其後速度便增。當地面人員測知飛彈已接近目標時，便另按第三電鈕，結果可使飛彈體內硝酸與生色精接觸混合起爆炸。將目標毀滅。

使用飛彈去襲擊敵人陣地，較使用轟炸機爲佳，因爲在作戰時，空軍出動轟炸，敵方人員可能作種種逃避，但如果使用這種超音速之飛彈，敵人無法逃避，即可在惡劣氣候時，轟炸機無法出動，飛彈可以完成任務。（潘譯）

「反」垮商人後
鎗頭又指向教授們 共區重搞思想改造

「五反」結束後，中共又在各大專學校再度掀起「思想改造」運動。

這次實行「改造」的計有武漢大學，山東大學，河南大學，湖南大學，湖南農學院，廣西大學，廣東中山大學等學校。

武漢大學已成立了「思想改造學習委員會」，由査謙（該校校務委員會副主任委員）任「主任委員」，徐懋庸（該校祕書長），何定傑（教務長）爲「副主任委員」，韓德培（原校委會副祕書長）爲「祕書長」。「改造運動動員大會」，由僞中南區教育部長潘梓年主持。

教授聽說思想改造 心中就覺異常害怕

潘梓年在會上對一般教授說：「你們要吃盡今天的痛苦，才有明日的歡欣，」參加「改造」的經濟系教授劉秉麟，水利系主任余家洵，外交系講師劉年翠等都抖顫的說：「一聽說思想改造，心中就異常害怕，但爲了潘部長說的明日歡欣，害怕也是要改的。」

河南大學的「思想改造動員大會」，是在六月十二日舉行的，首由中共「河南省委宣傳部副部長」岳明講出河南大學教授思想的「錯誤」，繼由該校校長嵇文甫，副校長張柏園報告「改造方針」和方法，一定要教授們以工人階級的思想爲思想。

擺成陣容集中火力 苦憐老師分別被懲

廣州中山大學的教師共有三百四十八人，學生共有一千一百人，他們曾分別參加廣東地區的「土改」和廣州市的「五反」工作，六月初始陸續回校，他們回校後，中共「華南局」即規定他們要繼續舉行「思想改造」，由該校「黨支部」、「教育工會」、「新青團支部」、「學聯會」等共同組織「思想改造委員會」，各學院成立「基層委員會」，各系成立「改造學習小組」，領導全體教師進行「改造」。這次陣容一擺，就集中了火力，向教授們開刀了。先由校長、副校長、教務長、院長、系主任帶頭作「坦白」、「檢討」，然後由教授、講師作自我檢討。至六月二十日止，文、理、法、工、農五學院教師作檢討者達一百二十三人。

尖銳批評追根到底 徹底改造天昏地暗

同時「黨、團委員會」，及「學生會」發表「公開信」，要各教授放下面子，「知無不言」，「言無不盡」，做到「三要」「三不要」。「三要」是：要尖銳批評，要追根到底，要徹底改造。「三不要」是：不要滑頭，不要躲避，不要裝聾作啞。因此中山大學，這樣天昏地暗，惶惶不可終日。（劍思）

如此人民醫院 天堂還是地獄

衛生官架子大

廣東雲浮共幹黃安仁患了重病進了縣衛生院，一連住了七天，沒有醫生來診視，問醫院的人，都推說：「要等去肇慶學習的檢驗員回來，由他正式檢查後，才可斷定是什麼病。」有的病人來得更早，也一樣無人過問，多數等的不耐煩，只好自動請求離院。「衛生官」們的態度更不好，從來不樂意答覆病人的話，護士拿的探熱針，不但未消過毒，甚至都未洗過，拿到口邊就一股臭味。伙食每人每天照規定先繳「人民幣」四千元。但是吃不飽，病人餓得都擠到廚房去找飯皮吃。

病人喊破喉嚨

通平縣的衛生院就更妙了，據一位曾經在通平衛生院診過病的共幹藍維俊來信給南方日報說：該院收掛號費過高，而且手續複雜，不顧病人病情輕重，一定要辦好手續才能診視，往往病人爲此就擱太久，無法挽救，甚至有的未辦好手續就死了，但是掛號費還要照付。護士們根本不關心病人，嫌病人髒，揭開病人的被子，就先縐眉頭，更不願意替病人診視，遇着重病的人非用手術不可的，院長推給護士，護士推給工友，索性大家都不問，任憑病人喊破喉嚨，也無人理睬，全院秩序混亂，最滑稽的是有一個產婦進院生了孩子，全院竟沒有人知道。

施藥錯亂顛倒

至於廣州市工人醫院的故事，那更勝於兩縣多少倍。

五月二十三日有一個病人叫做陳錦蘇的，患着腸熱病到醫院求診，醫生診斷後決定每小時替她注射一西西「可拉明」針，並且從藥房取出四支「可拉明」（每支兩西西）交護士按時注射，另外還有一個病人需要注射「阿刀平」，也是四支，一併交給她，這位護士因爲急於要出去向「愛人」會面，她總以爲早注射晚注射還不是一樣，何必要一小時一西西的麻煩，乾脆一次注完算了，也可能是心不在焉，還是不顧去找另一位病人，居然連「可拉明」「阿刀平」，一共八支，完全給陳錦蘇一人注射下去，這一來眞的根本「解放」了，陳錦蘇再也不來麻煩她了。

庸醫天天殺人

除去這些之外，還有許多類似笑林廣記的故事，六月一日有一個病人呂良患痢疾去求診，醫生却拿着碘融液硬替他滴眼，呂良再三說明自己不是眼病，但是「衛生官」強說醫生沒有錯，非滴不可，結果呂良痢疾依然，又多了個雙目發炎，眞的害眼病了。還有一個神志昏迷的病人探體溫，誤用口針，被病人咬斷嚥下，還有一次替病人測體溫，將探熱針放在病人腋下，天多才取出。另外發錯藥的事更是家常便飯，有一次將成人的藥發給八個月的小兒，還有一次將葡萄糖鈣針當汽水發給病室，這些類似情形，簡直不勝枚舉，居然出在南方第一大都市的廣州，其他地方也可想而知了。（陸翔生寄自廣州）

鐵幕司法 亂判案件屈死人

【本報上海通訊】在中共極權統治下，只有幹部的威風，根本上便無所謂法律。共產黨揚棄原有的「六法」後，作爲他們處理案件準繩的，便只有共幹們的專橫和獨斷。最近上海發生了一件「人民法院」審判官胡占元，亂判案件，屈死工人的事。從這件事中，很可以看出今日共區黑暗的一班。

公安人員敷衍塞責

上海黃浦區晉成錢莊，曾用了一個浙江籍人葉頌華作爲工人。上海易手後，晉成因營業不景，乃於一九五○年三月底宣告停業，進行清理。一九五○年六月十七日該莊被竊，遂去一千五百萬共幣的支票一張，並於十九日在「人民銀行上海分行」被冒領。七月一日該莊副經理胡秉銓接到「人民銀行」通知，才知道冒領一千五百萬元。胡即報黃浦公安分局追查，「公安分局」爲敷衍塞責，根據支票筆跡，令該莊工作人員抄寫票面之「一千五百萬元」及「一九五○年六月十七日」字樣，憑這一簡單的線索來捕人。七月三日該莊忽接到一封匿名信，信上說：「因爲一身是債，家庭負担太重……我到經理室去打電話：順手拉了一張支票……千萬不要冤枉別人……我一定到府上坦白……想法歸還」等語，中共黃浦分局又根據字跡，認爲「一千五百萬元」字跡與該莊副經理胡秉銓筆跡相似，但票面「一九五○年六月十七日」及匿名信字跡與工人葉頌華筆跡相似，即據此將胡葉二人以嫌疑人名義送「人民法院」處理。

隨便判刑迫死工人

此案於一九五○年九月十五日，由上海「人民法院」審判官胡占元承辦，先後共拖近十個多月，始占元爲了案完事，乃隨便根據「字跡相似」等莫須有罪名，判處葉頌華竊罪成立，處十個月徒刑，接受「勞動改造」。葉頌華被判徒刑後，呼冤無門，每日又要幹十多小時的苦工，病憤交加，乃於一九五二年四月八日寃死獄內。

窮人該死司法何在？

胡占元對葉頌華的判決書中，首先寫的是「查本案竊盜事件，被告葉頌華、胡秉銓二人均矢口否認，另從被竊支票及匿名信事迹觀之，票面「一千五百萬元」字體與被告胡秉銓筆迹相似，票面「一九五○年六月十七日」字體及匿名信字體與被告葉頌華相似……」。「次在票面金額一千五百萬元字體雖似胡秉銓筆迹。但一九五○年六月十七日字體則「完全」與葉頌華相似，並且匿名信「是」葉頌華字跡」同時葉頌華「自供債甚多生活艱苦」這係盜竊支票的人。

眞人出現 眞情大白

在……占元……斷式……判決……，葉……是……有理……

，他的被磨折而死，自然也是活該。可今年「五反」開始，眞正盜竊人罷管錢莊職員汪澄宇却五月十八日坦白他……年盜竊支票的詳細……過。葉頌華的冤屈……大白於天下，但是……已在中共武斷專橫……司法人員的判決下……含冤而死。他死時……有三十四歲，家裏……有白髮的雙親，在……死邊緣中掙扎。

在草菅人命習……爲常的極權統治下……像葉頌華的案子僅……即是，只是沒有人敢……揭發而已。

（六月廿五日洪……人寄自上海）

換湯沒有換藥 中共變更農業稅的新戲法

江海志

由於夏收的即將來臨，中共上下最近又集中力量在夏征上打主意。六月十六日中共「政務院」特別公佈了「關於一九五二年農業稅工作的指示」，在這一「指示」中，對於今年的農業稅提出了「新方針」：一，各地農業稅的地方附加，一律取消，今後只由中央統一徵收一道農業稅，不再附加。二，提高經濟作物的稅率。三，實行查田定產依率計徵。四，「老解放區」採比例稅制，「新解放區」採統一全額累進制。這四項「新方針」中，後二者是舊調，只有前二者表示中共對農業稅法的新變更。

財經集權跨進一步

在中共的主要財源中，所謂「農業稅」始終佔第一位。其一九五○年財政概算中，公糧收入佔百分之四十一點四。根據中共一九五○年九月五日所公佈的「新解放區農業稅暫行條例」，中農的中等戶負担，均爲農業收入百分之十三，貧農的負担率爲百分之八，富農一般爲百分之二十，地主則爲百分之三十至五十，特殊戶爲百分之八十。上述這些規定乃屬於中央稅系，至於地方財政，另以「附加」支持。

在一九五○年夏徵以前，所謂附加，按規定爲正稅百分之十五，韓戰爆發以後，改爲百分之三十，但在實際的徵收上，却往往遠大於此數。以粵省爲例，據去年十二月二十一日葉劍英的報告：「粵省各地的區、鄉政府，擅自附加公糧，擅自規定稅目的現象極爲嚴重。根據粵中初步調查，通過行政管理，市場管理，碼頭，渡口，水利，辦攤等方式，徵收捐稅竟有二百二十五種之多。」「潮汕專區地方財政由學校，農會，民兵任意附加，形成苛什，數量之大，幾乎佔公糧的百分之百，甚至高至百分之三百」。中共這次的宣佈取消附加，表面上說是禁止地方機關任意攤派，以減輕農民負担，實際上完全不是這回事。

第一，中共的財政制度，乃澈頭澈尾的中央集權制，全國的財源在統一的要求下，均爲中央所總括，地方收入有名而無實，過去爲了「土改」及「剿匪」，不能不容許地方機關向農村進行剝削，無形中大大減少中央搜括的財源。目前各地「土改」已次第完成，爲了集中農村的全部資源來支持城市工商業垮台後的虧虛，必須把過去由地方機關用附加及捐稅等名目所劫奪的收入，全部集中到中央，因此，這次中共的宣佈廢除附加，外面上說是減輕民負，骨子裏則係更進一步的貫徹其中央集權政策。

第二，從整個中共財政的收支情形而言，不管附加是否存在，農民負担絕無減輕之理：一，過去二年的公糧，凍結地主田租佔極大部份，而沒收地主的鬥爭果實，亦構成各地公糧的一部，目前這二項條件，均不復存在，主要稅收便落在農民身上。二，根據陳雲在去年十月中共政協上的報告：由於國際的需要：「財政收支均較去年爲大。」尤其在「五反」以後，城市稅收銳降的情形下，農村的公糧更成爲支持中共財政的主要支柱，因此，中共縱然取消附加，必須用種種變相的辦法，來刼取農村的收入。

變相的掠奪手法

掠奪的辦法何在？首先，是提高經濟作物的稅率，棉田的負担，已較前年提高，其他經濟作物如菸葉，花生，蔴，甘蔗等，亦均將大大提高。使農民在副業的收入上，負担更大的稅率。

其次，是在豐產的烟幕下，強迫提高農民的產量，然後實行「依率計徵」。據最近中共各級機關的報導，各地共幹均強迫農民接收豐產運動，自報列爲千斤戶，據六月十六日「長江日報」的報導，江西各地中共幹部在開展「愛國增產競賽」後即硬要農民報名參加每畝千斤豐產競賽，有的農民計算一下，一畝水稻無論如何達不到一千斤穀，共幹就叫他們把去多種的多季作物的產量也計算在內，將來徵收公糧時，自然也根據這些豐產的產量來徵收。

「依率計徵」是鬼話

至於中共所標榜的査田定產，依率計徵，更完全是自欺欺人的鬼話，因爲中共的農業稅，其任務的分配，完全採取自上而下的辦法，由各大行政區逐級分配到村，其所派任務與按率計徵額之間，往往距離極大。但各級幹部爲任務觀點所驅使，常不計及配額的畸輕畸重，據一九五○年八月十二日「人民日報」所載：「河北遷西麥徵數佈置下後，即普遍發現，佈置畝數較農民實種畝數爲多，有的甚至多三分之二或二分之一。」「有的甚至不管收種麥與否，也按人口或地畝平均攤派，還有的爲湊足上級佈置畝數，便硬提高麥產徵收」。而據二月十一日「人民日報」「依率計徵」的檢討，由於任務緊迫，負担仍不合理，共幹們認爲「任務必須完成，稅率可以變動」，因而提出「邊評邊徵」，「一面評議負担，同時動員入倉的口號」，去年秋徵，各地更一律採用預徵辦法，據去年十二月廿一日「南方日報」的報導，廣東高要共幹根本沒有計算產量，一律照夏征加百分之五十徵收。今年的形勢更爲緊急，反而要幹部緩緩計算田畝，依率計徵，豈止自欺欺人，根本是活見鬼。

基此諸端而言，可見這次中共的變更農業稅法，除了將地方財源掃數收歸中央以支持其山窮水盡的財政外，毫無其他意義之可言。

用「黨歌」跳舞 「東方紅」送葬

由于中共對音樂的嚴格統制，很多音樂片和歌曲都被視爲是「資產階級」的樂曲，一律禁止播唱和歌唱。但是共幹是喜歡跳舞的，既不能用爵士音樂，又不能用流行歌曲，於是只好改用他們的「革命歌曲」。

因此，最近共區的一般機關，團體，學校舉行交際舞會時，都改用共黨的「黨歌」，「國歌」和「領袖歌」作舞曲，常用的是：「國際歌」，「祖國進行曲」，「歌唱祖國」，「史大林頌」，「東方紅」，「少共團員之歌」以及「軍歌」等。

至於一般馬戲團，雜技團招攬生意時，很多將這些歌拿來街頭巷尾吹奏，或改爲小調來唱。有些樂隊在婚喪的場合裏也用這些歌，尤其送葬的時候，用「東方紅」吹來吹去。「東方紅」亦名「毛澤東歌」，是中共的「革命領袖」歌，用它來送葬，除了表現共區音樂一團糟外，在吹唱的來說：亦可想見其所含的意義。（意時）

不敢恭維之詞

爲方

日本政府的首相吉田茂，外務大臣岡崎勝男等人，近在議會發表了幾項關於中日和約的言論，都是對我們表示其極不友好的輕侮態度，而吉田茂此人一貫地瞧不起中國人的心理，也不自今日始，凡是參加過一九四六年集體訪問東京的我國新聞記者，想起了當時吉田對中國記者惡那副劣姿態，一定記憶猶新的。他於中日兩國簽訂和約之後，竟屢次作此不友好的狂言，無論其是否別有用意，但在中國人的立場，總甚近侮辱之事。政府當局爲着保持國格和對日戰爭的盟國地位，似乎不能默爾而息。

果然，我們的外交部長說話了！我當時先看到報紙標題，大爲興奮，繼看部長大人的談話內容，不禁大爲洩氣，簡是粵語所謂「冇癮」之至！吉田茂以當該國的首相身份，再三表示不承認我政府主權能代表全國的意見，不時含有敵意、不足與言親睦，根本即違背了中日和約的原則，怎末能說他的話「沒有新的意義，不必重視」呢？難道要吉田公開否定中華民國政府的存在，才算是有新意義的談話不成！

在艱難時期，我們臥薪嘗膽是應該的，隨時吃外國人的排頭，也唾面自乾，而且吃的是一個戰敗國的排頭，至少我這個不在其位的國民，心理上老大不舒服，不敢恭維我葉公的外交詞令！

自由談

參軍

儀君

誰都說趙正明是個好人，因爲自幼父母雙亡，更養成了善於吃虧的脾氣和懦弱的個性，從出生到現在，三十年來未曾和任何一個同伴鄰居打過架或吵過嘴。即使別人過於使他下不去，也只是紅着臉低頭走開。好像是上帝有意安排定的，這樣一個老實人，卻娶了一個聰明能幹的媳婦，伶牙利齒，能說會道。操持家務更井井有條，只是脾氣大些，好在趙正明是抱着無條件服從的心理，倒也未曾生過氣，結婚五年來共生了一男一女，小家庭滿和諧的，鄰居們都讚美趙正明真有福氣。只是她總有點看不起他。

忽然，這個地區解放了，鄉間也發現了戴八角帽的「同志」，「解放」兩個字在趙正明聽來非常陌生，「解放」是什麼，爲什麼要「解放」，他都不懂得，只是有一種感覺，就是公糧卻比以前重的多了，他本來富裕的小家庭，也漸漸感覺入不敷出了。他現在學會了一句自慰的話，常常自言自語的說：「這是天意啊！有什麼辦法。」第二年鄉間實行土改了，工作隊下了鄉，接着農會，婦女會也通統組織起來，婦女會的組長卻指定要正明媳婦去做，起先她也是不答應的，禁不住他（她）們的游說，她終於擔任了婦女會的組長，鄉間人都說共產黨有迷魂藥，果然正明媳婦加入婦女會以後，每日只忙着開會，家務也推開不管了。只苦了正明每天除去原有工作外，還要做飯抱小孩，無可奈何時也只是嘆口氣說：「這是天意啊！有什麼辦法。」

正明的媳婦變得更厲害了，爲了「開會」常常幾夜都不回來，有人看見她同鄉長小王並肩坐在一起，有說有笑，有時當眾也動手動腳的，早晚回來一次，也只是換換衣服，鐵青的臉不說一句話，正明有時陪着笑臉說：「小孩子想得哭，抱一抱吧！」她眉頭一皺揮揮手說：「不要麻煩我，爲了革命，必須丟下包袱。」說過又匆匆的走了。正明只好嘆口氣。最近些日子，她忽然常常回家了，但是每次都和小王同來，還帶着酒肉，同小王在一起吃、喝、說、笑，後來小王乾脆就不走了，卻叫正明抱着小孩子到牛棚去睡，正明雖然老實，但知道這不是「公事」，可是一來因爲平時怕老婆過甚，二來看到鄉長，腰下掛着盒子砲，只好默默無言的走開，只躲在牛欄裏說：「這是天意啊！有什麼辦法。」

忽然區裏政委下鄉了，先召集一個幹部會議，鄉長小王，正明媳婦（現在已正式改名叫馬自強了）。農會主席郝瞎子都在鄉政府裏開了一小時的會，出來時只見政委高視闊步，眼睛根本不看人民，，鄉長小王得意洋洋，眉梢眼角都露出笑意，馬組長（正明媳婦）卻紅着臉低下頭顯得怪難爲情似的，農會主席郝瞎子走在最後，卻不斷的扮鬼臉。

大會開始了，政委先上去報告說：「現在奉到蘇聯老大哥的命令，要去打美國鬼子，所以發動參軍，這是光榮的事，絕不強迫，本鄉應攤十五個，不夠數不成。」台下引起了一陣騷動，政委後退兩步，坐在椅子上，掏出「美帝」製的烟盒「英帝」造的紙烟，然後用「日敵」製的打火機，吸着「安閒」的吐烟圈，這時臨到鄉長小王說話了，他說：「本鄉要起帶頭作用，人數越多越好，這是光榮事業，壞蛋二流子是不准參加的，愛國的父親、妻子應該送兒子、丈夫去參軍，爭取本鄉的更大光榮。」話剛說到這裏，馬「組長」搶先站起來說：「我願起帶頭作用，送丈夫參軍。」政委鼓起掌來，人民也莫明其妙的跟着鼓掌，政委說「趕快請趙正明」，趙正明這時正站在下面，政委鄉長說的話，他根本就沒有聽見，只是看見小王總有些冒火。現在聽說喊他的名字，正在發怔，兩位「同志」過來就把他架上講台，佩上兩朵花，一條紅布，政委說：「恭喜你趙正明，你的愛人送你去參軍了。」什麼「錯算」，老實人還是不懂。「就是叫你去到朝鮮打美國鬼子，」政委又加以解釋，只聽得咚一聲，趙正明嚇得倒在台上昏了過去，台下起了一陣騷動，政委卻擺手向台下說道：「趙同志聽說去參軍已經高興的昏過去」，台下又響起一片掌聲。

柴進其人（上）

水滸人物論之八

·舜生·

梁山泊一百單八條好漢，如果從他們的出身加以分析，也可看出中國基層社會結構的一個輪廓。

有的本來是普通的老百姓，他們或者因爲遭受迫害；或者因爲空有一身本領，而陷於窮苦不堪；也有因梁山故意作成圈套，誘迫他們前往入夥，例如武松，阮氏三兄弟，以及盧俊義等等，便算是這一類。

有的本來是下級軍官，他們或者懷才莫展，心有不甘，同時又遭受惡勢力的打擊，不能不別尋出路；有的則因爲是奉派打梁山的敗軍之將；前者如林冲，楊志，花榮；後者如秦明，呼延灼，關勝；便列入這一類。

此外如宋江，朱仝，雷橫，戴宗之流，他們是出入衙門的胥吏；如吳用，金大堅，蕭讓是文人；公孫勝是道士；皇甫端、安道全是醫生，再加上一大羣江湖上的流浪分子。

以這樣一夥人物，結合成爲一個組織，以腐化的政治爲背景，更得有力者領導其間，其必然形成一股力量，乃是很自然的。

但水滸傳的作者，卻要在這夥人中，點綴一個特殊人物，這便是柴進。以柴進和梁山泊第一二流的人物比較，並沒有什麼了不起，但在一部水滸結構上看，他卻確有其重要性。柴進一直延到五十三回才正式上山，這便是作者故意要把他留下，作爲組織梁山泊的一個主要線索，使得全書的佈置格外的來得謹嚴而又自然。

眞正發起梁山泊的不是晁蓋，不是宋江，而是柴進：最初奠定梁山基礎的王倫，是柴進介紹前去的；火併王倫擴大梁山泊的領袖宋江，曾得着柴進長期的擁護；梁山組織的林冲，也是柴進介紹前去的；梁山第一流的好漢武松和宋江訂交，也正是在柴進的莊上；梁山正式和官軍打仗，乃至正式和高太尉對壘，始於高唐州一役，而這一役的起因，也還是由於柴進；從這些事實來看，可見柴進自始至終是促成梁山團結的一個主要人物。可是就柴進這個人的本身而論，除有錢好客一點而外，卻並無其他可稱道之處。

水滸傳作者在第八回敍述柴進的身世，說他是一個大財主，人稱柴大官人，江湖上卻喚他作『小旋風』，他是大周柴世宗的子孫，自陳橋讓位，太祖武德皇帝敕賜他家誓書鐵劵，有犯罪的人藏在他家，無人敢前往搜捕，因此他得招集天下豪傑，尋常總有三五十個養在家中。這位大官人生得龍眉鳳目，皓齒朱脣，三牙掩口髭鬚，三十四五年紀，單就他的儀表而論，自然也顯得雍容華貴。可是檢討他好客的這件事實，究竟是怎樣呢？

亂彈齋詞話

馬五先生

虞美人

序曰：英國哲學大師羅素，年已八十，最近與其第三夫人司鐵士又宣告離婚了。他平生提倡試婚之說，著有「結婚與道德」一書，主張男女青年都應該先有性的經驗，然後正式結婚，尤其贊成大學生須有暫時的不生孩子的試婚，認爲這是對於大學生的德育智育都有莫大好處的事。紐約最高法院斥其爲「不道德的淫蕩的學說」。他是否再要作第四次試婚？不得而知。如此大師，敢不詞以頌之乎！

先生高壽八旬了，試婚豔事還不少。三次未云多，經驗何妨傳授，學生哥！

「結婚道德」書猶在，贏得法官怪。世人誰不愛風流，那管青年男女，軋姘頭？

容竹樓隨筆（一〇九）

談劉鐵雲

狷士

劉鐵雲以着老殘遊記及收藏甲骨聞於世，而其在滿清末葉提倡維新，則知之者鮮。蓋劉提倡之方式不在作文問世，而在遊說當局；以其長於辯才，故頗得當局信任。當時政府興築鐵路，及以新法採礦，得劉鼓吹之力不少。然以慈禧后極端守舊，近臣如剛毅王等，對於維新事業終不敢放手進行；而劉則主張澈底辦法，從事建設，利用外資，以開我國之富源。懷抱既不得抒，遂與保皇黨聯絡，希冀光緒帝得復政權，各種新政皆可實施。不謂保皇黨實力不充，計劃不能實現，而劉又因此招當局之忌致被放回鄉，抑鬱而歿。

當時凡提倡新法者，守舊派目皆爲漢奸，故劉壯年在山東佐幕時，即有漢奸之名，是時張漢仙撫魯（即老殘遊記中之莊撫台）本劉世交，且愛劉之才，延爲幕賓，乃以提倡新法之故，致遭物議，劉辭職進京，往謁李文忠公鴻章。文忠與劉祖有年誼，故以姪輩待劉，甫晤面，文忠即謂「汝年尚少，初出辦事，乃被人駡爲漢奸，將來如何上進乎，」劉答曰，「小姪被人駡爲漢奸，事誠有之，然小姪年幼，辦事尚少，僅一小漢奸耳。老年伯勳績卓著，外間亦呼爲漢奸，是乃老漢奸矣。小姪但能步老伯後塵，豈慮不能上進乎。」文忠爲之莞爾。

劉藏骨董甚多，書畫碑帖，鐘鼎彝器，晉磚，漢瓦，泉布，印章，古代樂器，以及甲骨，泥封，無不搜羅。以前收藏家對於甲骨泥封未加注意，經劉收藏，復經王國維詳加研究，於古史多所發明，三代文字流傳至今，殊可貴也，劉在北平，南京、蘇州、上海、淮安等處皆有房屋，分置骨董書畫，但以北平、南京、蘇州，所藏爲最多。聞劉南京住屋有一室，其地與四壁皆以古磚古瓦砌成，其他的古董陳列尤多。時端方爲兩江總督，亦好收藏，時相過往，因豔羨劉藏劉熊碑，欲以廉價強行收買，劉不允，嗣因不願結怨，以碑贈之，然此後奏參革職，查抄家產，端仍爲主動者之一，劉在浦口本置有地產多頃，因政府興築津浦鐵路，須地爲建築車站、碼頭之用，劉自動捐地數頃，及被參革，餘地皆充公，家產蕩然。

「我的生活片段」之一 八年的參政（十二）

王雲五

憲草問題（上）

協商會議的中心問題，本當是中華民國的憲法草案。五五憲草固然不是國民黨所堅持不肯改變，但國民黨畢竟對於孫中山先生的建國大綱不便變更過多，也是當然的事。其他方面則以世界上民主憲政的先例本甚顯著，即孫先生所主張之五權亦脫胎於三權之制衡，惟將我國古代之考試監察兩權加重，實即此兩權在三權憲法的國家中亦未嘗不存在，不過分別容納於立法行政兩部門而已。於是頗有人主張將監察院視同一般立憲國之上議院，而將考試院之權限減縮，並取消其對於立法院之提案權。又爲過分防止行政院之專擅，特將立法院對行政院之控制加強；同時又遷就五五憲草原案，未照議會內閣通例將解散立法院之權加入。這一缺點，我和若干代表也曾指出，惟以國民黨中有些代表對於行政權之過分限制雖力予反對，而對於立法院有被解散之可能卻不贊同。此外爭持最烈者，便是關於國民大會的構成與其職權。五五憲草賦予國民大會的職權很大，但在協商決定的憲草原則下，立法院既成爲監督政府的常設機構，自不宜再有一最高立法機構，置於立法院之上；於是憲草小組的協商中便決定將國民大會變成無形的機構，就是把省縣民意機構的代表合併起來，成爲國民大會，而以行使選舉總統副總統爲其主要職權；僅因敷衍建國大綱國民大會行使四權的規定，在憲草修改原則內，加入『全國選民行使四權，名之曰國民大會』一條。最後，因忽忽閉會，這些原則也就忽忽透過了綜合小組，更通過了最後一次的大會。可是這一決定是爲國民黨多數人所反對的，於是大家商定在閉會後仍由綜合小組及會後組織之憲草審議委員會繼續商討。我在協商會議閉會期內，因未參加憲草小組，故對此類憲草問題；均未能參加討論；但閉會後的綜合小組我仍由第五方面公推參加。同時並被推參加二十五人所組織之憲草審議委員會；因此在閉會以後，迄復員還都以前，我卻不斷參與憲草的繼續商討。我本人對於五五憲草賦予國民大會這般龐大的職權固然不贊同，但對於協商決定之無形國大更覺得不安。

黑十字

非晨

硬了心腸，從袋裏子摸出皮包，數了五張一百元的大票，他要藍英先收下這一點，其餘的過兩天再給她。

藍英本想逼他再寫一張欠據，終於沒有法子啓口，黃洸說了一聲「再見」，他逃一樣跑出了新都酒店。

不顧紙而下的蠅蠅，藍英吻着那五張百元美鈔。

黃洸在半島酒店的房間，雖然沒有退掉，這幾天他留連於雲山的六〇七號，除了在一羣女人之中周旋外，那羣男人，也很令他感到滿意，假如他的貨色能夠平安到達，賺上五七萬美金，玩一個痛快，再將藍英娶轉去，這一回眞是不虛此行。至於「組織」的紀律，他早已忘了。

他知道這都是白濟宏的關係和面子，沒有他，黃洸簡直無法體味這個大都市的好處，可惜他的貨色一直不來，因此他的皮包也就不甚充實了，在香港，沒有錢是玩不痛快的。今晚，他需要一筆錢，一筆不大不小的錢。

朱瑛明天晚上唱戲，送來了二十張榮譽劵，嘴上說是請黃洸白濟宏他們看戲，白濟宏告訴他，這便是「秋風」，好在這「秋風」並不大，要的她又在家裏備了酒，一定要請一批人賞光，此時的「總顧問」又成了黃洸的總參謀長，他鼓勵黃洸，成功失敗，在此一舉，他要黃洸多備雅樂，好將嘢歐來打。

照着參謀長的意見，二十張戲票交給郝亦臣，約足二十個人前往捧場，一幅喜幛之外，還定製了四個大花籃，這些事，是小江小蔡朱老五這夥人的拿手好戲，至於請客的事；白濟宏說，約幾個朋友賭一場錢，抽個幾千元頭水，自己再湊上一點，喝完喜酒，黃洸便可以做新郎了。

這些話說得黃洸眉開眼笑，他一心想着洞房花燭的樂趣，可惜他不但沒有錢，爲了自己的工作與任務，另有一份難言之苦，白濟宏又拍了胸脯，立時給郝亦臣電話，要「郝經理」送五千美金來。

這只是一番姿態，有意做給黃洸看的。（廿七）

·中篇連載·

自由人

THE FREEMAN
（半週刊每星期三六出版）
（第一四〇期）
每份港幣壹毫
督印人：李光諾
社址
香港高士打道六六號
電話：二〇八四八
GLOUCESTER RD.
HONGKONG
TEL: 20848
承印者：東南印務出版社
地址：高士打道六四號
台灣總辦事處
台北市館前街五十號
台灣經銷處
台北市中華路一二五九號

自由中國合作運動

今天，自由中國在台灣將舉行盛大集會，全台五十萬合作社社員均將推代表參加，這真是一種象徵自由和平的盛會

·樓桐孫·

今天（七月五日）自由中國台灣將舉行盛大集會，全台灣五十萬合作社社員均將派有代表參加，討論中國合作事業應如何推進，以與經濟改造及動員反攻相配合。這眞是一種象徵自由和平的盛會，不由是合作工作者，特別歡欣，即一般社會人士，亦均深深的寄予關切。

這，原因很多，也很明白：蔣總統對於合作，是自始即有深切了解而極力提倡的。早在二十年前，總統在頒發剿匪區內農村合作社條例訓令裏，就確認「欲健全農村之組織，適應時代之需要，則舍採用合作制度而外，別無他途」。不幸自大陸淪陷，大陸合作事業的機構，形式上雖普遍加強，但實際上則已純潔的合作事業，爲共匪所污辱，被用作控制民衆，搜刮物資的利器。

這在自由中國同胞們看來，是一樁何等傷心的事！所幸台灣的合作組織是很普遍的，合作事業是很發達的。本省四五十年悠久的歷史的經驗，禮以三民主義經濟體系的精神，台灣的合作事業必能百尺竿頭，日益精進，負起它應負的歷史任務。因爲總統曾說：「國

合作配合反攻

際風雲日緊，中國處境阽危，事豫則立，古訓昭然。蓋一遇戰時，則凡國防重要資源之收集，人民日用品之分配，以及市場物價之統制，交易運輸之輔助，在在均有賴乎合作組織之健全嚴密，庶能脈絡靈活，運用敏捷，以應付猝然之事變」。這已並不「猝然之事變」，不久必將來臨。所以自由中國本年紀念國際合作節，實在格外有重大的意義！這是自由中國合作界同人及一般民衆體驗得最爲深切的。最近台北有幾家冒牌的合作社，騙取巨款，違法倒閉，頗足使自由中國的合作事業受到若干誤解和懷疑。其實這是毫無關係的。任何好的事業，都會遭遇到意外的誹謗和不幸的挫折。暗病發了，立予根治，身體會更爲健康。自由中國的合作事業絕對不會因此而受到絲毫的影響。

在前綫上鬥爭

台灣的配給制度（行政院陳誠院長所倡辦），辦得很好，負「逐戶分送」之責的便是合作社。反共尖哨的金門，自三十九年起，便設有合作總社及若干分社，並發行一種「合作券」（海通券），除了穩定物價，減少剝削經常的任務之外，並使近在咫尺的匪僞，無法向金門套購外滙或黃金。台灣在日據時代，合作界人士從事革命運動，而被逮捕的達千餘人，其中尤以大胡分社的劉鏗鼎，劉鹽云等，被日寇以「謀叛人」罪處死。而台灣合作事業，也是用血花濺灑成長的！當茲第三十屆國際合作節前夕，特別值得我們欽念。

今天，我們只有一點，在此前的自由中國合作運動，是有自由精神與合作精神的。除了以上所說的，已經提到的精神以外，總面萬千頭緒，不知從何說起，我想在此引一個故事，作合作界的結論：當一八八八年國際合作聯盟在法國都爾開會時，有一位未能到會的俄國合作主義者巴理納君（Micoas Balline）來一封信，當場宣讀。巴君信上有說：「我們法國人也好，俄國人也好，我們在合作主義中所信奉的理想都是相同，我們實在非常欣幸。猶之處他方，卻能舒合共理，但心裏很明白，我們一大半人得在死中求生，父母兄弟妻子都在大陸匪窟，如何能不努力，倍加努力，台灣的合作組織總動員，好好加增力量，作反攻的準備。」今夜北平的秋，高氣爽，一年一度，天明月，不覺悲從中來，「同仇敵愾」之感無限！

民國四十一年國際合作節於台北

自由中國合作運動

今天是國際合作社節，「國際合作聯盟」，已有六十年的歷史。它是國際組織的老前輩，它一向與紅色的共產國際站在敵對的地位，不聲不響的在世界每一角落裏與共產黨徒，不斷鬥爭。因爲它是各國人民在國際社會中一種和平的組織，而它的性格，又是不喜宣傳，不講鋪張，只知懇懇懇懇，實事求是的爲人類謀求福利，改善生活，所以人們或者還不很認識它。

但它對於這種情形，卻也毫不介意。——雖然它在現代所有文明大國裏擁有很多的信徒。它抱有救世的宏願和傳道的精神。它深信自由，平等，博愛，和平，是人類永恒不變的公律。它知道人類社會的各種公律，非如機械的作用，其有必然的結果。它不同匪黨在鐵幕裏所實施的樣子，把有骨有肉，有血有性靈的「人」，硬要當作「物」來處理，一塊塊，一寸寸的肢解開來，以供克里姆宮一打魔鬼的安排，而作爲製造戰爭機器的原料，實行所謂「世界革命」以摧毀人類的文明。它知道必須人類先知先覺順應公律，而後公律始有功效。這正是「自助天助」的道理。

從互助求自助

「合作」就是要大家「從互助求自助」的一種最穩妥，最切實的制度。人類如果能夠互助合作，則結果一定可以得到「天助」。

就此點而言，天人之間，差不多也是有一種無形的合作關係存在着的。這又正如我國歷代聖哲所倡導的「天人合一」的說法，其極致，也無非是要儘量發揚人類「民胞物與」，自由合作的仁愛精神。

這種天人之間無形合作的仁愛精神，居然能夠化育到人類社會的日常生活裏來，使之成爲一種具體的，社會經濟制度，自然要首推合作主義。

這與我國五千年以來，所深入人心，一致奉行的倫理制度，直是東西輝映，爲人類思想的兩大發明。

這兩種制度，不但在思想上有同一淵源，而且可說是同一思想分向兩個方面的發展和實現：過去在中國，既已由於仁愛的精神，擴大爲倫理的社會；將來在世界，必將由於互助的組織，而建造成社會的倫理。這兩種制度的實施的步驟，都是由近及遠，由親及疏，作始雖微，其結果直足以立地維，共尊天柱，足以改善整個人類的生活！

象徵自由和平

自國際合作聯盟於一九二一年在瑞士巴塞爾舉行第十次大會。由於比利時代表蘇維特氏的建議，決定以每年七月的第一個禮拜六爲國際合作節的紀念日，並自次年起實行，迄今恰恰已屆三十年了。我國紀念國際合作節，則自民國十九年開始，

中共快求饒了

無法再支持下去

王千一

綏豐電廠一炸，韓戰局勢頓時改觀。中共攤軟下來，慌着要求饒了。

這在戰場上表現出來的，是共黨部隊中止了攻勢。上月中旬，共軍曾在試探性的攻擊，正待繼續，遭到了連續三天的轟炸，使他不能動彈了。天空中，盟機又重佔大優勢，共黨的米格機，一次只有十來架，疏疏落落的在鴨綠江兩邊巡邏，看到盟機的影子，就曳尾退入鴨綠江西岸。大概是過去三個月來，米格機損傷很重，蘇俄又補充不及，一時連守勢也無法維持了。最妙的是，正在這個時候，有兩個北韓共軍，光天化日之下，逃到盟軍方面來投降，共軍窮追不及，弄得尷尬萬狀。一葉知秋，共軍士兵的厭戰心理已驀然發展到了新的高潮。列寧在一九一七年曾說，俄國軍隊用腳底來嘲笑主戰者。現在一九五二年，共軍也在用腳底嘲笑他們的侵略者了。共黨的困境，確已使它無法再支持下去。

換俘問題的讓步

這情形反映在板門店的會議席上，是共方於三日提出對於換俘問題的新建議，表示願意放棄一部份戰俘，不再像過去那樣強硬的堅持着非全部交換不可了。換俘問題，前後曾僵持了半年之久，其間花樣百出，結果終無所成。原因是這一問題對於共方的軍心關係太大，如反共的戰俘可以根據其自己的志願不加遣送，保障其不再落入共黨手中，則共軍對投降後的顧慮消失，不再怕共黨報復。

共黨軍心的崩潰

共軍中願意爲共黨拚命者，本來祇有極少數的頑固份子，大多數是脅於共黨的淫威，而在前綫監視尤爲嚴厲，盟軍中又雖互通語言，接洽不易，而他們最大的顧慮，就是投降後將被迫仍舊遣送回去。所以無數的中共韓共士兵，乃至幹部，雖早存心待機投降，但仍乏決心。這種顧慮，就像一水閘，此閘一旦爲盟軍打開，則投降的共軍必像洪水一樣倒向盟軍方面來，共黨雖講組織，雖精統制，要亦難以挽救其軍心崩潰了。可是現在共黨竟在這方面顯著讓步了，可見其必有更大的困難，到了絕境，故現在它的目的似已只在挽救其覆敗命運，不遑顧及這一讓步對他將來的後果了。

拉尼赫魯來調停

我們再看共黨方面的外交活動，在鴨綠江電廠被炸後，它立即暗中轉託印度出來調停，此事當然係一祕密的活動，尼赫魯不能承認，但也不能否認，至於尼赫魯之警告英高級專員及美駐印大使，說局勢嚴重，乃尼赫魯幫共黨忙的一種手法，竟還想用強硬態度來恐嚇英美，實際上中共的底牌給這一炸：暴露出來了，何必還想偷雞，如欲強硬，可在戰場表現，不必要找尼赫魯來調停。

史大林也着急了

除此之外，共黨的世界和平理事會二日在東柏林集會，也提出「立即停止朝鮮戰爭」的意見了，以前，這共黨御用的和平理事會也會說朝鮮要停戰，但這只是響影馬立克的停戰要求，是一「和平宣傳」攻勢，這次可就不同了，在綏豐電廠被炸後，中共可能即向莫斯科告急，史大林被將軍了，既無辦法挽救敗局，就只好提出「和了罷」！故東柏林之會，提出此意見，可說是受莫斯科指示的。共產黨大概已在戰敗和「局部和平」中，選擇了後者。這正說明史大林也着急了。

中共還想要面子

當然，共產黨一面在求饒，一面還想要面子，不肯乾脆低頭，在板門店上還是要討價還價，因爲它還要顧到對大陸人民的欺騙宣傳，自圓其說，所以盟軍談判代表，千萬不能給它太便宜，一放鬆，它就乘勢落篷，並會宣傳說，美軍不能打了，所以就不得不和，更會無恥的倒過來說，它們是怎樣的愛好和平，所以接納了美軍求和的要求。

現在是緊要關頭，打鐵趁熱，美軍和美國政治家是否有對付共黨的智慧，還是一個大考驗，盟國應更站穩立場，不要受騙，就，更不要受騙，中共如再拖延，你就大膽的炸東北，保你使得它更慌張，更要求速「和」。

沒有人再受它騙

鴨綠江的一炸，炸出這樣的結果，美國的某些政客想不到吧？英國人更會奇怪自己過去自私的估計竟會與事實離得這樣遠。尼赫魯呢？或者反會抱怨中共太不爭氣了。故這一炸，對於美國而言，實在太好了，它不僅翻轉了中共的底牌，連大賭博者史大林的底牌也攤出來了，所以杜魯門三日致送國會咨文，朗朗的說，之路不可走，對共黨侵略決心制止。而朝鮮參戰國在華府會議，作了轟炸東北，授權美軍司令的決定，更見出色。

中共已經攤牌了，快低頭吧，沒有人再受你的恐嚇了。

一週展望

·左舜生·

克拉克要言不煩

最近韓戰聯軍統帥克拉克將軍，於美國獨立紀念日，發表告美軍書，他要言不煩的說出聯軍在韓作戰的目的說：『吾人之目的與聯合國之目的，在原則上同爲建立人民自由處理本身事務不受干涉之權利，國家之平等，以及人人生存，自由與追求幸福之天賦權利。今日吾人及英勇之盟國，正謀求實現此等原則。吾人現正作財富與鮮血之犧牲，以保障一般受共產主義威脅之人民，抗禦此一世界上最邪惡，最殘酷無情之暴政。』

美國人是一個最能遵守原則的民族，也可說這一點，正是他們立國的精神，在第一第二兩次世界大戰中，美國的領導者各有作戰原則性的文件提出，曾博得舉世的歡迎，現在克拉克將軍指出共產黨所實行者，爲『此一世界上最邪惡，最殘酷無情之暴政』，聯軍在韓作戰之目的，即在打擊此種暴政，以爭取人民之自由，國家的平等，實在是非常扼要，而且極端正確。尤其以中國人民在最近三年中所受中共的種種虐待，聽了克拉克的這一番話，而感到異常的安慰。

「慕尼赫路綫」的具體表現！

最近英國處理外交事務的國務員蓑德，曾在下議院宣稱：美國以第七艦隊保衛台灣，即爲阻止台灣進兵中國大陸；他又說：邱吉爾首相，在數日前曾肯定的警告台方，避免對大陸作軍事的干預。

假定保守黨在議會發出這類的言論，僅在和緩工黨且萬一派在議會的叫囂，則我們也不願說話；如果這樣一種態度，確爲保守黨內閣應付今日遠東問題的一種既定政策，則吾人認爲大可斟酌。

在過去兩年的韓戰中，以美國的犧牲爲最大，實際美國已有十萬以上的青年，爲韓戰流了他們的血；美國的納稅人，已爲韓戰而付出了五百億美元的鉅資；其作戰的目的既在反抗共產黨的暴政以爭取人類的自由，假定聽憑中國大陸四萬萬五千萬的人民，永遠呻吟憔悴於中共的虐政之下；假定眼見各國過去旅居中國從事商業傳教諸類和平事業的人民，被虐待，被驅逐，並被沒收其財產，而絲毫無動於中；是即聯合國此項在韓作戰的目的，從根本上遭遇否定！

我們期待美國此項爲世界，爲人類所消耗的人力，物力，應該儘可能的加以珍惜；我們也頗意以亞洲人的資格，對亞洲的事務，能有更多的機會，去盡到他們最善的努力；同時，我們也希望，對亞洲一切有密切關係的國家，因自由中國的崛起，能得到更多的安全保障；可是假定限制台灣行動，便將今日英國執政者的一項既實態度，我相信我們的這些好意，便將遭受更大的阻礙。

今日打擊中共最有效的方法之一，即在使自由中國能在大陸獲得一強有力的根據地。必如此，才能使蘇聯所憑藉以擾亂世界的龐大人力，受到一個有效的限制，也將使美國的負擔立即減輕，如果使得此一人力無盡藏的地帶，永遠陷於蘇聯的控制與運用之下，則不僅整個的亞洲不能安枕，即世界的大戰，亦將終於無法阻止其爆發。

最近杜魯門總統所給予美國國會的咨文中曾說：『當侵略來臨，如果自由國家追蹤著『慕尼赫協定的老路』跑，去討好侵略者，則韓戰之局，當即爲聯合國之末日。現在剛好相反，當共產黨侵略者兇殘地侵犯大韓民國時，聯合國即迅速起而應付挑戰。由美國爲首，自由國家一致抵抗侵略者作戰。蓋自由國家深知非一致抵抗侵略，均將無以自存！』

我們願意在這裏指出：假定自由國家忽視自由中國人民反共的意志，不予以有力的援手，或進一步限制其反共的行動，一聽中共政權日趨於安定與堅強，而縱容其侵略，是即『慕尼赫路綫』最具體的表現！

台北通訊

台灣工業化的遠景

台省農業已有了大成就，如再加强工業翅膀，就可飛起來了。

小慧

經過這二年來的努力，自由中國的經濟，在農業方面確已獲得了極大的成就，最顯著者為糧政與地政，糧政的成就表現在產量增加，價格穩定，地政的收獲則繼三七五減租後又有公地放領與限田政策之付諸實施，這不僅是國內人士所共見，亦博得了國際友人的一致讚許。但在工業方面我們仍然是落後，因此，我們感到這種片面的成就是不夠的，因為自由中國是反共抗俄的基地，我們除了強有力的農業之翼外，必須要添具擴展的工業翅膀，這樣才能飛起來。而且目前台灣農業經濟的發展，可以說已達到將近飽和的程度，因此台灣必須向工業化的前途邁進，已經不是一個理論的問題，而是刻不容緩的迫切的現實問題。

初步計劃

關於這一問題，最近政府已提出了一個初步的計劃，所謂「台灣工業化的藍圖」，在這張藍圖裏面是計劃着在三年之內設法使米的年產量達到一百八十萬公噸，糖的年產量達到一百萬公噸，肥料的年產量達到四十二萬一千公噸，發電量達到三十三萬六千瓩，煤的月產量達到二十三萬公噸以上，它的目標就是在三年之內使台灣的經濟完全做到自給自足，所以這個計劃亦可以說是一個工業化的三年建設計劃。

無可諱言的，台灣經濟能臻於如此安定之境，大半是得力於美國的經援，但美國的經援是由於二次大戰後，美國已躍居於世界的領導地位，故慨然以復興世界經濟為己任，但是項經援之基礎卻是建築在美國納稅人身上，而且多屬贈與性質，不但無法保證其能否長期繼續，而且有隨時中止之可能，因此，今後台灣經濟的發展，如不躍出今日的療抗，使其工業化而達到自給自足之道，如經合署中國分署施幹克署長所說：「從僅能防禦的地位，轉為還擊的攻勢，」即台灣經濟的安全，將永遠是建築在沙灘上，毫無基礎，如此不但自由中國之前途命運無法把握，遑論反攻大業。

利用外資

因此最近政府所提出的工業化藍圖，可以說就是針對着我們目前的弱點所擬的一個遠大計劃。但是「台灣工業化」亦不是一件輕而易舉的事，它所需要的主要條件，第一是資金，第二是技術，但目前我們本身的力量顯然無法適應實際的需要，最感困難的尤其是資金，為了解決此項困難，達成此項工業化計劃，政府特與美國簽訂一項「投資保證制度協定」此項協定已於廿五日在我外交部二樓由中美兩國代表正式換文簽字。這個協定的主要意義是在保證美國私人來台投資不受任何損失，亦可以說是在鼓勵和提高美國人來台投資的興趣，以加速台灣工業化的建設。

簽訂協定

與美國簽訂此項協定，除歐洲，澳、比、丹、希、法、意、挪、西德各國外，在亞洲自由中國算是第一個優先國，因此，此項協定之簽訂，不僅表示中美經濟合作已更進了一步，同時亦表示台灣的安全已有滿足以「吸引外資」的進步，亦表示台灣經濟情形已趨健全，因為美國推行此項投資保證制度，政治的安全性與經濟的安定一個先決的要件，這樣才能使美國人在投資沒有安全上之顧慮。因此此一制度之推行獲得了自由中國一致之讚揚與支持。台灣省議長黃朝琴對於這次中美換文採用投資保證制度以促進二國之經濟合作稱之為「劃時代的外交協定」，黃議長說：「從自由中國的立場上說美國人民能投資於台灣則是表示台灣已具備投資的客觀條件，亦即是自由中國全體軍民數年來埋頭苦幹的結果，現在自由中國的安定和進步已為友邦人士所承認，我們應該切實依據本協定的精神，積極去實現中美的經濟合作。」

增產目標

據說政府計劃接納投資的目標及資金額共為兩億美元，其中電力投資目標為廿四萬基羅瓦特，資金九千萬美元，肥料投資目標一萬五千噸，資金一千萬美元，水泥投資目標卅萬噸，其他還有造紙，橡膠，石油等工業亦都擬大量接納投資，預計如能達到預定目標，不但每年靠美援來彌補的一億二千萬美元以上的外匯差額，可以自行補足，而且可能還有剩餘，因此這一協定的簽訂，我們已看到了台灣的工業化前途的遠景。

僑資問題

不過由於此一協定之簽訂，不禁使人又聯想到「只聽樓梯響，不見人下來」的吸引僑資及游資的辦法何以至今仍遲遲未見公佈，因此未免使人對當局之措施有畸重畸輕之感。因為利用外資，固然是我們歡迎之至，但對大量的僑資及游資卻留之不齒，實在有點失策，因為照目前的情形看，僑資與游資的數量可能遠大於可能來台投資的外資。聞政府現正依照中美投資保證協定草擬「吸收僑資及游資」辦法，但希望此項辦法能早日公佈，俾大量游資不致再徘徊於投機之門，大量僑資亦可投入自由中國工業的懷抱。如此「台灣工業化」之計劃將可較預定日期提早完成。

（曼谷通訊）

泰馬邊境的風雲

王英

【本報六月三十日曼谷航訊】在整個動亂的東南亞中，泰國是比較穩定的國家，共產黨在這裏雖亦不斷進行滲透，但至少在目前還沒有構成直接的威脅，可能成為泰國亂源的是暹南的泰馬邊境。

泰馬兩國的盲腸

泰馬邊界的暹南一百英里地帶，都是蒼林峻嶺，本來已是盜賊和不法之徒的理想躲藏地，目前更成為泰國共產黨的淵藪，和馬共的庇護所，也是泰馬雙方的盲腸。

泰國共產黨自一九四六年十二月當局廢止共產黨為非法活動的法令後，即實行活動。由退休之國會代表薩新當領導（Sapsunthron）操縱中央勞工聯合會，但因泰人篤信佛教，且一般生活安定，故發展極緩。中共和越共在曼谷都有地下組織，暗中從事組織工作。這些共產黨徒，被警察追得走頭無路時，就往暹南跑，而馬來亞的共產黨，在英軍征剿追迫太緊時，也越過馬來亞邊境，進入泰南山地，在這裏，他們除獲得喘息的時間外，還可以取得必要的補給。

重要的補給基地

他們的補給從那裏來呢？據接近泰國情報機構的人士告訴記者，主要來源有三方面，第一是來自海上，在暹南的若干小島海面，時常會出現許多神祕的小船，這些小船都滿載着軍火和物資，也有無綫電通訊器材，大都份是來自香港或中國大陸沿海。如本年四月廿二日，就有從香港開來的一艘「黃利」商船，在海南島經過時，滿載槍砲彈藥，到達泰國領海，不知在什麼時候和什麼地方，通通卸下來，當泰國警方接獲情報派人往船上搜查時，只剩下一些電訊器材，現在還擱在海關沒有人去領。其餘的軍要物資和軍火，早已啓卸一空，同樣的事件，正層出不窮。

第二是來自陸路，主要是由曼谷運去，在往暹南合艾，宋艾巴里等地的火車和汽車上，不時發現軍火走私的案件，都是與暹南的人物有關。

第三是來自一般商人及武裝走私人物，這些人多為博取巨利，故鋌而走險。因泰馬雙方共黨，均願出高價購買，在曼谷的一顆三〇三子彈，一般市價只須五銖錢，但一到了暹南，就漲到二十至四十銖，重利之下，自然趨之若鶩，因此共產黨也不斷從此地獲得補充，也不斷擴大他們的力量。

「就地取財」的辦法

泰馬雙方的共黨，既然以泰南為補給站，總要設法廣開財源，這些錢究從那裏來呢？除了中共的間接救濟外，最主要的還是「就地取財」，暹南的樹膠園，大部份都在他們控制下，深山叢林中的膠園主人，如果不聽他們的話，不獨無法生產，性命也發生問題。在這一地區中，樹膠園的主人被暗殺或者綁票的已是司空見慣。共產黨徒為了鞏固其財源，仍極力維持其出產，只是要求提高工人工資，和每百基羅抽稅五基羅，實行值百抽五。

除了就地取財外，人力的增補亦以暹南為基地。去年夏天，泰共即號召要在暹南建軍，今年農曆新年，泰共藉春遊的名義，在離曼谷不遠的抱目山召開一連數天的「代表大會」，由北平派來的共特朱某為指導人，後來因被暹羅警察發現，捕去幾個要人物，大會才匆匆結束。他們除決定到處縱火，煽動罷工，和實行反煙酒，反賭來破壞泰國稅源外。最重要的項目是決定建軍六個師，以配合「祖國大軍的未來解放東南亞大業」。據說在那次會議中，梅某被委為暹南游擊隊總司令，在曼谷設立十個招募所，將一切失業失意的人物，招集到暹南。並煽動華僑青年回保山受幹部訓練後，一再回暹南擔任重要工作，這些計劃，泰共產黨已在逐步施行中。

泰馬聯防問題多

由於泰南形勢的逐漸惡化，泰馬兩地早已有聯防計劃，去年年底，雙方又商一新協定，容許兩國偵察機越境偵察，馬來亞方面並出動降落傘部隊進行征剿，但泰國方面似乎按兵不動。因此在馬來亞站不住腳的匪徒，都通通跑入泰南，使馬來亞當局感到極端棘手。

馬來亞警察負責人楊格總監及其他高級警務人員最近曾和泰國警察總監乃砲中將在宋卡舉行會議。事後據乃砲中將在記者招待會上宣稱，謂對泰馬邊防及聯合征剿問題，雙方已有新決定，乃砲并召集暹南數十位重要樹膠商，到曼谷出席會議，乃砲表示泰南治安未能綏靖，完全是經費不足，因此即席決定從六月一日起到明年六月卅一日止，樹膠出口要加征附加稅，作為補助暹南警察治安費，希望增強泰國警察在泰南的實力。

但在今日泰國中，最嚴重的問題還是僑胞問題，泰國當局所實施「隨身證例費條例」，要求三百五十萬華僑，每人每年徵納四百銖，在胼手胝足的僑胞中，大部份人均無法徵納這筆巨費，如果泰國當局始終固執成法，可能為淵驅魚，迫使許多華僑走上梁山，這麼一來，泰馬邊界的問題，恐怕會越來越多。

波納遜其人其事

·懷遠·

現在聯合國朝鮮巨濟島俘營新總監的波納遜准將，即前（民三十二年）中國駐印軍的前方參謀長N. E. Boothner，當時駐印軍對波納遜將軍的譯名為白庭羅，或逕稱白參謀長，由當時的年歲估計，波納遜現在恐怕是六十以上的人了。當時波納遜的官階，亦為准將。

民國三十一年史迪威將軍以中國戰區參謀長名義，統率中國駐印軍，當時的駐印軍由三十八師，二十二師，汽六團，砲五團，砲十二團，工十團，工十團及兩個坦克車營所組成，波納遜那時為前方指揮部參謀長，駐雷多公路第七英里，稟承史迪威將軍作戰計劃，直接指揮駐印軍各師部隊，與日軍堅強作戰，名噪一時。

史迪威將軍在駐印軍的參謀長有兩位，指揮系統亦有兩個，業務範圍亦有兩個。那時的兩位參謀長，一為駐蘭姆伽的白金准將，一即為波納遜。白金的任務在負責駐印軍的一切裝備訓練，波納遜則為專門指揮前方作戰。史迪威將軍當時的指揮系統，一為中國駐印軍，一為美英印聯軍（美英印軍的最高統帥為大英帝國東南亞戰區司令官蒙巴頓將軍，印北英印軍亦劃歸史迪威指揮）。中國駐印軍的業務範圍；則除掃蕩印北及滇緬邊境日軍而外，又負責保障中美聯勤部隊構築雷多公路。波納遜在勝利才可以決定一切的情況下，他的責任艱巨，是可以想見的。

史迪威將軍在名義上是當時印北區域作戰最高指揮官，但他本人在印度或者在印北前綫指揮部的時候，可說是少乎其少，他最大多數的時間，還是在重慶。有時他雖偶來印北戰場，但多數是駐節三十八師司令部，或者二十二師司令部，到雷多路七英里的竹屋中國駐印軍前方指揮部，是蒙巴頓漾儀使輝煌的來視察過兩次。因此，波納遜的雷多指揮部，無異為一切問題解決的最后樞紐。因而當時的駐印軍，在心目中，祇有「去找白參謀長」，而沒人去想到在波納遜上面的史迪威。

波納遜其人，形容舉止，完全不像軍人；假若要舉一個比論的話，他到很像中國一般古董店的老板。他不愛穿軍裝，有時連階級也不帶，談話輕聲細語，中國人修養到家的氣息，完全可以由與他接觸當中領會得到。他的中國話很合標準，除說的談是北平口音而外，并且深曉中國部隊當中上下之間的一般隱密對話氣，在一個對美國軍人接觸沒有經驗的人看來，他幾乎完全是是一個中國人。

他對中國人有經驗，完全是出他對中國的長時期接觸而來。聽說他在八國聯軍進入北平的時候，他已隨美軍來到北平，是後經常在中國服務，而且當過張作霖的顧問。他對中國人的過從，很為成功而且能達到中國人所認定的「利害」印象，可說是由於他知道中國人一般心理的結果。舉個小例來說：他中國話可謂已達到無話不能談的境地，但他一見中國人有從譯者在身旁的時候，他總讓從譯者從事兩者之間的翻譯；在譯中他發現有重大錯誤的時候，他還會用英文向從譯者多盡解釋錯誤，但隨即又以最普通的英文字，來徵詢從譯者的中文意識。這在一個小至三人的會談，無形中亦可達到各面圓滿的地步，而且會肯定他是一個可愛的人物。

巨濟島戰俘營監管的任務，在聯合國幾次人選失當而造成不斷混亂的時候，竟然想到了他這一個人。在人選問題上，美軍當局可說是經過嚴格選擇的。自然波納遜的材具不止於此，可見戰俘的問題，已引起美軍極端的重視。在今後的日程中，在波納遜的監管下，巨濟島的戰俘營，共產黨一定再也搗不起亂來。

原子飛機

這種飛機如出現，它將所向無敵，成為空霸

·渚譯·

美國的原子潛艇在上月已按放了龍骨，原子飛機呢？雖然設計上比較困難，但這困難不久將可克服。

原子飛機可以飛行環球而不必着陸，超音的速度，不怕任何惡劣天氣，不必憂慮起飛降落所耗的油量，橡樹嶺的原子能實驗室已在設計。

裝透平推進器的飛機，可用原子反應器所發生的熱，通過曲管燒熱蒸氣或水銀，使之膨脹而入透平，驅使推進器。熱氣經過透平之後，又進入壓縮器被冷化，有一唧筒將之再打回反應器中，推進器逐漸加快速度，由於此種飛機的速度受限於推進器及冷氣壓縮器，所以不能很快，然無論如何總比較現用的任何推進器為快。

比較靈便的原子透平噴射機。僅用反應器代替引擎內的爆炸室。開始發動之時，由一輔助馬達推透平，將空氣壓入引擎室，經過反應器，空氣溫度即變成極熱而膨脹，經過後面的透平裏，前後兩透平有轉軸相聯。後邊的透平有了速度，遂轉動前透平，終於發生驅氣入透平引擎，前透平又大量熱氣衝出噴射管口，而造成龐大推衝力量，這種飛機的速度將快到無可比擬。

最簡單的是原子噴射機，亦利用空氣，噴氣機與透平噴射機不同之處在於前者沒有壓縮氣，只利用飛機前進的力量壓縮散射器中的空氣，所以必須飛機的速度已經到達每小時數百哩之後方能發生作用。內之物只能與透平噴射器並用，或帶有火箭引擎替他發動飛機。今日的噴氣機力量已極大，在原子噴氣機中空氣通過反應器之後即被燒熱膨脹，由後邊衝出，推着飛機以超音速度前進。

實際製造的困難問題，是原子堆中的大塊石墨，蜂巢排列的二十呎長的鈾桿，也許更夾着混凝土的圓牆，可以裝入潛艇，但怎能搬上飛機呢？

要減輕原子堆的重量及大小，必須用純鈾二三五，但價格太貴了，如不顧經費，那也只能製造小數幾架軍用原子飛機，至於民用恐難短期實現。

這種原子飛機，必須讓輻射散入空中，不致傷害人，另外還要用可以吸收中子的圍屏保護駕駛員，阻擋害命的珈瑪射綫，才能應用。

但只要製造成功，它將是一個最了不得的武器，因為它可所向無敵了。

而這種飛機，最早將于一九五四年出現。

「自由人」稿約

本報各版，均歡迎投稿，敬訂稿約如下：

（一）除事先特約外，每稿最多請勿過一千五百字，長篇鉅製，以限於篇幅，無法刊登，請勿惠寄。

（二）惠投各稿：評論要切合時局，新聞要記述事實（大陸消息，應有人名，地點，時間，人名不便刊登者，可於稿內註明），雜文要生動活潑。

（三）來稿除附有足夠郵費外，概不退還。

（四）稿末請附註真實姓名，地址，但發表時須用筆名者聽便。

（五）來稿一經刊登，即寄奉稿費通知單，憑單向本報領取，不願受酬者請寄稿時自行註明。

農民反抗中共展開火攻運動

・孔新陶・

大陸上農民沒有武器，沒有組織，對付不了「人民解放軍」的「鎮壓」。幸虧，人類的祖宗在穴居野處的時代就發現了「火」，而且，發明了用火來對付毒蛇和猛獸。于是，他們繼承了祖宗們留下的方法。用火！——用熊熊的火燄，普遍地對付他所遭遇的毒蛇和猛獸。——只是，這些蛇獸是戴上了紅星的！

二月裏，農民的火攻運動開展到了頂點，使中共驚惶失措了，經過緊急會議商討對策，結果由周恩來在三月四日發佈了一個「嚴防森林火災的指示」，想藉此來對付這個火攻運動的攻勢，這指示說：

中共慌張失措

「去年春季，東北及其他各地先後發生多次山林火災，森林資源遭受巨大損失。為此，各級機關應加強今後的護林防火工作，使森林不繼續遭受破壞。」

這里，中共不僅承認了「火災」是出於農民的「火攻運動」，並說明了這火攻的普遍和利害。

它的防制辦法是：

一、山區及山區附近的各級人民政府應把護林防火工作列為中心工作之一，由首長負責，親自佈置、檢查和監促。以大力發動群衆，教育群衆，建立防火組織，訂立防火公約。

二、對大面積的山林，應根據行政區劃，實行分區負責制，在誰的地區起火，就由誰負責，並根據損失情況的輕重，給以應得的處分。如在一省之內發生嚴重火災，應由省主席負責。在縣、區、村內發生火災，應由縣、區、村長負責。在兩區交界地帶應實行聯防辦法。

三、把入山進行副業生產的群衆和經常居住在山裏的人民組織起來，給以護林任務。

想盡防制辦法

把防火工作，列為中心工作，並「建立防火組織」，「訂立防火公約」，還成地方「分區分段負責」，「實行聯防」，「把住在山林的人組織起來」。偽政權的手忙腳亂，真是窮態畢露了。此外，還規定：——

「六、對大面積國有森林內的零星住戶，應加清查，對匪居林內的不良份子、應予逮捕法辦。

十、各大行政區及省的人民監察機關，應注意檢查各級地方人民政府對護林防火工作的佈置及執行情況。有成績者，予以獎勵。不認真執行而造成嚴重損失者，予以處分。」

野火愈燒愈旺

但是野火燒不盡，春風吹又生，在這「指示」鎮壓下，不到一個多月，「火攻運動」更波瀾壯闊的展開了，別的不說，單就中南區就嚴重萬分：

四月四日，零陵五區麻陂鄉農民鄉多生，放火燒蕭山上的亂草……延燒到五里長一里寬的面積，共燒死松樹四萬七千株，茶樹七十四株。本月十七日，該區游坊鄉甸村農民龔明生，放火燒山，延蔓到五里長二里寬的面積，燒死松樹三萬八千多株，松樹二千七百七十多株，茶樹二萬株。

四月廿日下午九時，宜昌南津關發生大火，原因是長江水利委員會宜昌鑽石採運組對民工稀查不夠仔細……房裏的火藥被四個民工點着，便發生了火災。

萍縣霜傳寫縱火燒山，燒死貧農一人，損失樹木三千餘株。上饒縣藥大嶺放火燒山，燒毀了茶子樹五萬多株。

「茂名縣第四區，兩天內發現敵人放火兩次，燒毀房屋二百零六間，鬱南縣在四月九，十兩天，亦先後發現敵人放火的事件，該縣大礦村農會剛和一個農民借了一間屋來用，四月九日晚，這屋就被放火燒掉了！」——五月十二日，南方日報。

「海康四區，三天內敵人放火三次，燒毀房屋二百餘間。」——五月十六日南方日報。

損失日益重大

又據五月八日長江日報稱：湖南省各地自進入春耕生產以來，很多縣、區通續發生山林起火事件，使國家森林遭受驚人的損失。據各地通訊員來稿所列舉的材料統計，被焚燬的樹木在零陵專區和醴陵、劉陽、臨湘、衡陽四縣就有一百三十二萬八千四百多株。零陵專區自四月十日到十四日僅僅四天時間，即發生大火四十七起，燒毀山林面積六萬九千多畝、燒毀各種樹木四十七萬八千餘株。

長沙專區瀏陽縣三個月內發生大小山林起火二十九次之多，被燒毀的山林面積有三萬多畝。三月二十三日該縣一區山林起火，一直蔓延到全縣，初步統計共延燒大小山坡一百一十多塊，燒燬各種樹木四十九萬七千株，劉陽縣有九個區十七個鄉，時間相差很近，有三十六處起火。被燒松、杉、茶樹及竹子等五萬六千多株。醴陵縣被燒燬林木一萬七千多株。其他如湘潭、邵陽、新化、平江、洪江、芷江、桂陽、瀘溪、靖縣及沅陵專區等地亦相繼發生過燒燬山林事件。

有計劃的進攻

依照「長江日報」所說：「這種嚴重破壞山林事件的發生，主要由於：反革命分子，有計劃的進行破壞，醴陵縣九區用坊鄉農民，連續四次放火燒山，燒燬茶樹等一萬七千多株，該縣一區潼塘鄉吳桐之在四月十八日晚放火燒燬山林二十多畝，平江縣七區高東鄉劉柏林假借開荒為名，潛入山林放火，燒燬茶樹一千九百多株，燒山一百二十多畝。寧遠縣七區三元鄉於三月二十四日，放火燒了五里長的山，安仁縣龍市鄉與茶陵縣交界處十多里長的山林被焚燬。臨湘火的一處大嶺五不鄉的災就是曾當偽軍連長的李月光趁歡迎志願軍歸國代表時，從一區放火蔓延到全縣的。平江縣新鄉一戶富裕中農燒山，被燬的山林達十五華里。安化縣六、七、八區農民失火燒燬山林約達三千多畝。」

中共防不勝防

由於人民有計劃的進攻使中共防不勝防，五月八日的長江日報，又證明了這一點：——

「目前湖南各地對護林工作仍未引起應有的重視，對壞份子無孔不入的破壞活動仍缺乏高度警惕，對農民亦缺乏足夠的教育。中央人民政府政務院已在三月四日發佈關於嚴防森林火災的指示，而湖南省林業局到三月二十四日才把護林工作佈置下去。這時靖縣等地已先後發生了山林起火事件。更嚴重的是臨湘縣第一區發現山林被破壞份子放火後，從大嶺鄉五不鄉連續燒了兩天兩晚，縣、區政府均未及時動員群衆搶救，任其延燒。」

沒有武器時，鋤頭也成了報仇的工具。歷史上的「揭竿而起」，其情況當亦如之！在「新民主主義」的騙局，業已全部揭穿的今天，引一句毛澤東自己的話說：「中國全國佈滿了乾柴，很快就會燃成烈火。」所謂「鎮壓」與屠殺，更給這烈火加上憤怒的汽油。「星星之火，可以燎原」，這一句中國的老話，曾一度給毛澤東用來作為欺騙群衆的迷湯，而今，熊熊的火燄，已遍處燃燒，早已不止於「星星」了。這火燄將吞沒毛澤東及其徒衆們的屍骨！——沒有一種暴力，可以阻截群衆自動自發的反抗！——尤其，當這種反抗已熊熊地燃燒起來之後！

「新婚姻法」蹂躪下的大陸婦女

・任中龍・

——來賓縣「勞模」韋國順在南寧開會後回村說：「上級交代：寡婦要成雙，不然就像牛一樣，在嶺上可以隨便強姦：現在只求人種，本村男的不夠，外村男的也可來……夜晚不准關門睡」。——六月二十三日漢口「長江日報」

「本報綜合報導」：中共的「新婚姻法」是毀滅大陸倫理基礎的另一手段，其基本目標，乃在徹底摧毀倫理社會的家庭結構，同時用「性的解放」來誘惑一般無知婦女，使她們在解決性慾的要求上和共幹同流合污，成為他們清算鬥爭中的走狗。

萬千家庭　橫遭拆散

自從「新婚姻法」執行以來，各地婦女在共幹的誘迫之下，演出了無數的慘劇。不少完滿的家庭，都因此弄得支離破碎。到處流行着「窮人翻了身，老婆離了婚」的歎息聲。離婚案件空前激增，據中共「法制委員會主委」陳紹禹的報告：根據京、津、滬、哈爾濱、西安、張家口、石家莊、保定八個城市及原華北解放區七十一個縣，原陝甘寧邊區及山西等地「人民法院」的材料統計：城市離婚案件占民事案件百分之四十六點九，農村離婚案件佔民事案件百分之九十九。從去年五月到今年六月，據中共中南區婦女會的報告，中南區受理離婚案件達九萬〇四百二十五件。而據六月二十三日「長江日報」的報導，以江西高安縣為例：一九四九年受理婚姻糾紛案件只有九件，一九五〇年增至二百六十五件，一九五一年增為一千零七十二件，本年一至五月就收到一千二百餘件。這些離婚案件中，大部份是婦女主動提出。其中一部份是舊公務員，地主的眷屬，為了本身的生存而忍痛提出，大部份則係在共幹的誘迫和煽動下，糊裏糊塗的提出離婚。

誘迫兼施　形同禽獸

共幹所以誘迫婦女離婚，主要地是在滿足本身「可恥的目的」。如江西安義縣民兵分隊長劉旗煥：看中了同村中農劉超崧的老婆吳潤波，乃公開宣傳「新婚姻法」的基本精神，是「老婆可以自由調換」。結果以強迫手段將自己長得不好看的原配陳正秀交換吳潤波。該縣另一民兵隊長胡榮鄉，除了用各種手段誘姦婦女外，並用上吊來威脅已經懷孕八個月的妻子和自己離婚。

除了強迫自己妻子離婚外，迫姦別人妻子更為普遍，特別是一般寡婦和「反動家屬」，均成為共幹洩慾的對象。據「長江日報」最近的報導：廣西來賓長刀村「勞模」韋國順，過去因「剿匪」有功，被選為「省各界人民代表」，自去年在南寧開會回村後，即跑入婦女小組胡混。在宣傳婚姻法時公然聲稱：「上級交代：寡婦要成雙，不然就像牛一樣，在嶺上可以隨便強姦，如果你們那個不趕快改嫁，土改後政府派來八十歲老公公也要嫁的」；「現在只求人種，本村男的不夠，外村男的也可來」；「夜晚不准關門睡，我要去檢查」。在他的宣傳下，韋國順先後強姦了四個婦女。其中並有二個已因姦受孕。韋國順在進行強姦時，對婦女極盡威脅恫嚇的流氓手段，用「如果報告了農會就殺頭」，「否則送你去勞動改造」等相脅迫。有一個被姦婦女懷孕後，韋國順更強迫她吃草藥墮胎。在韋國順帶頭強姦婦女之下，整個長刀村成了瘋狂世界。許多共幹借機會亂搞男女關係，有的則放肆強姦在押「地主」及「反動份子」的老婆。該縣四區共幹林正金，公開宣傳「婚姻自由，兄可姦弟婦，弟可姦阿嫂，都沒有關係」。他們並強調「地主或土匪惡霸的女人可以強姦」，說「這些人鬥得、綑得、跪得、打得、甚而槍殺得，強姦也沒有關係」。（六月廿三・長江日報）

投河上吊　悽慘絕倫

在各地共幹藉勢迫姦之下，婦女自殺和被殺比比皆然。中共「政務院」在「關於檢查婚姻法執行情況的指示」中，曾吐露一年來中南區死的婦女有一萬餘人，山東死的有一千二百四十五人，福建惠安史發生一百二十二個婦女的自殺和廣西來賓七區婦女的集體自殺（見一九五一年十一月十五日人民日報及長江日報）。據來賓縣「人民法院」最近的調查報告：該縣從一九五〇年至一九五二年四月止，自殺或被殺者共四十人，其中因婚姻問題而死的婦女估三十四人，僅在今年一月二十一日一天之內，就有三個婦女投水自殺。自殺是最痛苦的事，她們之出此下策，一方面固然是對中共暴政的消極反抗，另一面也是她們哀苦命運的寫實。在人獸不分的共區中，死或許是她們唯一的解脫呢。

給侵略者以打擊　漢口工人覺悟高

俄國顧問無法無天，對艇妹橫肆強暴，被工人圍毆，拋下江心。

去月二十一日清晨，漢口江徐關碼頭突來兩「俄國顧問」，是否散步或另有任務不得而知，但都宿酒未醒，口中伊伊唔唔，唱着小曲，當時因天氣尚早，除搬運工人已在躉船等候卸貨，其他過江小艇，均停泊在躉船週圍，忽然看見小艇中一少女剛起，伸頭至江中取水，其中一俄人向該小艇一指，另一俄人即躍入小艇，一時秩序大亂，週圍小艇人聲鼎沸，俄人躍入艙中時，該少女由窗中一躍投江，兩俄人在躉船上站立一時，當為鄰舟救起，此時碼頭工人睹狀大憤，而另一俄人尚在躉船上拍掌大笑，當激動公憤，被衆工人按倒痛打一頓後，推入江中，另一下艇之俄人，目睹同伴被推入江中，[illegible]水，心[illegible]附近小艇亦拍手大笑，無人[illegible]施救，及至警察聞訊趕到，兩俄人[illegible]影無蹤。事[illegible]工人[illegible]三人，[illegible]附近小艇主多人，[illegible]逮捕，偽市長李先念[illegible]將屍[illegible]撈[illegible]，十三日尚未[illegible]，[illegible]證明[illegible]係失足落水，援救不及，根本不承認有[illegible]事實，[illegible]問題則大為震怒，向「中南軍政委員會」提出抗議，一般推測，工人性命固不能保全，李先念之市長寶座亦可能動搖，否則不足平「老大哥」之憤。（陸羽寄自漢口）

大搜括的總結

・海遠・

中共「抗美援朝總會」主持的「獻機」的大搜括運動，現已告一段落了，他們已將搜括而來的各地捐獻款所強征統計出來了。

「獻機獻砲」是上年五月間開始的，六月一日，「抗美援朝總會」發出「關於捐獻武器支援中國人民志願軍的具體辦法的通知」，各省、市、縣以下的區、鄉、村，各分會」及各級單位、工廠、學校，均設立「捐獻機構」，「每一戶口」都設「小組」，各城市與各農村均有「捐獻」的義務，沒有「不獻」的自由。

沒有不獻的自由

在這有計劃的搜括之下，大陸人民所普遍遭受的強迫搜括之苦，是可想而知的。

總數達二一億美元

根據「抗美援朝總會」本年六月二十五日發表的統計：至今年五月底止，由各地「人民銀行」匯解該會的武器捐款，共達偽人民幣五萬五千六百五十億六千二百三十萬六千八百餘元，約合港幣十三億台幣二十二億美鈔二億餘元，這在早已破產的大陸經濟來說，是一個可怕的數目。

上海人民最倒霉

上述搜括，若以「大行政區」為單位計算，則華東區為第一位，計「人民幣」二萬一千三百二十一億餘元，佔總捐款數百分之三十八點三。而華東區又以上海為最多。中南區為第二位，計「人民幣」一萬二千六百五十九億六千二百六十六萬二千七元，估總捐數百分之二十二點七。華北區為第三位，[illegible]

俄國人大做生意

該會計算向俄國購買一架戰鬥機需「人民幣」十五億元，將這些錢據說可購[illegible]三千七百一十架。即是說，從華東徵派了一千四百四十四架，中南徵發了八百四十四架，華北徵發了四百九十八架，東北攤派了四百三十四架，西南三百架，西北一百七十架，內蒙古三十一架。這飛機和大砲，規定是向俄國人定購，讓俄國人大做生意，發財滿了。

史大林兩面得利

「抗美援朝」，在北韓前線犧牲的是中國人民的生命，而購買武器，又是從中國人民口袋裏搜括金錢，毛澤東等既不犧牲，又不出錢，以人民的血汗，作孤注一擲，以滿足其「文彩風流」和好戰的瘋狂心理。[illegible]要算史大林，既叫中共做侵略工具又可以大賺這工具的錢。

這次大搜括，雖然總結了，但事實上還不會完全停止的，因為韓戰不結束，中共所傷的人數會更多，所消耗的武器與彈藥也會更多，搜括來的一批打完了，自然要再搜括一批的；至於人民的死活，城市農村的破產，它是根本不管的。

性教育問題

為方

日本教育部決定在中級以上各學校添設「性教育」問題講座，教青年人理解性慾與健康的關係，也可以從此修養一些正確的性道德觀念，對青年是有益的。

這事若在主張讀四書五經的我國一般衛道君子看來，一定影響歡氣，認為污瀆聖教，使士風不古，而增長共產妖道的傳播力。他們雖然口讀聖賢之書，對於「飲食男女，人之大慾存焉」以及「食色性也」這類聖教記得爛熟。但，大家只許心裏想，私下做，却不可出之於口，說出來即是「離經叛道」之徒。所以，中國知識份子的頭巾氣與衛道君子的假道學，就成了幾重人格的保護色。因而社會上一般人為防範青年子弟蕩檢踰閑起見，不妨讓他在家裏學抽大煙，酗酒賭博都可以，就是不能談男女之事！

其實，關於性教育問題，如果在學校有正確的指導培養，對青年的身心都很有益處，唯有諱莫如深，纔會弄出許多不道德不衛生的毛病來。我常常有一種關於家庭教育的不正確想法，兒子長大成人之後，他若受着「損友」的影響，要去尋花問柳，大可不必阻止，讓他領略了其中滋味，耗財傷身，自然大徹大悟，浪子回頭。據我的體驗所得，凡是少年時代對性行為被管制得很嚴的人，中年以後多浪漫不羈，而表面對人遵守聖教，循規蹈矩的朋友，暗中「食色」之事比任何人都厲害。這就是偽君子的傳統文化之弊，日本的辦法，未可厚非！

自由談

離婚

玲匡

趙凱兩口子這幾天吵得個不亦樂乎！據說：趙凱親眼看見老婆和一個戴八角帽的同志，進土特產交流展覽會，可是他的老婆，却一口咬定趙凱專和女人們胡纏！

「你這個混血！」老婆左手叉着腰，右手像一支卡賓槍，差八分就碰着他的眼鏡。「跟男人逛一逛街，難道就有了苟且？……你能搞女人，我就不能……木頭腦子，非得再『改造』一下不可！」

趙凱一聽「改造」，可嚇傻了，「改造」！這可不是玩的，老婆跟共幹們有兩手，如果真的吃起醋，「改造」一下，小命嘗不是得撈朝涼，再說，現在解放後的女人，無須乎費殺親夫，僅僅玩一下手段就够瞧的了！反正氈帽和八角帽的戴法，總不離兒，當的一聲，一口氣嚇向肚子去了。

暫時算是忍住，兩個鐘頭後，一言不合，又開火了。照這樣怎能活下去？歸根小兩口經過一度休戰談判，大家都同意到人民法院循例辦一個離婚手續。說走就走，反正也不用寫呈文，煩律師，請家長。比吃一頓茶還方便！

一張破長桌，小兩口一人一邊。敞着領子，粗眉大眼法官坐在橫頭，手裏提着一管美帝的金套五十一。

法官先問趙凱：「咋個可是你的愛人？……」

「愛人；就是婆娘！」一口四川調，趙凱點一點頭。

「那個時候結合的？」法官謅過頭問女的。

「五年了！」

「不合法！他媽媽的……不合法！」法官搖一搖鋼筆：「你們是反動的結合！」

趙凱跟老婆一怔，大家都沒有哼聲，肚裏打着稿子，預備向法官申訴一下離婚的理由；這個理由，總得像個理由，還得佔點上風。可是法官並沒有問。

「你們可是要離婚？」

兩個人點一點頭，沒有作聲。

「公證費每人七萬元，三天後來聽判！」法官的作風直截了當，把鋼筆遞給趙凱，寫下了姓名住址，就站起來把手伸進了敞開的領子裏，抓搔着裂嘴的（？）牙，可並不忘了叫他們到會計室繳費。

兩口子鼓着氣回家，老婆當然罷工不再煮飯，趙凱爬上床就睡，糊糊塗塗也不知道什麼時候，肚子餓醒了。

老婆仍然一言不發的靠在椅子上，到底男的撐不住氣：

「他媽的！反動的結合！……嘿，不合法的老婆！怎麼不跟合法的愛人宵夜去？捱在這裏賴債。」

對方沒有答腔，聽帮子像個撥浪鼓，可是五分鐘後，女的怨的站起來，一扭身扭進了廚房。

半點鐘後，兩個人端着炒飯，愈吃愈有味。你看着我，我看你，也愈看愈有味。

當夜商量的結果，大家決定諒解過去，從新做人，總之是不離了！反正大家都沒有什麼話衝法官說過。

當對法官提出撤意取銷前議，不再離婚之後，法官的臉色愈來愈青，兩隻眼珠滾上滾下。

「入你的：：龜兒子！」法官的拳頭擂在桌子上：「離了又不離，這是哈子玩意兒？不對頭！不對頭！老子是法官，老子說那個辦就那個辦！：我昨天費了半天的勁兒，替你們寫好了離婚判決書。這就：非離不可！」像一陣機關鎗，趙凱險些兒嚇呆了，祇聽懂了「非離不可」四個字。

「那麼，能不能勞駕把判決書取銷？那不是很簡單？」

「咋個？取銷！不行！絕對不行！這簡直給老子開玩笑。」

「法官！」女的開腔了：「請問能不能補救我們倆不致離開！」

法官兩眼直瞪着女的，樣子像是又餓的大虫，歇了三分鐘：「好吧！總子！你們先離婚，再申請結婚吧！」法官站起來了，走到房門口又扭回頭，險些忘了一句話。

「明天再照新婚姻法來申請公證結婚，照樣子再繳費吧！」

柴進其人（下）

（水滸人物論之八）

·舜生·

就梁山的人才而論，無論從那一方面看，武松總算是了不起的；水滸傳的作者，為了敍述武松的故事，費去的篇幅不少，而且是水滸文字中最成功的一部分。可是微風起於蘋末，武松在水滸傳上出現，却正從躲在柴進家裏避難開始。柴進對武松並沒有怎樣的認識，因為武松的脾氣不大好，得罪了柴進家裏的許多莊客，這些莊客便在他們的『大官人』面前說了武松許多不是。雖說武松在柴進的莊上住了一年多，看樣子柴進對他是非常冷淡的。我們只看武松害了瘧疾，怕冷，乃至不能不由他自己，燃着一些炭獨自一個在廊下去向火，似乎簡直是沒有人理他。一定要等到宋江拿出錢來為武松做衣，柴進才過意不去，取出一些材料，叫裁縫同宋江宋清兩個的一同做了，可見柴進在過去並沒有單為武松做衣的這件事。

林冲，也是梁山泊第一等的人物，柴進其所以對他似乎還看得起的樣子，其實也不過因為他是東京八十萬禁軍的教頭，然後才不敢『輕慢』。我們看林冲在柴進莊上和洪教頭見面的時候，洪教頭那樣一副勢利小人的面孔，確實是令人難堪；這種地方並不是水滸傳的作者故意要把洪教頭寫成那樣一個丑角，實際只是要寫出柴進這個人全沒分曉，像洪教頭那樣一種人，柴進也居然把他奉為教師，延之上座，豈不是可笑之至！再看，柴進要林冲和洪教頭比武，居然捧出一錠二十五兩的銀子，而且『故意將銀子丟在地上』，並且說誰能贏得，便把這錠銀子將去，一個公子哥兒眼中的『豪傑之士』，其價值也就不過是如此啊！

反之，宋江一見武松，便覺得他非常可愛，在燈下看見武松那樣一表人物，心中便十分歡喜，眞是一見如故，當晚和武松喝酒喝到三更，還拿着他在西軒下一處安歇。自從宋江住到柴進莊上以後，武松和他盤桓了十幾天，才告辭回陽穀縣去看望他的哥哥。當時是武松一人上路，但宋江一定要帶着他的老弟宋清去送他，送了一程又一程，武松再三請他們兄弟回去，而宋江只是不肯，又在路上喝了一回酒，一直弄到紅日半西。武松是一個最重感情的人，不由不感激涕淚，因而向宋江拜了四拜，要宋江收他做一名義弟，宋江也就欣喜非常，然後彼此灑淚而別，宋江立在酒店門口，一直望武松望不見了，才黯然的轉身回去。

水滸傳的作者為什麼要這樣寫？因為梁山泊的第一個領導者是宋江，第二個是吳用，宋江一見武松便覺不忍捨；吳用一見林冲，便知道其人大有用處；這正是作者要確定宋吳兩個在梁山的地位，假定他把柴進寫得過分出色，即柴進當時在社會的地位，遠出宋吳之上，甚對梁山的關係也異常密切，這樣一來，對柴進這個人便不好安排，文章也就顯不出賓主的作用了哩！

萬竹樓隨筆

（一一〇）

亂彈齋詞話

馬五先生

鵲橋仙

序曰：英國加狄夫地方，有一間中國人開的洗衣店。主人寫出一張英文告白，貼在櫃台的牆壁上，意思就是國內各商店所示「諸君原諒，賒欠免言」一兩句話。但，這位洗衣店老板却要表示一些「紳士」風度，寫着一種很有趣而又頗難懂的洋涇浜英文句子道：You ask for Credit, I no give, You feel sore; You ask for Credit, I give, You no Pay, I feel sore; Better you feel sore!

譯成中國話就是：「你要賒帳，我不肯，你難過；我肯了，你不付錢，我難過；只好讓你難過了！」可與香港文化奇文妙句，媲美。敬讀「鵲橋仙」一闋，以示O．K．之意云爾。

說非說是，說財說義，一派奇文妙趣；料應學得洋涇浜，是上海先生教的？

不賒不欠，不文不賞，管教客人淘氣；香江才子好文筆，算與汝難兄難弟！

「我的生活片段」之一　八年的參政（十三）

王雲五

憲草問題（下）

因此，在閉會後的繼續協商中，把無形的國大修正為有形的國大，我也是極力主張者之一人。不過關於國大的職權，在繼續協商的結果，雖然設了不少的層折和時間，表面上仍括入四權的行使，就是除選舉總統和罷免總統副總統外，對於創制複以創制憲法之修改為限，對於複決權則以複決立法院所提修改憲法案為限；而有關創制權與複決權其他部分之行使，則俟全國有半數之縣市曾經行使創制複決兩項政權時，才由國民大會制定辦法並行使之。這種職權與五五憲草原來規定者相差仍甚遠，但能夠從無形的機構變為有形的機構，已自不易；蓋凡有中共代表參加會議決定之事，如欲有所變更，眞是舌敝脣焦，不易稍變其態度也。況彼時民盟大多數代表對於中共的主張，簡直無不擁護，遂使中共的勢力頗強萬分。

自一月三十一日協商會議閉會後，憲草審議委員會旋即成立，該委員會除括有協商會議五方面代表各五人共二十五人外，另由政府聘派專家十人加入，共同討論；同時協商會議之綜合小組繼續存在，惟人選因有暫時離開陪都者，故須另行推選，仍為每方面二人；其後對於政協通過的憲草原則，為着初步重行商討之便利，更就綜合小組中每方面推定一人，彷彿是一個五人憲草小組，來專任其事。我對於這三個機構，無不參加，而且是無一次會議不參加，特別是在那五人的憲草小組中會議的次數最多。此項會議多在國防最高委員會秘書長辦公處之吳寄校街七號舉行。此五人小組中每次均出席者為國民黨的王寵惠先生與[illegible]；至於其他三方面推定之代表，[illegible]

……於此。

廢科舉前的最後一次鄉試

蘧廬雜記

科舉時代，每逢「子」、「卯」、「午」、「酉」之年，舉行鄉試，「丑」、「辰」、「未」、「戌」舉行會試（會試中式後才能參加殿試）。這是指正科，照例三年一次，如果加恩科則不拘此限。我國科舉之制，行了千多年，到光緒二十九年（一九零三年）癸卯，舉行恩正科鄉試，為幾百年來鄉試最後的一次（下一年甲辰，為最後一次的會試，以後即取銷科舉），這次的人材很多，以此來結束鄉試，頗不落寞。距今四十九年，這一科的舉人，到今年（一九五二年）還有好幾個在政治台上担任要角或在科學界做領導工作的。而全部舉人中卓然有自立，對國家社會有貢獻而比較多人知的，共有五十多人，現存者不過五六人而已。前幾天，在唐大如先生恩溥處，借得「癸卯恩科鄉試十八省同年全錄」一部，全書二冊，三十二開本，木刻，紅紙面。讀了一遍，深覺有一談的必要。清朝在廢科舉之先，來一次廢八股文，代以策論，鄉會試即自壬寅癸卯年起。光緒二十七年七月十六日上諭：「科舉為論才大典，我朝沿用前明舊制，以八股文取士，乃行之二百餘年，流弊日深……不得不因時變通，以資造就。着自明年為始，嗣後鄉會試頭場試用中國政治史事論五篇，二場試各國政治藝學策五道，三場試四書義二篇，五經義一篇……進士朝考論疏，殿試策問，均以中國史事，及各國政治藝學命題，以上一切考試，凡四書五經義，均不准用八股文程式。」[illegible]

黑十字

北晨

雲山酒店的三樓，另有一個小房間，這幾條好漢擠在裏面。

白濟宏藉故離去六零七號，他下了樓。

他問郝亦臣，能不能立刻想五千美金的辦法？

郝亦臣搖頭，他連五十元也感到困難！這幾天只是乾陪着他們兩人玩樂，一點兒好處也沒有見着。

倒是小江聰明，他問「支票行不行？」這一下提醒了那紳士，他說「對！」立刻要小江用馬，一張一萬元沸讚，一張兩萬元，六點鐘以前要送到，只能開兩三天的日期。

小江一走白濟宏命令小蔡將房門門上，他問「有牌嗎？」

小蔡從枕頭下取出副撲克牌，白濟宏交給朱老五，他說：「郝大哥的手藝，早已領教過了，你的技術如何？」

朱老五接過牌，他便在床沿坐下，胡亂地將牌洗了三四遍，再要小蔡將牌「腰」了。每人發了十三張，四個人每人拿去一幅，三人的全是大牌，白濟宏手上還有一幅同花幅，正在配搭之際，朱老五將牌輕輕地攤下來，却是一幅「三同花」，白濟宏的牌等於白拿。

白濟宏心上暗暗佩服，他雖非此道中人，却很懂得一點門徑，朱老五還要表演，白濟宏止住了，他要緊和郝亦臣商量，如果今晚賭的是「沙蟹」，人手不够，如果參加外面的人，朱老五不能上檯面，玩起來恐怕難以得心應手。

這些事，郝亦臣早便想到了，他和白濟宏輕輕咬了一陣耳朵，白濟宏面露笑容。（廿八）

·中篇連載·

自由人

THE FREEMAN

（中週刊每星期三六出版）

（第一四一期）

每份港幣壹毫

督印人：李光華

社址　香港高士打道六六號

電話：二〇八四八

GLOUCESTER RD. HONGKONG TEL: 20848

承印者：東南印務出版社

地址：高士打道六四號

台灣總辦事處　台北市館前街五十號

台灣經銷處　台北市中華路一二五九號

譴責尼赫魯

·左舜生·

我們在這里正告尼赫魯先生：中華民國是不可毀，不能毀，也不會毀的！自由中國的人民篤信：不問經過如何的千災百難，千迴百折，終必達我們復國的成功，一如我們過去辛亥革命的成功，一如我們抗日成功的一樣，一如我們歷史上若干度解除異族壓迫的成功一樣！

我們早知道尼赫魯先生又已到了一個不能不說話的時候，而在前天的晚上，尼赫魯先生果然又開口了。

他說：『假若戰爭擴大到中國，蘇聯將會轉入漩渦，因為中蘇兩國訂有中蘇同盟，有一方被攻擊，另一方是要起而援助的。今天世界的集團既是這樣形成了，假若蘇聯轉入戰爭漩渦，那就將導致第三次世界大戰。』

他談到這次聯軍轟炸鴨綠江水電廠事件時稱：『正當雙方在板門店談判尋求停戰之際，何以美國會採取此一危險步驟，殊為令人費解。』

這兩年來，蘇聯嗾使她的傀儡在中國大陸直接間接屠殺了千萬以上的人民，尼赫魯先生似乎是耳無聞，目無見，絲毫無動於中；惟獨對於中共因為不能不依賴她的主子所簽的一個所謂中蘇同盟條約，乃牢牢記於心！

落井下石討好強鄰　我們認為最不可恕

一個人，對於自身所遭受的壓迫與奴役，即能出萬死不顧一生的努力去求解除，對別人所處同一的境遇則熟視無睹，甚至於還不惜跑向壓迫人與奴役人者的一面，去自附同調，又從而落井下石，老實說，這種行為，在我們東方聖哲的遺教，乃認為是最不可恕的！

我們在這裏要正告尼赫魯先生：中華民國是不可毀，不能毀，也不會毀的！自由中國的人民篤信：不問經過如何的千災百難，千迴百折，終必達到我們復國的成功，一如我們過去辛亥革命的成功一樣，一如我們抗日成功的一樣，一如我們歷史上若干度解除異族壓迫的成功一樣！

自私自利空言呼籲　既無影響更無價值

我們不信尼赫魯先生的言論足以代表印度多數的人民，即令我們在復國運動中對印度不存過分的期待，但一如我們過去對印度獨立運動的同情一樣，我們還是不難從印度多數的人民中，找到我們的同情者的。

今天整個世界都陷於惶惶不安，其足以引起大戰的因素，也可以說隨處皆有，也隨時可能，然而和平與戰爭的關鍵，畢竟是掌握在蘇聯的手裏，假定尼赫魯先生認無有效的方法足以制止共產主義的擴張，足以制止蘇聯的侵略，則聽憑尼赫魯先生以任何空言呼籲，戰爭亦將終於無法避免。

就亞洲的一局部而論，在中日戰爭結束以後，本來是可以返於平靜的，但自從蘇聯控制了整個中國以後，亞洲的風雲乃完全變色。尼赫魯先生應該明白認識：蘇聯毀滅了中華民國，這不是一件輕微的小事，而是十倍嚴重於二十年前日本佔領了滿洲的一件大事！這不單是對亞洲的一個莫大威脅，也是對世界的一個莫大威脅，我們就說蘇聯有決心侵佔中國大陸的一天，同時就是她有決心向世界挑戰的一天，也決不是一種過分的推論。今天的世界，在實質上本已無所謂和平，不僅在理論上，而且在事實上，早已進入了一個戰爭的狀態，當火還沒有直接燒到自己身上的時候，便抹煞別方面已經在燃燒的一種事實，像這樣一種論事的觀點，乃是徹頭徹尾從自私自利的立場出發的，不僅不會發生任何的影響，而且根本上也沒有絲毫的價值。

今天已經不是世界和平的維持，而是世界和平的重建，重建中華民國是重建世界和平的一環，更是重建亞洲和平主要的一環，假定我這個話不錯，尼赫魯先生所說的便是完全廢話！

中共屠殺千萬人民　尼赫魯竟如聵如聾

這兩年來，杜魯門政府因為改正她過去政策的錯誤，領導聯合國若干的會員國，以武力去反抗蘇聯的對韓侵略，其結果則毀滅了中共和北韓百萬以上的武裝，並給予蘇聯一個重大的打擊，因而使得世界戰禍趨於延緩，尤其是東南亞包括印度，實首受其賜；像這樣鐵與血所鑄成的事實，尼赫魯先生好像也是如聵如聾，不惟毫不知感，而乃視為理所應得！

所謂板門店的停戰談判，這是配合着蘇聯笑裏藏刀麻醉世人的一幕喜劇，同時因為蘇聯的上下其手，盡情操縱，已濫費了一年以上的時間，假定不有美國最近的決心一炸，則求如今天的閉門協商已不可得；而尼赫魯對這一事件乃認為『危險』，認為『費解』！

我們在印度獨立以前，早已讀過尼赫魯先生在牢獄中所寫下的大著，我們對於那種正誼感的堅強，頭腦的清晰，甚至對於他那種對甘地顯然表示立異的觀點，幾無一不表示衷心的欽佩，難道一個人只有在牢獄中才能保持他的堅強與清晰，一旦到了光天化日之下，便會變得十分的軟弱與胡塗嗎？

反共青年從軍熱

·全明·

近來自由中國有一件可喜的現象，即是逐漸注意和關懷到青年了，例如準備在海外招收僑生，在台灣提倡學生暑期軍中服務，以及此次推動的從軍運動，說明了政府現正滋長着青年的一股生命的活力。同時說明了青年們對國家處境已有一種責任感，對反共事業和反共軍人有一種親切感。

一課生動的教育

這次的從軍運動，一方面是政府與學校當局的提倡，但主要的還是學生的自覺自動，首先是他們對軍中生活有濃厚的興趣。

上月下旬，台灣全省各大專中等學校的校長、教職員、學生代表組織了一個參觀團，參觀陸海空三軍基地及各項訓練與戰鬥演習。

參觀團的團長是台大校長錢思亮，副團長是台灣師範學院院長劉真和行政專科學校校長任培道。下分五個組，每組一百餘人，分別參觀了陸軍官校、空軍官校、空軍機械學校、通訊學校、海軍官校、海軍機校。在參觀中，青年學生們曾坐上坦克、坐上船艦、坐上野馬式戰鬥機，在空中、海洋上和大地上縱橫馳騁，使他們上了一課最生動的教育，使他們認識了自由祖國的力量，更為他們開闢了一條光明壯闊的出路。

在參觀過程中，三軍戰士對他們親切熱誠的招待，和設置良好的圖書館、教室、游泳池、娛樂場等良好環境，又使學生認識了今日的國軍，不僅是一個堅強的戰鬥陣營，同時是一所最好的學校，一個和樂的大家庭。

掀起從軍的熱潮

因之一般學生紛紛表示願意從軍，喊出了「考軍校去」的口號。台中的省立農學院、女中、一中、二中、師範、工職、農職、商職、及市中、宜中、苗栗建中、苗栗農職、苗中等十三個學校的學生代表參觀完畢後，即聯名上書總政治部和三軍官校，激情地表示參加革命行列的志願，他們說：「我們熱血沸騰了，心跳躍了，有說不出的興奮歡欣和感動，我們返校後，想讚這些可歌可頌的情景，互相立志到軍中參加革命任務，和你們生活在一起，做一個保衛世界和平國家獨立和人民自由的戰士。」

台東方面也有十多學校掀起了從軍的熱潮，最感人的是那些女孩子們，如花蓮女中、花師、東女中的學生，都樂意到軍中去，為三軍將士服務。彰化女中的學生更向空軍官校抗議，說空軍不招考女生，是一件不合理的事。

台北幾個大專學校都有熱烈的反映。一般中等學校如商業職業學校學生報名空軍也很踴躍，這一屆畢業的高商學生，即紛紛放棄投考台大及其他院校的計劃，改投考各軍事學校。投考空軍者已有黃鐵坤、李蓀清等十餘人，尚有不少學生，因志趣關係，準備投考海軍及陸軍官校。

遠景和希望

這種熱烈現象，證明自由中國的青年們，在政府的教育下，在共產黨從殘酷的迫害青年的教訓下，他們覺悟的程度，大大提高了。懂得了國家對他們的需要，明瞭了在水深火熱中的大陸同胞對他們的熱望，因而選擇了這一條從軍報國的道路。

思想上的覺悟，必須在行動上求貫徹，我們希望全省的熱心愛國的青年同學們，都以最實際果決的行動，為個人前途與國家前途樹立一光輝的標誌。同時希望政府更多注意海外的廣大青年，尤其是從大陸上逃亡出來的青年，應盡量予以收容和教養，使他們也有從軍的機會。這樣，在反共軍事上所產生的力量與在人心上所傳佈的影響，是無可比擬的。

板門店談判要公開

實華

杜魯門為了要挽救民主黨的危機，很想在大選前結束韓戰，中共本來已打不下去，鴨綠江電廠被炸後，更急着要和了，加上英國印度這兩位伙伴，從旁牽制，危言聳聽，於是板門店的和談轉入幕後，美代表哈里遜，和韓共南日，聽說已談得很投機，共產黨代表也收起了宣佈攻勢，不再擊桌漫駡了。

共和黨的警告

正在這個時候，共和黨代表大會公佈了它的綱領，對杜魯門政府作無情的指責，它清算他過去的錯誤政策，當初拒絕援助中國，而對於歐洲，並壓迫中國接受馬歇爾的聯合政府主張，同時他們又主張廢除任何協定，他們就像雅爾達協定，德黑蘭，波次坦等協定，它的祕密部份會引起自由人民的被變為奴隸，這話真說得不錯。美國國務院在那時如能認識得稍為多一些，則今日的世界局勢就完全兩樣了。

杜魯門應該弄清楚，共和黨這種抨擊，雖是一種競選運動的號召，但對於他今天猶豫徬徨的情緒多少應有些針對作用。因為今天的形勢已萬分緊迫，他若再糊里糊塗走錯了一步棋，則今後美國將要有十倍於今日的麻煩來困擾它。

當心笑裏藏刀

共產黨是瞭得老杜最好欺的，只要稍施手段，就很易入籠，例如：中共在未取得大陸前，最担心美國出頭幫助中國政府，於是就用硬功夫來嚇「美帝」，用軟工夫在國務院內部左右他的政策，兩面一配合，老杜果然縮手了。再如韓戰，中共最怕牽連擴大到東北或大陸其他地方，就用蘇俄參戰來恐嚇它，它果真只限制了它的軍隊的行動，只作局部之戰。再如馬立克要她「和談」，他也就參加和談了。

勿受共黨愚弄

現在共產黨打不下去了，就改用甜言蜜語來哄他，希望得到有面子的「和平」，避免有損北韓中共的政權。拿過去的事為例，杜魯門應該特別提防笑裏藏刀才行。

他山之石，何以攻錯，杜魯門應該拿共和黨對它的評擊來反省自己，堅持立場，勿再受共黨愚弄，而勿受愚弄的最好方法，就是與共黨任何談判，不採祕密方式，把板門店談判公開化。

半週展望

·雷嘯岑·

慌煞了尼赫魯！

記得三四天以前，尼赫魯曾發出印度不接受美國提議邀請四個中立國斡旋韓戰換俘僵局的聲明，認為「於事無補」。聯軍大炸北韓水電廠之後，尼氏亦沒有跟着英國的前進份子貝凡等人大吵大鬧。

這幾天，板門店和談改為祕密會議，似乎頗有進展，正在國內熱烈進行選舉戰的緊要關頭，現政府亦切望韓戰能夠實現一種「苟和」的局面。同時，俄共集團更如去夏馬立克建議和談的作用一樣，到處狂呼和平。尼赫魯一見投機的生意又可做了，忽然大發危言，既指聯軍不應該在他暗中從事調解換俘僵局之中，大炸水電廠；又說戰事若擴大到中國，蘇聯即有參戰之可能，因而演化為世界大戰。他是把俄共、中共、法共、日共和貝凡等人的言論模誦一番，目的只在造成「維護亞洲和平」的掮客地位，以為未來升任「亞洲領袖」的政治資本，所以，不由得心慌意亂，急不暇擇了！

慌出來的和平怎樣？

共軍慌着再受聯軍不斷的大轟炸，南日一反常態，「歡迎」新建議，祕密談和；美國政府慌着應付大選，渴望休戰實現，即使是一時的！以應急需；尼赫魯慌着作調人，藉以形成他的國際地位；英法慌着西歐防禦力量尚未弄好，生怕韓戰擴大。在這種各有所慌的心理和情交織狀態之下，如果史大林願意的話，韓戰的間歇性休戰協定，或許可能出現。

可是，即令休戰協定成功，然兩軍對峙之局不會有變的。要韓戰真正消弭，民主國家非大大地接受俄共集團一筆政治敲詐不可。然在本年十一月以前，美國政府萬萬不能有類乎慕尼黑協定那種政治行為。結果就只有在聯合國不斷的會議，辯論，爭執着。等到美國大選之後，不管是那一黨當政，再來收拾殘局，最多，那時節，世界大戰之神，恐怕真要施施然自天而降了！

現在慌着要避免世界大戰而從事苟和，將來恍然於大戰爆發之由來，即是造端於今日的飲鴆止渴。歷史上這種滑稽劇情不一而足，毋須驚異！

美國共和黨的新政綱

美國共和黨的競選政綱公佈了。內容雖然包括着內政外交，以及軍事經濟等，其實，祇是向世人表明兩件事：一是共和黨決非孤立主義者；二是主張歐亞併重，而且要把亞洲的惡劣局勢扭過來，不讓俄帝再行恣意擴張。前者旨在杜塞民主黨的攻擊口實——也暗示英法不必慌張。後者是在鼓勵亞洲人的反共勇氣，教大家不要灰心。

撇開選舉利害不談，共和黨這套新政綱是有理想，有實質的大政方針。假如史大林以及英法的政治家，都不希望共和黨當政的話，唯一有奇效的辦法，就是叫俄共集團的侵略軍無條件退出韓國，再以所謂「四強會議」來和解東西德的緊張局面，同時美英法宣告撤消歐洲軍的組織計劃，否則，縱使民主黨繼續執政，世界和平空氣也祗有一天天的逐漸消喪，終至於大戰爆發的時期。

所望於立法委員者

中日和約已由政府咨送立法院審議，立院馬上就要召集臨時會來完成批准手續了。

我希望立委諸公莫忘記了一件有關國格的事：即日本政府當局自吉田茂以次各要員，至今還在不斷地發出否認中華民國主權及於全國的言論。究竟中日和約對於領土範圍那個「或」字的規定意義是怎麼回事？如果互有解釋，即應先把它弄明白，纔談得到批准的話；如果吉田政府是有意曲解，要與中共結交，那根本就含有敵國意念，更談不上媾和之說。

在這兩點沒有搞清楚以前，中日和約就應該暫時擱置一旁，不能急於批准，以保存中華民國的國格和體面。

△本報西貢通訊△

保大兵團在形成中

在法越長期化的戰爭中，法方最感棘手的，莫過於兵源的問題，近五年來的不斷消耗，早把法國弄得筋疲力竭。如果不從武裝越南入手，讓越南人保衛越南，則這種頹勢將無法挽回。在這一基本形勢之下，「保大兵團」的產生，便成為越南戰爭中一個重要的環節。

越南新軍的藍圖

保大兵團的醞釀，自一九五〇年二月美國布林克少將率領的軍事代表團到達越南後，即已着手組織。一九五〇年法越曾在大勒會議，劃定了越南建立新軍的藍圖。根據這一藍圖，開始將從前的雜牌舊式軍隊，裝備成為美式及法式現代化軍隊。依照當時的協議，越南軍將於一九五一年底，獲具有參謀部及衛生，供應，通訊等組織的西方現代化兵力四個師。其中三個師使用於北、中、南三部，第四師則使用於山居民族的地方。

這四個師將由各該師所駐紮的地方，挑選部隊組成。越南國家建立後，其它各政治宗教團體的軍隊，應一律納入國家軍隊，以期步調一致，當時預定至一九五一年底，建立足以戰鬥的軍隊四個師約四萬人，成為新的部隊。加上現在法國司令部指揮下從事戰鬥的四萬越南軍，共計八萬人。

這四個師的建立，全部費用須廿五億越幣，折合四百二十億法郎，由越南負担三分之一（佔越南國家預算百分之四十）。其餘由美法供應。

份子複雜的軍隊

在上述的決定下，由於美國的不斷鼓勵，美援軍火源源抵達。越南本身亦加速訓練幹部，到一九五〇年底，已粗具雛形。這一枝新軍的分配，計越北方面約一萬五千人，越中約一萬人，南越二萬五千人，全部合計為五萬人，由保大自任統帥，並任命全國軍隊督察總監潘文教中將負責組訓。這一兵團的成份，包括越兵團、高台軍、和好軍、手川軍、保政團及天主教防衛軍等。從組織上觀之，保大僅係名義上的統帥，並無建立任何軍事組織系統。所有軍需補給，悉由各集團自籌。因此，如視為正式的越南國軍，尚嫌過早。

一段艱難的歷程

這一支新軍組訓的過程，據潘文教中將對記者的談話，其建立乃經過相當艱難的歷程。按照目前的情形，一個正規營需經三個階段，始成立一個營：第一個階段是集合各種人才於一營房內，施以三個月的廣泛軍事教育，使之成為「營」的體系，這種訓練工作，由法軍訓練團負責。此種特派團通常由十多名軍官及四十多名軍士組織而成，在這一期內實行嚴格的軍事教育。第二階段開始訓練從事作戰。一個組織完善的建制營，就須担任每一地區的綏靖責任。法國的訓練特派團現已縮小，稱為聯絡團，由二三名軍官担任聯絡工作，七八名下級軍士負責通訊。到了第三個階段，這個建制營，已經過担任若干任務，證實其確能勝任，並能獨當一面，始算訓練完成。由法國召回其聯絡團，使之成為徹底的越南軍。迄今完成此項訓練者，已有五個營，即南越二個營，越中三個營，前者已在迪石薄廷地區担負綏靖任務。

面臨的基本困難

目前，越南政府正由營而擴充為師。南越各省正規營多已漸次組成，它們被集中於外巴塞河一帶，選定所屬省來作為「師」司令部所在地。越中方面，各兵營被指定在洞會地區集中，越北則在南定組織起來，將來祇要次第冠以「旅」「團」「各級司令部」，即可建成為「師」。山區師可能被提前成立。因為其它三師均可成為九營，而山區師僅為七營。越南當局現已發表黎谷民為少將師長來担負組訓工作。一俟各個師、團司令部成立後，即由保大兵團統帥部統一管理，越南戰局或可隨之改觀。

根據記者的觀察，目前保大轄區內，一般民眾參軍思想已普遍高漲，新軍的組訓或不至於成問題。基本問題乃存於下列二方面：第一是這些部隊各有其政治背景，不易於統一指揮。由高台軍、和好軍、手川軍混合而成的南越師，係聽命於陳文友。由越兵團作基幹的越中師，則以潘文教為領袖。其次，黃文局爭取了裴鑒朱的天主教部隊，以保政團為中心，掌握了越北師。保大山區代表狄戴耀，控制了山區師。因此保大要想集中這些部隊的力量，便不是一件簡易的工作。

其次，越南建軍的另一基本困難是幹部的缺乏。以一個素無軍隊的國家，現在突然需要大批的軍官和下級幹部，實在是一個極嚴重的問題。目前越南最大的軍校，為設於大勒的海陸軍武備學校，這是越南最高軍事學校，猶為美國的「西點」和中國的「黃埔」，每期招訓學生約五百人。教官多由法人担任。此外另設有區域性的軍校五所：一是順化軍校，一是西貢武備軍校，其它三所設於河內、邊和及嘉定，但招訓人數，仍極有限。根據法國軍事當局的估計，建立十萬越南新軍，最少需補充三千名軍官，如果依照目前訓練教育的進度，恐怕要到一九五三年底才能完成。因此，保大兵團的正式使用，看來還得經過若干時日。

（七月一日王立寄自西貢）

薛篤弼掃街上海

·北人·

這是一幅鐵幕內的寫眞，也是對共黨存了幻想的人應得的苦果。前國民政府水利部長薛篤弼，是倒戈將軍馮玉祥部下的唯一「政治人材」，從山西法政學堂畢業以後，投身馮玉祥部下當書記，由做長安縣長出名，先後做過京兆尹和甘肅省長，累官至國民政府內政部長，衛生部長，司法行政部長。雖出身一貫依仗馮玉祥的支持，但為人也頗具才華。

薛長於口才，抗戰前於司法行政部長卸任以後，曾在上海做過將近三年的名律師，很賺了一筆錢，據說薛在上海馬思南路所購的一幢洋房，就是由這一段時間買來的。然而，正由這一幢房子，却使薛受了今日無窮的苦果。

當民國三十七年，薛交卸水利部回到上海以後，曾一度想重執律師舊業，但是，正在這一個時候，就有不少的共黨地下工作人員，去挑撥活動，叫薛參加地下工作，薛當時雖沒有動搖參加，但至少影響了他對政府的一貫忠誠。同時，傳李德全郭春濤這一批共黨同路人，藉着過去薛與馮玉祥的關係，也在無形中影響，薛的思想。這再加上薛不願拋下上海幾年來積蓄的一點私產，終至造成薛因循未走。

造成薛在上海逗留不走的另一原因，是薛始終信賴他是廉潔自守的人。而薛之所以信賴這一點操守的原因，還是薛受了共黨宣傳的毒；以為中共「政府」，總不會為難「廉潔的人」。三十八年五月終，陳毅部隊進入上海，薛在幾天以後接到陳毅通知，要薛充任「上海市政府委員」，薛在接得通知以後，即婉函謝辭，稱人老力衰，對政治生活，已力不從心，願在「人民政府」領導下，作一個普通的平民。薛當時的措施，還自以為是非常得體的。但是，在這一件事發生過以後，薛即又接得「上海市軍管會」通知，稱薛無留上海必要，飭即回鄉生產。薛在山西河東為世代地主，父祖一代，曾充壞梟，因在家鄉立不住腳，才遷去北平。薛是時豈能回返家鄉！，後來總算李德全幫了忙，由李德全函請陳毅，薛篤弼在上海勉強得了「居留權」。

三十八年八月，「上海市人民政府」起始徵收房租，一般徵納的數目，均約於房價的二分之一。薛篤弼的房子，被課徵了約五十兩黃金的人民份，這一個數目，不特是薛篤弼無法交納，即使當時將該房屋全部出賣，亦不能達到應繳的稅額。薛迫於無奈，祇得自動願將全幢房產捐獻「人民政府」。但得到的答覆是：「人民政府為平均財富，凡有華貴住宅者一律不得藉詞逃避房捐，即將住宅交出，亦必須按季繳納稅款。」這使薛哭笑不得，於是又不得不找李德全，從中緩頰，結果又算陳毅賣了人情，說薛雖為「反動份子」，但還無「人民血債」，准其破例「捐獻住宅」，抵充房捐。

薛篤弼一家，上起老父，下至妻室兒女親眷，老少不下十五口。「掃地出門」，在一個秋夜明月之下，還到馬思南路附近一共兩間的亭子間。房子問題解決了，生活的問題又一步一步的迫上來。律師既不能當，文章又不能賣。於是，薛篤弼首先第一步走上了在弄堂口開麵攤的生涯。然而這一個生涯，已算是薛篤弼一兩年前比較美滿生活的了。

自今年三月以來，薛篤弼的麵攤，在長時期的收攤了以後，今天薛篤弼又開始了他掃街的生活，他這一個工作，是馬思南路街政府「介紹給他的，他每天需掃長約三華里的路街，而且沒有一個人敢於幫他的忙，他的兒女，連最小的一個鍵（七歲），也歸到「人民政府」的兒童隊去了，目前在馬思南路的，祇有他一位肺病深沉的太太，和一位形同死而未死的老父。這一整段的生活，是够薛篤弼識悔的了——。

中西為反共而攜手

（馬德里航訊）

中西這次能迅速恢復邦交，主要是由於自由中國反共抗俄日益堅強的影響。

六月二十七日，中國駐意大利大使于峻吉與西班牙駐意大使卡斯德洛在羅馬完成換文手續，廿八日，同在台北，馬德里兩地公佈，正式宣佈兩國恢復邦交，一筆勾銷了過去的誤會。

大家高興

我在早報上看到這消息的時候，剛接到一個西班牙同學打來的電話，他第一句話就向我為這喜事道賀。我匆匆走到街上，經過斯芬街，二個年青的華僑攔着我，彼此高興的談這件事，並承他們堅邀我到他們舖頭裏飲早茶。晚上，我們二十幾個中國學生，聚在一起談論中西的關係，慶賀兩國的前途，並決定今後我們應該更多做些溝通兩國關係的工作，多報導些西班牙的情況給國人知道，同時也設法把自由中國的動態隨時介紹給西班牙。西班牙人是衝動的，火一樣熱情的，從四五年來接觸中，他們對中國懷着很深厚的友情，現在他們對中國的友情將可有一更正當的途徑來表達。

誤會冰釋

中西邦交的斷絕，屈指算來已有十二個年頭了。但這斷絕的關係，今天說來是一種誤會，原來在一九三六年時西班牙發生了內亂，翌年佛朗哥佔領了馬德里，當時中國因格於國際形勢，我駐西大使館人員不能不離開西班牙。這事情後來到一九四〇年，西班牙承認了汪偽政權，中西邦交乃正式割斷。

二次大戰結束後，中西邦交應該恢復了，但那時，全世界的形勢似乎受蘇聯的操縱，它拚命呼籲抵制佛朗哥，各國共黨也拚命攻擊佛朗哥，弄得民主國家沒有一個敢出來說聯與西拉好的話，同時，中國在那一個時期，又正忙着應付中共的問題，這件中西邦交的事，一時也就沒有人提到了。直到我政府遷都廣州，閻錫山氏組閣，就很想在外交上打開一條生路，藉此把世界上敵友劃分清楚，於是透過教廷，馬德里往來，佛朗哥這個時候，也曾用各種方法表示願意輸誠結交。但就在這個時候，多難的我國政府又忙着遷都了，於是這件事又擱了下來。

復交商談

直到去年，陳立夫，曾琦，李士珍先後到了馬德里，作非正式的訪問，事後陳有報告給總統，建議立即恢復中西邦交的措施，到了七月，政府乃令駐意大使于峻吉赴西正式商談復交問題，當時雖因西班牙外交部方面有些人員主張暫緩，因而未能即時成功，但于峻吉此行，究竟給中西的恢復，鋪下了道路，所以今日中西復交換文，仍由于代表中國簽署。

主要影響

去年這時，西班牙對中西恢復邦交所以取觀望態度，主要是還不了解自由中國的實情，因為那時艾契遜的「靜待塵埃澄清」的政策，餘波尚在作祟。可是近一年，自由中國的努力總算表現出成績了，各方面的報導，也完全一改觀，佛朗哥已明白，失敗後的中國政府，又重新抬起頭來，並且成為遠東第一支反共抗俄的力量，於是水到渠成，很快就解決了。

所以總結起來說，這次的外交上的成功，雖是靠于峻吉的鋪路，但主要的還是自由中國本身努力於復仇雪恥工作的成效。

攜手反共

除此之外，還有兩個補助條件，一是于斌主教的交涉，他乘着赴巴塞羅納國際祈禱和平大會之便，由美國經馬德里，與西外交部長同機，再赴巴塞羅納，在機中，三四小時的空中會談，這邊道疏通了。另一條件是我們一批留西的很少數的學生，幾年來的努力為自由中國宣傳的功勞也不可沒。我們會多次利用座談會方式與西班牙人交換意見，改變他們對我自由中國的誤解，更舉行幾次展覽會，讓西班牙人民了解中國的苦難和共黨的殘暴，以及我們自由中國人民的反共努力。這不是自詡我們的功績，而是說明國民外交也是很重要。

現在中西復交成功了。我們希望祖國派來的大使，應該是一個瞭解西班牙，更懂得反共抗俄政策的人物。（梁成鳳）

美軍在韓使用的新武器

新型戰車

美軍在韓戰場對抗俄製T34型戰車的武器，首先使用謝曼式中型戰車，但裝甲太薄，後改用M24，仍不行，於是又調用M26型潘興式，後又改用一部份巴頓式。

潘興式戰車是美國二次大戰末期所發展的，全重二十五噸，有九十公厘平射砲一，機槍一。行動半徑為一百哩。

巴頓型戰車是根據潘興式車改良而成的，外表上差不離多少，但性能上較潘興式為優。裝有與德國虎式車相同的測距器，發動機用空氣冷卻，八百匹馬力，較潘興式加涉三百匹，故可在最冷最熱地區使用。

反戰車砲

美軍的反戰車武器，係使用最新的三十五吋火箭，這種火箭放射筒甚為輕巧，而穿甲能力極強。攜帶極為方便，由步兵放在肩上使用，筒重二十六磅，彈重八磅半；穿甲能力達十一吋厚的鋼板，其威力不是其他反戰車砲可以及，這是美國在戰後根據二，二六寸火箭砲發展而來的。

無挫力砲

無挫力砲也是美軍打擊俄人戰車的重要武器。它的重量很輕，運動性能大增，以前師炮兵的主砲，要用十二人，現在只要用二人即可活躍於前綫。這種砲機械簡單，因為無後挫力，就不需複雜的構造。故也可說是大砲與火箭的一種混合物，而準確性較火箭為高。這種砲一種的口徑百二・二四四時，重四四・四，架重九三・四五磅，初速每秒一二〇〇呎，穿甲能力三・五吋，最大射程四三〇〇碼。還有一種的口徑是二・九五吋。重一〇五磅，架重五三・二磅，初速一〇〇〇呎。最大射程七四五〇碼，穿甲能力為三、六二寸。

尋標炸彈

尋標炸彈也是重要武器，用來攻擊敵人的橋樑鐵道，是二次大戰將結束時發明的，從短程容投或施放，準確性極大，故很少浪費，一個尋標炸彈可抵上一百個普通炸彈。

夜間射擊綫

夜間射擊綫，美軍係利用紅外綫和電汽望遠鏡合成製造的，機件甚小，夜間裝在槍支上，能在指示器上清楚看到敵人，而敵人却不能察覺，故對夜間作戰，極為有利。

近發引信

近發引信，是美軍二次大戰中的科學結晶，它有一具小型無綫電轉波器，一個擴大機，一個發火電路和各種保險，使其爆炸準確，彈射出後，無綫電轉波器繼續發出電波信號，到達將近目標時，即發出一種作用，立刻爆炸，很少差誤。（渚譯）

聯軍轟炸綏豐電廠後 東北全境成混亂狀態

電力不足 工業停滯 婦孺疏散 幹部倉惶

【本報瀋陽通訊】六月二十三日上午九時五十分，正當各工廠緊張工作的時候，許多工廠的電流忽然中斷。最初一般人以為是電力廠機件發生故障，但一直到中午十二時放班的時候，電流供應還沒有恢復。各機關電風扇停止轉動，燠熱的天氣快悶死人，大家開始意料到可能發生什麼變故，但還不曉得出了什麼亂子。

下午三時左右，

謠言滿天

，從安東方面傳來消息，說聯軍飛機已於今晨大炸水豐發電廠。這消息傳出後，各機關工廠的中共幹部，開始表露出前所未有的倉惶狀態。因為在一般人的心目中，非至最後關頭，聯軍是不會炸水電廠的，因此大家都在預測，韓戰談判是否已經破裂，美國飛機是否即將大炸東北，各方面傳說紛紜，謠言滿天，彷彿大戰立即就要爆發。

瀋陽全市的電力，主要的有三個來源，一個是松花江上的小豐滿水電廠，一個是瀋陽北部的撫順火力發電廠，這二部份的電力佔瀋陽用電的五分之三，其他五分之二的電力係接用水豐發電廠，因此這一晚瀋陽除了行政區外，已實行局部停電。

廿四日下午繼續傳來聯軍飛機轟炸長津江，赴戰江，虛川江各發電廠的消息，鞍山鋼鐵廠及本溪鐵廠，已局部停工，各機關更陷入慌亂狀態。但「東北日報」及北平「人民廣播電台」始終沒有發佈消息。一般人都在孤疑中渡過一日午。

漏夜開會

廿五日下午，東北「人民政府主席」高崗，「副主席」林楓，「重工業部部長」王鶴壽和蘇聯高級顧問二十餘人，在瀋陽滿鐵大樓舉行緊急會議。據事後有關方面傳出，這個會議一直開到翌晨二時才散會。最主要的決定有四：第一，立即調整全市及鞍山，撫順，本溪的用電量，儘可能減少民用以減輕小豐滿及撫順的電荷，許多私營工廠已奉命局部停工。第二，實行緊急疏散計劃分三方面執行：關於重工業的疏散，由重工業部與交通部會同辦理，原則上以拆卸運輸便利為要務，移植地區，一部份是西伯利亞，一部份是西北。關於重要文件檔案的疏散，由辦公廳主任會同各部門進行，重要文件移放北平，次要文件移遼寧郊外預定地下室。關於非工作人員，老弱婦孺，一律實行強迫疏散。第三，加緊實行防空，每晚嚴施燈火管制，各工廠屋頂立即粉飾偽裝，儲藏沙水，瀋陽，長春，撫順，錦州等大都市之空防司令部，全部動員，各防空監視人員總日夜出動。第四，為避免刺激人心，決定暫時封鎖被炸消息。

加強鎮壓

除了行政方面的會議外，東北軍區於二十六日下午亦舉行緊急會議，仍由高崗主持。據事後獲得消息，主要的決定有三：第一，為防止美機突襲東北，調集東北全境高射砲部隊，加強鴨綠江的佈防，並透過蘇聯軍事代表，調集西伯利亞蘇聯駐東北高射砲部隊到東北。第二，電請蘇軍部立即調集關內各基地噴射機及較新式戰鬥機集中東北，第三，加強內部控制，防止人民及軍隊在空襲時乘機叛變。

自二十七日起，由瀋陽到錦州的鐵路呈現空前忙碌。東北鐵道部下令各運輸部門加緊推行「超軸滿載五百公里運動」，南下的火車多運載軍要物資及預定拆運的設備。北上火車，則運來大量的汽油及高射砲設備。

人心振奮

瀋陽市內，一般商店照常營業，六年前受過轟炸滋味的人，對盟機的可能突襲東北，自不免談虎色變。但他們也很歡迎盟機來襲，希望能真正的來一次翻身。黑市內物價曾一度稍起波動，但很快又平下去。一方面因為有餘力添購日用品的人究竟不多，另一方面因為中共經濟警察控制嚴密，居民小組也充滿着中共公安局的耳目，一不小心隨時可能被抓進去，以擾亂市場罪名發送西伯利亞集中營。不過從共幹緊張及惶恐的神態中，老百姓們都在暗想，這些傢伙神氣的時日恐怕無多了。（六月廿八日林輝寄自瀋陽）

用粗暴方式「改造思想」 湖南學生被迫自殺

——湖南省立一中學生說：「四週都是冷冰冰的，毛澤東時代青年的幸福並不屬於我們；我寧願生肺病，也不願讀書」——

【本報長沙特約通訊】中共的「思想改造」，施之於一般教師及教授時，是採取「坦白」及「自我批判」方式，其目的在摧毀這些人的自尊心，使他們在精神上成為中共的奴隸。但在對待學生思想時，卻係採用極粗暴的鬥爭方式，用跪、吊、打等手段來威脅學生。

共特行兇 明目張膽

六月中旬，湖南省立明德中學，曾因暴力「改造」學生，釀成學生自殺慘劇。該校自開學以來，高中部各班，幾乎日日在搞「典型思想批判」。最突出的是高中五十班，在中共青年團的帶頭下，曾集中火力搞該班學生李駱謙。李駱謙是一個很純良的學生，平日沉默寡言，不肯和前進份子鬼混，被中共青年團團員指他自高自大，發動全班開會鬥爭，說：「他不參加活動，就鬥倒他」。他因勢單力薄，不敢到會，於是青年團團員即威脅班主任強制拉他來開班會批評。拍桌打椅，迫跪迫吊，一直搞到幾個鐘頭，當弄得他奄奄一息，晚偷偷吊死在校園樹上。這件事被讀者在中共「新湖南報」揭載後，湖南「文教廳」乃召集長沙各中學校長、教導主任開會，討論解決辦法。根據與會各校負責人的反映，這種現象各校均時有發生。如長沙市立一中有一學生專搞數理化，不肯參加「時事學習」，班上共幹即發動同學「鬥」他，一鬥十多人，到他家裏搞了十幾個鐘頭，弄得這個學生痛哭了一夜，希望「吃安眠藥，一死了事」。

教師幫勢 火上加油

除了潛伏各校共特，特務行兇外，各校的負責人為了害怕共特批評他們「抑制民主」「思想落後」，亦故意縱容他們的行兇，使學校成為變相的刑場。五月二十九日「新湖南報」曾揭載湖南省立湘華中學某教師強迫學生反省，幾造成人命事件。據湘華中學負責人事後的報告：這個老師在思想上不但沒有覺悟，而且始終認為是「符合黨的政策」。據湖南省立一中教導主任傅業燊事後的檢討，他經常縱容前進的學生去鬥爭思想落後的學生，他認為所以犯這錯誤的根源：第一是自己經過了長期的「改造」，時時害怕被人批評落後，時時不惜犧牲學生來表示前進，因此並不從積極方面來勸說學生，一有事就習慣於搞運動。希望用強迫命令來達成目的。

不肯參加 就得挨鬥

在這種粗暴的改造方式下，擺在一般學生面前的只有兩條路，不偽裝前進，就要受鬥爭。因此善良的學生視學校為畏途。湖南省立一中學生會說：「四週都是冷冰冰的，毛澤東時代青年的幸福並不屬於我們，我寧願生肺病也不願讀書」，在悲慘冷酷的環境下，據各校負責人報告，一般學生均普遍發生自卑、頹喪的傾向，對自己的前途都失掉信心，共黨常常說「舊社會使人變鬼，新社會使鬼變人」，但湖南的優秀的一代「新國民」在中共的「新社會」下，不是瘋狂，便是頹喪，快要全部變鬼了。（六月三十日邱如寄自長沙）

中共的退守計劃（上）

王志軍

中共現為史大林在遠東主要的侵略工具，其一切動作，顯已身不由主，故中共本身雖已筋疲力盡，仍須支撐韓戰，並援濟越共，蓋史大林有一指示，即所有的共產黨的政權，必須為蘇俄的利益而鬥爭，雖遭受最大的犧牲而不惜。這一命令為莫斯科征服世界的統統計劃，中共僅為其用於遠東方面的一子棋。在韓戰未發動前，這子棋原本用來配合韓共，越共，日共，印共等衝鋒陷陣，略擾南韓，日本，台灣，以及越南，馬來，甚至印度，緬，泰的。但一經美國參加援抗後，韓共不旋踵損失殆盡，中共即升為先鋒，第一線任務由它出面了。

中共一陷入韓戰的無底洞消耗後，雖不像韓共一樣，幾乎全軍覆沒，但也已使它陷入了最大的困境，人力物力損耗太大，對於越共等的援助，特別是它本身的建設，不能不大打折扣，於是，莫斯科方面對於中共的使用，基本性質上亦有一大轉變，即已改攻為守，其任務成了拖住美國，消耗美國，增加美國國內的所謂資本主義的危機，便利美國的共產黨活動，同時乘勢利用英美之間的利害關係，增加它們的矛盾，使它們力量分散，這樣對於莫斯科在歐洲乃至其他方面的活動，也一樣有了幫助。

可是，這樣一來，苦就苦了中共，前線上支撐既不容易，大陸上人民反抗也日益嚴重，而最駭怕的，是美軍轟炸東北，和國軍的反攻。轟炸東北，主要會使它的軍需工業陷於癱瘓，中共現在軍需工業的生產主要集中東北，幾佔百分之五十，故東北工業如被破壞，它立即將減少一半的力量。國軍的反攻，將會使它在戰略上處於兩面作戰的困境，人民的反抗必將更為擴大。而大陸沿海的防守，亦為一最傷腦筋的事。沿海範圍太廣，靠三、四兩個野戰軍防守，實在分配不過來，且處處設防，等於處處不設防。

於是中共在防禦方面，不得不作一退守的打算，毛澤東曾為此事，召開過多次會議，並派出劉少奇、徐向前等紛赴各地視察，收集資料，直到去年五月，才決定一方案，其主要的內容分為六個部門：（一）沿海地帶軍事防禦工事的建立；（二）沿海居民及漁民鹽工等組織的加強；（三）劃定後方重工業區，積極建立軍需工業；（四）加速完成「土革」並打垮私營的工商業；（五）加速整軍，使各部隊提高戰鬥力；（六）普遍進行思想改造，清除一切異己份子。

這計劃擬好後，經過俄國人的批准，由劉少奇主持，有的先從東北開始，做出示範，及在執行時的工作方式，然後再推動各大行政區依計實施。至於工業區的建設，則指定四個據點，即：蘭州，西安，太原，重慶。

這六個部門的工作，依照它的計劃，是相互配合的，如建設工業區，資本的來源即靠「土改」和「五反」來搜刮，部份的機器則還自沒收的沿海都市的工廠，人力則靠各種組織的動員，以及用各種罪名來逮捕的人犯。

在這計劃未完成前，還須配合一種外交策略，主要為運用政治活動來阻止東北的被炸和國軍的反攻，以保障其自身的安全。韓戰和談亦即為其有效利用的一種手法。

據毛澤東估計，到了明年秋天，這一計劃即可完成百分之八十，到那時，中共或將又有另一姿態出現。

一個女工的死 看工人天堂內幕

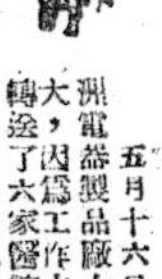

五月十六日廣州東洲電器製品廠女工人陳大娣，因為工作中毒，轉送了六家醫院，都在拒絕診治，以致於次日下午不治死去，這一個事實可以告訴人們，中共是如何的「重視工人」，在中共治下的工人的福利。

原來工人陳大娣，年五十六歲，是一個平時工作非常勤的女工，有三十一年歷史，此次中毒的原因，為了廠方忽視工人安全，只求提高成品質量，而不顧工人的生命危險。陳大娣是在該廠炸洗紅銅質半製品的部門工作，本來是用稀硫酸作炸洗液料，但是製成品的成色，因為不能保持，改用硝酸作炸洗液料，硫酸在炸洗時發生一種毒性氣體，令人當場頭昏嘔吐，當時有七八人頭暈，陳大娣就受毒，曾向廠方大會提出意見，會中止使用，可是也並未規定不准再用，或訂出一定比例，能保障工人的安全，直到五月十六日廠方又用紅銅作半製品原料，因為嫌打磨不光亮，再度用硝酸混合硫酸炸洗，也比以前加多硝酸的比例，所以當半製品放入炸洗液中，即發生一種黃色氣體，當場工人陳大和黃惠賢都立時中毒。陳大中毒之後，先由廠方醫生打了一針強心針，送到市立醫院去求診，當時醫院決定照X光鏡，先填好一張申請書，結果照得十分模糊，才發現這張底片是露過光的，於是重來，第二次照出以後，卻斷定是肺結核，雖然病人家屬再三陳述中毒經過，可是X光鏡當然不會錯，衛生官吏也不會錯，於是就以肺病為名轉介紹到方便醫院，醫院更不方便，只是武斷的說沒有床位，又介紹到肺病專科醫院，也推說沒有床位，又送到第五次送到周濟民醫院，還是照樣拒絕，收容時已是下午十時，經過幾個鐘頭的時間，陳大娣病勢已沉重，次日又送到中山附屬醫院診治，已經斷氣死去了，工人們的消息，今日報紙黨報也噤若寒蟬，這類事件，在廣州已經不止發生一次了。（陸羽寄自廣州）

河南新血賬

中共在河南的「土改覆查」運動，自去年冬季、今年春季分區開始實行以來，至五月底止，已完成了三千三百餘鄉，佔全省「覆查」鄉總數百分的五十。

所謂「覆查」，即是第二次的「土改」，其本質是：再「鬥爭」、再「收回土地」、再「沒收」、再「掠奪物資」、再進一步在政治上，經濟上徹底打倒地主階級。因之「覆查」較諸「土改」的兇殘暴虐，有過之而無不及。

據中共「河南省土改覆查辦公室」上月二十九日的「報告」，以洛陽、淮陽、陳留、商邱四個專區所屬二十九個縣五百九十九個鄉統計：共打擊了土改中被打擊得不徹底的地主七千二百一十二人，鬥爭了土改中漏網地主三千四百七十四人，捉回逃跑的「惡霸地主」三百二十二人。在這一萬一千零八人中，經過「人民法庭」分別以極刑、徒刑與勞役。

其次這次「覆查」中沒收了漏網地主的土地、耕畜、農具、糧食和房屋，以南陽、洛陽、淮陽、川、鄭州、陳留等七個專區，所屬三十九個縣一千四百一十八個鄉統計：共再沒收土地一十五萬六千五百六十六畝，（每鄉平均增加一百十一畝）房屋五萬八千四百九十一間（每鄉平均增加沒收四十一間）耕畜一萬七千一百四十三頭（每鄉平均增加沒收十三頭），農具二十一萬一千零二十件，糧食五千三百四十七萬零四百二十斤（每鄉平均增加沒收三萬九千餘斤），財物折合糧食一千二百零七萬二千二百五十斤，每鄉平均再多沒收四為八千二百餘斤。

從這幾個數字，可以看出「土改覆查」在農村中所造成的血賬，是如何的嚴重，現在正在開始或繼續若干省份，其給予農村人力物力的損害，一時尚無法統計。

預購棉花 中共搜刮的新把戲

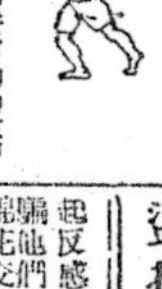

中共對農民經濟的搜括，花樣愈來愈奇，手段愈用愈狠，除以「收購土產」和「辦理儲蓄」等把戲將農民手上一點東西弄得一乾二淨外，又實行「預購棉花」，預先規定收購數量，不准農民在市場上自由出賣，要全數繳交給共黨，而不給價。因而普遍發生強迫命令與攤派現象，河南各縣，不問農民有無棉花出產，一律按戶分派，各縣的共幹下鄉宣傳說：「不種棉的也得預購，不然就是不愛國」，就是不顧「抗美援朝」。

共幹挨戶搜查

有一戶農民總共只摘四十斤棉花，抵交公糧用了八斤，捐獻用了六斤，預購完了十五斤，共黨還嫌太少，結果這農民只有到集上去買十五斤「購棉」數。

還有在「購棉」中帶兵挨戶搜查，湖北光化，河南開封、上蔡等縣，各區、鄉村的共幹帶同公安隊員、民兵挨戶搜查，以「查棉」為名，到各住戶翻箱倒櫃，搜查棉花。

形同強盜打劫

由於這種搶掠的手段，引起農民大大的反感，說：「你們把棉花交給政府，以後你們穿衣服由政府發洋布」，又一面說，一面唱，沿戶不答，家家農民都不走。此外發動小學生，抬着「黑板報」，喊着「愛國口號」，挨家挨戶的「宣傳」，組織各種「分子」，強迫農民，使他們不得不拿出來，因此引起農民內心的怨憤。（華士）

國寶不可失！　高方

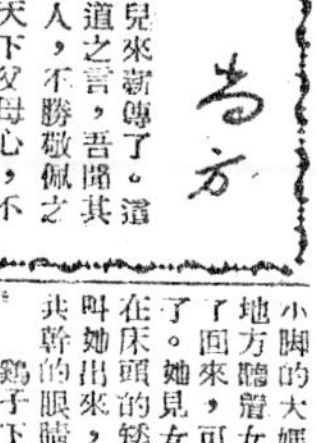

香港小姐但茱迪，榮膺「世界小姐」之後，於紙醉金迷的美國地方，坐着花車，招搖過市。據她在電話上告訴香港親友，[illegible]見着她如高呼「給我一吻」！噱頭不小，鋒頭也十足。紐約和舊金山一帶的潮僑，還準備歡迎她，以示尊重「國寶」之意。有位朋友對我說道：糟了！但茱迪戴上這頂世姐高帽以後，她要找相當對象，那就很困難了！我說：老兄何必替女人担憂呢？天下從來就是曠夫多於怨女的。如西德和日本的女人過剩情形，那是戰後的暫時現象罷了。

倒是報載她爸爸的一席話很有道理，他覺得自己在青年時代結交女朋友很不少，現在讓女兒來薪傳了。這眞是明心悟道之言，吾聞其語，如見其人，不勝敬佩之至！「致令天下父母心，不重生男重生女」，然在這位「但老太爺」的心目中，似乎幷沒有這種興趣哩！

我決不爲「但世姐」的未來對象躭心，只懷疑她如果不能投身好萊塢中，成爲名副其實的世姐，他日載譽歸來，尙能戴着歪形白帽子，作「空中小姐」麼？過去有位「迷死」，在本港載歌載舞，生活十分寫意，一經被選爲「香港小姐」之後，逼得她不能不另找世界去「撈」了。在這位「港姐」是枉受盛名之累，在我卻有悵然若失「島寶」之感。但世姐是「國寶」，尤其失不得的呀！

自由談

王莊的慘劇　焦一夫

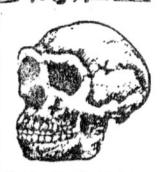

王莊位於湘西桃源縣城東七十里山中，王剛是那裏唯一的長壽，無形中成了那村的村長。所有遠近的人，都尊稱王大爺。六十歲的年紀，爲人純厚，生平守分安命，正直不阿。他沒有任何奢望，只想年歲豐收，世界太平。以度他安靜的餘年。

共黨來了，起初也沒有什麼感覺，所以在共幹導演下做了「民選」第一屆的村長。他沒想到這個村長是供共黨搾取民脂民膏的機器。共黨在一年中。三征，四借，五捐，六獻。全村農民的血汗，通過了他，再通過「解放軍」統統化作朝鮮戰場上的炮灰了。

今年二月間的早晨，有兩個共幹來村催繳積欠「捐獻」炮彈谷。王剛到距莊五六里「劉家塲」趕塲去了。由他小腳太太（大媽）招呼。鄉村的房子，大半都是堂屋與內室相通，共幹毫不客氣的升堂入室，躺在王剛的床上。拿出萬元僞幣，要王大媽替他買雞蛋燉。她輕言細語的說：「鷄子要一萬五千元一斤。」共幹沒有理她，佯翻了翻沒有黑眼珠的眼球。胆怯的王大媽有些恐怖，只得拿着竹桿追捕自己心愛的下蛋鷄婆。

躺在床上的共幹，發覺床後有物蠕動，撩起蚊帳，原是十八九歲的姑娘。抑不住獸性大發，兩個人如餓虎擒羊般的拖了出來，她像被殺的豬仔狂叫了一陣。及待小腳的大媽由遙遠的地方聽着女兒叫聲趕了回來，可是已經遲了。她見女兒睡首坐在床頭的矮橙上，想叫她出來，終於又被共幹的眼睛嚇服了。

鷄子下鍋不久，王剛攜着籃子回來了，她迎了上去，告訴來了兩個「解放」同志。王剛一進門，見共幹躺在自己床上，幷且女兒坐在一側，心裏有些憤怒，可是爲着想替村人再順利的請展一次「欠債」的期間，只得勉歛怒容，強顏爲歡的拿出準備自己享受的秋子酒招待，共幹不客氣的杯杯的灌到肚裏。他們沒想到數十分鐘前做了缺德的事。王大媽捧上鷄子，肥鷄下酒，似乎更引起了他們牛飲的興趣。王大媽乘機拖出女兒，細問之下，才知已被禽獸蹂躪過了。她不敢告訴丈夫，因爲王剛有湘西人所有寧死不受辱的剛烈性，恐怕鬧出大亂子。

第二日天還沒亮，有人敲着王剛的大門。進來七八個武裝共軍，不問青紅皂白，將王家的五口（二子一女）完全綁了起來，他們莫名其妙的不知究竟爲了什麼？以後才知道昨午用鷄下酒的兩個共幹，因爲肚子痛病倒在路上，以後竟嗚呼哀哉了。王剛夫婦有了謀害共幹的嫌疑。

中午指導員江瑞，連長許臨平，專程審訊這宗「十足國特」嫌疑的案子。王剛四肢大姆指被吊了起來，腹部向下，背上加壓五斤，十斤……重的石頭；王大媽廿個指頭，都被鋼針插在肉裏，鮮血濟流，疼痛得昏了過去。可是始終否認加害的罪名。然而謀殺案幷未因其否認而消失。最後決定將他們解送「人民法院」「懲辦」。

事情居然如此湊巧。指導員和連長返回駐地時失蹤了。共軍傾巢出動，四處搜尋，終於在王莊的後山山谷裏發現了遍身窟窿鮮血淋漓的屍體。王剛的罪狀更嚴重了。全莊男女老幼，都有串謀和窩兇的嫌疑。數以百計的共軍，將王莊圍得水洩不通，搜查竟日，雖未發現殺死江、許的兇嫌，可是七十五個男人五花大綁了起來。一百四十二個老弱婦女，也被集在一塊。然後將一家家的分開，男子跪在地上，共幹用手槍對準後腦，命令他們的老婆或兒女親人，扳機用食指扣實彈的手指上面，以便控制，再要他們招供殺死指導員連長的主兇策動人，經過兩個多鐘頭，沒有一點反響，七十多個男子，在槍機一鬆一緊之下，一個個的倒了下去。又令媳婦女兒同樣的殘殺母親和阿姑。這樣「「處決」，是叫「自懲」。最後僅剩十歲以下的小孩，伏在爸爸媽媽的身上啼哭。最後，也被共幹送到長沙，也轉送東北去了。從此這個村莊成了荒無人烟的所在，數百畝良田，蔓草盈尺。

關於石秀（上）

（水滸人物論之九）

・舜生・

『水滸傳』的文章之妙，妙在寫一般好漢未上山以前所遭遇的一切事實，換言之，即在它描寫這般人其所以不能不去做強盜的原因。及至這般人一一上山以後，即不僅其人其事已了無足觀，即作者那一枝翻江倒海的健筆，也就變得平淡無奇了。

宋江、武松、石秀這三個人之上梁山，其基本原因，可以說都是爲了一個女人問題，可是這三個人卻又都不是那種沉迷女色的普通男子。

以宋江的性格而論，他決不是因爲一個姘婦有了外遇便非把她置之死地不可的那樣一種人，可是畢竟把閻婆惜殺了。從這種地方去看水滸傳作者那一枝如何是錦心繡口的妙筆，即在他把閻婆惜寫成一個潑辣凶狠而又色胆如天的女人，她把晁蓋給宋江的一封信扣在手裏不肯交出，而又逼着宋江當面寫下一封休書聽憑她去改嫁張三，這在宋江一面是自己性命交關的一個問題，一面也是一個稍有自尊心的男子所萬難忍受，於是乎婆惜死矣。殺了婆惜而令讀者並不感到宋江的行爲過分，這便是作者最成功的地方。

凡愛人都不是一樁惡意，以一個嫂嫂而愛上了一個叔叔，也十分的尋常；武松是一個正派爽快的男子，他自己以手足之誼，不去接受這種不正常的愛，自然是很對的；可是他決不會因此便有殺掉他這位嫂嫂的動機存在。潘金蓮愛武松不能到手，轉而去愛西門慶，這也不是她致死的原因，假定故事的發展僅止於此，武二頂多叫武大把這個婆娘休了完事，何必一定要殺她？可是水滸傳的作者一定要把金蓮寫得異乎尋常的淫惡，她不僅要使奸夫把武大一腳踢傷，而且要合謀把他活活毒死，同時還要寫出西門慶運用他的金錢和政治力量，使得武松連告狀也無從告起，然後使得讀者覺得武松之殺死這一雙奸夫淫婦，只是出於萬般無奈，痛快而決非魯莽，因而把同情都吸住到了武松的一方。

石秀和楊雄，只是兩個萍水相逢的初交朋友，楊雄的老婆要偸人，那怕她所偸的就是一個和尙，這與石秀有什麼相干？即令潘巧雲欺負了楊雄，爲石秀所發覺，在石秀至多也不過向楊雄婉言警告，要他好好的當心也就完了，那輪得他以朋友的立場，越俎代楊雄來動手？但水滸傳的作者在這種地方又故弄狡獪，他要寫出巧雲對這件事不惟不肯承認，反而一口咬定說石秀向她調戲不遂，因而向她的丈夫造出這種謠言；更把楊雄寫成一個耳軟心粗的蠢才，經他老婆一番哭哭啼啼的反訴，居然信以爲實，因而和石秀絕交，並且把他趕出門外？這樣一來，便把石秀弄得有冤莫白，而且構成了嚴重的人格問題，乃逼得他不能不另想辦法了。

蘭竹樓隨筆

（一一一）

亂彈金詞香

訴衷情

序曰：以「名女人」蜚聲於時之某女士，本月三日下午，忽生厭世之念，在港寓服安眠藥自殺，經女傭發覺，送醫院急救，幸不死。當她醒來時，見着相從多年的女僕站在面前，對她說道：「小姐，你富也富過了，窮也窮過了，富富窮窮，窮窮富富，人生有如幻夢，何必要尋短見呢？」不禁潸然泣下。據聞她的自殺動機，是接到乃弟由台灣來信，告訴她赴台的入境證不易取得。回想當年在京滬一帶與陳「主席」孫院座，以及一般文武大員交游的情況，是何意態雄且傑！而今潦倒香江，門前冷落車馬稀，不覺百感交集，萬念俱灰。她這次「尋短見」的悲劇演出，要給小說家一段珍貴材料哩！

當年雅興惜風流，將相盡低頭，豪華瞬成春夢，空有艷名留。君莫問，富窮由，泪難收，王孫浮海，後主歸山，遺恨悠悠！

又

而今冷落香江樓，往事憶從頭，多情只空餘恨，咄咄不勝愁。儂命薄，世無儔，倩誰謀，書來修怨，藥可安眠，別矣，歸休！

馮五先生

生死兩難　儀君

葉老板自殺了。上海偌大的社會裏，也像擲了一個巨雷，經常人們在談話時，總是以葉老板之死爲題材，老百姓心裏是充滿了惋惜和恐怖，而共幹們卻因爲無法追回「五反」餘款，卻都懷着無限的憤恨和悵惘。

葉老板是大昌五金公司的總經理，分支公司遍國內外，資本雄厚，在上海五金業中首屈一指，「解放」後，「人民政府」需要戰略物資，尤其是五金類最爲迫切，葉老板便受到委託，「人民服務」，先後在海外支公司，發動在帝國主義統治的地區，吸進了巨量的戰略物資，包括五金以外的東西。也曾受到人民官的獎勵，戴上了民族資本家的帽子，在中共是新貴，常滿白蘭地不缺，在上海是大亨也是闊人，誰提到葉老板都要伸一下大姆指說：「眞有辦法。」

不過天有千算，「人民政府」只有一算，對於葉老板這兩年來經手採購五金，當中，撈到多大油水，他們的看法，是清清楚楚，無非是將「國家財產」暫時存在葉老板那裏，遲早還會提回來，只是葉老板自己尙蒙在鼓裏，當然所有的上海商人，也都在做着美麗的夢。

「五反」開始後，「人民政府」當時的評價以五金業爲最大目標，而葉老板是五金業中第一把交椅，於是成爲頭號大老虎，先被清算下來，據「公平」估計，盜竊「人民財產」約值兩千根金條，要葉老板賠出來，不過因爲一般大員都有些交情，總算特別客氣，並未送進人民監獄，仍然住在自己華貴的公館裏，只是行動另有人保護罷了，昔日車水馬龍的葉公館，而今也「門前冷落車馬稀」了。

葉老板盡其所有，幾個分支公司也都關門大吉，勉強只繳出了三分之一，可是「人民」仍然不肯放鬆，一定要追足原數，才准恢復自由，過度的恐怖壓擠之後，葉老板病了，「人民」恩准，到民安醫院求診，中間隔了一天，醫院報告葉老板自殺了，當由家屬親視含斂，送到萬國墳場埋葬。

本來人死債了，葉老板已經死了，該完，所負人民的債，也隨着葉老板的死而埋進了萬國墳場，可是人民官甘心，因爲經手辦理這件事的人，總不能因爲葉老板死了，拖欠了「國家財產」，尙屬小事，熟能費也付他們的獎金，在他們的意料中，葉老板應該還有部份現款，藏在其餘親友家中，所以對於葉公館出進的人物，非常注意，祕密的監視着。公安局刑事股張股長也親自在附近巡邏，葉老板死後的第三天，發現民安醫院的程院長從葉公館出來，慌慌張張，張股長過去一打招呼，看見程院長神色大變，當時命令手下加以檢查，出乎意料，並沒有美鈔，卻有葉太太寫給葉老板的一封信，告訴他通行證尙未作好，要他再忍耐一天，這一來張股長眞是如傳異哉，趕快把程院長帶返公安局，不要疲勞訊問，程院長全招了，原來葉老板是詐死，實際葬了一個空棺，本人仍藏在程院長家裏，設法找得通行證逃往香港，於是在程院長引路下，張股長又看到葉老板，當時眞是火冒三尺，過去重重打了兩個嘴巴，口裏罵道：「小子裝死，想逃避人民的債務，告訴你，不要說是假死，就是眞死了，只要欠下債務未能清償，人民也有辦法派遣鄉隊到閻王爺處追回來，想賴債總是不成的。」葉老板陡然看見了張股長，猛一震驚，而色立時蒼白，但馬上也回復了平靜，他知道眞眞假假，最後總是一條歸宿，聽到張股長罵完之後，摸摸挨打的面頰，悠然的說：「同志！我到今天思想才搞通了。」「搞通什麼」？張股長依然橫眉怒目的問，「就是生存在偉大的毛澤東時代，活下去固然不容易，想死卻更難呢」？「啊」！張股長也脫口應了一聲，好像也頗欣賞他的話。葉老板同程院長的命運算是確定了。

只是從此以後，上海市又多了一項規定，凡是死人（不問病死或自殺），必須經人民檢驗後，證明無訛，發給准死證，否則據說閻王爺不敢收留，依然要遞解回來，這條規定就是由葉老板起，上海人根據以往習見的史達林憲法，毛澤東思想的先例，定名爲葉老板法案。

狗眼睛

一個眼睛害了病的人，去找醫生診治，醫生認爲他的眼睛沒有希望了，除非用移殖法，但是人的眼睛沒法得到的了。只好用狗的眼睛來代替，那病人同意。結果手術成功，那病人重睹光明，不過看見的東西，都是顚倒的，與原來的人的眼睛完全相反。白的變成黑的，正的變成反的。但有一天，他到了蘇俄，奇怪得很，他看見的東西反而與人一樣了。

黑十字　北晨

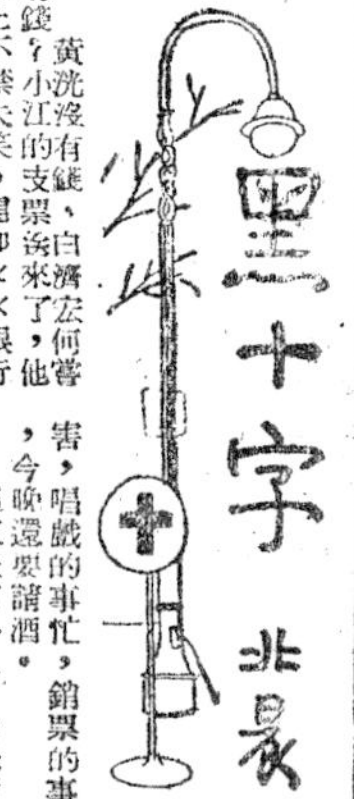

有錢？黃洗小江沒有錢的支票、後來白濟宏何嘗心上不禁失笑，這和××銀行那兩張保險箱的紙頭一樣，等於兩張廢紙，却成了「拿在白濟宏手上」「拋磚引玉」的法寶，他擺了一張一萬元的交給黃洗，說郝亦臣沒有找朋友，要明天才有現鈔，白濟宏還得尋些現鈔，應付場面上的需要，他不會忘記，黃洗給鄢英那五百元美鈔，一定完整地放在她那隱皮皮包內，這件事是輕而易舉的，好在雲山酒店和「新都」只隔着兩條馬路，他特爲此事親自去了一次，憑着他的花言巧語，那五張綠印的美金，馬上換了一個皮包，白濟宏對他姨妹說：他一時沒有錢用，等到回澳門之前，還鄢英一千元。從來不曾知道這位紳士的底細，第二個五百元擊中了她的弱點。

這批男人忙成一片的時候，那做主人的宋瑛忙得更加厲害，唱戲的事忙，銷票的事忙，今晚還要請酒。這次沒有外人，全是請的白濟宏和這批朋友，另外約了佩雲和玲玲，玲玲算是配給郝亦臣的，一切辦齊之後，她想起了一件重要的事。

她早和小蔡約好了，小蔡也想尋她。

憑着朱瑛幾年來交際場中的經驗，她對白濟宏這個人有點懷疑。

無疑的，這男人講場面，舉止談吐，一切都是上流人的模樣，佩雲暗地也告訴過她，此人很肯在女人身上花錢，只是他不明白，爲何他跟着郝亦臣這批朋友？由於這批人，她又牽想到那個奇怪的北方人，她就心裏面另有文章，恐怕自己也陷身在那些是非之中。

（廿九）

・中篇連載・

自由人

THE FREEMAN

（半週刊每星期三六出版）

（第一四二期）

每份港幣壹毫

督印人：李光華

社址

香港高士打道六六號

電話：二〇八四八

GLOUCESTER RD.
HONGKONG
TEL: 20848

承印者：東南印務出版社

地址：高士打道六四號

台灣總辦事處

台北市館前街五十號

台灣經銷處

台北市中華路一二五九號

和戰都是僵局

韓戰如果能和，是怎樣一種趨勢？不能和，又是怎樣一種結局？克拉克反對設政治顧問的理由如何？尼赫魯忙於調停韓戰的眞意安在？越南戰事得英美保證應援就能制勝嗎？光靠軍力就能維護日本的安全嗎？

·雷嘯岑·

麥克阿瑟在美國共和黨全國代表大會演說，對韓戰問題有深刻的論斷，他臚述自己并不反對杜魯門總統毅然出兵討伐韓共這項道義性的決策，只是不同意「和戰不能操之於己」的戰略行動，認爲這還是美國現政府沒有自主的外交政策所致。從這種事實來推測韓戰前途，無論和戰，終歸是一種僵持的局面，乃是顯而易見的。亞洲方面已經烽火連天，熱戰了好幾年，戰場不下三四處，歐洲卻始終是在冷戰遊戲之中，然民主國家還有所謂重歐輕亞之說，還要假藉避免三次大戰的自欺欺人之談，來掩飾其自私自利之非道義性的行爲，眞是笑話！

板門店和談如果成功的話

看情勢，板門店的休戰談判或許可以實現，因爲雙方的主要當事國，都感到有「苟和」的必要了。休戰協定一旦成立，俄帝在聯合國一定要設法「和平」的政治攻勢，要把休戰以後的政治問題移到聯大安理會或特別委員會去解決，而且要將關於東亞的其他問題如台灣中立化和日本問題等，同時主張解決的。若能按照英國工黨的辦法，請中共無條件參加聯合國，把台灣交與中共，把日本造成一個與共黨共有共治共享的「社會主義國家」，而馬來亞的共黨恐怖份子則照樣的派兵痛剿，并且由中共保證決不予馬共以聯援，那是最簡單不過了！俄共集團必然滿面和平之色，大呼「偉大而和平的進步措施」，北平秧歌王朝馬上還會跟英商簽訂幾億鎊的貿易協定，以證明「史大林導師」所謂社會主義與資本主義可以併存的話是眞實的！可是，美國人恐怕不願意得到這種「光榮的和平」，艾契遜最近在倫敦爲着聯軍炸了北韓水電廠而大受攻訐之際，尙肯定的聲明美國決不承認中共政權哩！所以，縱使板門店搞出一個休戰協定來，也祇是在武裝和平的對峙局面中，暫停眞刀眞槍的殺伐之際，變成你爭我吵的唇舌之戰罷了。美國當局儘管有心遷就盟國，怎奈國內人民和反對黨沒法認許，而俄共集團也不能放棄其孤立「美帝」，仇視「美帝」的革命原則何呢？一個單純的休戰談判，就得談上兩年才有眉目，複雜的政治問題，談幾年也不算稀奇，反正有的是時間，大家浪費些都不在乎啊！

韓戰如果再起？

在聯軍現行戰略之下，板門店和談即令破裂，也只能作拉鋸戰，這邊不想打過去，那邊不能打過來，彼此依然以朝鮮爲練兵場，爲新武器的實驗所。最近英方倡議在聯軍統帥部添設政治顧問人員，即是爲着要維持「不戰不和不走」的原有戰略，以防戰爭範圍擴大。克拉克將軍表示反對，認爲這種玩藝將來祇有隨時貽誤戎機的作用，別無是處。本來嘛，一個統率大軍在陣地與敵人作近代化戰爭的將帥，目的是在取得勝利，他非所問，亦不必顧的。若又設置所謂政治顧問，騎在統帥頭上，坐而論戰，過於干涉，那戰事怎有勝算可言呢？這比古代我們中國那位宋襄公所採取的「無鼓不陳列」，「不禽二毛」那種作戰方略還要糟，任誰設身處地亦不能同意的。

至於尼赫魯之熱心要作和事佬，用意卻別有所在。因爲俄共集團對東南亞是有一套縝密的侵略計劃的，最近倫敦消息，也承認東南亞各地共黨是一致在中共統一指揮之下，分別活動，殊途同歸。史大林固知道香港，越南，印尼，馬來亞這些地方是英法所不願輕易放棄的所在，不能用力征經營之法，唯有利用內在的第五縱隊從中作祟，乘機暗中滲透，期收「智取」之效。只有印度與緬甸，無論在政治軍事經濟上，都是眞空地帶，一旦時機成熟，可以傳檄而定。得到了印緬，整個東南亞即如探囊取物了。尼赫魯當然不能說他沒有這種警覺，但他自付能力，不足以抵擋俄共們這種攻勢，又狃於民族主義者的自尊心，要以國際第三勢力自居。如是，他即想以對俄共刻意求歡的作法，來和緩對方的敵意。同時又一面接受美國的經援，一面聲明印度是站在自由世界的。一句總話：只要俄共們不妨礙他的利益，他即媚共親共，否則亦留有反共的後路，在，我們可以預言，俄共集團在韓戰休止後，一定對印度緬甸一帶加強其侵略陰謀的，萬一「印度發生問題」，這位「政治商人」的反共態度，一定比我們激烈，再不會說「這是亞洲社會革命的進步事實」，而要求聯合國應予承認的話了！

英美保證應援越南的法軍

假使沒有韓戰，東南亞一帶早已戰火瀰漫了，越南的胡志明恐怕亦已構成北韓金日成的地位。韓戰確實弛緩了東南亞的共禍威脅，然今日在東南亞有深切利害關係的西方國家，又以防止韓戰擴大，不傷及中共區域爲能事，這種損人不利己的勾當，實在可惡可恥！韓戰若停止，中共大力援助越共，在人力，地利與民族問題上，都佔優勢，英美現在對韓戰已感到人力不足之苦，所謂應援越南云云，充其量祇是物力援助，最多也不過增加一些空軍之力罷了。越南戰事根本是殖民地戰爭，英美予其用軍援來求解決這場戰禍，倒不如用政治援助來改善越南的殖民政策，以期曲突徙薪之爲愈。越戰亦與韓戰情形相同，雙方誰也消滅不了誰，永遠是個僵局；而法國又說因受越戰影響，妨礙了建軍工作，那末，韓戰既可遷就俄共集團，低首言和，越戰又何必這樣認眞呢？認眞的結果，如能速戰速決，也未嘗不可，然越戰卻是無法速決的長期鬥爭，不從政治方面着手，專靠軍援，很難濟事哩？

美國大隊空軍飛至日本

爲預防俄共們的報復行動，美國新式噴射機大隊飛來日本駐紮，這是五角大廈的將軍們於觀察韓國戰事後所決定的，一面也是爲着確保日本的安全。我們并不否定這種軍事上的安全措施，但光靠軍力來維護日本的安全，這是一時的治標辦法，最要緊還須日本人自身具備着自衞的力量，而第一件大事，莫過於使日本的國民經濟漸能復蘇。經濟上有了辦法，不論建軍也罷，同盟互助也罷，才有實現可能。因此，美國政府提議召集自由世界各關係國家，協商共同貿易政策，以解救日本對外貿易的困厄一事，大有必要，尤其希望英國方面，對日本的經濟問題，能予以道義性的援助。這比派兵援韓或援越都有力量，若期待日本在民主陣營中能盡其應有職責，而對其生存攸關的經濟出路，又使其感覺到處荊棘滿途，不能前進，那是舍本逐末的下策！

以韓戰越戰爲中心，整個亞洲都在鋒鏑遍地的形勢中，這形勢又構成一種僵持現象，何以有此結局呢？原因很單純，英美的歧見所使然。西方民主國家如自信確有消弭世界大戰的錦囊妙計就罷，不然，即應及早把亞洲政策的矛盾歧見，統一起來，才可以打破現有僵局，使俄共們無隙可乘，知難而退。

印度外交政策的裏面

·王醴泉·

印度人有六種自私的心理，構成這樣一種投機取巧的政策，不僅危害世界全局，印度勢將自焚其身！

印度的外交政策，內幕有下列六種不同的心理：

第一種心理：印度獨立以後，印度人認爲印度是亞洲的領袖。在歷史上，中國與日本，爲亞洲政局的重心。現在日本成爲戰敗國，共產中國又倒入蘇聯的懷抱，已經不是一個獨立的國家。在印度人看來，亞洲領袖的資格，當然非印度莫屬了。

第二種心理：印度既然是亞洲各民族的領袖，美國這個大富翁，要想求得世界的安寧，必須拍拍印度的馬屁。美國應當像資助歐洲英法兩國的辦法，源源不絕的奉送物資與軍械，資助印度，否則，印度的領袖們，就認爲美國不識大體。印度必須以「親共」「中立」「潘尼迦」「印度友好同盟國」種種方法，給美國一點顏色看看。

第三種心理：我曾經在國外碰到印度一位領袖，他是印度派到某種國際會議的代表，他無意間告訴我，他說：「關於第三次世界大戰，我們印度人的看法，表面上當然要呼號和平，實際上世界大戰早早爆發，和印度前途，有極大的益處。因爲大戰發生，美俄兩大國，一定燒成一片焦土，英法亦難倖免。印度在大戰中嚴守中立，戰後印度當成爲世界一等強國」。這一位印度領袖的尊姓大名，記者尙有保存。

第四種心理：萬一大戰發生，西方民主集團，決不會以武力威脅印度，唯一的危險方面，是蘇聯與中共。蘇聯數百年來，就想由新疆擴張勢力到印度。中共現在霸守西藏，并且威臨緬甸，萬一從兩面夾攻，印度不易應付，如果印度投入西方民主的陣營，那麼共產國家怕西方利用印度爲基地，勢必視印度爲軍事上必爭之地。所以印度最好採取親共政策，與共產中國友善；同時對西方各國，宣佈中立政策，希望將來大戰爆發，印度可以坐在希馬拉雅山山頂上，作壁上觀。

第五種心理：與共產中國友善最妙的方法，是「慷他人之慨」，印度自己沒有損失，拿別人的利益去犧牲。第一妙計，是出賣台灣，因爲台灣國民政府爲共黨中國最大的威脅，把台灣出賣，與印度無損。第二個妙計，是出賣日本，日本可能將來與印度爭亞洲的領導權，同時中共與蘇聯，就最怕美國武裝日本，印度也不妨利用日本問題，獻媚共產國家，印度自己，絕無損失。

第六種心理：印度的中立政策，不必等到大戰爆發，現在就可以兩面討價還價。美國駐印大使鮑爾斯，已經陷入尼赫魯的圈套。鮑爾斯向美國國務院陳述，美國應當以全力爭取印度，否則印度投入共產圈子，美國要失去整個亞洲，要失去中東的油礦，前途不可設想。尼赫魯皮裏春秋，聽鮑爾斯之言，當不覺莞爾而笑也！

上面這六種心理，互相錯綜，構成今天印度的外交政策。美國國務院，當不乏印度專家，我們希望他們能有眞知灼見，對症發藥，防止印度利用東西衝突，從中取巧，以其短視政策，而危及整個世界大局。其實尼赫魯這種取巧辦法，結局是「自焚其身」，將來大戰爆發，印度兩面不討好，共產國家可以從三面夾攻。事實上蘇聯與中共，已經這樣準備，印度遠見的政治家，不應該再從「投機取巧」着想了。

半週展望

·左舜生·

塔乎，艾乎？

最近幾天，美國共和黨在芝加哥召開他們的第二十五屆全國大會，一面將發表他們的競選政綱，一面將選出他們的候選總統，關係非常重大，因此不僅美國人民予以熱烈的注視，即全世界亦莫不表示異常的關切。在他們開會的這幾天以來，凡共和黨重要人物所發表的言論，我們均曾細讀；他們的政綱草案，尤其是關於外交部分的，我們也一字一句未肯放鬆；乃至塔艾擁護代表數字的昇降，更成了世人茶餘酒後的談話資料。

這是半點也不稀奇的：美國是今天民主陣綫的一個主要國家，他們已曾用他們的龐大人力物力在從事反共抗俄的領導，本年度大選的結果，究竟是由那一黨來執政？他們將推選出來的候選總統是那一位？其利害得失不獨關係美國本身，亦將爲整個世界的休戚所系。

除此以外，還有幾點更足以引起我的無限感慨：

第一，美國今年舉行大選，在這個半年中，誠不免使得他們全國人民增加一番忙碌，可是他們決不因爲世界局勢緊張，便對他們這種民主活動多少加以忽視，他們毋寧篤信熱烈從事這種民主工作，更足以加強他們反共的活力，更足以鼓起他們反共的勇氣。他們清清楚楚的認識：民主與極權是不能兩立的，澈底實行民主不僅不會對他們的反共工作有半點妨礙，他們毋寧確信惟有實現圓滿的民主，才是他們打擊共產黨和制止蘇聯侵略的有效武器。

第二，一部分的中國人，頗担心塔艾兩位對候選總統的熱烈競爭，可能召致共和黨內部的多少不快，其實這只是從中國人傳統政爭觀念出發的一種看法。美國的共和黨從來沒有發出只有某人可以做他們候選總統的預約券，參加候選總統的競選者，也只能以他們的才能去博取黨代表的信心，除此以外，即不能有超越民主軌道的任何活動；即臨時偶有爭執，也只能依據民主方式，去求出合理的解決。在這次選舉結果來揭曉以前，塔艾自可分別努力去爭取上游，但一經確定，不問勝利誰屬，我相信整個的共和黨必將予以熱烈支持，而絕不會發生任何異議，是之謂民主的軌則，也就是一個民主政黨的風範。

第三，這幾天以來，共和黨若干的重要人物，以及他們若干的言論機構，對執政的民主黨，誠不免發出若干嚴酷的批評，不僅從現實上去指摘，也追溯到了三年五年以前的過去。但無一不是就事論事，決不涉及個人的陰私；儘管慷慨熱烈，卻無一點不從大處落墨；民主黨除洗耳恭聽，密切注視，去好好準備他們自己的答辯以外，決不敢利用自己的地位，採取任何不高明的行動，去妨礙一個反對黨言論的流行，是之謂公平，是之謂公道，亦即民主精神的最高表現。我們在一個國家以內，以反對黨的言論是否能得到充分的發揮和普遍的流行，去測度該一國家民主的進度，往往是可以百不失一的。

我們還是一個民主的後進國家，這是無可諱言的。但凡遇着世界任何一個民主先進國展開了類似今天美國這樣的民主活動，我們必得審切的加以注意，虛心的從事學習，尤其應該從別人如何運用民主技術的方面，去加以細心的體會，如果一味抱殘守缺，自我陶醉，這即等於是甘心不求上進，孔子說：『不曰如之何如之何者，吾莫如之何也已矣』，願國人三復斯言。

細讀共和黨關於外交部分的政綱，我們是衷心共鳴的，尤其對於他們所指出過去的種種錯誤，更有無窮的感喟；可是這並不是表示我們對共和黨或民主黨已經有了什麼成見，換言之，我們的觀點，只是從我們的國家，美國的地位，以及所及於整個世界的利害出發，今後究竟由那一黨在美國執政，我們實在是無所容心的。假定民主黨過幾天能有更切實的辦法提出，或最近能更有效的行動表現，我相信我們對於民主黨的同情，並不會與對共和黨的有什麼區別。

中國民族精神之墮落

徐復觀

我初來到台灣的時候，有位極有智慧的台灣朋友向我嘆息的說，「在日本五十年的統治之下，我們在各種委曲中想像故國的衣冠，追慕祖國的文化。一旦日本投降了，我們頓時覺到從今以後，可以堂皇的接觸祖國的文化，深切的沉浸于祖國文化之中，使我們成為一個有五千年文化歷史的深厚背景的支持之人，以此而增加無限的自尊心和氣力，俯仰于歐風美雨之中，而無所愧怍。那知接收大員來了，光復的設施開始了；他們幾乎沒有一個人肯談中國文化；他們都自命為現代化的進步人物；中國文化之在他們，已經是一種不屑不潔的落後的東西；要我們從他們的現代化中去接近祖國；但實際，他們所代表的是個平面的無祖國之人；而他們的現代化，我們拿來和日本比較，覺得相差還遠，這樣一來，只有更增加我們台灣人的迷惘了。」這位台灣朋友的話，一直到現在還不斷打動我的心弦。現在的智識份子，正以自己是一平面的存在而自高自大。動物正是平面的存在，因為動物不能有歷史意識。因之，當然也不能產生對歷史的感情。

大韓民國的國旗畫的是八卦。地名多是沿用中國的舊名詞。書刊中十分之九是中國字。這說明韓國依然是中國文化的空間。安南亡國後文字被法國人推行拉丁化，漢字被淘汰了；但安南的民間，還富有中國文化的氣息。盟國占領日本，限制漢字，引起日本人士極大的反感。中國文化，在日本仍為文化勢力中的一支有力軍；去歲九月份的「文藝春秋」上發表了一位名作家（不幸，我把他的名字忘記了）的文章，說明明治維新後，中國文化，猶一直作為日本人的精神修養；此風至大正而忽告消歇，所以昭和以來的軍政實業家，失去維新以來的敦樸之風，由浮薄而日趨狂妄；這是日本災難之所由來。因之，喚醒日本人不要忘記此一精神的資具。此文發表後，在新聞上反映出很多的同情。社會黨右翼的領袖西尾末廣先生，會以正在讀論語而向我自豪。戰後第一任駐美大使新木榮吉的行篋中，以攜帶論語孟子而自慰。我因此常常想，現雖遍處台灣，但祖先所留下的文化空間尚非逼窄，也多少可以增加我們一點精神的寬裕。但這類話最好不要向流亡的智識份子說，有人會認為中庸大學或許尚可以一讀；而更進步的人，立刻可以把「國粹」「冬烘」等帽子戴上你的頭上，暗中正在為你定罪了。

台灣年來宗教氣焰高張，除二百萬佛教信徒之外，天主教，基督教，正以各種方式，擴大他們的信仰圈；青年以及社會的中層份子，加入教堂聽道以求精神安慰的，風起雲湧。但假定有一批人也這樣的宣揚中國文化，使浮浪的人們抓上點祖國的根基，加強點做人的理解，則必惹起指摘非笑，甚至罵為大陸逆流泛濫，妨礙了向外「認錯」請罪的吃飯前途。

愛因斯坦發明了相對論，成為二十世紀的偉大科學家。但他不僅承認不能以科學去概括道德，在科學以外還須要道德；並且他嚮往摩西的智慧，歌頌猶太教對人類的偉大啟示。此無他，因為他是猶太人，他知道他在科學上的成就，並不是告訴他要忘本。但今日對於相對論無所知，而口頭上又喜歡說相對論的人，他瞧不起道德，瞧不起道德性的中國文化；他可以說中國文化只有「吃」的這一道；或者把中國文化劃在時間進度表中若干世紀以前，已再不值一顧了。他們以為這樣便比愛因斯坦之流還科學；而中國在他們這樣的科學中會現代化。

我們談五四運動，是把他作一段文化運動史去看，一面承認他在文化進展中所發生的作用，一面指出他若干缺點，以求今日能再轉進一步。這正如啟蒙時代之視歐洲中世紀為黑暗時代，觀人的情意作用為知性的低級狀態；今日則不能不承認中世紀文化所作的貢獻，未可概以黑暗兩字抹煞，而康德三批判書，將知情意各與以適當安排，未可執一而廢其二。這都是說明啟蒙運動在許判中轉向進前，何傷于啟蒙運動本身的價值。但在中國，則有人會要因此而憤慨了。他表示他正在為守護五四的大旗而戰鬥。奇怪的是，在這種五四守護之神的身上，並嗅不出五四時代一往直前的精神；更嗅不出他對民主與科學的絲毫貢獻。這也無怪其然，五四運動，在民主與科學之外，還產生了更現實的果實，可能還要產生這類的果實。有些人，是在五四大旗之下，為保護自己的果實，爭取更好的果實而戰。

誰不需要民主？誰不需要科學？假定反中國文化的反面，即是一片民主與科學來，則我們也樂于兩眼向前，何必在忙迫中紓懷古之幽情，好像今日驟發才子之對香塚而生情製作呢？可惜的是，由反中國文化所成就的民主，我不敢輕下一詞；由反中國文化所成就的科學，則在自由中國的一百多種刊物中，也沒有，連一種像樣的傳播科學思想的刊物也沒有。西方人說「知識就是道德」，這在西方已證明其錯誤，因為西方知識的進步，今日的西方也沒有能證明這便是他們道德的增加。但拿到中國來，我覺得可以用得上。有人講宋儒理學是似是而非的道德，但我立刻發現說這種話的人對宋儒是一無所知；我更因此而發現許多現代化的人，可以還一無所知而說話。知識，已是贅瘤，更何有于道德。做官所不要的，便一切可以不要。

以上一切，我歸納下來，是說明中國的民族精神，已經在智識份子之自己否定中完全墮落了。所以我希望美國於軍援經援之外，更來一套「美魂」的援助，一如蘇聯之把「蘇魂」安放在中共的腦子中一樣。否則我們豈不成為現代化的機器人嗎？若「美魂」不能由援助而安放進去，甚至有些人自命已經安放好了，而在美國人看來總覺不像，因為依然找不出科學與民主來，則我們的悲劇將是無窮無盡了。

台北的太保太妹們

小卒

這二年來，在台北最引人注意的社會新聞，是流氓學生「太保」「太妹」們的故事了。

一世紀以前，大文豪馬克吐溫在他的名著「湯姆沙耶」（The adventure of Tom Sawyer）一書中，曾經描寫過一羣年輕無知的孩子，扮演「俠盜夢」的荒唐故事，在黑夜裏，一聲呼哨，湯姆就會從小閣樓的窗口，順着屋滑下來，趕去參加屬於他們的祕密集會，然後發誓書，飲血酒……。雖然現在距離馬克吐溫的時代已經一百多年，但是「湯姆沙耶」式的故事，並不因為時間太久而「走樣」，仍舊還不斷地在台北重演，記者倒不是想給台北的現代流氓學生找一個老祖宗出來，（事實上湯姆沙耶也自有其前輩的），而是提及流氓學生的時候，不竟想起，這一個問題已有長時間的淵源。

太字類型

台北之有流氓學生，已有二年以上的歷史，[illegible]學校當局，[illegible]教育當局，治安當局，設法[illegible]，鎮壓制止，收效仍未[illegible]。在[illegible]決這一個教育上的嚴重問題，流氓學生的組合也在這二年中起了變化，由學生的胡鬧團體，逐漸演變為與正統流氓混合的組織，活動場所也由「地上」而轉為「地下」，這種不能消滅和逐漸變質的主要原因還是因為負責教育的人祗知道用開除，禁閉……這些陳舊的方法來治標，作事後的懲罰，而不知道用什麼新的教育方法來治本，作事先的防止。

前年夏天，不知從那裏吹來了「太保風」，台北街頭忽然出現。一羣男女中學生，戴着黑眼鏡，穿着花襯衫和牛仔褲，騎着把車墊拉得高高的單車，橫衝直闖，招搖過市。隨着這一羣人物的出現，台北市上就平添了許多傳奇式的社會新聞，於是，男的「十三太保」，女的「十三妹」，聲名大噪，連六十來歲的老夫子，當了祖母的老太太，也以睜着眼睛來見識一下「太字型」人物為榮！

奇裝異服

反映在「太保」「太妹」們行動上的，除了奇裝艷服是他們的特色之外，是亂七八糟的生活。他們從好萊塢的西部影片以及「還珠樓主」之流所寫的含有毒質的武俠小說裏學會了「江湖豪客」的大胆作風，於是他們一言不合而大打出手，把對方當作了「英雄好漢」們的「假想敵」，表演一場，不分青紅皂白，路見不平拔刀相助的全武行，為「弟兄夥」，「姊妹淘」裏有人吃虧，表示義氣而集體報復，為了自由戀愛和滿足生活上性的飢渴而「靈活交流」！有二個傳說中的故事，很可以說明他們的本色。

『有一天，有一位太保騎着「洋馬兒」在街上溜躂，看見兩個流氓在打架，一個較強，一個較弱，這位太保忽然動了「俠心」，他要扶弱鋤強一番，於是用他從電影裏學來的西洋拳法，對着那個神氣活現的流氓當面一拳，但另一個受他幫助的，卻並不領情，幾句暗語，反而轉過身來，兩個人聯合着把他痛打了一頓。

好勇狠鬥

十分鐘後，兩個流氓還在自鳴得意的時候，一個電話，「十三太保」已自南北各路會合一起，一時「鐵拳」與「鐵腿」齊飛，一個流氓打得落荒而逃，一個流氓受了傷奄奄一息地躺在路上裝死。警察的紅色警車在事後才趕到現場，要把他們帶到警察局裏去，太保們卻提出了條件，去警察局可以，不能上手銬，他們也不能上警車，他們自有洋馬兒可以代步，於是把受傷的流氓抬上警車，警察們押在後面，一路浩浩蕩蕩而去，但當他們經過一條十字路的時候，一聲口哨，「洋馬兒」就飛也似地四面散開了，結果一個太保也沒有抓到。』

另一個故事更荒唐：『有一位太妹，在電影院裏受了一個太保的欺侮，雙方約期會戰，「十三妹」中的大姊，親自出馬去邀請另一個相識的太保團體出來助拳，當會戰之前，為「激勵士氣」，「大姊」當眾和「大哥」表演了KISS的鏡頭，接着二姊對二哥，三姊對三哥……。依樣葫蘆，給予精神上的鼓勵，果然太保們「不負眾望」大勝而歸，為了表示「慰勞」起見，一齊到北投的溫柔鄉去走一趟，好幾位大妹，就此「通貨膨脹」，不得不請教走江湖的墮胎醫生。』

漸入黑道

這二個故事不一定完全真實，但是，「太字型」人物的行為已經全部包括在內，表揚無遺了。

到去年夏天，太保太妹們在社會上製造了過多的新聞之後，一時輿論譁然，報章上從社論到漫畫全都以他們作成口誅筆伐，抨擊諷刺的題材，一天到晚打算盤的商店老板和一直以自己子女能夠背一大串明星姓名，會跳吉爾巴或者康茄是聰明的父母也居然為之「震動」！可是這個時候注意已經遲了，在一二年漫長的時間裏，「太保」「太妹」已發生了社會關係，純學生的胡鬧團體已變了質。

成了流氓

由於打架，爭風吃醋，……種種關係，他們接觸到了「黑道」上真正的流氓，這些流氓漸漸滲入太保組織裏去，地盤上的活動也因為加強了鎖點而轉成「地下活動」，流氓的佈置逐漸奪取了組織中的領導權，破壞了學生與學生之間的團結力，而已經和流氓接上關係的學生，由主動至被動而終於被流氓控制，成了他們的工具和勒索的對象，今年五月，治安當局大破「AB黨」，才揭露了這種變化的內幕。

記者認識一位被控制，被勒索的中學生，是一位準「名流」的「少爺」。最初的時候，是由被開除的同學介紹，在「好奇」和「壯膽勢」的二種心理影響下和AB黨的首領鄧斌來往，為了「交情」，他在家裏設法弄錢出來請客，為了表示闊氣，經常送一點零錢給鄧斌，但是鄧斌卻一步進一步，把他當作了好主顧，要他遵着江湖上的規矩，給他作經濟上的支援，先是請他捐款，繼而打發他找「財路」，最後拿出威脅手段來，請他走到當舖門口，脫下衣褲當一當。這位「太保少爺」的好朋友就變成了他的吸血虫。

破獲組織

五月裏捕獲AB黨，鄧斌等入獄之後，教育所長，中學校長，在報紙上一連串發表了好幾次事先擬好的書面談話，表示「預防事情知道了」的善後之道和「我早已注意此事」，並且早已防止此事」的負責態度，甚至指出原因來說：「不良青年份子複雜，……非僅單純的教育問題：……。」另外在學校行政措施上，為此而決定監督學生校外生活，成立指導委員會，起草條例辦法，忙了一番。但是這些談話，條文的真正功效，實在令人懷疑，這種組織還沒有消滅，舉個例子來說，七月二日，台中警局又破獲了一個流氓學生的混合組織「十九友會社」。破獲的經過依舊是吃了苦頭的省一中學生提出的報告，這一個組織中大部份都是「名流」的少爺，「會友」遍及台北台南，份子涉及在警校受訓的學員，其規模之廣，組織之複雜，更甚於AB黨，頭目陳麒，正在緝捕，也可說明這個傢伙的機伶狡滑。可見光是條文和加嚴管理不一定有多大效果。而且證明，還有潛伏的「太字號」分店存在。

問題嚴重

合羣本來是人類的天性，成人還保留着「義結金蘭」的風尚，這些孩子們興趣相同，意味相投，結合在一起是一個自然的趨勢。熱情，豪邁而富於幻想，更是中學生時代年青人的特徵，心理上的幻覺和生理上性的衝動，更是發育期間男女青年不能避免的自然現象，因為教育上的失敗，他們沒有正常的發展，終而產生了「太保」「太妹」的團體，發生了傷風敗俗的行為。

台灣有一種現象，其他的地方也一定有，這種現象，美國的雜誌中不乏「十三太保」的記載。香港，馬尼剌，……也許有這種情形，不過沒有講來厲害，尚未為人注意罷了。馬克吐溫描寫一百多年前情形的小說，今天重演，卻彷彿在看先知者的預言！這一百多年來，可悲的青年教育問題，依舊是一個尚待探索的「謎」，但願這謎底早日揭露，讓湯姆沙耶真正成為一部歷史上的小說吧！

蘇聯積極備戰

鐵幕後的軍事動員

訓練學生當軍幹

從比爾森到馬利恩斯特，沿公路兩旁峯巒起伏的原野，迄今仍為捷克少年們活動的地區。每逢週末，隨處都可以看見成羣的青年，在曠野上玩球，賽跑，拔河，並練習拋擲無炸藥的手榴彈，所有這些活動，業已成為共產黨青年團的經常節目。

目前東歐七百萬青年，已全部被共產黨青年團所吸收，接受着緊張的戰地服務訓練。他們所訓練項目，包括武器使用，偵察通訊，祕密無綫電及軍事情報等等。少年先鋒隊員的預備軍事訓練，從十歲時即已開始。這些兒童們的學習的項目，除輕型的武器外，主要的是通訊及用腳踏車傳遞軍事情報。

在高級一點的學校中，學生們每週至少受七小時的軍訓。各附屬國的軍官養成所，目前已全部擴充。在各大學中，學生每週須接受十二小時的軍訓。每年夏天，須入夏令營受軍訓二月。波蘭各大學，每週軍訓時間，由十六小時至十八小時不等。每逢週日並舉行野外演習。

工人變成後備隊

大部份的工廠，均分別組成工人軍隊單位，配備一定的武器。軍事人員的數額，由小工廠的數十人，以至捷克龐大的斯科達軍火廠的五千餘人，每日下班以後，即列隊到附近的操場接受軍訓，週末受訓期間更特別延長，大部份的單位，每年接受軍訓時間，要比美國的國民防衛隊為多。工人們的突擊團，都是經過特別挑選，並有強烈黨性的軍人，足以在任何危急時擔當鎮壓的任務。

至於所謂「人民志願隊」，如保加利亞的「國防志願軍」，波蘭的「人民志願軍後備隊」等，乃人民軍事化的另一方式。一九五一年波蘭的後備隊組織已徵集五十萬人。這些後備隊不但執行着輔助警察的任務，而且構成一支強大的後備兵力。

娛樂運動全廢除

在東歐境內，所有娛樂性的運動已全部被廢除。除了政治上軍事上的目的外，極少舉行競賽，[illegible]一切活動均在國家體育委員會的控制下而予以國家化。他們所發出的號召，是「為全世界無產階級及社會主義的勝利而建立堅強的紀律與信念。」

當共產黨攫取捷克政權時，捷克舉世馳名的「鷹社」體育會，在全國人口中所擁有的會員，曾達一百五十萬。自是以後，這一體育會即被國家化，所有領導人物，全部由共產黨徒接充，其全體會員，均被迫從事無間歇的黨團宣傳工作。

跳傘成了必修課

在國家化的體育制度下，軍事課程及跳傘訓練成為主要項目。匈牙利的「工作及戰鬥預備隊」，於一九四九年在蘇俄監督下成立。是年夏天，隨即在布達佩斯附近成立十六個跳傘營，參加訓練人員，一律接受四個月的訓練，平均每週六至八小時。工廠的工人在提高糧食配給的引誘下大量參加。到了一九五一年，此項計劃更大為擴充，所有學生及貿易公司人員均強迫參加。據匈牙利官員宣稱：其現有會員已達四十萬人，預計到一九五二年春天，可能增加一倍。在一個只有九百五十萬人口的國家中，這一數額該是一個很高的比率。在這些誘迫兼施的政策下，蘇俄在數年之間，即可假體育之名，培養數百萬受訓練的後備武力。

（鄭章節譯自「讀者文摘」六月號）

（未完）

「三反」結束後 共幹情緒普遍消沉 大小機關變成爛攤

【本報綜合報導】最近一個月來，中共各大行政區先後發表了「三反」和「五反」總結，儘管中共誇言勝利，但仍無法掩住其內伏的危機。其中最突出的一面，是幹部的頹唐消極，特別是財經工作的幹部，更普遍不安於原來工作。使中共「迎接經建新高潮」的號召，成爲一句空洞的口號。

怕幹財經

大陸易手以後，中共大小幹部，像蝗虫般地飛入各級財經機關，在那裏嚼吃國家的財產，吸吮人民的脂血，由於近水樓台，這些人多少都撈了一筆，經過了「三反」中的一整，一個個現出了原形。因此，紛紛覺得財經工作無幹去，埋怨自己：「爲啥當年要做經濟工作」？同時開始感覺到「這些部門老虎多」，「整天接近的不是錢，就是奸商，即使自己不會污，也要沾上點魚腥味」。大家看透中共的鬥爭路綫，害怕將來會有一天被當作「老虎」打。因此，無人願幹會計、出納、採購、保管等業務。人人希望改調行政工作，幹幹文書過日子。據上海「解放日報」的報導，僅華東一區請調工作的財經幹部，最近即不下二萬人。

縮脚縮手

對於這些請調，中共自然不會接納，因而出現了縮脚縮手的現象。人人都學了乖，「多一事不如少一事」。遇事不問大小一律實行「請示」，問題不分輕重，一律推之於「領導」批決。一人出門辦事，硬拉一人作陪，以便將來有證。（七月一日長江日報社論）。據上海「解放日報」的報導，華東各機關的領導共幹，「三反」後都採取「三推」「一拖」的辦法，要下面工作人員對每件事先下決定意見批示，以自己少提意見爲原則。其次是儘量請示上級，而自己不發表意見，或不負責任的以「似乎」、「可否」、「或者可以」等語氣，敷衍了事。對下級的請示則不敢下肯定意見，一味拖拉。據六月廿三日西安「群衆日報」的報導：西安各國營機構內幹部，自「三反」以後，二萬元要到上級批，幾千元（等於港幣一元幾毫）要與科長商量批，甚至應在自己職權範圍內解決的問題，亦動輒請示上級。只要上級「批准」便算取得「合法」手續，並以此「捉住把柄」作爲工作根據。過去是「鋪排愈大愈好，攤子愈多愈好」，現在是「交的交不了，接的不想接」。原來活生生的事業，都淹沒在等待推諉之中，使中共各級機關，呈現了一片死氣。

互相猜忌

在拖殘守缺，得過且過的觀念下，表現在實際行動的是「怕與商人接觸，不願和私營工商業者來往」。稅收工作人員和商人見面不敢講話，百貨公司人員，怕參與訂立加工定貨合同。另一方面是彼此間互不信任，如西安物資管理局在清查倉庫中，一個保管員在清點一幢物資後，其餘三四個保管員因沒有親身參與工作，恐怕將來連累自己，每個人都要求親身點驗一遍。在各稅收及銀行機關中，也發現幹部請假缺職時亦不願臨時幫助和代理別人，生怕別人的錯誤落在自己頭上，此互相猜忌，只信任「自己」和「個人」。

實行拉伕

由於這些傾向的發展，使「三反」後的中共各級機關成爲一「爛攤」，大小幹部變成行屍走肉的軀殼，呈現出沉沉暮氣。中共中央感覺情態「空前嚴重」，因此最近特別提出整黨的口號，並下令各級機關提拔「三反」「五反」及「土改」中的「積極份子」，充當黨員和幹部。

但新幹部的培養絕不簡單，一則這些人毫無工作經驗，鬥爭時雖情緒熱烈，幹起實際工作慶手忙脚亂。二則上級領導幹部不放心，原有幹部怕誤事，對他們都採取不信任態度。因此，不但負責提拔新幹部的人感覺棘手，被提拔的人亦覺得「無啥味道」，「反不如幹工人時的痛快」。中共的拉伕政策，看來不易收效，「三反」後的機關，正和「五反」後的工商業，同樣地還要癱瘓下去。（逸銘）

害人的東西 模範互助組

當了模範一個月內，被訪問二十五次，每天要參加七八處會議，開會要開到深夜三時，共幹整天向她要東西，而她自己，三天才能吃到兩頓稀飯。

【本報廣州通信】中共「土改」完成以後的主要工作，是建立集體農場。在集體農場一時不能普遍建立以前，則先着手組織農民成立「農業互助組」，但農民顧慮很多，大部份不願參加。于是共黨一面運用組織力量，百般威脅，說「不參加互助組是落後表現」，「不參加互助組就不給路條」。又對農民宣傳說：「土改並不能解決羣衆特別是貧雇農的生活和生產問題，只有集體勞動才有光明前途」。當這些辦法不能完全推動農民時，于是共黨用「捧」的方法來「培養典型」了。

吹．捧．嚇一齊來

張莉蓉是共黨的女新青團員，是川東北培婦女會的「常委」，爲了要使她帶頭成立「互助組」，于是說她是「勞動模範」，而她的「互助組」也成爲川東的「模範互助組」。這一來，張莉蓉「紅」起來了，各方訪問接踵而至，「川東區婦聯」去訪問她，在她家裏住三天，談話八小時。「西南婦委」到她家住一天半，談話四小時，「青年團西南工委宣傳部」在她家住一天，談話三小時，「青年團西南工委組織部」去一次，談話兩小時。「青年團川東區工委」去住兩天，談話四小時。「川東報」去六次，談話六小時。「川東區黨委」去兩次，談話兩小時。「新華社西南總分社」記者去一次，談話兩小時，「新華日報社記者」去兩次，談話一小時，其他如「西南文聯」、「說古唱今」、「北培農業試驗場」、「西南軍區」、「西南文藝」等都去訪問，一個月內，十三個機關去訪問二十五次，談話百餘小時，弄得這位女「勞模」應接不暇，招待不了，憤憤的說：「惱火得很，一天到晚光來向我要東西，一點東西不給我，再來根本不理睬了。」

「整天光來要東西」

其次是開會多。張莉蓉當了「模範互助組」的「組長」以後，一切「會議」，她都要參加，村上各種會議每星期十一次，計「村幹部會議」每星期二次，時間六小時，「民校會議」一次，三小時，「宣傳會議」二次，時間七小時，「小組會議」一次，二小時，「武裝會」一次，二小時，「互助組會」二，每星期四次，八小時。共計每週在村上開會二十八小時。

同時一個月內，還要到各機關去開會，九天。一日，參加「鄉幹部會議」一整天，研究「抗旱」。二日至三日，到北培「婦聯」開會，研究「生產」。十三日至十四日，在「川東婦聯」「互助組織經驗」研究會。十七日至十九日，在「園市工委」開「典型互助組會議」兩天半。二十一日至二十三日到「川東區」作「互助組經驗報告」兩天半。

「勞模」的歸宿

而這位「勞動模範」，從此再不能「生產」，也不能「休息」，更沒有時間「學習」，她每天晚上開會開到午夜三時，早上六點又要起床，來「勞動」，睡眠不足，「勞動過度」，于是身體一天天「瘦」了，臉皮一天天「黃」了，最後倒在地上，不能爬起。

尤其值得注意的，被中共抬起的這位「女英雄」「模範互助組長」的張莉蓉，家中竟尚缺三個月的口糧，三天才能吃兩頓稀飯。難怪她最後流淚說：「我真受不了啊！」

爲了這件事，重慶「新華日報」本年六月十八日的「短論」提出意見說：「土地改革之後，我們工作的根本方向，是展開互助組運動，引導農民逐步走向集體化。爲了實現這個方針和任務，我們就要不惜精力和時間，不斷地去發現和培養像張莉蓉這樣的成千成萬的勞動模範，並把這些勞動模範當作發展黨員和團員的主要對象，依靠他們組織農民，發展生產，這是我們培養勞模的目的，也是我們宣傳和介紹勞模的目的，而不是爲培養而培養，如果張莉蓉不能勞動生產，這樣，我們根本不需要這樣的模範……」這些話是說張莉蓉有被利用的條件時，就可把她捧出來，當她精疲力竭，不能發生影響時，就把她拋掉。這也就是今日共區「勞模」的命運，而張莉蓉不過是其中之一而已。

中共的退守計劃（中）

王志軍

中共的打算，當然以能使大陸不被攻擊爲上策，大陸成爲一積蓄力量的安全根據地，就可主動的四出騷擾；但形勢發展到今天，不被攻的時機顯見逐漸消失，於是決定加強防守，一談到守，就有了能否守得住，與在什麼地方守的問題，現在說來，中共要守大陸，必須沿海做起，於是沿海一帶可設防之處，都趕築了工事，一年多來，中共在這方面下了很大的資本，動員了無數人力，今年二月間，中共中央軍委會派出了一個視察團，由蕭榮臻帶頭，包括俄顧問四人，沿海視察，結果如何，不得而知，但視察團回去不久，各地防禦部備和工事，又開始加工調整，同時沿海各地共幹又奉令每一村落，都積集火油，乾柴，作堅壁淸野的佈置，由此可知中共對沿海防務，已失去信心，可守則守，不可守即準備破壞後撤退。

國軍如進攻，中共不能守住沿海，必須撤退，但撤退必有一限度，故內陸若干要隘的工事也忙着整修起來，如粵東的韶關，江西的爲當，安徽的臨淮關，河南的鷄公山，山東的微山湖，乃至山西的娘子關，大同等地，都分別動員過大批農民，砍伐山林樹木，建築要塞。同時，瑞金、伏牛山、大別山、金家寨、井崗山等地，亦用訪問「老解放區」名義，組團訪問，其實是佈置所謂游擊根據地。這樣看來，中共在退守時，必放棄相當大的面，使其取得主動，而在這放棄的面中，還佈置若干游擊據點，用爲騷擾和牽制。故其可能之退守綫，第一步將爲離海岸三百里至四百里之綫。

至於交通方面，儘可能沿長內陸鐵道，計有八條，即（一）迪關綫；（二）關包綫；（三）成渝綫；（四）天成綫；（五）寶渝綫；（六）湘黔綫；（七）外蒙至包頭綫；（八）南寧鎮南關綫，現在成渝完工，天成亦已開工，迪關綫現在也已從伊利向東趕築，據說明年秋可到迪化，那時迪關綫也要開工了。至西南各綫，現在在計劃中，恐一時還顧不到，可見目前中共祗在全力佈置西北一角，而此一角，將爲其第二步退守之最後據點，背靠蘇俄，有路可通，它們就視爲可以長久支持了。

再有一方面，即對於鐵道的搶修和破壞方面，中共也在大做準備工作，這工作表面上是爲韓戰而做，實際上則係準備在大陸上退守時用的，據說這搶修破壞隊已各組成十個大隊，由各鐵路管路局選拔工人所組成。

它的退守計劃最重要的工作，是建設太原、西安、蘭州、重慶四個工業城，將來作爲其退守的重要支撑據點。另在新疆也新設幾個城市，但這工作進行並不快，因爲要利用到新疆這些新城時，中共將是潰敗得不成樣子了，或謂這些新城將是一重要的製造原子彈的城市，這實爲一騷擾之詞，因爲在原野上築一新城，談何容易，成一原子城，蘇俄也沒有力量。故中共現亦只可能注意蘭州、重慶、西安、太原四個城市，這四個地方，工業條件最好的是太原，其次是重慶，再次是西安，蘭州，故中共在去年一年中，第一步先發展太原及重慶，到了年底，才第二步至力在蘭州動手。

太原在去年一年中，人口大增，從八萬人增加到二十四萬，住的地方發生了問題，糧食發生了問題，電力也無法增加荷負，太原的工業動員就到了飽和點。重慶比較好，但原料運輸等都困難，所有的工廠機器都衰老了，新的配件買不到，煤的火力不夠，蘇俄來的東西現在決定用在蘭州，重慶也無法分到。但中共認重慶有好的條件，第一是防空好，第二是四週的糧食供應易，第三主要是人力容易就地徵調應用，至於工業設備，現在主要是要等向西北的鐵路打通後才有辦法。現在中共所感困難的，是四川地方太大，雖劃成四個行署，仍無法管理得好，人民的反抗仍難平服，這對於重慶工業基地之擴大建設實在是一威脅。

中共迫害大學教授 留美學生首當其衝

中共的「三反」「五反」都已宣佈正式結束，獨惟對於大學教授的迫害，却仍在繼續而永無止境，其中尤其是美國留學生出身的人，更首當其衝，最近又有兩位知名學者，被迫在南方日報上公開坦白和自我批評，這兩位一是中山大學農學院副院長趙善歡，另一位是理學院院長胡金昌。

自己先要臭駡一頓

這兩個人除去照例將自己臭駡一頓外，分析起來自己宣佈的罪狀可分三宗，第一是：崇拜美國，例如趙說：「一、我回國後即與康乃爾大學農學院合作，調查研究我國西南各省之害蟲殺虫植物，把材料供給美國。二、我寫過一篇北美洲昆虫學事業印象論，阿諛美國的昆虫研究爲世界第一……」趙又說：「又因爲我信仰基督教，我以爲他們是博愛的，我中了世界主義思想的毒害，我覺得做一個世界公民也還不錯，我不認識帝國主義使用這種意識來侵略的罪行。」又如胡說：「我盲目崇拜美國的兩個代數學家的領袖，並且對同學加以吹噓，而不認識他們只是抽象的概念遊戲的製造者，資本主義社會的裝飾品而已。」

再說太對不起蘇聯

第二是看不起蘇聯，趙說：「解放後不久，我還對人說：蘇聯社會，政治制度第一，歐美第二，自然科學，歐美第一，蘇聯第二。」趙又說：「我認爲斯大林是世界上最聰明最能幹的一個偉大的領袖，認識蘇聯的建設確是輝煌偉大，但中了美帝宣傳的毒害，認爲在蘇聯只有經濟上的平等，而沒有個人的自由。」胡先生的說法更妙了，他說：「由於我獨善其身的專家思想，並受了世界主義思想的麻醉，我曾盲目地崇拜過希特勒的德國，看不起蘇聯，希特勒發動侵蘇戰爭的時候，我公然說：共產黨已不趨時了，希特勒打垮時，我却說：德國亡國世界科學文化遭受了打擊。」又說：「解放以後，我對蘇聯仍表示懷疑，特別是蘇聯的科學和發明，我以爲我們承認蘇聯的發明，是對蘇聯友人表示好感。」

最後又須低頭認罪

第三是反對共產黨及其政策，例如趙說：「過去我對中國共產黨和中國的革命根本沒有認識，以爲中國人愛好和平，富有保守性，共產主義是不適合於中國的」。「我反對戰爭，曾經不惜一切代價以求得國內和平」。「我認爲三民主義可以行得通，只壞在國民黨沒有執行而已」。胡先生更懷着「課濟業時代。天下太平」的……策。至於反對共產黨政策的主要表現，就是不顧過問政治，例如趙說：「我當了一年多的校務委員，及一年多的院長，常常因爲事務繁忙，而感到苦悶，甚至想辭職不幹，以爲長此下去，會妨礙我的研究工作」，胡更說：「現在我才知道純學術觀點，純技術觀點，都是脫離政治的想法，都是錯誤的」。現在迫害正在繼續中，可是人民對這文字，都作反面的讀法，尤其是「承認蘇聯發明，是對蘇聯友人表示好感」，都發出會心的微笑。（陳羽寄自廣州）

「自由人」稿約

本報各版，均歡迎投稿，敬訂稿約如下：

（一）除事先特約外，每稿最多請勿過一千五百字。長篇鉅製，以限於篇幅，無法刊登，請勿惠寄。

（二）惠投各稿：評論要切合時局，新聞要記述事實（大陸消息，有人名，地點，時間，人名不便刊登者，可於稿內註明），雜文要生動活潑。

（三）來稿除附有足夠郵費外，概不退還。

（四）稿末請附註眞實姓名，地址，但發表時須用筆名者聽便。

（五）來稿一經刊登，即寄發通知單，請向本報領取，不願受稿酬者請於寄稿時自行註明。

三段佈告法

爲方

香港某一共產仁兄所主持的銀行，突起內亂，一夜之間，帳册被人竊負而逃，以致倉皇失措，不知如何是好。

該行負責人於事發之後，爲安定人心計，佈告暫停營業，且依照馬列主義的辯證邏輯，把佈告演繹爲「三段論法」，在一天之內，繼續表現出來：第一次說「本行被人搗亂」，第二次說是「被盜」，第三次又說是「匪徒破壞」。這是「正反合」的玩藝兒，使我們這般思想沒有搞通的人，領教不淺！

根據事變當日的報紙紀載情形，似乎確是有人故意「搗亂」的，所以第一次佈告是正面的寫實話。繼而思之，堂堂「人民」的大銀行，怎好說是被「人民」搗亂，豈非自己洩底？乃急忙改稱爲「被盜」，從反面來自圓其說。繼又再三思量，切實檢討，這說法還是沒有「站穩立場」，殊有未合，最後即變成爲「匪徒破壞」了。這樣的辯證演化，才是合乎馬列教條的「人民立場」，才不會有被檢討挑戰的顧慮，也表示着這件事情是「匪幫」的「反革命」行爲，才與大陸上發生了瘟疫而指係「美帝」施行細菌戰的宣傳一脣脗合。

我之所以永遠搞不通思想，就是沒有這種一日三變戲法的靈根，眞是慚愧無量，阿門！

自由談

榮譽軍人

夏雲飛

解成，河北省定縣人，這裏是屬於老「解放區」，解成家中有五十畝田地，人口雖然不算多，可是非常齊備，有父、母、妻、子、弟、妹，本來是一個很圓滿的家庭，解成幼年也曾進過學校，自從盧溝橋事變以後，便因亂，輟學在家中安分守已的耕田，直到勝利的前一年，這個地方「解放」了，來了許多戴着八角帽的士兵，看面目也是中國人，只是帽子上卻沒有帽徽。不久老百姓都知道了，原來是共產黨的軍隊。從此定縣的鄉村，起了嚴重的變化，各種小組也都組織成立，鬥爭會也正式開始，許多人被一個個鷄蛋的，債務，鬥的傾家蕩產，解成的家雖然尚未臨到，但是一定不可避免，解成每日焦思苦慮在盤算這些問題，最後他終於發現了一個避禍的捷徑，便是自身也參加工作。

從此解成變得非常積極，在任何事情上都起帶頭作用，不久便參加了民兵隊，也曾經四出去搜查地主的餘糧，組織查崗放哨的小組，因爲工作積極，得到了模範民兵的頭銜。抗戰勝利了，日本人投降了，可是他們這個地區卻更加緊張起來，民兵都上升了主力部隊，解成自然不能例外，從此變成了一個眞正的「人民戰士」，幾年來由河北平原打到東北松花江，又從松花江打到珠江，海南島。雖然在這些戰役中，也經常挨了好些天的餓，也飲過軍轍裏面馬尿不如的水，眼見一道出來的同伴，都整個死光，可是解成卻有一個希望，全國「解放」就可回家團聚了，那知道就在海南島打下不久，他們的部隊又調回東北，在鴨綠江邊整訓，部隊裏面時常傳出消息，又有新的任務，解成總不相信，這打那裏呢？台灣又不敢去。他只夢想不久就可回到可愛的故鄉，父母老婆一定站在門首迎接他，小孩也該長大了，可能不敢認識了罷？想到這裏他樂了，再想到政委經常講的「人民政府」如何優待軍屬，自己雖然吃些苦，卻換得整個家庭的幸福安樂，這個代價也就夠了。

鴨綠江對岸的砲火，震破了解成的幻想，他們的部隊在史達林「大元帥」命令之下，又渡過鴨綠江去「抗美援朝」了，雖然指導員天天宣傳「抗美援朝」是如何的偉大，美國人是如何的兇惡，但是解成的腦子中所記憶的是幼年讀書時看見福音堂美國牧師的和藹可親，時常分糖果給小孩子吃的故事，又想到勝利以後，美國運來的麵粉衣服堆積如山，都是不要錢白送的。解成再三的想，也想不出美國人的壞處，再說美國人是「侵略朝鮮」，又與我們什麼相干，我們爲什麼去打美國人，每一個士兵都和解成抱着同樣心裏，但是誰也不敢說，只有在上級命令之下，渡過鴨綠江，又參加一個新的戰爭。

美國人的火力眞是嚇得的，但他們是卻不知道如此厲害，尤其是飛機上擲下的汽油彈，簡直如同西遊記上所說的羅剎公主的火焰扇還勝多少倍，在一次戰役中，解成的腿部被汽油彈灼傷了，本來傷勢並不重，可是志願軍裏面根本就沒有醫生，一直過了幾個月，過了鴨綠江才找到一家野戰醫院，但是傷勢已竟發炎，最後終於鋸去了一條腿，變成了榮譽軍人，拿到二十萬人民幣，和一張證明書，解成回到了一別八年的故鄉。

進了村莊，使解成感覺到奇怪的，村子周圍蔥蘢的樹木，已經伐光，大多數的房子都已東倒西塌，遠看自己的房子還很齊整，心中暗暗感激「人民政府」的「照顧」，解成加速運動自己的木拐，趕到門首，一看掛了一個鄉政府的招牌，解成感覺頗爲奇怪，裏面的幹部正在開會，本村村長，看見解成回來了也大吃一驚，趕來點頭招呼，解成急於要問的是我們一家還到那裏去了。村長不慌不忙慢條斯理的說：「自從你走後，你的父親被鬥爭，在人民公審中槍斃了，你母親自己想不開也上吊而死，你的妻子在新婚姻法照顧之下，同西邊村子的民兵隊長結了婚，你的弟弟最初在小鬼隊，後來也參了軍，你的妹妹加入慰問團，據說開去韓國前綫，只剩下你的小孩子沒有辦法，最後還是人民政府大力照顧，送進孤兒院，不久開去新疆。」這一串報告如連珠砲的發出，比汽油彈還厲害，解成聽完以後當時怔了，少停又跳起說：「天啊！我的家庭整個完了，我這八年血戰是爲的什麼，我被共產黨騙了，騙的我好苦啊！毛澤東你這個空前絕後的大騙子。」自己又坐在那裏哭了，這上面開會的政委，同時走下來說：「解同志！你的思想還要搞通，如何隨便侮辱「人民領袖」……」，解成冷不防舉起木拐照準政委劈頭打去，正打中太陽穴，立時倒地身死，馬上一陣大亂，警衛員們過來把解成細住，第二天就正式槍決了，罪名是美帝派回的「國特」。

關於石秀（中）

（水滸人物論之九）

・舜生・

中國有一句老話，「清官難斷家務事」，尤其是涉及男女間的陰私，更不是外人所容易開口。潘巧雲和報恩寺和尚海闍黎如海的一段姦情，自在楊雄家裏做佛事開始，經過借還願到廟中幽會，並設計把和尚勾引到家停眠整宿，石秀是一一看得清楚的。假定他不願牽入是非漩渦，簡直緘口不言，一走了事，這似乎是不近人情；可是經他詳細告訴了楊雄，並給楊雄定好了一個捉姦辦法，楊雄雖然不能不信，但他酒後回家，卻依然露出破綻，反給巧雲一口咬定，說石秀向她調戲被拒，反成怒，因而向她丈夫造謠中傷。楊雄與石秀本無深交，他和巧雲夫妻間的感情原也不壞；再加上頭腦簡單，而巧雲灌米湯的手腕更不弱；即以常情來說，像巧雲所反訴的這種說法，在事實上原也不是絕無可能，因而楊雄把這番相反的話聽進去了，反而鬧出一個楊石絕交的局面。

石秀要發洩這一股怨氣，要洗刷自己的人格，既要使得楊雄更清楚這一件事實，又要使楊和他自己有方法可以脫身，於是他便斬釘截鐵一絲不亂的去執行他所預定的一個計劃。第一步，他選擇楊雄到衙門上班的一晚，知道和尚一定要去楊家，在天未破曉以前，他便暗暗守候在楊家的後門，首先剝下那個報曉頭陀胡道人的衣服自己穿上，一刀把這頭陀勒死，然後由他敲動木魚，等到和尚一經走出楊家，更把這和尚的衣服剝得精光，幾刀將他搠死在道人一邊，並把凶刀擱在道人的身邊，好像這一僧一道是因姦情先由道人將和尚殺死，然後道人自殺的樣子，但卻拿了這一包衣服去做證據，鬧出這件事以後，楊雄也知道是石秀幹的，他才恍然大悟，知道石秀並非說謊。於是第二步，石秀便找着楊雄，把這一包證據給楊雄看過仔細。楊雄是個粗心的漢子，既大致明白了這件事的眞象，便憤不可遏，立即要回家去收拾他的老婆，石秀知道這樣一來，可能弄得楊雄和他自己都難走脫，因而他第三個步的設計，便教楊雄假作到東門外嶽廟去燒香，將巧雲連同使女迎兒一並誑到一座名叫翠屏山的荒僻所在。可是他仍不許楊雄把這一幕輕易結束，更教楊在三曹對面之下，首先逼着參與這件姦情的迎兒，將這件事實的經過詳詳細細的坦白一番，讓楊雄聽個親切。巧雲在這種情形之下，自然也絲毫無可抵賴，只好一一供認不諱。於是由楊雄動手，把迎兒和巧雲殺死，他們兩個便一溜煙逃往梁山。

『翠屏山』這個故事和戲劇，是大家所知道的，中共覺得大可利用，乃把這個故事的內容加以改造，作爲他們的一種宣傳資料，我們試來介紹一番，也可看出中共在宣傳的技術上，確實是另有他們的一套。

（一一二）

亂彈齋詞話

如夢令

序曰：近年來，蘇俄指世界一切進步的科學文物，如電燈火車飛船飛機之類，都說是俄國人最先發明的，俄國人在文化上樣樣皆是世界之冠。然莫斯科有所謂「馬列主義語文研究學院」者，最近發表研究報告，卻說他們已「證明」中國的語文是最能表達情意的優美文字云云，似乎很謙遜的樣兒。實則中國語文精義，決非文化落後的俄國人，憑那套馬列主義的機械教條所能了解的。他們這種「米湯經」，不過是表示俄共「老大哥」對中共「小老弟」的捧場寓思而已。

中國語文優異，已歷兩三千祺，後進紅毛民，那得談何容易？無趣，無趣，眞正不成玩藝！

又

俄帝百科稱最，獨對漢文謙退，遮莫下愚人，也解其中三昧？不配，不配，祇是裝腔狐媚。

馬五先生

這和那自命搞通了馬列思想，不懂粵語而在香港瞎說八道地批評廣東語文的某一中國人，是同樣的妄誕之至！

本性難移

某一個雕刻家臨死給他三個門徒的遺囑，在他死了之後，每人放些禮物在棺材裏，以作紀念。

大門徒是蘇格蘭人，他放進了一百元的現鈔。

二門徒是猶太人，他沒現鈔就放進了一百元的支票。

三門徒是蘇聯人，他看完了二個師兄的做法，他卻把一百元現鈔和一百元支票拿走了說，我寫一張收據給師傅好了。

誰做大哥

一雙孿生兄弟，在他們母體尚未出生的時候，他們兩個在裏面商量誰做哥哥的問題。

甲說：「誰先出去，誰就是大哥了，那麼我先出去好嗎？」

乙說：「誰是哥哥沒問題，不過我們不知道這個是甚麼國家，不如等我先去看看，如果是蘇聯，我們還是不出去吧。」

記泰哥爾

狷士

所謂「印度詩聖」泰哥爾，以前挾其汎神論的一元哲學到北平，有徐志摩等爲之吹噓，假眞光電影場開會，請其公開演講。那時，北平正鬧着科學玄學之戰，乃有多人對泰哥爾大肆攻擊，並在會場內外四散傳單，祇其學說爲亡國哲學，詎料太哥爾神經敏銳，畏縮易驚，有如處女，一見有人攻擊，未俟完其演講程序即宣佈停止，其言曰：「他們決心來誤會我。」誤會而出自決心，語藏譏諷之刺，但饒有幽默可耐尋味也。

有人問泰哥爾：「英國統治印度布政施仁，興利革弊，其造益于印度民族實非淺鮮，而何以印人猶不滿意，而極力提倡民族獨立之運動耶？」泰哥爾則以妙喻作答云，「印人如原始人素不穿鞋子的，其人來開化之，授以西洋文化的產物——精美皮鞋一雙，印人穿上固然好看，亦差可躋於文明之列，但鞋底之內卻有一根鐵釘插出，走一步，痛一步，刺一刺，痛徹心脾，更爲難堪耳。」言某何沉痛乃爾！

泰哥爾來中國的時候，由北京大學哲學教授陳寅恪介紹，和他的父親散原先生見面，中印兩哲，晤談甚歡，並同攝影紀念，寅恪首譯散翁詩數首請其批評，泰哥爾評散翁詩「如係一身有要務的人，老是從事物嚴重的方面着眼，而很少加以怪想，他生活于偉大的思想間，如生活於大富族間，對之不敢太親近」，當時散翁桌上有一本易實甫先生的翠志樓詩，寅恪又將其中親題的絜頂石一詩，譯出與讀，泰哥爾評去「此詩所談的一切，與他的意見適相反。他笑他自己，只是諷着，他寫了一大堆東西，只是要找到毀壞那東西的快樂。他的詞章，總是曲折離奇的，他有這種奇異的心情活動，這些不和諧的音調的合奏，如一陣狂風吹動的樹葉，葉影不斷搖曳」。眞語妙天下矣。

泰哥爾到北平時，已是一大把年紀了，頭髮鬍鬚飄得像白雪，可是竟有某校的一個妙齡少女愛上了他，死纏不放，弄得老頭子進退爲難，據說他急忙離開北平，這也是原因之一。

泰哥爾是印人，那時中國人都稱印人爲印度阿山，有人聽說有外國人來平演講，擠去一看，就說，哇！原來是印度阿山，可見根本不知道他是大詩人。

黑十字

北晨

早在第一次喫飯的時候，小蔡便想在朱瑛身上得些好處，無功不受祿，白相人出身的小蔡，一時難以啓口，這一回朱瑛唱戲，正想請酒，小蔡有機會邀功了，正想去找朱瑛，朱瑛卻叫人尋到他，也許立刻可以拿一筆錢。

人盡皆知純青的朱瑛，用着女人最厲害的法寶對付小蔡，他們之中，本來便有些不乾不淨的。

朱瑛並不急於打聽白濟宏的底牌，小蔡也不十分明白，只知道黃洗有一票黑貨，值到百幾十萬港幣，自然爲的是大家陪他喫喝玩樂，自然，小蔡又是有意獻給朱瑛這句話的。

「一百多萬！」她忽然想到不久之前聽到的一些消息，這黃洗莫不是大陸來的那批神祕的人物。

小蔡好心自己不要入局賭錢，她囑咐她，如果這麼一說，她便什麼都懂了。

二十四小時，很艱辛地過去了，一切不如白濟宏的理想，一尾魚溜了網，一個很好的題目，作的卻不是精彩的文章，白濟宏雖然是聰明絕透的人，他也猜不透這裏面的道理，那頭爲衆的羊，臨時卻逃出了他的虎口。

少要他們黃洗預備三五萬這一場賭，誰知在澳門賭得昏天黑地的黃洗，這時卻繼續起來了，一夜所得，他們只有三千多元的斬獲，而場上的開銷，一共用了一千元，也是白濟宏給他墊給朱瑛，這裏面白濟宏并未灰心，也不疑心；有人走了水，他以爲那黃洗一天手上沒有現金，貨色不知所以到，所以賭檯上便缺少了興趣，只等他的貨色換成現在，他是最少可以平分春色的。

這是白濟宏意料不到的事，朱瑛在這幕戲裏做了重要的腳色，但是她的戲做得恰到好處。

另有一番打算的小蔡，聽了小蔡的話以後，她便這批殺手，甚至她不敢再得罪他們，以至可是她不能爲他們所利用，是非利用之中；明明是一頭肥羊，她爲什麼不喫羊羔，卻要喫人家剩下來的殘餘。（三十）

・中篇連載・

自由人
THE FREEMAN
（半週刊每星期三六出版）
（第一四三期）
每份港幣壹毫
督印人：李光華
社址
香港高士打道六六號
電話：二〇八四八
GLOUCESTER RD.
HONGKONG
TEL: 20848
承印者：東南印務出版社
地址：高士打道六四號
台灣總辦事處
台北市館前街五十號
台灣總銷處
台北市中華路一二五九號

再論韓戰與日共暴動

自由中國與共黨鬥爭近三十年，現雖在大陸一時挫敗，但也曾把共黨鬥得落花流水，屈服叫饒，故對共經驗和認識極豐。久病成良醫，反共的盟邦應該重視我們的意見。

黃雪邨

在本刊上，筆者曾經次爲文，強調兩項意見，向我們民主反共國家當局建議，第一項我主張美國應有以戰止戰的決心去應付韓戰，我認定聯合國軍隊如能以較大的力量在韓戰場獲得決定性的勝利，俄帝決不會因韓共中共在韓戰場之失敗，挺身而出來與聯合國軍隊作戰，換言之，即決無引起第三次大戰之危險。第二項是我認爲各反共國家必須立即宣布共匪爲非法組織，然後才能以法律的力量來肅清內奸，制止共匪的一切暴動行爲，特別是在今天的日本，香港與南洋各地有此必要。這兩項意見在我們今天自由中國之內的人看來，是一點不足驚異的，而且大都有此一致的看法。以最近盟機轟炸水豐電廠之後，共匪並不敢還手，以及日本共匪不斷在各地製造暴動的這些事證來看，足見我們的見解毫無錯誤的。我常常認定，我們自由中國雖然在大陸上曾遭遇重大的失敗，但是今天世界各民主反共國家，爲着要共同來對付俄帝和一切的共匪，無論在政略上或戰略上，都有特別重視自由中國方面之意見的必要，不客氣一點，在全世界反共工作上，我們簡直可以做「老師」，因爲今天最能瞭解俄帝和共匪那一套陰謀詭計的莫如我們，而我們這些深刻的瞭解，乃是從若干年與俄帝和中共匪幫相要鬭爭而得來的。比之那些專憑不完全的情報與揣想而下的判斷與決定來得高明多多。中國有句俗諺說「久病成良醫」，便是這個道理。

要有以戰止戰的決心

以第一個問題來講，過去麥克阿瑟就早有此遠見，當他由釜山一隅打到鴨綠江邊的時候，他就主張用快刀斬亂麻的辦法來解決韓國問題。當中共出動俄帝所供給的飛機助戰的時候，他就主張轟炸東北匪空軍基地。可惜這位統帥明智的決策，都不能爲美當局所採擇，短識的英國人甚至嚇得發抖，以爲麥克阿瑟會闖下滔天大禍，世界第三次大戰馬上就會爆發。在美國方面，杜魯門總統親臨威克島勸阻麥帥，最後還不放心，終於要撤換麥帥。老實說，這些想法和措施，都是一種恐俄病患者的錯覺。拿着今天的事實來看，不是已經有了很好的證明嗎？克拉克下令徹底轟炸水豐電廠設備之後，不僅匪機不敢還擊，相反的，在板門店的會議席上，匪方代表的表示還比較以前就範，願意放棄一部份戰俘，不再像以往那樣堅持非全部交換不可。我們早經說過，俄帝的作法完全是色厲

俄帝色厲內荏祇怕強硬

內荏，聯軍終能下以戰止戰的決心，韓國問題早可迎刃而解。俄帝只是把韓共中共當貓脚爪去火中取栗，在這些嘍囉們敗下陣來的時候，你說要他親自出馬，他是絕不肯幹，因爲他對於未來的一次戰爭並沒有絲毫的致勝的把握。我們要知道俄帝之怕戰爭擴大的心理，比之英美當局還超過若干倍，不過他決不輕易表示，事實上，他也明白只要自己不伸手，吃虧的不過是那些賣命的嘍囉們，直接的美蘇戰爭是掀不起來的。因此，他也用不着瞎操心。對於英美方面那份自己嚇自己的舉動，我想也許史達林正躲在克里姆林宮暗暗發笑。對俄帝的那套虛聲恫嚇和狂妄宣傳以及中共內部情形，無疑地我們中國人是比英美人瞭解得多。很可惋惜的，當時英美方面不能使麥克阿瑟行其決策，不能徵詢和重視自由中國方面人士對遠東問題的意見，或許他們還以爲我們主張對韓戰採取更強硬的措施是含有若干自私的成份。從今天看麥克阿瑟和我們的看法和主張的正確性是已經獲得證明。而最近麥克阿瑟在支加哥共和黨代表大會的演說，博得很大的讚許與同情，尤足徵美方人士對遠東問題已有新的覺醒與認識。我想如果證明，就從今天起聯合國能改變以往對韓戰的觀念，貫澈克拉克轟炸水豐電廠的硬派作風，施行大刀闊斧的辦法以對付俄帝和中共匪幫，固不爲晚，然而在以往一段悠長的時間裏，人力與物力的消耗究竟未免有點勞而無功之感。

應宣佈共黨組織爲非法

關於第二個問題，筆者曾在今年五月論日本香港共匪暴動事件一文中，指出共匪將繼續不斷的從事這類事件的重演，因爲社會秩序的不穩定，即是培養共匪細菌最好的溫床，如果當地政府沒有嚴厲的制裁力量，這些傢伙便非鬧得你天翻地覆不可。目前日本的情形，已足證明我說的話是並無錯誤。據最近的消息，日共在俄帝策動之下在北海道成立了所謂「日本人民共和國政府」的僞組織，而各地的暴動事件也不斷的發生，尤以上月二十五日所謂「紀念韓戰二週年」時爲甚，匪徒們曾以火油彈向警察投擲，而「紅旗報」更是極盡攻擊政府搖惑人心之能事。這些情形與以往我們在大陸所遭過的如出一轍，我們政府當局爲着保持民主政治的風度，盡量的寬容，忍耐，而匪徒們則是得寸進尺。當年的延安匪巢，我們因爲抗日戰爭之起，未能澈底肅清，終致釀成燎原之局。現在日共即以北海道爲第二「延安」，而且隔岸庫頁島，俄帝正將已訓練完成之日本戰俘兵備，陳兵海濱，隨時可向北海道登陸，這種形勢是決不可忽視的。今天日本當局如果不能接受和體念我們以往失敗的教訓，對日共之暴動以及未來的演變，提高警覺，即下最大決心，宣佈日共爲非法組織，予以嚴厲之制裁，以免伏莽潛滋，坐致滋大，則未來的後果，殊難設想。

姑息敵人即是殘害自己

一旦此一反共之堤防崩潰，則遠東情勢即將改觀，聯合國軍隊在韓國戰場從事反共，反侵略戰爭中的犧牲將成爲毫無代價。因此，我們不僅要正告日本當局不可因循貽誤，同時也希望作爲反共，反侵略的領導國家——美國當局對此種情勢，決不可輕忽視之，而必須取得日本政府之密切合作，支助其反共力量之成長。

總之，今天對付共產匪徒們，無論是在韓國的侵略行爲，或其他國家裏所製造的暴亂事件，決不能稍予寬容，必須以斷然處置的辦法，予以最重大的打擊，最嚴厲的制裁，否則就等於給予他們以發展的機會。——這是我們若干年來與共匪們的實際經驗所得的結論，我們願以最大之誠懇轉告我們反共民主國家的朋友們。我們敢說，世界上最瞭解俄帝和一切共產匪徒的情形和作法的只有今天的自由中國的人們，無論是在軍事與政治方面，我們都有極豐富的經驗與正確的認識，我希望反共的各盟邦重視我們的意見，徵詢我們的意見，乃至向我們學習！

論外資與工業化

鄭學稼

「美國國民在台灣投資的保證協定」（簡稱協定），已於六月二十五日在台北換發。對於這一「協定」，許多人曾作極其樂觀的估計。事實上，徒靠那「協定」，還不能就吸收美國的資本。要達到樂觀者的目的，似乎還需要若干努力。

「協定」的重大意義，是美國政府保證自己國民的投資。保證的方法：美國投資人的資本，如受損害或沒收，美國安全總署負責賠償，同時循外交途徑與中國政府交涉，不接受中國法院或行政的裁決。如該判沒有效果，最後可請國際法院院長指派仲裁人。此外，如美人投資所得的利潤或收益，因受中國外匯管制的拘束不能匯出時，投資人可將所得新台幣交給美駐華大使館，移充該館在台的行政費用，美政府另以美金償還投資人所指定的收款人。究竟在那一「協定」的保證下，美國國民會投若干的資本呢？依估計，于十四年內可投三億美元。

三億美元縱使全部於一年內投於台灣，不會很大地影響台灣現有的經濟。同時，三億美元的資本，如與港澳的中國人資本對比，更不見甚多。但問題的核心在此：我們僅靠「協定」不能吸收外資，要點在於我們有無吸收外資的條件。如果我們具備了條件，筆者深信：美人的投資額決不止三億美元。同理，如有那條件，在港澳的中國人資本，也會流入台灣。

所謂「條件」究是什麼呢？大家知道：資本的流動，是受利潤的誘引（把安全等因素，捨而不談），因爲台灣秩序之安定，爲東南亞冠）。如果，能夠保證投資者以合理的利潤，那在眼前，首先投資於台灣企業的，恐怕還不是美國資本，而是港澳的中國人資本。

試問：在目前，我們具備了迎接外資的條件嗎？依筆者的意見，那是大有問題的。一般地說來，誘引外資來台的主要條件，是適合投資的經濟政策。它，在美國國民眼中，自然是反管制的。縱使按照「協定」，他們不怕外匯的管制，但的管制，都和他們的慣習相反。如大家所知的，在現有的「資本主義」國家中，美國是保留最多自由經濟的成份。究竟我們的經濟制度，是仍舊採取管制政策或加強管制，或且修改它，改用自由的或有限度的自由經濟政策；這是值得討論的。但投資者爲着自己的利益，卻不喜歡隨處加以束縛的管制，是不可否認的事實。

就現在的情況而言，台灣存在着官價外匯、結匯證價格和黑市。雖然，近數月來，由於發行的收縮、物價的穩定和簡化貿易手續，使黑市美金不斷跌落，并有跌到結匯證價格的可能，但「差別匯率」，總是投資者所不喜的或調動資本前所要考慮的。

台灣當前最好的投資部門，自然是紡織業，因爲它有所謂「保護政策」。但，可惜這一部門已經「飽和」了。它究竟的保護人「勸告」何種企業可給投資者以利潤？除了紡織部門，在公營企業佔國民經濟的絕大百份比情況下，難於預言。

這不是說，外資無所投放的對象。據報載：台灣省政府因扶植自耕農，實現「耕者有其田」政策，已決定出售一部份公營事業，便於地主資本轉入工業，和便於籌措資金。據報紙消息，台省當局擬開辦證券市場。這兩宗事，如都實現，那外資不愁無投放的對象。

近一個月來，台北紙上再談台灣工業化的消息。怎樣工業化？不若紙上談兵似的容易。因爲工業化需要若干前提：資本、人工、技術、熟練勞動、市場等等。此外，更加重要的是現有各工業內在的分工，和以原有工業爲基礎的擴大——決不是憑空地開辦新的工業（即指我們之技術、熟練勞動及原料供給都缺乏的工業部門）。如果那些條件都不成問題，是否我們就可輸入資本促速工業化？還不能。就當前的事實而言，台省內物價水準，還高過國際物價的水準，如不能抑低它，那外銷的企業部門，就不會有資本的流入或大量的流入。抑低現有偏高的物價水準，使利於輸出，這是大家所呼籲之「低物價政策」內容之一部份，可是在「保護」紗布業政策下怎能有低物價？這是短視之「企業家」（？）們所不能了解的，或有這可笑的事實。因此，他們一方面堅主「保護」紗布業之必要，和絕對禁止外布入口；另一方面爲對抗管制政策，都主張自由經濟！十分明白，只在後者的利益大過前者時，他們才願取消「保護政策」。

所謂工業化，並非僅指新資本投入各企業部門，從事生產。因爲生產只是消費的手段，生產的目的在於消費。如果生產出來的工業品，因爲流通不能圓滑，不能迅速地消費，那生產必受阻礙或停滯，到底成「工業化」的問題。當前的台灣，就有若干政策，可以中斷流通，如外匯的審核，如差別匯率，如國家商業資本的獨佔貿易均是。

依筆者的意見，上面各點，都不是迎接外資的條件。我們必需改造現有的不利外資的條件，才能誘引外資，亦即才能配合我們經濟的要求而迅速工業化。

由以上的分析，十分明白：「協定」只是一個信號，它顯示自由中國經濟政策可有的修改。如果，值得修改了，那麼，除了三億美元的美國資本外，筆者信在港澳的中國人資本會有兩三倍於美國資本之重新回返中國。

究竟怎樣，容我們看它的發展。（七，九于台北）

半週展望

·雷嘯岑·

英法政府當局吃一悶棍

上月英法兩國於簽訂對德和平契約及歐洲軍協定之後，臨事而懼，忽然間主張要與蘇俄舉行「四強會議」，要用和平協商方法解決德國問題。當時美國不感興趣，西德總理阿丹諾尤其激烈反對，決然法國堅持甚力，英國熱心附和，美國明知其不可爲而爲之，勉強同意這一「和平」方案。對史大林發出「建設性」的文書，請他接納這「和平」方案。時至今日，史大林對英法的建議，一聲不響，讓法國望眼欲穿，英國念念不忘，另教東德傀儡政權正式成立蘇維埃政府，宣告放棄和平統一全德的政策，要以實力來爭取德國的獨立了！這是一支極其有力之橡皮性的悶棍，使英法當局挨受之後，有苦難言，啼笑不得！

好了，在英法當局的心想中，原以爲一切不惜決裂的太極拳，準備姿勢都做好了，然後對史大林來一手，召開四強會議，看你害怕不？豈知俄式共產主義者乃是當曉雜錯嚇詐起家的，傀儡英法這種外強中乾的玩藝，眞是班門弄斧，史大林見着祇是好笑，他顧得跟你們文字遊戲？吩咐嘍囉們，就近以行動來作答是復，給些顏色你們看看。四強會議麼？廢話！

無獨有偶的作風

歐洲既有法國以半推半就的心情，拉住英國對俄共集團表示妥協，冀獲苟安局面，亞洲自亦不便例外，如是乎，印度的尼赫魯也拉住英國，要來調解韓戰的和談僵局了！亞洲沒有四強會議可言，只好拿聯合國席位作香餌，這原是英國政府唱了幾年的老調，尼赫魯再來歌舞一番，以爲中韓共既怕聯軍大轟炸，此時此事，史大林一定可以欣然同意的。

其實，俄共集團對於聯合國，根本就看作一所宣講台。他們如不爲着冷戰利益，要利用這場合來分化民主陣營，絕對會以過去形容「國際聯盟」的那些名詞來套在聯合國身上——「帝國主義的分贓機構！」現在他們不是常常指摘聯合國是美國的工具嗎？所謂國際地位，以所謂外交承認這類觀念，只是西方列強過去藉以欺詐弱小國家的幻術，俄共集團並不在乎的。他們若重視這類表面的榮譽，秧歌王朝早已派遣大使到倫敦，實行親善友好了。蘇俄當年曾被世界列強圍攻，共同宣言不承認，結果今天世界列強都要怕她三分，爭着對她獻媚。他們深知唯力主義的實益，甚末國際地位，甚末貿易大利，都屬無關宏旨，除非你有實力制服他們，才是當面見效的靈丹。

韓戰的利害關係，十百倍於聯合國席位，台灣問題更非英印所能隨意妄作主張，俄共集團心裏很明白。尼赫魯想拿聯合國席位和台灣的未來問題作政治資本，以期勾引中韓共入彀，替他創造「亞洲領袖」的身價，而犧牲十萬名的共俘，貽患無窮，更是荒唐的廢話！

不要替敵人張目！

美國的大選潮正在熱烈發展中。共和黨抓住韓戰這一大好題材，對民主黨政府大事攻擊，使民主黨一時不無狼狽周章之感。據十四日合衆社芝加哥電訊，民主黨對韓戰問題已有反擊共和黨的三大理由與事實了。其中一項是：「朝鮮和談之不能解決，應由共和黨方面負責，因爲他們拒絕安撫中共也」。這一說法，既爲國外的戰爭敵人張目，又替國內的政治敵人助勢，我不敢相信民主黨人竟有這種低能的政治言論！

此項妙論一出，共和黨人一定引爲意外的好收穫。「是呀，我們就是反對跟中國共產黨妥協的！只有你民主黨才糟糕，既要出兵到朝鮮打仗，又想對中共妥協，落得不上不下，枉流美國青年之血，永無止境。」這不是無形之中替共和黨增加選票乎？俄共集團也會感到會心的微笑，「哦，原來你們是一只紙老虎，隨時想跟我們妥協的啊！」豈非更增加和談僵持的因素？當心在家裏內鬨，竟鬧成替敵人張目的大笑話！

（赫爾辛基航訊）

奧林匹克運動會

由於俄帝集團參加　弄得空氣沉重陰森

聖火取自希臘

第十五屆奧林匹克的聖火，已經由一美麗的少女手持希臘古燈，引導火炬接引隊登上奧林匹克火山撒斯古廟遺址，用凹鏡吸集太陽熱力，燃起火燄。數千把火炬點了起來，一個壯嚴的行列開始移動下山，然後用接力方式，日夜兼程奔向雅典，再轉送赫爾辛基來。這里的報章天天在報導這聖火的進展情形，描述沿途經過的鄉村山野的人民怎樣在熱烈迎送這批健者。預計在十六日大會揭幕時即可趕到會場，點燃那座高達七十二公呎的奧林匹克塔頂上的大火盤。

鐵幕不准通過

世局的變化，和共產黨的擴張。表現在奧林匹克運動會上也很顯著，這第十五屆奧林匹克的聖火的傳遞，早古例應該由人用接力方式日夜奔跑而來，但是由於匈牙利、捷克、波蘭等這些國家淪入鐵幕，聖火也無法通過鐵幕，於是只好由奧林匹斯山上取得聖火後，力跑到雅典機場，讓聖火搭飛機到哥本哈根，渡海入瑞典，再用接力來送到芬蘭會場，使這聖火歷盡陸海空的滋味，幸虧這次希臘在三年前及時救出了鐵幕，否則這聖火也取不到了。至於把火炬接力送到會場的最後一段路，該請那個選手，也爭論不決，弄得大會焦頭爛額，於是只得暫守祕密，到時再說。

大會蒙受污點

五月十八日，國際奧林匹克委員會主席愛德斯托洛姆受着共產黨的壓迫，竟然宣佈不准中華民國選手出席，使得這一象徵和平勇敢的大會，留下了難以消除的污點。芬蘭係一鄰近蘇俄大熊的小國，處處受它的欺侮，通這樣聖潔的運動會也受了它的影響，可見俄帝不除，世界不會有真的民主與和平出現。

自由中國代表原定二十八人，由郝更生率領赴會，這是事先得到奧林匹克委員會邀請的，但在動程前二日，忽接電表示拒絕，這種出爾反爾的態度，弄得其他許多民主國家也很不高興，這幾天正在集議，準備由非律賓代表團出面與大會委員長愛德斯託交涉，同時郝更生一人不久將先來赫爾辛基，當面提出質問，結果如何，現在還難預料，但這件事發生後，從英德等地趕來的兩名中國記者，心裏就好不痛快。現在只好等香港出席的游泳隊到來，看看中國人用另一旗幟來表現一番。

天氣多雨寒涼

這幾天這裏老是下雨，氣候像香港的十二月天氣，早晚都很涼，已到的各國運動員都穿了外套，他們很担心這樣的氣候會不會影響到他們的成績。選手們到了這裏很多人患了重感冒，奧林匹克醫院裏忙碌得利害，有好幾個國家的運動隊是派有醫生隨同照料的，但他們都無法防治這種流行的小病，只有要求運動員早晚多加衣，三餐吃得好了，運動員在下雨的天氣是最苦悶的，雖說可在室內練習，但終不及廣場上舒適。所以有的運動員不無這個地方不宜舉行奧林匹克之感，下次舉行地址決定，應該要顧到這點。

芬蘭花錢不少

這次大會，芬蘭政府已籌備經年，運動場和奧林匹克場早在一九四○年時築成，後來因大戰關係停開，在蘇芬之戰時，這和平的運動場又常遭蘇機轟炸，新整修的等於要重新，到了七月初，這次大會一切準備工作已全部完成。它準備了六千個參加者及隨員的起居之所，據說這次出席最多的一隊是美國，共有四百多名，單這一隊，就要給它一個很大的住所和練習運動的場合，所以芬蘭這次化的錢實在不少，這種花費原係一種投資性質，他們預計到來參觀的外國人至少有五萬人，每人在芬花一千美元，就有五千萬美元的收入，收支相抵，可以不致[illegible]。可是[illegible]世界各國[illegible]，蘇俄[illegible]歐洲[illegible]地方是不會有人來參觀的，他們政府正給那裏[illegible]乾淨，錢有跑[illegible]，使共黨[illegible]家豈能隨便讓人民離開鐵幕，所以現在估計能有一大批人到赫爾辛基來參觀，已是了不得了。

共黨帶來陰森

共產黨影響到大會的另一特色，是大會像世界一樣，兩個壁壘分明，芬蘭原給蘇俄選手代表安排的住處，蘇俄不要，給其他鐵幕國家劃定的地方，他們也不要，他們不要的理由沒有說出來，可能是怕這些國家的運動選手跟自由國家的人往來，一去不願「回國」，只得給蘇聯集團另佈新址，在離運動大會二十哩的地方，有所赫爾辛基大學，約有四十幢房子，把學生全部遷出，讓鐵幕代表專居住，這些共黨國家的選手代表團，除了有隨員外，還帶了大批招待員來，大會所派的招待員一概拒之門外，記者們也很難進去，所以這個區域又成了一小鐵幕。這個區域叫做奧林匹克村，跟民主集團所居住的，加比拉正適當對峙，形同敵國，這種對峙的現象在過去歷次大會是所沒有的。於是人心上像壓了一塊鉛，加上天氣又老是陰雨不停，寒風料峭，整個奧林匹克村弄得陰森森的，不像以前歷次大會那樣有生氣。

共產集團到什麼地方，什麼地方就成鐵幕，就弄得陰森，與奧林匹克像徵和平自由勇敢，共黨集團實在不配參加。（陳光宗）

胡庶華和他的兒媳

康百度

前湖南大學校長胡庶華，現在淪落東北，生活淒涼。這固然是他卑污本性自取之咎，但從經過情形來說，也可說是受了他的兒媳的害。

在這裏所說的他的兒媳，是指的他那第三位名叫黃文的。黃文這個人，雖不是鼎鼎出名之輩，但有好多人對她並不陌生，尤其在長沙更是一個風頭頗健的人物。是共黨出色特務之一。到過香港，到過湖南，替共黨立了不少的功，害了不少的成名人物，至今還是被共黨重視着，在長沙共黨特務機關公安廳擔當重要職務。他是湖南大學卅四年的畢業生，臉蛋兒雖不算十分漂亮，可是善於化裝，身材極好，尤會媚態，實弄風騷。在湖大讀書時，就加入了共黨工作，在校內相當活躍，憑她的色相，為共黨吸收了不少份子。由於性生活的過於隨便，曾害過性病。

她之嫁給胡的第三子──長沙光明戲院的經理，是很突兀的。曾使許多人感到驚奇，因為她和胡的第三子結婚前，兩人並無多大的交往，何況她在許多超友情的男友之外，還有一個叫彭五香的和她打得更是火熱！原來她之嫁給胡的三子是奉的共黨組織上的命令──是教她藉胡的地位以便掩護共黨在長沙的活動，尤其是在湖大的活動。

共黨交給她的使命，她很輕易的做到了。同時更有了意外的收穫。那就是她自成了胡的兒媳後，自然便能常常和胡親近，由於她的善於勾引和胡的卑濁無恥，胡竟也作了她的愛情俘虜！成事後，其組織上即特別對她着實獎勵一番，認為那是一個絕好的成就，便馬上令她對胡施以壓力，迫胡為共黨賣命。當時胡一方面惑於她的狐媚，再方面也因已經失足，受了要挾，也就不得不俯首聽命了。所以當他患病赴滬就醫時，將湖大的校務不交給旁人代理而交給李達，也是奉的她的指使。

當時胡患病赴上海就醫，行前既很祕密，而究患的什麼病尤諱莫如深。有人推測是玫治病，其實倒是真的有病。事後在報上只透露他的病是小便不暢。這種小患為什麼要跑到上海去治呢？他在上海住的是中山醫院，若以長沙湘雅醫院來說，無論在設備上或歷史上，都並不較它遜色，胡為什麼要捨近求遠呢？那就是因為他所患的固然是小便不暢，同時卻還有不可告人之處。

在長沙那時的他，總算一個要角，認識他的人既多，一舉一動極易受人注意，加以距他所長的湖大太近，萬一風聲有點洩露，豈不要立刻使他名譽破產嗎？因此他才不辭僕僕風塵遠適異地。

他這種小患，在科學昌明的今天，自然很快的被治癒。他本想立即回長。可是他的寵媳竟不輕易放鬆他，奉了她組織上的命令趕到上海，於是胡便又失掉了行動上的主宰。而在黃文的指使玩弄下，天天與復旦大學的一批左傾教授四出活動，作投共的佈署。

上海陷後，共黨又命令他歸到香港來。因為在香港有一批湖南籍的軍人和政客，這些人大多與胡熟識。共黨便利用胡向他們游說煽動。所以不久便有四十七人的所謂「和平通電」。這固然不儘是胡的傑作，但確有好多人是由胡和黃文所誘惑參與的。

一九四八年整個大陸變色後，胡頗自鳴得意，認為他曾為共黨立了功。論功行賞，當可在分贓王朝中得一杯羹。誰知一切都是幻想。經過親自跑到北平去求懇毛王，才搞到東北鞍山鋼場的職位。到了那裏一看，重要的機器都已拆卸殆盡，並且一切事情都須唯大鼻子命令是聽，不時還要受氣，更令他傷心的，是他的寵媳卻並沒隨他北上。公開在長沙公安廳裏做特務頭子了。這是很自然的，因為黃文對胡的工作任務已完，對於他這個老頭子還有什麼可戀呢？

鐵幕後的軍事動員

蘇聯積極備戰

婦女編成輔助隊

除了男子以外，東歐數百萬婦女，亦一如第二次大戰期間的蘇俄婦女，訓練担負戰時的主要任務。共對婦女的訓練，與少年及運動員同樣地輕而易舉。因為東歐各國現存的唯一婦女組織為「婦女民主聯盟」。如「波蘭婦女聯盟」「匈牙利婦女聯盟」等都是共產黨的獨佔機構。其會員總數，到今年一月已達七百萬人。據較保守的估計，其中百分之二十五至三十五正接受防護訓練。此外，對於通訊、牽引機站服務、及特種活動，如運醫傷兵、駕駛火車、集中營管理及軍事警察等，均一律訓練婦女担任。在匈牙利境內，全副武裝的婦女，托着來復槍列隊前進的現象，已屬司空見慣。在波蘭及但澤，婦女防衛隊每週還有三次的輕機槍及手榴彈實習。

武裝千四百萬人

在上列各種形式的組訓下，根據最續密估計，東歐各附庸國九千萬人民中，最少有一千四百四十萬已經被強迫武裝或接受若干程度的軍事訓練。在未來數年間，八百萬至一千萬的人民，將接受更緊張的軍事訓練，準備為共黨征服全世界的戰事而犧牲。

空前的動員計劃

韓戰的爆發，促使莫斯科加速其全面擴張附庸國軍隊的計劃。這一擴張計劃，為西方各國所未見，乃歷史上最大規模的軍事動員。當韓國戰爭一起，各附庸國即徵集後備軍官入伍，新兵大學入伍，已延長服役期間的，一律延長服役期限。在保加利亞，服役期限已延長為三年，較過去長一倍。根據地下情報及鐵幕外諜官員數千人的綜合報告：各附庸國現有的正規軍總數已達一百五十萬人，編為六十個俄式師，其中大多數具有優良的裝備及訓練，四分之一係機械化，一小部份已裝甲化。

嚴密的控制辦法

蘇俄所以能在短促期間中，達成如此龐大的計劃，完全由於其俄式的征服辦法。即清除原來的職業性官員，而代以可靠的共產黨幹部，教導過去的囚犯，而由蘇俄的指揮官作實際的控制。據捷克方面的地下報告：蘇俄派在捷軍的軍官正大量激增。在最近期內，全部捷軍將為蘇俄所控制。目前在波蘭軍隊中之蘇俄軍官，最低限度有五千名，保加利亞有二千名，匈牙利有三千名，羅馬尼亞有三千名，均為高級參謀。所有附庸國軍隊的軍事術語，他們的制服，式樣也悉本俄式，一律採用蘇俄的操典。各師的組織，訓練既純粹俄式，由俄國翻譯而來。軍事教練亦以蘇軍為基本。以使隨時併合於蘇軍之中。

在輪番制度之下，數以千計的附庸國軍官正輪流赴蘇受訓。波蘭一九五一年已選派一千五百名赴蘇，捷克選派一千四百名，東德的五百名，保加利亞「青年軍」乃由一百名蘇俄軍官所統領，有三千青年學員在校受訓，亦於一九五一年六月返回本境，成為新羅馬尼亞軍隊的骨幹。預計一九五三年，附庸國陸軍中，可能有二萬名受俄國訓練的軍官，從事實際上的控制。

政治教育是中心

除軍事幹部的控制外，對士兵的政治教育，尤為其中之主要環節。在軍士的第一年服役期間，即不斷灌輸馬列教條。在兵營中經常放映官傳電影，強迫訂閱共產黨出版物，強迫集體學習。波蘭的「士兵們的「陸軍之聲」，要求士兵們為「消滅帝國主義而鬥爭」。

今天各附庸國士兵，其政治的可靠性雖仍極低，特別是具有強烈愛國心的波蘭士兵，不時發現集體逃亡的事件。但據一逃亡的匈牙利人，入南斯拉夫及西德[illegible]的警告：「到一九五四年時，均參加軍隊的新兵，係經過十年共黨教育的青年。屆時，匈牙利的陸軍，可能為效忠克里姆林而戰死。」

軍隊會不會叛變

鐵幕外人士對此等附庸國軍隊的戰鬥力，迄今為止，尚無法予以正確判斷，西方軍事專家認為這些附庸國軍隊，紀律堅強」的共黨仍無法將這些裝備與蘇俄軍隊及西方敵國相比。但據東歐以前的職業軍官指出：如果大戰爆發時，蘇軍能一戰而勝，則這些附庸國軍隊仍可與蘇軍並肩作戰，反之，如果蘇軍一戰而敗，附庸國軍隊亦將立即瓦解。針對着上述可能發生的叛變，蘇俄可能執行兩項辦法：一方面在作戰時將附庸國軍隊折散，在紅軍中，使他們無法後退；一方面派遣他們作為佔領部隊，使其無法與流亡人士取得聯繫。據波蘭流亡人士指稱：如果戰事爆發，大部份的波蘭軍隊將被派往中亞細亞，遠東作戰，這是俄帝時代的習慣，今後可能再度實施。

根據地下情報的報告：這些附庸國的陸軍已接獲大批蘇俄的坦克、重砲、臼砲、及其他物資。一九五○年十月保加利亞的情報：「大批的軍火已由蘇俄運來」。十二月由波蘭獲得的報導：「在過去數週中，有四百輛坦克──[illegible]八──已運至捷克及羅馬尼亞」。一九五一年四月由匈牙利的情報指出：「足以裝備十師的全套裝備，由蘇俄運抵此間」。除保加利亞以外，波蘭、捷克亦已由蘇俄建立數十個兵工廠，隨時供應付增加的軍火、砲彈和補給。巨額的糧食不斷地運往戰略性的儲藏地點，由蘇軍嚴密守衛。

擴大征服的部署

自韓戰爆發以來，蘇俄已沿鐵幕增築數十個現代化空軍基地，每一基地最低限度可容噴射機二十架，附庸國的飛行員正在蘇聯加緊訓練中，由於汽油供應嚴格限制，使他們無法遠飛。這些附庸國空軍擁有數百架最低限度的俄式噴射機及中型轟炸機。

除此以外，為了蘇俄的效率，第二次大戰以來，東歐的交通網已有極大的改變，東歐各國的公路網，在蘇聯的控制之下不斷地擴張，已成為一個戰略性的總樞紐。[illegible]

貫通中歐的三條幹線，均已依照蘇俄的需要而擴展，寬軌鐵路直伸展入東歐。[illegible]

[illegible]發展軍事[illegible]，在西方[illegible]莫斯科[illegible]。（六月份「讀者文摘」）（完）

馬心・納遜

爆出冷門的美國共和黨副總統候選人，馬心納遜，現年三十九歲，一九四六年，才於加州辭去其律師業務，當選美國參議員。其後二年，納遜此次的當選為其黨內副總統候選人，不特一般人認為例外，即納遜本人，亦感意外。

遠在納遜在三藩市執律師業的時候，他已就是一個聯眾的候選人，若以他來當副總統的候選人，可算得美國一部份青年人與婦女的選票。其次納遜為加州人與「國際派」一宮號稱紐約和加州，都是「國際派」的出產。恰與艾森豪同時，其時選是比一般人早向艾森豪靠攏，當其兩人之間，納遜在六年前，他就在議院裏為艾森豪吹噓，這些與艾森豪委員會頭面人物，非常投趣味，這就正納遜鴻運當頭的原因。（今生）

鬥垮地富以後 大陸貧農紛被排斥 「土改」騙局原形畢露

【本報綜合報導】中共在大陸推行的「土地改革」，到本年六月三十日已整整地過了二年。據七月一日中共「人民日報」所載：東北及內蒙早已完成，華北除綏遠伊克昭盟和烏蘭察布盟二十萬農業人口地區外也已全部完成。西北佔全區農業人口百分之八十五，中南區佔農業人口百分之八十一，西南區約佔全區總人口百分之八十一，華東區約佔全區農業人口百分之九十以上的地區，都已完成「土改」。

由窮變絕 遭受白眼

「土改」後的大陸農村，被列入地主、富農、及「反動份子」的數千萬農民固全部被「掃地出門」，形成家破人亡的慘劇。即「土改」期間被中共作為爭取對象的貧僱農，「土改」後亦由窮變絕，在飢餓邊緣掙扎，不但沒有獲得真正的「翻身」，而「處處遭受共幹的白眼和排斥。

據中共「長江日報」最近的報導，自從各地「土改」結束後，農村工作幹部，即流行一種論調：「土地改革要依靠雇貧農，生產工作要依靠中農，」他們所依據的理由是，中農的生產條件充足，生產能力高，雇貧農根本沒有生產能力，在鬥爭中可以利用他們來「挖窮根、吐苦水」，但向地富算帳，地富垮台後，這些人已沒有用途。

貪污浪費 果實蕩然

依照上述「長江日報」的報導，各地「土改」時原均有相當數量的「鬥爭果實」，這些「果實」照理應分配貧僱農，但事實上不是被共幹吞沒，便是被農會浪費。據江西永豐縣福四鄉「農民協會」四心分會的調查，一年以來，經過反霸退租等鬥爭，農民共獲得「鬥爭果實」折合共幣三千一百五十餘萬元，其中被幹部浪費的即達二千四百餘萬元。他們認為「鬥爭果實是拾的麥子揀的柴，浪費點沒有啥」。其他的「果實」，部份被貪污，到了農民手裏，每人分不到共幣一萬元，只合買幾兩黃煙，貧僱農原來都無「底子」。至此只好望空歎氣。

底子空虛 何能生產

根據湖北中共「宜昌地委」張華最近在「長江日報」所發表的報告：據湖北當陽縣幾運區一個鄉的調查，十六戶貧僱農每畝平均施肥只有四十七担，而中農十六戶平均施肥則為八十担，因此一般雇貧農生產的比中農為差，其次是缺之耕畜，農具和種籽，到扯草時多半已斷了炊，不得不出外出賣勞動力，或討米以維持眼前的生活，因此「土改」中雖分得幾分田地，亦只好任其荒蕪。如該縣城關區朝陽鄉有許多貧農，「土改」時每人分了八斗田，栽秧時最多只栽了四斗，到了扯秧草時只扯了一斗，後來因無法維持下去只好全部放棄，上半年收穫全無，下半年更無可吃，一般都浮沉於飢餓線間。

只有剝削 那來翻身

由於貧僱農的「底子」薄弱，幹部對貧僱農均採取鄙視和不信任態度。各地在春耕放發農貸時，認為貸給雇貧農將來還不起，貸給中農富農可以收回本息，因此都主張給中農富農，不貸給雇貧農。有許多幹部因看不起貧農，在編組所謂「互助組」時，不計工算賬，故意將中貧農編在一起，不論田地多寡，幹活時先耕中農的田，再耕貧農的田。在人力和畜力交換上，又盡量提高畜力交換價格，使無牛的雇貧農吃了虧。據中共黑龍江「省委辦公室主任」張士英的報告：「東北各互助組中，普遍發現排斥困難戶，無馬戶（貧農）的現象。如馬工工資高，人工工資低，在合作開荒中，畜力與人力同樣計工，有的甚至以畜力為主來分配荒地與糧食。由於畜力利潤太大，春天投資一個馬去開荒，秋後即可賺回一個馬，而一般無馬的貧農，只好永遠遭受剝削。」湖北河南許多地方，在興修水利，整理池塘，及挖掘堰塘時，不按田畝只按人出工，結果中農受益田多，出工少，雇貧農受益田少出工多，又使貧僱農吃了虧。各地共幹不儘對此熟視無睹，而且公開鼠因生活無法維持而不能進行生產的雇貧農是懶漢是流氓，「應讓他們餓死或強迫勞動改造」。（見四月廿八日長江日報）

認清騙局 奮起反共

在這種現象之下，各地雇貧農對中共「土改」的面目已有新的認識，正如河南鄢陽縣農民所說：「我們翻身入溝，幹部翻身翻上我們的頭。」（見四，八，長江日報）

因此，自入春以來，各地已普遍發生怠耕現象。據鄂西貴縣十四個地區的統計，雇貧農之荒土地共達一千四百一十五畝（六，三，長江日報），而據六月五日「新華日報」的報導。四川瀘縣及萬縣等地，荒田均以萬畝計。至於因痛恨中共而參加暴動及破壞的更層出不窮。中共以欺騙利用雇貧農起家，亦將因雇貧農的覺悟和反抗而毀敗。（立早）

中共的退守計劃（下）

王志軍

西安在中共經濟建設上，係以紡織工業為主，因陝西產棉，原料供應容易，中共的輕工業部特組一委員會派駐那裏，專門負責計劃，督導增產。那裏原來有一大華紗廠，有兩萬錠子，去年從上海青島搬來紗廠機器，又另設一廠，至本年四月，搬遷完成，正式開工，亦約有一萬五千錠。共黨預計在明年春前，能再增設一廠，機器都從上海拆遷，另有一漂染廠，已正在興工建立廠址，但最大問題是西安電力甚微，自新建紗廠開工後，市面白日用電已停止供應，如再增加工廠，必須從新建立發電廠下手，而這又談何容易。

至於蘭州的建設，則用力更大，全部集中在那裏，俄國顧問人數在二千以上，俄兵駐在郊外四週的約兩個團。建設經費為西北區全年收入的百分之五十，加上中共中央撥發的專款，共約四千萬美元左右，但這城市，主要是政治性的，備作中共在沿海岸撤退時，遷都之用。故最緊要的工作是建立新市區，以及大批俄人住宅，並以此為中心，用鐵道向四方八面通聯，俄國人在這裏的活動，除加強玉門油礦外，主要就用力在交通方面。他們預計，至明年底，至少天蘭路可通到蘭州，通甯夏，包頭的，則要在兩年之後，通迪化的則要五年之後，他們還準備展築陝西的咸同路，通到延長，在黃河上架一橋，再接上同浦路，就可與太原呵成一氣。

根據上面所說，我們即可想像出中共的退守據點的藍圖，係以蘭州為政治中心，太原和重慶為軍工業據點，西安為輕工業據點，至於成都，甯夏，包頭，西甯，打箭爐等地，他們也有企圖要發展為它的工業據點，但力不從心，這時還沒有把它放在藍圖之中。

這計劃既然是中共的退守計劃，所以對這四個據點，除建設外，並注重於防禦工事的建立。太原因為在這四個據點中最突出，所以工事做得也特別認真和龐大，徐向前據說曾為此兩度到太原，俄國軍事家也大批在那裏研究太原四週以前閻錫山將軍遺留下的子母堡，蘭州四週也在費很大勁趕築工事，它所化的勞力，差不多與建設新市區的相等。然由此可以看出中共雖計劃退守而保持此四大據點，卻並無信心。蓋太原等到了兵臨城下的時候，是否仍能使其工業生產不斷，實為一疑問，但中共說，太原在將來必須做到史大林格拉一樣，所以一面建設，同時即須準備破壞。故太原在中共心目中，將為華北一最重要據點。

中共在軍事上，經建上的退守計劃大體如此，但光此還不足以窺其防禦之通盤情況，中共在政略，以及組織上亦有一準備，它們認為只有在政略上，組織上同樣下工夫，才能配合此計劃。

說到中共今日所施行的政略，不論在農村或都市，祗還是實施社會主義的一初步工作，「土地改革」雖把地主打垮，但並未廢除農民的土地私有，農民既仍保有土地的私有，則控制農民實還不能到家，「民主改革」和「五反」，雖使無數工商業者完全破產，但中共的普遍控制制度還未全盤建立，這情形，就中共說，即是控制尚未到家，還不能一提即可全面參加鬥爭。所以中共現急需將「土改」後分給農民的土地，重新集中起來，變成集體農場，或更進而為國營農場，這樣農民都成了農奴，從思想，工作，飲食，乃至生命都操持在中共手中，可以驅之增加生產，也可以隨時動員到前線作戰。才能密切配合其計劃。

但要做到這樣，還須靠一組織政策。即將所有的人民都組織在各式各樣的名義團體之下，用此來指揮它的一切，而核心的組織，當為黨。但今日之中共黨員，農民成份太多，黨內派別也不少，於是又須一面增收「無產階級」份子入黨，一面又須發動學習黨史，用前一辦法來減少農民黨員的成份，用後一辦法來肅清派系，它們認為祗有把這兩件事做好了，臨到執行退守計劃時，才不致有錯誤，不致完全垮台。

這些都是中共自己的打算，我們反攻時必須事前瞭解的。

共區工人 生活得這樣慘

共區工人住破帳棚，睡石頭堆，吃馬糞飯。病了死了無人管。中毒是工人自己的事。這只是共黨報刊輕描淡寫的情形。

瀋陽工人 歷盡苦難

（本報綜合報導）共區工人的生活愈來愈苦了，衣、食、住均未得到解決，病了死了更無人過問。這主要由于共黨官僚主義日趨濃厚，賤視工人，只一味的壓榨他們的勞力，對其生活和身體，則毫不注意。因之一般工人完全像奴隸一樣，在無限制的勞動和無底止的鞭撻中，讓病和死來支配一切了。

以瀋陽偽市政府企業局的「砂土礦公司河石礦場」的工人生活情形來說，就是一個顯明的例子。

這是一間共黨的「公營公司」，是由「工人階級領導的」，是對工人「照顧得最好」的。但是工人生活條件的惡劣，遠出一般人想像之外，工人宿舍是用幾塊破布搭成的帳棚，沒有窗戶，裏面一團黑，下雨時帳棚裏像一條河。工人睡在用石頭舖成的石堆上，上身只有草墊子蓋，有的工人只半身有草席子，因為漏雨潮濕，草[illegible]，以致很多工人腰疼腿疼。

在飲食方面，工人沒有廚房和食堂，大多數單位連鍋蓋都沒有，起風的時候，道傍的馬糞灰土都吹到鍋裏去了。至于該礦領導人對受傷工人更漠不關心，一般工人受了傷均得不到治療，工人李永庫、黃生元等七人，打石時手腳受傷，礦方不給他們治療，以致創口發炎潰爛。等到傷勢嚴重需要住院時，礦方還是不管不理，要工人自己出錢，工人拿不出錢，住不了醫院，結果有的成了殘廢，有的死了，而礦場的共黨人員竟認為傷殘的工人「防礙生產」將他們除名了。

這只是瀋陽一地一個礦廠的情形，其他如太原的鋼鐵工人住廁所，鄭南的煤炭工人睡水坑，西北各地礦廠不斷失事，工人死傷的慘重，這都說明中共的「照顧工人」與「勞工保險」，百分之百是自欺欺人的，而在中共控制下的勞工，除了像牛馬般的勞動，像囚徒樣的永遠過着疾病死苦的日子外，沒有其他的道路可走。

河北工人 被騙中毒

此外還有一件因欺騙工人致工人中毒死亡的事情，上月十五日，中共經營的「河北信託公司」要保定「搬運公司」派一部份工人去給它搬運裝卸一批大桶，工人見到提貨單上寫着「軟青」、「硬青」字樣，就問領貨的共幹趙福興：「是否有毒？」趙福興答：「是臭油膏，沒有毒」。但當工人搬運時，每人臉上感到發燒時，再向負責的共幹問：「這是什麼貨物，是不是毒品？」共幹始終說：「這是臭油料子，修馬路用的，沒有毒，你們放心，我們是絕不會欺騙工人的。」

及至工人將全部貨物搬運完畢後，臉上由發燒，發腫，到眼睛發紅發黑，四十九個工人中有四十八個中了毒，其中劉志高，王文蔚兩人中毒最深，呼吸窒礙，灌救無效。

事情發生後，「信託公司」的「儲運科長」到「搬運公司」說：「我們也不知道這東西有毒，領貨員趙福興也中毒病倒了。」實際上趙福興不但沒有病，而且正在車站上對着一部份工人大罵：「昨天我已經對你們講過是毒品，你們為什麼不準備，中毒死了，是你們自己的事情，不關我事。」

這是共黨玩視工人生命安全的又一例證。以上兩件事，雖然一般工人紛紛聯名寫信到「人民日報」去訴苦，並經該報在本（七）月六日刊出一部份，但是中共的迫害工人的事件，仍是繼續不斷的發生。（金子墨）

放映毛子電影 竟要大力動員 才有幾個人看

【廣州通信】「解放」後蘇聯電影已控制了中國市場，取英美電影的市場而更加倍的輸入，可是人民對蘇聯電影總是不感興趣，同時也因為窮的關係，能看電影的人太少，所以賣座非常之慘，每次不過二三成已經算是挺好，有時偌大一個電影院，只坐上三五十個穿解放裝的同志，電影院老板真是哭笑不得，可是又不敢不映，只好拚命虧下去。

前天又運到一部蘇聯影片，片名是「榮譽審判會」，映前各街坊小組即大力宣傳，譽為「偉大」蘇聯最「偉大」出品，曾經榮獲過「史達林獎金」，凡是人民不可不看，換句話說，誰不去看就不是人民，就是「國特」，同時票價只要五百元（合港幣一毫）。在這種嚇騙兼施之下，凡是想擺脫作人民的，只好勉強湊出五百元去看一次，當日是在「南方」「廣州」「樂斯」「金聲」「新華」五院同時上映，據報紙鼓吹打破已往紀錄，賣票達到四成，

片子內容仍然是公審的一套，不過使觀衆感覺新奇的就是受審的卻是科學人員，而罪名是勾結「美帝」，其中在科學院工作的兩位人員，因為受到「美帝特務」的誘惑，居然將其中寶貴的研究材料供給「美帝」，不久卻被政府發覺了，要他們坦白，其中一位因為在妻子的鼓勵，朋友的勸勉之下，毅然的悔過，將所有事實完全招承了，當時經政府予以原諒，另外一位卻死硬到底，堅不吐實，於是在群衆「要求」之下槍斃了，故事的結構大致如此，本來是蘇聯的典型故事，可是久經共產黨教育下的人民，思想見解也都跨進了一大步，散場後不少人都在議論，為什麼蘇聯還有奸細，甘心去「勾結美帝」呢？經過社會主義三十年來的教育，又經過多少次的整肅，[illegible]未能將科學家崇美的思想去掉，這真是史達林的悲哀，因為人們也都知道，共產國家的一舉一動都是為了宣傳，假若內部未發生過這種事情，絕對不會拍成這種電影，而且更不會得到「史達林獎金」，可見蘇聯內部還嚴重的存在着這種傾向，由這部片子中，使人體會到蘇聯內部並非十分穩固的。

共幹們本意是藉此向中國人宣傳，那知卻起了反教育的作用，南方日報在介紹這部片子時，曾經說「他們不得不製造一套學說，提倡所謂世界主義和所謂科學無國界的觀點，以欺騙其他國家的科學家，然後，用血腥的金元和騙人的榮譽來收買這些科學家的研究和發明，假如不能達到目的，就用更其卑鄙的手段！盜竊」。這自然是說的「美帝」了，可是人們一想起勝利後的原子間諜案，人民又笑了。（陸羽寄自廣州）

「自由人」稿約

本報各版，均歡迎投稿，敬訂稿約如下：

（一）除事先特約外，每稿最多請勿過一千五百字，長篇鉅製，以限於篇幅，無法刊登，請勿惠寄。

（二）惠投各稿：評論要切合時局，新聞要記述事實（大陸消息，應有人名，地點，時間，人名不便刊登者，可於稿內註明），雜文要生動活潑。

（三）來稿除附有足够郵費外，概不退還。

（四）稿末請附註眞實姓名，地址，但發表時須用筆名者聽便。

（五）來稿一經刊登，即寄奉稿費通知單，憑單向本報領取。不願受酬者請寄稿時自行註明。

予欲無言！

尚方

最近接得「台北市編輯人協會」來函，徵求一般「無冕之王」—「記者」對「出版法」的意見，大概是要替我們這般「文丐」們舒展言論上的正當權利吧！其志可嘉，但其結果將屬徒勞。因為出版法有時候完全無用，令人不知所從，試舉例以言之：

有人曾在報上寫稗官野史式的小說家言，述一個現代反勵軍人楊杰的故事，指他當年受命訓練工兵，因紀律廢弛被主帥查覺而去職；因繼作中央軍校教育長，管理學生伙食出了毛病，而鬨走；最後任駐俄大使，因事鬧桃色案而被召還。前兩事舉國皆知，後一事，世界聞名，核與出版法的禁制事項，毫無抵觸，更與反共抗俄的國策一點也不違反，而就其對現政府的效勵行為來說，尤其沒有替他諱言的必要。可是，這項小說家言，在報紙上登載，在台灣發行着，并無問題，若印成了小冊子，却犯了大禁忌、非刪去不行！試問出版法有何用場？新聞記者的正當言論又有甚麽保障？這種禁忌心理，只有兩點解釋：若非楊杰的後人，為親者諱；（是應該的！）即是楊氏的忠實信徒，感知遇之恩，抱不平之念。此外即百思而難得其解了。

因此之故，我對編輯人協會之不恥下問，只好套用一句八股文的調調兒以奉答曰：嗚呼，予欲無言！

自由談

瘦的原因

玲匡

綽號傻瓜的蘇炳，近來整天嘻嘻的面孔，斂起來了，紅脹脹的腮幫子，變成了麵粉袋似的滴滴搭搭地掛在兩邊，通太陽窩眼都塌進了分把兩分。

前進組織裏的事，是儘可能祕密的，但工會裏的同志們少不免也會暗地揣測；有人說：這傢伙許是賭輸了，把福利基金撥作賭場福利去了！有人猜他，一定被女同志們纏得無法交代，乾發猴急！又有些猜度他，大概又吃了大陸派來的軍事代表兼指導員的排頭，……雖然都有點相近，可是他還有更煩惱的問題！

一個星期前，他確曾被指導員召去開過一次檢討會，同時感震召見的，當然還有幾個所謂最前進的工會領導人物。

討論的問題，是針對着目前所有掛五星旗的工會，都有大批會員投進掛起青天白日旗的團體，這種現象，顯然是領導者工作不夠大力，不夠激底，三年來仍然未能把工人們的頭腦凍結起來。這件事叫指導員怎能自圓其說向大陸交差呢？一個跟頭抑栽得不輕！

「同志們！」指導員眼珠子四面一滾，八位工會的領導人，都趕緊把胸脯緊頂着桌沿，怕的是心臟撲通撲通的跳出來。

「近來本地的情形，你們看見報紙了沒有？你們工作倒是怎搞的？簡直成了「武大郎下跪」，愈弄愈縮了！……豈不是跟我過不去，如果換個人來，把我弄回大陸送到松花江邊種田，我看你們也幹不成什麼主席委員吧？」

他抓起桌上的紙，咕咕的灌了兩口，一手往腦門上一撈，一把汗，怨的甩在地板上：「你們也得說出個防止的辦法，說話呀！怎麼！都不開腔？同志！……」

大家你望了我，我瞥了你，蘇炳不該先開口了：「我看……這全是：……本地活動不大容易的關係，譬如，開會不許超過九個人，又譬如，就隨時有送返大陸的危險……」

旁邊一個戴眼鏡的搜子，連忙搶着糾正：「蘇同志，送回大陸是光榮！……怎麼說是危險？」

蘇炳口沒遮了，再說也不服低，順口就舉個例子：「我的表弟被送到羅湖，那邊可不許進去，武大郎蘇杠子上下不到頭，……流落在那裏三個月……家裏眼看就是討飯……」

指導員愈聽愈不像話，連忙一拍桌子，扯開喉嚨，來一個結論：

「蘇同志的意思，因為這些原因，工作不易展開，是嗎？工這些只是外來的威脅，咱們同志們應該有堅定的意志，對人民政府絕對信仰！」

有人卜卜的拍了兩下掌，蘇炳膽大了，眼心裏也後悔說得脫轆了，他可不明白大家為什麼不願聽？

亂七八糟，大家文不對題又吵了一陣，也許指導員的興趣提不起來，他特別再聰明，大家要提出一個具體防止會員再脫離的辦法！

「我提議工會的會章，應該加上一條；永遠不許退出！」

「最好能撥出一筆專款，津貼給會員們，像歡迎東頭村慰問代表那一次似的，參加巡行的每人七塊錢！」

「我看，凡是參加工會的會友，免收會費，由工會供給膳宿！以資鼓勵而廣招徠！」

左一個辦法，右一個辦法，辦法都好，就是行不通！指導員不想一想外快，報帳多刮點外滙，就算客氣的了，還要他撥出津貼？

蘇炳又忍不住了，把手一舉就站起來：

「最澈底的辦法！請指導員報告毛主席，凡是會員在大陸的親屬，千萬不要押起來清算！還得會員們在本地繫款走頭無路。那麼，會員們就不會引起不信仰的反感，而……脫……離了！」

猛然一記指導員，臉都青了。總算識趣，趕緊剎住。

第二天，指導員一封信，他變了得很，祇是請他在十天內準備，把會務交給副主席，然後保送他回大陸再深造一次，加強認識！

主席幹不幹不成問題！不過，斷送了會員們的福利，怎麼塡呢？會員們回去大陸，豈不是要和李媚媚同志一刀兩斷！……還有，就算能活下去，以後誰敢保拿人民幣折錢的單位能比在本地做工的待遇舒服。

蘇炳不急，你們說，他焉能「不瘦」呢？

關於石秀（下）

（水滸人物論之九）

·舜生·

今天在中國大陸上，有無數的嘉擄文人，因為他們曾向毛澤東學習的結果，乃盡棄其所學，正在想方設計從事補補工作，去投合中共的胃口。凡是中國的哲學，歷史，文學，乃至文學中所包括的詩歌，戲劇，小說，以及民間所流行的歌謠，故事等等，他們都在以顚倒是非，淆亂黑白的手段，從事改造。青年們是容易被欺騙的，我們為了澈底反共，對於這一方面，也正自不宜忽視。

他們對於『翠屛山』這一故事的改造是這樣的：他們說裴如海原是一家絨綫店的『小開』，與潘家比鄰而居，如海和巧雲，自小便很親熱，雖然不曾正式訂婚，可是兩家的父母早已心許，只得時機一到，這兩小口兒的結合，是絕對沒有問題的。

潘家的老夫妻倆，開着一爿肉店，不想薊州地方，這一年遭着瘟疫，豬都瘟了，累得潘老無事可做，生活大起恐慌，加上巧雲的母親潘媽媽又生了病，更缺少錢用，於是潘老不得已，便向地方上一個放高利貸的惡霸王押司去借錢。王押司早知道潘家有一個年少貌美的女兒，轉念頭已非一日，現在看見潘老向他借錢，認為正合機宜，只要潘老開口，他總是儘量的借給他。自潘媽媽之病一直到她之死，包括醫藥費和埋葬費等等，連本帶利，潘老已向王押司欠上了五百兩一個整數。潘家自然無力歸還，於是這個十九歲的潘巧雲，便變成了這位五十開外的王押司的塡房了。

巧雲到王家以後，因為是買來的，王家的人都看她不起，而巧雲也隨時念着裴家的這位小官。剛巧不到兩年，王押司死了，王家一位年進六十的伯爺，乃叫這弟婦守節，實際則想據為己有，經他百般挑逗，巧雲矢志不從，於是王家乃把她賣給楊雄，收回身價銀三百兩。楊雄是一個劊子手，巧雲本來不願，但她有什麼方法可以反抗？

裴如海的娘是個寡婦，住的是王押司的房子，也欠得有王押司的債，王押司知道巧雲與如海有過這段關係，乃想方設計把這裴寡婦害死，如海便一氣到報恩寺做了和尚。

巧雲與如海既在楊家巧遇，彼此追念舊情，不勝今昔之感，乃兩相情願的成就了這段孽緣。嘉擄作家，在這個故事裏，強調婚姻的不自由，惡霸的無惡不作，女人只是一種買來賣去的商品，這於中國的社會原有幾分相合，寫來並不太難。可是楊雄石秀這類的『英雄』，乃是中共所崇拜的，不好得罪，於是在寫翠屛山的一段，乃說楊石兩人經巧雲訴說她的酸辛身世以後，不僅不忍殺她，而且對這般被迫的窮人，發生了同情。巧雲之死，是她自己撞在楊雄的刀上自殺的，並不是由楊雄動手，而楊石兩個之投奔梁山，也正是為這一事實所激勵，誓願『為窮人去打天下！』

萬竹樓隨筆（一一三）

亂彈齋詞話

馬五先生

卜算子

序曰：日前偶約二三友人茶話於本港德輔道「聰明人」（Wiseman）餐室，我自己先時往，據一長「梭發」上，靜候來賓駕臨。忽有衣履都麗之紳士與洋人趨余前曰：「Excuse me」，即坐長椅一端，呼飲傳食，意態殊閒雅。未幾，我所約友人齊到，頗形熱鬧，該番客似感喧譁，不悉何時悄然離座，余等以事不干已，亦懶留意其動態。茶話既畢，工友來「埋單」，列價超出品茗之值殊多，怪詢究竟，乃將該洋人飲食之資亦併計在內，旋工友漏尋其人，已不知去向矣。蓋誤以為我輩中人也。余笑而如數付價，且喜番邦客頗有取不傷廉之君子風格焉。

座對聰明人，君却聰明甚！隱几銜盃快朵頤，幻若驚鴻影。

漂母飯王孫，遜此悠閒景，同是天涯誰主賓，一笑留佳詠。

奧林匹克史話

·連令·

十五屆世界運動會將於本月十九日在芬蘭赫爾新基揭幕。這世界運動會即名為奧林匹克運動會。該會起源於希臘最高之奧林匹斯山，希臘神話所傳，謂此山乃衆神所居，耶穌降生前七七六年，會於希臘南部的奧林匹克舉行一比賽會，相傳由但爾芬神規定四年一會，旨在宣達上帝之和平，故世界各地均甚景仰。當時的比賽，除體育外，並列入文藝及科學，在這會中獲得優勝的，被尊為最優秀最崇高的人物，塑像歌頌他的榮譽，希臘國人之智慧，經此競賽而有高度之啓發，奧林匹克遂成為希臘國民生活之中心。此項比賽相傳達數世紀，到羅馬時代耶穌降生時才中止。以後一千八百多年中就無人注意及此。

直到一八九〇年，法國古柏田男爵為提倡體育，才又宣傳奧林匹克的意義，舉行體育運動競賽。一八九四年，古又提議將奧林匹克擴大為世界運動會，集各國代表於法，正式組成奧林匹克委員會，第一次世運大會遂於一八九六年四月廿五舉行於希臘雅典。並遵照古例，規定四年一度，會址輪設於世界各國。

第一次大會係在八萬世界各國人民參觀下啓幕，但參與競賽者僅十二個國家，在那時已是世界一大盛事。第二次大會接着在法國巴黎舉行，時為一九〇〇年。以後仍在美國的聖路易，英國的倫敦，瑞典的史篤哥倫，比國的安特衛普，荷蘭的安姆斯特丹，美國的洛山磯，德國的柏林輪次舉行。

奧林匹克雖為一提倡和平競賽的大會，仍不能不受武裝暴亂的影響，一二次大戰時就祇得中止。上次第十四屆大會舉行於英國的溫布萊，為戰後第一次大會。

奧林匹克啓幕時，遵古例，必點燃聖火，在大會期間，日夜不熄，而此火必取自奧林匹克山上撒斯古廟遺址，經現代奧林匹克倡始者古柏田氏之墓地，經三千里路，連續接力傳達到會場。

古柏田留給奧林匹克的一句名言：「世運會重在參加而不在勝利，人生重在奮鬥而不在征服。」大會參加者的誓詞，則為：「本正直體育精神，遵守大會規則，參加世運，為祖國爭光榮。」這種精神是不錯的。

易實甫先生二三事

狷士

余昔在北平見易實甫方二十歲時，所刻詩集，為原稿所印，張之洞評獎之處甚多。按易年十七中舉人，詩才奇想橫恣，一時之傑，官粵甚久，罷官後，奉母隱居廬山，入民國抑鬱牢落，浸遊京洛，恣意於舞裙歌板間，時錢塘陳散原翁亦居廬山，一日游經易氏草堂，有老僕泣訴無米為炊，主人雲游：迄無歸日，陳翁乃致書易氏有句云「長安之鶯歌燕舞，固足怡情，故山之鶴怨猿啼，亦殊可念，」易旋即下世，傳聞歿後，尸體縮至三四尺許，余嘗以告諸獻陽譚無先生，云「此種現示，必具有佛根者，」當時有人撰聯云：「少作神童老名士，生為臣朔死侏儒，」蓋紀實也，易生平嘗自言，前生為某某之說，嘗說確鑿，往讀易詩，以其早耽禪悅，放浪形骸，而學綜百家，已歎其人生有自來，所謂斷到今生識已迷者，前生之說，或未盡誣也，當年京都名士，會有寒山詩鐘社之會，每集易必有奇句驚人，一時有鍾王之目，茲憶及其數則，或錄之「岳飛」「蟋蟀」分詠云「元帥精忠三字獄，相臣經濟半閒堂，」「漢武帝」「鸚鵡」云「一生知遇嚴光足，千古含寃習伯鶯，」「黃鶯」二字云「娘子排行第四，美人名字恰成雙，」「鏤」「昭烈帝」云「其中綽約多仙子，天下英雄惟使君，」「名妓李三姑」鼎峙格云「一門桃李詩多士，三日鶯湯試八姑，」兩空六唱云「不住猿聲啼兩岸，但聞人語響空山，」解人四唱云「不求甚解淵明讀，旁若無人景略談，」與若一唱云，「與君痛飲黃龍耳，若有人兮乘赤豹兮，」次如三唱云，「艷體次回疑雨集，美人如是絳雲樓，」照歐一唱云，「照臉臉皆北地，歐眉眉黛以西山，」皆傳誦一時，而未留稿者，固才人之筆也。

黑十字

北晨

因此，趁着一羣人在客廳裏的時候，只有黃洸一人倒在她床上，她使出了女人的溫柔和體貼之。

朱瑛勸他，少喝一點酒，賭錢的時候，最好賭小一點，如果輸贏太大了，做主人的不願意。

黃洸雖然沒有聽出她的弦外之音，但也由衷地生了一些好感，他接受了她的善意，却忘了善意之後的野心。

這一晚，白濟宏沒有識破而歸，黃洸也沒有做成新郎，聽了小蔡的話之後，朱瑛決定要多下些功夫，女人對那男人有野心的時候，也是那男人的野心擱淺的時候，至於小蔡那面，朱瑛自有數懲。

這一羣人住在雲山酒店，人們雖然不知道他們房間裏面的事，但是免不了要在外面走動，小江小蔡這一夥人，沒事的時候，他們老是坐在餐廳裏，每人面前一杯咖啡，消磨半個下午，這羣人便是一個商標，因此一來，外間有了許多傳說。

有人說，監英嫁了人，所以她不在百樂舞廳做了。

有人說朱瑛交了一個大戶，一夜豪華，送了她一筆很大的錢。

也有人說，那客人的行蹤很神祕，據說是大陸上來的。

這些消息，最關心的人便是洪正池，他知道監英和這夥人有關，也許她是但要嫁人了，甚至她和另一個男人已經開始同居，費了兩天兩晚的功夫，他尋遍了舞廳舞榭，查遍了所有的酒店旅店，却尋不着監英的影子。那一天晚上，他在「雲山」門口遇見小蔡，以後又見白濟宏他們坐了朱瑛的汽車兜風，其中雖無監英，由此推想，朱瑛小蔡這兩人身上，一定可以尋到監英的線索。

朱瑛與戲院的事，洪正池也知道，他以為這夥人一定會捧場的，戲院裏也許可以遇到監英，但是，那麼一大夥人坐在一道，又該怎麼辦呢？

他自己所說的那件生意，無形中已經吹了，東拼西湊借來的五百元港幣，這時候也已經花得所餘無幾。此時，他對監英已經絕了望，嫁人的事并不如何令他妒忌，反而希望她能找一個有錢的男人，能從她手上要來一點錢，本來，這是錢的世紀。

他也在「雲山」的餐廳裏坐着，一杯咖啡飲上了三個鐘頭，眼看小蔡小江他們付了賬，他知道去戲院的時候到了。如此，他也走出了「雲山」。

（卅一）

·中篇連載·

自由人

THE FREEMAN

（半週刊每星期三六出版）

（第一四四期）

每份港幣壹毫

督印人：李光華

社址　香港高士打道六六號

電話：二〇八四八

GLOUCESTER RD. HONGKONG

TEL: 20848

承印者：東南印務出版社

地址：高士打道六四號

台灣總辦事處　台北市館前街五十號

台灣經銷處　台北市中華路一二五九號

俄共敗亡主因之一　國家全面控制國民經濟

鄭學稼

我們的信念：俄帝必敗，共賊必亡。但俄帝何以必敗？共賊何以必亡？其敗亡之原因，既和我們的勝利有關，我們該當冷靜地研討。非常明白：只有了解俄帝共賊敗亡的根本原因，我們才能反其道而行；又只有反其道而行，我們才能得民心，完成抗俄反共的歷史任務。

俄帝共賊敗亡的主因之一，同時又是本文論述的對象，是國家全面地控制國民經濟。為何國家要緊握這一權力，極主要的權力？因為斯大林和毛澤東們都自稱為馬克思主義者。按照馬克思的思想，人是應該平等的，何以在今日卻受壓迫，那為着財產的私有。壓迫和被壓迫，既源於富和窮，那唯一的辦法，是取消財產私有權，使萬人因經濟的平等，自然實現政治的平等。馬克思這個帶着虛驕的浪漫主義的思想，非常打動人心，尤其是打動被壓迫的，貧窮的人的心。的確，誰能反對「各盡所能，各取所需」之天國的出現？如果人類不能實現那天國，是由於財產的私有，那誰能擁護財產私有？

馬克思的思想，如只到這兒止，那是不壞的。可是，它並非他的發明。在他之前已有許多被他及他的朋友恩格斯指為「空想社會主義者」們，早道出人類不幸的原因由於財產的私有。馬克思和他們的分開，在於辦法。「空想社會主義者」認為要改造社會，應從改造人類入手，而馬克思卻認為人性是一張白紙，應改造的是決定人性的經濟制度。怎樣改造經濟制度？馬克思從普魯東的「財產是贓物」出發，主張生產工具的國有。如果生產工具全操於國家之手，那財產私有制度給人類的不幸，都會消除。也就是，人對人的搾取與剝削就會化為烏有。

馬克思主張生產工具的國有，只算是一個空洞的想法。怎樣實現它？列寧把它和奪取政權聯繫起來。列寧從破壞財產私有，必需暴力的前提出發，主張建立職業革命家的黨，而後由黨運用「革命戰略與戰術」，推翻有產者的統治，建立新的政權。他稱它為「無產階級專政」。在他腦中，該專政，是實現、保證生產工具國有制的機構或武器。

十月革命後，對於生產工具國有的問題，有顯明的認識。所謂生產工具國有，是指為國家所有。國家是法人似的團體，她之管理生產工具，必經過「人」。換句話說：生產工具國有的結果，是生產工具的所有權屬於國家，而它的使用權卻屬於國家所委任的人們。這個事實（生產工具之所有權與使用權分開的事實），在十月革命前，早已存在的，列寧和一般社會主義者應該知道它。問題發生了：國家所委任管理生產工具的人，是可靠的嗎？

如把這問題和君權時代的土地問題對比一下，我們就會明白內中的奧妙之處。在家天下的君主時代，土地的所有權屬於天子，但它的使用權卻演變出地主與佃農的對立。就這一點而言，中國歷史上的「天子」和列寧的「無產階級專政」，有些相類似。如果，前此土地的所有權與使用權分開，會造成人類的不幸，那麼十月革命後生產工具之所有權與使用權的分開，究會產生何種的後果呢？

用不着作理論的分析，三十年來蘇俄的事實，早提供我們以這些恐怖的記錄：生產工具管理人，是由「國家」委任，依馬克思的說法，他們是生產工具使用權者，對於它的生產物，有優先分配權。事實確是如此。為滿足工廠管理人的願望，十月革命政權，經過短期的工人管理工廠試驗後，改用經理制。在這一制度下，經理的擴大，並握全權。工人不能跳廠，一切行動記在工作簿內，而記錄者是經理。當工作和住宅分不開時，失去工作機會者，就要流浪街頭，如他之失去工作是由於反抗經理或被認為違反紀律，（紀律的決定者是經理人們），那他就永久地被國家所放逐。因此，蘇俄「工人」的生活，是近代「無產階級」出現後，最苦的生活。他們在斯塔哈諾夫運動的鞭子下，盡其所能，不取所需！

在農村，情態比城市要更壞些。十月革命後的土地收回國有，[illegible]耕者，是布爾塞維克的手段。最後的辦法，是集體農場。開始，馬克思主義者在生產「社會主義化」的大前提下，為解除農民受自然等條件的壓迫，想實行大農制，劃平農村與城市的分野，那是無可厚非的。可是，經過久長的實驗，社會主義化方式[illegible]而管理的「國家農場」（Sovkhoz）完全失敗，使斯大林採用集體農場。[illegible]農民只是國家所需要的個體，他既不能自由離開農場，又不能按他的意思[illegible]，生活水準由國家規定，[illegible]由國家決定。

國家所掌握生產工具及土地所有權的結果，[illegible]知識份子[illegible]必須[illegible]。委派管理者的[illegible]國家所有權，是國家所委任的人們[illegible]，他們必須緊握政權，[illegible]所謂「最民主的」「無產階級專政」，就為那一要求，可以轉變為一黨專政的極權政治；不必說，在那轉變過程中，還有配合的鬥爭。

[illegible]經過斯大林的實踐後，證明：經濟上的統制制度，與民主政治是勢不兩立的。民主，是保證人的自由，依法律所規定的自由，及實現國家權力的[illegible]。[illegible]馬克思的經濟思想[illegible]，是在於馬克思的學說。

近三十年來，事實指示我們：國家全面干涉國民經濟，是要不得的，凡是執行這樣政策的國家，都一定是極權主義的國家，都一定是毀滅個人自由之獨裁的國家。近代的暴俄式獨裁，與古代之國君的不同，就在於國家對國民經濟之[illegible]的全面的控制。古代的暴君，為高統治於上，人民多少還可自由於下，多少還有「天高皇帝遠」的感覺；蘇俄式的獨裁，那曾普遍地使人民感覺獨裁主的權力，不儘沒有說話的自由，而且沒有不說話的自由。

國賊中共所奉行的經濟制度，是國家全面干涉國民經濟。毛澤東們經過那一制度，控制全部國家財富，鞏固自己的統治，並為「爺爺斯大林」効死。在那一制度下，農村出現集體農」或國營農場，把全部農民變為農奴；城市，即消滅私有財產，國家掌握全部工業，把工人變為奴工。總一句話，在那一制度下，生產、流通、分配和消費，全由國家控制，把人民的生活水準貶到最低的程度。又為着要達到經濟的目的，在政治上厲行「專政」。這種經濟制度（國家全面干涉經濟）和與之相適應的政治制度（一黨專政），都是敗亡的根本原因。

那麼，我們今日談抗俄反共，顯然地，要反此道而行，即要消滅俄式的國家全面干涉經濟制度。有人反對這一結論，因為：反對者都有這種觀念：國家干涉企業和國民經濟，是「進步」的，是「社會主義」的；反對這一點，我們難道回到「資本主義」去嗎？對這一質問，[illegible]問題，容另一文論述它。（七，一〇）

論遠東霸權的地理因素

黃震遐

遠東今日問題，揭穿來看，為美蘇霸權之爭。霸權可以興替，朝代雖有盛衰，遠東的天然形勢則永恒存在。歷史是有為的，地理是無情的。以地理來看歷史，最為客觀。

美蘇今天的形勢，在一九四五年日本投降的時候卽已形成，雅爾達會議使蘇聯佔有從北庫頁，千島列島，北韓，東北和內蒙的廣大天地，蘇聯從一九四五年三月起，將其陸權兵力從波蘭東調遠東，準備進攻「强大的關東軍」。當時華盛頓所顧慮的也是日本的陸權勢力，羅斯福深懼日本陸權控制東北華北，將以二百萬精兵，作長期抵抗（那時還有顧慮日皇可能遷都大陸的杞憂）雅爾達的對蘇投降，即出這點杞憂。美國當時自信必能摧毀日本海權，估有天空，但對大陸毫無把握，日軍九個精銳師團在馬利安那群島，硫磺島，冲繩島，帛琉群島，及雷伊泰島的拚死頑抗，使美國陸軍感到極大的威脅。九師日軍即使美軍出血十八萬，一旦美軍與關東軍碰頭，何堪設想，因此不惜代價，甚至出賣盟友，請出蘇聯來，讓俄軍担任陸戰主力。其實這是美國情報的錯誤，關東軍的精銳，早在一九四四年春季即行南調，到俄軍開進東北時，關東軍的主力早在太平洋上，被美軍消滅，美軍在各島上用大力殲滅的九師日軍，也就是關東軍本身，日本最近發佈戰史，總將這事吐露！美國不僅在外交上將遠東陸權拱手讓給蘇俄，而且替它流血清除障礙，總結為美國在太平洋上流血二十萬，擊破關東軍主力，俄軍則在東北流血三萬，擄去日本百萬老弱軍民及東北的機器；還要宣傳它是戰勝日本的唯一力量。

由此，一九四五年的形勢，為美國控制遠東海權，而對大陸，大陸上則去了一個關東軍，換來更强的俄軍，朝鮮三十八綫是美蘇海陸霸權正面碰頭的焦點，天津，青島，上海是少數登陸美軍最後不得不在俄共驅大陸權壓迫之下重新下海的不祥碼頭。韓戰的地理背景，終使美軍不得不與「關東軍」了綠一戰！大陸的主人翁換了手，但地理無情，一切還得重新做起，日本陸權等於未投降，天皇遷都北平，變成毛澤東。

日本何以不能征服中國

今天除美國自食其一九四五年之果外，另一形成中的形勢，為一九三一年的地理再版，日本在一九三一年發動九一八事變，從朝鮮攻入東北，次年戰火蔓延到長江，展開中日十四年之戰的序幕，今天聯軍所佔的地位，大同小異，不是一九三一年，即是一九三七年（七七事變），日本霸權當時不能征服中國，使美國今天不敢進攻大陸，空間是一個大敵人，納粹亦在蘇聯空間之中失敗，日軍沒有全力對付中國，始終妄想對美對蘇，是另一原因，但納粹不能說沒有發動全力進攻蘇俄，日德霸權在大陸失敗（日軍陷入泥淖，德軍被逐出），基本原因在日德[illegible]作點綫進攻，不能控制全面，對大空間作戰的秘訣，在能造成面的分裂，及瓦解其制度。空權也是一個有力的直接因素（寸斷空間聯繫），光靠陸軍舊式打法，「半勝」的狀態反易增强對方的敵愾，日本霸權侵華，不算不打大仗，淞滬，徐州，武漢三役，都是百萬兵員的會戰，傷亡慘烈。但因日軍的戰果都是「半勝」，中國有持無恐，得以「時間補空間」，逐步誘引日軍南進，因此使兩棲性的日本陷於形勢矛盾，卒以瘋狂南進自殺了事。如今地理無情，[illegible]美國也是兩棲國家，[illegible]大空間的把握，（一）有空權（日本時代所沒有的條件），B—29的半徑可以控制貝加爾湖，蘭州，成都以東的全部大陸，B—36 B—61可以直搗蘇俄心臟區域，實行俄和原子轟炸。（二）有台灣國軍合作，是一大條件（為日人所不能夢想者），中美合作，攻佔沿海，掃蕩東北，不難立致，麥克阿瑟的方案，有其地理的正確性，但此是指遠東發生大亂而言，不然美國不會下此賭本，局勢不會變。

（下接第二版）

一週展望

蘇聯的困擾

・左舜生・

自聯軍在北韓境內大舉轟炸以後，共方之不敢報復，本在我們的意料之中。但看最近幾天的形勢，則共方不僅不敢採取報復行動，好像更有急轉直下，藉此下台的樣子；因此使得一般的蘇聯和平攻勢所麻醉的人們，又欣欣然色喜，以為遷延一年以上的停火談判，已成功在望。

其實，並不如此簡單，我們必須拋開一切主觀的因素，冷靜的根據事實詳加分析，才庶幾對共方次一行動的推測，能較有把握。

在板門店關門談判或共方要求延會的期間，莫斯科與北平之間，正不斷對北韓形勢作一種嚴密的檢討，截至現在為止，好像他們還沒有得出何種的結論，因此談判不能不在若斷若續的延宕中。

一定的結論儘管還沒有，可是根據蘇聯一貫的作風，和她當前的動向，有三點基本原則，她是絕對不會放棄的：一，繼續困擾美國，決不能聽其休息，在這個困擾美國的期間，最好同時能收到分化美英或其他民主國家的作用；二，蘇聯自身出面的適當時機還沒有成熟，此時仍有竭力避免大戰的必要；三，貓腳爪必須繼續使用，但亦須以寬慣的態度出之，一以避免其根本覆滅，一以預防其意外反動。

假定上舉三點的觀察不錯，即令韓戰可暫時停頓，也僅僅只是一個困擾美國的地點選擇問題，決不是全面和平能不能實現的問題。當蘇聯前年發動侵韓之始，原希望以於短時間即可大告成功，美國突然抵抗，更繼續加強抵抗，實在是出於蘇聯的意料之外；等到蘇聯看出韓國已無侵佔可能，而又不能不令中共以志願軍名義參入，同時使得中共與北韓受無法補償的犧牲，則韓國這一地點，即已失去困擾美國的價值，且使蘇聯自身陷於進退兩難，換言之，原意本在打擊美國，而結果乃落在自己的頭上，這不能不說是蘇聯的失算。

蘇聯和中共現在已充分了解，美國隨時已具有不惜大戰的決心，假定共方對北韓要實施報復的話，美國儘會去炸東北，而且確實已有這種準備。如果炸到東北，蘇聯依然不動，則不僅毛澤東周恩來，甚至連劉少奇郭沫若，也覺得非痛打他們爸爸的屁股不可！斯大林對這樣一種心理，應該也是可以意識得到的。美炸東北而蘇聯出而應戰，則大戰立即實現，這與斯大林的原意乃完全相反，這種「沒有把握的仗」他畢竟是不願打的。

要從灰燼中去保留北韓這個名稱，從敗殘之餘為中共保留剩下的這點賭本，則似乎只有結束韓戰轉移陣地之一法，這便是板門店談判之所以屢經破裂而終於會恢復的主要原因。

世人多以韓戰結束蘇聯即有發動擾亂東南亞的可能，實際這與蘇聯的原則不合，中共也大不願意。因為蘇聯一旦對東南亞採取顯著的行動，這無異促成民主國家與美國切實團結，不僅久為美國所周存的[illegible]力量，最後勢必開始動用，甚至連尼赫魯這樣一個好朋友也非失掉不可。假定沒有這兩年的韓戰，中共的力量還相當完整，以之威脅東南亞，確實是可怕的；目前中共的兵力財力，已成強弩之末，再叫她去搞東南亞，[illegible]投石？假定中共沒有在一個月內撤退到長江以北的決心，我想他們斷不肯幹這種笨事，現在蘇聯對中共的實際情況，也相當明瞭，由中共所十分不願做也不能做的事，一定要強她去做，激起意外的反動，也並不是絕對不可能，因此蘇聯更不能不猶豫了。

把韓戰擴大，蘇聯不敢；轉移到東南亞，也無可能；縱中共去攻台灣，中共也許附條件的可能接受，但其足以引起大戰，也與擴大韓戰，無異。就中共這一工具的性質而論，可以說是「力未竭而勢已窮」，無已，似乎只有在韓國能拖幾時算幾時，今天惟一的關鍵，乃在美國容不容許拖就是了。

·紐約航訊·

「中國游說」事件

民主黨想拿「中國游說」來反擊共和黨，國務院也圖拿這事件來推卸它的過失，有人就利用了這個機會，製造了這個「中國游說」。

「游說事件」

「中國游說」事件自四月裏「記者雜誌」列載一長文後，華盛頓紐約曾轟傳一時，後來大家弄清楚了這本雜誌的背景和幾個執筆者是些什麼人物，和這篇東西字裏行間露出來的尾巴，謠言止於智者，也就很快平息了。

但是最近，由於兩黨競選運動激烈展開，「中國游說」又成了民主黨攻訐共和黨的一個主題，國務院要求他們的司法部來調查，假的當眞的幹，更離奇的說，中國還準備竊取美國原子彈的祕密呢？美國某些人用心眞妙，對蘇俄盜竊了原子彈祕密，人贓俱獲，沒見說一句話，獨對中國，卻好像眼中之釘，要侮辱得它一錢不值才痛快。

怎樣起的

在這裏的中國人和一批眞正反共的有正義感的人，是看得十分明白的：「中國游說」的發表，是有這樣幾個原因的湊合：

民主黨與共和黨的鬥爭，它們處於逆勢的有兩事，一是美國政府本身上下貪污，糜爛得一團糟，好幾件大案子，尋根究底，都可牽涉到當今政台顯要。二是對華政策的失敗，弄得禍延自身，糊里糊塗在韓戰中上送掉四百多億美金，十一萬七千多個生命。過去共和黨議員拿這些在議會裏對它進攻，已使它招架爲難，現在用來在競選上對它抨擊，更有使它全軍覆沒的可能，民主黨爲了反攻，就故技重施，再拿出「白皮書」手法，但形格勢禁，這手法已不能由官廳要了，於是由三四流的「記者雜誌」當先鋒，民主黨黨魁在暗底裏助陣，利用這篇「民間」報導來當彈丸，反擊共和黨，故今後的日子，一直到十一月大選，可能還將有奇妙的演出。

自打嘴巴

對華政策的失敗，是誰的責任，當然是馬歇爾，艾奇遜之流，這些都與國務院不能分開，特別是國務院裏現在已被清除的大批不穩份子有關的。艾契遜雖口口聲聲不認美國對華政策受左傾份子左右，可是他又不能不把這些份子偷偷地調開或除名，但這樣一來，不是又等於打自己的嘴巴嗎？於是在適當時機他又要來表白一番，說美國過去對華政策並沒有錯，中國在大陸的失敗完全是咎在自己，共和黨攻擊國務院受左傾份子的左右根本沒這回事，我們雖不敢說艾契遜與「記者雜誌」麥柯里有關係，但「中國游說」一文多麼適合他的胃口耶。

胡說八道

還有太平洋學會，以盜竊國務院機密文件案而名聞於世，該學會的主持人，吉賽普，拉鐵摩爾，謝偉志，白休德等，受了非美活動委員會的調查，一年來正潛伏得不敢動彈了，現在時來運轉，民主黨又需要他們了，國務院也用熱望眼光期待他們活動起來，於是他們就又組織起來，又以「中國游說」內容所的政策，替中共辯兇。打擊中國政府，以「中國游說」，跟白皮書差不多的重心，這篇文章也不一定是這些人寫的，但至少與他們是有關的，他們很想一下子又把中美好轉的關係打垮。他們倒正在做「游說美國」的工作了。

上面的分析大致不會錯，但要說明的是，民主黨和國務院只是爲了想推卸責任，而太平洋學會的這批人，卻正別具用心。

怎樣說的

「中國游說」一文究竟說些什麼，簡直荒唐得厲害，一開頭就是一副醜化不比中國的面孔，說中國這樣不行，那樣無能，說美國太看重中國，抬舉中國，完全重複白皮書的老調，但主要的就是說，中國的外交人員，以陳之邁爲首的活動，利用幾個親華的美國人，成一組織，專對美國議員展開活動，透過他們來壓迫美國政府援助中國政府，說他們活動報告上說「他們已控制下屆國會，中國無論怎樣幹，美援將會無限制地送來的」，所以好像中國因此才不接受馬歇爾的調停，而對於馬歇爾的調停，是否上了中共的當，則未提隻字。

這文並說：「及到中國在大陸失敗了，『游說』者乃就轉向美國國務院來攻擊，以爲除了自己外，任何人都是『共產黨』，」這話反過來不是在想說美國務院內部並無共產黨份子嗎？

最妙的是說：「中國軍隊，和器械，在台灣內邊，等待着生銹和朽爛，但是，他們的『游說者』在美國內邊，卻動員一切精神及金錢力量，進行他們的勾當。」試想想看，今日世界上顛倒是非黑白，還容亂說，除出之於共產黨的手筆者，不會有其他美國人寫的了，而美國共產黨也確與中共一樣，在希望台灣國軍武器的生銹。可是美國其他到過台灣的人和蔡斯的報告，卻與這批人說的剛剛相反，當然「中國游說」的作者們，很會說這些人也是「中國游說」組織中的一員，但他們的用意何在，就不堪一問了。

還有，這文又特爲美頭雜誌盜竊文件案辯白，說沒有這麼一回事，說經過數度審查都證據不足，又替拉鐵摩爾張目，說他怎樣了不得，跟華來士到中國時不肯接受賄賂。從這些地方看，「記者雜誌」簡直是在替中共游說了。

亂七八糟

美國這個國家是亂七八糟的，特別是文化界方面，共產黨很容易借着「言論自由」來活動，滲透着左右一切的，加上這批當政者好剛愎自用，更容易落入他們的奸計。

打共產黨是全世界的任務，中國抗共最久，美國現在韓打中共，利害道義說來，是完全一致的，中國外交人員促使美國反共，也是應該的，正像美國在中國設新聞處到處宣傳反對共黨極權一樣，我們中國從來沒有一個會說這是美國游說。我所曉得的，美國人也不會作這樣看法的，除了共產黨。（喬治張寄）

資本主義的演變

高叔康

爲世詛咒爲萬惡之源的資本主義，延續至今，將近兩百年的歷史；反資本主義的社會主義運動，到現在，也有百餘年的歷史；然而從最近百餘年的世界，經濟的事實來看，并未應驗如馬克斯派所強調資本主義必然崩潰，社會主義必然產生的教條；恰恰相反，倒是證明社會主義試驗的失敗。第一個失敗是蘇俄的布爾什維克黨，以社會主義革命的招牌，變成侵略世界的帝國主義，而爲社會主義的反對物。第二個失敗是英國工黨，執政五年，實行社會主義建設，更加重了英國經濟的困難，結果，落選下台。所謂必然之論，已證其虛妄，其試驗的失敗，倒不偶然。這就是說，經濟現象不似自然現象一樣，自然現象可有嚴密性的因果必然法則的存在，經濟現象不適用嚴密性的因果必然法則的判斷。

同時，我們對於資本主義和社會主義也不可從主觀的價值判斷，不從經濟法則的探討而爲形而上學的估價，以判斷資本主義和社會主義的運命。須知資本主義不能因爲我們詛咒其爲萬惡之源即將崩潰；社會主義也不能因爲我們謳歌其爲人類經濟大堂立即實現，我們應該就客觀的，現實的事實去考察，瞭解其內容和變化。縱然說，社會主義終將代替資本主義而出現；但社會主義是要從資本主義的母胎內長成的，不是一朝一夕從天而降，所以渴望將來的社會主義，也只有從資本主義社會中，尋求其脈胳；烏托邦的幻想，經不起客觀事實的考驗，陳舊的觀念，也抓不住活的和變的事實。

大家知道，自產業革命而產生的資本主義，其內容和方式不斷的演變；尤其是經過兩次大戰的資本主義，其變化更大。我們若以二十世紀五十年代的資本主義與十八九世紀的資本主義相較，無論在方式上或內容上，實有徑庭之別。因之，馬克斯派的社會主義以十九世紀的資本主義爲革命的對象，已不存在，可知今天猶奉馬克斯主義爲金科玉律，喊叫資本主義必然崩潰，眞是「朝菌不知晦朔，蟪蛄不知春秋」之類。何況以馬克斯主義當侵略世界的工具，奉着馬克斯主義出賣國家民族，奴役人民，更是馬克斯的罪人。

資本主義沒有崩潰，也由於資本主義不斷的演變；資本主義的演變，一是由於外部的力量，一是由於內部的力量，前者是屬於政治的指導，後者是本身生產擴大的衝擊。由於政治的指導，就是計劃經濟；計劃經濟可以消除資本主義無政府狀態，避免競爭的浪費，減少資源閒置的損失，使各部門產業互相銜接，增進合理化的效用，以穩定經濟平衡的發展，促成景氣的延長；而不致發生生產過剩，勞工失業的恐慌。桑巴特曾強調資本主義計劃經濟，可以挽救資本主義的災難；凱因斯主張實現充分就業和充分投資以樹立綜合計劃，即可長期支持資本主義經濟的繁榮。這些并不是空洞的理論，而是現代資本主義經濟遵循的路線，已有顯著的成績，可資作證。

另一方面，資本主義生產力的擴大，促成資本主義的方式和內容的演變；如由自由資本主義演變爲統制資本主義；由產業資本主義演變爲獨占資本主義，由放任資本主義演變爲金融資本主義；這些演變的動力，一來是資本主義經濟發展的要求，二來是資本主義要補救其本身的缺陷；不得不然。但如果以爲資本主義的演變，就可以根絕資本主義的弊害，那是錯誤的；即以資本主義經濟，不能以自己的力量消除其弊害，也是不正確的；所以資本主義的前途，決不可下一必然崩潰的判斷，也不能說，資本主義，可以千秋萬代，永久長存。

熊伯邁教授說：資本主義的本質是創造的破壞，即是說，資本主義不斷的破壞舊的，創造新的，使內部經濟機構革命化而發生變異，成就其輝煌業績；但同時也創造了破壞自己的條件。不過與其說資本主義創造的破壞，勿寧說它的創造的成功。因爲有了創造，就有了變動，就有了進步；只有不斷的創造，纔有不斷的進步，但缺陷和弊害也隨之不斷的產生；宇宙事物，新陳代謝，都是從新的創造，取銷舊有的缺陷和弊害；而新的缺陷和弊害，也就從新的創造中產生，所以不怕創造了破壞自己的條件，只怕停滯僵化而歸於窒息。

今天資本主義演變的事實，教訓了歐洲民主社會主義者也聰明了；他們的理論大加修改，承認價格和貨幣不能廢棄，更容許利潤的存在，對資本主義大大的讓步；所以有人說，現在社會主義已變成了資本主義；而資本主義國家，實行計劃經濟，福利政策等等，也漸漸變成了社會主義，資本主義與社會主義，似乎沒有隔着多大的鴻溝；然而資本主義與社會主義還存在着根本對立的理念，就是資本利益與勞動利益依然對立不相容。雖然現在資本主義沒有變到社會主義，但實有濃厚的兩樣色彩，以爭取其生存發展；所以我的看法，公營與私營併存，計劃與自由混合的經濟體制，將存在一個相當長久的時期。

馬來亞華僑

團結反共打開困境

「星加坡航訊」近半月來，馬來亞政治圈中，由於陳禎祿爵士宣佈改組馬華公會爲政治機構，而鬧得滿天風雨。馬華公會改組的是否成功，不獨影響馬來亞人及中國人兩大主要民族的合作，而且與肅清馬共有密切的關係，因而這一齣政治上的鬧劇，卻引起了星馬數百萬華僑的普遍注意。

馬華公會的改組

提起馬華公會，是星馬二地華人的重要組織，由福建籍的陳禎祿爵士領導，以謀取馬來亞及中國人的合作爲宗旨，從事社會及政治活動，陳禎祿雖是福建人，但居馬六甲已歷四代，他能講非常流利的英語，有頭腦有主張，這次改組馬華公會，乃在希望參加新加坡立法會議及市政議會的競選，希望在這兩個會議中，能有相當數目的華人代表，以陳述華人的痛苦及意見，逐漸消除華人與政府間之隔閡，進而實現自治獨立的馬來亞。

消除尷尬的根源

在今天的馬來亞，政府和華僑之間，始終陷於極尷尬的局面。在剿共戰爭中，英國政

這一局面的形成，一方面由於英國既承認中共又施行剿共的基本矛盾。另一方面則由於英國人始終把馬共與一般華僑混爲一談。而最根本的原因，則是英國人始終沒有面對現實，使中國人獲得其應有的權利。去年英殖民地大臣李迪頓東來，曾宣佈放寬中國人公民資格的限制，以激勵馬來亞各民族忠誠團結。但李氏走後，此項諾言迄未兌現，使華僑的一片熱忱完全冷卻。

今年一月十日，英國駐東南亞最高專員麥唐納，在星加坡馬來亞電台廣播「馬來亞華人問題」時，提到中國人和其他的移民，沒有以馬來亞爲永久家鄉的觀念，對馬來亞無所謂忠心，只求有一天能把一生的積蓄，帶回其祖國。他認爲這種心理傾向是可以懷疑的，於是對給予政治權利一點，不得不加以考慮。今年一月，馬華公會發表一份對內文件——「改組備忘錄」——其中有一段說：馬來聯邦總督葛尼爵士在殉職前二日所親手寫的手記，說到馬共從中國人手中得到「民援」，而不協助反共努力以求自助。字裏行間，充份表露對中國人的不滿。英國人所以有這種態度，問題很簡單，[illegible]認中共，他們就懷疑[illegible]公民權利，他們也就得要考慮是否須盡最大的義務。

爲了打破這一局面，陳禎祿主持下的馬華公會自一九四九年成立以來即不斷在作這方面的努力。但始終沒有參加實際的政治活動，爲華僑爭取應有的權益。這次馬華公會的改組，基本動機即在補救過去缺憾。

進步黨徒的阻撓

陳禎祿改組馬華爲一政黨的宣告發出後，星加坡進步黨及獨立黨立即提出反對。六月廿四日進步黨領袖陳才清公開指責陳禎祿談話，謂「星加坡立法與市政會議中，根本不要馬華公會會員爲代表」。陳才清更認爲馬華公會的政治活動經費完全是靠馬會的紅利而來。對於這一無理的謾罵，陳禎祿立即予以還擊。除了反駁其彩票經費一節外，並發表八項主張，表明馬華公會這次改組，純係適應環境需要，爲團結星加坡八十萬華人，共同負起反共的責任。雙方展開激烈的宣傳戰。

一段艱苦的歷程

這個新近展開的政治競爭，目前正進入短兵相接，星洲各界僑領都表示支持陳氏，爲爭取華僑合理權益而奮鬥。但星洲的英國人，卻認爲此舉表示華人有奪取馬來亞政權之野心。他們正和馬來亞人一樣設法來加以阻撓。陳氏本人確有一股幹勁，表示非達目的決不中止。但據各方面的批評，馬華公會最大的缺點，是根本上沒有中層幹部。所以馬華要改組爲堅強政黨，以完成陳氏[illegible]「馬來亞共和國」的理想，仍須經過一番艱苦的奮鬥。（七月二日逸民寄自星加坡）

遠東霸權的地理因素

上接第一版

俄共正向空權邁進

地理上，俄共今天控制大陸，不可忘掉它是空權時代的陸權。

把中美反攻大陸和日本侵華經驗打比，首先不能忘掉空權情況已經不同。拿俄共和中國當年抗日的經驗比較，也不能忘掉俄共擁有空權。空中的作戰線是五千哩，不是卅八線和台灣海峽間的直理。

太平洋戰爭的經驗，是空權的經驗，今天，遠東的地理是航空地理。航程比太平洋戰爭時代增加了三分之一到一倍，我們祇想到美國飛機可深入大陸，那不是客觀的估計。我們認爲中共祇能向東南亞蠕蠕移動，肉搏卅八線，太樂觀了。

大戰發生，蘇俄的空權也一樣可能遠征太平洋，擲原子彈，香港人避劫，多逃北婆南洋，其實皆在蘇俄TU—4（俄式超空堡壘）的半徑以內，俄空軍從海參威旅大出發，可以穿梭轟炸日本不提。TU—4以遼東爲基地，也可到硫黃島（一四〇〇哩），塞班島（二〇〇〇哩），以華南做基地（特別海南島），則距菲島爲六〇〇——一四〇〇哩，克拉地峽爲一〇〇〇哩，新加坡爲一三〇〇〇哩，印尼爲二〇〇〇哩，加爾各答（從大理出發）爲一〇〇〇哩，祇有澳洲、加羅林馬紹爾羣島之線，不在俄機空程之內，因此美國萬一措手不及，再受一次珍珠港式的打擊是可能的，俄國目前正趕製超空堡壘，此外可能還有大量飛彈，航空母艦和潛艇都準備放飛彈。雙方在一千哩以下的戰術作戰範圍，形勢當可緊張，在地理上，遠東是一個大戰場，航空線交織得緊張尖銳之極，明乎此，纔能把握遠東新霸權的尺度。

歷史儘管有各種說法與精神，地理還是最現實的基礎，美蘇霸權之爭，作歷史比較則可，要歷史重演則不可。一九四五年（雅爾達）僵局的打破，還得一場大準備，大犧牲，而且空前恐怖。地理因素決定了歷史的新規模，雙方之所以遲疑不決者在此。

中共的心腹大患

川黔湘邊反共根據地正在日益強固發展中

川黔湘邊，地處山巒起伏之利，人則漢苗雜處，耕織自給，向少與外界有往來。自中共統治大陸之後，由於中共之「徵兵」，「徵糧」，「徵稅」，「徵獻」，殘民以逞，益使酷愛自由之人羣，不斷向此區集中。在目前川黔湘東雪峯附近之武岡，辰谿，敍浦，盧溪，乾城，鳳凰，永綏，麻陽，保靖，永順，龍川，桑植，大庸，酉秀，黔彭，等十餘縣境，已成為此等人民逐漸發展其勢力之區域。

十萬人的鬥爭

在此一區域之中，反共人民之自相結集，其中心地帶，可分為三處。一以鳳，綏，乾，麻等縣為核心之地區，領導人為龍恩普。一以松桃，銅仁兩縣為核心之地區，領導人為唐中方。一以西，秀，黔，彭等縣為核心之地區，領導人為楊玉清。此三區之中，以龍恩普一處力量最大，龍為苗人，苗胞可直接受其領導者，不下五六萬人，其餘唐楊兩處合計，總數不下十萬人。至其他零星小股力量，此起彼伏，隨聚隨散，則多至無可總計。

中共對此一區域之人民反共武裝集團力量，原派四野四十七軍一整個軍，加以「鎮撫」。後四十七軍兩個師北去，中共旋又組「人民公安部隊」約兩萬人，以填充四十七軍兵力缺額，阻渠湘西游擊武裝，東向發展。目前此一任務，由中共「湖南省軍管會」派唐孟瀟擔任，設指揮部於零陵，專門執行對湘西「進剿」事宜。

分化鎮壓失效

在中共進行此一企圖之前，中共原擬以「政治分化」，「經濟封鎖」，「武裝鎮壓」三管齊下步驟，以消滅湘西反共武裝力量（民三十九年至四十年），那時中共曾大批派出政治特務，地方黨攏人士前往湘西「分化」「說服」以逐步推進其預定計劃。然結果則成效毫無，徒使若干不知輕重狂妄非徒，空自報效共可憐生命，且促使湘西反共武裝與川南，黔東反共力量大結合。

目前此一區域之大部縣份所屬村鎮，中共已無法進行其政治設施與徵糧徵兵工作，而且益使其週圍縣份飽受匪徒紮迫之無辜人民，扶老攜幼，負夜向此一區域投奔。在此一區域之人民，已自己形成一種生養涊訓生活方式，平時一耕織不息，無異一和平田園，但且共軍侵入之後，則老少蜂起，槍刀併用，滿山遍野，天然步入向共軍合攻。「以大吃小」方式，無形構成機動「人海戰術」。直至共軍完全潰散，死傷枕籍而後已。此一區域之槍彈補給，正由此一源流而來。

共軍屢攻屢敗

在川南與黔東一面，劉伯誠與貴州楊勇與四野五十一軍一部，亦以湘西共軍同一方式，在川南黔東佈成同一防綫，在上列兩處俟機進攻。然兵源不足，負荷更大。因之，每次進攻，都變成山林迷藏捕捉戰，終結總是共軍敗北。在本年三月下旬，四川劉伯誠六十二軍一部與林彪駐宜昌五十一軍一部合計兩個師，分自東北兩面向西陽，彭水兩縣間沙填，涼水溝，高寨子，觀音廟一帶攻進，而其結果則造成六十二軍一個半數潰散，半數投降。五十一軍一個師，在回到宜昌時候，人數已不足一千，而且負傷累累。這一個消息，在今年五月川東一帶，傳為最大新聞。

反共聲勢壯大

據事後有人與共軍傷兵接談所得消息，共軍進攻之所以打敗仗，完全是地理不熟，每日追逐疲勞過甚，後方糧食槍彈不濟，而且游擊隊山林中淒厲叫喊聲，使追擊共軍精神上大受打擊。因此在作戰中，不少同伴棄槍逃走，或者更是瘋狂一般，連槍帶人，走向游擊隊。

這不是一點星星之火，而是有組結有形勢之一反共大區域。目前湖南中共正計劃配合四川貴州廣西四面大進攻，在漢口已整訓完畢之中共四十一軍一部已進抵零陵邵陽，可能還要配合空軍轟炸。然而這一些人——不甘暴政奴役的人，其結合是由於萬人一條死裏求生不戰即死的決心所組成，她的存在是有社會背境的。中共不打則已，一打就會越打越大。（仁江）

中共的「工資改革」

鄭竹章

——所謂「按勞取酬」的工資制度，是中共配合「生產競賽」，強化勞力搾取的另一手法——

緊接着「五反」運動之後，中共勒搾的目標，漸漸地又由商人轉移到工人。近一月來，除了派遣大批幹部控制各地工廠外，中南區各地，並進行實施所謂「工資改革」。據穗共「工資改革委員會主任」蕭桂昌的報告：「工資改革」的目的，乃在貫澈「按勞取酬」的制度，不僅是單純的經濟問題，而係一個重要的「政治任務」（見七月十四南方日報）。

奴工制度的翻版

中共的所謂「工資改革」，實際上乃其蹈搾勞工的另一手法，而這一手法的來源，則係以蘇俄的奴工制度為藍本。蘇俄自革命以後，其工資形式，有所謂「工時定額」，「生產定額」，和「計件標準」等，後來為了強化勞力的搾取，更有所謂「技術定額」。在一九三五年前，其「定額」標準，係由領班或指導員個別決定，他們根據自己的經驗，和完成某工作或生產某單位成品所實際耗費的平均工作時間，作為決定工資的標準，這一辦法，原則上尚較公平，但蘇俄當局認為走上「平均主義」道路，乃「發展生產的絆腳石」（見柯那柯夫：「蘇聯的工資制度」）。因此，一九三五年後，蘇俄獨裁者乃創造所謂斯但哈諾夫運動，開始實行「技術定額」，工資的決定，非以一般的生產率為標準，而係根據生產最多的一個工人的產量為標準，據此以衡量和懲罰其它不能達成這一水準的工人，在這種工資制度之下，工人為了生活，不能不加強其勞動的強度，勞動水準不斷提高，而工資仍維持不變，遺下來的剩餘價值，即成為蘇俄再生產與擴軍備戰的資本。

剝削精壯的圈套

中共目前所實施的「工資改革」，根據蕭桂昌的報告，一方面在消滅過去「平均主義」現象，建立八級工資制，另一方面要求制定技術標準，「以提高工人的勞動熱情和技術水平，為大規模的增產節約運動打下基礎」，其基本的精神和目的，完全師承蘇俄的工資制度而來。

所謂八級工資制，其基本內容中共雖未見宣布，但根據過去旅順大連及東北各地所實施的「七級工薪制」，是將所有練習工人，普通工人，技術工人的工薪分為七級，其最低一級的薪額，僅足養活工人自己，每一級與級間差額相當大，並包含「累進率」，等級越高，累進越多。第一級與第七級工人的工資，相差達三倍半，其目的在迫使工人提高勞動能率，增加生產，來換取更高等級。據中共「新華書店」出版的「東北訪問記」中所述，這一制度推行後，工人為了爭取工資，於是八小時的工作，被迫在四小時內完成，這是從橫的控制，逐漸發展到縱的剝削一種殘酷的手段。

淘汰老弱的手法

除了強化對精壯技工剝削外，工資改革還具有兩項目的：第一是減少勞動中的流動性，將工人永遠束縛於某一地區某一工作上。史達林在「新的環境和新的經濟建設任務」一文中，曾強調：勞動力流動性「乃妨害生產的奇災大禍」，他認為勞動力流動性產生的原因，「乃由於工資方面的平均主義，使不熟練工人不樂於變成熟練，覺得自己只是企業裏的臨時住客，賺幾個錢後就可跑到別處去尋找幸福」。為了消除勞工變更工作的自由，蘇俄除了在一九四〇年六月二十六日公佈「勞工法」（目前仍繼續施行），對未得允許而擅自離開工作者，處以二月至四月的徒刑外，同時並創造新工資制度，使每一工人為求取技術的上進，而一輩子束縛於某一工作上，澈底消滅其獨立謀生的能力，而加強其對共黨的倚賴性。

其次是藉此淘汰年紀老工作效率低的工人，使他們無法藉資歷來加薪，只要勞動力消失即隨時有被淘汰的可能。

重要的政治任務

由於中共改革工資的目的，完全在強化剝削，因此，中共已預料這一改革可能引起若干反抗，第一是工人們為保持飯碗，在評工資時可能互相抬高。第二是技術低及體力差的工人，可能因工資被壓低而從事破壞。因此，中共除了發動全部基層幹部，作為改變定額準備骨幹外，並準備再來一次羣衆性運動。預料這一改革的結果，大陸的工人將進一步地接近了蘇俄的奴工。

「民兵」組織

參加了的苦死　不參加怕鬥爭

「民兵」是中共軍事的基層組織，是藉着「土改」「鬥爭」發展起來的。它一方面在鄉村中負責逮捕地主，看管地主，以及站崗放哨，保衞共黨的「鄉村政權」。另方面則提調為「軍區部隊」，由「軍區部隊」再補充「野戰部隊」。作為常備兵役的來源。

強迫徵集

依照中共的原則「民兵」一定要由貧雇農充當，一定要由土改中鬥爭地主最積極的份子充當。因為他覺得這些人比較可靠，比較容易聽話。但是事實上大多數的貧雇農都不願意幹。例如本年六月上旬中共在湖北宜昌縣新民鄉發展民兵，事先經過一兩週的宣傳鼓動，結果到舉行「動員大會」時，還是沒有一個人參加。第二天共黨的「武裝委員」只有強迫全鄉青年壯丁集合，分成八個自然村排隊，凡是十八歲到四十歲的，一律宣佈為民兵、有很多農民不承認是民兵，共幹拿起手槍對準他們說：「你怎麼不是？我說你是民兵就是民兵。」

素質太差

又該縣九區復安鄉也以這種強迫方式來發展，結果九十一個民兵中，身體不夠條件的有二十一人，認為成份有問題的有十四人，超過年齡的有十四人，年齡不夠的有六人。

湖南瀏陽一區西岸鄉組織民兵時，共幹宣佈說：「誰不參加民兵，誰就是反動份子」，一般農民在他的威脅下，只有硬着頭皮參加，但結果大多數身體不合格，僅「第一分隊」五十四人中，超年齡的有二十五人，差年齡的五人。

此外已經加入民兵的，都要求不幹，如湖南湘潭七區蔡角、太和、挑崙、晨山等鄉在「土改」中組織起來的民兵，至「土改」完成後，都紛紛要求回家。而這些區鄉以後經過四個月的「覆查」鬥爭，民兵一個也發展不起。該縣六區除五個鄉有民兵的形式外，其餘二十六個鄉都無法組織。

沒人願幹

這些情況，是中共「中南軍區司令部人民武裝部通訊組」在六月十七日漢口「長江日報」上吐露出來的，自可反映共區貧雇農對共黨的反感。同時也可以證明已經參加組織的民兵也不會真正替共黨效命的。只要自由中國大反攻開始，他們會掙脫暴力投向自由的。

一年以前中共共有民兵六百五十萬人，計東北區一百五十六萬三千七百一十四人，華北區一百三十七萬一千九百二十一人，華東區一百零七萬二千四百一十七人。中南區一百四十六萬人，西北區一百十三萬五千九百五十人，西南區五十餘萬人。偽軍委會「人民武裝部」曾宣佈要「爭取在三年內，使民兵發展到佔全國人口百分之五左右」，即是說要在四億人口中組織「民兵」二千三百萬人。但是依據上面「中南區」最近發展民兵的情勢看來，則中共的此一狂妄企圖，很可能要失敗的。（海華）

共幹壟斷糧食

對人民大肆剝削　分贓不均起內鬨

中共的國營商業機構是剝削主要工具之一，辦法巧妙毒辣，普通所有農產品，都是在初收時盡量壓低購價，而至次年缺乏之時，又任意抬高，普通一進出之間，總獲利在一倍以上，這當然是人民的血汗。

收價底賣價高　共幹大發橫財

廣西省糧食公司柳州分公司武宣購銷組的舞弊情形，首先是該武宣購銷組，在去年夏秋之交，任意壓低糧價，藉口武宣是小城鎮，價目要比其他地區低，（其實其他地區已經壓得很低。）結果以每担三萬元的價格收進了大批稻穀，可是到了今年四五月間，售出時，卻不再說武宣是小城市應當降低，反而較一般大城市都高，每担以十一萬元賣出，吸引其他地區的糧食，都向武宣集中，只是窮人較別縣餓死的更多。

任意壓低購進抬高售出的價目，已經是大罪惡，但是最不可原諒的要算囤積居奇，武宣的第四區本是缺米地區，去年的收入，更完全被「國營公司」收購，所以今春缺糧特別厲害，但是武宣購銷組在該區存有大批米糧，不肯出售，暗中勾結商人抬高物價，表面則裝聾作啞，因為黑市糧價抬的太高人民無錢購買，餓死了許多，人民餓死到是小事，而直到今天還囤積一百多萬斤穀沒發出，目前糧價已大跌，當然使「國財產」受到損失，有更嚴重的是目前囤積在第三區還有四萬斤大米發了霉，喂猪都不吃，若是在兩月前肯售出去，卻實在能救活多少人民的性命，這也是共黨「為人民服務」的「德政」之一。

斟盤未能斟好　彼此揭穿黑幕

同時該縣有一批地方糧，是地方幹部的鄉費，數目有一百多萬斤，打算賣給該組，可是因為大家都是官，誰也不肯吃虧，斟盤未能斟好，於是武宣地方經營一個拒收，該組一切「工作」也無法開展，因為彼此不能照顧，才寫信去揭發這其間的黑幕。

該組一方面禁止糧食私相售賣（此是糧食政策），同時卻又不肯收購，四鄉只出產小麥，農民在繳「抗美援朝」「捐獻」時，只好將小麥挑到城內去賣，該組卻派人在路上攔截，並說只收稻米，不要小麥，農民們氣憤說：「有糧食留不繳，怎麼辦呢？」但是共官們不理這些話，依然我行我素。這就是今天大陸上國營公司的縮影。（叩烈寄自廣州）

調派大批共幹　專門控制工礦

中共「華北局」為了「加強工礦企業中的領導力量」，于今年四月決定在華北區的機關部隊中，抽調一決幹部八千名，參加工業工作。這一決定已在全區各地貫徹執行，河北省抽調的四千名幹部到六月底止已有半數以上到北平集中，其中一部份已就地調入各工廠礦場。在山西、綏遠、察哈爾三省抽調的幹部，六月中旬已全數集中平津。「平原省」（原山東河南兩省各一部份）的抽調工作，則定于本年十月份前分三批完成。

這些抽調的共產黨徒，都是派到鐵路、鋼鐵、紡織、煤炭各工業單位中，担任「副廠長」、「站長」、「科長」、「股長」的職務，直接管理工人，騎在工人們的頭上的。除華北外，如東北、西北、西南、中南、華東各地都同樣地抽調大批共幹參加工業。

中共合併大陸一般工業院校的時候，遠在四月以前，決定一九五二年暑期全體工學院本科、專修科和工業專科學校共招收新生二萬九千五百名，而這些學生來源中，即規定以一大部分共幹來代替。中共並不計較他們幹部的程度能否接受工業學校的課程，而只是肯定今後的工業一定要由他們幹部來負責。從這一事實來看，第一、這次的「三反」「五反」，各工礦廠的人事有了很大的洗刷，需要作一大規模的補充。第二、以後的工業部門將完全由共幹管理。而一般工人只不過是一羣強迫勞動的奴隸而已。（天民）

自由談

「人民」的宣傳術

為方

美國總統杜魯門最近移文財政經濟的設計機關，說美國現行對外運輸辦法，有許多地方需要改善。文內曾以乾酪（Cheese）輸出為例，證明其言之成理，持之有故。這原是一件毋關宏旨的美國內政事項，說不上特別消息。

然而，不知道某些「人民」的宣傳家是故意對讀者開頑笑呢？抑係自己哄騙自己？竟將「乾酪」亦加以「勞動改造」，改造成了「中國人」（Chinese）如是乎，在報紙上標題條新聞，寫得意詞句，硬說「美帝」對中國禁運已自食惡果，感到經濟危機了！這一種天才發明，跟共幹在大陸上對人民說原子彈可用報紙擋阻的高見，後先輝映，猗歟盛哉！等由准此：「人民」的宣傳家天天對讀者描述大陸上已變成家給人足的安樂園了，你相信不？他們以對天發誓的口吻，說「五反」之後，把大陸上的工商業反成普遍繁榮的結果了，你作何感想？他們說「美帝」在朝鮮大肆施行細菌戰，殘害了無數的中朝人民，有圖片，有英國紅衣主教的證詞，更有「蘇聯老大哥」的調查報告，你能懷疑麼？

等情據此：凡屬共產仁兄的公開言語，你只用相反的情形來看待它，包管差不離。若夫「人民」宣傳品，你只當作讀「天方夜談」，庶幾乎精神上少受些冤枉損失。他們有種很簡單的公式名詞，即對別人一切有憑實據的話，一律指為「造謠」，自己卻隨時作超常識的造謠勾當，這就是「人民」的宣傳術！

增產

雲華

這是去秋的事，「土改覆查隊」到了趙新莊，比起第一次「土改」鬧得更厲害，原來「土改」時，根據「政務院」的規定，富、中農不動，地主貧農求平均，雖然後來富農還是動了，但究竟動的不大，尤其是一般中農，既不出又不進，對於「土改」根本沒有什麼新的感覺，趙大元就是其中一個，大元是趙新莊的土著，家中一個老婆三個孩子，共有田地十二畝，在最初「土改」時，被列入中農成份，依然和過去一樣，只是在去年夏徵時，因為人民政府特別「照顧」中農，公糧只按百分之四十九徵收，再加上曬乾揚淨，也就合到百分之五十五左右，大元雖然心痛，可是也明白朝代變了，現在是「人民時代」，隨便說話是該死的，只好一家在苦難中度過了一年，今秋土改覆查隊來到以後，要採取絕對平均的辦法，按照所有人口分配，平均每人只攤一畝二分地，趙家五口人應攤六畝，其餘六畝就被分出去，大元看見祖遺幾代的田地，無緣無故的分劃出去，想到田裏每一塊土壤，都經他翻過無數次，都蘊藏着他的血汗，現在馬上換了新的主人，感覺無限辛酸，背着人直哭了一夜，但是大元知道這是「人民當家」的時代，只能苦在心裏，不敢說出來。

大元的六畝地分給做小生意的吳成，吳成因為經常在外面作生意，腦子比較複雜，他知道自己雖然是鄉下人，可是並不會耕地，而且耕田的傢俱、肥料、種籽一概俱無，再算到來歲的公糧，可能不但白忙，或許會不夠本，於是吳成乾脆放棄了權利，不願耕種，與吳成抱同樣見解的人很多，所以經過「土改覆查隊」澈底工作以後，趙新莊的田地就荒了四分之一以上，其他的地方情形也大同小異，情況反映到上級，省人民政府同共匪黨省委會看了忙，老百姓不願種地，誰來繳公糧，憑什麼去「抗美援朝」，去解放東南亞，於是再三指示下級幹部儘量鼓勵農民墾荒，強調誰種誰收，各村裏面自然大肆宣傳來推行命令，於是村長把趙大元喊去告訴他，「原來你的六畝地，你仍然還種好了，上級命令誰種誰收，政府不會欺騙人的」。大元猛然聽說又把失去的六畝田地交回來，何嘗不徒然一喜，但是馬上他也聯想到現在已是舊歷十月，已種下去的麥子都一望青青，而這六畝地還未着手，耕好種下去要到十一月，縱然能有點收成，也不會好，再說他現在一家都是啃番薯，又從那裏求得種籽呢？雖然如此，大元感覺到這是收復失地，為了對死去的父母祖先有個交代，為子孫多爭幾畝地回來，吃些苦頭也白費一年氣力也是應該的。終於請託再三接受下來。

肥料人力都容易解決，只有種籽要傷腦筋，因前放借的大戶都已家敗人亡，普通人民誰也無力借貸，最後終於找着路子在農會主席處借了八十斤麥種，言明麥後見一還三，所有問題完全解決，麥籽便下了地。

今年麥季收成到不壞，大元本身六畝地，每畝收到三百斤，增產的六畝只收到八十斤，共計收到二千二百八十斤，先要還清農會主席的本息二百四十斤，下餘不過兩千斤，這時夏徵委員下鄉了，開會時逐戶宣佈應繳公糧，趙大元據夏徵委員「公平」估計，共計十二畝地，每畝三百斤，應收三千六百斤，因田地比普通多一倍，應以富農計算，按百分之七十徵收，應繳公糧二千五百二十斤，這真是一個晴天霹靂，大出趙大元意料之外，雖然也曉得「人民法律」是不准辯論的，可是事實所逼，本身實在未收到這些糧食，縱然絲毫不吃也是不夠，大元哀求說：「同志啊！我增產的六畝田每畝只收到八十斤，大家都曉得，我一共未收夠公糧數，況且另外六畝是村長命我要增產的，怎能算作富農呢？同志啊！看在我的幾個小孩子恩典一下吧！」委員將眼皮猛然放下，冷笑一聲說：「恩典我們管不懂，都恩典了你們，靠什麼開支，用什麼去打美國鬼子，除非你死了，一斤一兩都不能少，再要胡說，就報告上級說你鼓勵「抗徵」，「抗徵」就是「國特」，「國特」就該槍斃，明白嗎？」

大元默默無言的走回去，到了家裏什麼話未說，抱着孩子到田裏去一躺，向一個十歲的孩子指着說：「孩子！記着這是我們祖遺的田地，偏偏該永遠屬於我們的。」孩子睜大了眼，似懂非懂的諾着他的臉，正掛着兩行淚珠。

第二天趙新莊的人都曉得趙大元在夜間吊死了，當他的老婆去報告村長時，夏徵委員正在同村長吃酒，聽到信笑了一笑說：「這小子還有志氣，」回頭向村長說：「好吧！給他減去一百斤公糧就是了。」

萬竹樓隨筆

論吳用（一）

（水滸人物論之十）

舜生

『秀才造反，三年不成，』自來歷史上以秀才資格造反而能成功的例子，我們確實是很少看見。可是從古造反的名家如劉邦劉秀李世民朱元璋之流，假如沒有一大羣的秀才如張良陳平鄧禹房玄齡杜如晦魏徵劉基等等去和他們合夥，那一般流氓英雄式的人物，是否便能達到他們的目的，卻也很成問題。不要說二劉李朱這類做大買賣的人少不了幾個文人去替他持籌握算，就像劉備，假定他只有關張趙馬黃這類的糾糾者，而缺少一個諸葛亮，他那片小店是否能開得起來，恐怕也很難說。然則秀才儘管是相當可憐，而且有時候也非常討厭，可是假如你看不起他們的話，你也就休想有所成就。

水滸傳作者筆底的吳用，確實是一個了不起的人物，據宋史與宣和遺事，宋江吳用均確有其人，我很懷疑他們的本領並沒有如小說家所描寫的那樣大，不然的話，以宋江所處的時代，像吳用這樣一個人，又得着一位言聽計從合作無間的宋江以為之主，他要成就如張子房劉伯溫的一番事業，應該是很有可能的。

吳用在水滸傳上出現，從第十三回開始，他是一位在鄆城縣鄉下教蒙館的先生，生得『眉清目秀，面白鬚長』，表字學究，道號加亮先生，社會上一般人卻稱他為『教授』，不錯，他確實是當得起『教授』這兩個字的。

梁山泊雖是一個小小的朝廷，前後卻也經歷了三代，第一代王倫，第二代晁蓋，第三代宋江。第一個朝廷是吳用所推倒的，在晁宋兩朝，這位吳教授卻都是第一號的元老。

吳用的第一功是『智取生辰綱』，我們試就這件事來一加分析，便可看出吳教授確是不凡。

晁蓋是鄆城縣東溪村的保正，本來是一個不安分的一方之霸，這位吳教授卻和他是『至交』；鄆城縣一個步兵都頭雷橫，吳教授也和他相識；阮氏三雄，小二小五小七，是住在梁山泊邊石碣村靠打魚為生的三個破落漢子，吳教授和他們有多年的交往，而且能取得他們兄弟的尊敬和信賴；我們單看這幾點，豈是今日單會擺學者臭架子的教授們所能辦到？

所謂『生辰綱』者，是北京大名府梁中書，以十萬貫代價買來的金珠寶貝，預備送上東京為他的丈人蔡太師慶生辰的一分禮物。這是自來貪官污吏為了巴結他們的上司，所常有的一套把戲，當然是不義之財，人人得而取之的。大凡有方法能奪取這類財物的人，不儘不是強盜，而且正是懲治強盜一個有效的辦法。

（一一四）

亂彈齋詞話

馬五先生

調笑令

序曰：年來美國以西歐各國聯防軍的步槍各式各樣，五花八門，力主標準化，要大家改用美製「春田」式步槍，而英國則主張一律改用英製「盟山」式步槍，相持莫決。今年一月，邱吉爾首相偕同參謀長史廉元帥訪問華盛頓時，曾與五角大廈的將軍們商討此事，雙方各因涉及本國「威望」的關係，都不肯讓步。史元帥當場很幽默地說道：「我以為我們不妨採取一個折衷辦法，彼此同意造一項劣等的雜種步槍，一半是英國，一半是美國。」邱翁聽着，不免聯想到自己身上，他對史廉說道：「元帥，你說話幽默文雅些，要知道我本人就一半是英國的，一半是美國的啊！」蓋邱翁的老太太是美國人也。

威望威望，兩雄未遑多讓，春田配着豐田，管教敵人胆寒；寒胆寒胆，雜種一齊露臉！

又

文雅文雅，將軍有言差也，座中宰相搖頭，妙語抒懷惆悵；惆悵惆悵，生命形成兩半！

懷杜甫・哀大陸

王敬潛

愛國詩聖杜甫，字子美，號少陵，由於他晚年官居節度參謀檢校工部員外郎，所以又號工部。杜甫生於唐睿宗先天元年（公元七一二年），卒於唐代宗大曆五年（公元七七一年）。歷玄宗、肅宗、代宗三朝，在世五十九年間，適是唐朝最混亂的時期。先有安史之亂，繼又吐蕃入寇，外族侵凌，劍南兵叉，臧玠亂作，泊得他離鄉背井，流浪逃亡，因此家仇國恨，懷古傷今，一時交集心頭，憤露於筆，以敏感的靈性，作現實的痛吟，一字一淚，酸辛無遺。

「……比鄰同罹禍，殺戮到雞狗，山中漏茅屋，誰復依戶牖，摧頹蒼松根，地冷骨未朽，幾人全性命，盡室當相偶」（述懷一首）

上面這首詩，實是今日中國大陸的逼真寫照，杜甫遭逢亂世，坎坷終生，沒有享受過田園樂處的和平生活。中年以後，更度着逃難的流浪歲月。由於飽經變亂，憂患。因此他的草堂詩集形成『一部至哀痛的史詩』。

杜甫是一個虔誠的儒教徒，儒家的基本精神，在排斥自我狂妄的功利主義，和一切不着現實的怪誕幻想，貫澈忠恕仁義，尊王攘夷（這裏的王字可解釋為國家的象徵）。處在中原板蕩，夷狄交侵，生靈塗炭的苦難時代，杜甫希望國家中興，社會安定，人民安居樂業，能過着幸福的和平生活。他在「野老」詩中的「長路關心悲劍閣，片雲何意傍琴台」裏，歎息着「王師未報收東郡，城闕秋生畫角哀」，那悲傷的憂國情緒，是極為熱誠的。

「……都人迴望向北啼，日夜更望官軍至」（悲陳陶）

「……焉得附書與我軍，忍待明年莫倉卒」（悲青坂）

「……聞道河陽近乘勝，司徒急為破幽燕」（恨別）

讀以上各詩，雪恥復國之心，油然而生，杜甫心懷鄉邦，看到故國支離破碎，人民倒懸水火，切盼國家復興，政治修明，在草堂詩集中，到處流露着這樣愛國熱忱詩句，將民心厭亂的苦悶情懷，極力託出，希望官軍再起，重建社會秩序，俾能享受和平的安定生活。

哀江南、哀王孫、北征，寄題江外草堂、石壕吏，三吏、三別、出塞歌、兵車行……等，到處表現着虔誠的吐吟，毫無虛偽矯飾。草堂全集確是一部哀歌，作者的時代，是久經變亂，兵車轔轔，曾無寧日，杜甫為大多數人的生存，作不斷的猛烈攻擊，忠實反映。他以為破壞社會的和平，便威脅人類的生存。所以在每一個悲慘的鏡頭描繪內，隱藏着正義的吶喊。他反對動亂，崇尚安定，除了對外來的侵略，有着抵抗的吟詠外，不論內討外征，凡是有侵略的企圖，杜甫對這些黷武窮兵者，無不竭力抨擊。

「到今不知白骨處，部曲有去皆無歸」（去秋行）

「唱和作威福，孰肯辨無辜？眼前列杻械，背後吹笙竽，談笑行殺戮，濺血滿長衢」（草堂）

他指斥驅民充炮灰的軍閥，極盡痛駡的能事。他對騎在人民頭上的幹部，用沉痛的語句來斥責。

「狐狸何足道，豺虎正縱橫」（久客）

「必有救瘡痍，先應去蝥賊」（送韋諷上閬州）

「飢有易子食，獸猶畏虞羅」（別唐誡）

「四鄰何所有，一二老寡妻」（無家別）

「豺狼塞路人斷絕，烽火照夜屍縱橫」（釋悶）

「聞道殺人漢水上，婦女多在官軍中」（三絕句）

「哀哀寡婦誅求盡，痛哭秋原何處村」（白帝）

所謂「狐狸」「豺狼」「蝥賊」，正是這班貪官污吏，把國家搞得一團糟，他們罪大惡極，賦稅苛重，徵調頻繁，以致餓莩載道，易子而食，流離死亡。

我們再看今日中國大陸，痛心的很，現在我國是處在比杜甫那時代更為深重的災難中；在蘇俄魔爪掌握下的北平奴隸政權，已經把中國國運帶到最危險的邊緣了。全國同胞已被拋入痛苦的深淵。在中共媚蘇至上的「一面倒」政策下，在「倒行逆施」的「抗美援朝」下，在驅民於死的「大力土改」下，在不分青紅皂白的「鎮壓叛逆」下，在「勒財害命」的「三反」「五反」下，在「一杯水主義」的婚姻法下；中國傳統的優美道德已被全力的摧殘了，人民自由已被全部的剝削了。

然而在大陸上，卻不見像杜甫那樣為國家民族，為人民的疾苦而吶喊奮鬥的民族詩人。卻只有「史達林是爹，是太陽」的郭沫若輩的媚敵賣國文賊。我在緬懷敬禮民族詩人杜工部；我在為大陸同胞悲哀。因為他們被人宰割甚於杜甫那時代，並沒有像杜甫那樣的愛國詩人為他們呼籲。

黑十字

北晨

×隱戲院的門口，堆滿了花籃和綵牌，一般路過的本地人，對那五色繽紛的海報，投以驚奇的眼色，紅緞金字的一長條橫額，上面繡着下面的字：

「旅港名票朱瑛小姐首次公演。」

戲台上的鑼鼓喧天，穿着整齊的紳士，挾了他們的伴侶，昂然地走了進去。

洪正池買了一張花樓票，那是最壞的位子，居高臨下，能夠看到前幾排的觀衆，洪正池私自揣測，白濟宏這夥人，一定在前幾排定好了座位，果然，第二排和第三排，當中空着一大段椅子，小江小蘇兩人，分坐在兩端，他想藍英準定會來的。

人家在狂聲呼好的時候，洪正池卻無心聽戲，他在戲台的二三排的當中，他要等候藍英出場。

第三齣戲將完之前，下一齣便是朱瑛的「起解。」洪正池在花樓上看得明白，白濟宏和一個肥胖的漢子為首，他們進了戲院，後面跟着郝亦臣，朱老五，佩雲，玲玲，還有一些七七八八的人，令他感到失望的，其中仍獨沒有藍英。

他不能就此離去戲院，因為所有的酒店公寓他都尋遍了，他想，也許稍停一會，這個女人總要來的。

眼見小江小蘇兩人立起來，讓空人入了座，接着一片彩聲，台上的燈光齊亮，原來，有點臃腫的「蘇三」，一聲「喂頭——」，從台後走了出來，台下又是雷似的一片彩聲。

他要看的角色沒有出台，台上演的，正是他不欲看的戲，而藍英，無情無義，卻不像台上的蘇三。

正當解差替蘇三套上鯉魚枷的時候，二排裏一個女人立了起來，洪正池看得清楚，她是玲玲，那個他曾經花過兩百元港幣的女人。（卅二）

・中篇連載・

自由人
THE FREEMAN
（半週刊每星期三六出版）
（第一四五期）
每份港幣壹毫
督印人：李光龍
社址：香港高士打道六六號
電話：二〇八四八
GLOUCESTER RD.
HONGKONG
TEL: 20848
承印者：東南印務出版社
地址：高士打道六四號
台灣總辦事處
台北市館前街五十號
台灣經銷處
台北市中華路一二五九號

駐日大使的人選問題

戰後六年之間，我們對日本既無正式邦交，也無國民外交，未能奠立兩大民族的諒解與同情基礎。懲前毖後，對於駐日大使人選，必須特別慎重。

・雷嘯岑・

中日和約正在立法院審議中，一經通過，兩國的立法手續即已完成，戰爭狀態結束，劃時代的外交關係開始建立，雙方便要互派外交使節了。日本究竟派那類人物來，不必管他，我們的駐日大使人選，卻不能不特別銓衡，求一適才適事者以當其任。世界的安危繫於亞洲，而亞洲的安危又繫於中日兩國今後能否通力合作，形成真正的安定力？在這冷戰激烈，熱戰頻興，西方國家對亞洲縱橫捭闔，歧見叢生的現階段中，中日兩國的外交關係，非同小可，對於使節的人選，千萬不能隨便配備，時機非常，稍縱即逝，再不可以嘗試心情來處理了。

戰後六年間的教訓

中日戰爭甫告結束，我們首先聲明不報復主義，這在世界外交史事中，實無前例。可是，日本方面所反應出來的觀感，除已故外交家幣原喜重郎理解其中要義，曾經表示中日兩國今後必須攜手合作，休戚與共外，日本的政治人物，自吉田茂以次，始終對我們沒有好感，直到中日和約簽訂後，還隨時發表其輕侮我們的言論。固然，政治人物都是關懷現實利害的，對外交更無所謂道義。但，日本社會大衆之間，尤其是知識界中人，又幾曾見有對我們真誠表示親善合作，深明共存共榮的大道理者？這原因，決不能完全歸之於日本人獨有的帝國主義思想。在戰前即反對軍國主義，戰後卻而從事政治活動的學人，如社會黨的蘆田均，片山哲，加藤勘十，勞農黨的大山郁夫，自由黨的植原悅二郎，以及名作家長谷川如是閑，室伏信高等，都非舊時軍國主義的殘餘份子，也不是共產黨人，他們對於中日兩國未來的關係，何嘗不明白呢？然他們對於促進兩大民族的親睦問題，一般並無熱烈興趣。更未見有民間輿論，鞭策政府朝着中日合作這條大道走的有力主張。何以有此現象，就值得我們反省了！

戰後六年之間，我們對日本似乎是在「漠不相關」的狀態中，既無正式邦交，也無國民外交。一個駐日代表團，自團長以至於大小職員，唯一條件就是要留美學生，至少也得要善說英語，能與西洋人的生活方式沆瀣一氣，方能入選，直到中日和約簽訂時，纔派去一個懂得日本語文和日本社會情形的副團長。總而言之：我們的駐日代表團，事實上是「駐美」代表團，一切唯美主義，跟當地的政府與人民，形格勢禁，大有相應不理之概。然美國卻處處對日本人表示親善，設法拉攏。日本人的民族性是重感情而又相當褊狹的，對中國人更多少還有些優越感。戰敗後，滿懷抑鬱愁悶，無可宣洩，美國雖然對他們特別要好，但至今大多數的日本人，對美國並未心悅誠服。我們早已發出不報復的聲明，而六年的時間，對日本又不知不覺地表現着漠不關心的模樣，未能利用時機與環境，以國民外交精神，從事奠立兩大民族間的諒解與同情基礎，坐令不報復的初意，付諸流水。平日不燒香，臨時抱佛腳，自然有此結果，這能說不是我們過去對日外交的失策麼？

新時代的外交使節要慎重

和約完成法定手續後，兩國即正式恢復邦交，第一步就是互派使節，開中日兩國外交史的新紀錄了。懲前毖後，對於大使人選，必須特別慎重。俗言「弱國無外交」，這是資本帝國主義劃分世界勢力範圍時代的舊話，現在則唯弱國纔需要有外交，像我們今日的地位，對表面「弱」而暗中具有「強」性的日本外交，更非只會穿大禮服，善言坫壇詞令的舊式職業外交人才所能勝任，也非毫無政治智識休養，遇事沒有見解與作法的官僚主義者所能濫竽。我認為起碼要留神下列幾點：

第一，駐日大使並非等於駐美大使，過去代表團唯美主義的作風已經大大的失敗了，千萬不可再蹈覆轍。當然，我們既是民主陣營之一員，談國際外交固不能不注意美國。但，這是駐在華府大使的職責，與駐日外交官無涉。台灣的軍事防禦體系現已與東京盟總不發生直接關係，更須有新的作法才行。事實上，過去代表團的唯美主義，除卻失去了日本人的同情諒解而外，也並無真正收穫啊！

第二，需要對日本情形（包括文化經濟軍事社會等）有相當的研究，至少也有相當的理解。現代的外交人員，不光是以能和當地政府開談判，作儀式往來就算能事已畢，最重要是能對駐在國的社會各階層發生作用。譬如：一個外交官不懂該國的語文，他就只能做些公式化的外交工作，談不上對社會各階層發生作用了，一舉一動都得帶舌人，或說西洋話，根本就不容易溝通情愫，聽到別人的由衷之言。

第三，外交官應具有打撲克牌的「忍」，「狠」，「等」那種氣質，而輔以機智敏感的才識，纔算夠格，蔣廷黻類型的人物，在現階段自由中國的外交上，庶幾近之。同時，還要能夠像舞台名演員的登台本事，一出場就有吸住觀衆耳目的魔力。

駐日大使如果沒有這些起碼條件的話，結果是會大失所望的！

本報各版
歡迎投稿

社會主義的反動性

鄭學稼

在抗俄反共陣營中，有一奇特的現象：俄、共的一切都是壞的，只有一個例外，它就是「社會主義」。因此，斯大林是要不得的，斯大林的走狗毛澤東是更要不得的；但，「社會主義」，卻應尊而敬之。為着這一原因，有許多人花很大氣力，證明反共的他們也是「社會主義者」，只差一個勇氣，即與斯、毛爭社會主義的正統。

什麼是社會主義？

答覆這問題，不大容易。一部「社會主義史」告訴我們兩宗事：第一、社會主義思想，有悠久歷史。它追求這理想：實現人類之自由平等的大國。第二、社會主義有很多派別，佔絕對優勢的，是馬克思派；又在該派中，實行馬克思理想的，是列寧、斯大林派，即布爾塞維克派。值得論述與注視的，不是前者，因為人類總應有一個理想的天國。但怎樣實現那理想？既然布爾塞維克派佔絕對優勢，那證明除非馬克思主義也是烏托邦，在許多社會主義派別中，能夠給人類歷史以影響的，只有布爾塞維克派。事實上，這三十餘年來，影響人類歷史最大的，也只有它。

為何布爾塞維克，比別的社會主義者，能給人類歷史以那麼大的影響？有幾個主要原因：第一、布派堅定地遵奉階級鬥爭的原則，別的派別或公然捨棄它，或不澈底地奉行它。第二、布派從長久經驗中，知道最有效的階級鬥爭，必需由職業革命家的黨指揮它，別的派別的組織，卻無布派的嚴密。如工團主義者，雖有鬥爭的意識，但沒有布派式的組織，及憎惡政治鬥爭。第三、取得政權後，布派堅決實行一黨專政，並由國家控制全部國民經濟。因此，除非坐在書室中高談「社會主義」，實踐者必走布爾塞維克的道路——用政治力量，改善人民生活，嚴格地說來，不算做「社會主義」，因為國家的真正任務該是「改善及提高人民的生活」。

布爾塞維克，用「十月革命」，向世人證明：沒有澈底的階級鬥爭，決不能實現馬克思主義。換句話說，不進行澈底的階級鬥爭，就不算是真正馬克思主義者。不是馬克思派內社會主義，多流於空想與徒說而不行，罕能利用羣衆，推動羣衆。布爾塞維克，又用十月革命政權三十餘年的實踐，向世人證明：奉行馬克思主義的政權，由於實行國家控制全部國民經濟及一黨專政，必然出現極權主義。極權主義國家，是無產階級與農民的活地獄。

假使有人認為：一個政權，不用階級鬥爭，而能實現社會主義者的理想；和諧政權，不經過一黨專政與國家控制全部國民經濟，而能實現「各盡所能，各取所需」的諾言，那種社會主義，不是本文討論的對象。

假使有人認為：社會主義的實現，不必用階級鬥爭，但一黨專政，及國家控制（全部的或大部份的）國民經濟，卻不可免，那他的反共意義在此：布爾塞維克式社會主義是對的，而且可以實行的，但斯大林和毛澤東不配實行它，能夠實行的，只有「我」。

如果，在抗俄反共過程中，信奉「社會主義」的人，就是那個「我」，那我們相信，他的言行永不是我民族的需要。

病源在於「社會主義」。本是人類理想之一的它，因布爾塞維克革命的成功，而傳播於二、三十年代的中國。由於它成為那時知識份子的情人，所以，它先入為主地支配了廣大的知識份子。只有理解這一點的人，才能明白：反共陣營中，許多人用馬克思的術語，方法論等等的原因。大家都知道，那些手上反對馬克思主義而心裏卻暗中相信馬克思主義的人，就有這一套理論：資本主義一定死亡，取而代之的，一定是社會主義。因此，他們認為不談社會主義，是反動、是落後。如有人問他們：什麼是「資本主義」？他們的答案，是根據馬克思派的說法，或抄襲布哈林的「共產主義ABC」中的定義；忘卻馬克思所見到的「資本主義」，是工業革命初期的情況，和現今英美的經濟結構，大不相同（對於內容大不相同的兩個制度，不容另文論述。）如有人問他們：為何社會主義必取資本主義而代之？他們的答案，是根據馬克思的唯物史觀公式，或把唯物史觀改頭換面地作為自己的社會觀及歷史觀。

對症下藥：我們要澈底地清算「社會主義」是進步的、是革命的不正確思想。只有這一清算，我們才能完全捨棄馬克思主義的反動性（我認為：任何大思想家的思想，都是特定時間與空間的產物。因此，內中，都含有若干的真理。馬克思主義不能例外。譬如說，儘管它含有很多空想與錯誤，但它對資本主義初期的批判，以及社會不容有貧富懸殊的呼號，都是對的），並明白俄帝共賊的成敗原因。由於前者，我們和俄帝共賊，在思想上有壁壘森嚴的對立；由於後者，我們收到知己知彼的效果。反過來說，如果我們和俄帝共賊際，在社會主義紅旗裏打架，那是雖有成果，而且使人們感到面目不清。

在今日，我們要清算「社會主義者」的浪漫主義，還有另一個原因。即只有那一清算，我們才能明白：國家之干涉國民經濟的得失，和它之阻礙民主政治的實現。幾乎有這原則：落後的國家，如她的手愈加強控制國民經濟，那她的政治就愈腐敗，和民主政治的精神就愈少。如果，抗俄反共是迎合全世界之民主對抗極權的潮流，那我們為強化民主，必須反對社會主義。

我們之反對社會主義，不僅為它到底是空想，還為着它實現極權主義（我的定義是：極權主義國家全面控制國民經濟及一黨專政）。在今日，也就是十月革命在將近三十五週年的今日，「社會主義」是人類最反動的思想。

「社會主義」的「進步觀」，除了前述五四運動時代受布爾塞維克革命影響之外，還有一個原因，即由國家干涉國民經濟可得利益，人民希望假「社會主義」之名而滿足私慾。這也就是說：社會主義思想之根深蒂固，國家就愈勇敢地控制國民經濟。國家控制國民經濟的部份愈大，就有一部份假公濟私者，愈「共」人民大衆的「產」。知道這一點的人，下明白大陸失敗諸原因之一，而且了解貪官污吏，動輒高調社會主義，和搖社會主義者給予的祕密。

總而言之：在五十年代的自由中國，作為思想的「社會主義」，是一種傳染病，浪漫主義者的思想，不值得重視的。作為改造社會手段的「社會主義」，是貪官污吏最好哲學，會必需排斥。為着這兩個原因，筆者堅定地反對「社會主義」。

一週展望

・左舜生・

歸韓國外的第二戰場

韓戰停火談不好，就談好了，韓國善後問題也決不是一年半載所能解決，而且只要兩方面的外國軍隊不完全退出，隨便因為一件偶發事件，依然又可以打起來，這一年多以來，我們是這樣看法，現在也還是這樣看法。

前天克拉克將軍更說：『即令戰停問題可獲解決，雙方代表尚須重新檢討軍事分界線與非武裝區的問題。』如此一來，放下善後問題不說，即停火談判的本身，最少又有半年好拖了。

現在民主方面依然有一個牢不可破的成見：就是韓戰只能就韓國這個地方來了，決不願擴展到韓國範圍以外，他們把這個叫作『有限度的戰爭』。他們覺得只有如此，才足以制止世界大戰的爆發。其實這個想法是錯了的：地域儘管有限，人力物力的消耗卻是無限，美國在過去的兩年，已犧牲了十萬以上的青年，五百億以上的金錢，可是在過去的一年間，即自去年的六月到現在，共方在韓境的地面部隊，已由五十萬增加到了近百萬；飛機已由一千架增加到了兩千架；如果聯軍準備在韓國再打一年的話，美國可能再損失三百億至五百億的金錢，再犧牲五萬個至十萬個青年，可是依然得不到真正的勝利，甚至連停火也並無希望，像這樣的一種戰爭，還說是『有限度』，這實在是我們所百思而不得其解的。

假定今天在華南另闢一個小戰場，動用台灣軍隊的半數登陸，只須耗費美元一百億，美方除海空掩護以外，並不必直接作戰，則韓戰可勝利結束，世界大戰也絕對不會起來，耗費如此之小，收效如此之大，何以至今還不肯加以考慮呢？

注視今後的日共

在日本擾攘了很久的所謂『防制破壞活動法』，終於從昨天起付諸實行了。日本政府運用這種法規，把日共從地面趕到地下，是不是即足以制止日共活動的危機呢？據我看，不見得。

日本共產黨的正式成立遲於中國，共產思想的廣泛流行，日本卻早於中國。中共的活動雖直接由莫斯科的指揮，可是共產思想的輸入，卻大部間接來自日本。中共最初的發起者如陳獨秀、李大釗、周佛海、張東蓀之流，大抵是日本留學生，固無論矣；即『共產黨宣言』及馬克斯『資本論』等等文獻，也大抵出自日文本的重譯；今天向中共靠攏的若干文士，如郭沫若、田漢、歐陽予倩、成仿吾等等，又何一而非受着日本左傾思想的熏染？我們從這一方面去推測日本的思想界，實在是感到危險重重。今天日本的這個『防制破壞活動法』，至多只能遏止一部分日共的行為，決無法取締日本的共產思想。據說『毛澤東選集』和『實踐論』這類狗屁不通的東西，在日本已有譯本，『資本論』更重譯到了四次五次，可見日共在這一方面所下的工夫，實在比中共更廣泛而深刻得多。

老實說，只要中共政權一天存在，日本即一天無法逃避赤化的危機，今天日本保守的政客和短視的資本家，不僅想借重中國人三十年來反共的痛苦經驗，與他們切實合作予中共以根本打擊，反而掉轉頭來對中國大陸懷抱種種的幻想，其胡塗可笑，實在太令我們吃驚了。

駐日使節的人選

日約雖然還在立法院審議的過程中，但通過終於是要忍痛通過的。接着日約的批准，便是駐日使節的人選問題，對這個問題我們不想多說話，但希望當局就今後中日合作反共的這個大題目，以國家為重來多想一想。如某方所流傳已經內定的某某，其價值決不會高於商震、朱世民、何世禮，對於中日合作問題的解決，不會發生任何良好的影響，也不能給予一般國民一個新印象，卻是可以斷言的。

日本大選前夕 自由黨內訌現勢

（本報東京通訊）日本第十三屆國會已於去月廿八日決定再度延長會期三十天，由於這次延長會期的決定，使自由黨內部紛爭更趨激烈，而逐漸有瀕於分裂的趨向。

五花八門的派系

戰後日本的自由黨，大致上雖分為吉田和鳩山兩大系，但即使在這兩大系中，仍有許多派別。如吉田系底下，即分為麻生和保利的側近派，汝山和佐藤的官僚派，及以廣川為中心的一派。鳩山系底下，也可分為純粹支持鳩山的大野、神田、村上、有田等一派。和直屬於石橋湛山的石田博英和倉石忠雄等一派。此外還有標榜中立的大村清一和佐藤昌三等的中間派。每一派都有其野心和企圖，因此，對於每一問題都互相抬槓，形成自由黨內混沌的局面。

吉田聲望的低落

吉田對於這次國會的提前解散，始終堅持反對的態度。他希望一直做到明年一月廿二日任期終了才解散。但擁護鳩山的派系及在野的民主黨與社會黨，都恨不得吉田馬上便下野。依照日本現政府的方針，乃計劃在國會解散以前，能成立防止破壞活動法案，修正勞動三法，警察法與行政改革等重要法案，並通過中日，日印兩和約。吉田並計劃更調自由黨的幹事長及常任委員長，進而強化改組內閣，以奠定入選前的形勢。

但吉田延長國會的計劃，首先在黨內便引起紛爭。上月廿八日自由黨總務會決定延長會期時，會授意吉田茂的政府首腦部，主張延長五十天。但力主早日解散國會的倉石及石田等，則強硬主張延至八月廿日，包括會期末的衆院解散。彼此相持不下，形成尖銳對立。結果折衝為延期三十天，使吉田延長至明年一月的方針，完全推翻。這一次的決定，是自由黨內部反吉田派的一大勝利。據吉田左右說，當自由黨總務會決定延長會期卅天後，自由黨幹事長增田及各幹部均不敢報告吉田。結果只好由吉田最信任的池田勇仁出席報告。吉田對此曾大發牢騷，而鳩山系則大感興奮。由於延長國會計劃的失敗，不但吉田在黨內的聲望一落千丈，他所主持的內閣，在社會黨民主黨及鳩山派的夾攻下，亦已處於背腹受敵的狀態，自由黨首腦部的威信，至此已急降直下。

幹事長的爭奪戰

解散議會日期決定後，吉田為把握黨內領導權，乃推出福永健司為自由黨的新任幹事長，以代替原來的增田。吉田系的側近派，官僚派和廣川派均一致擁護，但鳩山派和中間派又極力表示反對。

反對福永出任自由黨幹事長的人，並非憎恨福永本人，而係由於這事乃廣川派提出，為抬槓計，故決定予以反對。於是幹事長問題，又再度成為自由黨各派內訌的契機。

據反對派所發表的抨擊：吉田系的廣川派，因探悉側近派集中全力推舉福永為幹事長，乃乘保利和麻生派沒有下級幹部的弱點，馬上推荐木村公平，高橋英吉，管家喜六，今林長太郎等出來，作為議員總會戰的尖兵。這些人均已內定為副幹事長，及常任委員長次長等要職，因此他們認為廣川派有意包辦黨內人事，非澈底反對重新另行選選不可。

側近派及廣川派亦不甘示弱，表示「福永既經總裁提名推荐為幹事長，絕對不能讓步」，他們認為反對派的借端抨擊，乃在謀鳩山或石橋等聲望的上升，但鳩山與石橋之間，彼此均各懷鬼胎，無法合作反對到底，因此他們認為吉田派在這一場紛爭中，必然可以獲致勝利。

作為問題中心的福永，亦公開表示如果辭退此職，將有損吉田的威信，故決定等待事態的變化，實現就任幹事長的企圖。目前贊成派正力圖速戰速決，而反對派則不惜多方攪阻，以拖延時間，如果這一拉鋸戰持續下去而無法解決，自由黨本身的分裂，將屬無法避免。

鳩山躍躍欲試

由於國會及黨內的混亂，日本政局正醞釀着劇變，使待機再起的鳩山一郎，更覺有機可乘。六月廿七日鳩山在音羽的私邸曾接見自由黨記者團，對當前政局及今後方針發表露骨的談話。抨擊吉田過去的獨裁，對於參議院不能搞好關係，因此不管吉田怎樣說，要主政至任期滿為止，再也沒有人信任。他指示就目前情形而言，吉田內閣的壽命斷然已危在旦夕。他強調今日的狀態是由於吉田內閣一直堆積着錯誤所致。因之，這個局面不易打開，為了早日解決目前的混亂，祇有解散或作總辭職二途。但內閣總辭將造成更大混亂，因此仍以解散國會為最適當。

當自由黨記者詢及競選問題時，鳩山表示吉田倘有意在大選後將總裁職位給他，則當和他商量後再作選舉，否則便是越權。鳩山并舉出澈底實行民主主義，再建經濟，及為重整軍備而修正憲法等為基礎，作為他參加競選的政策，就這次談話觀之，鳩山的渴望復任自由黨總裁及主持下屆政權的意向，固已昭然若揭。據一般人的觀察，未來日本大選的特徵，將是解除組與內務官僚的大量抬頭，因此，戰後派的現代議員和戰前派黨人及解除派官僚之間，自必展開深刻的鬥爭，尤其是自由黨，這種鬥爭尤為激烈，吉田茂要以現在的態勢去參加競選，而希望再度獲得組閣，看來機會是極少的。（七月十五日林識明寄自東京）

值得細品的一杯紅茶 台北的「美國學校」問題

【台北航訊】

・小卒・

假如把七月裏台北發生的新聞作一比較，那末，立法院激辯中日和約，恰如有酒有湯有牛排，外加布丁水菓冰淇淋的，一客極為豐盛的大菜，教育廳長陳雪屏在監察院教育委員會中被孩子進美國學校的質詢是一杯濃濃的鐵觀音，至於基隆海濱豔屍案，賊餘火燒之類，祇能歸諸於鹽水花生，玫瑰瓜子中去了。在這些新聞之中，「大菜」報上天天有，花生瓜子香港多的是，台北發生的遠不如香港的驚險「精彩」，倒是那一杯紅茶頗有仔細品味的價值。

洋校怎樣來的

要說到「美國學校」，必須先說明它的環境，台北的住宅區，商業區的劃分，雖然沒有嚴格的「物以類聚」，自然形成了一個區域的特殊性，「美國學校」的所在地便在洋人住宅區的武昌新邨附近。武昌新邨之中，曾經住過不少有名的富客，譬如柯克上將伉儷，還有陳納德將軍夫婦，還有前經合分署莫懿爾署長也在那裏住過，外長葉公超最初也是住在那裏的，後來因為房租太高而搬了，武昌新邨附近還有許多中國籍的「太太」「約太太」「傑太太」的住家。而白面金髮的友邦子弟與若干中西合璧的混血兒也日益增多，美國學校也就「應運」而「生」了。

按照一般學校設立的程序來說，事前應該請求市教育局或者省教育廳批准才能開辦，但由於美國學校的性質不同，目的在使友邦子弟能受他們本國的教育，因此就破了一次例，一年以前，二個辦教育的美國人去找吳國楨直接申請，省主席越過了教育廳長的職權予以批准，同時為表示贊助起見，還由台灣銀行撥出了十萬元（？）貸款，不久美國學校就正式開張。無怪陳雪屏說，這一個外國學校的成立，他根本不知道。

美國學校正式成立之後，台北某一家日報特地為它寫特寫，登照片，大事宣傳，這無法證明是不是宣傳發生了效力，「名流」「要人」的子弟便紛紛轉入這所外表上像「公館」的美國學校。結果美國學校就變相而成為一個實施美國教育的中國學校。學校裏的中國學生較友邦子弟為多，「反客為主」地成了美國學校的主要施教對象。

窮孩子讀不起

這家美國學校，依據美國的教育制度，讀完最高一班，一共分為八班，就等於中學畢業，因此六七歲到十七八歲的大小兒童都可入學，學費則按美金計算，每一學期折合新台幣一千五百元左右——這一個數字等於一個低級公務員半年的收入。

每天早晨上學時，美國學校門口最新式的私家汽車，吉普車，三輪車，使排成了一字長蛇陣，打扮得如同花蝴蝶一樣六七歲的「小姐」和牛仔褲花襯衫十六七，十七八歲的大「少爺」，一窩風似地走進了學校，講「洋涇浜」英語互相開着玩笑，等到下午放學時又一窩風地湧出學校，在汽車裏揚着手，高喊着「爬變！爬變！」離開這家美國學校。離這家美國學校五百碼左右的地方，卻有一家國民學校，裏面的孩子全是光頭赤腳，土生土長的「土學生」，與這「鍍金」學生一比，便相形見絀，顯得格外土氣了。

有些時候，土學生羨慕地站在旁邊看他們的汽車，好奇地去摸摸車身，但換來的卻是幾句不懂的斥罵，或者汽車司機的幾聲叱責。自然這種對比使附近的居民們和那些土孩子們也起了反感的。因為與他們高攀不上，而在心目中把他們看成與自己不同，屬於另一個社會的人了，慢慢地給他們上了一個「ABC學生」的尊號。

監院提出質詢

因為美國學校的名氣大，漸漸引起了教育主管機關的注意，認為收費標準不合規定，學校課程也不合規定，就派人到美國學校去調查一番，同時向美國學校索閱學生家長的名冊，結果發覺到那些所謂「ABC學生」，全是用母親的姓註冊，家長和學生的名字全是「瑪麗」，「瑪格麗特」什麼的，至於學生父親姓名，學校裏卻拒絕供給，就是學生住址，門牌也「無法奉告」。

調查既無結果，美國學校裏的女教師卻振振有詞地告訴調查人員說：「我們的學校固然是以教育美國孩子為目的，但中國學生繳納學費，照章入校，我們卻無法拒絕。」事實上，中國學生的爸爸大多是要人們，於是茲事體大，教育主管當局派出的調查人員也祇好啞口無言了，幾經交涉，美國學校最大的讓步是加一點中國課程。然而管閒事的監察委員卻在七月十日監察院教育委員會席上重提了一個問題，女監委丁淑蓉大聲疾呼說，在加強民族精神教育的時候，不應該把孩子送到美國學校去，要求制裁那些化身為「瑪麗」，「瑪格麗」的家長。向陳雪屏提出了一連串的質詢。

當時陳雪屏除掉報告一番經過之外，很感慨地說：「過去在大陸上，都有這類學校，一批以子女能入這類學校為榮的家長，因為他們想，女孩子進了這類學校後，便能很順利地升入更高的外國學校，最後當外交官的太太自然不成問題，至於男孩子，一入此校，更是出國放洋的一條捷徑，於是崇洋心理作祟的結果，外國學校裏的中國孩子就不能根絕了。」

陳雪屏在當時所說的是感慨之詞，但事實上卻指出了這個問題的「核心」。

壞在家長心理

中國孩子受美國教育，除掉民族精神教育的大問題不談之外，沒有什麼了不起，尤其所佔成份不過全省學童的萬分之一，成人們可以越過太平洋，進什麼耶魯，哥倫比亞，麻省工學院，天主教大學……等等學校去留學，小孩子學兩句流行的英語，就不見罪大惡極，到非口誅筆伐不可，台北有些報紙為此大寫評論說，什麼「漢人學得胡兒語，爭向城頭罵漢人」，又是什麼「假洋鬼子」，「偉爽撰雜」之類，破口大罵，實在不必，（甚至有自己孩子擠不進起的酸葡萄作用在內。）真正值得注意的，倒是陳雪屏所指出的「家長心理」問題；以及維持「特權」的落伍意識。要那些家長們認清，美國學校也好，中國學校也好，是一所學校而不要把它當作候補交際花，未來外交官太太，鍍金「博士」的訓練所。

總之，這一次監察院對「美國學校」問題提出了質詢和糾正案，已引起普遍的注意，除掉報上的新聞記載和社論之外，還有讀者「投書」的出現，希望這些能有助於半醉半醒的二三流「要人」「名流」重新檢討一下把子弟送去接受美國教育的目的而清除掉思想上不知不覺積堆起來的塵埃、那末女監委員丁淑蓉的大聲疾呼和教育廳長陳雪屏的感慨就得到真正的收穫了。

香港商場的政治行情

靜觀

兩三年的時局變化，在香港這海外一角的商場社會反應出來，可說是來得既明顯而又尖銳。

某華資私人銀行，在未投共前，原設分行於香港雪廠街，小規模經營，汎具風格，對大陸西南押滙與經理進出口方面，頗著信譽。然自民國三十九年劉伯誠入川以後，該行重慶總行負責人楊某在重慶為副市長胡子昂擁護之下，與中共拉上關係，在港為中共西南局大事吸收外滙，經兩三年的時間，該行遷移新址，擴大規模，志得意滿，傲視同業，壟斷西南貿易，為中共刮了不少的錢，聲勢之壯，令人側目。然而自今年入春以來，這一個不可一世的態勢，漸漸趨向低潮！據熟悉內情的人說：該行經與中共三年來的合作，大半資金都落入中共之手，不僅如此，人事管理行政權，亦已逐漸發生了分化和侵蝕，該行經理看情勢不妙，乃即力圖擺脫，第一步即着手擬轉加入他國國籍；同時該行重慶總行董事長之子（原上海分行外滙部主任）及女，亦已間道來港，在某大廈另立門戶。據說他離渝時，其父對他說了二句話，一是可以不必再顧慮老子的生死，二是設法盡力救出港行。

× × ×

其次是港九茶樓酒食業的某托拉斯鉅頭，自廣州淪陷後，顏某為其廣州營業與資金關係，為中共在港九大作精神支持，和實際援助，俾使港九道上，一若負有重大使命，同時使其弟加入共黨，又使妻弟成為預備黨員，他這樣積極，比之共產黨員，亦不過如此。然自今年廣州「五反」而後，我們這一位「顏先生」竟一去不返，而聚款函電反紛紛而至，他的令弟曾先後匯出二筆大數，但仍未能滿足方方要求，迫得他令弟直跳，後得一私人稍來便條一紙，係出自顏某親筆，但僅「匪慾難填，過去錯了」八字。他的令弟接讀後，大哭一場，立即改變作風，叫他所有的港九各有關××酒店，盡量歡迎反共書籍報刊的難民，進出叫賣。

× × ×

另一件事，是台灣在港欲採買扣布五十萬碼。這一個消息在傳出以後，竟使港九織布業發生一場冷戰。原來這一個消息在到達九龍某××紗廠周某以後，周某就公開表示，與大陸有關係的人，首先就不能入闈。周某是不是與大陸有關，這裏不去作無謂的計較（蓋在商言商祇問「利益」不問「政治」也）。不過，港九織布業若干巨頭在這一件事發生以後，有人託「寫作能手」為台灣上「港九織布業商情內幕」萬言書，到是事實。在這一篇「巨作」裏面有：「大陸陷匪以後，某等痛經掙扎，在職工一致奮志反共團結之下，始能殘喘維持以至於今日，其內心心向祖國，港九有目共睹。若周××，程××，李××者，實資匪之巨賊也！」。

× × ×

港地某戲院老闆，搶不到八大公司的映權，乃轉而專映蘇聯和中共的片子，共黨亦經常發動工人學生店員去看，故生意不壞。由映片關係漸與共黨文特聯絡，文特譽其為有遠見的愛國影業家，黨方將不負其為黨宣傳之苦心。使得這位老闆高興萬分，抗美援朝時一捐就捐了十萬港幣給中共。到了去年秋，文特謂黨方已決定將整個大陸影片在港放映權委共總代理，但有一條件，即須把他兩個兒子一個女兒送去廣州受「愛國的進步的教育」，老闆為了報答共黨知遇之恩，當然滿口照辦，並怕兒女在羊城沒人照料，要他父母也同去廣州照料孫兒孫女。

但去了之後不久，某共黨文特適被港府驅逐，於是放映特權問題久懸不決，到今年春，新文特來，又與他商量，另提一條件，着他現有戲院之股份，移交百分之四十與某銀行，作為放映特權之保證金，老闆到了這時，亦只好照辦。可是事情發展甚妙，這文特不久又他調，再來之新文特則謂此事關係重大，不是廣州能決定，須請示「北京」才行。於是電文往返，一拖三四個月，仍然解決不了。

忽然晴天霹靂，老闆突接廣州來信，謂中共「五反」，指定罰他四十五萬港幣，一星期不交即扣人，原來這老闆在廣州尚有一舖頭，專營布匹，由其弟出面主持，這次五反一鬥，把它拖了出來。老闆急切託文特去電說情，首先即交十萬元。十萬元去了，父母兒女五口，反被看押，說「人民政府的決定，豈能討價還價」。老闆這一氣非同小可，立意不再理睬，父母兒女也不要了。相持一月，忽又人自廣州來，謂有辦法把他父母兒女送到深圳，每名只收一萬元，到時一手交人，一手交錢。老闆一算，這樣就便宜了三十萬，當即答應。果然，不到三天，父母兒女重行團圓，抱頭痛哭。老闆的戲院也就很少放映蘇聯片了，然某銀行正以其百分之四十的股數，對他繼續[illegible]。

中共首要舉行重要會議
決定和戰兩種辦法　重新調整軍事部署

【本報北平訊】中共當局近在北平舉行一項重要會議，討論韓戰的和戰問題以及北韓電廠被炸毀後一般局勢的檢討。出席會議的人有兩種看法，一部份認爲韓戰在短期內可以和下來，其理由是：美國不能再打了，它們在大選期間，尤其是現在執政的民主黨，爲了爭取選舉，不能不在遠東求取一個苟安的局面。因之美國一定要妥協，各項問題都可以讓步，中共只要堅持最後五分鐘，即可贏得全般的勝利，在戰場上失去的，可以在會場上拿回來。持這意見的人以周恩來，朱德等爲代表。另一部份則認爲韓戰不可能和下來，而且還可能逐步擴大，其理由是：現階段是資本主義國家與共產主義國家鬥爭的生死存亡的重要關頭，不是你死，就是我亡。美國已走上了備戰的道路，不容易退步，他們也決不會因某一黨派的私利，忽視整個局勢的發展，尤其不會忽視他們在朝鮮犧牲的十餘萬青年，所以會打下去，戰爭還可能進向中國本土，水豐電廠的一再被炸就是一個顯明的例子。持這個意見的以劉少奇，林彪等爲代表。

假手印度．要回俘虜

于是毛澤東綜合了兩個意見，同時提出兩個對策，一是透過尼赫魯，向美國試探和談，在對共黨絕對有利的條件下，把戰爭暫時停下來，徐圖再舉。二是調整東北及華東華南的軍事部署，作擴大戰爭的準備。決定了和談不忘作戰，作戰亦可和談的辯證原則。

在這個決議下，首先以周恩來的名義，函密照會印度使館轉達其政府，同時訓令駐印的袁仲賢直接同尼赫魯一談。除由尼赫魯擔任調人外，並請他疏通英國向美施以壓力。中共交印度提出的和平條件主要內容有三點：一是聯軍手中不願回共區的共俘一律遣送到印度。二是同時解決台灣和日本問題。三是美國不能支持或干涉越南的法共之戰。

關於第一點，據說當初尼赫魯以印度飢荒，無法供應十萬共俘的糧食和其他的負担，不敢負責。後經中共駐西藏的軍事代表張經武告以這只是一種過渡，只要共俘能到印度來，他自有辦法叫他們回共區去。張並坦白對尼赫魯說：「這十萬人都是有戰鬥經驗的，其戰鬥力超過新參軍的農民二十萬人以上，我們還會不管嗎？」經過這一默契，印度始將第一項條件答應下來，至於二三兩條件及對英國的聯絡活動，尼赫魯無異議地完全照辦了。

東北新部署

東北的軍事新部署是：將原參加韓戰調回華中南整補的四野，三十九，四十，四十二等四個軍，除各留一部繼續整補外，其主力一一九師司徒珍部，一二〇師陳士華部，一二二師溫玉成部，一二三師司徒藥英部，及一二四，一二五等六個師則開赴山海關外，沿北甯路及由瀋陽到安東一綫集結。砲兵司令陳錫聯駐瀋陽，裝甲司令許光達駐錦州，作支援之勢。蕭勁光的海軍則以秦皇島，葫蘆島等港口爲基地，以防備聯軍對東北的進擊。

本來中共參加韓戰時，蘇俄曾答應如果戰爭到了東北，他可以將遠東紅軍正面加入作戰，這在當時只是一種鼓勵作用而已。這次北平舉行軍事會議時，蘇俄首席武官柯托夫中將，即轉達其官方意見，說蘇聯是無產階級國家的主力，在目前情況下應保持主力，留在最後爭取勝利，不能隨便使用，何況資本主義國家的力量集中歐洲，歐洲發生情況，則馬林諾夫的遠東部隊就要調到西綫去，因此希望中共獨立應付東北局面，蘇聯最多只能供給器械和裝備，而不能出面出兵，至於作戰物資不能由東北運入時，可改由西北入口。由此中共趕築西北鐵路，即是企圖在韓戰未擴大以前，先將此一國際交通路綫關好。

防備國軍反擊

除東北外，中共又將曾參加長津戰役調回華東整補的三野二十二，二十四，二十六等三個軍增加到閩浙沿海一帶，由王建安，陳士渠分別指揮，以應付金門國軍反攻。華南方面，四野的四十四軍司令部，中南海軍司令部，華南沿海警備司令部，駐於廣州，以上三項職務均由方強担任。四十四軍的一〇三師鄧錫[illegible]部駐珠江口東莞虎門一帶。一三一師常漢弼部駐穗郊及中山沿海。一三二師曾爲部駐寶安及廣九路沿綫。四十三軍的一二七師毛俊杰部和一二九師方民傑部現駐粵南。三野廿兵團二十九軍的八十六師現駐潮汕，八十七師李光部，現駐豐順饒平一帶。四野十三兵團四十七軍一三九師溫文通部由潮汕調駐粵南，四十九軍一四四師李漢祥駐惠來一帶。

以上兵力佈置，係防備國軍在華南的反攻，也是這次北平會議討論決定的一部份。

現在平津一帶，——也可以說大陸各地——的人心都在搖動中，尤其北韓電廠猛遭轟炸，美國空軍的威力再度顯出以後，中共的中下級幹部發慌了，恐怕戰爭爲上來到內地。人民的心情則相反，他們希望戰爭把他們解放出來。這兩天人民幣又有了黑市，糧食和一般物價，暗中在上漲，部隊中，接二連三有了逃亡，這一些正標示着中共現在的環境和未來的命運。（恩）

中共的清黨和徵收黨員

王志軍

中共現在又在擴大發展黨員了。中共的大門老是在一關一開的，開的時候用好聽的辭調誘人入殼，用慈祥的臉孔到處拉攏青年，拉了進來後就把門一關，又開始了整肅，這時他就講鐵的紀律，用顯微鏡來檢查每一個人的腦子，抽出血來驗定它的成份，合意的留下來，不合意的就關的關，斬的斬。留下的這一批，經過訓練，變爲新幹，又再被當作資本來鬥那些不入眼的老幹部，把老幹部斬一批，關一批。於是又把黨的大門打開來，再用好聽的辭調誘人入殼。

因爲它的門老是這樣開開關關不停，所以它的宣傳也就妙不可言，在整肅了一次之後，必說「我們的黨更加布爾雪維克了」，於是把門打開，但到了又要關門的時候，必說「我們的黨發現了混入一些地主階級，和資產階級，腐蝕了黨」如此循環不已，黨員和幹部的鮮血頭顱就變成了不斷供應培養它們領袖和高幹權勢的肥料。

說到整肅，內容也不是完全一樣，例如一九四二的整風運動，則主要是用反對教條主義，宗派主義，主觀主義來進行思想鬥爭，排斥只知咬文嚼字，好出主意，自成派系的幹部，這次「三反」，主要是用反貪污，浪費，官僚主義爲名目，整肅的對象有新幹，也有老幹，但不管怎樣，骨子裏多是派系的傾軋，因爲用這些名目來清算，這批被清算的，同樣也可以拿此來清算別人，不過一邊得勢，一邊失勢，失勢者當然遭殃，至於說像宋貴德，劉青山，張子善等，雖然是屬於得勢的一邊，但貪污太多，而且牽連太廣，怕尋根究底，關係連到了高級幹部，於是就到處爲止，把他們作爲典型來懲處。這又是「三反」的另一內幕。

因爲整肅的實情是如此，所以一方面就需要不斷地整肅，一方面仍然無法做到完全健全，即所謂「更布爾雪維克了」。

現在「三反」完了，於是又開始發展黨員，據說，這次吸收黨員，在數量上將是空前的，在一九四三年時，中共曾說他有八十萬黨員，一九四八年時，他自稱有二百萬黨員，這裏邊一大半是它的部隊和各級機關幹部，到了它完全掩有大陸後，恐怕所有的黨員都成了它的各級幹部。黨員都成了幹部，黨的活動在羣衆中就很難起作用，於是所謂「命令主義」，「官僚主義」等等，大行其道，這到不是說共產黨黨員每個人有意的變化，而是由於每個黨員變成了統治者，在意識上已經騎在人民的頭上。人民由於共黨天天抓人殺人，沒收充公人民的東西，一若有無限權力，於是不能不低頭。共產黨呢，也是有意的用各種鬥爭方式，天天講提高「威信」，讓人民對他駭怕，才能任意役使他們。一方面人民不能不低頭，另一方面幹部必然志高氣揚，結果呢，奴役是成功了，但人民見了共幹就駭怕，不願接近，當面服從，背地吐口水。這情形發展下去，共黨曉得是危險的，補救的辦法，就是徵收新黨員入黨。利用這批新黨員秘密混在羣衆中，起領導作用，推動任務，特別是增加生產，擴大捐獻，參軍等等運動，終少不了有人在羣衆中暗地佈置，提高會場情緒的。

又因爲現在是「抗美援朝」的緊張階段，增加生產比什麼都重要，於是在工人羣裏發展黨員被認爲最重要的任務，中共一向對史大林有自卑感，主要理由就是史大林常說中共是農民組織，農民成份太多，實行社會主義是不配的，於是毛澤東也很想乘此機會改造，慢慢地讓「無產階級」成份的數量多起來。所以這次在農村中，一般是停止徵收的，而對工人，則拉得特別厲害，共黨各地報刊整天在鼓吹號召工人「入黨」，一個工人入黨，就用了很大篇幅，實際呢，在徵收中，又發生了偏差，有的簡直是拉夫式，幹部們多說非這樣完成不了任務。拉進來後怎樣呢，又要關起門來整了。

分贓不均大打出手
葉劍英的警衛員　當了縣糧食局長　誰來查賬就打誰

中共從來都自詡是嚴密的政黨，有嚴密的組織和紀律，可惜是許多幹部們，太不爭氣，仍然是過去山寨作風，任意毆打人民的事時常發生，甚至因爲分贓不均，爭風吃醋，自己「同志」打架械鬥的事，也不斷發現，最近清遠縣又出了一椿同樣事情，糧食局長張西武，毆打上級派來的清倉幹部潘漢普（專區糧食局派來幹部）。事情經過是這樣的：張西武本是一位老「同志」，原任葉劍英「警衛員」多年，葉劍英爲了酬勞他的辛苦，便派他去當清遠糧食局長，無非是要他去撈幾文。

獨刮獨吞

張到任後，自恃朝內有人，對任何人都不理睬，本來糧食局是最肥的缺，「縣長，縣委，專員，地委」，都靠此揩注，過去原是按數平均，舊有成規，並無爭執，可是張到任後，對這一切根本不理會，徵收時用特別大的秤，賣出又特製小秤，並且借口「葉主席」有急用，又將額內倉糧多賣一部，這一來縣委同縣長認爲抓住了痛腳，趕快反映上去，可是專署也知此馬來頭大，輕易動不得，於是藉口舉行清倉，各縣都派出清倉組，當然主要目的只是清遠，因爲其他各縣都是按照規定繳納「熟性費」，沒有麻煩的必要。

不理查倉

張西武得到清倉的信，就大不痛快，可是在他預料中，按照特製磅秤清查，還可湊夠數，那知派來的潘漢普也是奉上級指示，一定要查出弊病的，於是在動手清查××倉時，特藉口原有磅秤不敷應用，（未敢說秤小）另在外面借了幾架秤來清理，已經清了半天，「張局長」來到，一看這種情形，追問是誰的主意，倉內職員本來怕他，怕死，誰也不敢開口，潘漢普只好挺身自任，當時張西武未容分說，掏出手槍就要斃，幸虧衛士在後面奪去，張沒有手槍，握緊拳頭，分向左右太陽穴打去，張係衛士出身，孔武有力，一拳下去就把潘漢普打倒，潘漢普未敢還手，慢慢爬起來想解釋，又被他打倒。

打了再說

潘不敢再說話，晚上又被在檢討會上承認錯誤，因爲是被逼，當然態度不十分「自然」，張當時對他說：「你的話很對，但我看你是不服氣的，你不服氣就儘管向專區反映，不要說你是專區的，就算你是省局派來的我也不怕，你不對我就打。」第二天潘偶然同派到鄰縣的一位「同志」羅一鳴通電話，告訴工作難做和被毆打經過，那知又被張西武聽見，過來照樣打了一頓，並說：「這裏電話不許你打，你回曲江去好了，我這裏不要你。」事情鬧到「縣政府」，派了一位「民政科長」去同張談話，張說：「我寧願向容局長檢討，（按容係北江糧局副局長，葉劍英私人），或被縣府扣押。」亦不肯向縣清倉組檢討。並且還拒絕會議主持，清倉工作」「同」「專署」都沒有一點辦法。（陸羽寄自廣州）

黑山白水英豪紛起
前仆後繼聲勢壯大

【本報特訊】據最近自東北逃出的一鐵幕內青年謂，東北人民對大鼻子及中共的鬥爭，仍很激烈，白山黑水間到處有游擊隊出沒。在過去三年中，有游擊英雄先後犧牲的，有占閻山，原名張佐英，前年夏戰死於熱河凌源縣境塔子溝。遼河龍原名陳慶瑞，去年多戰死於大凌河鐵橋。老北風戰死於熱遼邊界、北河戰死於黑山羅半拉門，除這幾位著名者外，其他游擊領袖先後犧牲者，共約六十餘人，但反共的游擊活動，仍日益展開，單就醫巫閭山的游擊隊，據說，在三十九年夏，曾發展到三萬餘人，多爲當地不堪共匪屠戮的農民，起參加者，歷經俄共的大軍兜剿，仍前仆後繼，英勇奮鬥，在極艱苦的環境下掙扎，以醫巫閭山爲根據地活躍於冀、熱、遼三省廣大的三角地區，目前這批游擊隊，計有林中好股三百餘人，滾地龍股四百餘人，壽字股二百餘人，清字股一百六十餘人，鎮遼西股六百餘人，飛龍股九十餘人，其他九戰股、傻子、青山、大賓字、虎頭、占山等股，各有百餘人至三百人不等，合計有三千餘人，這些游擊英雄們，利用熟悉的地形，當地民衆的互通消息，行動機警，神出鬼沒，朝榆關而暮遼西，共匪稱之爲「東北樂園中的鑽牆」，大部隊既無法那樣敏捷追剿，小部隊又容易遭到伏擊突襲，使這打游擊出身狡猾的俄共，眞的莫奈伊何，中共參加韓戰後，他們更轉活躍，本年春曾先後打破北票，正安堡，常辛店鎮，羊腸河等十餘大鄉鎮，擊斃共匪幹七十餘人，武器，彈藥食糧的補充，均取自各區鎮的民兵農會。至於松北，遼南一帶同樣也到處都有不屈不撓的健兒們在浴血奮鬥，他們現在正謀彼此聯絡呼應，配合國軍反攻，盟軍渡鴨綠江西來。（北風）

大陸通訊簡輯

幹部也要單幹　互助搞不起來

中共山西黨委會，爲了想消滅農民的「單幹」思想，便大力倡導「農業互助合作運動」，但單幹思想不僅農民有，事實上在農村的中共黨、團員，也沉醉在「單幹」的情緒中，使「互助合作運動」發展得不但不平衡，反而搞成了一種畸形狀態。據中共榆次專員公署的報告，在專區十二個縣裏，現在組織起來的勞力，才達到全專區總勞力的百分之二十九。又據運城中共專員公署的報告，全專區才達總戶數的百分之二十五。舊「解放」區的高平，至今爲止，仍然有百分之四十五的勞力，沒有參加「互助組」，盂縣有百分之三十二的村子的「互助運動」陷於「自流狀態」中。這些地區，不僅農民羣衆未參加「互助組織」，中共黨、團員也都不願參加，故怎麼樣也搞不起來。（北客）

中蘇糧食公司　搶購西北新麥

中蘇糧食公司在西北一帶搶收新麥的方式，有下列四種方法搶收瞞運新麥劫運辦法，是：（一）普遍在西北一帶農村中，設立收麥站，進行搶收。（二）由共幹帶貨下鄉，進行搶購。（三）發動農民集體售麥。（四）強迫驅使農民把新麥存入合作社。以上各種搶收新麥方式，都是中共竭澤而漁，殺雞取卵的毒辣手段，在「急」於完成搶收「新麥任務」下，對農民實行了強制手段，以達一掃光地搶劫今歲所收新麥。

中蘇糧食公司在西北各地，不論大小城鎮，凡屬交通地區，均設有新麥收運站，麥到即運，不存一夕，以免損失！運去的方向，是新疆。西北農民，眼巴巴地見到自己的金黃色新麥被大鼻子運走，大家都是心照不宣，愁悶而已了。（于仲）

湘共武裝下鄉　暴力徵收夏徵

湘共當局，在七月初旬，即已發出指示，命令各級共幹組織護割隊，武裝下鄉，監視農民收稻工作，並開始今年度農業稅的夏借征收，農民在飢餓現象仍存的情況下，眼見早稻收割在望，忽又要繳夏徵糧，雖有收割，等於未割？善良的農民，處於極權的暴政壓搾下，敢怒而不敢言，有吃無吃，總是一死了。

湘省各處中共糧倉，早已傾倉無存糧，故夏借徵目，要求最高，規定農民在早稻收穫數字上，預征全年農業稅百分之五十至八十，這樣一來，武裝護割，就是武裝搶刼，壓谷都歸中共，農民還是在飢餓的死亡綫上掙扎！（長江）

民主不在嘴上

易方

本月十七日，艾森豪威爾夫婦在美國丹佛飛機場，送別其獨一無二的兒子約翰服軍役。艾森豪赴朝鮮戰場，艾夫人臨行以旅行鐘贈予兒子，艾帥亦不免潸然淚下。這是父母愛子之心的人性流露。反觀我們中國大陸上那些人面獸心之徒，教唆別人子弟當衆殺父母兄長以為榮譽的情形，真不知人間何世了！

艾帥是當今美國的頭等要人，膝下一個獨養兒，應徵遠赴異域從軍作戰，自然是冒險犯難之事。如果在中國，憑他的地位，根本就不會徵及他的兒子，不然，即向主管機關招呼一聲，必可免役的。然而，他決不願藉特權來作敗法徇私的勾當，這就是民主憲政精神！中國自抗戰時期到現在，幾曾見黨政軍要人的兒子有依法入伍從軍之事？

記得抗戰末期，最高統帥號召青年從軍，當時許多達官貴人，天天在報紙上發表消息，甲也說送子當兵，乙也說教兒上陣，甚至於年過五十，身長不滿尺的青年團要人胡庶華，也爭着要報名從軍，自命為「老青年」。大家肉麻當有趣，像煞有介事，好不緊張熱烈也！結果呢，這般宣傳得有聲有色的官僚子弟，以及那位急於想做官而矯揉造作的「老青年」，沒有一個真正去從了軍的！中華民國就教這般好話說盡，醜事做盡的官僚們弄成神州陸沉的悲劇。

今日凡不能痛改前非，洗心革面，遇事言行一致的人，就不配談民主憲政這類名詞，否則，放屁放屁，真正豈有此理！

自由談

鬼門關

夏雲飛

約翰的家庭，是很有錢的公子哥兒，約翰在學校中，結交了一批共黨學生，大家經常都自命「前進」，開口要「跟着毛澤東走」，約翰耳濡目染，思想也開始轉變，認為中國大陸就是人世間的天堂，比聖經所說的還要靠得住。

轉眼畢業了，就在畢業的前夕，這群學生在一起集會，都打算回國升學，約翰知道這一定是有相當困難的，首先是父親未必會同意，當然母親也會哭哭啼啼攔阻他去，最重要的是經濟方面將斷絕了接濟，所以這些日子約翰顯得很憂鬱了，表現得心事很大，輕易也不開口，約翰的態度，引起「小姐」的注意，在一個會議席上，主席張強提出檢討，要約翰坦白，約翰很乾脆的將心事說出來，最後向大會上說：「我不是不服從組織，實在是真有困難，只好放棄了回國升學的念頭」。這幾句話說得職業學生面面相覷，因為他們昨晚還奉到上級指示，一定要設法爭取孫約翰回國，於是他們又想起一個殺手鐧，也是共產黨成功的法門，將這個任務交給學校皇后也是同志的張秀英，要她負責勸約翰回國。

第二天的清晨，約翰正在草坪上讀英文，準備應付大考，突然一雙纖手由後面來掩住他的雙目，約翰連問了幾聲「誰」，後面人噗哧一笑，放了手，原是張秀英，約翰對於皇后的意外光臨，感覺到受寵若驚，反而顯得有些侷促，皇后又笑了笑，很大方的同他並肩坐下，將約翰的書本拿下來，然後向他說：「約翰你真不回國升學嗎？」「這個」約翰真不知道如何答覆才好。「你愛我不愛」，皇后單刀直入了，「當然愛」，「我愛你，你知道不知道」，說良心話，約翰真不知道，不知道當然不能這樣答覆，但也勉強說一句：「可是有些知道」。「我已決定回國升學了，你不肯回去，什麼都談不上了」。說到這裏皇后有些悽然了。「怎麼辦呢」？約翰只好帶着請教的口氣，「好辦的很，你回去同你父親商量，他若不答應，馬上脫離家庭，同我們一起走，路費由我負責」。「那怎麼可以」「為什麼不可以，毛主席說過一個共產主義者，必是一個家庭的叛徒。」皇后說到這裏，有點氣憤，約翰也不敢置辯，皇后摟着約翰吻了一下，說道：「你需要愛情嗎？但更需要鼓起勇氣」。此時的約翰已做了愛情的俘虜！失去自制力。

第二天早飯後，約翰終於鼓足勇氣同父親展開談判，當飯後父親正在呷咖啡時，約翰慢慢說道：「爸爸！我要回國升學」。父親正端起杯子，不介意的說：「就在本港讀書算了，中國只剩下一個台灣大學，學額太少了」。「不是，我要回大陸升學」。「回大陸」？父親一震，當時變了色，手一倒，半杯咖啡倒在衣服上，顯然失去了平時的鎮靜態度，指着約翰說：「你聽誰說要回大陸。只見活人從大陸逃出來，未見誰向虎口裏鑽；深圳就是鬼門關，孩子你知道不知道。」約翰當然不敢說是皇后說的，靈機一動，想起一個救星，當時說道：「前天，不也在某雜誌，文豪曹某，勸青年回大陸嗎？他說那裏有光明的遠景啊」！「胡說」父親一拍桌子把剩下的咖啡也震倒了，「既然這樣他為什麼出來」，「因為他老了啊」！「笑話！沒有一個社會適宜於少年人發展，而不適於老年人生存的，除非他不是人，孩子，我告訴你，世間事就壞在這些不負責任的文痞，信口胡扯，誤盡青年，說風涼話，爸爸是不會害你的，你真要回去我也沒有辦法，我只有馬上登報脫離父子關係，免得將來共產黨拿你作人質，來勒索我」。說過話，老年人氣沖沖戴起帽子走了。

約翰也明白父親的話有十分道理，但是他不能令皇后失望，最後還是下定決心「偷跑」入大陸，這天晚上，雖然母親也曾向他哭泣，但是他總想到那裏有「光明」遠景」，事業與愛情，人生兩者都可並得，還有什麼慾望嗎？在一個淒風苦雨的早晨，七八個「家庭的叛徒」，悄悄的搭上火車，回到了「光明」的地區──大陸，事先廣州文教局得到報告，知道職業學生又送來了一批羔羊，也派人在大沙頭車站「照料」。可是下車後，便因出身不同，階級各異，分開居住，行動派人「保護」，從此，可憐的約翰，也未再看見皇后，不久來了一位幹部，向約翰辦辦，指出他的出身不正，完全是「美帝」的走狗家庭，最現實的證據，就是他為什麼取名約翰而偏要取名「斯基」「諾夫」？最後說出來意，要他去信給反動父親捐二十萬港幣的「贖罪」捐。約翰呆了，他想起父親的話真有先見之明，已想起「大陸上有光明的遠景」這句話真是欲哭無淚了，可是在人民管制之下，沒有分辯的餘地，只好照樣寫封信寄回去，首尾三天回信來了，寄來一份「反動報紙」上面是用頭號字登出的署名啓事，係約翰的父親與約翰脫離父子關係，這一着正是約翰意料之外，從來打單也未碰到這樣釘子，一怒之下，約翰便被從拳送進了監獄，不幾天又送來一個同學，原是小張，因為「情節較輕」，起初尚可自由行動，對於一般同學的經過，都很詳細，據他說：「都其餘幾位同學，都自動參軍，已乘車北上，不知去什麼地方，只有皇后還留在廣州，變成了文教局長的「愛人」，他倆因為有油水，暫時尚不派充炮灰。」約翰想起了父親說「鬼門關」，只有流淚。

論吳用（二）

（水滸人物論之十）

·舜生·

萬竹樓隨筆

不論處理任何一件大小事體而要得到成功，最怕是不得要領，吳用一聽晁蓋要拉他合作打劫『生辰綱』的這件事，便回答說：

『此一事卻好；只是一件，人多做不得，人少也做不得……須得七八個好漢方可。』

而目前可用的，卻只有晁保正，劉唐，和他自己；於是他計上心來，『便把念頭轉到了阮家的弟兄三個。』

阮氏三雄的個性和生活情況，他是知道的，打魚不算窮，看見有魚不能打，才真是窮得可怕。他也知道：他們弟兄窮儘管窮，但窮得硬，為人也『真有義氣』，不待之以禮，動之以情，隨便叫個人把他們請來，一定是辦不到的。真要拉他們三個入夥，除非他親自出馬，憑三寸不爛之舌，相機去打動他們，然後才較有把握；我們看這位初出茅廬的軍師，對人才是何等的留心，何等的了解，又何等的鑿實！

晁蓋一聽他這番話，便立表贊成，問何時可去，他說：『事不宜遲，只今夜三更便去，明日晌午可到那裏。』是之謂『快幹』『實幹』，官僚們處理一件尋常公事，動輒三五十天看不見動靜，便連做強盜也沒有資格。

石碣村真是風景如畫：吳用一到阮小二家的門前，便看見枯樁上纜着幾隻小小的漁船，疏籬外倚山傍水，約有十數間草屋。

『二哥在家麼？』吳用的聲音是那樣的親密而柔和。

阮小二走出，頭戴一頂破帽，身穿一件舊衣，赤着雙腳，一見吳用，便笑容可掬的連忙問道：

『教授何來？甚風吹得到此？』

兩人寒暄了幾句，小二便拉着吳教授去喝酒，順便找小五小七。小五是一個賭徒，連他娘頭上的一根釵兒，也拔去作了賭本；小七是個痛快的漢子，胸中有話，便衝口而出。他們在一家酒店喝了好一會，談得情投意合，更由吳教授破鈔，買了許多好酒好肉，四人一陣，同到小二家來，準備作長夜之談，更好開懷暢飲。梁山泊被夥強人佔了，大魚只泊子裏有，他們無法去打；王倫狹隘，輿論不佳，他們想去入夥，也不容易辦到；這些情形，吳用大致已早有所聞，可是他只裝作不知，卻說明這次的專誠奉訪，乃是奉了他東家一個大財主的使命，特來買十數尾金色鯉魚，而把不能打魚的情形，一切讓他們弟兄去說，他只相機以言語去激動他們，一步一步把他們逗入合夥打劫『生辰綱』的本題上去。小二一聽到有這件事，又是晁保正發起，並看得他們弟兄起，因舉殘酒發誓說：『若還端的有這事，我們三個若捨不得性命相幫他時，教我們都遭橫死！』

小五小七更快活得跳起來，把手拍着頸子道：

『這腔熱血，只要賣與識貨的！一世的指望，今日還了願心，正搔着我們的癢處，我們幾時動手？』（一一五）

亂彈齋詞話

浪淘沙

馬五先生

序曰：前年美國總統杜魯門，因有一個新聞記者批評他女兒的歌聲太低，便寫信去警告那位記者，教他謹防鼻子有被打破之時。最近法國巴黎市一餐館中，因顧客點食龍蝦，先嗅其是否新鮮貨，而鼻端竟被咬去，連累餐室受罰，乃一致貼出「顧客點食龍蝦，鼻子各自負責」的聲明。普通人患風流病者，亦有隨時爛鼻之虞。鼻禍叢生，於今為烈，人而無鼻，不知其可，當非科學昌明時代之一大諷刺乎？幸而巴黎現已新興一種美鼻事業，專門製造美麗的鼻子出售，各式各樣，一應俱全，由整形外科醫師予以裝上，了無偽裝痕迹，栩栩若生。據說：巴黎各整形外科醫院門庭若市，男女趨之若鶩，而以四十開外的婦女為最多。從此人間已無塌鼻威脅了，喜而賦之。

相貌貴端莊，氣宇堂堂，最關重要鼻中央；假使中庭留缺陷，面目何堪！

「靚仔」與徐娘，一例爭妍，龍蝦顧客免遭殃；記者為防不測禍，也應添裝。

註：「靚仔」者，粵語謂好修飾之美男子也。

中國之友（一）

毛以亨

序

「中國之友」一欄本為美國新聞處主編之「今日世界」雜誌撰文而作。為美國人主編之雜誌撰文，不願忘記自己為中國人的立場，故選取中外合作的題材。第一篇為蒲安臣傳，該刊主編人十分滿意，囑多撰稿，第二篇華爾傳，主編人恐慌起來了，謂恐受中國游說事件的嫌疑，將有被撤職的可能。朋友們的金飯碗，我是很關心的，但大陸沉淪以後，我已發誓不再作無關世道人心的文章，所以對「今日世界」祇好擱筆了。我生平從無靠稿費養活自己的企圖，對于文章以愈少做愈好，今以沉重的心情，拖此沉重的筆桿，自以為總是對世道人心，多少分擔點責任，不要如過去的懶惰與冷眼看笑話纔好。

我在香港被美國駐港機關視為有「中國游說事件」的嫌疑者，這是第二次。第一次是三年以前，美國某大學要請我去研究，中國護照已辦好，專待美領館簽證。經過駐港美副領事威廉氏問話二次，認為合格，叫我到美領館指定醫生皮特生那裏，去檢查身體，花了檢驗費二十五元，總算合格了。第二天很高興的，跑到威廉氏那裏，滿以為可以得到簽證，不料情形大變。威廉告訴我：「國務院昨來電，不許中國文化界而與政治有關的人士跑到美國去。怕你們去遊說我們的國會議員，使我們國務院應付為難。我們港領館的權力實在太有限了。」

何，尤其你是中國的[illegible]

感謝上帝

莫斯科某工廠錄用一工人，經過思想口試，共黨書記問：「你信上帝嗎？」工人答：「不信」。又問：「為什麼不信上帝？」答：「蘇聯根本沒有上帝，只有史大林，上帝不能給我麵飽，史大林才能養活我，所以我不信上帝，祇信史大林。」

共黨書記認為滿意，答應給他工作。工人走出大門，仰望天空，說：「感謝上帝，我又有麵飽了。」（白）

黑十字

北晨

玲玲是舞女，陪了白濟宏這夥人喫過晚飯，照例到戲院裏轉一個到，而今，她要到舞廳裏去返工，白濟宏叫人送她，她說「不必」，離開座位，從戲院裏扯了出來。

走着歡場女人習用的台步，洪正池正在門口候着，他喊了一聲「玲玲！」

玲玲一看，卻是藍英從前愛戀的人，玲玲問他那裏來？洪正池說是看戲。

「為什麼不看了呢？」

洪正池苦中作樂，假意特意跟她出來，想陪她談談。

舞場裏的生意很淡，不一定有什麼樣子，她之所以離開戲院，只是有意裝出一副紅星派頭，何況白濟宏已經付足了她一夜的鐘點錢，因此，她也就答允洪正池了。

歡場女人有些奇怪的性格，那些性格應該是畸形的，病態的，比如玲玲，她知道藍英曾為洪正池喫過許多苦，受過許多折磨，而今這男人卻又半真半假的追求自己，玲玲便也半推半就地迎上去，在她想，以藍英那樣的女人，能夠為這男人喫苦受罪，這男人，也就必定有些刺激，有些女人，是為男人的刺激而生存的。

洪正池的聰明不輸於白濟宏之下，藍英施給這個男人的愛，一半也是為了他的聰明，他並不單刀直入，直要打聽英的事──那會引起玲玲多情的嫉妒，他只是閒着無聊的生活，如此的男人明白了，那個肥胖的男人名字，他們住的地方，和一道花天酒地的玩樂，只是他仍舊尋不着藍英的下落。

洪正池陪玲玲喝了一陣咖啡，玲玲到夜總會玩去，這男人卻又編了一段推說另外有事，他獨自走了。

白濟宏來到香港一個已經過去，像朱瑛的戲已經唱完，人散了，台下只片空虛，他要做的事，很順利，實際卻沒有什麼，相反的，自己在裏面投不少資本，這本賬他能算來，用在姨妹身上的錢，和朱瑛的錢，都亦同這一樣，馬的錢，以及一星期來的總共有了一萬四千元港紙，他只借到黃洸一千元美金，英那兒五百，而且，算起來分之一，目前需要的是錢。（卅三）

·中篇連載·

自由人
THE FREEMAN
（半週刊每逢星期三六出版）
（第一四六期）
每份港幣壹毫
督印人：李光華
社址：香港高士打道六十六號
電話：二〇八四八
GLOUCESTER RD. HONGKONG
TEL: 20848
承印者：崇時印務出版社
地址：高士打道六十四號
台灣總辦事處
台北市館前街五十號
台灣經銷處
台北市中華路一二五九號

美國應走的道路

梁鞭影

第二大戰烽火蔓延遍于地球四大洲，美國GI足跡踏遍了四大洲，航船飛機遠及于北冰洋。戰後歐亞許多國裏的窮鄉僻壤也見到救濟聯合總署施贈的幾磅牛奶粉，魚肝油，接受的人們便都知道有美國。

知有美國罷了，當須徹底認識美國的究有多少人，很成疑問。戰後初年，我見到費孝通氏寫的一本「初訪美國」，是從好些角度觀察美國，將作者之所認識，介紹給國人認識。可是，費先生用的是以小見大由微知著的辦法，未盡脗合我之所謂認識。認識本難，何況徹底？美國分離英國，合併不過百有餘年，同為英語民族，而不列顛王國中人士敢自謂徹底認識美國的便不多了。

我們為甚麼要勉求徹底認識美國？因為美人的馴若宗托身於哥崙布找出來的那塊膏腴，有太平大西兩洋隔開舊世界。雖然帶去中世紀以往的歐洲文化，革命成功後，賡若干年代抱守的是門羅主義與孤立主義，直至參預現代兩回大戰總翻轉過來干預世界錯綜糾聯的事情，不能逃且擔當他人所不能承任的世界任務，故今日知有美國的彷彿是由於美國事實上在領導世界，相信美國的國策制定者和國策擁護者多作如是觀。若然，我們便須透視美國的組織細胞，要了解美國人的行為動機與其思想源泉和哲學背景。

對美國的兩點基本認識

美國的立國方針和政治神髓。前要認識美國的立國方針，可歸說於享利．史蒂爾．康美爾氏著的「由孤立主義到國際合作」，說明了孤立主義由於地理因素者半，由於人事因素者半。傑弗遜首次就職演說便有「我們幸而給那地球四分一那麼闊的大洋隔開」這句話，美國歷史大部分時間實為一孤島，這天然的遼距離能使軟弱小邦脫英獨立，能使英人于一八一二年重來進攻而招致失敗，能使拉丁美洲革命得最後成功，能使山托多明哥向拿破崙挑戰而擊敗他。這是地理宜於孤立。美洲作為殖民地進三百年，移民抱憾于老家而離開，或為宗教，或為政治，最甚是經濟與社會，故向美洲移殖的意思即是把歐洲離棄。他們披荊斬棘奠定新邦，不由不共趨新信條，那就是美洲主義。自從美洲主義論人狹心，反嫌十七八世紀的歐洲，無論政治、文化、道德，只有增高不滿的情緒，同時經濟方面，一以開發腹地取得繁榮，如傑弗遜所歡喜讚嘆，廣大的腹地足夠他們繁殖一百代一千代。這是人事環境當然樂于孤立。要瞭解美國的政治精神，可取證于現代美國哲學界中批評現實的代表哈佛老教授勒伏．巴爾敦．普蕾氏著的「正義在我們這一邊」裏面「現代民主主義的核心」一章。普蕾氏此作發表在戰事方酣之際，所以他說，這回慘烈的戰爭實為民主主義嚴酷的考驗，將決定明白的世界是否民主主義不但復蘇，而且發揚光大以實現其目的。那麼首先要問甚麼是民主主義？民主主義究竟是甚麼？如果離開民主政治的習慣與機械性，離開平等主義者的風度和言論，離開成人參政權，和大多數統治等等，只着眼于它的原始和不斷的源泉，我們發覺它的精義卻在于對人的態度。民主主義集中注意于人們的人格，並尋出自法國大革命的人權宣言和美十三洲的獨立宣言，發佈以來。民主主義包容于一種態度，這態度卻含容三事：人類中每一個人人格之承認，縱使忽視它的形迹，而于人的本性卻必出以尊敬；這樣孕育出來的民主主義與道德的根本觀念相結合，發展而承認社會關係，無私地，認人類之要求——人權之最大限度；在道德要素中更遺留民主主義以一些特殊性：人們均等尊貴要適如其分，恰是個「人」；人有組織社會並為大眾幸福服務的天職；私人于理性和良知的主權大于公眾制度的主權；天職與主權須有所保障，而以博愛與和平為終極目的。

美國今後應走的道路

我們認識了這兩點，從而於事實上看清現世紀的美國，由于國際間經濟關係漸漸密切，不得不放輕孤立主義，而趨于國際合作，由于法西斯極權主義的猖獗，納粹反動，更當以十字軍精神保衛民主主義，爭取勝利，從而伸張民主主義于宇內，這是我們所尸祝的美國。我們一以虔誠的信心皈依民主主義因而樂與美國為友。惟其我們坦率真摯地與美國為友，我說就沒有多思索而選說美國應走的道路。記得二次大戰期間，蔣先生參預開羅會議，歸來戰時首都重慶，在那年雙十國慶日的文告中有幾句重大意義的話，大意是說今後國際間只應說同道者合作，不應再說誰領導誰（是原意非原文）。我以為當日作戰盟邦取得勝利的主要因素固然是「正義在我們這一邊」，而次要即為同道者衷誠合作。美國如果既誠于保持這種精神，那末所謂對外政策便出自一個清潔的源泉，導引所及，了無臨滓，諸如最近共和黨所指摘民主黨政綱起草中的偏差與所失，修正，還須再進一步，在理則自由世界所斯求的是天下一家，在勢則散漫不一致，人所見到，歧甚或利害牴觸，這些弱點得而消除——這些弱點不予消除，便會擴大。

說到第二點，如何充實民主主義，竊願如我不中肯，也許是識見，但減而不久以前有句話大意說：「面對共產主義的阻礙，除卻無政府主義者外，再沒有理論」，除卻希特拉的套計劃，是豎令人空喊「自由民主」這口號的那人出一身冷汗，看不起馬克斯教徒，我三十年來至于今日尤其看不起故步自封的不進化而停化的一部分反共朋友。現在鎮壓住情緒，卑之無高論，只強調已成為時下老生常談。那經濟的民主一句話。馬克斯預言無產階級革命發動於資本主義極度發展的國家，現在已給打了嘴巴，證明估量錯誤了。但我告訴美國朋友和舉世之人，不要使驕傲地以為錯誤完全在馬克斯，須知資本主義經濟發展中一般的社會政策之步步開展，大眾生活水準因之提高，勞工們團結自衛，這一切一切纔是給馬克斯打嘴巴的原因，此其一。現在史太林堅信資本主義國家必會不久鑽到牛角尖的尖端，自行崩潰，馬克斯信徒只消加緊搗亂，世界革命便迅速完成，共產主義即道一風同了。對不對，還待將來證實，但我們如果不甘于承受馬恩列史式的共產主義，卻只盲目地守抱着十九世紀資本主義還帶殘留的封建主義，用以阻擋滔滔汩汩繼長增高的社會主義，那正是自由史太林所馨香禱祝的。孔顯能擇開，及早為勵的政治改革，此其二。美國人本來最少頑固性，但飽受自由企業制度之賜，生產猛進，家給人足，沾沾自喜。杜魯門政府七年來把羅斯福的T.V.A.措施束諸高閣，好像不景氣過完便用不着「新政」了，還留一可惜羅斯福不會遺留下眼鏡補救他那些短視的信徒！前兩年見到一篇俄亥俄商會會長某大企業家的演詞，大聲疾呼要美國朝野採用「新資本主義」。那就是為大眾需要而生產，勿為資本家利潤而生產；勿為生產者利益謀取勞力以換來資本主獨享的利益。美國有此明智的企業家，已是新時代的鐘聲了。然而負起撲滅共產主義蔓延的責任以來，迴緊擴軍，併力于軍需生產，經濟援外，建議包圍假想敵的空軍基地，在在悉力以赴，又加上纏於韓戰兩年餘精力和財力的消耗可知。這期間多少國防軍于一切那頂大帽子來產生，未嘗有過釜底抽薪的辦法。我以為美國像一個壯漢，氣充血旺，無人會作危險的想像，然而血管一硬，或血管硬化，突如其來的險象不是沒有的事啊！

有一點我願望美國朋友和舉世人士留意：自由世界方今所當做的，不是與共黨賽跑，卻是爭取先到，用汽車疾駛，從容的安步當車，忙急的是自動而循徐，目的是進向合理的新世界，以惻隱之心來解放全球各地鎖上鐐銬的人萬人，這任務吾儕諸人如完成不了，還得下代的子若孫。自由國家當如是，沒有了國家而流離轉徙的仍理愛護者亦當如是，如何光大充實民主主義，以完成其「美國世紀」的使命，上述兩原則，或許不無參考的價值罷！

艾森豪威在美國歷史上

・滄波・

艾森豪威已經共和黨全國代表大會提名為本年美國的總統候選人。今年十一月，艾森豪威如果當選，他將是美國第三十四任總統。他也將為美國軍人被選為總統的第十一人。

十位軍人當選總統

從廣義解釋。從華盛頓開始美國三十三任總統中，軍人當選總統的，一共十位；（一）華盛頓（一七八九——一七九七）；（二）傑克遜Andraw Jackson（一八二九——一八三七）；（三）哈里遜William Henry Harrison（一八四一）；（四）泰羅Zachary Taylor（一八四九——一八五〇）；（五）庇亞斯Franklin Pierce（一八五三——一八五七）；（六）格蘭特Ulysses Simpson Grant（一八六九——一八七七）；（七）海斯Rutherford Birchard Hayes（一八七七——一八八一）；（八）格菲爾特James Abram Garfield（一八八一）；（九）彭傑名哈里遜Benjamin Harison（一八八九——一八九三）；（十）老羅斯福Theodore Roosevelt（一九〇一——一九〇九）。

上面十位美國總統，都因軍功而受全民的推戴，由政黨提名以至當選。十位先生由其立功到當選，時間距離甚不一致。華盛頓於一七八八年當選為總統，距其Yorktown大捷共為七年。傑克遜在紐奧利恩的勝利（Battle of New Orleans）為一八一五年，他則始競選在一八二四年，終於復選在一八二八年。哈里遜討平印第安士人，其有名之鐵培根拿大戰Battle Of Tippecanoe距其當選之年——一八四〇年，前後將及二十九年。泰羅是墨西哥戰爭的英雄，所謂皮那維斯塔大戰Battle Of Buena Vista在一八四七年二月，他於翌年當選，由戰場選入白宮，格蘭特，在南北戰爭中，接受南軍統帥李將軍的投降，他當選總統在一八六八年，正值南北戰爭結束不久，他的功名鼎盛之日，其餘南北戰爭中之將領當選者，如格菲爾特，及彭琴名哈里遜，均在戰爭結束二十餘年後。老羅斯福在美西戰爭時，官至海軍次長，而其軍銜為上校，他在美西戰爭中，聲名揚溢，不久即當選紐約州長，共和黨中長老們以其不受控制，一九〇一年大選前，特將他提名為副總統，當年共和黨選舉勝利，那曉得總統麥金萊就任未久，即被暗殺，老羅斯福由副座正位白宮，老羅斯福的第二次聯任，是他個人努力的成功。共和黨對他的幫助，並不太大。

泰羅下戰場入白宮

美國過去十位軍人總統中，只有泰羅是從戰場上直到白宮的。他與格蘭特可說是美國唯一的職業軍人當選為總統。泰羅與艾森豪威，時間相去前後將及百年。在美國歷史上，這兩位先生有許多相同的地方。第一，在美國軍人總統中，在過去只有泰羅與格蘭特是純粹的職業軍人。如果艾森豪威今年當選，這一點他是與泰羅相同的，泰羅是墨西哥戰爭的英雄，而艾森豪威則是第二次世界大戰中統帥，美國軍人在世界戰場上的功勳，艾森豪威是空前的。艾森豪威除了在第二次大戰結束後一度任哥倫比亞大學校長以外，在軍職以外從未做過別的職務，可以說是一位純粹的職業軍人。第二，泰羅從戰場上直到白宮，艾森豪威在第二次大戰中血戰歐非兩洲，戰後擔任大學校長不久，重到歐洲擔任北大西洋同盟聯軍統帥，由冷戰戰場中回返美國參加競選，如果今多當選，也可說是由戰場上選入白宮。第三，泰羅的黨籍不明，他究竟屬於何黨，當時無人弄得清楚，所以，當時美國兩大政黨——自由黨和民主黨——都想爭取他，他自己最後決定參加自由黨（Whig當時共和黨尚未出現。）自由黨當時是在野黨，想提出一個眾望所歸的總統候選人，以期在大選中獲勝，自由黨的擁戴泰羅，惟一的理由就因為他有戰功，能號召選民。自由黨中同時競選的人，是克萊Henry Clay，克萊是一位極精明幹練的政客，當時擁護克萊的人，在競選時極力詆毀泰羅，要求他對各種政治問題提出政綱，而擁護泰羅的人，明白告其同黨，如果提出克萊，是打不倒民主黨的，擁護泰羅最大的理由，是為在競選中打倒民主黨。這與今日共和黨中的情形，恰正相同。（下接第二版）

本週展望

韓戰的陰暗景色

・雷嘯岑・

板門店談判近日又恢復過去「無話可說」的狀態了。美國海軍在台灣海峽示威演習，大隊機群飛臨鴨綠江上的轟炸，美國海岸視察。同時，聯軍的政府當局與克拉克統帥在某種情況下，有關進攻中國東北，而在台灣的美軍事代表團長蔡斯，再三地出發中國海軍可於一小時內完成封鎖任務的談話，再配合陸海軍主帥科林斯，范特勒最近的強硬言論，處處表示着聯軍方面忍耐已達最後階段的心情。俄共集團如不緩和，擴大的戰爭場面便呼之欲出了！

事情已演變到了速和或速戰的尖銳點，絕對不能拖延僵持了。美國的決策者，於多年感受俄共的「和平鬥爭」教訓，吃盡苦頭之後，已學得不少的鬥爭要訣，俄共集團的伎倆，已臨山窮水盡之境，看情勢，韓戰的陰霾景色，除非共軍低頭讓步，即祇有日見濃厚，乃至於使中共弄到「八表同昏」的慘象，而決無清明和煦之可能了。

伊埃政變的本質

最近伊朗埃及都發生政變，本質上，兩國的變態具有相同之思想根源，即民族自覺是也。唯發展階段卻各異，伊朗的目的在對外爭取民族獨立自主權利，埃及則在對內要求進步改革。兩國的生產力與社會結構不相稱，自然有此現象。但兩國目前都有一種對外的懸案急待解決，西方民主陣營必須面對現實，以最明智的方法，分別安撫這股民族自覺的不可抗力，否則中東這一戰略重鎮，其前途是可慮的！

台灣停止普通外匯

台灣銀行宣佈，自本月廿二日起，停止普通外匯中之「贍家匯款」，以防止套匯牟利，或間接資助共匪。這政策的前提無可非議之處，問題在是否因此而使家在海外的台境外籍人，突感意外的困苦，而一時無法贍養室家？這問題雖屬暫時性，但為鼓勵勞養家的俸職者設想，似有注意之必要。

民主黨的競選政綱

美國民主黨競選政綱已經由代表大會正式通過公佈了。大體上，關於國計民生問題的主張，與共和黨所標榜的沒有多大差別，祇是技術上各有不盡相同的作法罷了。尤其是對外政策，兩黨所說的看不出有甚麼迥異之處。民主黨強調決不回到孤立主義之路，共和黨又何嘗主張孤立呢？他們也同樣的倡導集體安全，擁護聯合國，同樣的贊成應援世界各個受共產極權主義侵略威脅的國家。

就兩黨的外交政策看：彼此都祇有方法上的出入，例如對遠東政策，共和黨明白地提出要廢止雅爾達協定之一部分，即是指中國問題而言，間接攻擊民主黨政府之失策，理由正確。民主黨卻不能涉及此事，而以「我們對在台灣的中華民國政府的軍事和經濟援助，已經加強了自由世界這個重要的前哨，我們將繼續這種援助」的論調，來表示其并未放棄中國的意念，亦即間接對共和黨所大力指摘的「喪失中國」問題之答辯。就兩黨的內政政策看：民主黨標出人權平等和尊重勞工利益的政見，顯示其前進開明的氣質，共和黨卻只作籠統的觀念論，沒有提出具體辦法來。

綜合兩黨競選政綱的概要，比較推究，似乎可以這樣認定：共和黨的外交政策，比民主黨顯得內容結實，主張正大，且有進步的主動精神。民主黨的內政政策，則較共和黨遠為開明合理，具有改造社會的勇氣。至於誰會獲得未來的大選勝利，那要看投票當時對選民發生心理影響的一切因素，如韓戰之發展，如候選人的聲望，如外交內政上的動態等等，都佔着重要關係，光憑政綱是不能夠斷定的。

動亂的中東
埃及政變內幕

金達凱

當德黑蘭大暴動餘波未已時，埃及又發生政變了，納吉培統率的陸軍控制了開羅，這給動蕩中的中東，又掀起了一番風浪。

君臣間的恩仇　人事上的糾葛

這次政變的起因，一方面是由於納吉培與埃王法魯克的不睦；另方面是埃及政府的黑暗，引起了軍人的不平。上週末，史里內閣委任納吉培為陸軍部長，為法魯克所否決。本週二希拉利組閣時，陸軍部長則任命法魯克的內弟雪林上校担任，納吉培批評政府用人不當，法魯克則封閉陸軍俱樂部以作報復，而這個俱樂部的主席就是納吉培。因此他率領他的部隊佔領首都，控制政府，發生一個不流血的政變。

納吉培是埃及在巴勒斯坦戰爭中的英雄，他曾三次受傷，建立了戰功，很得一般青年軍官的擁護。他在廣播中聲明此次發動政變的目的：只在要求國家整肅官常，整頓陸軍組織；不使用暴力，並保障外國人生命和財產的安全。因此此次政變，如沒有其他的政治因素在內，當不致有何意外的擴大。

由獲國到復國　從親英到反英

埃及原是土耳其的一部份，一八八二年為英佔領，一九一四年英對土宣戰，宣佈埃及為英國保護國。一九二二年英承認它獨立。一九三六年，英埃訂立同盟條約，英國終止對埃及的佔領，而埃及則承認英國在蘇彝士運河區的特殊權益，並允許英國駐兵。至一九五一年十月，埃王法魯克批准了國會通過的廢止英埃防守蘇彝士運河條約及共管蘇丹的協定，英埃關係開始走上破裂的邊緣了。

法魯克原是親英的，他曾壓倒過國內的反英思想。以後因有一樁不愉快的事件，才逐漸改變心意。

那是一九四二年，隆美爾的北非兵團侵陷埃及，[illegible]亞歷山大的時候，英國為了強迫埃及一個首相的任命，將坦克開進開羅的皇宮，英軍也包圍着皇宮四週，英大使監浦森，在英軍官簇擁之下，進入了法魯克的辦公室。事後法魯克說：「當時我在室內，書桌後面排站着我的軍官，他們也排成了行列，與我相對，我環顧四週，簽署了我所不願意的哈斯做首相的任命。」等到監浦森準備離去時，法魯克冷然的對他說：「你對今天將會後悔」。這種感情上的刺激，自是今日埃及反英運動原素之一。

議院裏形形色色　首相們去去來來

埃及現設立兩院制的國會，上議院議員一百四十七名，五分之二由埃王任命，五分之三由選舉產生。議員年齡須在四十以上，任期十年。下議院議員名額二百六十四名，年齡須在三十以上，全部民選。

這一屆議員是在一九五〇年一月選舉的，計華孚特黨佔二百二十五席，沙特黨（伊共）佔二十八席，自由黨佔二十六席，獨立派佔三十三席，國民黨六席，社會黨一席。

埃及國王是世襲的，由內閣執行政務。自英埃關係惡化後，內閣經常不穩，尤其最近六個月來，竟改組了五次，首相也換了五人。本年一月，首相是華孚特黨的納哈斯，因其煽動反英，致開羅發生嚴重的放火暴動。被埃王免職。繼任的獨立派的希拉利又因未能迫英退出蘇彝士及解決蘇丹問題而下台。史里內閣辭職，是因陸軍部長問題與法魯克意見衝突。希拉利再於本月廿二日組閣，當他帶領新閣員哈詩耶（外長）、薩布魯克（工商部長）、摩達爾（財政經濟部長）、萊法特（教育部長）、阿里（交通部長）、拉地（社會部長）、摩斯（司法部長）、西四和（農業部長）、馬格希（內政部長）、雪林（陸軍部長）等，前往王宮擧行宣誓就職時，而納吉培則突然發動政變，向開羅進軍了。

納吉培三個要求　法魯克長年做夢

納吉培控制了政府後，希拉萊又曇花一現的下台了，由馬赫爾担任組織半年內的第六屆內閣。他將分兩個階段組織，第一階段，先成立「骨幹」內閣，決定主要閣員，然後填補其他各部的名額。納吉培代表陸軍方面，提出了三項要求：（一）更換埃及高級司令官，包括陸軍總司令海軍總司令及參謀總長費烈德等。（二）澈底改組陸軍採購委員會，（三）不削減軍事預算。這幾點，據說已經新閣和法魯克接受了。

這個政變，包含着民權主義運動和民族主義運動的雙重意義在內。而少壯軍人的反抗王朝，要求改革，這是法魯克的嗜賭好色，宮庭淫亂，綱常不振，貪污賄賂等種種醜行所招致的惡果。國王愛錢，官吏亦愛錢，一個首相的妻子從事棉花的投機，投機失敗了，政府即下令取消棉花稅使她得到補償。又如一個部長在開羅城外十四哩購置一塊農地，政府即為他建築一條通向農地的大馬路。這些荒唐的腐朽的行為，當然很容易引起國人，尤其是軍人的反感的。同時英埃事件糾纏不清，久未解決，自易促成軍人情緒的憤慨。這次政變本身可不必重視，而值得顧慮的：今日中東正多事之秋，史大林正在一傍虎視，尋覓機會煽起禍亂的火焰。它想要伊朗的油田，想控有埃及，通過蘇彝士運河，控制地中海，割斷歐州的防衛陣綫，而直下大西洋。因此要阻擋俄人的侵略，必先求得中東的安定，使其無隙可乘。因之，埃及政變的迅速解決，是埃及本身安危所繫的問題，也是自由世界關心的問題。

黃炎培北平賣油條

叔川

「新華社」十二日電：「民主建國會」開擴大會議，黃炎培傳達「毛主席」指示：「密切聯系並團結民族資產階級」，黃炎培是又在大賣其油條了。

提起黃炎培這個人，大概可以說知道他的並不少。他是一個矯枉過正，缺乏真知實學，不能忘情於名利的人。他善於接交，長於投機；靠着一張嘴，一點舊文學根基，一身翻來覆去，着實要過不少花樣。別說他在滿清下過考，就是他在民國以後，他勾結過軍閥，也曾活動到了教育總長。民十六年他和蔣維喬（竹莊）被人指控為「學閥」，被國民政府通緝，在大連躲了好一些時期，一直到抗戰前後，才又鑽出頭來。

他的發表慾極強，坐飛機到重慶，要寫一本「空江集」：到浙東一遊，又要寫一本「之東集」。在中華職業教育社，中華職業學校，徐公橋鄉村教育實驗區（這些都是他實驗的社會活動根據），去講了什麼話，也要湊起來出一本什麼「集」。然而這些東西內容空泛，沒有體系，看過的人，都會搖頭。他在重慶曾寫過一本書，叫「治事一得」，裏面說怎樣「主持事」，怎樣「對待人」，倒還寫得頭頭是道，但他一身治事對人的方法，恰恰與這一本書相反。

別的且不談，姑且以他平時一貫告誡人「男女之間千萬不可胡鬧」這一句話來說，他本人就在這一句話上顯出了他極大的矛盾。除開他在北平大通所糾纏的女人一直到重慶尚未丟開不計，單以他在重慶九龍坡與中華職校紡織系女生胡批瑜好宿一事為證，就可揭開他一切「偽裝道學」的假面目。那時他的太太王紹崧尚在重慶，而黃的年齡已高達六十一歲，胡則年十九歲，比他最小的一個女兒還小兩歲（現在黃的妻室就是這人）。

民廿九年，行政院成立了一個「戰時公債勸募委員會」，黃炎培擔任了秘書長。三十年，他代表該會來到香港與南洋跑了一趟，當時該會為了便於他活動，會付給了他一筆數目可觀的公費。但他由南洋回到了香港，不知怎樣一來，便利用了這一筆錢，而組織起「中國民主政團大同盟」來了。另外還辦了一張「光明報」，由當時的梁漱溟，俞頌華主持，報紙的經費也是由這一筆錢分撥出來的。這就是後一般所習知的「民盟」的開始。迄後，這一個「大同盟」的小黨派小會團都簽名參加，各方面反不參加。當時就有人問他說：「你是發起人，為何不參加？」熟知黃回答得很妙，他說：「我是吃教育飯的人，我沒有政治團體可以作為代表。」但誰都知道他是在一面幕後支持，組織活動，一方面又在與政府大造秋波？

卅一年春國民參政會，一招待會上，沈鈞儒，褚輔成都起立發言，大事宣揚「民盟」，並提供政府「如強改善之道」，最后並提出全盟共同的提案。誰知黃炎培就在這一個時候站起來說：「剛才各位說的是高深理論，現在讓兄弟來講一個普通故事，換口空氣。從前有個窮秀才，貧困不堪，迫而賣油條，沿街求售。可是求售半天，一條也賣不出，而其他小販，反賣得快且多。後來這秀才在經過研究以後，才發現了其中的道理。原來一般小孩在賣油條的時候，祇喊『啊！熱油條』，簡單明瞭，要買的人一聽就買，秀才則咬文嚼字，滿口『欲買脆而熱之油條乎，買其時矣！』弄得要買油條的人，反不知道他賣的是什麼。『民主政團大同盟』今天其非在這樣的大賣油條乎！」

他這一番話，眞可算是「上帝的傑作」，當時說得滿堂大笑。他是一方面既不否定「民盟」，「賣」「油條」不對，而一方面又在以第三者的姿態，批評「民盟」賣油條賣得不合時宜，請想，當時的人，何人能分得出來他是「政府黨」或是「在野黨」？黃炎培，機巧、險詐、一身鑽空子。今天他的油條是又賣到北平去了，看他究竟又能賣幾時！

艾森豪威在美國歷史上

上接第一版

擁艾的共和黨員所以抵制塔夫脫的理由，就因塔夫脫出來恐怕不能打倒民主黨，艾泰兩人相同之處，就僅此三點，泰羅在政治上完全是門外漢，當時自由黨推選泰羅，竟沒有提出任何政綱，泰羅競選總統是獲勝了，但就職一年後，即病傷寒而死，他的政績，可以說是「民無能名焉。」

格蘭脫能武不能文

格蘭脫是美國歷史上第二個純粹職業軍人當選總統的，他於一八六八年就任總統，正是南北戰爭結束未久，全國民意厭惡政客，希望在政治上能有澈底的改革，而格氏當時勛名正盛。他當選時，全國寄予莫大之期望，可是在事實上的表現，格氏兩任總統任期內的政績，可說是美國歷史上最糟的一段。格氏就任總統後，不僅他的政治建設說不上，便是他的個人性格，也無處不表露弱點，他對當時的政治與經濟上各種問題，既不了解，亦無能力了解，他的性格，根本不配做全國政治的領袖，他從不顧去改正他一切的缺點，他是一個成功的軍人，然在他就任總統後，凡是一個軍人成功的性格條件，如決斷，條理，簡捷與一貫等精神，一概消失了。他是一位遇事猶豫而私心極重的人，當時他同黨的人批評他的政治意識，其原始程度與印第安土人不相上下，他不僅不知所謂法律，並對憲法也是茫然。所以格氏兩任總統期內，其內政上的貪污腐敗，深入政府的各部門，財政方面弄貪污，連軍事機關亦大鬧貪污（海軍部長賣缺，購買軍火賺回佣），最顯著的如當時美國駐巴西公使韋白，因欠巴西政府十萬元，到期吞入私囊，致潛逃歐洲，[illegible]政府出面還款[illegible]。格氏總統任內聯邦政府的政治亦跟着腐化。司法部門[illegible]，一八七三年國會通過一個案子，把總統薪水增加一倍，國會議員歲費增加一半，且追溯到兩年前，引起舉國一致的攻擊。

功業彪炳老羅斯福

老羅斯福說他是軍人，當然未始不可，他的盛名功業，無疑義地是由美西戰爭而來，但是仔細分析，老羅斯福實在是二十世紀政治上一位怪傑，因為他生長在民主國家的美國，所以他的怪，還是怪在民主軌道以內，他和邱吉爾，許多地方是相像的，他們兩人同是出身望族，他們兩人又同是先在海軍立下事業基礎，（邱翁原習軍事，羅則學法律）他們兩人同是喜歡寫作與冒險，至今世間僅知老羅斯福替美國在外交上開展局面，反而遺忘他在內政方面的建樹，二十世紀三十年代的許多「新政」，老羅斯福已導其先河。他是一位政治上的人文主義者，也是一位政治上的道德家，他的政治成就，[illegible]在美國歷史中，也是[illegible]的，他由副總統繼任總統，四十三歲，兩任總統期滿退職，還只五十歲，是美國歷史上最年輕的一任總統。羅斯福家庭在美國東部百餘年來，是一個望族，半世紀中，產生了兩位世界政治家，美國人至今引為十分驕傲的。

美國過去三十三任總統，軍人總統共得十人，幾佔三分之一，華盛頓在中西的標準上，是一位聖賢。美國政治上的傳統，有這麼一位創業的聖哲，這淵源深厚，所以中間儘管夾雜着許多庸才，政務終因文化傳統的關係上，國運還是不斷地向上，至有今日的隆盛。艾森豪威在美國的軍事史上，其地位已經確立，不待爨論，如果他當選總統，他的政治成敗如何，今天言之固屬過早，可是他不會像泰羅那樣無能，更不會像格蘭脫那樣胡搞，這是可以斷言的。

才大心細　艾克有望

美國的總統是不容易做的，正如杜魯門所說「這是一個死人的職位」"A man-killing Job"。艾森豪威今年六十一歲，[illegible]他的健康狀況尚在標準以上，[illegible]

[illegible]（一）軍備達到高峯以後，因軍需而建立的工商業將逐漸減縮；（二）失業問題將因軍需工業縮減而增加；（三）工會將因通貨停止膨脹而感增加工資困難；（四）農業豐收農產品價格再將低落；（五）預算赤字增加，國債已到二千八百億限度；再加熱戰冷戰之漫延各地，這許多問題等着[illegible]

[illegible]

日本人在香港

二次大戰後，日本人對香港關係始終未曾斷絕，不過以前僅屬於秘密活動，直至今春即將恢復獨立前夕，始由日本政府正式派共同社太田，朝日新聞山田，讀賣新聞杉本，商業新聞石川來港，作公開活動，該四記者均嫻華語，而太田更擅粵語，在該記者等來港之同時，日本遠東商務聯絡站久川一郎等二十四人，山口杞子等五人亦先後前來活動，戰時曾任日治香港總督府財務官大岡知之調查港澳礦產；特別注意世界的錫礦，自稱代表日本國際都市建設協會之高橋均亦經常處接洽。

由於日人在港活動，引起本港商界之注意，因此本港商人東渡者亦日多，洽商代理或開設聯號，其間有一段插曲，雖屬小事，卻會正在活動中之日人，受一精神打擊，減低興緻不少，事緣去月有日人結城三名，來港考察，下榻英皇道雲華大廈，一時本港工商界往訪者頗多，某日突有一妙齡少女往訪，口操流利日語，自稱係代表大陸方面貿易部，作商業上之接洽，結城當即殷勤招待，未及細談，時座中另有一客，起身告辭，結城送客至門首，回至室內，該少女已不知去向，結城即知不妙，亟開箱檢點衣物，均未失去，原帶來之路費美金千元，亦絲毫未動，獨密碼通信電本一冊失去，結城頓時「張口結舌」，未敢在港多事逗留，即整裝返日，自經此打擊後，日人來港者咸具戒心，已不敢大肆活動，非熟人介紹亦不敢延見。

日人在港活動之真正目的，乃在搜集大陸情況，企圖與中共通商，但經過半年之接觸，眼見此間靠攏商人被中共弄得焦頭爛額的情形，各大株式會社之負責人，亦就望而却步。同時港府嚴格執行禁運政策，多種貨物均不准出口，偷運則容易招致罰款，因此以香港作轉口站之希望亦告幻滅。

亦有較小商號，飢不擇食，只求將製成品出售，百般設法，與中共在港之行號，直接洽談，彼此互訂草約，規定以日本之工業器械或棉布等貨，換取大陸之豬鬃，桐油，煤炭，食鹽等物資，此種草約，簽訂已有數家，但將來能否施行，尚成問題。

至本港方面，部份日商與個別有關係之商號，業已磋商一折中辦法：「凡非戰略物資之商品，無須港方購買證者，即可先運部份到港，交與港澳聯號或代理店寄售，而由銀行負責收款。」總之日人以工業立國，交易為第一要計，今日出國活動者，十分之九皆為推銷物品，縱有政治作用，亦屬次要。（高季）

天蘭路上的奴工羣

中共徵發了四十萬男女，驅至西北，用無償奴工方式，强迫他們築路。中共認這條鐵路是它的命脈，而對于這四十萬奴工的生命，則視同草芥。這裏報導的完全是真實的情形。

【本報蘭州專訊】由天水到蘭州的天蘭鐵路，是中共貫通西北戰略交通綫的另一主要環節。它的動工期間，是和成渝鐵路同時進行，但因工程艱難，這條鐵路的修築，動用的民工，比成渝路還多，全綫共劃分爲十二個大段，一百三十一個小段，三千五百六十二個工程隊，每隊工人有一百二十人至一百五十人，其中有三分之二以上是中共所指稱的「解放」官兵和「改造份子」，三分之一是中共所稱的「志願」農工，另一部份是中共鐵路工程隊和工兵團。這些工人，男女不分，分隊住在鐵路沿綫的民房，他們的工作方式和組織方式，完全是蘇俄奴工制度的翻版，除了日食三餐外，沒有一點工作的報酬。

超體力勞動

這些奴工羣的組織，和中共軍的編制差不多。其中係以班爲基本單位，上面分爲區隊及中隊，由工兵團幹部及積極份子充當班長。每一工程地點都駐有軍隊監視。各工程隊組織之中，又有各種各式的「競賽小組」，「評判小組」，「討論小組」，「料查小組」，成爲壓制勞工的强迫排行各種競賽的工具。所有鋪土、爆石、加軌、架橋等苦役，一律均用競賽方式來推勵。原定一百天完成的工程，在一層層競賽的追迫下，往往在六七十天內便要完成。工人們能有一百斤體力的人，沒有一個不是被迫拖成拚命用上一百五十斤來參加這種競賽的。由於食物不足，體力的耗竭過鉅，因此病倒的比比皆是。凡是輕傷的可以就地醫得簡單的醫療，重傷或病重的，不是「遣送還鄉」，便只有死在工地。在過去年餘中，總計每一工程隊裏，病倒和病死的，不下五十人，其慘烈情形，如果不是接近工地地區的人，絕無法想像於萬一。

飲苦水鹹水

在這條路上作苦役的勞工，除了超體力的操作外，最大的苦頭，要算「水」的問題。在隴西、定西一帶的工地，都是苦水區。淡水要靠汽車往老遠地方，甚至六十華里以外去運輸。往往四五百人的工程隊，只能用兩部汽車運水。在平時每人每天已分不得二口盅。遇見大風大雪，淡水來路中斷，苦水、鹹水更成爲唯一飲料。據嘗過這種滋味的工人說：「吃苦水就像吃瀉鹽一樣，只有閉住氣，才可以吞下去，但當嚥下去以後，喉嚨就遭了殃，又澀又苦的滋味半天消退不了，甚至難受得惡心。」爲了減少飲用時的苦痛，他們只好設法在鹽水裏擱些鹽或放些麵醬之類的調料來麻痺自己的舌頭。結果十個有九個鬧拉肚子，屙綠屎，在隆多時候，工人們唯一的恩物是天上飄下來的雪花。但嚴重的「任務」把他們壓得喘不過氣，連化雪時間都沒有，只好偷空弄些雪蛋，銜在嘴裏，來溼潤焦燥未裂的喉腔，至於手脚老早便凍得僵化了。

曝屍深溝裏

今年年初，當氣溫降至零下二十五度，隴西地段爲了在峭崖陡壁上造木橋，曾發生六名工人墮崖的慘劇。負責這部工程的木橋隊，爲了上級要他們提前二十天完成任務，便接連舉行了三次的「紅旗競賽」。工作小隊長劉當，强迫工人赤身跑下山溝去挖冰打樁，甚至第一次競賽結果，工人們的手脚都裂滿了紫紅色的「螞蚱縫」，很多人的四肢都已凍得失掉知覺。這一部工程剛完成，工程隊隊長又下令工人立即轉到高空去鑽眼子，打穿釘，因爲這些工作都要爬到各個孤懸的排架上去。而排架則是高懸在一個突出二千公尺的陡坡上，架上又積滿了玻璃碴子一樣的雪粒，西邊的北風在怒吼，稍爲精神不集中，便有跌下來的危險。工人們曾要求休息一天，待恢復氣力後再進行這一危險萬狀的高空工作。但該大隊隊長王德純，聽了工人請求後，竟破口大駡工人，說他們「缺乏戰鬥精神」，「有意阻延工程」，來拆他的「台」。因此，不但不肯接受，而且下令通夜施工。二月六日深夜，排架上積雪已達五六寸，接近排架頂端的兩名工人，因爲站不住脚，失足跌下，下面的工人聽見慘叫，準備急救，倉皇中跟着掉下了四名。這六名工人的屍首都被厚厚的雪封埋在深溝中。像這樣悲慘的遭遇，在天蘭路的奴工羣中，可以說是司空見慣。

葬身隧道中

今年一月二十日，中共「鐵路部」決定提前通車蘭州後，定西附近的隧道工程亦發動了大規模的紅旗競賽。第一次由一月二十七日到二月八日，提前二十三天打通了導坑。第二次由二月二十日至三月三日，限令十三天內完成八百八十公尺的砌拱工程。在導坑、挖底的過程中，土層開挖以後，因爲滲水，土質變成泥漿，發生了向內壓力，隨着工程的進展，這種壓力越來越大，到接近西洞口時，工人已發覺有塌下傾向，會向上級反映，但領班的共幹，堅持要依限完成任務。結果在距離西洞口五十公尺地方，終因支撐用的木料被壓斷，四十八名工人同時葬身在隧道內，這件事工程隊始終沒有宣布，直到後來因被難家屬向外哭訴才得知。

一去永不還

由於工程粗陋，又缺乏新式機械，人力犧牲慘重，工人常有逃亡。中共爲了防止逃亡，對工人更實施嚴密的控制。在「防止土匪，保障安全」的藉口下，工作時期一律不准離隊，工餘時間又舉行種種集體活動。同時把各工區兩側一華里以內劃爲防區，非得各隊主管許可，任何人均不得越出防區半步。由於晚間開工，以木柴代油燈，沿綫林木已被砍伐殆盡，田園莊舍所波及到的無形損失，將是一筆算不清的爛帳。至於那數十萬被徵召的農民和工人，到了鐵路修成的時候，他們之中有大部份人已無法見到了。（隴民七月十五日寄自蘭州）

中共的米丘林鬥爭

王千一

一

凡是蘇俄做的，中共也必學樣做，黨政軍等組織和作風，全派俄化，固已不必說，即科學方面，亦依樣葫蘆，俄國有個米丘林運動，中國也就少不了了。米丘林是研究遺傳的，設有研究遺傳選種實驗館，中共在科學院也設了這麼一館，館長是樂天宇。誰知道這個館長出了毛病，沒有照米丘林的辦法做，於是中共也來一次米丘林式的鬥爭。把樂天宇撤職法辦，鬥得體無完膚。

二

樂天宇犯了些什麼錯誤呢？一是對米丘林的科學遺傳瞧不起；再就是說樂天宇作風太壞。關於前者，據他們在鬥爭會上指出：

樂天宇常說：「我們在顯微鏡下解決問題，老百姓從栽培上解決問題，老百姓如果不靠自然規律來解決問題，就要餓死。學者們沒有生活問題，可以不靠自然規律來作。老百姓是唯物論，學者們是唯心論。」

他把蘇俄的米丘林學說作唯心論，這還了得。這是第一條大罪。

樂天宇又說：「米丘林的這些理論非常簡單，我以爲無論有沒有文化，就是小孩子都能瞭解米丘林科學的。」他這樣輕視米丘林科學，就犯了第二條大罪。

鬥爭會又指出樂天宇寫的「遺傳選種要義」一書，基本上是抄襲李森科、特洛申等的著作而成，其中整個章節顛倒混亂，使人不知所云。這是故意破壞米丘林學說之罪。

其次，又說他竊佔了米丘林學說，自己不研究，也不許別人研究。大概樂天宇此人也是懂得共產黨的一套的，所以有人對他提意見，他就說是反對米丘林，有人反對他，他就給人戴帽子。鬥爭會給他的抨擊是：

「他不許別人學米邱林，因爲那是投機，也不許別人不學米邱林，因爲那是反動。」

於是樂天宇又增加了一條罪狀。

罪名是愈擴愈大的，有些鬥爭他的人根據報，說就是受了他的影響，以至有些生物學家在上課時竟對青年說：「站不住脚的米邱林學說只是一些粗糙，浮面的觀察，根本不懂得什麼叫遺傳。」有些人則避而不談，祇說：「我根本不考慮這問題。」或者：「各人對遺傳的定義不同。」還有人只說：「米邱林是一家之言。」「更嚴重的是有很多人，一方面承認什麼孟德爾遺傳學說，一方面又說李森科創立新見，推翻舊說。在中學生物學課程中，大家只把米邱林學說應付的估了一個章節，提一提算了。」

這些罪名現在都推在樂天宇一個人的頭上。叫樂天宇怎樣受得了。

他的第二項的罪名是作風方面的，那位僞農林部長梁希，他不懂科學，無從下手，於是從樂天宇的作風上來開刀，說他的錯誤是：「他的任務是團結科學工作者，而結果卻把關係愈搞愈壞，他的目標是發揚米邱林學說，而做法卻是關門主義，他的責任是幫助知識份子改造，而他在工作中卻拉攏落後羣衆，他參加黨三十年，卻目無組織，目無中央。」

這二項罪名一成立，就已經死有餘辜了。

三

樂天宇眞是妙得很，他幹了三十年共產黨，難道還不知道共產黨一貫是顚倒黑白的，史大林現在不僅把人顚倒了，把科學也顚倒了，樂天宇應該跟着顚倒才行。爲何偏要說起假話來呢？大概樂天宇幹了三十年共產黨，一向蒙在鼓裏，這次跟科學見面，科學是最眞實的，於是使得他不能不懺悔，不能不冒萬死來贖他三十年的罪惡了。

現在我們要注意的，是這位僞部長梁希在批評樂天宇時說的一句話，他說：「這的確是天宇同志的錯誤，然而反動的，唯心的，爲資產階級服務的學說，卻不能因天宇同志受到批評而可以不受批評。」

看樣子，中共將對全國科學家要下毒手了。

貪污浪費照舊　三反毫無用處

粵花紗布公司內幕

管理零亂彼此方便　分潤油水心照不宣

【廣州特訊】三反剛完畢，貪污又普遍發生了，最近中共的中國花紗布公司廣州分公司所屬的倉庫，傳出驚人的腐朽情形。

該公司倉庫物資進出，根本不按照一定的制度和手續，口頭交代，私人便條都可以提存貨物，造成大部份貨物賬目不清，某倉庫地脚棉花進出倉庫，既無單據，又不過磅，只憑儲運科長凌某一句話，便可提取。某倉庫收進棉花時，不分商標重量，沒有進貨通知單，只憑押運員口頭通知若干件，即算了事，某站及某碼頭各倉庫分調貨物時，事前只靠電話通知進貨，結果電話通知數與實收數不符，也無人過問，由於賬貨混亂，因此保管股長和倉庫主任都可提取賬外貨物，該公司計劃科曾提出要健全制度，經理蘇偉民卻說：「如果一下子就健全制度，會受到思想抵抗，妨礙工作發展，大家還是互助移樽就教，協商辦法好。」於是就這樣協商下去，好在大家都有好處，也都個個心照不宣。

漏雨霉爛大家不管　希望失火可以清賬

這個公司兩年多來，所屬倉庫從未認眞檢查過一次，很多倉庫房屋漏雨不加修理，任物資亂堆亂放，其潮濕發霉。至于雨籠電綫破爛，容易走電失火，硫化鈉鐵桶通風，有爆炸燃燒可能，缺乏消防水喉設備等等，這些都更不當這公司倉庫人員所注意，倉庫霉爛了物資，經理蘇偉民並不呈報，反而交代倉庫工作人員說：「如調查組問起來時，就說倉庫不漏雨，是在火車上受雨霉爛的。」他們心理都在希望失火，便於報銷，這次清倉時，發現倉內物資受損失的情形更爲嚴重，計有棉布三六四疋已經發霉，二十九疋被油漬，十九疋被蟻蛀，四十四疋被鼠咬，三八六〇疋已受潮發熱，另有棉紗十九綑被水漬，二十三綑已經發霉，其中五綑已全部霉壞，有個倉還有數千件棉花露天堆放，到清倉時才移入倉內。

三反運動沒有查到　現在提出有啥作用

倉庫中的物資堆疊亦不合理，有一個倉庫曾因堆疊超過安全高度，於今年二月間倒塌過一次，有一個倉因堆放比利時細布很零亂，後來竟變成了老鼠窩，鼠糞污水，臭氣刺鼻，因爲堆疊不好，倉庫容量不能增加，反而減少，急時只得亂租私倉，濫用倉租，去年浪費私倉保管費六千八百萬元，今年可能更多，而且租貨私倉一次修理費就費了九百多萬，還有一家私倉又因租了，倉位不使用，浪費了每月二百五十「折實單位」另租。這些現象從「解放」以來直到現在，浪費數目實在無法計算，但是高級共幹們卻都不聞不問，直到最近有人在「南方日報」提起，也只是輕描淡寫說一句加强政治學習，並無下文。因爲「三反」運動，大家都認爲業已過去，後來沒作用。（陸羽寄自廣州）

臭共黨

福州市台江區有一糞倒樓，爲台江區最髒最臭的地方，現在福州人民發現還有一個東西比這地方更臭。於是他們編了一歌，用福州土話唱道：

糞倒樓，髒又臭，
蒼蠅蚊子滿天飛，
大尾巴蛆虫遍地游。
垃圾堆成山，
糞堆堆成樓，
糞倒樓前季季臭，
疫病橫行年年有，
季季臭，年年有，
臭臭不及共黨臭。

同豐圍失修崩潰　新會遭空前水災

修堤補缺是非法

【新會通訊】新會縣西北鄉同豐圍，六月下旬颶風爲災，打壞了好幾處基堤，兼且連天大雨，山洪暴發，崩圍大水，掩過了西北鄉，伸延到鶴山一區，受災的禾田有二千多畝，造成了近五年來新會農村空前大劫。這一個同豐圍，原由新鶴各大鄉撥小組當，每三年大修一次：新會「解放」之後，西北鄉圍董歸新會「公濟產委會」「保留核計」，一直不曾用在公益事業上面。原日主持公益事業的鄉紳，不是死就是押，就是逃亡，同豐圍拋荒已久，「解放」的一年，鶴山一區同豐公益會曾發動修堤補缺；正在和西北鄉商討時，「公益會」被認爲是非法集會之一，三個鄉紳被拘捕，指他們在國民黨統治時代，利用公益事業搜刮農民，要他們提出成立以來的舊賬，西北鄉紳馬榮初聞知消息，逃亡澳門，所有同豐圍修理「監圍」，一併燒掉，從此更沒有敢談公益事業的人，同豐圍就讓它一步步的潰爛下去。

崩潰了才來動員

新會縣僑民，一致認爲這次同豐圍的崩潰，中共當局要負很大責任。共幹只知發動鬥爭，攫取果實，對於這種自然災害，全不在意，才有整個圍是崩潰的結果。向旅港新會僑胞呼籲求助的農民說，二千多畝禾田，三數日間完全毀，禾田積水達三尺，早造已經無望。事發當時，共幹手忙脚亂發動了新會民兵及農民共二千多人，晝夜搶修，但工具缺之，名爲二千多人，實則每次工作不過五百人。而且在搶修時，中共的官僚主義還造成了一個大錯誤。西北鄉民爲了搶救田畝，決議向廣東省排灌站借取抽水機二十部，但排灌站拒絕不借，要「縣長」介紹信，要「農協會」申請，要「土改委會」證明，又要備價損保，一連串的「要」後，來由「農民束手無策」「農協會」出面，往江門幾次才借得了三具七时的抽水機，祇用得三個人工作，一日一夜，水低不了半时，「農協會」索性把三具抽水機還掉算了。

搶救不及　損失大

西北鄉二千多畝田野，變成淤泥一片，農作物活活淹壞，同豐圍呢，由於工具缺乏，材料缺乏，八個小缺口，祗修補了，還有三個大缺口無法可施。中共叫農民每人捐五個蔴袋（照人口計算，十五歲以下不計），用來盛泥搶修，但這麼多的蔴袋的錢又從那裏來？蔴袋又從那裏來？結果，農民又只好向港僑求助了。

西北鄉「農協會」檢討會檢討同豐圍崩潰事件時，「一致」指出，同豐圍的崩潰，係由於「國民黨統治時代惡霸壽棍把持操縱偷工減料的結果」，所以要由「舊社會」負責，還議決要向「天涯海角追回公益會的一羣兇手」。至於「新社會」要負些甚麼責呢？農民知道，只是不敢說出。

自由談

黑夜過海有感

為方

本月二十三日深夜，我從尖沙咀碼頭渡海，船行至海面中心點，忽聞有人跳水自殺，船夫急停輪施救，以黑夜難見動態，歷久不得要領。我對着陰沉的水色，砰砰然如怨如訴的輪機聲音，心裏浮齊抑鬱愁嘆之感，不能釋然於懷。

近來本港自殺他殺事件，層見迭出，原因雖甚多，然同爲一種社會病態的象徵，則爲不可否認之事。這項病態的來源，日前本港各界人士，曾有高見發表，指出若干事實，我認爲那些言人人殊的矛盾情形，可用一種理念把它統一起來，即香港社會環境太過於冷酷無情！譬如：看「世姐」選美會一次，可花去大把鈔紙，然不肯拔一毛以救助道旁的餓孚，尤其是一般過去在大陸拼命劫掠財富的文武官吏，他們可以爲炒金而一擲數十百萬元，爲開銀行而隨時被損失美金幾十萬，爲作投機事業而消耗大量金錢，滿不在乎。若有人提倡舉辦一項救濟貧苦大衆的工藝事業，却休想他們捐助一個「斗零」！人類的同情心性，一到香港來，似乎即已泯滅無餘了。我最近見着一位法官因違法小販無力認繳罰金，而當堂給助他半數罰款的情形，不禁感慨萬端。人性原是大家共有的，何以法官獨具有人情味，而一般貪賍枉肉，衣常錦繡之徒，他們的血竟一律好像是藏在冰箱裏的冷品呢？共產邪說之蔓延，良有以也！

老好的結局

·康伯度·

劉老好，由於他見了誰都是一付笑嘻嘻的面孔，無論大小事，又不大和人計較，更不曾和人發生爭執，因此大家都喚他老好。他那順生的大號却反而湮沒無聞了。他在漢口市民生路附近一條巷口開了一片順和油鹽雜貨店。憑他在商場中混了卅多年的經驗，把他那片店弄得倒也很是興旺，附近幾條街巷的人，都成了他的老主顧，還了運，確使他度過了不少風險。雖沒賺下幾七幾八，夫妻老兩口却也過得頂舒服的。

「解放」後，生意固然難做了，但由於他往日的信譽，許多老主顧仍來照顧他，營業仍能勉強維持。更幸運的是他那片店子門面又狹，規模又小並未引起共黨仁兄覬覦，使他在幾次大捐獻中，都勉強掙扎渡過。鄉中的土改，由於他沒有一分田地，清算鬥爭也未弄到他頭上來。總之，在千千萬萬的人遭受着不幸的時候，他要算頂僥倖的一個。「打掃自家門前雪，休管他人瓦上霜。」這是他一貫處世的哲學、現在他更奉守惟謹了。「五反」開始，鬧得滿城風雨。他眼看到許多同業和熟識的人，相繼破了家，被了捕，甚至送掉性命，也不由得怵目驚心起來。他便在生意清淡時，將他的賬簿搬了出來，從頭到尾，一本本，一筆筆的細細檢查，看有什麼毛病沒有。當他看到他那筆刻板的字，寫得排棵清楚端整時，他心裏便又寬貼不少，「怕什麼！我又沒有偷稅！」他在自己安慰自己。

今年四月廿二號的那天，他正坐在店中查賬，門外進來了兩位「解放」同志。他本能的趕緊站了起來滿臉堆了笑迎了出去。

「兩位請坐！」他一面招呼着，一面從架上取了一包香烟遞了兩支過去。「你是劉老闆？」「是！」「先生有什麼事嗎？」「我們是五反工作檢查隊的！」「啊！雪艷泡茶來！」他一面答應着一面趕緊喚他的老婆出來幫他招待。於是他店中所有的糕點，每樣便裝了一碟擺在桌上。

「不用客氣！你把賬簿拿來我們看！」「有！有！」他趕緊將他的賬簿搬了出來，并且在旁一一說明：這是流水，這是日升和進貨總賬，這是貨！……。當兩位「解放」同志吃得臉紅紅出門時對他說：「你的賬我們帶回去審查，結果再通知你！」

第二天，當他正焦慮的在店中起坐不安時，便接到了一個「請到漢口市五反工作檢查隊來一談！」的通知。於是他心裏又沉重了幾分。他馬上趕去，接見他的是昨天那位個子長長的北方同志。「劉老闆！你的賬寫得很好，很整齊，很費了一股兒勁哩！」說後面上浮上一層狡猾的獰笑。他心中不禁打了個寒噤。「那裏！寫得不太好！」「哼！好倒好！可是你的膽兒可也不小，竟敢造假賬！」晴天霹靂把他嚇呆了。半晌才喃喃的說：「先生！那是真賬呀！」「真賬！你真太和我開玩笑了。寫得那樣整齊，還說我真賬！好罷！你到市公安局去反省罷！」他終於被送進公安局一間潮濕暗臭的監房中，並且在第二天就感染時疫，發高熱而致昏迷。

他老婆急了一夜，熬到天光，把門關鎖了，打聽後才知他關的地方。跑去見他也被拒絕。總算她能幹，終於找到了那位北方同志，說好說歹送了三百萬人民幣才得答應幫忙。結果被判罰款七千萬。她將店中所有生財貨物拍賣，七挪八湊繳了款，才將他接了回來。自然是無法再開了店子。當他的病將養好不久，忽又接到市工商局一個通知，說他擅自停業，破壞金融，要他去申述理由。天呀！他那還有勇氣再進「人民政府」的衙門呢？他就在那一個晚上服了一包信石下去。當他妻子發覺時，已氣息全無了。而她呢！在一陣痛哭後，也悄悄的懸樑自盡到陰世去找他的老伴去了。——這是漢口盡人都知道的慘事。

論吳用（三）

（水滸人物論之十）

·舜生·

吳用把阮氏弟兄說得心花怒發，便約他們明早起個五更，四人一陣，都來到晁保正的莊上。

晁蓋和劉唐將四人迎入，保正把阮家弟兄着實誇獎了一番，吳用更把他們三人願意入夥的志誠，備細述了一遍，當下六人，皆大歡喜。晁蓋便吩咐莊客宰殺豬羊，焚香燒紙，發誓結盟。

當他們六人正在後堂散福飲酒，門外忽然來了一位化緣的道士，原來此人便是入雲龍公孫勝，也正爲着『生辰綱』而來，因爲他是薊州人氏，從北方到此，沿路打聽得『生辰綱』將從黃泥岡大道而來。當下七人又重整盃盤，並以聚義的形式，將坐位重行排定，晁蓋坐了第一位，吳用第二，公孫第三，劉唐第四，阮氏兄弟，便按齒行輩，以次坐了第五第六第七。正當歡暢飲高談，晁蓋又提到黃泥岡附近安樂村一個名叫白勝的閑漢，吳用覺得其人其地均有大用處，因決定也要他參加。

當下由吳用說出一條軟取『生辰綱』的妙計，大家一致贊成，便只留公孫劉唐在晁保正莊上暫住，吳教授和阮氏三雄均分別回去，約期再聚。

梁中書派遣押解『生辰綱』的，是他村中一個名叫楊志的提轄，此人原也十分英雄，而且非常精細，知道沿途歹人甚多，如果大吹大擂，便難保不出岔子，因此他只要了十名軍漢，都裝作脚夫，將十担金珠寶貝挑着，並另派一人，扮作客商模樣，隨同前往東京交割。可是除了這十担禮物以外，夫人却又加上一担，分別贈送太師府的眷屬；所加派的人不止一個，而是三個，一位主要的，便是嬭公謝都管，另加兩個虞侯。所謂嬭公者，乃是蔡太師府中一位奶媽的丈夫，大概這位奶媽，便是餵過梁夫人的奶的。楊志一看，這還了得，有了這位大來頭的謝嬭公，我還如何指揮得動？萬一失事，我如何擔得起這分干係？因此他辭不願往。還是梁中書把謝都管和兩個虞侯叫來，當着楊志的面，鄭重告誡，教他們一路早起，晚行，或住，或歇，都必得接受楊提轄的命令。如此一來，楊志也只好勉強承諾下來了。

蔡太師的生辰是六月十五，他們一行十五人從北京出發正是五月中旬，天氣十分炎熱，而每一担的分量，却有八十斤左右。頭幾天總算還好，愈走便愈走不動，嬭公上了年紀，兩個虞侯又背着自己的行李，也着實難熬。楊志爲了自己的責任，一切毫不客氣：十一個軍漢不聽話，他拿着藤條便打；兩個虞侯和他搶白，他開口便駡；嬭公眼看衆人挨打挨駡，也就悶在心裏，待機發作。楊志以爲經過主人的一番吩咐，他儘可以這種作風去對待他們，殊不知老爺只能硬在嘴上，如何拘得過夫人的兩條胳臂！（一一六）

燕竹樓隨筆

亂彈齋詞話

西江月　　馬五先生

序曰：美國民主黨全代會正在芝加哥舉行着，南北兩派頗有分裂氣象，特請羅斯福總統夫人出席講演，以期團結大衆。她指斥孤立主義，擁護聯合國，語意雙關，會場歡呼之聲歷十七分鐘，要捧她競選副總統。記得二次大戰初期，她到太平洋新幾內亞戰區慰勞美軍回去時，對新聞記者敍說故事一則：她在戰地不聞有戰爭行動，詭問士兵何故？士兵謂日軍躲在壕溝裏不出戰。她教士兵對着日軍大駡日本天皇，以激怒之，必起戰鬥。第二天那士兵告訴她，果然日軍聞駡即憤然起而回駡美國羅斯福總統，其言甚惡毒，但沒有相打。她問那士兵：士兵爲何不打日軍？士兵答道：夫人，你知道，我是共和黨員呵！此故事當時激怒了國會議員，教她回家去好好料理家政，少管閑事，她從此亦匿迹消聲，到丈夫死了纔出來活躍的。這次講演詞，還是她那套否定黨爭的觀念而已。

第一夫人萬歲，羣英大會歡呼，一場說教警鑽眉，恍若晨鐘暮鼓。國事通乎人和，黨爭徒然自苦，欲達世界和平路，祇靠女人作主！

哀王軍

惜夢

王軍遼寧人，是一個愛好文藝的青年。東北光復初，曾出版黎明，頗爲讀者所稱許。余在瀋陽辦報時，王曾任練習編輯一年。匪入瀋陽，王首先表示傾向。匪利用發動鬥爭，得有前進頭銜。近得友人函，謂王因故被打做苦工，旋逼其參軍，不去，卒被飢餓而死。

× × ×

瀋陽將被共匪黨佔領，
王軍首先表示了傾向；
「這才是我們自己的時代，」
聲音喊得非常的響亮。

× × ×

共產黨利用他來作鬥爭，
要他爲一般人作個榜樣，
他愛人的父親先被鬥完，
贏得了很多意外的誇獎。

× × ×

他頂着一個前進的頭銜，
暗地裏把婚事籌備妥當；
料不到愛人被共幹奪走，
這是打破了他唯一希望。

× × ×

他含着悲憤到處去控訴，
但沒有人給他一點反響；
「是我們自己的時代嗎？」
開始在他腦子裏迴盪。

× × ×

共產黨認爲已不能利用，
把他關進了一個工廠，
說他的思想需要改造，
兩年多不見他的影像。

× × ×

改造的生活沒有過完，
逼他參軍到北韓打仗；
他已經是下定了決心，
無言的把腦瓜子三幌。

× × ×

共產黨拿出飢餓政策，
看他到底再怎樣反抗？
他被迫的放下了飯碗，
從此把眼睛永久閉上。

× × ×

許多的青年都是這樣，
對共產黨總懷着一個夢想；
等到他夢想醒轉的時，
也就是他生命最後收場。

中國之友（二）

毛以亨

華爾傳（一）

一、清史稿所載其前期各事之錯誤補充

清史稿列傳二百二十二華爾傳云「華爾美國紐約人嘗爲其國將弁，以罪廢來上海，國人欲執之。會粵匪陷蘇州，上海籌防，謀練精兵，蘇松太道識其才，於美領事獲免，俾領印度兵，既撤，自陳願隸中國」。

以上所言，幾乎沒有一句話不錯，在未加一一訂正之先，則有一普遍概念，對來居中國之美國人的誤解，不可不辨。大概白種人之來遠東者，英國人多爲其家之次子，歐陸人率爲在其本國無法立足之人，而來中國以後又以優秀之超人自居，以此而引起反感。美國人則本其開發西部好冒險之精神，即在其本國能立足者，亦喜棄其安穩之生活，來遠東，另闢新天地，而此一所闢的新天地即爲其自己創造的新生命，故與之水乳交融，寶之勿失。我總覺得在北京上海有事業的美國人，其愛北京上海較之愛紐約辭感頗爲尤切，如以其重視衣食之源的唯物解釋，則其在本國決非無事業與無衣食者，故不可通。大概新大陸之鄉土觀念，未能縈繫人心，而其愛國主義則反與其所創造之新天地聯繫，故以世界國家字美國，以世界公民字美國人，美國與美國人均可心安理得恰如其分而受之無愧的；若改以此等語恭維法國人，則至少他們總覺說得過分，甚至疑心你那裏譏諷他，因爲法國人總是法國人呀！知此始可與論華爾及後來中國之美國人。

華特誤譯爲華爾，他不能稱爲紐約人，實爲麻州，波斯頓北之一小港口Salem人，若稱爲紐約人，猶之今日香港人稱青人天津人爲上海人。他從未爲美國將弁；American National Biography稱其一八四六—一八四八年入Norwick大學受到軍事訓練，所以他是受到大學教育的人，並非無教育的浪人。Morse稱其欲入西點陸軍學校失敗，十五歲後即從事海上流浪生活，則與前說稍有出入，未知孰據？謠傳他在Nicaragua參加Walker灰眼人之命運軍，其人曾以家書證明爲不可靠。又其曾參加加里波的Garibaldi在南美遠征軍，與英法對俄在克米之法軍，任職少尉，雖有證明，而官書未有記載。

黑十字

北晨

目前他只剩下了兩着棋，一着出在佩雲身上，後天佩雲也要請客，由白濟宏出面替她做生，這一回不能饒了黃洸，一定要他在賭上出點血。第二着棋屬於藍英的，藍英的事，黃洸已經全部答應了，爲了穩當，還需要藍英多花點功夫，假如再能弄些現鈔，又可以分些過來給他花用。

他匆匆跑到「新都」，一進門便看見藍英在打電話，這令白濟宏很不高興，他早已關照過，叫她少和外人交際，事實上，她和黃洸的婚事已算有了眉目。

藍英已經看見了她的姐夫，但是手上的電話無法放下，對面說話的人正是洪正池，洪正池尋着了藍英的住處，他從玲玲那裏得了一點線索，便在雲山酒店附近的旅館尋找，居然給他問着了，他先來一個電話，目的只是試探，却不料藍英跑去接聽了。

洪正池說要來看她，這怎麼可以？白濟宏已經走近了，藍英只好說了一聲「你不許再胡鬧。」便將電話掛了。

「是誰打來的電話？」白濟宏的神色很難看。

藍英一時編不出謊話來，她低下了頭。

「一定又是那個姓洪的」從姨妹的態度上，已經看出了這個電話的蹊蹺，藍英沒有答話，他更氣了，他說：「小英，爲甚麼這樣不爭氣，還和這種人往來？」

「我幾時和他往來？」

「你不告訴他，他怎知道你住在這裏？」

「如果我告訴他了，我便不得好死，除了和你一道，幾天我沒有出過大門。」

「那末他怎麼會知道的？」白濟宏顯得奇怪。

「我怎麼知道。」

可能不是藍英去找他的，白濟宏知道洪正池沒有多少法力，他以爲這個男人只要郝臣開談一下，他便不敢怎樣嚕嗦，因此，只是再囑咐一聲，禁止藍英少和洪正池搭訕。白濟宏問：（卅四）

·中篇連載·

自由人

THE FREEMAN
（半週刊每星期三六出版）
（第一四七期）
每份港幣壹毫
督印人：李光譯
社址
香港高士打道六六號
電話：二〇八四八
GLOUCESTER RD.
HONGKONG
TEL: 20848
承印者：東南印務出版社
地址：高士打道六四號
台灣總辦事處
台北市館前街五十號
台灣經銷處
台北市中華路一二五九號

我對於今後教育的一點看法

照中國的歷史看，中國自來是一個自由講學之風最盛的國家，孔子便是一個自由講學的首唱者，以他的成就，豈是今日區區一個大學所能比擬？這種私人講學如不加干涉，不牽涉實際政治，往往能使一時代的學術趨于昌明，否則，即引起若干無謂的紛擾。

·左舜生·

最近有關於台北的兩項教育新聞：其一，據說有外國人在台北所設的一所學校，開辦已有相當的時間，中國人遣送子弟入該校肄業者亦復不少，但地方教育當局爲對於該校設立的情況，事前並無所知。其二，最近政府教育當局，已表示可允許基督教中國大學聯合委員會在台灣設立一個教會大學，但希望完全按照中國教育部所訂關於設立大學的法規辦理。這兩件事的詳細情形我們不明白，不願說話，我只想對今後辦理教育的方針，表示個人一點意見。

我在原則上不贊成政府對教育多作不必要的干涉：基於宗教的信仰自由，我覺得任何一個教會，應該可能接受該宗教信仰者的要求，自設學校去教育他們的子弟；基於講學自由，如果僅僅以學術性質爲限，各大學必須保持一種高度的自由空氣，政府不應隨時給予他們一種麻煩；鑒於過去黨化教育的徹底失敗，以及中共在大陸種種的胡鬧，我覺得教育機關總以隔離現實政治愈遠愈好，在大學中，尤其不應有任何黨派性質的組織，正式的黨團更不用說，但這與政治學術及政治問題的研究，自屬判然兩事；更鑒於中國土地的遼闊，民族與宗教的情形相當複雜，過去政府那種一道同風的規定，以及教科書的劃一編訂，實在並不理想，將來也應該重新釐訂。

照中國的歷史看，中國自來是一個自由講學之風最盛的國家，孔子便是一個自由講學的首唱者，以他的成就，豈是今日區區一個大學所能比擬？在孔子以後，無論任何一個時代，也往往有若干的老師宿儒，維持這種自由講學之風於不墜；在當時，如果政府對於這種私人講學不加干涉，或不使之牽入實際政治，便往往能使一時代的學術趨於昌明，否則即引起若干無謂的紛擾。今天是時移世易，學術內容起了很大的變化，以前那種私人講學的辦法，幾乎已陷於不可能，但我覺得這種精神，依然值得我們重視。

以最近五六十年的新教育而論，我覺得清末那種私人辦學的風氣，實在有助於中國的進步不小，以我個人所知道的來說，當時湖南江蘇浙江等省私立學校的發達，實爲全國之冠，而且成績大抵優良，辦學者的精神也至足令人感佩，假定當時的政府不予放任，隨時加以不必要的干涉，恐怕一般中國人的教育水準求如今天也不可得。

一想到大陸收回以後的教育問題，尤其使我感到不安，我覺得除掉特別獎勵私人辦學以外，很難使中國教育界的元氣逐漸恢復。

近年的風氣，政府總是偏重集權，好像任何事都要由政府來集中辦理，實際則成績並無可觀，尤其教育更是毛病百出，例如教育經費的短絀，教師待遇的不良，學潮的隨時爆發，所謂『索薪運動』，『反飢餓運動』種種的層見迭出，何嘗不與這一套勉強的辦法有甚麼深的關係？因此，我覺得今後政府對教育的態度，對下舉各點應特別加以注意：

一，政府只能做它所能做的，竭力避免它所不能做的，例如教育宗旨的標明，學制的釐訂，辦學成績的考核，對優良學校的獎勵，留學政策的改善等等，這可能是政府所能做所應做的，但仍須會同全國教育家的意見，對全國教育會的決議，多予尊重，私心自用，閉門造車，也還是不可以的。

二，發展教育的重點，應該擺在地方，政府最多只能對各地的教育經費以及推行教育的進度等方面予以調節，什麼大學都要使它戴上一頂『國立』的帽子，大可不必。即關於中小學師資的培養，政府也祇能提出意見，決不能以一種不合當地情況的辦法，強全國以從同。大抵在提高的一面，政府應負的責任較多；在普及的一面，地方應負的責任較大。

三，在『五四』以後，我和一部分的朋友，會對教會教育加以嚴厲的批評，由今思之，也覺得有不少的地方過分，平心而論，教會教育對中國是利害參半的，今後仍當聽其存在，不過應使中國的教育者多有參與的機會，而不能聽其過度的自爲風氣就是了。

四，應該獎勵扶助私人興學，獎勵一類好的學校，應該多於取締一類壞的學校，當然也應該取締一部分藉辦學以牟利的行爲。

五，我希望黨化教育這一名辭與事實，今後永遠不復在中國出現，是在中國人精神上製造糾紛的一大根源。今後對於大學中學校長的任用，應以學術資望爲準，決不能以某種黨籍爲限。

六，學校教育外一切學術性的設施，政府應以大力提倡，並促其普遍的實現，對私人組織的學術團體或機構，亦不應加以歧視。

斥狄托

·司馬璐·

狄托最近在「聯合國世界」寫了一篇文章說：

「西方國家倘使企圖與毛澤東獲致諒解，而不去支持蔣介石政府的話，中共可能已與蘇聯疏遠。」

這是什麼說話？這是侮辱中國人民的謬論，這是一種有毒的謬論。

如所週知，所謂狄托主義，在基本上仍是共產主義下的一個宗派主義，他們自稱仍是代表共產主義的正統，所以狄托主義在本質上仍是極權主義的一個支流。是共產黨的黨內矛盾。

如所週知，在狄托統治下的南斯拉夫，獨裁如故，專制如故，鐵幕內政是十分糟糕的。我們無意於指摘別人，但是我們需要說明，中國人民所追求的憧憬的是一個眞正民主自由的國家，而不是狄托型的共產主義。

作爲一個南斯拉夫的狄托，反抗克里姆林宮，我們對狄托無疑是寄予同情的。南斯拉夫人民對於他們的政府應該如何，那是另一件事。但是，作爲一個中國人民，深受過中國暴政的中國人民，我們要指出，中國共產黨是中國人民不共戴天的死敵。

西方國家支持狄托的政策，我們也充分諒解，凡足以打擊克里姆林宮的力量，我們都應充份加以運用，這是無可厚非的。但是，有那一個西方國家敢於說，狄托統治下的南斯拉夫的現狀，是合理嗎？在思想上，我們能夠否認，狄托還是我們的敵人嗎？我敢於和狄托打賭，如果南斯拉夫不澈底放棄他的「共產主義」的尾巴，狄托主義的南斯拉夫，在將來的自由世界中，是絕無前途的。

何況，狄托所指責的「西方國家倘使企圖與毛澤東獲致諒解，……則中共可能已與蘇聯疏遠」云云。不是事實，是一種模糊影響的說法。

事實上是，若干西方國家，過去的確長期存在過這樣的幻想，而且他們也很費力促使毛澤東走狄托的路綫，而結果如何呢，中共的答覆是「一面倒」，「抗美援朝」，大鼻子的顧問泛濫整個赤色中國，中共對俄國人的賣身契一個個簽訂下來。這些日子，正是國際間「狄托主義者」高唱入雲的時期，正是綏靖主義者甜夢未醒的時期，正是西方國家中多少人對毛澤東眉來眼去的時期。狄托，如果你還清醒的話，你該不會忘記這些事實吧。如果你還爲民主國家利益着想的話，你能否認，這不是一段痛苦的經驗嗎？你能抹着大良心再替中共和毛澤東的政權辯護嗎？你還能再說：「紅色中國不完全受蘇聯的影響」（狄托原文）嗎？

從最現實的觀點，我們也得承認，毛澤東轉變狄托，是絕無可能的。狄托的黨，是一個領導民族革命起家的黨。毛澤東的黨，是一個領導土地革命起家的黨。狄托從一九四五年就在黨內開始清除「莫斯科的間諜」，毛澤東今天自己已經成爲「莫斯科的間諜」的頭目了。試問：這樣一個沒有絲毫民族意識，一直以國內人民爲敵的毛澤東，很能走上「狄托主義」的路綫嗎？

如果，再退一萬步說：分化敵人也未嘗不是一個策略，但，這裏必須注意：

第一、分化敵人不能以幻想代替現實。

第二、分化敵人不能以自己的朋友作爲犧牲的代價。

狄托自命爲共產黨人，受過俄式訓練，「分化」的策略又一向是共產黨人的拿手戲，他當然應該知道，一個策略的運用，如果不夠警惕的話，我們會中了敵人的「反間」，上了敵人的圈套。狄托的主張，在「無意間」（我們說狄托是「無意間」，已經盡容忍之能事了）正替克里姆林宮盡了這樣的義務。我們根據前面的分析，希望毛澤東變爲狄托是一件如何渺茫的事？而狄托卻希望不要支持中華民國政府，這不是分化敵人不成，倒首先分化了民主國家嗎？

我們覺得狄托這篇文章僅有一個意義，在這個世界上，狄托太孤單了，也太悲哀了，他不過個人藉此解解嘲吧了。（七月二十八日）

——今日三版要文——

共黨爲何向澳門挑釁？

中共「超軸」運動黑幕！

郭沫若的聲音在發抖

郭沫若在東柏林跟其他各國共黨開了一個「月光」的會議，回來了，發表了一篇演說，要求「動員世界人民，以協商精神戰勝武力解決。」共產黨本來是武力第一主義者，裝得拳頭大，臂膀粗，想嚇倒人的，這回卻要「用協商精神」了，可見克里姆林已有所懼怕，所以郭沫若的聲音也在發抖。

我們已一再說過，史大林的侵略世界，是欺騙手段的，而且被人識穿，針對着強硬對付起來，他反會縮手縮腳了。巨濟島俘虜問題，盟軍過去太寬待了，共俘囂張起來，鬧得胡天胡帝。但一經鐵腕，加強管理，就反而服服貼貼，順從得很。

轟炸鴨綠江水電廠的事情也是這樣，盟機不炸它，它強硬得要命，嚇得你不敢炸，但你一且不顧它這套恫嚇，給它一個硬幹，它反而軟了。它雖口口聲聲要報復，卻根本不敢有什麼行動，則這種所謂「報復」，實際上還是一種「恫嚇」。

再拿最近澳門事件爲例，也是這一類的性質，澳門因爲地小力薄，過去處處遷就中共，中共就認爲可欺，動輒要脅，這次衝突事件，更證明它不敢在硬處幹，祇能在軟處找氣出，但得它一強硬，兵來將擋，槍來砲還，他也就不敢再亂搞了。

所以郭沫若這篇報告，事實上就等於宣佈它共黨過去強硬政策的破產。但共黨這一態度的轉變，基本上還是侵略性的，不過是硬的不行了，才來軟的，反共的民主國家，應該以三年前中共利用了「協商」來拖垮瓦解中國政府的史實爲戒。（干一）

中東的民族運動高潮

伊朗暴動逐總理，埃及和平廢國王，形勢各別，方法有異，然其爲要求進步之民族自覺性的表現，卻無二致。若借用一句共產仁兄的宣傳術語來形容他們，那就是所謂「革命的高潮」！

革命的潮汐固然高了，但，弄潮兒如不好自爲之，即有被其捲沒滅頂的危險，尤以伊朗爲可慮。莫薩德藉民族戰線之力，脅制國王，取得政權，而伊共已有火燒德黑蘭，殘害外國使節，乘機暴動以攫奪政權的陰謀發現了。伊共在國內的勢力不可輕視，國外的支援史積之有素，它藉着石油問題的僵化局面，國民財政金融之日益艱窘情形，蠱惑人心，亮出「民族統一戰綫」的法寶來，即可以教莫薩德不變成傀儡，即變成俘虜！

埃及的情況卻不同，現時掌握軍政大權的文武要人，以及前天由羅馬趕忙回國來活動的前首相那哈斯等，無一而非擁有傳統的門閥地位和大量財富者，他們用和平手段放逐了一個花花公子式的帝王法魯克，正爲全國人所歡迎，只剩下蘇彝士運河的主權收回問題，將來可能引起意外的騷動，而有被共黨滲透利用之處。

中東的情勢日見激盪不安，英美各國應該面對現實，及早補救，現在還來得及，再遲就怕麻煩了！

醜態百出的民族運動者

講民族主義而弄成醜態百出的，當今之世，再無過於印度尼赫魯那一小撮人物了。自命「中立」自主，無所偏倚，而專門表示親共媚共的言行。前天印度駐美大使畢氏，又向美國人不知所云的講了一大篇廢話，說印度之承認中共政權，是跟英國腳後走的，而且邱吉爾先生也同意這樣做。他把印度承認共產政權這一舉動，竊附於一九三三年美國承認蘇俄之列，眞不要臉！

印度要與中共訂交，別人用不着說甚麼。但，承認並不是「一面倒」的同流合污之謂。印度既以「中立」自命，就爲着你自己國家的利益而說話好了，隨時七嘴八舌，妄論世事，而專門替俄共集團助勢幫兇，胡爲者？既想媚共邀功，又捨不得自由世界的美金和糧食，自作聰明，語無倫次，這種「政治商人」的民族主義者，可憐亦復可鄙！

本週展望

·雷嘯岑·

莫斯科與板門店的唯心把戲

本月廿七日蘇俄空軍節，因爲在俄共的宣傳圖畫中，繪有美國飛機被俄機追逐的景色，意存侮蔑，以致美英法各國大使皆拒絕參加這一紀念盛會，這是俄共們的典型作風，藉以表示一切都是「蘇俄第一」的阿Q精神，信不信由你，胡言妄語在他！

莫斯科教主既有此「傑作」，嘍囉們當然亦步亦趨，竭力摹仿。板門店和談雙方參謀人員所商訂的休戰條文，共方對原則表示同意，但不承認有「聯合國」及「韓國」這些字句，覺得這是有失立場的。依俄共集團一貫地唯心辯證法則，事實還是事實，表面卻特別要緊，「聯合國」或「聯軍」，一定要改爲美國美軍，「韓國」一定要改爲朝鮮，這就是「站穩立場」的「光榮」勝利了！至於事實上向人低首下心，唾面自乾，那倒不在乎。共產黨人就是這麼一種形相的唯心主義者！

澳門事件的觀感

澳門衛軍與共軍在交界地點發生了一次小衝突，這三五天之內，由澳方航來香港的輪船上，旅客擁擠，迥異尋常。這跟一般人聞警報而抱頭鼠竄的形色相同，在城市的人要往鄉村跑，在鄉間的又拚命向城市鑽，六神無主，亂跑一陣而已。

告訴一般爲生命財產之安全而着慌的人們：生今之世，又躬逢共產極權主義的鬥爭場台，唯一的安全大道，只有各盡所能，努力爲生存而奮鬥之一途。平日看清局勢，臨事鎮靜自持，方爲上計，鬧驚而慌亂一陣，那鮮作庸人自擾，無裨實際的！

中共為何向澳門挑釁

流氓作風，欺軟怕硬，它在朝鮮丟盡面子，想從澳門撈返，葡人如被嚇倒，得其所哉，否則敲它一筆，也是好的。

·金風

玩火者始終是玩火的，中共又向澳門開火了。雖然這只是前哨性的衝突，小型的戰鬥，但在韓戰將有重大轉變的今天，在東南亞局勢面臨山雨欲來的現階段，幾聲砲響，已足夠刺激人心了。

這一次的衝突，起於二十五日晚間，駐中山縣邊境關閘地方的共軍先向澳門的葡籍菲兵投擲石塊，繼而要葡兵將邊境的鐵綫木馬向後遷移，以後高沙檢查站碉堡內的共軍即開槍向澳門關閘射擊，並拋擲手榴彈，當場死葡兵一名，另傷三名。

二十六日上午八時，共軍在拱北及山山面的砲兵陣地開始發砲，葡兵還擊，衝突再起。葡砲兵曾射中下灣「國館」的共軍營房，結果葡兵死兩名，受傷六名，共方死傷十餘名。

這次雖是地方事件，但卻含有非地方性的意義。本來「關閘」是澳門與大陸的分界地點，葡方自一九三五年日軍侵華時起，即在關閘以北約十二碼填區，架設鐵絲網，作為分界綫，平時葡兵在鐵絲網前守衛。共軍進入中山後，則距離該鐵絲網三碼設立雙崗，彼此遙遙相對，互不侵犯。何以現在會突然的發生衝突呢？

很顯明的，這是中共故意發動的，一方面是向自由世界示威，以表示它並不恐懼戰爭的擴大；另方面是試探各方的反響，以顯示它還有餘力向港澳或東南亞地區正式進軍。澳門地小力薄，中共視為可欺，于是來了這一手。一個月來，世界局勢逐漸轉變，韓戰既無停火可能，而且聯軍當局決心于必要時將戰爭帶到中國大陸。美海軍軍令部長費勒特和美太平洋艦隊總司令雷德福等，一再聲明，美海軍可以隨時作戰，可以隨時應付敵人的進攻，也可以隨時開到任何地方去。換言之：他們可以向大陸中共發動攻擊的。前兩天美特種艦隊在台灣海峽的噴射機和艦隊的演習，即是這一戰鬪的前奏。

藉此恫嚇英國　加緊對美牽制

中共敢于正面接受這一挑戰麼？不敢的。但它又不甘屈服，于是只好向澳門尋釁，表示它可以在海岸一戰，表示它沒有放鬆華南的防務，間接地給美海軍以答復。

第二、香港與澳門距離咫尺，處境相同，中共攻擊葡人，即等于向英人攻擊，它想利用英人的妥協性，增加對美的壓力。它認為大英帝國為了香港的安全，必然堅持美國採取綏撫政策，迫最低可以牽制美國的強硬政策。這也是中共向澳門製造事件一重要原因。

第三、就是直接威脅澳門。澳門原是共黨地下人員活動積極的地區，原爭取有一部份商民親共，其在海外吸收的戰略物資，亦多由澳運回大陸，尤以香港禁運以後，中共在澳門的套購更趨積極。但是年來人心轉變了，共黨份子的活動既受限制，同時中共在澳門的倉庫又接二連三的失火，如汽油，橡膠，車胎等物品被燒得一乾二淨。他們自當疑惑到是反共份子做的，因之牽怒于澳門政府，向澳展開鬥爭了。

五項祕密條件　敲榨五十五萬

現在兩方面已同意停火，組織一「中澳邊境衝突調解委員會」，澳門方面由經濟局長羅保，華商總會理事崔德祺，華商總會副理事長大華行經理馬萬祺，及中共新華南局駐澳「地委」兼「南通銀行行長」的朱治平為聯絡代表，鏡湖醫院祕書長郭信堅為紀錄，中共方面另派中山前山「邊防局長」先行來澳，舉行初步談判，據悉中共方面提出了五項條件；

一、此次衝突事件的責任，應由澳門方面負責。

二、澳門警察局應保證中共地下工作人員的安全。

三、澳門當局應協助中共套購及內運戰略物資，並負責倉庫的保護。

四、懲兇和賠償。此次衝突，共方宣稱自己的損失，共方已死傷一百人，每人應由澳方償付撫卹金五千元，另房屋農業損失港幣五萬元亦應由澳方賠償。

五、取締反共份子的活動。

澳方對于這些條件，是否接受不得而知，但至目前止，雙方一面談判，一面繼續佈防。共軍增兵前山、北山嶺上一帶，構築了新的戰壕。岐關路上與「關閘」接近的「五星旗油站」，還沒有升起「五星旗」，青州、馬場、台山角、關閘一帶，亦增兵加緊建築防禦工事。松山和關閘橫路則實施戒嚴。

交通方面，陸路尚未恢復。水路內河綫，除江澳綫澳門曾一度開出外，所有三埠、廣州、梧州、江門、石岐等綫輪渡，亦全部停頓。

中山共軍原為一個團，約八百至一千人。現從海陸各方面增調至三千餘人，分佈於中山的五、六、七各區。表面上，中共還是在積極備戰中，但這是做樣子給澳門當局看的，給自由世界看的，裝腔作勢，討價還價而已。以它目前的環境和力量，是無法再開闢戰場，挑起另一戰爭的。又居留在澳門蓮峯廟內的二百四十三名國軍，雖接近戰區，但極為鎮靜，絕無騷動情狀，且各人心情極為興奮，並願一試身手云。

程潛病倒長沙

袁因

消息沉寂的程潛，昨天由湖南到來的人說，他是病倒長沙了。據來人談：「程潛因為親任湘西搜剿游擊隊，中途遭遇狙擊，驚駭過甚，因以致病。」這一消息，由各方面的情況加以證實，它是可靠的。遠在六個月之前，當中共發表程潛充任「湖南省主席」之初，當時就有人說：「中共要程潛當湖南省主席，湖南必定有事。」這一個判斷，在今天看來，可以說是估對了。本來，像程潛這樣一個人，是很難說出他有什麼長處的，中共以一個「人民革命軍事委員會委員」的名義，足夠把他「穩定」在北平了，怎能還讓他再回湖南去當「主席」？這其中的道理，說來話長。

傅作義「榮任」「水利部長」而又兼「綏遠軍區主任」，回去包頭而置其武部三十六，三十七兩個軍並未出事，而且順利出關「抗美援朝」，所以傅作義今天還能安返北平，重渡其「陸戰將軍水上討活」的「部長」生活。而這一次我們的「程潛將軍」，以「陸地將軍」重返陸地工作，像是犯了他命星的忌諱，所以他是一去不回來了！

大陸民情動盪，風傳已久。湖南的地方不靖，由程潛的回湘以後一朝忽然病倒於他「人民革命軍事委員會」之內，而病倒於他衣胞之地的三湘七澤之間，其今日內心的悲哀，是可以想見的。今天的程潛，將以長沙「省政府」西便小院落的一角，作為他「歸眞返璞」的處所了。

程潛返長沙的時間是去年十一月，到長沙一月以後，始由報端公佈他是「湖南省主席」，與他乘機同來的有劉少奇與李克農。程迄目前為止，「任所」尚無番號一人。據悉；程當投共之初，曾親向毛澤東保證，「湖南自後無事」。而今日在湖南西面南面動蕩得最利害的，就是程投共之日，不甘降敵的湖南邵陽零陵長衡等地方團隊，共約五千餘人，現與國軍某部結合，發展到了二萬餘人。程潛之所以倉惶就道，與今天的一病不起，道理就在這裏面了！

程潛就任「湖南省主席」由起始以迄於現在，他唯一專心致意的工作，是搞「湖南人民地方公安研究委員會」與「湖南人民地方公安部隊」的訓練與組織，他在這一個工作之中，會先後招引了湖南投共有名的地方惡棍，如宋德興，包凱，沈榮，陳渠珍，謝人超，費德揚，張善麒等人為研究會委員，並組織起了以每五百人為一個大隊的十五個公安大隊。這些大隊在經過三個月徵集（大部由民兵徵集來）三個月訓練裝備於六月上旬經已全部開往湘西，程潛大概是在這一些大隊集結湘西以後才專程前往而中途遭遇狙擊的。在這一段時間以前，程潛曾經由「公安研究委員」包凱，陳渠珍，兩人先行前往湘西「聯絡」，自然，程潛是因為聯絡沒有結果，才逼着拚老命而自行前往，想以親幹「解決問題」的，親幹未成，而反在中途險喪老命，所以他祇有回來病倒。

程潛以湖南省主席兼綏靖主任投共，這是一般人所知道的。而他在投共之先，為中共控制了九十萬包大米，五百餘萬元，七萬餘兩黃金，大大的助長了林彪的兇燄，則尚未為一般人所知曉。這些物資金銀，並不為當時程潛屬下所有；而為中央銀行的國家財富與華中部隊糧餉，程潛在徐蚌會戰失敗，長江吃緊斷預，先以刁難滯留方法阻止上列各項資財外運，最后則以武力劫持上列資財，抗拒負責人員保有，轉手獻與中共。大陸對共戰爭以來，沒有那一處地方比湖南失敗得更慘，程潛向來依老賣老，每事缺乏對他強力約束，於是誤盡國家，而再造成了他叛國罪徒中最大的一罪行。而今天的程潛在中共鉗制之下，他一生的糊塗，看他又能殘喘幾時。

俄國的黑市交易

這是一個俄國外交官親身經歷的報導。

在史大林式的社會主義掩飾之下，官僚資本以及無數黑市交易，正大規模地祕密進行着買賣。

官吏們利用權勢　彼此勾結搞生產

伏隆斯基是一個頗有地位的共產黨官吏，和克里姆林宮很有關係。有一次，他帶着一個引人起敬的大公文包，到莫斯科一間公寓裏和三個工程師會商。當這件小小的陰謀，包含分贓在內，商量妥貼之後，他打開公文包，親切地拿出一瓶上等白蘭地。這件合夥買賣，就在歡樂的氣氛中簽定了。這四個人彼此相知極深，一切什麼保持祕密和互相信賴的保證，都是多餘的。然後，伏隆斯基起草了儀式的申請書，請求批准開辦一個新的社會主義製造單位。措辭的流暢，可以看出他已是此道的斲輪老手。

申請書開始說：「為了適應政府開展地方生產以增進勞動大衆福利的歷史性的決定，為了響應我們的英明的天才的領袖，人民的導師，史大林同志的號召，若干工程師及專家發起製造一種現在須由國外大量輸入的物品，以期進一步使我們的光榮的社會主義經濟解脫對資本主義國家的依賴。」

合作社官冕堂皇　骨子裏祇為刮龍

表面上，從這次歡樂的集會出現的是一個合法的蘇維埃式的金屬粉末生產『職工合作社』。可是幾個星期裏，它也許就會為相當的地方托拉斯所批准而且歸併到它裏面去了。

從外面看起來，這個新事業是合法的，而且有利於國家的，是一個受迫害的國家所需要的個人創造力之標本。它也許會列入委員會的計劃中，作為無所不包的五年計劃之一部份。

事實上，這個新產生的職工合作社，完全是一個私人企圖，經營的目的不僅是賺錢，而且是賺黑錢。

這個計劃的『幾微之處』，美國人也許會說：簡單之至。像每一個其他的蘇維埃經濟事業一樣，這個職工合作社也有一個計劃，列出了生產數字。結果，生產數字不僅完成了，而且超過了百分之五十——更大的『超額完成』，也許會露出馬脚的。

可是，這個計劃的生產額，只代表這個小工廠生產力的百分之二。在這樣的一個命令人注意的超額完成之後，百分之九十七的生產品還留在那些企業家的手裏，通過廣大的黑市場，寶貴的出去！這百分之二的份額到百分之三的合法部份，帳上記載得一清二白。至於其餘的呢，檢查人就再也找不出什麼帳了。

這個用上等白蘭地創始的新職工合作社，直到發達了好多年，把它的組織者分散到各處，才算結束了。這幾個主要的「老板」，每個月撈到的錢，少於七千盧布的時候，是很少的，那時候，工業界的平均收入，卻在五百盧布以下。

黑市交易的流行　成了社會的要求

銅粉，鉛粉，以及其他的金屬粉末，在製造金屬漆及其他工業用途中，正大量需要。蘇維埃工廠的管理人們，熱心於使他們的生產繼續進行，對於來源稀少的原料品來路，是從來不多事挑剔的。當我一九四四年作了外交官，到國外來的時候，發現外界對於這種重要的蘇維埃現象，竟一無所知，不禁大為吃驚。在俄國，這是一件盡人皆知而且久被承認的事情，還是一件為政府所容忍而且甚至用以鼓勵的事情。總之，這種微妙的方式加以鼓勵事情激刺了精力和個人才能，否則，它們也許是凍結的；同時，也這種事情填補了官式經濟的裂縫，使理論上的計劃富有彈性。

倒霉的人被公審　祇為老虎們替罪

一點不錯，常常有一些可憐的傢伙，因為從事非法的私人製造和貿易，被逮捕起來。官方公佈的罪名是『投機』或者『破壞社會主義財產』，宣傳的目的，或許是要給他一次『公審』。但是他們通常都是蒼蠅之流，拿來作那些老虎的替罪羊的。

地下資本正努力，去抑制是不可想像的。它的根生得太深太多了，重要官僚，委員們，甚至上層的地方，都捲入到這個過程裏，它在全經濟內部均衡，愈來愈大，愈來愈成了主要的因素了。作一個工程師，和生產系統以及分配系統的許多階段，保持過密切的聯系。我可以證明：要是未有這種非法企業大做其生產，蘇維埃經濟的若干鉅大的部門，也許會失去其運轉的能力。

我在上面舉出過製造業中的一個典型私人企業——在那一個經濟部門——零售分配，新計劃的訂立，農業建設——研究，都可找出相等的例證。在經濟各方面生活的人類本身天性和創造力，對於官方所加的限制之衝破，在各種形式的努力中，找到了發洩。（丁文譯）

丁格努剪影

馬來半島東海岸的西部，有個丁格努州（KUALA TRENGGANU），土人們都靠捕魚和駛舢舨為生。農耕其次。

這裏與南洋各地一樣，華僑對於開發的貢獻最大，人口的比例僅次於當地的土著。華僑有農場，有樹膠園，而在商業上更佔有了最重要的地位，但是操縱金融的却是「有利銀行」，華僑們屢次請求組織自己的銀行，都沒有成功。麻坡只有一間當舖，大家稱它為第二銀行，這是華僑的資本，因為歷年來馬來的動亂，商業的衰落，光顧的就特別多。百分之八十是巫人。如逢星期四六（巫人拜六和拜一的節日），當舖外必排長蛇陣，鵠候幾個鐘頭。利之所趨，據說英國人也準備開一爿了。

華僑在這裏的以閩省籍為最多，其次廣東，大家團結得很好，他們與巫人及印度人往來，信用著，感情融洽。福建會館，廣東會館，瓊州會館都是自建大廈。此外還有中華商會，馬華商會，中華音樂體育會等，都也有相當規模。教育方面，就由這幾個組織自辦，最大的是中華維新小學，有學生六百餘人。福建會館的夜校，專門為貧苦子弟補習。華僑們在這方面的努力是一個大進步，他們一向熱愛祖國，但不知怎樣致力。現在曉得從教育上努力，使華僑子弟受中國自己的教育，至少要讓自己子弟懂得祖國的文化和歷史。

唐人街雖然最繁盛，但街道狹小，骯髒，不仍是一通病。華僑們必須從這些地方來改進，才不致再被人輕視。這裏風景優美，最好的去處是珠宮洛，蘇丹底新皇宮即建築在此。巍峨宏偉，美麗壯觀，更增色不少。飛機場也開始修築了，不久即可開航。如市政設備再改善些，在動盪中的馬來，這裏就是樂園了。（周信寄自麻坡）

「自由人」稿約

本報各版，均歡迎投稿，特訂稿約如下：

（一）除事先特約外，每稿最多請勿過一千五百字，長篇鉅製，以限於篇幅，一無法刊登，請勿惠寄。

（二）惠投各稿：評論要切合時局，新聞要記述事實（大陸消息，應有人名，地點，時間，人名不便刊登者，可於稿內註明），雜文要生動活潑。

（三）來稿除附有足夠郵費外，概不退還。

（四）稿末請附註眞實姓名，地址，但發表時須用筆名者聽便。

（五）來稿一經刊登，即寄奉稿費通知單，憑單向本報領取。不願受酬者請寄稿時自行註明。

揭開「超軸五百公里運動」黑幕

充滿荒唐和騙局的措施

新操作法形成最嚴重傷亡

自韓戰以來，在聯軍飛機地氈式轟炸下，中共在戰場所損耗的機車和卡車不可勝計，使大陸上的運輸大受影響，因此，自去年下半年起，中共乃在各地推動一個飲鴆止渴的辦法，叫做「滿載、超軸、五百公里運動」。

●鄭章●

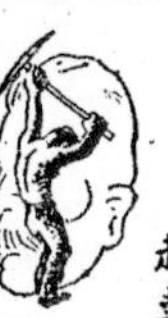

一件荒唐的花樣

所謂「滿載、超軸、五百公里」，以其實際的意義而言，就是要所有鐵路的貨車能儘量提高裝載量，所有機車必牽引超過特定的牽引定數，而每一機車在一整間的行程超過五百公里以上。易言之就是要求工人多幹活，多冒險，以生命的安全來爭取現有車輛裝得多，拉得多，跑得快。

這一運動的提出，在前題上便抹煞了科學原理，更否定了工作人員的安全。如以滿載而言，鐵路上的貨車，每輛的裝載量，都有一定的技術容量，為了保養車輛和鐵路，即使在工業化最先進的國家，亦不能使每輛的載重抵臨其最高極限。中共自發動滿載以後，三十噸載重的車輛，已由原有十七噸提高到二十五噸，還繼續要求提高到三十噸的最高容量。這一點的影響還不大，其最殘酷的手法，莫過於強迫大陸上一些老牛式的舊機車，在斜坡上實行「超軸」。原來只能牽引四千噸的機車，卻要它們牽引七千、八千甚至一萬噸。為了達成這一目的，中共不惜以機務員的生命作賭注，要他們在運行途中用「大閘汽門，高提手把」的新操縱法，使得更高壓力蒸汽在汽缸中充分膨脹。爬坡時，為使超軸快速的列車通過很大的坡道，不惜在事先加快速度作冒險性的衝刺，其危險的情形，殊非身歷其境者所能想像。

自欺欺人的成績

這一套辦法推行後，各地的「勞模」和共幹，為了邀功求賞，有的是以身冒險，結果因操縱技術不足，發生了「分斷選轉」，翻車覆車的慘劇。有的便上下勾結，捏造假成績來盜名騙譽。

據七月十九日中共「人民日報」的報導：北平鐵路分局豐台機務段段長奚能安（共產黨員）及「鐵路工會北平分區委員會副主席」李永祿（共產黨員），即共同偽造成績，隱瞞事故，騙取「模範機車」和「特等功臣」的稱號。據豐台機務段工人所揭穿的事實，證明李永祿等在過去所報的成績，全部均係捏造的：第一、李永祿所謂一九三九年號機車「安全走行十萬公里」及「十九萬多安全公里」的紀錄，根本沒有這回事。據已揭發的材料，從一九四九年至一九五一年九月兩年中，該號機車共發生事故十六次，所謂行車十萬安全公里，其實沒有一公里係安全的。第二、「延長兩個半甲檢期」的紀錄也是捏造的。一九五〇年二月，該號機車行走了四萬三千公里，就在段長奚能安的指揮下，為該車作了一次「大黑活」，暗地裏幹了三天兩夜「甲檢修」。卻假報「無火預備」，在這次「大黑活」裏奚能安等人偷換大批材料，只烟管一項即值八千多萬元。另外，還幹了許多偷換大軸等「小黑活」，計算起來該號機車所化費的材料費，要超過五個甲檢的費用；第三、奚能安和李永祿等所吹噓的「省油百分之二十五」的新紀錄，也和事實完全不符。事實上他們係用行賄、私人拉攏等手段，通過油庫關係多領一千七百四十四公斤的油脂，算為節省油費的成績。從這件掩飾三年的騙局的揭露，可見中共報紙所誇耀的成績，完全是自欺欺人把戲。

嚴重的傷亡事故

至於一般頭腦簡單的機務人員，而信從中共的宣傳，冒險推行超軸運動的，多半發生傷亡事故。據六月十七日「長江日報」的報導：鄭州機務段「一九九五」號機車，即因為冒險超軸，由鄭州往南運行過七一九坡道時，發生了「分割運轉」事故。據該段副司機張[illegible]事後的報告：「一九九五」號是該段的「基幹隊員」機車，質量最好，乘務員操縱技術也最「棒」，結果還難免發生事故。至於一般條件不如「一九九五」號機車的，冒險超軸的結果，更形成慘重的傷亡。據七月十二日「新華日報」的報導：一九五二年一至五月份西南區工礦職工傷亡人數共四千四百九十六人，其中以鐵路公路交通運輸業為最嚴重，計死亡一百一十七人，佔全部死亡人數百分之三十八。華北和東北區的傷亡人數雖未見公佈，但相信其數字決不在西南區之下。

經不起事實考驗

除了機務人員固然出事而傷亡外，由於裝載量和牽引量的日益增加，車皮和路軌路基都發生極大的損壞。根據中共天津鐵路局最近的調查，有許多路局所屬地段，路軌已呈彎曲，和各處的鐵軌現象，加以各地司機在一陣熱烈之後，已明白「玩新花樣」，拉多了增加牽引定數，是要工人多幹活」（六，十七長江日報）。有許多冒過險的人，亦知道「好比一個人只能擔一百斤，你要他擔二百二十斤，怎末能行呢--？」因此最近中共「鐵路部」所發佈的「關於開展滿載、超軸、五百公里運動的決定」中，特別調強「這一運動，絕不能和平地，一帆風順地產生和發展起來，而是自始至終都充滿着新舊之間的矛盾和鬥爭」。他們正要求對不肯冒險超軸的工人，結合「工資改革」來鬥爭他們，要他們在挨鬥與冒險中來選擇，但是鬥爭就能解決問題麼？事實的發展，將予以無情的考驗。

「松仔嶺事件」

陳子風

今年五月，中共華南局第四書記陶鑄到四邑去「整頓隊伍」，發現了兩個問題，一是土共幹部對上級派下去的幹部有矛盾，而且尖銳得厲害。二是地方幹部對地主的鬥爭還不夠積極，有的簡直勁都不足，精神鬆懈。陶鑄遂到處發掘所謂「根由」，要借人頭來壓平這兩個問題。經過一個月光景，給他找到了一個「松仔嶺事件」，認定這就是「地主階級對待積極份子的」典型例子。六月七日，恩平縣城人民文化宮在「黨」的發動下，開了一個公審大會，當場就召翻舊案，把「恩平縣長」鄺鼎諸和馮漢英吳朗一同押起來，指馮吳主謀殺了何兆廷，「包庇地主」，鄺鼎諸「喪失立場，背叛革命」，馮吳判處死刑，鄺鼎諸判了徒刑五年。好戲演完之後還有好戲，粵中專署「副專員」歐初，粵西區黨委宣傳部「副部長」龐世雄，分別上台講話一番，要農民把這樁事做個榜樣，要農民「劃清思想界限」，「清除地主階級思想」，才完成了這一幕壓軸戲。

所謂「松仔嶺事件」的真相是這樣的：恩平三區松仔嶺鄉村蟠龍里地主馮發忠，和松仔嶺的「青年團」共幹何兆廷過去打過官司，何兆廷收了，花了二百元港幣買兇，將馮發忠殺死。這案件發生後由恩平縣「公安局」辦理，根據「公安員」梁炳的告發，先後拘捕了兇犯和幫兇犯何兆廷，何榮等八人，審訊個多月，移交恩平「人民法院」，由「副院長」吳朗審判，判決了何兆廷，何榮，何兆楨等三人死刑，其他五人，處十年以上有期徒刑。當時是一九五〇年，廣東「解放」不久，中共對地主採取「溫和政策」，這是「解放」初期一般的偽裝。恩平的「公安局」和「地方法院」把這件案作為一件謀殺案辦，不管被殺的是地主，殺人填命，但卻沒有顧慮到謀殺犯人是一個共產黨幹部，怎知這樣一辦，今天就闖了大禍。

陶鑄辦了這一件事後，認為整頓隊伍又進了一步，對地主的錯誤觀念也糾正了，上級派下去的幹部的威信也重新樹立了。

原來馮漢英，吳朗，都是黨員，都是靠土共撐腰幹起這個「局長」「副院長」來的。馮漢英當過國民黨士兵，吳朗雖是一個共幹，但曾向政府自首過，在中共「整風」原則下都是要清除的分子。鄺鼎諸原係粵中區士共，又是一個要打擊的對象。而一九五〇年被判死刑的共幹何兆廷，那是省裏派下來的。這樣的幹部，雖犯了殺人之罪，但殺的既是「地主」，就變成殺得「應該」了；可是後為土共幹部所殺，故今日陶鑄就非殺「土共幹部」不可。

由此可知中共內部土幹部與所謂正統幹部之間衝突之深，陶鑄這樣一做，表面是把土共壓下去了，實際呢？反而埋藏了大炸藥。

（廣州通訊）

農村都市破產的影響

共黨百貨公司門可羅雀

貨物祇有任他霉爛變壞

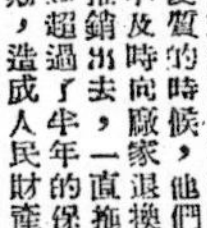

「五反運動」後，中共當局曾經大力宣傳，人民購買力已經提高，百貨公司的貨物又是如何的易於售出，可是轉眼之間，謠言又為事實粉碎，自己又打了自己的嘴吧，這就是共黨宣傳的一貫步驟，本來是無足驚異的。

據七月二十日南方日報載，廣州市百貨公司從去年積壓到現在的貨物達一千億元以上（不包括五反期間向私商加工，收購數字）。「廣東省百貨公司方面，初步統計冷背貨一項的積壓亦達一百億元以上」。

坐待顧客 態度消極

為什麼積壓？據「南方日報」說的，是由於「採取了坐待顧客的消極態度」。可是該公司的不負責任也是原因之一，例如「廣東省百貨公司屬下西江分公司的負責幹部對滿倉積壓的貨物，不想法推銷出去，當其中有八十箱農家樂香烟開始發霉時，該分公司亦不根據實際情況就地作機動處理（如削價出售等），而花了大筆運費把他轉給珠江，粵中，順德等分公司去，企圖推卸責任」。

香烟發霉 電池變質

同樣情形的廣州市百貨公司各門市部批發組最近幾個月來大都放棄了外出兜銷的工作，以致門市批銷貨物的數字大大減少，當貨倉裏大批三個五牌子的電池開始變質的時候，他們亦不及時向廠家退換或推銷出去，一直拖延到超過了半年的保用期，造成人民財產的不必要損失。幹部們思想鬆懈的原因，該報也透露一點：「是由於三反的促成工作，各該公司在打虎工作較緊張時，絕大部份都出現了較長時間的半關門打虎的現象，不能做到三反業務兩不誤。」同時又因為三反的關係，使幹部對財經工作害怕，「對於一些因幹部貪污被撤職，而空出來的工作崗位，許多都沒有法予以切實補充，形成業務上的人手缺乏，因而妨礙了百貨公司銷售工作的進行」。

銷貨數量愈來愈少

結果百貨公司的業務不但無法開展，而且日趨下降，如廣東省百貨公司四月份只完成銷貨總任務百分之七一．九，五月份[illegible]。廣州市百貨公司[illegible]，「任務」不能完成，價值千億的貨物積壓[illegible]廣州市百貨公司[illegible]一千三百[illegible]發生化學變化，[illegible]六十架不得售出[illegible]的單車發生銹蝕[illegible]西藥、香烟等貨物發生損壞」。

資本擱死 週轉不靈

因為積壓資金而引起的週轉不靈，也更為嚴重，但是並無改進的辦法，只是「輕描淡寫的說一句：加強政治教育」而已。其實這全是中共「五反」，「三反」的必然結果，「五反」使都市農村全部破產，人民根本無力購買，百貨公司門可羅雀，這是很自然的現象了。「三反」把幹部大都得口服心不服，大家推卸責任，都不管，於是東西都銹的銹，霉的霉了。（陸明寄自廣州）

港澳學生家長的威脅

中共用「人民助學金」誘惑青年回去升學，實際上只有職業學生才有這優待，真的學生要出二百萬一個學期，入了學天天開會也無書可讀，無錢的學生被迫去參幹，或勞動改造。

【華僑通訊】「祖國對你們招手」！這是廣州學生對在苦悶中的港澳同學最富誘惑性的詞令。去年秋季，九龍×江中學有五個同學到廣州應大學聯合招考，三個考取了，回香港來的只是一個，他是考取了之後感到「祖國」極權統治氣氛太嚴重而放棄入學的。今年秋季，這兩位留在廣州的同學，又對在香港的同學發出「祖國對你們招手」的號召了。他們的來函大同小異地描寫「新中國」的氣象和廣州的鄉土風物，打動了同學們的情感，打中了同學們「畢業即失業」的憂痛，在不斷的「招手」中，有一個同學是「動搖」了，疑慮不決，就去請教那一位去年秋季考取了而沒有就讀，仍回到香港來的同學。這位同學提出他為甚麼回到香港的動機，叫這位同學自己考慮。

很多青年上了當

他說到廣州應考大學聯合招考，除了獲取「人民助學金」名額之外，自費入學的費用不會比香港省，最低限度要人民幣二百多萬元一個學期，膳費和零用費不在內；而且是一次繳足的，所以也並不是中產以下的家庭所能負担，有好些學生考取了無法入學。他們到廣州入不了學校，祇有拚命找尋出路，結果必然不是讀書而是投入共產黨各種機關裏當小幹部，或者被送到西北去勞動改造，從此，他們便不再有機會回返自由天地來了。

嚐到神秘的恐怖

他去年回到廣州，剛巧碰到中山紀念堂舉行公審大會，他因為要躲在新華書店看參考書，沒有到中山紀念堂觀光，但那恐怖的氣氛，使他一生不會遺忘。當時播音器裏的恐怖叫囂和街上人民驚震蒼白的臉孔，好像使他進入了另一個世界，他看書的情緒沒有了。對於滿街收音機發出來的扯打哭嚎之聲，他起初還不大了了，終於向他的親戚們詢問原委，但得個人都裝着不大了了的表情。親戚們對他（對所有的學生）簡直有存戒心，在他面前講話，非常慎重，帶着「敬鬼神而遠之」的態度。他了解到他們為甚麼會這樣，他覺得人與人的關係，因共黨這一道板壁而愈加隔膜了。一種神秘的恐怖襲擊了他的心頭，就是這微妙的感覺，使他終於離去廣州；當然，還有學費的負担問題。據他說來，廣州人民的生活是在血腥「嚴肅」的氣味之下，有甚麼[illegible]

一去就回不來了

他眼見許多學生考不進學校，或者申請不到「人民助學金」，書念不成，反而從此脫離了親屬，只好向今年廣州對港澳學生所發的通行證是單程的，去了廣州可能就回不了香港，中共為甚麼不照顧港澳學生投考不成後回家的便利？當然為了政治的問題。

真為求學不必去

目前大陸吸引港澳學生回國升學的運動，比起去年秋季更加積極。廣州的「港澳學生回國升學指導委員會」是廣東「文教廳」組織的，它的號召是照顧這些學生住宿指導升學（膳費自理），這辦法去年是沒有的。照顧住宿問題，自然在管理上可以嚴密些。最近這裏的學生接到從廣州來的舊同學的問候信，也透露出了升學失敗後的就業問題，說是萬一考不上，學習性的工作可以找到。這話裏已透露出他們的安排了。

這一位同學最後說，為了讀書，不必「回國」，因為那裏的學校并不是在讀書，說得最好聽，也不過是共幹養成所而已。

不要自毀信譽！

為方

自麥克阿瑟事件發生以來，在美國政治場中，忽然出產了一種新鮮玩藝兒，名叫「中國游說」（China Lobby）嗣後每逢國內有政爭，這「中國游說」的玩藝一定搬出來表演一番，我們見着但不免有「受寵若驚」之感。一個素被列為「落後國家」之林的中華民國，居然能夠有力量左右世界頭等強國的美國對外政策，這不是奇蹟嗎？

然而，奇蹟更不止此。一位美國參議員摩斯，竟在國會大聲疾呼，在報上發表證件，說中國外交人員利用「中國游說」這玩藝，企圖「盜竊」美國的原子能祕密情報。這使我們不特受寵若驚，簡直是過獎得太不敢當了！我們自慚科學貧乏，連一輛汽車，一個飛機的螺旋釘尚不能製造，乃竟有資格企圖向友邦「盜竊」高度科學化的原子能情報，不亦怪哉！我不知中國設法「盜竊」這種情報來幹嗎？想祕密賣與別國麼？英國用不着，法國不需要，俄國呢，它早已從「美好」手中買到了！

我願忠告美國朋友：你們自己鬧黨爭，跟我們風馬牛不相及，我們也懶得聽這類是非。但我們却具有民族自尊心，隨便拿中國開頑笑，作政爭工具，决非有獨立自尊心的中國人民所能忍受。最好請你們自愛自重一點，少露這類醜態罷！要做世界的領導者，應有領導的風格；這樣無聊的作風，只是自毀信譽，於人何損呢？

自由談

洗腦

夏雲飛

胡先生是雲南大學農學院院長，也是雲大的名教授，在國內學術界也有崇高的地位，二十年來一直是過着粉筆生涯，胡先生對政治沒有慾望，所以不願意過問政治，雖然這個二十年來中國的變遷是如此的重大，但是却引不起胡先生的注意，每日只是埋首實驗室裏，研究他的昆蟲與土壤。朋友之間通訊也很少，只是每月將研究結果，寄到美國康奈爾大學農學院去作參考，餘暇時間，曾經譯過兩部美國農學方面的書籍。

勝利後，雲大被共黨的職業學生所把持，在民主自由的美麗名詞下，不少的教授學生被他們欺騙了，胡先生便是其中的一個，由職業學生那裏送來的毛澤東「新民主主義」和「論聯合政府」，越看越有興趣，認為是「救國救民」的「大道理」。於是胡先生變得積極了，也曾帶頭罷過課，也曾參加過反「迫害」的遊行，也曾在大會場上登台致詞，痛駡過「反動政府」。從此胡先生榮膺了「進步」教授的頭銜，被職業學生譽為「老青年」，「民主鬥士」，一連串美麗的名詞，胡先生雖然天性恬淡，也覺得有些飄飄然了。

昆明終於「解放」了，胡先生依然在雲大教書，可是社會變了，一切都變了，不過未朝好的方向變，却愈變愈壞了，胡先生的美夢打破了，仍舊回復了沉默生活，輕易不願多講話，但是職業學生却不能放過他，時常提出問題要他答復，在課堂上胡先生仍本着「誨人不倦」的精神，知無不言，那知却中了職業學生的圈套，有一次一個職業學生在課堂上問：美國與蘇聯的優劣，胡先生在美國住過七年，對美國情形當然熟悉，可是也知道時代變了，已不是「民動政府」時期，可以隨便批評「黨」的，只好勉強說：「政制當然是蘇聯的好，科學還是美國第一。」這兩句話在胡先生已是不得已的違心之論，可是職業學生却認為大逆不道，從此對胡先生種下惡感，不久「抗美援朝」開始了，各地展開了如火如荼的仇美運動，職業學生又想起了胡先生，有一次在課堂上問起火車是那國人發明的？是英國人啊！飛機呢？是美國人，胡先生認為這是小問題，不假思索的脫口而出，但是職業學生却拿出「人民日報」證明是蘇聯發明的，假若胡先生當場承認錯誤，原可大事化小，不過中國的讀書人都有一種骨氣，學問愈大愈不肯盲從，考慮一下，胡先生慢吞吞的說：「這大概是向蘇聯友人表示好感吧！」一句話引起了軒然大波，職業學生鼓噪下，當時退出課堂，聲明不願再聽反動教授的課，校當局也奉到命令，要胡先生澈底反省，洗淨頭腦，最初胡先生是不肯低頭的，禁不住家屬及朋友的勸告，知道生存在「毛澤東時代」，只有根據規定去說話作事，否則便是反動，他們又加以解釋，這叫做「新民主主義」，胡先生只好低下頭去寫坦白書，承認有崇美的思想，不應當看不起蘇聯，遞上去以後，上級認為坦白的不澈底，有意規避大的罪狀，為什麼不痛駡「美帝」，於是又召集了一個鬥爭會，要胡先生當衆坦白，事先校方就暗示胡先生只要痛駡「美帝」就成了。這是一個規模巨大的鬥爭會，連同西南教育部的「友邦顧問」也親臨參加，胡先生已經扮了悲劇中的主角，只好按照規定在會場上先將自己痛駡一頓，然後說到「美帝」，胡先生說「美國都不是人，野蠻的如同禽獸，二次大戰時他們曾經集體殺害過盟國的俘虜，一次就活埋了二十萬，美國人不但好殺外國人，還同樣殺本國人，現在要有一千萬人被迫做奴工，關在集中營裏，美國人除去野蠻以外，就是卑鄙，他們無法得到的東西，便實行偷竊——例如戰時在蘇聯偷走了原子彈祕密，最後却說是他們發明的，還有飛機火車滑水艇都是蘇聯發明的，也硬被他們冒去……」胡先生正說得有勁，共幹們也聽的眉開眼笑，那知「顧問」却搖手示意禁止再說下去，向校當局低低說了幾句話，馬上主持的共幹起來宣佈，胡先生今天坦白，完全是有意譏諷蘇聯，還要重新「反省」，定期再開會，中間經過了七天七夜，疲勞訊問，據說胡先生思想已搞通了，准於回家休息一晚，明天開會，第二天大會開始，人都到齊，還不見胡先生來，少停胡太太到來哭着說：「原來胡先生回去瘋了，將所有的書都燒了，並且拿刀要殺人，」主持共幹「哦」了一聲：「這一次他的洗腦運動眞成功了。」

論吳用（四）

（水滸人物論之十）

‧舜生‧

在路上又走了多天，楊志押着十一挑担子在前，謝嬭公和兩個虞侯緊跟在後，日色當午，道上的石子曬得發熱，委實使人難受。喇好巴上一座土岡，這十一條軍漢，便一齊在松林內睡倒，聽憑你打，駡，他們死也不動。原來這座土山便叫黃泥岡，正是強人出沒的所在，楊志一見這種情況，口中叫苦不迭，然也無可奈何。正在這個時候，老都管和兩個虞侯，也一步一喘的挨上岡來了，衆軍漢一見，胆子更壯了起來，但楊志依然催他們起來趕路，拿着籐條亂打。於是軍漢內中一個便發言道：

「提轄！我們挑着八十斤担子，須不比你空手走的，你端的不把人當人，便是留守相公自來監押時，也容我們說一句，你好不知疼癢，只顧逞辯！」

楊志一聽這話，更怒不可遏，高舉籐條劈面打來，老都管再也不能忍耐，喝道：

「楊提轄！且住，你聽我說，我在東京太師府裏做嬭公時，門下軍官見了無千無萬，都向着我喏喏連聲，不是我口淺，量你這個遭死的軍人，相公抬舉你做個提轄，比得芥菜子大小的官職，值得這般逞能，休說我是相公家都管，便是村莊一個老的，也合依我勸一勸，只顧把他們打，是何看待？」

楊志正在分辯，對面松林裏，忽然探出一個頭來！楊志提了扑刀，趕入林中一看，原來擺着七輛江州車兒，七個販棗子的客人，脫得赤條條在那裏乘涼哩。楊志只道無事，也便退回，坐下休息。沒半碗飯時，只望見岡下一個漢子，挑着一擔桶，一步一步的走上岡來，口裏唱道：

「赤日炎炎似火燒，野田禾稻半枯焦，農夫心內如湯煮，公子王孫把扇搖！」

這漢子上得岡來，便也把擔桶在松林裏歇下，坐在地上納涼。衆軍漢一見便問：「桶裏是什麼？」「酒」，「多少錢一桶？」「五貫足錢」。衆軍漢正渴得難耐，便要湊錢要買；楊志一見，倒轉刀柄便打，並駡他們太不曉事，多少好漢，便這樣被蒙汗藥麻翻。這一面正在爭吵，對面七個販棗子的客人，却安然買了一桶，用椰瓢舀着暢喝，並且每人抓着一把棗子過酒。衆軍漢見着饞涎欲滴，便連謝都管和兩個虞侯也心痒難熬，眼看衆客人把一桶揭開，兜了一瓢，另一客人，又把那一桶揭開，兜了一瓢，拿着便喝，賣酒的不依，那客人便邊喝邊跑，跑入林去，賣酒的追去奪回，依然把酒倒在桶裏。楊志看見這些經過，也認定這酒是好的，更經不起老都管再三勸說，便讓衆人買這一桶喝了，連他自己也喝了半瓢，於是這十五人一律癱倒，那七個販棗子的，——晁蓋，吳用，公孫勝，劉唐，阮家三兄弟，連同這一賣酒的——白勝，便把他們的擔子拋棄，把這十一車的金珠寶貝，一齊搬上他們的車子，揚長而去。

萬竹樓隨筆

（一一七）

亂彈齋詞話

馬五先生

一剪梅

序曰：現任法國外交部長舒曼，是一個獨身主義者。最近有人問他，為甚麼要過着獨身的生活？他說：「從前我到處選擇，總希望得一位理想的妻子，後來我雖然找到了，然而，她却在物色她的理想丈夫哩！」因此之故，舒氏乃決計以終身了。另有一個印度孟加爾省議員齊泰啓，最近却發表「結婚乃遏阻共產主義擴展之有效辦法」的高見，他說：「如果成年的獨身者都能找到妻子，將使共產主義難於立足」。他要求孟加爾省的兩個獨身部長立刻結婚，以資示範。據他判斷，結婚生活可以有效的阻止顛覆政府和毆打警察等類暴行。這兩位政治人物關於結婚問題的相對論，言之成理，各有千秋，擬詞歌詠，不亦宜乎！

部長肅然話獨身，不是無情，祇怕傷神；議員高見却超羣，佳耦雙成，世亂方平。讜論名言翠所聞，兩種思惟，一樣天眞。此情誰個最分明？寄語人人，請教卿卿。

記陳香梅

實子

抗戰的後期，筆者在昆明，時時聽見中央通訊社女記者陳香梅的名字，可是沒有見面的機會，去年秋天，偶然在台北黃君璧的畫室裏遇過了這位不平凡的女性，瘦瘦的身材，活潑而大方，由她的談吐舉止，可以看出她的性格很爽快，對於宇宙人生心思極深潔，已經很認識，所以與人交接總是談諧。她那時正跟黃君璧先生學畫，同時學畫的還有宋美齡女士，兩人對於繪事都有卓絕的天才，程度亦在伯仲之間。從那次別後，她從美國寄贈一本她的作品「寸草心」給我，看了一頁以後，就吸引了我，這本書手不釋的一口氣看完，我覺出這是中國五四以後兩個女作家，陳香梅有冰心的神韻，有廬隱的胸襟，冰心的纖細，廬隱的修養，細膩的國學的情調，運用洗鍊的筆，刻劃人生，實寫母愛之婉，尤其是足以引起廣大的有情的讀者同情，但不是她有時表露出的心靈環境，就是滿了一縷哀愁，深或者處處的是受學者的文學的影響了。她現在雖是美滿家庭的主婦，然而是兩個孩子的母親，還要做民航大隊編輯，還要從學畫，她的文字寫作，我們可以看到中國一般思慕祖國的熱情。

黑十字

北晨

「黃先生來看過你嗎？」這一問是多餘的，他明白黃洗的一舉一動，藍英回答一共來過四次，其實這四次還是白濟宏鼓勵他來的。

「他對你好嗎？」白濟宏問；藍英點了一下頭。

「我這個媒做得不錯吧？」白濟宏想藉此談下去，誰知，今天藍英正想和他討論這件事，她反問白濟宏，

「姐夫！聽說黃先生要和朱瑛結婚？」

白濟宏喫了一驚，忙問：

「誰講的？」

「外面的人都知道，朱瑛自己也承認，她說黃先生向她求過婚。」

白濟宏立刻想到那只是黃洗騙朱瑛的，或許是朱瑛自己有意放的空氣，連忙將他的看法對藍英說了，藍英仍舊不信，她說：

「你不要蒙在鼓裏，有人告訴過我，朱瑛那輛汽車，本來還欠了八千元的價款，這錢也是黃洗付的。」

白濟宏這才喫了一驚，他想藍英的話也許有幾分可靠，朱瑛不比藍英，她在交際場中混得久，可能聽說姓黃的有錢，她便先下手，好在木未成舟，即使有幾分事實，他仍有把握補救，只是黃洗那面，需要藍英自己加點顏色。

誰知藍英却不就範，她說她有什麼比不上朱瑛？這事情該是黃洗來找她，她不能自己送上門去，她恨恨地說：「有錢的男人，以為天下的女人都是貨品，任隨他們選擇。」

這麼一來，白濟宏不能不有一些着急了，他知道姨妹的脾氣，知道這孩子要多下軟功，偏偏黃洗是一個北方人，他少了一些南方人的溫柔。這一來，他得使出一點看家本領了。

他回到「雲山」，黃洗沒有來「雲山」，打電話去半島酒店，也沒有他這人，白濟宏只能給了郝亦臣一個電話，一則要他派人恐嚇洪正池，如果姓洪的再要糾纏着藍英，便要老郝放斷他的兩條腿，二則偏雲請酒的日期近了，他要郝亦臣準備一番。（三十五）

‧中篇連載‧

中國之友（三）

毛以亨

華爾傳（二）

確實未爲本國將弁，乃以其曾爲法國將弁之故，此事與其以後以法國人爲基礎：在寧波常安軍相合作；情形符合。在本國犯罪之事非事實，一八六一年爲英領所執，以其引誘水手逃亡，違反中立之故訴于美領，華爾自辯謂已入中國籍。也許需要上海道吳煦的證明，但美領既未加罪，又未受到吳煦勸告。他亦無領印度兵事，寥寥數十字，語焉不詳，且顛倒錯誤至此，淸史雜湊，誠不足觀。

一八五一年他做三桅帆船大副，第一次從舊金山到澳門。一八五七年，W. S. Wetmore, Recollections of Lifein the Far East稱曾見其在沿海輪船上服務，記某次福州洋面遇盜，船主莫知所措，惟大副華爾冷靜而精力集中。一八五九年最後一次到上海，即棄其海上生活而改在長江輪船服務，不久即在中國軍艦「孔夫子」號上任軍職。

以此而認識「Taki」並娶其女Chang Mei」。所謂Taki者並非人名，乃上海最有名之泰記錢莊，其經理爲楊子堂，張梅則爲一張姓者之女。楊氏任愛國商人會會長，懸賞三萬兩，酬能攻克松江者，華氏募集百人往，多爲外國軍艦商船上之失業流亡水手，羨其利而往，入城巷戰，爲太平軍所却，敗回上海，其衆遂散。乃再接再厲，募菲利賓人二百人往，有外國現役上尉二人Forrester, Burgevine與歐籍人三十人有訓練者爲之助，卒于一八六零年七月十七日克松江城。他又提議進攻靑浦，中國軍隨之者萬人，于八月二日攻城，適太平軍將爲英人Savage，華爾大敗，重傷以歸。其將白齊文繼往又敗，適遇忠王李秀成率五萬人攻上海，其軍三分之一爲洋槍隊，遂亦退至松江，松江此後遂爲其休養訓練的大本營，中國人資以禦太平，餉械有加無已，添設砲隊，講求紀律，日有起色。華爾亦席豐履厚，月餉三百五十兩，其非列賓士兵亦月餉三十兩，（見八六零年八月四日North-China Herld日報）。而視松江爲例，每克一城即索賞三萬兩，以資犒賞，日後積久不清，引起爭辯，多爲賞銀項下。

一八六一年五月英海軍司令拘華爾于Chesapeake艦上，爲其泅水逃出。然此一洋槍隊無法繼續下去。

自由人

THE FREEMAN
（半週刊每星期三六出版）
（第一四八期）
每份港幣壹毫
督印人：李光雄
社址：香港高士打道六六號
電話：二〇八四八
GLOUCESTER RD. HONG KONG
TEL: 20848
承印者：東南印務出版社
地址：高士打道六四號
台灣總辦事處
台北市館前街五十號
台灣總銷處
台北市中華路一二五九號

從政治觀點看台北合作社案

台北合作社倒閉案，居然辦穿了，這是自由中國政治前途的良好現象。希望政府防患未然，能把潛伏的各色人渣，及早掃除，永戢貪污之風。

·雷嘯岑·

轟動一時的台北合作社倒閉案，最近有兩項新的發展：一是化名在幕後操縱，事發而狡賴不負責任的主要關係人顧某，已由法院拘案訊究；二是這位化名企圖卸責的主要關係人的親屬戚眷，意謀解脫顧某責任，竟對一幼年女子吳鎬華非刑迫索金錢，綁售人身，已由法院另案受理。對於這些案件的法律問題，既經司法機關依法偵訊，自有一定的結論，我們用不着置喙。我們所不能已於言者，是從革新庶政的觀點着想，政府當局今後應特加警惕，更進一步，滌盪瑕穢，澄滌舊污，眞正的與民更始。

人渣必須掃除乾淨

形同地下錢莊的合作社倒閉事件，若發生在三五年前的大陸上，因其關係人物皆非尋常百姓之故，必然不會引起法律問題，不了了之。今日竟能依法追究，且經過若干周折之後，再因一個無辜女子橫遭綁售，案中關係人非法殘害，向有司擊鼓鳴寃，而將主要犯人置之於理。這表示現階段中華民國的政治，確已革新進步，綽有法治憲政氣質，必博得一般人民的良好反應，比若干次的廣播宣傳與文告訓詞的效力還來得大！但在另一方面看，也教人懷疑革新的中華民國政治社會中，還有不少的人渣寄生着，而且隨時發酵，對政治起腐蝕作用。本案主要關係人等，都躋政治場中的活動人物，或有一代天驕，以未來的省主席自任者。更據台灣報紙紀載，對幼年女子吳鎬華施行酷刑的人，竟有一個赫赫現任人民代表，高談民主憲政的人士扶同贅兒，蹂躪人權，這就不能不令人拍案驚奇了！已經發酵而被覺查的人渣，如此如此，誰能保證再沒有潛伏各個角落的同樣政治垃圾呢？月暈知風，礎潤知雨，政府應該警覺這種潛在的危險物，作澈底掃除之計。這類人渣，我們縱然不爲着反共救國大業着想，也必須予以淸除，才有革新庶政之望，何況在此國步艱難的非常時代！如果容納這類人物來參預反共救國工作，何異教小偸負擊柝防盜之責？如果爲着這類人的生存權益而大家克難奮鬥，甯非天下最寃枉而最滑稽之事？譬如：台灣報紙所報導的那位共同對吳鎬華施行强暴脅迫，非刑傷害人身的人民代表，如其事證確鑿，不但法院應予執法嚴繩，政府爲整飭紀綱計，亦應加以嚴正的處分。兩年前，台灣爲着有人談用「政治垃圾」的話，曾引起一陣是非爭論的風波，我們遠處海外，將信將疑，不敢輕事批判。而今從合作社倒閉案的經過情形看來，所謂「政治垃圾」的人渣，確實是有的。有人渣不算稀奇，這等於任何一個地方都不免有臭虫一樣，祇看我們能否爲着社會大衆的衛生起見，實行淸潔運動而已。

新人新政與貪污行爲

嚴懲貪污是自由中國政府近幾年來的新政成績，有目共覩。世人聽慣了「貪官污吏」這一名詞，在觀念上，一提起貪污，即聯想到官吏，其實，像現在的台北市合作社倒閉案，市民遭受損失千萬元以上，這種貪污行爲，在今日的行政人員中，最少有的。或許因爲在政治上利用職權從事貪污的機會已不容易了，乃改以商行爲出現，這又與過去藉着政治地位，設立工廠公司而向國家銀行貸款投機營利的情形一樣，是間接的貪污行爲。野火燒不盡，春風吹又生，而且幹這項間接貪污勾當的人，又是所謂「新人」！可見貪廉之別，不在人的新舊。據我的一得之愚，談到貪污問題，新官僚比舊官僚更兇猛忘甚。舊官僚尚有愛惜前程，忌憚法紀的心理，不敢見財即貪。新官僚卻胆大包天，毫無顧忌，假使他在政治上具有派系後盾，其胆大妄爲的程度，更超過舊官僚萬萬倍。因此，今日所謂用新人行新政云云，應有合理的界說，而平日的操守必爲重要條件。不講究節操，而誤以浮夸大言，矯揉造作，爲新人新政的表現，那是離題太遠了。

台北合作社倒閉案居然辦穿了，這是自由中國政治前途的良好現象。我們希望政府防患未然，能把潛伏的各色人渣及早掃除，毋使滋蔓，則貪污之風，自然大戢了。

今日第三版大陸消息：法院共幹獸行眞相

自由放任與國家干涉

鄭學稼

閱過本刊近兩期接續發載拙作的人們，可能地提出下面的問題：

（1）你既然肯定「社會主義」的反動性，那你必然擁護資本主義。資本主義值得我們的擁護嗎？

（2）你既然肯定國家全面地控制國民經濟，會出現極權主義，那你必然地主張自由資本主義。它，難道是自由中國的需要嗎？

（3）反對國家干涉（全部的或部份的）國民經濟的你，對於自由中國的經濟政策（現在的及未來的）究有何種的主張呢？

對於上面的三個問題，極有意義的問題，除最後一點容有機會另文詳述外，筆者的答覆如下：

第一個問題的提法——一般人都易有那提法，是錯的。因爲，它包括別的問題：什麼叫做「資本主義」？承認「社會主義」具有反動性的人，怎能證明他就是擁護資本主義？經濟史指示我們：馬克思時代，是英國工業革命初期，那兒存在着馬克思在「資本論」及「共產黨宣言」中所控訴的罪惡。可是，十九世紀中葉的英國經濟制度，現在還保留着嗎？它究在那一個國家完全同樣地再出現呢？看下面的事實：（一）當馬克思寫他的「資本論」第一卷時，勞動者之爭取縮短工作日，是非常困難的。在今天，「八小時工作」，除了宣稱信奉馬克思主義的布爾塞維克國家外，其餘國家都不成爲問題。(二)當馬克思組織「第一國際」時，勞動者組織工會，必需與資本家鬥爭。到今天，除了自稱爲馬克思主義者的政權外，所謂資本主義先進國，工人不僅有嚴密的、强大的工會組織，而且他們的工會還是一個龐大的法人團體，擁護企業，文化，教育，救濟等經營。(三)當馬克思預言社會只有兩個階級對立時，英國倫敦的東端，存在着非有道德心者所能容忍的貧窮。到今天，雖然貧窮的分野還是存在的，但在資本主義先進國家的勞動階級，確實大大改善了自己的地位，這完全是技術進步之賜。同時，現在產業發達國家的社會構成，如美國，不是兩頭大，而是中間大兩頭小。（四）當馬克思預言無產階級必需革命時，他所想像的「無產者」，是一無所有出賣勞動力的人。今天，在資本主義先進國家，無產者，無出賣勞動力，大多數並非一無所有。不僅合於馬克思定義的「無產者」在那樣國家內爲數有限，主要的工人，都是「熟練勞動者」，如汽車工業的工人，是出身機械學校的學生。（五）當馬克思預言「資本主義」的死亡時，資本家積蓄巨大的財富，沒有人敢干涉它。現在的所得稅、遺產稅、財產等制度，使有錢的人，不能和過去一樣遺傳於後代。（六）作爲馬克思研究對象的「資本主義」，是國家絕對不能干涉國民經濟生活，現在，那個不干涉的「自由放任」却不存在了。

由上面六點，（當然還有別的），我們知道：現在所謂「資本主義先進國」的經濟制度，大有別於馬克思時代的「資本主義」。既然是有區別，那我們就沒有理由用同一的名稱。如果十九世紀中葉的英國經濟制度，我們採用馬克思主義者的名詞，稱它爲「資本主義」，那與之有別的經濟制度，就不能也用「資本主義」的名詞，不管它應稱爲什麼，它總不是馬克思時代的「資本主義」。

這個小結論，答覆了這些問題：第一、「資本主義」經演變後，出現的不是馬克思的「社會主義」。第二、筆者相信一個合理的社會，不斷地在演變中，他未會擁護馬克思主義者所說的「資本主義」。第三、由於古典學派的「自由放任」主張，早被人們所遺忘，所謂「自由資本主義」，早不存在；筆者也從未主張「自由資本主義」。有些人，以爲凡是在政治上抱自由主義觀點的人，都是「資本主義」的擁護者。他們的邏輯，半來自馬克思主義的唯物史觀（即以爲「社會主義」必取「資本主義」而代之），半來自承認社會主義的進步性（即以爲國家必需全部干涉國民經濟）；可惜筆者現反對唯物史觀公式，又主張社會主義的反動性。

說到這兒，一定有若干人會質問道：你既反對國家干涉國民經濟，那你對於兩者（國家與國民經濟）間的關係，究取何種的態度呢？

國家爲什麼干涉國民經濟？經濟史告訴我們：「自由放任」的結果，是少數人危害多數人的生存（如壟斷資本的出現，如土地的集中）。爲糾正它，國家就伸手干涉人民的經濟生活。這種干涉，在某方面說，是古典學派之「自由放任」思想的反動；但在另一方面說，却是維持古典學派的理想，即維持市場經濟規律。此外，我們還可由之明白，國家所以干涉人民的經濟生活，爲着少數人危害自由經濟。

在十月革命政權出現以前，大家都相信，自由經濟是人類幸福的破壞者，因此嚮望干涉國民經濟的政權的產生。經過三十餘年十月革命政權的試驗後，大家又深信：如容許國家干涉國民經濟，勢之所至必出現極權主義。因爲國家控制國民經濟與獨裁政治，是極權主義的內容。這也就是說：誰如維護民主政治，誰就不能贊成國家的控制國民經濟。

我們不能否認：近代國家之控制國民經濟，有它的各種條件。戰爭、可說是它的最有力槓杆。但似英、美那樣政治上有根深蒂固民主精神的國家，它之控制、干涉國民的經濟生活，雖有很多弱點，可以糾正。最低限度，它有貪污，不至於無官不會、有吏皆污。可是不管如何落後的國家，是否有控制國民經濟生活的條件，在政治不客觀、人民道德墮落等情況下，如國家干涉國民經濟，勢必至於因政治的腐敗、貪污、無能，而爲人民所共棄。

這結論，可應用於紅色的政權。由於國家全面而繼續地管制國民經濟，極權主義統治者能嚴厲地榨取人民，但終非人民所能忍。人民縱不能直接推翻它，一旦發生對外戰爭，必乘機而起。如納粹軍隊初期能如入無人之境，深入烏克蘭，即其明證。

本週展望

·左舜生·

中日和約批准

中日和約已於昨天（七月卅一日）在立法院多數通過批准，這一件並不怎樣愉快的事，總算告了一個段落。

我們應該認識：中日兩國今後的關係，不應單從紙片上求之，說一百句好聽的話，遠不如做一件於兩國確有好處的事。我們也不必過分重視兩國政府人員的言動，中日兩國眞正的親善基礎，應從兩國人民的心理上來求建立。

所謂中日文化經濟的提攜，並不是一種裝璜運動，要用下一點一滴的工夫，要做出一件一件的具體事實。假如是徒托空言，則我們在過去的八十年中，所說過好聽的話，實在已經不少了。聞張岳軍何敬之兩先生，有中日文化經濟協會的發起，聽說日本方面這類的組織也頗多，這自然是好事。

在過去八年的戰爭，中國的文物被摧毀者已經不少，台灣的文化建設，也實在是貧乏得可驚，我現在這裏提議一件小事：由中日兩方的民間發動，政府協助，日本的各大學，各文化機關，各圖書館，各出版機構的實力支持，在台北成立一個小規模的圖書館，暫以搜藏一百萬卷的新舊圖書爲起點，逐漸加以擴充，中國政府與台灣地方政府，應加以經常費的補助，所有自由中國的人民，亦各盡力輸將，期於一年內觀成，定名『東方圖書館』，或即名『中日文化圖書館』。

這是一件小事，但是一件具體的事，也是今天的台灣一件最需要的事，同時也爲日本力所能及的事，我希望雙方熱心文化合作的朋友們，就這個輕而易舉的小題目來下一番工夫吧！

六點反共計劃

澳洲駐美大使史賓德，最近有六點反共計劃的提出：一，建立軍事實力，並維持此項實力至一『不確定之時期』。二，本身準備接納下列事實，即目前所存在之緊張狀態，將爲『不確定時日內之正常生活方式』。三，建立不妨礙經濟之長期軍事力量，保持民用與軍事生產之平衡。四，學習忍耐，並聰明的運用力量而不激怒。五，堅決反對安撫。六，保持自由世界團結，以作爲防止可能的第三次世界大戰的保障。

這就一個長期冷戰的計劃，雖與中國人目前的反共心理不甚相合，尤其對於中國大陸困處在蘇聯宰制下的四萬萬五千萬的人民不宜，但能有具體方案提出總值得我們參考，尤其『堅決反對安撫』一點，更是我們所傾心贊成的。

夏威夷會議

太平洋防衛理事會，將於下星期在夏威夷舉行，美國務卿艾契遜及澳紐兩外長均將出席，許多影響未來美澳紐三國在太平洋區關係的軍事與政治問題，均將在會中予以研討。

凡是一個以反共防共爲目標的任何組織，我們在原則上一律加以重視，可是美國這種不澈底的做法，我們依然不敢苟同。美國對日對菲均另有安全協定，而與澳紐又另成集團，除人種區別感以外，我們實在看不出有這種支離破碎的做法的必要。

今天在中東與東南亞一帶，顯然有一種熱烈的民族主義在那裏作怪，而蘇聯且從而利用之。我們對於反共抗俄，主張整個自由世界通力合作，不應有膚色與種族的成見參雜其間，尤其希望美國對這個趨勢不要予以助長。今日存在鐵幕外的自由亞洲，其人數仍居亞洲全人口的三分之二，解決亞洲問題而忽略了自由亞洲的整個團結，即令反共防共能得到部分的成功，對於亞洲新糾紛的製造，仍然有相當的危險。高瞻遠矚的世界政治家不易得，這實在我們所最爲扼腕的一件事。

·實地報導·

巨濟島的各方面

金山凡寄自釜山

波恩將軍來後，這裏風平浪靜，一切像了個樣子，秩序井然，過去俘虜的那股凶燄，已完全撲滅，居民六萬人，百分之六十是從半島逃來的，他們已從事漁耕生產，慢慢的改善生活，經過了一場俘虜營的風暴，這裏反而成了一個安全的避難地。

離開釜山五十餘海哩，在西南方向有個小島，風光明媚，物產也頗富饒，以前是很少有人知道的，現在是飛揚海內外，無人不知了。這就是聯軍集中管理八萬一千名共俘的地方。記者從韓國戰場上回來，在釜山得到第八軍軍部許可，親自到那兒看了一下。上岸的時候，心裏很緊張，其實島上却平靜得很，在俘虜營警戒的美國士兵，也很輕鬆，與我們在釜山看到的美國兵一樣，手槍鬆鬆掛在腰間，來回的走着，有的靠着木棒吹口哨。拿卡平的，背在肩上，用皮鞋蹴着碎石。

新建的俘虜營 警戒完備嚴密

八萬一千個俘虜中，有四四四個女的，二十個小孩子。新劃分的俘虜營，一座座地分散在山腳下，每座都有鐵絲網圍着，每個營的外面，又有二重鐵絲網圍着，四週有十二個高出的碉樓，裏面有人在用望遠鏡四週探望，我們走近一個鐵網大門的時候，剛巧有一隊俘虜從外面做工回來，約摸有二百多人緩緩地排着雙行在走，衛兵把兩道鐵絲網門打開了，讓他們通過。俘虜中有很年輕的，身體都還相當結實。面孔晒得紅紅的，經過守衛的美軍身傍時，有的還舉手打招呼。

卅七號營翻身 共俘凶燄完了

三十七號營是頂頂大名的，一個美軍上士指給我們看，我們踏着細沙，走到這個殘留的營址，憑吊一番，祇見這個地方像遭到了大轟炸一樣，土地都翻了身，一些殘存的木片，磚石散佈各處。原來當時，三十七號營鬧得最厲害，有祕密，有四通八達的地道，於是美軍不能不用開土機把營房拆掉，把泥土掘翻，搜這些密祕。結果呢？搜却沒有搜到什麼，由此可見那時三十七號營與其他營房的聯絡另有方法，可能是利用混在當地的許多小商人和專做俘虜生意的人，那些妓女。現在聯軍已把這些人趕跑了，共黨對於這裏的情形，反應得就沒有那樣快了。當時傳說三十七號營用地道來聯絡，可能是共黨放的空氣，目的在轉移聯軍的注意。

居民六萬餘人 糧價貴得要命

我們離開俘虜營，從險阻的山峽出來，經過清流，沿着白沙的海邊，到了巨濟島上的市鎮，與俘虜營已相去好幾里遠了。這裏現有居民已超過六萬人，分佈在六百平方哩的地段裏。這些居民都是從韓戰中逃出來的，身無長物，就地取材，搭了些木屋居住，靠一些美援物資慢慢的生活下來，現在呢，這個地方倒反而逐漸繁榮起來了。

巨濟島在上次大戰時，並未遭到戰禍，所有原來的街道，村落都保存下來，但街道都很狹小，房子又很低矮，到了那裏，就像回到了我們內地的小鄉村一樣，有蒼老衰敗之感。這個島上原以紡織出名，專門供應朝鮮的，現在最感缺乏的是糧食，糧價貴得要命，「聯合國朝鮮救濟委員會」去年運了二千噸糧食來，才算解救了這個災難。

街道商品美化 木舟漁網出名

這裏最引起我們特別感恐的是漁舟，船身刻着奇怪的花紋，這種漁船多得很，在海邊一望，盡是這些怪物，因為捕漁的發達，這裏出產的漁網在朝鮮半島上也是最出名的。

現在街道上的商品都半美化了，最醒目的是駱駝牌和可口可樂的廣告，軍用的東西也到處可見，有許多舖子也都美化了，咖啡室裏的女招待，有日本風也有美國風。胭脂口紅塗得有些嚇人，許多老年人，還是穿着朝鮮原樣的白衣服，袖寬衫大，頭髮向上梳，打一個結，很像我國的道士，飄飄然有與世無爭之感，但是那些壯年，却剛相反，一切都好勇狠鬥，穿上下三不四的衣服，活像日本浪人，那些學校，可能是受日本影響最大，學生穿的衣服完全是日本的那股腔調。大概有軍隊的地方，妓女就少不了，美國兵又好這調調兒，所以妓女就特別多。據估計八萬人中有三千多人靠這生活，其中有三分之一原是本地的海女，這行當既容易賺錢，大家就往這裏發展了。

經驗教乖美軍 注意防諜活動

美軍當局本來對島上的行政是不管的，自從波恩來了後，覺得有協助本地政府的必要，因為俘虜營的動亂，與島上居民的混亂不無關係的。四月中有五個俘虜逃脫，波恩接事後即開始全島搜查，結果查到了三個，於是對於居民的管理，也就不得不注意，由波恩派出了兩個中校，協助地方政府對戶籍的整理，並注意到防諜的組織，對於美軍與居民的關係，也盡量設法隔離，一切糾紛就減少了不少，所以居民們對波恩都說很好，比前任能幹得多了。聯軍的倉庫管理，也比以前要嚴格，軍用東西不像以前那樣氾濫了。如再設法改善些居民的生活，則這里雖經動亂，却反而是一個很安全的避亂之地。

浙江財神金順泉的悲哀

山禾

素有「浙江財神」之稱的金順泉，是一個可悲的典型人物！

與金順泉同時期所出名而更有財勢或地位的，有葉琢堂、虞洽卿、張嘉璈諸人，但他們的事業不在浙江發展，所以金順泉就做了浙江本地財閥的領袖。

金順泉是浙江肖山縣人，年已六十開外，他一直担任杭州中國銀行的行長，而直接受他支持的開辦的私營銀行錢莊眞不知有多少。在杭州他所擁有的房地產也多得不可勝計，一般人知道的：官巷口有他建築的銀行及許多的高樓大廈，裏西湖有他的別墅，湧金門外有大批地皮，施齋街有他的很多出租的住宅建築。在肖山，他還是數一數二的所謂「大地主」。他的兒子金觀賢，還是該縣的國大代表，眞是有財有勢，顯赫一時！

有錢人多半是利令智昏的，當共匪渡江南竄的時候，如果他能認淸共黨的陰謀，那末，他要到世界任何一塊樂土上去都足有他的條件。可是他非但不走，竟當起「杭州治安維持委員會」的負責人之一，和過氣省長呂公望一搭一擋，備了大量的「供應」品和「慰勞」品，誠惶誠恐地迎接在武林門口。共黨就隨便賞賜了一個「民族資本家」的頭銜。

「金順泉都沒有走，我們怕什麼？」很多富商大賈、知識份子，當時都因他的表示「前進」而吞下了定心丸，他無形之中替共匪籠住了許多財富和知識份子，從容地等待共匪的壓搾和宰割！

共匪初進杭州的時候，對他是相當和顏悅色，敬禮有加的，第一步請他為「人民」捐獻一點，這當然「義」不容辭，一捐就是人民幣三千萬，約合白米三千石，第二步是買「公債」，也為了「立功」，唯恐落後，一買是五萬份，約合白米六千石。

於是金順泉又多了一個「杭州市人民代表」的頭銜。

當了「代表」，自然更得為「民」表率，「勞軍」，「獻機」，「獻砲」，又豈可後人？共產黨何嘗沒有名堂叫他的財產全部還給「人民」？他慢慢地開始起了恐慌！

到了三十九年十月，他受不住了。他借一個藉口到上海去一趟。可是當他要跳上滬穗通車的時候，從杭州暗中一路跟着「保護」他的「解放軍同志」就一手拉住，立刻將他「勸」回杭州了。

於是，「不忠於人民」的註解，就像畫在生死簿上招魂的記號一樣；厄運的第一步是肖山的「人民」為他擁有大量的土地而要向他淸算，匪公安局則以了已逃亡了的肖山國大代表是他兒子而向他逼人，脅誘並用，軟硬兼施，他竟暈頭暈腦地果眞將他已在香港的兒子金觀賢召了回去，白白地葬送給血腥的魔掌！

最後，他自己也終於不免被關進了柴木巷，嘗到了鐵窗風味！

愛子的悲痛，自身的折磨，整個地獄恐怖悽慘的刺激，他已失去了全部貪生的意識。往日的榮耀豪華已成一個煙消雲散的春夢！「民族資本家」的經歷，使他悔恨交加！「三反」「五反」的鬼嘯，使他心寒胆裂！病魔從而偷偷地附着了他的殘軀，現在，終於捲走了他的一生——病死獄中了！

俄國人的偷盜

可怕的蘇維埃經驗，表明出：如果私人創造力不被容許作直接的誠實的表現，它就會循着迂迴曲折的道路尋求發洩。要把一個全民族束縛在政府的控制之下，任何的法律都不夠堅強，任何的警察系統都不夠有力。

整車整噸的東西被盜賣

在一個患慢性物資缺乏之病的國家裏，那些和零售網有關係的人們，自然特別佔便宜些。那些熟知內幕和手裏有現款的蘇維埃公民，就是物資非常缺乏的時期，也可以得到一切食物，衣服，傢俱等等。必須有分配證才買得到的東西（或者在分配制取消之後，受特別法令限制的東西），不是論磅，而是論噸、論卡車的轉移到黑市場去了。

若干佔有良好位置的意氣相投的會計師，就能夠玩出這類的手法。通常的辦法是一大船「麵粉」，肉類或罐頭或者一鞋子被「爛」了或者壞了。於是派來了一個調查委員會，[illegible]，莊嚴地宣佈這件不幸的事實[illegible]取消了的東西經過非正統的路子，大賺其錢地分配了。

利用職權偷取他人發明

在蘇維埃工業機構中，物品在生產過程中以及分配過程中被盜竊，耗損了生產品的大部份，不管對「盜竊國家財產」這類用多麼可怕的刑罰。盜竊事還是層出不窮。因為這些被盜竊的東西，很快就流通起來，很易買到。雖然也許貴得多。

展中所施行的強制進度，促使工程師，建築師以及其他技術人員被排擠了許多個人創造活動的機會。在極權工業服務的這類人就可以在一個非正式的『計劃的』公司裏面，大展鴻圖。然後，他們也許就可以把他們自己所服務的托拉斯或者其他組織的技術成果，轉移到他們的自由合夥企業中去。

我們且舉一個例證。假定一個屬於黑色金屬部的一個托拉斯，正考慮在西伯里亞從事於一個新建設。一個善意的高級官吏，可能很方便地決定；他自己的技術人員太少，不足以應付這個計劃。因此，他也許會把這事業的全部或一部，出租給祕密的方便公司，讓它在方便的時間裏去完成它。幾個月裏面，這個「計劃」就會完成，驗收而且付薪，它是用額外工作時間作的，價格依照法律規定；同時，公佈的時間，較之事實上所花的時間，要多到十倍或廿倍。把一件小小的收穫誇大成一件偉大的成功，而且依此標準，加以報酬，已經發展成為一種藝術了。自然，保持沉默的那個善意的官吏和公務人員們，都要分得一杯羹的。

這些私人的計劃單位，不須要依賴法定計劃。他們就是利用職權盜竊他們自己所服務的托拉斯裏的一些東西，發明和事業計劃，交給他的朋友創辦起來。同時，把原發明者的藍圖，報告書，分析報告等，機巧的加以延擱，不正式提出來。

作者看起來，科學研究是私人企業家們不容易插手的。它需要大規模的實驗室和設備。可是好多青年科學家，和專家，却從國庫裏，榨出了一大筆的款子。

照抄舊法也可盜得獎金

榨錢的辦法之一，是非常簡單的。因為蘇維埃國家已經從世界文化，甚至革命前的俄國文化，孤立了出來。有意求利的精力旺盛的科學家，就利用了這件事實，他們成功地『復活』了已被遺忘的知識，把它當作新研究的成果拿出去。我就知道一件事，一個建築師因為一種新的建築材料，一種碍的代用品，得了一大筆獎金。其實，這種材料，在他造出之前，已經在國外很通行了。

在『計劃社會』的範圍之內，非法的與半非法的活動的情形，就是如此的。國家支出款項之一部，就成了機詐、盜竊、操縱、假賬、串通、壓迫等等的陰謀詭計的獎金了。

·埃夫譯·

自由放任與國家干涉

上接第一版

就毛澤東政權而言，它確和斯大林一樣地統治被統治者，但由於民主與極權的對立，由於自由中國的日漸雄大，被統治的大陸同胞，總不愁無推倒它的機會。無需說，這又是抗俄反共者的信念之一。

關鍵之點浮現出來了。我們的信念既是大陸同胞，不能忍受極權主義的統治，那我們之拯救他們，顯然地——就我們的邏輯而言——是把他們從水深火熱似之極權主義中拯救出來。如果，我們登陸之後，和國賊共產黨一樣地控制全部國民經濟的生活，那怎能分別敵和我？如果，我們在恢復民族獨立的過程中，存在着極權政治的經濟基礎，我們怎能收拾人心？筆者認為：從國家的長治久安着想，我們只能遵守一個原則，即反共賊之道而行。

自由中國，應該採取何種的經濟政策，筆者早說過那是另一文的任務；因為，是決定於它的政策藍圖，它的具體條件。但有一根本精神不能抹煞，即我們決不能有國家干涉國民經濟的企圖。除非萬不得已，我們以少干涉！——如非不能不干涉——為妙。我們確沒有干涉國民經濟的條件：我們的官吏，多不懂企業技術；我們的有權者，有濫用權力的習慣；我們的國民，大多數還沒有指揮、監督政府的訓練及能力，更壞的，由於長期通貨膨脹的結果，國民道德的水準很低。在那些條件下，如國家愈擴大干涉國民經濟的力量，政府即愈難出現廉潔政治。所以建立民主政治，和所謂「風俗之厚薄，繫於一二人之心」，那是農業社會裏可有的事，在「世風不古」的今日，我們還是信賴良好的社會制度。有了良好的社會制度（經濟其一也）再有好人，那我們馬上就實現民有、民治、民享的政府。

科學珍聞

聽遠用具

你在廣場上聽演講，或在戲院裏看話劇，位子剛巧在後排，你就有聽不清的苦惱，因為麥克風雖然普遍被採用，但有時仍會使你不便。在戰場上放哨的士兵，他更需要有很好的聽覺，才能不被敵人所乘，現在已有一種 Aurex Walterh Huth，可以譯作「聽遠器」，通俗些可稱為「順風耳」。

這是一個小小的圓筒，放在褲袋裏，一些也看不出，用時套在耳上，使一哩路外的聲音聽來清清楚楚。

防蟲紙袋

麵粉，大米等等糧食，最大問題是易生蛀虫，每年世界各地糧食在這方面的損失就很大，現在美國有家聖啓紙業公司，發明了一種防虫紙袋，用這種紙袋來包裝麵粉，大米，及其他食糧，可以完全避免蛀虫的產生，美國一國，採用後每年即可節省五百萬元。

這種紙袋是用新的殺虫劑 PYRENONE塗於紙袋的夾層，這種藥劑藉着空氣透到麵粉中，使蛀虫無法化生，已生的蛀虫，逢到這藥劑，三小時內也即僵斃，不能繁殖。

這種藥品對於人類則完全無害，較之DDT還安全。　·珍·

共黨法院成了黑機關
利用深夜審訊婦女 院長法警集體強姦

中共沒有法律，也不需要法律，它在各地設立的「司法機關」，更無法無天；違法枉法作惡的程度已到了駭人聽聞的地步，我們且看一看中共人民日報透露的「平原省」「溫縣法院」的重大黑幕，就可知道中共的「法院」是怎樣一回事了。·景華·

這個「法院」共有職員五人，法警二人。「院長」王高陞，「刑事審判員」楊治文，「民事審判員」王松臣，「書記員」任運昇，「法警」朱占山和劉柱。

一次即敲搾有狐皮、布疋、鐘錶等二十一種，而利用職權隨意判刑的有二百餘起。其他的自不必一一列舉了。

他們第一個重大罪行與其他共幹一樣，是隨便強姦婦女。據王高陞自稱，三年內共強姦了婦女四十四人。楊文治自稱曾強姦婦女三十人。其他五個均強姦了婦女二十人以上。

婦女落到他們手裏 老的少的無不被污

被姦污的婦女中，有女刑事犯和一般民事案件的當事人，有婚姻案件的當事人，有中共的「軍人家屬」和「幹部家屬」。其中被害的有十六、七歲的少女和五十多歲的老太婆。該縣康莊有一個十六歲的童養媳，到「法院」要求解除婚約，當時即被王高陞強姦了。此外他強姦一個孕婦，使該孕婦小產致死。

重刑輕判先姦後批 領離婚證批而再姦

這孕婦名叫馮秀蓮，住在距離縣城三十五里的高蓬村，他到縣去申請離婚，王高陞以發「離婚證」為藉口，把她騙到「法院」。這時正下着大雨，馮秀蓮被姦後又被推入雨地，深夜冒雨跑回家；結果流產，大小兩條生命都死掉了。

王高陞為了便于強姦婦女，一個人單獨住一個院子，院門上掛着「閒人免進」「非請莫入」兩塊木牌，門頭掛着大鐵鈴，房內餵着一隻兇狗，以阻止外人進其室內。他用女犯人當組長，叫她們晚上「彙報情況」，然後乘機姦污。他往往在夜間審訊女犯，以加重判刑來威脅女犯必順從，或以「提早釋放」，「重刑輕判」等花言巧語來誘姦。在解決婚姻問題時，則先姦後批，或批而再姦。

楊治文等則提槍，下鄉威脅婦女，以達到其姦污目的。並藉口「個別談話」、「考查思想」，將牢獄裏的婦女一一強姦。

至于其他危害人民的罪行，據七月二十一日「人民日報」吐露：該「法院」在一年內即有一百件以上。僅王高陞一個人

有十六年黨齡幹部竟做了幾百件壞事

這七個人都是共產黨員和「新民主主義青年團」團員。王高陞是一九三七年七月加入共黨的，曾任「村支部書記」、「區委宣傳部長」、「縣司法科副科長」、「審理員」等職，是老共產黨員，也是中共的老司法人員，然而他作的惡，做的壞事也最多，給予婦女的污辱也最深重。這也是中共的「法院」最好的寫照。

一年以前，溫縣的農民曾向「溫縣縣委會」和「新鄉專署」以及「新鄉專區人民法院」控告，它們不但置之不理，反而說被損害的農民是「惡意造謠」。因之王高陞等胆量更大了，行為更放肆了，他竟然強姦「工會幹部」和「行政幹部」的老婆，並扣發他們自家人的「生產糧」，向西關民眾放高利貸。結果這些幹部大譁，鬧到「平原省政府」，「政務院」及「華北行政委員會」去了，這才無法掩蓋他們的罪行，認為王高陞這種做法，「敵我不分」，「給黨的威信造成難以彌補的損失」，于是組織了一個「調查團」到溫縣來調查。為了平息他們幹部間的憤恨和衝突，或許要將王高陞等辦一辦的。

這不過是共黨天下中一個「法院」的情形而已，其他各地的「司法機關」由此可見一般，因為中共本身就是一個罪惡的集團，殺人、放火、強姦、搶掠，是他們的日常工作，所遭殃的只是大陸上的人民和婦女而已。

統一遠東和戰大計 蘇俄加緊控制中共

一鳴

韓戰停火談判一拖年餘，而易俘問題始終爭持未決，從板門店的討價還價看來，彷彿是共產集團與西方集團之爭，而不知中共和蘇聯之間，一直亦在這一問題上鬧蹩扭。七月廿八日「新華社」曾暴露一個驚人的事實，說美國宣傳歸還中共俘虜問題乃在挑撥中共與北韓間的團結，這一簡單的報導，不但間接承認中共與北韓間已因易俘問題而發生磨擦，而且在不經覺中，揭露出蘇俄與中共間衝突的若干秘密。

和談問題起紛爭

自從中共介入韓戰以後，中共的實力隨其兵力而深入北韓各地區。四野的朝鮮兵團，李紅光支隊，自始即以主角地位控制北韓軍。一九五〇年九月麥克阿瑟第十兵團登陸仁川，北韓主力被擊潰後，韓戰事實上更全靠中共支持。軍事實力的轉移，使北韓共黨內部亦發生變化。延安派的實力急劇升漲，開始排擠北韓的莫斯科派。

去年九月以後，中共因本身危機深刻，曾力求設法停火，但北韓的莫斯科派，為了達成其統一南北韓的迷夢，不惜多方阻撓。蘇俄為支持北韓的莫斯科派，曾先後派出布爾加寧，鮑格莫洛夫及齊爾托夫等要員，與中共首腦部進行調解工作。因此有去年十月以後和談代表的更易，邊章五，鄧斗困代替了解方和李相朝。

統一戰畧施壓力

但和談進入易俘問題以後，中共和北韓間衝突又起，中共急於實現停火，以集中全力進行經濟建設，只希望釋放本身的俘虜，北韓則抬出共黨陣營全體利益問題，堅持全部遣俘，金日成為此事，曾數度派員向莫斯科哭訴，蘇俄亦覺得中共處處以本身為前提，為了支持北韓莫斯科派，並統一遠東和戰大計，乃於三月初突然下令改組其駐北平的「軍事顧問團」，改派克里夫揚柯為總團長，一面着手擴充「軍事顧問團」，加強對中共的軍事控制，一方由莫斯科當局調潘友新代替羅申為「大使」，直接指揮韓戰和談。

大小顧問滾滾來

潘友新使華決定宣佈後，中共首腦部已深知蘇聯的用意，因此，原來想透過尼赫魯關係而進行易俘的計劃，臨時又告吹，只好硬着頭皮忍受六月廿三至七月十三日盟軍對水豐發電廠的大轟炸。

蘇俄雖明白中共上下對停戰要求的急切，但為了吸住西方的注意力，以掩飾其在中東和近東的新陰謀，另一方面要於北韓延安派勢的升漲，深恐中共在停火後更難控制。因此，最近對易俘問題又從中作梗。一方面從莫斯科派遣大批中下級幹部充當中共各省的政治指導員，第一批二千五百人於七月上旬抵達北平，其中除一百名充當成渝路的技術顧問及管理顧問外，其餘將分配大陸各省行政專區，今後每區均派五名以上顧問常駐，負責該區政治經濟及軍事「指導」工作。駐粵行政區蘇俄顧問六十八名，於七月廿五日抵達廣州。

政經文教齊控制

政經及軍事上的控制外，在蘇俄顧問控制下的「中蘇友好協會」，亦決定在各縣設立分會。所有學校教職員學生共幹，均須加入為會員。華東區中蘇友協總分會，並於七月六日召開全體監理事會議，通過今年下半年工作計劃。其中最重要的決定，業經中共「解放日報」於七月七日公開披露，其要點有四：第一，決定爭取全區發展一千一百萬會員。第二，有重點地推廣俄文教學運動，各地友好協會團在條件許可情況下，舉辦俄文學校，組織會員參加廣播學校。第三，總分會以華東一級機關為重點，發固和擴大現有機關的俄文夜校，並以各會員俄文進修成績，作為年終考績的一部，第四，發動會員，繼續展開抗美援朝，支持在韓志願軍。這一工作計劃的宣佈，表示蘇俄對中共的控制，業已較前邁進了一步。

附庸命運難擺脫

除此以外，在「中蘇新貿易協定」之下，大陸各地的礦山，大部都成為蘇俄的專利品。據大陸來人的報告：蘇籍「顧問」已深入華南各地的鎢、錫礦區。六月中旬，廣東西江各地曾運集鎢礦千餘噸，經粵漢路北運。而換來的物資，除了一些陳舊的卡車和零件外，只有品質粗劣的工業品和飲料。弄得中共百貨公司啼笑皆非。

在上述的情勢下，中共中一部份中下級幹部，對於「老大哥」雖已有不滿的情緒，但中共的首腦部都深切地瞭解他們的處境，在莫斯科特務的全面控制下，他們還能夠不俯首貼耳，唯命是聽麼？

共幹政治測驗結果

中蘇友協是給俄國人介紹女人的。現在蘇聯政治與沙皇時代沒有分別。

黨部書記、局長、科長、主任。政治水準低得不像話。是幹部故意鄙棄「時事教育」，還是共產黨八股的失敗。

「中蘇友好協會」是中共「一邊倒」的宣傳教育機關。「會長」是劉少奇，大陸各省、市、縣均設有分會，並辦有報刊和電台。它一方面大量吸收會員，以培養親蘇份子。另方面替蘇俄拼命宣傳，為俄人進行奴化和征服工作。

但是中國人民對蘇俄的惡感，不是片面宣傳所能彌補的，就是中共的機關幹部，青年學生對此亦無興趣，最近西安的「中蘇友好協會」開辦了一個「俄文訓練班」，招收該會會員學習，計報名的機關幹部二百二十五人，工會幹部四十二人，學生二百一十八人，共計五百人。其文化程度，大學五十四人，高中一百七十人，初中三百零六人，但是政治時事測驗的結果，大部份都不能及格。

意識模糊 高幹束手

共黨最痛心的是這些幹部對蘇俄認識「模糊」，「曲解」了「蘇俄老大哥對中國的好意」，甚至「中蘇友協」是個什麼性質的團體都弄不清楚。有許多具有大學程度的共幹答為：「是蘇聯派駐中國的組織」，「是替蘇俄老大哥辦事的機關」，「是在蘇聯大使領導下的國際機構」。還有人答為是給蘇俄人「介紹女同志的」。

有一個「試題」是關於蘇聯駐中共大使羅申的，很多人答為：「羅申是中華人民共和國成立後，中國第一任駐蘇大使，現在不知道作什麼？」

其次「現在蘇聯政治與沙皇時代的分別」一題，有三分之一的人答「沒有分別」，三分之一的人答「人民吃的不同」，另外三分之一的人則繳白卷不作答。此外有三分之二的人將杜京洛答為「德國領袖」，答這「朝鮮談判我方首席代表」。

無心看報 祗是翻翻

中共的報紙，根本就是一本政治教科書，內容千篇一律，又臭又長，不僅民眾不看，連他們的機關幹部也不願看，雖然每個機關都組織有「讀報組」，規定每人每天要看限小時的報，事實上看報的還是少得很。最近中共「北京市委會」在北平「市府」各局處十三個單位和「市委組織部」、「統戰部」、「市總工會」、「公安局」、「五區區委會」、「二區區政府」、「八區區政府」等十個單位共二十八個機關舉行了一次關於閱讀報紙的測驗檢查，其情形和結果如下：

「市府」各局處十三個單位有閱讀能力的職員共七千七百七十二人，訂了一千二百八十六份報紙，經常看一下的有一千餘人，佔百分之十五，只看大標題的有四千餘人，佔百分之五十，根本不看的有一千二百四十二人，達百分之二十。「二區區政府」十個單位共有八百四十五人，其中有閱讀能力的有八百三十七人，但是隨便翻一下報的只有二百零五人，只看大標題的有四百人，根本不看的有二百人。又據「工商局」所屬十六個單位的統計：有閱讀能力的共有五千三百三十三人，每天看一下報的只有一千人，只看標題的有二千餘人，根本不看的有一千三百九十八人。

牛頭馬嘴 笑話百出

因此上述各機關舉行的「時事測驗」，大部份答得牛頭不對馬嘴，八百八十九人的測驗中，勉強及格的僅有二百人，不及格的有六百零九人，佔百分之七十。其中「市委組織部」參加測驗的五十八人中，不及格的佔一半，「統戰部」參加測驗的十一人，不及格的有六人，其他各機關不及格的均在三分之二以上。

「二區黨委會」參加測驗的四百一十六人，不及格的有三百二十二人。「八區區長」「黨支部書記」等二十個人，只有一個人勉強及格。二十個人有大學程度的三人，高中程度的二十四人，初中程度的六人，高小程度的七人，他們是共黨的核心份子，其他的可知了。「成績」尚且如此。

另一測驗題為「亞州及太平洋區域和平會議籌備會議是什麼會議？」有十一個「區長」答不出，有十二個「黨支部書記」不知道這件事情，「市政府勞動局」的十二個人，竟答為「國際經濟會議」。

關於「懲治貪污條例的基本原則」試題，有四個工廠的「黨支部書記」答不出來，「公安局」有一個「科長」和「分局長」曾經在「五反」中做過店員運動，竟一點都答不出。「人民銀行崇文門辦事處主任」則答為「國營從寬、私營從嚴」。錯到不知那裏去了。

「東歐有那幾個人民民主國家？」在八十六個人中有三十六個不知道，十四個答得錯誤百出，例如一個「科長」和一個「組長」竟答為「印尼」、越南、朝鮮、日本」。一個「宣傳員」和「報告員」竟答為印度、南斯拉夫。

「北平是中共的都城」，「毛主席坐在那裏」，他們的宣傳工作和「政治教育」工作，被作得「最好」的，而其結果，適得其反，這「時事教育」故意還是共黨黨八股的失敗呢？（廣仁）

無能的幹部 腐朽的木頭

中共人民日報六月二十五日載：中國煤業建築器材公司今年決定將五十萬立方米的木材調運進關，供應各地的需要，其後即陸續內運。但從已經運到關內的木材看來，其中乾木的可利用率僅達百分之四十左右，原木大部份腐朽不堪，可利用率僅達百分之二十五左右。有的腐朽木材兩端可以透視，甚至能鑽進一個人去。這批腐朽木材運到關內，給國家造成了多大的損失呢？單以運費一項計算，由關外廠地運到石家莊，卸車費，調車費，搬運費，上垜費等等計算起來，即達二十四億四千五百六十四萬餘元，其他經營管理費用還沒有計算在內。一部份運到張家口的，單運費一項就要五千九百一十九萬九千一百二十元。這只是就已經運到上述兩地的而言，如果把從關外調到關內的腐朽木材的損失總數加在一起，那數字就更觸目驚心了。由於木材失去效用而使各地的建築任務不能及時完成，其損失更無法計算。

立功

一集夫

黃再興是桃源著名的中醫師。三十年來雖以行醫收入維持妻女三口生活，但對診金多寡，向不計較，日遇貧苦無告者，還贈送他的藥資。因此，「仁術仁心」的扁額，贏滿了他的客室，黃善人的綽號，也交頌在全城婦孺口中。

「翻了身」的陳仔娃，雖曾受過黃再興贈醫施藥的恩惠，可是更有借貸不遂的宿怨。桃源陷落，陳仔娃最適合共黨利用的標準，於是在共黨的「恩寵」下做了一步登天的偵緝隊長。「一旦權在手，便把令來行，」陳仔娃自然可以如願以償的有仇報仇，「洗雪」心頭之恨了。

黃再興在陳仔娃一絲絲的私人怨仇之下，嚐了沒有嚐過的鐵窗風味，挨了沒有聽過的吊打酷刑。幸而初「解放」的桃源，似乎還沒有現在這樣濫亂，因爲共產黨纔開始公開宣傳狗皮膏的功效，然而黃再興倖運的在狗皮膏試用下，找了兩家舖保，恢復了自由。可是陳仔娃對黃再興的報復，似乎不能滿足，仍然繼續的找尋着機會。

黃有女兒素君，在縣立初級中學讀書。因爲思想「前進」，被共幹吸收做了爪牙。但是她沒有爲「人民」立過功勞，兩年來仍是預備團員。她羨慕正式團員物質的享受，和組織上的地位。一天她請級任老師王美陽爲她幫忙。王是十多年的共幹，慣有一套愚弄青年的手法。見黃素君受着虛榮的引誘，知道利用工具的機會經已成熟。於是抓住她的弱點，作心理上的攻擊。她對黃素君說：「想升團員並不困難，只需向『人民』立一次大功。」「王老師」，黃想了很久然後又說：「我扭秧歌，參加學習，兩年來向不後人。」「還有，我奉命化裝不知參加若干次「鬥爭會」，「鬥爭地主，惡霸，富農，難道不算功勞嗎？」王搖搖頭說：「這一切都是你份內的事，「立功」是要大義滅親。說出和檢舉父母親的罪惡及不法的行爲。」黃說：「我找不出滅親的事實。」「你爸爸不是地主？」王說。「不是。」黃說。「不是惡霸？」「不是。」「家裏沒有金錢？」「沒有。」「沒有武器嗎？」黃素君聽了武器兩字，似乎鈎起了她的記憶。「在共軍到達的頭天晚上，不知什麼人遺在我們大門角下一隻破爛的手槍。媽媽以爲是塊廢鐵，拾了家來，爸爸回來後說是手槍，趕快的提着投在後院井裏。現在自然還是睡在井底下。」她想到這裏似乎很興奮的說：「破槍是不是可以？」王說：「當然可以。」「那麼我爸爸有隻破槍。」「藏在什麼地方？」「在後井裏。」王拍拍黃素君的肩膀說：「勇敢些，小妹妹，你算是爲『人民』立功」了。

黃再興二度的下了監獄，雖然同前次一樣的忍受酷刑沒有說出那條破槍。可是有了女兒親筆檢舉的信，並且還經偵緝隊長陳仔娃派人在井裏撈出一隻銹死的左輪，還容他不俯首認罪？「國特」「土匪」「……」一通串的帽子加在黃再興的頭上，終於判處了死刑。

黃素君從此在組織上似乎加重了些份量。組織將她當作廣播器及活動宣傳廣告。今天在這裏，明天在那處，戴着光榮的紅花和「功臣」紅帶，站在演講台上背着共幹擬好千篇一律的講詞。一天在距城十里的中心學校作此項表演歸來，行經東城口，發現很多圍着看的人。意識告訴她一定是人作新聞。她擠入人叢，見地上躺着一個血淋淋的屍體，一位老太婆正坐在一旁啼哭。她看見躺着的，似乎是她爸爸。啼哭的是她媽媽。她幾乎不相信自己的眼睛！她拚命的擠進內層，證實她的眼睛沒有錯誤。她一陣昏迷，倒下去了，及至醒來，她已躺在母親的懷裏。

她爬了起來，將功臣帶，紅花，以及組織贈送她的證章，江西磁瓷的毛澤東像，用斧頭將它捶得粉碎，每捶一下恨恨的駡毛澤東一聲，自此也不再上學校了。每天跪在爸爸靈前，向爸爸靈魂懺悔！「爸爸！女兒對不起你。」

我愛杜魯門

高方

我過去對美國總統杜魯門的觀感，也與一般搞政治的仁兒們一樣，有些瞧不起他的模樣。到近來，乃覺得此公頗多可愛之處。須些可愛的地方，倒不是他那套對國計民生的說詞與作爲，而是他那天眞的人生觀。

當年他爲着女兒唱歌受到批評，即寫信聲明要打破評論家的鼻子那件事，早已傳爲美談了。假使他不天眞，竟以總統權威，下手令拿辦評論家，或教警察去拘究，那還成甚麼章法呢？惟有他自己出面要打鼻子，以尋常百姓自居，才令人感覺天眞可愛，不可多得！

今年大選，他聲明不再競選，理由是：「在民主社會中，沒有某事非某人不可的話！」一語而道破了法治的精義。又說：他之拒絕競選，是不願意將來用棺材抬出白宮。這是一種透闢的人生哲學，與我國莊子所謂「寧曳尾於泥塗」，而不願被人供奉於神龕上的大龜思想相同。他在民主黨代表大會中演說，表示願以全方支持史蒂文生競選，說出「我將脫去上衣，爲史蒂文生奔走效力」的話來，毫無一點元首和黨魁的架勢。這些天眞的言行，別人喜歡與否我不管，我個人是衷心贊美的。

凡是見過咱們中國許多不學無術的官兒們，一朝在位，即對人口頭哦，哦，哦！好，好，好！鼻管哼哼然如犬貓，走路姿式也要作偉人狀的那類醜態者，大概都與我有同樣的觀感吧！

自由談

論吳用（五）

（水滸人物論之十）

・舜生・

『智劫生辰綱』以後，吳用的第二得意之作，便是挑撥林冲火併了王倫。其時宋江還沒有正式下水，因此他便擁護晁蓋坐了梁山的第一把交椅。關於這一層，我在論王倫的時候已經提過，此處不願多說了。

等到宋江上山以後，晁蓋便成了梁山的一個『虛君』，實權已全部落到了宋吳兩個的手裏。可是晁宋之間，表面上依然處得很好，一直等到晁蓋死了，宋江才很自然的繼承了他這個寶座。這其間，我們可以想像吳用做過不少彌縫調護的工夫。

宋江從所謂九天玄女那裏，得了一本『天書』，有資格和他同看這本『天書』的，卻只有吳用一個。在宋江的意思，原想利用神道來收駕馭羣雄之效的，但吳用覺得大可不必，他以爲只要以『替天行道』的精神，眞正做到『天下爲公』的一個『公』字，便自然可使得人心悅服，根本上用不着這些陰陽怪氣的東西。我們只看所謂『天書』也者，後來在梁山並沒有發揮任何作用，便可了解吳用確另有一套貨眞價實的做法。所謂『馬恩列斯』，在一般共產黨員的眼中，原也就是『天書』這類的東西，毛澤東儘管自己不懂，可是隨時要拿出這幌子來嚇嚇大衆，甚至有時候還要『唸唸有辭』『不知所云』的說上一大套，這種地方，可看出毛澤東的本領，實在不如吳用遠甚。

梁山泊這一大窩英雄，無一個不是紅眼睛，綠眉毛，殺人不眨眼的，說到駕馭，眞是談何容易；可是他們在宋江和吳用的領導之下，卻沒有一人敢道出半個『不』字，從來沒有看見他們分出什麼派系，也從來沒有看見那個犯過嚴重的錯誤而受到嚴厲的制裁，究竟吳用操何術而能做到這樣的境界呢？

說來卻也簡單，他不外就這一羣人才，細心加以考察，各就其性分與能力，予以適當的安排，使之各得其所，一以大公無我的態度出之而已。會打鐵的讓他去監造兵器，懂得建築的讓他去監修房屋；會寫字的去理文書，會雕刻的去造假印；朱貴對於招待最有經驗，便始終讓他開酒店，決不因爲他是王倫的舊人棄而不用；宋清的本領，頂多能管理廚房，也決不因爲他是宋江的胞弟，便加以特別的提拔；時遷本來只是一個偷雞摸狗的小才，可是等到要盜『雁翎甲』，要燒『翠雲樓』，卻又非借重他不可。梁山每經一次較大的結合，照例對人事便有一番刷新的安頓，這一張名單，都是由吳用和宋江幾經考慮然後提出，在這裏面不能發現他們半點的私心，因此才能收到羣情悅服的實效。不要以爲做到這一步便很容易，我們眼見的人物如墨索里尼斯大林之流，有時尚且未能免俗，其他更無論矣。（本篇完）

亂彈齋詞話

馬五先生

風流子

序曰：埃及風流帝王法魯克，豪放侈逸，黃癖當世。今夏觸著羅宮，一夜颶風，吹落王冠，遂遭放逐之禍，限期去國流亡，不及倉皇辭廟。當其挈嬌妻幼子，自亞歷山大港乘游艇出亡時，王宮親信，跪岸送駕，飲泣給王吻手，法魯克悵然揮別，返登艇上，頻頻以巾拭淚，不禁悲從中來。此情此景，似憶宋人謝希孟江干訣別愛人詞，大可爲埃王寫照。詞曰：「雙槳浪花平，夾岸青山鎖，你自歸家我自歸，說着如何過？我自不思量，你莫思量我，將你從前待我心，付與他人可！」帝王末路，古今同慨，特爲謅詞壹，爲歌「風流子」以示詠歎焉。

金塔好江山，居王位，豔福美人間：看殊域去來，豪情驚世，後宮旖旎，秀色多餐；國計民生誰管得，快活似神仙！微服夜游，倦尋芬草，黃金輕擲，歡聽香絃。

怎知罡風起，霎時內，禍變竟落君前！悵望皇都，從今休想重還；更限期去國，不追辭廟，凄登游艇，淚灑江干。一代帝業，蕩然化作飛煙！

萬竹樓隨筆（一一八）

清泉拾遺

狷士

吾國之有客卿，自清末始，康熙朝之用湯若望南懷仁，同治朝之用戈登華爾，實有屈用性質非客卿也，辛丑和議告成後，袁世凱奏請於政務處用外國顧問員，並建議諸強國中，每國聘一人，[illegible]客卿之[illegible]、梁啓超新民叢報短評，嘗謂其，「此中方略，百思而不得其解，有謂浸假將如蘇士戍軍中之洋操教習，非有俄皇之命令不能易，浸假將如稅務司赫德，由英國立約担保，永不許換他國人，埃及前事，可爲殷鑒」，則當日輿論，亦可見一斑矣。然赫德事固當別論，蘇軍中洋操教習，非俄皇命不能易，此種條件，可謂世界絕無僅有，此事在當日訂約之時，不知如何允許，梁氏之言，當必有所本。

庚子聯軍入京，侍郎懷塔布被執充苦役，人人知之矣。顧當時受辱者，寧止懷塔布一人，或隱忍不言，或猥屈以求免，今姑隱其姓名以誌之。某御史列入罪魁單中之一也，被某國軍所獲，誣稱係某御史之家丁，責令擡埋死屍；某士會因懷塔布，共任修路之役，事後有人問之，輒不承認；某京卿被執，責令掃除街中驢糞。其最無心肝者，則總理衙門某章京，指引東國軍入禁內，乘間竊宮中古玩，被其軍官查悉，加以鞭扑，斥之乃退。斯時自天津來充通事之式老夫，[illegible]聲威赫奕，[illegible]稱爲大人，乃始向某國人疏通，附以巨貲，[illegible]人免受拘執者，[illegible]昌黎翰林某，[illegible]某國兵入其寓，[illegible]兵歎其驚愕，相戒勿擾，[illegible]當時亦僅矣。[illegible]若尋常比戶，莫不門插順民旗，氣節蕩然已掃地矣。

黑十字

北晨

郝亦臣嘴上說是，心裏卻沒有以先那麼熱烈了，白濟宏說的那[illegible]，郝亦臣沒有估着多少光[illegible]，看[illegible]一遭，姓白的眼睛[illegible]樣，險濟裏要翻船了。

這一來，白濟宏更不能放過黃洸，一早派了小蔡過海，白濟宏佩雲兩人具名的大紅請柬，由小蔡親自送到半島酒店，朱瑛如聽英的話屬實，果眞替姓黃的付了八千元車價，這麼說朱瑛的手上有錢，只要他有錢，或文或武，或軟或硬，白濟宏今晚要動他的手了。

而且還由佩雲補了一張請帖，朱瑛那裏也有一個電話，要她約了黃洸一道來，這一點白濟宏並非矛盾，一方面需要利用朱瑛，借着今晚這個機會，還可以暗示朱瑛，省得壞了藍英和佩雲的婚姻大事。

佩雲的家也住在北角，租的是公寓，兩廳三房，佔了一層樓，原來便佈置的精緻雅潔，今天更換了一番新的佈置，她將兩座客廳打扮得和她自己一樣，「小花眼」將白濟宏看成財神，有意香檳跑足，外客一律不請，只約了一些姊妹來家喫飯。[illegible]

[illegible]請客人們入席。（三十六）

・中篇連載・

中國之友（四）

毛以亨

華爾傳（三）

有些陣亡，有些爲中國軍法所處置，有些爲外國政府拘辦，洋槍隊的名稱已掃地了。華爾以前傷顎，又傷一腿，已不如以前之矯捷，方其臨陣之時從不攜刀槍，僅持馬鞭一，以作指揮，其後戈登效之。其所恃爲意志堅強，又能使士兵習與俱化而處少欠餉，攻城城破後不禁擄掠，助力亦屬不少。然際此各國均表示反對的時候，泰紀錢莊，多做官場與洋人的生意，已不能加以資助，而此枝勁旅，隳棄可惜，乃有改編爲中國軍隊，以其士兵來訓練中國兵之議，此即以後常勝軍改隸於李鴻章軍隊之由來。

是年太平軍事直英法中立之議不攻上海，而英法軍事當局亦樂得無事，故不欲華爾之貪功以刺激太平，遂不惜壓迫之。不過這是暫時的局面，太平軍終思染指上海富庶之地的，故是年年末，Hope即赴松江去看華爾，爲其數月前階下囚之座上客了。

華爾之取得中國國籍，從其已得中國軍功而來，解釋其已取得國籍是勉強的，美國固積極維護，各國亦不反對。所根據一八六二年三月十七之上諭，「華爾賞四品頂戴」，二十六日上諭「賞三品頂戴」而已，此外並未歸化之證件。

二、太平軍對外關係與常勝軍如何組成

文安 Bonham 爲英國在中國的商務大臣，一八五三年四月廿二日，乘 Hermes 艦由滬出發，迅赴天京，[illegible]實欲確保其中立。[illegible]領 Fishbourne [illegible]攻上海可否[illegible]如用兵即[illegible]譯 Meadows [illegible]行登岸，[illegible]平軍對外[illegible]國兵亦到艦上[illegible]文安于三[illegible]室借軍艦[illegible]交戰團的[illegible]關係。而[illegible]書則做[illegible]甚督之遠[illegible]歸，……[illegible]平亂，均[illegible]頸等共事[illegible] Medhurst [illegible]慢之態，[illegible]遍不滿。

自由人

THE FREEMAN

（半週刊每星期三六出版）

（第一四九期）

每份港幣壹毫

督印人：李光平

社址：香港士打道六六號

電話：二〇八四八

GLOUCESTER RD.
HONG KONG
TEL: 20848

承印者：東南印務出版社　地址：高士打道六四號

台灣總辦事處　台北市館前街五十號

台灣經銷處　台北市中華路一二五九號

所期待於國民黨七全代會者

傳國民黨將於本年雙十節在台召開第七屆代表大會，其主要議題，必須斟酌內外形勢從長考慮，才能符合國民之期待。

・左舜生・

整個世界局勢是外弛內張，大戰究以臨時偶發事件而突然爆發，或必須等到各方準備到達飽和而正式發生，在目前尚難預測。

就民主一方而論，歐洲建軍必須等到明年的下半年或一九五四的上半年，始能確有把握。日本的武裝重建，要做到海空可以自保，陸軍可以出擊，大致也非到一九五四年難竟全功。美國再有一年半至兩年的時間，則對各種準備工作，必可達到十分圓滿。假定韓戰驟停，這並不是表示和平有望，反而是表示大戰快來，如目前的遷延不決，却正是顯示險惡局勢的到達，尚有相當猶豫。

然則我們可能保有的和平時間，最小限度將不過一年，最大也將不出一年半至兩年了。

我們在對日抗戰期間，曾有一個有力的口號，便是『以不變應萬變』，這個意思是說：無論我們撤到任何一個地點，總保持着堅決抗日的宗旨不變；換言之，即無論日本如何誘惑，我們必堅持到底，斷不與日本妥協言和。這一態度保持到太平洋大戰爆發，因當時日本已瘋狂到與英美同時宣戰，不要說『不變』，我就坐着『不動』，便已去勝利不遠了。

目前的情況與十二三年前究有什麼不同呢？除掉反共抗俄的宗旨我們一樣可以堅持『不變』以外，其餘則無論從任何一點觀察，均看不出有多少相似之處。

一、對日抗戰，可以說完全是一個對外戰爭，而日本過去侵略中國的種種事實，又爲全國人所共曉，用不着如何宣傳，大家對堅持抗戰一點，總不能持顯然的異議。這一次的反共抗俄，實際上雖也是對外，但形式上總多少有幾分對內的色彩，情況自然要複雜得多。

二、對日抗戰，是日本人從外面打到中國來，這次的反共抗俄，乃是中國人乃至聯合外國人打回中國去，其可能的反映，可能引起中共的歪曲宣傳，自亦與上次不同。

三、當時的日本，雖亦加入德意軸心國的一員，但是她在遠東却是絕對的孤立。我們的打日本，其附帶的意義自然也是世界性的，但實際的重點，則在單獨對日。今天的中共，顯有其強大的奧援，蘇聯亦確有其與國。我們在抗日初期，原只是孤軍轉戰，後來所得到的援助，乃是由他們自身遭受攻擊，而自然的結成一體。今天的反共抗俄，可以說一開始便必須注意聯合陣綫的調整，其形勢也顯然兩樣。

四、在抗日的第二期，我們也有過一部份的動搖分子，曾發生一個以上的漢奸組織，但人數却不算太多；今天則大部的知識分子與青年，却早已爲中共所劫持，其勢已不能不與他們同其利害，換言之，漢奸必與日本的失敗同其運命，中共則雖退到華北與西北，尚有衰弱的餘地。

五、我們在抗日初期大陸的一挫敗，並未離開西南半壁，不少於中國全部的土地三分之一，人民亦至少在一億以上，政府完整，爲全國所歸心，國際亦無任何異議。今則主要的僅存台灣一島，人口合海外僑民計之亦不過兩千萬，這一點更顯有不同。

上舉五點，不過就大體言之，其餘不同之點，以牽涉抽象，自無須列舉。

關於國民黨將於本年的雙十節在台北召開第七屆全國代表大會，其主要的議題，必須斟酌內外形勢，從長考慮，有以符合國民之期待者，度不出以下數端：

一、如何加強民主政，使國內國際曉然於政府確有與民更始的決心，因而增加其向心力與實際援助？

二、如何刷新外交陣容，慎選駐外使節，使世界一有變化，即能應付裕如，而使中華民國的地位爲國際所重視？

三、如何切實團結大陸以外兩千萬的人民，使之趨於一致，而步驟不陷於凌亂？

四、如何準備大宗嶄新的人才，以在大陸逐漸收復期間，能與軍事齊頭並進，從政治上確能表現其異彩，以加速統一建國的工作？

五、如何澈底改造政黨，使能做到真像一個民主立憲國家，而一掃過去牽蘿補屋，不生不死的狀態，以至於推進大陸以移的各項政策，似乎宜有一個簡單有力的常設機關，作爲依據原則，因時因地之制宜設施，決不能一聽前進部隊及其政治人員便宜應付，自更不待言。

凡此數點，我們已經可以想像，內容是何等艱難複雜，即本屆國民黨七全代會的責任是何等艱巨，我們現在可得而言的，即希望此次大會確有若干洽心當意的切實辦法產生，假如僅僅只有幾篇冠冕堂皇的文章，或若干條空空洞洞的原則，這是向國民交不了卷的。（完）

今日二三版要文

台北通訊：台北合作社案別紀

大陸消息：自討苦吃的文藝作者

歐陽予倩、鄭君里、孫瑜等怎樣被鬥爭。

台灣沒有人口過剩問題

高叔康

依據指導臺灣農村復興和土地改革者的看法，台灣農業人口過剩，耕地有限；如此人口繼續增加，若干年後，超過土地生產力的極限，必然發生如中國歷史上土地不足，農民暴動的慘劇；爲防患未然計，應實行馬爾薩斯節制生育方法，減輕人口過剩的威脅，以消除農村的貧困，保障耕者有其田的永久推行。這種看法和主張是根據事實而提出的，應值得我們重視。

大家知道，台灣經濟是農業經濟佔主要成份；從農業人口佔百分之六十六，便可證明。農業人口既佔百分之六十六，則人口自然增加率，當然也就佔人口總數增加率的絕對多數；因之，在和平安定時期，衛生事業進步，以家庭爲事業本位的農村，必發生農業人口過剩的現象；但這種人口過剩的現象，就全體人口分佈的狀況說，並不能代表其他各業人口過剩的事實，不過表現其人口偏在而已。如果把人口偏在問題當做人口過剩問題來處理，這是單純的，機械的，孤立的看法，其主張馬爾薩斯的節制生育來解決，亦是當然的歸結。不過馬氏的主張，也不是抑止人口過剩的特效藥；自「人口論」出世一百五六十年，曾經多數學者駁斥其武斷，世界各國人口增減的事實也證明其預定的錯誤，即馬氏自己對他的節制生育方法，也認爲收效甚微。退一步說，假定現在台灣人口確實過剩，馬氏節制生育方法也能收效；但如果台灣經濟性質依然停滯在農業經濟階段，即農業人口依然佔人口總數中之絕對多數，則人口過剩問題的根子，永遠存在，無法消除。中國歷史上土地不足，農民暴動，循環演現，總轉不出一個和平的合理的解決農業人口過剩問題的方式來，其根本原因就在此。

當然，台灣尚有可墾荒地一三五，五五五，〇八二八甲，可以容納相當數量的人口，土地與人口的比例，還沒有達到飽和點；但我們不能以農立國，台灣須要加速工業化，這是定了的。據專家的估計，台灣實行工業化，工礦鹽漁，至少可以容納兩百萬人，則偏在農業方面的人口問題，便不成問題，自用不着節制生育。同時，工業產品一面自給，一面輸出海外；工業產品的輸出，即無形中代替人口的輸出，也就緩和內部人口增加的壓力。并且工業發達，社會文化水準提高，個人生活範圍，擴展到社會方面，舊有的複式家庭隨之解體，即單式家庭，也不以兒女成行爲歡樂之泉源，由此，更能達到自發的調節人口的作用。這些事實，在工業化完成的國家，都有確實的證明。

工業化國家也有人口過剩問題，但與農業國家人口過剩問題的本質不同；農業國家人口過剩，只是釀成疫死、餓死、戰亂而死的條件；因爲農業社會職業種類比較少，其生產流通也限於狹小地域，容納人口的範圍自不如工業國家的廣泛而有伸縮性，所以除擴大天災人禍提高其死亡率外，也產生不出好的辦法。有人以爲工業國家人口過剩，必促成對外戰爭，由戰爭而加速人口的死亡，其結果，與農業國家解決人口過剩的方法一樣。殊不知這是由於政策問題，不是必然的邏輯。二次大戰前，德日意都是工業國家，也是人口過剩國家，它們喊出需要「生存的空間」，爲爭取殖民地的口實，舉世稱之爲「人口帝國主義」；其實，它們不是眞心誠意要解決人口過剩問題，而以膨脹人口政策爲侵略的工具。以今日的日本爲例，投降以後，海外的殖民地沒有了，對外貿易也窒息了；但工業生產力現已恢復到戰前水準，有的已超過戰前水準，人民生活水準也恢復到戰前的百分之八十；雖然有美援和韓戰景氣的助力，但實由於今昔對內對外政策根本不同的結果。況且台灣工業化尚在開始階段，縱然將來不免有人口過剩問題，那是以後的事，不能因爲顧慮將來發生的問題，遂終止現在工業化的進行，聽任農業人口問題不得解決而致於橫決。

尤其是今天台灣，處在一個非常時代，要反攻大陸，推翻中共政權，復國建國，在在需要大量人口，負担此一艱苦任務；此大量人口，當然從農村中來；而增殖此大量人口，也非一朝一夕之功，所以一旦爬上大陸，就是將台灣現有八百萬人口掃數遷去，也還不夠。就這一點說，現在獎勵人口生育，猶恐不足供應將來的需用，還能主張節制生育，以限我們復國建國最基本的，最可貴的，最有力的人的資源的增多？

由此可知，人口問題，牽涉最廣，關聯甚多；必須從遠大處着眼，從全面安排着手，配合經濟政策和國防政策的需要而建立人口政策，以全面的展開，發揮其整個人口的效用，解決偏在農業方面的人口問題，斷不可聽其自生自滅，自增自減。站在局部的觀點，頭痛醫脚的辦法，不但不能根本解決人口問題，且是造成人口問題更重大的另一因素。

半週展望

・雷嘯岑・

檀島之會

目前世界局勢是以亞洲爲最緊張，到處嗅着火藥氣味。在這多難地區內的反共防禦力量，除美國潛存太平洋的海權空權外，完全是一盤散沙，各自爲政。韓戰隨時有擴大之可能，英美對遠東方面的政治歧見尚未消除。此時要想搞所謂太平洋區域集體聯盟，談何容易！

美澳紐三外長檀島之會，形勢比人強，亞洲方面不能長此混頓下去了。不容易談也得談，就是基於這種形勢而然的。

會有甚麼結果？

艾契遜說：「太平洋三國公約之締結，乃等待在太平洋方面一種更綜合的地域安全體系之發展」，這是實話。所以，他表示「每一項太平洋的問題，均將在檀島會議中加以討論」。檀島會議的內容，不會超出這範疇。

然則它會有甚末具體的結果嗎？不可能！除了關於美澳紐三國應否設置共同的軍事機構和常設理事會以外，一切都只能交換意見，研討原則，距實際行動之期尚遠。

重重障碍

首先是英美對遠東政策「搞唔定」，各懷心事。其次是東南亞若干國家作繭自縛，誤用民族主義的盾牌，陷於心裏反共，口頭却不能不親共的政治苦悶環境中，一時轉不過灣來。英國的態度不改變，他們便不好掉頭。還有一種幻想，也可說是惰性，認爲中共若被韓戰所釘住，他們即可苟安撫處，索一面「中立」，一面即扞向美國高抬身價，取英元或美援。

在這樣情景之下，太平洋區域集體聯盟之事如何會有結果呢？如果聯盟而不是軍事性的互助方法，有結果也是廢話！

只有一種可能

如韓戰急轉直下的眞正實行休戰，毛澤東自然要奉行俄帝賦予他的使命——解放東南亞！那時節，這些心裏非共反共，口上親共媚共的民族主義者即感到大禍臨門，自衞無力，而大呼集體防衞了。這種呼聲發出來令人慘不忍聞的，必然是今日表示憎惡集體軍事聯盟最甚的自命「亞洲領袖」尼赫魯，不信，請等着瞧吧！

誰是亞洲領袖？

在南亞，固然有人要爭做亞洲領袖，在東亞，也有人要當領袖。日本的吉田茂前天發表決心建軍的談話，即說由於「日本的民族性特異」，自然要在反共的亞洲陣營中居於領導地位。意志紛歧，一個集體聯盟尚且空談階段，而爭領袖之風已盛行了。這好像有些在海外搞「第三勢力」的人，勢力還未形成，「爭座位」的玩藝却很熱烈的表演着。若希望檀島之會後，即能使太平洋聯盟問題具體化，那是幻想！

個別聯防怎樣？

在反共的心理建設尚未完成一致時，通過美澳紐三國會議的協商辦法，再由美國予以精神上的鼓勵協助，就太平洋區域進行個別聯防工作，那是可能的。但，亦非急促間所能實現的事。譬如：中、日、韓、菲這些國家，反共的意志固屬相同，未始不可構成一種聯防單位，然日本已與美國訂有安全互助協定，未便從事多邊的聯盟；沒有日本參加，事實上缺陷又甚多哩！問題的癥結還在韓戰，假如休戰談判破裂，戰爭擴大，個別聯防辦法一定實現。

站在自由中國立場看

就自由中國的立場說：當然不反對太平洋區域集體聯盟，但不希望搞那沒有軍事約束之同床異夢式的表面聯盟把戲，徒增煩惱。事實上，目前自由中國與美國間，已存在着一種不講形式的安全互助協定了。某些表面親共的國家表示不願與台灣聯盟，我們更羞與爲伍！

變動中的伊朗

德黑蘭航訊

多難的中東，到處是不安和騷動，是民族主義者的覺醒嗎？是的。但是史大林是最善於利用民族運動和民主運動的，一不小心，很易落入他張着的口袋中。伊朗的局勢，現在正面臨這危險關頭。

伊朗的局勢，目前還沒有完全安定下來，伊王室親屬已離開德黑蘭「赴外國作長時期的訪問」，伊王的命運是否像埃王法魯克一樣，現在雖未可卜，但他的權力却明顯地逐漸在削減中，連接見賓客，也要受宮廷部長和外交部長的限制，而且不能與客人談論政治。另方面，莫薩德的權力則繼續擴張，他要求的特權，得到了國會的通過。這個特權，是今後六個月內，予莫薩德以無限制的權力。他可以不待立法手續批准，即可實行他任何必須對國務的處置。

伊朗前稱波斯，位于伊蘭高原西北部，北接高加索和裏海，南臨阿拉伯海和波斯灣，東連印度及阿富汗，西鄰土爾其和伊拉克，面積有一百六十四萬五千平方公里，居民有一千七百萬人，由于地理關係，自十九世紀以來，即爲英俄兩國勢力的角逐場所。第二次大戰爆發後，英俄于一九四一年八月二十五日分別派兵佔領伊朗，一九四六年始行撤退。但蘇聯却取得伊朗北部若干區域的石油開採權，英伊石油公司，則在西南部開採。

石油寶藏惹眼紅　史大林明搶暗奪

伊朗的石油佔世界上石油產量第四位，一九四二年產量達一千萬噸。其存蓄量，估計有九萬萬噸，佔世界總存蓄量百分之十。阿巴丹煉油廠，每日提煉出的油量爲五○○·○○○桶，英國所需的石油數量，四分之一是靠伊朗的供應。印度、巴基斯坦、遠東、澳洲及紐西蘭等地所需石油，大部分係仰給於英伊石油公司的出品。美國于一九四九年，也曾向伊朗購取石油三八·○○○·○○○桶。因之它是伊朗最大的財富，也是兩大集團爭奪的最大目標，自一九四七年十月二十二日，伊朗國會以一百零二票對二票通過伊總理的石油法案，否決了蘇俄提出的「蘇伊石油公司協定」後，從此展開了連串的幕後鬥爭了。

自己東西自己管　民族主義抬了頭

一九五○年，伊朗即開始醞釀石油國有運動，當時參謀總長拉茲馬拉出任總理，他是傾向西方的，也是親英的，由于他反對石油國有化，一九五一年三月七日赴清眞寺禮拜時，被「伊斯蘭十字軍」的一個恐怖團體暗殺，此一團體乃擁護堅持實行石油國有化的民族陣綫。拉茲馬拉被殺後，伊朗即掀起狂熱的石油國有運動，三月二十日起，伊朗南部阿巴丹英伊石油公司的兩萬石油工人罷工，伊朗國會于四月底通過了伊朗石油公司收歸國有的法案。五月十九日，英國向伊提出抗議，並派傘兵開往中東，企圖武裝鎭壓，至九月底，伊政府決定停閉阿巴丹煉油廠，並限令英國技術人員離境，英國向聯合國安全理事會提出申訴，伊總理莫薩德親赴紐約安全理事會，阻止英國提出的要求。

伊朗的石油國有運動和反英的浪潮內，一方面是民族意識，另方面則是共黨的推波助瀾，從傍鼓動。並企圖由反英擴大到反美。這次德黑蘭大暴動，從排倒邱吉爾街牌和羅斯福街牌以及要求美國顧問團撤退等行動看來，這裏面富有很複雜的因素。

共產黨乘機活動　以爲高潮來臨了

這次暴動事件的起因，是由于莫薩德辭職，由親英的魁華姆繼任總理，共黨份子則鼓動擁護莫薩德的羣衆發動暴動，罷工、並與軍警衝突，終於魁華姆被迫下台，逃亡伊拉克，莫薩德再出任總理，但德黑蘭的局勢並沒有恢復安定，而且由反英進而反美了。伊朗新任警察總監西伯尼廣播警告說：共黨份子正利用民族主義運動，以達到其狠毒的目的，土德黨（共黨）現已滲入國家主義的組織，陰謀擴大事件。共黨份子于七月三十一日搶劫政府軍火倉庫，奪獲機槍與步槍等武器，另一批則向軍用碼頭襲擊，企圖奪取御中的軍火物資，故伊朗政府宣佈延長德黑蘭的戒嚴日期，直至八月三十一日底止。現在莫薩德掌握了政權，也控制了軍權，他兼任陸軍部長，並已開始委派三個新的將領，接替南伊朗軍總司令，軍官訓練學校校長，及阿巴丹的軍事總督。加以國會賦予他無限制的權力，今後一時期內，他將成爲伊朗的大獨裁者。

從反英轉到反美　背後一定有陰謀

他是反英的，但並不親蘇，因之伊朗所需西方的關係，仍可藉談判與合理的處置來避免一切決裂，所可注意的：蘇俄慣技，乃是首先利用人家的民族意識，鼓起排外行動，然後乘機打進來，將它拉過去，逐步變質爲共黨的力量，局勢演變到那種地步，莫薩德恐怕也控制不了的。

目前已有這一趨向了，本月二日伊朗參議院的辯論中，議員們又高呼要驅逐美國軍事和技術人員出境，衆議員馬溫迪說：在伊朗監督軍事援助計劃的美軍官只是供美國宣傳和成爲蘇聯對伊朗報復的口實。高呼把美國的人趕出去。同時莫薩德的兒子原準備訪問美國國務院，傳已打銷此意。他改變計劃的原因雖未有說出，但總有若干內幕的。

因此伊朗問題，還是中東的危機之一，它不單是內政問題，也不單是反英問題，局勢的惡化結果，佔便宜的只是蘇俄而已。如何將這一團火冷熄下來，如何堵塞這一缺口，以阻止蘇俄勢力的滲入，是需要民主國家的明智的考慮與更多的努力。

朱鼎卿的變節

若筠

提起了朱鼎卿，恐怕知道他歷史的人，不大很多吧，他是武漢淪陷前湖北最後的一任省主席。

他的哥哥朱懷冰，是最瞧不起他的，以爲他好口出大言，而又沒有一個中心思想，將來一定會出亂子的，朱懷冰當師長的時候，這位堂兄弟恰巧脫離了部隊，他去找他的哥哥，朱懷冰不僅不替他想法子，反而把他奚落了一頓，他在一氣之下出走了。

但朱鼎卿究竟是一個比較有才幹而不甘寂寞的人，遇有機會，他是不隨便放過的，他在湖北地方團隊搞得最久，駐防、剿匪、打游擊，地方情形，他是非常的熟悉。抗戰開始，朱鼎卿遂因緣時會，一躍而由施巴警備司令，兼宜師管區司令，十三師師長，軍長，灃升而爲三十三集團軍副總司令，勝利後，全國軍隊整編，他又改任爲漢口第八軍官總隊長，眞可說是一帆風順，無往不利了。

第八軍官總隊奉令結束的時候，他接到聯勤總司令郭懺一個電報，叫他到南京，他到了南京以後，才知道已發表他爲第一補給區司令，第一補給區的範圍很廣，差不多連貫蘇皖鄂贛豫魯六個省份，受補給的部隊，超過四十萬人，他每月向中央所領發的軍費，佔全國軍費三分之一，他所管轄的大小兵站單位，共有兩百多個，全部官佐，將近兩萬人；此時的朱鼎卿，可算是躊躇滿志了。

一九四九年的春天，正是整個華北淪陷，武漢極度緊張的時期，那時的湖北省主席張篤倫，把省政府搞得烏烟瘴氣，威信掃地，實在不能再幹下去了，這一省主席新頭銜，又很輕鬆的落到朱鼎卿的身上了，「富貴逼人來」，朱鼎卿固受寵若驚，而當時的武漢人士，則以爲湖北人够當湖北主席的，實在太多了，何以竟選中了這位辦兵站的朱鼎卿，這一冷門，爆得有點出奇，這不啻給湖北人丟臉。

在朱鼎卿視事之初，確有把湖北政治整頓一番的抱負，他第一個請出來幫忙而作爲他的智囊的，便是他的哥哥朱懷冰，因爲朱懷冰在陳辭修主政時期，當過民政廳長，也代理過主席，在湖北的人望，相當的高，有他哥哥這塊老招牌，自可以壓住一切，而在推行政令上，更不至有扞格難通之處了。朱懷冰本來是瞧不起他這位堂兄弟的，曾幾何時，他所瞧不起的這位堂兄弟，竟能單槍匹馬，創造一番事業來，其名位且凌駕乎他之上，這又不能不使他暗暗吃驚，而有「士別三日，刮目相看」之感了。

朱鼎卿履新不到三月，武漢已成爲朝不保夕之勢，省府除急切應變，配合軍事行動以外，實談不上所謂政治，當時白健生氏以鄂西爲入川咽喉，應有重兵扼守，遂委朱兼川鄂邊區綏靖司令官，就地方團隊，擴編爲兩個軍，分屯於鄂西之巴咸公路及巫山奉節一帶，但朱到了鄂西不久，因指揮系統之爭，與宜昌宋希濂兵團發生裂痕，在軍事行動上，不能配合一致，共匪遂利用這一機會，分頭進襲，因之宜昌恩施於武漢失陷之後，亦相繼淪於敵手了。

朱率其殘部由萬縣急向成都方面撤走，那時雲貴大後方，已進入極混亂狀態，朱徘徊瞻顧，進退兩難，然在其最後一轉念之間，竟和他的參謀長李超君在「陣前起義」了。朱氏降敵之最大原因，據說是由於彭德懷之利誘，北伐時期，朱氏曾當過彭之下級幹部，而且相處得很好，他以爲彭德懷是能够講「溫情主義」的，況以他的聰明機智，滲入了共產黨，亦未嘗不可以嶄露頭角，這是朱氏當時的如意算盤，殊不知忠奸之分，人鬼之判，就完全決定於他那最後一轉念之間了。

「沒有中心思想的人，終會出亂子的，」朱懷冰算是把他這位堂兄弟看準了。

台北合作社案別紀

台灣航訊　劍庵

台北市合作社倒閉案，由於主要責任者「顧伯森」其人始終避不到案，而由基隆市政府的一個小職員顧肯公出面頂替，以致法院偵察月餘，尚未提起公訴，且枝節橫生，又鬧出幼年女子吳筠華被非刑殘害一案來。最近因爲「眞的顧伯森」被法院傳到收押了，全案不久即將大白。關於本案的一些特別消息，值得一述，以供讀者消暑談助。

大怒與大氣

台北市合作社倒閉事件發生後，即有一段插曲。有某黨國元老和政府大員倆人，平生清苦積蓄的一點養老金，也被倒騙在內，元老們不禁老懷愴然，大呼晦氣。事爲當局所聞，赫然震怒，令飭主管機關依法嚴辦。合作社主要的負責人顧伯森原是一位政治上的紅人，聞訊，更惶恐不敢束身司敗，因爲一到案，政治生命就休矣！當時外間謠傳，那位受害的政府大員，並非其個人所有，那款以骨鯁著稱的名御史李夢彪先生也有份，云李御史年過七十，身體正有些不舒服，聞言大氣，說「我生平未曾積過錢，清貧自守，親友皆知，何來鉅萬款項被倒騙呢？」事經澄清，他到處向人聲明，以免誤會。

顧伯森是甚末人？

他就是前任江蘇民政廳長顧希平，黃埔軍校畢業生，哥哥是顧祝同，弟弟叫顧某，弟弟是後母所生。他的家庭內共分三大派系：他和哥哥一派，後母與弟弟一派，他的夫人吳氏（即吳筠華女士的姐姐）和兒女們又是一派。合作社案發生後，他教一個基隆市府小職員顧肯公出面冒充「顧伯森」，但掩蔽不了眞相，而其弟弟也是合作社關係人之一，法院乃將弟弟收押，依法清理債務。他的後母以愛兒被關進監獄，認爲是代「伯森」受罪，如是大爲氣憤，趕快籌款賠償「伯森」的債務，以免乃弟久陷縲絏之中。但顧債在台幣一千萬元以上，一時那得如許鉅款呢？他乃對後母說：「逼不過太太手中，存有價值五萬美金的珠寶首飾，可拿出變賣還債。」後母大喜，但太太堅不承認有此事，雖經他自己和後母與親友等苦勸，也無結果，而法院又越追越緊，輿論更指摘法院何以不把眞的顧伯森拘訊？急不暇擇，而吳筠華之慘案出現了。

人民代表竟是幫兇

吳筠華是顧伯森的姨妹子，現在台北某中學讀書，常到姊姊家來的。顧太太的珠寶手飾不肯拿出來，顧老太太方面的親友如人民代表徐某（他是顧老太太的女婿）等，認爲吳小姐一定知道她姐姐的珠寶手飾所在，或許就是藏在她那兒亦未可知。如是，乃乘吳筠華來到顧家時，將她拖赴別室，威逼她說出姐姐的手飾藏在何處，她說不知道，便予以痛打，再又用火油灌胸。據說那位人民代表爲着替丈母娘和小舅子出力，亦參預非刑逼供之役。然結果不能得寶，空搞一場非人道的中古時代之酷刑罷了。

吳女士慘遭非刑，回到學校報告老師們，老師等聞之驚駭，同學少年聽得此事，更爲譁然，大家要湊錢替她請律師向法院告狀，並主張開會散傳單，老師教大家鎭靜，依法辦理。最後公推一位老師代吳女士寫好狀詞，陪同她上法院按電鈴鳴冤（台北法院門口設有人民告狀電鈴，一按即有人出來受理）法院當然受理，馬上開庭偵查。當她進法院受訊之際，還有一個曾任顧伯森廳座祕書的蔡某其人，竟攔路呵令吳女士不要告狀，幸有老師一路保鏢，她沒有被威嚇倒退，而答以「我怕他們再要殘害我！」

顧伯森請君入甕

吳案發生後，社會上更鬧得滿城風雨，法院感覺事件越見複雜嚴重，不能再事顧忌了。乃嚴傳眞的顧伯森到案，並說如再抗傳，即行拘訊。顧至此，已知無法再閃躲，硬着頭皮出庭了。在偵訊庭上，儼然要人神氣，滿不在乎，等到法官告訴他，本案已偵查明確，他的責任重大，依法應予收押，隨即命令法警，押上囚車。這時候，要人的形色突變，滿臉慘白，悽然登車，請他到牢裏去者！

台北合作社案至此乃告段落，只候法院宣判。至於吳女士控訴，也已另案偵訊，將來那位人民代表免不了也要出庭受訊一番，嘗嘗知法犯法的滋味。從這兩件事看起來，自由中國確已有了法治精神，人民所信賴，但願法院莫要虎頭蛇尾，曲爲之瞻徇，又使老百姓洩氣！

歡迎大國手速寫

·士敏·

【台北航訊】這位圍棋大國手吳清源，很早就傳說要回國來，原定的日子是八月二日，中國圍棋會臨時通知說要遲一天，三日早七時趕到松山飛機場，那裏知道他在一點鐘前已到了，接客的來遲了，很多人都空跑了一趟。

下午二時在中山堂舉行歡迎會，這才正式看到了這位先生，在人叢中，看去他是身高五尺五寸左右，剪的是平頂頭，一身白西裝，褲腳窄窄地，臉色白白。文雅得很，樣子比他卅九歲的年齡要輕得多。大概圍棋的工夫磨練了他，態度鎭靜老到。中國圍棋會理事長周至柔，授給大國手榮譽狀及金質紀念章，他很得意，連聲稱謝。

他在講話的時候說了一個圍棋的起源的故事，他說：「我國圍棋發明在帝堯時代，因爲帝堯的兒子丹朱不成器，乃將帝位傳於舜。丹朱的行爲不好，堯屢方法教育他，仍無用，一天堯去山中狩獵，遇到一個神仙，告他棋可養性之道，並出棋對奕，回來授給他的兒子丹朱，丹朱一學就會，並熱中起來，慢慢的行爲也端正了。」

他講話的口音仍有一股福州腔，大概在日廿五年很少說國語，現時用來，已感生硬。

歡迎會的最後一個節目，是作授六子指導賽，對手是十一齡神童林海峯，林海峯曾與程天放，周至柔奕過，程周都給他打敗。這次向大國手請益，竟也能苦戰九十分鐘。吳清源臨陣時，全神貫注，他不看人，不抽煙，不喝酒，精神始終如一，下子敏捷，平靜若止水。

吳先生在台約有二十天停留，在返日後又要跟日本名手藤澤庫之助再戰十局。

由於吳先生的來台，台灣圍棋之風大盛，不僅圍棋會天天擠滿了人，空軍的新生社，也備了不少棋盤，各機關公教人員一下了班，也都向這方面下功夫，奕棋如眞像丹朱那樣可以改造人，這倒是一個很好的風氣。（陳展之八月三日晚寄於台北）

（昌都通訊）

西藏人民醞釀劇變 中共搶修入藏公路

自中共入藏先遣部隊張國華部及范明部三個師，於去年十二月一日在拉薩會師以後，即迅速散佈於各重要城市和戰略據點，進行控制全藏工作。張部分佈於前藏和後藏，其主力控制着拉薩、日喀則和江孜，范部則以阿里為據點，控制着噶大克。其前哨部隊，並繼續向印度、不丹及尼泊爾伸展，經過近半年來的經營，中共在軍事上對西藏已基本完成佔領任務。

糧食不敷　人心思變

據最近由西藏抵達此間之西人透露：目前中共入藏部隊，全部實力約為五萬人，其中駐首府拉薩的軍隊約五千人，駐日喀則的約二千五百人，駐江孜的約千餘人，其餘多分散於印藏邊境的大小村鎮，每處約百餘人至數百人。自張經武正式成立「西藏軍區」以後，先後由成都經雅安、昌都、大昭等地，及由蘭州、海河、庫爾諾爾等地入藏的中共黨政及特務人員，約在八千至一萬之間。目前中共在每一小單位的軍隊內設置均有特殊的政工人員，每一較大軍事單位和城鎮亦設有黨政小組，配合其駐軍人數，全部約在六萬人左右。

這六萬人入藏以後，最嚴重的莫過糧食問題。西藏的面積，雖等於中共所轄下的華東區，但由於境內山峯連綿，終年積雪，平地解凍之期亦甚少，適宜於耕作地方，只有藏南雅魯藏布江等河谷較低地帶，種植糧食亦只有比較耐寒的大麥、豌豆和雞嘴。因此，全藏三百萬人口中，有半數尚靠游牧為生。鮮菓菜蔬，固付缺如，糧食更長年不足。驟然增加這數萬精壯，不敷情形更為嚴重。因此自一九五一年冬，中共軍源源入藏以後，西藏糧價即逐步升漲。據本年四月間，糧價已較去年上漲四倍。貧苦的藏民，經不起糧價的上升，乃開始醞釀着反共的活動。

搜括榨取　激起暴動

本年一月三十日，印藏邊境的五十二個村莊，組成「印藏人民反共聯盟」，曾策動藏民舉行要求中共退出拉薩的示威遊行，並推舉代表向中共駐藏當局提出五項要求，其中最主要的有三項：一、中共軍隊退出西藏；二、尊重達賴喇嘛固有權益；三、保持原有寺院的軍隊和財產。中共對於藏民的要求，一律擱置不理，爲了防患民變，一面加緊封鎖印藏交通孔道，防止西藏重要人物外逃。一面在瑪那薩羅沃池與拉噶池之間的岔地，數設降落跑道，長達八千五百呎，準備發展爲西藏的空軍基地。

配合着軍事的部署，中共「西藏軍區」並強迫各寺廟將貯存的大麥徵借給共軍。同時成立「喜馬拉雅山貿易公司」，總公司設拉薩，分公司設日喀則及噶大克、各城鎮均設立「採購站」「代銷店」及「流動貿易小組」，開始統治着西藏的全部貿易。一方面發起「大生產運動」，利用入藏部隊在納壩倉、羅多克噶蓮金地區掘挖金礦，所有這些行動，更加深了藏民的惡感，因此乃有今年四月初的集體暴動事件。約有三千名西藏軍民，在四月六日下午襲擊中共在拉薩的軍政機關，這次暴動事件，由於缺乏堅強的領導，又沒有外力的支援，在七十二小時的激戰後即被中共鎮壓下去，但藏人和中共間之裂痕，因此更爲加深。

假道運糧　搶築公路

中共深知藏人的不穩情緒，同時瞭解西藏的糧食問題，決非西藏本身所能解決。但由西南各省運入一噸糧食到西藏中部，最少要耗去二噸以上的運輸費用。如以每人一天消耗一斤糧食來計算，每月需運入一千萬斤以上的糧食。而從康定到拉薩通常行程最少需一百多天，而且一年之中真正適於通行的時間只有四五個月，其它半年以上，幾乎都被雨、雪和嚴寒的氣候緊緊封鎖。因此，自張經武入藏後，即對毛澤東提出兩項解決辦法：其一是暫時假道印度，利用由拉薩到加隣旁的公路轉道入藏。爲了達成這一目的，本年五月間已由中共駐印大使袁仲賢向印度當局疏通，以運糧三萬噸濟印爲條件，獲得尼赫魯的首肯。其二是根本的辦法，即利用中共軍去年入藏的道路，建築康藏公路。由康定出發，通過海拔五千三百公尺的雀兒山頂，經昌都而入拉薩。這條公路經今年大舉動員，先後徵集川康民工八千餘人，配合中共工兵營一營，在零下二十度進行開路。本年五月中旬已打通雀兒山頂，仿照川黔公路辦法，由山巔盤旋而下，目前已向昌都展築中。據中共西藏「軍政委員會」最近所發表的公報：「這條貫穿康藏的公路，希望能於明年夏天全部通車。」屆時中共的軍隊及給養，即可循這一公路源源入藏。

積極部署　窺伺印度

除了搶修入藏公路外，根據此間所獲得消息，今年四五月間，中共曾徵調西南各省的地主及「反動份子」眷屬中的妻女約五千人，組織入藏「文工隊」及「隨軍工作隊」。一方面更藉得慰勞，一方面則係訓練她們滲入不丹、尼泊爾邊境作間諜活動。同時並積極展築自拉薩到加瓦爾、接近印度西北邊境的戰略公路。全部由入藏共軍負責，沿路並設有兵站，屯積戰略物資。最近更籌設六十多個訓練所，實行黨化教育。藉此來挑選可利用的藏青年，作爲南進時的前鋒。所有這些部署，除了加緊控制藏民的反共活動外，主要的係進兵以印度爲目標。預料康藏公路完成，糧食及彈藥供應問題解決後，中共可能扯下和印度友好的面具，在印藏邊境向尼赫魯找麻煩了。（七月十日夏之民寄自昌都）

自討苦吃的大陸文藝作者

達凱

受迫害的一羣

在中共絞殺自由窒息文藝的暴虐政策中，大陸上的文藝人，也都做了悲劇的主角，他們的遭遇，正如同一部哀惋悽涼的小說，充滿着血淚與辛酸。張恨水潦倒北平，張資平做苦工東北，巴金等充軍北韓，而過去以寫「差半車麥楷」「牛全德與紅蘿蔔」得到左翼文藝雜誌捧場的姚雪垠，于今連生命都發生了問題。老舍雖改頭換面，替中共捏造了一本「龍鬚溝」，但他的命運不會好過「月牙兒」裏的賣淫婦的命運。至於沈從文等，也早已臨到日暮窮途，奄奄一息的悲苦境地了。

共黨是一個絕對統制思想的暴力集團，尤其是對思想能發生誘導作用的文藝作者，更予以嚴格的控制。一個不合乎他們需要的文藝人，是永遠得不到寫作機會的，一個不投其所好的作品，是永遠無法發表和接近讀者的。他們控制着出版，控制着報刊，組織有一羣兇惡的打手。因之有若干人不得不放下筆桿，結束寫作生涯，以避免無期的精神上的刑罰。也有一部份人，屈服于暴力，或懷着天真的幻想，忍受中共政治魔術的玩弄，麻痺着自己，像巴爾扎克所形容的文化浪子一樣：一夜之間，可以將荒涼的數穆蹤，寫成遍地灑青的巴黎。但是迎合共黨的東西還是逃不出他們佈置的火網，清算鬥爭仍然會隨時光臨你的頭上，這些事件，年來的例子太多了。

「和平鴿」出了毛病

先從「和平鴿」來說：這是歐陽予倩編寫的歌舞劇，它的主題是反對「美帝」，保衛「和平」。它的形式，是抄襲蘇俄歌劇「天鵝湖」的，「天鵝湖」是芭蕾舞，于是他也以芭蕾舞來表演鴿子，把天鵝的裝束，搬到鴿子的身上來，表現蓉綵，以秧歌舞來表現中共，以交際舞來表現美國，歐陽予倩以爲這一定很適合中共的口胃，既有反美的政治內容，又有蘇聯的藝術形式，一定會得到「喝彩」的，但是在北平中南海演出以後，却適得其反，中共批評它「只從形式出發，從場面出發，炫技巧出發」，「助長了形式主義，增加了舞蹈運動的混亂」，「大腿滿場飛，工農兵受不了」。因之歐陽予倩成了這次北平「文藝整風」的主要對象。

導演過「一江春水向東流」和「烏鴉與麻雀」等左傾影片的鄭君里，近因導演「我們夫婦之間」，也出了毛病，這影片本是根據中共的政策以「知識份子與工農結合」爲主題的，寫一對夫婦從初戀、結婚、不和、爭吵到決絕，又從決絕、思念、反省、和解以至「團圓」。在若干場面，曾表現了知識份子和工農不同的性格，也强調了「思想改造」與「勞動改造」。但是演出後，中共批評它是「小市民愛情片的翻版」，將「政治庸俗化」，把共幹寫成「無文化無教養的土包子」，中共認爲他們幹部間的正常關係，是政治思想上的關係，組織上的關係，任務上的關係，而不是「夫妻間的關係」。

電影編導的悲哀

因此鄭君里檢討自己，左手抓着教條主義，右手抱着經驗主義，脫離現實，脫離政治，而又「歪曲現實，歪曲政治」。同時承認過去故意鋪張情節和色情渲染來處理「烏鴉與麻雀」和「一江春水向東流」，他的電影技術是「一堆經驗主義的爛東西，是模糊政治而貌的魔術，是資本主義和封建主義的腐朽思想的混合物」。在上海的「文藝整風」中，鄭君里的處境，自可想而知了。

至于編導「武訓傳」的孫瑜，更是被打擊得體無完膚，中共動員黨的報刊，全體的打手，逼得他幾乎要自殺，本年六月發表了一篇「我對武訓傳所犯錯誤的初步認識」的檢討文字，這篇「檢討」寫了一年，他說他在一年之內，作過深切沉痛的反省，無日不在進行檢討，但因爲思想上的混亂，害怕檢討得不深刻而又犯錯誤，一直寫不出來。他的精神陷入極端的痛苦，駭惑，不幸闖了禍，午夜彷徨，莫知所措，如沒有提前完成這篇檢討，更是錯誤的錯誤。

這不過是共區電影編導本身的一個鏡頭而已，其他的場面，更是多彩的。

成渝鐵路沿綫即景

【重慶通訊】七月一日，中共用一個熱色油漆漆新了舊機車頭，拖了七台由貨卡改裝成的木柵「客車」，滿載搖旗吶喊的宣傳人員，駛出了重慶的九龍坡。到七月三日，重慶新華日報的披露，才知道「成渝列車於七月二日正午於內江勝利會師」，證明七月一日中共是有同一列車，自成都同時開出。而這兩列車，以二天有多的時間，兩面對行，才穿過了四川東南五百零五公里的一段路程，牠的速率到底是如何，是不用計算也可想像得出來的了。

七月六日，有一列「成渝快車」，自成都帶來了一位不怕「試路」的朋友，據他說：成渝鐵路，假若不是對四川人是新玩意，他倒底是願乘木炭汽車。由他的敍述，知道「成渝快車」，自成都出發，一直走了五天零一夜，才拖到重慶，而沿途全車的搖擺震蕩，使人比坐木炭汽車，還感覺危險。時間花費得多的原因，除車行慢之外，是在內江換車，花費了整整半天的光陰。原來內江大橋，修了拆，拆了又修，到現在還沒有弄好，所以車到沱江北岸，就得停下來，讓全車的人走過內江大橋，又由人來回將車上的行李，搬過對岸，再搬上橋邊停好了的空車，然後成行。這先後所花費的時間，不下五個鐘頭。如此一來，才算把中共七月二日「成渝通車內江會師」的謊打開。

成渝「快車」，車分三等，一二等車位，全部爲「政府軍政人員」，普通平民，絕無其人。三等車票，全程爲人民幣十二萬五千餘元，行李不能超過十公斤，過重加費。如帶米則不能超過二斗，布不能超過兩丈，肉不能超過十斤，雞鴨亦不能超過兩隻，如超過限額，除課稅而外，並另加運費。行李中如有商品交換價值者亦然。十二萬五千餘元的人民幣，在今日四川，不是可以隨時籌集的一個數目，而且這條也是件麻煩事，幾經週折才能拿到，以這一位因急事而來重慶的友人爲例；他的行李僅十八公斤，然而他全程所花的路費，就有十七萬二千四百元。

車行成渝道上，沿綫滿目蒼涼，沿途各站，上下的人很少，土產是沒有了，通販賣小吃的兒童一個也看不見。鐵道兩旁的林木，都爲中共砍伐，童山濯濯，所有的殆盡。農村一遍荒涼沉寂，在農忙正緊的七月，阡陌上很難發現一條耕牛的影子。資中、資陽、內江，地連數百里的蔗田，糖園，是完全變樣了！一大部份的都爲不堪重稅而改作了乾田。榮昌，隆昌，燒酒房的陶瓷麻布業，廠房是一所所的關在鐵道旁面，剩下來的是一些骨瘦如柴的小童，在陽光底下赤着身體向行過的火車呼喊。還其間點綴於這一幅哀鴻圖的，是三三兩兩的中共軍，在鐵路兩旁的土岡上，執槍荷彈，以沉滯的目光，望着這如牛喘的火車，在鐵道上像牛一樣的在爬行。

。若開快車，必定翻車。中共慣於宣傳，但宣傳時過於具體的事實，一宣傳就會揭穿底的。成渝鐵路，中共爲了宣傳，慌慌張張於七月一日大吹大擂開張，說是「通了車」，事實上是「通」的什麼車，四川人心裏明白。

據中共自己宣佈，成渝鐵路，行車速率是每時二十公里，事實上還不及半數。而車行得如此之慢的原因，是成渝鐵路的路基，路面、枕木、鋼軌、斜度、曲半徑，行車設備，橋樑結構，沒一樣沒有問題。

通車後第三天，就開始運送軍用物資，和軍隊，以及大批囚犯形的奴工北上，也開始了土產的交流，但是都由中共經收統購，統流的，所以這條鐵路，帶給四川人的，不是幸福，而將是無窮災難！（七月十五日義仁寄自重慶）

·上海通信·

本期高中畢業學生 共黨迫着全部參幹

本期大陸高中畢業生共約五萬名，共黨要他們服從分配，學生們都紛紛反對，有的寧可坐牢，也不願被分配，有的說共黨糟塌人才，有的說早知如此，化錢讀書幹什麼。

「幹部缺乏」，是中共今日一大問題，缺乏的原因有二，一是許多「老幹部」都腐朽了，在這次「三反」，開了不少，宰了不少，[illegible]中還有許多比較老實的，都[illegible]都市中，[illegible]文化管理組織，提倡學習，[illegible]水準太低，從農村山溝裏除了打游擊出來，[illegible]工作，經濟工作，都無法做好。[illegible]參加經濟工作，注意到學生身上，[illegible]曾在去年春天，發動「參軍運動」，強迫十萬青年參加軍事幹部學校，[illegible]於是軍事工作的幹部，參加行政工作。[illegible]六月，又四十萬的知識份子參加[illegible]

動員學生四個步驟

因此，現在又要動員本年度高中畢業青年，擔任各種任務。這一期畢業生，據共黨發動總數約有八萬人，全部現正到各學校中組織活動，與學校中組織配合。

第一步是進行秘密調查，根據平時的紀錄，考查思想，把有問題的挑出。

第二步是進行公開徵求意見，要各畢業生各自發表對工作的意見。

第三步才開大會，打擊那些不服從分配的學生，要自找出路的，不接受命令，從[illegible]

反映不好　情況混亂

第四步就是編隊，根據共黨自己說，幾千幾千人到那裏，到那裏，根本不管學生的意見了。現在，共黨這第三步即失步了，他們已做到了[illegible]作。

案，[illegible]已成過去」做口號，反對那些下頭」服從分配工作的學生。但是有許多學生却說：「反正私人沒有礦山，除了服從分配外，別無出路」，有的則堅決表示「工作分配在都市」，有的則表示「可坐牢，不做機關工作，只做經濟工作」，有的則：「要能分配的工作」，至少要能[illegible]。否則化錢讀書幹什麼。還有的說得更妙：「像我這樣用功的學生，不讓我進大學升造，簡直是浪費國家人才」。

這許多學生的反映，共黨看來，當然是打擊這些極壞的學生，除外，並責怪這些學校的教師多有問題，說否則怎麼會教出這樣的學生來。有些青年學生已參加了共黨的「鬥爭」會，則要開「鬥爭」會。所以大陸各學校的空氣最緊張，最沉悶，學生們都像待罪的囚犯，行動都受着監視。但學生的情緒混亂，到時可能要出亂子。

亞洲狄托夢醒否？

為方

今年在多倫多舉行的國際紅十字大會，忽然數中共秩歇王朝代表參加。大概西方國家的代表們，以中共曾宣稱願遵守日內瓦公約關於處理戰俘之規定，即一心以爲鴻鵠將至，「亞洲狄托」快出來了，機不可失，趕忙請他的代表出席國際會議，表示親善禮！

誰知第一錘鑼就敲不響，西方國家代表們提議請各國批准日內瓦公約的議案，即遭共產集團代表拒絕，而中共方面且聲明他們對遵守日內瓦公約是有條件的，這已經給那般做「亞洲狄托夢」的紳士們，摸了一鼻子灰了。但，惡作劇還不止此，這是插曲，正本戲還在後面。

這兩天，秩歇王朝代表使出渾身解數，大作細菌戰宣傳，痛斥「美帝」罪行。過去只是坐在家裏自拉自唱，孤芳自賞，現在既請他登上國際舞台來，當然要表演其拿手好戲了。西方的紳士們閒得無聊，想找刺激，開頭笑，結果是坐而受驚，啼笑不得，正符合着一句廣東話：唔衰攞來衰！

經過這場教訓之後，我看西方國家的「亞洲狄托夢」多少會要清醒一點，因爲這是第二次的驚夢了——第一次是請伍修權出席聯合國大罵美英帝國主義——西方國家似乎有種特別嗜好，即喜歡流氓「拋浪頭」，而不願聽君子講眞理，我們應該了解他們這種心情纔行！

自由談

勞動英雄

夏雲飛

張成是華東兵工廠的技工，平時克勤克儉，就有模範工人之稱，「解放」後，張成更積極了，每當開會時，聽到駐廠「軍事代表」說：「現在是工人當家的時代，廠內所有財產，都是屬於你們的，你們已不是在「反動」政府時代，受到饑餓迫害，現在政府有「勞保條例」，平時對你們工作有保障，若是不幸因公受傷，更可得到撫卹，大家若再不努力，豈不辜負了「毛主席」的「恩情」。」張成聽到這些話，如同喝醉了酒一樣，但覺得成了國家的主人，所有廠內機器都是屬於他的了。雖然生活方面，比較「反動」政府時期差的太多，可是張成並不氣餒，他知道吃苦只是暫時的，還有「光明的未來」。

張成在工廠中，發動向別的車間挑戰，本身每天工作十四小時，假期也不休息，果然在全廠中得到了「勞動英雄」的頭銜，「軍事代表」每天也約去談話，誇獎他是中國的「斯塔哈諾夫」，張成雖然不知道斯塔哈諾夫是誰，但是他卻知道凡是「諾夫」「斯基」這名字總是好的，都是同「太陽」「爺爺」攞在一起說的，不久張成的勞動事績報上去，得到「華東軍政委員會」的「嘉獎」，獎給了一面「勞動英雄」的紅旗，還有兩百萬「人民幣」，工廠中也正式開了一個慶祝會，張成全身花紅，被擁上講台，「軍事代表」親自把紅旗交給他，同時又交給他一張「抗美援朝機砲捐」的二百萬收據，張成接過來還未看清楚，「軍事代表」又向台下宣佈說：「張成同志又將所得獎金二百萬人民幣，捐作「抗美援朝」購買機砲之用，實在是一等模範。」台下響起春雷似的掌聲，人叢中有人帶頭呼：「向張成同志看齊」，所有工人一齊歡呼，張成幾乎興奮得昏過去，雖然「軍事代表」強把他的獎金捐出去，當時有點不痛快，這時也忘記了。

從此張成就加倍的忙了，除了本身十四小時的工作之外，又要出席廠外的會議，還要到各處去演講，雖然講詞是「軍事代表」擬好的，說來說去還是那一套，可是時間實在太不夠支配了，每天很少能睡四小時覺，終日覺得精神恍惚，但是還要支持下去，「軍事代表」更隨時打氣說：「張成同志，不要鬆懈，應當保持光榮紀錄。」可是人總不是鐵打的，張成體力愈來愈不濟了。有一天在廠房裏，正在用馬達截斷電桿時，一時不留意將手中撥電桿用的木棒塡進去，其實本來是小事，但是張成覺得這也算是「事故」之一，說不定會挨上「軍事代表」一頓臭罵，自己是「勞動英雄」，更不能丟臉，趕快用手去取，卻忘了那馬達，於是整個右手頓被切斷了，當時倒在地下。廠房裏當時起了一陣混亂，馬上「軍事代表」去人報告，來了，並未看張成，只問機器壞了沒有，工人們告訴機器未壞，只是張成負了重傷。「軍事代表」冷冷說：「那沒有關係，只要機器不壞就成了，人算什麼。」過來幾個工人，預備把張成送往醫院，「軍事代表」攞手說：「工作期間是不能隨便外出的，他受傷是他自己的事，你們放棄了工作而去辦私事，須知就叫做溫情主義，共產黨是不允許的。」工人沒人敢動，眼看張成臥在血泊裏，直到下了工，才抬送到工人醫院，工人醫院不收，改送人民診療所，還是拒絕，最後一連送了五處，最後還是在一家私人醫院敷了藥，送回家中，張成的老婆看到這種情形，當時嚇呆了，馬上又痛哭起來，眼見丈夫成了殘廢，家中從未積存過三天的糧食，以後日子怎麼過，想起在「反動政府」時期，永遠有吃不完的米，從未爲生活担過憂，現在「工人當家」了，就落到這樣下場，張成此時神志已經清醒，很鎮靜的對他說：「不要難過，你去找軍事代表，我是因公負傷，根據「勞保條例」可以領到一筆卹金的，以後還可按月支薪。」張成老婆去了半天，回來哭喪着臉說：「軍事代表說你是自己不小心，並非因公負傷，不能援用勞保條例，還有……」「還有什麼？」「已把你正式除名」工廠內貼出佈告，張成一氣又昏過去，過了半小時才醒過來，嘆口氣說：「這就是毛主席的恩情說不完啊！」馬上又奮然用左手提下床板說：「老子算是被欺騙了，現在覺悟還不遲，有一隻手也要報仇。」三個月後華東兵工廠江灣倉庫爆炸了，燒了一天一夜，事後在火場附近，發現了一具屍體，卻斷了右臂，有認識人說：「這就是張成。」

香港三年（一）

・舞生・

時節如流，我自從三十八年的八月離開台灣來到香港，一霎眼，便居然已三年了。

『想得讀書頭已白，隔溪猿哭瘴溪藤。』黃魯直這兩句詩，大致已能道出我此時此地心理的一方面。

古人所說的『汲汲顧影』，『日暮途遠』，我不知道若干上了年紀的人，會不會有過這樣的心情？在我，卻似乎並不是這樣。可是，當別人『像煞有介事』表現得很神氣的時候，我畢竟神氣不起來；在一個歡娛的場所，眼見不少的年輕人高興得發狂，我儘管也不會相反的感到不快，但究竟不免淡然漠然，覺得和我已生不起怎樣的關係；同情心自然也還是有的，偶然看見朋友們遭遇一次無端的打擊，便鬱結得無以自解，我總以爲大可不必。凡此，可見心理狀態不能不隨年齡而有所變化，這大致是無可避免的。

『哀莫大於心死』，我現在依然想知道我所不知的；想見着我不曾見過的；意有所觸，情有所述，想像所及，我總覺得隨時隨地有我們所不曾發見的祕奧，假定能把握着，又能如照相似的把它表現出來，與人以共見，這可能是一種最大的愉快；即令不能，只要能孕育着這樣一種心情，讓它慢慢的自然發酵，在我已經足以自樂其樂。低首問心，我知道這些要求，於我還是熱烈的存在，足證心還沒有死，只要心沒有死，則不僅可以活下去，也就還可以努力的幹下去，因此，我畢竟還是樂觀的。

依於我的生活習慣，我不只已經有了一種『隨遇而安』的修養，而且在一個地方住久了，還往往不勝其戀戀；同時也覺得負了一筆債似的，假定可能的話，我總得來還一還才心安理得。

在香港這三年最使得我愉快的一點，便是在生活上，無論是精神的或物質的，都沒有任何人給我以干擾，好像連一種懷疑的眼光也不曾接觸過；換言之，一切責任由你自己負，你要如何便如何；自然這不是說沒有任何的規範，可是以我們的生活方式，其距離這種規範的束縛，總是隔得遠遠的；假定說這就是自由，我覺得這種自由，已經能使我們相當的滿足。

我初到香港的第一印象，只感到物質生活與精神生活的太不均衡。我很奇怪以香港這樣一個安定而自由的所在，何以不能醞釀出一種精神物質均等發展的文化？香港居民的百分之九十以上是中國人，假定中國人對現代高度文化有一種熱烈的追求，一面發揮自身的努力，一面發出正當的批評與呼籲，我想並沒有人不樂觀厥成，而會加以阻擾或殭化，而必使之安於現狀。可見由一百一十年來已逐漸形成爲定型的一個社會，要使她走上日新又新的道路，我們還是必得反求諸己。

[illegible]竹樓隨筆（一一九）

亂彈齋詞話

馬五先生

點絳唇

序曰：本年七月中浣，菲律賓財政部長蒙嵩諾拉，在公衆場合被回教徒提出一項問題請求答復，即婚姻之對女人，是否亦如回教徒之對「麥加」朝聖一樣，同爲人生不可或缺之事？部長瞪目不知所對，他既怕開罪娘兒們，又怕激怒回教徒，只有裝傻之一法。因爲菲律賓有兩千五百名回教徒要求出國朝聖，政府估計他們朝聖的耗費，將損失五十萬美元外滙，不予核准。然菲國婦女每年所用舶來品脂膏，消耗外滙卻不止此數，回教徒乃以此爲反攻政府的武器，當面詰問財政部長是何道理？弄得他面紅耳赤，不敢贊詞。實則黃金美人，素有不可分離的密切關係，回教信徒之間，多見其迂闊而不明女人與政治之妙諦也！

點點朱唇，姐兒愛俏哥兒笑，衆生顛倒，勝過諸宗教。說甚朝神，怎比佳人妙？君知道，世間金鈔，只爲她們造！

清算武訓

惜夢

「又當騾子又當牛，作個義學不發愁。」（一）說起武訓的精神，確實有他的名頭。×××

憑着他行乞的勾當，完成了義學的志向，世上這種人究有多少？不能不說是應該表彰。（二）孫瑜爲的要把功獻，拍攝了一部武訓傳，認他是爲了人民服務，誰知偏遭到無情批判。爲的假戲要作成眞戲，特組調查團跑到堂邑，花費了兩個月時間，（三）草成了武訓調查記。「武訓是有名大無賴，當年曾放過高利貸，行乞是他的一種營生，義學是他的一種買賣。」×××

武訓的思想更是反動，知禮守分都爲了御用，向統治階級低頭妥協，原是封建餘孽的幫兇。」×××

要死人來作活人榜樣，所以才清算這個窮棍，因此追究幫兇的幫兇，（四）又牽涉到何思源頭上。這是共黨的一種政策；故意向死人頭上嫁禍，死人都這樣徹底清算，活人又怎能輕易放過。

（一）武訓當年行乞歌詞（二）投靠共匪的上海崑崙影片公司導演孫瑜，爲了獻功，拍一部「武訓傳」，曾在平津滬漢上演，後被批判，始禁止演出。（三）武訓原籍魯西堂邑。（四）何思源任山東教育廳長時，曾呈請表彰武訓。案發後，何畏罪，匪報發表「韓復榘、武訓與我」，駡自己共黨兒的幫兇。

中國之友（五）

毛以亨

華爾傳（四）

數月後法艦 Cassina，翌年美艦 Suquehana 亦訪問南京，攜回上帝會書籍甚多，教士多贊其行政効力，與良好軍紀，此爲絕對中立時代。

惟一八五八年天津條約，有以開放長江代使臣駐京之協議，而所謂開放長江者，即由外國自取之于太平軍，保有商業上之經濟利益，而交回行政權于清室。是年十一月英使額爾金 Elgin 即巡視長江，八日過南京時與太平軍開砲互轟，同時互通消息故能安然通過。

太平軍本被困于南京，直至一八六〇年五月三日江南大營十萬人潰，乃于二十四日攻取蘇州，進略太湖沿岸各城。八月十八太平軍抵滬西門，時李秀成僅帶三千人到滬，以清兵潰散，無須軍兵。不料英法聯軍宣佈對上海城與租界已予以軍事佔領，干王洪仁玕三月前有保僑之函致英法滬領，而英國商務大臣 Bruce 已決爲清室守上海，不許英領覆函，並禁其與太平軍來往。太平軍至徐家滙，佈告勿取教堂一草一木，而英法出兵與戰，忠王面頰受傷，遂退蘇州。時英首相羅素（即當代哲學家羅素的祖父）欲以上海爲中立地，出洋兵防守，但不欲清軍藉爲根據地以反攻太平，Hope 派 Alpin 往太平軍交涉，結果答應本年內不攻上海與三十英里周圍之地。Parkes 時任領事，以保護中外商務爲重，謂太平軍最後必攻上海，洋兵助守爲暫時局面，必須中國即有勁旅，於是是年年底李鴻章軍八千人遂經 Hope 贊成，用船費十八萬兩裝運至滬。而英王陳玉成攻武漢之計劃，亦以漢口已成商埠，爲 Parkes 威脅而止，英人蓋欲漢口九江二商埠亦如上海之列，三十英里周圍不駐兵。

惟中立局面一時尚未轉變，尤其關于寧波一地爲然。Bruce 與 Hope 二人，根據 Russell 訓令，會函寧波英領 Sinclair 謂英國無權干涉寧波。八月八日 Russell 繼續訓令「勿干涉中國內亂」。然軍事當局則欲如守上海之守寧波，海軍將領 Dew 在城上設砲位十二門，Bruce 且謂海軍當局，純出海軍力量，能否攻下南京，並謂正與滿室講價，時期愈拖，則代價愈大。惟攻寧波之太平軍將領黃某方某，祇允保護外僑，英海軍雖盡力助清軍，寧波卒于十二月九日攻下。寧波之下，引起太平軍再攻上海之企圖。

黑十字

北晨

這一羣女人正在互相推讓之時，忽然電鈴一陣急響，白濟宏和佩雲以爲是黃洗來了，他們兩人併肩走出，新郎新娘一般，立在門口迎着。

出現在門口的，不是黃洗，只是朱瑛一人。

白濟宏驚訝萬狀，他問朱瑛：「黃先生呢？」

朱瑛也顯得奇怪，她以爲黃洗早便來了。

接着朱瑛告訴他，下午一點鐘黃洗來過一次電話，他約好了兩人在這裏相會。

白濟宏知道事情有一點蹺蹊，卻又不能不裝得鎮靜，他拉了朱瑛坐在一桌，大家客氣一番，如是酒席開始，喫不到一多大一陣，再將小蔡叫到一旁，輕輕地關照他，要他快去「半島」酒店跑一趟。

×　×　×

正當這裏喫得熱鬧的時候，另一幫好戲也在上演。

藍英上午接到她姐夫的請帖，心中便有一陣躊躇。

她很奇怪這批人物，和以前所說的一樣，雖然她姐夫是百分之百的商賈，用一個家長的身份處理她的事，她覺得只是離了百樂舞廳，除了這一點之外，生活的範疇仍舊沒有離開這個色情的圈子，她要解決的問題，一樣沒有解決。

起先她只是想錢，姐夫的諾言，卻是一張難以兌現的支票。

她想好好地結婚，和每個女人一樣的尋一個歸宿，由於一時的激動，她也曾一時應允了她姐夫，願意嫁給黃洗，她及到多和這個北方人接觸，她才發覺他只是一個男人，一個不懂得處理感情和處理女人的男子。

藍英在歡場之中混跡未久，將金錢和感情的看法和一些女人不同，以往她之愛上洪正池，以後之不斷然和洪正池一刀兩絕，便壞在她多有了一點女人的感情，而今，要她投身於一個有感情的婚姻裏，她不能不感到畏縮。

起先，她想仰仗她姐夫的力量，將洪正池的關係斷絕，及到洪正池尋到了「新都」的住處之後，這關係便糾纏得愈來愈複雜了。（卅七）

・中篇連載・

自由人

THE FREEMAN

（半週刊每星期三六出版）

（第一五〇期）

每份港幣壹毫

督印人：李光軒

社址：香港高士打道六六號

電話：二〇八四八

GLOUCESTER RD. HONG KONG TEL: 20848

承印者：東南印務出版社　址：高士打道六四號

台灣總辦事處　台北市館前街五十號

台灣經銷處　台北市中華路一二五九號

革新庶政的基本條件

改革政治，要從改變觀念與革新制度着手，才能獲致分層負責的實際效用。行政院最近擬訂改革公文程式，那是技術末務。

‧雷嘯岑‧

自由中國政府近年來在台灣倡導革新運動甚力，有若干地方已著成效，如軍隊之整編與人事經理等項，皆已進入國家化的階段，一掃過去私人割據，腐敗貪污諸現象；如土地問題已由「三七‧五」減租而進行普遍的限田政策，使農民生計日見改善，社會秩序日趨安定。這些結果，都非偶然幸致的，其中經過若干專家的設計，然後由當事者以大刀闊斧的手腕，憑着「天命不足畏，祖宗不足法，人言不足恤」的精神，硬幹實幹，才有這點成就。像整軍問題，若不是當年將四方八面撤到台灣的軍隊，一律從新建制，混合改編，淘汰老弱，裁併番號，而仍舊有那套成規，作補苴罅漏的改革，依然是「金玉其外，敗絮其中」的一種繡花枕頭而已，決沒有現在這種強健的實質，乃可斷言，因此，即證明要革新政事，必須從革新觀念與制度入手，纔是根本之計。軍事如此，其他的庶政亦莫不如此。

政治革新的例說

談到政治革新，固然相當複雜，不像軍事之比較單純。但若大家能鉤元提要，從改變觀念與刷新建制下工夫，身體力行，也不是甚末困難之事，雖在觀念不容易澄清，或者說是惰性未能消除，因而衝不過「積重難返」的關頭，假如現在大家都贊成民主政治，而政府所賴以執行治權的憲法，亦是民主憲法，所謂官僚主義的政治現象，應該不存在了。但，事實上政治革新已與軍事革新的程度看齊了嗎？沒有，絕對的沒有！我們從行政院最近擬訂的「公文程式修正案」來觀察，即可反證這一批判決非武斷之詞。政治上如果沒有陳陳相因的官僚主義氣習，又何需有此修正公文程式之舉呢？行政院有此一舉，乃表示其對現行政治本質認爲有亟待革新的必要，未可厚非。只惜這是頭痛即醫頭的技術改革，尚未搔着癢處。

中國舊有那套腐敗腐俗的公文程式，原是積習相沿下來的官僚主義作風，這作風之所以養成，由於舊時代的官僚制度而然的，這種道理大家都明白。可是，大家高談革命四十年，到今天還未革掉，原因就是制度仍舊貫。爲甚末舊制度竟不能革而新之呢？唯一癥結就是觀念問題。汪精衛作行政院長時，特設「行政效率研究會」，聘用許多革命志士和新政人物爲委員，結果除了在公文程式上搞些皮毛花樣外，行政效率之低能腐敗如故也。因爲大家抱作官的觀念去不掉，一經設身處境，從每天層層簽行簽章的災梨禍棗生活中，感覺作官的調調兒相當地能夠滿足個人虛榮心和支配慾，誰也不想去作根本改造的不合時宜之傻事了！改革公文程式，固然對官僚主義的觀念上不無影響，但很輕微，且容易爲環境痼習所傳染，不免一曝十寒，不得要領。改革公文是技術問題，變更制度才是探本之論。

抗戰時期，史迪威爾公路完成，許多美國的軍援品，都由這條公路輸送到昆明來。據朋友從昆明回重慶告訴我：美國方面管理沿途運輸車隊和分配軍援物品的人員，只是少數幾個下級的軍事人員，一個上士就負擔很大的任務。我們爲接收這些承接，先有「運輸處」的組織，照例設置甚末少將處長上校副處長，以及「科」「祕」「組」一連串的官僚式階層，遇事照例出科員擬辦，層層核簽畫行，大家先過足官癮，再交搞一切例行的官樣文章，某機關領取軍援品，既要有案卷可稽，公文爲憑，臨時更要有所謂「正式印領」，繁瑣手續，鬧上十天八天，才得觸及實事。外國見着很奇怪，認爲他們一個上士兵，一張本人簽字的領條，就可處理的事，中國人却慌手慌腳，許多官員忙成一團，蓋着紅色印信的條子滿天飛，弄得外國人莫名其妙，這就是官僚制度的活證。我們如不從改變觀念和革新制度下工夫，何能獲致改革庶政的實效呢？

分層負責問題

政治上高調分層負責之說，我們已聽膩了，實際所見到的，只是分層而不負責，或是負責而不分層，兩種情形，都是官僚主義作祟，即是「不求有功，但求無過」的官僚心理表現。過去矯正這一惡習，第一要變革官僚心理，第二要革新行政制度，把現行政機關的組織法另外設計，配以新的「處務規程」，教當事人在其職責範圍內，非負責不可，想取巧躲避也不行，詳細辦法，非短文所能盡，容另日再討論。第二是大家改變觀念，莫濫用職權，擅自指揮監督。高級首長要守分際之言，嚴守分層負責的紀律，不許部屬偷懶卸責，遇事妄欲「挾天子以令諸侯」，有過則說是上頭要這樣做的，有功即據爲己有，自己亦不可任意侵越僚屬的職權，以身作則。十年前，我在戰時陪都，看見一個四川省政府的民政廳長到川東視察地方吏治後，也向「委員長侍從室」遞視察報告書，請示一切。這樣，省主席即可以不負責，行政院長更不必負責，當時政府不予糾正，這豈是分層負責的道理？亦應嚴加申斥，以免官僚職權之濫用，才是。在任何一種政體之下，如果要興利除弊，必須有嶄新而合乎實際要求的改革辦法，光是舊有體制中作改良的企圖，絕對不會產生新的機能來。現時官僚政治的痼疾，根本是由於當年革命時期「軍事北伐，政治南伐」而發生的。革命政府陣營內，充滿了革命對象的舊時官僚政客，一切行政組織也因襲了舊有那套官僚體制。觀念既漸漸地爲舊有官僚意識形態所同化，制度又沒有新的創作，爛泥中當然淘不出金子，只有逐漸發酵的作用。而今我們要想改造，即須追本窮源，擊其要害，以「斷底兒」的勇氣來實行。軍事既可以激底維新，政治難道無法克服麼？政治漏洞很多，重新的鍋底，只有敲破再配好，補小洞的方法，決不頂事的，祇看大家願意敲破這個漏洞百出的舊鍋底不？

今日第三版大陸消息　曹禺，巴金，老舍等怎樣被鬥爭

民族主義與國際民主

司馬璐

反共的鬥爭，是一個民主自由運動，同時也是一個民族自救運動。

我們奮鬥的目標，很明白的指出：對外求國家獨立，對內求民主自由。

所以，我們堅決反抗中共的「一面倒」賣國外交和他的獨裁專制制度。

我們相信，國家獨立和民主自由是分不開的，祇有一個眞正獨立的國家，才能享受充分的民主自由；同樣，也祇有一個民主自由活力充沛的民族，才能夠維護國家的獨立。

一個眞正的民主主義者，就必然是一個眞正的民族主義者。

共產黨人是徹頭徹尾的和民族主義對立的，所有的附庸國家，都奉命消滅民族主義。因爲在共產黨人的經典裏，所有各國的共產黨人，都祇有一個「無產階級的祖國」。何況今天的史太林主義，已經赤裸裸的成爲大斯拉夫民族侵略主義了。

但是，狡滑的共產黨人，他們一方面無論從理論上從基本政策上都在消滅各國的民族主義，一方面他們在一切殖民地，半殖民地和落後國家內，却僞善地利用「民族主義」。

這原因何在？因爲在自由世界內，確實存在着一個「民族問題」。侵略者濫口「民族解放」，當然是鬼話連篇，但是，由于我們自由世界內，民族之間確有「問題」，因此，敵人的「金蘋菓」，有時就可能發生一些作用了。

民主國家今天有兩大任務：

一是團結國內的人民——提高國內民主。

一是團結整個自由世界——發揚國際間的民主。

因此，所有的民族要求自己的國家獨立，在基本上我們都應該寄予同情，因爲這是團結自由世界的一個重要的步驟。

但是，這些民族也應該明白，祇有在發展國內民主的基礎上，爭取自己國家的獨立，才能爭取整個自由世界對他們的同情。

一個民族要求自己的發展，正如一個人要求發展個人的抱負一樣，這種「民族的衝動」是十分自然的，問題是：當自由世界內某些先進國家不放棄自私的打算，不善于循循相導。給他們正常的發展機會，這股「衝動」的勁，就易予變成反動的逆流了。

前面說過，共產黨人先天是反對民族主義（除了史太林的大斯拉夫民族侵略主義以外）的，但是，他們夢想要征服全世界，奴役全世界的人民，就要找自由世界內部的「矛盾」，首先就是「民族問題」。

所以，史太林隨時隨地在處心積慮的分化自由世界，史太林時時刻刻都在等待「機會」。「民族自由」，「國家獨立」的口號，本來是自由世界力量的一部分，如果少數先進國家因循錯誤，那個地區，就要成爲史太林毒菌的溫床了。

把每一個民族的潛在力發揮出來，讓他們在民主自由的大道中，成爲我們并肩的戰友，這對于自由世界絕對有利的。

「中東聯防」的問題困難重重。原因就在，我們不能牽着別人的鼻子，要人家和我們「聯防」，我們要首先排除這個心理的障礙，關鍵在少數西方國家，鎖匙也握在他們手裏。

世界的根本問題在于國際民主與國內民主，當前威脅民主的敵人是俄帝國主義，我們祇有團結世界的力量來粉碎他。但是，在自由世界內部，如果「民族問題」不早日解決的話，我們其中的一部分力量，縱使一時不給敵人利用的話，也暫時被凍結起來了。

任何一個民族，如果不在進行爭取「國家獨立」中，同時實行國內的民主改革，這個國家的政府，得不到人民熱烈支持，最後也一定要垮台的。

埃及就是一個例子。

任何一個民族，如果在進行爭取「國家獨立」中，缺少民族的自信心，自信力，夢想藉俄帝的「援手」，甚至不進行有力的反共鬥爭。這個民族，在爭取「國家獨立」中間，也是不可能的。

伊朗就是一個例子。

一個民族主義者忽視民主主義者，或者對于今天的基本敵人（俄帝）模糊，都是要失敗的。

國際間的不民主，這是一個歷史悲劇，今天應該結束了。

一切先進國家要放棄他們錯誤的思想和自私的打算。

一切民族主義者應該認清，俄帝國主義是全世界所有民族的共同敵人。

全世界的民族和國家，在「國際民主」的精神下團結。

八月一日

半週展望

‧左舜生‧

太平洋防衛

美澳紐三國的檀島會議已悄悄閉幕。所謂太平洋的防衛，其勢不能由三國偏勞，這是事實，但三國的會議却一定要這樣開，其開得無精打彩，這是當然的；其引起太平洋其他國家的不快，也是當然的。

吉田茂對張羣說：「太平洋各國的合作，應以自由中國與日本的密切合作爲基礎。」這個看法是對的。不過進一步的說來，太平洋本來用不着什麼大規模的防衛，其所以鬧得非防衛不可，則自蘇聯控制了整個中國大陸始，由蘇聯所指揮的中共傀儡政權一天不倒，太平洋便一天不得太平。美國懂得汲汲把日本扶助起來，這僅僅只抓住解決太平洋問題要點的一半，其另一半，則在以實力扶助自由中國在華南建立一個根據地。假定在北有一個不可擊敗的日本，在華南有一個日趨強大的自由中國，則太平洋乃至整個亞洲的國家都可以高枕無憂，甚至連尼赫魯先生也不必皇皇不可終日了。美國最聰明最經濟的做法，在扶助亞洲的國家自己幹，而不必事事要美國親自出馬。最主要的扶助工作是對中日兩國，其次才是澳紐菲印尼以及印巴越南暹羅緬甸等等，假如能這樣做，美國的金錢，至少可節省三分之一，人力則可節省五分之四，以之移用於他方，歐洲便也可保無事了。

我知道，要美國把亞洲和太平洋的局勢做成這樣一種情況，還需要相當的時間；在時間上遲緩一點，問題不大，但方針却是再錯不得，只要方針不錯，即令遲緩一年半載，也終可抵於成功，方針如果再錯，則將愈錯愈遠。以美國對台灣的現狀論，依然是空氣多於事實，老實說，爲了打倒中共，中日兩國要準備一千萬人去死，這個問題決不是單靠空氣所能解決得了的。

蘇聯決策未定

韓戰的停火談判，依然陷於談談打打，打打談談的狀態中；東德少數冒險分子侵入西柏林，蘇軍方面一硬，便立即龜縮了回去；保加利亞侵佔了希臘一個島，希臘的咆哮一聲，保軍便已無影無蹤，凡此種種，只是說明一個事實：蘇聯的決策未定！

今天斯大林不只長於忍，也頗長於決，但何以今天獨決不下來？這個問題不在武器的多少與好壞；更不在軍隊的數量不如人；實在是由於鐵幕內發生了難於補救的大毛病。

韓共內俘虜，有大多數不願回去；鐵幕國家派出的外交官，交卸了也會可在外面做政治難民；甚至出席世運的選手，也常顯留在自由國家過着不安定而冒險的生活，逼迫他們回去也無可能；這種心理，我們了解得最明白，今天當一個政治難民，和鐵幕內那種奴才一比，眞是再舒服再自由也沒有了；除非逃不了殘暴者的皮鞭，脫不出殘暴者的枷鎖，一旦逃出了，掙脫了，眞好比飛鳥之得展翅於天空，游魚之得跳躍於巨壑，你還想把他們拉回頭去，豈不等於做夢？

今天斯大林不動手打仗則已，一經動手，第一步便是一切衛星國家軍隊的逃亡，第二步便是蘇聯自身的瓦解，其失敗之快，將有令人難於想像者，可能的情況已經到了這一步，你教斯大林又如何決定下來呢？

張羣吉田茂晤談

張羣和吉田茂的晤談，好像是很親熱似的，不錯，以中日兩國當前的處境，確實是非親熱不可。

中日兩國本來是相依爲命的，中國有賴於日本，日本更有賴於中國，一對少年男女，在戀愛的過程中，撒撒嬌，吵吵架，原沒有什麼稀奇；與其在相互了解上去求原諒，似乎還不如在相互需要上去求出路，世間一切的美滿姻緣，往往都是經過無數波折而後得到成功的。

我們將從中日兩國的切實結合期待一個亞洲的新局面，其餘的一切一切，本來都是不相干的。

日本海軍開始重建

八年計劃，三十萬噸艦艇　十萬幹部，四十三億美元

（東京航訊）

美國贈予日本六十艘艦艇後，日本的海軍人物又大事活躍了。他們準備在八年中恢復到三十萬噸的地步。這三十萬噸的艦艇，共有三〇七艘。計：

空母	四	巡洋	二
驅逐	一一	砲艦	一二〇
佈雷	三	驅潛	六〇
掃雷	二四	運輸	六
潛水	六	補給	五〇

其中三分之一將由美國贈撥，第一批已撥贈了六十艘，第二批可能爲二十艘，第三批亦爲二十艘。贈撥的速度係根據日本海上保安廳的人員準備計劃來決定的。三分之一係打撈大戰時的沉艦。三分之一係建造新艦。

重建經費相當大　財力充足再擴充

建立這一支海軍力量，據海上保安廳的估計，至少要四十三億五千萬美元。分八年支付，計：

第一年	一億五千萬
第二年	二億六千萬
第三年	四億〇二百萬
第四年	五億六千萬
第五年	六億五千萬
第六年	七億四千三百萬
第七年	八億二千四百萬
第八年	七億六千萬

這個數字是相當龐大的，遠東各國能拿出這許多錢來建立海軍的，恐怕也祇有日本一國了，可見日本雖在大戰中慘敗，國力大損，但由於工業根底優厚，近幾年來很快就復蘇起來了。這個海軍建立預算的擬訂，還是根據目前日本財政狀況，及估計今後八年中可能發展情形而決定的，到了那時，如財力充沛，他們可能還要擴大這個計劃，一年支出二十億美元，專事建設海軍是大有可能的。

艦隊任務在對蘇　發展空軍防潛艇

我們看前面所列述的這支艦隊，它的特點是防禦性的，沒有主力艦，萬噸以上的巡洋艦也沒有，自然不能遠征了，這就很符合美國人的願望，菲律賓和澳國，原本最怕日本海軍的強盛，現在看到這樣的內容，至少暫時也可以放心的。

可是在日本沉艦中，兩萬噸以上的主力艦有三艘，一萬噸左右的巡洋艦有八艘，都是沉在日本近海的，如情況許可，他們很可能隨時先打撈這些艦隻，重加整修和裝備，如這幾隻艦艇撈了起來，則日本海軍的力量較現在計劃着的這支艦隊，力量就大了一倍。這措施當然影響很大，如日本現在還怕給人太多刺激，則這個打撈計劃當還不至立即實施的。

日本現在要編成的這支三十萬噸的艦隊，是有一假想敵的，這敵人即是蘇俄的遠東紅海軍，美國人用這樣大力來幫助它，主要也爲的是要使日本有力量來對付蘇俄在遠東的紅海軍。

蘇俄的遠東紅海軍基地是海參衛，現在則已擴充到旅順，唐沽，青島，並一直沿伸到海南榆林港，所據的形勢是有利的，但是蘇俄的海軍太貧弱了，而遠東的艦隊則更薄弱，唯一具有威脅性的是一百二十艘以上的潛水艇。所以日本這支艦隊的配備，除強化反潛艇的設備外，特別注意於海軍空軍的建立。上述經費中的一半，即係投向這方面的。

由山本善雄主持　成立了Y委員會

日本海軍現在底盤是「海上保安廳」，但這祇是日本在戰敗後從事海上緝私和警戒的機構，雖然其中容納了不少舊日海軍的下級軍官，但以此從事未來海軍的建立，顯然是不夠的。所以各國對日和約簽訂後，他們即成立一「Y委員會」，專事計劃和指揮海軍的重建工作。

鴨巢監獄裏一批批放出來的戰犯，有很多是海軍將領，這批人可能將參與這種重建工作。因爲海軍的人才，與空軍一樣，不是短期內可以造就的，所以要重建海軍，還得借重他們。

現在領導這一工作的是山本善雄，他是大正八年海軍學校四十七期畢業，昭和六年海軍大學畢業，現爲日本海軍少將，他始終在海軍部工作，沒有績帶過艦隊，所以由他來出面搞海軍重建，美國人也是首肯的。

他在五月十九日召開了一個會議，參加的有原任侍從長百武三郎，聯合艦隊司令官小林躋造，曾任駐美大使的野村吉三郎，學習院長山梨勝之進，長谷川，川古志郎，豐田貞次，野村直邦等八人。

會議討論的內容是：

一、改進海上保安廳組織，隨時應付突變計劃。

二、接受美國贈艦計劃。

三、重建海軍計劃。

四、組織「Y委員會」。

「Y委員會」就是在這會議中產生的，係專事執行這會議的決議的。

舊海軍人員抬頭　望能爲反共努力

「Y委員會」是由海上保安廳選派二人，和舊日本海軍將領中遴選八人共同組織而成，計舊海軍爲：

高野、吉田英三郎、長澤浩、初見盈五郎、秋重實惠、永井太郎、寺井義守、森下陸一。

海上保安廳派的二人爲柳澤米吉，三田一也。

「Y委員會」的委員長還是山本善雄。

這個委員會計劃結果，除經費問題外，主要是海軍官佐員兵的問題方面遭到了困難。

現在，三〇七艘艦艇就需員兵四萬名，十大隊海軍航空隊也要員兵四萬名，其他航空和海軍的陸上勤務人員以及機關學校等所需的人員，也要二萬五千名。這十萬多人從那裏來呢？戰時日本海軍人員損失達百分之八十以上，餘下的到現在，年齡，體格方面也很少適合了，所以必須從新訓練起來，即今年十月中，着手徵召青年入伍，選拔優秀的送各種學校受訓，第一年二萬名，第二年以後每年一萬名，到第八年，即可有十萬五千名經過嚴格訓練的幹部，用以任各職。但是目前情況緊急，所以還需先起用大批舊日的海軍人員，經過三個月的整訓編練即先担任起工作。

這支海軍力量建立後，日本在遠東又要大搖大擺了，但如用在反共方面，則該是一很重要的力量。希望重行抬頭的日本舊海軍人員，善修經驗教訓，多爲反共努力。（安澤八月三日寄自東京）

神出鬼沒的吳卓權

浙江的游擊英雄

山禾

亂世出英雄，在浙江提起吳卓權，庶幾可稱「名聞遐邇」！

吳卓權是浙江諸暨人，現年四十許。講學歷；小學不曾畢業，信寫不通，報看不懂。論出身；是浙江俞濟時當保安處長時代的保安團大兵一個。看覆相；長長的身軀，黑黑的皮膚，是一副老相的樣子。並無什麼出衆的天賦，也談不到後天的修養。俏皮、游蕩、聰明、大膽，倒有他的特色，作爲一個大兵，不過「老油條」而已。

然而，「海水不可斗量」，人眞「不可貌相」！當民國卅年，抗日戰爭由正規戰而轉入敵後游擊戰爲主的時候，吳卓權只帶了一支轉輪，兩個夥件，和一個「第三戰區情報組組長」的名義，活動到了杭州外圍的杭縣五都西鎮一帶，卻發展得像滾雪球一樣地快，僅在一年間，人數已由三個而五十，一百，五百，到了一千，番號已由情報組而情報站，而挺進大隊，而挺進支隊。雖然紀律差一點，這是老粗的本質，也是一時的風氣。講帶兵打仗，他還有他的一手。至於在向那時敵軍佔領下的杭州進行其突擊和情報的工作，確曾發揮了他的聰明，大胆的優點。

不久，他被編到了忠義救國軍阮清源部下當了支隊長，活動的範圍由杭州移到了松江、浦東、南匯一帶。由於他底勇敢，他跟中美合作所的一些美國人搞上了關係，在武器、彈藥、及爆破技術方面，獲得了很多支持。抗戰勝利了，他的部隊挺進上海也是很早的一批。後來忠救軍大部改編了交警總隊，被派了一個中校總隊附的差使，但他似嫌委曲，便一咕咯回到了杭州，既非辭職，亦不到差，在杭州吃、喝、玩玩，有他自己一個天地，雖也有點牢騷，還算安份守己。卅七年春曾一度謠傳他上了四明山，記者卻於同年夏在杭州國際電影院門口碰到了他，很詫異地向他問起這個謠言的事，他卻很乾脆地回答我：

「笑話！忘八蛋才幹這一行哩！」揮揮手，笑笑，踏上三輪車走了。

以後即不再碰到他，也沒聽人提起他。曾幾何時，浙江已淪入匪手，吳卓權的名字忽又響遏行雲，說他已在杭縣、武康、德清一帶打游擊了。

經打聽之下，纔知確有這回事。他眞神通廣大，將上海撤下來經過諸暨的交警總隊的零星部隊收留了下來，共得五百多人，都是赤新，嶄齊的卡賓，湯姆生一類的武器，是游擊隊的理想配備。在杭州淪陷之後，親率部衆通過匪軍的虛隙，餘杭而深入了杭縣、武康、德清的三角地帶，展開了活動。這於他可說是舊地重臨，地情既熟，人緣也好，很快便獲得了當地地方士紳，在鄉軍官，熱血青年的熱烈擁護，人槍很快便發展到了一千五百之多，一共編了三個大隊：第一大隊長馬家穀，原是杭縣東平鄉的鄉長，第二大隊長徐德寶，原是杭縣平窰鄉的鄉隊附，年青活躍，第三大隊長張志成，原是國軍的老連長，善征慣戰，他自己帶了一個特務隊指揮若定，所擁的銜頭是東南反共救國軍浙西行動縱隊司令兼杭縣縣長，名正言順，聲勢頗壯。

他在活動的初期確有驚人的收穫：下鄉的匪幹先後被他殺了二十多個，下鄉的匪軍被他解決了兩股，杭武德邊區四十餘鄉鎮樹立了公開的政權，杭州外圍的留下、三墩、塘棲、臨平各區建立了地下行政組織，杭市的湖墅、小河混入了行動小組，入夜，常可聽到聲東擊西的疏落的槍聲，而杭縣匪「縣長」王某都受到了譚匪震林的「檢討」。

但這種迅速的發展和意外的成就，對於吳卓權和他的一班反共同志們，很造成了一些以爲是抗戰歷史重演的錯覺。實際上，共匪既係游擊起家，當時民心的背向也還不會於我有利，原則僅可不變，方式非改不可，可是他們大意了！終於在同年九月上旬的某日，遭到了匪軍出其不意的「圍剿」，實力有一師之衆，砲發如雷，彈下如雨，如此衆寡懸殊，四面受敵，那有不敗之理？結果：馬張二大隊長都壯烈陣亡，徐大隊長被俘，他自己僅以身免，突圍而走，在崇德邊境的甘蔗地上躲了一天半夜，摸索到許村，跳上夜車，逃到上海，再偷渡出口。

經過訓練，現在他竟又出現在天台山區打游擊了，而且人數比在杭縣時更多，幹部也比在杭縣時爲機警，秘密，行動遠比在杭縣時爲整齊，不僅已從慘痛的失敗中吸取了新的經驗，而且顯然已沐受了嚴格的訓練和修養，雖一度倒下去，卻更堅強地又挺起來了！

這眞是一個神出鬼沒的人物，一個不屈不撓的好漢！不由我不對他肅然起敬了！

希保軍隊開火

巴爾幹火藥庫冒烟

希臘爲了保加利亞侵佔加瑪島，於四日發出哀的美頓書，着保加利亞於六日上午十一時前撤退，否則即用武力驅逐。到了時限，希臘第三軍團司令曼尼達基將軍即下令發砲進攻。保軍退出，隔河還砲互轟。東歐的形勢頓時緊張起來，世界的注意力又被吸收到那裏了。板門店談判，多倫多細菌問題的爭執，都暗淡下來。

這兩個國家的衝突原該在四年前爆發的，那時美國把希臘從共黨叢伏爾達斯手上搶下來，並把希共游擊隊消滅了，保加利亞共黨本來即刻想動手的，但看看美國的面孔，就不敢輕舉妄動了。於是形勢緩和下來，一直拖到現在。

最近遠東局勢緊，柏林也不安定，中東又動蕩，保共就于上月中偷偷地派了一百多個軍隊佔領了加瑪島，想試一試希臘的反映，並測驗一下李奇威的氣候。如態度不好，就會縮手，正與其他冷戰局面中一些偷摸盜竊的行爲一樣。但是巴爾幹這個地方是以火藥庫出名的，一不小心，很易爆炸開來，保加利亞敢於玩火，顯然是受有史大林的命令的。

然則，史大林眞的有這決心嗎？不見得，因爲土希是加入了北大西洋公約的，這裏一動，就會牽連全身，莫斯科就保不定要挨原子彈了，再着希臘軍隊一開砲，保軍立即撤退的情形，但史大林實還舉棋不定。但史大林這樣東觸觸，西蒞蒞，其居心究爲什麼，這祇是試探而已，他在想找一個最薄弱的地方下手。所以一遇到對手的還擊，立即退縮，再進行談判，像澳門的衝突一樣，在談判中可敲些竹槓，至少使冷戰空氣緊張些。現在，我們先來看一看希臘和保加利亞的軍事情況。

美國軍援　救了希臘

希臘的軍隊，是美國一手培植的，一九五一年八月十日，美參謀長布萊特雷，英國史匯元帥，法參謀長列卓里，在雅典舉行會議，商討北大西洋公約的軍備問題，把希土拉入爲公約會員國，後又在九月二十日渥太華會議正式通過，希臘即開始整軍，將原有之十三萬人在兩個月中擴大到六十萬。大量的軍火也即湧至。希臘軍的原任最高統帥巴巴哥斯曾一度與希國王不和，并被迫辭職，而軍權統一於國王之手，這事曾引起美駐希大使普里福埃的不快，故一度傳美將停止對希軍援，但大勢所趨，美國雖心有不願，仍非繼續援助不可，因爲共黨的侵略遇機即動，而希臘一失，整個巴爾幹的形勢就難以挽救了。

保國軍隊　爲蘇控制

我們現在再看保加利亞方面的情形，蘇俄對它的支援是非常積極的，一九五〇年十月的保加利亞報告，就說有大量的軍火，唐克，大砲運到索菲亞，布加斯，那發。

因爲在一九五〇年春，蘇聯命令東歐各附庸國舉行一次大演習，結果發覺各國使用的武器太陳舊，而且參差不齊，使統一行動的指揮發生很大的困難，於是從秋天開始，史大林撥出大批裝備，統一這些附庸國的軍隊武器，並在匈牙利的密斯利締建立一強固的空軍基地，作爲將來支援東歐各附庸國的中心。這些國家被組織訓練的陸軍約有卅六個師到四十八個師，保加利亞佔有十二個到十五個師左右，軍事幹部有一千五百名是在莫斯科陸軍大學畢業的。但是據專家估計，保國軍隊的裝備和訓練，實際是比不上蘇俄的正規軍的，因爲他們的第二線部隊，大砲還是用馬來拉的，而保國全部的汽車，只有一萬輛左右。打起來就很吃力了。

人民不服　危機四伏

蘇俄現在對保最感頭痛的是沒有辦法完全把握這些軍隊幹部的態度，故在基輔等地特設一軍校，專門輪替訓練各級幹部，每期三個月，預定在三年內把全部軍事幹部訓練好。但是東歐各國農民所具有的那種頑強個性，很難使它們完全接受蘇俄人的支配。這只要看經常以千百計的共軍，逃亡到希臘，南斯拉夫的情形即可推知，萬一戰爭爆發，則可能有半數將發生靠不住的行動，蘇俄的情報知道了這些情形，於是一再整肅，從黨的組織到社會，從軍官到每一士兵，沒有放鬆過。可是史大林仍然懼怕；於是除平時在要地駐有軍隊監視外、並準備了大批的空運軍隊，在必要時從空運來增援控制。因此，保加利亞等國，現在還只有陸軍，空軍雖有其名，但實際則在蘇俄手中。

這樣的軍隊當然是不能動的，但侵略者往往利令智昏，自以爲力量了不起了，於是敢於動手，否則歷史上獨裁者那有毀滅的遭遇。

（巴西爾）

曹禺、巴金、老舍、等怎樣被鬥爭

過去廿為共黨虎倀　現在痛遭整風蹂躪

（本報綜合報導）共區文藝作者歐陽予倩、鄭君里、孫瑜等鬥被爭的根由，本報上期已簡略寫出，茲再將曹禺、豐子愷、巴金等的遭遇作一綜合報導，曹禺、巴金等過去都曾直接間接幫着共黨推波助瀾，光未然、趙樹理等原為共黨重要文藝幹部，現在却都出了毛病，被逼着自打耳光，自罵混蛋。

曹禺修改「雷雨」

巴金的小說「激流三部曲」和曹禺的劇本「日出」「雷雨」等，在中國的新文藝來說，是有了評價的作品。就其基本性質說，則是左傾的，尤其是某個時期，對一般知識青年和小市民階級，發生有強烈的影響。因爲它們的主題都是強調社會的沒落和新勢力的產生，給不滿現實的青年和苦悶的小市民們，描繪了一個亮麗的遠景，對于共黨的活動發展，起了推波助瀾的作用。

但是共黨還是不滿足的，它批評「激流三部曲」是一羣無組織無領導的青年男女的盲目活動，書中人物沒有共產黨的領導，犯有嚴重的個人英雄主義，規定各地書局停止出版和銷售，並要巴金到北韓去進行思想改造。至于「雷雨」也受到嚴厲的批評，曹禺本人也寫了一篇「我對今後創作的初步認識」的檢討，他說他過去的寫作，只憑個人的是非之感，在狹小的圈子裏，挑選人物，構成故事，運用一些技巧來表達他模糊而大有問題的思想。在「雷雨」裏，抬出一個叫魯大海的工人，那是最大的失敗，僵硬，不眞實自不必說，尤其把它放在一串怪誕的穿插中，以小資產階級的情感，使他跳進跳出，喪失了工人階級應有的面貌，他只是穿上工人衣服的小資產階級。其結論說：這些錯誤，他是要負一定的責任的，而且要將雷雨等劇本作澈底的修改。

老舍豐子愷的悲鳴

中共對文藝人的清算鬥爭，並不局限于你現在所犯的過失，而必須追溯到過去，以往的片紙隻字，一言一行，都是清算的目標。最近豐子愷也被清算了，從其「坦白書」中，可以看出他被清算的根由所在。他說他的主要錯誤，是有舊人道主義觀點。這種思想的來源，第一是家傳的舊道德思想，幼時讀過四書五經，信服「溫良恭儉讓」，因此一向缺乏鬥爭心，中了感化主義的毒。他當年參加創辦「立達學園」，就是這種思想的事實表現。第二，他曾學習大乘，皈依佛教，強調了「護生戒殺」與「人世無常」的虛義，造成了慈悲的錯誤思想，他的「護生畫集」，又是消極思想的表現。其次他的畫，多描寫兒童生活，這是因爲他當年沒有脫離家庭參加共產黨的鬥爭生活。最後他說：「我的錯誤思想廣泛流毒在人間，今天我要向黨大衆表示由衷的懺悔。」

李健吾寫了一篇「走好第一步」的檢討文字，他說：我學了一套資產階級末期的文藝思想，害己害人，嚴重到了不可寬恕的程度，爲藝術而藝術和個人主義思想互爲表裏，形成自由文化人的自由主義的狂妄作風。我到北平去，是懷着一種觀光上國而又投機取巧的逢迎卑賤心理。雖然他們如此悲鳴，但並不能得到共黨的饒恕。他們的結局如何？姑不深究，但在共區寫作，却是一件困難而危險的事情。老舍在五月二十五日上海解放日報上說：他得忘記他是有二十多年經驗的作家，而須自居爲小學生，從頭學起。他從前寫一篇一百句左右的鼓詞，只須兩三天就可以交卷，現在須用七八天的工夫，而且寫了再寫，改了再改，有時候，正筆寫得不錯，而副筆却違反了政策，有時候思想寫對了，但文字却貧弱無力，沒有感情，只把政治思想翻譯一下，沒有動人的力量。

他每一篇稿子，都要先在共黨面前朗誦，讀一回，修改一回，決不想一揮而就。不管寫多麼小的一個故事，必須向共黨問明白有甚麼樣政治思想上的要求，和依照什麼領導思想去發展。因之一篇稿子，往往改寫七八遍，改了七遍八遍之後，假若思想性還不夠強，還是拆掉它。

「開快車」闖了禍

共區文藝作品的先決條件，是要有「思想性」，所謂「思想性」，即是要符合它的政策。而它的政策並沒有固定的內容，今天是這樣，明天會變成那樣，因之今天被認爲是一篇好的東西，明天可能錯誤百出，被認爲最壞的作品。這種思想性的變化，一般投靠的小資產階級出身的文藝人固無法把握，就是中共的老黨員，有十年二十年黨齡的，所謂「人民文藝人」，稍一不慎，也會發生偏差的。光未然即是例子之一。

光未然是老共幹，一向負責黨的文藝教育與文藝活動。他上年担任中共「中央戲劇學院」的「教育長」和該學院的「創作室主任」時，曾主持集體創作了一個劇本「開快車」。這本是配合中共第三次「整風運動」的，主要內容是批判他們幹部的官僚主義。他原準備寫「幹部三部曲」，一是寫工廠幹部，一寫農村幹部，一寫縣幹部。「開快車」即是第一部，以工廠幹部爲對象。他爲了寫這，曾率同「創作室」的全體人員，到石景山，長辛店、門頭溝，玻璃河、清河等二十三個廠礦中，從事體驗生活，將工廠幹部的各種情形收集攏來，劇本寫成後，光未然等以爲這「劇本的「思想性」「政治性」和「藝術性」」會超過他們的電影劇本「紅旗歌」的，可是排演時也闖下了禍，共黨文化部說它歪曲了黨員和黨的領導人物的形象，表現了濃厚技術觀點，「對工廠中黨的工作和工會的工作，作了非常不正確的描寫」，將「正面人物」一個個注入小資產階級的血液」。結果不但光未然調了整，而他主編的「人民戲劇」也在這次「文藝整風」中宣告停刊了。

史大林喇嘛！
望着假天堂，
人當猴子來耍，
馬列教條變聖經，
棄盡了文化理想靈魂。
·于天祝·

趙樹理馬健翎不敢動筆

由於這，連中共的紅牌作者趙樹理也不敢動筆了。他在今年五月二十四日北平光明日報上說：我三年來沒有寫東西，常常引起關心我的同志們朋友們口頭的和書面的詢問，問得我除了感謝之外無話可答。我之不寫作，客觀的理由很多，可是都不算理由，眞正的原因只有一個，就是脫離了實際。如不徹底改變自己，寫作歷史是會從此停止的。同時僞西北「文化部副部長」馬健翎也在七月七日西安羣衆日報發表「初步檢討」說他自己是搞創作的人，自進城以來，沒有寫出一個東西，儘管也把這件事放在第一位，經常爲此焦急，甚至不好意思見人，但到底沒有寫出東西來。有的動筆了，但又覺得這也寫不成，那也寫不成，往往中途而廢。

因此可以瞭解：在共區寫作是多麼不容易的一件事情，牢獄等待着你，鬥爭瞄準着你，既無寫作的自由，又無不寫作的自由，此次「文藝整風」，胡喬木公開提出，監督文藝作者要像監督勞動者一樣，要他們加緊生產。共黨是這樣橫蠻而不講理的東西，我們除了抗議其暴行，惋傷受迫害的一羣的命運外，還有甚麼好說呢？

共式官僚主義
各項運動徒具形式　公文旅行一百多天

任中龍

（本報綜合報導）：「三反」運動結束以後，中共的大小幹部，除了出現縮腳縮手的現象外，形式主義的傾向更爲流行。對於上級所推行的運動，表面上雖熱烈擁護，事實上有的是口動手不動，除了搖旗吶喊之外，毫無動靜，有的則走左道旁門，用虛報假成績，製造假紀錄來盜竊「特等功臣」和「勞動模範」的封號。因此，儘管中共的「豐產運動」，「超軸競賽」，「衛生運動」，喧染得如火如荼，但揭開裏面的底幕，不外是「自欺欺人」四字而已。

豐產模範多出僞造

「特等功臣」李永祿，和北京鐵路分局豐台機務段長奚能安，僞造成績，隱瞞事故，蒙蔽組織，騙取「模範機車」稱號的經過，已於七月十九日由中共「人民日報」自己揭穿。最近中共在各地農村檢查「丰產模範」「水稻勞模」的結果，發現這種僞報成績的情形，業已不是個別和偶然的現象，而是一般性的通病。如七月二十日「長江日報」所載：湖北省「棉花豐產模範」孫少清，實際上完全是湖北「農林廳」技術幹部胡相力亂吹亂捧選出來的。胡相力爲了表示他「指導有方」，硬把新洲縣柴街村農民孫少清的生產成績捏造一通。原來孫少清植棉的面積是一畝三分，胡相力向農林廳呈報時，却虛報爲一畝一分。孫少清產籽棉四百多斤，他却虛報六百七十六斤。孫少清自己不好意思，一再表示他產量沒有這麼多。胡相力竟指他想隱瞞產量，怕增加負担，並向他暗示，「報產量沒有關係，彼此都有面子」。在總結孫少清的豐產經驗時，胡相力竟把別人的豐產經驗硬套在孫少清頭上，並加以擴大和誇張。在朱街村選舉棉花豐產模範時，胡相力更是一手包辦，事先在鄉村幹部中進行一番佈置，選舉會上形式主義地通過了孫少清爲「棉花豐產模範」，弄得孫少清本人啼笑皆非。

生產旗幟有名無實

同樣的情形在廣西全縣亦曾發現。全縣樂家灣農民唐繼懿家中原有十五畝多田，出租了五畝，其餘的則僱工經營，平日賭錢玩耍，爲人很不正派，易手後才開始參加農業勞動。去年秋收以後，廣西省「人民政府農林廳」，爲了搜集「勞模」材料，派幹部蒙子正到全縣調查。蒙子正到了樂家灣，聽小學教師唐繼任爲唐繼懿大吹一陣，便到唐家用秤稱了最大的一籮穀子，大約估計每畝的產量，便向上面虛報唐繼懿每畝田產穀一千零一十一斤，比實際產量高出一倍。後來蒙子正又把這個不正確的材料報給中共「桂林專署」，一九五一年底，桂林專區開勞模大會時，就特邀唐繼懿參加，於是游手好閒的唐繼懿，就這樣當了「水稻豐產勞模」，成爲桂林專區的「生產旗幟」。

公文旅行層層積壓

假「勞模」的大量出現，說明了中共幹部間形式主義的嚴重，而各機關行政效率的低落，更說明了新官僚主義的抬頭。七月廿六日廣州「南方日報」曾揭露一件公文在中共官僚主義機構中旅行經過的例子，最足以顯露其嚴重之一班。

一九五一年四月廿五日，廣東番禺縣政府，爲了沙田減租辦法的處理問題，曾請示廣東「省政府」，公文是由「珠江專署」轉上去的，內容大意認爲「廣東省政府」所頒佈的沙田減租辦法中，有一二點與番禺的實況不合，需提出若干修正意見，請求批示。

五月二日，公文由「珠江專署」轉到省府，由民政廳負責辦理。五月廿四日由民政廳一個叫單容沛的共幹簽收，從省府批交民政廳，中間費時二十二天。

五月廿六日，民政廳一個叫黃汝綸的提出意見，認爲事情和財政廳及水利局有關，須要「會稿」，於是稿子擬出後，分送上述兩機關。這樣公文的行程便分爲兩路，七月十一日，財政廳擬出覆稿，指出番禺縣提出的辦法不妥，對「水利谷徵收百分之五十的糧」一句不知是什麼意思，提出疑問，該函也送水利局徵求意見。從民政廳擬稿到財政廳覆稿，中間隔了四十五天。七月二十三日，該覆函才轉回省府辦公廳，這中間又花了十二天，另一路由水利局的，直到七月十八日才覆函同意財政廳的意見，中間共隔了五十二天。

這兩路公函會合了起來，由前任秘書長左洪濤（三反中被撤職）批「退民政廳參照財政廳意見修正」，公文回到民政廳後，對那句「水利谷徵收百分之五十的糧」意義仍不明瞭，於是又寫了一公函到番禺縣政府去問，八月六日擬稿，九日繕畢寄出，三十天後，民廳於九月十一日收到番禺縣政府回覆，單爲了詢問一句話的意義，也花了三十七天。

小題大做事事拖延

公文在民政廳休息三天後九月十四日再由一叫黃汝綸的擬稿，到十月四日才由省府辦公廳批「擬照發」，從擬稿到這時止又過了二十天。

但這件簡單公文命運多舛，並未就此休息下來。在「照發」以前還須「呈方古，李副主席核發」。古大存批的是：「須愼重處理，應送土委審查，並提意見」，其後自然是送「土委會」，直至古批後三十三天，始由「土委會」簽「同意」。一直到十一月十二日才由「土委會」回到省府辦公廳，至於省府辦公廳何時發出，番禺縣政府何時收到，則已無從稽攷。

腐敗低能弱點畢露

這一件公文旅行的時間，從四月廿五日到十一月十二日，前後歷時二百天，經過五、六十次手續。自番禺縣政府提出問題後，中間已經過了一度「夏減」和「秋減」，如果他們等候上級批示才處理，則一切政務只好擱置起來，如果不等着，那麼下級機關等於幹了一件無政府無紀律的事情，將來「反」起來又要吃不消。從這幾件具體的事例中，我們可以發現中共政權官僚主義下的腐敗和低能，已達於何種程度了。

白娘娘不愛許仙

白娘娘爲何愛上許仙？中共文藝工作者爲這問題展開了熱烈討論。說白娘娘是一反封建的婦女，她不顧家庭反對，愛上了許仙，就主動的追求許仙，很符合「新婚姻法」的要求。

另一種說法是「報恩」，認爲白娘娘得許仙之救命大恩，於是以身相許，力求報効，這也與「共產黨的恩情說不完」相符。

於是白娘娘參加了共產黨，反對封建家庭，共產黨拿到了天下，白娘娘才能償其宿願，「報恩」應該「報共產黨」。

可是中共上級幹部提醒他們，許仙是個「地主」「反動份子」，根本不值得白娘娘愛的。（凌）

談官癮

高方

埃及遜王法魯克，在其流寓的意大利境內卡布里旅館中未到半月，即對旅館經理大呼「我祗聊得可怕」，要求在其所賃居的屋頂上，組設一個舞會，使他隨時參加，以解寂寞。

人類中最忍受不住寂寞生活的，莫過於作官的人兒。他們在位之時，有權有勢有錢，晝夜受着人們諂事恭維，一呼百諾，放個屁也是香的，何等過癮！一朝丟官去位，門前冷落，形同僧舍，其難過的心情，有若吸大煙的老槍，忽然黑飯中斷，其不懨懨欲死，涕泗滂沱者幾希？至於曾經貴為天子富有四海的領袖階級人物，尤其過不慣平民生活，他情願得天忙得要死，而不願一刻閒得無聊，因為他的本事就祗有玩弄權威那一套。官兒的大小雖然不同，其不能閒的心情則一也。官癮與大煙癮，絕對是一樣的。

我曾經從許多的時間和環境中，設身處地研究人們何以那麼容易沾染「官癮」？（我也作過上中下各級官兒的）結果發覺是由於內在的自卑感，和外在的老婆虛榮心交織作祟所致。如像巴爾扎客所形容那些「沒有生活基礎與職業技能」的「浪子」（Bihames）式的人兒，一朝作了官又教他閒下來，即感覺自己見人就矮了三尺似的，再加上老婆出進不能坐公家的汽車，晝夜沒有人來喊夫人，送禮物了，隨時慫慂慕貴，若無一副「挺勁」的修養，自然要痛感官之不可不做也。試問：浪子式的人物，他還身又那裏尋得出絲毫挺勁來呢？

自由談

買命記

玲匡

「五反」總算是像颶風一樣過去了，老百姓焦頭爛額之餘，心裏還扎着一撮針，「五反」仍然拖着一條糊滿了膿血的爛尾巴——五愛——

「愛」是多麼好聽和迷人？但是，一隻老鼠有天大的膽子，也萬萬不敢接受貓的愛，五愛之中尤其刺眼的是「愛護人民的財產」！

天理良心，我也愛我自己的財產，可惜有心無力。前年我咬牙切齒的捐了半間祖居給人民，去年又痛心疾首被反去了半間，如果再被他們垂青「愛」上一「愛」，恐怕連命都變去，於是我想離開這「愛」的坟墓！

七月初，多次蒙人民幹部下顧，談了若干次，總是在我香港包租的一層樓上打轉，還更還需我非走不可了。但是通行證要舖保，有誰肯保我？何況共幹們早就說過亮話：「別人領證還可以通融，你呢？寡母婆死仔，冇望！」

為了通行證我搜了十九磅，到了七月中，忽然一位胖胖的黑矮子，指名找我。以前俗語有說「為人不作虧心事，半夜敲門也不驚！」現在，這句話在廣州是不大適用！

習慣上我請他到附近茶樓談談，他却不肯，祇拖我到廚房的門口。

「聽說你要到香港，還未領到證！」

這句話嚇掉我三魂，腦門呼呼的冒天然冷氣，只有把頸子橫搖。

「你放心！我如果不能幫你的忙，不會找上門。祇要『熟性』「什麼叫做辦不通？」他的態度挺誠懇。

我想一想，反正是命一條。祇好問他：「你能替我弄一張證？」

「弄證不難，不過要依限回來，否則豈不牽累別人。我的意思是不必領證，還保險送你到香港！」

「你……」我駭着他的腦袋。

「我老實說，是×記碼頭的夥計，廿七日有一條電扒開：……」

「不需要領通行證？」

「當然！」

「怎麼能上船呢？碼頭要驗證，大劏要驗證……」

「問題是你肯不肯出三撤鹹龍？」他豎起三隻指頭，「老實講，我弄三百塊介紹費，電扒三百，其餘是裏面的人均分，」他把指頭五隻向下張開作烏龜狀，原來是象徵五星。

「我不信你有這個本領，再說……我拿不出！」

「不信？……我怎會知道你要走呢？關於錢方面，不怕得罪，總有一天，你會明白。三萬塊也是值得的！」

「……」我還疑得很，他像是不大耐煩，扭頭就走。祇冷冷的微笑：「去不去可以放膽，不妨明天答復我……」

這一夜是人都睡不着，我瞪着眼望天花板上的橫樑，數到天亮。

這位神祕的救星又來了，商量的結果，績節交易以兩千港幣成交，錢是上船之後交付，他約定我廿六日下午六時在海珠新填地×記碼頭會齊。於是我先交他定金人民幣二百萬，折合港幣五百元。

廿六日下午，一陣微雨，我用一塊包袱包了六百萬人民幣，踱到了碼頭。這位朋友招呼我站在路邊，陸陸續續地又來了三個人，我們誰也不敢打招呼，祇有木在那裏，看電扒裝貨，和碼頭上的人出人進。

最後又來了一個女人，他打一個眼色，便渡到江邊雇了一艇「孖舲」，他邁上了艇，我們也跟上去。糊糊塗塗，猜不透是凶是吉，葫蘆裏藏些啥子玩意，怎麼離了碼頭又上了小艇？

小艇鑽過海珠橋，順流向東搖去，天還漸漸暗下來，大家只是鼓着氣，不敢出聲！聽見槳聲水聲。小艇泊在一道石級邊，艇上漆黑寂靜，也不點亮，大概是在二沙頭左近。恍恍惚惚，不知什麼時候，猛然一聲汽笛，艇已搖開了，兩個隊趕緊睜眼，內河來的電扒已經駛過來。小艇勾住電扒，我們爬上去，由這位朋友介紹給一位中年人，遞給我一張通行證：「到大劏檢查，記緊了姓名住址，不過千萬別慌張，」我把一包錢遞給他，包袱也不大，民幣都遞了。人數也是四男一女，年齡也和我們差不多！大劏檢查並沒有什麼留難，祇是把幾個旅客的人民幣都搜出來「充公」了。電扒的人向我們要回通行證，依照限期，再從香港找一批客人頂替。我和幾位朋友去談談，原來兩千塊還是公價，童叟無欺。

我呼出一口濁氣，直至到了香港之後，我還弄不清，那幾個「槍手」到了限期，是不是仍然要接船頂替香港的來客呢？兩千塊雖然是不少的數目，但是我買得了自由。還買了一條命！

香港三年（二）

舜生

在過去的一百年，香港經過了無數的滄桑，尤其十年前經過日本一度的佔領，最近三年，因中國大陸為蘇聯所控制，使得香港的人口，驟然增加了兩倍，更是值得大書特書。

我們決不能忽視在過去一世紀英國人在這裏所做這種墾山填海的物質建設，假定自海通以來，在中國內地的任何一個地點，能有如香港這樣的建設，豈不也足以成為中國人的一種誇耀？惜乎竟舉不出這樣一個類似的例子來。三年前我從台北坐汽車赴基隆，坐火車去台中，同時也遊覽過台北近郊的北投草山一帶，已曾引起我無限的感慨；近年在香港，偶爾乘攬車上山頂去瞻望瞭，或偕三五友人去沙田，荃灣，元朗，青山這些地方玩玩，其所引起我的感觸，與在台灣所感者，也大致一樣。二十年前，中國的山西省，曾有過所謂模範省的盛譽，我在十九年的一個冬天，乘長途汽車自太原赴大同，路過歷史上有名的雁門關，峯巒環繞，積雪滿山，那樣一種氣象磅礴的形勢，確實給了我一個深刻的印象，可是那條公路的糟糕，至今也還使我談虎色變，假如不是一位北京朋友送了我一頂皮帽子戴着的話，我這個頭已早在汽車激烈的顛播中給簸破得不成樣子了。三十八年的春天，我還有過一次坐小汽車從南京去上海的經驗，所走的不是京杭國道，而是從溧陽這邊去的，汽車夫雖曾警告說不好走，但我還是堅持要看一看，這一來可真糟了，大概在近百里的一段路中，車子拋錨在泥坑中至少在十次以上，逼得我們下車把車子從深坑中推出的事實也決不少於三次五次，一直走近無錫，總算才出了一口悶氣！積是種種，使得我腦子裏至今還有一個不能回答的問題：

『究竟政府是為人民而設，還是人民為政府而設？』

最近從台北的『自由中國』，知道閻百川先生有一本名叫『大同之路』的大著出版，閻先生這本書我雖根本就不曾看，可是他這條路我却真有走過一次的光榮，我深深的知道今天中國的老百姓決不需要什麼『大同』不『大同』，他們所迫切希望的，只是政府能就衣食住行公共衛生這類基本問題，好好的給他們一點兌現。就閻老先生個人而論，他假如願意從事讀書與著作以娛暮年，這是無可非難的；可是我依然有一個不情的建議：閻先生關起門來建設山西，一直搞了三十幾年，這是民國以來任何一個地方當局所不曾有過的奇蹟，究竟他在三十幾年中搞了一些什麼？何以始終搞不出一個道理來？其主要的原因安在？假定他承認無此能力，或環境絕對不許，又何以始終樂此不疲的要一直搞下去？如果閻先生能就這樣一件大事，以寫『懺悔錄』的方式，毫不隱晦的寫成一本書，即作為向國民提出一份坦白負責的報告，我想這對於中華民國未來的建設，一定切實有益，要比寫『大同之路』這類的著作好得多，至少至少，我是非買來恭讀一遍不可的。

萬竹樓隨筆（一二〇）

亂彈齋詞話

馬五先生

思佳客

序曰：據報紙紀載，美國婦女盛行登報徵婚，最近有若干徵婚啓事頗為新奇，如西雅圖一位芳齡廿三的新寡瑞麥瑞克夫人，願嫁與有洋房一幢和美金一萬元的壯漢為妻；密特州有三十四歲老小姐麗尼，徵求一個有六間房子和年在卅五至五十歲的熱情男子為夫；里克斯登有位年輕小姐，則在徵婚啓事上說明願以美金一萬元「購買」丈夫一名，條件是「絕對服從」！另有一位高壽已屆四十大慶的老小姐，乾脆寫信給她所在地的市長，要求代她物色丈夫一名到案，條件是擁有萬元美金而沒有妻子的鰥夫者，年齡倒可虛待通融。綜觀各情，萬元美金實為徵婚的共同條件，萬惡窮為首，百行富居先，此即黃金國之人生觀也歟？

人生幸福是多財，聲聲貧賤夫妻百事哀，彩鳳求凰曲，但道黃金好作媒。窮措大，叫乖乖！噩音聽罷我心摧，此身欲祛鰥居苦，快把銀行開起來！

「新婚姻法」

惜夢

新婚姻法是一種手段，
目的要把你家庭拆散，
先從夫婦的關係下手，
毀滅了你人倫的開端。

× ×

安議民兵隊長劉麒煥，
對新婚姻法別有發現：
「新婚姻法惟一的精神，
老婆是可以自由交換。」

× ×

來賓勞動模範韋國順，
對新婚姻法說得更甚：
「寡婦是非要改嫁不可，
不然隨便強姦你一頓。」

× ×

另外更有人公開宣傳：
「弟婦阿嫂都可以祖遜，
這是新婚姻法所許可，
大家不要再顧什顏面。」

× ×

反動的眷屬更要遭殃，
都是共幹洩慾的對象，
走了這個又來那個，
故意給你這樣的斷喪。

× ×

離婚的事情天天是有，
民事案件裏比例居首；
城市佔了百分四十六，
農村佔了百分九十九。

× ×

誰能經得起這種折磨，
婦女實在都無法生活；
單就匪中南一個區裏，
一年自殺有一萬還多。

× × ×

一切蹤跡還認為不够，
存心要把你變成禽獸；
必須使你喪盡了廉恥，
然後才好和他們同臭。

黑十字

北晨

這真是一個令人感到苦惱的問題。

前兩天打了第一個電話之後，洪正池並沒有來，甚至再沒有來過第二次電話，但是却有了許多信，每封信裏都有些精彩的句子。

第一封信的裏面說：「我想來看你，但是不願意來看你，因為我什麼都明白了，你的姐夫當你搖錢樹一樣的關住你，他要從你身上賺一筆大錢，你也可以從此幸福，為了證明我是真心愛你，我願意犧牲我自己，要求你選擇一個便利的時間和地點，我想和你談一次話。」

監英只是看了一遍，將信燒成了灰燼。

第二封信裏說：「我知道每個女人都一樣，所以你也不能例外，我現在只要求你，我在『新都』的上面開了一個房間，你只要抽空上來一次，讓我說完我的話，流完我的眼淚，你便倒到別人的懷裏去。」這封信仍留不能勸搖她，

但是她却有了感想，這感想倒是不利於黃洸的，她覺得每個男人都一樣，要們讓他永遠處於被動的地位，這時，男人才肯掏出他們的血與淚，灑在愛情的花朵之上。

第三封信不同了，她的感情與神經都受了狙擊，這封信上說：「忍心的人，我愛你的殘忍的心得到一次更大的滿足，你看了這封信，你該知道我是如何傷心滅意愛着你的。今天下午八點鐘以後，那一羣魔鬼有一個宴會，你可以托故不去嗎？魔鬼們鬆懈了對你的監視，你可以上來坐上半小時嗎？」

原來這封信濺滿了血跡，有些字，是那男人的血汁所寫的。

與其說是感動，不如說是畏懼與憐恤的成份居多，她覺得事情愈來愈險惡，如果沒有一個合理的安撫，這事情將朝更壞的一面發展的。（卅八）

‧中篇連載‧

中國之友（六）

毛以亨

華爾傳（五）

杭州于二十九日又下，太平軍之勢大張，李秀成遂率大軍五萬包圍上海，並與外人交涉。Russell最近訓令仍戒陷入戰爭，而嚴守中立，但末後帶上一句，「如清室不利用上海為其進攻的根據地，則防守商埠是有用的」。Hope即藉以執行其防守上海政策，向三十英里一帶進攻，雖領事Medhurst與商人怡和洋行的反對亦不顧了。英法用攻北京南下之兵為主力，向太平軍不宣而戰，與清軍一致出動，於是華爾發展之時代到了。

三、華爾與常勝軍

上海之所以能保守，並轉敗為勝，消耗太平軍之大量兵力，實為英法海陸軍聯合作戰之功，然欲諱武力干涉之名，除訴諸保衛租界之理由外，不得不以戰功歸諸常勝軍。其實常勝軍兵額最多時不過六千人，洋將數百人，而太平軍方面擁三數萬，決非常勝軍之所能單獨應付，而究能常勝，即為英法海陸軍之戰果，亦歸在常勝軍名下，故敘華爾戰功，不得不從英法海陸軍對太平軍的作戰一起說來，時Bruce已與恭親王交涉就緒，乃於三月二日函Russell謂上海受威脅，太平軍利用英人消極態度進攻寧波，非取攻勢不可，Russell批准之，但不以公開于國會。Hope則謂要給清軍以道義上的支持，計劃從嘉定至青浦再到松江的掃蕩三十英里周圍的戰爭，大戰遂一發不可收拾。華爾之軍改稱常勝軍，則為二月間上諭所賜之名，華爾亦晉級為副將，Hope即稱之為中國新建陸軍的核心。

攻勢須待英法衛戍天津陸軍調滬開始，先頭部隊，為二千七百人，砲十六門，主將為英海軍司令Hope，陸軍司令Staveley，法海軍司令Protet與華爾四人。華爾以五百人先進而敗，Hope亦受腿之傷，然卒于翌日克之，是為四月四日王家寺之役；十七日又攻周浦克之，而滬南肅清。另有一軍合共三八四二人，為英法海陸軍及常勝軍千人聯合組成，攜砲三十門，五月一日進克南翔，嘉定再折回松江，十二日克青浦，而法海軍司令Protet則死于是役南橋之戰。時李鴻章亦率所部萬人先寶山進攻太倉，全軍覆沒，嘉定亦失，華爾雖晉級提督，所部增至六千人，惟進守青浦之常勝軍Forrester竟為忠王所擄，

中共調整中央地方機構 情報總署與社會部合併

（本報綜合報導）

本月六、七、八三日，中共「中央人民政府委員會」舉行三次會議，出席的除偽政務院所屬各部會員責人及偽革命軍事委員會所屬各部「部長」外，「華東軍政委員」陳毅，「西南軍政副主席」鄧小平，「東北人民政府副主席」林楓，「華北行政委員會主任」劉瀾濤等也由各地趕來參加了。

這次「會議」，首先是各「軍政區」的行政報告，地方情況報告，以及偽財政部長薄一波的財政經濟的報告。其次討論並決定了偽中央政府及地方政府機構的調整。

重新部署應付危機

關於調整中央機構的決議是：

（一）撤銷「中央人民政府情報總署」，「新聞總署」。

（二）成立「第一機械工業部」，「第二機械工業部」，「建築工程部」，「地質部」，「糧食部」。

（三）成立「對外貿易部」，「商業部」。在這兩個部成立後，撤銷原有的「貿易部」。

關於調整地方機構的決定是：

（一）成立「安徽人民政府」，以曾希聖爲「主席」，撤銷皖南皖北兩「行政公署」。

（二）成立「四川省人民政府」，以李井泉爲「主席」，撤銷川東、川南、川西、川北四個「行政公署」。

加强黨的特務活動

「情報總署」，是中共偽政府成立後設立的最主要的特務機構。它的工作人員是由共黨的「社會部」分劃出來的。「情報總署署長」是鄒大鵬，他原是共黨中央社會部的秘書長。下設一個「辦公廳」和兩個「調查研究局」，一是「對外調查研究局」，那是負責搜集國外情報和指揮國際間諜活動的。「局長」是晉肇，他原是「社會部第二室第一副主任」。另一個是「國內調查研究局」，那是負責國內各地的情報活動的，它分担了「社會部」，「統一戰綫部」及「公安部」的各一部份業務。「局長」曾調動過兩次。

「情報總署」的辦公廳，則是一切特務活動發號施令的地方，「主任」是戈茅，他原任「社會部秘書室主任」。

這次中共將「情報總署」撤銷的原因，並不是放棄特務活動，相反的是加強特務活動。因爲中共的特務工作及特務人員，一向是操在黨的手裏，黨內權力的鞏固，也全靠這一羣秘人的魔王。自「情報總署」成立後，黨的特務勢力削弱了，同時因爲利害關係，彼此常發生對立和磨擦的事情。其次特務工作是絕不能公開的，「情報總署」內屬於「政務院」，變爲行政上的一個半公開機構，工作效力也不大合乎中共的理想。因此決定撤銷，將它的組織和業務，歸併到「社會部」，「公安部」和「外交部情報司」以統一特務的工作。

宣傳工作配合特務

「新聞總署」是一個宣傳機構，也是一個特務機構，它轄有「新華通訊社」，「廣播事業局」，「國際新聞局」，「新聞攝影局」及一個「新聞學校」。還有一個「辦公廳」。

「新聞總署」的署長是胡喬木，「副署長」是范長江和薩空了。「辦公廳主任」是徐邁進（原北平軍管會新聞出版部長），「副主任」是謝冰岩（新華社秘書長）。「新華社」的社長是陳克寒，「廣播局長」是李強（曾任莫斯科郵電人民委員會研究院工程師），「副局長」梅益（新華社口播部主任），「國際新聞局長」喬冠華（曾任新華社華南分社社長），「新聞攝影局長」由薩空了兼任。

「國際新聞局」和「新聞攝影局」，是特務性質的組織，現將這些機構分別歸併到各有關部門，使特務工作和宣傳工作專業化。

蘇北動蕩暫不改組

中共控制大陸後，江蘇、安徽、四川三省均未設置「省府」，只就各省地理自然形勢設立若干「行政公署」。江蘇設蘇南、蘇北行署。「蘇南行署」駐無錫，轄松江、蘇州、常州、鎮江四個專區。「蘇北行署」駐揚州，轄南通、泰州、鹽城、淮陰四個專區。安徽設皖南、皖北兩「行政公署」，「皖南行署」駐蕪湖，轄蕪當（蕪湖、當塗）、池州、宣城、徽州四個區，二十二個縣。「皖北行署」駐合肥，轄巢縣、宿縣、巢湖、阜陽、六安、安慶等六個專區，四十八個縣。

四川設川東、川南、川西、川北四個行政區，「川東行署」設重慶近郊，轄璧山、大竹、萬縣、涪陵、西陽五個專區，三十四個縣。「川南行署」設瀘縣，轄內江，樂山、瀘縣，宜賓等四專區，三十四個縣。「川西行署」設成都，轄眉山、溫江、綿陽、茂縣四專區，三十七個縣。「川北行署」設南充，轄劍閣、遂寧、達縣、南充四個區，三十六個縣。

「川東行署主任」是閻紅彥（共軍兵團政治部主任）「川南行署主任」是李大章（原任中共東北局宣傳部副部長），「川西行署主任」李井泉（中共西南軍區副政治委員），「川北行署主任」胡耀邦（中共兵團政治部主任）。

中共當初不設「省府」，分設「行署」的原因，是爲了便于控制。現在又因政令無法統一，各行署區各行其是，所以依舊恢復省治。但是蘇南、蘇北的行署仍不見撤銷，據說那裏還有反共的力量存在。蘇北是共黨的所謂「老區」，陳毅曾老早在那裏盤據，而現在却是中共最不放心的地方。行政區域劃分小了，政令不統一，行政區域大了，又不易控制人民，這矛盾，看中共怎樣去克服。

粵共三個警備師内幕

本年三月以前，粵共本有「珠江濱海指揮部」之設，由中共四十四軍軍長方強兼任指揮員。方強是一個值得注意的人物，他是林彪的嫡系（國際派）。中共參加韓戰後，四野各個軍都抽調一師至兩師北上，獨四十四軍始終沒有動過，這可說是林彪有計劃的佈置。目前在廣東掌握軍事實權的並不是葉劍英，而是方強。他除了四十四軍以外，還兼廣東軍區副司令員，和中南區海軍司令員：前者名義上是葉劍英的副手，但却握有軍事實力；後者的地位則駕凌葉劍英之上，至少也是相等的。所以目前在粵境的共軍，除了空軍之外（空軍是直接由俄人指揮的），海陸部隊都出方強指揮。本年三月以後，他就將「珠江濱海指揮部」改爲「珠江海防警備司令部」，職權當然較前擴大，同時他爲了要充厚自己的實力，又將原日土共鄭少康的「珠江縱隊」，吳有恒的「粵中縱隊」兩部集中整編，再加上若干民兵，於四月間成立一個「珠江海防警備總隊」，以下分爲四個大隊，分駐中山、東莞、寶安一帶，並在虎門太平鎮沙頭鄉設立一個「幹部教導訓練所」。由該部的主任參謀秦漢樵兼所長，主持調訓各大隊的幹部。到六月間訓練完竣，即又將範圍再行擴大，改爲「珠江沿海警備司令部」，將警備總隊正式整編爲三個「警備師」，負責防衛珠江沿海地區。

這幾個師的成立，意義並不單純：第一、固然是方強想擴充自己的實力；第二、情勢日緊，國軍隨時可能反攻登陸；中共對珠江口外必須加強防禦部署，以保衛華南的心臟——廣州。還有一項更主要的作用就是：有了這幾師，擺在沿海第一線，而由正規軍殿後，假如到了那麼一天，強大的國軍兩棲部隊大舉登陸時，這幾個師便可作爲擋箭牌，使後面的中共正規軍得有機會細察情況，可戰則戰，不可戰則退，實力還可暫時保存，這就是粵共的一個如意算盤。

至於它的人事和駐地分佈情形如下：

珠江沿海警備司令部（設虎門）

司令員：方強

副司令員：吳克華（兼任，十五兵團副司令員）

政委：王作堯（兼任，代廣東軍區江防司令員）

第一師

師長：張池明（原任公安第二師師長）

副師長：吳有恒（原任「粵中縱隊」司令）

政委：鍾明鋒（粵中軍分區司令員）

第一團——團長：彭沃　副團長：饒岳

第一營——駐新會崖門附近官冲鄉

第二營——駐梅閣

第三營——駐沙堆等鄉

第二團——團長：鍾讓吉　副團長：曾啓光（團部駐大兜山）

第一營——隨團部

第二營——駐台山都斛

第三營——駐台山端芬等鄉

第三團——團長：吳永堅　副團長：莫宗南（團部駐台山沙欄）

第一營——駐台山端芬附近各村

第二營——隨團部

第三營——駐赤溪大襟島

第二師

第四團——團長：歐勵吾　副團長：鍾聖生（團部駐中山白蕉）

第一營——駐中山前山一帶

第二營——駐中山灣仔、銀坑

第三營——隨團部

第五團——團長：戴武　副團長：梁幹球（團部駐唐家灣）

第一營——隨團部

第二營——駐大小橫琴島

第三營——駐三灶島

第六團——團長：王甫　副團長：馮海石（團部駐中山斗門）

第一營——駐斗門乾霧

第二營——駐虎山蕩山

第三營——駐南北水等地

第三師

第七團——團長：楊雯　副團長：劉錦沛（團部駐虎門）

第一營——隨團部

第二營——上下橫擋

第三營——威遠砲台一帶

第八團——團長：陳峯　副團長：洪甘泉（團部駐保安南頭）

第一營——駐保安西鄉

第二營——駐保安沙井附近

第三營——隨團部

第九團——團長：曾勵時（團部駐保安大鵬鄉）

第一營——隨團部

第二營
第三營——駐沙魚涌附近各鄉

（華僑通訊稿）

上海通訊

歪風愈吹愈盛 三反毫無用處

共幹官架子十足 一推二阻三不管

有一位東北旅大地區的共幹，到上海來採購電器工作，他首先到華東工業部營業所電器組接洽，電器組的共幹說：「你到供應組去接洽」，他到供應組組內共幹又說：「你到訂配組吧！」到了訂配組，又要去營業所，推來推去，他跑了好多趟，始終不曉得誰人負責。

七月二十八日他又去訂配組打聽，一位坐在櫃台內的共幹正和一位「女同志」說笑，根本就不睬他，一連問幾句電氣材料那位「同志」負責，那位幹部將台上紙一拍說：「你看看」，上面寫着「徐同志因病請假，有事的人明天來」，這時他又追問一句「一位同志生病，如何竟把工作停下來」，誰知那位共幹却蠻橫的說：「那麼怎麼辦，他有病還能把他拖來不成，」這時他又要去見上級，結果也見不到，白吵了一架，仍無結果，他只好提出意見給解放日報「外面的同志對工作不負責任，科長坐在房間不讓見，怎麼辦呢」？最後還是沒有辦法。

辦理業務如兒戲 有意拖宕害廠家

另外還有一件事，中國電影器材公司機械廠在去年十一月份，委託該部經理處訂配組定購電影機小馬達一批（數百隻），合同至今尚未簽，該廠派員函催將近十次以上，而該組却一再推諉說：「正在聯系」、「沒有問題，合同即可簽下」，「因爲五反工廠不能接貨」，「請把訂貨款全部匯來，合同就可簽訂」，直到現在已經十月，合同依然無着，中國電影機械廠受到重大損失，而華東工業部的業務員則死人不管。

生產方面錯誤多 做工要出熱性貨

至於在生產方面，錯誤更多，最近根據合同，撥付翻砂廠的材料，單純配發石景山的鐵，由於事前對鐵的成份沒有試驗或試用，撥料時也未搭配其他成份的鐵，就撥了下去，上海翻砂廠過去都未用過石景山的鐵，結果翻砂廠澆出鑄品送交機器廠加工時，都因鐵質差，雜質多，砂眼夾灰現象嚴重，造成了大量回爐品，單以培源鐵工廠來說，一部八尺車床上工作了一個月時間，出的全是砂眼回爐品，不能適用，同時七月份的用款用料表在六月底前送去，過了半月還未核下來，許多工廠因爲缺料停工。

最近該部要興建職員宿舍，需要一批建築工人，四百八十多人，原通知七月九日就下來了，規定十日集合，工人到期去報到，說是延到十四日，白跑了一趟，到了十四日又宣佈不用了，許多工人都辭去了零工，結果弄得沒有工做，最後才知道這個工程被另一家建築公司包去，還是「熱性貨」的作用。（悠哉寄自上海）

中山縣「土改」慘狀

李華

中山縣中共「土改會」公佈：中山縣自去年五月開始在減租後，施行「土地改革」，至本年七月中旬止，除第七區一部海島及第九區黃圃鄉尚在進行「反霸」外，全縣二百十七個小鄉，七十四萬人口的地區，已完成「土改」。

在這個期間，中共動員了一千六百三十五個幹部，沒收了地主土地八十一萬九千〇四十九畝，房屋一萬二千五百九十六間，耕牛一千四百六十六頭，農具卅七萬多件，穀六千四百多萬斤，有五十五萬五千農民，獲分得土地農具，十八萬五千人，未分得土地。

就由匪共自己公佈的這項數字分析，不難看到中山縣現狀的慘況；

七十四萬人口分佈在二百十七個小鄉，平均每鄉約有三千四百餘人，這平均三千四百多人的小鄉村裏，匪共由「土改」名義下又收獲些什麼？爲認識的方便不妨再平均分上項數字：約近八個共幹去推動每鄉「土改」，經過「減租鬥爭」，「鬥爭」，「反霸」，……等階段，收獲是不少的：平均每鄉沒收「地主土地」三千七百八十四畝，房屋五十八間，耕牛約七頭，農具一千七百零五件，穀約三十萬斤。

因「土地改革」的事實，每一個小鄉的生產因素：農田，農具，……發生如上的變動，變動的過程中，估不論「鬥爭」，「反霸」，「清算」，……種種人力上的浪費，即就「生產」而論：因「土地所有權」的未能確定，土地的耕種問題勢必發生，也就是說：或者停止生產，至少也要減低生產。耕牛的使用，農具的重分配，房屋的居住效用亦更因此而減低其使用價值。對每個小鄉的「生產總量」來說三千七百八十四畝土地，一千七百零五件農具在三千四百十人間來估極大比例數，每鄉每人平均有一畝土地停止生產或減低生產，平均每二人有一件農具未能使用，或使用效率減低。

其次，穀類約平均到每鄉有三十萬斤，從「土改」的「鬥爭」中從「地主」處收括出來，這項食物據「中共」自圓其說是歸諸農會，仍然是地方上的財富，而事實上並不盡然：中山縣「土地改革」過程中，春荒的嚴重情形是中山縣前所未有過的，中共利用了「春荒」而再威脅地主家屬親戚向地主清算，發動長工，婢女、妾侍，親房檢舉而又搜括出了更多糧食。

所以中山縣各鄉「生產低落」是中共「土改」所促成，而反用這種人爲的「生產低落」做僞宣傳「土改」，一經指穿，中共迫害農民的眞象自可大白。人爲促使「生產低落」不算，再加上原先地方上存糧的控制，即以每鄉平均約三十萬斤論，每人約有八十七斤糧食被「土改」名義從每人身上搜括去。

這又是「造謠」嗎？

高方

匈牙利出席世運會的游泳冠軍選手史索卡女士——她的眞名叫「加塔蓮賀萊西」，因其父被俄共特務暗殺後，不許她再冠父母姓氏，乃改名史索卡的——這次在芬京參加水球比賽時，認識了一位美國游泳選手休斯，兩人曾於業餘見面懇談，頗有相互愛慕之意。事爲匈共領隊所知，即將她鎖閉於旅館中，然後用飛機押解回國，結果一定要受到嚴厲的檢討批評。如果照中共在大陸上的鬥爭方法，她既是「反動家庭」的女兒，原係階級敵人，竟不感戴「人民」的寬大恩德，站穩立場，敢與「美帝」侵略份子結交相愛，公然破壞「人民」利益，非以「反革命」論罪，死在公審台前不可嘍！

去年我接到一張署名「中國共產黨民主革命同盟」的宣傳品，其中提示着「行路自由」「戀愛自由」兩項主張。當時以我這樣未曾講過男女戀愛，也未曾受過移動寸步即需路條之痛苦的人看來，覺得這兩項主張似係末務，不成其爲政治革命的政見。如今看看史索卡女士的下場，以及羅馬尼亞出席世運會射擊選手卡離開要求西方民主國家庇護他作政治難民等事實，纔瞭解一般住在鐵幕內的智識青年，過的是甚麼日子，其痛苦實非身受者所能想像，這就是俄式共產黨人所謂「一切爲人民」的天堂生活！

大概那些俄共集團的文化特務們，不免又要奉命宣傳一番，使用他們的唯一本領，指別人「造謠」！此外沒有可說的了。

自由談

逃荒

·康百度·

張安全今年六十多歲了，有兒有孫，又是貧農階級，既沒鬥爭的麻煩，也無淸算的危險，土改後一家分的田還不够他兒子一人料理，根本無勞他動手的地方。論理，他很可坐享淸福，無須再繼續操作了。偏偏八字生得苦，該是勞苦命，却又發生了韓戰，參軍的洪流，泛濫開來，村子裏的年靑伙子，一批批被送去充當砲灰，就在今年正月間，他那兒子也同樣的在無可奈何下，被迫跨上了北行的火車。於是，爲了一家的生活，他便不得不肩負起他兒子所遺留下來的工作，再度靠他的老命！

幸而他那兒媳非常賢淑，不僅能够刻苦耐勞，並且還是幹活的老手，所以，在全家同心合力下，對那幾畝田地，總算還能免强對付下去。不料，今年四月間雨水竟特別多，長沙四鄉的障堤都相繼淹沒，他們也就白費了一春的辛勞。更不幸的是，等到水退去後，當人們又重新播種插秧，植下晚稻後，忽又發生虫災，將那正長得青油油只差幾天出穗揚花的禾苗，吃得一乾二淨。天呀！這怎麼辦呢！莫說以後的日子怎樣過，就是目前的日子就無法打發啊！

張安全家去年的收成，一大半繳了公糧，剩下來的，吃到今年三月間就早已吃光，一個多月來就靠春天收割的一點麥子摻和着野地挖來的黃花苗渡着一家人的性命。照原來的理想，如果年月好，等到早稻出穗時，先趕那早熟的割些下來拌野菜，就可糊到早穀登場了，如今既然連晚稻都無了希望，原來的計劃就更被打破了。往年還有大戶人家可以告借，如今富有點的早被清算鬥爭光了，剩下來的，都和張安全的情形差不多，自顧不暇，又那裏有餘錢剩米借給他呢！因此，張安全一家子便陷在憂慮和恐怖中——担心着會活活的餓死。

是五月初旬的一天晚上，張安全和他的老婆，在房子裏焦慮的計議着，老婆子告訴他家中僅剩的一升麥子今天已拌野菜吃了。他聽了只是唉！唉！的嘆着氣，淚珠斷綫似的撒了下來。隔壁他那才只四歲的小孫子，又正被飢餓的火迫得向他媽媽哭嚷着肚餓！他心裏就更像刀割一樣。忽然，他腦中浮起了廿一年前的一段回憶：那時不是也鬧水災嗎！長沙城裏政府到處設有施粥廠，還有其他的賑濟。他帶了他的妻子等逃荒回來，並不但人沒有餓死，並且還積下了一筆筆討來的錢……。當他想到這些時，他那多縐紋痛苦的臉，忽然現出一絲笑意，就像雨過後的青天。不由得重重的拍着斑白的腦袋埋怨着自己說：「我眞老糊塗了呀！怎麼忘了到城裏去逃荒呢？」

第二天他挑着一擔籮筐，一頭放着他那四歲的小孫子，一頭則是被子和舊衣服，鎖了屋子，帶着他的老婆和兒媳到城裏來逃荒了。雖然使他有些失望，並沒有像往年那樣的施粥和急賑，討飯討錢也比往年困難得多，可是每天總也能塡飽肚子，只是這樣好景也不常，不到幾天，四鄉的災民漸漸都來了，於是討飯討錢也就更不容易。

就在五月廿八日那天，災民在在討無着下，便漸向湖南省人民政府所在地的教育東街集中了。從中山西路又一村口起直到北門外瀏陽嶺，密密的排列着災民。長沙中共所有的武裝全體出動，如臨大敵，一般商民紛紛關門閉戶，以防不幸。而災民則不管共兵如何恫嚇，抱着打也是死，餓也是死的心理，一路呼叫着：「給我們吃呀！」向教育東街移動着。

這天張安全一家也夾在人羣裏，他並且也很興奮，在那裏跑着他前後左右的人討論着：「現在不是人民政府嗎！人民政府還會讓人民餓死嗎！」「我們去年的公糧爲什麼不拿出來讓我們吃？難道要讓它亂掉麼」！這時，忽然響出了一片機槍聲，接着便是痛苦聲救命聲哭聲：。隨後人羣就像潮水般湧下來，他的籮筐被擠翻了，他那四歲的孫子被擠翻在地上，等他要趕去拉時，却早在人羣的脚底下了。他再回頭看他的老婆和兒媳時，却早已不見了蹤影。原來他早已不在原來的所在了。一陣昏眩，他也就倒在人羣的脚下了！

香港三年（三）

·舜生·

因爲談香港，因爲看見香港一百年來建設工作，因而使我聯想到民國以來的山西，以及三年前我自己走過的一條首都附近的公路，這好像是扯得太遠了，其實不然。

我們試想想，清朝最後的六七十年，民國以來的四十年，這個時間對於中國人的關係，會是何等的重要？說到中國人所受過的刺激，中國人所受過慘痛的教訓，總算是中國有史以來所無可比擬的了。大抵在這一百年中，中國人每經一次失敗，也照例有過一度的振奮，太遠的且不去管他，例如甲午以後，庚子以後，辛亥成功的當時，第一次大戰的末期了，北伐後與抗日前，我們何嘗不看見中國人確曾有過多少想振作起來的痕迹？可是『想振作』過是事實，而終於沒有振作得起來，而且是一次一次的倒了下去，也是事實。最近這三年來的慘敗，其中所包含的教訓，總算是更深刻，而且是更爲多方面的了，中國人是不是又在開始振奮呢？多數人都在高呼反共抗俄，更有不少的人在迫切要求自由民主，還有若干人在美國的援助之下也在做一點點生產建設的工作，假如你說這不是一種『想振作』的表示，豈不近於厚誣？可是，假定如天之福，在今後的十年（我是從最低的打算）我們對於反共抗俄這個大題目，果然能够逐漸勝利的告一段落，我們也居然能够逐漸逐漸的返回到那個悲慘的大陸，你相信，今天的所謂振作，是不是會一直正確的發展下去，繼續下去，而不會半途又出岔子，一如已往中只是曇花一現呢？老實說，我對這個問題的回答，暫時還只能持一種保留的態度。無他，中國人在這個一百年，儘管經過了無數次血肉淋漓的教訓，可是中國人對於做一個現代人，或者縮小範圍說，對於做一個現代從政者的基本觀念，截至現在爲止，依然沒有體念得明明白白，把握得牢牢實實，更沒有看見一個人能够表現得清清楚楚，因此，我對中國的政治前途，依然不能表示怎樣的樂觀。

中國的儒家說：『親親而仁民，仁民而愛物』。又說『施由親始』，儒家的這一套說法，在他們的思想體系上，自然也可以說是『持之有故，言之成理；』可是由這一觀點出發，而演爲中國社會的結構，成爲中國社會一般的習尙，更加上許多阿世媚俗者的種種曲解，於是使得中國兩千多年來的政治，乃毫無可觀，即有少數豪傑之士，從另一觀點出發，想奮發而有所作爲，也往往鎩羽而去，甚至鬧到身敗名裂爲當時所不齒！因爲如此，一直到今天爲止，我們依然看不見眞正幹政治的人，而只看見無數無數做官的人，做官的目的不在做事，一個較古老的觀念，是在『光宗耀祖』，『揚名顯親』，『封妻蔭子』；就說近年多少有些改變，可是『宮室之美，妻妾之奉，所識窮乏者得我』的這一套，即在比較的賢明者，又何嘗能剷除盡淨？這是中國政治一切醜惡之所由來，決不是貪污無能這類的皮相之談所能解釋得了的。我們今天已經應該認識：『親親政治』不獨與『民主』絕不相容，即與『黨治』亦斷然不合，不從這種源頭上想辦法，而希望中國會有現代的民主政治出現，我恐怕總是南轅北轍吧！平心而論，我何嘗願意忍痛來恭維一個香港？然而別人拿了這樣一個地方，究竟能有這樣一種表現，可是我們呢？（一二一）

萬竹樓隨筆

亂彈齋詞話

昭君怨　馬五先生

序曰：美國有一冒充科學家的青年畢克斯，自命爲深得人類最大祕密之長生不死術，著有「如何長生不死」一書，最近曾要求設在哥倫比亞大學內的美國物理學會替他出版，被拒絕。他因此書而將長時間所積蓄下來的一千元私財用光了，一氣之下，計畫用一顆電動炸彈把該大學炸毀，但迫不及待，乃懷着手槍，由波士頓跑到紐約，在一清晨中，對準物理學會辦公室連放八槍，竟將坐在辦公棹前，正閱讀愛人由朝鮮寄來情書的愛蓮小姐打死。他告訴警察說：物理學會的先生們不肯看他的大作，連望一眼也不肯，所以他就動了殺心！此公不幸而未遇着我國秦皇漢武那般貪生怕死的帝王，否則富貴功名唾手可致，又何至於爲着損失千金而枉殺美人乎？

聞道長生不老，物理專家慌了，無意賞奇文，暗傷神。
有美人兮冤極，竟替專家流血，代價更相因，一千金！

「勞模」的下場

惜夢

綏賓縣裏的王家大院，王二把頭當選了勞動模範；消息剛剛才宣佈出來，立刻就哄動了綏賓全縣。

× × ×

王二把頭的身分居然就闊，縣委會開會時常坐在上座，各地跑來訪問他的人，每天最少也有二十幾個。

× × ×

簡直把他捧上了三十三天，全縣裏的要人都和他周旋，每天從早晨到夜晚，弄的他一刻也不得安閒。

× × ×

都說這小子命運不錯，誰知他老婆在家挨餓；時間還沒有過去一年，他已感覺到不能再作。

× × ×

家裏窮的是這樣乾淨，偏偏不幸又呆出病症，一下子躺了半月還多，實在不能够再去勞動。

× × ×

老婆好容易找到縣委，苦苦哀求他發發慈悲；「丈夫眼看着就要病死，想借一點錢作爲藥費。」

× × ×

「你知道王二把頭爲什麼當選，原是利用他鼓勵大家生產；現在既然是不中用了，你這狗屁事誰還來管。」

× × ×

從此王家大院便不像以前，沒有半個人牙子再來望看；王二把頭的破門老是關着，烟囪裏總也看不見冒出炊煙。

中國之友（七）

毛以亨

華爾傳（六）

太平軍進至靜安寺，難民逃滬者五十萬人，於是上海外國租界有聯軍防守之南橋，與常勝軍所守及英軍協同防守之松江。旋忠王欲解南京之圍，乃撤圍滬之兵，而英人竟向香港增援，其對太平軍攻勢已一蹶而不可收了。

寧波曾爲太平軍所佔，然租界仍爲英軍防守，避難者七萬人。

一八六二年五月六日，所謂淸兵者實爲八十隻盜船之匪首 Apak 攻取淸鎮海，英法軍艦六隻，助之攻克寧波，並作附近掃蕩戰。八月十一日英守將 Dew 攻取餘姚，所率爲常勝軍常安軍一千餘人，尙有一千五百人爲廣東鄉勇，且恃英法軍艦爲後盾。華爾于九月十八日抵寧波，廿一日率其軍九五零人，得英法軍艦之助，攻慈谿克之，華爾則于是役受傷致死。十月九日常勝軍將 Forrester 克奉化，旋即退兵，而以浙東軍務委諸常安軍。常安軍爲法人 Le Brethon 與 Giquel 所組織共二千五百人，後以 Le Brethon 與 Moindrey，均于一八六三年一二月戰死，歸 Aiguebelle 率領以克紹興。

常勝軍名雖隸李鴻章，李後派副將李恒嵩以爲之副，然實即英法陸軍之別動隊，乃隸于主力之英軍者。實際上李氏在淞滬一帶戰功，都是英法海陸軍的，他和程學啓安慶帶來的部隊，太倉一役幾全殲滅，後來祇好招新兵收降卒，用常勝軍官訓練其淮軍。但英法傾其打京津之兵的半數來與太平軍戰，初期亦失利，等到消耗戰之後，太平軍之洋槍隊，軍火來源不繼。英軍法軍方面又編擴砲隊，用盡打京津之洋兵尙不够又從香港調戍印度之兵前來，始能擊潰太平軍主力，而就是常勝軍與李鴻章的戰功，而不抹殺英法陸軍大兵團參加作戰之眞大事實，等于把此中曲折神祕起來，把華爾神化起來，而不能把事情說淸楚。太平軍是中國當時最強的軍隊，沒有外力是無法擊敗它的，足見華爾作如何艱苦非可僥倖成名了。

四、結尾語

華爾葬于松江，未歸骨于美國，松江人且爲之立廟，春秋祭祀不輟，蓋刧後災黎，感其救命之恩，出於至誠，故數十年不衰。然其故鄉 Salem，有華爾紀念館，其惟一財產之軍刀一把與其軍札均陳列其中，名爲 Essex Institute，美國人不以其殖民地之冒險家而加漠視，對彼之推重，反高出於拜其厚賜之中國人上。中美人士之交誼，已由華爾植其基，而美國對中國的貢獻，已有良好的偉大開始。華爾對其部下與中英雙方當局均有好感，非由于面面俱到的敷衍，而由於明朗的胸襟，負責的精神，與坦白的態度。

黑十字

北晨

而且，她不想見到朱瑛以及小江小蔡那一批人，因此，她用電話和白濟宏說好，佩雲那兒，請他代送一份禮，她不想去了。

白濟宏並不一定要她去，這樣一來，她便登在家裏，做了另一個戲裏的主角。

× × ×

小蔡由半島酒店跑了回來，已經花了一個多小時，那一班人正喝得人仰馬翻，酒量很大的白濟宏，這一回竟然醉了，小蔡才進佩雲家的門，他便嚷着：

「小蔡！姓黃的呢？我的太太過生，他幹嗎不來？瞧不起白某？」

小蔡一看，他已經醉了。

「小蔡，尋着這小子沒有？玩的樂的，花了老子一萬多，今天不給老子面子，明天我要他離不了香港。」

小蔡跑過去輕輕地，告訴白濟宏，他說：

「姓黃的已經離開香港了。」

這是夏天的一聲雷，白濟宏的酒也震醒了，他趕忙追問：

「你怎麼知道的呢？」

小蔡扼要地說出來，他告訴白濟宏，「半島」的房間已經退了，而且是酒店裏代購了下午船票，黃洸早已回了澳門。

飲下去的酒都醒了，即使再能鎮靜，仍舊掩飾不了臉上的驚慌，他第一件事便是撥電話給朱瑛，他問：

「朱小姐，黃先生幾時來過電話？」

「下午一點左右，怎麼？出了什麼事？」

「他走了！」

這三個字，給予朱瑛同樣重的份量，她曾經長線放鳶子，在黃洸身上花過功夫，黃洸走了，和白濟宏都亦同一樣，這些功夫都白花了。（卅九）

·中篇連載·

自由人

THE FREEMAN

（半週刊每逢星期三六出版）

（第一五一期）

每份港幣壹毫

督印人：李光霽

社址　香港高士打道六六號

電話：二〇八四八

GLOUCESTER RD.
HONG KONG
TEL: 20848

承印者：東南印務出版社

地址：高士打道六四號

台灣總辦事處　台北市館前街五十號

台灣經銷處　台北市中華路一二五九號

期待美國進一步的行動

韓戰停火談判，事實上已陷於停頓，換言之，要把韓戰正式停止下來，這個希望已經甚微，現在韓戰場的情況，只是地面的接觸減少，空中的轟炸加劇而已。

·左舜生·

本來，把韓戰毅然的停下來，其利害得失，撇開對美對蘇，都非常複雜，遣俘問題，誠然是難於妥協的一端，但就整個冷戰局勢看來，決不能指遣俘問題不能解決，即爲韓戰所以停不下來的惟一原因或主要原因。

就一般的情勢來說，蘇聯似乎是對歐主守，對中東北非以迄東南亞主援亂，對遠東則主攻。主守的目的在使歐洲的建軍鬆勁。亦可期待歐洲聯軍自身發生其他的麻煩；援亂中東北非以迄東南亞，亦即所以增加歐洲民主一方的困難，且有民族主義可資利用，亦較易下手，其意外的收穫，也可能使美國與英法間的步調很難趨於一致；對遠東主攻，表見於：她對韓戰的欲停復止，對中共的援助日益加強；同時爲我們所扭心的，即爲日本在建軍未完成以前，可能遭遇一種意外的突襲，換言之，斯大林對日本的估量，終不能不有『爲虺不摧，爲蛇奈何』之感也。

本來照我們的看法，美國如果以決心援助台灣在華南另闢一個戰場，並不一定會變爲促成大戰的導火綫，且可能使韓戰比較的容易結束，可是美國却不這樣想。最近若干訪台的美國高級將領，儘管對台灣的軍事相當的加以鼓勵，可是並沒有超越如何確保台灣的一個限度，反之，美國有權威的輿論，則對台灣的政治仍時有微詞，不過官方則保持緘默而已。我們不要誤會以爲美國不干與我們的內政，過去馬歇爾在中國的若干主張，豈不明明白白涉及中國的政治，即白皮書的發表，亦何嘗不是給予我們政治上一個無情的打擊？更進一步言之，所謂軍事與經濟，何嘗不是內政的一端，對自由中國的軍事與經濟，美國亦既參與矣，其所以到此止步者，正表示美國的援華，依然囿於一定的範圍以內，換言之，即如何使中華民國在大陸上重復建立起來，美國尚無如此打算而已。

像美國這樣一個半積極半消極的態度，或對日本則十分積極，對中國則依然相當消極的態度，是非常可慮的。我們對於亞洲問題全盤的看法與主張，自來有下面的幾個要點：

一、蘇聯其所以對侵略亞洲表示其前所未有的大欲，完全是從控制了整個中國大陸開始，她把中共看成是她囊括亞洲一個最有力的工具，這是很顯然的；因此她對中共的援助，斷然不會放鬆，而中共之不能不扭任這個悲劇的主角，則已成命定。

二、把日本加速的重建起來，並使之確有力量足以予共產侵略以有效打擊，這不僅不是我們所反對，而且是我們所樂於贊成的。可是要引導日本扭任這一艱鉅的責任，必須扶助亞洲若干的力量是與日本齊頭並進，而自由中國便是這若干力量中最應加緊扶助的一環。否則單獨的讓日本跑在前頭，而其他方面與之作對等有力的配合，則不僅將使亞洲各國間發生可憂的疑慮，以增加日本的困難，而且很容易授蘇聯和中共煽動者以口實，使中共內部的情緒，意外的趨於堅強，這於自由中國自然不利，即於日本又何嘗有益？至對亞洲問題的全盤解決，當然更是一無是處了。

三、日本眞正的復興，即不使日本只是在軍事上有長足的進步，而日本一般的經濟情況亦足以與其軍事配合，其關鍵實存於中共政權的摧毀。換言之，假定讓整個的中國大陸依然控制在蘇聯手裏，則日本的軍事力量即令擴大到可能的限度，亦將無益；反之，如果日本的軍事果然大了，而經濟依然陷於貧弱，則可能授予共產煽動者以機會，而使日本的內部發生紛擾，日本以其全力對內已感困難，遑論對外？至於在中共打倒以後，則訴諸中日兩國有識者的理知，加以美國的週旋，當不難使日本經濟問題得一澈底的解決，同時把握着這一點，亦實足對日本的反共意志，予以一有力的鼓勵。

四、暫時且不說把中共一鼓蕩平，但最低限度決不能使她命脈無缺平平安安的穩定下去。要辦到使中共陷於絕對的惶恐，且使其內部發生變化，則除掉由美國扶助自由中國在華南建立一堅強的據點使之逐漸推進以外，我們實在想不出第二種辦法。這一辦法，即在華南開闢一個第二戰場，其附作用更爲偉大：一、以此一着，不難使整個的東南亞更爲安定：二、中共在韓戰場更將洩氣，而加速促成聯軍勝利結束的到來；三、使自由中國進入中國大陸能在日本的進入大陸以前，則將使中日兩國的未來關係更趨圓滿；四、也只有把自由中國送返大陸，才能够使她的政治在環境的交逼下，可能有眞正的改革，在目前的情況之下却是希望不多的。

我們這樣一個解決亞洲問題的方案，自信是相當的平實而且穩健，同時也預防着未來的隱憂，最低限度，希望在一九五二與五三的冬春之交，美國能進一步表示這樣一個積極而正確的行動。

半週展望

·雷嘯岑·

中日外交續寫舊史

張羣氏以特使身份，報聘日本，臨行之前，且發佈其洋洋萬餘言的文字，以壯觀瞻，頗有「文章報國」之概；同時又在台北發起「中日文化經濟協會」，處處表示我國對日本建立劃時代的新外交政策之意念。

我贊成這種政策，但不同意這樣急色兒的單相思作法，應該體察一下對方的國情，是否確有從新改寫中日外交史的誠意，再來表演不遲。

吉田茂跟張氏的心情是相同的麼？不見得！

芳澤謙吉來了

劃時代的中日外交關係開始，日本所派第一任駐華大使即爲老外交家的中國通芳澤謙吉。這對於像我這樣沒有健忘病的中國人看來，不免有些失望之感。

芳澤大使就是當年久駐北京的日本公使，轟動世界的黃姑屯爆炸事件，似乎是他跟「張大帥」作霖一席密談之後發生的。他又是二次大戰時的日本駐安南特使，首先替「皇軍」完成「和平佔領安南」的工作，奠定「皇軍」順利進入印緬的基礎。這些事，就他對國家的使命說，是能幹的，就中國人看來，猶有餘悸也！

吉田茂的表示

吉田茂對張特使表示，日本決不想與中共區域通商，發向東南亞發展，希望華僑幫忙。他這話可信嗎？漫說東南亞不是日本可以自由進去作貿易競爭的所在地，日本工商業者依然對中國大陸好夢方酣，就是吉田本人的話，也不過是一種外交詞令罷了。

他在舊金山和會席上，曾經公開聲明日本並不依存於對中共區的貿易關係，結果兌現了沒有？他對中日和約簽訂後的反覆言論，大家還記得不？

日本舊人的對華舊觀念

日本一般年在四十以上的智識階級人物，內心上普遍地殘存着一種輕視中國人的觀念，始終未變，試看他們的駐美大使新木榮吉在就任之前，警告英美，對處理中國問題必須依據日本的意見那種腔調，即可了解矣。吉田茂最近也聲明日本有特異的民族性，應該領導亞洲。這些都是「大東亞共榮圈」的舊式邏輯，何嘗有劃時代的新意義呢？

外交是講現實利害的，單相思絕對無用！此刻別人瞧我們不起，我們祇有知恥自强，同時保持其對鄰國寬大爲懷的固有政策，順應局勢的推移，以待對方反省，自動地開始作新的外交紀錄，庶幾乎成固可喜，敗亦不辱。一味的天眞樂觀，結果恐怕又是沿着歷史的舊路走去。一部舊歷史，幾個舊作家，全靠老腔調，會寫出新東西來嗎？

看英國人的態度

吉田政府以獨立國家的司法權，判處了兩個犯竊盜罪行的英兵，英國方面不承認，駐日大使鄧寧因此而拒絕參加日政府的外交典禮。日方表示讓步，希望英方有人出面保釋兩個水兵，然英方不幹，非移交英軍自行處理不可。

吉田茂這類作風，是有向東南亞發展貿易的打算麼？他心裏很明白，此路不通！英國之強硬態度，固有其強硬的現實因素在，然若爲着英國在亞洲的未來利害設想，又何必以細故而大大刺激日本人的自尊心呢？爭先派遣使節，與日本恢復邦交的國，是英國，對細事不肯遷就的，也是英國，這就是外交！

我們不能這樣做，却不能不有此抱負！

所謂「太平洋和平會議」

中共的所謂「太平洋和平會議」，日本已推定內山完造這般專講「中日親善」的代表要去參加，吉田政府表示不發護照。可是，過去高良富子，帆足計，宮腰喜助等人之赴莫斯科與北平，又何曾正式發過出國護照呢？

日本正玩弄兩面手法，不到黃河心不死，我們沈靜一觀吧！

充滿爆炸性的伊埃兩國局勢

炎夏譯

伊朗和埃及兩國的政變風潮，目前似已暫趨平靜，但熟習兩國政情的人，仍然感覺得劇變仍有隨時發生的可能。待別担心的是英國人，他們恐怕伊朗會發生共產黨的叛變，而埃及——情勢雖不如伊朗嚴重——亦有爆發內戰的可能。現在把兩國含有爆炸性的局勢簡單分析如左：

伊朗

〔共產黨〕據最近所得的消息，當七月暴動莫薩德恢復政權的時候，伊朗幾乎發生了共產黨的政變。當時共產黨在街頭羣衆中所表現的實力，使莫薩德總理爲之驚惶失措。目前各方面都認爲，蘇聯不久就會對它的傀儡杜德黨發出前進的信號。現在雖然還看不出任何迹象，證明蘇聯甘冒大戰的危險，來積極干涉伊朗，但杜德黨在暗中已獲得俄國人强有力的援助，這是無可置疑的。

加斯漢尼暫時雖與共產黨人公開聯合，但將來他一定會領導一般狂熱的民族主義者來反對共產黨，這也是一般人認爲幾乎是必然的。加斯漢尼曾多次派他的私人代表告訴美國大使韓德森，他們認爲美國是他們的朋友，目前他們雖接受共產黨的援助，但終久他們是要把杜德黨撲滅的。

〔英國的政策〕英國目前正面臨一個難於取決的問題，即當共產黨公開叛變的時候，它究竟是援助它的死對頭莫薩德呢，還是自己來發動一個軍事變亂？據英國軍事顧問所提出之報告，目前在伊朗，沒有一個將軍或一部份軍官有能力發動這樣一個變亂。因此，英國人只好閉聲不響的在那裏預作準備，俾於必要時援助莫薩德。但爲避免俄國人藉口引用一九二一年條約，合法的派遣自己的軍隊進犯伊朗起見，英國將不作積極的軍事干涉。爲了這一個目的，英國的噴射機隊正向伊朗境內在英國控制下的幾個機場移動，準備在伊朗軍隊對共黨作戰時，可迅速予以空中支援，英國海空軍最近突向蘇彝士運河附近集中，一方面固爲開羅的糾紛戒備，同時也是爲德黑蘭的政變警戒。此外，英駐埃大使斯蒂文，已一再告埃及新政府，對於英國經過埃及和運河區到伊朗的運輸，切勿予以阻礙。

〔美國的政策〕[illegible]，除非倫敦與華府能協同一致，準備冒最大的軍事危險，否則中東可能於瞬息之間歸入蘇聯掌握。在這樣緊急關頭，并沒有得到任何反應。國務院所採取的態度是「等等看」。它決定繼續信賴「空頭支票」的外交和「宣傳」，打算用「四點計劃」，「軍事訓練團」及「美國之聲」來獲致伊朗一般人的友誼。對於伊朗軍事援助的計劃及攻擊，它都毫不介意，認爲這並不反應伊朗政府官方的態度。很顯然的，國務院之所以採取這樣的態度，幕後的原因還是爲今年是美國的選舉年，一般官僚怕負責任，深恐一旦伊朗落入共產黨手中，他們將遭受責備——如以前中國所發生的情形一樣。

〔石油〕英美兩國人認爲，莫薩德關於石油的建議，可作重開談判的基礎。但是兩國人同意，莫薩德總理不負責任的態度，使談判獲得成功的任何機會都錯過了。英伊石油公司已在他處找得了新的供給來源，對於伊朗石油已不再感到興趣。假定沒有最可靠的保證，它對於規模宏大的阿巴登煉油廠也不願再作經營。據專家的意見，如要把煉油廠恢復到最高的工作效率，要費時十二個月到十八個月，費錢二千萬元到二千八百萬元。假定再有一年不用，那末以後永遠無法修理，恢復工作。事實上，英伊兩國人都願見有人能運一船伊朗油到美國進口。只要有人這樣做，英伊兩國人馬上就會把這一件事牽涉到訴訟案中，請求法庭來判決所有權誰屬[illegible]

埃及

[illegible]

變色的「世外桃源」

亞庇航訊　海天

南海的天堂

戰後的北婆羅洲，由於治安良好，食糧充足，一向有世外桃源之稱。特別是近二三年來，由於東南亞局勢的動盪，香港、菲律賓、星加坡、澳洲的中外人士，有許多人都設法逃避來此，圖作久居。但北婆當局，為求治安良好，一向都採取「治安為先，繁榮為次」的政策，希望入口的人多不易如願以償。因此北婆在一般人的心目中，乃越發增加其冀慕之忱。

不平凡的事件

但過本月七日，一件驚人事件終於爆發了。這件事不但劃破了國外人士的美夢，而且使業已來婆定居的人，亦開始感覺空前的不安。

七日下午三時左右，婆羅洲西部的沙拉越，突然發現共匪蹤跡。當地警察據報立即出動包圍，雙方展開激戰，當場擊斃警察一人，傷二人。土匪數人於散下共產黨宣傳品後，即向森林方面逸去，這是大戰以來，婆羅洲發現共黨恐怖份子活動之第一宗。

這件事發生後，英東南亞專員麥唐納駐沙拉越之辦事處立即宣布古晉區域進入緊急狀態。星加坡、印尼和菲律賓三地的政府人士，均為這件事而感到驚震，整個世外桃源頓時變了顏色。

北婆戰略情勢

北婆羅洲的政治中心，一向在東北部的山打根，二次大戰發生後，日本侵佔南洋，即以海軍登陸山打根而控制整個北婆羅洲。再以北婆為海軍基地，進而奪取星加坡與菲律賓，而佔領整個南洋群島。戰後英國軍略家多以山打根既無險處的港口可守，且地處極東，未能收指揮北婆全境之效，故將北婆首府由山打根遷移至亞庇。

亞庇在北婆西岸中部，背山面海，港口形勢險要，有鐵道百英哩，深入山林地帶，港口兩端抱島環列，形成沿岸屏籓，但和這次發生事故的古晉區仍距離極遠。古晉是沙拉越的首府，沙拉越大四七、〇〇〇方哩，大部份為森林所蓋，人口略超出五十萬，居民包括馬來人，台雅克人及若干小數種族。沙拉越前土王為白種人布魯克的家族，世代相襲，至一九四六年七月，布魯克查理士始將該地讓與英廷。北婆的石油工業即在沙拉越的重要地米利，這次共黨匪徒的出現，可能是馬來亞共匪準備進攻北婆的先聲。

進攻北婆先聲

在最近三年中，英國對馬來亞雖厲行剿共，但對控制着一個南洋群島中央戰略地位的婆羅洲，卻始終採取不設防的態度。因此，婆羅洲始終成為香港、馬來亞及菲律賓間共黨份子走私的轉運站。菲律賓的虎克黨，和星加坡的馬共都利用婆羅洲作為軍火及給養補充的中心站。最近數月來，山打根警察局，在岷省那峨、婆羅洲蘇祿群島南端西布圖附近，曾不斷發現蘇俄潛艇蹤跡。菲律賓蘇祿邊區司令部，亦發現類似情形。上月中旬，英屬婆羅洲的蘇祿海更發生摩洛族反叛事件。所有這些線索，都說明國際共黨對這一片戰略上的重要之地，已由垂涎而進入實際行動階段。

驚破天堂春夢

英國過去對北婆的統治方針，是採取近乎閉關的政策，對於請求進入的人士，一律採取嚴格限制，希望藉此來保持北婆羅洲的純粹化，不受外界勢力的侵擾。而不明瞭共產主義的蔓延，正如水銀瀉地，無孔不入，消極的閉關與封鎖，如何能杜絕赤色毒菌的蔓延。因此，最近事物發生以後，整個的婆羅洲隨即陷入風聲鶴唳狀態。尤其是一般腰纏萬貫，來此避世的寓公，更有心驚膽戰之感。

近二年來，香港來婆掘金和逃難的人，遠較他處為多，特別是港滬二地的建築商，更以此為投資。過去國內很有名望的建築商如陸根泉，陶桂林，葉康年，陳之達等，都曾先後來此，想在北婆承接工程，熊式輝氏亦一度想來此久居。最近香港還有不少大亨準備把在港工廠搬移來此，自從這件事發生後，許多人都不免有新的打算。

英國何去何從

北婆羅洲的命運，目前雖操在英國人之手，但英國過去的策略，顯然已面臨考驗。以北婆羅的戰略位置與經濟價值而言，在共匪黨全力窺伺東南亞的今天，絕無輕易放過之理。目前，英國在北婆的警察力量，不足一千，正式陸軍可以說完全沒有。而對於佔人口三分之一的華僑，亦始終保持相當的距離。如果不急起對外設置防務，對內利用華僑的力量，則星星之火，可以燎原。今天的南海天堂，說不定很快便會變成馬來亞第二，英國人的煩惱目前才開端呢！（八月八日寄自亞庇）

台灣環島行紀（一）

麗子

我這一次到臺灣，已經是臺灣光復以後的第四次。在四次的臺灣訪問中，以這一次勾留最久，到的地方最多。除去澎湖列島和在太平洋上的綠島以外，凡是台灣鐵路公路所可以到達的地區，都走遍了。台灣本島究竟並不太大，而交通卻特別方便，像我這樣的不遺在遠，旅行也只不過花費了兩個星期時間。旅行完畢之後，等待辦理台灣出境香港入境的手續，卻花費了兩個半星期。朋友們問我在台灣為什麼要經月方歸，那是因為他不知道在自由世界中來往，並不自由的緣故。

回到香港又已一個多星期，常有許多朋友問我台灣進步的情形。我這一次在台灣作環島的旅行，完全是私人的漫遊，既未拜會要人，也未驚動官府。要我寫報告，畫表格，舉出統計數字是無法應命的。但是我既然作了一個月的島上客，又繞島走了一圈，不能說沒有見聞可寫。因此我就自己觀感所及，寫這一篇行紀。我所寫的是否就是朋友們所要知道的，就無法預料了。

台灣人口太多嗎　為何提倡節育論

台灣從鄭成功開闢到現在，已有三百多年歷史。鄭成功當年究竟帶了多少兵移了多少民來，無人可以說得精確。據父老相傳，不會超過二十萬人。台灣現在有人口八百五十萬到九百萬，其中包括大陸撤退來的海陸空勤四軍暨軍眷軍屬，大陸撤退來的文武機關及各種與官方有關的事業，如中央日報等，以及由大陸移居台灣避難的難民與官商人等。台灣本省人當在七百萬左右，三百餘年來的蕃衍滋長，其速度與比例不過如此。但是每月以美金計算收入的中國農村聯合復興委員會主任委員蔣夢麟卻一再地著文立說，要台灣人民節制生育。他認為台灣的人口已經太多，如果再照目前的情況生殖下去，二十年後就會增加一倍。到那時候台灣的糧食要感覺不足，人太多了非餓死不可。除去蔣氏之外，台灣省政府顧問王鐘也在新生報每日專欄上作同樣地呼籲，並且主張將現在台灣的多餘人口，向南洋移殖。考試院副院長羅家倫也有節育的高論，並且認為現世醫藥衛生發達，個人的壽命都已無形中延長。不必再多生小孩，遭日後饑荒的淘汰。羅氏又說中國要以馬力和他國競爭，不要以人力的多少與他國比較。

氣候溫暖宜生育　人丁旺盛是好事

說也奇怪，台灣因為氣候溫暖，蓬萊米又滋養豐富，生孩子確是容易。許多從大陸撤退來台的家庭，有些結婚多年，從未生育，有些子女長大，夫妻已老，而到了台灣之後，太太們無論新婚久別，都一個個地凸起肚子來，並且接二連三地生育不已。至於台省同胞，更是家家人丁旺盛。尤其在鄉間，常看見主婦們手提一個，背袱一個，還有「中大附小」在肚子裏。但是台灣的生育率雖然高，卻並不歡迎蔣王羅諸人等的節育論。原因是在大陸上自從中共統治以後，殘殺人，每天死亡的不知有多少。現在台灣方面無論如何加緊生產，抵補不了大陸上死亡的數字。日後大陸收復，將成為無人之境，復興建設在在需人。蔣夢麟說二十年後台灣人口加倍，將有餓死之虞，難道蔣氏認為二十年後，從大陸來的人還是要留在台灣不能回大陸嗎？那就未免太使人洩氣了。一般人認為大陸收復之後，不但原來從大陸來的人要回大陸去，並且還要歡迎台灣的同胞也回大陸去。台灣同胞的祖宗本來也是從大陸來的，只不過比之這一次從大陸來的人早了三百年而已。

節育論不受歡迎　反攻大陸需要人

蔣王羅三人的主張，在台灣社會上所引起的反應並不良好。從大陸來的人，大多是家破人亡的，有幾個人能像羅家倫先將妻子安住在澳洲而後個人來台灣共赴國難死？各人留在大陸的家屬，或是被殺，或是餓死，日後回去，十九不能再見。現在在台灣多生幾個孩子，在目前精神上是一個安慰，在日後回到大陸是重整田園的助手。至於台灣本省同胞，聽了節育的高論，不知者常引起一種誤會，以為只許大陸來的人多養孩子，而要他們少生，這會影響到台省同胞在本省的前途。至於羅家倫說是壽命延長，老人增多，孩子就可以少生，尤為民間所不滿。我在某一個鄉間，就聽見一位老百姓說，日後反攻大陸是要小伙子去拚命，還是有了老頭子就行？回到大陸建設國家，還是要年青力壯的人去苦幹，還是有了長命百歲的人就行？

他們三位的高見，雖也自稱出於濟世的苦心，卻不為台省同胞所歡迎，也不為大陸撤退來台的各等義民所歡迎。眼看只有隨着馬爾薩斯人口論，放在圖書館中，為蛛塵所封存了。

盧作孚死後被清算

紀仁

盧作孚於今年二月在重慶自殺後，民生公司總公司為他在總辦公室掛上了張遺像，但在上月初卻被職工會取了下來。掛上這張像的，是重慶民生公司的職工會，取下來的也是這同一個職工會，這一掛一取之間，盧作孚是由「民族資本家」一變而為「軍閥走狗」，「買辦階級」，「地主惡霸」，與「舊社會剝削階級」了。

重慶民生公司於七月初旬展開清算盧作孚大會，大會由民生公司渝總公司職工主席團工人主席林雲云主席，動員參加的計有民生公司重慶江北船廠，三峽北川鐵路運煤公司，合川分公司，唐家沱修理廠，北碚輪機訓練班等代表，連重慶總公司職工在內，合計不下三百餘人。

大會一連開了五天，結論是盧作孚「罪行如山」，「畏罪自殺」。並歷數盧作孚靠四川軍閥劉湘發跡，抗戰期間及勝利前後為國民黨運兵運糧攻擊人民軍隊，向美帝國主義勾結打擊四川民航事業，在合川與土豪李維周勾結，壓榨農民，解放後逃亡香港與台灣聯絡，偽裝回返重慶，從事反革命活動等等。這一連串的罪行，已使盧作孚正是死有餘辜了。

盧作孚葬身九泉，當然已無由接受「人民的懲治」的。乃竟禍延未亡人謝氏，及長子盧國祺。盧國祺是中央大學畢業留美的學生，原在香港民生分公司當材料科長，自民生公司門字輪在廣州為中共全部扣押後，始隨民生公司撤退回大陸，現在民生公司重慶職工會卻逼他舉出他父親所隱藏的一切公私財產，並要他追回他的妹妹盧國懿，盧國懿在美國讀碩士位，並已與華僑結婚。

中共早不清算盧作孚遲不清算盧作孚，為什麼到現在才來清算盧作孚呢？這就要看盧作孚死後的一段民生公司內幕情形了。首先，是盧作孚在民生公司一般職工中間的信念，其次，是民生公司在盧作孚死時中共對民生公司的折散工作，還未完成。盧作孚未死以前，中共徵用民生公司的船，在三十九年是兩千噸以上的，四十年是一千噸以上的，到盧死前（四十一年）則降為六百噸以上的了，但民生公司的船全部計約一百三十餘艘，噸位在六百噸以下的佔十分之七，中共雖在兩年之間徵用了民生公司的大船，但總噸位的最大多數，還在民生公司手中，盧作孚死後，中共匪改低徵用的噸位為一百五十噸以上的，如此一來，才將民生公司的大部船隻，掌握到中共手上了。若盧作孚未死，即激烈攻擊盧作孚，展開清算鬥爭，則由於民生公司員工幾十年相依為命的情感，可能激起大規模的破壞，成群逃亡，這點中共不能不防。及到中共把民生公司的職工會組織起來，滲透和控制了，而盧卻自殺了。盧作孚以後民小學一教員起家，經數十年的奮鬥，才算是掙扎出來了一點薄面，他的長遠計劃，是不以民生公司的原有現狀為滿足的，他希望勝利以後，整頓中國的外洋航行。但誰知一着之差，竟遺恨千古，而隻身雖死，尚禍及妻兒呢！

鐵幕後著名運動家紛紛奔向自由

四年內達二百餘人

【維也納七日電】據此間調查所得，四年來自歐洲共黨控制國家逃向自由世界覓求保護的著名運動員至少有二百〇五人。其中包括布拉格共黨政變後逃出的捷克運動名手一百三十八人。此外有蜚聲國際的匈國運動員四十九人、波蘭名手十四人、著名的羅馬尼亞網球手盧萊克夫婦，保加利亞足球員拉沙耶洛夫及該國著名滑雪家卡拉陀契夫。（同時據赫爾新基傳來未經證實消息，九名參加世運競技的匈牙利運動員，已拒絕回歸祖國，在芬蘭首都請求保護。）

過去自鐵幕逃出的匈牙利運動員計有波爾第查兒、金露士、和著名的足球員。匈國第一流女網球家佛蘭蘭也逃了出來。

波蘭逃出的運動家中，有足球健將基姆查、哈包斯基及史塔尼奇，後者為一九四九及一九五〇年波蘭最佳網球名手，參加世運曲棍球賽的波選手杜勃爾斯基也逃至國外。

捷克逃出運動員中大都為第一流捷克曲棍球隊中人。

你的指頭有多大力量

你說一指能撥動汪洋大海，那是你吹牛，或是一幻想，但你如認為自己「手無縛鷄之力」，那是客氣，或者自卑。實際上，你的指頭稍稍一捺，就有一萬五千磅的力量，你相信嗎？

你拿一支針來，用指壓着穿過一塊布，假使你用一磅力，集中於一方吋內，則壓力為十一磅，可是用之於千分之一英寸，則每一英吋所受壓力為每平方吋一千磅，這個力量可以打翻一塊薄薄的牆。

如果這力量集中在針頭上，針頭的面積為〇．〇〇〇〇五平方英寸，計算起來，針尖上所受的壓力為一五〇〇〇磅。因為壓力就是力被面積除，所以很小的力，在小的面積上，可以產生很大的壓力。

你知道了這個道理，你就可以去掉「手無縛鷄之力」的自卑感，但是，你千萬不要誇大到你能「一指撥動汪洋大海」，或者以為自己可以一指即可穿過厚牆。（華）

山地同胞有進步　希望移居平地來

在台灣的人口問題中，還存在着有少數民族問題。便是一般人所謂高山族，現行法令上則稱做山地同胞。山地同胞到台灣較任何人為早，而現在雖尚存有十六族，但人口總數只有數十萬人。其分佈區域在台灣中央山脈的兩旁，台東花蓮境內人數較多。台中嘉義境內則因日月潭的化蕃社，霧社的太耶魯族與阿里山的吳鳳鄉，所居係山明水秀之地，人數不多，卻較為著名。

我在一次旅行，曾經經過許多住有山地同胞的村落。凡是平地人民（這是一個新鮮的名詞，以與同胞相對稱的）要進入或經過住有山胞的地區，必須先向當地警察機關領入山證，否則不准通過。距離台北市不遠的烏來鄉，有溫泉，有瀑布，本是名勝處所，亦同住有山胞，遊客前往也要先行領證。至於山胞要到平地來，換言之，離開其住居的區域，雖不要領證，卻無法久居，因現行法令規定，山胞到了平地，不能申報戶口，取得戶籍。我這次所看到的山胞，各族都有，發覺他們都已能與平地同胞同化，生活也已力求改善的。我所到的幾個山胞的鄉村，鄉長都是山胞。其配屬的警察派出所中，也有受過訓練的山胞警員，並且有幾個是女性山胞。鄉村衛生所中的醫師，是平地人，護士多為山地女同胞。在縣議會中，山胞有單獨選舉的縣議員。我在南投縣遇到山胞議員林君，是一個二十幾歲的健壯青年，問他對於山胞生活的意見，答覆的話也頗有見解。山地國民學校少學生所說的國語，更是十分標準化的。

中共進行清倉查賬工作

中共搞粮食工作，都由老幹部担任，與各級首長勾結分肥，故一向目無組織，上下其手，弄得一團糟。這次清倉查賬，也只是為了秋徵期將到，做給「人民」看看。

【本報綜合報導】中共中南局在八月四日發出一指示，要各級糧食局，迅速進行清倉查賬工作。指示中說：「中南糧食工作」做得太壞了，「過去糧食管理，經費開支，執行制度方面等，存在着嚴重問題，且中央糧與地方糧混淆不清，致使財產受到巨大損失，經各省兩年來努力，雖有改進，但問題仍嚴重存在，對於財政的統一管理和經濟建設都有不良影響，因此決定今年秋徵前在各地糧食部門，必須進行清倉查賬工作。」

存糧多少摸不清 賬目混亂不一致

這次清倉查賬的目的，據說共有五點：

一是摸清糧食數字，澈底掌握現糧。

二是改進管理，俾糧賬一致，上下級數字一致。

三是清查財務開支情況，嚴肅財務開支紀律。

四是清查與公糧有關的固定資產，俾便明瞭設備情況。

五是以查清問題為原則，重大懸案牽涉面較廣，非一個部門所能解決的，呈報上級辦理。

從這五個目的上看，中共的粮食部門二年來正不知在幹些什麼，賬目竟然一塌糊塗，不僅各部門內部湊不攏，還是報上級的表冊數字也不能一致。各糧食部門的財務開支，既要用嚴肅紀律來清查，則平時之隨便支付，一團糟的情形亦可想見無遺。與公粮有關的固定資產，即倉庫，機器，運輸工具等，上級竟會無案可查，摸不清楚，今日竟要從新清查，可見這個上級平時也夠荒唐了。至於清查時遇到牽涉太廣，必須呈報上級解決一節，則正又證明他們各級幹部，乃至地方黨政軍人員對糧食都在串通作弊，偷漏假賬，已非單是粮食部門的醜事了。

清查又是大動員 方法還是老一套

這次清查粮倉，又是一大動員，「從省，專到縣都要組織清倉查賬委員會，各省並須根據力量，組成清倉工作隊進行重點清查，然後由點到面鋪開，時間上限定廣東提前完成，江西、湖南、湖北等省於八月底完成，廣西於八月半完成，河南於九月底完成。」這是配合氣候和秋徵工作而來的。然這樣一來，所要動員的人力就可觀了。

至於怎樣清查法呢？又是那欺騙的老一套，要「各級行政首長大力支持」，「自上而下打通各級幹部思想」，「消除顧慮，積極參加清查工作，爭取立功」，「對違犯財政紀律者，號召自動報出，澈底交代，」並提出「過去從寬，今後從嚴，坦白從寬，抗拒從嚴」口號，要粮食幹部自動坦白。說「自動坦白者，依其情節輕重，從輕處分，或免予處分，拒不坦白的，以及查出，依其情節懲重嚴予處分。對塞業因檢舉違反財政紀律的事件有功者，將予以適當獎勵。」共產黨的許多做法，一向說是由下而上的，但這次清查却是「由上而下」，其原因可能就是「牽涉太廣」。

時間短促難查透 調子很低顧慮多

「三反」運動時，對各個部門都進行了鬥爭，却就漏了個貪污腐化，搞得最糟的糧食部門。而現在則又翻事新做，專對「糧食部門」來搞「三反」了。此中原因，係中共搞糧食工作的，都是老幹部，至少有十年以上的黨齡，這種幹部都是「天下是他們打出來的」，與各地所謂行政首長關係密切，故能「目無組織」「上下其手」。他們既是老幹部，對於共黨那套「鬥爭藝術」向來優爲，今仍用這套來對付他們，效果就很難說了。

所以八月五日長江日報社論祗得呼之於他們的良心了。並且說：「時間既短促，工作又繁重，」要「作得透、查的清」，似乎很難了。

這個清查「粮食工作」，兩年來中共曾三令五申，做過好幾次了，却老是沒有用，這次呢，看共黨的「指示」，調子很低，也可能只是官樣文章，因爲要秋徵了，做給「人民」看看而已。（紀華）

向奴隸社會跨進一步

——中共「全面就業辦法」剖視——

鄭竹章

以「農工專政」爲招牌的中共政權，在對外一再宣揚工商繁榮，富力升漲之餘，突然於七月廿五日公佈「關於勞動就業問題的決定」，聲稱有三百萬以上的失業份子急待解決，這是中共竊據大陸三年以來，正式承認失業問題嚴重的第一遭。

失業問題的根源

共產黨徒以欺騙工人起家，而其欺騙工人最有力的論據就是資本主義社會中，由於經濟循環的關係，工人和失業始終結下不解緣。而在社會主義國家中，由於生產和消費的計劃性，絕無失業的可能。但事實的發展，證明除了實施奴工制度的國家，失業決無法消滅，特別是三年來中共執政的過程中，其所有的政策，更莫不成爲失業的泉源。

首先，由於「土改」及「鎮壓反革命」的實施，被列入地富階級及反動官員的數百萬農民及智識份子，即被剝奪生活的資具而陷於無以爲生狀態，這些人不消說是十足的失業者。至於分得土地的農民，特別在華南及華東各地，由於人多地少，每人分得一畝或七八分土地（如廣東潮汕各縣），根本無法發揮其生產力，因而亦變成農村間的剩餘勞動力，而形成半失業份子。

其次，在強銷公債，「獻機獻砲」，「民主改革」層層的摧殘下，大陸的工商業已面臨破產，失業現象本已在滋長滑發中，尤其自「五反」進入第二階段以後，各地商人對經營前途已感絕望，有的自殺以了殘生，有的用解僱停薪來對付迫害，失業洪流更奔騰澎湃。據六月下旬廣州「南方日報」的報導：廣州自六月五日至八日僅登記搬運工人失業人數即達三千餘人，如合其他行業計算，全部不下五萬人，加上其直接負担的親屬，將超過十五萬人。如以這一比率推算，大陸城市的失業份子，當超過三百萬人。這不僅是中共政權的絕大諷刺，而且直接動搖其鬥爭路線，間接構成社會混亂的暗流。

不是解決的辦法

由於失業問題的表面化和嚴重化，迫使中共不能不在無法中尋求解決，因此，中共在「關於勞動就業問題的決定」中，除了將失業的存在諉之於「舊社會」的殘留，諉之於智識份子，「舊軍官」「舊官吏」的缺乏知識和技能外，不能不承認「土改」以後，「已耕土地不足的情況基本並未改變，勞動力仍有大量剩餘，這些勞動力向城市流動增加城市的失業」，而城市中「隨着經濟改組而來的新的失業及半失業，亦成爲無法避免的困難」。

在農村經濟和城市經濟條件未能基本改變的前提下，中共所提出的解決辦法亦就無法作根本的解決，綜合中共對付失業問題的具體辦法，共有如下四項：

第一、爲避免失業問題的繼續惡化，公私企業對剩餘勞動力，應全部「包下來」，不得解僱。

第二、對於農村的剩餘勞動力，必須有計劃有步驟地向東北、西北、和西南地區移民，並用修築道路及建設大型水利工程等來吞納大批剩餘勞動力。

第三、對知識份子及舊軍官、舊官吏，採取「登記、改造、使用的方針」，要他們在勞動中工作中「繼續改造」。

第四、對城市失業工人進行登記、分批予以政治及轉業訓練。逐步來解決失業問題。

誘迫人民當奴工

上述這四項辦法，從其精神及效果而言，不但不會替失業份子打開一條出路，相反地，只是擴大其原有奴役人民的圈套，進一步把大陸的農民及工人蛻化成爲奴工。

首先，所謂「全面包下」辦法，乃中共「低薪多用人」的慣技，在產銷停滯的情形下，而造成公私企業對多餘的勞動力全面包下，必然增加這些企業的負担，而直接影響其生存。爲了減輕負担，只有走上一碗飯幾人吃的道路。其結果是全部工資水準的總降低，使有工可做的人們，也僅僅能餓不死而已。

其次，用移民墾荒、興建水利工程等辦法來「以工代賑」，中共在過去三年中，實際上已一再施行。一九五〇年的治淮，動用民工達三百萬人，一九五二年的荊江分洪，徵用民工亦達三十萬，而成渝、天蘭鐵路的興築，直接間接使用民工不下百萬人，這四百五十萬人的徵召，全部均係無償勞工，仍未能解決大陸農村的剩餘勞力，可見一般農民生活問題的嚴重。今後中共雖可能驅迫更多的農民，從事超體力的苦役，但這些辦法，與其說是解決失業，毋寧說是用自然淘汰的方法來消滅過剩的勞動力。

復次，中共的所謂「失業登記」及「勞動改造」，更是「強迫勞動」的圈套。在過去三年中，中共在各地所實施的失業登記何止一次，但登記的結果，不是「遣送回鄉」，便是發送各地的「勞動營」，前者是自生自滅，後者是奴役制度的澈底實現。用這些辦法來解決失業問題，正充分暴露出中共政權奴役人民的本來面目。

基此諸端觀察，可見中共對目前大陸嚴重的失業現象，不但沒有自承其咎的責任感，從放寬聚斂，與民生息來舒緩就業的機會謀眞正的解決。相反的，正企圖利用民不聊生的情勢，來誘迫人民當奴工，把整個經濟結構，向奴隸社會跨進一步。

今日上海奇景

學校招不到學生 無主信堆滿郵局 人民爭為輪下鬼

【上海通訊】這裏有幾件事實，畫出了上海今日的面目。

招生要動員

各級學校自大學至小學一律招不到學生，僞市文教局主持的統一招生委員會，本學期又開始第三次統一招生工作，本月九日，十一日三天報名，十二日考試，辦法是分頭動員，組織區招生聯絡站，學生會青年團也出動配合，積極展開宣傳工作，對初中，小學畢業生，進行「說服教育」，動員他們投考。另外爲了防止學生外流，通告外埠學校一律不得收外游學生，並令其他補習學校亦不得招收初中、小學畢業生。各業務部門在未取得「市教育局」同意前，亦不能自行招收本市學生。中共當局用了這些辦法去推動招生工作，正反映出上海已無人肯讀書，任何家長也不願花錢把子弟送去專學開會、鬥爭、扭秧歌，而最後又被動員去參軍。

廢信搞增產

其次，郵局發表了本年度上半年中，積壓了三十萬封無主的信件，堆了幾間屋，弄得無法清理，這說明什麼，大多數人已經死亡、遷徙、逃亡、被捕，整個社會已經失去了常態，所以才有許多信件無人接收，這些無法投遞的信件，怎樣處理呢，有的主張燒掉，有的說應該製造紙漿，「增產」一下，但共幹中的特務人員則要封封檢查過後才決定，可是要檢查這三十萬封信，得動員二千名特務，化上三個月的時間。

天天輾死人

最使人感到驚奇的，就是車禍多，據八月七日「新聞日報」統計，僅一個七月份因車禍傷亡總計即達一三二四人，這實在駭人聽聞，若不是登在報紙上，任何人都不敢相信是事實，因爲今日上海，電車及公共汽車以外，只有少數的運貨車，坐小包車的已經沒有一個人民，除去「老大哥」外，就是「人民官」們了，車輛比過去要少了十分之九以上，上海人還都記得勝利後第二年，三十五年是上海最繁盛的一年，人口超過了六百萬，車輛多到無法統計，但是從元月到十一月底，據警察局公佈車禍也只是三千三百多宗，今天人口少了三分之一，車輛少了十分之九，而車禍却較已往增加了四倍，這究竟是「老大哥」及「同志們」在馬路上的橫衝直撞所致，還是「人民」不願活呢？

空瓶當寶貝

除了這些情形以外，最重要的就是戰略物資的缺乏，在八月四日新聞日報當天的讀者來信上，就有關「節約」事件的建議三項，首先是上海市北中學工友小組來信建議，有關單位收回空瓶，信中說：「自從去年「毛主席」號召「增產節約」以來，我們小組就把碎玻璃，藥水空瓶，油罐空罐，以及廢紙積存起來，現在積存了碎玻璃，藥水空瓶八十市斤，油罐空瓶十八只，廢紙二百七十五市斤，如果全上海市都照我們辦法做，數字一定可觀。……」

筆桿上打算

有人建議在鉛筆桿上不鑲橡皮，用橡皮者另用，信中說：「橡膠是一種重要的工業原料，應該盡量節省，據統計，每枝鉛筆桿上須用一錢，每一打需一兩二錢，每天生產量以一百打計，就需七斤半，每月二百四十五斤，每年就要二千七百餘斤（一噸多），我知道上海有三個廠，做這種筆桿的，希望有關部門採納我的意見，爲國家節省工業原料。」同時該報又發表了文教用品同業工會木製鉛筆的來信，建議停止使用橡皮。另外還有一位諸葛良，建議改用布質證章，理由是爲國家節省銅料。中共本是一種僞裝，但根據來信，竟注意到鉛筆桿上的橡皮和證章用的銅料，也要節省，其戰略原料恐慌的程度可以想見了。（悠哉寄自上海）

苦工營遍設各地

六百萬人遭奴役

據可靠方面消息：中共自「鎮壓反革命」，「三反」「五反」後，在整個大陸的每一角落，已普遍設立了「勞動改造管理局」（處），係隸屬於公安部門，在每一個大行政區的公安部之下的每一個省、市、專區、縣之下均有設立。勞動改造的項目，分工礦、築路、農場、手工、搬運等多種，各自成隊。

根據一九五二年六月三十日的統計，全部勞動改造亦即被奴役的人民羣衆計有：

東北區：一、一〇〇、〇〇〇人

華北區：一、七〇〇、〇〇〇人

西北區：四三〇、〇〇〇人

西南區：三一〇、〇〇〇人

華東區：一、八五〇、〇〇〇人

中南區：六三〇、〇〇〇人

在上列的六百零二萬人中，尚有新疆一地未統計在內。至於東北的一百一十多萬人中，有八十萬左右是由其他五個地區所轉移來的。

「自由人」稿約

本報各版，均歡迎投稿，敬訂稿約如下：

（一）除事先特約外，每稿最多請勿過一千五百字，長篇鉅製，以限於篇幅，無法刊登，請勿惠寄。

（二）惠投各稿：評論要切合時局，新聞要記述事實（大陸消息，人名，地點，時間，人名不能刊登者，可於稿內註明），雜文要生動活潑。

（三）來稿除附有足够郵資外，概不退還。

（四）稿末請附註眞實姓名，地址，但發表時須用筆名者聽便。

（五）來稿一經刊登，即奉薄酬，稿費通知單寄達，請自行到本報領取。

偉大的「累得死」（Ladies）

為方

阿根廷總統貝隆夫人伊娃，在病重時，曾有羣衆五十萬人爲她祈禱健康，當場擠死了五人；她死後出殯，又有羣衆百萬人爲之送葬，擠死十餘名，傷者數千。雖說她是總統夫人，但，貝隆並未利用權威，命令人民效忠他的太太。事實上，想利用政治權力強迫人民對一個婦人效忠，即令專制魔王如史大林，也是作不到的事。伊娃以一歌女演員之資，竟得羣衆的愛戴如此，決非偶然。

她的最大本領，就是能夠接近羣衆，愛護羣衆，尤其能替勞工羣衆謀福利，隨時利用丈夫的權力，爲勞動大衆爭取利益，改進生計。她經常放棄其「第一夫人」的身價，接見一般攜兒帶女向她求救的勞苦人民，不以爲煩擾。勞動大衆向政府請求的事，原來只希望得到五分的，她一定設法使大家做到七分。有這種爲大衆服務的精神，當然要獲得羣衆的愛戴。若非軍人有異議，她隨時可以從人民自由普選中，登上副總統的寶座。

由伊娃的史事中，證明共產黨擁工人爲己有的那套神話，等於放屁！阿根廷是資本主義的社會結構，而且世人都指出其政治爲獨裁的，何以共產黨人沒法去爭取阿國的勞工羣衆，而讓一個「反動階級」的婦女來統領羣倫呢？

世界上的官太太如果都像伊娃一樣，我絕對擁護她做元首，不但作總統，即做皇帝我也不反對！

自由談

細菌戰的妙用

夏雲飛

我們這裏又推行「愛國衛生運動」了，據說是爲了「美帝」在朝鮮戰場上散下大批細菌，由朝鮮傳到中國，所以各地才發生瘟疫，現在要大力撲滅蒼蠅、蚊子、老鼠、臭虫。這些東西都是美帝派來的「特務」，因爲按理在「人民政府」統制下，是不該有這些害人的東西的。可是「人民眼睛是雪亮的」，就以廣州市來說，死的人三分之二是餓死的，其餘也是因挨餓營養不良而引起其他病症，誰又信是蒼蠅、蚊子，傳染疾病死的呢？大家都不信，但是都只好放在心裏，只有譚老板這一個個性倔强的老人，他不在乎，常在納涼的時候，對「政府」提出批評，說些反動的言論。譚老板爲人一生正直無私，從不肯向惡勢力低頭，老夫婦兩個經營一間小雜貨舖，「五反」期間因爲目標太小，又沒夥計，所以暫時幸免，可是譚老板看見兩年來的一切情形，恨透了共產黨，每晚納涼的時候，同鄰舍談起來，總愛說「得人者昌、失人者亡，暴力統治，決不能久長」。假若有人說到時局，譚老板毫不遲疑的說：「這是沒有問題的，國軍一定會反攻回來，我們總有一天要過太平日子」。

「愛國衛生運動」展開後，全市商店都將大部時間花在撲捉蒼蠅蚊子的工作上去，譚老板雖然不相信共黨宣傳是真的，但是總覺得這種工作還有些價值，所以也撲了許多蚊蠅之類繳上去，到了評成績時，共幹說以譚老板所捉爲最少，在大會上宣佈譚老板不熱心「愛國衛生運動」，勒令再補繳兩千頭鼠，五萬隻蚊蠅，否則就按反動論罪，散會後，譚老板回到店內，是越想越氣，知道這是一種有意的挑剔，所以他老夫婦的力量，今生恐怕也捉不到這些，憤然把帽子脫掉，望櫃台上一放，驚道：「老子是拚上了，除死沒有大罪」。說剛落音，門首黑影一閃，進來的是街坊小組長，平時同譚老板還談得來，他鬼鬼祟祟的問譚老板說：「今天事情是組織上有意打擊你，可是這些東西卻非繳不可」，譚老板一聽更氣，當時問道：「我到什麼地方捉去」，「有辦法呀！」小組長眨眨眼睛，剛才公安局偵緝股長派人同我說：「只要你肯拿出二百萬熟性費，一隻也不要捉，好在公安局裏有的是，明天就派人替你拿到會場，就說是你捉的不就結了。」小組長的一番善意，卻遇上了倔強的老人，白費了心血，譚老板猛然一拍桌子，厲聲說道：「老子一生做人，光明正大，從不會走小路，就知有理說理，今年已經六十多歲，還能再向這些王八羔子低頭不成，乾脆請你同他們說，把老子抓了去算了」。小組長碰了釘子，並未生氣，又婉轉說道：「譚老板，請你老人家子細想一想，我們是二十多年老鄰居，我也不會害你，更不會騙你，這樣強硬是沒有益處的。」譚老板並未理會這些話，小組長只好嘆口氣走了。

第二天又開評定成績大會，據說譚老板的成績最差，而且還不肯接受「批評」，顯然的思想方面有問題，要他到台上去，在共幹強迫下，譚老板被拉上了台，首先由一般佈置好的共幹，假充老百姓，七言八語鬥爭了一會，然後要譚老板自行悔過，這種撥不講理的場所，譚老板過去看到別人都打戰，今天自己成了對象，神經已失去常態，共幹還要他說，說什麼呢？忽然想起常說的口頭禪「得人者昌，失人者亡，暴力統治，決不能久長」。話不費力氣又說了一遍，台下引起了一片騷動，譚老板說出了大家要說的話，還有人在偷偷鼓掌，共幹一看情形不對，當時宣佈散會，把譚老板帶下去，會議停止了，譚老板的事情并未結束，到了公安局又經過一夜的疲勞訊問，倔強的譚老板，終於在獄中自殺了，共幹當時也覺得這件事情不很容易交代，第二天當地官方報紙却刊出一則新聞，說是譚老板受了「美帝」細菌的侵襲，得急症而死，要中國人民記住這筆「血債」，其實當地人民，不但記得這筆血債，他們更記得譚老板常說的「得人者昌，失人者亡，暴力統治，決不能久長」。

亂彈齋詞話

醉花陰　　馬五先生

序曰：美國有一位青春長駐，今年高壽五十三歲，仍能使國內外的男子爲之傾倒追逐的葛洛麗亞史允臣女士，指出「美國先生」不能與美國小姐並駕齊驅，理由是：美國男子在未到時就提長得體胖，頭禿，衣著不修飾的衣服到處跑，使人說不出他穿的是甚麼衣衫？以爲男性外表可以不要，照例吸引女人。普通美國男人所能談的，不外拍球、賽馬、汽車，商業界人士則談成績與事業，學校畢業以後，即不再看一本書了。她認爲女人如果任由褲子跌到腳踝，頭髮不修飾，衣服膨脹如氣球到處亂跑，男人一定會大喜若狂的。因此，她警告男人要保持自己的身段風格美，最低限度要在半年之間多理髮一次以上。她的喚醒男人：「你們如不，孩子們，你們便會有煩惱！」雖然仁言，恍若觀音大士現身說法，普渡男生。晉聞其語，如見其人，爲之提高跟鞋，所欣慕焉。

審美何分男與女，一例有規矩；衣衫身胖又頭禿，一襤褸；談情說相貌，誰真「離譜」，何爲伍，青春俱道孤寒姥，修飾維勤。孩子們聽取！

註：「離譜」，粵語，謂事之離題太甚也。

香港三年（四）

·舜生·

香港沒有中國政治集團的公開活動，但有關中國政治的言論，以某一政治集團爲背景的報紙或定期刊物，乃至以中國政治思想或制度爲題材的書籍，在這裏却是一視同仁的聽其流行，只要沒有直接妨礙到當地的秩序，我從來沒有看見加以任何的取締；至於來自國際各方面的外文書刊，在這裏也大致不難購閱；從這種地方，我們多少可以看出英國優良的政治傳統。人畢竟是愛好自由的，你越是對人們的言論思想加以無理的壓迫，便越足以引起許多無謂的麻煩；你越是把尺度放寬，却反而足以提高大家的責任感；這一點看來似乎是很尋常，但却是表現民主精神最主要的一個方面。

從我這三年來的實地體驗，覺得香港出版界確乎是在進步中，其重要的原因，大致不外下列的幾點：一，整個世界已陷於這樣的不安狀態中，人們不能不加以密切的注意，乃至不能不進一步的加以研究；二，由中國大陸出走而來到香港的文化人，比任何一個時期爲多，參加到各方面從事文字工作的人數，也確實不少；三，香港的居民，比較三年前已驟然增加了兩倍，同時教育事業也成正比的日趨發達，因之對於書刊的需要加多，而選擇的標準也無形中提高了不少。

就我個人所知道的而論，現在香港已有各色各樣小規模的研究室，資料室產生；從事編輯寫作的小組合也所在多有；因之從事發行的小型書店，也就逐漸逐漸的增加起來了。假定能有一個規模比較完備的圖書館；假定有關方面不忽視這種事實而予以方便或助力；假定從事這類文化工作的人們能從研討與斟酌方面有相當的團結；更假定中外有資格的學者或專家能不時光降到這裏，與這班人保持接觸；我想再得三五年，其成績一定是更有可觀的。

這種工作是要有相當長久的時間始足以顯其功效的。能不失掉研究的立場去埋頭苦幹，不問或大或小的成就一定會有；反而是那些政治色彩太濃，風頭觀念太重，或宣傳意味太多的一種組合，却不一定能有多大的結果。同時，我不怕這類少壯有爲或求知慾旺盛的文化鬥士不會不去刻苦工作，我所憂慮的，乃是他們的生活太無保障，可能影響到他們身體的健康，和工作的進度。

因爲生活的高壓，還迫得大家不能不從事一種近乎不成熟的多產；或把文化事業過度的商業化，使人們的精神感到難堪，這是很可悲的。最近國際方面有一種從事救濟知識分子的活動，我不知道主持這一事件的人們，也曾體會到這些方面沒有？

萬竹樓隨筆

（一二二）

憶武昌

若鎬

「昔人已乘黃鶴去，此地空餘黃鶴樓，黃鶴一去不復返，白雲千載自悠悠。晴川歷歷漢陽樹，芳草萋萋鸚鵡洲。日暮鄉關何處是？烟波江上使人愁。」這是崔灝詠武昌黃鶴樓的一首詩，是一首多麼美麗而富於情感的詩啊。李太白看到了這首詩，無怪乎有「眼前好景道不得，崔灝題詩在上頭」之歎了。

武昌是我的故居，我懷念故居裏所庋藏的圖書，懷念當在圖書上假寐的小貓，懷念端午的龍舟，年宵的鑼鼓，武昌對於我是太親切，太迷戀了。「東望夏口，西望武昌，山川相繆，鬱乎蒼蒼。」武昌是一個多麼使人懷念的地方啊。

「寧飲建業水，莫食武昌魚，」這不過是古人一種「言近取譬」的說法，其實「武昌魚」的鮮嫩肥美，是有其歷史性價值的。至如西塞山的鱖魚，樊口湖的鯿魚，和武昌附郭的鯽魚，則更是各有其特殊風味，而久已「膾炙人口」的了。蘇東坡畢竟是一老饕，自從他謫貶到了黃州，他對於吃的享受，是很可以的，所以他的「長江繞郭知魚美，好竹連山覺筍香」的兩句詩，沒有吃的經驗的人，是不容易寫得出來的。

晉朝庾亮夜登武昌南樓，告訴他的同僚說：「老子於此婆娑，興復不淺。」今日羈留在武昌的人們，不但不能像庾亮那樣的婆娑勝地，詩酒嘯歌，恐怕連「今夕祗可談風月」的自由，也被剝奪了吧。

黑十字

非晨

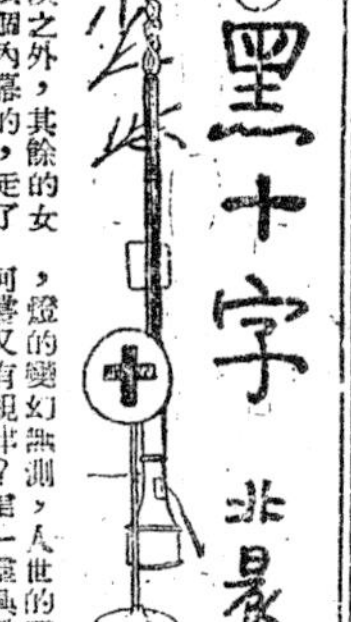

除了朱瑛之外，其餘的女人是不知道這個內幕的，走了一位朋友，怎麼會使得這一羣男人如此驚慌，佩雲吵着喝酒，喝足了再到夜總會跳舞，而今，白濟宏那有跳舞的心情和機會？

白濟宏還有一點疑心朱瑛，以爲她在當中破壞黃洗和邢英的事，他問她：

「朱小姐！黃先生真的走了嗎？」

這句話問得朱瑛惱了，她冷笑了一聲，說：

「白先生！你的話好奇怪，黃先生是你的朋友，是你們介紹的，而且，我還在他身上有點損失，你來問我，叫我去問誰？」

白濟宏默默無語，他想「完了」，一切都完了，可惜他不知道，黃洗也完了，這個大陸來的神祕人物，因爲他走私而來的黑貨出了事，如此，他也神祕地失蹤了。

香港的夜是美麗的，千萬個有色的電炬織成的一個夜景，燈的變幻無測，人世的變幻何嘗又有規律？這一羣興緻勃勃的人，幾分鐘之內，馬上陷入失望悲苦的境地之中。

酒醒了的白濟宏，此時仍然沒有失去他的機智，他對郝亦臣說：

「他走他的，老子喝老子們的酒，佩雲，我們大夥兒到夜總會去。」

郝亦臣何嘗看不慣，這是白濟宏的戲法之一，爲的是他不願意在女人面前丟面子。

這一來，郝亦臣代作主張了，小蘇小江朱老五三人，分頭到幾家大酒店和去澳門的碼頭上去尋，自己假說陪了白濟宏跳舞，實際他要監視白濟宏，他怕白濟宏和姓黃的一樣，抽身便溜了。

這是白相人的真面目，他們雖然沒有損失什麼，可是，姓白的到底用了姓黃的多少錢，他希望大家攤開來算一算。

（四〇）

·中篇連載·

中國之友（八）

毛以亨

戈登將軍傳（一）

一、中國一般形勢與戈登任務

當時太平軍的兵力，已經到了堅強至不可克服的程度，太平天國野史，根據張德堅的賊情彙纂謂有三百餘萬人，此係當時督撫過甚其詞的虛報，以便掩飾敗狀而爲增兵增餉的藉口。實則與初下金陵時之兵員五十萬人，差不多，喻兩謂共祗三十五萬人，自係根據于其服務忠王軍中的正確情報，比較可信。不過質的方面已大爲進步，非當年廣西起義時之比了：他們擁有洋將三百人以上，洋槍刀萬桿以上，皆以茶絲出口易得之軍器，而軍械走私爲當時最盛之貿易。太平軍制每軍一萬三千餘人，共五師，師各二六二五人；第一旅攜前膛槍毛瑟槍手槍三種；第二旅爲四人合用而有三角架之礮槍；第三旅攜長矛備衛鋒。喻兩敘湖口之戰，謂曾軍甚勇而長於白刃戰，然究不足以與砲隊，故湖口終失；向榮張國樑之江南大營亦潰，原來張國樑之善戰勝于太平軍，但現在太平軍已歐化，江南大營遂不堪一擊了。滿清所持以拒太平者祗有馬隊，官文之荊州馬隊實爲曾胡之兵的主力，而僧格林沁扼守江淮與揚州之都興阿相犄角。然太平羽黨之捻匪，暗中滋長其馬隊，清廷已漸失其所恃而日趨頹勢了。

太平軍之在中國，已成爲惟一而算予群的兵力，而英法聯軍一八五八，一八六〇年兩次攻入京津，清廷內亂之後，繼以外患，其勢若搖搖欲墜，然轉機亦始於此時。清廷已以長江商業利益讓英，而使之自取于太平，英使額爾金見太平之商業國營，英商無利可圖，乃決心助平太平之亂，以增進其商業利益。於是中國人本無力量來摧毀的太平軍者，竟以英法聯合的外力來覆滅之。懼俄之藉口共同出兵，而長江商務利益又不願俄人分一杯羹，故乃以中國官軍出面，以防衛租界三十英里周圍之治安爲名，在滬所組常勝軍，在寧波所組常安軍遂與太平軍不宣而戰（英領與英人上海時報之言），且在新闢之漢口九江租界，亦威脅陳玉成不許擾亂其九江租界，三十英里周圍治安，故陳氏至黃州而退兵。常勝軍本爲華爾的兵與菲列賓人合組的隊伍，美領前以有違中立而改用中國人，迨戈登接事則完全變質成爲英軍之游擊別動隊了。在上海附近固與英法正式陸軍共同作戰，即至蘇州作戰，英正式陸軍參加者步兵第六十七團砲兵第廿二團，而在瀋陽代戈登指揮常勝軍者即爲英軍總司令Brown之弟，而爲英駐軍的現役軍人。

自由人
THE FREEMAN
（半週刊每星期三六出版）
（第一五二期）
每份港幣壹毫
督印人：李光雄
社址
香港高士打道六六號
電話：二〇八四八
GLOUCESTER RD.
HONG KONG
TEL: 20848
承印者：東南印務出版社
地址：高士打道六四號
台灣總辦事處
台北市館前街五十號
台灣分銷處
台北市中華路一二五九號

中、韓、菲同盟問題

東亞地區的集體聯防工作，應將日本計算在內，而且需要美國負起指導支持的責任，才是向上發展的坦途。

·雷嘯岑·

韓國駐華大使金弘一氏透露消息，中韓菲三國外交使節，曾就三國締結聯盟問題有所商洽，擬簽訂與美澳紐安全互助協定相類似之共同防衛同盟，以增強亞洲集體安全的防衛力量 如日本能放棄其侵略思想與種族優越感態度，將被歡迎參加云。中韓菲聯盟之說，早在三年前即已由中國方面倡導過，現在時移勢異，這一問題更感覺有研討其可能性的必要了。

聯盟的前提與範圍

任何一種聯盟，締盟國家必須具有政治上的共同意志和利害，才可以發揚互信互助的精神，以免有爾詐我虞，凶終隙末的顧慮。中韓菲三國對反極權侵略的政治主張是完全一致的，其利害也相同，締結同盟，實為當然結論。今日的共禍，以東亞為最烈，這三國皆直接身受其害，共同防衛，尤屬必要。談聯盟而沒有軍事的約束，等於廢話，這點，中韓菲三國亦無問題。所成為問題者，不是三國內在的事實，而是外在的關係。要解決這種外在的問題，即須美國能發抒其領導責任，一如其對南太平洋的防衛事項然。

在東亞的反共聯防體系中，日本是重要的一環，沒有她參加，這體系就不算完整，實質也不夠健全。可是，問題就在這兒哩！中韓菲都受過日本軍閥的侵略痛苦，餘悸猶存，韓菲兩國之不能對日本推心置腹，亦如澳紐之對日本心情，怕她故態復萌。中國對日所抱持的不念舊惡政策，也與美國之扶植日本政策相伯仲，老實說，多少皆含有冒險意味，為禍為福，尚待將來事實證明。目前既已形成這種局勢，祇有從好的方面着想，希望東亞這一角落的國家，一律從事集體防衛工作，應把日本計算在內，日本的反共意志，與中韓菲三國相去無幾，她又受着美日安全互助協定的約束，參加東亞的集體聯防，是應該的。不過，金弘一氏所指日本的優越感一節，卻值得注意，吉田茂最近聲言日本要居於亞洲的領導地位，又說東亞集體安全制必須以美日安全互助公約為藍本，而其駐美大使新木榮吉且曾警告過英美，要解決中國問題必以日本意見為主，這都是充分地表現其優越感，也暴露其褊淺的民族性，難怪韓菲兩國大有戒心了。要放棄這種優越感，全靠日本人自省自覺，改變觀念，同時亦需要國際力量來影響之，教育之，誘導之，這責任就在美國身上。

美國不要太天眞

美國對東亞的集體防衛問題，當然是表示同情支持的。不過美國政府的決策者素來有一種太現實而又太天眞的想法，即認為日本是東亞最具潛力，最能作有效利用的國家，其他皆卑不足道，可有可無。這種壞意識如不棄去，我敢担保，美國將來一定要大失所望的！日本民族性比德國人更不可測，更講現實。西德和平契約簽訂後，阿登諾等人從來就沒有表示過像吉田茂那種狂妄的態度。美國對日本一面培植，一面也得教導才行。美澳紐安全互助協定之簽訂，美國會保證不讓日本再有侵略行為，以祛澳紐對日本的疑懼。關於東亞地區集體聯盟事項，美國不管願意參預與否，然不能辭其指導之責；一來使這聯盟能發揮預期的效用，二來可以隨時制止日本的優越感，消弭締盟國家對日防範心情。

放棄中國大陸，扶植日本復興，這是美國在亞洲的兩大傑作。目前已有四億以上人民，受着「放棄中國」的災難，火熱水深；將來更多的亞洲人民，是否會拜「扶植日本」之賜，或叨光受惠，或招禍蒙災，尚是未知數，只看美國今後的領導方法如何了。"中日韓菲四國聯盟"，即是共同向上發展的一條坦途，可以隱消彼此間若干不必要的疑懼與猜忌，但非美國從中指導支持不可。美國對韓戰既急於要結束，不願與中共糾纏，更應該設法教東亞地區的自由人民聯合起來，組織起來，為着自身的生存而積極奮鬥，以減少美國負擔之必要。中日韓菲之聯防，與英國在亞洲的現實利害關係甚少，美國領導這項工作，促其實現，也不致與其盟邦對亞洲的政治歧見有多大衝突。從民主世界整個的反極權侵略前途看，美國應注意此事，從美國本身對東亞乃至於全亞洲的未來利害設想，更需要有此一舉。光是寄其希望於日本，作賭博性的孤注一擲，太危險了！

半週展望

·左舜生·

從日本投降七週年紀念談起

昨天（十五）是日本投降的七週年紀念，回想七年前的往事，這在日本想來，自然好比是做了一場夢，即在中國人想來，又何嘗不是一場夢？

一個國家要經得起失敗，固然是很難很難，就要經得起勝利，又談何容易！

抗戰中，我在重慶親嘗着日本飛機那樣狂炸的滋味，眼看從大隧道中拾出成千成萬的屍骸，對死者，自然引起我無限的悲憤；可是從日本飛機的低飛掃射中，清清楚楚看見日本駕駛員那兩撇仁丹鬍子，則我不能沒有絲毫的恐怖，反而引起我對日本那班無知的軍閥，一種深刻的悲憫。

勝利後，從重慶回到上海，略略知道日本人在投降後的種種表現，並且親自到過虹口兩處日本人住過而已經遷出的房子，不僅保持了非常的清潔，連地板玻窗也無半點損壞；稍後，又接見過兩位當時尚未退出上海的日本記者，他們儘管是相當抑鬱，但卻能很冷靜的聽取我對於未來中日關係的意見。從這類事實，使我看出日本不僅能強，也居然能弱，卻反而引起了我相當的敬畏。

在佔領日本時期，中國方面關於盟總的人事安排，我一向是不大滿意的。當時我的理想：我們以戰勝者的資格，而為盟總的一員，我們並不缺少直接對日本人多下一點工夫的機會，並無事事仰承美國人的必要。後來在上海，偶然看見中國駐日代表團一位重要的代表，發見他確實是一個『買辦式』的人物，我更證明我的觀察沒有錯，中國一定要糟。

在去年的年底，當美蘇關係這樣緊張的時候，美國派出了一位精通蘇聯政情而又直接能操俄語的肯南，繼遂衛做了駐莫斯科的大使，我們可以推測美國國務院對肯南的期待，決不止於希望他做一位普通的『公務員』，最低限度，他們也將根據肯南在蘇直接研究之所得，以為美國隨時決定對蘇政策的主要參考資料。一位駐在重要國家的外交使節，往往能左右其本國的外交政策，這在世界外交史上的先例，本來也就是很多的。

日本在戰後所派的第一任駐華大使，經過再三的斟酌，最後才抬出了一位高齡的芳澤謙吉，芳澤過去在中日外交史上所表現的是非功罪如何，姑置不論，但最低限度，他不失為今日日本一個對中國的肯南，這是沒有多大的疑問的。從這一點，使我們感到吉田政府對於對華外交，確實是相當重視的。

中國的行政院和外交部，曾經過長時間的考慮，才推出了一位董顯光博士，據昨天（十四日）香港時報的專電，董博士發表接受此一重大使命的抱負說：『他的行動將根據外交部的命令，隨時變化。』又說：『所謂全權大使，在往昔交通不甚發達時代，確須代表國家，全權折衝；而現時電訊往返，不到兩小時，即可獲得覆電，大使的地位與一般公務員並無二致。秉承政府意志，達成中日合作之願望，為渠之惟一目的。……』

現在我們把董博士的話，一字不易的記下來，今後對日外交的成敗，應請外交部完全負責；因為我們在今日的日本東京，僅僅增加了一位標準的『公務員』。

尼赫魯先生以為如何？

一位參加了這次『印度文化訪問團』到過北平的印度著名教育家，在本月十二日發表了他視察中國大陸的結果說：『傳統的中國文化已被藐視，而被代之以諸如列寧、馬克斯及毛澤東等共黨理論家的著作，自大學以至托兒所等各級學校都是如此。』『他們的團員，對他們在中國所發見的事情，大不滿意。』『我們的訪問團，是懷着真正的對華友善情緒而去中國大陸的，但沒有一個中國的真正朋友，能夠以同樣的友善情緒還給我們。』這是印度人的話，我想尼赫魯先生總也該聽到了吧！

波羅的海的風雲緊急

蘇俄準備好了嗎？
敢向瑞典下手嗎？

大戰後，蘇俄拿到了捷克，它就把波羅的海視為他的內海，美機曾在那裡的上空被擊落，最近瑞典的海軍巡邏機也在那裏被打下來。這種空盜式的橫行，引起了瑞典人民的強烈反蘇情緒，這幾天瑞典將舉行大規模海空演習，地點就擇在瑞機遇害的地方，這分明是一種示威，看蘇俄敢怎樣？

這裏要報導的，是蘇俄五年來，究竟在波羅的海幹些什麼？

蘇俄的野心

據最近波羅的海沿岸各非共產主義國家傳來的消息，蘇聯早從事於沿波羅的海一千一百哩的海岸，積極修理並加強戰時被毀壞的海軍基地，從芬蘭灣至基爾附近十數個強大海軍基地，已恢復軍用，在波蘭與東德境內十數個的輔助基地，亦已接近修理完成，蘇聯的意圖，顯然是積極武裝波羅的海，一待武裝完成，即屏絕一切非共國家的軍艦船隻，在波羅的海進出，這樣波羅的海即一變而為蘇聯內海，一切非共國家在波羅的海的軍事活動，即被視為冒死了。

蘇聯在波羅的海的慘淡經營，已非一日，西德漢諾威的「鏡報」（Der Spriegel），對此早有專文報導，現在這一個消息重被提起來，無非是證明前傳的消息，所說非假罷了。

「第一軍區」

在東德梅格林區，蘇軍把各港口和各避暑地的居民都驅逐到內地去了，單是羅斯多克港，就有八千多居民被強迫遷移。蘇聯海軍參謀，去年十月，在柏林舉行祕密會後，東德的兩個鍊鋼工廠，即日夜進行海軍船塢機械工作，至今未息。整個波羅的海沿海地帶已被宣佈為「第一軍區」。維斯馬，瓦內蒙德，羅斯多克，斯特拉爾松等港口，現在疏濬已成，二萬噸以上的艦隻，可自由停泊。潛水艇塢則設在波爾牛島的避風港。西德的戰略物資走私，造成了蘇聯武裝波羅的海的多種便利，據估計，由西德走私去東德的造船鋼板，在一九四九年下半年即達八萬噸，一九五一年為三十萬噸，其餘較輕便的東西，更可想見，這些走私的造船鋼板，不僅是在修築船塢，而且用來建造二千噸排水量的「那維克級」的驅逐艦，這些驅逐艦上面裝有五吋口徑砲五尊，和八個魚雷發射管。

海權的擴充

『W一型魚雷艇』（六百噸），U二一型（二千噸）和U二八型（二千五百噸）潛水艇，則在維斯馬和瓦內蒙德建造，這些艇隻的結構材料，亦大部由西德得來。羅斯多克的海王星海軍船塢仍保持戰時的偽裝，大規模的海軍船隻建造，則集中在這一帶，工作人員約一萬二千人。庫隆斯旁，普列羅，格拉慕臘池，普列羅也完全武裝化了。普列羅現變成防空偵查總站，庫隆斯旁則變成了「東德人民警察海軍陸戰隊」訓練中心。說也奇怪，這些快艇的駕駛者全是蘇聯人，據說：其中的理由是怕那些快艇若交東德人，他們就會連人帶艇逃往瑞典。

空軍的配備

除了海軍軍備積極進行之外，梅格林區許多空軍基地亦已武裝完成。兩位前德國著名的空軍司令——勃爾特少將和哈納克上校——負責進行了這一項工作。此外雷力克機場，維斯馬附近海軍空軍基地，亦已恢復使用。在接近蘇聯本土一邊，斯德丁是波羅的海海軍區的軍需補給工業總站，那裏工人成羣，日夜工作，潛水艇的最後工程，亦在那裏完成。斯德丁以北的斯維內蒙德，是蘇聯海軍主要基地，同時也是蘇聯空軍的主要補充站。在格來夫斯華德，有V式武器控制站和最新式的雷達設備。在狄勿諾基地，一種最巨型的飛彈正日夜試驗中。自波羅的海沿岸的科爾堡至漢肯哈根，是一個絕對禁密的禁區。德國戰俘從蘇聯被帶到這裏營中，建築火箭發射基地，德國專家自皮尼蒙德帶來，負責這種火箭的製造。里加灣內的奧塞爾島，就是這種火箭試射的目標，如果把發射的方向換一換，便從柯爾堡至奧塞爾的距離（六百三十公里），和從柯爾堡至魯爾的距離，完全適於同等的距離射擊。

無人的地帶

科爾堡和美斯特來的海濱，已成鐵絲網圍成的無人地帶，波蘭的部隊成為這長數哩間地帶的防守人。哥尼斯堡至蘇尼，東普魯士至比斯和美梅爾，有二十個裝甲部隊和空運部，一切的姿態都是採取與北大西洋聯盟相對峙的陣式，軍事偽裝的網，內週密和精挺的雷達集中（估計在波羅的海有兩百艘以上），則尤為波羅的海沿岸非共國家乃至於整個歐洲聯軍所不及。

敢動手嗎？

最近，李奇威將軍呼籲西歐聯軍裝備原子彈，和布萊德雷將軍指出西歐建軍雖有進展，但不及理想，波羅的海的情勢是很劣勢的，若是波羅的海被封鎖，則整個西歐的安全，以及地中海的威脅，是會進一步的惡化的，但是這次蘇俄對瑞典的大演習，可能因為阻擾波羅的海的強大，雖在別的地方還太多漏洞，而現在要動就得整備地球的動力，它如自認沒有適當的一份力，就得再忍耐一下了。（取材自新世界文摘）

美蘇的間諜誰強？

俄國人天性陰險，並懂得利用美共，加上美國社會鬆散，故易於下手。美國人在俄國受到嚴格管制，雖有通天本領，也祇能蒐集些公開資料。

提到蘇俄間諜，大家會覺得它能力高強，無孔不入，什麼祕密都會給他們偷去，相反的，提到了美國間諜，大家都搖頭說：不行，頂多只能竊取些鐵幕國家的公開資料，憑着判斷來製造情報。

俄諜的有利條件

是不是俄國人真有間諜天才呢？從這個國家險險的民族性來說，也許是的。但主要的分別，並不在這裏。而是在於其他二個關鍵，一是美蘇的政治社會制度不同，二是共產黨的組織與美國的民主共和兩黨組織不同。

美國的社會——鬆散的，政治是民主的，鬆散的社會是易於給對方隱藏一切祕密的活動，政治的民主是缺少機密，包括日常生活中的隨便坦白的習慣。即使對外要求祕密，對人民却不能祕密，因爲對人民沒有祕密，于是對外也就沒有祕密。對方只要混在這種交接頻繁的場合，什麼多可知道的。

俄國則不然，它的社會是被組織起來的，每一人每一事都有網絡連着，而鐵幕不僅隔絕了國與國間的自由交往，並且隔絕了每一個人與人間的自然關係。你混在這個社會裏，也就自然被隔絕着，你所能知道的，仍然祇能知道他們要大家知道的東西。活動就很難了。

美共即是好幫手

至於共產黨的組織是世界性的，美共無疑受克里姆林宮指揮，而深入遍佈於美國各地各機關，像希斯這樣國務員的高級職員，因爲是美共，所以也兼做了蘇間，幫俄國偷竊美國機密了，還是何等方便。美國對蘇就不同了，它的黨就根本不是幹這一行的，而且也決不會發展到其他各國中去。

憑這兩點，俄國對美的間諜活動易，而美國對蘇的活動就難了。因爲這關係，就很難將美蘇兩國間諜能力作一比較了，而且幹這一行的，本身都是絕對祕密的，討論它，簡直是瞎子摸象，頂多祇是猜測而已。

對俄活動難上難

據美國情報專家說明，間諜工作，百分之九十五至九十九，是腦和腿的工作，只有百分之五或更少些，是要用偵探手段以探聽最祕的機密。實際上，美國對蘇的間諜工作，就是這樣做的，於是蘇俄的報刊出版物，變成了美國人採用情報的最主要來源，但是在兩年前，這條路子也逐漸狹隘起來，俄國人使得在莫斯科的美國人只能買到當地的報刊，各地方版的東西根本不讓寄到莫斯科，也就無從蒐集。

駐在莫斯科的美國通訊員拍回美國的新聞通訊，須經過嚴密檢查，才能拍出，其中重要的事實，常被刪去，通訊員所採消息，全部靠官方發表，其中的生產數字，都是百分數，令人看了莫名其妙的東西，至於外交官的活動，那限制就太嚴了。他們不准走出指定範圍的區域。俄國人民非指定的，不准與他們接近。這樣叫他們如何活動。

俄諜活動太容易

俄國人就不同了，克羅米司在美國時，把搜集資料的工作，當作一般的工作，於是他的特務活動就可集中全力在最機密東西的盜取上。如有關原子彈，噴射機，原子潛艇等密件。

他們的工作，發展到最高階段時，已不再是單純的盜取機密了，而是用來左右美國的決策。如雅爾達會議，對華一筆勾銷政策等等。這雖已是過去的歷史了，但莫斯科這一工作的收穫，實比盜取原子彈機密不知大多少倍。

至於俄國人要瞭解美國的情況，那更容易了，他們只要在美國搜購各種刊物，包括美國政府機構每年所印行的三萬六千種報導性文書的一部份，以及議會中的重要辯論的紀錄，就可順利完成任務。海岸及地面測量圖，交通系統圖，氣象圖和紀錄，在街頭巷尾，只要化幾分錢即可隨時買到最新的。俄國人只有覺得太多了，懶得再要了。

究竟誰強待分曉

以上所說是根據看得到的事實而言，但美國這樣鬆散，或亦有他的好處，因美國國力太強了，偷去一個新發明，不久他又有更新的發明，蘇俄利用這些偷得的東西，至多只是跟在後面走。永遠趕不上，可見盜偷還是沒有用，且美國吃虧學乖，有許多地方也謹慎起來，不再讓俄國人東西亂闖。

再說，這行工作，究竟是祕密的，美國人表面鬆散，骨子裏如何，實未可知。俄國人雖防範嚴密，但天天緊張，百密也有一疏，所以美蘇間諜究竟誰強，還待三次大戰時見分曉。

我最不愛杜魯門

望梅

尙方先生有「我愛杜魯門」一談，我們所願提出的命題往往相同，而結論絕不相同，這是屢試不爽的怪事。茲作「我最不愛杜魯門」一文以響應之，若讀者誤認我是對他挑戰而與他打筆墨官司的話，則眞是爲他狡獪之筆瞞過了。理由如下：

一，杜魯門曾命其國務卿發表白皮書將中國一筆勾銷。我雖以現政府之反對黨人自居，但其所勾銷的，實際上是中華民國，而非僅國民黨。我不幸而爲中國人又不幸而頭腦中沒有媚外自豪的細胞，所以祇有難過而絲毫不感快意。我既是人，自然還留着報復的獸性心理，恨不得立刻反過來，要能把杜魯門一筆勾銷纔好。我雖做不到，而差幸中美人士之與我心理彷彿者，不特亦如此說，而是如此做了。弄得杜魯門爲保令名而怕失敗起見，不敢再競選下屆總統，他終於自己一筆勾銷了自己。過了今年，從此國際舞台上可以不再看見杜魯門，這是本年間最快意的事。

二，我雖不認得杜魯門，但在電影新聞片上每月總要看見他幾次。大凡一個政治家總有點抱負，其抱負亦自然流露於外，而引吾人肅然起敬之情。惟於杜魯門，除見其神氣活現裝腔作勢外，看不出其內心有若何抱負，我覺得他是小丑的本質，而在那裏化裝表演偉大人物。有時他彈鋼琴而他女兒唱歌，無論琴聲與歌聲，他父女二人雖然想藉以賣錢，恐怕所賣得起的是總統與總統小姐的社交地位，而非好萊塢藝人的技術，我對此簡直掩目而坐不要看。

三，杜魯門命其祕書作傳，名其書曰「總統先生」，這是美國過去任何總統的傳記或回憶錄所沒有的題名，而爲杜魯門空前的創作。道理很簡單，總統是普通名詞，杜魯門是專門名詞，不能以普通名詞代專門名詞來使用，這是常識，數十年後人們看到書名要不知所寫是哪一位總統的。但是杜魯門自認爲在他任期內是黃金時代，凌駕其他總統時代而上之，如果此話當眞，則祇有杜魯門七年任期之支出，與百餘年來美國四十餘任總統之支出總和相等之一事，其所以爲總統之總統者亦祇在此。我想杜魯門決無與華盛頓林肯比高氣概，而實心愛總統一詞不願與之分離，他雖不顧棺材抬出白宮，而實願使總統一詞追隨於地下。則我們中國人對做過部長主席長官而早已不是的人，仍喜歡人們以官階稱呼他亦不爲過，最近到香港來逃難的人羣中，賓客星散，當有要他床頭賣臉婆稱他爲長官者，可藉詞爲美國式或杜魯門的作風了。

四，杜魯門是驚人的表演最多而行動最少的人，他每次的發表像煞有新作爲，而骨子裏都是率由舊章的拖下去，以維持現狀爲滿足，換言之就是雷聲大雨點小。

尙方先生稱其「脫下外衣爲史蒂文生競選」，譽爲有平民味，我從另一角度的觀察，則爲僅有支持史氏的虛僞姿態，因爲眞正的支持，固無須脫下外衣，而實際上他亦未脫下外衣。世間決沒有需要總統先生脫下外衣之事，包括他捏人家鼻子的行爲在內，然而杜魯門是個人總有脫下外衣之時，但此時此事，是與一般人無關，尤其與競選無關的。

五，杜魯門之意譯爲老實人，有一朋友告訴我，他却從來沒有說過老實話，所以用聽其言而卜其行的方法，研究其領導的美國政策，往往上當。他曾說他的公平政治，與羅斯福的新政絕不相同，我研之三年未得其解，乃反而求之，認爲兩者絕對相同，倒覺得對，遂一旦豁然貫通了。

我要提的觀點甚多，然而提了五點覺得已經夠了，美國人罵杜魯門的話，超過我多多，往往以「畜蘇里！呵！」這類感嘆語氣來代表，我總可免於侮辱總統之罪戾！論理美國人的總統與我們無關，無如美國領導了世界，而杜魯門領導的第一着就是將中國一筆勾銷，勾銷的後果，就是韓戰。對韓戰的領導，在杜魯門是有限度的戰爭，戰爭而可以有限度的話，眞是將杜黑與克勞代維斯的原則修改了。實則不是現代戰爭原理的改變，而是杜魯門沒有主動的氣魄，而願無限度無條件的挨打。韓戰是個無底洞，已消耗了美國十一萬人，與數百億的美元，而且尙要無限度的消耗下去。假使我們在大陸時美國而肯給我們以韓戰百分之一的所需，共產黨曾佔領大陸如此之易嗎？有些國軍以美援突然停止而失望，以致投降了共產黨，共產黨人利用其對美國人的憤慨，使之參加韓戰。我想這班中美的無名英雄，死而有知的話，都有權利向杜魯門說句話，其言曰「還我頭來！」

台灣環島行紀（二）

麗子

山中竟有特殊階級

據我和許多山胞交談的結果，他們都希望政府不要對他們特殊化。現在台灣省政府內特設有山地行政處，住有山胞的各縣政府，都設有山地室，凡屬於山地同胞的管教養衛，均另成系統。譬如說，山地同胞不能加入平地的農會與合作社，因之，經由農會或合作社配售的肥料與布匹等，山胞就不能享受。政府對於山胞需用的東西則用救濟的方式另行辦理，不但不如平地辦理得適時適用，在山胞的心理上也感覺不平。山胞所提出的另一意見，是希望政府不要在山胞之中，特別扶植某一部份人。嘉義縣吳鳳鄉鄉長高某是山胞，他曾向台灣銀行嘉義分行借了五十萬元，說是爲山胞開闢農場，時隔兩年，農場未闢，錢也未還，政府無如之何。山胞畏其權勢，仍非選他作鄉長不可。其女公子在台中師範畢業，却正在作赴美國留學的計劃。又如日月潭化蕃社毛王爺，本是酋長，人稱之爲王爺。多少達官貴人到了日月潭，都要和毛王爺見面，攝影，題字，留詩。毛王爺宮中，掛有一張相片，毛王爺中立，總統和蔣經國先生分立兩旁，更增加了王爺的得意。毛對於日月潭中的漁業，頗有包辦之意，因而常和漁民發生爭議。日月潭本是台灣電力公司的水庫，每年放下魚秧，供遊客垂釣之用，目的本在增加遊人的興趣，決不能讓個人大量捕獲，作爲少數人的利藪所在。再有一點，是許多山胞一致希望的，便是政府應該允許他們到平地居住。我乘車經過埔里到霧社的途中，看見一處地方樹立了一塊水泥牌，上面刻着「人止關」三個大字。

人止關碑應該取消

我問開車的司機，說是當年日本人曾在霧社被山地同胞殺了一百幾十人，都是地方上的高級行政人員，所以就將入山的要口取了這樣一個地名，表示山中都是野番，常人宜乎止步。我後來在高雄買了一本七月份的自由談，上面載有陳定山作的一篇小說，題目是霧社櫻花，便是以霧社事件爲內容的。時至今日，日本人在霧社所樹的紀念碑，還是一字未改，照舊的豎立着，這對於山胞的反抗暴政的革命精神，未免太不尊重。地方政府應該重加改造，以安慰事後被日本人屠殺的大批山胞在天之靈。據那一位司機說，在事變發生之後，日本人派大兵進勦，並挑撥山胞中的兩族相互仇視，以致有一族幾全數被日人殺盡，現告絕種。

山胞移居平地，則一切的特殊化均可以消除，對民族的團結貢獻極大。而且山胞久居山中，爲生活所迫，不得不濫伐山林，或是放火燒山，以致影響到台灣的水利問題。山上的樹木日少，水力不能儲蓄，日後必常有水災。今日發電的水源，且先已受到損害。台灣電力公司想在水源地區設立建設委員會和建設處，目的就在防護森林。但台電力公司與其化費大量經費保護水源地區林木，實在不如以此項經費協助山胞移居平地。如台東就有若干萬甲的荒地可以開發，山胞下山，并不是沒有容納的地方。我前三次到台灣，都沒有深入山胞住區。這一次環島旅行之後，不自覺對於山胞的問題發生興趣，遂寫了這一大段話。

大陸台灣已成一體

我前三次到台灣，到處聽見台灣人如何，上海人如何，如何，如何。這一次再來，已經不[illegible]起。這可以證明大陸來人已和台省同胞打成一片。[illegible]說，我有[illegible]該市的人口數字，是二十萬人，內大陸來人要佔到八萬之多。在八萬人口中，山東人又佔一半。還有幾件事是值得提的，一是國語進步之快，除兒童外，許多成年以上的男女，都已能講得很好，而且在大陸來的人還講[illegible]。二是內地來人學習台灣話成績也[illegible]，已經使人難以分辨其是[illegible]。三是大陸來人與台省同胞通婚之多，[illegible]以表明台灣的進步。

輸送奴工赴西伯利亞

中共竟與俄帝訂了協定　每年規定供給四十萬人

俄國最近缺乏奴工，特令中共輸送補給，簽訂「中蘇勞工互助協定」。

中共方面，出席者爲薄一波，李立三、姚依林、[illegible]、劉寧之、王懷安等。

蘇聯方面：蘇聯全國總工會[illegible]列耶夫，土爾克曼共和國（蘇聯）勞動部長希爾貝茲，蘇聯代表團納柯羅夫斯基，蘇對外貿易部主任穆卡科且夫等。

協定內容方面，是中國每年供給蘇聯十四萬奴工，工資則做中共向蘇聯購取物資的欠款部份抵償，勞工期限說是三年到五年，蘇聯可以和中共調換不合算的奴工等條款。

從這協議訂妥後，中共就更加大力搜刮奴工，最近發佈的「勞動就業問題的決定」，也即是爲完成此任務而來的。

中共盤據大陸後，共有一百二十四萬六千多名「無辜」變爲奴工，（人民政府政務院一○二次會議報告）受盡折磨，分散在各邊區無人跡地帶受「勞動教育」，「勞動改造」。這次合同簽訂後，第一批送出的「國營奴工」是滿洲里的集中營。即是「東北第四勞動教育團」。共有三千七百餘名。接濟：狗油合，黑河，呼倫等地區的「集中營」，「不毛地區的「集中營」」也相繼改成「變工」。同時關內各地，也在大量集中待運中。（李蒂）

李宗仁病重

據港中接近李宗仁氏者稱息，李在紐約因胃癌，已進醫院施行手術。此爲李氏在紐約進醫院之第三次。三度住院，所治揆病，爲割一部位之胃癌，旋癒旋發，且已二次開刀。年來李氏心情不佳，致每爲疾病所乘。所治胃癌，因開刀次數過多，益增李氏健康障礙，[illegible]年老力衰，如此擴展，李病，李氏身體，實堪憂慮云。（褒）

如此中共「生產新紀錄」

僞造典型亂報數字只為誇大宣傳　上下遮瞞彼此欺騙專事玩弄工人

——中共報紙上狂烈宣傳的生產紀錄，乃係驅策工人多幹活，多賣命的手法，事實上這些紀錄，完全係出於虛造，下列的事實，便是最顯著的例證。

搾取勞力　佈下圈套

（本報綜合報導）中共為了推行其奴工制度，近二年來在「生產競賽」的過程中，不斷推行各種各樣的「新操作法」。根據中共的宣傳，這些「新操作法」不但打破過去舊操作法的生產紀錄，而且超過的數額，往往令人難以置信。如機械工業中的「高速切削法」和「多刀多刃切削法」，依照中共誇大性的說法，能使生產提高到十七倍。在建築工業中，有所謂「分段砌磚法和雙手擠漿法」，據說可使勞動率提高百分之四百。在紡織工業中有所謂「郝建秀工作法」和「一九五一織布工作法」，其生產率亦較過去多八、九倍，所有這些紀錄，在中共的報紙上，不但繪影繪聲，煞有介事，而且有名有姓，言之鑿鑿。但事實上，除了利用這些新紀錄的出現，作為挑戰應戰的勵力，以迫使勞工捐獻其最高限度的勞動力外，如果仔細研究這些新操作法，無一不是一種殘酷的騙局，這是把工人的生命來和機械搏鬥，搏鬥勝利是中共增產運動的成功，搏鬥失敗首當其衝受犧牲的則是工人。

成績特殊　引人觀摩

萍鄉煤礦的石門鑽礦隊，是中共萍鄉礦務局直屬王家源煤礦的兩個石巷掘進組組成的。該隊自一九五一年年底成立以後，在中共的宣傳中，半年以來，曾連續創造了六次「全國最高紀錄」。一九五一年十一月二十一日，該隊宣布能於一晝夜間在石巷掘進二十點三公尺，創第一次「全國最高紀錄」。到今年五月，最高的石巷掘進紀錄，已經達到三十七點五公尺，而通常一晝夜的掘進只有五、六公尺，這一紀錄表示該隊能較常人增加五、六倍的速率。

這些紀錄在中共各地報紙，都曾廣事宣傳，成為各地煤礦工人挑戰的目標。由於這一隊成績的特殊，最近別的煤礦竟組織工人前來觀摩。發現他們日常生產紀錄和他們所宣佈的新紀錄，距離十萬八千里。如該隊五月份的最高紀錄是三十七點五公尺，而六月初每日夜的進尺還經常停留在六公尺左右。創造新紀錄時一個巷道壞頭一日夜可以進四個到五個循環，而平常一日夜却只能進一個循環。該隊去年十二月份訂的一九五二年月進三百公尺的計劃，實際上亦只能實現三分之一。整個的騙局就此被戳穿。

上下遮瞞　捏造紀錄

騙局揭穿後，中共中南局乃派員實地調查，發現這些成績全部是出於捏造，其最突出的虛假現象，共有如下數端：

第一是在創造新紀錄時普遍延長工作時間。據工人的反映，每次早上上班，晚下班，往往要延長七、八小時。據王家源礦長張樹楠自己的報告：平均起來在創造新紀錄時每人延長工作時間，總在四小時以上，體格好些的還要長些。因此，他們所謂一晝夜掘進若干尺，事實上是一日半三十六小時掘進若干公尺。

第二是請人幫忙架棚子。平時工作時，棚子的木料，都是由工人自己到井下材料股去運，而在創造新紀錄時則是行政上找別的工人送到樁頭上去。推車也係如此。平時都是把車子推到叉道上去，最少須推一百至一百五十公尺，而創造新紀錄時只要推出十米就可以。其他一段路完全由別的工人代做。

第三是偷工，規格粗糙或不合規格。像架棚子按規定和日常的作法，都是每隔七、八公寸架棚子一架，而創造新紀錄時則是每隔二公尺多才架棚子一架。在架棚子時偷的工，到次日上班時再被補架，有時幫未刷，底也未起淨，就收一尺（即計算進尺），一下收到頂頭。

在上述的手法下，所謂新記錄完全是經不起考驗的騙局。但是萍鄉煤礦的領導人，為了博取上級的嘉獎，不但不予糾正，而且處處遮瞞，極力誇大張揚，為了增加他們的成績，除了鼓勵工人加班加點外，並指使別的工人幫助他們運送坑木，推送煤車，使這一隊一直成為中共煤礦工人的「生產旗幟」。

騙局戳穿　互推責任

這次騙局穿底以後，負責領導的共幹竟不認賬。推說今年五月下旬掘進組創造其紀錄時，因規格太不像樣，本來不擬予以承認，但工人們竟通過工會照樣把「捷報」貼出去，說是創了全國新紀錄。五月廿五日鋼鑽隊創造的這個一日一夜掘進三十七點五公尺的全國性新紀錄，因為他們是分兩天創了以後加起來的。（即二十四日的中班成績，加上二十五日早晚班的成績），而且是兩個小組四孔進尺合攏來計算的，王家源礦長亦認為不能算為新紀錄，可是工人們自己通知「江西日報」，又再度被宣揚起來。

工人們則認為所有這些成績，都是領導上有意要他們製造的。只要他們提出什麼問題，領導上都加意給他們解決。比方他們說風鑽的風力不足，別的同煤區少用，都供給鋼鑽隊。他們碰到煤層不好掘進，領導上不准別的組砲打煤巷（因成本太高），而特准他們。到地面領炸藥不方便，領導上就在井下設個材料庫。鋼鑽隊創造新紀錄時，大量的加班加點情形，該礦領導上亦完全知道，因此，這些成績的造成，領導上絕不能推卸責任。

草菅人命　獵取獎章

工人們並反映出今年「七一」前夕，高坑礦二號井砌井組工人，在共幹的驅策下，為了趕着完成七月份砌井七十五米的任務，計劃創造十三點六公尺的新紀錄，不惜採用極冒險的砌法。過去砌井時一般都把梯子放在工作台上拆背板，每拆一兩架背板即進行拆井圈。這次為了創造紀錄，決定在拆井背板時不用梯子，六個人均站在井圈上工作，結果工人拆到第十七圈時，由於掛鈎銹蝕折斷，二十三架井圈全部垮下，造成了死傷工人六人的慘劇。

從這一實際的事件中，對於中共報紙上喊着震天價響的「新紀錄」，已不難知道是怎麼一回事了。

數字上的大騙局　現在全部揭穿了

（本報綜合報導）中共有一套騙人而又騙自己的手法，凡事喜歡搬弄一堆數字出來，無論甚麼問題，都要製造若干數字，再加上百分比，以表示它們的「精細」和工作的「成績」。其實完全不是這麼一回事。

兩年以來，這種假造的數字，不僅鐵幕外的人們容易受其蒙蔽，就是中共自己，也是你騙我，我騙你，下騙上，上騙下，彼此騙來騙去的。但是時間是一面鏡子，接觸過共黨的人，固然知道他們所玩的把戲的底蘊，沒有接觸過共黨的人，也明瞭了他們那一套誇大的遠離事實的醜惡的謊言，即大小共幹，也不相信他們自己所說的那一套了。

彼此欺騙無一是眞　謊報情形竟然嘉獎

據廣州「南方日報」八月十五日載：機關，工礦企業，生產單位和農業團體，向上級所作的工作報告，大多數是虛報的，不負責任的，尤其是虛報的生產數字及其他數字，更完全不實。如僞松江省鶴崗市政府「報告」：「楊海山「生產小組」平均每垧地產包谷米八千斤，楊海山個人所種大豆每垧地產七千斤」。僞松江省政府「農林廳」聽到這個消息，一面嘉獎鶴崗市政府「督導生產有方」，另方面就要按照這個數字徵收三分之二的產品，當它派人到楊海山家中去徵收搬運包谷米和大豆時，始發覺這個數字整個是謊報的，「楊海山小組」和楊海山個人的生產，不過數百斤而已。

河北省任邱縣「生產辦公室」向河北滄縣專區「生產辦公室」報告說，該縣三區六個村在防旱抗旱工作中，完成了三十五個水井，實際上六個水井都沒有打好。又建國縣「生產室」向滄縣專區報告，說該縣已打井八百五十四眼，經過追問，才改說已經打成的只有三百七十八眼，再一問，該「生產室」始承認全縣打井不過一百三十六眼，而實際一百眼都沒有完成。

湖南湘潭「王貴華互助組」的十多個農民因為不願意集體生活，他們知道「互助組」的下一步即是「集體農場」，「集體農場」對農民無一點好處，因之他們對「互助組」很不感興趣，很消極。可是負責組織「互助組」的共幹，為了「邀功」和「出風頭」，竟寫一份假報告，說「王貴華互助組」的生產多少，超額多少，並把他評為「模範互助組」。後來僞湘潭市政府「辦公廳主任」王人爵，「建設科長」胡錫滿前往檢查，不僅發現生產數字不確實，而且「互助組」的形式都沒有組成。王貴華他們還是各人幹各人的。

政治報告信口開河　捏造數字上行下效

捏造數字，不獨是中共中下級幹部的通病，他們的高級幹部也都是以信口開河為能事的，例如各「大行政區」的「政治報告」，陳雲、薄一波的「經濟報告」，高崗的「生產建設報告」，其中所羅列的數字，大部份是隨意添減的，有的前後矛盾，無法自圓其說。周恩來也是如此，他在國共和談期間，為了恢復交通問題，在一次會議上，他對馬歇爾說：「膠濟鐵路有三百四十七座大小鐵橋和兩萬一千零六十八根枕木已經損壞不堪」，當時交通部長俞大維，請他再補充說一次，周恩來的數字馬上走了樣，他說「我剛才說的膠濟路三百四十座鐵橋，和兩萬八千一百根枕木完全損壞」。在幾分鐘內，少掉了七座鐵橋，同時憑空地增加了七千九百三十二根枕木。

共幹的性格和能力正像中共自己所承認的：「上級多頭多腦」，「中間昏頭昏腦」，「下邊無頭無腦」。因之他們的高級人員善于捏造數字，中級人員隨便謊報數字，下級人員更是亂說數字。據同日「南方日報」載：湖南零陵縣「政府」于今年四月二十一日呈報該縣虫災面積有兩千七百畝，二十四日增加到三十萬畝，到二十六日，呈報說捉到蝗虫多少，虸虫多少，紅蜘蛛多少，麥蠶蜂多少，一天之內，三十餘萬畝的虫災「基本消滅」。又如僞河北省「衛生廳」向各縣要捕鼠滅蠅的數字，河間縣便報告「捉到跳蚤一萬七千六百九十四個。」像這樣的數字，誰能置信呢？

勞模說了一句眞話　共幹馬上把他撤了

中共除了數字方面全是假的以外，其他的許多事情也都不實，都是自欺欺人的。河南陝州專區「婦聯會主席」謝玖香到陝縣南縣鄉辦理「托兒所」，她用強迫的方式把一些小孩子關在一座破廟裏，飲食無人管理，很多孩子病倒了，有的打架受傷，一般農村婦女怨聲載道，謝玖香一走，各人依舊將孩子抱回家。但是她向上報告說：「因為照顧週到，托兒所沒有發生疾病和跌傷現象，托兒所自從重點試辦後，成立起來，孩子們集中照管，婦女們生產情緒大大提高了」。這些都全是捏造的。河北晉縣彭家莊農民許老墨種的一畝棉地產棉二百餘斤，該縣報告為五百斤，許老墨參加「河北省工農業勞模代表會」時說了實話，該縣「農業科長」文光華責備他說：「你這樣說，我們還說什麼？」就把他模範作用撤了。

由以上各項事件看來，可以瞭解中共的每一句話，每一件事，都是自欺欺人的，以甲來騙乙，以乙來騙甲，其目的：要使一般人都入它圈套，受其蒙蔽，然後由它收漁人之利。現在狐狸尾巴現出來了，那些無聊無恥的醜劇，已全部暴露了，除了給人們以惡劣的印象外，還有什麼「效果」呢？

華北區空前大風雹

農禾數十萬畝被毀　人畜傷亡竟達千餘

七月份七八兩日，華北地區遭遇空前的風雹災害，農作物數十萬畝被毀，人畜傷亡數達千餘。據中共報紙宣佈，七月七日，河北省石家莊專區十三縣境遍遭災害，是日下午冰雹突降，大者如碗，小者如卵，紛紛投射，行人不及走避被壓死者十九人，重傷一百一十九人，輕傷[illegible]百餘人。牲畜四頭被擊斃，傷者未計。大冰雹且夾雜狂風，為勢至烈，全區農作物被摧毀殆盡。同日午後定縣專區，降大風雹半小時，二十萬畝農田被毀。保定及邢台區內，農田數萬畝受災亦巨，棉禾均成光桿。七月八日下午三時至五時，山西榆次專區十一個縣，亦遭受嚴重的風災雹災，每一冰塊重達斤許，兩人遇難死，拔木倒屋甚多，百分之九十幾作物被摧毀。（新）

廣西的土產交流

幹部說：大家窮交流不起來　商人呢：推了理髮匠去湊數

土產交流，是中共沒有辦法的辦法，但人民既不感興趣，又沒有資本，故交流結果，實際上，祇有共黨的「公營事業」收購。廣西最近開的「土產交流大會」即是一例。

輕率潦草　流于形式

據八月五日漢口「長江日報」的廣西通訊稱：幹部對於這交流工作，祇是「趕任務」，工作時間，事前毫無準備，倉促召開，因而使會議進行得輕率潦草，流於形式，有的縣事先只是印發了幾份通知給下面就算了事。臨桂縣在通知中連開會日期都沒有註明，結果準備二天就匆匆開會了。有的出席代表連開什麼會都弄不清楚，蒼梧、岑溪、北流等縣中某些行業誤為找來搞五反，竟不敢派代表。有的地方是臨時拉夫湊數，有些縣私商代表是理髮師，修理銅匠，米粉舖，旅館，書店老闆等。也有些縣的會議上充滿小販代表，甚至臨時把出席各界代表或財經會的代表拉來抵數，這樣的代表自然對於土產交流不能起作用。

湊湊熱鬧　報銷算了

「許多幹部把這件任務看得毫無作用，如藤縣工商科，三十幾人去搞土改，只留下一人搞土產交流，有的說，大家窮，交流不起來，搞也沒有用，但是上級叫辦，就得辦一下。於是像百色專區土產交流會議，負責幹部只作了五分鐘報告就散會了事。實行交流時，也就草草了事，表演一下而已，平南、北流只搞了二小時買賣，湊湊熱鬧就算了，還有像岑溪、興業等地根本沒有做，却報告說已經做了。」

幹部對土產交流的態度如此，商人呢，更不感興趣，敷衍而已，如博白訂了交流一億萬元的大計劃，結果只做了五千多萬即收場。藤縣的代表根本不訂計劃，也不帶土產式樣，郁來看看而已。好一點的各縣代表存着「多賣少買」，不願做，問他，他說那來資本辦貨。

所以結果只有「公營合作社」出場，殺價收購了一批完事。這樣的土產交流，還吹什麼？（八克）

大哉孔子·怪哉孔誕

為方

孔子是中國一個大思想家，哲學家，論其學術地位，乃希臘的亞里士多德，德國的康德一流人物。他的生日，由於數千年來的帝王們要籠絡儒教之故，特別紀念，號爲聖誕，將孔學弄成政治化了。每年孔子誕辰，由政府規定儀制，通飭全民遵行，就純學術的眼光看來，這是不可思議的，因爲孔教始終幷未構成爲固定的「國教」，有如耶教之在西方世界然也。

大家對孔子誕辰這麼重視，但對其生日的考據，却不去探究其眞確性。民國十八年以前，定爲夏正八月廿七日，那是根據公羊穀梁傳和史記，論語集註，孔子家乘等紀錄而來的，斷定他是降生於魯襄公廿二年十月庚子日。從民國十八年起，政府爲要昭示實行陽曆的革命精神，又不顧實費腦經去推究新舊曆，率性就改定爲陽曆八月廿七日罷。硬把孔聖人出娘胎的日子提早百天內外，豈不怪哉！實則孔子的正確生日，據我國曆學家叢作賢所著「春秋曆譜」，黃伯祿的「中西年曆對照表」，以及日本人新城新藏所著「春秋長曆」，一致考定爲魯襄公廿一年十月庚子日，即周正的十月廿一日，夏正的八月廿一日，現行陽曆的十月三日。

最近自由中國教育部把那荒誕不經的陽曆八月廿七日孔子誕辰，照舊改回夏正八月廿七日，雖然述而不作，比較信而好古了。只把孔聖人早生了五六天，無傷大雅，而且這時各學校都已開課，師生一堂，共祝聖誕，不再教孔老夫子享受那陽曆八月廿七日冷冷淸淸凄凄切切的生辰典禮，「程子」可謂知禮也歟！

自由談

秋徵

黃汎

「鑼！鑼！鑼！」

約莫是酉時的辰光，「村幹」又在敲鑼了。路上的農民都屏息住腳傾聽着，沿街的住戶，每個人都伸長了頸頸將耳朶靠近板牆，大家的神經顯得很緊張，每個人的心跳躍得更厲害，連村犬也都遠遠的瑟縮在牆角，全村的空氣都給那一聲鑼敲得死沉沉的，了無生氣。爲什麼這樣惶恐呢？須知一個在「鐵幕」中的人民，是必須習慣於這種恐懼的，俗語說：「天有不測風雲，人有旦夕災禍。」這句話，形容這些可憐的「人民」是再確切不過了。有誰能保險自己不會立刻有被傳召，拘捕，禁囚，毒刑，處決……的遭遇呢？前天阿龍就被處決了，昨天小金生給「村政府」傳去後就一直沒有出來過。現在，鑼聲又響了，莫非又是……農民們心裏都這樣想。

「全村的『人民』聽道，天黑以後，每戶的戶主，都到大祠堂開『村民大會』……必須親到，早到，……」村幹的沙啞喉嚨，「人民」們都不禁爲之打了個寒噤。

天未黑，祠堂裏已是黑壓壓的一堆，齊齊坐在地上，「村長」微有些耳聾，「村委」還沒有來，「村長」也沒有看到，只有四個民兵站在祠堂裏的四隅，眈眈監視。一個是雲飛，一個是金士，還有阿旺、阿章，以前他們遊手好閒，專吃賭飯，誰不知道，他們是賭棍，流氓，如今都是村裏的有權有勢的「村幹」了。

台前兩盞油燈，慘淡得有如鬼火，神龕裏的牌位早已給「村政府」拿去「生產」掉了，裏面卻換了一幅「毛主席」的「神像」，油燈的青光，冷風吹得一閃一閃的，照着「毛主席」的像，活像一尊魔王，彷彿馬上要跳出神龕來吃掉他們似的。

一會兒，地上的人堆突然肅靜下來。村長朱克希來了，（他以前叫朱癩子，當過土匪，現在官名改做克希，但大家都認得他。）村委（八路出身的土包子。）也來了，他倆雙雙步上講台，「村長」檢查過了人數，就開始講話。

大家聽慣了「村長」的話，那一套，每次總是少不了：「人民政府給人民做事」，「共產黨分給你們田」，「毛主席幫給你們幸福」，「毛主席是人民的救星」，最後則是「毛主席萬歲」，「共產黨萬歲」，「萬歲！萬萬歲！」但今天的話每個人的心靈都感到極大的痛楚，一年辛勞一秋，終年胼手胝足，好容易種得了幾擔穀子，幾乎要一大半作了「農業稅」，朱村長說：「要大家勝利完成這次秋徵的任務」而且「必須遵照上級指示在農曆六月底前完成。」

「村長」說後，挨着是「村委」講話，「村委」的「官腔」（那是道地的河西口音）雖然很多人聽不懂，但「村長」翻譯給他們聽，說這次的「秋徵」，要做到快、足、燥三點，快，是務必要六月底前搶徵完畢，足，是斤兩要足，不能有一粒短缺，少一粒就是「人民」的損失，燥，就是穀子要經過五曬以上，把穀子放到嘴裏，要嚼的一聲清脆。「村長」「村委」指示過「任務」後，要大家提出保證；如期完成，保證做到快、足、燥三點。又將「秋徵工作」分開八個「鬥爭小組」，分別「挑戰」，希望能湧現出光榮的「秋徵英雄」，希望誕生「秋徵模範組」，還有……農民們的肩担上就像平添了幾百斤的担子，大家相顧失色，相顧無言。

「村民大會」散會後出來的農民們，都拖着沉重的脚步回到家裏，農村一片死氣，一樣，像生活在墳墓裏，只有「村政府」裏汽燈照耀如同白晝，「村幹」們高唱着「東方紅」，而天空則不時划過一二聲哀鴻的長鳴。

香港三年（五）

·舜生·

關於香港的衣、食、住、行，以我這三十年間住得較久的上海、南京、台北來作一比較，還要算香港的平均分數最高。因爲氣候的關係，衣的問題在香港算是最容易解決的，一切衣料，無論來自何方，除中國大陸的絲織品而外，大致都很便宜，在選料上的伸縮性也很大，但裁縫的工價則頗高，太太們做一件夏天的衣服，工價高於料子的價錢也是常有的。男裝或童裝，以買做好的最爲上算，太太小姐們因爲曲綫關係，則非量體定做不可，因此香港的裁縫店，以做女裝的生意最爲發達。

食品的價格，這三年間漲了不少：例如米，初來時每百斤約七十元左右，（最好的）現在則到了百元左右；肉，三年前最好的不過兩元上下，現在則近四元；供炒菜用的火油，三年前五加侖（一聽）約七元，現在則近十元；其他大率類此。不過價雖然是漲，但不是暴漲，所以大家並不覺得。此外有一部分主要的食品，（例如牛奶麵包）政府定得有公價，一般零售商店，幷無漲跌的自由，例如普通的麵包一磅，過去五角，現在也還是五角；鷹牌煉乳一罐，過去一元，現在也不過一元一二角；普通西餐一份，我們初來時四元五角，現在也就還是這個價錢。

住是比較麻煩的，一個初到香港的人，往往容易上當：假如你向二房東租一兩間，頂費可能不要，但月租較昂；單獨租一所，或一層，則非頂費不可，要頂費是不法的，因此又有『鞋金』，『建築費』種種名目，實際便是這末一回事。頂費雖是不法，而從來也沒有看見嚴加取締，因此經營房地產的還是有利可圖，香港在最近三年，人口驟然增加了兩倍，但並不會發生嚴重的房荒，其原因大致就在此。

行更沒有問題，香港大概是最方便的，而且不問任何交通工具，價格也始終不變，渡海輪船、電車、巴士，普通一律兩角，（渡海輪和電車還有一角的）租一次汽車，九龍起碼一元，香港一元五角，這比較上海以前的雲飛祥生，也還是便宜的。

此外如醫藥衛生，以人口的驟然增加，雖然微感不够，但是很够標準，收費不算太貴，西藥自然更是便宜。但有一點，我們覺得不大了解，醫生非英國學校出身的，似乎都不能在這裏開業，我有一位德國學醫的朋友，以醫道和他過去行醫的地位論，在大陸都算是第一流，然而在這裏卻無法執行他這個原有的職業，反而一般的中醫，則無論來自何處，卻不難得着一張開業的執照，我覺得這一點，不能不說是一般居民的一種損失，似乎有變通的必要。

萬竹樓隨筆（一二三）

亂彈齋詞話

馬五先生

江亭怨

序曰：本年六月廿九日北平「人民日報」載有一段關於思想鬥爭的故事，指出「中國共產黨中國科學院」裏一位名叫樂天宇的共產仁兄，「霸佔米丘林學說」，「作爲一根打人的鞭子」，對人家亂加批評，「他不許別人學米丘林，因爲那是投機，也不許別人不學米丘林，因爲那是反動！」天下烏鴉一般黑，在東歐的鐵幕內，有一所工廠舉行工作檢討會時，那身居「指導員」地位的共幹，指斥平時早到遲退的工人是「英雄主義」；按時工作的人是「形式主義」；遲到早退，工作懈怠的人是「逃避主義」。工人們惶惑了，要求「指導員」明白指示一下，指導員答道：「這有甚麼關係？我們共產黨員都是這樣的！」明乎此，即知今日中國大陸上的人所受「思想改造」之罪過，是何等慘痛啊！

鐵幕惡魔絕技，思想鬥爭無已，左右皆不行，新舊同招詬訾。無數名詞亂指，總是他人該死，佇看自由人，投袂揚鞭驅鬼！

清史拾遺

猾士

譚組安氏，熟于清代故事，民十一同客上海，時相過談，據說歐陽小晴，爲曾文正公老友，故禮以上賓，曾之僚屬，多借以通消息，李鴻章久在曾幕，然不甘閒散，一日入小晴室，謂曰：久陷於此，如何辦法，先生其爲我一言。窗外有履聲，知文正公至，乃急避之，橫臥小晴榻後，文正公入，從者揚上，與小晴閒話，歎曰：人材難得，江蘇紳士，都來請兵，何人可去，小晴曰：李公下無變，文正答曰：正，久之乃曰：君未知其人耶，飢則爲用，飽則颺去，詐而不出，鴻章向小晴道謝，小晴曰，必用閣下，可以預賀，數日之後，果使治軍上海，一生勳業，發端如此，然世人不知爲小晴力也。

咸豐慈母康慈貴妃，忠王母咸豐太后也其乳，故咸豐與恭王親兄弟，咸豐即位，即命恭王入軍機，恩禮有加，惟册之妃爲太貴妃，恭王不悅，累以尊號爲請，咸豐不應，太貴妃有疾，咸豐與恭王皆省視，一日太貴妃未醒，咸豐入室，宮監欲報，咸豐搖手，止之，太貴妃見，朕前人影，以爲恭王，即問曰，汝何尚在此，我之所有，盡與汝矣，他（指咸豐）性情不易知，莫嫌疑也，咸豐知其誤，即呼額娘，太貴妃亦知是誤，回首一視，仍向內臥，不再發言，猜忌之心，遂萌於此，而恭王不知也。又一日，咸豐入室時，遇恭王自室出，即問病狀，如何，恭王跪泣，言病已篤，似欲得封號以瞑，咸豐但曰哦哦，恭王至軍機，即傳旨，入具册禮，禮官奏請，咸豐依議上尊號，而不肯諡禮，且減殺太后喪儀，詔令出軍機，入書，自此益疏遠矣。庚申之難，命恭王留守，咸豐至熱河，惟恭王與醇王他疾，恭王乃奏請省視，咸豐已病，強起扶枕批奏曰，相見徒增傷感，不必來觀，故肅順擬遺詔，亦不召恭王與顧命，肅順本鄭王裔，而與世襲鄭王名端華者異母，以輔政將軍升戶部尚書，入軍機，有才能，內受主知，入遇事專擅，有怡親王者，名載垣，乃鄭王端華之弟，皆依附之，時宗室，肅順與載垣端華，均不得食，以供咸豐飲食，而肅順后妃乳母，允供食，咸豐肅順以後。

后臣不能私進，不知其例，本孝貞食，欽兩后，肅順不及，至孝貞，而照常進之際，其所以必有乃專，言，流離之際，肅順是其孝，一切照舊，六宮咸豐不以，且減供，告孝，人必驚異，咸豐其對，告孝貞曰，肅六部爲不可，於是孝貞大行，遂恭慈禧，旋而以防顧命，八臣受詔，命臣閑召臨詞，所有疏奏，仍由內發，軍機擬旨，印後出閱過加回道堂小印而已。

黑十字

北晨

同一個時間，另一個地點，便是新都酒店的房間內，一男一女，展開一幕更激烈更緊張的戲。

洪正池飲飽了酒，他的左手包着紗布，也許那上面流出了他那第三封信所用的墨汁，他敲開了藍英的門，藍英像前些日子一樣，坐在角屋的單人沙發上，沒有理他。

「你收到了我的信嗎？」

藍英沉默不語。

「我想和你談一談。」

女人仍舊不會理會，她有一點憎厭，洪正池不該喝下那些酒。

「聽說你要結婚了是不是？」洪正池的話中，含有幾分諷刺。

「怎麼！難道我不能結婚？」這女人的性格是剛強的。

「你能結婚，你有你的自由。」

「當然我有自由，你管不着。」

「你有了百萬家財，你有了汽車洋房，你做了闊太太，你便忘了我。」

「我才不會忘記你，你害得我好苦。」女的正想哭泣，這一回，她是眞的有點難過，她恨洪正池，一個不長進的男人，葬送了自己，也葬送了她。

「難道你沒有害我？我不一樣苦？」

「你苦你的，你活該！你是自作自受。」

（四一）

·中篇連載·

中國之友（九）

毛以亨

戈登將軍傳（二）

二，身世及幼年時代

他生於一八三三年一月廿八日，在一職業軍人之大家庭中：有兄弟五人，姊妹六人，名爲在理蕃治戈登行四。其父名威廉亨利戈登，生於一七八六年，服務英國砲兵，嘗戍近東與地中海各處將，死時爲一八六五年，已晉升少將。祖父大衛忠於蘇格蘭王室，會爲抗議諾威王朝入侵，力盡被擄，即脫離軍界而遠適美洲，威廉亨利其幼子也。戈登二字有謂乃丹麥文槍尖之意，因疑其先自丹麥，惟蘇格蘭人爲奸細，而戈登之族在蘇格蘭極爲繁昌，故世人以與事實不合而不之信，豈秦檜之後定能在臨安繁昌耶？一般人都以其先世來自法國，文學家司各脫曾有詩頌戈登之族曰：「從來沒有失卻榮譽，而爲最年青有力量的人們。」

他生於 Woolwich Conthon，十歲前曾隨父戍 Corfu，十歲始回國入 Taunton 小學。在校時，僅喜繪地圖，此乃其幼時曾出國旅行，係爲好奇心所激發之故。他不是好學生，品學方面均有缺點：在校四年，至一八四八年十六歲始離校。他曾訓咒爲魔鬼的考試，不自知其何以能渡過難關，考試一完，就把功課一乾二淨悉行交還先生了。他喜歡吵鬧，自以爲是，而與同學落落寡合，又不遵守學校規矩，紀錄不好。

他大概在普通學校，功課上進步太慢，往下讀下去，似乎沒有多大益處，況且他是個破落戶的大家庭，家中常感不勝學費之負担的。而且其長兄二兄功課均好，他是相形見絀的，於是不得不改行了。勃氏的戈登傳則稱其不願增加家庭負担，故入本鄉之皇家軍事學校，此則所謂由軍而爲戈登之族的傳統職業也。投軍將，次兄在克里米戰爭中已露頭角，次兄位至少將，長兄均在軍隊發展，其長兄而英名超過乃父，長兄博學而小心，雖未得機會以展其長才，然爲戈登最佩服而常勸告之人。不過戈登在軍事學校讀書之時，以體育著名，功課仍是一塌糊塗，終能於一八五二年六月廿三日混得畢業文憑。復到 Chatham 完成工兵教育，至一八五四年畢業；在此二年中他略有進步，而對測量的實習頗感興味，惟於書本仍覺得厭倦，修養已注定其爲實行家，而非理論家了。

自由人
THE FREEMAN
（半週刊每星期三六出版）
（第一五三期）
每份港幣壹毫
督印人：李光譯
社址
香港高士打道六六號
電話：二〇八四八
GLOUCESTER RD.
HONG KONG
TEL: 20848
承印者：東南印務出版社
地址：高士打道六四號
台灣特派員辦事處
台北市館前街五十號
台灣總經銷處
台北市中華路一二五九號

在中共蘇俄加強勾結聲中 談日本建軍問題

假定因為周恩來等一行到莫斯科請訓的關係，而更能引起世人對整個亞洲問題的密切注意，這却不失為是一件好事。

・左舜生・

美國在最近的三個月，將集中力量忙於國內的大選；日本在和約生效以後，也正在從容研討如何能在各方面為她自身找出一條經濟的出路；甚至還有若干夢想和平的人士，依然在繼續做他們甜蜜的美夢，希望中共與蘇聯之間，可能發生何等的變化；老實說，這些人實在都需要一點強烈的刺激，給他們興奮興奮！我想在這樣的一種意味上，來談談日本已經着手的建軍問題。

日本的吉田首相，居然一變以往遮遮掩掩的態度，正式的強調建軍，而且自己兼任了保安廳長官這樣一個職務，這總算是進了一步。但我却要重申我平來的一些看法，希望日本，同時也希望美國，能更有一點切實而具體的做法。

蘇聯的侵略韓國，其目的不在韓國而在日本，斯大林以為要征服整個亞洲，認為這個會執亞洲牛耳的日本，非予以澈底解決不可。

美國把蘇聯撇開，居然領導其他的民主國家與日本訂立和約，這在蘇聯本來是不能忍耐的，但她因為有一套更大的做法，因此終於忍耐下來了；假定把這種忍耐看作便是蘇聯的屈服，這實在是一個太可怕的危險。

聯合國空軍在北韓大舉轟炸，蘇聯並不是沒有報復的力量，然而不即刻正式報復者，這只是蘇聯選擇一個爆發大戰的時間與地點的問題，決不是一個力量可能不可能的問題。

斯大林認為最值得他用心去對付的，在歐洲是德國第一，在亞洲是日本第一，他決不能讓日軍的建軍順利完成，他將在認為不能不打擊的時候，給日本以一個全面的打擊。

假定日本過度看重一個獨立國家的面子；假定日本衰弱如一的着重自保，以為我不犯人，人即不會犯我，甚至幻想到即令大戰發生，日本要東身事外，也不是絕對不可能的事；假定日本想藉着經濟關係，直接敷衍中共，間接敷衍蘇聯，便可把蘇聯積極圖日的這一事實和緩下來，即可能讓她有從容佈置的餘裕；則日本在最近將來可能遭遇的大不幸，要後悔也將是來不及的。

我們檢討日本整個建軍的方案與步驟，可以看出幾件顯然的事實：一，在時間上相當從容；二，當前的目標側重在自保；三，重點在陸軍；四，在目前不能不仰仗美國的掩護，但心理上則以能愈早擺脫愈好；五，因為急於要構成一個獨立國家的體制，即對海空亦不忽視；六，雖不能不起用舊軍人，但態度相當審慎。

在我們看來，以日本目前內外交逼的形勢；以蘇聯決心打擊日本的時間遲早不可知；以亞洲其他各方積極構成一個澈底解決問題的力量之條件太不具備；總覺得目前日本這樣一個建軍計劃是不能令人滿意的。

假定使得日本只能有如目前的這樣一個建軍計劃，其責任不完全在日本，同時亦在美國，甚至美國還不能不負較多的責任。

我們要充分明白：第一，時間不會太長，即令大戰的爆發可能延到一九五四，但我們却不能作一定如此的打算。第二，日本不擔任一個主要方面的作戰任務，根本即無所謂自保，蘇聯已經了解，她要爭取一個中立的日本已無可能，她要實行的，乃在日本建軍未完成以前，即予以一次突襲，其性質的嚴重，可能在珍珠港一役以上。第三，日本把建軍的重點擺在陸軍是對的，但決不是二十萬三十萬的問題，最低限度，日本除確保國內的秩序以外，必須有一枝二百萬至三百萬担任出擊的龐大陸軍，才能對遠東發生決定性的作用；其裝備除日本須負一部分的責任以外，其十分之七的責任應由美國負之。目前美國對亞洲的態度，不祗援華不夠，不只對太平洋聯防的佈置不夠，即對日本的援助，隔靴搔癢，事實上的需要也相差太遠。第四，今天是以一個共同的力量去對付共同的敵人，從前那種狹隘的獨立國家觀念，即在英法也不能確保，何論今天的日本？只怕美國不願提供更多的力量，假如她願意的話，應該是歡迎之不暇的。第五，未來亞洲的大戰，陸軍應以中日兩國為主（中國的力量要在進入大陸以後始能充分表現）海空應以美國為主，這是事實的需要如此，在美國可節省大部的人力，也實在是比較的經濟。我並不反對日本重建海空軍，但目前却絕不應該保持平衡的發展，把力量分散得太厲害，這在日本目前的情況，只是一種失策。第六，過度對日本的舊軍人懷着疑念，這是不應該的，任何人的觀念都會在未來一座洪爐中再經過一番提鍊，說日本舊軍人的思想會在未來的世界中以過去同一類型的姿態出現，這實在是想像上一種過度貧弱的病態，因此我主張除年老已不適於供軍職的一小部分外，應大量起用日本的舊軍人，以應付當前急切的需要。

我希望日本一部分的政客們不要以我這一套主張只是高調，而實為日本目前力所不及；但在十年前日本確曾展開過比我所說的一個更大的規模，今天日本的兵源與工業潛力，並不小於上次戰爭以前，更加上美國的大力援助，反而推諉說是不能，顯然只是一種遁辭而已。日本又不要以為我這一套主張，只是從主觀上就中國的利害着想，而一味只想把日本拖下水來，實際我看得明明白白，日本的危機嚴重，決不下於中國，我自然要為中國打算，但十之七八還是為日本的前途不安，萬一日本也與中國陷於同樣的不幸，（太有可能）則豈僅整個亞洲的局勢將不堪問？即整個世界的情況，也將十分的黯淡了啊！

放任自由、計劃抑統制？

三種經濟制度，展列我們的眼前，即放任自由、計劃和統制

・鄭學稼・

所謂「放任自由」經濟，即一般人所說的「資本主義」。它的特點，是國家絕不干涉人民的經濟生活。這種制度，是亞丹・斯密的理想，經大衛・李嘉圖到約翰・穆勒可說完全實現了。但在穆勒眼裏，完全實現的「放任自由」經濟，給人類的不幸要大過幸福。因此晚年的他，有所謂「社會主義」的傾向，這一傾向，不僅是受他的愛人思想上的影響，又是他所目擊「放任自由」壞處的產物。

放任自由經濟的優點，在亞丹・斯密及其信徒的著作中，已說得十分清楚。但它的壞處，却成為國家主義者、社會主義者們批判的對象。國家眞能絕對地不干涉人民的經濟生活嗎？如果，放任自由的結果，有少數人犧牲大多人的幸福——這是放任自由主義者所不允許的——那國家怎能袖手旁觀？如果，沒有別的力量，可以阻止犧牲大多數人幸福的少數人自私行為，國家怎能不伸手到國民經濟的領域？如大家所知道的，信奉放任自由原則者，對於獨佔行為，會主張運用國家的力量去干涉，美國的「反托拉斯法」，即其一例。

這也就是說，放任自由經濟制度之危機，不來自外面而來自內部。人總是有情感的，有利害計較的動物，他決不會虔誠地遵守邊沁們的哲學原則，使自己的自由不會發展到危害別人的自由。尤其是，經濟的放任自由，常使大多數人犧牲了自由。

這一事實，是「社會主義」出現的前提。社會主義者從「放任自由」的內在危機及其所造成的人類不幸，要求變革經濟制度。當他們的要求，武裝着技術的觀點時，常着現實性，與烏托邦主義者大不相同。他們指出：如能把少數人的生產工具，收回國有，大多數人就可以得到幸福。他們又指出：當全部由國家作有計劃的運用時，可使大多數人得到幸福。於是，他們和放任自由主義者完全相反，要求國家全面的干涉，支配國民經濟，因為只有那干涉、那支配，才能達到計劃經濟的目的。

在那兩個極端的主張中，有另一派別，即所謂統制主義者。他們反對「社會主義」者的暴力革命（要收回全部生產工具，必須暴力），同時也反對放任自由；但在原則上，並不反對國家權力的擴大。無數事實指示我們：國家擴大統制國民經濟的力量，勢之所至，只有兩個成果：第一，由於財產私有權的存在，使握有經濟力者，利用「統制」而增大對國民經濟的支配力；第二，少數官僚，利用「統制」權力，使自己變為新的經濟權貴，這類人，常常就是統制經濟理論的歌頌者。統制主義者與社會主義者不同處，在於前者反對暴力，後者贊成暴力；但兩種人却有共同的目的（國家全面地控制國民經濟）和共同的收穫（自己握有國民經濟的指導權與優先分配）。

統制經濟的出現

統制經濟的出現，和社會主義之出現一樣，都是放任自由的反動。社會主義的出現，先作為一種理想，統制經濟的出現，却常是已有事實的啟示。如我們所知的：放任自由制度，和全體戰是不兩立的。當戰爭需要國家運用全部力量時，自然地要採取各種合法的手段，干涉及支配國民的經濟生活。第一次世界大戰及其後果，是統制經濟的胎盤。以後，幾乎沒有一個國家，對於國民經濟是取放任自由的立場；國家干涉與支配是免不了的，問題只在於干涉及支配範圍的大小。

為着，第一次大戰後的國家，和一九一四年前的國家，有上述本質上的不同；同時，又為着計劃經濟，經布爾塞維克政權久長實驗後出現了對人類幸福更大的不幸；就產生似英國工黨及美國新政主義者的思想與行為。但費邊主義者和羅斯福主義者，用無數事實，為人們證明一宗事：國家一擴大干涉國民經濟，就產生浪費社會財富及貪污的行為。工黨政府的貪污記錄少於民主黨政權，也許由於它的執政期間比民主黨短，但號稱民主的政黨，蒙上貪污之名，決非偶然。總一句話：統制經濟（工黨的國有化政策，民主黨的「新政」，本質上都屬於統制經濟）的壞處，恰就是放任自由主義者所攻擊的。

從歷史的發展說來，當前人們之反對計劃經濟和統制經濟兩個制度，都有它的來源。放任自由思想的出現，是重商主義的反動。重商主義者之受放任自由主義者的攻擊，為着國家干涉國民經濟。現在，由於計劃經濟及統制經濟之干涉國民經濟的力量，大過重商主義的國家，自然地出現新的放任自由主義。奧大利學派信徒密色斯的學說，突然又受經濟學家們的注意和宣傳，決不是偶然的。至於曾是著名的馬克思主義者伊斯曼（Max Eastman），在「新領袖」上以「自由與計劃經濟」（Freedom And Planned Economy）為題攻擊國家干涉國民經濟，那完全是布爾塞維克野蠻統治的反動。

自由中國學者對於上述三種經濟制度，目前也有兩個意見。第一、是戴杜衡先生的主張。介紹密色斯學說的他，堅決地主張放任自由，反對國家干涉及支配國民經濟。第二、是林一新教授，他調和兩個對立的思想。至於政府的傾向，尚不明白。但有兩個事實，似可反證它并非統制經濟的無條件支持者。第一個事實，是對於「節制資本」的解釋。在大陸階段，有這一套主張：節制資本即發展國家資本。發展國家資本，即強化國營事業。最近，有若干人主張節制資本，是用征收所得稅，累進稅等方法，不是擴大國營的力量。

（下接第二版）

半週展望

・雷嘯岑・

其說不一

周恩來到了莫斯科「朝聖」，全世界的政治人物議論紛紛，揣測不一，各有所見，也各有所蔽。但有一種基本觀點，大家或許是不能不公認的，那就是：周恩來一行只有陳情聽訓乞援的自由，而無獨立自主外交行動之可言！

既然如此，我們對於中共代表團赴俄的評價，祗就蘇俄利益設想，即思過半矣。假使史大林要他們堅持着韓戰的現狀，再對東南亞執行「亞洲共產情報局」的指導任務，他們敢說一個「不」字麼？沒有說「不」字的資格，則除陳情聽訓乞援以外，還有甚末可說的呢！

世人對此而大費腦力，多所詫異，那就會上俄共集團的冷戲大當啦！

不說也罷

美國參議員史巴納曼最近由台灣訪問回去，對新聞界發表談話，替馬歇爾的對華政策辯護，說當年國軍士氣低沉，美國雖予援助，也不能阻擋中共之奪取大陸云云。過去的事，讓它過去好了，事後徒作無益的是非爭論，有何用處呢？我們只希望民主列強惜取歷史教訓，對眼前的事實不要一誤再誤，就萬幸了！例如中共之決不能脫離蘇俄而自立，這已鐵案如山，無可移易的事，然英美偏着自己的如意算盤，始終還要明知故昧地搞出許多對中共妥協的言行來，以打擊東方人民的反共情緒，究何所為乎？一九四九年秋間的美國對華外交白皮書，除打擊自由中國的士氣以外，作用安在呢？那時節，我們要求白皮書暫緩發表，讓國軍在西南與中共一決勝負再說，而美國亦不答應哩！事過境遷，說來徒增煩悶而已。成事不說，還是談新問題罷。

英美對伊朗問題的歧見

伊朗問題已接近最惡化的前夕了，莫薩德贏得了政治權益，失去了經濟機能。油田的產銷，受着英國不合作諒解的壓力，毫無辦法，間接就祇有替共產主義者造機會，土德黨躍躍欲試，莫薩德有玩火自焚之憂！

如果民主世界害怕伊朗將步中國後塵，為俄共所吞沒，又何必不憬悟歷史的失敗教訓，趕快犧牲一點私慾，以成全共同的大利呢？拿經濟壓力來迫使落後國家屈服的作法，絕對是得不償失的。馬歇爾過去以停止一切援助來壓迫自由中國對共黨讓步，乃釀成今日美軍苦戰遼東半島，共產世界掀起反美高潮的後果，邱翁難道還想與馬歇爾媲美不成！

民族主義只能善導

中國大陸是在英美政策一致之下失去了的，伊朗頗有在英美政策不一致之下而喪失的危險。我們眞不知這是歷史之神對政治家開玩笑呢，抑是政治家健忘歷史教訓？

從北非起，經中東以至全亞洲，到處都表現着民族主義的高潮。澎湃洶湧。這是一股進步的潮流，也可說是人類自由生存之自覺。先進國家祗有因勢利導，納入正當途徑，給以合理發展，自然彼此相安無事，共存共榮。

突尼斯、摩洛哥、伊朗、埃及、越南、馬來亞這些地區的動盪，都是導源於此的。有人對伊朗問題不願讓步，據說是怕其他中東國家皆起而效尤，實行石油國營化。其實，這些落後地區的生產關係與技術，期待於先進國家幫助的地方很多，能在政治上滿足其民族主義的要求——當然多少要犧牲一些眼前利益——將來在經濟上依然大有所獲的，問題在能否改變其舊有的優越感？

世界和平的前途

大家都希望世界有永久的和平生活，但大家都不願從遠大的和平途徑走去。殖民政策如故，種族優越感如故，恃強欺弱的作法如故，世界和平從那裏說起？

我不敢幻想和平，而且認為三次大戰之後，不到卅年，又要發生四次大戰——全世界的種族戰爭！

蘇俄如進攻中東 民主陣營有多少抵抗力量

劣

中東的局面太複雜了，一年中總少不了有好幾次政變和動亂，不管蘇俄是否直接在操縱這些情勢，但一切的變亂無疑總對蘇俄有利，使它的魔手愈伸愈深入。所以自從最近伊埃變亂後，無論波羅的海鬧了些什麼亂子，甚至動刀動槍演習起來，大家仍說，眞正危機還在中東。

地理和資源關係 俄國的野心正盛

這完全是地理情勢和石油的關係，史大林如一旦決定動手，他將分幾路出兵，而其中有一路，必定力求控制中東，並穿過這地方在印度與中共的軍隊會師。如這一戰略企圖獲得成功，則整個歐洲和遠東的局勢將完全改觀。所以中東在戰略上太重要了。

如史大林開始進攻的話，中東這些國家有無力量可以抵禦呢？每個來到這裏來的軍事政治家們，都在搖頭。原因是中東各國對蘇站在第一線上的伊朗，名義上是有十個師，而素質和配備都相當差，過去幾年中，美國供給了一部武器，並派遣美國軍官協助訓練，但直到現在，還只有兩個師比較可以使用，以伊朗土地這樣廣闊，這兩師人在緊急時也難以集中於一個防禦綫上的，因此美國軍事家曾建議在伊蘇邊境的山區加強防禦工事的建立，並在山區各要隘設置破壞隊，守不住時即實行破壞。以便延阻蘇軍的推進，等待英美援助的到來。但是自從英伊爲石油問題交惡後，伊朗共產黨即大爲活躍，他們與民族派建立統一戰綫，不僅想把英國蹴出，並圖把美國軍官也趕跑。這種內部的變化，將使美國束手無策。

中東各國力量弱 內部矛盾糾擾多

伊拉克，石油比伊朗還豐富，但全國只有二師軍隊，不到三萬人，一師駐在北部伊朗邊境，一師駐紮在布格達，與波斯灣的平原上，現在伊拉克的十七歲幼王菲沙爾二世正在訪美，他的父親雖是反英的，但他卻是一個親英美的份子，他這次訪英美，當然是美國準備加強這一方面的反蘇力量的一個步驟。但光靠計劃和援助，要伊拉克自己去做，恐怕效果也不會好的。

敘利亞，軍隊只有二萬五千人，一個裝甲大隊，是法國裝備，實力太脆弱了，現在統治軍權的希沙克，野心很大，可是缺少頭腦。

黎巴嫩的軍備更小了，只有五千人，也是法國裝備，雖然[illegible]斯人是勇敢的，但它的力量實在還不足以自保。

約丹，倒是個善戰的國家，是英人訓練的阿剌伯軍隊，共約一萬五千人，只是這個國家一向與伊拉克，敘利亞，黎巴嫩都不相和睦的。

蘇地阿剌伯，軍隊一萬五千人，美軍在那裏有重要的空軍基地，這個國家的版圖相當大，軍隊的裝備很不錯，全是機械化的。

埃及，有軍隊八萬，英國裝備和訓練的，但並不是一支理想的軍隊，情形很複雜，自法羅克被迫走後，反英的活動更高漲了，華夫特黨是不會對英讓步的。所以如對蘇彝士運河問題不作積極解決，到了中東形勢嚴重時，不一定會給西方國家用的。

以色列，雖然只有一百萬人口，卻有七萬名很好的部隊，它曾在一九四八年擊退阿剌伯的圍攻，表現出它的特質，所以美國也特別重視這個國家，軍援在比例上說也特別多。雅法軍港在美軍手上，也就成爲美軍在中東最重要的海軍根據地。

土耳其當然是最重要的國家了，現有軍隊三十五萬，動員起來可到二百萬，派遣到韓國戰場的土耳其軍隊表現得也特別好，空軍的力量也不小，英美對之都另眼相看，這是不用說的了。

蘇俄進攻的路綫 可能先指向伊朗

蘇俄如向中東進攻，它的箭頭很可能是先指向伊朗的阿塞爾拜然，越過羅旺特士與喀爾寇克山嶺，然後再鑽入伊拉克，在伊拉克西南邊區平原展開大戰，也可能是它的陸軍進攻伊朗時，而空運部隊已在伊拉克降落。隨後再分別用坦克橫掃而過，由於中東諸國的實力這樣薄弱，內部矛盾這樣混亂，一時就很難集中起來對抗了。如土耳其這時立即動員，並向前推進，或可在沙漠地區阻住蘇軍，或者情勢可以緩和一下，可是最重要的是英美軍隊在這時是否即能及時趕上，空軍的出動當然無問題，但要知道，到了這個時候，中共的向東南亞推進是必然的，美國的配合動作，陸軍將陷困境。所以英國的軍事家赫脫說，那時唯一的辦法只有用原子彈直搗蘇俄心臟了。

能否防禦此要地 伊埃問題是關鍵

爲了未雨綢繆，美國現在對英施用壓力，要他立即主動解決英伊英埃問題的僵局，讓步的讓步，該妥協的妥協，不要再斤斤於目前的小利，而忽視了將來的大害。這些問題解決了，才能進一步把阿剌伯集團的矛盾逐漸消除，走上團結之路。同時也才可以把各國軍隊的訓練和裝備統一起來，成爲一堅強的抗共集團，到緊急時配合動作。

至於英美等國，那要看李奇威的措施了，這位西歐盟軍統帥，手上應該掌握有一批預備隊，在必要時立即可出動五個到八個師，增援到中東前綫，才能配合土耳其軍隊的出動。伊拉克西南邊境，當是一理想的大會戰場合，只要在這裏把蘇俄投進的軍隊全部殲滅，共產國際的侵略計劃，就又得從新改變了的。・胡絡・

游擊英雄何卓權補正

・百亢・

何卓權是高小畢業生，高高的身軀，長長的面貌，濃黑的眉毛，黝黑的膚色，外形很像關公，他對部下很寬縱，沒有架子，部下都叫他「老闆」，他的特點是不怕死，不把自己的性命看得很重，共匪始終是他的死對頭。

讀本報一五〇期山禾先生「神出鬼沒的吳卓權」，筆者略有補正，並就所知作一報導：

何卓權姓何，並非姓吳，他是浙江諸暨縣[illegible]村人，是諸暨縣內樂安高小畢業的。[illegible]黑色的膚色，就知道他是久經風霜的遊擊英雄。說起話來一口諸暨土腔。

抗日勝利前一年的秋天，筆者本來只聞其名，不知其人，我和一個朋友從浙東去浙西，在桐廬開往分水的小船上，正巧搭着何卓權部征派來的船隻，當我們跨下小船時，他已當了忠義救國軍的一個支隊長，小船上只見船內有個[illegible]的人，旁邊有六個衛兵，手持着槍，都很新式，他的衛兵告訴他：「老闆，好吃午飯了。」他才從被窩鑽出來，洗過臉，他們自己已燒煮的菜飯還沒端出來，因爲我們坐在他貼近，他就問我們府上哪裏？當我們回答說是「諸暨」的時候，他就對我們非常親暱，並問諸暨哪裏？我們說是「北鄉」，他說：「嚜，北鄉共匪好多呀！」這時菜飯端出來了，他說：「外地碰到同鄉難得很，今天同吃午飯，只是沒有小菜。」意思極爲誠懇，我們不好推辭。他邊吃邊談地說：「最近諸暨縣長曾叫我去剿北鄉的共匪，我對他說，你求治之心不要太切，待我二個月後病好之後把他消滅。」（這時共匪在北鄉流動的部隊人數已達千餘人。）他的話說得十分堅決勇敢，我和朋友都佩服他的勇氣。到了分水，他部下二人就荷着槍去派伏了。不久何卓權頭戴皮帽，身穿長袍，手執手杖登岸坐轎去了。不料那天晚上和我們又同住在一個旅館，第二天才和他分道揚鑣。

後來朋友還告訴我關於何卓權不怕死的一則故事：「當美國的新式槍卡賓剛進中國時，何卓權還是第一次看到，他看到美國軍人試驗射擊時，瞄準器對準了，百發百中，非常驚異，就大胆地立得適當的遠程，把自己戴着的帽頂，作射擊的目標，請試槍的美軍向他射擊，「彭」美軍很有把握地射中了，他脫下帽子，看看帽頂笑了。忽然他叫美軍戴着帽子立着，由他瞄準帽頂射擊，那位美軍看他行動粗鹵，且對該槍係初次射擊，惶恐地拒絕，但何卓權堅決不肯，硬要他立着，保證一定也能射中，那位美軍無可如何，只好戰戰兢兢地立着讓他瞄準射擊，那帽頂果然也被他射中了。」

何卓權的特點，就是不怕死，他不把自己的性命看得很重，也不把人家的性命當一回事。筆者在幾個月前在本港碰到浙江淪陷共匪後跟過他打游擊的一位青年陳君——是他的堂外孫，問起他何卓權的情形，據告他仍在浙江打游擊。我問現在軍紀怎樣？他說：「那要比以前好得多，因爲經驗告訴他，游擊隊要能生存，要和共匪戰鬥，就非嚴守紀律不可。」

我認爲像何卓權這樣的游擊英雄，仇共的意志是沒有比他再堅強了，但缺少的是政治戰鬥的配合。他應該加強政治意識的訓練，或派精幹政工人員參進去，這樣打擊共匪，才能收事半功倍之效哩。

台灣環島行紀（三）

麗子

我這一次到台灣，正是　總統昭示的動員年。台灣省政府主席吳國楨爲響應總統的號召，也正在提倡便民運動。

便民運動 大有成績

據說台灣省政府從去年下半年起廢除了門崗，任何人都可以自由進出。各縣市政府亦然。說到便民運動，我在許多鄉間看見便民的標語，例如「服從至上，便民第一」。「便民簡政，提高效率」都是。在有些地方，也確做了些便民的工作，譬如鐵路恢復准予中途下車的車票，旅館可實以代報活動戶口，晚間憲警查旅館房間只查留在賬房間的旅客身份證或差假證，不再半夜三更敲打旅客的房門，擾人清夢。但是關於便民運動的本名，却聽見許多人表示不贊同。因爲在民主國家中，人民本是國家的主人，政府是國家的公僕，現在公僕以便利主人爲號召，並且名之曰運動，在語調上仍是以官署爲主體。又有人說，政府爲人民做事，存心不便民是沒有的，許多法令規章所以給人民以不方便，多由於執行的人執行不善。譬如台灣省縣市政府雖則撤銷了門崗，而老百姓還是見不到省政府主席與縣市長。蓋主席與縣市長不是在開會，便是仍要有人介紹，或是先行函約時間。所以只要政府在執行方面能自加檢討，人民則可受益甚多。

分區停電 還待改善

無論便民運動的名稱如何，台灣現在存留着一件最不便民的事，則係事實。這事實就是每天下午七時至十時，要分區輪流停電十五分鐘。台灣全省屬於同一個發電系統，所以停電及於全省。又因爲台灣的電力是得之於水力的，遇到水源枯竭的時候，電力自感不足。我三十八年春天去過台灣，每晚十一時至次晨要停電一個整夜。今年春天也因爲水涸，所以分區輪流停電，其中曾延長至每區停電三十分鐘，現在則尚爲十五分鐘，此事使全省每一戶人都感到最大的不方便。聽說照現在的水源情形看，已經可以不再停電，祗是有人認爲應當使老百姓有所警惕，所以不能取消。在台灣電力公司方面，宣佈的理由，因爲要供應工業用電，所以要家家戶戶忍受停電的不便。但我在全省各地周行，見有些地方根本不停電，有些地方則浪費電力甚多。照前者說，停電不但予人民以不便，且亦不予人民以不平。如台北市有些地區不在停電之列，[illegible]。照後者說，[illegible]也不應該。台灣的電費很低，只及香港的十分之一，[illegible]多浪費。但大多數人却因停電增加支出，如燈燭的預備，以及因停電而造成的火災，傾跌，衣物被竊等是。就我在各地見聞所及，當前的每天十五分鐘停電，節省電力有限。現在水源地儲水甚豐，又値在雨季中，應可取消，以實踐便民運動的號召。但我又聽說台灣電力公司今日處境亦甚苦，因爲可以命令指揮他的機關有十幾個之多，要改革一件事，頗不容易。尤其他一方面要聽屬於中央系統的經濟部資源委員會管轄，一方面又要受屬於台灣省政府的生產事業管理委員會的指揮監督。但是台灣省內的中央稅收與省稅收，已經由立法院制定了統一稽征的條例，成績不惡。實施以後，關於經建方面，那麼中央與省的行政，也應該可以統一。這正如我有一位朋友說的，便民當先求政府自便，便官也即係便民。且看吳國楨主席，能否爲便民運動倡導者，與全省人民解除這最普遍的最不便。

電力建設 朝氣十足

日本人在台灣所做的水力發電系統，當時因恐電力有餘，無法利用，所以做得太小。加以在太平洋戰爭的後期，遭到盟機的轟炸，損失慘重。光復以後，台灣電力公司各級人員，胼手胝足，辛勤卓著，不但恢復原狀，並且超過日人時代的最高發電量。去年十月，台灣東部的餘電向西部輸送的聯絡工程完成了，此項工程其值得稱道的，全在沒有交通道路的千山萬壑中進行，高山同胞背負材料出力尤多，[illegible]所以附近的高山同胞村落，都由電力公司裝設電燈，使其享受光明與電力，以資酬報。除此而外，台灣現尚有數處的新的發電工程在進行中，以有美援的配合運用，有日籍技工的幫助，更有多少本地工人的流汗苦幹，他日全台灣的電氣化與工業化，將有驚人的表現。

我在旅行途中，曾看見台灣電力公司許多技術人員，在窮鄉僻壤，懸崖高山中工作，他們的工作効力都很強。有一個朋友說，台灣電力公司除去董事長朱一成是一個多病的殘人外，其餘所有人員，個個都很精壯，是台灣省各機關中效率最高服務精神最好的一個企業單位。我在途中曾去看過幾處的電力公司的管理處與服務所，看他們一切都井然有序，整齊清潔，證明我朋友的話確非虛語。

放任自由、計劃抑統制？

上接第一版

第二個事實，是配合扶植自耕農設施，台灣省政府決定出售公營事業。大家都知道台灣公營事業範圍之大，是日本投降後客觀環境的成果。那時，大半工廠被美機炸燬，修復它，需要資本與技術，均非人民之力所能負擔。因此，不僅是強化國營事業理論家，就是事實，都迫走上國營化的途徑。國營之後，不斷的通貨膨脹，實際上不會有私人資本肯投入那些工業部門。這等於說，政府要出賣公營事業，也不可能。最近，由於通貨膨脹的停止，物價的穩定，社會秩序的安定，國際局勢的好轉，吸收外資等條件的具備，政府決定開放公營事業，這是一宗賢明的舉措。

筆者的意見

一種經濟制度的建立，是許多條件的凑合物。過去，統制經濟的形成，和抗戰大有關係。在衆多有權力的人，還未經過思想革命之前，要實現放任自由，是不可能。但統制經濟的弱點，經十餘年來的實驗，逐一洩露，它有礙於反共抗俄事業，也十分明白。因此，逐漸地減少統制經濟的成份，使國家只握有軍火工業，公用事業，別的全部開放民營，是最好的設施。至於說，完全放任自由，恐亦非民生之福，因爲中國的資本家多是上帝特造的人物。他們是澈底的「經濟人」，在此類人物未經過思想改造前，誰能放心給他們以較大的經濟權力。由之，國家應跟着他們後面，監督他們、指揮他們、制裁他們。但這樣的國家，如何能自己不幹壞事？只有一個保障，即民主。

如果有人說，依你的說法，國家要儘量減少統制經濟的力量，同時，又要實現民主；這不等於說，你是贊成資本主義嗎？我不知道，那一制度，是否可叫做資本主義，但它却非亞丹斯密理想的經濟制度。我只認爲那制度是我們所需要的。正因爲它是現實的需要，所以我才主張它。

史大林檢閱中共實力 加強戰備和世界戰略

廣州所傳周恩來赴蘇任務

（廣州特訊）自從周恩來等一行到達莫斯科的消息公開後，這裏謠言繁興。根據一般比較可靠的傳說，周之去俄，主要任務有二：一為解決韓戰問題。另一為加强經濟建設，實行社會主義問題。

關於前者，中共因韓戰以來，損失重大，維持前綫的相持局面，已日益困難，如今年嚴冬降臨前再無新的措施，和與戰均將發生困難。且拖到明年，大陸沿海各地將有被攻可能。故中共曾由張聞天向莫斯科提出兩個請求，一為請求在板門店談判中給予主動決定「和」或「戰」的權力。二為請求在不可能「和」下來時，蘇俄應給予充分軍援，特別是空軍，如中共在北韓無法支持時，蘇軍應在東北參加抵抗的軍事運動，俾能振奮中共士氣，並有餘力抽出防禦沿海之被襲擊。

但這兩項要求，一再為史大林拒絕，蓋蘇俄今天實不願朝鮮的戰爭驟然停止，違反其整個世界戰略，亦不願貿然直接參加韓戰，失去主動，陷入危機。因此對中共之請求，不僅不予照准，並對中共各種困難之陳述表示懷疑。乃於上月中旬電令毛澤東將中共現有之軍事經濟實況，具備完整之報告，由各部門負責人集體赴莫斯科檢討，俾史大林能參照平時俄特蒐集之情報，親為指示。

關於社會主義建設問題，中共於今年底「土改」已基本完成，「五反」後城市工商業者的潛力亦大大削弱，「三反」即亦初步整肅了幹部，依照預定程序，在明年春初將宣佈「蘇維埃政權的建立」，然這一轉變，關係太大，有待史大林親為決定。又三年來在西北建立之重工業計劃，實的進展情形，史亦需有一詳細瞭解。而中共在這方面，所需要蘇俄的幫助也特多。中共現已擬定一第一次五年計劃，企圖在這五年中建立軍需工業之自給。而這計劃，亦將在這次會議中得到審核和決定。

至於整個世界局勢和遠東形勢，當亦在檢討之列，東南亞各地共產黨的活動，和各種工作方式，在這次會議後，亦必有新的決定。

關於軍事部署和戰略各方面，在這次會議中將費較長時間，因在這一問題的檢討中，才能決定韓局和向東南亞發展的態度。以及戰爭帶到大陸時，一切的重要戰略部署，所以周恩來等之赴蘇，乃史大林對中共實力之總檢閱，並對東南亞在基本上採取新戰略的重要部署。

◎廣州的傳說中，對於最近中共人事和機關的調整，以及薄一波的財政經濟報告，也都牽涉及周恩來這次赴蘇之行。一般都認為史大林之意向，在要求中共作長期的備戰，故薄一波之財經報告，乃為一個備戰預算報告，蓋中共已深知史大林之意圖，不管他對韓戰答覆是「和」或「戰」，這一「備戰準備工作」，仍為中共首要任務。故出動赴莫斯科者，不僅有負責指揮作戰的人員，並有經建負責人，乃至軍需工兵之負責人。

若然，則周恩來此行，為加強作戰，將無疑問了。

廣州共幹，近日較以往為消沉，一切工作無新的花樣，中共中央可能在等周恩來此行結果，故亦無新的指示。（新河）

大陸工人生活近況

這裏集了幾篇通訊。綜合報導出大陸工人今日在過着怎樣的生活。他們不僅被奴役、壓迫、榨取、即連基本的安全衛生也竟被剝奪，慘狀實難想像。

共幹祇要增產 工人死傷日多

【上海通訊】上海電綫工廠，最近奉命舉行的衛生安全大檢查總結報告，還不完全統計，自本年一月至六月，半年當中，全廠工人受傷者數達一千三百六十一人（全廠二千人左右），造成這種情況的原因，就因為該廠的領導共幹，一貫的「只重生產，不重安全」，如進行基本建設時，幹部們只是考慮多少廠房機器，根本顧不到安全衛生，有一次汽車裝滿了硫酸罈（瓦器）進廠時，因道路不平，搖壞了幾罈，有幾個幹部當急地跑去檢查，却只問擋壞了幾隻硫酸罈，沒有問硫酸傷人沒有，引起工人的不滿。即使工人自己提出衛生方面的建議，也從不採納，只是敷衍過去就算，如該廠第三分廠漆包綫工場，因設備太差，熱得透不過氣來，工人要求裝電風扇時，幹部們却說「我們的基本建設要三個月才能完成」。工人當時說「再過三個月，用不着電風扇了」。可是幹部們根本不理會這些。意外事故，幾乎每天都有幾宗，不是烊銅裏間子彈殼爆炸，就是誰多吸了鋅氣粉中毒。今年五月間二廠工人楊懋信被大拉機軋傷致死，而幹部們不設法改進，反而說：「軋不壞身體，學不好技術」。好像技術好的人，都應該殘廢。有些工人因為自己担憂受傷，總是對天燒香叩頭，求神保佑。

共幹看到了，罵他們迷信，工人說：「不迷信活不下去。」有的則說：「我一面做工，一面心跳，不燒柱香不得安寧。」有的工人則彼此談好，你做工時昏去了，我來救，我昏去了你來救。對於共幹的所謂「勞保」等等，根本不相信，只有自己救自己。

加班加點超額 流汗流血流淚

上海鐵路局這種現象更嚴重，自今年一月至七月二十三日止，工人內事故死亡的就達二十二人，傷的更無法統計，雖然預算上列有安全經費，可是麥根路站把款存進銀行去生息，其他站也紛紛挪用，沒有一處是用到衛生設備上，茶桶上沒有茶杯，廁所內臭氣薰天，杭州錢江橋工程隊工人們在懸空工作時用的保安帶和脚手板——這個最簡單和必需的防護用具——也不去添置，以至木工汪錫欽七月十六日在橋墩做工時墮水淹死。同時路局方面，為了奪取「紅旗」，強迫工人加班加點，雖然也有人在報上提出批評，可是路局却置之不理，依然吾行吾素，並且還說：「生產繁忙，國家任務，必須提早超額完成，非加班加點不行」。同時已發出「代休券」的巧妙方式來延長工時，即加了班不發加班費，今天多做幾小時，下次就補休幾小時，可是補休期限只限於一個禮拜以內，因連續加班，工人撈不到補休，而「代休券」却已經過期失效。麥根路站裝卸工人，黃玉洲在五月二十日起三月中只休息了十四個半小時，洗澡和吃飯時間還包括在內，在這漫長工作中還吃着非常吃重的工，當黃玉洲身揹一〇〇公斤棉花包到木船時，終因疲勞過度，體力不支，從跳板上摔下來以至死亡，事件發生後，領導的幹部們若無其事，當「勞保委員」提出撫卹問題時，幹部們不耐煩的說：「你們今天勞保，明天勞保，現在還不到社會主義社會」。還是置之不理，可是事隔不久，站上發生了車輪出軌事件，失去了五月份的「紅旗和獎金」，幹部們紛紛都惋惜不已，忙着查詢原因，追究責任，比黃玉洲事件重視的多。號稱工人天堂，而工人性命却不如猪。（悠哉寄自上海）

一天到晚開會 勞模更是倒霉

【濟南通訊】共產黨的稅多，會多，名詞多成為人所共知的事，稅多固然榨乾了人民的血汗，會多更損傷了人民的健康，幹部也同樣的被會議困擾，尤其是成名的人物，如「勞動模範」之類，兼職愈多，會議多更成為普遍的現象，下面有幾件事實，可以說明共產黨的會議，是如何殘酷的一種精神虐待法。如全國鐵路勞動模範白延廷，在行政上的職務是濟南鐵路分局濟南車站的運轉副主任，兼的職務有：「站工會主席，站工會運轉支會主席，團支部書記，黨支部組織委員，站團總支勞動保護委員，站工會支委員，五百公里運動推行組組員，濟南鐵路地區火車頭體育協會委員，宣傳員」等等，還兼這裏的那裏的代表，市總工會，省總工會，鐵路管理局，分局等機關召開的一些會議。在此種情形之下，他每天早晨五時起床，一直到晚上十一時十二時才能休息，日子一久，把他的健康弄垮了，當然工作情緒也隨之減低，共幹們並不體恤他的過分疲勞，反而用他盲目的精神榨法，嗾使工人提意見：「怎麼看不見我們的模範了，與羣衆接近的機會太少了」一類的話予以打擊。其他如蚌埠鐵路分局全國鐵路勞動模範王震，濟南鐵路工廠全國勞動模範張懷玉等，都遭到同樣的情形。（史成之寄）

宿舍簡陋不堪 尿糞流滿一地

【重慶通訊】四川軍區九龍坡，是中共鐵路工人集中的地方，那裏住有十三個不同性質的工作單位，有六千餘個鐵路工人。他們每天做着最艱苦的工作，不是流汗，即是流血，本年二至五月，四個月內死傷了二千餘人。他們生活的困苦，住宿的簡陋，更出乎人們想像之外，甚至廁所都沒有。

據本月八日重慶「新華日報」載：九龍坡的六千個工人，沒有一個廁所。他們只得隨便在一個地方挖個土坑，用幾張草席搭一下，雨天漏雨，晴天臭氣薰人。「重慶車站」、「機廠」、「機務段」、「配電所」、「信號工程隊」等單位的八百多個工人，都是在這樣的一個土坑裏大小便的，以致土坑上下糞便滿地。

建議造個廁所 二年沒有下文

同時這個土坑距離使用單位很遠，光是走一次大小便，就要十五分鐘。若是下雨時，道路泥滑，至少要走上半小時，而共幹又責罵工人藉故延誤生產，因之工人為了避免麻煩和耽擱，連這個土坑也不去了，于是隨便在工場附近的空地裏解大小便。今年六月份「機務段」發動工人眷屬參加義務修車工作，該段段長，叫工人挖一個土坑，用竹蓆搭一個廁所，這個廁所，男女老幼混合使用，女的去大小便，起碼要邀約兩個，以便留一個在外面看守。從工廠到那裏又是下坡路，雨天泥深路滑，寸步難行，有一個名叫彭祺華的工人和一個名叫張德傑的技術員因路滑跌下坡去，腿也跌斷了。

「新華日報」記者集良到九龍坡採訪時，他剛走到「工程總隊」二大隊四中隊附近，就聞到一陣惡臭，滿地都是糞便，到處佈滿了蛆虫，中間就是機務段的「工人食堂」，那裏吃飯時，充滿了一股股隨風吹來的臭味，蒼蠅擠在飯桶上，菜碗上成了一片黑。「工程總隊」一大隊駐地兩傍，同樣堆滿糞便，無法插足。

這種情形，工人們從去年起，就不斷地向上報告，請解決，但是至今尚無結果。此次中共開展「愛國衛生運動」，九龍坡地區成立了「愛國衛生委員會」，向鐵路局及重慶工會提出解決廁所問題的書面請求，經過數度週折，始批交九龍坡「工務段」和鐵路局「建築大隊」，聯合執行。但工務段將工程圖樣交給建築大隊後，即認為責任已了，而建築大隊則說這個圖樣不合標準，也不再商請另行設計，就相應不理的把工程擱下來，根本不施工，以致九龍坡六千工人的廁所問題，拖到現在還沒有解決。工人和眷屬們仍然要受糞便的威脅，在最骯髒和疾病流行的環境裏過日子。

由這件事，說明了共產黨的本質是怎樣地一個骯髒的東西，它不僅將工人們作為牛馬一般看待；而它們本身也像牲畜一樣，不講衛生。在堂堂的重慶市區，在偽「西南軍政委員會」的所在地，在六千個工人集中的地方，工人竟連廁所都沒有。工人們報告和請求了一兩年，還是置之不理。一任工人受着疾病和死亡的侵襲。這是共黨口中的「領導階級」生活最好的寫照和諷刺，也是共黨統治下工人最大的悲哀。（德瑞寄自重慶）

農村共黨花樣多 當選幹部苦又苦

農村中的幹部，有的是上面派的，有的是所謂「選」的，派來的幹部不生產，選的幹部要大力生產，做勞模，同時工作任務也特別多，會議也特別多，所以這些幹部兼職特別多，弄得苦不堪言。

身兼八職 忙昏了頭

如寶山頭蓬鄉四村互助組長馬有新（青年團員），一人身兼八職：互助組長，民兵隊長，鄉檢查員，冬學文教小組長，黨的宣傳員，鄉衛生隊組員，村衛生隊組員，青年團宣傳員」。由於兼職過多，會議也隨之增加，互助組每天開碰頭會一次，民兵隊長會議一星期一次，黨員會議一月開一次，青年團宣傳員會議每兩月開一次，團支委支部大會一月一次，青年團小組會一星期一次，檢查員會議半月一次，冬學文教小組一月開一次。除上面經常性的會議以外，還有臨時性的會，如今年上半年參加衛生會議到安昌，前後二次，一次七天，一次四天，回到蓬場務所裏又開了四天會，有一次開民兵會議開了六天，在十二壞參加全區鄉村幹部大會又開了四天，計算一下，每月在會議中所佔去的時間有一百零六小時，平均每天三小時半，如來回奔跑的時間算上去，則至少每天要花六小時，什麼事都不能做了。

青紅皂白 會不停議

華東區情形如此，中南區更為嚴重，現在只以湘西保靖縣一區梭多坪鄉的統計：農民協會委員參加會議二十五次，一個月參加農民協會小組會，五天一次，農民協會委員會七天一次，宣傳員會十天一次，青年團員會十天一次，傳授站會十五天一次，此外還有一些臨時會議，公安局一讀幹部到鄉裏，召開提鼠提蒼蠅大會，縣衛生院一個「同志」下鄉，又召開接生大會，縣稅務局，民兵幹部，人民銀行，又召開各種各樣的會，工作幹部下鄉，不問青紅皂白，首先就通知開會，把開會當作唯一工作。

開會瞌睡 吃飯無心

保靖縣一區一帶是山區，交通不便，在一個鄉裏召開會議，農民要從五、六里甚至十五、六里的地方趕來開會，農民白天要生產，所以會議都在晚上開：晚上十點半集合，一開就開到十二點至兩點，甚至有時一直開到天亮，錫鐵鄉麥平村幹部每次因開會時間過長，路程又遠，就在鄉「人民政府」過夜，一早就又下田生產，九組組長因距鄉「人民政府」較遠，每次開會，連晚飯也不能吃，開完會回家，到下一點以後才吃飯。由於會長、會多、會大，所以開會變成了鄉村幹部的負担，計算起來，農民每天生產十小時左右，晚上再開一次會，睡覺時間只有三四個鐘頭，由於休息的時間太少，結果有的農民一進會場就睡覺，一直到散會時還在睡覺，叫也叫不醒，孟科平鄉農民協會委員羅中崑，在吃飯時，邊吃邊打瞌睡，把飯碗也打碎了。他說：「叫我下廁所摸蛆去，我也不去開會了」。會多會長，會大，但是並沒有真正解決問題，一開是「炒冷飯」，一開口總是：「各位老鄉，要響應人民政府號召，加緊生產，有吃有穿」。區鄉部長講大論，一講就是幾小時，討論起來，也永無了結。結論總是響應號召，總完任務。（家驊）

本報各版　歡迎投稿

勞動就業

夏雲飛

「政務院」頒佈了勞動就業的決定，上海市人民政府也在組織勞動就業委員會，大力推行這個任務，廣大的失業人民，雖然對於「政府」的任何「諾言」，已不敢再寄以希望，可是究竟因爲生命已到了餓死的邊緣，有些人還浮出了一絲幻想，這許多人中，黃子誠便是一個典型。

黃子誠畢業於北平師範大學，以後就在上海市公私立中學當了十年教員，純粹是一個書呆子型的人物，「解放」後，因爲私立中學關門，也就失業，更因爲平時不會參加政治活動，甚至「教育工作者工會」也未能加入，成了一個脫離了組織的失業人員，不過黃子誠既非地主，也未在國民政府做過事，亦未參加過「反動黨團」，所以還蒙「人民」優待，在上海得繼續住下去，只是「解放一年整，家家喝稀飯，一年半，人人吃豆餅」。這是「解放區」最流行的民謠，也是最忠實的寫照，現在「解放」已經三年多，豆餅稀飯都成珍品，黃子誠這一個四口之家，實無法再支持下去。

看到了勞動就業的條文，還有「人民日報」社論，號召要「包下來」，黃子誠儘管不信，但是太太卻已動了心，她勸黃子誠說：「既然有這樣機會，你何妨去試試看，總比坐以待斃好得多，」黃子誠苦笑一下說：「有什麼可試的，就算是照最好的希望，能找到工作，充其量也只夠一個人吃，你們娘兒三個又當如何」，「那總比都餓死好呀」！黃太太還是堅執成見「可是假若要調我到東北或西北去工作呢」？「這個」黃太太當時語塞，無法再堅持下去，一場會議也就結束。

第二天小組長及派出所戶籍幹事光臨了，他們是來勸黃子誠去就業的，首先戶籍幹事先講了一篇大道理，然後說到「在「新民主主義」社會裏，人人都要有工做，有飯吃，所以政府這次才作普遍的就業決定，你要打破思想顧慮才對」。戶籍幹事說過，小組長接着說：「黃先生你平時愁着沒有職業，生活困難，現在這樣大好機會，怎能錯過，所以我已經代你報了名」。「怎麼？你代我報了名」，黃子誠不禁愕然，「是的」，小組長奸猾臉上，浮出獰笑。「可是我不能離開上海啊！因爲有家的拖累」。「這個政府自然有通盤的計劃照料，放心好了」。戶籍幹事又插上嘴，臨行時小組長又鄭重說：「凡是不願就業的人，都是希望台灣反攻的人，也就是國特，政府決不答應的」。說過同戶籍幹事一道出去，又趕到別家「勸員」去了。

黃太太看見這種「好事」還帶着強迫性，知道丈夫預料不差，一定凶多吉少，不禁放聲大哭，兩個孩子不知道什麼事，也只跟着母親哭，這時黃子誠反而鎮靜下來，他曉得在「人民當家」的時代，個人是沒有自由的，哭有什麼用，安心聽消息算了，他反而安慰她。

中間經過了多次的填表，文教局，市政府，又經過公安局，多次的個別談話，最後才被送到就業委員會，「委員大人」逐個點名問話，點到黃子誠時，看看手中的表冊，然後向他說：「你是一個舊知識份子，雖然多讀了幾句書，可是未參加過實際勞動，更談不上爲人民服務了，過去你的工作，也是爲資產階級服務，所以像這種人，毛主席說，只能算做半個知識份子，本身是有罪惡的，今後應當建立勞動觀點，重新做人」。委員談過話以後，第三天便要起程，那事仍是秘密的，坐上窗子全都堵塞的火車，誰也不知道，根本不曉得經過些什麼地方，三天以後，火車向那個方向開，也只是昏昏地過了，時而涼爽，時而寒冷，不知道經過了半月時間，到了冰雪的地方，下車後一看，車站上也沒有中文，礦工人員把他們領進了礦山，那裏都是中國人，問他們知道到了西伯利亞，從此每天從事十六小時的採礦工作，「黃子誠才知道這就是「勞動就業」，他從此也建立了「勞動」的觀點」。

哈里遜的心得

尚方

有新聞記者向板門店聯軍首席代表哈里遜詢問他與共軍代表談判了這末久，有無特別心得？哈氏說：有！跟共產黨人接觸時，好似對刑事犯人打交道，處處要提防他們那種爲目的不擇手段的作風，只要能達到目的，任何手段都可使用的。他們選事必選其所企圖的目標，拚命宣傳一番，然對方如嚴硬地堅持着，他們又隨時可以屈服哩！（大意如此）

談到與共產黨人打交道的話，無論其爲俄共或中共，英美的紳士們都得向咱們中國人領教請益，才不致於上大當。羅斯福在雅爾達「以君子之心，度小人之腹」，被史大林欺騙玩弄，使俄共不勞而巧奪中國外蒙古和東北各地方的領土主權，貽禍至今爲烈。馬歇爾在中國搞「軍調部」，又以天真幼稚的心情被毛澤東周恩來所欺弄，致中國有陸沉之痛，美國受「美帝」之名。往事歷歷，不堪回憶！

哈里遜對俄共集團的認識，雖較一般好奇衝動的美國朋友進步些，但依然未見深刻。俄式共產黨人是一個集卑鄙、陰險、奢詭、冷酷之大成的混合體，比刑事犯人更惡劣不好應付。唯一有效的對付方法即是拳棒。你沒有使他們害怕的鐵拳巨棒，光是跟他們吵鬧會，那就是自尋煩惱！克拉克統帥所採的「休會」政策，庶幾乎搔着了一點癢處，可惜受着五角大廈的「有限度」戰略影響，不能暢行其志，此板門店和談之所以成爲肺結核症也。

自由談

香港三年（六）

・舜生・

香港的教育情形，我不怎樣明白。關於小學的一段，因爲自己和朋友們的孩子上學的頗多，大體上還知道一點，至於中學大學，我便完全不清楚了。

香港學校的收費，不是按學期而是按月的。（這是指小學而言，中學大學是否有不同的辦法，我不知道。）這個辦法有利有弊：對於一個在香港不一定久居，或住址不能十分確定的人家，適用這個辦法，可避免不必要的損失，利一；對於一個沒有儲蓄，但按月卻有固定收入的人，這個辦法也很方便，利二；分交數小，感覺性較輕，一次繳交，在一個子女較多的人家，也許更感困難，利三。可是學校方面按月必須收費一次，假定有上千的學生，在會計的手續上，一定也很麻煩；交費者的方面，月月都有這件事，也確實令人頭痛。但利害相權，我還是贊成這個按月交費制的。

一個小學生，每月大致要交學費二十元左右，每學期以五個月計，每年則爲二百元，此外再加雜費，書籍費，文具費，制服費，手工材料費，及其他不確定的捐費等等，每人每年總非三百元以上不可，我現在有三個要交學費的孩子，每年決不能少於一千元。以現在香港一般的經濟情況論，我相信因父兄無力交費而失學的孩子們，一定不少；尤其以一般從大陸流亡到香港來的家庭爲然，這實在是令人扼腕的。

私立學校完全靠收學費以資挹注，希望再把費用減輕，也許是不可能的。例如一個學校，學生約有四百名，但包括中學，小學，幼稚園許多班次，不僅校址要相當寬敞，教員的人數也特別多，開辦既要投下一筆鉅款，經常開支又如此浩大，說他們還有多少盈餘，在我卻是很難於想像的，可是，假定一個學校的學生到了八九百名，又有自建的校舍，教員的待遇既不高，設備又異常簡陋，甚至每班的學生，還往往超過規定的名額，乃至學生一切的用品，又由學校包辦，則每年盈餘三五萬，卻也不一定是不可能的。因此，我們對於私立學校的看法，不可一概而論，籠統的說他們都是商業機關，確實大有斟酌的餘地，何況只能收到一二百學生的私立學校，也還是所在多有呢？

至於教育方法，就我所知道的而論，大致還算認真；功課過於繁重，使孩子們負担不了，這種情形也往往是有的；偏重注入式，少用啟發式，這一點似乎頗可斟酌。

香港小學的國文課本，仍參用文言，如果教師好，能不拘着一本教科書在死教，使得孩子們將來在閱讀與寫作方面也能稍稍的運用文言，我不一定反對，不過這種教師卻是可遇而不可求的。

香港學校的教師，大抵多說廣東話，對國語十分忽視，我覺得這是利害參半，值得注意。

萬竹樓隨筆（一二四）

亂彈齋詞話

馬五先生

菩薩蠻

序曰：美國畢茨堡城有「考臣夫人」者，向法院控告其夫，要求離婚，理由是丈夫竟將廚房中之火爐亦變賣換酒，只圖一醉。考臣先生當法官之前認罪，但有話回明，他說：妻子是在廚房火爐失蹤三星期以後纔發覺的，這證明妻子平日不理家務及其粗心大意的事實，也表示她已經三星期未曾下過廚房了。因此，即知他在家中難得有一頓好的晚餐可享受，故不得不將火爐賣去以求暢飲，在糊塗天地中作消極抵抗而已！公婆各有道理，言之動聽，這比阿里汗王子與其愛妻「力大喜禍夫」的反目理由，更覺充足。清官難斷家務事，普天之下的夫妻爭議，皆可作如是觀也。誰要爲別人夫婦勃谿而妄事認眞評理者，誰就是書蠹神經病的人！

文君既倦當壚意，相如假蹇情誰寄？一醉遣千愁，糊塗好解憂。夫婦道良苦，那堪投官府！莫道惡姻緣，惡緣隨處然。

錄湘綺老人遺墨

狷士

王湘綺先生爲門人書冊葉，多論詩文，不僅未爲刊行，輯錄也多不及，茲錄其書冊葉文於後：「詩有家數，有時代，文無家數，有時代，此論自予發之，袁枚云：唐如周八百年，宋如周八百年，則無唐宋，此謬說也，周八百年，文體三變，而無關入秦；秦二世，隋亦二世，而無關入漢唐者，故嘗論之，文分代，猶語分鄉，湘潭話必不似湘鄉話，相去半里，土俗殊音，但我朝代，即有風尚，九州隨之轉移，以億兆而同於律格，豈以年數而同異乎，詩爲心聲，故一人一聲，然其隨朝代爲轉移，究不能大異，唐宋懸絕，不以年也，明人復古，徒矜聲貌，其實剽唐人之皮毛，律絕略似之，五七言則不能似，至於文，更無一語似古者，故明代無文，以其風尚在製藝，相去遼遠也，茅鹿門始以時文爲古文，內取唐宋文之似時文者，爲八家，方苞等從而張之，於是有古文之說，古文製藝，混而爲一，乃與昔文大殊，然其爲八股腔一也，八股可辨時代，古文則八家茅方，頗難區別，此猶學京話者，有時甚似，由退之起八代之衰，而創八股之腔，退之不似唐人，故宋明清人，得似退之，論文惟古文有家數可摹做，而詩則不能也，明何李律詩，亦間可混入唐人句，以短篇易學耳，作五言，開口便現本相，余與諸同志學宋詩，頗比七子多說幾句，即駸駸入古矣，至於文，力追班馬，極其功力，僅得似明史，心甚恥之，及作湘軍志，乃脫離時代矣，以數十年苦心孤詣，僅僅得免爲明文，若學八家，數月可似，學話易，自識難，故不甚勸人學文，恐誤人拋心力也，不如學詩，離去時代，專講家數，成家即上躋其代矣，」

湘綺先生在塘灣時，有偷兒入室，先生戲爲絕句云：「犬吠花村月正明，勞君久聽讀書聲，貂狐不稱山人服，從此簑衣並耦耕，」示侍疾諸女婦：「閨門侍疾禮防嚴，婦翼還同婦女嫌，但使婉容隨几杖，不勞親手滌牏牏，霄涼夜夜金盆側，曉餵看看百豆漿，共道經旬衣未解，解衣還襲更安恬，」臥疾示來問疾者：「維摩有意發高談，問疾先防十不堪，無故費他香積飯，終須還我雨花庵，一榻生老病心無著，惟有秋眠味自諳，推有五溪太守，解除八識了三參，」此兩首臥病詩，則隔去世時不遠也。

墨十字

北晨

這樣的場面太僵了，雖然喝了一點酒，但是並不多，洪正池知道，今天晚上不能再將事情弄僵，如果藍英眞和那個姓黃的男人結婚，他得趕緊設法，只圖從藍英手上騙些錢來，至於愛情，他知道已經距離他很遠了。

他假裝着溫柔，去拉藍英的手，藍英一掙脫，他手上的玻璃杯落在地上，跌個粉碎。

「喂！你可以走了，他們要回來了。」藍英對這些動作的感到厭惡，她要洪正池離開她。

「誰要回來？」洪正池突然強硬起來。

「我的姐夫要回來，我的丈夫也要回來。」

「不搶不偷，我怕他們幹什麼？回來也好，我正想和他們算賬。」

藍英以爲他的話是眞的，她氣了，她罵着：

「你算什麼賬？誰欠你的賬？你這混帳，你再不走，我叫茶房趕你。」

藍英跑去按電鈴，洪正池順手一拉，將她推在床上。

女的哭得更厲害，她的聲音透過了戶外。

「你這不要臉的東西，拆白黨，下流胚。」

一陣不能忍耐的憤怒，加上飲下去的酒壯胆，洪正池從地上抬起一片玻璃片，揪着藍英的頭髮，殘忍而又迅速地，在她臉上劃了幾個十字。

（四二）

・中篇連載・

中國之友（十）

毛以亨

戈登將軍傳（三）

三、個性之分析

關於戈登的個性，傳記家有不同的批評，此爲在不同角度之下觀察的當然結論，我先述各家的評語，而殿以自己的意見。若範統說法，則Boulger的話爲可採；他說：戈登極好名譽，明白責任，勇往直前，絕不猶豫，先天上具有騎士之賦禀，」可惜此類話未能盡賅，亦不深入。

G. L. Strachy的「戈登目的」一書，出版于一九一八年，除其家族有一本小書爲戈登辯護較後出外，此爲論戈登的最後一部作品。此書僅給人以一種印象，頌揚維多利亞時代的一切，以光鑠燦爛之辭句，掩飾不必爲戈登諱的弱點，蓋着重于整個人格的欣賞，而實未作分析。Lord Cromer在埃及事變戈登殉難時爲其直屬長官，於其「近代埃及」一書中對戈登有嚴格之批評，以此知戈登于老年時仍如其少年之不肯聽話而爲長官所不喜。戈登于一八八四年十一月十四日殉難前最後一封家書上曰：「敬謝上帝，余極高興，因余已試圖盡余之責任。」克氏批評道，「以軍人大職言自然這是高貴而足稱爲英雄的，不過以政治觀點來說，他未能完成此行之政治任務，還可稱爲盡責，或者甚至可謂看錯了他的責任所在。戈登以其個人意見爲國家利益與政策，這是失敗之主因，惟其勇敢矯捷，富有軍事天才，富于嫉惡如仇之正義感亦有可取。」我以爲戈登是個人英雄主義者，自以爲處處顧到國家利益，惟以訴諸良心而非邁行國策爲出發點，他總以他自己主張較長官命令爲較有利于國家。Morley言格蘭斯頓曾稱戈登爲英雄中之英雄，具無限之勇敢與力量，創造力且極豐富，而有見人所不能見到之處。但他實如運動員之衝是衝動，敏感而易怒，行事多爲內省的激發而不作冷靜的考慮，當機一斷，信心即難動搖，他是虔誠的基督徒，而自信能建立奇蹟的。此處所提出的是虔誠與衝動兩特點，我是同意的。

我遍讀其傳記知其暴怒，爲心知其非而無法自遏的狀況，則爲一種病態，他身體雖強，但可能早已有肝病，因爲有許多不應有的措施，又不能自制其衝動，祇好以病態來解釋。第二他有撇拚的脾氣，你叫他東去，他反要西來，如第二次到中國赫德叫他不要先去見李鴻章；他偏要去見李而不與赫德晤面，他幾乎無事不鬧撇拚，故常以是而誤事。第三他對有色人種一視同仁，而無歧見，如抱着納王的頭痛哭，反對販賣黑奴，誠具基督信徒博愛的精神，他是個人英雄主義而非民族英雄主義者，以此而能在中國在埃及創立不朽的功業。

自由人

THE FREEMAN
（中週刊每星期三六出版）
（第一五四期）
每份港幣壹毫
督印人：李光華
社址
香港高士打道六六號
電話：二〇八四八
GLOUCESTER RD.
HONG KONG
TEL: 20848
承印者：東南印務出版社
地址：高士打道六四號
台灣特派員辦事處
台北市館前街五十號
台灣總經銷處
台北市中華路一二五九號

對中共代表朝俄的另一看法

周恩來一羣人朝俄的最大任務，是在乞取經援。經援有辦法，才可以談到其他事項的技術問題。他們都是些幕僚人物，祇能談技術，絕無商討政策之權。

·雷嘯岑·

中共代表團周恩來等赴莫斯科「朝主」一事，近日來似乎震動着國際間的視聽，揣測紛紜，而以英美方面特感興趣。就英美兩國所表現的觀察論斷來研究，美國人仍失之於衝動，英國人比較理智些，然彼此皆不夠深刻，主觀的成份太重了。目前固然誰也不敢作肯定的結論，說周恩來這羣人一定會如何如何，還得等待事實證明。但若以客觀的心情，就中共生存本質來看，有幾點却值得注意。

技術問題較多

看中共代表團的組織份子，自周恩來以次，所有文武角色，都不是擬定政策的人物，而爲一羣奉命行事者，尤其軍事方面的代表，盡屬幕僚性的助手，財政經濟方面雖有陳雲等一二主要人員同行，但亦無商訂政策之權，與周恩來之「外長」身份相等。因此，周等如果不是以先遣隊的姿態，去探聽主子意旨，以待必要時由毛澤東偕俄顧問或潘友新「大使」最後朝覲克里姆林宮的話，則其一行人的任務，除訴苦乞援，上陳情表，協商如何方能恪盡其一面倒的應盡責任之技術問題外，不會有特殊的作爲。

所謂技術問題，涉及蘇俄政權的整個生存發展事項，如世人所注視的援韓援越，護衛大連和中東路之改制，所謂「亞洲及太平洋和平會議」如何進行，以及內蒙與東北和西北各地區如何加緊特殊化等問題，當然都應有文章。然其最急切的，將環繞於經濟和工業問題，因而代表團裏邊新近封官，尙未正式開業視事的輕重工業部門諸頭目，亦參加在內。從這個角度來觀察，會先使我們想到的大問題，即爲東北各種工業如何善後？換言之，即應否別選安全地帶？不遷，又用甚末方法來保護？這不但是中共的生命線，也是俄共的資源外庫。自水豐電廠被炸毀以後，東北工業方面的動力已大受影響；生產力大大地減縮了。聯軍今日可以炸水豐電廠，他日何嘗不可以炸小豐滿廠呢？今日可以遍毀韓境七十八個城市的軍需工業和軍事設備各目標，他日自然即有遍毀東北各工業地帶之可能。除非俄帝眞下決心，敢在亞洲掀起大戰，以全力來保護東北和西伯利亞諸軍需工業，不然，即使板門店休戰談判成功，這問題依然十分嚴重，非請「蘇聯老大哥」指示善後辦法不可的。這兩方面的問題關係軍事與經濟，技術上尤須特別研究，以策萬全。至於其他各種問題，大前提的政策，早經上次毛澤東「朝主」時就決定了，這次周恩來再去，只是報告一切演變情形，靜候「老大哥」吩咐今後的作法，並無特殊的嚴重性。

財經問題是制命傷

上次毛澤東赴莫斯科之前，先編製了一套所謂一九五○年的歲出預算，然後拿出「朝主」的要求史大林能給以相當的經援。詎結果僅得到以機械器材作價，而且分成幾年交付的三億美元貸款，有如畫餅充飢，且屬杯水車薪的玩藝。毛澤東失望歸來，兩個月不開腔，直到韓戰快要爆發的前夕，才公開唱出其「爭取財經好轉」「解放軍復員生產」的論調來，然不到二十天，韓戰發作了，一切皆成了廢話！這次周恩來一行赴俄之前，秩歐王朝也照樣發表所謂一九五二年度的歲出預算計算書，並聲言收支不特「平衡」，且有「盈餘」，思以掩飾其乞援俄帝之皇皇不可終日的內情，實爲「此地無銀三百兩」的笑話！

據中共一九五○年歲出預算所列總支出額，當時約計爲二十七億餘美元，因毛澤東未能乞得「主子」的大量經援來，乃厲行所謂「折實公債」「支前運動」等搜括民財的辦法。但韓戰一起，中共不久即參預了，以後乃有甚麼「抗美援朝捐獻」「飛機大砲捐」「土改果實」，乃至於今年的「三反」「五反」等惡作劇，無一而非竭澤而漁的劫財行爲。中共自認一九五○年度的歲出支付額，實際超過了原列數字百分之五十，依此類推，經兩年韓戰之消耗，它所謂一九五二年的歲出預算額，雖然十分祕密，不敢露出絲毫令人可資推算的綫索，但事實俱在，至少不會少於美元七十億的數字。自一九五○年秋間，中共參加韓戰到現在，兩年來的戰爭消耗，雖無明確統計，若以美國對韓戰每月消耗十億美元的數字作比例，再打四折（每週消耗一億元）也需要八十億美元以上。中共在這兩年內對人民的劫財所得，最大的數額即是「機砲捐」和「五反運動」，名義上每次都說有百餘萬億元的共幣，但眞正收到現款的，不過二三成，兩項合計尙不及十億美元。至於前年所搞的「折實公債」，實收不過一億多美元而已。此外就是劫掠民間糧食，把「土改」的成果一律掠奪無餘，藉以換取軍用物資，但除支應龐大的軍糧和一千八百萬以上的公務人員消耗以外，實際能變成外匯使用者，爲數不會超過「機砲捐」和「五反運動」所得的實額。

基於上述情形，中共的歲出赤字預算，從一九五○年度到五二年，大概約計，亦當在五十億美元以上了！所謂土產交流，以及對外貿易協定等方法，都爲緩不濟急，而且爲數有限。韓戰如不停，漏底更擴大，必致內部崩潰；韓戰縱能停，在武裝對峙的局面下，依然有不少的消耗，又將何以善其後呢？過去的赤字無法彌補，以後的支出不會大減，國內人民已一律赤貧了，國際貿易又非咄嗟見效之事，如果沒有一筆鉅額的經濟外援，秩歐王朝勢將陷於滿目瘡痍，油盡燈枯的景象，漫說無法替主子作對外擴張的先鋒隊，即其政權的生存，亦有「泥菩薩過河，自身難保」之危險哩！所以，周恩來等人此行最要任務，必爲要求主子解救其經濟危機，這問題不得到相當的結論，其他任何問題皆心餘力絀，無從談起。毛澤東之不親自出馬，就是要看此一[illegible]問題有無解決希望。假使史大林能給以滿意的表示，毛澤東自然可以再度朝覲的。他領略了上次在莫斯科流連八十多天而財經始終得不到「好轉」的失望教訓，這回只好教周恩來去表演其「哭秦庭」的拿手好戲，以觀風色。隨着「周總理」同去的一羣助手，只是準備在經濟問題有辦法之後，分別充任各項技術上的諮詢建議角色罷了，政策的獻替可否，絕對是談不到的。

安定世界的三種工作

B. Russell 加長遠。　金名譯

欲世界安定必須完成下述三種工作，（一）建立一個世界的政府，這個政府單獨握有軍事力量；（二）世界的人民都有一個約略相等的生活水準；（三）世界人口的數量沒有變動或者只是微微的增加。我不是說上述三件事將來一定完成，而只是說除非完成了這三件工作，世界的混亂一定延續下去。有一些人誤以爲打倒蘇聯之後一切問題便得到解決。第一次世界大戰我們對德國這樣想，第二次世界大戰我們對德日也這樣想，但敵人甫告打倒，我們立即又須把它扶植起來，所以戰勝敵人固然有其需要，但決非有建設性的解決社會問題的辦法。

一個世界政府單獨握有軍事力量是防止世界戰爭的唯一方法。在一個短期間內，世界上任何一個政府都可以運用它的獨有力量阻止戰爭的出現。但就長期間說，便非大家一致認識有成立世界政府的需要不可。世界人類對於成立世界政府的需要認識進步後，他們反對它的理由正和反對一般政府的理由一樣。成立政府之後，自由自然受到限制。但一個政府對於作奸犯科的要加以懲罰，成立世界政府之後，對於擾亂世界安全的國家，也難免要加以制裁。

世界經濟平等，這是一個遙遠的理想。不能一蹴而就。我們必須把落後的生活水準緩緩的提高，十九世紀改善落後地區的行動，是出諸人道主義，現在扶助落後地區建設却是爲着我們自身的生存。生活太過窮苦的人們對於別國自然恨恨不平，這種不平便構成不安。像在這樣的世界裏，我們一定無法過着安穩的生活。

具備了下述二個條件才能得到和平，第一，世界上沒有一大強國存着反抗其他國家的怨憤。第二，先進的國家沒有軍事侵略的機會。這二個條件非待世界經濟平等才能獲致。這自然是一件艱難的工作，欲現在的中印兩國的經濟，達到像美國那樣的繁榮，時間很長。非洲等地自然更

世界人口問題與上述經濟生活問題有密切的關係。如果人口增加過速，技術改善的利益會被人口增加消耗淨盡。投資落後地區的行動亦屬徒然。印度的尼赫魯早已見到這一點。但生活水準提高之後，可以減少一些人口的增加率。

我並非反對上述艱巨工作的努力，而只是說這些重大改革並非輕易。目前只要大家認識這種需要，而且積極採取實行的步驟就夠了。

對於建設安全的世界，我們不能企圖急功近利。但需要充分的認識，並且需要努力的方針正確。大家對於人類前途深具信心，不存任何幻想。目前第一步先加強西方國家的軍事力量，要加強到蘇聯的進攻無足憂懼，第二步，亞非兩洲的人民我們必須使他們達到平等的地位，免去無政府的混亂狀態。這件事也不是容易，但蘇聯一旦停止威脅，便很有可能地。因爲在這種情形之下，我們可以使亞非兩洲的人民相信我們不但有力量而且有誠意幫助他們建設，增進他們的幸福。（八月三日紐約時報星期刊）

史巴滋論加強轟炸

前美駐歐空軍司令史巴滋將軍，近日在新聞週刊上提出一文，駁斥若干人以爲對北韓的大舉轟炸與事實無補或違反人道的議論，史將軍特別指出，共軍在北韓的軍事行動以及其在後方的交通，倉庫，補給勤務，都是由共軍以奏會方法，驅使平民，參加作戰行列，若這一個組織，不以擴大的空軍進擊，聯合國陸軍，在韓境將無法獲勝，而且聯軍在朝鮮停火談判中的代表，亦將永遠無法獲致結果。史將軍舉出上次大戰德日軍隊的瓦解投降爲例，他說：那時協約國若非以空軍攻擊德日陸上軍略要地，德日亦不致在很短的期間投降的。他並駁斥那些假人道的論調，他說：戰爭原非得已，本來就是「不人道」的，故必求其速決，若韓戰再延長或擴大，結果當更不幸，聯軍取預行轟炸警告辦法，即在盡力減少對普通人民的損傷。

聯軍加強北韓轟炸，一般輿論支持這一項行動，北韓的被空襲將日趨緊急殆無疑問。聯軍在精神上無疑已取得「明攻無阻」的氣勢，由心理影響來說，北韓的人民，將對共軍誇張的空軍發生懷疑，而且北韓各處城市，到處陷入轟炸恐懼之中，迄目前止，聯合國軍轟炸的城市還祇有——平壤，鴨綠江水電廠，新義州，元山，新昌五處，但北韓究竟有若干被列入轟炸，共軍無從知道，因此共軍在各城市，必一一預先選避設防，這一個牽動是很大的，民心士氣的影響，尤其難以估計。（居仁節譯自八月十八日新聞週報）

半週展望

·左舜生·

俄共全國大會

蘇聯共產黨將於本年十月五日召開他們的第十九屆全國代表大會，這個時間，正是美國兩黨競選總統白熱化的前夕，兩者都有使全世界氣候發生變化的可能，其引起世人的注意是毫不足怪的。

本來，在斯大林的獨裁之下，這種所謂代表大會原是可有可無的，然而非所論於今日。斯大林的老不老，還是次要問題，但冷戰演變到現階段了，蘇聯對於或和或戰究竟不能不有所決擇。獨裁儘可由斯大林一人來裁，但打仗却不能由斯大林一人去打，一個獨裁者，偶然也想到團結黨的重要，團結全國的重要，其原因往往便在這種關頭。

會不會藉這一次的大會指定一個斯大林的繼承者呢？我看不見得，一個高加索人活到百歲以上不算稀奇；中國人也有兩句老話：『好人命不長，禍害一千年；』斯大林的芳齡不過七十有二，那裏便捨得死？其實不只斯大林自己不想死，世人和我抱同樣心情不希望斯大林提早死去的，大致總也還很多；假定在大戰爆發的前夕，居然讓這樣一個混世魔王『壽終正寢』，不僅使得這一幕戲大爲減色，而且也太便宜了他啊！

到現在還不確定一個繼承者，萬一斯大林一個不小心，居然『咽了最後的一口氣，蘇聯會不會因此發生領袖之爭呢？依據我的『麻衣神相』，凡是蘇聯政治局的這一羣東西，幾乎沒有一個不具有一副凶相，甚至於比起希特拉，戈林，里賓特洛夫等等的相還要壞，他們之必然死於非命，這是一定的；假定大家果然在一兩年內翹起來，便只是蘇聯這個共產帝國存在不存在的問題，那裏還談得上誰來當領袖？

周恩來會哭的！

以最近三十年我所接觸過的政治人物，有兩個算是最善哭的：一個是汪精衛，一個便是周恩來。汪周兩人的性格與行爲，本來相似之點很多，但尤其以『善哭』爲最顯著。

這次周恩來之前往莫斯科，在中共一方自然確有這樣一種需要，在斯大林却正也要利用這一機會，演出冷戰中最精采的一幕。

韓戰打到今天，中共確實是精疲力盡，儘管可死的人還不少，但財政和武器，却已無辦法。土改完成，農村瓦解；五反結束，都市士崩；前綫一砲放出去，大陸後方便有一大羣人要因飢餓而倒下來，再像這樣糊塗的幹下去，確實是一個不了之局。

本來，毛澤東所給予斯大林的諾言，只是『包辦死人』；現在周恩來除向斯大林重申這個『死人』的諾言以外，也決無其他的第二辦法。『臣罪當誅兮，天王聖明，』把中國的老百姓弄死一大半，這誠然是中共惟一的天職，可是『天王』究竟怎樣辦呢？

從前上海租界上汽車壓死一個人，照例有『自不小心』的一個判決，死者家屬還有資格領取五十元的埋葬費，由這樣一個事實，可見中國老百姓一條命，即在帝國主義者，原也規定得有一定的價格的。現在斯大林既已命令中國全體的老百姓去死，即令蘇聯是帝國主義者中的下流，即令毛澤東的『一面倒』也確實是『自不小心』，便把中國老百姓的一條命的價錢再打一個對折，總也不是區區三億美元所能了事吧？我想，儘管周恩來早已是全無心肝，向斯大林陳述到這種地方，總也還是不免獻媚的一哭。

美國的宣傳家，有時候眞不免孩子氣；他們對於周恩來此行，還在推測蘇聯會不會履行所謂『中蘇友好條約』，居然把旅大和長春鐵道交還中共，殊不知道整個的中國大陸，早已奉送了斯大林的肚皮，現在正在加緊消化，更何有於旅順大連與長春鐵道？即令在形式上來一次交還的手續，也不過是斯大林的左手，交給他的右手，究竟有什麼關係。

中共對斯大林的命令是無法駁回的，但周恩來一定要哭，據我看，究竟哭得幾個錢出來，就看斯大林的心會不會軟下來了。

「閒人」放捉記

·劍庵·

被香港政府很客氣地限令出境的某大娛樂場主人李某，到台灣不久，即有被扣押訊究之說，紛傳一時。究竟有無其事？經過如何？記者以好奇心情，多方探查，已得梗概，特為讀者報導一下。

李某爲何被逐離港？

李氏原係上海式的社會閒人之流，二次大戰時代，日軍佔領香港期間，他就在香江很活動。大戰結束後，他依然徜徉於港澳之間，做過若干爲政府所認爲「於法不合」的事情，有案可稽的。

共黨控制大陸後，李在滬當然不能立足，自以香港爲第二故鄉了。人地熟悉，謀生有術，當興的娛樂場應運而生，財源茂盛，不特他個人得其所哉，即許多由滬上逃出來的兄弟夥，也很多是以他作生活靠山的。不久以前，他所策動的「世界小姐」選美盛會，轟動各界，據說刮龍在二十萬元以上。中選「世姐」但案迪出國時，實用不足，想請他再給一萬元以壯行色，竟事拒絕，某方面人士深知他藉此牟利不少，激於義憤心理，對他說話，指其對「世姐」太刻薄，他不但不接受，且唆使同夥出演全武行，大有在上海玩「大亨」氣派的模樣，滿不在乎，旁人都覺得他將有走黑運的日子來臨了。

世姐選事完畢之後，星加坡有一位富有的華僑陳某，來香港旅行，不知他跟李某是舊識呢，抑屬新交？彼此打得火熱，酒食娛樂，晝夜與共，牌賭消遣，不在話下。經過很短時間，陳某損耗了幾十萬元的港紙，然後有點甚麼，自認運氣不佳，悄然回星埠去了。陳某原是當地立法局的委員，他回去除向同事報告其旅行觀感外，隨便地亦談到自己在香港損失互鉅款項的經過。旁人聽他所述情形，乃認定其中不免有蹊蹺，說他遇到了「香港老千」，被人玩了「仙人跳」的局面，大抱不平，乃函請港友偵查，如情節可疑，即報請政府查究一番。有關方面人士固業知李某過去和現在的一切行爲，雖然「事出有因」，卻屬「查無實據」，但對於陳某之事，某夕，曾派人赴李之住所訪問，約他於某日某時到某處一談。

李知情形有些不妙，乃偕同律師一名，如時往某處談話，旋有人出而接洽，教律師不必進去，只引着李某前行，迨至談話室，有人問道：「你就是李某某嗎？」答曰是。又問：「你在香港沒有作過甚末非法的事嗎？」答曰沒有！問話人乃揭示一束關於李某過去在港所作若干不法情事的紀錄道：「這些事都是你當時自己承認的，有你的指模蓋在上面，還說沒有做過麼？」李無法辯解，俯首不答。問話人即對他說道：「香港的法令和社會環境，都不需要你這類人居留在此。限你三天之內，自動離開此地！」李當然不敢違抗，以時間急促，祗有投奔台灣之一途，當晚即以長途電話乞援於台灣朋友，請特許他入境。台友即請示於有關入境事宜的機關，負責人雖不悉李某平日爲人，但認爲他是受共黨隔疾視的人物，既在海外遭遇意外困難，爲表示自由中國政府關援海外反共人士起見，乃特許其通融入境，李氏遂於七月一日飛到台北市了。

在台北爲甚麼被扣押？

李到台北，住在相當講究的鐵路飯店，還有一位香港某公司的主持人某某，也住在此飯店內，房間恰好與李室相鄰，李抵台後，每天坐着汽車拜客訪友，甚形熱烈，又在鐵路飯店隨時宴會，旁人見他這種排場，以爲是當代聞人，好生健羨，怎知一夕起風，他卻變成了階下囚呢！

話說台北法院過去曾經訊理一樁嚴重的刑事案（並非匪諜案件）第一被告在逃未獲，乃缺席判處了死刑。根據本案審訊紀錄的關係人，李某亦爲重要的關係人，茲聞其已來台北，且在社會上大事活動，翻查檔案，知道此人確係「如假包換」的嫌疑犯，依法不得不緝緝歸案，此其一。另外又有其他方面，檢舉李某過年在香港常以戰略物資，非法走私，接濟大陸共匪，人證物證俱有，也非依法查究不可，此其二。某天若干憲警，臨時戒嚴，禁止客人出入，逕往李某住室，原與李隔鄰而居之香港某公司主持人，覩狀詫異，急閉門靜坐房內，但聞李某連聲哀懇憲警「請各位幫忙」不置，憲警只說：「這是上面的命令，我們愛莫能助，還是請李先生馬上勞步罷！」李只得要求不必綑綁，垂首苦笑，由憲警前呼後擁地「請君入甕」了！

事情發展至此，暫告段落。至於李某是否會受到法律的制裁，那要待法官的偵查論究，纔能分曉，下文如何，容後續告吧！

台灣環島行紀（四）

·麗子·

清除積弊　鹽業進步

除去電力建設外，台灣最進步的要算是鹽業的整理。

台灣四面環海，本係產鹽名區，但過去因受大陸鹽政風氣的傳染，竟致腐敗不堪。今年春天，行政院陳院長下了改革鹽政的決心，並且提出增加生產，減低成本，改良品質，改進鹽工生活四項爲改革的目標，將原有大陸上傳統的鹽政人員清除，代之以有勇氣能苦幹的朱玖瑩氏，任財政部鹽務總局局長，又另設立鹽務整理委員會，改隸經濟部。以表示政府這次的改革，並非以財政爲目的，而純係以增產爲目的。朱氏對鹽務雖無歷史關係，但卻也因此可以放手去做，無所顧忌。四個月以來改革的四大目標，已大致達到。

我這次曾經過台省西部的幾處鹽區，如嘉義的布袋鎮，可以說是完全是鹽民的區域。有兩件事最可以表示出鹽民生活的改善的：一是在國民學校中，鹽民子弟的入學百份比突然增高。在嘉義縣政府所在的城區，學齡兒童的入學率，只有百分之七十幾，在布袋鎮，也經到達此數，下半年可能超過。二是鹽區的衛生大爲進步。鹽民本來患爛眼及痧眼的特多，因其係經常在海水中浸漬，並在風沙中奔走。現在鹽區中已有了衛生所，並且訓練鹽民的家屬婦女，致以防治痧眼的常識。衛生所初開辦的時候，每日就診人數甚多，現已逐漸減少，足見鹽民的健康，已經有了進步。

鹽務整理委員會的協助外銷，本有多製精鹽的計劃。聽說陳院長曾囑台灣銀行貸款三百萬元台幣爲改製精鹽的經費，由行政院政務委員董文琦主持其事。我在鹽區經過的時候，此事似尚未開始。我國的鹽政，腐敗多年，國民政府成立之後，亦迄未能有所改革。此次台省的新鹽政試行成功，也可以爲收復大陸後新鹽政，樹立楷模。

管理不善　糖業衰敗

至於台灣糖業的現狀，不能與電力比，也不能與鹽業比，可以說是沒有生氣。我在途中也經過了許多設有糖廠的地方，因爲不是製糖的季節，均在停工中，但各糖廠所用的人員，並沒有因不開工而少用，照樣是那許多人，其開支之浪費，已可驚人。再則我所遇到的台糖公司人員，比之電力公司人員，都顯得老大，缺乏進取的精神。他們很少有對於糖業改進的意見，只是一切聽候總公司的吩咐而已。

糖業的衰落，其現象是產糧不豐，其原因是人民爲糧價高於糖價，多不種甘蔗而改種稻穀，還有是種甘蔗要十八個月後才能收割，種稻穀可以一年兩熟或三熟。台灣糖業公司是台灣的最大地主，擁有田地十幾萬甲（每甲合十四畝餘），上一次台灣省政府辦理公地放領，台糖公司勉強撥出了些田地，仍保持有大部份的優良土地，其理由是放領之後，農民將改種稻穀，更影響製糖的原料。但在人民方面，則認爲台糖不肯放領土地，顯然是不能與政府土地政策相配合。也有些老百姓說，他們願意向台糖出具切結，於領得土地後仍種植甘蔗，但台糖仍不願意將土地放出來。再則國際市場的糖價正在普遍低落，目前糖產雖已減少，還是銷不出去。因此台糖公司藉台灣銀行的貸款而生存，蔗農則藉台糖公司的貼補而勉強維持，間接等於國家增加了負担。從前是鹽民比蔗農苦得多，所以說種糖的有甜頭。照今日的情形看，已經完全相反了。

糧食增產　最著成績

台灣的糧食增產政策，是陳誠三十八年在任省政府主席時候所決定的。四年以來，糧產的增加最有顯著的成績。我這一次在報紙上看到台省糧食局長李連春的報告，台灣的米產量在三十七年爲一，〇六八，四二二公噸；三十八年爲一，二一〇，〇〇〇公噸；三十九年爲一，四二一，〇〇〇公噸；四十年爲一，五〇〇，〇〇〇公噸。今年還未到結算的時候，但照我在南部所看到的農耕情形，產量比去年將又有增加。糧食所以能夠增產的原因，我曾在台南縣聽到一位農會的理事說得最明白。他說，第一是因爲美援的肥料來得多，分配得當，價錢便宜。第二是自從光復以後，風調雨順，在收穫的季節中，從來沒有發生颶風或其他的大災。第三是自從實施三七五減租，農民的負担減輕，收入加多，耕種的興趣濃厚，樂於從事增產的勞動。至於增產的結果，我普遍地看到糧價的穩定，最好的蓬來米，每一百台斤的零售價格沒有超過新台幣一百元。照市價折算美金，只有美金四元。照銀元算也只合戰前五元。這不但今日的香港人要表示羨慕；即比之抗戰前大陸上的米價，也便宜許多。因爲米價穩定，使得一切生活的必需品都不致於漲價，所以台灣雖則谷賤，卻並不傷農。台灣農村中最需要的只有肥料與布匹，至於大陸上農村中所需要的鹽和糖，在台灣本是產區所在地，價格極低，得之甚易，所以不成問題。而肥料有美援配給，布匹有中央信托局委托各地合作社配售，或是由糧食局用肥料與布匹向農民換糧，在比例上更不吃虧。

配肥配布　有好有壞

惟從我在各縣鄉村間所見情形，則肥料的配給辦得好，中央信托局配布辦得差。中信局配布一定要鄉村間的合作社在四十天以前先行交清款項，這四十天的利息負担就要轉嫁到布價上去。而且常常屆時領不到布，使合作社失信於農民，時間加長，利息加多，布價也加高，農民常謂配布並不比布店中門售便宜。有時候農民發覺布店可以先向中信局取到布，合作社反而落後，遂更引起煩言。我這一次在屏東縣鄉間，曾經聽見老百姓舉過這樣的例證。

糧食增產的第二個利益，便是維持台省軍糈民食之外，每年還有若干萬噸餘糧，可以輸出換取外匯，或是儲爲國用，作反攻大陸時之用。民國三十八年秋季，我在台灣曾在報紙上看到一篇文章，以糖的輸出與米的輸出比較，認爲種糖的時間長，種米短，種糖的收穫少，種米多，而糖的輸出利益更遠不及米，古人說，足食足兵，民信矣。又說十年生聚，十年教訓。台灣的人口增加與糧食增產，齊頭並進，但是足食足兵的道理，也是十年生聚的基礎。聽說蔣總統曾說過五年生聚五年教訓的話，今年已經是台灣糧食增產的第四年，我們反攻大陸的日子，應該不遠了。

隨周恩來去莫斯科的粟裕

紀綱

周恩來一行前往莫斯科，其中包括毛朝的經濟人員與軍事人員，軍事人員之中，以粟裕職務最高。

粟裕在中共軍之中的地位，一向在中共軍各野戰軍司令員之下。近兩年才逐漸冒了上來，此次竟以「副參謀總長」資格，代表中共軍方前往蘇聯。

粟裕湖南人，民十五年在湖南第二師範以竊同學衣物被開除。十六年加入國民黨軍北伐，又因槍殺平民而被通緝。是後即不見蹤跡。旋於民十八年在武昌當時共黨所辦的「第四軍學生隊」始發現其蹤跡。

粟裕本人陰沉寡言，別無長處，祗以狠毒見稱。也許就因爲這一個原故，適合共產黨員的性格；在共產黨中能站得住腳，而且不斷上升，他在共軍中從情報員，游擊隊，連長，指導員，合作社主任都幹過，一直升到軍長，兵團司令，以至於第三野戰軍的司令員。但事情很可怪的，他沒有像其他的共產黨坐過牢，或帶過傷。他的技巧本事，由此亦可略見其端倪了。

抗戰發生以後，「新四軍」成立，他爲「支隊司令」在蘇浙皖邊境「打游擊」，實際則經營「合作社」，從事大規模的敵後走私。並與日本情報機關東天紅人員勾結，專門供給國軍調動情形，好讓敵人進攻國軍，而留出時間空間來給他發展。新四軍在皖南被瓦解後，他隨着陳毅逃往蘇北，成立「蘇北指揮部」，自任「新四軍第一師師長」及「蘇中軍區司令員兼政委」。抗戰勝利以後，在蘇北仍不斷作亂，被國軍驅入蘇魯豫邊境沂蒙山區，後來利用馬歇爾調停機會，又發展起來。

粟裕出身並非「工農」，他祖父是前清秀才，父親是湖南邵陽觀管鄉的有名地主惡霸，中年經商，狂嫖濫賭，以至於家徒四壁，靠寫訟狀爲生，粟裕到長沙讀書，還是靠舅父拉扯。但誰知他讀書不爭氣，竟偷東西而被開除，最后還成爲殺人放火的大土匪呢？粟裕到現在還沒有結婚，但他的寨外夫人很多，在上海的時候，陳毅很有心以袁雪芬說合，但沒有說成，其中道理何在，局外人無從知道。

粟裕與陳毅一向是貌合神離，在三野已成爲公開事實。陳毅多方遷就，饒漱石從中折衷，由來很久。民三十九年粟裕由「三野副司令員」及「華東軍政委員會副主席」調「南京軍管會主任」，是最激烈一次。粟裕於民四十年調「南京軍管會主任」職後，即去北平，是後一直未回京滬。今年春，粟裕發表爲「副參謀總長」，算是與三野正式脫了節，然而他脫了節，並未對他發生影響；反「官高一等」。

在中共的三野中，一般認爲「有戰功，能力條件」不下於陳毅的人，是陳賡。而且兩陳之間，「合作無間，情感良好」，則是人所共知之事。但陳賡是早調去雲南了，陳毅也老早就單吊了，這非中共人事鬥爭的另一面而何？粟裕去莫斯科，代表了中共悲哀歷史的又一頁，說出了中共人事發展的另一面，而這一些現象的總輪廓，還是不脫中共今天內部是不安的。

柬埔寨的馬德望

馬德望是高棉國西北的一個省治，與泰越接壤的重鎮。位置適在菩薩河巴寨河交錯之處。境內多山林河流，土壤肥沃，物產豐富。

美麗的都市

馬德望已是一個現代的都市，建築整齊，洋樓櫛列，一派法國作風。全市街道像「主」字形，有條不紊，路面全用瀝青，光潔得纖塵不染。前面是巴寨河，風光明媚，有橋可通對岸，更見林木葱鬱，洋樓點綴其間，是當地行政機關所在地。

濱邊街市的後面，是火車站，但很少繁富。全市馬路分三條，商業區就在那裏。舖面也很整齊，貨色也很齊備豐富。在第三條街，有攤位，東西還要便宜。

入夜市面更繁盛，當地居民都到巴寨河河岸散步，或汽舟河上，歌聲嘹亮。使人幾忘卻離此三百哩外的越南正給共黨殺得烽火連天。

華僑的情況

馬德望的面積雖不甚大，但居民卻有三萬，包括中、越、法、棉、泰、印等屬。華僑在這裏與在南洋各地一樣，佔着人數上的第一位，商業上的第一位，共約一萬二千五百人。大家埋頭苦幹，慢慢地在爭到現在這一地位。

當局爲了便於施政，一切也就非通過華僑不行。現在華僑以區域設立幫公所，每幫設幫長和理事，每年推選一次，幫長爲華僑社會首領，並協助當局推行政令，故政府一切政令，都先交給幫長，然後由幫長通告僑民遵行。有糾紛發生，也是先經幫長調停。

華僑在這裏，可說克苦耐勞，安份守己，很得外人重視的。

共黨的騷擾

但是從去年四月開始，這裏也有了陰影，原來高棉國也有了共產黨，並與越盟組成聯軍，到處出沒打游擊，襲擊法國人。華僑呢？「城門失火，殃及池魚，」受到法國人不少無故的干涉。有許多華僑，則遭受共黨打單，不給就被共黨迫害，給了法國人說你資敵，弄得爲難萬分。

這情形延續到今年，華僑們才想出一辦法，即是共彼此更團結，並向自由中國取得聯絡，鮮明的表示態度。大家一團結，就不怕共產黨搗亂了。而華僑內部少數壞份子，也因爲這一來，彼此劃分清楚了，法國人也不致隨便冤枉好人了。

變色後的新疆

殺氣瀰漫天山麓

（蘭州通訊）新疆，這一塊美麗而神秘的國土，目前已成為蘇俄進兵中東的大本營，在這裡八十萬以上的奴工，正依照蘇俄戰略家的計劃，在佈置一個未來大陸決戰的新堡壘。·丁重·

自去年七月十六日「新華社」西安電訊中，初次報導五月二十日，在新疆南部于闐縣蘇巴什南大坂西溝附近發生火山爆發的消息以後，蘭州人對「蘇俄老大哥」在新疆試驗原子彈一節，已有點相信，因為從那時起，由蘭州運往迪化糧食顯得更加頻繁，同時，傳說翁文灝在新疆勘測鈾礦，亦已由西安「羣衆日報」予以間接的證實，不過新疆方面的真正動態，即使在蘭州亦如鳳毛麟角，才從一個由迪化來蘭州公幹的朋友的親戚中，間接聽到一些近乎內幕的新聞。

中共不過是傀儡　滿坑滿谷大鼻子

今日的新疆，人口已平添了八十多萬，原來新疆十三個民族共有五百三十萬人，其中維吾爾族佔三百萬人，漢族佔百分之七。迪化全市在易手前夕只有十二萬人。自民國三十八年秋，陶峙岳、鮑爾漢投敵後，中共的王震第一兵團開入新疆，其全部兵力不過二萬人，但是隨着王震兵團的疾進，蘇俄「中東軍區」所屬的第六裝甲師團，亦開始由伊犁塔城兩地，分途向新疆內部挺進。自是以後，新疆的俄國人即滿谷滿坑，中共新疆軍區及中央局新疆分局在過去的督辦公署正式成立以後，並在督辦公署旁邊修建一座輝煌的「天山大廈」。新疆「人民聯合政府」設在東邊，蘇俄的新疆軍區司令部設在西邊，迪化開始成為俄國人的世界。

俄國人控制了新疆以後，開始搶築三條幹線，一條由迪化經塔城入蘇境中央亞細亞軍鎮塞米巴拉丁斯克，一條由迪化經霍城入蘇境阿拉米圖，另一條經阿克蘇，疏附越帕米爾高原入蘇境，這三條幹線，第一條係沿中蘇公路興築，路基在二年前即已完成，自一九五〇年年底開始鋪軌，後兩線路基均以公路形式分段興修，從一九五〇年十二月，毛澤東到莫斯科以後，西北地區的「反動份子」開始源源輸送新疆，配合當地的駐軍，從事修築，在一九五一年三月，迪化附近的人口激增十五萬人。

調來奴工二十萬　原子格勒興建中

韓戰爆發以後，蘇俄開始全面佈置新疆，其第一步是由中亞細亞及西伯利亞調來一萬名的役工，由中國大陸再調來二十萬奴工，在迪化附近建築灌溉十萬畝地的紅雁池蓄水庫，初步解決水源問題，其次是建立一個露天煤礦，解決燃料問題，這二部工程完成後，蘇俄開始在迪化郊區建立一個汽車機械修理廠，一個煉鋼廠，一個煉糖廠，一個水泥廠，一個煉糖廠和一個發電廠。這些工程的目的，主要地在解決入新疆六萬蘇俄軍隊及人員的需要，並為進一步的籌建立基礎。

一九五〇年冬，英原子科學家包物克滿布及翁文灝應召入新疆。這時候，開始在大戈壁沙漠西南麥蓋提地方採掘鈾礦，並在疏附附近設廠，由俄人麥羅斯基主持，主要的工場分為三處。在迪化西部約三十公里的山區中，並劃定由阿爾泰山山麓的吉木乃到迪化中間的草原區，為試驗場。沿工場附近派有蘇軍一師駐守，為了禁錮採鈾工人，中共並在疏附附近新立一十四平方里的新城市。這些原子彈的進行及試驗情形，外間絕無法知道，但去年五月的大爆炸卻是衆所共知的事實。

毛子竟當副司令　聯合軍區獨攬權

今年三四月間，中共與蘇俄的新疆駐軍會作一次大調整，中共新駐軍區司令員王震，曾一度飛蘇俄中東「司令部所在地巴庫，回來後「天山大廈」的蘇聯新駐軍區司令部的招牌即行取下。蘇聯原駐新疆的第十一軍團副司令契爾哈切夫少將已出任王震的兵團司令官，蘇聯并從巴庫不斷運來大批的坦克和大砲。中共方面也從內地運來五萬多名的婦女，照中蘇雙方計劃，一面是繼續開採石油、金、銅、鐵和鈾，一面建立集體農莊和工廠，把目前在新疆的四十萬名駐軍，蛻化成生產份子，實行寓兵於農，也成殖疆的長期政策。

在新疆，目前中共和蘇聯共的第一，第二，第廿二等三個兵團和一個獨立砲兵師及一個獨立裝甲師，此外尚有蘇俄的一個裝甲師，兩個步兵，一個哥薩克騎兵師，另外還有外蒙的一個裝甲師，兩個騎兵師，全部約在四十萬人左右。其中中共軍隊約二十五萬，去年張治中在蘭州曾發表談話，謂今年明年乃至後年，退役的也不必回內地，由政府負責把家眷給他們送去，沒有家眷的從內地再號召十萬五萬的婦女到新疆去，讓他們成家立業，這些軍隊除了將來奉令出疆征戰外，看來將老死天山山下的。

人民不堪奴役苦　反抗暴動永不休

但是儘管中共在新疆屯駐二十萬以上的大軍，由於糧食不足，勞役增加，民怨沸騰，暴動事件仍時常發生。去年七月迪化近郊露天煤礦，即曾發生大暴動。當場擊斃俄籍管工共達五十餘名，事後回族工人四百餘人被處決。鄯善和吐魯番等地回民為對抗中共的橫征暴斂，曾襲擊附近的屯墾的「解放軍」。這些事件，除了在迪化的人們知道外，大陸上的人們，是絕對無法曉得的。

最近中共為安撫新疆回民，已在迪化及焉耆設立民族學院，供其驅使，晉輸赤化思想，在地方上大力從事組織民衆工作，預料在二三年後，新疆不僅在軍事上成為蘇俄赤色帝國東進的前進基地，而且是中共在大陸上失敗時另一流竄的老巢。

雪峯山游擊根據地復活

黃璜

雪峯山地勢險要，當年日軍進攻湘西時，就成了有戰略價值的游擊根據地。在三十八年中共進逼湖南，長沙易手之後，該山附近一帶地區，更成了游擊隊的集中地。在雪峯山可以策應游擊隊活動的地區，包括會同，武岡，邵陽，綏寧，懷化，溆浦，黔陽，隆回，芷江，等九縣。當時游擊隊的領導人物，有邵陽陳光中，芷江楊永清，及各支隊負責人，朱學飛，陳通煥，吳彩芝，張佛凡，龍雲飛，楊仲昆等不下數十人。其中，陳光中曾任陸軍第六十三師師長，為剿共名將，過去在湖南茶陵一役，打擊共黨最大。楊永清曾任陸軍第四十一師師長，為當時芷江區警備司令，朱學飛會同縣人，係戴雨農將軍的學生，曾受訓於黔陽游幹班，第一期畢業生。陳通煥是湖南省黨部湘西視察。梁佛凡，吳彩芝是湘西調查組職員，楊仲昆原任芷江縣政府會計主任。龍雲飛是鳳凰苗區領袖。更有不少的湘西各地反共的健兒。當時的人數，不下八萬，其聲勢之大，形成了一股不可抗拒的力量。

在雪峯山週圍的山區地帶中，[illegible]為游擊隊的力量所控制。在這個區域[illegible]游擊隊，他們有時化整為零，有時化零為整，行蹤飄忽，聲東擊西，每次出擊，皆有斬獲。中共所受打擊極大，損失[illegible]。因此，止於邵陽縣屬東之桃花坪，[illegible]致西進，由邵陽至安江一段的交通，[illegible]斷絕，而雪峯山已成了保衛湘西的[illegible]強的堡壘。如此[illegible]個月之久。迨至年底，中共動員兩個[illegible]的兵力，由邵陽向雪峯山推進，一面[illegible]包圍，經一度大規模壓[illegible]一帶高山地區，邊打邊退。乃向靖縣[illegible]游擊隊，避免犧牲[illegible]會合，又與靖縣[illegible]游擊隊領袖吳春鑑部相[illegible]大的困擾。其[illegible]各地駐防的共軍，予以極[illegible]在這[illegible]當中，[illegible]仍控制了靖縣通道兩縣。正[illegible]邵陽原籍[illegible]陳光中將軍，因病於綏寧縣屬之金屋[illegible]方，為中共所俘，並押[illegible]，楊永清將軍[illegible]「公審」之名殺害。同時，如陳通煥，[illegible]在貴州息烽被俘，其次[illegible]嚴刑審訊，結[illegible]等也先後被俘，他一[illegible]為中共所害死。這一班反共志士，雖然為國犧牲了，可是他們的忠魂，是永遠環繞着雪峯山的週圍，他們的英名，是與雪峯山並垂不朽的！

此後，遂出現吳春鑑，朱學飛分任領導，乃化整為零，避重就輕，或避實就虛，仍把握有相當實力，一面分散隱匿民間，轉入地下活動，但邵陽至安江交通，仍為游擊隊所控制，故始終未能暢通，尤其在雪峯山前後，凡是軍公車輛，無論何時何地通過，都會遭遇游擊隊的襲擊，無一倖免，竟至軍路卻步，逼迫「湖南軍區」發出武裝護運的哀鳴，所謂武裝護運，係在長沙與安江兩地首先登記集合十輛汽車以上的數字後，同時駛出，由「軍區」派一團或兩團兵隨車押運，以求安全之謂。對於商車，每輛收押運費「人民幣」三十萬元。這不過是中共藉名斂財的一個手法而已，實際上並保不了安全，因為游擊隊的目的是打擊軍公車輛，對於商運汽車，向不侵害的。

中共在表面上雖然征服了湖南省，可是，遼闊的湘西原野山區，卻感到着實不易控制，在湘西一帶游擊隊的活動，和國軍遺留的剩餘武力，到處都是暴動，到處都是不安；自中共佔領湖南兩年以來，在湘西方面，仍然烽火遍地，烽火連天，對於偽政權行政之推行，皆陷於癱瘓狀態。這是中共的苦悶，也就是他們將來的致命傷。

湘西為漢苗雜處，交通梗塞，民性強悍，醞釀自由，素稱難治之地，而中共慘無人道的大肆屠殺，和殘酷毒辣的手段迫害人民，迫使每一湘人民，都激起了反共的怒火，原來潛伏於雪峯山一帶的游擊部隊，和被迫害的黨政軍人員的遺族，被清算鬥爭的地主富農及其子弟，和不滿共幹們[illegible]的中農，又有一般不甘屈服反正過來的共士們，此起彼仆的紛紛上山，參加游擊活動，同時眼看着中共在準備應付世界大戰，[illegible]，在雪峯山地區的游擊隊，便迅速擴充與壯大起來了，並組織了復仇隊，提出了反迫害，反奴役，許多不同的口號。聲勢浩大，正式舉起反共抗暴的旗幟，由向××，張××，雪××，閻××，各縣，分在雪峯山外，到處有指揮游擊大肆活動，在各縣，與各地駐軍，游擊隊襲擊「區鄉政府」，分散當地人民，奪取倉庫糧食，的英勇行動，卻使湘西人心無限興奮，燃起了希望的火花，現在湘西各地，紛紛揭竿而起，人民的反共情緒正日益高漲中。

猪肉輸蘇萬餘噸　大陸人民不知味

自中國大陸對歐美貿易斷絕以後，中共遂改轅易轍向蘇聯東歐諸國輸出以換取軍用物資。如華東茶葉之輸往蘇聯的佔百分之七十，華東的絲綢輸往蘇聯和東歐的約佔百分之八十。又如大陸人民生活水準普遍降低，有食無肉之嘆。致猪肉在華東蘇北一帶嚴重滯銷。最近華東的鮮猪肉輸往蘇聯的，由三月下旬至七月下旬已達一萬零一百噸。第二批輸出的數額截至八月上旬止已達六百餘噸。這些鮮肉全部用冷藏方法輸出的。其他物資如羽毛，薄荷油，薄荷腦，蛋品，水菓等亦有大量輸出。（陸）

秋徵搜刮將屆　農民反抗又趨猛烈　中共命令民兵鎮壓

【漢口通訊】湖南衡山北鄉，井頭鄉及道縣十里舖鄉的民兵發生了「不願幹」的情形。大家把武器交到鄉政府，有的把武器收起來讓它發銹，有個叫曹漢庭的砍掉蠶豆苗兩百多株。有個張守氣的，對曬乾了的山禾放火，一燒一二十畝，大叫與其收下來交糧，不如大家沒有。有的半夜裏起來割稻，趕緊打了煮飯吃，因為白天有鄉幹監視，自己種的田也不能隨便收，收要由幹部監視着一起收，以便立即徵糧徵去。

嚴禁搶割偷吃

湖北也同樣發生這種情形，到處放火，農民燒倉，偷割，發生搶谷的事情，僅黃陂的一個縣，即有十九個鄉，一夜裏把將熟未熟的五六十畝稻谷的穗頭完全給割了，剩下來的只是稻桿。這原是農民反飢餓的一種活動，目的在求肚子吃飽，但共幹認為太影響它的秋徵，於是由湖北軍區指示所屬各部，要動員所有民兵，日夜守望巡邏，彼此監視，規定時間大家下田，除外，誰也不准走近稻田，否則就槍擊格殺。但是有許多民兵自己家裏的穩也發生了問題，情緒很壞，以致雖然嚴密監視下，仍然毛病百出。

田塍上架機槍

於是軍區即不能不調正規部隊下鄉，在田塍上架起機關槍來，並規定民兵保衛秋收辦法如下：

一、強化民兵的教育，思想建設，全民兵。

二、克服鬆勁思想，民兵要重新編組，讓熟悉的分開，避免串通。

三、配合正規軍進剿游擊隊，有游擊隊活動地區，要立即宣佈戒嚴，沒有游擊隊地區，也要加緊防範，在秋收時期民兵中抽出好的組成護秋隊，夜間巡邏，白天站崗，看田場。

四、各鄉所有男人都組織起來，白天下田工作，晚上集體學習，十時後即集體睡覺，不准再進出活動。

五、注意節約，秋收後，要防浪費，糧交了後，先要節約，過年過節也不准大吃大喝。

六、現在宣傳「勞武結合典型」，發動民兵工作競賽，爭取「英雄」在秋收後慶功會上表揚。

從這些辦法上，可以看出中共統制的大陸情況，正在一年緊張一年中，不僅農民游擊隊並未消滅，反抗也正普遍燃起，連作為它控制基層政權的民兵，中共對之也沒有多大信心了。

罪名歸之地主

至於被鬥過，清算過，僥倖還留一性命的地主，在這個時期更苦不堪言，白天給迫着去「勞動」，晚上回來就給鎖在屋內，不准走動，有得吃幹部要問來臘，沒得吃，則根本不管。那裏發生事故，幹部必先輪流拷問地主，抓不到主犯，即拿地主充數，宣佈罪狀，說「[illegible]主」破壞，再來一次鬥爭，然後槍決。有的「地家」勞動一天，晚上回來沒得吃，又不能出門找尋，以致有許多不被鬥死，也就餓死了。

慘聞實錄

·來客·

廣州市豐寧路太平戲院對面，恒興汽車零件修理廠，店東肥老梁，在「中共」五反中，被迫三料自殺，初因梁之家屬子女，被共幹驅逐出店，流離失所，梁因不堪目睹家人遭此變故，先服安眠藥，自殺遇救，第二次用剃刀自刎，亦被人發覺送院留醫，返店後再用燒酒混大量安眠藥飲服，結果，卒以[illegible]深斃命。廣州市豐寧路商人學習小組，派出共幹調查並召開會議，一面威嚇梁之妻子，不許將梁之自殺消息洩露，在街坊小組會中，歸咎梁妻對梁自認梁係病死。

廣州飛龍熱水壺廠總經理，在「五反」中，亦被迫走頭無路，家人不准在廠住宿，每月收入支出，全由共幹支持，店東無權過問，該廠經理，因家屬被迫離廠，流離失所，自己之資本經營，連妻子家屬，亦無從供養了，無人生樂趣，在店中閣樓，用繩自縊斃命。

前北江清剿專員司令莫雄，自大陸淪共後，向共黨靠攏，最近傳其在北江英德洽洗縣之家屬，被共幹扣留者計有其弟莫九及其妻等，據說莫九罪名為不事生產，其妻從前向有鴉片癮，比次被共幹扣留，莫雖四方奔走營救，亦無辦法。

南雄縣保安鎮城區鎮公所，鎮長莫鐵，南雄淪共後，莫因投機得寵，先將家財田產捐獻，初時共幹曾招秀為利用計，保持原職，今年春被調往英江訓練，最近「五反」聲中，將其押解回南雄，指為反動份子，前途凶多吉少。

冷眼看醜態

為方

香港譁人企業廠商參加台灣展覽會一事，原係極尋常的問題，誰願去參加，誰不願去，都有其自由意志，不必相強。要想對台灣開闢商品出路的，你就去參預展覽，否則拉倒。這完全是以生意經為主的自由企業家本身的商行為，有甚末大驚小怪之處呢？

然而，一些「人民」的忠臣孝子們却聞訊如喪考妣，如臨大敵，鉛塊昏迷，語無倫次，眞是笑煞人也麼哥！廠商會議時，關於用團體名義歡迎台方來港接洽展覽事宜的代表王某一案，分明是經過辯論後，以八票對六票通過的，這更算不了甚末大問題。但，「人民」的宣傳家慌了，今天說是「會議無結果而散」，明天說是「不足法定人數所成決」，後天又說是「少數人操縱通過的」！究竟是怎麼回事？連他自己也不知所云呢！最妙是硬說王某早已來到香港，並且是住在一家報社內。白晝見鬼，自欺欺人，將來王某倘正來到香港時，看這些自命對讀者「不造謠」的文特們如何說法吧！

過去，他們對工商界人士表示要向台灣謀商業利益者，是用個別恐嚇方法，現在黔驢之技已窮，乃改用造謠手段，將來造謠也不行了，難道會氣死不成！

搞宣傳儘可自由的搞，但不要太無賴！人們硬要抉擇自由生活，鄙棄共產極權的「天堂」，縱让你急得去跳海，也是枉然，醜態百出，何苦乃爾！

自由談

『志願軍』

—韓國前綫的故事—

黃汛

鉛色的雲架，籠罩着整個戰場。雙方隔山對峙着，沒有接觸，只有偶而從山陬裏斷續發射出幾響槍聲，說明這戰爭的形態仍然存在。

「一一五三」山頭，「中國人民志願軍」一個連防守在這裏已足足十一個月了。這批弟兄們過去是東北成軍新×軍的舊部，自從曾××率部「起義」投共後，他們即已注定了命運；在他們的長官遭受到「起義」必然的下場後，於一九五一年正月，就被在「抗美援朝」，「志願軍」的美名下，有計劃的送來了韓國的前綫。

這個連初來的時候，足足是一百五十三人，如今呢！死的死了，傷的傷了，賸下四十七人（中共派來指揮的連長及連指導員二人除外），只相當一個排的兵力，只仍得死守着，死守着，三百二十八個日夜了，——這樣漫長的歲月，眼看弟兄一個個倒下去，前天還是四十九人，如今只有四十七人了，「火綫戰士學習報」上，却加稱譽他們死去的袍澤為「光榮的戰鬥英雄」，要他們——這僅有的四十七人——向死去的「英雄」們的「保家衛國的精神」學習。後面「一一二〇」山頭附佈防着「朝鮮人民軍」，高地附駐着他們的陣地，槍砲就指向着他們。

死神顯然控制着這個「一一五三」山地。

晚風吹來已頗帶點寒意，預示着隆冬又將降臨，棉衣棉褲還沒有發下來，弟兄們捲縮在戰壕裏，三五依偎一堆，從各人嘴裏溫灑架的暖氣裏，取得一點「生」的溫暖。

「×他媽的！個老子當了十多年兵，也沒有打過這樣莫名其妙的仗，算點啥子名堂？」一個名叫李阿發的老兵，滿口湖西土腔，嘮叨着，閉着的右肘輕輕搖了搖偎在身旁的朱得才，意思是向朱得才發問。

「儂兒子！還不是死了算啦！」還早朱得才沒有答話，張金士却睡眼惺忪的搶着答話。

「你倒說說，究竟美國人同我們中國有啥子仇？我們以前在緬甸還同美國佬一起打過日本人？你說怎麼一會兒就會變做了敵人？」號兵余星木忍不住提出這樣的問題。

「有啥子仇，共產黨說仇就是仇，人家又沒有打到中國來，說什麼「保家衛國」，保個鬼，就是個老子變條命罷了，屁都不懂，恐怕也回不了家！」李阿發不禁憤慨起來。

「還不是蘇聯老大哥……」不知誰在插嘴。

「輕點！輕點！給「連指」聽到不是玩的！」朱得才兒不迭的止住。於是語聲漸漸低沉了下去。

一陣晚風吹過，淅淅瀝瀝的落了下來，散兵壕一時混亂，許多人都擁入機關槍的掩體內躲着。

夜已深……

兵！一顆綠色的照明彈懸在天空，接着！幾！幾！機關槍叫了起來，大地像旭日東升，照耀得遍地通明。

「他媽的！不許縮在一起！各守崗位，戒備！」連長咆哮着。

大家只得蹲頭各人散兵壕內去，雨愈下愈大了，四十七個人，給水泡得好像從水中撈出來的泥狄一樣。

槍聲愈來愈密，炮聲也跟着怒吼起來，咻！咻！的聲音劃過了天空。

「兄啊！明天看來過不了門呢？」一個弟兄在自言自語。這時天色給炮隨應應亮了，蝙蝠的戰壕裏四十七個人，已可以彼此辨認得見。稀落的大砲聲之際由遠漸近，幾十架噴射機轟炸機從遠方飛來，而山頭微微有點震動，遠遠地山林間閃出了一叢一叢的怪物，直向山頭衝來。

「瞧！坦克車！」陣地上有點騷動。

「同志們，我們必須死守陣地，活捉坦克車！」連長發出了命令。

「美帝紙老虎，不要怕！」連指導員鼓勵着。

「不要聽他！」不知是誰在陣前豎起了白色的降旗，弟兄們從死神魔掌裏解放出來，三百二十九天來，終於發現了新生的曙光，不約都跳出了戰壕，擦槍高聲歡呼。

「同志們……」連長正待喝止，後面傳來了一聲槍聲，就應聲而倒。連指導員則乖乖的舉起雙手，給「紙老虎」提了過去。

「一一五三」山頭，晨曦照耀着大地，昇起了聯合國旗。

香港三年（七）

•舜生•

對於香港的體育、娛樂、宴遊，只能就我參加過的來談談：

『馬與波』算是香港最熱鬧的，但馬場我只去過一次，純粹賭博性質，其能吸收多數的觀衆，原因也就在賭博這一點。賭博我並不反對，但對於這種其權完全操之在人，乃至『碰運氣』也談不上的賭博，我却不感興趣。

在各種球類中，我只有兩種有經驗：其一是賭博性的回力球，其一是戶外運動而不激烈的『高爾夫』。回力球香港沒有，聽說新界某處有高爾夫球場，但不會去過。

游泳我覺得很好，淺水灣荔枝角這些地方曾去看過，這對於青年男女的身心，都很有益，上海人對於游泳的興趣，似乎不及香港遠甚。

營業的舞場和私家的舞會，我都曾參加過。據說跳得好的人對跳舞也是有癮的，二十年前，我在上海曾有過斷斷續續不斷跳三個月的紀錄；但技術始終不進步，因此也說不上癮。香港的舞場舞院之多，遠在上海之上，但不是為了娛樂，而是為了生活，其重點也似乎在職業而不在本業，其必歸於沒落，大致是一定的。

香港沒有公園，不能不說是一大缺點。春秋佳日，我們便只好到淺水灣，到山頂，新界若干我們所假定的名勝去溜達溜達，實際這也是很好的，有時還繼續工作得太久，能約上三五個朋友，或攜帶自己的孩子們到這些地方去走動走動，也可調節一月半月以來的疲勞。

有人說：『吃在廣州』，已經頗可斟酌，自然，廣東菜有最好的，但非所論於一般；至於香港，則比起廣州，上海，福州，杭州，成都，北平等處，却只能說有它的長處，但談不上如何好法。近年因大陸上逃來的人多，南北各省的館子也就顯得而起，以京菜，川菜，杭菜等等名目相標榜的，何止一二三十家，可惜畢竟不成體制。中國菜各有其地方背景，亦各有其地方條件，條件一不具備，則面目全非，不要說爐鑊燒鴨，就要在這裏吃烤鴨，涮羊肉鍋，乃至紅油餃子担担麵，也就不是那末一回事。西菜偶有好的，但也並不怎樣特別講究。

麻將自然是普及全國的，但似乎因為賭風之盛，聯帶的也以在廣東最為發達，香港亦然。可是廣東麻將却不為大陸的來客所愛好：內容簡單，第一；工具笨重，第二；鬧得太凶，第三。我對於此道，也可以夠得上說是『三折其肱』，對於那些完全不懂此道的，我雖不覺得使怎樣高尚，但沉迷不返總以為大可不必。就我所知道的謎戲遊戲而論，麻將也算是最有理趣的一種；但曠時失事，勞民傷民，似乎也在其他各種遊戲之上，娛樂之於人，總是不可少的，假定能找到其他的代替，麻將仍以少打為是。

（一二五）

萬竹樓隨筆

亂彈齋詞話

馬五先生

醜奴兒

序曰：蘇俄太帝史大林一世陛下，高壽已七十有二，不無風燭殘年之感。好生惡死，人之常情，而以具有生殺予奪之統治權威人物，怕死尤甚，此秦皇漢武所以廣求神仙不死之藥也。俄共欲以科學方法為主子續命，乃由「一基輔生物學研究院」負生專家等，將民間與史大帝年齡相同之男性老人，遴選四十名到院，備供實驗之資，擬從生人實驗研究試驗中，發現一種返老還童之注射針藥，進呈主子邀寵。詎歷時未久，針藥猶待發明，而此四十名衰翁，已有十一名被實驗斃命矣！嗟餘老廢物，必繼續為主犧牲，殆無疑義。常聞我國南通才子曾以犬腰易置其腰，乃得老健不衰之傳說，俄共何不師其法，而以北極狗熊為主子提取雄健長生之生命腺乎？

還童返老欺人語，情急攀龍，蠢爾奴傭，幻想人功勝化工。

窮研實驗終無用，枉殺衰翁，徒召災凶，續命何如仗狗熊！

吳稚暉先生軼事

凌霄

吳稚暉先生寢疾台北，使香港人士凡認識此風趣老人者，莫不寄予深切之關懷。吳先生提倡節儉，自留法勤工儉學會起，以迄于今，躬行實踐，數十年如一日，其待人接物，尤為和藹可親，爰就筆者所知之軼事縷述如下：

民十八年間，孫中山先生靈櫬奉安南京，當日下關碼頭，顯要雲集，稚老擠入人叢中，遠警新自北平調來，以為此鄉下佬，亦來湊熱鬧，阻之不准入內迎櫬，稚老不理，昂然而入。警怒叱之，仍不理，曲行如故，警衛扯其舊袍衣襟幾裂，後有某組要至，見為稚老受辱，大斥警衛並擬訴之於其長官而懲罰之，詎知稚老神態自若，非惟不怒，反為警衛說項曰：「我自己不好，一時忘報姓名，致生誤會，我面上無姓字，安能怪其不識我耶」？言竟，索某組要之手而前行矣。

林森（子超）主席，病逝國府，中央擬提稚老繼任，稚老謙諾婉辭謂：『我生平最怕衣冠楚楚，行動不自由，所以各種宴會，極少參加，如果繼任主席，則接見外賓，第一態度不能裝得嚴肅，第二為整齊衣冠束縛太難受，所以萬萬不敢當主席，請垂憐我風燭之年，勿以此苦事，加之我身』。由此可見稚老謙冲之一般矣。

稚老主張不坐人力車，從自身做起，一日在南京城北丁家橋，避過途次，即為其好奇心所驅使，尾隨其後，直至太平路商務印書館，稍稍停留瀏覽書籍外，繼續步行至夫子廟，遂至羣書攤，綜者時年廿餘，已感腿酸，而稚老毫無倦容。由此足見其能言必能行。

抗戰時，遷迺於陪都七星崗，見稚老鼻架眼鏡，手執[illegible]，凝神抄錄壁報上之佳句，[illegible]用力之勤，而[illegible]來有由，[illegible]

黑十字

北晨

起先是一陣掙扎和呼叫的困難聲響了。

接着便暈了過去，待到洪正池清醒一點，這件血案已經構成了，一輛救護車，迅速將這個遍身血漬的女人送進瑪麗醫院，那個行凶的男子，也套上了法律的枷鎖。

× ×

病牀上，監英是為分寵的，這並非惡夢，而是活生生的現實，她的寂寞不只是床邊的，而是心靈上的一片空虛，她的花容月貌一般的臉，已經毀在曾經愛過她的人手裏，那個可憎而又可恨的男子，最少逃不了幾年以上的監禁，那個一向關心她的紳士，也失去了他的鐵物，沒有了賓木，他一切的陰謀落了空，幽幾姊妹被害以後，也就不見面了。

這世界沒有一個可靠的人，沒有一張溫暖的臉，她本想突破一個困難，而今卻被[illegible]

[illegible]「我原諒那些恨我的人，因為他們以至恨我。」[illegible]的手，走了。

（四三）

•中篇連載•

中國之友（十一）

毛以亨

戈登將軍傳（四）

四、在服務中國軍隊以前

他在工兵練習期滿以少尉任用，派在本國建造要塞，時為一八五四年。那時他是個樂觀而坦白的青年，捲髮眼作淺藍色，面目雖祥露愉快之色，發言句短而有勁，一望而知為果決的人。他的家書獨多，常與其未嫁之姊戈登小姐通訊，此時開始，直至晚年未曾中斷，作戈登傳者，多取以為材料。其信上帝之誠往往不知不覺流露于通訊中，其不畏死的精神，大半從宗教精神中得來。而尤為難能者，其不要錢之處，終身一貧如洗，則為英國人來殖民地者所絕無，來殖民地無非為發橫財，而戈登則祇為名譽而不要金錢，不特不肯搶掠，連中國政府的賞賜都不肯受。而對人則於金錢從不肯苟且，他既不肯要國當要的錢，又要去賠不應賠的錢，專恃其薪水的收入，而其家又賴其接濟，所以從做事起到身死止，始終兩手空空。到過中國的英國人，亦常因以戈登為最大的窮人，而亦以他為最窮，入寶山而空手回去，我實未見過第二人，我認為是原始基督精神的感召，以貧人為能長樂，富即是罪惡，故能安之若素了。然此種精神是不可以維多利亞時代軍人與中世紀騎士風度說明其性格，而非從宗教情緒上去體會不能探得其靈魂深處的。

克里米戰爭以一八五四年三月開始，九月法軍四萬英軍二萬始在黑海登陸，時俄軍有十二萬人，而俄將乘其弱點專向英軍進攻，是以傷亡殊多，直至法軍增十萬人，始[illegible]。戈登以一八五五年新年到前方，負責建兵房及壕溝，攻Sebastopol他亦參加，不過未有顯赫的戰功，亦未著名，[illegible]

[illegible]大沽敗訊傳至英國，國會決對中國再用兵，戈登乃被派赴中國，[illegible]

自由人
THE FREEMAN
（半週刊每星期三六出版）
（第一五五期）
每份港幣壹毫
督印人：李光瑞
社址
香港高士打道六六號
電話：二〇八四八
GLOUCESTER RD.
HONG KONG
TEL: 20848
承印者：東南印務出版社
地址：高士打道六四號
台灣特派員辦事處
台北市館前街五十號
台灣總經銷處
台北市中華路一二五九號

圍堵政策在遠東

圍堵政策表現於遠東的：

第一是使韓戰為「有限度的戰爭」。

第二是對台灣繼續凍結。

第三是對越局聽其僵持。

第四是太平洋防禦公約以美澳紐為限。

第五是對日本建軍無明確的領導和大力支援。

這完全是畏禍苟安因循敷衍的愚昧措施。

·左舜生·

前天（廿五）艾森豪威爾在美國退伍軍人會的演說，和杜爾斯最近與哈里曼關於美國反共政策的辯論，其基本精神是一致的。

艾氏說：『我們決不承認蘇聯在東歐和亞洲所留下的那怕是最輕微的一種既成事實。』他並且正式警告蘇聯說：『除非侵略的共產主義浪潮已退回其自己的境內，吾人決不休止而認為滿足。』

杜氏說：『如果共和黨在本年十一月競選獲勝，即將拋棄民主黨用以對抗共產主義的不道德的圍堵政策。』

我們繼續不斷的作這樣呼籲已逾兩年，現在才由艾杜兩氏這樣具體的說出，這是令人慨歎不置！杜爾斯畢竟對遠東有更親切的認識，他才能在所謂「圍堵政策」的一名詞上，加上這樣一個「不道德的」形容詞。以最近三年間的估計，中國人民直接間接死於共匪侵略者，決不少於兩千萬人。殺這兩千萬人的第一凶犯自然是斯大林；而操着一把鈍刀，向中國人民的頸子上繼續不已而加以宰割的則為毛澤東；而對這樣一個人類慘劇而熟視無睹，一聽這種殺人政策瘋狂的遂行的，則確確鑿鑿為這種『不道德的圍堵政策！』

『圍堵政策』表現於遠東的：第一為韓戰場的所謂『有限度的戰爭』；第二為對台灣的繼續凍結；第三為對越南的聽其僵持；第四為太平洋防禦公約僅以美澳紐為限；第五為對日本建軍不能予以更大援助與切實領導。今歲不戰，明年不征，畏禍苟安，因循敷衍，而一聽敵人勾結滲透，從容布置，使反共的人心日益頹喪，而對共匪則不啻予以策勵與鼓舞，假如像這樣的再繼續兩年，則其勢非斷送整個東南亞，整個日本不止，而台灣亦決無法可以自全。

事實是很顯然的：你要想使得侵略者拋棄他們亞洲所已造成的事實，依然縮到他們的本土，不對準他們的要害而予以迎頭痛擊，這等於與虎謀皮，完全只是一種空想；要想保障整個的東南亞，而不能以大力支持台灣，使它在華南開闢一個大而穩定的第二戰場，這便適所謂『圍堵』的意義也談不上；不能使日本在最短期間，建立一枝不少於三百萬的強大陸軍，在美國海空的配合之下，第一步收復她的失地，第二步打入東北，第三步由中美日切實合作建立一個安定亞洲合理而永久的政策，則日共終必抬頭，德田球一野坂參三之徒，亦終必變成毛澤東周恩來第二；等到日本一旦動搖，而東南亞又趨於瓦解，這便是蘇俄赤化亞洲的大功告成，民主方面即有任何其他枝枝節節的辦法，也將全部歸於無效。

美國不問由任何一黨執政，決不會放棄她領導世界民主國家團結反共的這一主要責任，這是我們所深信不疑的。但肯盡責是一件事，能不能盡責其實又是一件事。美國今天已取得對反共戰爭的最高發言資格，所有亞洲一切瀕於被共匪侵略邊緣的國家，他們沒有理由懈怠他們自身的責任；亦決沒有理由拒絕合理的領導而不惟美國的馬首是瞻；美國自然有透澈了解他們心理的必要，也有明白一切現實情況的必要，即亞洲待援的各國，亦決不容許夜郎自大，還在那裏遮遮掩掩的諱疾忌醫！俄共今年十月五日有全國大會的舉行，而中共日共的主要代表已雲集於莫斯科。韓戰停火談判已實際流產，而援越侵印似亦在積極進行，凡此種種，都足以說明蘇俄的侵略重點，斷然要在亞洲大大的展開，環顧亞洲反共各國，則依然是因循，懈惰，鬆散，談不上精誠團結，更談不上積極進取，政治上看不見真正的光明，軍事也未經過正式的考驗，我們覺得美國已經到了應該說話的時候了，而且已經到了以實力去推動他們的時候了，即對於那些徘徊觀望，不知死活，依然在那裏對着蘇俄眉來眼去，對着中共偷送秋波的若干國家，也更到了加以有效壓力的時候了，最近將由中共出面在北平召開的所謂亞洲和平會議，實際只是蘇俄策動的一個亞洲動員會議，儘管和平之聲可以高唱入雲，實際不外拆散亞洲反共各國的團結，同時拆散亞洲各國與其他民主國家間的團結，而為蘇俄鋪下一條大舉赤化亞洲的坦迅大道！時機的緊迫已到了這一步，可是美國忙於國內的大選與新政局的安排，為時還需要半年，這其間美國無法不分去一部分注意，而蘇俄正要利用這半年的時間，開闢對她種種有利的途徑，這個形勢實在是可怕極了啊！

一週展望

·雷嘯岑·

艾森豪威爾的言論

艾克前天在美國退伍軍人協會發表演說，也提出三大主張，說美國要加強軍事力與生產力，要與世界各地區的自由國家合作，要永遠不承認蘇俄在東歐和亞洲的擴張地位的永久性。

這是他自卸去戎衣以來，比較有內容的一篇演詞，目的是為着爭取退伍軍人的選票，使大家聽了相當過癮。所以，他提示出來的主張是面面俱到的對俄帝政策，而不涉及內政問題。換言之，即係對某種人說某種話的競選之言。事實如何，即令他當選，進入了白宮，也不敢說必其一定就是這樣做去，決無折扣的！

美國要走中間路綫？

同日華盛頓電訊，艾克與史蒂文生的內政政策，都是主張走社會主義與自由放任主義（即資本主義）之間的中間路綫！史蒂文生應該作此說詞，因為二十年來民主黨所標榜的「新政」，就是以此自命的，事實是否如此，那是另一問題。艾克也人云亦云，似與共和黨的競選政綱不很符合。但他不能不這樣表示，否則許多想投艾克一票的人都有改投別個的可能了，為的還是在爭取選票！

因此，我們對於目前美國兩黨候選人的議論，千萬不可認為是他們的由衷之言，以為將來美國新任總統的大政方針就是如此如此。因正左右美國國策的，一半是世界形勢，一半是國會議員。而議員之中，還要看其個人的政治思想與背景如何，議員不服從本黨政綱的情形，在美國乃是常事。

中日軍事同盟之說

東京法新社消息，說自由中國特使張羣在日本作「中日軍事同盟」的活動，指出吉田茂藉此而希望自由中國對菲律賓斡旋日菲和約的賠償問題，以及設法教南洋華僑協助日本打開東南亞貿易之路。該社結論斷定吉田茂將以若干「甜言蜜語」給張特使帶回台北去。法新社這項觀察我很同意。

上次緒方竹虎在香港時，曾對我們說過，日本在未修正憲法，實行「再軍備」以前，對外國根本談不到軍事聯盟的話。這話是事實，我們不能否認。日本目前最急迫的是經濟出路，她自然希望我們能幫助一臂之力，以建立兩國的深厚友誼。如果我們又有所求於她，那更是「持之有故」的交換條件了。

我們當然期望日本復興，也歡迎當局盡其力之所及，予以幫助。可是，談到「中日軍事同盟」一類的問題，卻不好過於急遽，讓她慎思明辨，感覺自己也有此必要之後，自然水到渠成；此刻未免言之過早。我希望法新社的消息，祇是消息而已。

日本只有「豚蹄篝車」之望

農人播種插秧後，以豚蹄一只，香糯一束，祭告天地，願秋來「戴稻滿篝，戴粱滿車」。日本政治人物現時所抱存的心理，就是跟這種農人一樣的。這也難怪，世界形勢既然對日本構成「富貴逼人來」的有利環境，她不乘機翻身，更待何時呢？

吉田茂的急務

就日本全國的利害看，目前最要緊的事無過於經濟問題，就吉田政府的利害看，首先要穩定自己的統治權。自由黨在國會，已因內部的分離運動而逐漸喪失了控制能力，鳩山派早已要求解散眾議院，其他在野黨亦有此主張。所以，吉田不能不決定於本年十月間舉行普選，以觀後果。

十月大選，恰與美國大選期間相聯接，日本新選議員集會之際，正是美國新總統就職之時。日本的重大決策，必須於美國新政府組織之後，纔能作最後決定。吉田茂此時除以全力佈置大選事宜外，其他政務，將是維持現狀的局面，不會幹出甚麼驚人傑作出來的。

日本的外交不容易辦，希望張特使好自為之！

韓戰和談仍然要拖

天方

中共極願求和

美國人從前並沒有和共黨正式打過交道，所以不明共黨的狡獪。在二次大戰當中故羅斯福總統也吃過史大林的虧，但那時彼此同在一條戰綫抵抗納粹，讓史大林佔點便宜也無所謂。勝利以後中共對國民政府的狡頻手段，美國人莫明其妙，甚至於還同情中共。即至韓戰已進入第二年，馬力克還置身事外倡言和平，當時美國以既無野心佔據北韓，到不如在會議席上來公開談判，藉以減少戰場上的死傷。他們以為共黨也懷着同樣的心情，和談一定可以成功。畢竟他們是以君子之心度小人之腹，共黨卻無心講和，而是利用和談來拖延時間以加強軍備，並且在和談席上大肆宣傳，攻擊盟方誣毀美國，把板門店當做宣傳的工具。但是戰爭總在韓國進行，中共參加戰爭以後財力人力和威勢的犧牲也不算小。打下去既無信心也談不上有希望。如今美國希望結束韓戰，北韓中共可以說求之不得。不久以前中共也聲稱只要能使他保住面子，戰事似乎可以妥協。因為他們已把大陸財富羅掘殆盡，而曠日持久威望大跌，大陸人心也完全轉向，海外華僑也表示深惡痛絕。他們傾其所有投入韓戰，並沒有如他們自己所說將「美帝」的紙老虎戳穿，反之自己的紙老虎卻給「美帝」戳穿了。中共和北韓都想趁機會下台，然自己卻不能決定，必須聽主子的吩咐。

蘇俄在韓戰中的損失

然則「蘇聯老大哥」是不是不想結束韓戰呢？當初美國當政者專喜阿諛之詞，以致退出亞洲，上了共產黨的圈套，使史大林毫不費力地席捲了中國大陸。他以為美國愚笨可欺，以為民主國家就像中國春秋戰國一樣，必不能夠團結，他可以用分化與各個擊破的方法來孤立美國，不僅要使美國放棄援助自由中國政府，且逼迫美國退出亞洲。韓戰發生，史大林又驅使中共參加，便是蘇俄自大與狂妄的露骨表示。中共既為「老大哥」火中取栗，藉以消耗美國，迫使英美政策的不協調，同時又可以控制中共並吸取中國大陸的糧食及一切軍用原料。這種一石兩鳥的如意算盤，史大林自己也以為打得精妙，但是不到三年，「老大哥」的內心卻充滿了悲哀。韓國戰場上既不能把聯軍趕下海，中共北韓的軍隊反而由三八綫向北敗退！米格式機也沒有揚威北韓，更談不上進襲韓國以外的地方。此外在聯合國各次會議席上也遭到慘重的失敗，否決權的使用充分顯出束手無策的一副可憐相。對日和約也分別簽訂了，「老大哥」仍然沒有了不起的驚人表現。戰時被納粹破壞的工業今天尚沒有復原，蘇俄本身的殘破也須努力建設。就以他目前不受干擾加緊努力的情形，三十年五十年未必追得上美國，這種情形史大林自己最清楚。[…]天真的如中共那些頭子們：他們剛從山洞裏鑽出來，不知天高地厚，以陶醉於蘇俄的宣傳，[…]所以不惜過美國，[…]「抗美援朝」，到今天他們才知道上了當，可是身不由己，給人牽住，不走不行了。蘇俄自己窮得像畢露，但他又能不能懸崖勒馬，回頭是岸呢？

蘇俄既不願和也不能戰

美國要在十一月大選以前結束韓戰已是勢在必然，但是蘇俄既不願和也不敢戰；一方面要不負破壞和談之名，故談判以來一直就是拖的方式。因為和談果真成功，中共年來已領教過「美帝」的力量，「老大哥」也實在不行，結果必對蘇俄發生離心的現象，則蘇俄將來要控制中共也就不容易。中共既懷貳心，其他的衛星國也就會一一離去，「老大哥」最後成為孑然一身的光桿皇帝，蘇俄帝國也將無形瓦解。

所以蘇俄不要和也不願和。然而他要戰嗎？不！蘇俄當然希望戰爭，宣傳儘可以宣傳，氫氣彈也好，陸軍四百萬，飛機兩萬架也好，真要作起戰來，恐怕比和還吃虧得多。那麼他究竟走那一條路呢？我以為還是拖，因為用拖的方法仍舊可以控制中共北韓，復可以利用中共繼續消耗美國。就是終久蘇俄必敗，他也可以在不得已的緊要關頭來進行討價還價。史大林認為拖是對他有利的。

不和即戰極不可能，最後仍然是拖

有人說蘇俄也許希望拖，但又能拖多久呢？並且美國可以用戰來迫使共方求和，[illegible]

[illegible]

某寓公「悖出」紀聞

劍庵

記得我國孔聖人說過兩句話：「貨悖而入者，亦悖而出」。這幾年來，有若干曾在大陸上「悖入」多財而來到海外作寓公的文武要人，很表演了一些「悖出」的景象，其中以「熊寓公」的情形爲最慘，現時他正在曼谷愁眉苦臉，寢饋不安呢！

從香港「悖出」起

他是具有「妻妾之奉，宮室之美」的頭等闊人，來到海隅後，除吟風弄月，打打詩鐘而外，不免多財善賈，搞些累積資本的「再生產」事業。一面在香江開設「新記」金號，炒金消遣，另一面投資創立漁業公司，從事海外貿易；一面又在曼谷與無錫紗廠大王榮宗敬的本家榮研仁，上海火柴大王劉鴻生的本家劉谷生等開辦一所紗廠。自已經常住在香港，優哉遊哉。

今年開春以來，香港市面充滿着不景氣的現象，首先在金號虧蝕了大把資本。然禍不單行，忽然間又發生一樁護照案，情形相當嚴重，萬一受到驅逐出境的處分，顏面何堪呢！他一面請律師依法訴理，同時即教某銀行總經理承認他是該行的常務董事，以證明自已在本港是有職業的。銀行經理滿口答應，但言爲憑證起見，請他存放一筆款項於該行，藉示事實，此言不爲無見，據說當時曾以港幣六十萬元存到該行，表面是董事的投資，實際作爲長期存款，可謂兩全之策。不料，護照案剛告解決無事，而某銀行竟以倒閉聞！其所經營的漁業公司也隨之大受影響，無法支持了。銀行全部負債約計三百萬元左右，可能立刻變成現金的資產不到二十萬元。因此，他那筆鉅額存款自然也化爲烏有了，連同金號與漁業公司的損失，共在港幣百萬元以上，好不慘然！所以，他在今年夏初曾有舉家入台之計，以有困難，只把一份家眷送到台灣去，自已準備攜帶另一份眷屬到澳洲雪梨久居。前此台灣外交部派赴澳洲作領事的張某過港時，他曾以同鄉之誼，兩次約請張某到寓宴會，就是拜託張代他在雪梨找房子。張某事後向人談道：過去在大陸時，我們想見此公一面都不可能，而今三番兩次的請我吃飯，情誼稠叠，眞不勝受寵若驚之感呵！

曼谷的「悖出」情形

曼谷的紗廠是由榮研仁劉谷生領銜「海派」人物，於三十八年通過「熊寓公」的舅老爺臨某倡議創設的。當初榮劉二人擁護榮宗敬劉鴻生的招牌來號召，很快就把紗廠成立了，榮劉各認股若干萬銖，熊投資數鉅，約佔全部資金百分之六十。榮劉以內行專家姿態，分任廠內要職，每月薪金各爲美金六百元，由臨舅爺管理財務，使熊放心。詎榮劉所認股款，並未實交，除熊之資金外，隨時以紗廠名義，用借債方法，向當地僑商伍竹林等拉來若干資金，聊以應付罷了。紗廠開辦了兩年，每年皆蝕本，資金缺乏之時，又向當地的廣東省銀行和中國銀行借貸，因爲這兩個銀行的經理都是「上海人」，與榮劉氣味相投，中國銀行一家前後就借了一千萬銖，其中毫無抵押的款項亦佔着三百萬銖。

到最近，紗廠實在沒法撐持下去了，只好宣告停業整理，全部負債爲二千三百多萬銖，光是職員欠薪即有百餘萬。熊是大股東，經榮劉等急電請他蒞臨曼谷，共商善後。他到曼谷，跟榮劉和銀行界的人一談，急得發昏章第十一，無可爲計。中國銀行與廣東省銀行經理，以與張沈錦洲二人，因借款關係，主張繼續開工，由兩行再拿出幾十萬銖來維持現狀，廠務亦交由兩行所組織的「債權團」管理。但其他的債權人亦成立了一個「討債團」，只要求廠方還償，否則法院相見！熊等不得已，乃想出三項辦法來：（一）要求泰政府合作，由泰國的實業銀行貸款一千萬銖；（二）請泰政府提高進口棉紗的關稅，以免外來品與該廠出品競爭；（三）請泰政府容許該廠的紗布出口。可是，這辦法爲泰國實業部拒絕了，一因該廠與泰政府原訂合同，規定二十年後，全部廠地器材和建築物都歸泰國政府所有，現在不到三年就關門大吉，泰政府正樂得接收全部產業；二因該廠紗布無出路，而泰日商業協定已談判完成，不久，日本貨必大量來泰國傾銷，該廠出品更無法競爭，即令再投資幾千萬銖，也只有虧蝕乾淨而已。

刻下熊住在曼谷那位妻舅家裏，仰屋興嗟，不知何以善其後。榮劉等人根本沒有損失，他們對債權人開口說「等重要股東」來想辦法，閉口說「香港大股東」來了，就有辦法，把全部責任都推到熊的身上。曼谷人認爲這是一大騙局，目的就在對「熊寓公」生財。究竟該紗廠如何下場，尚無頭緒，如果照普通的股份公司法例來說，熊的責任很大，除已投下的資本付諸流水外，還得拿出鉅款來清理債務，「悖出」之道，豈不慘哉！

台灣環島行紀（五）

・麗子・

減租政策確著效果

比之糧食增產更重要，更成功的一件事，便是台灣的三七五減租，這也是陳誠在台灣省政府主席任內所決心推行的一大改革。國民黨本以平均地權爲革命的主義與施政的要項。如果在民國十七年春季實施清黨之後，立即推行土地改革，則可不致有日後的共黨叛亂。或者在抗戰勝利之後，一方面宣布免除田賦一年，與民休息，一方面即宣告將實施減租限田，則中共也不能藉土改爲名，迷惑國際，誘騙平民。今日不幸大陸沉淪，無數的善良同胞被關入鐵幕，隨時在殺戮飢餓的威脅之下，自由中國只剩得台灣一島，亡羊補牢，改革土地，眞不知令人是悲是喜。當陳誠決心在台灣實施三七五減租的時候，並非沒有阻力。這些阻力並非來自台灣的大地主，而卻是來自中央的法律。原來地租爲全年收穫量的千分之三百七十五，乃係舊土地法的規定，抗戰勝利之後，立法院將土地法修改了，其第一百十條，規定地租不得超過地價百分之八。因此欲重訂地租，必須先行調查地價，這是多麼麻煩的一件事。幸而行政院在民國三十六年，曾有一個通令，說是在地價未依法評定地區，地租仍依正產物千分之三七五計算。還樣才使得台灣的減租政策覓得了命令上的依據。但在推行之後，設在台灣的各級法院，又認爲減租辦法只是台灣省政府的單行法令，屬於中央系統的司法機關不能採用作爲判決的依據。於是萬件以上的減租爭訟，被擱置在各縣市的地方法院抽屜中。一直等到去年，耕地三七五減租條例，由立法院通過，總統公布，各級法院才承認減租政策具有合法性。

限田政策更進一步

我這一次經過許多農村，尤其是台南高雄屏東各縣市，所看到的減租成績最爲顯著。大多數的佃農地位因爲佃權有保障，地租有限制，耕作有自由，收入有增加，於是生活大爲改善，如衣食有着，衛生進步，婚嫁適時，教育普及，都是事實。再有餘資，或用以購地，或增購農具，或清償債務，或作爲農業資金，因以糧食增產政策才能實行。我曾親自訪問過許多農家，他們對於減租所得的效果無不承認，有些農家過去因爲經濟力量的限制，不能成婚，自從減租實行以後，多能適時結婚，所以在鄉間稱之爲三七五新娘。

台灣的面積不大，耕地也不算多，減租政策已經收了這麼大的效果。足見得以往在大陸上不從事土地改革，非不能也，「是不爲也。」我在台灣臨動身的時候，中央正決定自明年起實施限田政策，以期達到耕者有其田的目的，並藉此促進台灣的工業化。中央這樣明智的決策，就整個國家看是晚了若干年，但在今日的自由中國看，實是一件極爲重要的事。我曾經聽一位關懷國事的前輩先生說，這一次是中央的決策，所有司法機關總不致於膠柱鼓瑟，在無形之中爲地主幫忙了吧！

工人生活須加提高

我這一次除訪問減租後的農村外，並且訪問了些礦廠和工廠，看一看勞工同胞的生活。台灣因爲電力供應無缺，地下資源豐富，省內交通發達，所以極適合於工業的建設。日本人在台灣的時代，日本想使得台灣成爲南洋各地的加工廠，使南洋出產的原料集於台灣，經過加工後再運回南洋銷售。我國抗戰後期，日本軍閥不惜冒險南進，組成其所謂「大東亞共榮圈」，便與使台灣成爲加工廠的計劃有關。現在台灣的土地問題大致解決，此後便是積極建設工業的問題。台灣現有工人約只三十餘萬人，日後工業化實現，工人的人數自必尚有增加。

就我此次所看到的，自以礦工生活爲最苦，鹽民漁民本亦甚苦，但鹽民自從鹽政改革後，生活已有進步。漁民雖亦有進步，猶嫌不足，惟較之礦工，尚勝一籌。台灣因煤產豐富，故礦工以煤礦方面者佔多數，其餘金、銀、銅、礦，因限於產量人數甚微。台灣省對於勞工方面已有的措施，便是舉辦了勞工保險。我問了許多礦工工人，他們都已經參加了勞工保險。台灣的勞工保險，是從三十九年三月開始辦理。對象爲公營民營工廠、礦場、鹽場、暨公營交通公用事業的全部工人，包括常期雇工，學徒及公役等。保險的費率，按照被保險人上月末日的日給標準工資，乘三十，所得月給總數百分之三計算。而此百分之三的保險費，由雇用人方面負担百分之六十，政府補助百分之二十，工本人僅負担百分之二十。保險的項目，分爲傷害、殘廢、生育、死亡及老年五種。

勞工保險尚待推廣

據我在台灣所看到的情形，勞工的努力增加生產，其對國家的貢獻，與所負時代的任務，決不次于農民。但我周遊所及，只聽見各方面對於土地的改革與農村的復興，有興趣談，並且有經費做，也對於勞工方面，我想也應該予以重視。就勞工保險說，實施以來，受惠者已有不少人，則其項目似尚可增加，再除去上面所列舉的各類工人外，其餘凡是從事勞動生產的工人，均宜強迫其辦理保險。又中央公教員工保險辦法，行政院早在去年秋間通過，實宜及早實施。這比之臨時加給少數津貼，在安定公務員生活上的功用大得多。惟原案只擬開辦生育、疾病、傷害、殘廢、死亡、養老六種保險，沒有失業保險。再限於中央機關的員工在內，省縣市的員工未包括在內，亦宜予以擴充，才能收得辦理保險的效果。

挪威的戰備

挪威在地理上的形勢，是個狹長的地域，其南部海岸，控制着波羅的海的孔道。波羅的海是蘇聯潛艇隊主力的根據地。在波羅的海域裏，蘇聯擁有潛艇實力，超過一百二十艘，還有六十艘以上的現代化艦艇，五艘巡洋艦和二十艘驅逐艦。挪威的北端海角，控制着蘇聯由北冰洋通大海的出路。蘇聯爲了恐防波羅的海可能被西方盟國封鎖，已建築了一度所費不小的「史太林運河」，這運河能容納戰艦，驅逐艦巡洋艦也能行駛，由列寧格勒，經過拉都加湖以達白海。

假使挪威落在蘇聯手中，則挪威便大可爲史太林利用，成爲最足以危及西歐的天然潛艇基地。其西海岸幾年不會結冰，艦艇且能在深海。而蘇聯的北冰洋海港，則在一年之中，結冰時期佔了許多個月。

西方盟國相信，假如戰爭一旦來臨，挪威便成爲史太林的一個首要目標。現在，挪威已經開始局部動員了。一切國防計劃都已加速推行，原定於一九五四年完成的軍事目標，已提早在一九五二年完成。

挪威的陸軍實力，現有武裝軍隊三萬五千。計劃在一九五二年擴充到六萬人。在人口比例上，這數字相當於美國三百萬人。其海空軍的實力都薄弱，海軍方面，僅有陳舊的英國驅逐艦七艘，美國現正援給若干魚雷艇，並考慮移交數艘驅逐艦給挪威。空軍方面，實力雖小，但空軍人員品質優良。挪威現有戰鬥機約一百架，其中四十架是英國製吸血鬼式戰鬥機，挪威飛行員正在美國德薩斯州受訓使用美國噴射式飛機。（華譯）

我從平壤逃出來

・漢城通訊・

當聯合國空軍對北韓加緊轟炸以後，北韓一般的人民，都在千方百計想向南韓跑。因爲各方面的路都想盡了，想去想來還是祇有去南韓的一條是活路，我正是這千百萬痛苦的朝鮮老百姓之一。由北韓逃到南韓，在今天是很困難的，因爲除開了中共北韓軍的層層封鎖外，還要逃過聯軍的陸空堵截。但是由於一個求生意念的驅策，於是克服了一切困難。事實的經驗告訴，祇要通過了中韓共軍的封鎖綫，到了聯軍防區，祇要公開說是難民，就可得到保障，被集中送往漢城。在今天像這一種情形，逃來漢城的人，日以千計。

發了狂的平壤給火餓包圍着

從平壤到漢城的逃路，一般都是採取臨津江與平漢鐵路（由平壤到漢城鐵路）兩條。在臨津江一面，是節節搭乘小漁船或乘木船前往聯軍與中共軍對峙的地方白頭山，然後透入城州。在平漢鐵路一面，則是段段搭乘被聯軍炸斷了的破爛鐵道火車，裝着香烟小販，輾轉逃到金川或開城，我就是從這一條路逃出來的。

平壤，這一個充滿[illegible]火藥氣味的古老城市，現在正不停地被火燄包圍着，完全變成了一個神經發狂[illegible]從前更兇惡了，好像些恐恨我們北韓人的樣子，平壤市區已沒有居民，都逃往平壤郊區，但這一些居民，在每一次大轟炸以後，都要跑回城來，看一看他們的住屋，中共軍不准許這一種居民回城，但這一些居民，總要想方設法透過中共軍的步哨，因此，平壤市內外，總是終日槍聲不斷，人心惶惶，說「美帝的特務混進城市了」。

士無鬥志　共軍對飛機最駭怕

從平壤通水門南下至元興，沿途傷兵難民與北韓軍夾雜其間，情形看來比中共軍還可憐，鐵道的兩旁，盡是土坑土洞，衣服破爛的作戰部隊擁擠在這些土穴之中構作工事，下半身的衣服，通道被積水浸過，臉上找不出一點笑容，[illegible]

交通斷成寸寸　調動萬分困難

[illegible]

香烟最可貴　兩包換得通行證

[illegible]

（八月十七日寄自漢城）

李維漢計劃實施向少數民族進攻

要鬥爭一百萬人，沒收二億財產。

中共最近公開了一項在二月間即已決定的陰謀，展開少數民族內部的鬥爭。對象主要是蒙、回、藏族的人民，苗夷也包括在內。這決定係由李維漢指使，從去年十二月廿一日開始佈置，並擬定了一套辦法，加強中共的各級政權的民族事務委員會，而在少數民族地區，組織所謂「地方民族民主聯合政府」。

加強控制　另組政府

現在，中共控制的地區，「土地改革」到今年底基本上已可結束，根據劉少奇兩年前的報告，少數民族地區的「土地改革」應該接着在明春開始了。「土改」本身爲一種殘酷的鬥爭、清算，通過這個來控制農村，這是大家熟知的，故中共要伸手到少數民族中去，也必用這一方法，有許多游牧民族沒有土地，但也要進行土改，就是這個道理，中共必藉此打垮各少數民族中的自然領袖，而扶植起少數民族中的共產黨幹部。從內部來分化控制，這樣一方面可以掌握牢固，一方面可以避免整個民族仇恨的形成，而發生以民族爲基礎的大衝突。

民族共幹担任先遣

共產黨在北平，蘭州，成都，昆明的民族學院，三年來已訓練了數千名各種民族的幹部，在今年春初分發了下去，計回民共幹二千四百人。一半是由蘇俄訓練的維吾爾、哈薩克人担任。蒙民共幹一千五六百人，並由外蒙抽調一萬多人工作。藏民共幹二百多人，去年即隨張經武入藏，今年又派出二百人，拉薩軍區辦的短期訓練學校，也已結業四期，共有五百餘人。

苗夷民的共幹，現在派出者僅四十餘人。這些苗夷民族回去後，第一步的任務爲進行調查工作，收集各種資料，現在這種工作大半完成了，於是決定飾開李維漢計劃，共黨的血手向少數民族進攻了。

以夷制夷　坐收漁利

共黨的進攻計劃，先是在少數民族地區組織「民族民主聯合政府」。各省中有少數民族的城鎮鄉村，都要組成這種政府，名義上是讓他們自治，實際上是以夷制夷的辦法，通過他們自己的手來控制自己，用他們自己的手來替中共勒索徵發。

但是這種「政府」也不是選舉的，各個委員會名額是用一種協商方法來產生，這是因爲各民族的共幹在他們本民族中沒有地位，信仰，用選舉方式是選不出來的，唯協商方式才能把他們插入裏邊去。同時，協商辦法又爲一分化各民族內部的手段，又爲一拉攏各階級爲中共利用的統一戰綫手法。

與「政府」同時組織的爲「人民代表會議」，這是以共黨認爲比較可靠的份子組成的，由共幹在內部指揮操縱，將來再發展爲選出「蘇維埃政權」的「人民組織」，配合上中共整個政系而轉變。

今冬將合　明春鬥爭

各州少數民族對於中共這種糖衣砲彈的進攻，一時是弄不清楚的，有的懷疑，有的抗拒接受這種與他們傳統不相容的制度，於是中共在推行這一制度時，還得調動軍隊，推行不成，便採用鎮壓，至於被派的漢人幹部人數更多，他們的公開任務是幫助那些少數民族共幹工作，說這些民族共幹對於鬥爭經驗不夠，很需要富有經驗的漢人共幹來幫助他們，實際上當然是把少數民族的共幹當傀儡，由他們操縱。

現在共黨遭遇工作的最大困難是關於「階級」的劃分，因爲這些落後的少數民族的經濟形態是不適合他們的階級理論的，但不劃分又怎樣分化和統制呢？且從中的若干貴族，他們正要用統一戰綫來利用他們。然而階級的要製造的，否則即不是共產黨的做法了。

李維漢的口號是：「爭取開明的貴族，打擊頑固的貴族。以各民族中的貧苦的份子爲骨幹，進行翻身鬥爭。」

共黨有一估計，在明春展開少數民族中的清算鬥爭後，中共將可獲得大批金銀和牛馬，値二億美金，抵消一部份赤字，而少數民族之被鬥殺者，將達一百萬人以上。（向維）

中共法院的改造和整頓

要法院共幹拋棄法的觀念，從政治任務上來辦案，配合特務統治

實華

八月十三日，中共決定對司法人員全面整肅了。在「三反」中司法人員有驚無險，平安渡過了，但現在却竟遭到了全部的壓力。

據上海解放日報說，他們的「法院的組織不純和思想作風不純已達到驚人的程度，有許多人民法院在組織上是讓墮落蛻化和惡習甚深不堪改造的壞份子掌握了審判大權。」

共產黨有一種最無恥的誣賴本領，即是把壞的錯誤的都歸結在「過去遺留下來」的上面，這次向司法人員開刀，首當其衝的也就是所謂「留用」的份子。而那些老共幹如在司法機關中也有了問題，則說是「受了這批留用人員的影響」。一句話，即是共黨人員始終沒有錯，錯都錯在非共黨人員身上。

據僞司法部部長史良的報告，說現在中共控制地區的司法人員，共約二萬八千人，其中「留用」的司法人員約六千人。約佔總人數百分之二十二。現在就要把這六千人改造，法辦了。

當共黨掩有大陸之際，這六千人都是在各地向共黨叛變的份子，共黨亦以「立功贖罪」「既往不究」來誘惑他們，三年中，他們也替共黨殺害了無數反共抗俄的志士，他們自以爲已有了犬馬之勞，可是時到今天，仍然逃不了共黨的這隻血手。

共黨對司法人員，何以三年前不整，到今天却要來開刀呢？其原因正與其他部門的情形完全是一樣的。

三年來共黨還沒有培養這些司法人員，如不假手這六千多人，這部門工作將會完全停頓，所以需要「留用」他們。

三年來共黨所派的司法幹部，在二萬二千名中有百分之八十以上不懂得工作的，有的還根本連報告都看不懂的，於是需要這些「留用」的人當「專家」當「顧問」，幫着他們辦案。

三年來共黨正忙於搞「槍桿子」「徵糧」和「土改」等工作，這些都是他們最基本的統治工作，他們沒有力量集中到並不被重視的司法工作方面來。

三年來共黨天下根本沒有什麼法律，逮捕、審訊、充軍、殺頭、槍決、都由各樣的特務機關在執行，而人民法庭乃至農會也在每一角落做着所謂「司法」工作。司法機關沒有人願意理會的。

由於這幾個原因，三年來這些所謂「組織不純和思想作風不純已經到了驚人程度」的司法人員，才能苟安了下來，現在則情形完全不同了。

首先，共黨的「政法幹部學校」已培養了二千多個司法幹部，他們正等待着新的安置。

其次，三年來那些天天在請教「專家」「顧問」的司法共幹，也已學得許多司法上的手法，這批所謂「留用」人員反而成了礙手礙脚的東西。

第三，共黨現在也想正規化了，特別在最近特務機關大調整後，他們要利用「司法」來作爲經常鎮壓的工具。

第四，現在內外情勢太緊迫了，特務機關的任務太重了，於是要分一部工作給「司法」。

因此，對司法人員要開刀整肅了。使「司法」配合得上他們的要求，這種整肅，當然是把所謂「不純」份子大批屠殺或送進集中營。但這只是一整肅的手段，中共今天的目的，主要是扭轉所謂「六法觀念」，要根一司法幹部排棄「司法」的「法」的觀念，而代之以「政治」任務，即是史大林所說「法律是實現政治任務而鬥爭的一個重要工具」。

司法在共黨看來，既是一個統治工具，所以根本沒有獨立性的，它只是特務工作的一個幫腔部門而已。

但是我們這裏要提醒一事，即是共區的司法幹部中眞正無法無天，亂搞一切的，倒並不是這些「留用」人員，而是所謂有十年卅年以上黨齡的老共幹。僞平原省溫縣法院院長王高陞，審判員楊文治等，利用權力，把抓來的，告狀的乃至請求離婚的婦女輪流強姦，無一倖免的事即爲一例。（詳見本報第一四八期）共黨對於這種非人獸行，反而并不怎樣重視，因爲它們都是「老共幹」。

可見這次對司法人員的整肅，除加強恐怖統治外，實在沒有絲毫別的意義。

官僚主義依然故我　增產節約徒具虛名

【本報綜合報導】「三反」結束以後，中共再度搬出所謂「增產節約」的把戲，希望把各級職工的鬥爭情緒轉入生產工作。各大行政區各機關單位的增產計劃又滿天飛，據東北區最近發表的統計，今年的增產計劃總值要抵達一千三百五十四萬噸糧食，西南區僞國營商業網，本年度便要增產節約共幣一萬五千億，這些增產節約的數字從那裏來的？實際的情形怎樣？下面的事實，就是一個具體的答案。

模範公司　漏洞百出

中南鋼鐵公司，自去年五月實行所謂「民主改革」以後，照中共的宣傳，「廣大工人羣衆和資產階級在思想上已劃清了界綫」，今年「三反」以後，工人「更一步發揮愛國、愛民、愛廠、愛勞動、愛護公共資材的五愛精神」，「基本上完成了一九五二年上半年增產節約計劃」，因此這個公司一向都有模範公司之稱。但是經過最近的調查，發現這個模範公司，其屬下的各廠，不但計劃脫離實際，管理漏洞百出，而且工人情緒低沉，上上下下仍是一團糟，充分表露出依然故我的官僚主義，所謂「增產節約」，終離不了「自欺欺人」四字。

增產計劃　胡亂編造

根據中共「中南工業部」調查人高芸生的報告，這個廠的生產計劃，多係事後的計劃，除在每年的五、六月才編完全年的生產計劃外，每季的計劃，總要遲一個月，每月的計劃，常遲十天或半月。而每月的生產計劃，又只有生產數字的計劃，而無工具備品的計劃，以致各廠可以增產名義，無限制的領用備品及原料，貪污盜竊的現象依然極爲嚴重。如平爐上實際用電綫七千多米，而領出的達三萬四千多米。原材料的採購「則是有的重買、多買、早買，有的則拖拉遲遲不買，造成資金積壓和供應不上的矛盾現象。僅鎂砂一項，由於多買重買，積壓即達共幣百億以上，而化驗室請購矽布，買了一年多還沒有買，以致停工待料現象不斷發生。

由於生產計劃的不切實際，每月任務根本無法完成，如分配給鑄鋼組一個月的任務，兩個月仍完成不了。又如煉鋼廠單臂吊車，原計劃四月底完成，結果到六月才完成。有的因設計不週，中途修改，材料人力的浪費，根本無法估計，結果完成不了任務，使用加班加點辦法來應付，由於工作忙亂，事故不斷發生，全公司在一九五二年上半年即發生傷亡事故多次，其中人身事故十八次，機械事故二十八次，死亡人數達八十六，損失財物超過二百億。

企業管理　大擺烏龍

此外，在企業管理上更烏煙瘴氣。首先財務收支，根本上無計劃之可言。每年雖有資金周轉計劃，但無資金使用計劃，生產及基本建設款項互相借用，帳目一塌糊塗，常年靠銀行貸款維持，談不到資金週轉。

其次是材料採購、供應和生產脫節。只要有人請購就買，有時甚至買來之後才知道庫房存料甚多，有時則是買不到或買錯了不能用。根據初步統計，近二月來該廠有工無料的活，就有六十一件，而有料無工的活，則有三十八件。

第三是成本胡亂填報，工作人員不問數字來源，按車間報表填報，照着一加就是成本。使成本變成毫無價值的形式主義。如該廠最近代中南公安部修幾枝槍，實際工料費僅五十餘萬元，成本料竟算出八百餘萬元，其烏龍情形可見一斑。

技術人員　抗拒改造

造成上述種種混亂的原因，據調查人員的報告，第一是中下級幹部在「三反」運動中進步不大，存着嚴重的資職官僚主義作風。如經營科、施工科、對不執行合同的單位，不按約罰款，對商人在交往上採取遠而避之的態度，對他們的偷工減料採取不聞不問態度，有的明知下面幹部仍貪污，亦認爲與他無關，只求自己無責任就算，這是受「三反」以後縮脚縮手的影響。第二是一般職員均實行「公事公辦」，存着嚴重的僱傭觀點，每天都是按時上下班，不肯多幹一事。如計劃設計人員很少下廠，牽到上面發下的增產節約計劃，只要些材料隨便編製就留下去，致計劃與設計錯誤百出。尤其是一般技術人員，更抱着第三者立場與單純技術觀點，不問政治，看不起工人，對「民主改革」，「思想改造」等仍採取抗拒態度。對中共所宣傳的「生產新紀錄」及蘇俄的「先進經驗」更表示懷疑。如有的人說：「我看了毛主席的階級分析下廠沒作用，看了技術書就能解決問題，究竟技術重要還是政治重要？」至於一些「三反」中被認爲有問題的人物，更是推一下動一下，據調查人的反映：「做一天和尚撞一天鐘，他們連鐘也不撞」。

工人領班　故意破壞

工人和領班方面對不斷增產亦表示厭倦。在工作中時時表現出故意破壞事件。如該公司鍊鋼廠平爐與貝氏爐，就因爲工人故意搗蛋，三班工人各執行一套，互不照顧，影響着爐子的壽命，以致經常修爐，就誤生產。有的更混水摸魚，工作完畢時工具亂放，使用時亂抓，使秩序亂混。有些存心舞弊的領班，趁清點的機會將庫房鄰的器材不上賬，每清點一次就少一次，有些進料不在公司裏過磅，上下勾結集體貪污。

上述這些情形，證明「三反」只反掉了若干表面的渣滓，仍未能改變原來的腐化現象。中共政權的基本結構，原是極權政治加上獨佔經濟，這二者正是貪污浪費的大泉源。何況中共在瘋狂備戰中，正不擇手段來強迫工人作超現實的增產節約，因此這種官僚主義所造成的形式主義和貪污混亂，更越發無法防止。其結果正像「中南工業部」調查人自己所說「要改變獨的制度與辦法[illegible]好生產是有困難的」。

錢在袋中是老毛的　吃下去才是自己的

在武漢市上，流行一種風氣，商人們總是三三兩兩，聚在一起下館子去大吃大喝，無論誰付錢，統名曰「毛主席請客」，因爲在「五反」之後，商人的「政治覺悟」提高了，大家知道有錢總是「毛主席」的，到是吃到肚裏才屬於自己。

鄉間雖然不懂得「毛主席請客」，但是大吃大喝却是一樣的，在江西上饒沙溪區，自七月十二日開始收割早稻後，就大吃大喝起來，在七月十八、十九、廿日三天時間，五里鄉農民共殺了三十二頭大猪，周家村貧農周文枝割了早穀一百斤，就吃了二十多斤猪肉。岩坑鄉農民共殺了三十四頭大猪，貧農祝和太就買了兩石半穀的猪肉吃，雙塘鄉的農民也殺了三十四頭大猪吃，箕頭鄉中農鄉德榮說：「我往年割稻要買三百多斤穀的猪肉吃割稻酒，今年只買了一百五十斤穀的猪肉吃。」最初共幹還誇稱農民購買力提高了，及至後來發覺是農民的消極抵制，已經挽不出來了。

埃及的政治改革

為方

埃及醫軍首腦那吉勃與內閣總理馬赫爾二人，據說因對土地改革問題意見不合，已成爲「不安之同盟者」，大有再起變局之勢。那吉勃主張打破大產業制度，每一埃及國民不得擁有兩百畝以上的土地，且以此爲陸軍方面對國事的唯一政綱，非貫澈不可。馬赫爾本人原是大地主，當然不表同意，因而彼此不能合作下去了。

埃及的政客官僚，由於傳統的社會結構，皆擁有私人大產業，窮小子根本就不能在政治上取得地位。現佔議會大多數席次的華夫特黨，即是埃及著名資產階級的集團，他們自然更不贊成激烈的社會改革運動。軍人多是來自田間的青年子弟，他們目擊民生困苦，有的且身受其害，所以他們有此要求。

我們從埃及這項改革情形中，可以得到兩點認識：一爲普天之下的資產階級，沒有不是貪婪成性，至死不悟者。要他們作和平地社會改革，自動犧牲一點私人利益，眞是戛戛乎其難。二爲軍人干政之風，對國家終是害多於利。像埃及這種情形，將來如不演成全國動盪不安的混亂局面，即會出現軍事獨裁的「迪克推多」政權，而兩者皆非國家之福。所貴乎政治家者，即在能具有遠見明識，爲大多數人民利害着想，站在時代前面，把國事推向進步之途，匕鬯無驚。可惜一般好搞政治的傢伙，又多是傖夫俗子，尤其在產業落後的地方，玩政治的人物大半皆屬貪婪之徒，難怪世界到處感受共禍的威脅啊！

自由談

拖拉機

尚敦仁

那架「法爾茅」式四十五馬力的蘇製拖拉機擺在這農場上已不止一年多了。農場裏的「新中國」拖拉機手們：除了眼光不期然地碰到「它」外，心裏對那拖拉機已沒有了任何反應。

總有幾個兵——「解放」人民的軍人，穿着不整齊的服裝，荷着槍，在那「機」旁徜徉徘徊。即是風吹雨打，雪飄挨凍，他們倒總打起精神看守着「法爾茅」式拖拉機」。固然「解放軍」的「崇高」任務必須叫他們那樣做，其更重要的原因就是：北安國營農場的「拖拉機」早就在所有報章上佔過不止一次頭號大字的顯著地位。早就多所「宣揚」了「史太林」元帥的恩德——拿這「法爾茅」來擺在農場裏，來象徵「新中國」農業的機械化！

北安是松江省機械化國營農場的所在地方。環境很好：南面是一望無際的大草原，北面則是寒帶森林的開端；有嚴寒的氣候可用爲「優勝劣敗」的考驗，只要到秋末這兒就萬里雪飄啦！同時，這地方不但人少，牲畜也不多，除了工作，又怎會再有外務呢！

近三千的農場工作人員中，很少人，甚至於可以說沒有人原來是務農的。現在他們到這兒來開墾機械農場，可以說明他們是在學習「進步」中，他們希望在「進步」「學習」中列身爲中國人民——他們勢必走的唯一道路。

李民僕是這近三千人中的一份子，他是「進步」的：自從「解放」以後，他以俘虜的身份，經過不斷的「學習」，「坦白」，「鬥爭」，「訴苦煮來生飯」……才到這農場來。

領導農場的政委在開會時說：『「人民政府」是寬大的，所以爲照顧你們在「新中國」「人民民主專政」的生活，不惜爲國家經濟狀況的困難撥款，爲你們開辦機械農場，在「新中國」努力生產，你們才可以獲得「人民」的權利，這農場是你們的終身事業，……將來「機械農場」遍中國的時候，你們都是最先進的「新生產方式」創始人，……不久，「蘇聯老大哥」將幫助我們新式「拖拉機」，你們大力生產表現得最好的就可以先做「新中國」「拖拉機手」，是「新中國」最先的「拖拉機手」……』

每到深夜李民僕一閉上眼就想起那幅情景來。

從此以後，李民僕是大力生產的，他與另外五個「農工」成立的一小組，他是最吃苦努力的了，五個人拖大犂，他經常擔任中間的拖拉者。那大犂五個人拖着，一個人在後面扶着，夜以繼日，不分嚴寒冰雪，他帶着頭，在那人煙罕至的區域裏耕種着。他們沒有牛幫助，拉犂的人就是牛。小組與小組間不斷的挑戰，夜晚工作完畢不斷的檢討。……體弱的人病痛死去了：他們是「劣敗」于自然，不應該崇敬；意志不堅强的逃亡了，提出來鬥爭而死：他們是「國特」，「落伍份子」，……只有李民僕和與他相似的人大力爲「農場生產」，他們爲「新拖拉機手」，爲「人民」在努力。

拖拉機終於來了，那就是擺在農場上的「法爾茅」式拖拉機，算起來快有兩年了。拖拉機運到，動員全體農場的工作人員從數十里外車站歡迎來，接着是隆重的慶祝儀式：

『「蘇聯老大哥」對「新中國」的幫助是至高至誠最偉大的，……現在我們有了新的生產工具，給你們「勞動創造世界」的表現更添上了有力武器，……這是「蘇聯老大哥」贈送「新中國」的禮物，你們每一個人要盡心保護……』政委在慶祝會上興高采烈的說。

儀式過去了，幾個「解放軍」被派在看守拖拉機的崗位上，農場上看不見拖拉機在走動，沒有任何拖拉機耕種的土地，相反的「生產量」在不斷的「挑戰」形式下被限定提高了。

在總檢討「生產情況」的會上，所有生產小組沒有達到「限定的標準」。他們的生產量並沒有達到「機械化」農場的標準。

李民僕憋不住順從大家的要求，反映了意見到「組織」上：爲什麼不用「拖拉機」生產？爲什麼不使大家變成「拖拉機手」？

組織上的答覆：對「老大哥」的贈送要寶貴，要珍惜，同時，你們都沒有達到「拖拉機手」的標準。……

自此以後，李民僕讓「組織」動員去「參軍」（？）而不見了，國營農場上的「法爾茅」始終靜靜地擺着。不論冬夏春秋，大地上五人犂在耕種着。中間拖犂的既不是牛，更不是「拖拉機」，他們是「人拉機」。他們在無止息的證明「勞動創造世界」的眞理：人不但是「牛」，人也是「拖拉機」。

他們生產的大豆，小麥，高粱，親自送到車站裝上往西伯利亞去的火車，報答那「拖拉機」賜予的功德。可是，他們在農場上再也不去關心那「拖拉機」。他們也再不想做「拖拉機手」的。

香港三年（八）

·舜生·

香港幾乎沒有京戲，在馬連良和張君秋未離港以前，我還偶然聽過兩次，此外偶有票友演出，我却未敢請敎。我也略能了解：中國正規的舊戲，原是一種相當高級的藝術，唱已甚難，做更不易，假如不經過一番苦修苦鍊，便連一舉手，一投足，也可能一無是處。聽戲本來是爲了娛樂，要我隨時爲台上的演員揑着一把汗，這實在是苦不可言。

廣東戲我完全不懂，但也曾以觀風俗的態度去看過一回，只覺得行頭非常華貴，演員也十分賣力而已。我們外省人不懂廣東戲，大致廣東朋友愛聽京戲的也不多，京戲之難於在香港立足，其原因也許多少在此。

話劇在香港也幾乎沒有，學生團體偶有借電影院演出的，但我却從來沒有看過。

電影大概是香港最發達的，我在上海二十年，所看電影的次數，似乎還不及這三年在香港看的次數多。經營電影事業需要鉅大的資本，雜湊的演員也斷然演不出一部有價值的片子，美國片子之所以獨步世界，完全是經濟與人才的條件使然，條件不具備而要勉强學步，恐怕終於是沒有希望。在香港演的電影，百分之九十以上是美國的，不夠味的自然也很多，但眞値得看看的却也不少。現代戰爭，現代武器，若干蠻荒或北極這類的地方，以及當前世界若干重要人物的聲音笑貌，一般人都只能從電影上去接觸，這種地方也可看出電影在現代生活中所佔地位是何等的重要了。我自己和朋友們的孩子，幾乎全是歡迎打鬥或戰爭的片子的，而且打鬥戰爭得越激烈，他們便越感興趣；其實不僅孩子們如此，即成人亦何獨不然？人心的趨向在此，大家還在高談世界和平，也許終於是一個夢想吧！

在北平上海遊戲場所流行的各類雜耍，在香港也幾乎絕跡，而大致也是語言的關係。我在香港住久了，才感到過去若干熱心國語運動的朋友們，實在是不爲無見。我想，假定廣東人與外省人之間，能逐漸減少這一層語言上的隔閡，在文化上的交流，事業上的合作，一定要發生更良好的影響。

四川人愛坐茶館，廣東人亦然，就我所知道，這是其他各省人所不及的。但廣東人飲茶，則似乎重點不在茶而在點心；四川人飲茶，似乎對茶比較的考究，同時以茶舖子而兼賣點心的，則好像是絕少絕少。我從前爲多懂得一點四川，常常歡喜上茶舖子，聽四川朋友們去擺龍門陣；現在想多懂得一點廣東，因而也就學着飲茶；可是對四川我覺得所得較多，對廣東的了解還是太少太少，這大致也還是一個語言問題啊。

萬竹樓隨筆（一二六）

亂彈齋詞話

馬五先生

蝶戀花

序曰：美國芝加哥一婦人，曾向法庭提出與其丈夫離異並給贍養費的要求，理由是丈夫常時打罵她。據說：自從一九二九年結婚以來，至今年六月止，她的無情「外子」每天都打她，綜計二十三年的夫婦生活期間，被打過八千三百九十五次了，她因此請求仳離。法官却當堂祗告誡其丈夫以後停止無禮暴行而已，並未有所裁判，可見一般這位「法官大人」（香港市民對法官的稱呼）很懂人情的。照她所指出被「外子」毆打的次數，平均每天要打架一次半，如果是眞正打罵的話，豈有連續相打二十幾年，而尚能同居生活，養兒育女之理？可見所謂打罵云者，多半是打情罵俏之所爲，不足爲外人道也。當堂法官僅以和事佬心情，告誡了案，可謂深識此中三昧者矣！

相打相親原是戲，暮暮朝朝，省識閨中趣，二十幾年多少次，芳心深處牢牢記。投老緣何生怨意？說與清官，難斷家庭事！世事由來如夢寐，佳人休作孩兒氣！

中國之友（十二）

毛以亨

戈登將軍傳（五）

五、常勝軍如何歸戈登統率

華爾于一八六二年九月廿一日攻慈谿陣亡，以常勝軍之歷史關係，與軍中之擁戴言，自以白齊文繼任爲宜。美使蒲安臣亦有英人 Osborne 助清練海軍，美人白齊文助練陸軍，以平分秋色之

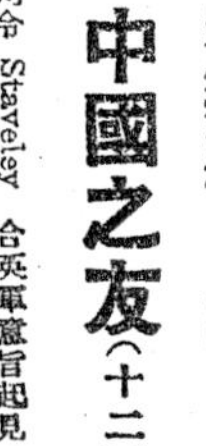

宜。不過英陸軍司令 Staveley 已自天津香港調大軍，公開助清攻太平，常勝軍而欲得英軍之補給與共同作戰，其主將已非英人莫屬。現任江蘇巡撫李鴻章爲清軍主將，其主力係自安慶會軍中調來，亦由英輪運輸，李自非力圖與英軍一致不可。一八六三年一月九日英軍已下令准許現役軍人爲清軍服務而不取消其軍籍，故李軍之敎練多爲英人，軍火亦向英軍購買，除軍令軍政獨立外，以補給敎練言，實與常勝軍相伯仲而爲英軍的附庸。雖英使礙於美使情面，不好意思遽將美國人所創造的軍隊，改隸於英國人，然而形勢比人强，英陸軍總司令 Staveley，副司令 Brown 均主張用英人帶常勝軍。

李鴻章爲配合將來作戰與迎合英軍意旨起見，以不發委令不發餉激怒白齊文，而白遂擅其衞中，遂往泰記劫餉銀四萬兩，以發放于軍中，遂以劫餉打人罪撤免職。其實常勝軍之餉以上海籌款頗易，從無逾期十日以上者，常勝軍共有步兵六營，砲兵二營，月餉自一萬四千鎊至二萬六千鎊不等。此次之故意欠餉，殊含有中英之共同陰謀。白齊文恃兵軍中戰士之擁戴，英美兩使之同情，與清廷之默許其戰功，乃赴京控訴李氏欲謀復職。雖以英美二使之助，僅得交祥致李鴻章一函，調停成白齊文復職，白持此一紙空函回，而李氏迄不傳見。白既奸走投機一籌，遂在松江攜其親信西人百人以上，並劫輪船一艘赴蘇州助太平軍，於是常勝軍中之逃亡者幾二千人，超過軍隊人數之半數幾於不成軍了。時戈登已就職，鑒于軍心動搖，至將重砲軍火移交英軍代管，故撤英軍需其後盾，常勝軍可能爲白齊文所拉攏的。

惟英海軍總司令 Hope 屬意于 Holland 乃先由荷氏于一八六三年一月十五日就常勝軍統領職。荷氏于三月十日以砲兵七百攜砲二十二門，步兵二千五百人往攻太倉，慘敗而歸，死傷逾四百人，乃能有辭職。卒依陸軍總司令 Staveley 之荐，幷得英陸軍部之批准，以戈登爲常勝軍統領。

初級看護術在美國

·區易·

美國有一位兩週卒業的初級女護士生，初出茅廬，適逢有一位同住的著名退伍軍人，不愼由樓梯跌下，重傷動脈，血流不止，命在垂危，在未及送醫院之前，經她救急止了血，得以不死。報載初級護士救了人命，轟動一時，因此引起人們對初級看護智識的重視。

普通基本初級救急課程，僅一小本，內分九課，每課二小時，十八小時即可畢業，且平淡無奇，雖十五歲兒童，亦能優爲之。不過據紅十字會宣稱：「在此科學日新月異的時代，初級救急方法，不是一成不變的，根據臨床經驗，以及試驗室的試驗，戰前的課本，修改了不下二十條，例如碘酒，已不是殺菌的有效藥，祗虫咬之類，些微小傷，方可用之，用布帶勒緊傷處以止血，仍可有效，但傷在動脈管，則不適用。」

第二次大戰時，美國有八百萬受過初級救急方法訓練的人，在現在已不完全適合現代需要，紅十字會主張，每三年重發證明書一次，持有證明書，未受重新訓練者，不算合格。

據報載從珍珠港事變起至勝利止，美國因意外事變而喪生者，數達三萬五千五百人，較之戰死疆場者爲多，其實若能及時施以救急治療，可獲生存者，不知幾許，死者可謂胡里胡塗死去，寃哉枉也。

據統計美國因遇事未及救急而死，無日無之，正如西諺所謂「及時施救，雖初學者，尤勝過事後邀請世界名醫。」而一年中嬰兒因此死亡者較之市老虎傷人爲多，因此美國母親莫不學會了初級看護那一套本領。

黑十字

北晨

她從瓶子上取過那束花，將嘴唇貼在花上，花是鮮艷的，自己的命運，和這束花有何兩樣？鮮艷的花只是一份裝飾，一份禮物，被人欣賞和唾棄而已。

× × ×

香港的夜是美麗的，也是罪惡的，一隻罪惡的手寫了一個卑劣的故事，許多卑劣的故事永遠流傳在人間。

血案有了一個結局，藍英出了庭，她用愛代替了恨，反給洪正池辯護，說他當時是爲了正當防衛，而且飲足了酒。

法官問她：洪正池是不是常常虐待她，從她身上用他不該得的錢財？

她又搖了搖頭，這一來，洪正池的罪便輕多了。

回到醫院以後，正值主治的醫生替她換藥，她問醫生，能不能完全治好她的臉，像她以前一樣的漂亮？

醫生點了點頭，因爲縫接血管和神經的手術，在這裏已經很進步了。

她笑了，她現在需要的，只是一張漂亮的臉，什麼也沒有用，什麼都不可靠，只有這張臉是自己的。她需要一張漂亮的臉，創造一個漂亮的命運。（完）

·中篇連載·

自由人
THE FREEMAN
（半週刊每星期三六出版）
（第一五六期）
每份港幣壹毫
督印人：李光諾
社址：香港高士打道六六號
電話：二〇八四八
GLOUCESTER RD. HONG KONG
TEL: 20848
承印者：東南印務出版社
地址：高士打道六四號
台灣特派員辦事處：台北市館前街五十號
台灣總經銷處：台北市中華路一二五九號

看日本的普選運動

·雷嘯岑·

日本普選結果，不管是那一黨勝利地掌握政權，都沒有甚麼奇蹟出現。我們只能以看戲的心情注視其現象，作爲未來外交上的參考材料，過份的期待或躭心，那是多餘的。

久已成爲政爭大問題，懸而未決的日本議會改選案，前天正式宣佈實行了。吉田茂過去迭次拒絕反對黨和本黨內部鳩山派解散議會重新普選的要求，就日本所處環境及吉田自身的政權得失設想，確有其不得不拒却的理由。在今年四月以前，日本尚處於被佔領管制的狀態下，並依據舊金山和約精神，分別向世界各國進行復交事項，一切都因人成事，形勢不許可有自主的作法；四月以後，日本正忙着與自由中國媾和，跟東南亞各國作政治經濟上的訪問工作，同時，曾經參加舊金山和會的國家，亦有尚待正式批准和約者。此時倘着內政爭執而解散議會，重新普選，徒然貽誤大業，增加內部紛擾，對吉田的政治生命固屬不利，對國家也是無益之舉，吉田之堅持己見，是應該的。

現在是時候了

到目前，解散議會讓獨立自主的日本人民表示其戰後新興意志，正是時候了。從消極方面說：現有議會體制，是由佔領軍當局所擬訂的民主憲法而如法泡製的，一切人選問題與政治行動，都受着佔領生活的限制，沒有自由抉擇之可能，用粗淺的說法，這是一台傀儡戲，聽憑幕後牽綫人擺佈而表演的。譬如現行憲法，從日本人民的社會結構和傳統習慣看來，即有囫圇吞棗之病，但號稱民意代表的國會議員，卻不容有所異議。隨着佔領生活結束，行政監督命令之解除，政治上自然產生漸變的形勢，而吉田所恃以執掌政權的自由黨，亦因此發生質的變化，舊有的議會已失去推進國事的機能，再不遷嬗蛻變，將成爲政治上的一大桎梏，毋補大局了。就積極方面說：新興後的日本，一面雖爲經濟出路而困惑，一面則憂於國際形勢之煎迫，爲着日本的生存前途，再軍備問題已非辯論的時候，而是如何促其實現的當前急務了。這是直接關係人民生計的大問題，自應訴之於全國民衆，至於修改憲法，乃係技術問題，決非重新普選的因素。現政府已完成興國的初步任務，在吉田茂自己看來，可謂勞苦功高，堪以自豪了。今後滿腹經綸，尚待發展，究竟人民對他的信賴如何，不能不作一次測驗，何況反對黨勢力日益增進，本黨內部的離心運動又滋長增高，勉強支持下去，不是辦法，經過一次選舉，可以澄清政治上許多暗翳，如果普選結果，吉田茂仍能控制多數議席，即證明他是取得民衆擁戴的中興人物，可以放手做去，萬一所志不酬，也好乘此時機，功成身退，告無罪於國人。總之，日本已演進到「周雖舊邦，其命維新」的階段上，現政府無論是進是退，都應該有此解散議會一舉的必要，任何一個當國者，必然要採取這一措施的。

普選前途的趨勢

我們首先要理解一點，即戰後的日本，外形雖有若干變化，本質却原封未動，試看重光葵一流人，一旦解除其政治整肅令，即一躍而爲政黨領袖，以及芳澤謙吉等仍能成爲新興日本的外交風雲人物等情形，思過半矣。因此，這次普選結果，現有共產黨在議會的席次固然會減少，就是左傾的社會黨，也有愈趨式微之虞，自由黨一定仍佔優勢，祗看吉田與鳩山兩派誰佔多數而已。進步黨更將成爲第二大黨，假使社會黨式微的話，蘆田均等人所領導的右派，可能跟進步黨合作，在議會起重要作用，而吉田或鳩山，都可以跟重光葵蘆田均組成聯合陣綫的。由於美日安全互助與韓戰僵持的原因，未來的日本政治，必然是右傾的成份居多。

但人頗躭心日本舊勢力如過去的軍閥財閥人物，是否將從此又告復活？實則日本的社會結構既未突變，所謂舊勢力與新勢力之間，只有政治上的私人利害衝突，沒有國策上的同異可說，吉田茂何嘗是新人物，他的政治背景，還不是舊有財閥的陰影籠罩着嗎？若干舊式財閥的人，現在都出來做新興日本的外交使節了，鳩山一郎與重光葵一流人且在政治舞台上活躍一時，所謂新舊的義，除在私人的政治利害中有些作用外，其他皆屬無關宏旨了。日本今後既要再軍備，無論在軍事或經濟上，決無法擺脫舊有勢力的關係。不過，這時那些臭名狼藉的軍閥頭目和幹部，當然不可能再起，他吉田茂和其他的舊式政治人物，亦皆憎惡軍閥干政誤國的那套舊作風，新興日本的軍界中，雖免沒有舊勢力滲入，但軍閥專政的舊劇，不會再演了。日本人想起廣島長崎的原子彈慘狀，看看戰敗亡國的悲劇，對於舊軍閥是不會有好感的。

普選後的中日關係

談到今後日本與自由中國的關係，不管是那一黨勝利地掌握政權，可說都是一樣，沒有甚麼奇蹟出現的。日本對自由中國的作法，一要看美國的動向，二要看韓戰的演變。至於俄共中共們的利誘威脅，皆不足以影響日本的基本國策。所以，我們對她的普選結果，固無所用其驚惑，在我們未能反攻大陸以前，在日本的經濟出路未確定，再軍備未完成以前，她對自由中國的關係，不會有甚麼特殊變化，像太平洋聯盟或中日軍事同盟之說，日本一時都談不到，即令時機成熟時，她還要看看國際動態如何哩！在日本的歷史上，並無舍己從人的外交史迹可尋。我們唯有盡其在我，本着一貫方針，實事求是，屏幻想，戒急躁，以不變應萬變，自立自強。日本人外交是現實的，尤其注重現實主義，我們對於她這次的普選，只是以看戲的心情，注視其現象，作爲未來外交上的參考材料罷了，過份的期待或躭心，那是多餘的！

中共會否進攻印度

根據中共的報導，說七月十三日，在藏的共軍已把紅旗插到希馬拉雅山山麓，不久，印度的報導說，有中共軍隊二千五百人開到毗連不丹尼泊爾邊界，中印未定界處，亦有中共軍隊出沒。

尼赫魯對於這位在門外張望的不速之客，既討厭又駭怕，他在五月底曾到過大吉嶺西北邊境，說些「沒有人會進攻我們，我們也不怕進攻」的壯膽話。其實他那時已是十分躭心了。

中共會不會從西藏進攻印度呢？不會的。

中共開入西藏的軍隊，共爲屬於二野的張國華兩個軍，和由新疆一路開來的屬於一野的范明一個師，前一支部隊從西康雅安出發，足足走了四個半月才到拉薩，范明那一支趕了六個月才能與張國華會師，這樣的進軍，說明了從內地到西藏是何等困難，以後中共西南軍區爲了支援這支部隊，每月要動員三百輛汽車，二千頭馬匹和犛牛，沿途還要設八十六個兵站。每年從九月到來年三月，所有路途完全爲雪所封，交通斷絕。所以一年中能夠利用交通的時候只有一半的時間。那支在希馬拉雅山麓插旗的二千五百人的隊伍，自五月中離開拉薩的，七月十三日才到了邊境。這又是一長段困難得很的路途。中共現在雖正動員了十萬藏民爲它築路，但這條路修通，汽車能直達拉薩，至少要三年之後。

中共軍隊在藏的實際情形如此，它那能隨便南侵。再就以共黨向來擴張的策略論，共黨是非萬不得已，和具有絕對把握時，它也不會貿然動手的，但是這並不是說，中共不認識印度，或它把印度力量估計得很高，不敢動手。剛剛相反，第三國際認爲尼赫魯現在是最無能最可玩弄的一個，而印度共產黨現在是最有潛力的組織，如能避免美英等國外力干涉，倒尼赫魯並不要費多大勁的。既然如此，中共的任務只要做到就近接濟指使，已經夠了，沒有要它出兵。若引起英美注視的必要，何況中共本身運輸也難支持，那有餘力餘心。（干一）

日本解散國會因果

答凱

日本政治上的暗潮，已因吉田內閣突然決定解散國會，而發展至一新階段了。吉田的這種戲劇化的行動，是在本月二十八日正午十二時宣佈的。由衆議院議長宣讀事前準備停妥之裕仁天皇解散衆議院詔書，此次詔書內容甚爲簡略，僅稱「根據憲法第七條之規定，國會當實行解散」。日本政府提前解散衆議院，一般的理由計有四點：

一、日本現已獲得獨立，自需要迅速成立一新政府。

二、七年來佔領時期對舊政客的束縛限制，今已解除，須予彼等以參加選舉的機會。

三、佔領時期的日本少壯政客，恐選舉期間延遲，增加了舊政客有利的活動。

四、自由黨正統派領袖鳩山一郎及其黨員亟欲舉行新選舉，以彌補並挽救其與吉田爭奪領導權所造成的黨內分裂。

其次，在神戶因犯搶劫罪判刑的英水兵事件的善後問題，國會反對黨與政府意見不能調協，也是促成吉田解散國會的一大原因。

吉田與鳩山的心病，由來甚久。因爲自由黨原是鳩山領導的，鳩山被聯軍當局下令整肅後，在政治上失去了自由，但鳩山對于政治還是有濃厚興趣的，他不甘心放棄他苦心培養而成熟了的果實，于是請吉田入幕，將自由黨的領導權暫時交給他，但言明一俟鳩山的整肅解除，則吉田還「物歸原主」。這一「君子協定」，在日元老古島一雄的保證下，順利完成。

吉田獲得了這一份政治本錢，即出而組閣，自一九四九年二月以來，他高踞首相座位已超出三年又六個月之久了。

鳩山獲得自由後，吉田沒有實踐他們當初的諾言，而且批評鳩山不適合日本現在的政局，更激起他們情感的惡化。同時古島一雄也已撒手西去，于是自由黨在兩雄並立的情勢下，開始有明爭暗鬥和風風雨雨了。鳩山爲了恢復他底黨權，重整舊業，要求國會于十一月舉行新選舉，訴諸選民，求取勝利。另方面，任日本戰時外相曾代表日政府在米蘇里兵艦上向盟國簽降的重光葵也自鴨巢監獄釋放了出來，他也組織新黨，企圖躍上日本獨立後的政治舞台，于是也要求國會在十一月改選。

他們要選定十一月改選的原因，因爲還有一個月的時間，或有四十五天的時間，可以從容部署，準備力量，爭取友黨。據說鳩山與重光葵還醞釀組織聯合陣綫，以期在新選舉中一舉擊敗吉田。因而吉田先發制人，突然宣佈國會改選，使反對派措手不及，粉碎鳩山及其他政敵的計劃，以便絕對控制自由黨，實現他的「長壽內閣」的宏願。

日本國會係以衆議院爲骨幹的，參議院僅爲顧問性質。衆議院議員共有四百六十六名，其中自由黨佔有二百八十五席。改進黨佔六十七席，社會黨有四十六席，但四十六席中又分裂爲左右兩翼，計右翼擁三十席，左翼擁十六席。其餘共產黨佔二十二席，若干小政黨如第三俱樂部六席，合作黨五席，農工黨四席，獨立黨兩席。吉田能否獲得勝利，就要看他的策略如何運用。如何制服在自由黨有極大潛力的鳩山一郎。

這次吉田作解散國會決定時，特從其夏季別墅返抵東京，召集自由黨幹事長林讓治，該黨主任委員益谷次秀，外相岡崎勝男，內閣官房長官保利茂等至其寓所舉行秘密會議予以討論。在他的心目中，相信其政府在過去四年中已獲得極大的成就，例如完成日本和約，訂立美日安全協定，中日和約及印日和約，日本由戰敗國抬起頭來了，變成戰勝國的與國了。因而認爲日本還需要他，選民還需要他。是否如此，短期內當可揭曉。

總之這一次日國會改選，主要是內政鬥爭問題，與國外無多大關係，不會影響日本的對外政策的。

一週展望

·左舜生·

日本國會解散與今後政局

日本國會突宣告解散，並已決定於十月一日舉行普選。日本究竟是一個擁有六十年以上憲政史的國家，每到政治外交或政黨間政黨內發生了重大問題的時候，便把國會解散，而以國是的決定來訴諸一度國民的選舉，其間雖不免有若干的波動，但究竟只是憲政常軌上的一種行爲，一點也不稀奇，也絲毫無可驚異。

不過，以當前的世界大勢和日本的處境考之，則本屆日本的選舉，其意義却可能並不平凡。

平心而論，吉田內閣這三年半以來的成績，並不是沒有可觀的，尤其把日本從一個被佔領的國家，出脫而成爲一個獨立的國家，不能不說是吉田內閣最顯著的勞績。可是，儘管吉田的分數可以及格，要使得日本當前的人心能得到普遍的滿足，却依然是很難很難，其原因有可得而言者：

一、日本畢竟是一個名副其實的多黨憲政國家，自由黨在國會雖佔優勢，但並不是絕對的優勢，（衆院的議席四百六十六，自由黨雖佔了二百八十五，但參院的議席二百五十，自由黨却僅佔八十一。）至少在兩院中可能有資格與自由黨相角逐的，還有一個改進黨，一個社會黨。其力量不可侮，其政見亦自與自由黨有若干的不同。

二、自由黨本身並不是沒有危機，自鳩山解除整肅以後，顯然已領導着自由黨內的一派，隨時都在想和吉田派來一次合理的清算，這不能不說是吉田的腹心之疾，必須別求所以善處之道。

三、改進黨擁重光爲首領，在保守的舊政客與舊軍人中，也還是一時人望，即令在這次的選舉中，改進黨尚無壓倒自由黨的可能，但它在衆院六十七名議席的數字可能提高，似乎並無疑義。

四、社會黨在衆院僅有四十六席，且已分爲左右兩翼，好像是無可注意，然而妙用却正在它的分裂，假定社會黨右翼能加強反共，相對的贊成建軍，則與改進黨亦非不能接近。

五、日本人民似乎已意識到他們的國家又已臨到一個危險的關頭，對現狀確已不滿，吉田幹得太久，總而太不夠強，人心實已相當厭倦，不能不要求一個強有力的內閣出現。假定日本竟然遭遇不幸，則吉田一派獨當一面的內閣之下能允孚人望，其勢不能不大加改組，亦自屬事理之當然。

然則這次選舉以後，日本的政局會以怎樣一種的姿態出現呢？有下面幾點的趨勢似乎是不會動搖的：

一、在軍事，外交，經濟等方面，不問任何人出來組閣，依然不能不對美國保持現有的關係，或進一步使此種關係更爲加強。

二、反共只有強化，或且進一步更趨明朗，

三、建軍不容不更趨積極，且不能不預防萬一可能及於日本的一個重大事變。

四、經濟出路必適用無數方法，力求打開。

吉田是一個最懂得現實的；而且自命是公忠體國，又自負有他的一套老謀深算；加上日本前途的驚濤駭浪，確不可知，最穩健的辦法便不是以獨力來担負這樣一個艱難之局，最好是以妥協姿態，求得各方面的融洽而一致對外。

假定吉田的想法也和我一樣，則在本屆選舉揭曉以後，（如大致不外我的推測）則日本可能有一個聯立內閣出現。如吉田以總理大臣讓與鳩山，而自爲不管部大臣兼保安廳長官一席，則自由黨可能返於團結，而仍執日本政黨之牛耳。拉進改進黨，以外交一席與重光，或再加上其他次要的閣席，則改進黨似亦無拒絕之必要。爲加強反共陣容，消除建軍反對，並使社會黨的分裂更趨深刻，則社會黨的右翼，亦未嘗不可與之攜手。

像這樣一個有重心的聯立內閣，不僅不會趨於軟弱，而且可望加強，能得到日本人民多數的支持是沒有疑問的。

寶島近事

吳國楨將赴各縣市視察

【台北通訊】台灣省政府主席吳國楨，在未任主席之前，於三十八年夏季，曾作環島旅行一次，當時同行者除夫人外，為任顯群夫婦。就任主席之後，因公務繁忙，除本年春間於病假期中，在日月潭修養時曾到附近各地一遊外，尚未曾往各縣市作實地視察。吳氏前本決定於八月間出巡，後因出巡二字與其平日所服膺的民主精神不合，遂改為普遍視察。時期則因台灣臨時議會為審議扶植自耕農條例與省單行法規，一再延長會期，直至上週始行休會，故將行期展至九月。屆時對台灣省五市十六縣及陽明山管理局，共二十二單位，均將遍歷。惟以時間有限，每一單位恐只能勾留一二日，欲求深入基層，明悉民間疾苦，並對於實際問題，一一均求得解決，恐亦未盡可能。又聞吳氏此行，台省社會處長謝徵孚暨其他廳長高級人員將隨行。行政院及所屬部會亦將指定高級人員與吳氏同行。蓋今日台灣，中央與地方原係一體。但有若干業務，向由中央直接主管（如司法等），其與地方政治聯繫配合情形，雙方均須有所考察也。

戶籍改進辦法即將試辦

台灣省地方自治業務中，有兩個問題，久懸不決，一為戶政究宜由地方自治辦理抑宜由警察機關辦理？一為農會與合作社由合而分再由分而合，其間關係與業務究宜如何釐定。關於前一問題，台灣省政府已於月前擬具台灣省整理戶籍計劃綱要，經省臨時議會通過，復由行政院批准，定九月一日起先行指定地區試辦。俟試辦著有成效，再行推及全省。此項綱要精神仍在地方自治機關與警察機關配合辦理。在基層於各警察派出所中設立戶口申報處，此後凡流動戶口與常住戶口均由其統一管理。區鄉鎮公所中原戶籍人員均改至派出所中辦公。人民並可利用郵政寄遞申報登記表件，遷出遷入，不必到申報處排隊等候，實行便民。在上層則將省政府民政廳戶政科組織加強，調警務處秘書梁爾恭担任科長，以便配合。試辦地區，台省府原指定基隆市之仁愛區，台北縣之新莊鎮，桃園縣之桃園鎮，意為一區一鎮一鄉，可比較試辦之結果。復因在省臨時議會討論時，認為試辦地區集中於台省北部，對中南部情形不能反應，遂加列台中縣之清水鎮，高雄縣之大寮鄉，合共五處。惟現距離九月一日已近，而實施辦法聞尚在省政府草擬中，未見公佈。

農會與合作社問題即可解決

至關於農會與合作社問題，討論經年，最近即可解決。解決原則係認定二者既已由分而合，切不可再由合而分。谷正綱氏即力主此說，谷氏謂農會與合作社目的均在謀取農民利益，目標相同。如為農會利益而辦理農會，其失正與為合作社而辦合作社相等。解決辦法大致係採納農村復興聯合委員會安得遜氏之考察建議，即農會當由真正農民主持，其中可設置合作組織，由合作社股東主理其事。農會會員分普通會員與贊助會員兩種。真正農民為普通會員，合作社股東而非真正農民者任贊助會員。贊助會員只有當選農會監事的權利，當選者且不得超過監事名額三分之一，至於農會理事，贊助會員無被選舉權，亦無選舉權。此項辦法自不為從事合作運動的人所滿意，惟照台灣農村中實際情形觀察，農會與合作社實亦不宜過事紛更。農復會主任委員蔣夢麟，即係堅持此種見解者。此兩大問題既均告解決，台灣地方自治的基礎自必更趨充實。

台省府將設林務處

台灣省臨時議會，此次通過台灣省政府的提案，於省政府下設置林務處，與民政廳平行。森林本為台灣的生命綫，無林即不能保持水源，無水即不能灌溉發電，則一切的生產事業均將完全停頓。台灣省政府本設有農林廳，廳下有林產管理局，局在各林區設有山林事務所。今日台灣林業的危機，在人民放火燒山，濫施砍伐，與夫公私林場大事採伐，並不在必須再另設一行政機構。如對於此等危機，不從根本上覓取防止對策，則新設之林務處處長人選，聞已由吳國楨內定前銓敘部代理部長皮作瓊氏担任，不日即可發表。皮原籍湖南，留法習農業，曾在農林部任技監。

顧希平案尚在法院審理中

為數千債權人及社會公正人士注視的顧希平案，尚在台北地方法院審訊中。檢察官起訴書，係引用妨害國家總動員懲罰暫行條例第七條。依據該條的規定，可處死刑或無期徒刑，並得沒收其財產。此條例原係民國三拾一年六月國民政府公布，但卅九年六月，總統明令修正，故可認為最新之法律。顧原係中央軍校畢業，具有軍人身份。案發後因身份問題曾請示中樞，後奉批定其已無軍人身份，台北地方法院始予偵訊羈押。顧之髮妻姓吳，江蘇武進人，現住台灣新竹。案中所牽連之顧孫豔華，實為顧重婚者？被羈押之顧子，係吳所生。昨見友人以風雨為題，詠事詩四首，即係暗指顧案者，因錄之以為日後之詩史云爾：

風雨

風雨縱橫白日昏，一枝筆寫淚雙痕。
時衰轉覺人情重，禮失還憑公道存。
政有難為姑鉅室，臭猶未免出朱門。
眼前不少違心事，願就騷壇細討論。

秋波乍轉便傾城，笑靨愁蛾畫不成。
竟有寸心吞八表，公然一氣化三清。
亦知萬口呼天哭，追恤誅心射蠅名。
賺得蒼生膏血盡，海潮翻作不平鳴。

淮南拔宅見飛昇，涕水分流仗股肱。
祿及妻孥當世少，法由婦豎更誰曾。
霜嚴風緊蟬難蛻，金累腰沉鶴不勝。
李代桃殭容作計，秋鴻終莫免雲矰。

女貞高附致風猜，豆蔻芳時無妄災。
豈謂池魚應歷劫，誰教幕燕鎮低徊。
分攜獨鵲催花去，坐待金蓮入甕來。
不是先生能執義，覆盆若為雪烏台。

台灣環島行紀（六）

·麗子·

商業安定

台灣的商業情況，與香港不同。香港自從聯合國對中共實施禁運之後，雖則有許多進出口貿易已受到限制，但名義上總還是一個自由港口。並以香港在遠東貿易的地位說，是一轉口港，北運俄日，南至南洋，中貫歐美。台灣既不是自由港，又不是轉口港，只有省內的貿易與有限制的國外貿易，故商業在台灣並不占重要的地位。

台灣的重要港口是基隆與高雄，故進出口貿易以此二地為集散場所。但進出口行家則集中台北，只要有新台幣伍萬元，就可申請設立進出口行，向台灣銀行申請結匯。聞台北進出口行家有一千餘家之多，但因社會的風氣樸實，人民的購買力低，加以法令手續的繁多，稅捐的繁重，行家雖多，商業並不十分發達。有許多行家專以向政府機關投標為主要業務，惟以競爭者多，加以美國日本與香港的廠家也可以直接參加投標，故得標的機會並不多，利潤也並不高，有一個時期，台灣銀行的進口結匯證可以在市場轉讓，並有定價，曾使得名為進口行而實際並不辦進口貨的行家賺了些錢，所賺的實在就是結匯證美金官價與市價的差額。近來因為對於貿易的管制加強，這種現象也比較以前減少。以證市場上存放款利息的一再減低，便可以證明台灣的商業只是安定，卻并不繁榮了。

穩紮穩打

以今日的台灣情形來說，商業不十分繁榮，實在是一件可喜的事。因為所謂「繁榮」二字，在大陸來台的人的意義，便是昔年法幣與金圓券時代的上海情形。物價每天在波動中，貨幣每天在貶值中，利息每天在暴漲中。市場上由他們興風作浪，拋進拋出，不費吹灰之力，可獲億萬之財。當三十七年八月，金圓券發行之初，我就聽當時的上海一位大商人說過：「政府改革幣制而不取消田賦征實，就可以證明政府自己對於新的幣值並無信心。我準備洗手半年，與政府比一比，看究竟是誰的氣長。」我當時認為他的話真是荒謬絕倫，卻不料未到半年，竟都給他不幸而言中。這些人過慣了上海時代的生活，來到台灣經營商業，總覺得市場安定，物價平穩，太不過癮。有時候想找一些刺激，在政府法令的夾縫中覓取出路，把過去在上海的手法再用出來。結果是三十八年冬季，台灣的大批上海幫行家倒賬，受害者不計其數，與上海幫來往的，多是上海逃難來的人，台省同胞並未受到影響。以及最近台北四個合作社的倒閉，顧希平等也是把上海人老辦法再在台灣翻一次版，結果害人害己，身敗名裂。因此我看出台灣的真正商業力量，還是在台省同胞手中，他們腳踏實地，穩紮穩打，只求安定，不求高利，適與在香港的廣州幫潮州幫商人的作風相同。此後無論在台在港，所謂上海幫商人，也自必須向他們效法，不可再迷戀於昔日在上海時代的惡夢了。

稅收暢旺

台灣的商業雖則並不十分繁榮，但稅收卻頗為暢旺。我首先要介紹統一發票制度。便是全省無論何種營業，必須用政府印製的統一發票。這不但有利於稅收的稽征，并且便於印花稅的推行，因為發票反面非照貼印花不可。再則政府機關的款項支出時，除薪俸外，他如購置營建，也都要用統一發票，更有便於審計機關的稽考。遠在抗戰初期，浙江省政府有一位委員就提議過統一發票，由政府印行，責成各商店價領，可惜未得見諸實施。台灣統一發票每半個月隨着愛國獎券開獎，另行搖出中獎號碼，中獎的發票可得五萬元的獎金，因此，消費者不允許商店免開發票。本來規定十元以下的買賣可以免開，但有些顧客仍然要開。統一發票辦法現在還有兩個缺點，一是巨額的交易往往有漏開的諒解。有一次我在一個縣城中吃飯，是朋友請客，整桌的菜，連同一應開支要三百餘元，飯後並沒有開統一發票。座客中有人問主人：「那不是失去了一個中獎的機會？」主人說：「非也，不開統一發票，我也可以少付二十元。以此二十元可以買四張愛國獎券，第一特獎可得二十萬元，其餘三張也還有中其他獎的希望，這不比統一發票只有一個中獎的希望多嗎？」二是若干營業次數不多的行家，每月要向政府買一大本統一發票，因為編定了號碼，下個月便不能用，糟蹋了不少紙張。是否可以不必一律以五十張為一本。這兩點，素以精幹著稱的台省財政廳長任顯群氏，當亦早已注意及之了吧！

奉公守法

其次是商業會計法的徹底實行與青年服務團團員担任稽征工作，使得任何商店無法作弊。過去商店中往往有兩套賬簿，一是專門應付稅收機關的假賬，一是真賬。台灣現在這種情形已經大為減少，不但任何商店不敢如此做，會計師也不敢幫同任何商店這樣做，以免受罰，以免喪失信譽。我有一個朋友在一家商店中存了一筆維持生活的款子，每月拿一些利錢補貼家用。該店都按月代他扣交所得稅，這簡直是在從前大陸上奇蹟。至於青年服務團團員都希望大陸上流亡在台的青年學生，經政府予以收容訓練，派任稅務工作，而初生之犢不畏虎，且他們都是輾轉流亡，孤身在外，更看不慣商人的勢利嘴臉，所以執行任務異常認真。我聽說某地的一家大咖啡館生意很好，漏稅很多，服務團團員便輪流充作顧客，坐在店中，為其計算進出的人數，到了晚上，立即與賬房查對賬目，發覺故意漏載甚多，遂將其檢舉。此後該店即再也不敢漏稅。服務團的做法也曾引起地方上有既得勢力的人的不滿，我在基隆市的時候，便曾與市議會議員們開設的各店舖發生糾紛，但在各方面共同調查之下，終於合法解決。

還有一點，便是司法機關的合作。我在台灣的時候，常看見報紙上載有當地法院的廣告，催繳各商店的欠稅，如再不如期繳納，即照法定的程序執行。稅收機關並不自己強制執行，而一切交給法院去辦，法院也能予以徹底辦理，這也是從前在大陸上所未曾有的。假如說台灣的商業管理還有一項缺點的話，即便是台灣省政府將應該設在建設廳之下的貿易科，改置在財政廳之下。這未免使人有過分重視財政的目的而忽略經濟的目的的感覺也。

汽油彈的味道

聯軍的飛機現正日夜轟炸平壤，一次擲彈在三百噸左右，其勢之猛可知，在平壤的人正不知怎樣過活，日本重光葵寫的「昭和動亂」中，有一段記美軍轟炸東京、橫濱的情形：

「汽油深彈從城市的四面八方擲下來，把整個要炸毀的區域包圍起來，然後再來一批爆炸彈和燃燒彈，於是剎時間到處是火燄，火從風勢，風助火威，焚燒之猛烈得未曾見，整個城市被火燄所籠罩，在這火燄圈中的人既無法突出，因為火燄就依着汽油深彈的投擲佈置一路路的爆炸，讓火燄接連了起來。公園中的樹木，也都焚燒了起來，河裏的水像沸騰的熱湯，跳河逃生的人死得就更慘了。一九四五年三月東京下町方面的一次空襲，燒死的就有十萬人以上。隅田川的河水中更漂滿了死屍。」

日本就是這樣給炸得投降了，現在對平壤的轟炸，比這更猛烈，共黨那得不難挨，最近他們在大叫反轟炸，可見他們也實在受不了了。（干）

英國在澳洲的原子彈試驗場

在澳洲中部的胡摩拉，不列顛及澳洲政府設有新武器實驗區。在那裏，原是用作試驗長距離火箭和操縱武器的。由於一切設備的適應，以及鄰接廣泛的荒野，就被改為原子武器爆炸實驗區了。

胡摩拉附近，一大片無人跡的紅色沙漠，由於實驗上的需要，在胡摩拉這一區域內建有飛機庫，鐵屋頂的機械廠，辦公廳等。以那裏為中心，長長的縱橫的飛機跑道縱在紅色沙漠上，油着白色的條紋，主持試驗的主腦人們卻集中於沙爾士比利（Salisbury）那六英里半的小地方，距阿德里德（Adelaide）十六英里，四週關防嚴密，已經成為禁區。

實際上，胡摩拉二百五十英里才是新武器的實驗場。胡摩拉的西南端距橫貫澳洲大陸鐵道僅六英里，也由於軍事祕密，等閒不能通過，顯然地成為兩個世界。

實驗場地有四十五英里長，但四週包括三千方里禁區，由飛機和巡邏吉甫警戒着天空與地面。當試驗火箭時，吉甫另一任務是尋覓發射後的火箭，專家研究其性能與結果。

在試驗火箭及其他操縱武器之際，其地區是西向作縱長型，所以胡摩拉的實際轄區為二千七百英里的直綫，由胡摩拉起，向西北發射，到達澳洲西岸邊沿是一千五百里。另外有一千二百里內程途是向着印度洋的聖誕島。澳洲中部紅漠區以西，人口稀少，是八個大牧羊站，二十五萬頭羊的放牧地。所以，在試驗向印度洋發射時，也經常用飛機巡邏所經地區，警告人畜離開射程之下。

現在胡摩拉已成為另外一個小世界，只有海、陸、空軍人員，科學家，技術人員構成的社會。習慣於都市生活的人們看來，這是一個極枯燥的地區，除了一個哥爾夫球場之外，現在才計劃建醫院、泳池、學校、兒童醫所、旅店等。胡摩拉的性質等於美國的新墨西哥的實驗場，而枯燥過之。

那裏有精密的儀器，價值以若干百萬鎊計，不屬於保密方面，可以指出的，有特別經緯儀，可以攝影火箭發射，升空及進行的經過；新式無線電紀錄器，紀錄十萬分之一秒的空間歷程；電動氣壓表，自動報告氣流變化。

建設胡摩拉成為武器實驗中心，初期款項為一千五百萬鎊，到現在，大概又超過了一倍以上了。

在地理上，在設備上，這是一個理想的原子武器試驗區。其次，若干用於操縱武器的儀器適用試驗原子武器，而且原子彈和長程操縱武器在今日新武器戰術上不可分離，像原子彈頭的火箭，及其他同類異型的武器等，西方國家的科學家已在趕速研究其配合應用中，胡摩拉無疑是今日不列顛政府與澳洲政府舉行試驗中的唯一地區。

胡摩拉本來是人跡罕到的所在，在奧卡斯達斯港西北雅麗斯泉源之南。若由達爾文港到胡摩拉，要從水路繞一大圈子到西南方的柏夫，或到南部的阿德里德。

若干西方科學家根據英國所透露，說這次試驗的原子彈和美國的不同型，因此推測這將會是原子彈與操縱武器合型的新產物。（華譯）

（本報北平特訊）

蘇卵翼下外蒙傀儡 澤登巴爾朝俄之謎

外蒙新任部長會議主席澤登巴爾，在周恩來赴蘇的第十二天，突然飛莫斯科，這一消息，在北平中共政治圈內，早已有不同的傳說，有的說是周恩來朝俄時所提出的建議，有的則說是克里姆林原有的決定，但無論如何澤登巴爾的赴蘇，決不會是普遍的事件。

害死喬巴山 抹出新傀儡

提起澤登巴爾，許多人都會有陌生之感。他在未任外蒙部長會議主席時，原係六個副主席之一。他是俄籍的蒙人，除了對史達林絕對效忠外，毫無出色的地方。他所以能出任外蒙總理，一方面因由於這一先天的奴性，另一方面則爲與前任外蒙總理喬巴山之死有關。

喬巴山原是蘇俄一手培植出來的幹部，先後任蒙古共和國部長會議主席，蒙古人民革命黨（即蒙共）總書記，集黨政軍大權於一身，成爲蘇俄在外蒙的代理人。一九三六年三月，喬巴山爲了出賣外蒙，曾在烏蘭巴圖與蘇俄訂立「蘇蒙互助同盟協定」，自此以後蘇聯對外蒙的勒索即變本加厲。第二次大戰期間，當德軍進攻列寧格勒時，喬巴山曾率領蒙古騎兵參加保衛戰，獲得了蘇俄元帥的銜頭，一直到第二次大戰結束，喬巴山始終是莫斯科的忠實走狗。

但自日本投降以後，蘇聯對外蒙不但無以報其參戰之功，反而盡力實行榨取。一九四五年爲了恢復蘇聯國內農場，先後運去外蒙耕馬六十萬匹。同時不斷擴大政治及特務控制。到了一九五〇年，蘇俄在外蒙的機構，除了駐烏蘭巴圖的大使館外，計有商務代表處，無綫電台，商業公司，憲兵司令部，警察司令部，駐蒙紅軍總司令部，空軍司令部，航空公司，皮毛公司，建築蒙古公路管理處，建築蒙古鐵道管理處，駐蒙紅軍兵站，金鑛局，塔斯社分社，蒙古問題研究所等十多個單位。特務及情報網更遍及每一角落，喬巴山對蘇俄無厭的榨取，最初是採取隱忍態度，希望蘇俄能將蒙古改爲「加盟共和國」，對待蒙古人能和對待蘇俄人一樣，他曾數次提出加盟請求，但莫斯科方面並未准諾。反之經濟上的掠奪卻有增無已，這種情形，使他漸漸感覺不耐。前年冬天，蘇俄在烏蘭巴圖所設立的皮毛公司，曾下令各地分公司收購羊毛，而價格卻遠低於自由市場，蒙人都拒絕出售，蘇俄駐蒙大使伊凡凡科夫，乃勒令喬巴山強迫人民出售，這被喬巴山所拒絕，這件事報到莫斯科，蘇聯副總理及貿易部長米高揚親來烏蘭巴圖調查，但收購時令已過，無法進行補救，米高揚認爲喬巴山尚未脫離狹隘的民族主義觀念，在政治局會議上，大加抨擊，這件事一直鬧到去年夏天。

卅年老幹部 如此慘收場

去年年初，林彪發動組織共產國際聯合兵團時，克里姆林曾下令外蒙調派騎兵師一師參戰。喬巴山因外蒙全部兵力只有十二個師和四十個邊防大隊，合計不過八萬四千人，只有五個騎兵師屬於外蒙的菁華，他深知赴韓參戰等於驅羊敵虎，爲了保存實力，乃勉強派出一個新編的騎兵第六師，事前蘇方並不知道，及至抵達東北、才曉得全是未經訓練的新兵，只好停下從新訓練。喬巴山這一措施，更觸怒了克里姆林，因此決定實行整肅，由史魔電令赴莫斯科受訓，喬巴山知道風色不對，曾密謀反叛，但終逃不出蘇俄的特務耳目。

於是在布爾加寧親臨邀請下，決定送克里姆林宮醫院留醫，這個統治外蒙將近三十年的獨裁者，便在蘇聯代表的追悼下，成爲保加利亞季米特洛夫第二。喬巴山死訊傳出後，外蒙政界曾一度發生騷動，因爲他控制了外蒙黨政軍，一時確無法找尋一適當的繼承人選。經過了四個月的懸缺，最後終決定由澤登巴爾繼任，一面命令第六軍區加派一軍進駐烏蘭巴圖，以防蒙人暴動，一面逮捕喬巴山舊部，直到最近二月，這場風波才告平息。

徵召外蒙軍 準備參韓戰

這次周恩來赴蘇後，曾向克里姆林宮提議遠東共產聯軍的組織，希望壯大志願軍的聲勢，並減少大陸人民的不滿，以便利韓戰再起時易於調動參軍，聞蘇方當局對周等的建議，已表示接納，因此，急召澤登巴爾赴俄，一方面詢查其整肅外蒙喬派殘餘及整編蒙軍的情況，一方面決定必要時徵召蒙軍的數額。

但據另一方面的消息，則謂澤登巴爾的赴蘇，在周恩來動程時，早已接獲克里姆林宮的通告，蘇俄準備在聯共大會開會以前，先個別聽取各附庸國首腦的報告，作爲決定未來世界戰略的基礎。在蘇俄的決策中，外蒙是第三次世界大戰時的安全地帶，一旦東北棄守，中共和韓共的殘餘，只有竄流外蒙，因此，蘇俄有意使中共和蒙共緊密合作，澤登巴爾的朝俄，主要任務即在乎此。

未來長白山 可能起巨變

上述這二項消息，孰是孰非，只有留待事實的發展才能判斷。但據張家口方面傳來消息，自喬巴山死後，蒙軍不穩情形日趨明顯，三個月前曾有蒙軍一團譁變，竄入東北長白山區打游擊，中共和蘇俄兩方面對這一趨勢極爲重視。如果蘇俄的榨取政策繼續加厲，弄到蒙古人民無以爲生，這一支慓悍的蒙古軍，在未來大戰中，說不定會創造出驚天動地的事迹。（八月二十八日汝方寄自北平）

八月裡的中共動態綜述

八月這一個月，中共忙亂極了。他們忙些什麼？有什麼企圖？

周恩來去莫斯科

第一件事，當是周恩來等去莫斯科，這事中共會作相當時間準備，政務院及軍委會各部門都動員搜集資料，製造統計報告，備史大林查核，周恩來係十三日飛離北平，到東北後又與高崗商議，十五日繼續北飛，十七日到達莫斯科中央機場。二十一日見史大林，即開始會議。周恩來等此行，從其各隨行人員之職務論，主要爲要求解決軍事和經濟兩問題，軍事上除韓戰之「和」「戰」問題外，顯將涉及整個大陸之防禦戰略，以及東南亞之部署，經濟上則必以韓戰費用問題爲主，並要求史大林給予建設重工業，軍需，交通等各方面之實際援助。現此項會議尚在繼續中，後又傳外蒙澤登巴爾之亦已赴蘇參加，則史大林此次之決定，可能涉及更複雜之問題。

調整機構人事

中共政權機構之調整，關係亦大，中央機構撤銷「情報總署」，及「新聞總署」，而成立「對外貿易部」、「商業部」、「第一機械工業部」、「第二機械工業部」、「地質部」、「糧食部」。地方機構撤銷皖北、皖南、川東、川南、川西、川北等六個「行政公署」，而成立安徽、四川兩「省府」。人事上因此亦有大調整。

加强特務工作

配合「情報總署」、「新聞總署」兩情報機關之撤銷，進一步加强特務統制，八月十一日中共「公安部」公佈「治安保衛委員會暫行組織條例」，下令全國各城市以機關、工廠、企業、學校街道爲單位，農村以行政村爲單位，普遍設立「治安保衛委員會」，分別受「公安保衛部」、「公安分局保衛科」、「村公安員」領導。

「法院」的整肅

中共之「法院」，亦在這時決定整肅，要求司法人員拋棄「法」的觀念，配合其政治任務辦案，而成爲中共特務機關對外「合法」的審判機關，這決定中明白說出要把六千名「留用」的人員送進集中營。把它們認爲靠不住的份子完全驅出「法院」，這樣，中共才可以使「法院」變成十足道地的統治機構。

進攻少數民族

在八月內，中共又公開了二月間決定的對少數民族進攻的政策，要各地的少數民族先組織所謂「民族民主聯合政府」，然後由這個「政府」爲共黨展開各民族的「階級鬥爭」，消滅各民族傳統上的政治經濟領袖，而代之以共黨幹部的統治。並經過這些少數民族共幹之手，爲中共進行大規模的搜刮。

「整黨」「建黨」的工作

至於共黨內部，現正積極擴大吸收黨員，整黨建黨。各省黨委會在七月間都開了組織工作檢討會，八月初推出「組織員」，分別派到各縣城去吸收黨員。各都市企業工礦部門的黨員，更奉命以發展新黨員爲主要任務，每人找對象，突擊發展，但這次發展的黨員，以「無產階級」的份子爲首要條件，因爲史大林對中共黨的農民成份太一向不高興，這次就要從新改造。

反映出了動盪不安

綜觀中共在八月中的這些重要動態，可以看出中共在慌忙做一件事，即是配合史大林的要求，進行大規模的備戰，同時並着手準備「蘇維埃」的建立，使它自己的統治更强化，但從它的改組特務部門，和加强各地特務工作看，即中共的統治實際反在動盪之中。・莫桃・

「戰宛城」的刪禁

中共「文化部戲曲改進局」辦公室主任馬少波，因新編「戰宛城」，有侮辱解放軍的地方，下令刪禁。

原來新「戰宛城」是孫秋潮改編的，該劇敘述三國演義曹操張繡戰役的故事，孫秋潮加上了這麼一段：

曹昂（操子）來報：啓禀爹爹，近來許褚典韋營中之兵，時有出營搶掠之事，望爹爹下令嚴肅軍紀要緊。

曹操：此乃小事由他去吧！

曹昂：此事雖小，收攬民心事大呀。

曹操：張繡已降，宛城既得，大功已成，談的甚麼人心不人心，小孩子家休得多言。

這段曲詞，因爲搔着中共的痛處，馬少波便一面命令禁，一面命令刪，孫秋潮受「華東戲曲改革幹部」會議檢討，「罪名」是：引用舊書錯誤。孫秋潮爲解釋他的動機，共赴會坦白五次，悔過書長凡八千字。

老天教訓共幹

洪水一來堤岸崩 光靠宣傳有何用

【漢口通訊】中共兩年來不斷鼓吹如何大力興修水利，動員了無數民工，耗費了巨萬的資財，興修的成績如何呢？平時沒有問題，一遇到洪水來時，全國一片水災聲，也如同中共政權一樣，是絲毫經不得考驗的，現在且將最嚴重的情形報導一下：

檢查問題 拆穿底

湖南華容縣前後進行過四五次防汛大檢查，據湖南日報說：愈檢查問題愈多，即以一個登瀛垸來說，存在的問題就很多：（一）堤垸幹部大部份不深入，下去檢查時，成羣結隊，徒具形式，發現了問題，僅只是喊了一聲，就走過去算了。（二）組織渙散，常備隊不健全，開會時很少人到，後備隊只是紙上有數，實際上是一個也沒有，機動搶險隊只二十六人，還共只開了兩次會議，第一次到六人，第二次到十人，兩次會都沒有開成功。（三）沒有認眞分工分段，只是在幾個人嘴裏分了工分了段。（四）器材準備不充足，也沒有進行徹底，到底不知道有多少，也沒有運往工地，（五）剅口沒有封築好，全垸共八十九個剅口，只有兩個封得合乎標準。（六）領導幹部很少辦法，祇是跑腿，如幹部李良義是領導這垸防汛的，他不曉得去「發動羣衆」，整天只是這裏跑那裏跑，束手無策，上級指示辦法貫徹不下去，還向上面作假報告。

共幹盲目 瞎吹牛

湖南南縣也同華容一樣，存在着盲目樂觀和麻痺思想，如五區長錫鄉張爾芬的私人還挑三百担土，他只挑了三十担。看剅口的王天保說：「這個剅口共十戶，內七戶有早穀三十畝，怕將來趕秋放水困難，又因目前水不大，黑虎豁沒關係」。又如四區接龍鄉十七個剅口中，有五個剅口沒準備一點器材，五個僅集出了一部份器材，甚至有的鄉幹部如五區長錫鄉民兵隊郭蒲生分派地主王漢寄郭元香看剅口，也很馬虎，如長錫鄉五個公剅，二十一個私剅，只有兩個公剅有人看管，其餘有的睡覺，有的無精打采。

脫褲子割尾巴

四川共黨在「思想改造」中，空氣弄得太緊張，有人就提出輕鬆愉快解決「思想問題」的口號，但結果「輕鬆」成了「輕描淡寫」，「愉快」變成「痛癢無關」。

所有的共幹都學到一公式，在「互相批評」時先「捧」一頓，「×同志優點多於缺點，優點表現在幾方面……一、二、三、四、……至於缺點——基本沒有什麼，只是說話時聲音大了點。」

在提意見時，總使對方「挨得不重，感不到痛，今後相處，熱熱烘烘」。另有一些人僅在生活上的枝節問題打圈子，糾纏不淸。「脫褲子割尾巴」就非黨背後的槍桿不行了。

相信共黨 就遭殃

湖南益陽一區各堤垸羣衆盲目的相信共黨的宣傳，認爲「荊江分洪工程完成後，就用不着防洪了」。因此，忽視堤垸的檢查工作，最近河水大退和大雨以後，堤塍便不斷發現崩塌現象，如四合垸發現外崩堤段達二十四處，長三百五十五點五公尺，最嚴重的有些段外崩六百五十三公尺，堤面崩去一公尺，佔總堤面的四分之一，共長一百公尺，拱寬竟有六公寸，堤脚已動，可能垮堤，又有石坡被浪打爛的有三十四處，長達二百五十六公尺。最嚴重的是大勝垸內崩一點五公尺，寬一公尺，再下一場雨，一定整個塌。

河南堤險嚴重，「河南防汛總指揮部」派出一個防汛檢查小組，到上蔡同商水交界的洪河唐橋險工處檢查，發現商水縣磚橋區唐橋村東頭洪河右岸的堤身外靠河有二十餘公尺長的地方已經塌陷，六月二十七日下了一場大雨，洪河水驟漲，這個塌陷處只一公尺便漫堤，堤內便是唐樓村，靠着堤裏面是個大池塘，由於堤身的塌陷，堤身很窄，洪河水滲透堤身，流到唐橋村內來了，村內羣衆看到這種情況，都怕堤身潰決，可是洪河水退出堤身後，該鄉幹部卻不領導民衆積極進行搶修，反而强調說：「現在羣衆生産很忙，等到秋收後補修不晚」。檢查小組也沒辦法，而這種現象是最危險的，尤其大汛即將到來。（懷安寄自漢口）

大汛來時 不得了

湖南情形如此，

代郵：凌霄先生，請示通訊處，以便寄奉稿費。

政治與道德

為方

美國史蒂文生由民主黨率領爲總統候選人之後,社會上對他曾經離過婚的事實,多所議論,因爲西方人士受着宗教思想的薰陶,對於居高位的政治人物,是要講究私德的。一九四四年美大選時,民主黨幹部們一致推荐貝爾納斯爲副總統候選人,羅斯福也認爲貝氏是適當的人才,但以他離過一次婚,總覺不無缺憾,怕遭物議,結果另提了杜魯門。英國現任外相艾登最近與邱吉爾的姪女結婚,以新娘係天主教徒,曾擬在倫敦某教堂舉行婚禮,但爲主教所拒絕,且指新娘違背了教規,因爲艾登是曾經離過婚的人,邱孃即不應該跟他結褵也。

這類關乎私生活的事,就一般的道理講來,別人似無置喙之餘地。但在宗教的道德觀念尚能潤攝人類日常生活之英美社會中,搞政治的人,就不能「吊兒浪蕩」,隨便不講究做人的道理哩!西方社會靠宗教哲理來維繫善良風俗,猶如我們中國以儒家的四維八德來培養人生觀一樣,人類藉此而後有向上發展之可能。唯物主義者鄙棄這類形而上的人生觀,以男女苟合爲解放,以亂倫喪德爲前進開明,率天下人以返於原始的獸性生活,夫是之謂革命!

一個私生活亂七八糟的人,而謂其在政治上能有大成就,那是欺人之談。我們高談反共,如果不能檢點自己的私生活,聽憑胡來,即不啻間接爲共黨張目助勢,根本就不配問政,遑論反共乎?

自由談

兩世為人

雲華

隨着華僑歸國參觀團,林匪伯踏上了一別三十三年的國土,心中眞感到無限的興奮和愉快,「人民政府」對於這個歸國團更是「照時顧到」,車抵大沙頭車站周,已經擠滿了黑壓壓的人羣,下車時更擁上女學生獻花,廣東所有軍政「首長」也都親自迎迓,熱烈握手,這時所有代表團員,都覺得飄飄然了。

在愛羣酒店住了兩天,遊覽了廣州名勝,然後又一車北上,直達北京,在前門下車時,歡迎的場面,比較廣州還要熱烈,坐上風馳電掣的小包車,一車開去六國飯店,休息以後,當晚又蒙「毛主席」接見,說了許多慰勉的話,回到旅社後,他們興奮得一宿未能入睡,尤其是林匪伯,想起三十三年前還是一個在家牧牛童,因偶然機會隨同鄉飄海到了蘇門答臘,仗着自己吃苦耐勞,胼手胝足的經營——在當地已成爲有名僑領,不過在整個南洋來說,尚渺小得很,匪伯雖然識字不多,但是向上心挺高,總想個力往上爬,恰好此次印尼國內華僑,在王大使發動下組織一個觀光團,回國參觀,只是一般有地位的僑領,都屬於「死硬」派,不肯參加,勉強七拚八湊了三十幾個人,有些尚是商號的夥計,也擺充僑領,不夠時「大使」館也派出幾位「同志」代替,總算組織成「,回國後居然受到這樣禮遇,眞出人意料。

匪伯興奮得一夜未闔眼,第二天在懷仁堂開歡迎大會時,匪伯被推致詞說:「我們在國外時,時常聽見反動派宣傳,國內是如何的黑暗,人民政府又如何的箝制人民自由,尤其是反動派告訴我們,千萬不能回去,因爲人民政府將華僑視作財神看待,『一入虎口,定不能生還,』現在經過事實的證明,我們回來以後,政府除去盡力招待外,並未要我們捐出一文錢,反動派的謠言,不攻自破了」。這一席話,引起了普遍的掌聲,匪伯偷看一下「毛主席」的臉上,也掛着微笑,匪伯的演詞,當晚就錄音由人民電台向南洋廣播了。

一住幾天,除去晉謁「首長」外,便是遊覽名勝,這時所有團員,早把海外聽說的動策故事,忘得一乾二淨,忽然這天晚上,周「總理」召見了,白面無鬚的周「總理」,滿面堆歡,先是海闊天空的亂扯,最後才問了一句:「各位是不是打算回家看一看,人民政府當設法護送,車船均免費」。當然所有的,都想回家去看一看,一來思鄉是中國人的天性,其次將來到海外也可向一般同鄉報導一下家鄉實況,匪伯更是感激人民政府「照顧」的「周到」,大家歡然接受了周「總理」的「建議」。

匪伯到了家鄉——開始感覺——「闊佬!」到氣氛有點不同了,鄉下房子東倒西塌,大人小孩都窮如同叫化子一般,僑眷似乎更窮,只有匪鄉政府的人員,生活得寫意,可是他們已不似周「總理」那樣的客氣,甚至鄉間的鄰居也顯得冰冷,無人敢同匪伯講一句話,這眞使他迷惘了。匪伯這晚就宿在鄉政府,門前有兩個兵士荷槍「保護」。

第二天也開大會,卻不是歡迎會,而是鬥爭,請匪伯去參加,鬥爭會的殘酷情形,使匪伯看得膽也顫了,會後,鄉政委就同他談起一大套抗美援朝的道理,鼓勵匪伯爲國捐輸,並說最好是能捐上五十億,爲鄉裏爭一面「紅旗」。

匪伯究竟老於經驗,知道不答應是沒有用的,也不想寫信給周「總理」了,卻從容向鄉政委說:「爲人民捐獻,這是應該的,但是我的資本全在蘇門答臘,而且有些是不動產,我不回去是沒有辦法的」。「你這種精神眞不錯,但是我們希望你能在這裏想辦法。」「那最好讓我到廈門,同南洋也容易聯絡些,在鄉裏是不方便的。」政委總算接受了他的請求,派兩名武裝同志,「護送」他到廈門,這時廈門正被「五反」的天昏地暗,幾家熟識的商號也都傾家蕩產,匪伯看着還是無法可想,只好每天陪兩位同志坐茶館。

也許是吉人天相吧!這天在茶樓上,那位大個子「同志」,山東老王,開口問道:「匪伯,你在南洋是什麼生意,你究竟有多少錢?」匪伯遲疑一下,望着他倆說:「五十億人民幣是有的,只是運不來沒有辦法」。「我們同你一起逃到南洋去可以不可以?」「不要開玩笑」「眞的」那一位河南小蔡也開了口,「匪伯!我們來時就打好主意,只要你願意發話我,我們一定跟你走。」

匪伯看到他倆個誠實的臉上,知道這是絕處逢生了,當晚他們僱一隻機帆船逃出了虎口,回到南洋後才知道去的參觀團有油水的都未回來,紛紛來信要錢回去還債,華僑們對於王大使送了一個徽號「勾魂大使」。

香港三年（九）

舜生

『老驥伏櫪,志在千里,烈士暮年,壯心未已。』以香港的各種條件而論,要住是勉強可以住下去的,可是住在一個地方整整經過了三年,一動也不能一動,這卻是打破了我四十年來的紀錄。

去年有一位好友,他知道我有去日本就某問題作一長時間研究的志願,慨然答應供給我三五年的用費,一切都已講好,乃至連治裝費也已由他送來,但因種種的手續問題未能辦好,還延了好幾個月,而我這位朋友所經營的生意,也突然起了變化,因此只好作罷。

也是去年,老友黃時進先生,忽然自美國來信,說美國方面的一個反共團體,願意約我和我另一位朋友去幫忙,不久便接該團體主席某君來函,正式徵求我們的同意,可是具體辦法與工作範圍都沒有確定,而我們又都有一個家庭的包袱,不弄得相當明白,便貿然的接受一個身分未明的雇員,實在感到爲難,我有這個顧慮,我的朋友更有這個顧慮,因此這個機會也就只好放棄。

最近一年,台灣的朋友們屢次來信都叫我去一去,其主要問題卻是爲了青年黨,我自己對於黨人生活實已萬分厭倦,雅不願再牽入這種漩渦,也明明知道在現狀下決做不出什麼道理;至於有關反共抗俄的工作,則台灣人手已多,用不着我去幫閑,而自己的興趣,又大抵不出研究與文字宣傳,這類工作與其坐在台灣做,似乎還不及留在香港的來得方便,至少有若干資料在台灣不容易找,而在這裏則應有盡有;我之所以未去台灣,其原因完全在此,別無其他的政治意味。

我把這類的機會都已一一放棄或拒絕了,因此我便至今還留在這裏。

在過去兩年,還常常有若干的朋友隨時可以聚談:今年以來,則連這類的機會也減少了,因此時間更多,每月照常寫四五萬字的稿件以外,每天總還有三四小時可以讀讀書,讀書的興趣卻也愈推愈濃,好在自己並沒有什麼了不起的野心,但求心身有所安頓,也就相當的滿足了。

不過像這樣一個希望,我依然沒有放棄:一、即不能在日本久住,至少還想去作三五個月的短期旅行,希望對復興中的日本,能有一番實地的接觸,有一點關於日本人各色各樣的想法,也想能多有一點理解;二、對東南亞一帶,如越南,馬來亞,泰國,緬甸,印度一帶,即令就是走馬看花式的去兜一個圈子,也可能對我有多少的啓發。可是在我目前的情況之下,恐怕並此也不能辦到,因爲坐着不動,我便怎樣節約也不在乎,一到旅行,便完全兩樣,非相當的舒適不可,如此,便仍爲經濟條件所不許。看來便惟有暫時住下去的一法了。(本篇完)

蒼竹樓隨筆（一二七）

亂彈齋詞話

馬五先生

踏莎行

序曰:最近一年間,余寓居處問題,備遭受房東或收租婆之懷疑,調侃,幾落者屢矣。去秋極盡奔走之能事,幸以月租港幣二百元代價,外加鞋金頂手費等苛捐雜稅,租定斗室一間,但主人鄉貫聲明:此屋原已賃與「上海人」(港人對非粵籍人士之總稱),見其白天少出門,晚間深宵不睡,常有人送電報來,怕他是個共產黨,住滿一月即請他搬家了。你先生說是生意人,很好很好。迨余入住時,房東竟每日派人偵查余之工作所在地一星期,然後笑語余曰:我調查清楚了,你果然不是共產黨!邇來余因原住所低濕,致病腳氣,又擬還居。初尋得一屋,頗滿意,主人係一寡婦,竟問余曾否受過高等教育?身體健康無肺病耶?余聞命?唯有啞然去之。繼得一所,收租婆詢余操何業?余坦然以新聞記者對。伊謂:莫不是大公報、文匯報、新晚報的記者麼?我們卻不歡迎搞政治活動的房客呵!余爲之啼笑皆非,然亦可見香港市民政治觀念之一般也。只好停止卜居之念,在現有蝸室中,忍受香港腳之痛苦,以待中馬票頭獎,租樓大廈之好運來臨矣!

寶島嵯峨,樓台櫛比,窮儒居室大不易!鞋金頂費已重重,庸愚尪弱亦禁忌。

共產仁兄,文工小子,休來自討無趣。輸他富賈殷商輩,結廬處處皆隨意。

四川人擺龍門陣

柳上雲

「四川人會說話」這句話,是外省人對四川人的評論。這句評語在外省人方面是對四川人多少有點捧場的意思存在裏面。但,經過四川人聽了這句話,他會立刻反問:「你幽我做啥子?」或憤怒地問「你幽我?做啥?!」

『幽我』這兩個字,四川人的解釋有二,一個是根據近代『幽默』這名詞以幽默我三字損用,一個是依據古時之幽禁的意思蛻化而來的(幽禁即軟禁)。有時我們聽見四川人同四川人談話中有兩句:『你簡直把我幽緊了!』或者『你把我幽默了!』這兩句話的意思初看似有相同之處,若你細細地分析,前者乃是幽禁兩字的變管,和被人跟牢了的意思存在。後者是你幽默我的話已經被你說盡了,同時這話裏面有兩個提示,一,你可以住口了嗎?二,留心我的反攻啊!

總之,近代文學中產生出『幽默』的名詞,四川人的『幽我』之類的詞句已沒有古詞義包含在內了。即或有,也有『幽默』在中間滲了水。語言與文字是不可分的,文字的進步可以促進語言,因之,我用『四川人會說話』一句來敍談四川人的語言學與幽默,我想大概不會有人說我在「開黃腔」的。

我們聽四川人說話,時時感覺到他們有俏皮而且恰當的形容詞,他們形容摔碎一件物具,是「摔爛」,把豆腐跌落地上會「浠爛」,用筷子夾食物是「捻」,把東西扔出是「摔」,聽老婆的「小」話是「粕耳朵」。討厭這個人時,會說出「不吡你。」等等。

他們這樣會說話,而且會說風趣的話是從那裏學來的呢?這就要感謝他們的茶館了。

他們上茶館,不像香港人上茶樓,一盅兩件喫後,拭拭嘴,會了鈔,捻兩根牙籤朝嘴裏一放,像身後有追兵一樣急匆匆地就走了。而他們呢?一盅清茶,從早晨坐到日落,天南地北地大擺其龍門陣。

還有他們出的風趣刊物(如師亮月刊,和李宗吾的厚黑經之類)。學生們都喜歡讀它。也從那裏面學了些風趣的詞句。

偶然想起,提筆寫出,不知今日四川的四川人是否如此。令人嚮往之餘,禁不住唉嘆三聲了!

一九五二,八,七于九龍。

英國風

無論對付什麼事情,英國人都比法國人能容忍。有一位老太太到圖書館對管理圖書人說:

「我來借書一向都是用我的處女名,因爲我尚未結婚呢!但昨夜我在夢中,夢見了納爾遜的幽魂,他向我求婚,我已答應他了,請教你,我以後借書,是用納爾遜太太名字好呢,還是照舊用我的處女名」?

管理員正忙於工作,頭也不抬的說:

「這是一種精神結合,你仍舊用你的處女名可也」。若在法國,不送她到瘋人院才怪呢」!

中國之友（十三）

毛以亨

戈登將軍傳（六）

六、戈登任事後形勢之轉變

常勝軍已因李鴻章與Staveley的新協定而變質,協定全文見於藍皮書,其要點如下:

一、常勝軍隸屬於中英兩軍;英國方面負責作戰,以戈登擔任,予以鎮台官階;中國方面由李恒嵩擔任,任爲副帥,負責經理糧餉。

二、作戰如逾越上海租界三十英里,須再行協商經雙方同意後始能用兵。

三、餉項由中國負責。

四、餉項不得逕撥須由中英雙方會同發放。

五、兵員以三千人爲最高額,如海關收入減低可再酌減(但以英方堅持四千五百人爲最高額,戈登常增至四千人以上。)

六、歸撫台李鴻章節制。

戈登於一八六二年五月南下來滬,在英軍中早已參加對太平軍之掃蕩戰爭,所謂租界周圍三十英里之掃蕩戰者是。攻青浦他亦在場,十月奉命修橋與測量附近地形,英陸軍司令所以屬意戈登之故,蓋以攻太平軍不能專恃槍而非有砲兵協助不可,而戈登即出身於砲科者。戈登視事後,外表上刻意摹倣華爾籠收軍心,其指揮作戰亦如華爾之用籐棍而不用指揮刀,惟於胸間常懸手槍以自衛,而人亦莫之知,臨陣而身先士卒,平時與士卒同甘苦如華爾。惟其作戰有整個計劃,不似華爾時代之以攻一城略一地可博賞銀並可搶掠一番爲要事。第一在斷太平軍械接濟之源,從長江去封鎖乃進兵福山;第二要封鎖有效必須有兵輪,蘇滬爲四通八達的水鄉,非輪船無由截斷其交通線;第三在招收太平降兵,不特省其一死,且啗之重餉,常勝軍餉每月有三十兩,爲一般人所貪圖者。招收降卒一事,更屬勢在必行,蓋捨此即無兵源,李鴻章到滬僅有三千人,未二年已擴充至三萬五千人,皆爲收編南滙川沙一帶太平降卒所致,戈登之常勝軍,因須受過槍砲訓練,一般兵士皆不習此,更非收編太平軍中之槍砲手不可。但實行起來障礙殊多,李鴻章在常熟誤收詐降幾於全軍覆沒,程學啓曾貽於蔡元吉之詐降於嘉興,竟至陣亡。戈登軍中常收編降卒一次至二千五百人,然練好之常勝軍,往往會利攜械前往者,西人之怨而投太平,怨而回至常勝軍中者,往來如穿梭,至四五次之多,故有人譏爲常勝軍實爲官軍所練以供給太平軍者。然李鴻章與戈登仍貫澈其收降之政策,不因噎而廢食,卒以收散其脅從之效,蘇州以後,西人散去大半,常州以後,西人全散。倘非蘇州殺降一事,則湖州之太平軍,必不至逃至廣東始被消滅,白齊文亦無再入漳州太平軍之理,蓋亦爲勢所激,被逼使然也。

自由人

THE FREEMAN

（半週刊每星期三六出版）

（第一五七期）

每份港幣壹毫

督印人：李光瑤

社址：香港高士打道六十六號

電話：二〇八四八

GLOUCESTER RD. HONG KONG TEL: 20848

承印者：東南印務出版社　地址：高士打道六十四號

台灣特派員辦事處　台北市館前街五十號

台灣總經銷處　台北市中華路一二五九號

俄帝對亞洲的下一步驟是什麼？

攻台援越可能雙管齊下　日本是最後必打的目標

·左舜生·

韓戰打了二十六個月以上，澈底毀滅了一個北韓，現在聯軍的轟炸，西北止於水豐電廠，東北已達羅津，前者再進一步，即威脅鞍山撫順與瀋陽，後者則不惟直叩蘇聯之門，實亦進炸小豐滿水電廠的捷徑，形勢明白如此，蘇聯究竟是決定投降，還是挑起擴戰？目前她和中共在莫斯科的會議，確實已經到了一個還下決心的時候了。

北韓人民應有明白的認識：毀北韓的不是聯軍而是蘇聯，斯大林敢於挑起韓戰，而坐視北韓的毀滅不救，這不僅對不起北韓，實亦對不起中共！

不惜毀滅北韓以消耗美國，這是斯大林無恥而又殘酷的一種決心！現在北韓已救無可救，假定蘇聯還要稍稍維持一個領導共產國際的地位，除掉她自己出馬，或傾全力以援助中共，即已別無方法以挽回共黨在亞洲的頹勢。

北韓已被炸到不堪作爲展開大規模陣地戰的一個場所了。不要說共方現在北韓境內八十萬至一百萬的大軍已完全陷入死地，即再投下五十萬至一百萬，即不全部炸死，也得全部餓死！目前共方之所以不敢輕言反攻或輕言報復，並不是已經沒有這種力量，實在是因爲他們已經看出了美國的決心，即共方如果敢於報復而大事反攻，美國即非把他們全部消滅不止！現在美國所用的還不過是輕磅的普通炸彈與油漿彈之類而已，其毀滅性已經是如此劇烈，如果等到北韓的平民已經逃避一空，而中共歸途的道路橋樑又已根本不復存在，假定中共與北韓依然遵從大事鼓動的話，則我敢斷言：聯軍爲保全他們的人力起見，所有原子彈及其他的原子武器便將全部出籠，即令中共與北韓殘餘的部隊還有一百萬乃至一百五十萬，不出三天，便可一掃精光，到了那個時候，北韓將全部成爲廢墟，鴨綠江流，惟有鳴咽啜泣，斯大林依然還是坐克里姆林宮掀髯微笑，毛澤東也一定還是躲在西山別墅裏風流自賞；於是韓戰的火不停自停，而蘇聯對人類所犯的罪惡也就上通於天了！

中共這位出席莫斯科會議的『周郎』，究竟也還不失爲風流人物之一，韓戰在不久的將來，可能有這樣一個無言的歸宿，我們局外者也可看得明明白白，難道這位聰明的『周郎』還不能洞若觀火？他之不能不率領若干狐群狗黨去效秦廷之哭，其基本原因畢竟還是在此啊！

『親愛的鋼』！經過長時間的考慮，到底打算怎樣？北韓是毀定了，而且已經是毀了，蘇聯決不能因挽救北韓而自己出面，這是不在考慮之列的。真的屈服嗎？時間尚早，而面子丟得太大，而且足以動搖全局，斷然不能。無已，便惟有着重三個地點，來繼續造亂，一以拾起這個已丟的臉，一以實澈對美的消耗，仍庶幾可以不必自己出面，依然只限於害死別人！

這三處地點是什麼？一個是日本，其次是台灣，又其次才是越南。

直接先幹日本嗎？這非蘇聯自己動用海空不可，美國必以全力相搏，日本自身的潛力亦勢不可侮，這樣一來，大戰立即爆發，這還不是斯大林這類殘酷的心之所願，還有工具可用，不儘量使用，便自己搶着出馬，這畢竟也不是蘇聯一貫的戰略之所許。對日本終於是要下毒手的，但現在則除加強滲透，加強收買，加速佈置以外，尚非正面對日動手之時，日本的左傾朋友們，儘還有相當的時間，去發揮他們的謬論！

打台灣嗎？這是中共所希望的：因爲中共不打台灣，台灣也一定要打中共，與其坐而挨打，何如先下手爲強？果能一鼓作氣把台灣拉下，這不僅中共在面子上非常好看，而且更可站起來對國際講話；與其把一百萬人炸死在北韓的廢墟，何如準備以一百萬人群身台灣海峽僥倖以圖一逞？即令犧牲之大可以逆睹，但假定死掉七十萬人而居然能有三十萬人在台灣強迫登陸，更以傘兵降落後方，也就可以使得台灣『吃不消』，至少也可以把台灣對大陸的反攻延緩；此外更有一點好處，便是不必需要蘇聯大舉出動，至多不過以潛艇參與第七艦隊而已，大戰爆發的可能性畢竟比進攻日本要來得小一些；這確實是台灣所值得警覺的。

正式以大軍援助『越盟』嗎？以越盟當前的處境，確已迫切需要。爲蘇聯與中共着想，越盟在與塔錫尼作戰一期，雖在爭奪紅河三角洲的戰爭中，連遭三次挫敗，至今已只有躲在山區裏去打游擊的分兒。可是基礎畢竟還在；所佔地域依然不小；加以保大的武力雖在擴充，但究竟實力有限；不幸宿將塔錫尼將軍，又以今年一月病死巴黎，其繼起者的決心與能力，則尚待考驗；假定蘇聯於此時發動中共五十萬人援越，自身以武裝與飛機大舉助之，則依然可以使得東南亞風雲變色，即令英美不肯坐視，但至少可以混戰一年，如能得手，則不惟印緬吃緊，馬來香港也必然震動。即令挫敗，所犧牲者亦還是中共，與蘇聯又有什麼相干？

總而言之，莫斯科這次蘇聯中共的會議，屈服決定心有不甘，一定還會有新花樣要出現，攻台援越可能雙管齊下，而日本則爲他們最後必打的目標，自由亞洲的亞洲人，自由中國的中國人，如何加強團結來對付這一次大難，以爭取一次決定性的勝利，實在到了必須考慮的時候了。老實說：我對於台灣的迂緩雍容，閒棋排闥；對日本的政爭尖銳，態度模糊；對美國亞洲政策的時緊時鬆，不得要領；都有些放心不下啊！

半週展望

·雷嘯岑·

伊朗拒絕英美建議

英美聯合提出解決英伊石油糾紛的建議，莫薩德「斷然」拒絕了！

伊方拒絕的理由，是不承認將英伊石油公司的賠償問題交由國際法庭仲裁，同時在石油的產銷上，亦不願意英伊石油公司再行參預，以保持「國有化」原則。

英美建議案的動機，是想以一千萬美元借款，以及解除封鎖，准許伊方動用英鎊存款，幫助油產外銷等經濟利益爲前提。一方是喻於利，一方是喻於義，當然不會得到協議的。

美國對此問題，一嚮是居於和事佬地位，隨時有談判調處之餘地，這一來，和事佬變成當事人，未免太可惜了！經濟力量固然較一般的政治作用爲大，但，對於弱小國家的民族獨立運動，卻沒有萬應如意的效能，這是一切先進國家的政治家所應慎思明辨的眞理。

中東局面一時無法穩定

伊朗的情形如此，埃及內部也險象環生。埃及陸軍人物最近對政治上的行爲，很像二次大戰前夕的日本少壯派軍人，憎惡財閥，痛恨政黨，刺殺首相，鄙視政客，結果促成軍人專政局面，發動侵略戰爭，終召亡國之禍。

埃及軍人反對土地集中，反對政客貪污，動機未可厚非，亦與當年日本軍人之反財閥反政黨的用心一樣，都想爲大多數平民謀幸福。可是，以現役軍人而干預國家行政，終非正道，若不激起內亂，即會產生軍事獨裁的局面，國家從此多事，那有安定之可能呢？

怎樣安定中東？這關鍵不在伊埃等國，而在英美政府當局之手。方法不在縱橫捭闔，利誘威脅，而在開誠佈公，互尊互信！

競選人物的說詞

最令人聽得索然無味，昏昏欲睡的競選演說，無過於美國這次總統候選人所發表的言論了。正角色艾森豪威爾史蒂文生兩人，說來說去，不知所云，天天談外交政策，始終談不出一點新意義。恰當杜魯門，邱吉爾，艾德里一般人所謂「維護世界和平」，「願與史大林當面談判和平」的濫調，敝帚自珍，而對於舉世矚目的韓戰，卻避免觸及，也提不出一項辦法來，還算甚麼政見？

只有共和黨的助選人杜勒斯，尚能說出一篇有系統的主張，不管他的主張是否恰當，總算言之成理，持之有故。

艾森豪威爾稱他的殺手鐧還未使出來，等到緊要關頭再用。我看他不容易玩出新花樣，對選民發生興奮劑的作用，因爲他曾經自認對韓戰沒有解決的方案，而大多數選民最關心的眼前事就是韓戰啊！杜威總其失敗經驗，教艾克在競選說話中不妨用「粗魯」詞句，切忌太文雅柔和，確爲甘苦有得的見解。但，艾克的個性恐怕做不到哩！杜魯門卻深諳此中三昧，他前天在威斯康辛州米華基發表助選演說，即儘量使用漫駡共和黨的粗魯字句，把共和黨形容得不像樣兒，我們且看艾克一般人如何應戰吧！

聯軍不斷轟炸北韓

韓境聯軍的空軍威力，這幾天連續發揮，使北韓所有重要的軍事設備，化爲灰燼。然而，潛伏在中國東北境內的俄式空軍，依然「犯而不校」，這是必然的。

史大林正電召蒙共首腦入覲，韓共酋金日成亦必然在莫斯科，連同中共頭目周恩來等，一同聽訓，恭候面授機宜。在史大林對韓戰乃至於整個亞洲的策略未作最後決定以前，聯軍儘管大炸，一定不會有反應的。

美國情急了，渴望在最近能結束韓戰，可惜主動權操在史大林手中，他有無數嘍囉供作砲灰，美國卻非「事必躬親」不可，此韓戰之所以殭化也！

美專家評聯共大會

蘇俄的聯共中央政治局，凡稍有常識的人，都知道其濃烈的恐怖色彩。在目前舉世各國中，只有這一個由十二名殘暴的革命者所組成的寡頭集團，具有如此的權威。它不僅控制着共產黨及整個國家，而且，他們的集體決定，根本上足以決定整個世界的和戰。

上週，這個中央政治局，突然發表其三十五年以來最動人的決定，宣佈撤銷共現有的名義，在十月間將召開一九三九年以來第一次聯共大會，成立一新的統治機構。根據其所宣佈，是將現有的中央政治局及組織部改爲主席團。這一新的機構和現有最高蘇維埃內執行機構相同。同時且將前的布爾扎維克亦易名爲蘇聯共產黨，現有的共產黨，其黨內的基本原則是所謂「民主集中制」。在理論上，六百名共產黨員中，每人對其所隸屬的黨部均有「一」的權利，來「參加黨的會議，批評黨的行政，選舉或被選舉參加各級的機構」。至於各級黨代表的選舉期限，在市縣照規定每年一次，地方及區域性黨部年半一次。由此逐級遞進，至包括十六個加盟共和國的代表大會。作爲這一「民主」機構的最高機構是各級黨部所選出的黨代表大會（每五千名黨員推選一代表），過去每三年改選一次，在現有的黨章中，規定每四年選一次。

在原則上，各級的黨代表會議乃各級組織的最高機關，在代表大會中來選舉各委員會，並選出一經常性的執行機構，如原有的中央政治會及未來的主席團，由這一機構來執行黨的決議，並提出總結報告執行的情形。因此，共產黨的所謂民主集中，事實上乃係爲其民主集中主義開路。

在黨的組織的實際進行中，過去的中央政治局及未來的主席團，配合書記處，掌握着黨的行政人事的中央執行委員會及監察委員會，其權力及全黨的機構，不容置疑。史達林是中央政治局的書記，事實上掌握着整個黨，而超越於他們之外。共產黨的十三年中，從未召開過一次全黨大會來聽取任何建議或批判。

[illegible]

……的機構，而抵達各級的黨部，只能服從。史達林永遠企圖把黨像軍隊一樣，嚴格紀律。因此，這次中央的改組，是換湯不換藥，不會有什麼改變的。（海志節譯自九月一日「新聞週刊」）

共黨的「和平大會」

中共奉史大林之命，負責召集的「亞洲及太平洋區域和平會議」，六月初已開過了「籌備會議」，并決定在九月最後一個星期舉行正式會議。時間到了九月，亞洲及太平洋地區各國共產黨，已派出代表，鬼鬼祟祟的在首途了。

「世界和平理事會」主席居里，也在布加拉發出消息，「世界和平大會」將於十二月五日在維也納開幕，這一兩個會議，一個是世界性的，一個是區域性的，自然都是莫斯科的御用工具，在「世界和平會議」之前，先開「亞洲及太平洋區域會議」，可見史大林對這一區域下的功夫特別大。

從共黨關於這個會議的公開宣傳資料看，這個會議的主要任務有二：一是加強對民主陣營的和平攻勢；二是要從事神經戰，從這些國家的內部來發動各國共黨的鬥爭工作，牽制各國家政府的各種反共措施，分化民主國家的團結，好讓俄國的戰備迎頭趕上。

九月一日中共工聯會主席劉寧一的廣播，又提及這事，說「亞洲和太平洋區域和平大會」將努力在「公平合理」基礎上「和平解決朝鮮問題」，並謀「合理地解決與亞洲和太平洋（包括越南、馬來亞及其他國家）的和平有關的一切問題」。劉寧一這一句話，在形式上是與共產黨好幾次「和大」會議發出的是一樣的，即是拿「和平」來誘惑，企圖「解決」它所要「解決」的問題。但這話在這時重複，可能或另有打算，因爲現在遠東的整個形勢太緊張了，各國都在積極準備，不論在中國，日本，朝鮮和越南，馬來亞，公開的戰爭，[illegible]的活動，共黨都趨於劣勢，[illegible]

[illegible]……仍然要利用「和平攻勢」。據六月中「亞洲及太平洋區域和平會議」籌備會議的宣言，[illegible]……

共產黨的新策略既是仍然沿着老路發展，他們的無可奈何的辦法，所以問題的中心，已落在民主陣營方面了，繼續用「和平」是否其具來「解決」問題？假若民主陣營還是弄不清自己的利害，再讓一步，或者內部共黨很可能在板門店談判就「停火」，而在亞洲及太平洋區域得到一步一步的躍進，那他雖在戰場上失敗，而在政治鬥爭上卻會大有收穫。那時，東南亞就將會無法收拾。民主陣營如堅持立場，或更進一步團結一致，對共產黨採取更強硬的政策，則共黨便會走頭無路，但到那時，也應該提防狗急跳牆，突然的反撲過來。[illegible]

蘇俄怎樣對中東下注

（德黑蘭航訊）蘇俄怎樣在奪取中東呢？她所運用的工具是一個高度秘密的間諜組織，它的首腦部，設在駐德黑蘭的蘇聯大使館，主持其事的人是以前在南斯拉夫策動反狄托政權的間諜組織負責人沙奇可夫 Ivan V. Sadchikov，他是西方外交家所公認的「黑心腸的紅狐狸」，他所直接指揮的大小間諜人員及煽動份子，為數達數千名之多。

操縱伊朗杜德黨　左右民族主義者

共產黨人操縱下的伊朗杜德黨，雖經伊朗政府宣佈爲非法組織，但是它的黨徒們在沙奇可夫的指揮下，一一潛伏到各種民族團體裏去，繼續幹他們的煽動和搗亂工作。回教十字軍便是他們散播毒素的一個最理想的團體，它和回教兄弟是兩個難兄難弟的恐怖暗殺團，它的細胞組織遍佈中東每一個角落。共產黨人對這個團體的活動方式，第一步是滲入，第二步是運用欺騙和威脅，加以奪取。

沙奇可夫在他的反狄托元帥的地下團體初步告成後，便被史大林調到中東。史大林想運用他的組織天才，在英埃和英伊關係緊張局勢下，用最迅速的方法，把中東的愛國民族團體，一一變成克姆林宮的俘虜。

沙奇可夫到了德黑蘭後，立即發見伊朗在被貪污，腐化，和貧困等因素腐蝕着。代表伊朗地主階級的團體，正在發動大規模的反英運動，他們的藉口便是收回油田，這羣政治領袖中，大部份都是自私自利之徒，根本沒有替國家前途，作高瞻遠矚的打算。當時真正能不計個人利害安危，在替伊朗前途作有利打算的，只有一個人，他便是去年三月被暗殺的拉斯馬拉總理。兇手雖然是回教十字軍的會員，但是西方外交家一致同意這件暗殺案，事先是獲得沙奇可夫默許的。

失韁烈馬莫薩德　糊里糊塗受利用

拉斯馬拉被刺後，莫薩德一躍而爲伊朗的時代驕子。他是一位精明而具神經質的人物。他登台後，只看到英伊石油公司的油鑛蘊藏，和在阿巴丹的巨大煉油廠，卻沒有看到伊朗缺乏足夠的資本，和優良的技術人員。他在羣衆的感情刺激下，變成一匹失了韁索的烈馬，對一切忠告，一概置之不聞，最後便糊里糊塗把油鑛場和煉油廠從英國人手裏強力接收下來。接收後，他所得到收穫是什麼？除掉滿足了一些人的民族意識外，油的生產，實際便等於零。由于油鑛生產停止後所引起的壞影響，第一是伊朗財政破產，第二是失業工人增加。它的總結果，是全國人民的生活，愈陷於悲慘和貧困。這其間，最得意的人物，要算是蘇聯駐中東的間諜頭沙奇可夫了。他認爲這是毀滅伊朗的千載一時的機會，於是指揮他的黨徒們，大鬧其罷工，示威等搗亂勾當，有計劃的將伊朗置于破產的癱瘓狀態中，自己在毀滅自己。以前潛伏在地下的杜德黨，現在在伊朗大作其搗亂工作，他們還不斷地向伊朗西南邊境的隣國伊拉克，發揮其撒謊的作用。伊拉克到目前爲止，雖然沒有正式的共產黨組織存在，但是她的內紅色煽動份子，所用的搗亂技巧，完全是向杜德黨抄襲來的那一套。

叙利亞和黎巴嫩　俄諜滲透更嚴重

蘇聯的第二個間諜中心指揮部設在敍利亞的京城達馬斯加。敍利亞在過去兩年來，發生過幾次軍人政變，每次政變的背景，表面上好像都是軍人在作祟，實際上是蘇聯的間諜機關有他們的內在作用。敍利亞雖然宣佈共產黨爲非法政黨，但在達馬斯加的市場，酒店，和古董的建築物內，都有蘇聯指揮下的間諜份子在活動着。爲什麼史大林要選擇這一個古城，作他的第五縱隊活動中心地呢？因爲達馬斯加是阿拉伯文化的發源地之一，它是阿拉伯民族主義的搖籃，它的種籽在這裏培植後，再播送到整個中東。蘇聯的第五縱隊在這裏是採取一種高度秘密和擁護的策略，他們雜在愛國份子羣中，大喊民族主義的口號，對莫斯科思想路綫的灌輸，採極端審慎和穩健的態度。這些煽動份子，現在已經佔有民族團體中的重要位置，一旦時機成熟，他們便可取而代之。

共產黨徒在黎巴嫩活動的情形，遠比他們在敍利亞來得積極，原因是他們在這裏進行間諜和破壞工作，來得比較容易。因爲黎巴嫩的政府官員們，大多數是一些專會營私舞弊貪污腐化到家的份子，他們只顧到自己發財，國家前途與他們無關。舉例來說，當[illegible]數國與以色列在巴勒斯坦大開其戰火時，黎巴嫩的政府官員，反而秘密地和以色列猶太人大作其軍火生意。還有不少的官員們，勾結了當地商人，幹着非法的國際貿易。這使得共產黨人隨處都可以找到宣傳的口實了。

埃及情勢不樂觀　搗亂份子滿街走

埃及的情形更嚴重，美國駐埃大使加非利 Jefferson Caffery 最近這樣說過：『假如一個小小的鐵幕降臨到埃及，埃及立刻會全部赤化』。意思是說，假如共產黨在一處暴動得手，埃及政權便有迅速落在共產黨手中的可能。克姆林宮的中東局，是蘇聯國際間諜組織中最秘密的單位，在開羅設有秘密指揮部，它指揮着無數的間諜份子，穿着阿拉伯服裝，混在阿拉伯羣衆隊伍裏，發揮他們的煽動作用。去年冬季，開羅商業區被焚，便是這些間諜特務份子幹出來的勾當。這個說法並沒有半個字誇張，埃及人民自己說，他們有照片爲證，縱火案的背後，確實有蘇聯訓練出來或是向蘇聯使館拿津貼的間諜份子在內。

在德國的漢堡和發爾，你會時常聽到一些退伍軍人，在討論着應徵到中東去担任幸福軍人的故事，據說報酬好，工作輕鬆。他們爲誰當兵呢？據悉埃及政府會僱傭了許多德國舊軍官，留下來接替英國顧問的訓練工作。這些德國軍官，就開羅而言，便有數百名之多。但是根據德國顧問團團長佛斯 Wilhelm Voss 最近表示，該團受僱的德籍軍官不及一百人。那麼其餘的德國人是誰請他們來的？誰給他們高薪僱傭呢？這是局外人不曉得的。

謠言散佈開羅城　破壞活動難防制

近來謠傳這些由漢堡來到開羅的德海軍專家，正在訓練一批水底搗亂份子，及建造一人潛水艇等消息。盟軍的情報人員目前正在檢查這些謠言的真實性。有一位盟軍的重要情報人員說：『這些德國人，我們很難說他們不是共產黨，或共產黨的外圍』。自然英國人對上述的謠言和這些沒來歷的德國軍人，是非常担憂的，有一位運河工程人員說：『要阻礙蘇彝士運河通行，卻是一件輕而易舉的事』。史大林的中東局工作人員，把這條運河，列爲他們的最重要工作對象之一。

中東現在成了西方民主集團對抗共產集團的最弱一環，假如民主集團守不住中東，這個侵略浪潮，勢將無法遏止，它將東南而入土耳其，西南而入非洲，整個波斯灣的油產，將完全陷於侵略者的手裏。如何改變現存和未來的中東局勢，筆者卻要寄望於民主集團的中東指揮部了。（伍子劍）

郭宗汾呂梁山稱雄

文蔚

民國三十六年的春天，共產黨的軍隊，正開始實行其包圍城市的戰略之際，這時候，能給共產黨當頭一棒的，就要算是閻錫山麾下的幾個北方名將了。一個是收復了張家口的傅作義；一個是大同卻敵的楚溪春；還有一個就是坐鎮帷幄，決勝千里的太原綏靖公署參謀長郭宗汾了！

郭宗汾是山西洪洞人，保定軍校出身，在晉軍中歷充團旅師軍長，集團軍副總司令，兵團司令官，和綏靖公署參謀長等職，威儀三千，一表不凡，爲人和藹可親，作戰勇猛無敵，剛毅沉着，雄略超人，實在是國軍中不可多得的儒將！

抗戰時，他充任二一四旅的副旅長，雁門關一役，繼旅長梁鏡齋之陣亡而接充旅長，大麥郊之戰，殲滅了日軍鈴木師團的一個聯隊，掩護了十萬晉軍的從容撤退，奠定了閻錫山在晉西克難坡的抗戰基地，因此有功，晉升爲七十一師師長。民國三十年冬天，日軍於吉縣滑冰偷渡時，郭率所部，乘夜擊潰岡本旅團，使陝西西安如泰山，因功擢升第三十九軍軍長，克難坡時期，閻氏實行兵農合一新政，郭部奉行甚力，辦理完善，軍紀井然，部卒內沒有一個逃兵，閻氏傳令嘉獎，旋升二十二集團軍副總司令。

抗戰勝利，郭與楚溪春分任前綫正副總指揮，接收太原，辦理日軍受降事宜，三十五年，共產黨叛國陰謀暴露，擁兵黷武，發動內戰，閻氏爲防禦共匪侵襲，遂命楚溪春爲大同鎮守總司令，留郭於綏署担任參謀長，執掌韜略，籌策軍機，成績斐然，因而威名遠揚，爲中樞所重視。

三十六年春天，楚溪春因守大同而名震中外，旋蒙最高當局召見時，郭與楚同時赴京，楚住介壽堂，郭住山西省辦事處，二氏各有任務，整日忙不暇給，且盛饗之隆，中樞將領，往造訪者，絡繹不絕，因此山西省辦事處門前，整日車水馬龍，熱鬧異常！

時值夏末秋初之交，金陵秋色初露，街頭紅葉飛舞，東北戰雲緊張，南京也爲之變動，郭氏遂飛返太原。

臨汾撤守後，郭氏飛并復命，除仍任太原綏署參謀長職外，尚兼一個兵團的司令官，征衣未卸，即與共匪歷戰并垣四郊，因指揮有方，三晉健兒，以氣吞長虹之態，挫匪鋒，以是郭氏威名益振。東北失陷後，共匪長驅入關，郭赴平冀助軍機，三十八年春，傅作義降敵，郭遂復返并，未就任何職務，但不久便悄然歸隱故鄉洪洞。再隱入呂梁山區，佈置反共工作。太原陷後，渠舊部與東華師長，召集殘餘，挺進呂梁山，從事游擊，與匪周旋，不久渠部日益龐大，控制整個呂梁山區，聲勢日亘，爲匪酋徐向前之一大患，實則渠部之有今日，完全係由郭氏暗中招撫指導之功，所謂『郭氏自太原陷時，有被俘與投降之事』，純係荒人謠不確之傳聞！

刻郭氏已控制整個呂梁山，北自嵐，南至鄉寧，東自孝義，西臨黃河，轄軍十餘萬，設大小型工廠數十座，訓練班數十個，技術特科學兵數萬人，儼然成爲華北一支最龐大的鋼鐵反共軍，使徐向前朝夕担憂，枕食不安，共黨破之著，不獨爲共匪目前之大患，且爲國軍將來反攻時，力量最大之一支策應軍矣！

印巴爭奪的喀什米爾

印巴相爭不下的喀什米爾，實在是一個好地方。它是一個山城，建築於一條河的兩岸，靠着十幾座大石橋來連成一氣。市區有新舊之分，舊的當然是污濁，簡陋，狹隘，居住的也都是些貧民，衣衫襤褸，鳩形鵠面，街頭巷尾，全是乞丐。新市區就十足現代化了。花園住宅一座連接一座，奇花異卉，情緻宜人，尼赫魯等印度要人，都在這裏置有別墅，大花園大住宅，享受是夠舒服了。另外還有好幾家私人俱樂部，供前來遊息的要人們享用。裏邊設備堂皇，應有盡有。

喀什米爾的風景太美了，特別是達羅湖上，更是如入靈境。令人陶醉。湖上的風光日夜兩宜。在夜闌人靜，水平如鏡之時，不妨喚舟子泛舟湖上，身坐瞭望處，可以看朦朧的遠山與稀疏的燈火。湖中的湖叉縱橫，湖心的小島林立，上面住着不少舟子，漁夫，與農人。湖叉類多狹隘，兩岸樹木交叉，織成天蓋，深夜畫舫通過，水聲，人聲與槳聲常驚動了湖心住戶，引起犬吠雞鳴，我在達羅湖上第二晚大部分時間便是這樣消磨過去的。至於白日，雖在初冬季頭，仍不時有畫舫穿梭湖上，有的是家庭聚樂，有的是情侶清談，每一遊艇瞭望處，時坐着妙齡少女，披着各色的紗麗，迎風飄蕩，在這裏你可以聽到婉轉的歌聲，可以嗅到撲人的香味。拿牠與西湖並論，則西湖單調，而達湖曲折，西湖富近代的俗氣，達湖有原始的天真，西湖暴露，達湖隱蔽。達湖的優美，實在說不盡。

但是印巴所爭的，不是這湖光山色，而是喀什米爾的富饒的山谷，和印回民的習慣上的問題。喀什米爾百分之八十是回民，而且與巴基斯坦相毗連，照理應該是屬於它的，但尼赫魯竟愛喀什米爾，一往情深，乃至寧可使紛亂拖延不決，於是有人懷疑，尼赫魯雖自稱是一個「民主主義」者，但對權力與利益在緊要關頭仍是「黷武」的。喀什米爾今天的災殃，就是由於它本身的富足。（華）

台灣環島行紀（七）

麗子

漁米之鄉

從前在大陸上，都說江南是漁米之鄉。如以台灣而言，則漁米之鄉四字，更屬名實相符。台灣的糧食增產情形，前面已經說過，現再就漁業情況，加以介紹。

台灣的漁業，可分爲遠洋，近海，沿岸，養殖四項。產量以在日據時代的民國二十九年度爲最高，合計共達一一九、五一四、九二一公斤。以全省人口平均，除去嬰孩外，每人每年可食鮮魚二四、四九公斤，鹽魚七、八九公斤。此對於民食營養方面，有甚大效果。

尚待增產

光復以後，因漁港在戰爭時期多遭破壞，漁民的漁船漁具漁網也都已陳舊，需要補充修繕，因以漁獲量不能與戰前相比。去年度（四十年）全省漁產量只達九六、九七六、九六二公斤，而人口增加甚多，每人每年平均所得鮮魚及鹽魚，均較民國二十九年度減少。台灣四面皆海，本有漁港甚多。現已修好可用的，有宜蘭的蘇澳港，基隆港，淡水港，台南的安平港，高雄港，台東的新港，花蓮港。還許多漁港，我在此次旅行中都曾經過。還有澎湖的馬公港，與高雄市的中洲避風港，屏東的琉球嶼避風港未能一遊。至如屏東的東港，與宜蘭的龜山島，台南的青鯤身，高雄的白沙崙，或爲漁港，或爲避風港，均尚在修復中，一時未能使用。

漁民生活

我曾經[illegible]漁民生活，[illegible]發覺「捕魚人兒世世窮」這一句話，[illegible]。其原因[illegible]，洋漁業未能十分發展，有幾次漁船出海，雖在公海範圍之內，卻受到菲律賓方面的[illegible]限制或干涉，[illegible]。船隻方面[illegible]。論漁業係遠洋，近海，沿岸，漁船都要出海，入港的時間，不能不有限制，出入的漁船，不能不有檢查。此項限制和檢查，未必與漁民的工作完全合乎實際。這些都還有待[illegible]。到現在爲止，沒有辦理漁業貸款，也沒有設立漁業金融機構，因此漁民需要款項時，無法週轉。如漁民結網，需要棉紗，修建漁船，需要木材；醃晒鹽魚，需要冷藏設備。還需要裝置罐頭，這都是發展漁業不可少的事項，須在台灣方面積極辦理的。

蓴鱸之思

自從美軍顧問團抵台，即建議在國軍中普遍給食魚。因爲台灣省既有大量的魚產，而魚的營養料又較植物性食物爲豐富。今日台灣士兵，身體強健，面多紅潤，這對於多吃魚類大有關係。但就食味來講，大陸富春江的鰣魚，松江的鱸魚，武昌魚，刀魚，[illegible]台灣所產的魚類，[illegible]溫州也不能及，[illegible]不及香港的味道好。[illegible]這也是使許多大陸來人常有蓴鱸之思的原因之一罷！

寶藏無窮

台灣的漁業是一定有前途的。漁民雖則辛勞，但比之山中的同胞，其勞逸實不能比。漁民只要能多出海，一網下去，有時撈起的魚，可以噸計，其價值較之山中同胞一年的耕種收入，還要超過。台灣省政府最近常在計劃，使山地同胞移居平地，如果能將其再移到海岸從事漁業，這對於其生活的改進，更可有一新頁了。台灣四面皆海，海對於台灣，真是最大的寶藏，取之不盡，用之不竭也。

莫斯科和平攻勢裏因 中蘇尚無力支持大戰

（本報特稿）周恩來朝俄二週來，具體的乞援內容雖未見透露，但近日各方面迹象中，顯示中共及蘇俄首腦，檢討全部實力的結果，已確認目前尚無力應付大戰，故決定在東西兩方，發動大規模的和平攻勢，集中全力來充實備戰的潛力。

現代戰爭關鍵決於軍需工業

現代化的戰爭，乃國力的總決賽，戰爭勝敗的主要關鍵，與其說決於戰爭，毋寧說決於工廠。根據現代戰爭的需要，直接支持戰爭的工業，除目前有特別決定性的原子武器工業外，主要的為飛機製造工業，輪船製造工業，汽車製造工業，此三者乃發展現代化空軍，海軍及陸軍的基本條件，而此三項工業又必須以鋼、石油、電力、化工等工業為基礎。中共現有的工業基礎距離原子工業既極遙遠，即飛機輪船及汽車工業亦俱付缺如，如以工業先進國水準來衡量中共，可以說毫無戰爭工業之可言。

這一脆弱的基礎，由於抗戰勝利後蘇俄的趁火打劫，到一九四九年止，重工業方面如鋼鐵生產約較戰前減少百分之八十至九十，煤炭減少百分之六十，因此近三年來中共雖悉索敝賦，從全國搜刮了近一百五十億美元的民脂民膏，其中投入鋼鐵煤電及鐵路的總額，不下三十億美元。但根據中共誇大性的宣傳，一般重工業仍只能恢復一九四三年的水準，談不上有新的發展與成就。

中共現有實力不足應付大戰

一九四三年大陸重要工業生產，究竟有多少實力呢？據一九四七年五月廿七日翁文灝在參政會的報告：鋼：一百二十萬噸，生鐵：一百九十一萬五千噸，煤：五千二百六十四萬七千噸，電力：二十五億度，酸類：三十萬噸，紗錠：五百萬枚，鐵路：三萬公里，石油：三十三萬噸，這一產量，較一八六〇年美國的產量還要低落，全部總產值，約為十六億美元，以之作為大陸工業化基礎，尚嫌不足，欲用以支持大戰，事實上絕無可能。

上述的重工業基礎，百分之八十以上集中於東北，據一九五〇年三月十三日，高崗在「中共東北區第一次代表會議」上的報告，以一九四三年為例，東北煤產佔全國總產量百分之四十九，生鐵佔百分之八十七，鋼材佔百分之九十三，電力佔百分之七十八，鐵路佔百分之四十二，而東北工業的動力，三分之一以上係靠鴨綠江水豐電廠供還，水豐被炸以後，東北三分之一的工業即陷入癱瘓狀態，如果一旦聯軍全面進攻東北，則中共所倚靠的工業基礎，更將盡成灰燼，這一基本形勢，迫使中共不敢冒然掀動大戰。

蘇俄計劃產量僅及美國之半

至於蘇俄的工業，在戰後由於從東德及東歐各附庸國，掠奪了將近二百億美元的設備及物資，確有很大的進展。據「紐約時報」最近列舉的統計，共生鐵一九四〇年為一千五百萬公噸，一九五〇年增為一千九百五十萬公噸，一九五一年增為二千二百萬公噸。鋼鐵一九四〇年為一千八百三十萬公噸，一九五〇年增為二千七百五十萬公噸，一九五一年再增為三千一百四十萬公噸。煤炭一九四〇年為一億六千六百萬公噸，一九五〇為二億六千四百萬公噸，一九五一年為二億八千五百十萬公噸。石油：一九四〇年為三千一百萬公噸，一九五〇年為三千七百五十萬公噸，一九五一年為四千二百萬公噸。電力一九四〇年為四百八十三億瓩時，一九五〇年為九百零三億瓩時，一九五一年為一千零二十七億瓩時，但這一生產數字尚不足一九五一年美國產量之半。

這次蘇俄在莫斯科會議中間所宣佈的新五年計劃，其一九五五年生鐵生產目標為三千七百七十萬公噸，而美國一九五一年的實際生產量則為七千零四十萬噸，鋼的生產目標為四千九百二十萬噸，美國一九五一年產量為一億零五百萬噸。石油一九五五年的生產目標為七千六百三十四萬噸，美國一九五一年產量為三億三千八百二十五萬噸。煤炭、一九五五年目標為四億一千五百二十五萬噸，美國一九五一年為五億七千五百三十萬噸，電力一九五五年目標為一千六百二十五基羅瓦特，美國一九五一年為四千三百二十三億基羅瓦特。因此即使蘇聯的新五年計劃全部完成，其軍事工業的基礎仍僅合美國一九五一年水準二分之一。

鬥力無法操勝 圖走左道旁門

因此，無論就中共及蘇俄的軍需基礎而言，目前均無支持大戰的把握。從共產軸心的總戰略而言，與其冒險發動一無把握的戰爭，不如靜候時機，尋虛避實。因此，蘇俄於檢討全盤實力之餘，乃決定利用本月最末一週在北平召開的所謂「亞洲及太平洋區域和平會議」，來斡旋結束韓戰，另一方面透過「世界和平理事會」，於十二月初旬舉行一世界性的「和平會議」。同時在鐵幕內發動一新的仇美運動。前者的目的，在分化各民主國家的團結，弛緩西方備戰的努力，後者的目的，則在提高共產國家對美國同仇敵愾之心，以便加緊壓搾國內的勞工大衆，用更高的速度來推行擴軍備戰的陰謀。從這一角度來觀察劉寧一所發出：「亞洲和平會議將努力在公平合理基礎上和平解決朝鮮問題」的廣播，及法共居里所喊用召開世界和會的呼籲，其用意所在，業已昭然若揭矣。（魯之）

這樣大的鼻子專家

一竅不通只會吹牛 毛病百出工人鄙視

中共號召「學習先進經驗」，請了許多俄國「專家」來，並用大米大豆換了好些「先進工具」，分發到各礦去。但是這些「專家」水準實在不夠，手腳又笨又粗，頭腦又不靈活，而架子卻挺大，享受又特別優厚，於是無分南北，工人們「提起老毛子，一肚子的氣。」東北工人罵「大鼻子，不是東西。」上海工人罵「羅宋癟三，那有好人。」

工人心裏不高興，於是對「先進經驗」都很鄙視，對「先進工具」都不願使用。共黨各工礦裏的政委書記，化了九牛二虎之力，強着工人去「學」，去「用」，仍然困難萬分。

先進經驗 鍋崩電停

石景山發電廠，有個老工人出身的副廠長王文斌，在這裏幹了三十一年，技術好，經驗多，他就最討厭老毛子，因為老毛子「專家」來廠後，到處察看了二個月光景，才擬出了增產節約計劃，計劃中說：「這電廠的機器都是英美帝國主義的，老朽了，增產已不可能，現在祇有節約一途可循，而節約之法，唯改燒低值煤。」這個計劃把王文斌弄得又氣又好笑，他說：「這個辦法那個不知，要是這個鍋爐可以燒低值煤，那三十年前早已採用了，何必還花這許多錢請「專家」，但是共幹書記唯蘇俄「專家」之命是聽，強脅要執行這個計劃，王文斌就說：「要燒低值煤，只有二個辦法，一是就請這位老大哥「專家」來燒，二是改裝「燒低值煤的鍋爐。」於是共幹試說他頑固，思想保守，並把燒低值煤的節約利益算給他聽，要他為「人民節約」，最後警告他，如再不採用「專家」計劃，只有開會鬥爭，王文斌沒法，祇好接受，可是一用低值煤，老是燒不起磅，發電量大為減低，影響了整個礦場的生產，而且燒時容易結爐，常常滅火，這樣一連半個月，鍋爐就崩了個大口，出了毛病，非大修不堪再用。

高削專家 當堂出醜

還有天津的機器廠，今春請了一位「高速削切專家」來，當地動員了全市工人去歡迎，這位大鼻子「專家」大模大樣的發表演說，說「中國鋼鐵削切法是學的落後的英美帝國主義的，如學習了先進的蘇聯的高速度削切法（是他自己發明的），則可加速到二倍以上，」他說英美等國現在最高的削切法是每分鐘六百五十，而他的方法可以達到一千八百五十。歡迎的工人中對它這話表示懷疑，提意見要「專家」親自表演，後經決定日期，再動員了全市工人到最大的廠裏參觀，可是表現的結果，每分鐘只有四百六十，連「美帝」的每分鐘六百五十都不到，較之熟練的中國工人，猶差，於是工人嘩然，嗤笑聲四起，「專家」當堂出醜，很快就回「祖國」去了。

俄式工具 沒人願用

井陘煤礦也是一樣，工人們討厭「先進」方法和「俄式工具」。上面發下「蘇聯」風鎬，風鑽都被擱在倉庫裏，「俄國專家」來裝設的絞纜機器循環，由於設計不良，纜常出事故。修半天，工礦原有一架風機，已經用了二十五年，每分鐘只開二百二十四轉，蘇俄「專家」一來，說這架機器照馬力推算，每分鐘該開到三百二十五轉，但是工人們反對，理由是：「過去德國人，日本人也這樣開，現在機器還舊了，我們怎敢再開快些。」於是這些工人犯了「思想問題」的錯誤，盲目崇拜法西斯，而忽視了「先進經驗」。結果當然照「專家」意見辦，開足四百五十匹馬力，但不到兩天，打了，井下空氣不足，風機不轉了，全礦不能落井，停止工作。待修好了，已浪費了半個月的時間，於是八月二十三日的人民日報說：「井陘煤礦已在今年上半年沒有完成上級規定的新法採煤的生產任務，這是嚴重損失」。

工人們親眼看見了這樣的「社會主義」國家的「專家」，連對史太林都瞧不起了，所以現在共幹要工人學「先進經驗」，工人就說：「叫大老哥來當堂試過才信」。這情形反映上去，中共中央反責怪到幹部身上，說他們自己不先「研究蘇聯先進技術」，「先進經驗」，「單純的命令主義怎樣推動得了。」於是要共幹「先下苦工，再創模範」，然後帶頭推動。共幹們自然不肯學工人，於是只有挑選工人成共幹，再讓他苦練，成為「英雄」。　・華・

愈幫愈糟 損失重大

俄國專家們來幫中共的忙，可是愈幫愈糟，損失重大，而

中共區內一場大風雹 等於損失飛機千餘架

大陸上最近連續發生嚴重的風雹災。依據中共華北報紙透露的不完整統計，已有二百五十萬畝的農作物遭受風雹摧毀，刻正發動農民急起整理遇災田地並施行補種中。但以季候關係，播種時間已過，本年下季收穫已無望。按照每畝農田平均生產量八百四十斤米計算，共合為四億二千萬斤，按一般牌價每斤一千元計算，共合為二十一萬億元。如再按照中共對一切財富慣用飛機大砲為計算的標準計算，則此項損失數字，實等於損失了一千四百架戰鬥機（中共獻機獻砲標準價為戰鬥機十五億元一架，大砲九億一門）又等於損光了二萬三千三百三十三門大砲。

中共的「整黨」問題

王干一

中共最近動態的特徵，是在慌張地整頓內部，從「整黨」開始，調整政權機構，一直到「整司法」，「整特務」乃至「整財經五員」，忙個不了。而其中以「整黨」為最重要的工作，因為中共黨的組織太不像話了。故共黨說的：「三反」後大大的提高了各級幹部的積極性和工作效率，完全是共黨「總結八股」的傳宣語，否則，「三反」後何以又要大整特整呢。

關於「整黨」的問題，主要是在「三反」後，殺了和關了大批幹部，各地各級感到了人手缺乏，情緒低落，弄得工作無法開展，據人民日報說：「有許多幹部因此縮手縮腳。」被懲怕了，「什麼事都不敢沾手，存着「多一事不如少一事」的心理。有的則覺得「一切還是敷衍為上」，「能推即推」「可拖則拖」，各機關都是上級怕下級，下級又怕上級，「大家都無信心」，怕「錯了彼此給人抓着攻擊」，於是好都機關弄得「六神無主」，「沒有一個人敢負責」。但這現象，說來尚是屬於好的，還有更壞的，是「好人懸掉了」，「壞人當了家」，弄得比「三反」前更糟，因為幹共黨的有一訣巧，即是「看風駛舵」，「中央」一有決定，則跟着嚷，並首先「坦白」，「歷數錯誤」「痛哭流涕」，然後反過來抓住「倒霉鬼」，「打落水狗」，一直攻擊到他無法抬頭，俯首就縛，充軍去了，使他永無反撲之日。這「運動」犧牲了人家，就成全了自己，等「運動」一「總結」，則自己非唯無過，反而「有功」，不是「提升」，就是成了「英雄」。又可大搖大擺，為非作歹了。凡老於幹共黨的，類都慣為這種手法。這情形蘇俄共黨也是一樣，所以史大林早在十二年前就說：「共產黨人像豬玀似的闖進國家的菜園，大吃大嚼。」因為他曉得這是「家裏的事情」，老實說，史大林毛澤東今天的地位，事實上也是用這種手法爬上來的，「捕快賊出身」，雖懂得訣巧，只好開一眼，閉一眼，於是「三反」後情況愈糟，愈需要繼續「整」了。

一般人對共黨有一錯覺，是以為它組織嚴密，紀律厲害，實際上則根本不是這樣。九月二日南方日報載「關於整黨建黨工作的報告」中，有謂：「三反」後，「遺留的問題還相當多」，主要是：

在組織上：

一、黨內發生不少失掉關係，動搖脫黨的份子，恢復黨籍又不嚴肅，問題更加複什。

二、在交代關係中，都不交代黨員歷史。

三、「三反」中對黨內八類壞份子，迄未審查處理。

四、入黨手續不清，黨齡計算不明。

五、「三反」中一些黨紀處分問題，沒有處理。

在思想上：

一、由於發展黨的「拉伕」「湊數」和缺乏黨內政治思想教育，不少黨員對共產主義和共產黨認識模糊，不能起作用。

二、黨員的思想中，充滿着地方主義，盲目宗派情緒，鬧無原則糾紛，鬧不團結，不顧過組織生活。不安心工作。

共產黨組織的實際內容如此，在它沒有奪得政權時，因為它祕密，局外人不知，奪得了政權，一切壞事全由他們的布爾雪維克做盡了，腐臭醜惡已無法掩蓋，於是很少人願意再加入它們的爛黨。因此他們在「整黨」同時，不得不又號召以發展「新黨員」為首要任務了。這樣循環顛倒，「發展」中又變成了「拉伕」「湊數」，據八月廿日長江日報稱，有許多機關黨員一接到這發展黨員的任務，就趕緊往廚房裏跑，拉了炊事員（伙夫），就要他填表，原因是炊事員階級成份好，思想單純，一向很羨慕當幹部的共產黨員的生活和權利。發展這樣的黨員不會有問題，只搶不得這類角色，又交了任務，只好隨便找一個，填好了表，他在旁邊註的意見是「發展可以，不發展也好。」意思是請上級審查，他概不負責。有的忙了一個多月：「跟對象接近，對象不是駭怕就是太客氣，要他參加黨，都連說『不夠格，不夠格』，使人插不上嘴。有的則說：『你們條件太高，像我這樣實在不配。』拒人于千里之外」。

中共本身早就腐朽的，因為大家不察，上了它的大當，現在呢？大陸上的人民，雖在它的殘酷統治之下，但卻敢於睡棄它，不理它，使它的黨，單純成為一統治的東西，孤立起來了。

平均主義

共黨實行八級工資制，工人都反對，有的講一律拉平，才合理，有的說：每人加十多萬，才算解決問題。要加大家加，要減大家減，只有加工業的，五級，八級，怎樣輕工業不重要，叫吵吵嚷嚷，牢騷滿腹，九月三日南方日報即大發脾氣，說這些工人都是平均主義思想錯誤。

變戲法的江湖術士

為方

偶然在一本刊物上，看到一個原係投靠國民黨起家，數投黨政要職後，見着中共佔據了大陸，即自命「起義」，宣言「擁護毛主席」的人，因爲「靠」而未「攏」，抑鬱而隅，不甘寂寞，竟對「國民黨的朋友」寫「公開信」，嘵舌不休，有臉儼然又是第三方面的民主人士氣概了，好一副典型的變臉嘴臉，我不禁爲之「遍身蟻」！

國民黨執政廿餘年，乃有神州陸沉之禍，固然應該要挨罵的。可是，今日有資格罵國民黨的人，首先是一般馴良的民衆，其次是歷來在野的各黨派人士，再其次，像我們這些門神式的國民黨員，也有理由發發牢騷。

惟有那種素以善變投機來欺世盜名的無人格者，絕對沒有這項資格。如某某者，由正統的國民黨官，一變而爲中共尾巴的所謂「民革」幹部，再變而爲公開宣言效忠共黨的「民主人士」，三變而假「民革」登報警告，指爲在海外妄發反動言論，四變而又來對「國民黨的朋友」寫公開信。不管他所說的對不對，根本就是恬不知恥，何足道哉！

章士釗投共之後，大呼「居然吾郡成豐沛」，柳亞子在北平高吟「落魄書生戴二天」，已够丟盡智識份子的顏面了。然他們尚未到海外來又向着「台灣國民黨的朋友們」七咀八舌，妄論是非，多少有點羞惡之心，究竟視某某略勝一籌哩！

自由談

治淮

黃汎

陰霾的天看來是又快下雨了，民工大隊長發出了號令；限令入夜前必須趕築完成這「一四八」段堤壩的打樁工程。一羣羣的民工浸在水裏，冷冽的河水，凍得他們直抖，有時候抵不住一陣浪花的襲擊，連人帶木，冲去了有幾十丈遠，又得掙扎着泅運回來……在兩岸，挖泥的，抬土的，推車的，一羣一羣都手不停勵，脚不停步的工作着，每個人肚裏飢腸如轆，身體勞乏欲死，然而這主宰已不是屬於他們自己的身心，痛楚只有熬忍在自己肚裏：：原野是一片死寂，只有那河兩岸的搠土聲，打樁聲，以及那唧！唧！唧小木車的尖銳叫聲，表明這世界仍還是屬於人的。

工作完畢了，民工都回到營地休息。那是許多蘆葦搭成的棚廠；一號，二號，三號……綿亘有百餘里，一通是幾百號棚。晚飯後，接着是各棚開「學習會」，還對於民工無異是一件非常苛重的刑罰，一小時的「學習」完畢，已是石頹山倒，誰也支持不住了，而老天卻不作美，偏偏疎疎的下起雨來。

「嗔：：今年的秋汛，看怎麼得過！」不知那座棚的屋隅裏發出了這樣的嘆息。

雨一直沒有停過，到了東方破曉，竟然愈落愈大了，棚裏是一片湫溢。

「犟！犟！」隊長的哨子已在催促，于是一羣羣的，都在雨水滂沱中出現，擁擠成一片。河水漲了一尺多高，有些沒有完成的土工，早已給水冲得無影無蹤，有什麼話說，勞苦與他們是分離不開的，只有做，不做就連這兩頓粗飯也撈不到吃。

近月來，民工間頗流行着一種關於水庫的傳唱，天一下雨，又有許多人談論到這件事：

「×他媽媽的，如果這樣的雨，不停的下個幾天，我看那水庫的堤壩，遲早有點盡不住！」年紀比較大的吳阿生，用手擰乾襟前的雨水，打破沉寂的空氣說。

「×媽媽！還不是給他們撈了去，×媽一條堤壩搜得像破簾一樣，水一漲，如果不爆了才有鬼！」小伙子何小旺邊揮動鋤，邊回說，說將腰骨舒了舒，用手揮去臉上的雨水。

「×媽，說什麼共產黨不會沔，牛皮！共產黨撈起來比什麼人都兇，阿生哥！你看可是說？」陳全士也插進來。

於是幾個人就吱吱喳喳說作一堆，這時有幾付担架抬過去，近傍人都不禁停了工注視。

「誰？」

「打樁的。」

「倒了幾個？」何小旺搶着問，還想奔過去看看。

「呆着幹嗎？還不快做！」小組長走了過來，大家就忙不迭的散開去俯身工作，雨水就從他們身上一直流到土裏。大隊長也騎着馬奔了過來，泥水直濺到民工的身上，小組長連忙立正敬禮，來一個俄式的禮節。

×　×　×

雨是不停的又下了兩天。這夜，葦棚裏早都鼾聲四起，大地漆黑一片，只有崗亭裏射出的幾支淡黃燈光，像幽靈般遊移不定，雨水直落在葦棚上，發出洛洛的響聲，而這響聲是愈來愈響了。

轟！轟！原始的山洪終於爆發了，兩個水庫的堤壩，開始崩塌，洪水創創的冲瀉了下來，彷彿萬馬奔騰似的，蘆葦棚裏雖然有過一陣喧嚷，但立刻就被水吞噬淹沒了下去，而什麼委員，工程師，總隊長，大隊長，小組長以及大隊長的馬，也都隨着洪波旋迴，洶湧，滔滔而去，遠了，遠了……。

大地一片汪洋，僅有幾隻寒鴉驚惶地掠過水面，呀呀的找尋歸宿。

第二天，「北京」的廣播：仍然發出這樣的廣播：

「蘇北治淮的工程，在我共產黨英明的領導，已如期勝利完成第二階段的工程，不久即將展開第三階段的治淮防洪鬥爭……」。

萬竹樓隨筆

關於「茶花女」劇本

·舜生·

大概在民國四五年我在上海讀書的時候，便看見毛韻珂在天蟾舞台演『茶花女』。其時中國的話劇還沒有脫離『文明戲』的時代，毛等所演出者，大致係就林琴南所譯『茶花女遺事』小說所改編，其時他們或者還不知道小仲馬原有一個『茶花女』的劇本哩。

眞正把小仲馬『茶花女』劇本搬上中國舞台，這是民國二十四年的事。最初把這個劇本譯成中文的是劉半儂（復），因爲有不少的錯誤，所以後來『中國旅行劇團』上演的時候，却用的是陳綿的譯本。

林琴南譯的『茶花女遺事』，出版於光緒二十五年，（1899）隔原著的出版，也已經有半個世紀了。原著出版於(1848)林琴南譯這部小說，不僅開了中國翻譯西洋小說的風氣，後來林先生以二十年的時間，譯出外國的小說一百七十餘部，也算是由最初這部『茶花女遺事』打出來的天下。儘管有人批評林譯小說與原文不盡脗合，但『茶花女遺事』在中國文學界生了不小的影響，却是不容否認的事實。

『茶花女』劇本出版於一八五二年，算是小仲馬二十幾個劇本中最成功的一個，陳綿先生的譯本儘管出版於八十多年以後，可是一經上演，却依然是風動一時。就我當時在上海看旅行劇團的演出，飾茶花女的是唐若菁，飾阿芒的是陶金，後來在電影話劇界有名的人物如白楊，趙慧深，唐槐秋之流，好像都是參加的。我連續的看了兩次，不敢說他們在演出的技術上是怎樣成功，但觀衆却是滿座；在三五兩幕中，感動得流淚的，確也不少。

像茶花女這樣一個故事，何以能使中國看小說和戲劇的人都非常感動呢？這得是不難了解的：大凡一種外來文學，能與其本國固有的文學遺產多少發生關聯，則理解與感應都比較的能夠深入，反是，便不能無所隔膜。在中國流傳最廣的故事和戲劇，如『玉堂春』，『花魁女』，『杜十娘』……之類，其性格與處境，乃至所以構成戲劇的種種因素，都與茶花女不無相似之點，茶花女所以能在中國人的情感上一拍即合，夫豈偶然？中國人應該一面要好好吸收新知，一面也要好好的寶愛着自己固有的遺產，不論在任何方面，我們的態度總是與共產黨相反，即文學也不是例外。

茶花女小說與茶花女戲劇，在內容上是有多少不同的。在小說上，阿芒不及見茶花女之死，所以一開始，便用倒裝法寫阿芒爲茶花女改葬，但戲劇則茶花女却是在阿芒的懷中死去的。在戲劇上又穿插上居司打夫和尼曬脫兩個成功的幸運兒，給阿芒與馬格里特作一對照，這也是小說所無，正與『花月痕』以韓荷生杜采秋與韋癡珠劉秋痕作一對比是同樣手法。要把一個悲劇的氣氛特別加重，文人們在構思上往往是相通的。（一二八）

亂彈齋詞話

馬五先生

風光好

序曰：不久以前，曾有人向聯合國建議，請各國紳士式的代表先生們，舉行一次裸體運動，說是有裨益於世界和平。最近又有美英法德荷瑞士等十三國的裸體會代表，在瑞士紐沙泰爾地方集會，決議成立「裸體國際」的組織，推定英國日光浴協會主席里柯克，法國蓝遮協會代表桑頓夫人，德國漢堡裸體會主席葩徹特勒三人，起草「裸體聯盟規則」，準備明年在法國波多爾地方正式開大會，宣告成立。以裸體求和平，可謂原子時代之新發明，因而搞出政治性的國際組織來，更覺妙不可言了！將來「裸體國際」正式成立後，若干熱帶和亞熱帶士人，應爲當然常任理事無疑也。邈此「裸體國際」與「共產國際」相抗衡，這邊廂原形畢露，纖悉無隱，那邊廂鐵幕緊垂，密不透風，確爲人類和平生活之一大諷刺呢！

你無遮，我無遮，一笑相逢坦白些，思無邪。聯盟裸體兒戲？祥和氣。四海從茲慶一家，喜傞傞！

又

愛和平，爲和平，裸體光身且忘形，示天眞。高張鐵幕胡爲者？陰謀也！「國際」雙雙相抗衡，看誰能？

衛大法師

肺病的治療

香港工商日報於一九五二年八月十九日，有左列一段記載：

『本港發現之肺癆病，於一星期而竟達四百宗之多。此一週爲去（七）月二十七日至本月二日。查本年首七月發現之肺癆症，平均每週不及三百宗。據官方統計，截止本月二日止，本年內共發現肺癆症八二四一宗，致命者二一九七人，肺癆病者之死亡率甚高，患者四人中死一人有奇』。

本大法師看了上文，本我佛慈悲之心，而將肺病治療的方法宣布：

肺病的治療方法很簡單，即每日每頓吃大蒜兩瓣，共吃滿一百天爲止，中間不能間斷一頓。

理由，是肺病由於有一種植物細菌，附在人的肺上吃肺，把肺吃了大半，人就死了。這種細菌外面有一個膠質的皮，遇驚將頭縮入囊中，普通藥力殺不死牠；如藥力太大，人也吃不消。大蒜的力量也殺不死這細菌的；大蒜是殺生殖細菌，人吃了大蒜，人的血液中有了這大蒜成份，由肺中流出流入，肺病細菌吃了有大蒜質的血液，就不再生牠的兒子了，肺病細菌的壽命祗有九十天，是以說人要吃大蒜一百天；這樣，老細菌死了，小細菌未生下，肺病自然就好了。如果在吃大蒜的一百天以內，有一頓忘記吃大蒜，肺病細菌又生了兒子，就要從頭起再吃一百天大蒜纔有效。

大蒜氣味太大，一般人不願意吃。但是不必吃生大蒜，炒在菜中或入湯中均可。最多每頓不得超過兩股都，如太多了對於血液有損。況且對於得肺病者四人中要死去一人，生命要緊？還是大蒜的氣味要緊？熟大蒜就無氣味，吃了大蒜吃一杯綠茶就無氣味了。

本大法師對此方法治療好的共計四人，絕對有效，請在港的居民，不妨試試看，大蒜費錢不多，本大法師亦非醫生，自無宣傳牟利之可言也。

純正共黨

捷克的共產黨，舉行清黨運動，輪問到一個吉布賽的老頭：

「你參加共產黨多久？」

「啊，許多年了，委員！」

「你的父親呢？」

「他也是共產黨員，不止他，連我的祖父，我的曾祖母全是的！」

「得啦！」委員懷疑起來：「曾祖母的那個時代，還沒有咱們這個黨吧？」

「唔……那有什麼分別！」吉布賽老頭聳一聳肩膀：「我們不全是偷東西度活麼？」（嘉華譯）

中國之友（十四）

毛以亨

戈登將軍傳（七）

七、戈登在攻蘇州前之戰功

一八六三年四月二日，戈登首次出兵，自松江乘輪攻福山，以二二五〇人，攜砲十二門與淸軍六千人會師。六日敗太平軍于福山，七日以重砲轟常熟，太平軍退，淸兵守常熟者之圍遂解，戈登進陞總兵。四月廿九日戈登以二千八百人往援太倉，時李鶴章爲詐降所給，其軍二千人，已折去一千六百人，僅以四百人守城，太平軍以萬人圍之數重，戈登以重砲轟之，而以水師輪船斷其歸路，敵人始退。五月廿七日乃攻崑山，時太平軍慕王譚紹洸以八千人守之，而淸將程學啓以萬人攻其東門，城小而險，久不得下，戈登乃以輪船游弋，自其西門直至蘇州城下（有謂李鴻章亦在舟中）于距崑山八英里距蘇州十六英里處設伏以斷其歸路。崑山守軍乃無心戀戰奪路而逃，爲官軍及村民擊斃者四千人，降于戈登者二千人。戈登以常勝軍逃卒甚多，時已由三千九百人，減至一千七百人，乃將二千降卒編入常勝軍，並得英軍五百人之助，其軍始定。

戈登以常勝軍久駐松江，風紀之壞積重難返，欲遷地爲良，乃將其大本營移至崑山，常勝軍抗命，不肯遷移，殺一人乃止。以後即以松江爲訓練軍隊儲軍械之後方，而使其副與淸軍友善之梅輝立 Macertuey 負責。惟程學啓以崑山爲彼所攻取，不願讓防，程軍至有槍擊常勝軍之事，幾經調和由程道歉始止，而程氏與戈登之不睦實自此始。戈登內感于常勝軍之難于統率，外懾于淸軍之不易相處，而常勝軍爲防衛租界而設，太平軍之大勢已去，常勝軍之需要已失終必歸于解散故極灰心。而李鴻章軍已擴展至四萬人，配備新式，實與常勝軍相埒，而李又陰掣其肘，阻其擴編，西人又多受李之籠絡。以此已懷去志，曾欲以軍事委梅輝立，惟梅氏告以彼志在効明末教士之供奉朝廷，對軍事毫無野心，而英軍又恐戈登一去，常勝軍將受白齊文之引誘盡入太平軍，則延長戰事殊屬可慮，故不許其去。

蘇州本有居民百萬，太平亂後減至廿五萬，然爲太平軍兵所在，守蘇州者共四萬人，而無錫之二萬人，蘇錫中途之李秀成精銳二萬人尚不在內。攻蘇州者有程學啓之萬人爲主力，常勝軍三千一百人，常安軍三百人，而李鴻章大軍二萬五千人，與英軍二團六千人在其附近者尚不在內。惟程學啓攻婁門屢敗，戈登主張南守太湖口，略吳江震澤附近小城，以輪船巡弋水路斷浙江太平軍來援之路，然輪船至爲太平洋將哈利與忠王養子所劫。故不得手，戈登至告程學啓謂攻蘇州勝敗殊無把握，非另行設法不可。

自由人

THE FREEMAN
（中週刊每星期三六出版）
（第一五八期）
每份港幣壹毫
督印人：李光羣
社址：香港高士打道六十六號
電話：二〇八四八
GLOUCESTER RD.
HONG KONG
TEL: 20848
承印者：東南印務出版社
地址：高士打道六十四號
台灣特派員辦事處
台北市館前街五十號
台灣總經銷處
台北市中華路一二五九號

讀張伯苓遺囑後的一點感想

宣傳工作的優劣，是注定一件事業或一個政府之成功和失敗的基因。有聲的宣傳很容易，然必須有色，若想令人敬佩，却非一項容易的工作。

·雷嘯岑·

昨天在本港出版的「新聞天地」雜志中，刊出一篇前考試院長張伯苓逝世前夕所留下的眞正遺囑，其中寫有一些很殷切地希望後死者好自爲之的話，如「排除私念，努力爲公……不可爭一黨一系之私利」，「在政治上，必須實行法治，保障民權」，「在宣傳上，必須做到有聲有色，令人敬佩」等等，語重心長，言之有物。近十年來，我一直是以「筆耕」謀生活，而常常在所謂「機關報」上寫文字，吃着宣傳飯，對於張先生所說「在宣傳上」這幾句話，特別感覺有深意存焉，値得猛省努力的。因此，我要談談「在宣傳上」的感想，以期不負張先生對「獻身復國運動之志士」的一番希望——雖然我並非「志士」，而只是一個中國的自由人！

有聲必須有色

宣傳原是人類日常生活中的普通工作，無論是開一爿商店，設一所工廠，或者辦一項文化事業，都得從事宣傳。至於主持國計民生的一個政府，更須以宣傳爲首務，現在世界兩極化的冷戰，事實上就是宣傳戰。所以，宣傳工作的優劣，是注定一件事業或一個政府之成功和失敗的基本因素。張先生一生盡瘁於文化事業，因而深諳宣傳關係之重要，臨死還諄諄囑咐國人不要忽視這項從事的大事。

如果想把宣傳工作做到「有聲」的現象，那並不難。納粹德國宣傳部長戈培爾所謂「一句謊話說上一百次就會成爲眞理」的謊言政策，固然可以形成「有聲」的空氣，蘇俄史大林式的鐵幕宣傳，把古往今來世界上一切有益於人類的科學進化諸產物，都說是俄國人首先發明的，也能夠在共產社會中發生「有聲」的效用。等而下之，像現時在中國大陸上的秧歌王朝，對國內人民經常地殺人劫財，而高唱「解放人民」的論調。對國外「一面倒」向異族，甘作附庸，把領土主權隨便奉送給外國，而拚命宣傳「中國人民站起來了」；在韓境喪師糜衆，損失慘重，而大喊「美帝是紙老虎」。這些自吹自擂的宣傳術，同樣地亦可以造成「有聲」的輿論。可是，在科學技術日新月異，交通工具無遠弗屆，通訊方法無孔不入的現代世界中，這種專事說謊的「有聲」宣傳，沒有不被識破，而徒然取得反作用的。有聲一定還要有色，這才不像宣傳的紙燈籠，一下子就被人戳穿了！

有色的條件是甚麼？一句話：不要羌無故實，離題太遠！宣傳某一件事，當然不免有渲染誇大的說法，但所謂渲染誇大却非造謠的意思，更非完全掩蔽事實眞象，而專作欺人之談的玩魔術變戲法一樣。現代的人誰是傻子，笨伯，沒有一點事實，或者完全與事實相反的「車大砲」「講神話」，誰會相信呢？無人相信的宣傳，那只有孤芳自賞，敎自己家裏的兒女們來領略了。這樣的宣傳，方法來開商店，一定是門可羅雀，如其搞政治，設政府，包管會弄到內無歸而外無援的結果，終至垮台而後已。「有色」的宣傳，先要「言之有物」，然後「持之有故」，使社會大衆的觀感，不知不覺地聽着一段宣傳言論或看到一篇宣傳文字就引起共鳴，跟着你的思想路綫走去，才算成功。否則，越宣傳即越招惹大衆的反感，縱然說的錚錚有聲，別人總是掩耳不理！譬如：我們現在宣傳反共眞理，爲的是爭取人類自由生活，保持人類文明自然合理的向上發展。這項宣傳當然是振振有詞，容易動聽的。但，我們必須拿出一些愛護自由尊重民權的事實來印證，才是「有色」的宣傳方法，才能夠激起社會大衆的同情，發生向心力。如其我們一面宣傳反共眞理，一面又變相的襲取共產仁兄對待人民的辦法來作政治行動，那就祗能像戈培爾史大林一流人的宣傳政策，做到「有聲」的境界，決不會「有色」，沒有「色」，又焉能發出光芒呢？

令人敬佩却不容易

有聲又有色的宣傳，比較尙易做到的，若想「令人敬佩」，却不是一項很容易的工作了。就政治性的宣傳來研究，除「言之有物，持之有故」以外，最要緊是一般從事實際政治生活的人，平日必須有「察納雅言」的精神，「不事文過」的氣度，才可以使自己的宣傳見重於時，令人敬佩。人非聖賢，孰能無過？一個掌理國計民生的政府，一切政治行爲，那能說絕無一些錯誤過失之處！發現了錯誤就承認事實，予以改正，乃是政治家的美德，絕對可以博得民衆的同情與尊敬，絲毫無損於其政治信譽的。美國國務院上月曾下令不許拉鐵摩爾出國，說有人報告他將潛赴東歐共產國家去活動。繼而查無實據，馬上正式向拉氏道歉，並且讓報紙宣傳批評這件事，實際上，這對政府毫無損害，反而令人覺得政府當局公正無私，可資信賴尊敬的。由此即可使政府平日宣傳民主自由，實行法治的話，自然有聲有色，獲得人民的敬佩了。憑美國國務院對這件事的處理方法來談，我們自由中國政府現階段的反共宣傳，即應該不諱言過去的錯誤，更應該接受民間的批評乃至於指摘政府過失的言論。事理很顯然，政府過去如果沒有錯誤，今日又何致有神州陸沉之禍呢！假使替「官方」搞宣傳工作的報紙刊物，一味地粉飾太平，或者專門替政府文過飾非，連一點善意的忠告或建設性的批評亦沒有，試問對社會大衆能發生宣傳效力麼？這種宣傳術的對象，就祗是向內看而不是向外瞧的了！宣傳作用而僅是供政府內部少數人士自我陶醉，以自己的主觀作宣傳尺度，不能向外爭取社會大衆的同情共鳴，那是沒法「令人敬佩」的！

張伯苓先生並非搞宣傳的人，他這點臨死的諍言，我不但聞之敬佩，而且深覺慚愧，故不能已言於此。

官僚主義與形式主義

陳克文

社會情形日趨複雜，國家管制範圍日趨擴展，於是政府機構必隨之而增加，各級官吏之數目亦隨之而日多，此乃政治上無可避免之自然現象。專制獨裁的國家如此，民主自由的國家亦復如此。

所謂官吏在民主自由的政治制度之下即出於非由選舉而來的各級官吏，在專制獨裁國家之下即一般與政策之決定無關的普通官員。此等官吏或爲處理日常事務之僚屬，或爲具有專門學識技術之顧問人員。彼等受文官制度之保障，不隨政治領袖之升沉而去留。彼等在行政上具有長時期之實際經驗，在技術上具有專門的學識技能。政治領袖所訂定的政策必須經過彼等之手，然後始能見之實行，政府的活動必須以彼等的活動爲表現。因此政策的實施和政府的活動乃和官吏的行動息息相關，官吏的勢力遂因此而具左右政治的趨勢。此等官吏其任務原在輔助政治領袖行政策爲，我國過去就稱爲幕僚，現代各國多名之爲官僚（Bureaucracies）。

民主政治，政治領袖經過選舉而獲得政權，其政策必須根據選民的意志而訂定，（亦可說其所訂政策已得選民之同意。）獨裁政治，其領袖雖非出於選舉，然亦有其一定的政策，政策是否爲被治者所同意接受則另爲一事。不問政策之何屬，經過官僚之手，其結果，因官僚之行動而改變其原則的，即變成目前爲世所詬病的官僚主義。官僚主義或稱科員政治，或稱官僚作風。官僚政治原爲政治活動之自然現象，其流弊在於因官僚勢力之影響，以至發生政策原則之改變，或效率之低劣，或貪污腐敗之滋生。故所謂官僚主義者亦即指此流弊而言。

官僚政治何以流爲官僚主義？可得而言者，其重要的原因有四：

第一，政治領袖因受定期選舉的影響，不得不隨時注意國內外之情勢變遷與選民意志之向背，其政策和行動必須遵守一定原則，其所許諾必須努力求其兌現。獨裁政治的領袖雖無須顧慮選舉，但爲維持政權計亦必須力求政策之貫徹。官僚則不然，彼等出於任命，受文官條例的保障，若非違反法紀，無虞撤職或受其他處分。負責態度顯有不同。其次，官僚日常執行份內事務，與外間接觸之範圍有限，自不易明瞭整個政治局勢與政策之實際影響。第三，官僚政治命令由上而下，責任則由下而上。因此潔身自愛者往往感覺人微言輕，凡事或得過且過，其奸詐狡黠者則不免擅作威福，或上下其手，從中漁利。第四，官僚政治的運用，不能不有賴於法律規章與成規傳統。法律規章乃國定的死板形式，當其制訂之初雖不至違反國策——切合事實。但社會情勢日日變遷，世界潮流不斷演進。官僚謹守死板的形式與過時的傳統以處理事務，其結果自不能與社會情勢相適應。此即形式主義之所以產生。改變規章，破除傳統，以求適應現實，此非官僚責任所在，亦非官僚能力所及，因此官僚主義遂成爲現代政治的普遍病象。

官僚主義和形式主義，現在已不僅是民主主義國家的普遍政治病象，同時共產主義的國家也害着同樣的毛病。而且共產國家的病情還要來得更嚴重。美國整肅吏治運動已成爲目前兩黨競選中的政爭題目，中共則利用所謂「三反」「五反」的口號以大事屠殺。中共的屠殺雖另有其陰謀目的，但『三反』『五反』中可以顯示共政治上官僚主義與形式主義之嚴重病情實屬顯而易見。

國民政府過去在大陸上已經因此吃虧不少；整個大陸的失陷也不能不說與此有關。遷台灣後力求改革，一切都有了新氣象，各種進步已爲世人所共見。不過現在要團結一切民主自由力量，反攻大陸，完成反共抗俄的任務。三年來的改革和進步自然還是不夠。並且世界是不斷改變的，政治也是不斷進步的。政治從沒有一勞永逸的『解決』之可言。曾國藩以求缺二字作處世治事的指導原則，其實世界永遠是缺的，社會也永遠是缺的，政治更永遠是缺的。缺是常態，完全祗是一種理想，從常缺以不斷追求完全乃政治的眞正任務。自滿自足實爲政治上的最大危機。抗戰勝利之初，上下心理均以爲從此可以安享太平了，此實爲轉瞬即來之嚴重危機所在。故吾人指出今日台灣進步之不足，並沒有抹煞三年來努力改革之意。吾人更可因此坦率直陳今日之台灣仍不免存在着若干官僚主義與形式主義。這不但海外關心台灣人士有此感覺，即許多身臨台灣的也未嘗不有此感覺。

主義，官僚主義由來已久，中外皆然。歷史上澄清吏治運動，亦幾與行政史同其悠久。共產國家的清黨整肅，如今日中共『三反』『五反』之所爲，固屬徒然。民主國家通常所使用的原則，如提高服務精神，改善待遇，嚴明賞罰，愼重升遷，健全文官制度，實施法治，實行分層負責等，雖足以言採步驟，正本清源，吾人應知：政治基礎建立於獨裁專制制度之上者，其官僚主義與形式主義必較民主自由制度下爲甚。換言之，政治愈開明，愈平等，吏治亦愈趨整飭。故居今而言吏治，必須求之於民主政治，民意能夠和輿論之監督發生勁力。輿論實爲民主政治之兩輪，『大車無輪』，眞不知其可也。英國下院議員，經常與其選區選民保持密切接觸，不斷收受選民怨憤不平的函電。議員任務不僅在議會中討論國家大政，從事投票，尤必須代表選民宣洩其憤怨不平之氣。小事，議員去函主管機關要求改善或解釋。大事，隨時提出議會質詢，要求政府改革行政措施，革新法令規章。至於言論機關，賦有言論自由，隨時刊載人民指摘政府之意見，著爲言論，嚴加督促，更無論矣。必如此然後上下意見交通，情勢明了，政策之釐訂不至於閉門造車，法律規章不至於與實際脫節而不容。英國文官制度比較健全，行政效率比較提高，其最大之原因實在於此。其他民主國家，吏治之臨窳，效率之高下，亦皆以此一原則之實行如何以爲轉移。

半週展望

·左生·

日本加入聯合國問題

因爲日本將正式申請加入聯合國，馬立克又得了一個在聯合國吵鬧一番的機會。

據一般的看法，蘇聯可能使用否決權以排斥日本，即馬立克也早已發出這種公開的要挾，可是在事實上却并不如此簡單。至少蘇聯在此時還沒有採取立即以武力侵略日本的決策，她總覺得她還有無數懸殊日本的手段可以使用，即日本也未嘗不想找出一條和緩蘇聯的途徑，其實呢？却是彼此心照不宣：蘇聯決不會放棄給予日本一個致命打擊的決心，日本也斷乎不會有誠意的把蘇聯看成朋友，不過在現階段却彼此都還有裝出一副虛僞面孔的必要，於是乎你以僞來，我以僞應，各有打算，各顯神通，他們在目前所迫切需要的，只是彼此在一副虛僞面孔的掩護之下，分途的去各幹各的好事。昨天，前自由黨的主席鳩山一郎，便表示願意結束對蘇聯的作戰狀態，他並且舉出三條可循的途徑：一、經由外國向蘇聯表示；二、日本直接向莫斯科接觸；三、准許蘇聯在東京設立一個貿易代表團。當然，在日本重整武裝未達到一定的階段以前，在蘇聯侵略日本還不會達到明目張膽的程度以前，日本之不能不作出這樣一個姿態，我們是不難了解的。斯大林今年會向日本人民發出一個賀年的電報，這也正與在火車站把松岡洋右擁抱一番是異曲同工，以肉麻當有趣，共產黨的作風本來就是這樣一回事。可是，自日本與各民主國家訂立和約以來，又與美國訂立了一個安全協定，斯大林就算發揮了他最高的忍耐；他其所以要這樣做，正是十足表示他對於如何爭取日本，對付日本這一問題，確沒有一日去懷。

據我看，像鳩山這樣一種表示，斯大林是可能點頭的，因爲在不因日本問題而立即爆發大戰的這一原則之下，斯大林可能覺得即照鳩山這樣一套辦法，依然大有利於蘇聯的對日佈置。可是，對於一個抱有組閣希望的鳩山，我却不能不期待其特別留心：希望在今天成立一個日本蘇聯間的變通和約，其可能引起國際的反響爲何如？日本還有幾十萬的俘虜留在蘇聯，鳩山是否認爲可以置之不議不論之列？關於千島羣島與南庫頁島的割讓，鳩山是否準備於對蘇和約中，明白加以承認？日蘇一復交，東京即可能變爲美蘇兩國的冷戰角逐之場，日本處此兩姑之間，是否能有妥善應付的把握？給予蘇聯一個在日大事活動的合法地位，對於日共勢力的助長，將會發生何等的影響？凡此種種，不都是値得有一番明白的打算嗎？

據我看，日本是否加入聯合國，在蘇聯視之並不是怎樣一個了不起的問題，但她不能不於事前表示一個拒絕的態度者，只是表示她確有這樣一個可能，無非要向日本爭取一個適當的代價，一旦條件講好，或日本不拒絕在對蘇有利的條件之下來開始談判日蘇關係的調整，我想蘇聯對日本之加入聯合國，是沒有加以峻拒之必要的。

民主國家只有一個聯合國，蘇聯却有兩個聯合國，你們的聯合國他可以來，他的聯合國你們却絕對不能去，看來這樣一個不愉快的關係，一直要延長到大戰眞果爆發的一天，這也眞是當前最令人頭痛的問題之一啊！

芳澤遲遲其來

中日兩方大使人選的確定，已經經過相當的時間了，可是芳澤依然遲遲其來，大致總是因爲年齡太高，决不是因爲架子太大。我們的董大使，好像等得不耐煩了，居然有了月內赴日履新的一種表示，據說提前赴日的惟一理由，便是要趕在雙十節在東京舉行一個盛大的紀念，當然，在中日復交後舉行第一次的盛大紀念，不有第一任大使親臨主持，那還成話嗎？我想，除河田緒方之類的人不會不到以外，即吉田首相總也不會又送一張名片了事吧？乃至就是芳澤先生，在喝了一杯雙十節的酒以後，總也應該命駕首途了吧？

學生集訓　社會節約

軍訓大學生　個個引爲榮

台北航訊

今年暑假中，台灣教育界有兩大盛事。一爲中等以上學校學生組成軍中服務隊，赴各部隊中服務。此事去年本已舉辦，惟今年規模增大，效果增高，學子士兵，誠已打成一片。又一爲專科以上學校今暑屆畢業學生集中鳳山受預備軍官教育一年，事屬創舉，意義深長。政府在辦理之前，幾經研究，始決定用集中訓練方式，並採取預備軍官教育內容，以免蹈昔日在大陸上所辦學校軍訓不切實際之覆轍。暑假以前，値陸軍軍官學校舉行校慶，先邀請各校校長暨學生代表到校參觀，使其具有良好印象。迨集訓命令頒佈，各校畢業生均熱烈服從，人人以獲有受訓機會爲榮。上週台北區學生集中下，在車站上所表現之情緒，使人無限興奮。惟今年全台專科以上學校畢業生人數只共一三一七人，尚須除去女生一五九人。因以爲日後多分儲備預備軍官擴大軍訓效果計，各方面咸盼能增設專科以上學校單位與班次，並速今日之嚴重失學問題，兼獲解決。蓋今暑全台高中畢業生有六五四〇人，而現有之專科以上學校，最大可能只能招收新生二六五〇人也。

出洋中學生　費用有花樣

在學生軍中服役，集中軍訓時期，台灣現正有若干家長，爲其子女赴美國求學忙碌。兩月以前，教育部曾舉行高中畢業生赴美留學考試，應考資格爲須在美國任何大學已獲得入學許可證件及在校四年之全部獎學金。此項辦法自民國三十八年起即已實行，數年以來，出國者已不在少數。據深知內幕者言，所謂獎學金，亦可由家長用捐助方法，以間接方式出之。今年應考者一百六十餘人，考試後並未出榜，僅用函個別通知。聞錄取者亦爲一百餘人，其辦理之機密與錄取百分比之高，爲其他考試所未曾見。我國過去派遣大學畢業生出洋，說者尚謂爲過早，宜於在社會上業經服務并卓有經驗者派充。今高中方行畢業，猶未成年，出國求學，有何深造可言，是以輿論界頗表不滿。此等在美國獲有獎學金學生之家長，在台北有聯誼會之組織，會員多爲社會知名之士云。

病纏吳稚老　繫念家國深

黨國元老吳稚暉氏，今逢八十八歲高齡。自患病移居台灣大學附屬醫院後，因醫師禁止接見賓客，故探視者均被拒門外。記者昨日至醫院訪友，適經過稚老病室門前，護士甫開門外出，乃得於門隙中張望，見稚老臥床，反身向內，似甚瘦損。聞諸護士言病勢如舊，並未惡化，但精神遠不如前。稚老夫人及女公子均淪在大陸，女公子年逾半百，迄未結婚。公子一人，亦屆花甲，久寓美國。平素身體不強，近

節約分三期　執行有法令

台省自本年元旦總統號召四大改造運動以來，以社會改造運動，辦理最爲積極，如舉行勤員戶會，訂勤員公約，遵守公共秩序，改善環境衛生及敬軍運動，均獲致若干成績。茲自九月份起，又將分期推行節約運動。有關於節約法令，中央及台省府先後頒行者已達二十二種之多。故此次不再制訂新辦法，只爲如何執行已有法令實施，重加檢討。第一期爲時間節約，第二期適値中秋節，爲饋贈節約，第三期爲宴會節約及汽車節約。時間節約，不獨要推行守時運動，並擬減少開會次數。今日台北之要人，咸以開會爲苦，所謂「會會都有我，事事少結果」者是也。

拜拜要減少　立委搭巴士

至宴會節約，在官方則爲酒會，在民間則爲「拜拜」。陰曆七月，本爲台省拜拜最多之月，本年經台灣省政府規定集中於七月十五日舉行一次，全省可節省耗費二億元之巨。但台省府財政廳長任顯群向省臨時議會提議，凡家中自備筵席逾三桌者，即須徵收筵席捐，爲議會所否決。又今拜拜節約，屠宰等稅收亦損失甚鉅。拜拜雖多耗費，無非鷄魚鴨肉，蝦蠣蝸蠋，均係本省產品，不若政府機關酒會，消耗國家外匯。近年各地華僑團體返國觀光者甚多，亦會表示最好由各機關聯合招待一次，不必分別辦理，蓋各僑團在台之日無多，竟日忙於赴宴，亦一大苦事也。至汽車節約，則可於松山飛機場迎送時及中山堂舉行集會時見其必要。此皆爲行政機關之事。若立法院院會每亦在中山堂舉行，屆散會，則會場前公共汽車站，無一次不大擺長龍，立委諸公並無汽車之可節約也。

共黨在蛀蝕印度

印度全國大選，印共得國會議席廿七個，使尼赫魯大爲担憂。這一個選舉，無異從新攷驗着印度的政治處境。若干駐印的西方外交家及印度本身的保守者，均認爲在五年之後，印度將是共產主義與民主政治，取得勝敗之關鍵。

印共利用着民主　騙得了初步勝利

一般預料假若當前的印度執政黨，對印度一般人民不能有確定性的生活改進，在未來的一九五六至一九五七年之間的印度全國大選，印共將在印度國會及立法機構之間所築的橋頭堡，愈伸愈深。而在若干州郡中，其控制權更將落入印共手中。

今日大家都集中注視印度今後五年發展。因爲中國大陸陷入共黨後，印度即成爲共產黨的次一重大目標；印度現佔有全世界六分之一的人口，若共產黨征服了印度，即無異等於亞洲的全部淪陷，包括廣大的海洋區域。其鄰近的東南亞諸國，益將無法維持其獨立。如再就印共今日在印度內部已造成的動亂而言，印度之瓦解於共產黨的「和平手段」，更可能較預期爲早。

得寸進尺野心大　先抓地方支配力

雖說印度共產黨內部有分裂現象，但這種分裂現象，遠不及它向外伸展形勢之甚，在巴蒂亞納，在東本加卜，彼等之取得國會行政部門的一部行政權力。在本加卜州這一個接近巴基斯坦的戰略地方，彼等已建立有支配力量的左翼聯合協會。

印度共產黨在印度其他州區已經運用同一方式向當地立法機構爭取操縱機會，契而不捨。印共曾公開表示，彼等將以同一方式爭取國家議會權力。印度國會，除非尼赫魯黨派完全脫黨，印度國會當可保持四百九十九席中的三百六十二席，反對二十七席的共產黨；尼赫魯當前自然仍可保持國會的控制，但在若干重要州區裏面，國會議員必須用很大的努力，才能維持他們的權力。

武裝鬥爭是法寶　共黨聲明不放棄

當印度共產黨於不久前公開表示放棄其暴動活動，而另從事於所謂「新的鬥爭」的時候，共產黨領袖會十分坦白直率的告訴新聞界說：印度共產黨考慮武裝革命，仍爲一種適當的方法，印度共產黨將於需要的時候，從事此一工作。同時印度內政部各地的警察機構亦獲悉到這同一類似的情形。新德里的共產黨總部，現設立在最現代化的住宅區，設備堂皇，經費充足，因爲大選以後，印度政府對黨派的活動管制，依照立法取消，故共黨的活動更可肆無忌憚。只有在中印度比哈利，政府的管制，還繼續維持，那裏的印共也就比較靜默。

印共在「和平鬥爭」上，顯然從事兩項工作，一面對地方羣衆的爭取；一面則在國會裏盡量爭取更多的席位，爲了這一個工作，印共現已設立國會選舉委員會，分有研究，統計，新聞聯繫部門，準備對政權作更廣泛的攫取。

整個印度的現勢反映，是共產國際在印度有計劃有步驟的發展。至於印共所採取的總路線，實際上還是「兩面包抄」的；「和平鬥爭」如失敗，它即採取「武裝革命」，這兩條路線孰先孰后，誰主誰從，則將視莫斯科的決策而定，在當前莫斯科所決定的印共路線，表面上還是朝「和平鬥爭」方面走的，但「武裝鬥爭」他並沒有放棄，而且還在更祕密的積極進行中，而尼赫魯則仍蒙在鼓裏。（自强取材於美記者雜誌）

雙槍王八妹的丈夫

山禾

提起雙槍王八妹，眞是大名鼎鼎，婦孺皆知，徹頭徹尾是個典型的傳奇人物。但關於她的丈夫，却很少有人知道；而實際上，王八妹之所以能殺敵建功，蜚聲中外，有今天這樣的成就，還不能不歸功於她的業已爲國捐軀了的「外助」——謝友聲。

過去，曾有過一種錯誤的傳說，以爲王八妹和謝友聲都是太湖出身。其實呢，王八妹是鹽民出身，起先嫁給浙西有名的紅門領袖太保阿四，她就是受了他的影響而學得了雙手好槍，並養成了一副適於領導的慷慨氣度。謝友聲則原籍是湖南人，軍校出身，當過國軍六十七師的營長，二十八年間隨平湖縣長戚中到了平湖，担任軍事領導工作、那時太保阿四早已作古。王八妹還是受了謝友聲的鼓勵與支持，以紅門子弟及鹽民爲基幹組起了部隊，編任了平湖縣自衛中隊的中隊長。也就在那時，所謂好漢識好漢，英雄愛英雄，他們倆結了婚。從此，謝友聲便一心幫助他太太帶兵作戰，建下了殺敵衛鄉的輝煌功績。但他一向被雙槍王八妹這動人的聲名所掩住，故反顯得默默無聞了。迨不久他太太升了大隊長後，他而且還正式當了她的部下——大隊附。從此，他便一直雄伏在他太太的手下了。

謝友聲就做了這樣一個奇特的丈夫；一種屬於世俗的屈辱感，和一種屬於特殊的光榮感，他都兼而有之。自卑和驕傲，亦必常在他的心頭交織。但髣髴是上帝故意給王八妹塑造了這樣一個相稱的丈夫；他的性格天生是富於忍耐、內斂、和接受性的，使他以一種特殊的身份，却處在一個特殊的環境裏；能恰到好處地，對他這糾糾雄武的太太，盡了輔助的功能，善用了他的天賦。

據說他夫婦倆平日軍中生活的情形，是頗爲職權分明，公私不紊的。除同食同宿而外，假使一個命令，一個是照樣服從，假使一個訓話，一個是照樣聽訓。關於他倆間的稱呼，除了閨房中不知是否跟常人一樣地卿卿我我外，他倆在平時是互稱「大隊長」「大隊附」而不名的。

抗戰勝利後，他倆及其大部的子弟兵即解甲歸田，或從事於漁鹽生產工作。由於他夫婦倆生活作風的儉樸、熱情、慷慨、正直，使他們在平湖上中下三層社會裏，都樹立了堅強的影響力。不久，他太太當選了縣參議員，雖不懂政治，却熱心公益，尤得民衆愛戴。她常對人說：「阿儂勿懂那儂賊政治，不過阿儂想，只要憑良心多做一點眞正有益於老百姓格事體，總勿會錯格。」（平湖土話）她因而纍纍奔走於議會與政府之間，謝友聲則在本鄉本土做些爲老百姓排難解紛，救急濟困的實際工作。謝友聲的太太由原來被人稱之爲壞人的所謂白相人太太，變成了救國的英雄，變成了正直的君子，變成了服千萬人之務的仁人，變成了忠義不渝的勇士。當前年共匪蜂擁南竄，烏天黑地的時候，他們夫婦倆就抱着一點孤忠，毫不猶預地號召了所有的舊部，迅即組織起了擁有兩千多人槍的反共救國隊伍，以乍浦海外的大洋山小洋山爲基地，在杭州灣沿海展開了英勇的反共游擊戰。

那時，他太太的職務是平湖縣長兼杭州灣游擊縱隊司令，他只當了她的副司令兼第一支隊支隊長。那時，他太太忙於所部的擴充補給等等事宜而往返於舟山與大小洋山間，他則担負了部隊統率與指揮作戰的任務。他曾一度親率精兵兩大隊登陸乍浦之北一帶，試圖深入腹地，展開活動，旋以立足困難而撤回海中。過了一段時間，他爲了想在錢江南岸山地建立根基地以控制錢江活動而再率兵兩大隊登陸餘姚，深入到背山富陽的山區，但不幸立足未定，即遭到了匪軍大規模的圍擊，終以衆寡懸殊，彈盡援絕而戰敗被俘，於三十九年的十二月中旬，終於在平湖從容就義了！

現在，反攻的階段已將日漸來臨，算來王八妹又將英雄有用武之地了；由此而緬懷到這個已爲國捐身了的傳奇人物的丈夫，眞不知是好奇抑是感慨?!

俄帝侵略的外蒙

手段太狠毒　傀儡不保命

澤登巴爾繼周恩來被召到莫斯科去，這是史大林在中國製造的第二號傀儡。澤登巴爾現在是僞外蒙古共和國的新任部長會議主席，也稱總理，對於這位傀儡，本報上期已有報導，現在要說的是俄帝侵略我們外蒙古的經過。

提起蒙古，不免使人回憶到成吉斯汗和帖木兒，前者在十三世紀初期，建立大帝國，掩有中國和蘇俄的全部疆域，後者在兩世紀後，雖被中國明太祖擊敗，但他却向西發展，征服了現時總稱爲中東的區域。蒙古人成爲歐亞兩大洲主宰時，疆域西起裏海，東迄貝加爾湖，歷時凡數世紀。後來勢衰，版圖歸入我國。

今天，成吉斯汗遺裔數約五百萬人，三百萬人在內蒙古，一百萬人在外蒙古，還有一百萬人則散處在蘇俄境內，被稱爲喀爾謨古人，史大林之侵控外蒙古，就是利用了喀爾謨古人，澤登巴爾就是這種俄籍蒙古人，被派在外蒙做統治的。

外蒙這個地方，要比不列顛羣島總面積大七倍。大部份地區在海拔三千到六千尺以上，夏季熱到華氏八十度，多天則冷得要命，經常在零下五十度。全年雨量稀少，終日刮風，人口密度每方哩不足一人。

遠在沙皇時代，即在打這塊土地的主意，一方面把俄國的疆界向外蒙推進，一方又煽動當地的王公及喇嘛從事自治的離心運動。一九一一年辛亥革命成功，清庭垮台，由沙皇操縱的赫德喀圖活佛，即自稱獨立，組織政府及一支二萬人的軍隊。沙皇的首相哥林摩金，巧妙地不讓他與任何國家發生外交關係，而慫恿他去侵略內蒙和黑龍江的呼倫。

一九一四年沙皇政權傾覆，赫德喀爾也完蛋，外蒙又取銷了自治，重歸中華民國。但到了一九二〇年，史大林穩定了內部後，也想到了這塊地方，先在外蒙古發展兩個間諜組織，一個是由第一次獨立時期的外蒙古軍官蘇喀海。巴陀，以及丹辛。荷爾諾兩人領導的地下武裝，他們是經過了俄共的訓練派回來的，專做軍事工作。另一個組織由喬巴山領導，它是參加俄共的外蒙青年，專負組織工作。後來這兩個組織奉史大林之命合併成立爲「人民革命黨」，到了一九二一年三月，他們在蘇俄境內成立了「政府」，七月，俄軍一師侵佔外蒙古，打到庫倫，把這個政府在武裝保護下搬了來。傀儡是保多喇嘛，丹辛當了陸軍司令。同年十一月五日，俄國的外交部長齊吉林把保多召到莫斯科，簽訂了所謂「蘇蒙友好條約」，而把外蒙古西北角的烏黑海劃給了蘇俄。

一九二二年四月，俄國特務機關忽然把保多等十五個「外蒙政府」負責人逮捕槍決，說他們是親華份子。繼承「總理」的人是俄共一手培植的根登，一九二四年八月，外蒙古陸軍總司令丹辛。荷爾諾被指爲反蘇，就地給蘇特務槍決了。一九三四年十一月廿七日，喬巴山陪着「總理」根登到莫斯科去和李維諾夫簽訂了「蘇蒙軍事同盟協約，」但不久，根登也被蘇特務逮捕，以日本間諜罪處死。喬巴山就當了「總理」，後來，史大林爲鎮壓內部叛亂，把駐在外蒙的軍隊抽調了去。一九三六年三月十二日，喬巴山又在庫倫與俄人訂「蘇蒙互助協定」，俄國軍隊重新開進了這「兄弟之邦」的土地。

喬巴山雖然是俄共最信任的蒙古傀儡，但喬巴山眼看到俄國人在外蒙的無法無天，徵發勒索，貪得無厭，自然也不高興，到了去年初，爲俄國人強徵軍馬和出兵援助中共事，稍表不滿，即被調去莫斯科醫治，瘐死在醫院之中。澤登巴爾即奉命接了這職位，現也被史大林召了去，可能又要外蒙拿些什麼出來了。

看了上面簡述的這段史大林侵略外蒙史，俄國人是太狠毒了，而當了共黨的傀儡，生命是何等卑賤，早不保夕。

·華方·

自由人
THE FREEMAN
（半週刊每星期三六出版）
（第一五九期）
每份港幣壹毫
督印人：李光鑑
社址：香港高士打道六六號
電話：二〇八四八
GLOUCESTER RD.
HONG KONG
TEL: 20848
承印者：東南印務出版社
地址：高士打道六四號
台灣特派員辦事處
台北市館前街五十號
台灣總經銷處
台北市中華路一二五九號

火山邊緣的印度

王雲五

試翻地圖一看，印度自獨立以來，歷年與巴基斯坦相持不下的克什米爾，印度正與中共、蘇俄所控制的新疆省南部接壤；而其東北部，則隔尼泊爾與不丹兩個名義上的獨立小國而與西藏為鄰。據可靠消息，中共已在南疆結集了四十萬大兵，而尼泊爾與不丹也無異是中共的囊中物。加以印度內部的共產黨躍躍欲動；本年八月上旬印度下議院方以絕大多數的投票通過政府所提制裁共黨法案，而九月三日海德拉巴城又發生共黨暴動。

由於這些擺在面前的事實，我們不能不認為印度已置身於火山噴口的邊緣，隨時有遭遇爆發的危險。

龐大複什的民族　落後與階級分劃

印度在與巴基斯坦分立以前，面積共一、五七二、〇〇〇方英里，較整個歐洲除去蘇聯外更大；人口不下四〇〇、〇〇〇、〇〇〇人，在全世界各國中僅次於我國。這樣的廣土衆民，如果給蘇聯中共控制了，其增進赤色世界的勢力，與危害自由世界的安全，真是不堪設想，處此危險關頭，印度究竟如何自保，民主陣營究應如何挽救，皆為我人所深切注意。但要研究未來的局勢，有先就印度背景一談之必要。

在未分立前的印度，就其名義，似乎是一個龐大的民族，但實際上這塊大地的居民所操語言多至二百二十五種，大別為三類：一為印歐語系，占二六〇、〇〇〇、〇〇〇人，其中又分為印度斯坦及孟加拉兩支；二為德拉維地語系，占七五、〇〇〇、〇〇〇人；三為藏緬系，占二〇、〇〇〇、〇〇〇人。就其人民的信仰言，則印度教占二六〇、〇〇〇、〇〇〇人，回教占九五、〇〇〇、〇〇〇人，錫克教占七、〇〇〇、〇〇〇人，其他占六、〇〇〇、〇〇〇人。就其人民所分的階級，嘗則有婆羅門階級、戰士階級、地主商人階級與賤民階級四者；還有四階級以外之未入流賤民，又分別為三類，即一為不可觸及者，二為不可接近者，三為不可寓目者。階級之分隨有生而來，無論畢生如何努力，終不能變易。階級較高之人對於賤民以下絕對不通往來，甚至以觸及接近或寓目為恥辱。

原始狀態的社會　共產黨徒的溫床

獨立後印度的憲法雖有不歧視階級之規定，事實上現政府中亦不乏來自賤民階級之人；然政府縱有重大改革，社會卻仍狃於故習，牢不可破。印度人民中還有三個很嚴重的弱點。一是死亡與出生率均高；百分之六十五死於三十歲以前，而每兩名死者中平均有一為十歲以下之兒童，故其平均壽命祇二十七歲。但死亡率雖如是驚人，而據最近的人口統計，則十年之間增五千萬人，平均每年增五百萬人，其出生率之高更足驚人。二為教育還未普及，雖全國已有大學校十七所，而文盲尚居全民百分之九十；此固英人統治印度時的教育方針錯誤，亦與人民之貧窮與早婚攸關。三為人民中雖有極少數的富豪，然大多數皆甚貧苦，尤以農民大半都是寅食卯糧，靠借債為生；於是高利貸的「印子錢」，便是印度農村的創制，也就成為那裏特別繁榮之一種業務。此種乘機剝削貧苦農民的業務，祇是使無數可憐的人飲鴆止渴，而速其死。印度的農業尚不脫原始狀態，故雖有廣土，不足以養衆民。同時還有一奇特之事，即由於迷信關係，縱容大量的「神牛」「聖猿」以及種種「神與鳥類」奪取並摧毀人類養以為生的穀物與其他糧食。我因戰時訪問英國，往返均經由印度，曾逗留在半月以上，目擊其所謂神牛或擁入市，就道旁店舖或攤販陳列之蔬菜隨便取食，物主固然不敢反抗，甚至還有自動供食，罄其所有而不之惜者。其次在鄉區游覽，亦親見所謂聖猿，一一而攫食田中作物，一一而在庭摧毀，而可憐的貧苦農民熟視不以為忤。據美國浦立德氏在生活雜誌撰文稱，印度有生息於耕地上之所謂聖猿約二千五百萬頭，按最低估計，每年所食穀物至少有一百萬噸，其他作物摧毀之數倍於此。一九五一年由於印度糧食之短缺，美國以借款方式借給小麥約二百萬噸，以資救濟，其價值約一億九千萬元，僅當印度的『聖猿』一年間所攫食與摧毀者三分之二，至於神牛及其他鳥類所消耗者尚不在內。

這樣一種背景，正是共產主義最理想的溫床，縱然力圖防範，已感不易措手，何況印度自獨立以後，還變本加厲，以助長共產主義之發育滋長呢？

印回的激烈衝突　加深了人民疾苦

自一九四七年英國國會通過印度獨立法案後，英國即於是年八月十五日終止其對印度的統治權，而昔日之印度帝國也就分立為印度聯邦與巴基斯坦兩個獨立國，這雖然是印度國大黨與回教聯盟領袖們多年奮鬥的收穫，與四億人民恢復其自主的機會，可是正在歡欣鼓舞之際，旁遮普省便發生印回間的激烈衝突，死者達數十萬人；隨着便是印回兩教的人民雜居於敵對教派的地區者，大批被迫遷徙，扶老攜幼，跋涉道途，遠赴自己所屬教派的地區，此項人數多至二千三百餘萬，財產之損失不可勝計。未幾克什米爾邦以多數之回教徒處於一個印度教侯王之治下，遂為印度與巴基斯坦兩方所極力爭取，竟在此美麗的流域發生戰爭至十四月之久，後由聯合國居間調處，雙方始於一九四九年一月簽訂停戰協定，並繼續由聯合國選派之尼米茲委員會調處，然迄於今日尚未達成最後的解決。印度現在每年支出的軍費占其歲出預算九分之四，大部分即用於克什米爾之防衛，而其所防禦者不是其他敵人，卻是前此同隸英國統治下之巴基斯坦；至於巴基斯坦的國防費當然也有一個重要部分消費於與印度的對抗。兄弟鬩牆，外禦其侮，縱無共黨之侵略，前途已不可樂觀，何況中共大軍已臨南疆，眈眈虎視呢？

印度聯邦既內部軍備浩繁，負擔奇重，而近年國內歉收又無法救濟；於是執政的國大黨不僅為共產黨所敵視，甚至右翼之極端派亦多表不滿。若干地區如加爾吉大等反對政府尤烈。一九四九年七月間印度總理尼赫魯赴該地視察時，竟遭羣衆紛以所穿的鞋投擲；此在印度視為最大的侮辱。嗣尼赫魯在該地演說，其集會處又有人投擲炸彈。由此一事，可以概見其他。

尼赫魯昧於大勢　竟甘為共黨利用

印度的內情既如是複雜既不穩，印度政府的對外政策又怎樣呢？

尼赫魯自一九四九年以來，因見中國國民政府喪失其在大陸上的統治權，竟不自量，欲以亞洲領袖自居，嗣見中共的勢力日益猖獗，遂極力討好，率先承認；同時並欲藉周旋於中共與西方國家間的地位而自重，妄以印度可成為東南亞橋樑，乃進一步討好於中共，迭向聯合國主張以中共偽政權占取中國在聯合國的席位。其對於韓戰，一面雖在聯合國安理會中投票贊同制裁北韓，而在另一方面尼赫魯卻於一九五〇年七月致函史太林，期作妥協的和平建議，藉此將韓戰局部化或結束。即是年九月三十日他尚在一切其他解決方法均經試探以前，印度將反對聯軍越過北緯三十八度的界線。及是年十月中共對韓國與西藏同時進侵，尼赫魯對於北平偽政權的迷夢始被震醒；然一方面雖對於國內的印共嚴加防範，一時逮捕拘禁者三四千人，他方面卻仍不敢開罪於中共，而繼續為中共在國際上作義務宣傳與辯護。可是自從一九五一年以來由於中共之惡迹昭彰，印度之努力遂毫無結果，甚至與尼赫魯一鼻孔出氣之印度駐北平大使潘尼加於一九五一年四月亦自承對中共之繼續安撫已失諸天真，而出身於不可觸及的賤民階級之司法部長安貝加博士，於同年十月亦有怨言，謂『由於尼赫魯對北平的柔順態度，使吾人走向於一條獨行的途徑，致吾人在聯合國之建議，竟不能獲得附議者：……吾人現已喪失了「不少友邦」』。一九五二年四月間美國外事季刊載有印度前駐巴西大使現為聯合國民族委員會主席之瑪桑尼氏的長篇論文，其中有為近年印度對外政策辯護之語，指出印度對外政策不免受有三種影響。其一，一個新獲得獨立的國家不得不特別表現其獨立性。由於向來沒有人說印度是蘇俄的附庸，故無特別表現獨立性；其對蘇俄與中共卻不斷宣傳印度為『英殖民地』，印度政府為英美帝國主義的機構，因此印度不得不表現其不受英美支配的姿態。其二，安全感使印度產生中立的情緒，印度人民多以為，儘管讓美俄兩巨人決鬥，印人何必開罪於毛澤東，以致捲入旋渦。其三，印人對於舊觀念消除甚緩，新觀念亦接受甚遲。英人舊日的統治印像猶新，故對於西方的帝國主義不易忘懷；而蘇俄的帝國主義，在距離較遠之人民，尤其是一般的民衆，不免認識甚遲。

印度應改變方針　反共自救免赤禍

瑪氏之說在表面上固未嘗無理由，然細加研究，多不能構成辯護的根據。就所指第一種的影響而言，則政治家當為國家的長期利益着想，不當祇顧目前，尤不宜客氣用事。若如瑪氏所言，因蘇俄與中共之指摘印度為英美附庸，遂不惜故意袒護中共，此直為自卑感所控制，殊不足取。就第二種影響而言，誠然在第二次大戰創痍未復之時，人之畏戰，原屬常情；但安撫主義果能消弭戰禍，則第二次大戰何致發生。印度教育雖未普及，然其上層不乏學術湛深之士，對於歷史的重演不難認識，正宜取法甘地，以先覺之地位領導民衆，免陷國家於危亡。今世界已無有能中立之國，即欲中立，仍須有保持中立之實力。印度上層人物殆無不能洞察此旨者，乃欲置身事外，坐視美俄兩強決鬥；此種自私心理，勢必導入於自殺之途。至就第三種的影響而言，英國在過去之殖民時代，誠不免採取帝國主義，今則時移勢易，自保不暇，更無餘力再度控制印度，美國則證以歷來事實，尤無染指印度之意。然在此方面則蘇俄中共之侵略行為日益著，韓戰尤可為例證。印人此時如尚不分皂白，苟非遁辭，殊不可解。

今日危機已亟，隱象畢露；印度究應如何轉變其方針，與美英應如何援印，不使陷於赤化，實為最迫切之問題。為印度計，目前立宜採行之政策至少有四：一則與巴基斯坦消弭前嫌，精誠合作，以共禦外患；二則放棄前此之中立政策，與美國採一致的途徑；三則極力鎮壓本國共黨、並藉美國的援助，整軍備邊；四則改善經濟制度，以杜亂源。至於美英二國，特別是美國，在證明印度確有反共的決心後，亟當予以適時有效的援助，勿再蹈前此對中國大陸的覆轍；蓋蘇俄之視印度，有如中國第三，除美國能予以適時[illegible]救的援助外，斷難免陷入魔掌。設不幸而有此一日，則共產世界不僅在人口上突增四億人，且[illegible]藉此地勢，將可席捲亞洲大陸，並使西歐暴露於兩面的火攻，那就整個世界大局益不可收拾了。（四十一年九月五日寫）

半週展望

·雷嘯岑·

華萊士完全醒悟了麼？

美國「進步」名人華萊士最近發表言論，自承對俄共認識錯誤，深致悔悟之意。

他在一九四九年中共席捲大陸之初，曾以「出身農家子」的姿態，致書毛澤東表示欣慕，希望毛氏做亞洲的狄托。這時候，華氏的腦袋在陰險海中幼稚，似醒非醒，伏於迷離，現在已更進一步的激悟了！據他說是已認定的蘇俄的冷戰侵略，永無止境，而以過去忽略了史大林吞沒捷克那悲劇為尤甚。天真哉，斯人也！糊塗哉，斯人也！

自甘受騙

捷克之淪於鐵幕，根本是由於美國政府不顧英國意見，急忙撤兵所致。華萊士當時身為政府大員，並未認其後患堪慮，到七年後的今日，才表示其「事後有先見之明」，可謂糊塗也已。

二次大戰末期，華氏以副總統身份，銜命東來，目的在消弭國共嫌隙。他先到莫斯科見史大林，談到中共問題，史大林對他說過「我未見中國有真正的共產黨」的話，即深信不疑，到重慶時公開以此話轉告中國朝野人士，當然他回去又照樣的轉告美國朝野人士。此後美國的對華政策，他這種替史大林廣播其謊話的影響亦不小，後來對毛澤東修書論交，也是從這種心理出發的，豈非天真之至！

可愛的美國民族性

華萊士這種天真坦白的心情，正可以代表美國一般的民族性，錯了就自己承認，而且不等待別人揭發，即自動說出來。這在民主世界是美德，但對陰險詭詐的俄共集團，卻為上當吃虧的一大弱點。華萊士的思想變遷，對一般美國人今後與俄共集團鬥爭上，頗有教育作用，這是值得讚許的！

史蒂文生的洩氣語

史蒂文生近日向新聞記者作競選演說，指美國報紙百分之九十皆「自動」表示反對民主黨的態度，深感不滿。他說：美國是行的「兩黨外交政策」，希望輿論界也能產生「兩黨新聞政策」。這種競選的宣傳詞，未免太洩氣了！

美國是十足實行言論自由的國家，百分之八十以上的報紙，未必都是共和黨的機關報，他們「自動」表示反對民主黨，不管其動機安在，總是言論自由的份內事。要轉移他們的觀感，祇有憑自己的政見說服大家。倘以概歎懇求的態度來游說，不徒無益，而且有示弱之感。

史蒂文生的競選表現，似乎書生習氣太重了。美國陸軍部長佩斯雖曾說「軍人不甚相宜做總統」，然書生也未見得宜於作大官哩！史氏如果別無智珠在握，他的競選前途，似還未可樂觀。

埃及的「迪克推多」

自埃及軍人那吉勃以武力放逐國王以後，我們即在本刊指出埃及一定會出現軍事獨裁的局面，如今不幸言中了！

那吉勃實行政變的口號是反貪污與土地改革。貪污原為隨政治生活以俱來的產物，任何一個國家，皆所難免，只在程度差別而已。那氏把一般「貪污之尤」的黨政顯要予以拘捕，固有振奮人心的作用，但如何善後卻成問題。他除非採用非常手段，殺一儆百，斷然處懲。否則僅以籠統罪名，是無法消除他們的。

土地改革這一名詞，近年來已成為極時髦的政治口號，好像這是鏟滅共產災害的靈符。經濟問題原屬千頭萬緒，要達到人人平等的經濟生活，決非只靠「揠苗助長」方式，光是平均土地就行的。那吉勃的土改政策，又祇是限定兩百畝以下的非集產主義，更談不到平等二字，就請一點，也非流血不能實現，何況其他的大企業尚未談到哩！

軍事獨裁的政權，其結果如非內亂，即為更不平等的寡頭政治。埃及的未來演變，殊堪注意。

今日二三版要目
李裁法怎樣入台的
西藏醞釀變亂

台北通訊

明年調整公教人員待遇

行政院第二五六次會議，決議自本月份起，調整士兵及鄉鎮人員待遇。其內提高待遇所需費用，以提高烟酒公賣價格所得收入抵充。台省烟酒公賣局隨即公告新公賣價格，如雙喜牌香烟每包二十支，原爲新台幣五元，茲改爲五元五角，所增甚爲有限。但公賣收入，總數則每月可增加七百萬元。關於公教人員待遇調整問題，係源於本年夏初台灣省政府舉行全省財政會議時，財政廳長任顯羣在會議中公開聲稱，以財政稅收部份，作爲調整來源，並自七月份起實行。其後嗣已擬定調整方案，即平均各增加百分之五十，但須將現有之各種津貼，加班費，疾病，醫藥，生育，子女就學補助費，眷屬津貼，服裝費等取消，在公教人員個人方面所增收入不多，並不甚感興趣，而國省庫支出則每月約增加二千五百萬元，籌措亦非容易。因以有延自八月份起辦理之說，傳聞八月過去，又傳再延至九月份。其間行政院主計處曾以醫藥補助費等證件往往有未盡確實情事，主張先予取消。行政院則以調整待遇尚未實現，先予取消，非顧惜公教人員之道，令飭仍行照給，但可不再檢附證明文件，惟限個人不得超過其一個月薪俸。茲一般公教人員待遇之調整，似將再延至明年度。蓋民國四十二年度國家總預算，已由行政院在編製中，依法須於本年九月底以前送請立法院審議。此次調整既只限於士兵及鄉鎮人員則其餘人員必待明年度預算核定後，方有提高機會。惟於此有可得而見者二事：（一）任顯羣氏當初諾言，所以未能實現，乃因其對稅收估計過份樂觀之故。此次增加士兵等待遇，係提高公賣價格，等於另闢來源，並非經常稅收已有盈餘或續。從知政府負責人員不可輕諾，反致失信。（二）先行調整士兵及鄉鎮人員待遇，實屬明智之舉。以一般公教人員待遇固不爲足用，但士兵及基層工作人員，尤爲菲薄。而今日台灣爲反共抗俄基地，又爲自治勵員模範省份，對於此等人員應予以最低生活之保障，固無人不表贊同。至烟酒究爲消費品，非人人所必需，路增售價，亦不致影響一般物價。惟去年年終，台灣煙酒公賣局工作人員，曾當選該獎金，其數額則外界多所傳說，局方人員又諱莫如深，苟有人詢詢，所答亦令人不得。不應黨而患不均，此乃台灣以後研討公教人員待遇問題時所當首先檢討之課題也。

台灣環島行紀（八）

麗子

林地佔百分之七十六

台灣爲狹長島嶼，全省面積三，五九六，三二〇公頃。其中農地只有八六〇，六四六公頃，僅佔全面積的百分之二十四。其餘的百分之七十六，都是森林保續用地。蓋台灣本島的地勢，東西懸殊。東部多爲懸崖絕壁，西部雖傾斜稍緩，但仍多在二十五度以上。台灣的基岩復爲富於風化性的黏板岩，地盤脆弱。且當太平洋颱風的要衝，如遇豪雨，表土流失，山洪即行暴發。故爲保持農業生產及維護水源，凡傾斜在二十五度以上的地帶，都應當是林業的絕對區域，不容濫伐或開墾。有人說森林是台灣的生命線，確屬允當。

十年樹木

台灣既有這麼大的森林面積，其所有的林木自爲數甚巨。這些林木有原生林，有人造林。有針葉樹，有闊葉樹，也有薪炭用材。阿里山森林即爲原生林，最優秀的本爲扁柏，近年以來，蓄積已日漸減少。現在則以紅檜爲主。阿里山名勝之一的神木即係紅檜。神木高五十公尺，枝下一六公尺，地上周四．三公尺，林〇〇〇公尺，其爲想。又一名勝爲三代木，其初伐木後長五百年，枯倒後自六十年生第二；二伐木長一千，復枯死；又隔三生出第三伐木，仍在生長中。三計共達三千零五。因以遊人立於原生林之前，多有此撼樹之感。

人造林係由人工植苗，其第一步工作爲，台灣各地林場及林業試驗所均甚重視育苗工作。所育之苗有扁柏，紅檜，柳杉，杉木，馬尾松，琉球松，黑松，樟樹，柚木，相思樹，鷄納樹等。第二步爲造林，凡新植，補植均屬之。如阿里山林場今年新植者五萬公頃，內二一一〇公頃係由農復會補助。補植者三萬八千公頃，內一〇〇〇公頃係由農復會補助。在造林之時，刈草切蔓等預備工作亦甚重要，各林場多努力以赴。惟人造林成長甚緩，無法補充天然林因斫伐所致之消耗。茲舉樟樹爲例，樟腦本爲台灣主要產品之一，產量佔全世界百分之三十。樟樹每一立方公尺，可製腦二十公斤。但樟樹的材積達一立方公尺，需時五十年。此時樹高可達十八公尺，直徑可達四五公分。台灣現有樟腦工廠，每年可製樟腦五，〇〇〇公噸，需樟材二十五萬立方公尺，亦即每年需斫伐五十年生樟林二千公頃。現台灣已將樟木輪伐期降低爲二十五年，是則每年需新植樟樹二千二百公頃，方可以供輪伐更新，取用不竭。而事實上新造樟林之面積，與此數相差甚遠，不久以後，台灣樟腦原料，在供應上可能發生嚴重問題。其他如毛柿樹，係主要的經濟林木，其輪伐期需二百年，黃檜，紅檜，桃花心木，材質堅實，木理細緻，爲建築及美術品樂器所必需，其輪伐期均需八十年。台灣櫸及茄苳多，可爲行道樹，輪伐期亦需六十年。古人謂十年樹木，係就最普通之樹木而言，若言森林，十年之期實屬不足，故保林實較造林尤爲重要。

六大林

台灣現有六大林場，即阿里山，太平山，八仙山，竹東，太魯閣，巒大山。我回到台灣，曾遊遍前列的三場。這些林場雖以伐林與造林並重，但在實際上伐林爲主，造林次之。六大林場每年要平均砍伐五七三公頃，立木材積達一二二〇〇，六三三立方公尺，新造林木不但要數十年後方可成材，且不易在面積上與材積上隨時補充。就我在三個林場所見，林木砍伐後，因搬運能力的關係，多沿鐵路溝道或索道兩側成六公尺以下的木段，自山上下運。本來高可參天的古樹，橫被截成若干段後，頗覺可惜。因以想到山林之中，固多棟樑之材，但一經匠工戶解，遂不能再成大器，實可扼腕。

我所到過的三大林場，均有森林鐵路，太平山與八仙山且均有索道，索道有如瑞士阿爾卑斯山的纜車，但原以運輸木材爲主，不以遊覽爲主，故在設備上不及瑞士的美觀，其安全則一。三個林場上面，均有小學，海拔二千餘公尺，而絃歌之聲不輟。三處的名勝以阿里山爲多，而風景三處均屬佳勝。不但山勢高聳，而且林木茂密。如阿里山自山下至林場，雖只二千餘公尺，卻包含有寒帶溫帶熱帶三種氣候，因以沿途林木也分爲三帶，截然不同。又如梅花，桃花，在台灣以氣候燠熱，不易種植，但在八仙山林場小學門前皆可見之。至如在祝山看日出，在阿里山看雲海，須視氣候如何，並非遊者必可得見。我雖數上林場，迄未見及雲海，據曾經到過的朋友說，不及黃山雲海的奇觀，至看日出則可與泰山相比云。

保安林與防風林

台灣尚有兩種特有森林，值得一提，即國土保安林與海岸防風林。國土保安林的功用，在涵養水源，防止土砂，防止飛砂，防風，防備水害，防備潮害，防止墜石等等，全省合計有三七〇，四七〇，七四三公頃。凡編入保安林者，絕對禁止斫伐，即其下發現礦藏，亦不得伐林開採。如地況地籍變遷已無保安關係者，即斫伐的限制予以解除，發現有新關係者，則予增編，是爲林管理局的職責。海岸防風林亦屬國土保安林之一，但因目前爲防軍要塞，益顯其急待建樹。合省海岸線甚長，又常受颱風襲擊，現已建有防風林一萬一千餘公頃，土砂安定，風勢大殺，海岸可以利用，作物可以生長，福國利民，功用甚巨。

美麗的鳳凰樹

森林除可作木材外，尚有許多副產品，如染料，飲料，工藝原料（通草等），果實，藥材，薪炭，茅草，杉皮，纖維，生筍，油脂（如柏油松油等）佐餐品（如木耳香菇等），每年產量亦均豐富。除此而外，我對於台中的鳳凰樹特別欣賞。台中有幾條道路以之爲行道樹，美麗異常。綠葉紅花，終年不謝，既悅行人之目，又能爲都市之容。我曾對幾位研究植物的朋友建議，請他們研究日後如何將之移植於江南山水之鄉，爲湖山增色。他們說，不甚容易，因台北即不易見有此樹，蘇杭一帶，氣候更冷。但是我仍盼望他們能想出一個辦法來。

由繁榮到寞落的鑽石山

鑽石山，這海外一角的山麓小地，在史蹟上找不出它何以叫「鑽石」的來源，據當地居住較久的農民說，二十年以前，香港政府曾大批的僱人到那裏來開發山石，以築九龍城的水塘，和啓德機場的跑道，也許由於這一個原故，將「鑿石」稱作「鑽石」而誤傳至今。

鑽石山所佔的區域很小，內容包括了好幾個小地方，背山臨海，以中國的嶺南山脈來說，它是這一條入海的尾閭，地方雖小，「來頭則大」，面臨九龍灣的古丘，則是歷史知名的宋王台，今天站在這一個地方，環顧亞洲大陸，頗具入海蒼龍之勢，說來也是人生頗不容易的事。

由於大陸的混亂，使這一個海角一隅之地，驟然繁盛起來。三年以來，鑽石山由幾十個人集居的小村落，而變成了兩萬人以上共同居住的地方，華洋雜貨，飲食用品，應有盡有，形成鄉村裏面的一個小城市。

今天的鑽石山，具有了鄉村裏面的城市化，城市裏面的鄉村的特色。因此，鑽石山有不同於香港九龍一般地區的生活色彩。

在鑽石山的大街上，有像上大酒店的濃裝麗服，也有不少人，穿着睡衣，滿街亂跑，女孩子們，好些是挾着書包，像聖女般的走過街房店口，但也有穿着僅僅比三角褲長一點的短褲，滿街徜徉，看了大家並不爲異。

鑽石山的另一特色，是中國淳厚的人情味，是籠罩着這裏的。這裏人們習慣於打招呼，早上晚上，一些認識或不相認識的人，大家碰頭至少會作一個會心的微笑，意思是在說：你好呀，我們又碰見了。店舖的生意，各有各的主顧，一些不相素識的購貨大半都用記賬方式，然而店舖也並不以這一種爲苦，很多的時間以來，鑽石山很少發生店舖與主顧的爭吵，店舖大多數是顧主們的聯絡站，顧主長期掛帳，並不一定與店舖是熟人，但逃帳的人，卻是很少。

構成鑽石山的居民的主要成份，是大陸逃亡的反共知識份子。這裏全國知名的大學教授有十幾位，其他有專長的人，更不在少數。這裏無形中形成一個文化區域。共黨的活動，在這一區是立不住脚的，一個推銷報紙的朋友說，文匯報，大公報在這一區，從來沒有一天，零賣十份以上的，反共的報紙，則有幾百份以上的銷路。

進一步的去觀察鑽石山，今天港九反共刊物雜誌文稿的來源，有百分之六十，是來自鑽石山；大陸亡命出來的公務員。上至特任官，上將，下迄錄事二等兵，各層各級這裏都有，過去曾任師長，而今天在鑽石山街頭擺水菓攤的，就有好幾人，因爲這一個原故，鑽石山在近幾年來，不特文化圈知名，國際上亦頗有聲名。

鑽石山的房價，實在并不低於九龍城其他街巷，大家所以願住在這裏，完全是這裏的情調，很適合大家的口味。祇是鑽石山的經濟情勢，是在一天一天的變了！許多人都搬到更遠的鄉間，爲了節省開支。搬進來的卻都是小商人的家庭，大觀路的繁榮，沒有以前多了，永嶺中學的學生，也一期不如一期了。各舖開裏的買賣，今非昔比，三四年來，有很多人家，有錢人變得窮了，窮的更苦了，現在有很多人家，單靠着一些零星手工過活，但生活雖苦，大家說起來，總覺得今天還能保持一分自由自在，已是萬幸，這種生活是對[illegible]的一種驕[illegible]。

元元

李裁法怎樣入台的？

香港「[illegible]」夜總會前主持人李裁法被限令出境，以及在台被拘究各情，本報已有報導了。關於李氏在三天之內，即能取得台灣入境許可一事，外間頗爲詫異，因爲台灣對旅客入境，素來採取嚴格主義，許多名人都不易取得入境證，李裁法以一浪人，而有此特殊便利，外間乃不免議論紛紛，對台灣當局不無微詞。

實則李係以騙術入台的，其經過如次：

李於奉到三天內自動離境命令後，深爲惶急，如逾期不走，即有被押赴深圳，強迫出境之可能。但李計於其同鄉人沈某，沈與另一同鄉商人趙某，素與台方某要員締深交，但李與趙無友誼，乃懇沈同赴旅館關室，由沈以電話邀約趙來一談，趙應約而至，入室甫事寒暄，李即跪趙前，請求救命。趙不悉何事，殊錯愕，旋由沈代述各情，謂倉促間無路投奔，只有入台之一途，懇趙以長途電話向台方友人說項，准予通融入境。趙有難色，答以不知某友人電話號碼，沈急言「我有」，即將號碼寫出，迫趙立予加急通話，趙不得已，姑試爲之，適某要員不在家，趙以爲藉此敷衍了事矣。詎沈堅挽趙勿去，共進餐，一面則不斷對台方叫電話，叫至第三次，某要員果已回寓，即由趙申述請准李氏入台各節，對方答以此事須由上級核許，且須有確切事實與理由，不能遽予照准的。

當夜，沈等又設法尋到一個素爲台方保密當局所相信之友人劉某，拍急電致某要員，謂李某在港因反共努力而受到驅逐出境之處分，似應予以方便。某要員即以原電轉交上級主官核閱。主官謂：既是爲反共而遭遇危難之人，我們當然可予方便的。某要員得此吩咐，即一面復電劉某，同時通知飛機場檢查人員，如李裁法到台，准予放行云。他們都不悉李之過去生活史事，只緣救助海外反共份子的一片熱心，又有趙劉二人之電話電報，遂給李氏可欺以其方的機會，而昂然飛入台北也。

李抵台北後，如果安份斂跡，尚可潛蹤。詎彼招搖過市，拜客宴飲無虛夕，鋒頭十足，手面闊綽，致爲各方所注意，經多方偵查，乃發覺其爲久已通緝有案之一大嫌疑犯也。禍福無常，唯人自召，李氏有焉。

納吉培拿到了埃及

埃及最近發生二次政變，但這兩次實際上就是一次，首相馬哈爾當初想利用納吉培將軍的軍力，把法魯克趕走，他就可施展他的抱負了，但這却致乖納吉培，納吉培覺得馬哈爾之趕走法魯克，既全靠他自己的槍桿子力量，他爲什麼不能自己出來幹呢？於是納吉培就向馬哈爾開刀，一脚踢開了馬哈爾。在此時，政變，政權就終於落到軍人手上，背後當然很可能是他力量在支持。

納吉培的家世，一向是幹軍人的，從祖父到父親，都在沙場上打轉，父親曾做到馬登那總督。他十七歲進開羅軍校，畢業後當少尉，一直升到陸軍總司令，現年五十一歲，埃及所有的八萬陸軍，全在他掌握之中，但他的軍隊實在也並不是一支好軍隊，上次和以色列一戰，打得大敗。

從納吉培的歷史看，但他應該是親英的，卻表現了反英。而不管怎樣，政權落在這樣的軍人手上，無疑地一步步會走上獨裁。他打倒了馬哈爾的黨，現在還要對付華[illegible]，和回教勢力，他的政權要穩定下來，至少也要一年半載，自然，法魯克是更沒有希望回來了。

哥

法魯克的享受

埃及法魯克王被迫遜位去國，新聞記者得參觀他的王居，宮庭共有四處，分春夏秋冬，這次被迫離去時所住的爲夏宮，內部有御用舞廳，寬大可容五百人以上。起居室之佈置，亦極盡富麗堂皇之能事，最特別者爲其御用之浴室，係一白磁之池，環以銅欄，室甚寬大，置有沙發，爲其浴後休息之處，至於臥室的佈置極爲精緻，床頭有特製的拱門，正中嵌有「F」金字。他辦公桌上，有金的墨水缸三只，銀的四只，所用的十二把紙刀，均鑲有寶石。在他宮殿中的許多玩賞物品中，有四百幀以上從法國買來的名貴裸女畫像和雕刻。他還藏有許多希特拉的照片，不知作何用途。其所搜集之郵票，據估計價值在一千六百萬美元以上。

至於他的衣服，[illegible]，一時無法統計，[illegible]。他的鞋，幾乎於一雙鞋飾都配有之數量。他的飲食，由十餘名廚師分別負責烹調，用世界各地任何名貴的佳餚。他可以燒好吃，有這麼多的廚師，才能使他大快朵頤。參觀了這個夏宮，可以知道一個窮奢極慾的國王，是怎樣的生活，但也正因爲這樣，他終於被逐出國門。

印度加緊強化邊防
西藏內部醞釀變亂
中共第一步先赤化尼泊爾

（大吉嶺航訊）

中共的謀攻印度，已由傳說而逐漸見諸事實。七月中旬，中共「西藏軍區」已調入藏的張國華部二個團，進駐喜馬拉雅山。據此間獲自拉薩方面消息，中共刻正由西康及四川二省抽調五萬駐軍，準備在明夏入藏，由康定至拉薩的康藏公路，目前已展築至昌都，繼續向太昭推進，所有這些迹象，都說明了共軍未忘飲馬恆河的意圖。

尼赫魯臨急抱佛腳

上述這一連串的動態，印度官方雖保持緘默，但已在不斷提高警覺中。今年四月下旬，當前印度駐美大使潘迪夫人爲首的印度訪華文化代表團由新德里起飛時，印度總理尼赫魯亦乘飛機巡視喜馬拉雅山邊防。於四月廿六日上午十時三十分，到達喜馬拉雅山麓西里古里附近的巴多格拿機場，並抵臨這一個以山城著稱的大吉嶺。是日下午三時半，尼赫魯在其官舍後的大坪中，曾發表一公開演講，他除了申明印度的睦鄰政策外，並用強烈的音調，一再強調「爲了保障印度的安全，我們居在邊境的人民要特別機警」，並且指出「喜馬拉雅山是印度的神聖邊防，我們不但要保衛自然的神聖的防衛，還需海、陸、空三軍的防禦，尤其要求全國人民的精誠團結」。在這一演說的結語中，尼赫魯並極力鼓勵邊區人民要忘記階級宗教和地區的不同而精誠團結。

尼赫魯在大吉嶺巡察一遍後，並赴錫金，親往邊界瞭望，然後由剛渡到邊加侖堡。在加侖堡又對二萬餘聽衆發表演說，軍中「印度的門是爲好朋友開着，但却爲仇敵們閉着……」要求邊境人民「特別提高警覺，特別留意邊境間可能發生的問題」。尼氏這一次的巡視邊境，正是西藏共軍奉令向喜馬拉雅山移動的時候，因此一般人推度印度方面對中共軍事行動，並非毫無覺察。使尼赫魯不能不臨急抱佛腳。

印度強化邊地防務

尼赫魯返新德里後不久，印度政府即決定改善邊陲防務的運輸工作。目前在阿薩密省最北的柯哈地區，印度共佈置了十一處的防哨。計有步兵千餘人。爲了維持這些人的給養，須經過一百八十英里的叢山峻嶺。此外，在西藏南部喜馬拉雅山最西的巴里巴那及沿裟爾門子河薩地區等地，亦佈置了十多處哨站。這些哨站的最大問題，完全係給養問題。印度當局爲解決這一問題，最近已決定由空軍與陸軍合作，採取航空運輸，投擲給養和配備。動用C四十七型運輸機十二架，負責這一工作。這一新的決定，表示印度當局對邊陲的防務已在密切注意中。

藏民騎劫中共軍火

但上述這些行動，並未足影響共軍的基本計劃。目前最令中共入藏部隊感到棘手的，除了本身的供養問題外，藏民不穩情勢日趨顯著，實在才是他們心腹之憂。據西藏方面傳來消息，自四月初旬，三千餘名藏人，集體襲擊中共在拉薩的軍政機關被鎮壓後，後來曾數度發生搶糧事件。五月中旬中共開始在後藏各地進行「土改」，發動藏民進行鬥爭，徒引起各地藏民的反感。有不少反共藏民，已密謀出通各廟喇嘛，騎劫中共的軍火庫，準備大舉圍攻印藏邊界的駐軍，這件處密雖未告成功，但西藏軍區已感情勢嚴重，在內部控制未鞏固以前，中共對印度，只好仍繼續保持「親善」。

共特先潛入尼泊爾

中共覺得侵印目前尚非適當時機，乃改變方向，先向西藏和印度中間的尼泊爾下手。

去年共軍進入西藏後，尼泊爾即發生一次巨大的政變。那一次的政變，雖有內在反王族統治的原因，但幕後的主持者，則係受中共支配的尼泊爾共產黨。自從那次事變以後，中共已看清尼泊爾的弱點，於是着意經營。先派人將西藏通達尼泊爾的幾條交通孔道和附近地形測繪完竣，並訓練了一批間諜伺機滲入。尼泊爾的佛教聖地菩薩蒼城，往年均有不少西藏青海的高僧喇嘛，到城裏的千佛塔古廟進香，自去年起，這種進香隊已被禁止。中共將所訓練的間諜，化裝成進香客，以「朝聖」爲名，分批滲入尼泊爾。朝聖之後，即分散潛伏於尼境各地，尼泊爾的共產黨在這種策動下，勢力逐漸膨脹。

野火燒向印度國境

本年七月間，尼泊爾共黨份子再度發動暴動，參加暴動的尼共約千餘人，都有新式的武器。他們攻擊地方政府，並槍殺地主，搗毀一般機關的帳册文件，同時搶劫商店，掠奪財物，尼泊爾佛里區的政府，在暴徒襲擊下已趨於崩潰。據尼泊爾政府宣稱，這一次的叛亂，民會黨某在野黨黨員，可能蔓延到尼泊爾全境，而幕後的策動者顯然是隔鄰中共。

中共所以選擇尼泊爾作爲行動目標，一方面是利用它作爲南進的據點，另一方面則在試探尼赫魯的態度。因爲一九四九年中共佔據中國大陸時，一九五〇年尼赫魯便和尼泊爾訂立友好條約。聲明「締約國一方，如與鄰國和任何國發生糾紛或失和時，兩國間互相通知，有構成被進攻之虞時，則兩國應互相援助」。這一條約等於軍事同盟。去年尼王因政變被迫逃印時，尼赫魯即設法護送其回尼，仍復王位。隨後並派一班軍事代表團駐尼京訓練軍隊，其目的即在支持尼泊爾抗共軍。如果這次尼泊爾的共產黨武裝叛亂成功，而印度無法履行攻守同盟，則中共的下一步，印度共產黨可能聞風而起，尼赫魯的煩惱正多着呢！（古大明寄自大吉嶺）

共黨的「統一戰綫」工作
——從華萊士覺悟說起——
·王干一·

，由於中共在本月底要召開「亞洲及太平洋區域和平會議」，共產國際又要在十二月五日於維也納召開「世界和平大會」，同時，印共、緬共、日共等也都有這種活動，而這種會議是屬於共產黨的「統一戰綫」性質的，所以我們要及時分析一下共產黨的「統一戰綫」工作。正在這個時候，傳來美國前副總統華萊士最近在「本週雜誌」上發表一文，承認其過去受共產黨的愚弄，以致對蘇俄認識錯誤。華萊士有勇氣坦白其自己的錯誤，這是值得讚揚的。但是對於共黨怎樣愚弄了華萊士十年這回事，却更值得研究。因爲共黨之利用華萊士，實際上即係一「統一戰綫」工作。

共黨實施「統一戰綫」政策，係決定於一九三二年的共產國際第七次世界代表大會，因爲當時希特拉上台，威脅了德共的活動，而日本又侵佔了東北，對蘇俄有了直接的威脅，同時，中共那時正給圍剿得走頭無路，需要設法解救，於是改取了這一「政策」。

共產國際改取了這一政策後，有二大收穫，一是所謂「世界反法西斯統一陣綫」的形成，二是中共的「抗日民族統一戰綫」的發展，二次大戰的發生，如沒有這兩個東西在暗中策動，不致爆發得這樣快，史大林如沒有利用這一工具，大戰後的形勢也就不會這樣有利於共產黨，而使它得到很大的收穫。

中共自實施「統一戰綫」後，第一個受他們利用的，在中國是張學良，在美國而言，則羅斯福，杜魯門，馬歇爾，艾契生，乃至華萊士，史迪威[illegible]，都成爲共黨某種時期，某種程度的利用對象。現在呢，印度的尼赫魯，日本的大山郁夫，美國的哈利南等還仍然是共黨這一策略的利用對象。

共黨的「統一戰綫」工作，何以能利用這些烜赫一時的風雲人物呢？其祕訣有二大原則：

第一個原則是利用當時當地大家的共同需要，如大戰前的希特拉法西斯專橫，凡愛好民主者，無不反獨裁，反專制，在中國，那時受日本的侵略壓迫，無人不要反日，不要抗日，共產黨就利用這「反法西斯」和「抗日」的共同要求。大戰後，又提出「民主」口號，因爲那時在法西斯打倒後，「民主」之風高張，故「民主」爲其最好利用口號。及到中共掩有大陸後，世界各國共黨又以「和平」爲口號了。

第二原則是共產黨在執行統一戰綫工作的時候，必須堅持自己的主張，爭取自己黨的利益。因爲他人之反法西斯，乃爲憎恨法西斯而反法西斯，他人之要求「民主」，乃爲愛護民主政治而要求民主，他人之企求和平，乃爲愛好和平而要求和平。初無別的目的，而共產黨則不同，它是爲了要擊破其侵略阻力而「反法西斯」，爲了要瓦解別的國家的統治力和混亂社會秩序而高叫「民主」，爲了掩護其擴張武力並阻止民主國家整軍而大喊「和平」。如此的一方面無備，一方面有心，所以大戰後共黨竟能侵略了半個天下，已被侵略的地方弄得血流成河，而未被侵略的地方則尚木然不知，及至經過一很長的時期，才警覺到上了共黨的大當。像華萊士這樣，僅是一個例子而已。

至於共黨實施這種「統一戰綫」工作，除必要的宣傳工作和社會運動外，主要是選擇可以利用的時候，他們規定的條件是：

一、已有了相當的社會、政治或學術地位的人，他有實力，有號召力。

二、這種人雖具有聲望，但自覺仍未得盡展抱負，且常有不得志的牢騷，對現實政治不滿，好自鳴清高。

三、同時，這種人又必熱中政治，而實不懂政治，更不瞭解共產黨爲何物者。

這人如具此三個條件，則適合共黨的胃口，現在我們可回憶過去被共黨利用過的人，幾無不具此類型。（未完）

殘暴共幹如此蹂躪「婦女」

（上海通訊）儘管中共幹部大力吹謅新婚姻法保障下的中國婦女如何幸福，但是謠言終不能變成事實，而且蹂躪婦女的還就是共幹們自己，其間事實太多，只揀重要的報導一下：

逼人打胎　餓死小孩

江蘇啓東縣川流港鎮長趙鳳翔（中共黨員），在他前妻懷第四胎時，不但不當加看護，反而積極勸負她打胎，還親自到中藥店去買性質極霸的藥品，沒幾天，母子兩人都中毒身死，事情發生後，當時人民也都說：「幹部把人命當兒戲，犯法」。但是趙然當他的鎮長，不久就結識了一個新「愛人」施××，等到施××懷了孕以後，趙又要把她打胎，結果雖未打，小孩生下後，趙強迫施不准給奶吃，三四天後，小孩就活活餓死了，別人說他不守法，他却說「我守的是一杯水法」。

強姦寡婦生子不管

川沙縣川東鄉大華村第二組農會主任姜延福（已婚），他去年在冬學裏認識，看到同組寡婦毛有男家人手少（只有婆婆和孩子），種田不便當，願意幫助他們，這樣，就常到她家中，後來乘機強姦了她，去年六月裏生了一個孩子。但是，姜延福並沒有拿出生活費來，也沒有給女方種田，女方知道受了騙，就提出和他脫離關係。去找鄉長時，鄉長反而把女的罵了一頓，今年陰曆正月間，告到縣人民法院，直到六月底，法院才開了一庭，判決姜延福代種兩畝田，至於已結婚的人與人通姦，按說，是可違犯「婚姻法」的，女方却撤開不談，甚至女方要求男方補助小兒生活費，也遭駁回。

遺棄之後不准改嫁

以上兩件事情，只是普通幹部違法的，還有人民法院幹部，大概是作風更惡劣，爲知法犯法，首先說蘇北「人民法院」南通分院幹部馮林彪，是新安三區全十鄉的人，他與四甲區自由鄉婦女姜鳳，三十七年十月定婚，結婚後感情不好，馮林彪從南通回來，因爲姜鳳老是打罵[illegible]

實，也都勉強忍受，不久，馮林彪在四甲區[illegible]時，[illegible]婦女，調解[illegible]鄉定一[illegible]，南通[illegible]竟去強迫姜鳳[illegible]，今年春天[illegible]姜鳳和他離婚[illegible]，此後，不准[illegible]她再去嫁人[illegible]，同居，[illegible]也有，那一時[illegible]種情形，看不明白，[illegible]都明白，幹部們，自法律[illegible]行的，也就[illegible]作洋洋得意，已[illegible]「這就叫做人民的[illegible]專政」。

法院院長槍斃老婆

湖北省「人民法院」荊州分院院長涂[illegible]，本是老共幹，[illegible]他的元配「愛人」陳[illegible]

[illegible]

豐產運動的底盤

中共的豐產運動，每年都要熱鬧一番，先訂計劃，再來動員，最後總結，總說勝利地完成了任務。於是上下幹部都視爲例行公事，亂訂計劃，老百姓則不管這一套，說「只有豐產年，沒有豐產田。」「多種沒有用，種了給別人」，始終消極抵抗，不肯增產。

現在抗美援朝支前工作正急，要錢要糧，有增無減，下面無法應付，這種騙局，終於拆穿了，於是重慶的新華日報終於檢討說：「通過秋收的檢閱，暴露了豐產運動中不少缺點，主要是領導工作中的缺點，以致有些勞動模範、互助組、豐產戶，沒有完成豐產計劃，因而引起了大家對整個運動的成績發生懷疑。」

川南日報八月二十日也發表一文，說「增產競賽運動，有的專以『得獎品』、『牽大牛』爲目標，內江一帶更流傳着『區裏拿紅旗，縣裏牽大牛，川南搬機器，有的見毛澤東』，意思是說增產運動只是以拿「紅旗」爲目的，只是好了幹部和被指定的「勞模」，於是幹部們「就只追求高額數字，訂出的計劃必然脫離實際，各小組，即所訂的增產計劃，實際上都不是真正通過羣衆詳細討論之後訂出的，而往往是少數人主觀主義地訂出的，有的甚至計劃都登了報，本戶本組的人還不知道。有些縣、區的領導同志，滿口說領導和組織了『多少組參加競賽』，『多少個八百斤戶』的數字，實際則現實性微小極了。」

至於有許多傳奇性的增產數字，原來只是幹部們講報和「小兩畝上的試驗紀錄」，共幹們就陶醉在這上面，誇大爲大面積的生產計劃，於是向上亂報計劃，向下迫農民勞動，而農民的勞動當然有限，[illegible]意，結果所有的計劃都落了空。[illegible]，最糟的還是[illegible]搶「紅旗」，因爲搶不到「紅旗」，[illegible]受批評，爬不上去。

共黨大事鼓吹的豐產運動，川南日報這篇文章，把底盤托出來了。（干）

要反共·先知恥

為方

列寧在生時，認爲政治行爲越到東方就越顯得卑鄙。因此，他把「世界革命」的路綫，決定從亞洲到歐洲；同時即對共產革命的手段，教訓黨徒們充分地使用造謠，欺騙，詐賴，陰險，詭譎等方法。總之，爲目的不擇手段，任何卑鄙殘忍的行爲，都應該肆無忌憚。大概他就是以東方人作對象，才想出這些革命手段來的。

十月革命時期，正是中國文化思想混亂空虛，智識份子感到六神無主之際，舊的一切都唾棄了，新的內容無所有，而以東正教文化本質爲元素的俄式共產思想與理論，乃乘虛而入，充溢着每個現代新人物的心靈中。別的未能完全學到，惟有「爲目的不擇手段」這種昧滅良心的作風，却維妙維肖，大有靑出於藍之勢！今日無論在任何方面作政治活動的中國士大夫，無一而非十月革命時代的新青年，中國共禍之烈，政治節操之無人講究，投機作僞，不知廉恥爲何物的人生觀之普遍存在，大部分都是由於俄共利用東方人先天的政治劣性根的革命方法所養成的！

我不否定智識份子經營政治，要以天下爲己任，要有政治慾望。但爲做官而卑鄙無恥，無所不爲，却是何苦乃爾呢！祇要有一技之長，何必作官，然後能活呢？我們希望反共復國，希望人人對國家民族效忠，首先應以明恥尚廉爲急務，智識份子如果不知自愛自尊，那就永無希望可言！

自由談

報上當

夏雲飛

「土改委員」到了王大莊，整個村子上頓時緊張起來，每個人面上都顯得嚴重萬分，誰也不敢多講話，據接近村長的人透露出來消息，「委員」們主要任務是查田定產和報上當，年來人民的「政治覺悟」雖然提高了不少，可是光怪陸離的新名詞實在太多，對於這兩個任務，還是不能了解；不過人民們也都明白，土改委員下鄉，總是大禍臨頭，斷沒有好的事情，會落到人民身上。

李家成在村子上原是個佃戶，種了王三爺二十畝地，本身也有三畝多地，「解放」後，王三爺是被鬥垮了，許多個佃戶都紛紛上台去訴苦，可是李家成並沒這樣做，他感覺訴的苦絕大部份都是揑造的，實在壞良心，所以不願參加，因此換了個「狗腿子」綽號，土改後，也未分到地，只是剩下自己租遺的三畝多地，可是李家成非常泰然，他總覺得劫奪別人的東西是不能長久的，雖然地很少，因爲辛勤耕種，一家四口，到也可以溫飽，更引起幹部們的嫉恨。

委員們下鄉的當天晚上，村長突然到了李家，滿面笑容坐下同李家成聊天，東西南北亂扯一通，最後才神祕地告訴李家成說：「委員們下鄉的任務，你知道不知道」？「不知道」，「主要的就是發動報上當」。「什麽報上當」？李家成有些迷惑了。村長又燃着一枝紙煙，慢條斯理的說：「報上當就是在去年土改時，地主把東西放在你們佃戶家，現在要佃戶自動報出來，因爲這是地主的陰謀，佃戶們一時不察上了當，本身並沒有罪，只要在開會時，自動報出來，誰存的東西就是誰的，政府並不要，可是假若隱瞞不報的話，人民查出來是一定不容赦的」。村長一口氣說完。李家成很疑惑一下說：「可是我並沒有存地主的東西啊」！「你仔細想一想，多少總不能一點沒有吧」！村長說到這裏又向前走兩步，附在李家成耳朵上說：「多少報一點就過去了，不報委員們也是要找麻煩的」，李家成想來想去，指着院內破水缸說：「這是那年初種地時，三爺借我用的」。正說着李家成老婆也接過來說：「還有我身上穿的一件破衫，也是三奶奶給的，這都是以前的事了」，就這些報上去也可以了，能再想幾件更好，說着村長滿意的笑了，面上浮着勝利的笑容。

李家成老婆到有些見識，村長走後，悄悄的同李家成說：「我看又是要把戲吧！保不準又要陷害誰，我們還是不報好」。「剛才村長不是說報一句就完了，還不是說地主的陰謀，我們不過是上了當」。李家成滿臉惶恐的神色，也懷着同樣心事，不過是強詞來安慰她。她又冷笑一聲說：「鬼才相信村長的話，兩年來被他騙死了許多人，再說今天他陷害地主已沒有用，死的死了，活的也只剩命一條，恐怕是要鬥對付我們這些人了」，她說到這裏，頓了一下，又接着說：「依我看不報不上當，報了才眞上當哩」！李家成一語不發，低頭沉思，也恍如大禍臨頭似的。

第二天早上，王大莊開大會，全村的人都集合起來，委員們先上去講話，要大家把自地時過去替地主藏的東西報上來，絕對沒有問題，否則「人民」查出來一定要嚴厲制裁的。委員說過話，村長掏出一本小冊子，正式宣佈，村「報上當」的人，第一個就是李家成，當村長喊到他名字時，不由得李家成不戰慄了，他勉強的說：「我替地主王三爺藏了一口破水缸，還要一件舊衣服」，「還有什麽」？土改委員斜着眼問。「沒有了」，「笑話，誰不知道王三爺隱藏的東西最多，而且大部都藏在你家，所以你才不鬥爭他，現在報上當也不坦白，那還成，這一次人民一定要給你清算出來」，說到這裏，又向台下問一句：「李家成是否坦白」，「不坦白」，「不坦白」，幾位幹部民兵一齊吶喊，委員一擺手，民兵把李家成帶下去，大會也暫時散了。

經過一夜半天的拷勞訊問，李家成終於承認王三爺寄存他家二十担稻子，還有一百塊光洋，委員限令三天以內交出來，然後把他放回去，當天晚上一家四口就一切利品，傢具也都送給了村長，總算正上了當「自願」地服務外了，一頭牛還是委員的「戰利品」的還是李家成。

關於蘇聯（一）

·舜生·

自一九一七年俄國革命以來，蘇聯的一切行動，即不斷引起世人的注意。在這個三十五年中，整個世界幾已完全陷入一個動亂不寧的時代，愈到最近，這種動亂的情况，也愈趨於複雜而尖銳，而又無一不與蘇聯有關，於是在一切研究國際問題者的眼中，蘇聯乃成了主要的研究對象之一。

可是研究者儘管是異常熱心，但蘇聯眞相之不易爲世人所共見，却是依然如故。

蘇聯是一個極端重視宣傳的國家，凡一切有關蘇聯的組織，其根源如果完全出自蘇聯的本身，當然這類材料都經過了一番極端縝密的選擇；他們爲發揮更高的宣傳作用起見，不僅把若干不可告人的事實故意隱藏，甚至不惜揑造事實，變更事實而公然說謊。像這類的宣傳傑作，以各種文字從蘇聯散播於全世界者，其數量是相當可驚，而且不能說沒有收到相當的效果。我們在事實上對這類的材料也不能完全置之不理，可是我們想從這類材料中求其有益於我們的研究工作，却要看我們自己的本領如何，假如我們用從這類的東西去研究蘇聯宣傳的技巧，有時也不是完全無用，但一個不小心，却可陷入他們的詭計而不自知。中國過去曾有不少自命不凡的左傾人士，實際便是中了蘇聯這種宣傳的毒。

實際今天不是一個蘇聯而是兩個蘇聯，其中的一個是不妨讓人去參觀去接觸的，其不無有可稱道之點，自亦屬不容否認的事實；但另一個却絕對的與世人隔絕，同時亦與蘇聯的人民隔絕，其黑暗，其詭祕，乃至使人無可捉摸；今天一部分人過分的重視蘇聯，另一部分人則相反的過分輕視蘇聯，其所犯的毛病，大抵是由於只知其一，不知其二。蘇聯儘管不斷的邀請過不少的人到蘇聯去參觀遊覽，但由他們足跡所經之處，却只以一個可接觸的蘇聯爲限，也只以一部分可接觸的蘇聯人爲限，其餘的則絕非他們之所知，因此，我們想從這類到過蘇聯的人所提出的報告中去認識蘇聯的眞相，也一樣是徒勞無益。其容易使人上當的可能性，乃比較由蘇聯自己所發出的宣傳品，不知又大了多少倍。

今天依然還有不少民主國家的使節和新聞記者留在莫斯科，但他們所受的限制，至少亦不下於蘇聯普通人民所受的限制。蘇聯的人民既無從知道其政府的祕密，實際則無所謂祕密可以洩漏，至於一切經過嚴格審查與統制的書報，儘管你有更多翻閱的機會，但所得也絕不會比較在蘇聯以外去翻翻蘇聯宣傳品的人們，強得了多少。因此，我們想從這類外交人員和新聞記者的報導中去了解蘇聯，也還是不免掛一漏萬。

亂彈齋詞話

馬五先生

巫山一段雲

序曰：據英國婚姻局主任布拉爾女士宣稱，英國少女說到與體力勞動的人結婚，即嗤之以鼻。這些女子雖然自己亦在工場，店舖或別人家宅裏作工，但她們都希望藉結婚而能使生活水準向上直升。她們以爲帶白領的人總比穿工人服裝要體面得多。因此，布拉爾女士對於三十歲以下的女子願與工人結婚者，皆免除其登記費，以示鼓勵。然稽考註册簿內，想結婚的工人較之想作工人婦的女子，超數甚多，可見免除登記費亦不能轉移少女們羨慕白領男子的一片癡心。這大概與英國紳士派傳統的民族性不無關係，而共產仁兒在英國始終搞不出名堂來的原因，亦從此得到一些證明哩！

白領多紳士，紅顏是美人，郎「財」女貌喜相偕，正好結鴛盟。

勞動雖神聖，愛情難療貧，人生誰個不虛榮，休笑姐兒們。

鐵幕背後

嘉華譯

今不如昔

俄國的列寧格勒城，在第一次大戰前，本來叫做聖彼得堡，大戰時改爲彼得格勒，大戰之後纔改成現在的名字列寧格勒。

一個居民在向共產黨註册時，答問如次：

「第一次大戰以前，你住在什麽地方？」「聖彼得堡。」

「大戰期間，你住在那裏？」「彼得格勒。」

「現在住在甚麽地方？」「列寧格勒。」

「你喜歡在什麽地方住。」「聖彼得堡！」

不容影射

東德的一批學生在柏林參加共產黨的集訓，有一位女教師對他們講古羅馬尼羅王的事，她爲了提起學生們的興趣，不先說出尼羅王的名字。

「這個人太殘暴了！」她說：「身爲統治者，除了邪惡的事，什麽都不做，第一：他逼害殘殺基督教徒……」

說到這裏，突然一個赤色少年團的學生，馬上站起來喝道：「你再說下去，我就要告發你侮辱……」

思想問題

捷克的一家書店女售貨員，把四本流行的書排在玻璃櫃窗裏，書名挨次湊成：

我們要活下去

遠遠離開莫斯科

藏在摩天大樓的陰影中

在外國的旗幟下

這個女人卒之被捕去無影無蹤。

不暇分身

匈牙利的工業中心區牆上，每夜總寫滿了打倒史太林的標語，共產黨徒刮也刮不及，洗也洗不了許多。腦筋傷透了，不免光火，便在牆上寫道：

「有胆子寫什麽不在光天化日之下公開的塗寫？」

第二天一早，牆上又寫上答案：

「對不起！白天我們和你們集會得太忙了！」

中國之友（十五）

毛以亨

戈登將軍傳（八）

八、蘇州克復與殺降事

太平軍在蘇州城開會，由李秀成主持，譚紹洸主戰，而郜雲官等主和，守軍共四萬，而郜雲官等有三萬人，李見郜等有異志，主退，亦不可得，乃自率兵退，而譚紹洸設備，郜雲官爲湖北人，于一八五四年參加太平軍，素以驍詐著名，而長江一帶之太平軍將，均以投降爲坦途，降人皆得厚利與大官，惟兩廣人不肯降。郜等與程有二次接洽，以程亦降人爲可恃，且程部鄭國魁爲郜等好友，居間力促其成，談話二次皆有戈登參加，亦是從旁穿插而已。關於殺降之考證，二十年前，余曾有一文載東方雜誌，長約萬言，茲不復贅。惟關于招降至殺降之一段經過，係中國方面經辦之事，以中國載籍爲可信，而關於戈登如何因不滿而有異動則藍皮書與戈登日記較可靠；中國人之傳述戈登，與西書之述中國方面措施均得自傳聞，不免有失實之處。受降事于十一月廿九日開始活動，十二月一日李秀成離蘇而逐漸公開，四日以慕王譚紹洸被殺，郜雲官等遂開城降，而殺降則在諸降王于六日正午見李鴻章之前後。

李文忠公全集「駢誅八降酋摺」云：「僞納王郜雲官僞比王伍貴文僞康王汪安均，僞甯王周文佳僞天將范起發張大洲汪懷武汪有爲等之乞降。……降卒二十萬人郜雲官等誓同生死歃血立盟，獻城後遂佔住閶胥盤齊四門，於街巷各口堆石置卡。……堅求准立二十營並乞奏保總兵副將官職，指明何省何任，其挾衆要求之狀種種堪虞……因僞令該酋等八人來營謁見……登時將該僞天將等駢誅，派程學啓督隊入城駐守。」王定安的湘軍記則謂「郜雲官等有貳心，密款于副將鄭國魁，學啓戈登等見雲官等于洋澄湖，……給雲官等二品武職，學啓與爲誓，戈登證之……丁酉刺殺紹洸及其黨千餘人，開各門迎降……己亥郜雲官等之出城謁鴻章……甫謁鴻章遽入帳後，伏兵起，悉斬之。」學啓先已擢入鴻章標，……王闓運湘軍志稱：一己亥出城者八寇，將謁鴻章受二品服，乃謂學啓，學啓先已置人於帳數其罪悉引出斬之。報鴻章，鴻章大驚懼，學啓入城諭衆，衆皆聽命。」

中國人記載中國方面主辦之事已有三種不同說法，論理以李之奏議爲較可靠，然當事人一面之詞亦有不可盡信者，如降卒二十萬，四萬人，而李之奏議則稱爲二十萬。以是降人是否多方要挾，是否李氏造作罪狀，以證其應得之罪，都使人懷疑了。藍皮書載有一新王，以善吵鬧著稱，不肯薙髮，竟據城以守，要條件講妥後始降，在會見時吵起來，幾使會議決裂，而郜雲官等本來所守之四門之門，迄未獻出，而僅開慕王所守之門以降，李奏均與暗合。且李晤諸王時，要戈登參加，戈登以不欲壯降人之胆不赴，倘非殺降不可，即不必邀戈登參加以免麻煩，可見曾預爲佈置，亦以防萬一，就範則止，非在必行。戈登爲誓，證之語始于王定安而淸史稿採之，證以藍皮書與戈登日記即知爲誤傳。此事爲李程共同的主張，爲百分之百的對，不管西方人對我東方人陰謀與殘忍都好，雖則對以後收降有妨礙，但不這樣做，現目前的蘇州即平定不下來。外國人自以爲比我們高明的洋道理，有時偏差到不堪設想，聽了就非上當不可，而他們最喜歡強迫我們依他們的觀點，等到闖了大禍，仍歸咎於我們自己不成，實則給他們害了。

自由人

THE FREEMAN
（半週刊每星期三六出版）
（第一六〇期）
每份港幣壹毫
督印人：李光華
社址
香港高士打道六六號
電話：二〇八四八
GLOUCESTER RD.
HONG KONG
TEL: 20848
承印者：東南印務出版社
地址：高士打道六四號
台灣特派員辦事處
台北市館前街五十號
台灣總經銷處
台北市中華路一二五九號

反共應驅逐自由主義嗎？

徐復觀

偶然在八月二十九日的新中國報上，看到葉青先生「自由主義與反共」一文，深覺其所含毒素之大，使人有共產黨正在自由中國借尸還魂之感，所以忍不住要說幾句話。

民主是自由主義在政治中的表現

葉青先生的文章分成三段。第一段他引了鄭學稼，葉知秋，黃力，胡適四位先生對於自由主義所下的解釋，各有出入，以見違「自由主義者也言人人殊」，而歸結于自由主義只獨有自由，以此與其他主義中之含有自由的對立起來，由此而判定自由主義在反共中的作用。其實，自由主義，正如拉斯基（Harold J. Laski）在其「歐洲自由主義之發達」一書中所說，它雖已有「約五百年的傳統」，但「即在它得到勝利的時候，也沒有形成一個明確的教說或實踐的體系」。所以「敘述它既不容易，下定義也更覺困難」。何以如此？因爲「它是心的習慣」，是「一心的態度」。爲要了解自由主義，不能孤立底抽象底去了解，而應在其實際活動的歷史條件中去了解。因爲「實際活動的歷史條件，不管它顧實與否，總會與自由主義以限定。這種限定所意味的東西，才是理解自由之鑰。否則在自由主義的紀錄中所看到的成功與失敗，都不能加以說明」。由此可見葉青先生故意把自由主義與民主主義等對立起來，認爲自由主義所強調的是自由，而民主主義所強調的是民主等。若非像共產黨一樣，對民主別有解釋，即是反常識的故意歪曲。民主是自由主義在政治中的表現，無政府主義是自由主義的極端，個人主義是自由主義的基體，這都是所謂實際活動的歷史條件。所同者是貫注于具體條件中之自由的習慣或心情態度，因此而亦不妨概稱之爲自由主義。自由主義的實際，就是歐洲自宗教改革以來，貫澈于公私各種活動中的無數事實。誰會抹煞事實中的實際踐履，而來一套掛空的自由主義呢？

自由主義與愛國運動

葉青先生文章第二段的意思，是說自由主義反對共產黨的獨裁，是可以的；但共產黨實有賣國。「反對賣國，自由主義「用甚麼理由呢？」「世界上只有個人，只有自由，沒有國家民族，因此，自由主義在反對共產黨賣國一點上，無能爲力」。我認爲，世界上也許有無國家觀念之自由主義者，但這若非走入極端，即是像中談目前許多僞裝的清談名士。若就正常底情形而論，則近代的自由主義與民族國家，

。英國，可說是自由主義的大本營，但有人懷疑英國人的愛國性嗎？自由主義者爲了保護個人的自由和尊嚴而會反對獨裁，難說在外國奴役之下，還有個人的自由嗎？中國過去的抗戰，沒有自由主義者的參加嗎？由這種把個人與國家對立起來，把自由主義與愛國行動對立起來的手法，完全違反了歷史的事實與當前的事實的一種謊言。

三民主義充溢着自由主義

葉青先生大文第三段的意思，是說「自由主義反對共產黨破壞民生，用甚麼理由和辦法呢？」「用自由主義來反共，就是用資本主義來反共了。」而「用資本主義來反共，等于火上加油」。不錯，自由主義，今日是在經濟問題上遇到了難關；而完全放任的自由經濟，連美國也並不存在；但自由主義就完全因此而被驅逐了嗎？如葉青先生所說，現在經濟不僅要重生產，而且也要重分配；但世界所有的社會主義，不都是注重分配嗎？其所以異于共產黨者，即在其重分配而不否定自由。最大限度，也只是主張自由在經濟範疇中的運用應有所修正。沒有自由主義的經濟分配，和共產黨有何分別？葉青先生說：「發達資本主義以改良人民生活，是從生產上着眼的，當然很慢，但共產黨卻從分配上着眼，實行清算鬥爭，分配土地，即刻就有表現；因此，它就能利用人民來爲它打江山。老實說，大陸上反共的失敗，就是用資本主義來反共」。他對於共產黨搶先一着，深致嘆息，結果，當然只有迎頭趕上。那末，我們之反共，好像就只有跟着共產黨的背後跑，而事事「以共爲師」，纔行了。而大陸上失敗的原因，只要稍有良心和知識的人閉目回想，恐怕不能以「用資本主義反共」這七個字可以心安理得吧。

葉青先生的結論是「自由主義不能反共，只有靠三民主義了」。反共要靠三民主義，我當然無異詞。但我認爲三民主義是自由主義在中國當前的歷史條件中之實踐，是自由主義在中國政治問題上的具體化。中山先生雖曾說過中國過去自由太多的話，但那只是指的「不自覺底自由」而言，不與近代自由主義之自由，大異其趣。從三民主義的全體看，從三民主義的基本精神看，隨處都充溢着自由主義。葉青先生之把三民主義和自由主義對立起來，正如他把自由主義與民主主義對立起來之一樣爲故意底歪曲。民國十六年以後，國民黨因受容共的遺毒及意識的影響，常有意無意底，把自己和自由主義者對立起來，這是建國過程中之大不幸，也是國民黨本身之大不幸。共產黨統一戰線之得以空前的成功，于此不難了解其根據之所在。

學「共」不足以反「共」

一直到現在，有人還要以學共來反共，因此，不想方法，如何誘導自由主義者在現實的歷史條件之下，落實下來，以發揮反共的眞正力量，而要一口抹煞自由主義。要試問從三民主義中驅逐自由主義的精神，從反共陣營中驅逐出自由主義的份子，則三民主義果是共產主義的亞流嗎？反共大業，就是少數學共來反共的人所能包辦得完的私人大業嗎？我們反共的價值在那裏？我們反共的信心在那裏？（學共反共的人，是最信仰共產黨的人，這種人有什麼資格，替勞人對反共的無信心。）我們反共的力量在那裏？大家應在這種大本大源的地方冷靜一想。再從中國整個文化發展的過程來看，我深感到是沒有好好的走完一段啓蒙之路。因此，我想到康德在「啓蒙是什麼」一文中的一段話。他說「成就這種啓蒙（按指以自己之力來思考）所必要底，完全是自由。尤其是在被稱爲自由之中，最無害底，是對于一切事情，公底使用理性的自由。但我從各方聽到『不要議論』的聲音。將校們說『不要議論呀，只要訓練』。財務官說：『不要議論呀，只要納稅！』牧師們說：『不要議論呀，只要信仰！』僅有世界上獨一無二的君主（按指當時以開明專制著稱的菲特烈大王）說：『不論多少，不論對任何事情，大家都直言無諱的議論吧！然而也要服從』。若把這話移用到現在，則應該是『大家應該有言論思想等等的基本自由吧，然而一定要反共。』假定中國不能由少數人鼓勵多數人反共，而少數人先自己劃定一個反共的死硬的「圈子」，再把圈子變成「綑仙繩」去綑人來反共，那才是反共的最後悲劇。葉青先生在文章裏提出「全體主義」來，並以美國之援助佛朗哥，證明我們實行全體主義，變成佛朗哥之不會受國際的影響。

中國不可能實行全體主義

我這裏不願討論全體主義；但我願意向葉青先生指出兩點，以說明自由中國不可能實行全體主義，不可能出一個佛朗哥。第一，任何政治上的全體主義者，由莫索里尼史達林以至佛朗哥，首先要有自己關起門來幹幾年再說的條件。因爲不如此，全體主義「中心」的威望便樹立不起來，而中心的威望是全體主義的命脈。自由中國目前有此條件嗎？其次，全體主義之實行，總與民族性有若干關係；而中國人向來不崇拜英雄，未創造外在性的宗教的民族。所以毛澤東的極權統治，不能不比列寧史達林來得更殘酷；而其崩潰一定比蘇俄來得更快。我們如何能學共產黨呢？又何苦要學共產黨，把三民主義解釋爲全體主義，眞是三民主義的罪人，我希望葉青先生愼重攷慮一下。

「亞洲和會」陰謀何在　郭沫若已提出了答案

中共爲配合蘇俄和平攻勢，奉命召集的所謂「亞洲及太平洋區域和平會議」，距離開幕只有兩週，共產國際正動員各地的第五縱隊發動同路人起來捧場，日本的共產黨及左翼份子，因外務省拒絕簽發護照，正在準備偷渡中。爲了鼓勵這批同路人，並煽動日本人民反吉田反美，以喊「史達林爺爺」著名的中共「副總理」郭沫若，特別發表了一封長達八九千字的「給日本人民一封公開信」，正式揭露這次會議的主要陰謀。

在中共政權中，郭沫若是以冷戰專家姿態出現，歷次的「和平理事會」，都由他代表出席。因此，他的言論，無疑的是代表中共中央而發。在這一封「公開信」中，郭沫若雖極盡挑撥離間的能事，但字裏行間，依然掩飾不住其內心的恐懼。深深地暴露出中共政權對目前遠東局勢的徬徨與悲哀。

郭沫若首先承認「自從對日和約和日美雙邊安全條約締結後，日本已無可避免地走上重新軍國主義化的道路」，由於這一形勢的日趨明顯，因此使他們感覺到「必須團結人民作長期的鬥爭」，今年七月初旬，爲了「反對日本重新軍國主義化」，共產國際的「世界和平理事會」特別在柏林召開一次「特別會議」，決定要在這次的所謂「亞洲和會」中來解決日本問題。這次的會議，預定的議題雖有四個，但歸根到底都爲了防止日本建軍，因此，郭沫若強調「有關日本問題的討論，必然會成爲會議的中心任務」。

中共將如何來解決日本問題呢？郭沫若這封信已畫出了一個輪廓。

第一是拆散美日的合作，發動日本人反對吉田路線。他除了誇大日本在佔領期間的損失，說六年來日本已負担了四十九億七千萬美元的軍事佔領費，使日本人民生活愈見困難，每人每日食物所含熱量比起標準數來減少百分之六十，藉此來製造一反美的高潮外，並强調今天日本的命運，已同於「我們中國未解放前的命運」，來鼓動日共長期鬥爭的決心，其用心是異常刻毒的。

第二是提高亞洲其他國家對日本重新武裝的恐懼感。他一再提出「美國希望領導亞洲的是日本」，說吉田正奉「美國之命要來做「亞洲總督」，這些話，與其謂係說給日本人聽，毋寧謂是說給亞洲其他國家聽，希望利用各國的力量來抑止日本的再起。

第三是刺激英國，挑撥英美日的情感：他強調七月廿八日華盛頓的五國會議，限制日本對大陸貿易，要日本向東南亞發展，乃是「要使日本和英國在東南亞發生衝突」，而八月四日至六日的檀香山會議，則是把日本拖進太平洋反共的「萬里長城」，而把英國排除在這座長城之外。這些話亦不是說給日本人聽，而是說給英國人聽，以便使英國亦起來抑制日本。

從郭沫若這一「公開信」，共產集團對日本已佈下了層層陷阱，如何來促使日本墮入這一陷阱，照郭沫若的說法這次的「亞洲會議」還不一定可達成目的，「而只能鼓勵人們把這種努力經常化」，據此觀察中共對解決日本的陰謀，看來還會繼續搬演的。（海志）

半週展望

·左舜生·

聯合國與韓戰

聯合國將於下月開大會，韓戰停火談判決不會移到聯合國，但韓戰問題却是這次聯合國大會的主要問題之一。

聯合國已曾宣佈中共是侵略者，現在在韓進行的反侵略戰爭，便是以聯合國的名義行之，在中共未徹底變更態度以前，即令在大會內各民主國家對這個問題仍可能有種種不同的說法，但認定中共是侵略者的這一大前提是無法變更的。

既承認中共是侵略者，則結束韓戰的方式便顯然的只有兩個：其一是用和談方式使中共自動的退出韓國；其一是加強使這一侵略者死在韓國，或把他們驅逐出韓國。假令這兩種方式以外，還想運用其他的方法來變更韓國的現狀，其結果一定與聯合國制裁侵略者的精神不合。

實際講起來，眞正的侵略者是蘇俄，侵略的大本營不在平壤，不在北平，而在莫斯科，中共不過是蘇俄侵略的一大工具；聯合國不窮究侵略者的主名，僅把一個侵略者罪名加在中共的頭上，這算是避重就輕，文不對題，即令聯軍炸平了平壤，再炸了北平，對於聯合國制裁侵略的任務，依然不能圓滿的達到。

日本建空軍

日本着手重建武裝，其重點原在陸軍，不過就現代戰爭的性質及日本以一個四面環海的島國情況來說，即以自衛爲限，海空軍也確實是不可少的。

不久以前，我們知道美國會以巡防艦十艘（一千五百噸級，速度十九浬）及登陸輔助艇五十艘（二百二十七噸級，速度十四浬半）借與日本，加上日本原有的掃海艇七十五艘，日本現已擁有海船四萬餘噸，作爲她重整海軍的基礎了。據昨天的東京電，美國又借與日本飛機一百二十架，日本且已準備訓練航空員一千名，並重建機場十二處，看來日本的空軍重建也在積極進行了。

有人反對日本建軍，我們不反對；有人怕日本強大，我們却不怕；現在日本對陸海空三軍能夠齊頭並進，我們排衛認爲這件事是很樂觀的。

日本具有龐大的兵源，富有工業的潛力，即以空軍而論，在幾個月以前，我們已經知道有五家日本飛機工廠（中日本重工業，川崎機械，新明和重工業，富士產業，昭和產業）與美國的道格拉斯及波音公司合作，現在也許更有進展了。日本製造飛機的技術，以及飛行人員的勇敢，在上次大戰中，我們已經領教過了；現在又加上美國的合作，無論在技術改進與人員訓練上，一定更能突飛猛晉，這是沒有問題的。假定三次大戰終於無可避免，日本又不惜付出必要的代價以開拓其自身的前途，我相信不出三年，日本即可能在第一綫擁有五千架以上的飛機，和蘇俄在亞洲大陸的天空來較量較量。日俄間的一筆血債，只有訴諸一戰才有澈底清算的可能，文妓郭沫若最近寫給日本人民的一封信，我們認爲只是一個不響的屁！

破皮鞋與史蒂文生

美國兩黨對於總統競選的熱潮，已天天趨於短兵相接了。艾史兩位究竟是那一位當選，我們原也無所容心；不過爲了美國的光榮，爲了人類的正誼，我們總希望代表美國兩大政黨的候選人，在這個時候向美國的人民發言，向世界發言，儘以保持相當謹愼的態度爲是。尤其涉及到中國問題的方面，假如不把事實弄清楚，不把大多數中國人的心理了解明白，便不負責任的亂說一陣，這對於美國在世界的領導地位，確實是有重大損害的。

最近在報紙上看見史先生翹着一隻脚，所穿的是一隻破爛不堪的皮鞋，好像世界上也在把這件事作爲美談在那裏傳播。以中國人的中庸之道看來，我總覺得這隻破皮鞋是我們這班被共產黨壓迫着過流亡生活者的本色，以美國的經濟情況，以史先生過去和現在的地位，却並沒有這種必要。沒有必要而一定要穿破皮鞋，這是史先生的自由；本來準備投史先生的一票，因爲這隻破皮鞋的關係，我決定改投艾克，這大概也是我的自由了。

「飛碟」之謎揭穿了

美國科學家化了七八年的時間，終於找到了這天空奇象的根源

飛碟被發現的最早時期

天空中有一種奇怪的光線在飛行，其速度達於驚人的程度，形狀並不一定。但這並不是今天才知道的東西。遠在二次大戰之前，美國的飛行人員，就曾在天空中發現了，不過當時並沒有引起像今天這一樣的注意，在美國軍方的檔案中紀錄着美國平民第一次發現「飛碟」的時間，是一九四七年，「飛碟」的稱號，也從那時得來。自「飛碟」的奇跡發生以後，美國的科學界，及軍方當局，曾用多種的方法，去實驗探測這一樣東西，經過了很長的時間，發現有很多的問題不能解答。第一，是飛碟的動力來源，與及牠能在空中靜止不動的原因。第二，是飛碟本身的製成材料，能在高空以那一種高速而不產生高溫。第三，飛行的操縱者，究竟是直接控制，還是儀器操縱，若儀器操縱，其來源是應該可以探測得到的。這一些問題，第一個有人解釋爲是用宇宙間及地心的磁力操縱，所以能產生那一種高速，並能隨意在空中靜止，但若這一個解釋能成立，則一般所見「飛碟」的尾端，就不應該有火燄，若用油料或原子能發動，就應該有聲音。第二個「飛碟」本身所用的構成材料，在經過幾百種的實驗，美國的科學家們就始終找不出來。帶來的第三個問題，是這樣高的速度，人的操縱，幾乎爲不可能的，這其中自然又是含着溫度的問題，與及高空氧氣供給的問題。

「飛碟」之謎的追尋

由於人們對飛碟的震驚心理，使美國的科學家們，對牠追蹤的努力，愈更積極。近來的探測，算是略具有眉目了。由多方面的證明，「飛碟」這一件東西，可能是沒有的。在不久以前的洛山磯，有人發現飛碟，當地的空軍基地，就以高速的噴射機追擊。追蹤的結果，沒有發現「飛碟」，但在洛山磯另一面的高山上，却發現有一輛汽車在那裏爬行，汽車前面的玻窗，在强烈的日光下面，發出一條條的光紋，光紋隨着汽車的轉動，不斷上射到天空中散處堆積的雲層，接着環地又好像有飛碟出現，但那一個飛碟，竟隨着汽車的移動在飛行，在汽車直行的時候，牠就胡能飛行，轉彎的時候，牠就掉向另一方向飛，汽車上坡的角度愈高，牠的高度亦愈高，牠一切的飛行角度，速度，都以在地上爬行的汽車爲轉移，使當時追逐「飛碟」的飛行員，大爲驚異。其次使人不能解答的另一問題，是當許網中時常飛行物的發現，而竟也同時發現飛碟的飛行。這一個問題，在現在也獲得了比較合理的解答。因爲上述的飛行員，在發現天空的「飛碟」與地面上活動的發光體有關係的時候，在他飛機的遠方，也有其他的飛機在飛行，這一些飛機的干擾、是可以因爲溫度與濕度的不同而影響到遠近的雷達站的。又一次的證明；是一個設有雷達儀器的飛機，在飛行員發現有「飛碟」在他機旁掠過的時候，他的雷達儀器，竟一點也沒有反應。

可能的來源

由近來很多類似「飛碟」的報告，以及「飛碟」本身的各種科學條件，限制，英國的科學家，大多數認爲「飛碟」的來源，是地上的發光體。因爲移動，讓本身的反射光綫，接觸到了高空的雲層，再由高空的雲層，反射出另一種光綫來，隨光綫來源的移動，而在天空飛行。還一些光綫反射出的顏色，形狀，角度，速度，隨雲層的本身移動及地面上的有光體移動，而有種種的不同，海洋上的冰山，空氣中的塵埃圈，雨球圈，晚間的城市，月光及汽車前面的燈光，都可以造成這種景象，不過從前注意的人，沒有那樣的多，所以飛碟的出現：也沒有今天的頻繁，今天的人，對這一件事情，心裏的印像太深了，所以也就隨時在發現「飛碟」，事實上，這一些「飛碟」，愈來愈多，是決不會一個也不被人類獲得的。

天空中沒有飛碟

，祇是一種光體的複合曲折反射，這一個東西，不是由其他的星球來，更不會自蘇聯來。

（小平取材於八月號美國新聞與世界報導週刊）

台灣環島行紀（九）

麗子

台灣不但林木茂密，抑且水菓豐富。此由於氣候溫暖，雨量豐沛，適於亞熱帶菓樹的栽培，據植物學者的估計，台灣所產水菓，共有一〇二種，我行程所經，或由於季節不合，或由於並非產地，或由於非個人之所嗜，有許多水菓未得嘗試。茲就我自身所嘗及的甘味，略加介紹，以饗同好。

第四號鳳梨與人心果

台灣的鳳梨，名聞遐邇，土名黃梨或黃萊，全省種植面積達三千五百公頃。每年輸出罐頭達一百五十萬箱，僅次於夏威夷與馬來亞，爲全世界第三位。鳳梨含有維他命A.B.C.D.尤以維他命C.特多，服之可以增進食慾，飯後可助消化。又可利尿可治氣管炎。果汁醱酵後可製酒或菓汁。我此次在嘉義農業試驗所吃到第四號鳳梨，其味之美，爲世界所罕有。鳳梨的種號，係試驗機關就本地種與外來種雜交後所定，第四號係與新加坡種配合，肉質細密，甜味强，品質佳、果心小，花目淺，無纖維，到口即化。但出產量不多，市場中未能供應。我同時還吃到人心果，屬山欖科，全省只有六萬五千株，產量不多。果實縱溜，宛似人心。民國三十七年，爲紀念吳鳳在嘉義殺身成仁，改名爲吳鳳柿。果皮極薄，是暗褐色，果柔輭多汁，甜味極濃，風味略似柿子。但有核，扁平，是黑褐色，堅硬有光。而其木質堅硬，可製貴重傢俱，樹姿優美，可用以佈置庭園。

鳳梨葉宜加利用

我們吃鳳梨甚易，但栽培却極費事，我此行曾參觀幾處農事試驗所，並曾在彰化，員林，二水，斗六，南投，鳳山，看了好多處植鳳梨的農家。才知道鳳梨園地如選用傾斜坡地，傾斜度不能超過卅度，如超過須築成梯形或等高綫。在一定距離內必須先開鑿排水小溝，然後栽培。根須深植土下至五十公分，深耕才可以保持適度水分，避免旱害。冠芽繁殖自種植至結果要經過兩年，吸芽可以早熟，也要十八個月才能結菓。種植行間與保留距離，故每甲地（合十四畝餘）只能種二萬五千株左右，較出的外國種，也不能超過三萬株。爲防止沙土侵入苗心，還要經常中耕，除草，培土，施肥，摘芽，防曝，驅除野鼠，防治病蟲害。種地於連種五年，亦即係收穫三次後，產量即行減低，又須廢耕若干時，或作休閒輪作，以免地力耗盡，成爲荒地。因爲鳳梨的種植如此費事，我就想到鳳梨葉也應該設法利用。我想鳳梨葉中必有纖維，可以紡織。但是我在台灣的時候，向幾位植物專家請教過，他們認爲無法利用。而我回到香港後，有一次在電影院中，無意間看到一張新聞片，報導夏威夷女子從鳳梨葉中抽出纖維織成時裝，穿在身上作種種表演，足見早已有人先獲我心。台灣如能利用鳳梨葉製衣，既可補救紗布不足的缺憾，又爲種植鳳梨的農民增加收入，還希望能加以研究，不使夏威夷女子專美於前。

西瓜與香蕉

鳳梨之外，另有波羅蜜，兩者的區別在一爲草本，一爲木本。高雄的旗尾，台南的關廟，有極老極大的波羅蜜樹，一樹纍纍，果實在十枚以上，最大者重五十公斤。遠看像一個卷縮的綿羊。果皮堅硬，果肉味甜，但有濃厚的異味，我們食之不甚習慣。台灣的另一大產品爲西瓜與香蕉。西瓜以冬季所產者爲佳，愈人以季，瓜味愈劣。香蕉亦四季皆備，爲對日本大量輸出品。所謂香蕉外銷，則以香蕉爲主。環台中的四周道路傍，滿佈香蕉園。惟台灣香蕉的品種，極爲複雜，聞共有二十四種之多。非常人所能盡辨。其他如枇杷、楊梅，橘子，龍眼，荔支，櫻桃，石榴，等等出產，而最缺之的則爲蘋果。台北市上有蘋菓出售，每個需新台幣八元，合港幣二元。此在香港每元可得半打，同一類菓乃成爲台灣的奢侈品之一。

街頭菓攤

台灣既爲水果世界，故街頭到處有水菓店攤，高低排列，五色繽紛。入夜綴以電珠，尤爲誘人。抗戰時期，我們退處山中，久不得鮮果，影響營養。醫者只能以濃茶解渴，多服維他。自來香港，已覺水菓繁多，價亦不昂，深羨熱帶居民的口福不淺。但香港缺少西瓜，仍不能解暑。帶蘋菓甚賤，可以却病。西諺曾謂每日服食蘋菓即可不用醫生也。但我回去台灣，所食水菓，以西瓜香蕉鳳梨爲最多，若以北平東安市場菓肆相較，仍覺彼勝於此。北方瓜，梨，葡萄，固爲佳品，即紅蘿蔔亦可當梨。他日收復大陸，當約請台灣友人同到北平一嘗。

美國競選的內幕

・江東・

現在美國共和民主兩黨，都組織了競選委員會，向選民方面下工夫，希望在十一月間，爭取最後的勝利。說說美國競選內幕，很合時宜。

競選的活動有好也有壞

美國的競選，有光明的一面，同時也有黑暗的一面。沒有手槍的威脅，刺刀的恐嚇，暴力的指定，組織的圈名。所謂强姦民意，壓迫選民，一定要投一些所指定人物的票，還算是比較的開明。但欺詐、誘騙，偏私，謾駡，行賄，又組成了黑暗的陰影。而依靠嚴密的組織，陰險的計劃，毒辣的陰謀下流的謾駡，來造成黨的政個人的自私自利的勾當，仍然被當做一種高明的手段。因此美國的競選，在今天也只是比較開明而已。算不得十分光明，十分完善。

這次民主共和兩黨的競選，將以光明，公開，公平，寫下光榮競選的史蹟，抑或仍採那一套欺詐，誘騙，偏私，謾駡，行賄的作風。能否在美國競選的歷程，表現一種突出的光榮，和劃時代的進步。這要等待將來事實的告訴。

現在我們從政治比較民主，選舉比較公開公平的美國，介紹它歷來競選的內幕，使大家知道，就是以民主先進見稱的美國，每屆競選內幕，都有許多不可告人的祕密。至於共產極權國家的强迫性指定式的選舉，人民只能當政權的指定，做傀儡式的表演，更沒有批評的價值。

競選費用的來源很多有問題

美國衆參兩院議員全部或部份的改選，是每年一次，總統的改選，則是四年一次，但每次選舉後，黨派總是互相指責和攻訐，留些政治的餘波；例如一九五零年俄亥俄州衆議員布倫（Wallap E. Brehanon）競選時，曾向他的同位秘書手中取得競選費一千二百元，後來被人檢舉出來。布倫說是樂捐，但兩位秘書却說非如此諸般，飯碗就要跳舞。因爲布倫是共和黨員，於是成了民主黨對共和黨「冷戰」的資料。

大家還記得一九五一年四月間，美國曾發生關動全國的大貪汚案，這與選舉也有關係。參議員凱福佛（Senat or. Kefauver）是這一屆民主黨有希望的總統候選人，到各州調查時，就發現前紐約市長奧端耶（W. Odwyu）的辭職，與受賄競選案有關。奧端耶雖已出任駐墨西哥大使，但被傳回受訊。當他受審時，一位著名大賭棍，還供出前紐約州長杜威回國競選時，也曾受賄。內幕的祕密；是從全國消防人員那裏取得一筆經費，當選後以批准有利於消防人員的法令爲交換條件。鬧得鳥烟瘴氣，幾乎叫杜威下不了台。

詹森「樂捐」過杜魯門競選費

上屆杜魯門競選時，民主黨的經費在八九月間，已開始感覺拮据，同時局勢又非常惡劣，一般大亨都不肯解腰包。後來幸有西維琴尼亞州的詹森（Lanis Johnson）顯意大力支持，民主黨終於獲取最後的勝利，杜魯門再度獲選。於是冷門的詹森，頓時風雲得意，在國防部長福里斯特（James Forestal）跳樓死後，詹森一躍而登國防部長的寶座。當時一般人譏笑他好像一匹爆冷門的馬，却不知道詹森在杜魯門競選時，立下了不可磨滅的功勛。詹森向來不爭衆望，而他的才略也有限，後來爲了三軍互爭擴軍經費，同時中共介入韓戰，終以決策錯誤而去職。後來共和黨又提出許多證據，指責詹森在職時，與飛機工廠簽訂大批合同的舞弊情形，攻擊杜魯門政府。實際上這種捐助競選經費，何異商業投資，當選者直接任用私人以償政治債務，也就等於一種變相的受賄行爲。除了這些情形外，還有對競選的「樂捐」，更是一種公開的祕密，因爲這與選舉法規並不抵觸。但是死的條文豈能限制活的行動，「樂捐」既不受法規的約束，許多弊端自然也隨之而至。

不要以爲白屋可出公卿

本來選舉的眞義，是要打破階級觀念，使任何人都有從政的機會。然而如以今天的選舉，就能白屋出公卿，那就太天眞了，因爲競選非錢不行，而且要花大錢，才可以掌握民意。即以參議院來說，是美國的最高立法機構，參議員的資格明文規定只要是美國公民，年齡在三十歲以上即合格，可是還有一件未成文的事實存在，即須有一百萬元以上投資在競選的事業中。還不是拉到錢的問題上面嗎？

競選一次要花二百餘萬

前年秋，參院部份改選，俄亥俄州老牌議員塔虎脫與賓夕法尼亞州的達夫，兩人各花去兩百萬元以上的競選活動費。有人替他們計算，假若這些錢完全是他們自己掏腰包，那麼他們必須連任一百七十四年才能夠本。其間僅俄亥俄州爲塔氏競選花去的費用即達四十二萬五千元，而全美共和黨總部又爲塔氏付出競選費一百六十三萬餘元，這筆鉅款，雖然說是同情塔氏的人樂捐，但絕不是出於窮人的身上。有錢的人既然樂捐，自然就有支配的權利，於是就等於買辦選舉。

只要有雄厚的資本，就能當選例子，實在太多了。前年賓夕法尼亞州改選參議員一人，州長一人。共和民主兩黨，競爭非常激烈。共和黨的二位富翁，一位麥翁捐助一萬六千元，另外一位皮納，也捐一萬二千元。而民主黨就缺乏這種有力的支持，最大的數目只有工會湊集的一萬二千元。當時大家從經濟方面推測，斷定民主黨必然失敗，結果參議員一席，果然落在共和黨手上。

這種情形並不是賓夕法尼亞州一地如此，其他各州也莫不皆然。一九五零年的統計參院九十六名參議員中，家產百萬以上的佔十八名，約合全部人員百分之二十。由於選舉費用的如此龐大，一般小資產階級，對於競選也不敢問津了。

西班牙陸軍的現狀

（馬德里通訊）

西班牙逐漸又在扮演其歷史上曾担任過的角色了，充當歐洲堡壘東南隅的守護人。那末他的實力究有多少，很爲一般人所關心。

西班牙有常備軍三四十萬人，動員後可以擴充至一百萬人。除了駐摩洛哥的回族軍和傭兵之外，西班牙盡屬國民兵，被征入伍，訓練十八個月，所有軍官幾乎全是志願者，他們是西班牙的骨幹。

西班牙的氣候，夏則極熱，冬則極冷，它的社會問題，也是這樣，有的文化水準極高，也有目不識丁之輩，巨富很少，赤貧特別衆多。徵兵來自農村，農村的生活是極艱苦。因此養成一種短小精悍和刻苦耐勞的習慣，如果給他們有適當的訓練和裝備，便能成爲第一流的步隊，西班牙有句諺語：「祇需有一把刀和一瓶酒，就可以行到世界盡頭。」游擊隊（Guerrilla）這名詞的來源，即是一個西班牙字。

軍官要受五年半的訓練，才具備資格，薩德哥薩的陸軍軍官學校，規模並不大，每期可招新生三百五十名。但投考的衆多，故條件甚嚴。該校設備甚好，管理嚴格，但充滿活潑熱烈的氣氛。

高級軍官，盡屬職業軍人，久歷戎伍的，這些軍人經驗雖豐，但以之指揮現代軍事，則常嫌不足。他們薪給太低，一個少尉月薪祗得七鎊，少校祗有十二鎊，因此不能不另謀生活，這點可能是西班牙陸軍的最大危機。

他們爲防衛比里牛斯山脈，特設有山岳戰學校，組成山岳部隊，甚爲精銳。如配上美國的空軍，則比里牛斯山的防線，就成金城湯池了。

西班牙的陸軍缺之現代裝備，因此不能從事摩托化演習，他們的空軍也沒有一架噴射式。裝甲部隊怎樣突破障礙防禦的，西班牙的軍官只在書本上研究而已。

他們的軍火工業，祇能生產一個師所需的輕裝備，運輸工具只能製造卡車，坦克和重高射砲還不能製造。

現在美國的援助來了，但爲數很少，這三四十萬陸軍要裝備成，並有充足的補給，則至少要在五年之後。

假使情況緊急，佛朗哥能放開手，讓美國軍事當局派人去訓練，祇要有一年時間，即可變爲勁旅，因爲西班牙軍隊的素質是不錯的。

（士農寄）

中共將舉行全黨大會
宣佈改變現政權性質
結束共同綱領實行俄式專政

（本報特稿）俄共的聯共大會，已定下月召開，這一次的會議，除了改組其政治局，佈置史達林的承繼人外，最重要的一點，就是宣佈結束現有的社會主義階段，開始進入所謂共產主義時期。配合着這一新變動，中共的統治集團，可能在聯共大會以後，召開其「八全」大會，宣佈結束現階段的「新民主主義」，開始進入所謂「社會主義」時期。

政權發展路綫 抵臨最後一關

中共政權的發展路綫，依照一九五〇年秋毛澤東在共「政協」會議上的報告，一共須過三個關。第一關是戰爭，第二關是「土改」，第三關是社會主義。其所謂戰爭，乃指暴力奪取政權而言，與對外的侵略戰爭無關，因此「土改」完成以後，進入社會主義時期，便成爲必然的結論。特別是近一年來，其準備工作已有顯著的發展，而且大部已接近完成的階段。

農村土改完成 城市工商變質

第一、大陸的「土改」，據六月卅日「新華社」北平電，已有百分之八十五以上完成，預計在本年年底，即可全部完成。中共在「土改」的基礎上，除了發展國營農場外，並大規模組織「農業互助組」，作爲集體化的簡單形態。據八月卅一日中共「中央農業部農政司」，在「人民日報」發表的報告：在今年上半年中，大陸已共有互助組六百餘萬個，農業生產合作社三千餘個，全國組織起來的農戶共三千五百餘萬戶，約佔全國總農戶百分之四十。如以目前的速度發展下去，到明年夏天，大陸百分之八十以上的農民，將被納入初步的集體化中，已爲其實現社會主義創造了基本條件。

第二、城市方面的工商業，自「五反」以後，亦已全部變質。名義上雖仍維持私營形態，實質上已全部淪爲國營經濟的加工場。據中共「人民銀行行長」南漢宸的報告，最近大陸工商業的復甦，全靠中共國營企業的加工訂貨及貸款。自本年五月起至八月止，「人民銀行」放款總額達共幣三萬餘億。其中北平八百餘億，扶助工商業九千餘戶，天津四千五百餘億，扶助二萬二千餘戶，上海七千餘億，扶助二萬三千餘戶，武漢重慶各千餘億。至於加工訂貨的數額更多，據「中南財委華南分會副主任」易秀湘的報告：廣州今年加工訂貨資金較去年多八倍，武漢等地且進行全面性的長期加工政策，這些接受加工訂貨的廠商，事實上已失却獨立經營的能力，成爲中共國營企業的附屬機構。因此城市方面亦已具備社會化的條件。

擴大國營利潤 改變黨員成份

第三、就中共整個經濟結構而言，在三年前，其工業生產總值只佔國民經濟百分之十，經過近三年來國營廠礦的不斷擴大，據八月十一日「人民日報」社論中所說，其國營經濟的比率，目前已抵達百分之四十。今年中共財政收支，約較去年增加二十五億美元，可能大部用於工業投資。以擴大其國營企業的利潤。據馬寅初的報告，今年其財政預算的最大特質，厥爲「社會主義經濟成分的增長」。照馬寅初的說法：一九五〇年國家財政收入中，城市稅佔第一位，農業稅佔第二位，國營企業利潤收入佔第三位。一九五一年城市稅收雖仍居第一位，但比例相對減少，國營企業利潤及折舊提繳則上升到第二位，其絕對數字增加更大。今年中央和地方國營企業利潤及折舊提繳比一九五一年增加百分之八十九點八三，由於其國營企業利潤及折舊提繳收入的迅速上升，顯示其進入社會主義之期已在不遠。

第四、特別值得注意的是，中共的首腦人物，不斷要求各級幹部準備迎接更大規模的「經濟建設」，其「新民主主義青年團」，已決定以動員團員參加經濟建設爲本年度的主要任務。同時在黨內發動「整黨」工作，特別注意吸收工人入黨，並組織幹部深入廠鑛，所有這些行動，均顯示中共急於結束目前的過渡階段。

社會化的目的 便於控制搜刮

中共爲什麼如此急於進入社會主義階段呢？其主要的目的有二：

首先，從政權的實質而言，在現階段的新民主主義下，其政權的本質是所謂「人民民主專政」。不但要照顧「民主黨派」，對小資產階級及民族資產階級亦須承認其存在。但在社會主義時期中，其政權的本質，將一變而爲「無產階級專政」，實際上即是共產黨專政，民族資產階級及城市小資產階級固然降爲被統治階級，即所謂民主黨派亦將在消滅之列。如此，中共可以尋求更高的獨裁統治方法方式，來强化對內部的統制與鎮壓。

其次，從經濟的結構而言，中共的終極目標，在使大陸除國營貿易系統外，沒有中間性的商業存在，整個社會經濟只有工業及農業。大陸四億五千萬的人民，除了作爲對內鎮壓對外侵略工具的軍隊外，一部份是農奴，另一部則是奴工。在現有的新民主主義經濟之下，既容許農民保有自己的生產物，而且容許私營工商業的存在和發展，這與其塑造奴隸社會的目的，仍有相當的距離。在進入社會主義以後，現有保存於農民手內的土地，將以集體農場方式再度交給共產黨，農民將變成集體耕作的農奴。貿易機關、公營商店及合作社將代替現有各廠店的[illegible]工，全國唯一的地主和老闆，就是中共的統治集團，不但利便於擴軍備戰，而且可以做到「無保留的擁護蘇聯」。（錢易之）

共黨的「統一戰綫」工作
——從華萊士覺悟說起——
·王干一·

毛澤東對「知識份子」的批評，是「一不會耕田，二不會做工，三不會打仗，四不會辦事，——一無用處」，又說這些「知識份子」却偏又「自高自大」，「目空一切」，「老子天下第一」。又說這些人最愛「鬧名譽，鬧地位，鬧出風頭，當管一部份事業的時候，就要鬧獨立性」，喜歡「拉攏一些人，排擠一些人。」

但是毛澤東在實施它的「統一戰綫」工作時，要找尋利用的對象却正是這些類型的知識份子，被視爲「寶貨」。

抗戰時期，沈鈞儒在重慶，天天發表爲共黨張目的言論，有人問他，何以喜歡跟着中共走，他說中共待他太好了，別的不說，單拿開會來說，凡共黨請他出席的會議，對他捧得多麼熱烈，使他非常舒服。

華萊士馬歇爾等也是一樣，以華萊士馬歇爾等政治水準來講，共產黨認爲是幼稚得可笑的。但他們這種幼稚的政治水準，加上「自以爲是」「目空一切」的那種態度，剛好是共產黨最適合的「統一戰綫」工作的對象。

共產黨在找到了這種「寶貨」後，就盡用全部力量包圍他，他喜歡出風頭，就盡量爲他佈置出風頭的機會，他愛好某種事物，就用某種事物來左右他，他是美國人，就由美共來做，英國人就用英共來做，尼赫魯是印度人，則有的是印共來包圍左右他。佈置這樣週到，技術這樣巧妙，無怪華萊士要被愚弄了十年之後，才能一覺醒來。這些「寶貨」既然都是有了地位的，只要他們有一句話對共黨有利，就足以擴大共黨的政策上的政治影響，如利用到他能攻擊共黨所要攻擊的敵人，像華萊士過去對中國政府的態度那樣，那對共黨更有幫助了，如再進一步，像他們利用馬歇爾那樣，施展他的權力來壓迫中國政府，推行中共提出的「聯合政府」政策，共黨的政權即等於打了一次百萬人馬會戰的大勝仗。

共黨的「統一戰綫」工作，也並非單純的只是這些爭取利用個人的工作，而常常配合着一種社會運動，最易於利用的即爲青年學生，這許多在街頭遊行的青年學生，當然不會全部是共產黨，而其中成份又多半是原爲共黨所敵視的所謂資產階級或小資產階級，但在某一種要求上，却與共產黨的鬥爭口號相吻合，共產黨即利用這種大家差不多的口號來鼓動他們，掀起運動，例如今日日本的青年學生，在五月間連續發生示威暴動，這些學生所提的口號是「反對再軍備」，「美軍滾回去」，在意義上說，這只是一種「反戰」和「民族主義」的表現，很易爭取一般遭受過戰爭痛苦的日本人所同情，和一向以「大和民族」自尊的人所同情，而它的影響也是「統一戰綫」的，在這一運動中推出安排好的一個有聲望的「寶貨」來領導，影響自然就更大，而共黨只在這運動背後牽綫，收受鬥爭「果實」。這些有聲望的「寶貨」，在暗中還常唯唯否否，下不了決心的樣子，但一旦被推出在羣衆運動之前，滿足了他的「英雄思想」，他就會自以爲是「英雄」了。而共黨視這種人，即是所謂「同路人」了。

共黨的「和平大會」，本質即是這一個東西，他的目的不僅單是爲了宣傳，而是要在民主國家中，找尋各國的「寶貨」，並把「和大」的決議，變爲各國的羣衆運動，從各國內部來起紛擾，紛歧以及瓦解作用。

毛澤東把「武裝鬥爭」，「黨的建設」，「統一戰綫」三樣東西稱之爲共產黨的法寶，這三樣東西的運用，使共產黨得了大陸的政權。故史大林在世界範圍上使用這三個法寶，[illegible]的「武裝鬥爭」，並在蘇俄及附庸國中大量發展共黨的積極整肅內部，即是世界範圍的「黨的建設」，而「世界和平大會」，「亞洲和大」，乃至各國共黨的地下活動，即是世界範圍的「統一戰綫」工作，現在正爲其主要方式。

華萊士受了共黨之愚弄的教訓，主要是給這「統一戰綫」的政策玩弄的，他現在覺悟了，應該把共黨對他怎樣包圍的情形說出來，並揭破共黨這一「工作」的陰謀，至少他也應該把這一「法寶」的秘密告訴給馬歇爾，艾奇遜乃至史蒂文生等，好讓他們懺悔自己的錯誤。（續完）

共幹殘暴 愚昧羅織 學生冤獄

共幹校長是閻王

湖北宜昌師範最近發生一件副校長吊打學生，用刑迫供，造成嚴重傷害的大慘劇。這個副校長王棠，曾任襄西某縣中共縣委書記，有十五年黨齡，現任宜昌市委兼宜昌師範的黨委書記和團支部書記。因爲他是老共幹，懂得共黨各種鬥爭和種種殘暴用刑的方法，加之他雖是副校長，但他是黨委書記又是團支部書記，權力實際上超過校長，校長李地文平時只有聽他的指使，王棠大權在握，於是横行無忌。加上老共幹那一套兇殘作風，學生們都稱他爲閻王。

反動罪名隨便加

事情的起因是這個宜昌師範附設有一個速成師範班，全班學生七十五人，平時對學校的情形不滿，六月十九日，因爲該班原定去市立第二小學實習未果，學生發生吵嚷。王棠知道了，大發雷霆；認爲一定有「反動份子」煽動，於是在翌日早操時，即宣佈停課進行思想檢查，並根據情報，提出學生李鋼林等十餘個學生爲「重點檢查對象」，採用「疲勞轟炸」，小會擠，大會鬥的方式，經過窮追硬迫，學生向培桂信口承認什麼「在鄉組織八個人，準備殺農民」，被王棠認爲是特務而關押起來。女生張光亞，曾參加過三青團，一向被監視，而她又與向培桂，劉心蘭，黃德崇四人曾合攝一照片，王棠等便武斷這一定有組織的活動。

疲勞轟炸逼供信

二十三日，王棠又向共黨特務員宣佈，用「疲勞轟炸」的辦法，說：「疲勞轟炸使被鬥的對象思想混亂，再從語言中發現矛盾，再進行分析，提出結論。」二十四日，在大會中，王棠又提出「二十四個問題」，追供，又說什麼計劃殺校長，什麼武裝暴動等等，胡扯一通，學生又扯出該班幾十個同學，王棠認爲該班學生全有了問題，乃在普師班調了十九個特務學生來，編成特別小組，專門對張等進行追查，在審訊關押。於是愈追愈廣。

繩綑吊打用酷刑

二十八日下午，該校學生集體外出運米，因天氣炎熱，往返約三十里，人人疲勞，回來沒有休息便急急吃飯，飯後忽有十餘個學生嘔吐，王棠即懷疑是「漏網特務」放毒，並肯定「漏網特務」必然與被關押的學生有「聯系」，於是又逼向張光亞等，開始施用繩吊拷打。張光亞受不了，嚴刑「供」出毒藥是向培桂放的，向同樣受不了拷打，又扯出學生朱成潤，朱被由睡夢中拉出審訊，被吊打兩個鐘頭，又扯出學生黃德崇，黃也給吊了起來，身上再壓上兩個特務學生，拳腳交加的拷打，接着朱又扯出學生劉心蘭，劉心蘭于是也被雙手雙腳倒綑着吊了起來，背上綁一扇門，兩頭各壓一特務學生，劉被壓斷了腰，鮮血直冒，只好亂供。因「藥」是永衛買的，又說是「熱供」，[illegible]供出又牽扯多個學生，王棠又叫來五十多個特務學生，繼續進行拷打，把李等十四個學生，追查審問。

苦打成招求速死

三十日晨，全房「放毒」消息轟動一時，杯弓蛇影，學校陷入恐怖狀態。王棠又把黃德崇綁在椅子上吊起，手反綁，學生拳腳交加，五六個特務上去打，一直打到下午，把黃打昏過去，午後沒有結果，朱又受不了，朱成潤要求速死，信口承認，被逼去找證據。

被摧殘的學生有灰窰，朱無奈，抓一把石灰當毒藥交上，於是又普遍用刑，要他們每人交出毒藥，用刑一直用到九月六日晚上，許多學生氣息奄奄，向培桂沒有交出毒藥，又吊打了兩天兩夜，成了殘廢。務組織材料，於是逼着他們寫特務組織材料，一次寫了好二遍，這樣又逼了五天，最後是學生寫了一刀多十行紙。

學生無辜被摧殘

這件事情從六月二十日起，整整關了校門，鬥了二十幾天，用的刑訊達四十七種之多，十四個被嚴刑拷打的學生，沒有一個不遍體鱗傷，後來學生中有個叫向培桂的在漢口中南區，做事，老共幹只好把王棠撤職，湖北省委宜昌專署，但對王棠資料撤職，表示寬容，說「孔明揮淚斬馬謖」。

學生受傷的十四個，有的折骨，有的吐血，有的斷臂，有的斷了神經，但宜昌專署每人補助了約合港幣十元的醫藥費。

共幹的愚昧殘暴，看了這件事情的經過，能不令人髮指。（雪）

烏龍的建設 浪費的奇聞

共黨在積極開採贛州鳥礦運蘇，最近俄國人特要他們建一選礦廠，但事先計劃不週，選礦機裝好了，才知道裝的電力機的電力不夠用，開動探礦用的風鑽機，就不能開動選礦機，如開動選礦機，採礦工作就得停止。如另裝發電機，又得二三千，而且成本加高，故選礦廠建好了，等於沒有建。

贛州一個水泥廠，設計了兩處，運了不少器材去，但選廠址還沒有選定，一會兒靠鐵路，方便，一會兒某山石灰石好，一會兒要靠近鐵路，一會兒又要在意防空，器材搬來搬去，至今還不敢停在那裏。

湖南有個錫礦，俄國人要清錫，就新建了設備，規模很大，有焙燒爐，布袋室，冷凝系統工程，但一開工，才發現這錫礦的含砒成份過高，新設備完全不合用，仍舊只能出生錫。

婚禮節約說

為方

歐美人的結婚儀式不外兩種：到教堂舉行婚禮，請牧師證婚，或向官府註冊。

中國人結婚也有兩種方法：依民法規定，需要三人以上的公開儀式，或參加官府所主持的集團結婚。東西方的結婚似乎都有一張證書，由關係人簽名蓋章。此外，尚有各種特殊民族的傳統婚禮，然非一般人所能適用的。

普通一般的法定婚禮，目的祇在正名定份，表示「男有室女有家」的社會地位而已，別無作用。尤其那張結婚證書，除了夫婦間發生大糾紛，要藉此作訴訟的證據以外，一輩子也是一張廢紙！所以，我每逢替親友證婚或作介紹人，在婚書上加蓋圖章時，即暗暗地不覺好笑，「這是替新郎新婦準備他日打官司的物證呵！」

這張結婚證書又不像一般職業執照或畢業文憑那樣，大家都用玻璃框掛在公事房和座右，以壯觀瞻，而只是什襲藏之，尤其是女方特別珍視它，其用意還不是爲解決萬一與男方有糾紛時，用作法律根據麼？實則，社會上許多鬧夫婦糾紛的，光憑這張證書，並不見得一定勝利。

因此，我主張結婚手續應該簡化，最好是只向官府註冊就算數，其次是集團結婚。此外一切繁文縟節，皆可廢除，尤其不必再需要那種勞什子的證書了。官府既有案可稽，法律根據已經具備，再請名人證婚開頑笑，請許多人在證書上蓋圖章，都是勞民傷財的無聊之事。要節約，先從婚禮節約起罷！

自由談

鎮壓

黃汎

「……黨的「政治保衛」工作，是必然應該結合羣衆，運用羣衆。說得明白點，就是要使羣衆跟着我們走。……而宣傳與保安是「政治保衛」工作的軟硬兼施的一體二面：……」H市「人民公安部」王「部長」在「保衛會議」上，口沫四飛的對着部衆訓話，會議室裏的空氣現得十分緊張，說到這裏，他眼光向會議室裏的八十二名核心幹部橫掃了一周，又將呢絨的「列寧裝」衣領向兩邊拉了拉，接著用帶點氣急敗壞的口吻說：

「然而，黨的「宣傳」工作，可說是澈底失敗了，……完全失敗了。」王「部長」粗糙的喉音，從室的四隅激起了一陣刺耳的激盪迴音。誠然「批評」人家比「自我批評」是要痛快些的，王「部長」的聲浪就顯得十分激昂。會場是一片肅靜，只有壁上的大時鐘的滴的滴的聲音與每個公安人員呼吸聲響相拍合。

王「部長」一壁說一壁就從講台上，拿起一卷備好的資料，展開來朗誦。

「……統計本市本月份發生違反治安的不法案件，計緝獲「反革命」造謠事件三百〇四件，我黨宣傳工作受到反動破壞的計七十三件，竊聽「美國之音」與「合衆反動廣播」經我破獲逮捕的計二百九十六件，私相傳遞於我不利消息的計八十一件：……」作爲布爾什維克黨人的王「部長」，對於黨的陰慘遭遇，當然不能無動於中的，因之，他的音調愈說是愈微弱悲涼了，就彷彿是從地底下發出來的幽吟，下面的一堆數字，他再也沒有勇氣繼續報告下去的，所以下面的語音，聽來就愈覺得含糊，呻唔不清。

『但是，我們布爾什維克黨人……堅還反動勢力的進攻。……』一運用上「黨八股」，王「部長」就像打了一支嗎啡針，又漸漸覺得氣壯起來，用兩手拉了拉領頭，又將戴着金手錶的左手，高高地舉起揚了一個周圈，讓那金色的光芒，發射出傲然的氣概。

「……反動宣傳的漸起作用的現象，現在已普遍嚴重地存在，無可諱言，舉些小的例子，譬如，我近來就常常聽到街查的歌謠，什麼：毛竹筒（毛澤東），蛙得（朱德）兩頭碰，碰，碰得壞（彭德懷），共產不成功。」你們想，這些歌謠，小孩子當然自己編不起來，當然又是「反動」份子編起來的。」王「部長」的態度很莊嚴，更顯得這問題的嚴重性。

『至於將「人民歌曲」侮蔑的改編，如：「解放區的天，是明朗的天」唱作「是黃梅的天」，將「東方紅」，唱作「東方黑，太陽沉，中國出了一個毛綠虫」，將「志願軍進行曲」唱作「膽怯怯，氣蕩蕩，送過鴨綠江，爲羅宋，當砲灰，血染朝鮮山」，想來大家也都司空見慣，充耳不聞了，甚至連我們自己的文藝工作同胞，都會唱出了：「嚮呀呀！同到非淌山！」這是什麼話，簡直是「不祥之兆」，……』王「部長」的話，愈說愈憤慨，恨不得就想把那些街坊兒童，抓兩個來做戒做戒。

『本部爲秉承黨中央的「保衛政治」的最高意旨，澈底執行中央頒佈的「鎮壓辦法」，即堅決採取「寧枉毋縱」的工作方針，對於反動，不穩份子，不問老幼，決定一律大力鎮壓！』

『鎮壓！』王「部長」猶恐大家沒有聽清楚，又重複沉重的說了一句。

鎮壓！鎮壓會議室的四隅，迴盪着連續不斷的迴聲。正在這個時候，窗外傳來嘈雜的人聲，是工廠裏散工，聽到好多人在哼。

「東山的羊西山的虎，虎口裏餓不了我的羊，……」

「日做工，夜做工，翻身有什麼用？……」

使得大衆都搖起頭來，表示出無可奈何的樣子。

關於蘇聯（二）

·舜生·

無論是社會主義或共產主義，自然都有一套自成體系的理論，假定我們從這類理論的觀點去面對蘇聯的現實，我真不知道大家的感想怎樣？以我的淺陋，我從來沒有見過一種社會主義的理論，說維持這樣一種政權，一定要擁戴一個萬惡的專制魔王，聽憑他去發揮獨裁的鐵腕；從來沒有見過一種理論，說社會主義者的政權，靠不斷的清黨，即不斷的屠殺他們的同志，便無法繼續存在；我們知道中外歷史上，奴工制農奴制以及殘殺俘虜的這類事實，都是極端專制黑暗或一般文化落後時代的產物，從來沒有聽說實行了所謂社會主義已有三十年以上的歷史，而且聲言要進入實行共產主義的一個國家，反而要大規模的執行一種比死刑還要殘酷的奴工制認爲是理所當然，而事實上所必要；我們更沒有聽說一個實行所謂社會主義的國家，其亡人之國，滅人之種，摧毀一民族的文化，其手段的凶狠毒辣，乃百倍於所謂帝國主義者而難於令人置信。總而言之，說專制，今天的蘇聯可以說是前無古人；說黑暗，可以說是登峯造極；說凶狡，說欺詐，說無恥，說戕賊人性，說毀滅人道，說破壞道德，說表現人間一切一切可能想像的罪惡，蘇聯也無一不發揮到了頂點。一個對社會主義或共產主義抱有相當信仰的人，假如因爲蘇聯的宣傳家，也常常利用這些東西在那裏做幌子，因而對蘇聯這個國家乃寄予無限的同情，這不是對蘇聯一無所知，便是實際受了蘇聯的欺騙而沉迷不返。

我們回想三十年前蘇聯開始在中國活動的時候，如陳獨秀李大釗之流，他們其所以一拍即合，決不是因爲他們對社會主義或共產主義確實有了什麼真知灼見；更不是因爲他們對俄國的革命過程有了什麼明白認識；不過因爲看見他們的一般作政治活動的前驅，都歡喜找得若干國際的支援，當時又正值中國政治處在一個極端黑暗的時代，而一般人的思想，也正在徬徨迷惑，他們既自命爲時出的新人，看見有這樣一篇文章可做，因之才敢於嘗試一試。換言之，他們決不是認識了環境，明白了理論才去找理論，向這樣一個並不適合的環境頭上去套！當李大釗從蘇聯的大使館被捕硬着頸子走向絞架的時候，我不知道他的心情究竟怎樣？但陳獨秀晚年，卻確實有了一番明白的懺悔。平心而論，這幾十年來做共產買賣的人們，如陳李之流，總算還是多少有點知識的，至於繼起投機的毛澤東等這一羣，當然是更不足道了。

我們不要以爲『糊塗鬼』便不能造亂子，實際只有『糊塗鬼』才是『冒失鬼』的嫡親兄弟，世間一切一切的大亂子，大抵都是這類冒失的糊塗鬼搞出來的，中國之亡，便亡在這羣糊塗鬼的手裏，不知來視諸往，我們到了今天，還不應該把頭腦清醒清醒嗎？

亂彈齋詞話

減字木蘭花　　馬五先生

序曰：本月七日的莫斯科電訊報，指摘一個青年女科學家，說她在取得莫斯科畜學院學位的試驗時間，對母牛施以虐待：她曾經給一母牛飲水，以觀察牛乳的影響，結果證明牛奶減少了三分之二；她又以「電力震盪」及其他的殘忍方法，割劏牛身，注入水份，以試驗飲水過多的現象；她又用開水溶和松節油，試敷母牛乳房。該報認爲這些都是「不必要」之對家畜虐待行爲，遂著文大加譴責，謂爲殘酷不仁云。馬五先生喟然歎曰：悲乎哉，俄共固見牛未見人也！今日中國大陸上千千萬萬被「勞動改造」，「思想坦白」，「階級鬥爭」，「人民公審」，以及其他各式非刑拷訊虐待而死，而殘而婉轉哀號求死不得者，何可勝計？共產社會中人，乃牛馬之不如，假慈悲，胡爲乎？

貓兒悲鼠，僞善心情奚足取！赤子虔劉，豈惜區區一母牛？人民民主，解放人人成罪虜。共產羣魔，好話由來說的多！

中國之友（十六）

毛以亨

戈登將軍傳（九）

八、蘇州克復與殺降事

依據戈登傳記及戈登日記，十二月一日程學啟與戈登至彼營中謂納王派三人來議降，以晚十時往則見三美少年已先在，不久辭出，而程與之作竟夜談。二日晚戈程二人以小舟至洋澄湖距城北一英里之鐵堡，納王旋到，三人入小室，納王請戈登幫忙，戈登告以祇是方法問題，並謂除開城降以外祇有戰到底，而他則願太平軍與官軍爲良友，戈登旋退，讓程與納王議條件。三日內程告戈登謂諸王皆主降獨慕王主戰，戈登至李處商常勝軍發恩餉二月，而以不入城搶劫爲交換條件，李不允，程轉圜僅發一月，而常勝軍大譁，以不入城爲太吃虧，至欲挾李鴻章爲質。四日慕王在衆召集諸王會議被殺衆開城降。五日城內槍聲四起，然爲降卒驅逐之慕王兵士出西門所引起之擾亂。程軍進守東門，戈登見諸降王多稱滿意，至慕王府見其屍，且視太平軍多在薙髮。六日正午爲李約見諸王之期，戈登見納王，並遇諸王騎馬于至李處之中途，與梅輝立同由東門上城至北門出城。下午一時見官軍上城放槍，又見程學啟，程謂諸王未晤到李鴻章，他們要求留二萬人仍歸其指揮，李不允，遂擬商議。程請戈登一同巡視至南門，戈登乃請梅輝立往視納王，至南門別程出城已五時了。翻譯爲言曾見納王自李處回，雙方已因城防問題而發生衝突，戈登乃再入城探究竟，至納王府，其叔要求保護，官軍來攻，戈登阻之，時已深夜一時，因以命令授翻譯派其看護納王府，並使輪船待命於東門外，意欲因李，以爲諸王安全之保證。然命令爲潰軍所撕毀，而翻譯亦被囚，戈登旋自出南門，亦被守兵拘禁一小時，直至七日上午五時半始得出東門。七日程學啟派其英人教練 Bailey 至戈登處，謂錯誤至此實李之過，乃喚納王義子前來詢問，並至對岸取納王頭以歸。即提哀的美敦書，要求將李免職，交北京政府審判，否則將攻取清軍所得之地以還太平。八日梅輝立奉李命到崑山訪戈登，戈登大哭大鬧，立命輪船衛隊出發捕李，梅輝立借得戰馬馳至李舟，囑避免勿與晤。戈登亦怖而中途折回。直至十三日英陸軍司令自知暗李與戈登後，將常勝軍撥歸英軍指揮，並再補餉一月，一切靜待英使指示，其事始緩和下去。

梅蘭芳的戲走樣了

梅蘭芳「靠攏」中共，曾經讓中共大吹大擂過。其實，梅蘭芳雖然出過國，替中國人頂回「藝術博士」的頭銜，談不上有什麼「政治」地。中共騙他「靠攏」也不過是利用他「藝術博士」做幌子，替它那「政權」招搖而已。

美僑對梅蘭芳有印象：無非梅蘭芳到美國演「一隻鞋」（A shoe）以男扮女看着頗新鮮，可是自從梅蘭芳入了共產黨的圈套，躲在北平，很少演戲，最近曾去了一次東北，回北平後更是不問外事了。

中共派給梅蘭芳「戲曲研究院」院長差事，叫他修改舊戲的工作，他除了受寵若驚以外，只好「上班」跑「官差」，修改舊戲那件事不得不做，於是，才有最近改「販馬記」戲詞：「人斷，天不斷，萬事有輪迴，不信抬頭看，蒼天饒過誰？」改爲「人斷理不斷，終朝有是非，不信抬頭看，紅日正光輝。」雖然他想用「共產思想」改舊戲裏的迷信觀念，可是那是絕不可能的，因爲共產黨的「理」不是利用性，就是欺騙性，根本不成其「理」。第一句的原文和修改文只差一字「天」和「理」的不同，中國人本主義天理就是人理。其實是無改的必要的，「紅日正光輝」一句，只完全是宣傳的辭句了。

梅蘭芳改戲詞是「官差」，不得不做。戲卻不敢演。即以他那手戲女起解說，蕭長華是他的老夥伴，「女起解」蕭長華丑角的戲詞無法改：要迎合共產黨的心理，蕭長華年紀太大啦，受「共產」的一股怨氣，若在戲裏一不小心表演出來，問題更加嚴重，所以梅蘭芳在中共竊據政權後總不大唱「女起解」。

殺嬰

惜夢

天津東黃莊的許文會，說不上那輩子得了罪；大兒子參加了青年團，二兒子參加了少先隊。

×兩個兒子是一般模樣，×共產的教條牢記心上；一切都先從自己做起，爸爸便成了唯一對象。

×大兒子回家推派公債，×叫爸爸房子全部出賣；「錯過了限期絕對不行，少一個我就給你厲害。」

×二兒子回家捐獻機砲，×叫爸爸衣服全部售掉；「錯過了限期絕對不行，少一個我就把你命要。」

×現在的情形已經倒轉，×爸爸要聽從兒子教管，×一舉一動須報告他們，把爸爸逼得氣都難喘。

×立場站得是格外分明，×沒有一點兒父子恩情；許文會正在自己悔恨，第三個兒子偏又出生。

×聽了這消息眉頭一縐，自己不知道怎樣難受；「人家養出來很好孩子，共黨硬把他變成禽獸。」

×「小生命本來沒有罪過，長大還不是像他哥哥。」想到這只有把心一狠，當天晚拚出草包一個。

由大陸來台某君談：天津曾發現殺嬰慘事，共匪爲防制此風發展，對嬰兒出生或死亡，管理得非常嚴密，非經驗過發給許可，決不許自行處理云云。

自由人

THE FREEMAN

（中週刊每星期三六出版）

（第一六一期）

每份港幣壹毫

督印人：李光華

社址：香港高士打道六六號

電話：二〇八四八

GLOUCESTER RD. HONG KONG TEL: 20848

承印者：東南印務出版社

地址：高士打道六四號

台灣特派員辦事處：台北市館前街五十號

台灣總經銷處：台北市中華路一段二五九號

今日二三版要目

歐洲防禦的兩種戰略

蘇俄將強化對中共控制

青海反共根據地被破經過

在備戰與避戰之間
我們自己作如何打算？

目前整個世界局勢，仍徬徨於備戰與避戰之間。這樣一種徬徨情況，究竟還要延長多久，誰也不敢武斷。

・左舜生・

現在隔第一次大戰，還不過三十幾年；第二次大戰的結束，更不過是七年前的事。雖不說是『死者未葬，創者未起』，但結束第二次大戰的一切善後工作，至今未能辦妥，並且就從這些未能辦妥的善後工作中，早已伏下若干使第三次大戰必然爆發的火種，卻是很顯然的事實。

我們不妨說人類是一種善忘的動物，可是它卻同時又是一種最能記憶的動物。我們知道第一次大戰的結束，已經有了激烈的潛艇戰，空戰，即地面的爭奪戰，也遠較開戰的初期更為殘酷；至於在結束二次大戰時所表現的原子彈，便更是在開戰當時連夢想也不會想到的。最近這兩年多的韓戰，地面不能說太大，參加的兵力不能說太多，至多只能說是未來大戰的一個序幕，然而消耗的繁多，死亡的慘重，破壞之令人可驚，卻也令人談虎色變。

更有一點，尤其不能不令人大費躊躇的：即從前戰爭勝敗的結果，甚為顯然，而今天則極端複雜。換言之，在從前勝就是勝，敗就是敗，即令一個黷武的戰勝者也可能鬧到財盡民窮，無以善後，可是牽涉的範圍究竟不廣，補救容易為力，同時戰勝者亦會有所失，但終究大有所得，即以一八九四及一九〇四年中日日俄兩戰來論，中俄敗了，日本勝了，雖說就日本現代史作一通盤考慮，則兩次的勝利並不一定是日本之福，可是這兩次勝利之有裨於日本國運的昌隆，要為無可否認的事實；更進一步來看，日本經過最近一次大敗，其所以危而未亡，挫而再起，又何嘗不是依據前兩次勝利為國家奠定了一種不易搖撼的潛力，才收到今天這樣一個復興的後果呢？

第一第二兩次世界大戰，中國都是站在戰勝者的一方，可是第一次的勝利既未能為之解除國際對我所加的壓迫，內之也無救於中國內部的紛爭，然而這還可委之於中國只是『參』而未『戰』，所謂勝利不過是得之儌來；可是第二次大戰，則中國明明經過八年的苦鬥，且明明為交戰國的主體之一，可是勝利的後果，乃為國家召來一次空前的災害，甚至今天國際對中國的估價，求與戰敗的日本相提並論亦不可能！然則現代戰爭對於戰敗的因數，很難就表面的跡象以求，其對我們的啟示，豈不是十分親切？

尤其可笑的一點，在現代戰爭中，一個戰敗者的責任，反而好像是極有限度，一個戰勝者的責任，反而好像是永無窮期；甚至敗者一方視勝者對她的提攜愛護為當然，小不如意，即可能怨氣沖天，聲言不滿；而勝者卻仍不能不委曲求全，多方撫慰，雖欲擺出一個戰勝者的面孔，置諸不理，亦絕無可能，此其微妙，豈不足以發人深省？從前孟子說過：『以大事小者，樂天者也；以小事大者，畏天者也；樂天者保天下，畏天者保其國。』現在我們可以說：『以勝事敗者，樂天者也；以敗事勝者，畏天者也；』今天除把戰勝者的態度解釋為志在『保天下』，大概便沒有有表示如目前這種態度的必要了。今天的所謂『保天下』者，即造成均勢以維持世界和平之謂也；進一步，即增加軍備，以求『不戰屈人』之謂也，然而豈易言哉？

今天極權與民主兩方，都在積極備戰，這是一個無可否認的事實，可是引滿待發的兩方，都終於未敢先發者，實由於兩方都有一種避戰的心理，要亦不難理解。何以要避戰？決不是專在武器優劣，人力多寡，資源厚薄等等方面在那裏仔細的推敲，有一個更根本的問題，就是這一戰打了下來，整個人類社會的景象，究竟將是怎樣？換言之，敗了，將何以自處？勝了，又將何以善後？

像這樣一個問題，決不是一種不必要的假設，斷然要隨戰爭的後果以俱來，乃是無可逃避的。以我們從人類歷史所得的教訓，世無必不可敗之武力，但卻有決不可敗之人民，培育一羣不可敗的人民，實在比較製造一個可能戰勝的武力乃尤為重要。

什麼是不可敗的人民呢？現在我只能從大體上假定的來說一說：

不可敗的人民是智慧的人民，反之是愚昧的人民；不可敗的人民是享有充分自由的人民，反之是被奴役而絕對喪失其自由的人民；不可敗的人民是能自動自發而自行組織的人民，反之是完全被動而聽受編制的人民；不可敗的人民是不自外於政治而能自動改進其國家，改進其社會，進而能由其自身左右其命運的人民，反之是被屏於政治圈外，而另由一羣自命可以『作之君作之師』的人在那裏惟所欲為，只能靜聽支配的人民；更徹底言之，不可敗的人民是可以勝也可以經得起敗的人民，反之是只能勝不能敗，只能暫勝而終於必敗的人民！

儘管今天極權民主兩方都還在備戰與避戰之間遲回反復，但充蘇聯對推翻世界現狀不達目的不止的一個企圖，則戰爭終不可免，而勝負之數亦略可前知，我們既立於民主的一方，勝利是絕對有望，但對這第三次大戰以後，如何確保勝利之果，我們在今天這個極可寶貴的猶豫期間，對我們自身的根本問題，即如何培育一羣不可再敗的人民的問題，總有痛下決心的必要了吧！

建立反共抗俄的思想陣綫

鄧賡析

三年來事實的證驗，我們的文教工作沒有配合了自由中國的政治總任務，充分表現了自身的功能。我深信這一論斷是非常客觀的。今日在反共抗俄正確目標之下，文教政策配合不上政治任務，而做法又未能適應政策，卻是一個很嚴重的問題！我們若是不健忘的話，回想大陸的失敗，原因固有種種，但文教工作者沒有盡了自身的責任，文教當局在政策與做法上又沒有盡了指導責任，以致在總的政治任務上處處陷于被動，最後我們對匪鬥爭的文教戰綫，不得不于手忙足亂中遭逢嚴重的失敗。不能說不是一種慘痛的教訓！

自由中國揭櫫的文教方針，是實施三民主義最高原則的民族本位文化教育。就是說，依據民族本位文教方針，建立反共抗俄的思想陣綫，以與共匪集團作嚴厲的思想鬥爭。我們認為方針非常正確，問題在如何依據方針建立反共抗俄的思想陣綫？這是一個實際問題，不容忽視。

平心而論，自由中國反共抗俄的思想，經過三年來的陶鑄，確已趨於一致。下識思想雖然一致，陣綫如迄未確立，仍不會展開思想行動；無行動，無從發揮文教界反共抗俄的戰鬥力量。所以說，如何對匪展開思想鬥爭，卻是目前主要課題。

建立思想陣綫和展開思想鬥爭，是一體二用，兩者根本是一樁事。但陣綫建立不起來，鬥爭永遠不會表現出雷霆萬鈞的有效力量。

思想陣綫的建立，必須一面有計劃的廣泛的團結堅決反共知識份子，使其在自由中國旗幟下，緊密的結合起來；一面積極的培養文教鬥士，發掘並爭取文教新血液，造就文教界未來的新生力軍，充分發揮自由中國文教新生力量，這是文教當局目前的基本任務。可以說，惟有如此努力，纔能談到思想鬥爭，否則雖有多好的方針與政策，等於紙上談兵，不會發生實際效果。

基於關心自由中國文教思想陣綫的亟待建立，從而切望文教界表現反共抗俄的思想戰鬥功能，認為當前必須解決一個現實問題，就是流落港澳的一批知識份子的[illegible]，[illegible]損失很大！我們希望當局對這些向心自由中國堅決反共的知識份子，盡力羅致[illegible]。這些人過去大都在大陸從事文化教育工作，每個人的奮鬥歷程，自有其相當供獻，他們冒險犯難逃出魔掌，投向自由世界[illegible]，充分以事實表現了堅決反共的決心，但確是很難得的人。他們雖然是些文弱書生，[illegible]崇高的人格與智慧，及其影響社會的力量，必然能在反共抗俄艱鉅任務上，高度的供獻他們的能力，我們不能坐視友邦人士起而救濟，放棄責任，轉移他們效國家初衷。這一點是十分主要的政策上必須緊緊把握，免蹈以往覆轍，使知識份子同我們離心。

羅致反共的知識份子，在原則上力避救濟一類方式，[illegible]能夠參加反共抗俄最實際的任務。如教育部設置的編纂編審之類，收容大陸來台的大學教授，其辦法和救濟難民無大分別。雖然教育當局煞費苦心，[illegible]

[illegible]戰鬥先鋒，是知識份子。相反的，我們如果不能團結知識份子，在反共抗俄的革命事業上發生作用，那末我們對匪的思想鬥爭，一定不會制勝。嚴格的說，如果思想戰鬥不能制勝敵人，其他的戰鬥必然因之而失敗！古人云「攻心為上」，知識份子是轉移人心的樞紐，今日的心理作戰，愈證明了知識份子對思想作戰的重要性。

我們主張自由中國文教當局積極開展此一任務。根據蔣總統號召改造動員指示，立即發動文教改造動員運動。其方式：在原則上建立自由中國文教改造動員機構，以反共抗俄民主自由為號召，擬定文化教育行動綱領，配合客觀形勢，提出具體的遠大主張，廣泛的容納堅決反共抗俄崇尚民主自由的知識份子。這一改造動員機構的性質，力避空虛無物，浮而不實，必須在政府總的政治目標下，給與他們實際工作機會，使之切實表現成效。在行動綱領上，必須明白規定自由中國文教工作者目前及未來努力的方向，同時更要強調民主自由的進步性；必須莊嚴的表示文教工作任務的重大，文教工作者是思想的先導，政治的靈魂；必須詳密的揭示文教工作的其他任務，不是空虛的而是實際的；必須誠懇的表明文教工作者的基本立場，不分宗教不分性別，只要是反共抗俄崇尚民主自由的，均屬共同的伙伴。這樣自由中國的思想陣綫，很快的可以建立起來，反共的知識份子纔能踴躍的走向我們的陣綫。

傀儡戲逐漸出現

周恩來等朝俄的傀儡戲，開始公開出現了。第一幕是「交還主權」與「奉送領土」兩項節目：維辛斯基照會周「外長」說，「鑒於中蘇友好合作關係的發展」，有條件的——要先組織雙方混合的代表處——把長春鐵路的主權，在今年十二月底以前，「歸還」秧歌政府；周「外長」即自動的照會「蘇聯老大哥」說，「基於中蘇間之友誼同盟及互助」，無條件的「建議」把旅順大連兩港送給蘇俄作軍事基地，直至「中日訂立和約為止」——即到日本被淪入鐵幕為止。

這是絲毫不足奇怪的事，否則便不成其為傀儡戲了！據說，他們正在「討論政治與經濟問題」，除可以公開宣傳的把戲外，後不斷地尚有表現，祕而不宣的惡作劇還多着哩！這些把戲，對此中國人決然起不了甚麼反應作用，因為他們那種主奴間的關係，大家早已心領神會了。但對歐美那些做着亞洲狄托夢的人，多少是可以使其清醒一下頭腦的！

俄共並不「仇美」麼？

蘇俄駐美大使魯濱已到達美國，他堅決否認俄共有「仇美」運動，說他此來是為「增強兩國間之合作與和平」。這是真話嗎？吥！有史為證：

自十月革命後，至蘇俄加入「國際聯盟」那段長時期中，俄共視英國為資本主義世界的盟主，他們在國內普遍地發起「仇英」運動，其情形與今日鐵幕國家之仇視「美帝」運動，毫無二致。一九二七年初，我在蘇俄旅行時，因不懂俄語，每向人說出一個英文字，不但對方不予理睬，路人且怒目疾視，恨不得賞我以老拳，此情此景，沒齒難忘。那時節，鐵幕尚未外延，只有中國革命陣綫容納俄共中共，所以在中國也就發生過一陣「反英」的狂潮，即是由俄共鮑洛廷所煽動的。

現在俄共集團之忌恨美國，比當年反英的心情更深厚而激烈，所謂「美帝施行細菌戰」的宣傳，是何人主使的呢？魯濱之當面造謠，死不要臉，乃充分地表現着俄式共產黨人的本色，美國人會受騙嗎？

過去的「仇英」，現在的「仇美」，都是俄帝世界革命的一貫策略，「司馬昭之心，路人皆知」，魯濱何必獻醜呢！

半週展望

・雷嘯岑・

競選的言論

美國與日本都在進行全國大選工作，競選人的言論主張，佔滿了新聞紙的篇幅。實則這些崇論閎議，旨在討好選民，爭取選票，多半都是些違心之論，或者是不兌現的遠期支票！

上次邱吉爾競選演說時，說他如果掌政，一定要與史大林面商世界和平之道，像煞有介事，一時引起世人不少的驚喜之情。而今呢，邱翁不但無暇及此，反而定期在澳洲試驗最厲害的原子彈了！

由此，艾森豪威爾說要以武力打倒鐵幕，解放被奴役的人民，固然不能保證他當入白宮即會向史大林下戰書，即史蒂文生之承認秧歌政權論，以及杜魯門斯之離間中共與俄帝關係論，都不免是誆取選民「請投我一票」的「打一輪牙祭」之談，不足重視也！

日本決不再武裝？

吉田茂對着選民大呼「日本決不再武裝」，只是求其「能自衛」而已。一言未了，美國向日本提出照會，準備撤退北海道的駐軍，要日本努力自衛，把後備警察隊擴充到十四個師的人數，這當然是名正言順的自衛措施了。日本如果真的「決不再武裝」，那美國一片扶植日本的熱忱，豈非付諸流水乎？

東西雙方的競選言論，卻有一點共同的：在朝的人物，都大倡其「和平」的調調兒，即原來的「辯證法」，「信不信由你」；在野的呢，則揎袖揮拳，不妨講打。和平二字雖然可以迎合一些選民的苟安心理，打出手的主張，也未始不能贏得一般苦悶急變者的同情。在美日兩國的未來大選中，強硬論者未必一定失敗吧！

兩種防禦歐洲的反共戰略

線的防守·區域抵抗

週前英法陸軍隊及友方西德作一連串的九月秋季軍事演習，西歐各國，都派有軍隊參加，這一個演習，係執行一種預定計劃。李奇威將軍恰於此時，到達波恩，商討西德建軍問題，美駐歐部隊參謀長葛倫斯將軍，亦於此時宣佈，防禦歐洲的原子武器，已可供使用。這一些現象，都是與西歐軍事防禦的秘密戰略有關。

多月以來，西歐軍事防禦決策，一直在盟軍總部中，懸而不決，採用線的防守抑或區域的抵抗，算是這當中最主要的問題，這一次演習，也許就爲解決這一個問題。

兩種戰略觀點

防禦蘇俄進攻西歐的戰略，由地圖上研究，可以發現線的防守或區域抵抗的兩種分割，都有相當理由可據。若以線的防禦爲主，則在橫貫歐陸的幾條大河，如易北河，衛塞河，萊因河，聖繆斯河，及拉愛爾河，必須有加重佈置。若以區域抵抗爲主，則在歐洲的幾處大山脈及半島，就成爲構成防禦的重點。亞爾卑斯山脈，中亞爾頓尼斯山，彼利牛斯山脈，丹麥半島，沿德國北部袋形港灣，荷蘭，及英吉利海峽，都是非常重要的區域。

兩種完全不同的戰略觀點，在地形學上，都有足供西歐的軍事家考慮之點，這其間決定的因素，祇有由各國間的利益協調，并在大家的概念中，未來的戰爭，將由何而來，以及決定怎樣打法而定。

輪迴撤退計劃

北大西洋盟軍統帥部成立之先，西歐聯防組織，創始於英，法，比利時三國聯防，那時領導此一組織的爲英國蒙哥馬利元帥及法國戴拉特爾元帥，在一九四九年，他們的看法是蘇俄的進攻，將以萊因河爲第一線，在當時的計算，五國聯防還沒有抵抗俄軍的足夠力量，聯軍祇有撤退，所以當時就有戴拉特爾元帥的撤退計劃，在這一個計劃中，包含有聯軍自法國本土撤退，以迄於大西洋及地中海港口的全部退守方案。

艾森豪威爾將軍擔任爲北大西洋最高統帥的時候，也接受了戴拉特爾的戰略思想。後來由於北大西洋同盟國積極建軍，力量逐漸有發展，這一個戰略思想，隨着也被人重新考慮，直至去年秋季，才又開始一個以力量爲後盾的緊急行動計劃。

這一個計劃，包含一旦俄軍發動攻勢，即堅守西德，以快速撤退，撤退主力至萊因河，然後再移法軍後援部隊上前。這一個計劃，比戴拉特爾的計劃進了一步，但守住萊因河一線，並無把握。

在萊因河一線不能防守的公算中，緊急行動計劃，擬補充一項輪迴撤退計劃，在這一個計劃中，丹麥，荷蘭，比利時，紐倫堡在放棄之列，萊因防線，將輪轉至法國本土聖繆斯河及拉愛爾河，以至於比利牛斯山及地中海沿岸。

在另一方面，荷蘭軍方，當前極力反對歐洲輪迴撤退計劃。荷蘭參謀部認爲歐陸撤退，將不能保持英倫完整，且一旦撤退，使俄軍長驅直入，荷蘭力主史派戴爾計劃。史派戴爾爲荷蘭國會最高軍事顧問，彼所依據之理由爲德軍對俄之戰，在上次大戰末期，德軍曾以一還六之比數，抵抗俄軍反攻，若是時德軍後方供應不缺乏，德軍足可阻止俄軍反擊，在此一先例之下，歐洲不能採取任何撤退計劃。

點線面並重的新戰略

在這一個理論之下，西歐聯軍又產生點線面並重的區域抵抗方略；以美軍爲後援，英法荷比四國以沿海地區分爲三點，分路出擊襲俄軍，德國北部沿海爲第一區域，英軍游擊荷蘭及萊因河區，荷蘭與丹麥爲另一區域，這樣分路抵抗足可阻止俄軍大步進入歐陸，

這些都是當前歐洲防禦久而未決的兩大戰略主題，這一次西歐聯軍在西德的演習，自然會找出一個結果來。（[illegible]取材於九月十五日美新聞週刊）

防守要配合原子武器

在此一情況中，法國本土將處於「可能防守較長時期」的防線，法國政府必要時將移至北非，美國軍隊將代替比利牛斯山防守，扼住歐洲[illegible]綫。英國那時則將受隔海火箭攻擊。

但當前法軍的預計，法軍有力量足使俄軍，在法國中綫停止前進，此時若能如美駐軍參謀長葛倫斯將軍所稱，能有原子武器全力協同阻擊俄軍，法軍終可將中歐守住，而不須要歐陸大撤退。

拉鐵摩爾這個人

柳英華

本年六月廿六日港報天文台，載有沈園君：「記被禁止出國旅行的拉鐵摩爾（Owen Lattimore）」一文；語焉不詳，且有失實之處。舉例來說吧！沈園君謂拉鉄摩爾從未到過蘇聯及中共區；事實上，拉氏曾數度訪蘇，最後的一次是以顧問的名義隨同美國的副總統華萊士（Henry Wallace）去到俄國的。抗戰初期，他去過延安，並對抗大的學生，作過多次的英文講演。

沈園君又說：「拉鐵摩爾的語學，當然家學淵源，英法德三國語文之外，漢文也很有根底，此外如蒙文藏文也都懂得，以後也學過俄文日文。」簡直把拉氏描寫成爲一個語言的天才。談到這裏，令我想起一位在大陸的朋友羅「博士」來了。羅「博士」留德數載，回國後，即自動加贈自己一個博士的頭銜，誇稱精通十數國文字；其實，他也是在英美留學生面前大講德文，在留德學生面前大講英文，他也學會了幾句法，意，日，荷語，遇着不懂的人，却亂「唬」一陣，拉鐵摩爾之語學大概是羅「博士」一流的人物。我們仔細想一想，假若拉氏的漢文真有根底的話，當年在延安對中共幹部演講，何須使用翻譯呢？

拉氏是一九〇〇年在美國華京出世的，幼年即隨父母來華。他的父親——樂提摩（David Lattimore）——是北洋大學的英文教授，著有「英文文法」一書，商務出版，遍銷全國，在當時研究英文的大中學生，差不多人手一册，可算是一本英文文法的權威著作。

老樂先生雖係一好學深思的學者，但是這一位小樂先生（即拉鐵摩爾）却天性好動，不喜讀書。他的父母對他的教育前途，頗爲灰心，花了很多錢，把他送到歐洲大陸，英國，及美國各地的學校中去念書，但是小樂換來換去，結果，大學亦未考進，即回到中國來了。

回到中國後，小樂也不進學校念書。從此他就開始那流浪的旅行生活，一會兒跑到新疆，一會兒跑到蒙古。有一個時期，他居然跑到東北邊境黑龍江一帶，與當地的土著「魚皮韃子」生活在一起，畢竟小樂有點小聰明，他帶去了一個照像機，拍了很多關於這些漁獵部落的生活照片，寄到美國雜誌中去發表，賺得一點稿費，來維持他個人簡單的生活。

一九二六年，他與一位年紀比他大五六歲的女作家郝傑女士（Eleanor Holgate）結婚。他藉着她經濟上，及寫作能力上的幫助，婚後作更廣泛的旅行，於是在這個期間，他們到過了蘇聯，也去到中亞細亞走了一趟。

一九二八年，拉氏夫婦回到美國的時候，他們已經享有一點小小名氣了。拉氏頗感到自己的資歷太差，特跑到哈佛大學當過一年的特別生。經過這一次的「鍍金」後，拉氏即仿效我的朋友羅「博士」的辦法，替自己冠上博士的頭銜；寫起文章來，不僅僅是旅行的報導而已，漸漸的涉及到遠東的政治與經濟問題來了。

拉氏的太太在美國出版界裏，有很多的熟朋友，經他們的吹噓，拉「博士」頗成紅人。一九三〇年，拉氏以哈佛燕京學社及古根漢紀念基金研究員的名義，三度來華。接着一本一本關於亞洲或中國的書也出版了，名氣一天一天的大起來，於是美國大學爭相聘任，不到幾年，他竟榮任美國約翰霍布斯金大學貝琪學院的院長。大家公認爲拉氏爲中國問題或遠東問題的權威專家了。

談到美國的「中國專家」來，倒是像美國俗語所說的：「一毛錢一打」（A Dime A Dozen）毫無價值。原因是：美國人自命優越，把中國看成是一個半開化的民族，真正肯虛心，下苦功去研究中國歷史與文化的美國人，簡直是鳳毛麟角；所以只要是到過中國，住上三年五載，說得幾句洋涇濱中國話的美國人，都可著書立說，像煞有介事，成爲「中國專家」，何況這一位在中國長大的，可以洋涇濱幾句蒙古話，維吾爾話的拉鐵摩爾「博士」呢！（待續）

台灣環島行紀（十）

麗子

最大缺點沒有棉花

台灣雖則是寶島，糧食足，林木豐，礦產豐，漁撈富，水菓美，物價平，但却也具有一個最大的缺點，就是沒有棉花，因此，衣食住行四大民生要項，「衣」的一項在台灣是較爲成問題的。

製衣的材料，本有棉織品，毛織品，麻織品，絲織品，革製品等。台灣處在亞熱帶，能有絲織品與麻織品的生產自屬最好，但是沒有。其次則需要棉織品，却也沒有。台灣不出產棉花，完全是氣候關係。因爲棉花的生長條件需要相當的溫度，也需要充足的陽光，却不需要太多的雨水，棉花雖本爲熱帶植物，但不能在溫度高雨量多的地區生長。世界上產棉花最多的地方是美國和印度。我國大陸上雖則每年也生產二千萬市担棉花，但有四億五六千萬人口，每人每年平均，得不到六兩。加以所產的棉花，纖維不細長，不能紡細紗，色澤不光潔，不能織細布。所以衣的問題在大陸上本早已成爲嚴重的現象。而在台灣，因爲交通方便，輸入容易，天氣炎熱，需衣不多，反可獲得解決。

年來多特美援供應

近年以來，美援方面供給台灣棉花，給台灣彌補了這一大缺憾。美援棉花以外，台灣也從埃及輸入了一些棉花。至於印度，因已斷絕國交，未向採購。向埃及是利用台灣特產的糖交換，這是兩利的好事。埃及棉花纖維也長，可以紡三十支與四十支的紗。可惜的是交換的數量不多，並不是台灣沒有糖，而是埃及不需要太多的糖。美援的棉花品質很好，只在去年有一個極短時期中，來的棉花是次貨，或是夾雜太短的棉子，或是拉力太差，或是顏色發紅，只可以參合在其他的好棉花中紡織。而今年所來的美援棉花，品質都很好，爲台省紡織業與同胞所歡迎。

每年需要布匹甚多

台省農村中最需要的是肥料和布。台省府糧食局以肥料向農民易換稻穀，却不能同時也多用布匹易換，就是爲了政府手中沒有足夠換米的布。照估計，每人每年需布十碼，台省現有將近九百萬人口，即需九千萬碼，約合二百四十萬疋，而今年糧食局可以用作與農民換米的，只有北十二萬疋。近年以來，美援棉花的數量逐漸增加，但紗廠和布廠的數量尚嫌不足。本來紗廠是集中的大規模的工業，布廠可以小規模的形式出之。台灣布廠也是分佈在鄉村中的，分散的約有五百家之多。所惜者是其使用的織器屬舊式，生產能力不高。如將其取締，則影響到許多農村中的副業，如任其存在，則其出品不免低劣。

紡織界中三個問題

台灣的棉花既全恃外來，如日後世界大戰爆發，海運將受阻，故宜先有所儲備，以免臨時發生問題之現象，影響軍民衣着。但如要經常儲備大量的棉花，即需先有大量的資金。以今日台灣的生產成本計，儲蓄紡成一件棉紗所需用的原棉，就要美金一百八十元左右。如要預備半年的原料，所需款項就相當巨大，這是紡織界的第一個問題。

第二個問題是價格。棉花的來源既得於美援，自不能任由紡織工廠的企圖，也不能不給他們以合理的利潤。台省現在的辦法，分爲兩部份：一是由中央信託局對各工廠供給棉花，作爲委託代紡代織，其所織成的紗布，交回中信局辦理出售。二是由各工廠直接向美援會配購棉紗，其所織成的布，以一半交聯營處訂價出售，一半准各廠自行定價出售。交由聯營處訂價者，限制其以合理成本加百分之十利潤爲限。自行定價者，則無法控制。因以有人建議，應全部交回聯營處，不許各廠保留半數，以便加強管理，但在事實上確有困難，因聯營處並非正式商號，如遇滯銷情事，各廠資金即將無法周轉。現在台灣的布匹價格遠較香港爲高，這不僅是因爲半數成品未受統制之故，其中尚有原因，乃係捐稅的負担遠過於香港。棉花進口除運費外，有關稅，有港工捐。紡織工廠更有營業稅，利得稅及特種戶稅要納。因此，要使台灣布價降低，還有許多困難待克服。

另一個問題是染色和印花。台灣同胞因生長熱帶，又受日本人風尚的影響，所以多喜歡鮮艷的顏色和印花布。台灣工廠所織的布，多爲代中信局或美援會代織的細布，及斜紋布。今日台灣沒有印花布廠，民間所用的花布，仍賴香港輸入，或來自日本。自中日和約生效後，中日貿易更將開放，日本印花布可能大批進口，則對於台灣的紡織工業，是一種妨礙。

港廠遷台前途無量

香港的紡織業，在大陸淪陷之後，也曾繁榮一時，所獲利潤甚豐。自去年上半年起，二十支紗的價格每件港幣二千五百元的高峯跌至二千元關內，紗布業即日下坡，迄今仍無起色。就我此次在台訪問所及，台省對港地的紡織界甚表關切，如能移台開工，必可挽回今日在香港的僵局。尤其布段，台灣更需要。與其日後受日本貨傾銷的打擊，何如早日遷台，爲祖國的生產工作與台省同胞衣着需要先有所貢獻。

我此次因行程的關係，只參觀了兩個紗廠，和幾家小型的布廠。他們的辛勤努力，值得讚佩。台灣需要儲備棉花，需款甚多。但在香港的紡織界資金中，也并非不能負担。我對於紡織工業並無深切的研究，但覺得台灣寶島的唯一缺憾，除美援已供給棉花外，其所需的資金及加工設備，應當由在香港的企業家加以担任。則台省就可以成爲十全十美的寶島了。

求全責備再要進步

我的行紀已寫了十篇，凡我在台所見所聞，與國計民生有關的事項，都已有敍述，擬就此作爲結束。最後，我想再向台灣當局表示幾點觀感：

（一）台灣的確在進步中，就我個人四次旅行的觀感所及，也確實一次比一次進步。但是台灣這些進步的情形，却缺乏有系統的詳盡報導。台省主管宣傳工作的人，過份地重視少數人的言論行動，與政府的一二施政，而對於民間及社會的進步情形，未能充分注意。所以我希望此後台灣的宣傳工作不是要加强，而是要轉變內容。

（二）台灣雖則在戒嚴期中，又日日喊着節約，而官方所表現的，太不夠有戰鬥性。不但在台北市行不出戰時的景象，即鄉村之中，也沒有風聲鶴唳的景緣。從大陸來的人固然謹慎，但仍限於覺悟的階段。對於過去的錯誤，很少直率承認；即使承認，也只是口頭上的懺悔，其作風仍不免常帶大陸上的習氣，這是我在台灣作客一個月中最大的感觸。

（三）台灣不夠健全的地方很多。有許多事表面上似屬認真，結果仍是形式主義，我們希望台灣好，恨好到天衣無縫。有些事在台灣看來不算大不了，而我們從香港去的人看到或是遭到，却不能不認爲是一件大事。

我希望明年能再到台灣作第五次的旅行。否則，王師北定中原，在大陸上與各位讀者再見。（完）

周恩來歸來後 蘇俄將強化控制中共

【本報特稿】周恩來朝俄已逾四週，由於周等已赴史達林格勒參觀蘇俄新闢之運河，顯見其任務已大致完成，但無論周等此行已否獲致蘇俄的軍援及經援，為了統一共產軸心的戰略及政略，蘇俄將進一步強化對中共的控制。

蘇俄控制中共已有深廣部署

在過去三年中，蘇俄對於中共的控制，已佈下天羅地網，使中共無法擺脫其羈絆，而不能不唯命是從。

首先、在黨方面，蘇俄利用聯共的關係，使中共內部的有力份子成為聯共的一員，利用他們來監視中共內部的土共，今天中共黨內的軍政和特務，差不多都控制在聯共份子的掌握中，即使仍有「狹隘民族主義」的份子，亦不能不服從「國際主義」的路綫。

其次、在軍政方面，蘇俄利用無孔不入的顧問，直接間接控制各部隊，機關。據不完全的統計，今天在大陸的蘇俄顧問，總數不下四萬五千人，其中參加中共陸軍者約一萬二千人，空軍者四千人，海軍者三千人，政治顧問五千人，技術及工程顧問一萬人，鐵路郵電四千人，學術文教體育二千人，農村及農場顧問二千人，財經顧問二千人，在克里夫揚領導下的「軍事顧問團」和蘇聯駐北平大使館，事實上已成為中共軍政的最高決策機關。

第三、在經濟方面：蘇俄對東歐各國的控制辦法，自一九四九年中共政權建立以後，差不多全部援演於中國大陸。其中束縛中共的條款，業已明文規定的有一九五〇年二月十四日「中蘇友好同盟互助條約」，「關於貸款給中華人民共和國協定」，一九五〇年三月廿七日「關於在新疆創辦中蘇有色及稀有金屬股份公司協定」，「關於在新疆創辦中蘇石油股份公司協定」，「關於在新疆創辦中蘇民用航空股份公司協定」等，前者容許蘇俄有權在新疆進行尋探，開採，提鍊石油及各種有色金屬，後者規定中蘇組織合股公司經營北平至赤塔，北平至伊爾庫茨克，北平至阿拉木圖的三條航空綫，所有這些公司，都規定「平權合股」，利潤平分，並以「輪換制」輪流担任主管，至於派駐各企業機關的專家顧問，據去年八月十三日香港大公報所載「蘇聯專家在中國」一文所述，根本上已深入各工業廠礦，掌握了大陸全部的經濟資源。

統一戰略之外 難獲巨額經援

在上述的基本形勢之下，蘇俄與中共間之關係，已非國與國的關係，而只是中央與地方的關係，故一般人認為周恩來這次的赴莫斯科，係挾韓戰以自重，對蘇俄作種種需索，事實上完全係錯誤的判斷，就當前情勢觀察，這次會議中可能成立協議的有下列幾項：

第一、是確立東西冷戰策略，由中共負責對日本的政治攻勢及經濟攻勢。這從本月八日郭沫若所發表的「為亞洲及太平洋區域會議給日本人民一封公開信」中，可窺其端倪。

第二、調整彼此間的經濟互助：一、為解決中共機器及設備缺乏，并滿足蘇俄礦產需求，西北方面的石油及礦藏，可能繼新疆合營辦法，成為中蘇合營產業；二、蘇俄新五年計劃中，物資糧食儲備須增加一倍，但這一時期中，其農產物總收穫只增加百分之四十至五十，而今年中共糧食據稱將較一九四九年增加百分之三十七，這些增產所得，將成為易取蘇俄物資資本。在這一基礎上，中共和蘇俄之間可能成立一新的易貨協定；三、為展開對日本政治攻勢，可能由中共出面，利用香港市場擴大對日貿易。

第三、在軍事部署上，由於外蒙部長會議主席澤登巴爾的參加會議，在韓戰再度爆發時，遼東共產混合兵團的成立當屬必然的結果，尤其關於東北棄守後，共軍退入外蒙一節必已成立某種協議。

解決旅大問題 絕無此項可能

基於上述諸項觀察，可推斷這次中蘇間的會議，百分之八十係解決對外問題，百分之二十係解決內部問題，而在解決內部問題中，經濟互助當佔首要地位。至於收復旅順大連等問題，不但不會正式提出商談，而且絕非中共所敢啟口，將來可能用對日問題未解決為辭來搪塞，由中共自動請求蘇俄勿撤退，以便繼續拖延佔領期間。但中東鐵路可能作表面上的撤退，而暗中控制共管理。

強化共產軸心 實施全面控制

由於蘇俄最近大量的調動外交人員，馬立克，潘友新等遠東專家紛紛調回莫斯科，顯示今後半年間遠東局面將有劇烈變動。在這場變動中，中共無疑地將充任主角，蘇俄一方面可能大力支持中共，儘量由其出鑼槓唱，如行將召開的亞洲太平洋和會，及未來的亞洲情報局等，將由中共出面主持，但另一方面可能在內部加強種種控制：

第一、中共是聯共的一員，聯共大會召開後，中共內部可能發生變化，中共中央組織部部長安子良，在最近共產情報局機關刊物「爭取持久和平，爭取人民民主」中曾著文論中共的整黨問題，表示中共目前已着手進行清黨工作，這一清黨的結果，可能是史達林主義者進一步的抬頭，使中共和俄共融成一片。

第二、潘友新目前尚未就任「大使」以前，預料周恩來歸來後，潘對中國問題有極多的經驗，對中共的控制，自當較前更為嚴密。

第三、大陸上深入各階層的中蘇友好協會，是一個變相的特務網，這一機構自一九四九年十月一日成立以來，其發展一日千里，一九五〇年十月，全部會員僅三百萬人，一九五一年四月，已增至五百三十七萬人，而按照中共前年公布的計劃，今年年底將發展到二千萬人，這些無孔不入的組織，將使中共永遠無法擺脫蘇俄的控制。

因此，周恩來朝俄的結果，就中共方面言，不會獲得太多，但從共產國際利益言，可能使共陣營更趨於鞏固，在未來和戰大局上發揮更大的作用和力量。（錢易之九月十五日）

共產黨未來之前

共產黨已來之後

共黨怎樣對付知識份子

「牆上蘆葦，頭重腳輕根底淺，山間竹筍，嘴尖皮厚腹中空。」這是湖南一副土對子，毛澤東拿來形容「知識份子」。

共產黨人對「知識份子」的鄙視，遠在一九四一年五月從事整風運動時開始，這運動對共黨後來得能奪取大陸政權有非常重要的關係，因為那時中共黨內充滿着不做實際工作，但却「自以為是，老子天下第一」，「欽差大臣滿天飛。」這些「知識份子」，「作演講，則甲乙丙丁一二三四的一大串」。或作文章，誇誇其談的一大篇。」其實「無實事求是之意，有譁眾取寵之心。」經他一懲，「大搖大擺」的都低了頭，像秦博古那樣，也寫了悔過書，說在什麼「旗幟之下鬥爭」了，其他的「知識份子」，更不用說，叩頭作揖，醜態畢露，於是毛澤東說什是什，不敢再有微詞，給毛澤東打天下不少方便，但毛澤東從此更輕視知識份子了。認為「知識份子」也者，可使之長，也可使之圓，僅須揉揉而已。

當然，毛澤東之玩弄「知識份子」，不是他的理論能說服人，也不是他的能力有了不起的出衆，而是他手上有生殺予奪的權力，「知識份子」落在他手裏，「硬骨頭也變了軟骨頭」（王實味的野百合花），起初可能還是口服心不服，四處找反抗的路子，但毛澤東的佈置，一向是四面包圍，十方埋伏，佈置得像「天羅地網」，決不用「網開一面」的政策，這些「知識份子」在「突圍」不可能，「不服有危險」的情況下，加上毛澤東把「知識份子」糟塌到使「知識份子」自己起了自卑感，精神完全喪失，久而久之，服從也就成了習慣。

毛澤東經過幾次「整風」的經驗，對「知識份子」更體味得透澈了，及到他拿到了大陸政權，就整套的用到黨外來對付那些「自鳴不凡」的教授作家等先生們身上，當初這些知識份子，還以為自己是專家學者，過去國民黨少不了他們，共黨來了也一樣少不了他們，於是「上萬言書」者有之，「提計劃報告」者有之，可是毛澤東看了都嗤之以鼻，擱在一邊，相應不理。

共黨得到一地，最重要的是先「鎮壓」國民黨的反共幹部，大批捕殺，毫不猶豫，因他們知道，這份力量對他們威脅最大。其次為對付國軍游擊隊，必窮追窮打到底，毫不放鬆，再其次為對付「地主」。「地主」鬥得差不多了，然後才輪到對付「知識份子」，發動「思想改造」，先從許多所謂「名教授」開始，像馮友蘭，費孝通，朱光潛，潘光旦等都鬥過，但這些先生們覺是「未喝先屈膝」，自寫了坦白書，自罵自打一番，即發交「統一戰綫部」分配下鄉，參加「土改」了，第二步就「整」各學校，交大茅以昇，燕大陸志韋，都「整」遍了，於是又提出「文藝整風」，專整散在各方面的文藝工作者，豐子愷，巴金，曹禺等，就遭到了厄運，但共黨對這批人，只要你「低頭」「屈膝」，自罵自一番，生命還沒有問題，與他們對付「國民黨份子」就大不相同，因為這批人，共黨認為：任他造反，他也不敢。

共黨對付這些知識份子，最重要是要他們自己抓破臉，過去自以為有了不起學問的，要認承「一知半解，東抄西襲，祇為嚇唬人」，過去裝得道貌岸然，神聖不可侵犯的，偏要他把全部醜事揭露——自認是裝腔作勢，假道學，自己不宜佈，則由他的女兒老婆來做，像陸志韋那樣，由女兒細訴他的底子，更是難看。對付那些過去自鳴清高前進的份子，則要他們自認是沽名釣譽，投機取巧。而這些坦白，又必需當衆舉行，公開發表，務使他們顏面掃盡，原形畢露。這樣，共黨即可有四大收穫，一是使這些「知識份子」以後即逢人矮三分，不能再招搖；二是斷了他們的後路，至少在他們的思想中存在着不能再翻覆的意識，只好跟着共產黨走；三是提高了共黨，特別是毛澤東的威信，使人覺得他不僅會打仗，會搞政治，學問也了不起；四是提高了共黨幹部，特別是「工人」幹部的「信心」，雖然幹部目不識丁，倘却可指揮一個大學教授，要東即東，要西即西。

共黨說，這種「思想改造」是要「當衆脫褲子，割尾巴」。世上最難堪的事，無過於「當衆脫褲子」，而共黨的「改造思想」，實在使知識份子，做得比「當衆脫褲子」更為難堪。

現在在自由世界的知識份子，應該特別體味共黨的這種殘酷，和玩弄知識份子的情形，而在反共工作上，做得實事求是些。

·實踐·

蘭州通訊

青海反共根據地被破經過

青海省尖扎地區昂拉部落，位於西寧市東南三百華里，是黃河上游西岸高山叢林中八千餘藏族的齊居地。自從共黨侵佔西寧後，這裏的藏民即與撤退來的回民，合作共同抵抗共黨的侵略，青天白日旗始終在高山頂上招展。

二年來擊退共軍十七次

二年多來，中共青海軍區司令員吳炳炎，曾發動了十七次大進攻，一次比一次猛烈，調動的一野部隊最高數字達三個軍，彭德懷亦曾親自指揮過一次，但均大敗而退，彭調韓作戰後，又由習仲勳指揮，並用過一次飛機偵察投彈，結果也都失敗，且損失重大。這個區域的反共軍，反而聲勢愈來愈壯，配合上各地投奔來的反共志士，二年中發展到了一萬人的精良勁旅，控制了貴德、化隆、循化、同仁等縣，到了今年二三月間，又曾發動三次大反攻，同德，興海，都蘭都曾一度光復，使習仲勳驚慌異常，在三月中一個時期，還準備放棄西寧。徐向前曾為此從山西趕到蘭州，另訂計劃。

共黨攻不下改採分化法

單純的軍事進攻打不下，於是一面再調集大軍，一面改採分化政策，利用在千扎地區擄來的活佛，襄佐、千戶，百戶，頭人，管家等做活動幌子，削着他們替共黨作宣傳，並派出昂拉爐貝寺池賽活佛和古浪寺陳賽活佛，尖扎老民完德菜等先後混進尖扎地區，他們的目標是千扎地區的千戶項謙，認為把他勾出來了，這個反共根據地即可瓦解，於是提出了三個誘惑的條件：

一、保證項謙的千戶職位。

二、供給價值兩億元的布匹，糧食，茶葉，藥品。

三、共軍進入尖扎區後，不殺藏人，不搶東西，保護寺產。

項謙頭腦簡單，給他們這樣一誘惑，就開始動搖了，在四月間佈置內應，四月中，習仲勳又發動了大攻勢，用到四個軍以上的兵力，[illegible]

項謙這時，[illegible]自以為功高一等，可以受到保護和嘉獎，那知共黨即刻把他拘捕，並把他全家也看管起來，並把他的二弟，秘書萬馬行吉，古雷寺管家，白佛寺管家，教師尼坑主事茹其村紅然等，都送到西寧，後再把他解到蘭州。可是正在這個時候，另一山區反共軍又活動起來了，使共黨又不能安枕了，於是對項謙也就特別放寬，說他「立功贖罪」，大事宣傳，想用他這幌子來引誘其他山區的反共藏胞。

至於共黨軍隊侵入尖扎區後，那裏顧到諾言，到處亂殺亂搶，婦女被姦的更不知多少，把地方弄得一團糟，於是藏民背地裏都在說共黨「白天都是強盜，在晚上是小偷」（藏語），說他們是「田裏的勞草，羊群中的惡狼，他們是青海藏族人民的公敵」。於是很多尖扎的藏民，紛紛逃遁，又參加新開闢的反共根據地去了。

官僚主義的例子

上海電機廠，共黨要把它擴大為製造大中型發電機，從去年春天起，即擬訂計劃，編預算，到七月開工建廠，機器設備二百億元，連廠房一起共三百億元左右，這是華東工業部投資最大的一項基本工程，預計一年完成，但造了一年，只完成了百分之十二，現忽發現原計劃訂不對，要重新改起，因而又要追加預算百分之六十，即六十億元。

設計這廠時，預定在香港偷運入一批美製機器，建築就照這設計做，結果沒有成功，乃改用俄國機器，俄國機器要兩年後才能交貨，於是只好一面向俄國訂貨，一面先裝上海機器，因此工程設計上發生了大問題，一再修改，弄得一團糟。廠房蓋好後，竟發覺門又多了四個，頂子又太高，可以利用的面積又太小，機器排不開，擠作一團。俄國工程師為求面子上好看，在空白處填上些浪費而沒有用的機器，於是草率之上又加浪費，現在一部機器已裝好，而俄國要來的機器連樣本都沒有，要佔多少面積還不知道，所以現在有許多工程只好等着，不敢動工。共黨華東工業部，看到這樣情形，也熟視無睹，僅上海解放日報說：「這是官僚主義」的典型例子。（洛）

子曰店有「民主」貨色否？

為方

最近在香港文壇上見到幾篇討論中國儒家學說思想的文字，很有意味。討論的重心，集中在孔子思想是否具有民主精神這一點。有的說孔學含有「高度化」的民主思想，有的說孔老夫子是「高度化」的君權理論者。大家都引經據典，言之有物，連甲骨文字也搬出來了。但，雙方論戰的態度極其溫文爾雅，不像一些「百事皆有說詞，而百事皆不知其所解」的悻悻然小丈夫，以「言論霸王」的姿勢，動輒想號往別人不許有異議的那種神氣。所以，我也來插科打諢幾句，湊湊熱鬧。

我對「至聖先師」有無民主思想的看法，是站在否定論一邊的。自慚淺學，不用高談闊論，但憑一點直覺觀念，即認為孔學並無民主精神潛在着。何也？試以歷代帝王之特別尊孔崇儒一事相印證，即可理解也。古往今來的統治人物，沒有不喜歡擅專威柄的。假使孔學果有高度化的民主思想，那些專制帝王們，又何至於那麼特別的推崇它呢？幾曾見有資本主義文化思想的統治人物，提倡馬克斯學說的麼？孔學既經歷代帝王推崇了幾千年，它有民主作用的話，那中國的民主政治早已由上而下的推動了若干世紀，到今天，應該成為世界典範，用不着我們再來無的放矢，談甚麼民主生活的廢話了！恰恰相反，中國政治上官僚思想之猖獗，多半就是由孔學那套倫理的政治觀點演化而然。我承認孔學有其偉大處，但不敢恭維它有民主精神！

自由談

溫暖

夏雲飛

嚴「主席」被遞解出境了，內心裏感覺到無限的懊惱，可是，轉過來一想也同樣感覺驕傲，因為在深圳河那邊，正是自己的「祖國」，那兒有人間的「溫暖」，有無限的「光明遠景」，充滿了新的希望，同時，再想到自己的「勛勞」，也一定會得到「人民」好好的「照顧」，想到這裏，嚴「主席」非常泰然了。

嚴「主席」是天堂一家赤色工會的「主席」，也是工運方面重要負責人，兩年來在天堂上「為人民服務」，也攪得轟轟烈烈，不過因為大陸上實行五反以後，資本家固然傾家蕩產，工人們也無法生存，不少失業工人跑到天堂，替「反動份子」作義務宣傳，於是大部工人都開始覺悟，「一面倒」向自由工會，尤其是嚴「主席」只剩下小貓小狗三隻四隻，大受到呵責，嚴「主席」一看大事不好，使出殺手鐧，一拖，二拉，三打，好在「人民」有的是錢，只要能達到目的，那知就在緊要關頭，突然被天堂遞解出境了。行到邊界時，回首望下天堂，想起昔日的繁華，「主席」也有些悽然。

過了大橋，見到橋上站的警衛，這是自己的「親人」，「主席」非常興奮的過去打招呼，誰知「親人」卻搖頭不理，只伸手要證件，否則就不讓進口，「主席」這一來真有些光火了，可是又拿不出證件，再三表明身份，他們還是相應不理，最後還是被帶到派出所，直到同廣州要通電話，請示上級之後才放出來，「主席」已糊里胡塗被押了一夜。

這是第一件不愉快的事，也許是下級的「偏差」吧！「主席」自己也在安慰自己，到了廣州同樣的也未見到什麼歡迎人羣，和自己意料中的歡迎的女學生「獻花」，歡迎的人到也有，便是兩位「人民警察」和一位統戰部的「同志」，「主席」就這樣被招待進愛羣酒店，當天晚上舉行一個招待會，只是並沒有慰勞的口氣，出席的七八位「同志」，有一半是在天堂共過事的，先由統戰部的陶組長發言，他首先指出「主席」的『工作態度不夠嚴肅，平時妄自尊大，不能同羣眾連系一起，以致很忠實的「同志」都表示不滿，甚至基本羣眾都倒到「反動工會」裏去，而「主席」又不知道把握時機，利用客觀環境，輕易暴露目標，最後竟被遞解出境，使工作方面受到打擊，更影響到「政府」的威信』。一頓連珠炮轟的「主席」一身冷汗，接着一位在天堂負責通訊的張「同志」也起立發言，他更進一步指出主席的生活腐化，假借工作為名，冒領經費，卻去大捧舞女，甚至狂嫖爛賭，無所不為，「主席」據他自己知道的外室就有三處，張同志最後說道：「這叫做什麼革命，這種生活方式，純粹是向美帝看齊的，尚未作戰，心理上先做了俘虜，如何會不招致慘敗」。主席聽到這裏，真有些不服氣，心裏暗罵道：「好小子，我狂嫖爛賭捧舞女，那件壞事少掉你。冒領經費，還不是大家均分，現在肉吃千口，罪落一人，那我決不干休」。這時另外一位年齡較大的「同志」，慢條斯理的起來說道：『這有一筆清賬，都是嚴「同志」在天堂所領的活動費，完全是「人民血汗」，不能隨便輕易扔掉的，既然嚴「同志」照理未能達到任務，應當負責賠償出來』。這位老「同志」話雖然是微笑着說的，「主席」實在撐不住了，他站起來說道：「工作我承認是失敗了，但是錢卻實在都花出去，現在要我賠償，我如何可以賠得出，再說……」他歪頭看看小張，意思是說：「你個小子不替我想辦法，我就乾脆說出來，也不全是一個人用橫的錢」。小張也似乎懂得主席的意思，趕快插着說道：「錢都花在舞女身上，整個賠出來也有困難，據我了解嚴同志只有兩萬港幣存在×利銀行，可以隨時提出來，其餘的只好另外設法了」。「主席」是恨透了小張，但是在上日所處之下，也只好承認，並簽出支票交給陶組長，會議方才結束，「主席」仍被招待在愛羣酒店，過了三天，小張自天堂回來，款已提出。「主席」又被請到統戰部，陶組長很客氣的說道：「嚴同志你這次犯的錯誤太大，還欠了人民一筆巨款，現在組織上決計送你去東北勞動改造，你應當感激人民的寬大，要痛改前非」。第二天「主席」被送上東北去開礦，在那裏遇到許多「老友記」，電影明星，工會主席，應有盡有，還有連天的冰雪，卻沒有人間的溫暖。

關於蘇聯（三）

·舜生·

蘇聯在軍事與外交的運用上，確能謹守相當的原則，這一點是不可忽視的。我們姑就表現於遠東的一二事件，來研究蘇聯的這種原則和她把這種原則如何運用於實際的方式吧。列寧說：

『最能夠救我們的仍然是帝國主義列強間的戰爭，如果我們迫得要容忍這些隨時以刀相向的資本主義匪幫流氓之時，我們的第一任務乃使他們互以兵刃相向。當匪徒們兩敗俱傷後，好人始能自立。』

『我已指出我們必須利用的帝國主義矛盾，是日本與美國間的矛盾。此外則為美國與其餘資本主義世界之矛盾。……』（見列寧全集第十七卷，三九一—九二頁）

『……惟一的問題，就是如何利用資產階級自己的機構以摧毀他們自己。』（見列寧全集，第二十五卷，一四九頁）

『……共產黨人應準備作任何犧牲，而在必要時，應採取種種詭計及策略，及以使用非法手段，隱蔽眞相從而滲入工會，寄生其間，並從其內部進行革命工作。……』（見列寧全集第十七卷，一四二—一四五頁）（以上所引，見人人出版社所譯『列寧傳』附錄『列寧主義之要點。』）

根據上面所舉這種十分明朗化的原則，在今天好像看穿了的人已經不少，可是就過去遠東的情況來說，至少日本上過這種當，美國上過這種當，中國國民黨更上過這種大當！

蘇聯一開始在遠東活動，其視綫即集中於兩個國家，其一是中國，其一是日本。

把共產黨滲透寄生於國民黨以內，表面上是贊助國民黨去完成打倒軍閥的革命，而實際則在借國民黨的擁護，以求得共產黨的生存與壯大，並從而分化國民黨，等到時機成熟，即不客氣的取國民黨而代之。這篇文章的第一段，確實是做得相當成功的，可是國民黨內既不乏明眼人，而當時執行蘇聯這一策略的如鮑羅廷之類，以及中共的領導者，也犯了一種急色的幼稚病，因而到一九二七年（民十六）的四月十二日，國民政府乃正式宣告清共，並遣返所聘任的蘇聯顧問，到是年的十二月二十四日，因廣東暴動的關係，乃進一步正式宣佈與蘇聯絕交。這算是蘇聯在中國執行這一陰謀所遭遇的一大頓挫。

等到一九三一年（民二〇）的『九一八』，日本大舉侵略滿洲，並於次年佔領熱河，這在表面上看，自然是對蘇聯的一大威脅，可是因為中日關係的惡化，中國人民抗日的要求一天天強化起來，卻又給予蘇聯一個捲土重來的絕好機會！（一三一）

亂彈齋詞話

清平樂

馬五先生

序曰：戰後英國政府勵行節約生活，嚴密稅收制度，雖首相亦無例外。邱吉爾首相近年來，曾因籌付收受外來禮物應繳關稅，大為傷神。依現行法令規定，凡禮物必須註明贈予「首相」，而非寫有私人名字者，方可免稅，邱翁自不便通知送禮人如此瀆般也。最近阿拉伯國家之也門國王，寄贈也門特產咖啡一聽致邱翁，註明「親啓」字樣，例應納稅，邱氏為此一聽咖啡所付出之稅款，即可在倫敦購進上等咖啡三十五聽！又有以專營麵包餅干致富之加拿大富商韋士敦（Garfield Weston）知邱翁酷嗜該廠食品，乃將其設在倫敦之一廠，舉以相贈，曾將全部契約證件郵寄唐寧街，上寫「個人禮物」（As Personal Gift）字句，依法應納「財產轉移稅」，為數在萬鎊以上。邱翁大駭，原璧卻還，附以回信曰：「謝謝你的好意，無奈我受不了！今後請你連餅乾亦免送。實不相瞞，我自己買，比你送的便宜得多，我是心領了！」此民主法治國家之佳話也。我國一般達官貴人聞之，作何感想耶？

名茶美餅，厚貺唯心領。莫道高官恣驕遏，偏是位高多窘！煌煌令甲如山，國家興廢攸關，宰輔不先明法，緣何燮理陰陽？

俄文秘書鬧亂子

「俄化」的大陸，不論是工、農、兵、學、商，都被一種「唯俄」的思想所籠罩。自從商店招牌，商標，仿單，被「明令」禁止使用英文以後，俄文乘時勃興，於是，稍懂俄文的人，便都變成了「專家」，機關部隊，免不了要設置一兩位俄文祕書。然而，大鼻子的說話以前一直未被重視，一時間需要這種「人材」，未免「貨稀市俏了」。

民族派的劉伯誠骨子裏雖不贊成蘇俄來當他們的主子，而俄文是不容不懂的，因此，他也設了一個俄文祕書。

偏是這位祕書對俄文的認識僅是「半桶水」而已，在好幾次打報告給部隊裏的俄國顧問，老把「敵人」與「我軍」兩個名詞顛倒過來，甚至採取「節錄」方式，把不懂的索性刪去，反正中文俄文兩份文件放在一起，沒有誰看得出中文的多了那一段，俄文的少了那一段。有一次，俄國顧問交下來一個文件，是有關「混成旅」的，那位「俄文祕書」把它譯成「雜種旅」，這文件送到劉的跟前，弄得那獨眼龍咆哮起來，一時原形畢露，大罵「妙他的娘，居然說我們共匪雜種旅。」（秦紅樓）

「大義滅親」

僧夢

馮鴻恩聽說要被鬥爭，知道他罪名一定不輕，自己已經是安心等死，掛慮的是他兒子秋成，

×　×　×

秋成的天性非常純厚，知道這個情格外難受，共產黨是要萌草除根，希望和爸爸一同逃走。

×　×　×

「人家已佈下地網天羅，怎樣能夠使我們逃脫？黑夜白天我想來想去，現在的方法只有一個。」

×　×　×

鴻恩說明了如此這般，秋成決心的表示不幹。「如果你不肯這樣去作，我兩人只好一同完蛋。」

×　×　×

秋成實在是忍心不下，但又想不出別的辦法；對他爸爸痛哭了一場，含着眼淚走出他的家。

×　×　×

第二天會上傳出消息，說秋成把他爸爸檢舉，會上正商議怎樣鬥爭，立刻賞給他一頓嘉許。

×　×　×

鬥爭大會已照樣開過，鴻恩承認了他的罪惡。「馮秋成能夠大義滅親，大家都應該照着他作。」

×　×　×

共匪黨對他越是稱頌，馮秋成心頭越是傷痛！許多人都在背地竊笑，誰知是爸爸一種苦衷。

中國之友（十七）

毛以亨

戈登將軍傳（十）

八、蘇州克復與殺降事

英使 Bruce 函戈登囑其萬不可與地方當局衝突，慎防常勝軍逃往太平軍中，並謂常勝軍改編為中央新軍之計劃無望，彼如來京不可使李疑為如白齊文之來告狀。英使並首相柏羅索函，謂李鴻章既有實力又得民意支持，除戈登外之西人皆助之，清廷是絕決將其免職的。他向文祥抗議殺降，文祥則以調查為藉口來迴護李，並謂死少數人而救了多數人，這是值得做的。以英使態度之緩和，英廷之不願多事，日久而戈登被擄之憤慨情緒沖淡，一八六四年一月三十日由赫德借戈登往見李鴻章，於是前嫌冰釋，戈登復重行作戰了。

綜上西文材料，殺降是李負全責而非程的主張甚明，英使謂李弟鶴章受詐降而致殘殺，故為疑慮與報復二念所激勵而出此。李致曾國荃函：「惟擒殺偽天王六偽大將五……稍可自娛，」其函郭嵩燾謂「所少慨意者誘斬六偽王四天將……竊謂猶有古人遺意。」殺之之地則似乎非李程眼中，而為設伏歸途，棄屍河濱亦一佐證。然所不解者，戈登何以盛怒而不顧一切至此，我認為是有其理由的。第一，戈登是有肝病而不能自己控制的人，他被清軍拘留一小時之辱，立刻使他發生拘李以為報復的反應，他曾罵梅輝立為非英人，後悔而公開函諸報紙道歉，對李同為一時衝動，亦一樣的後悔。第二，恐怕戈登並非如此的激烈表示即帮不住常勝軍，該軍盡為太平軍降卒，頗不自安，非戈登表示其十分同情于太平，是要逃亡與叛變的。第三，常勝軍倘不能改為中央軍直隸清廷，將來終歸解散的，目前不過恐以資太平而暫維現狀罷了。然必須培養戎足以與李軍抗衡的實力，始能不被解散，而若能收編太平軍中在蘇州之降卒四萬人，加以白齊文等洋人數百人，則適成與李軍相抗衡的力量。現在眼見此種希望已成泡影，數年之努力盡徒勞，又焉得不盛怒而冀一拚以自快呢！

自由人

THE FREEMAN

（半週刊每星期三六出版）

（第一六二期）

每份港幣壹毫

督印人：李光瑩

社址
香港高士打道六六號
電話：二〇八四八
GLOUCESTER RD.
HONG KONG
TEL: 20848

承印者：東南印務出版社
地址：高士打道六四號

台灣特派員辦事處
台北市館前街五十號

台灣總經銷處
台北市中華路一二五九號

張特使，胡不歸？

·雷嘯岑·

以中華民國總統代表資格訪問日本的張岳軍先生，在東京流連將及兩月了。據本月五日東京中央社電訊：張氏原擬於月底結束其任務回國的。近來他認爲「在目前情況下，必須親身目擊日本選舉後的情勢，才能夠完成他此行的使命」，因而把歸期滯延到十月中旬以後去。我覺得張特使此行使命，早已完成了，以其時，以其事考之，應該趕快回來，比較合式。如爲着要「親身目擊日本選舉後的情形」而遲遲不歸，更無必要。因爲這話很可能介入誤會張特使要在日本大選中作「中國游說」（China Lobby）的活動啊！

特使的中心任務

張氏此行訪問日本的性質，名義是總統私人代表，時機是在中日簽訂和約，兩國開始論交之際，當然不是國民外交的姿態，也非正式外交大使的風格，除多少含有報聘的國際禮儀意味外，爲的是從事於超越普通外交上折衝問題的特定事項。其中最大的使命，應是如何促成今後中日兩國經濟上密切聯繫合作，以及兩國政府間在目前必須交換意見，洽商解決方針的特殊問題，而所謂「中日軍事聯盟」之說不預焉。這問題，日本在目前固然根本談不到，即令談得到，日本亦將避之若浼的。日本人素來講究現實主義，這時候除掉美日安全互助問題，他們怎能隨便跟別國談軍事聯盟的話呢？

關於中日兩國經濟合作問題，我們的意見和辦法，張特使已在東京向日本朝野人士說得清楚明白，日本的經濟考察團也已到台灣來過。究竟如何合作，怎樣進行，只待日方愼思明辨，權衡利害得失，作最後的抉擇了。至於其他特殊事項，張特使只是商洽綱要，而毋須躬預技術之勞，那是正式外交官的實任。現在日方的駐華大使已決定在本月內來台就任，我國的駐日大使自應依時赴東京視事，方合外交常例。張特使應負的任務，大致業已完成，似可逕返台灣了。否則，一個特使和一個首任新與日本的大使，同時擠在東京，一方面自己固然有許多尷尬不便之處，別人也難免不無應付艱窘之嫌。現階段我們在國際上的聲光，不必諱言，非復當年氣象了。唯其如此，我們更應該自愛自重，一切對外表現，不宜使別人瞧不順眼，潛生輕蔑之思。這一點，比甚末事都重要，張特使曾主外交，又居相位，一定具有同感吧！

言多必失

戰後日本人士對中國的觀感，的確與戰前已大有區別，這種不同的觀念乃是善意的，即對我們已不像過去那種輕侮的心情了。理由很明顯，八年抗戰的結果，我們雖然未打垮日本軍閥，但確乎拖垮了他們，同時，凡屬具有遠見遠識之士，皆已澈悟中日兩民族相斫之非福，再加上近年來中共參預韓戰的情形，一般的日本人士，至少認定中華民族永遠不是外國所能征服的。因此，大家對中國抱着相當的尊重心理。張特使在日本人的心目中，素來估價甚高，戰後第一次代表中華民國元首作親善訪問，此時此事，言行之間似宜特別審愼，教別人「望之儼然」纔好。張氏此行既非國民外交的作法，言行的活動範圍，必須有所保留涵蓄，庶合份際。

可是，我綜合張特使在訪日期間的言論，有些地方認爲頗欠斟酌。除上述「必須親身目擊日本選舉後的情勢」等語，不敢苟同外，上月十五日出席日本全國新聞記者「歡迎張代表時事討論會」時，據東京中央社所報導張氏答記者十問的摘要紀錄，有若干言論，即令人洩氣失望哩！譬如：記者們問反攻大陸的計劃與時期如何？這原屬軍事秘密，在稠人廣衆之中，大可用「No Comment」這類外交詞令答之。然他卻議論風生，說「這應由國民來決定，由國際情勢來決定，同時也要由世界民主國家共同戰線來決定的」。這是甚末話！假如我是在場的日本記者，一定反問：「貴國蔣總統不是說反攻大陸決不倚靠世界大戰，而靠自力更生嗎？像張代表的說法，貴國政府的反攻計劃，就只是坐待三次大戰之來臨而已！」他於答復記者所問中日兩國文化交流問題，指台灣不許日本書報進口爲矛盾的措施一節，說「日本國民的思想行動，異常複雜，黨派林立，共黨仍爲合法政黨……日本各書報所傳佈的思想不能統一……深怕有不穩思想傳入內部……認爲擾害民心及黃色書報，都拒絕入口」。以「民主政治家」自任的張特使，竟要友邦書報「統一思想」，不許「黃色」，這些話若對過去「大日本皇軍」統治下的記者談談，那是很受歡迎的！更奇特的，是張氏說台灣不派留學生到日本，乃是「怕受赤化思想的傳染，帶着病菌回國，那就麻煩透了」！好像自由中國政府對共產黨只是談虎色變，束手無策，自由中國的文化精神也空無所有，遇着共產主義就會披靡投降似的。難怪當時要博得記者們的「滿場大笑」了！迨記者們問到「兩國應否訂立著作權出版權協定」時，而張氏又說「有關文化交流等問題，本人正在考慮之中」，簡直不符後語。這種問題原不妨侃侃而談的，偏又含混其詞，自相矛盾，何故呢？還有，記者又問「以前傳說張代表要就任駐日大使，爲何又任命董大使？」話。就張氏的立場說，應當答以這是本國政府的決策，而且應替董大使游揚幾句，才是外交家的風範。然張氏於冷笑一聲後，答道：「對不起，無可奉告」。好像這其間有許多難言之隱，教人狐疑莫釋，何其失態之甚也！

「言多必失」，居高位，負重望的人，對國內說話且要愼重，在國外尤應三思而後言，以防有失儀甚至損害國家體面之處。日本人戰後對我們的一番尊重心情，看吉田茂等人近年來的表示，已有降低的傾向，我們外交人員如果言行上再不愼重，恐怕他們又會慢慢地恢復過去對「支那人」的那種觀感。「人必自侮，而後人侮之」，我盼望張特使早日回來，不然，就以愼言謹行爲第一義，於公於私，都是有益的！

自由說難
——從「合作」角度說「自由」——

樓桐孫

「自由」！不知怎麼的，一提到這個本是極可愛，極可貴的名詞，在心裏就隱隱的覺得有某種的可怖。這決不是自由本身的可怖。這是自由難說的可怖。無已，只從某一特定的角度來談談自由吧。故名之曰「自由說難」。

從它的深邃的根源上講，自由應得是從理性上萌芽而來的。所以自由這一幅美麗的圖畫，必須在世界上一個多多少少有點理性的社會裏方能顯現出來。理性之於自由，很有幾分像是用某種藥水所寫的字，必須在火光中方能顯現，是一樣的道理。

可是世界人類並不是隨時隨地都是有理性的。

民主政治算是現代人類最富有理性氣氛的一種最進步的制度，因爲用柏格森（Bergson）的術語來講，民主的理想是有它的一個「實在的單位」（Une réalité unité）的，那就是躍向自由的「靈感」（inspiration）。

無如民主的概念，在目前世界上，就至少可大別爲二種：一種是以自由作爲終極的「目的」（Fin）；另一種所謂民主的目的，卻完全別有所在，例如在種族（Race），在國家（Etat），或者甚至在由於極少數人所組織，所控制，「以革命爲職業」的黨——共產黨。這種民主的概念——因爲他們厚着臉面，自稱爲什麼什麼民主，是以自由爲「方法」（moyen）而以極權爲目的。

戰前的意，德及現在的鐵幕國家，都屬於後者這一種類型。不管人們用什麼詞句來表達，亦不管這個既可愛又可怖的名詞所包涵的意義，是如何的見仁見智，千差萬別，但依我們看，今天自由神所擺佈在我們面前的課題，就在人類應該如何運用高度的智慧，把上面所說自由這兩種機能，兩種功用，在實際的社會上和政治上善加調和和配合。國父曾說：「夫禮運之道，與時俱進，而擇別取舍，唯其最宜」，要「求最宜之治法，適應於吾羣，吾羣之治法，適應於世界」。這一個「宜」字，不但是自由調配的目標，也即是人類政治的妙用。一般所謂因時制宜，因地制宜等等，就是這個道理。誠以調配得宜，孕育得法，則自由機能必可活潑潑的日徑茁壯，與時俱新，擴而充之，以與天地萬物，渾成一體。那就是「羣衆生命」（國父所懸民生二字最高的意義）的溝通，「羣衆生命」的擴展，經此溝通與擴展，然後發揚光大而成爲人類高度的文化，永久的和平。否則生機息，性靈滅，動輒得咎，志氣消沉，人類雖有形骸的生存，亦只是林林總總，與草木禽獸一般，自生自滅而已。鐵幕以內的所謂民主，所謂自由，充其量不過是這等樣的機械生活，非人生活。這眞是滑天下之大稽！

因此，談到自由就不能不連類而及於形似相反的而實相成的組織。

現代的自由（理性的）與原始的自由（野蠻的）之所以絕對不同，就在自由是孕育並發展於不自由之中。換句話說，自由是必須受有若干限制的。這些限制，具體點講，大概不外是輿論，禮俗和法律。而法律就是這裏所說的組織。

這是近代人類社會一個極重要，極複雜的課題。

從合作制度的角度來談，我們在這裏不妨把自由暫分爲下面四種：

一種是無組織的自由。這是絕對的個人主義。這種自由，在本質上與原始的野蠻幾乎沒有多大的區別，資本主義的經濟組織，包括一切商店，公司和托辣司，對內剝削，對外競爭，而以控制壟斷爲唯一目的，流毒所及，率獸食人，可說即屬於此類。但是這一種資本主義的經濟制度，因爲是「資本的結合」，卻是有非常嚴重的組織，高強的技術和靈活的運用。所以這裏所說「無組織」，是指不是「人的結合」而言，是指人與人之間，完全缺乏情感聯係而言。

另一種是有組織的自由。傳統的民主政治，用憲法保障人民的自由，用法律規範一般社會，雖然各國不無各有所偏，或偏於自由，或偏於組織——甚至近年學者間有所謂「民主的不自由」（"non liberale" de la démocratie），但大體上當然是歸屬於這一類的。這是近兩百年來最普遍流行的自由形態。我們目前反共所要爭取的，也就是這一種自由——民主自由。

第三是無自由的組織。前面所說以自由爲方法，以極權爲目的的組織，例如蘇聯以次的共產國家屬此類。這是人類理性所絕對不能容忍的，反共就是要反對這等樣的組織。道理很簡單。因爲在這類組織之中，作爲「萬物之靈」的人，共黨赤魔硬要把他變爲「萬靈之物」！這比第一種個人自由經濟的資本主義所施於人類的災殃，還要更大更深更毒辣得不知幾十百倍！

幸而人類智慧經過了長期的鑽研和摸索，終於在一百一十餘年前，由於英國一個小小的工業城市（Rochdale）裏的二十八位窮苦工人，發現並完成一種制度，將「自由」與「組織」很密切的配合起來，成爲一種「自由的組織」。這就是現在全世界國家均在提倡推行的合作社。所以我們於此，乃得很乾脆的把前面三種類型的那個「有」字或「無」字輕輕抹去，稱爲「自由的組織」，便立即可以回復作爲一個「理性人」的本來面目。「理性人」這個名詞，或者不免有幾分杜撰，生硬。但是如前所說，合作組織是一種「人的結合」。結合在人，眞正合作社裏面的人，無論從基本原理，經營方法或利益分配，確實都是很合於高度理性的要求的。而且事實上，「理性人」是對第一種「野蠻人」——「無組織的自由」和第三種「機械人」——「無自由的組織」——兩種各走極端的畸形而言。（下接第二版）

半週展望

·左舜生·

不要硬在嘴上

前天日本吉田首相發表了一個聲明，認爲中共要與日本締結和約，必須履行下列的四項條件：一、對韓停止侵略；二、修改「中共蘇聯同盟互助條約」有關日本的部分；三、停止援助日共進行暴力革命；四、遣還留在中國大陸的日本戰俘與平民。這個談話似乎是相當有力，但并不如馬立克在聯合國安理會說得那樣直截了當。蘇聯有決心否決日本加入聯合國，馬立克已毫無顧忌的說：『蘇聯只認日本是美國的一個殖民地，而不是一個自主的國家！』

我們早已說過，史達林萬事都可忍耐，惟獨對於日本的再武裝，則絕對不能忍耐；今天日本所剩下的一個問題，只是『如何對蘇聯備戰』，其餘的話說也可，不說也未嘗不可。蘇聯只能向一個大於她的武力低頭，而且必須這個大於她的武力實實在在打到她的頭上才能使她屈服；實力不到某種程度，或雖有實力而沒有對蘇作戰的決心，單想從嘴上或筆上對她表示強硬，不要說是今天的日本，就是美國，她也斷然不會理會！

多餘的揣測與批評

周恩來等一行在莫斯科「聆訓」的結果，已經發表了一部分。蘇聯對付其衛星國家的一切，凡可以公開的都是絕對無意義的；其比較有意義的，則斷然不會公開；衛星國只有接受命令的分兒，並無所謂眞正的協議，更用不着把這種協議見諸條文；因此，凡以條文形式發表出來的都是虛僞的，只有那些秘密的命令才是眞實。即以這次所謂旅順繼續公用，及本年底將長春鐵道交還中共這兩點而論，可以說狗屁不値半文：凡中國大陸沿海一切海港軍港，蘇聯在那一處不可自由使用，豈只一個旅順？凡中國大陸上一切交通路綫，蘇聯對那一條不可控制，豈只一條長春鐵道？整個中國大陸已完全爲蘇聯所征服，她要如何便可如何，我們還要就某一地點的公用不公用，或某一條鐵道的交還不交還去加以揣測或批評，這實在是多餘的。

現在還有人特別指出中共某一行動爲『賣國』，好像中共對於國家的所有權利只是某某幾項已經賣給了蘇聯，其餘還有許多許多，卻並沒有出賣，這也是非常不公的；其實自從中共實行『一面倒』以來，他們早已把整個國家的土地，人民，主權，乃至大陸上所有中國人的靈魂，全部賣給蘇聯去了！他們是整賣，決不是零賣，其所以還保存一個零賣的形式者，這不過是蘇聯在處分這一份巨大財產的時候，一種掩人耳目的手續而已。最可憐的是中共雖然把整個國家賣了，但並沒有賣得一個適當的價錢，他們不過在每次執行處分手續的時候，多少取得一點『回扣』而已。

周等留在莫斯科已有相當的時候，我相信：『皇「恩」北至』的，『紫氣東「來」』，他們大概總快要回到北平了。他們可能得到數量的『皇恩』，仍不外從這一次的交割又取得多少的『回扣』，這自然也是絕對不會多的，但足以相當加重遠東的火藥『氣』味，這自然也是沒有疑問的。

只許我打人！

中共奉命在北平召集的所謂亞洲和平大會，雖說各方面對之十分冷淡，但會還是要開的。大凡不是在一種極端無聊的場合，中共對於籠攏分子是素來不大借重的，這次中共所派出席大會的代表，以籠攏分子佔大多數，徐娘宋慶齡居然任了團長，文妖郭沫若次之，甚至連久處冰箱的羅隆基，也居然爆出了冷門！我們單只看這一羣人選，也不難想像他們所要要的是一種什麼把戲。

只許我打人，不許人打我，我打人爲的是維護和平，人打我便是『戰爭販子』，這是共產黨一定的邏輯。現在中共號稱有五百萬的大兵，已有一百萬侵入韓國作戰，但還決無害於共產黨之愛好和平；假定在他們開會期間，周恩來忽然回到北平，便可能被邀出席報告：飛機若干架，大砲若干門，潛艇若干艘，這算是史達林元帥贈給大會的一份和平獎金！

新德里航訊

印度的混亂

飛機在一萬六千尺高空飛行，越過雲層，晚上九時半到了新德里上空，還像黃昏時候一樣，紅日在西方的雲霧間浮沉，美麗極了，雲層的空隙中漏出的靜空，藍得像寶石一般。下面是恆河，像一根帶子，整個大地在反光，呈着灰白色。

到了新德里，所感覺的是政治空氣的混亂，印共的「和平大會」正在旁遮普省的朱龍都開會，宣傳的東西在新德里滿天飛，到處有示威游行，孟買，加爾各答，瑪德拉斯省且有衝突，死傷了幾個人，已經不像是「和平大會」了。

印共實施統一戰綫　到處利用文化人士

第二天我看老友費博士，他一見我，劈頭就說：「好極了，你來得正好，我要請教你一些關於共產黨的問題，因爲你們中國人對共產黨問題體驗得最多。」費博士是研究文學的，但最近却特別關心政治，大概也是環境和空氣使然，他提出的問題是：「有人也來邀請過我參加『和平運動』，『和平』我當然是擁護的。但這個和平運動我却不願參加。」「你的明智，對得很。」「所以我想問一問現在中國大陸上那些文化人的實際遭遇，好介紹給印度人民知道。」

於是我們談了好些關係大陸的實際情形，最後他作結論似地說：

「對了，我看印度共產黨現在用的一套手法，正與過去中共用的那套一樣。」

可見世界各國的共產黨幾乎是完全一樣的，在未奪得政權時，都會使用好聽的口號，做掩耳盜鈴的勾當，所以把中國人對共黨鬥爭失敗的經驗介紹出去，實在太重要了。因爲據費博士說，這次印度的「和平大會」，竟有好幾位國大黨的人員和有名望的學者在參加，印共就利用他們的參加來擴大政治影響，而他們本身，却祇是一個「和平主義」者，基本上是反對共產黨的。可是在遭受共黨的愚弄而不自知。

尼赫魯是進退兩難　討厭印共駭怕印共

後來我又遇到了一位印度政府的公務員，他是抗戰時期我在加爾各答的朋友，他告訴我現在印度政府正大爲頭痛，印共勢力的膨脹，到處肆無忌憚的活動，社會弄得這樣不安定，不知如何是好。他也埋怨尼赫魯，說蘇俄中共和其他共產黨的國家的領事人員，大批的湧到印度來，是使印共實行抬頭，大肆活動的重要原因，而印度駐莫斯科和中國的外交人員，則處處被監視限制，一個正確的報告都發不出。

像這樣的怨恨尼赫魯的人，現在已很普遍，所以尼赫魯對於印共，也正是討厭萬分，處處小心了。最近他拒絕接納中共捐助約合八萬美金和俄國五十幾萬美金的救濟款項，就是怕助長印共的政治聲勢，因中共和蘇俄的捐款，指定是要交給印共把持的瑪德拉斯省的「飢荒救濟委員會」。

中共要在孟買設領　爲了便利接濟印共

中共要求在孟買開設領事館，尼赫魯亦曾拒絕，最近則以印度在藏設領館爲交換條件，並規定雙方領館人員的人數要相等，老實說，尼赫魯對中共的確有些懼怕，但既然外交上先下錯了一只棋，現在就惹最感到縛手縛脚了。中共要在孟買開館，當然有作用，孟買的印共正鬧得兇，需要更多的接濟和指示，據說，中共自到印設大使館來，已用去了美金五百多萬，這錢怎樣化的，不得而知，但印共近兩年來，好像闊氣多了，印共總部的房子，漂亮透頂，據說尼赫魯有一次路過，看到這樣好的房子，就問左右說，「印共怎樣有這許多錢？」左右沒一個答得出的。現在印共顯然是受中共領導的，中共對印度，也可以說不惜工本，所以中共在孟買開館，事實上是侵蝕政策的又進一步，印度雖換得了在西藏開館的權利，但却很難起任何作用。

印共早受中共指使　走的路線完全一樣

印共之受中共領導，開始于一九五〇年八月，那時印共即開始改組，印共的書記原爲丹吉，後被捕，雷納狄夫即取而代之，但雷納狄夫很瞧不起中共，曾發表過多次談話，說中共只是一農民黨，不是共產黨，故一九五〇年第三國際把印共交給中共領導，首先即排除了雷納狄夫，印共七月召開中全會，所作決議中，對中共表示悔過，謂：「印共中央委員會撫保留地取銷了舊政治局對中共所曾作過的完全錯誤的，不負責任的和誹謗性的批評，並向中共道歉。」另一決議中則聲明：「今後所採取的道路，將以中國民族解放運動的經驗爲根據。中國所走過而東南亞國家今天所採取的道路，是擺在印度人民面前唯一正確的道路。」

新的印共書記是拉治施瓦勞，他曾到過延安，故受中共支持。從印共這一決議看，印共之受中共領導，殆無疑問，印共的鬥爭路線，係採用中共方式，造成混亂，利用內部矛盾，建立游擊武裝等。如尼赫魯再不快刀斬亂麻，還要裝腔作勢，說些討好中共的話，則危機就在眼前了。

我離開新德里的時候，共黨的「和大」正在開會，各地也鬧得亂作一團。（生）

拉鐵摩爾這個人（中）

柳英華

論到拉「博士」之「專」，實在是不敢恭維。據我所知道的，拉氏一共寫了十二本關於中國的書，假若我們仔細翻閱書中內容，眞是妙論橫生，荒謬絕倫。讓我摘譯一二段：

（一）「蘇俄對於外蒙古之關係，我們決不能稱之爲帝國主義……因爲外蒙古與滿洲國的地位不同。當滿洲國於一九三二年宣佈獨立後，日本即施以高壓手段，要求中國政府加以承認。……蘇俄雖與外蒙古締結了一個攻守同盟的條約，但是牠從未強迫中國政府承認外蒙之獨立，並且還承認中國政府在外蒙之主權。」（見Solution in China, p.143—144。此書脫稿於雅爾達會議之前，故拉氏並沒有料到史大林也有強迫中國政府承認外蒙獨立之一幕。）

（二）「假若政治家是像工程師們講效率的話，則應將大部份新疆，歸併於外蒙共和國及蘇聯。同時將塔里木盆地一帶，成立一個阿克蘇共和國，也納入蘇俄版圖之內；在民族，語言，文化，地理，交通及經濟發展關係上，新疆的定向是趨於外蒙及蘇聯的，而不是屬於中國的」。（見Pivot of Asia, P.221）

我們知道拉氏的謬論邪說，不僅僅見於這些書內，而他的文章是遍載於美國報章及雜誌中，流毒廣播，普及全美。同時他又是一個書評家，從一九四三至一九五〇年，美國總共出版了四十四本關於亞洲的書，十九是講中國的，經拉氏夫婦評定的有十三本，加上他們自己寫的六本，共十九本，佔總數百分之四十四。同時其他的兩個重要書評家就是鼎鼎大名的中共宣傳家史諾，與史沫特萊；整個美國出版界關於亞洲的書籍之印行，幾全爲這三位中共大功臣霸持了。

另外，拉氏是「太平洋紀事」的主編；這個雜誌是太平洋學會發行的，而太平洋學會業經美國聯邦調查局證明爲共產黨主要活動機關，經費的來源，多是由美國著名的共產黨員兼百萬富翁菲爾德私人補助的。拉氏的編輯部內，有三個著名的中國共產黨員，即冀朝鼎，陳漢生（譯音），亞洲人（筆名）。冀氏山西人，清華畢業生，在哥崙比亞大學念書的時候，即代表中國出席莫斯科的第三國際會議。後來做過孔祥熙的機要祕書，及中央銀行經濟研究處處長。上海易手時，搖身一變，成爲中共接收大員，現已儼然是中共顯要矣。

太平洋雜誌的內容，全是走中共路綫的，把毛澤東比擬爲中國之「林肯」，而朱德是中國的「格蘭第」；至於反對這些人的，則與希，墨並列，屬於「法西斯蒂」「反動份子」「劊子手」之一流了。

拉氏對於共產黨最大的貢獻是參加美國政府的活動。一九四一年，他由美共居里之推薦，派往重慶做蔣先生的政治顧問；一九四二年至一九四五年，他是美國新聞處遠東局的副局長；一九四五年十月，他是日本賠償委員會的委員；一九四六年，他是美國國務部外交人員訓練班的主要講師。以後他經常往國務部辦公，以便隨時咨詢，並對美國國策，頗多參預。

當他任蔣氏顧問的時候，拉氏極力反對珍珠港前之美日談判；在美國新聞處副局長任內，他大批引進共黨份子。日本投降後，他主張取消天皇，撤卸日本工業設備。對於中國，他贊成國共組織聯合政府；馬歇爾調停失敗，他又主張停止美援，撤退駐華美軍。他反對美軍佔領日本，建議放棄南韓。

一九四九年，中共席捲大陸，國府遷往台灣；美國政府發表白皮書，聲明採取「埃落塵清」（Dust to settle）政策，並決定派無定大使傑賽普（Jessup）東來調查，在傑氏出發前，拉鐵摩爾曾致傑氏備忘錄一份，提供五點意見。一九四九年十月，國務院召開一專家會議，馬歇爾亦出席參加，其目的在集思廣益，充實傑氏行前之參考。據參加該會之前明尼蘇達州州長史塔森氏（Harold Stassen）本年在國會作證時宣稱：「會中，拉鐵摩爾發言獨多，並提出一「十點計劃」，內容全與共黨路綫相吻合。……會後傑氏告我，同意拉氏之主張，認爲頗合邏輯。」

高原山國阿富汗　成了東西戰略要衝區

（加布爾航訊）阿富汗這個高原山國，昔日爲交通閉塞之區，今日却成爲美蘇鬥爭的前哨了。

征服亞洲的通衢大道

但還只有很少數的美國人，才理解阿富汗在戰略上的重要性，至西方國大多數人，則認爲阿富汗是一個遙遠的，距離他們似乎無關痛癢的地方，不過是一個遊牧者多，狗多，來福槍多，以此三多著稱的部落民族而已。其實呢？阿富汗是中央亞細亞一個很堅強的國家，面積約爲六十五萬方公里，擁有一千二百萬雄糾糾強悍善戰的人口，人民愛護國家，熱心政治。三千年來，它就是亞洲的通衢大道——一條征服者的大道——由中央亞細亞大草原，北至烏茲別克，塔克基斯坦與土耳其曼尼斯坦諸回教共和國，蘇維埃共和國家是蘇俄統治力量以上最微弱的一個地域，這對蘇俄是一個永久的威脅，並日阿富汗的國內沒有共產主義的威脅。

美國已駕臨英國之上

美國開始經營阿富汗，是在第二次世界大戰左右，過去五年中，美國在阿富汗之活動，已突飛猛進的。今天美國在阿富汗的勢力，已駕在英國之上，且取而代之了。自一九四七年開始，阿富汗與巴基斯坦之間的關係，至今日，愈變愈壞，這兩個毗鄰的回教國家，僅保持着尚未公開採取敵對行動而已。美國專家們最近到阿富汗來，除幫助經濟建設外，主要想尋求解開這一個結的道路。

緩衝和抵抗緩衝地

英國的政治家們，從一世紀以來，就推行一種計劃，支持阿富汗成爲堅強的緩衝，以防俄國人的南下，拱衛印度的安全，他們同時又決定構成一個「緩衝地」之計劃。將該抵抗緩衝地區作爲阿富汗在這種計劃下，阿富汗東部的帕坦族地區使劃入印度領土，這是眞正阿富汗的領土，而且完全是阿富汗同語言血統的民族，及至印巴分治時，帕坦族又劃入巴基斯坦，阿富汗人一世紀以來，從未忘記的失地，變成了阿巴兩國團結的最大障礙。（永成寄自加布爾）

定向飛彈怎樣駕駛的。

定向飛彈，這幾天熱鬧得很，它是怎樣指揮的？以美海軍現在用的飛彈來講，是先由「母機」起飛，再使飛彈起飛，雷達指揮者即母機上的駕駛員指揮，飛彈升空後，雷達指揮交給母機駕駛員，駕駛員自然可以由雷達幕上看到飛彈所見的一切，如果飛彈所循的路綫與駕駛員的地圖上所計劃的直綫不同，他即可用無綫電指導飛彈改正，直奔目標。

這種電視轟炸辦法，美國從一九五〇年到現在，已試驗過無數次了，並已訓練了很多專材，一架母機現在最多可同時指揮五個飛彈，向不同的目標進發。駕駛員可在數百里外的飛機上看到要炸的目標，讓飛彈直奔前去，一個駕駛員說：「我如知道一個市政府的市長辦公室的位子，我的飛彈即可直入這辦公室而爆炸。」

電視或雷達指揮僅限於五百哩以內，距離如過遠，飛彈與母機間的微波光綫即將爲地球凸起的表面所阻斷，故在五百哩以內，取敵人頭顱，正是如探囊取物，輕而易舉。

如果目標距離超過五百里，問題就比較困難，但這困難現正克服中。飛彈如在夜間飛行，它可用自帶的小望遠鏡，照攝星辰的方位，一架複雜的電腦可以在飛彈之內指揮它，讓它不找錯目標。

飛彈的指揮問題，說來容易，做來却不簡單，電腦設計不難，然而要它獨立工作則不易，飛彈行爲發生錯誤，可能只在於一個五毫子的螺頭上，故飛彈專家常說：「這個飛彈值十萬元，然而它應該值十萬元零五角。」其間微妙亦可以想見。

飛彈的優點很多，可以急轉，操縱方向，不需訓練大批人員，它可以不知危險，拚命做到澈底，而人命却可大量節省。現在唯一的問題是費用還太貴，而且瞄準的儀器甚貴，可是如單部實驗後決定了「這種樣子」，大量製造出來，則一個飛彈，比一個同樣大的炸彈，也貴不了多少。而且還可利用許多舊飛機來改裝，變無用的廢料爲利器，美國最頭痛的處理過時的廢機問題也因此得告解決。

現代的戰爭已到了神話境地，看共產黨有什麼辦法。（陸飛）

自由說難

（上接第一版）

而這種「自由的組織」——合作社，就是爲要補偏救弊，在有組織的自由之中，行自由的組織，就理性加以體驗，加以種子播揚，簡單說，就是「合作」的「自由」。

再說，就組織本身而言，即在現代的一切經濟組織中，也以合作組織爲最富彈性，最能適應人類經濟活動極度複雜的需要。因爲人類求生存，一天二十四小時中，無論物質也好，精神也好，本來就沒有一個人沒有一件事不須他人的合作。各國早有各式各樣的合作社，甚至曾有採用合作方式以培養並「開發」一個窮苦女孩子的「萬首天才」，姑不細述。即如本年七月十日香港工商日報所載有香港綫香業工人，有「生活合作社」的發起，內容雖未獲詳知，但光就這個動人的名稱來看，已很夠發人深省。

去年美國幸福雜誌（二月號？）曾載有Russell W. Davenport氏一篇研究「美國生活方式」（The American Way of Life）的文章，認爲美國人對於「差異」（Deversity）有極大的愛好。這是大家容易明白的。因爲在美國，不但種族，語言，江湖，經濟，宗教，利益以及各種學說，著書立說，新奇可怪的，可說是「無奇不有」，甚至四十八洲，各有各的憲法和法律，對於公務員的考試和自由職業者，與夫結婚離婚任用，種種規定都各有不同。但是該文作者「認爲差異才是自由的表現，才是男女自由發展的表現」，這却不無獨到的見解。須知這一種「差異愛」，與所謂美國生活方式的另一種特點——「標準化」（Standardization）是並不絲毫衝突的。「標準化」好比就是本文所說的「組織」，就絕大部份是指外在的事物而言，例如房屋，機器，車輛，衣服，食物等等都是。乃至於「差異」，是發自各人內心深處的一種喜好，屬於精神生活的範疇。把人的本身與身外一切事物，清清楚楚的劃分開來，使人役物，而非使物役人，就是所謂「人的結合」與「資本的結合」兩者間絕大不同的所在。讀者諸君切勿看輕這一點結合主體的差別。自由之爲物，唯有在人性的結合滋長，亦即是在理性的交流中，方能找到最好的「正合」的蹤影。作者愛好「正」「合」，心理往往傾向於合作的角度，故作「合作」理論的探討，試從自由局部的自覺，乃有「辭不達意」之感，因以「自由說難」爲題，吾將以此觀察自由之進度，質之自由中國合作界人士以爲何如？

四十一年九月十三日於台北古亭

中共蘇俄間頻演醜劇 一切為了先奪取亞洲 基本目標係針對日本

【本報特稿】近半月來，中共和蘇俄間所預定的醜劇，已接二連三地搬出檯，但是真正的戲仍在幕後舉行，在幕前演唱的，只是欺騙觀眾的假戲，僅能作為行將開鑼的亞洲和會的前奏曲而已。

搬演三幕活劇 全部異曲同工

在這次莫斯科會議公報發表以前，中共曾經唱演了兩齣活劇。其一是九月七日由郭沫若出檯，發表「給日本人民一封公開信」；其二是九月十五日「國際科學委員會」發表對美國細菌戰的調查報告書。在發表這一報告書以前，北平電台還預先廣播說將有特別宣佈，希望激起各方面的注視，來加重其戲劇性的氣氛。在這二幕活劇過後，才突然發佈所謂莫斯科會議公報。從這一串演做的過程中，顯示他們的每一項行動，都環繞着一基本目標，即透過這次「亞洲和會」正式向日本展開政治攻勢。

郭沫若公開信 首先暴露陰謀

郭沫若的那封公開信，充分說明共產黨心對日本料想的恐懼，亦表示這次莫斯科會議的真正主題，必然集中在國援日本上面，而以拆散美日合作為最高目標。這一目的的確立，自去年舊金山和會以後即已發端，到中日和約簽訂後即達定型化。因此今年七月初，共黨國際的世界和平理事會，特別在柏林召開一次「特別會議」，決定要在這次的「亞洲和會」來解決日本問題。這次的會議，預定的議題雖有四項，但歸根到底都為了防止日本建軍，因此，郭沫若強調「有關日本問題的討論，必然會成為會議的中心任務」。

發表細菌調查 旨在吸引觀衆

為了使這一場戲唱得有聲有色，必須設法吸引大眾的視聽和興趣。因此，對於議程中第一項「禁用原子細菌武器」，須先予以證實，於是所謂「世界權威細菌專家」的調查報告書，便開始在共產黨報紙以巨大篇幅出現。

這些所謂權威專家組織的「國際科學委員會」，揭穿了實際上不值一文。首先，這個委員會乃「世界和平理事會」的常務委員會在奧斯陸開會後，由郭沫若邀請組織而成。世界和平理事會根本上便是共產黨的御用機關，由這個機關所邀請而成立的組織，當然不會有共產黨以外的人。其次這一報告的發表，不遲不早，剛剛在亞洲和會開鑼以前，可見全部的佈置，都為了增加世界的注意。

俄京會議公報 全係裝腔作勢

至於這次莫斯科會議公報的發表，更係裝腔作勢。這一公報不但與會議的內容無關，且與會議的實際過程不相侔。首先，旅順及長春鐵路問題，在周恩來赴蘇以前，雙方早已有所默契，在這次的會議中，絕不會正式列入議程。其次，會議中既曾談論政治經濟問題，何以對後者密而不宣，而對前者大加宣傳呢？其合理的解釋有二：

第一、用交還中東鐵路來換取旅順的佔領，表面上係向中國人民作一交代，事實上是造成一威脅日本的態勢。因為旅順是蘇俄在遠東的重要潛艇基地，這些潛艇的主要用場，當然是準備對付日本。而旅順駐軍給養的供應，主要地靠赤塔，伯力和海參崴。其通達旅順的陸路幹線，只有靠長春鐵路。容許蘇軍繼續佔領旅順，則以赤塔為中心的蘇軍總部，與海參崴，旅順連成一貫要指揮網，完全控制東北之軍事調動，長春鐵路名義上雖交還中共，實際上與無交還無異。

第二、中共要求蘇俄繼續佔領旅順的藉口，是因為日本未與中共及蘇俄訂立和約，而美國正加緊復活日本的軍國主義，造成了日益嚴重的戰爭威脅。延長蘇軍從旅順口撤退期限，即為了保證制止日本的侵略。這一理由除了搪塞中國老百姓外，根本上即含有威脅日本的成份。

對日政經攻勢 必將繼續加強

基此諸端觀察，可見中俄的政治總目標，顯然是在困擾日本。在這次莫斯科會議中，除了有關中俄間的軍事實力及戰爭工業的檢討與配合外，主要的議題必然集中在如何孤立日本和赤化日本上面。

由於日本政府已決定下月實行總選，在大選前夕的攻勢，對於日本朝野均將有顯著的影響。因此，共產國際對行將召開的亞洲和會，乃付予極大的注意。其現階段對日的宣傳攻勢，可能集中下列三項：一、傳播民族主義情緒，激起日本民間的反美情緒；二、傳播和平主義，引導日本人民反對日本政府的擴軍計劃，阻撓日本軍事力量的復興；三、向亞洲其他國家，傳播日本的軍國主義，激起他們的恐日心理，斷絕日本經濟南進的通路。

上述這一目的，當然不是一次會議所能達成，因此，其他的破壞離間技倆，將伺機使用，特別在經濟方面，更可能以若干香餌，來勾引日本的工商界，而訓練特務工作人員，滲入日本各地，組訓原留日伴，建立「解放」中權等等，均將成為中俄會議結束後的必有課題，自由世界人士如果認為莫斯科會議，只在解決中俄共產黨間的摩擦，將係一種極錯誤的觀察，尤其是日本人士更須特別提高警惕，否則中國大陸沉淪的悲劇，說不定會降臨到日本頭上。（九月十八日）

（錢易之）

中共的「黨化工礦」政策

中共今日在大陸上之所作所為，無不以抓住一切，和把一切抓在手裏為目的。而此一政策何以名之，可名之為「全盤黨化」政策，「軍隊」「黨化」，「政權」「黨化」，「教育」「思想」乃至「文藝創作」「黨化」，固已不必說。「土地改革」是使「土地」「黨化」，「農村」「黨化」，「五反」是使工商人士的「口袋」也「黨化」了。最近之「司法改革」，要變「舊法觀點」，建一「新法觀點」，亦在求「司法」之「黨化」。如照蘇俄的米邱林的例子，則「自然科學」亦必「黨化」。至於經濟工作，那樣重要，自然更非全盤「黨化」不可。

中共目前的重心工作，即着重於這一方向的發展，力求整個經濟工作之「黨化」，而經濟工作中，工礦的「黨化」為最基本，因為共黨認為「黨化」了「工礦」，才能談「社會主義」，才能配稱「布爾雪維克」。

所謂「黨化工礦」，非中共獨創，而係師承蘇俄而來。但我們不要以為，中共之「黨化工礦」，即是由共黨派幾個黨員幹部到各工礦去担任廠長礦長，以及成立黨委會，由黨書記來監視一切，即是「黨化」，也不要以為共黨把各工礦收在它「重工業部」，「輕工業部」名下，即是「黨化」。

共黨之求「黨化」，是在使每一工礦的重要業務，管理，乃至主要的科學，熟練的技術，都要成為共黨可以壟斷在手裏的東西，七月一日人民日報的社論即說：「生產及其他經濟戰線上的共產黨員，更必須熟習在工業，農業業務，掌握技術，提高經營和管理的能力。」其意即在此。共黨認為唯有做到了這樣的壟斷，才能算是真正的全部屬於共產黨了。

它要做到這樣的「黨化」，採取兩法，一是派遣大批的，能够掌握技術，經營和管理能力的工人黨員，去接替各工礦的重要工作，二是選擇現有的熟練工人拉到他們黨內去，就目前中共工人黨員的人數和水平論，前者較後者為困難，所以他們特別着重於後一工作。據七月四日「光明日報」稱，東北方面一下子就有二萬名工礦青年團員入黨，上海「解放日報」則謂，在八月中，一個星期內吸收了三百八十五個工人入黨。又據西安「群眾日報」稱，為填補「三反後空缺，一月中吸收了三九六名工人入黨。八月四日南方日報則謂：「成立工人政治學校，訓練了五百名工人，經過三個星期學習和考查，即全部入黨分發。」

又據七月六日「光明日報」稱：「山西、河北、綏遠三省和張家口市，已提升二千多名工人為幹部，天津鐵路、郵電、鋼鐵、紡織等七個系統，四月一個月中提拔了六百多名」，八月三日上海解放日報則謂：「上海鐵路分局，今年最少要提升一三五人工人幹部，才敷分配。」這些被提升的工人幹部，當然是以先「入黨」為條件的。又據七月十六日「人民日報」稱：「東北鞍山市『三反』後開辦了九千餘名工人參加的訓練班，全部入黨。」

從這裏又可看出二個問題，即是這一「黨化工礦」運動，係配合着「三反」而來，「三反」是把「熟練和重要」的工人職出去，容出了職位，但不好讓黨員來填補，所以共黨一再說，要在「三反」基礎上「整黨」「建黨」「發展黨員」。另一問題與「發展黨員」運動同時，公佈「八級工資制」，特別優厚的待遇工業部門的熟練技工，共黨用「優厚的工資」來誘惑熟練工人入黨，故在共黨區域內，工人間造成了一種情況，不加入黨，就只能拿低工資，要拿高工資，只有加入黨。但是也因為這樣，許多工人對這工資制大不滿意，有的竟不要高工資，始終不願入黨。而現在各工礦的重要技工，至少在三十萬至五十萬人，根據共黨的「統計」，從七月到現在，入黨的，至少還要二年後，才能完全「黨化工礦」。而工人們的消極反對，其作用還不能計在內。（王鴻鳴）

上海最近新興職業

上海通訊

列寧裝的私娼風起雲湧

上海四馬路會樂里的長三堂子，八仙橋殺牛公司一帶的鹹肉莊，大世界附近的么二堂子，在夜間大世界西藏路，與愛多亞路，鄰案木搞，新世界至泥橋一帶的私娼，有營業執照者，中共公安局曾叫她們翻身，查封沒收，主持人都被逮捕。如會樂里的三堂子老板娘蘇州老四，八仙橋鹹肉莊大亨江北阿五，已被槍斃。但這一翻身，竟使原有之公娼亦都變為私娼，又加上各地被弄得傾家蕩產的人日多，故入夜後流鶯更見充斥，她們為方便活動起見，都以女同志的身份，穿着列寧裝。中共幹部大半愛好此道，入夜後亦即成群結隊，尋花問柳，以彼此穿着一樣，同志遇同志，一拍即合，故近來上海私娼營業之盛，有逾於中共未到上海之前，她們的營業，的確翻身了。

掛毛澤東像徽的小偷滔滔皆是

上海各電車站上下處，與五馬路東昇橋一帶以小偷為活的，中共亦曾叫他們翻身。住在五馬路青蓮里的一個著名小偷，綽號叫小會設者，中共叫他翻身，因他認是翻不動身來，曾再三被中共逮捕，遊街示眾，仍然無效，最近這些小偷，都穿上列寧裝，胸掛毛主席像徽，儼然共幹派頭，致使警員束手，被竊者亦不敢聲張，流氓共幹小偷不分，不知是小偷裝成共幹，抑是共幹慣做小偷，深恐偶一不慎，弄錯對象。

秧歌教師易於謀職

秧歌舞為中共世界各級學校中必修科，中共政府為秧歌主潮，故秧歌舞，亦為各級層社會中的公民須知，因之能秧歌舞的男女教師，獨較容易謀職。事實所需，原在街市廣場上賣藝，大戲的，與在小戲園班中打滾斗的小丑角，亦都學起秧歌舞來，而改行做，去充任秧歌舞的男女教師了。

改製列寧裝的縫工利市三倍

中共稱中裝為封建裝，西裝為侵略裝，中山裝為反動裝，稱他們自己所穿的列寧裝為人民裝。但大家窮，那有餘力新製，只有將原有的中裝，或西裝，或中山裝，拿來改造。滬上「拆三門造大殿，將牛頓改馬褂」的辦法，使改製列寧裝的縫工，莫不利市三倍，笑逐顏開。

詢問吉凶測字攤顧主特多

如今生存在上海的人，人人心裏，都有恐怖，既恐饑餓，又恐懼殺來而死，身之禍。因之，上海南市老城隍廟，和相命格鼎路新城隍廟，測字攤，顧主特多，生意興隆。

草製食品生意甚好

中共在大陸各處所有報紙上都說有七[illegible]，把中共搜刮[illegible]，可充作人民食糧，叫人民吃草，近上海鄉區普通一般人民吃草已是[illegible]，上海市東[illegible]，滬西[illegible]，浙江，閘北太陽廟[illegible]，市中心各食品攤頭，有草類食品[illegible]，調製的燒餅，稀粥，竟供不應求。

露天通事工作亦忙

十六舖「露天通事」[illegible]

中共青年團的決議

中共的「新民主主義青年團」於八月二十五日至九月四日召開了三中全會，把一向搞青運工作的馮文彬等打了下去，代之以胡耀邦，胡為毛之衛士出身，後任特務工作，為毛最親信之青年幹部，共黨侵入四川後，曾任川西行署主任，川西行署撤銷，現即改任這工作。

該全會共有八項決議，主要是大量發展組織，吸收團員，並把訓練好的團員輸送給中共黨的組織。同時則藉團的組織加緊控制各學校學生，鼓動工人增加生產。

該團並定於明年春夏之間召開第二次代表大會，在代表大會召開之前，各省的共黨青年團也都要開大會。這個二次代表大會當然是在中共的八代大會或是七屆四中全會之後開的，故由這決議，可以推斷中共之重要會將在最近召開。如根據上次毛澤東赴莫斯科簽訂同盟條約後回來即召開七屆三中全會的情況推斷，則這次周恩來赴蘇二度出賣主權後，共黨重要會議之召開，當為期不遠，但也可能為了答應蘇聯共黨的要求，將延至十月五日聯共舉行第十九屆大會之後。

根據這個中共青年團決議要召開全代會的原因是：「迎接大規模的建設」一語，則中共召開黨的大會，顯然將宣佈「實行社會主義」，而這現在的虛假的共同綱領也不要了。我們如可從這種「宣佈」在共黨中的重要性來推斷，則中共即將召開之會議，又必為中共之八代大會。

（士）

即小喻大

為方

埃及的陸軍統帥兼內閣總理那吉勃，在公衆集會場中，對前任首相馬赫爾稱呼了一聲「閣下」，立即被在座的一個軍官所指摘，要他依法罰鍰一「披斯特」的埃幣，那氏當衆認錯，笑嘻嘻掏出了兩個「披斯特」充罰金。這因爲埃及新政府曾通令廢除「閣下」，「巴夏」（即大人之意）這類封建腐敗的稱呼，違者罰鍰，那氏自不能隨便違法的！

這原是一件小事，在西方文化的政治社會中，尤其不算稀奇。美國總統杜魯門某次演說時，說了一句諷刺海軍的話，馬上寫信去認錯，並無損於其元首之尊貴。若在咱們貴國的官僚軍閥們看來，那還了得！像那吉勃是手握軍政大權的獨裁者，而其部屬竟敢在大庭廣衆中，指責「總座」違法，實爲十足的「狂妄」份子，縱不推出問斬，也應撤職論究，以崇國家體制，而尊長官威信。法也者，乃黎民百姓所遵遵，非所語於達官貴人也！這就是中國傳統的政治哲理，深中於人心，「久矣乎，數千年非一日矣」。

因此，我每閱某些官僚政客人云亦云的大談其民主政治的話，或教書記們寫些關於民主法治的文字，在報紙上災棃禍棗，總是嗤之以鼻，掩耳閉目。因爲一想到他們平日那副作威作福，文過飾非，諂上驕下的咀臉，即喪失了領教他們那類言論文字的勇氣哩！

言改革而不從心理革起，行新政而寄望於舊官僚人物，已而已而，今之爲政者殆而！

自由談

記南京一慘案

康百度

南京自落入共黨的魔掌中後，這「六朝金粉地，古代帝王州」，就變成了人間地獄，所看到的只是一片淒涼，所聽到的則是呻吟和飲泣，往日人們的歡愉和繁華景象，那就要在人們的懷憶中去找尋了。更由於這兒是首都所在地，在共黨的心目中，認爲居民的份子較別處複雜，所以牠們施行的血腥統治，也就較別處更爲殘酷和毒辣，在這裏我報導一件曾經傳遍南京的慘案，以作爲共黨暴行的鐵的證明！

慘案的發生是在今年五月，地點則是蜘蛛巷四號門牌的院子裏。蜘蛛巷是一條死巷，平昔除了巷內的居民出進行走外，是很少有旁人來此的，四號門牌則是一個大雜院，住上有八戶人家，多是小販和商店店員，這八戶人家共有六個孩子，最大的是梁姓名德生的，還不到十一歲，最小的則只有三、四歲，每天，當他們的家長幹活去時，他們便在院子裏任情而無拘束的嬉戲，有時巷內鄰居的孩子也跑來參加，所以這院子內照常是熱鬧的，充滿了孩子們的天眞和歡笑，在這冷落的巷內，自成一天地！

是五月上旬的一天，院子裏照例的聚集着一羣孩子在嬉戲着，唱着不宗整的流行歌曲，不知是那一個孩子唱着：「太陽出山一點紅，東方出了一個大毛虫」其餘的孩子都感到新奇，於是也跟着唱了，尖銳的童音夾着一片歡笑，響遍了整個院落，也傳到院外的巷子裏，正當孩子們興高采烈時，忽然從巷外來了一個中年穿便服的漢子，抓住梁德生那孩子，給他狠狠的一掌喝問着說：「小鬼德，你唱的什麼？」生哭了，其餘的孩子也嚇得哭了，哭聲驚動了房子內的德生的祖母和母親以及其他婦女們，孩子紛紛奔向他們的母親的懷裏，德生也想跑向他母親，口中還哭訴着：「媽媽！他打我呀！」但馬上被那漢子拖住了，並且又給他重重的一拳喝着說：「打你！要你的命哩！」德生的祖母心痛了，搶着說：「先生，你打他做什麼呀？他一個小孩家懂得什麼呢？有話找他父母呀！」那漢子聽了冷笑了一聲說：「對啦！我正要找他父母哩！誰是他的父母？」德生的媽媽說了：「先生！他究竟犯了什麼事呀！」「他好大的胆子，竟敢侮辱毛主席」！這個罪名，在這羣知識水準很低的婦女們中怎會懂得呢？但由於這漢子嚇人的聲勢，自然的就把她們懾伏了，於是她們便紛紛的向那漢子哀告，請他原諒小孩子的無知，可是那漢子竟不理這一套，還是在咆哮着追問那孩子的父母的姓名，並且要把德生帶走，這使得德生的祖母和母親發急了，便由哀告轉爲爭辯以至衝突，結果，那漢子在人單勢孤下悻悻然的走了。

當孩子的母親們還在追問孩子究竟是作了什麼壞事時，一[illegible]外開來了兩部警車，車上載着十多個公安警，全副武裝，下車後，便將四號門牌包圍，把整個院落搜查殆遍，然後迫令着八家的婦女小孩們上了警車，一時婦女們的哭號聲，孩子們的哭喊聲，震動了附近的居民，都很驚訝的跑來張望，但沒有誰敢出來多事，並且看過一眼後便馬上避開去了，只有當地的居民小組的組長被公安警傳來，命令他帶同兩名公安警留守四號門牌，以等待那些尚未得知大禍業已臨頭的男子們歸來而予以拘捕。

第二天，婦女們算是釋放了，但孩子們和孩子的爸爸們却全被留在公安局裏，孩子們「侮辱毛主席」的罪名固已無問題的業已確定，最嚴重的是還要追問「反動派」和「國特份子」，硬說孩子們的歌唱是有人教授的。如何的追問不得而知，只知道自那天起，蜘蛛巷的居民小組開了好幾次鬥爭會，結果住在七號門牌的一位姓謝的小學教員和十二號門牌內一位過去在政府中做過小公務員的小販，也相繼涉嫌被捕，自後也就失掉消息。被捕的孩子們，由於他們的母親天天跑去哭求，才在第五天釋放，身上都有不少的傷痕，但年齡最大的德生却到第九天上才被通知由他母親領回，已經奄奄一息了，回到家裏不到幾天就死掉了。德生的爸爸則更無消息，在一個月以後，才有兩個和德生的爸爸同時被捕的人被釋放回來，據他們說德生的爸爸恐怕無回來的希望了。德生的祖母和母親得到這個信息，在晚上竟雙雙吊死了。這事發生後，儘管共黨如何管制嚴密，終於傳遍了整個南京，無不悲憤嘆息！但這僅是萬千件慘案中的一斑而已！

關於蘇聯（四）

・舜生・

自一九三一年（民二〇）日本侵入滿洲開始，迄一九四五年（民三四）日本投降爲止，這個十四年的工夫，蘇聯對於遠東一切事態的應付，可以說極盡鈎心鬥角的能事，儘管歷次到達危險的邊緣，但因爲她能夠謹守原則的決策運用，所以卒抵於成功，以造成她今天在遠東這樣一個優勢的地位。我們現在把這樣一段複雜的事實加以一番復習，對於蘇聯今後在遠東動態的把捉，至少總有一些參考的價值吧！

原來日俄兩國在遠東衝突的焦點，就在中國的東北，這可以說是由來已久，已經是半世紀以前的往事了。在俄國革命的初期，因爲忙於一切安內攘外的應付，與日本在東北平分秋色的這樣一個優越地位，可以說一時的歸於放棄。等到一九二四年（民十三）以後，中蘇關係已趨於好轉，她算又已捲土重來。當日本大舉侵入滿洲，蘇聯依然掌握這一條中東鐵路，以爲她牢守北滿這一勢力範圍的骨幹。

當時日本陸軍方面最急進的一部分少壯派，原有出滿洲去進攻蘇聯的一種打算，其目的一在包括貝加爾湖以東以迄沿海這一片遼闊的土地，這算是一種極端的北進派。其次則至少亦必須統一滿洲，包括內蒙，然後向中國關內的大陸問鼎之輕重，這一派雖較極端的北進派稍爲穩健，但仍屬於北進派範疇，其活動分子自仍以陸軍的少壯派爲主幹。至於海軍方面，則自來是偏重南進，其侵略的目標在菲律濱，在澳紐，在荷印，擴而充之，自然也想把他們的觸角一直伸展到東南亞的全體。

日本既已事實上進佔滿洲，即無異使北進派立於一更有力的地位。蘇聯究竟如何應付，確實是大費斟酌：無條件的退出吧，這未免過於示弱，或適足以鼓勵日本侵蘇的野心；就在滿洲和日本硬挺吧，則日蘇間正式的戰爭將不能免，即令蘇方實力已夠，革命初期遠爲充實，但戰勝日本的把握則頗渺茫，而且與她挑起帝國主義者們的基本原則不合；無已，乃惟有採取一折衷的辦法：即一面對日本之佔領滿洲表示善意的中立，而逐漸作有利益有計劃的撤退；一面則對遠東增兵，（這一段時期，蘇聯在遠東的兵力逐漸增加到三十萬至四十萬，飛機多至兩千架）在滿蘇邊境，滿蒙邊境，表示一種凜然不可犯的姿態；同時對於中國政府則力謀接近，更運用中共及同路人（如救國會之類）鼓起一種抗日的高潮。

依據第一點，以一九三五年（民二四）以日金一億四千萬及鐵道員工退職金三千萬將一條中東路賣給日本爲最明顯的一種表示；依據第二點，則以在邊境與日本不斷衝突，尤以一九三八（民二七）及一九三九（民二八）張鼓峯與諾蒙坎兩役爲登峯造極；依據第三點，則以一九三二年（民二一）十二月中蘇復交發其端，而一九三六年（民二五）十二月的西安事變，則爲抗日鼓勵確已到達成熟期的一種表現。（一三二）

亂彈齋詞話

青玉案

馬五先生

序曰：英國外交部長艾登，最近與其舊同僚邱吉爾小姐燕爾新婚，依法可由政府給予三鎊二先令一便士的津貼費，仍須經首相兼岳叔邱翁批准。首相贈送侄婿禮物，如由公家付款，照規定不得超過三先令。邱翁祗好用此三先令買了一條美國領帶送給艾登作紀念品，而在領帶的內層簽上自己的名字，這價値就無窮了。艾氏夫婦出國作蜜月旅行時，僅帶旅費五十磅，因爲政府規定，英國人民每年耗用外滙，每人不得超過二十五磅，夫婦二人，也只能請准此數了。有人說，這是英政府人員故意裝窮，做給美國人看的。我覺得凡是居高官而能守法刻苦，不妄費公帑者，縱然矯枉過正，亦可稱贊。難道非如咱們貴國的官兒們那樣，家裏買馬桶手紙，妻妾兒女過生日請客等費用，都要列報公帑，纔算是官禮官規不成麼？邱翁艾相之寒傖行爲，可取也。

丰裁皎皎名卿相，惆悵望雙飛燕。僚友娟娟曾寄戀，美人猶昔，小姑居處，宰輔勞牽線。良緣本是神仙眷，祇惜人間正多難，領帶一根留紀念。行囊雖澀，愛情無量，蜜月恣歡暢。

中國之友（十八）

毛以亨

戈登將軍傳（十一）

九、戈登功成身退與埃及印度之行

時李鴻章大軍已攻常州，太平軍中西人悉逃歸，軍事之結束在望。戈登恐軍士不作戰而生意變之心，乃以割斷南京至浙江之交通自任，遂於一八六四年二月二十九日進兵攻宜興，以砲艦巡邏太湖時身幾被擄，三月一日克之。移兵攻溧陽，時太平守軍一萬五千人，裝備完整而無心戀戰，乃於三月九日開城降，戈登以降卒二千五百人編入常勝軍。又攻金壇，太平銜枚堅壁以守，砲轟三小時不應，撲至城下，則傾巢出擊，常勝軍敗退溧陽，戈登傷腿，乃以英陸軍司令之弟白朗代領其衆，白朗亦受傷。太平軍部署反攻，直撲李之後方常熟城，常勝軍乃奉命往援江陰以分其勢。最後常勝軍四千人助攻常州，雙方均殊死戰，傷亡枕藉，官軍挖地道轟城，城破太平守將護王陳坤書被擒死之。時戈登服務終了之命令已於六月一日自英到達，乃將常勝軍遣至崑山解散，清廷曾敍以提督並賞銀萬兩，戈登辭其賞銀未受。

然戈登直至十一月間始能交代清楚，並爲中國草擬新軍計劃，他認中國軍隊，能刻苦與服從，加以訓練可成勁旅。他於六月廿六日視曾國荃軍，謂其八萬人裝備劣而信心堅，餉銀雖少而士馬飽騰。七月十九日曾軍以火藥四萬磅入地道，轟城垣五十碼，南京遂破，四萬磅炸藥而付諸一擲，這是等于現在原子彈的威力了。

戈登回國後奉命衛戍泰姆士河要塞，一八七一年十月，任職多瑙河國際委員會，一八七三年過埃及總理于君士但丁，邀其赴埃及任職，得英政府之同意於一八七四年前往，任赤道總督，主持禁奴事，直至一八七六年十月始離開羅。回英後以電辭職，而埃及政府不允，乃再往被命爲蘇丹總督，遂與阿比西尼亞發生交涉，以外交方式，解決糾紛，平定內亂。一八七八年三月回開羅，任財政委員會主席，欲依以解決外債問題，不成再回蘇丹。埃及欲不喪失權利而使戈登與阿王交涉，又失敗而戈登遂回國。此次在埃，騎駝背旅行至八千八百英里，精神體力之消耗可以想見了。

一八八〇年戈登辭比王剛果之邀，又却南非之請，五月，竟願爲新任印度總督 Ripore 之私人祕書，他一向是獨當一面的人，祕書更非所長，以何種動機而接受此一邀請，殊爲一般人所難解。結果一至印度，即發現與當地英人意見不合而立即於六月二日提出辭職，距其就職時未及一月，並自認賠出印度所代墊之旅費。

蕉竹樓隨筆

算一筆倒賬

一個在兩航機組服務過的朋友，替中共爭取留港飛機計劃所花的錢，做了如下的統計：

一九四九年十一月九日兩航公司員工「起義」，到一九五二年七月廿九日香港警方管制兩航所有資產，所有停留在啟德機場的七十一架飛機，癱瘓了兩年七個月零二十日，中共要付出這麼的一宗數目。

每日機場租費爲港幣五百元，一年納機場租十八萬元，兩年七個月零二十日共須納機場租四十七萬元。

兩航留港員工，係照原級支港幣薪給，每人每月由二百五十元至七百元不等。員工共一百六十四人，月負担薪金約爲港幣七萬元。看守期間，共須支付二百二十四萬港元。

保護機身機件的漆油及滑機油，每月得支付約二萬港元。

工會文娛，宣傳等活動費每月得支付二千港元。

這七十一架飛機留在香港，拖累了中共花去三百四十餘萬港元。（按，香港政府執行了七月廿九日英國樞密院的裁定，央航四十架飛機，確屬美國德拉瓦州的民航運輸公司，其餘中航的三十一架飛機，等待判決）

悼烈女謝樹梅

馮吉煌

衡陽謝烈女樹梅，通詩書，有奇氣，父日昶先生，於大陸變色時避地海隅，女以奉母故，在鐵蹄下吞聲飲泣，蟄伏經年，非其願也。迨母亡營葬既畢，乃冒險犯難，來港尋父，志在爭取自由。詎行至羅湖橋遇禁阻，百計不得前，憤然投羅湖江以死，時辛卯十月二十三日事也。爰成七律二章，以誌哀悼。

孝女尋親萬里來，羅湖橋上罹奇災，
烟波浩渺屍難覓，江水澄清骨可埋，
朝野蒙羞獨樹節，華洋苛政兩堪哀，
千秋義烈誰能識，舉世喧傳選美回。

深圳形勝自崔嵬，多少英雄屈膝來，
閨閣偏能存正氣，簫聲猶是困奇材，
難將死事回當道，徒把生平付刼灰，
紅粉青衫同一哭，湖山終古有餘哀。

自由人
THE FREEMAN
（半週刊每星期三六出版）
（第一六三期）
每份港幣壹毫
督印人：李光華
社址
香港高士打道六六號
電話：二〇八四八
GLOUCESTER RD.
HONG KONG
TEL: 20848
承印者：東南印務出版社
地址：高士打道六四號
台灣特派員辦事處
台北市館前街五十號
台灣總經銷處
台北市中華路一一二五九號

不要太低估了敵人的力量

左舜生

『知己知彼，百戰百勝，』假如我們把敵人的力量估計得過高，不免『長他人的志氣，滅自己的威風，』自然是非常不妥；可是相反的，假如估計得太低，也不見得沒有流弊。

最近國防部的政治部發出廣播，表示『反攻大陸的準備工作業已完成，現正等待預定的行動開始』；同時中央日報也發表社論，希望美國解除中立台灣的政策，讓國軍即可向大陸反攻。我想這樣的好消息，凡是淪陷大陸或流亡海外的人民，聽了一定非常興奮。

據我們所知道，這三年來台灣軍事進步的情形，確實是十分良好；美國軍事顧問團在台的工作，也異常賣力，今天能得着一個反攻準備完成的結果，決非偶然。

可是，我們這個預定行動究竟何時開始？橫亙在當前的，便是一個外交問題，換言之，便是必須得着美國的同意。當韓戰一經發生，杜魯門總統即已發表了中立台灣的這一政策，並命令第七艦隊巡弋台灣海峽，以求得他這一政策的貫澈；同時我們的最高當局，確也曾表示對這一政策的接受。就我們年來所研究，所謂中立台灣政策，確為美國整個亞洲政策重要的一環，就說是美國全部外交政策的一部份也並不過分。我們現在既希望美國把這一政策改變，我便不知道我們對這一方面，究竟下過了多少工夫？究因為這並不是一個感情問題，必須訴諸理知；也不是一個理論問題，必須針對事實。在我們想來，我們今天去反攻大陸，可以假定並不會牽動全局，但美國的軍事當局，卻可能不是這樣想法，甚至他們以為這一來，就會爆發大戰；在我們想來，以我們現有的力量，已經可以反攻，但美國卻可能認為仍非有他的大力援助不可，至少亦得有他的海空掩護不可；在我們想來，我們的反攻，只要發動國家的力量去平亂，去剿匪，對國際的諒解不諒解，不必多所顧慮，可是美國今天的一舉一動，卻又往往要得着相關係密切的盟邦的點頭。凡此種種，偏是相當麻煩，即令我們其他一切的準備都已完成，假定這一道難關暫時依然無法打破，則所謂反攻也者，便必然還要等待。

現在姑且把這一層丟開，假定我們的反攻明天便可實現，我們對這一情勢的估計又是怎樣呢？

第一、共匪決不願意放棄大陸，俄帝絕不會准許共匪放棄大陸，我們今日的反攻，直接是和共匪作戰，間接便是和俄帝作戰，所謂反共抗俄，原來就是分不開的。這一點，我想大家總可同意。

以兩年多韓戰的經驗，以聯軍包括南韓數十萬的精銳部隊，加上海空空前的火力，雖已經把共匪打得創巨痛深，可是目前配備在第一線的匪軍，依然有百萬左右，至今屹然未退。我們反攻部隊的訓練，自然是十分良好，但是不是一定就能超過在韓作戰的聯軍？我們知道，在韓作戰的聯軍，確有許多弱點：第一，他們所從事的，是所謂『有限度的戰爭』，僅此一點，已經足以制他們的死命，我們卻是必求得澈底的勝利，絕無所謂限度不限度，這是我們的強點之一；第二，既曰聯軍，在行動上即難免不有多少牽制，我們卻是獨往獨來，別無牽制可言，這是我們的強點之二；第三，除南韓軍外，今天的聯軍是以外國軍隊在異國作戰，其不容易得着當地人民的援助，容屬顯然，我們的反攻，卻斷然為大陸人民所切望，即令他們已無力備簞食壺漿以相迎，但至少必然予國軍以精神上的鼓舞，至於游擊隊之聞風響應，自更屬毫無疑義，這是我們的強點之三。

可是話雖如此，我們仍不能不以『臨事而懼』與『謀定後動』的心情以臨之。共匪誠然是『土包子』，但他們這兩年以來，總算也見了相當的世面，所謂現代戰爭是什麼一回事，當然不能說他們毫無經驗。假如我們反攻的部隊不能太多，火力又不如今天聯軍的旺盛，則共匪不會望風而逃，將斷然出以頑強抵抗，自屬意料中事。又假定我們能順利登陸，而且能順利進佔半省一省，共匪縱不能將所有人民裹脅以去，但他們可能略師抗日時期的焦土政策，將準備放棄地帶中的糧食或物資搬運或焚燬一空，是則我們的軍隊既不能『因糧於敵』，而嗷嗷待哺的難民，甚至還非由政府予以救濟不可，因此一切糧食與軍用物資的補充，勢將一一仰給於台灣的海空運送。現在反攻準備工作既已完成，我想對一類的準備，當早在當局的計算以內，用不着我們過慮。

共匪既不能將放棄地帶的人民全數裹脅以去，政府對於大部留在當地的人民，究竟打算如何安排？年來台灣治安當局用力最勤的工作之一，不能不說是防止共諜，將來共匪留在放棄地帶的人民，誰也不敢擔保其中決無共諜潛伏其間，在那樣一種場合，我們既不能轉「入境證」以資防止，又勢不能叫他們每人都去覓取兩個保人，請問採取何種辦法？我不久以前，曾提議反攻的準備工作，必須首先訓練十萬個高級文化幹部，質言之，我們認定共匪幷不是普通的土匪，我們要求反共成功，必須軍事與政治密切配合，而且我們的武力所到之地，必為政治力量同時到達之地，否則所收復的地盤，即不能完全佔穩。這種道理更是十分淺薄，政治部既責無旁貸，我想總也早已準備好了。

總而言之，我們聽到反攻準備工作完成，確實是異常興奮，即令外交形勢還有待於大力的推移；在反攻的過程中，還不免無數的困難；但能攻總比不攻好，能收復多少土地，總比全部不收復好。可是話仍得說回頭：我們不要太低估了敵人的力量！

半週展望

雷嘯岑

周恩來離俄

周恩來已於前天離俄京回國了。他這次到俄後對外所表示的任務，就是所謂「中蘇會談」公報，簽訂關於旅順港與中東路的新協定。誰也知道這是一種魔術，是想朦蔽世人的障眼法。

鐵幕的政治性原是險暗的，說的只為宣傳，做的諱莫如深。所以他們的領袖們過的都是「偉大的夜」之生活，一切重要工作必在昏夜進行，周恩來悄然走出莫斯科，像他初到赤都車站時照例對記者發表談話，標榜「中蘇友好合作」的鏡頭也省略了。這可能是陰性政治的表演工夫，也可能是抱着沉重的心情而歸歟歸歟！

究竟史大林所面授他的機宜如何？所吩咐中共的新使命怎樣？等到來月初旬的「亞洲和平會議」收穫後，必有迹象可覩，我們祇好等着瞧，此刻用不着多所揣測。

政治與道德

美國的競選漸近來甚見洶湧，兩黨競選人不斷地互揭瘡疤。共和黨人指史蒂文生曾經庇護過現在縲絏之中的美共希斯，民主黨人說希斯當年入國務院是由於杜爾斯的推戴；民主黨人指奈克遜曾經接受地方人士一萬八千元的贈金作參議員競選費，共和黨人說史蒂文生左右曾向芝加哥的一千個商行敲竹槓。大家把貪汚的帽子飛戴對方頭上，以期打擊其信譽。

假使奈克遜，史蒂文生不被提名競選，這些「貪汚」嫌疑事件，誰會理它呢！去年我看過一期美國出版的「新聞週刊」，封面大標題為「貪汚在華盛頓」，內容全部是敘述白宮人物和國會議員們的「貪汚」情節，洋洋大觀。但是，美國的朝野人士誰也「好少理」！

可見逢到政治上權利之爭的關頭，就多見共為目的不擇手段了！以美國文化水準之高，產業之發達，謀生求職途徑之多，民主政治修養之久，猶不免有此情況，他復何言！

因此，我們可以下一定義：搞政治的人必然都棄道德節操；講道德仁義的人就不必搞政治。也可以說：凡在政治上位高爵顯，有若不倒翁者，其人多半是不知「道德」二字作何解？凡有心從政，而始終不能顯達的人，那他的血管內一定是還有若干的道德成份潛存着。

套一句香港式的文謅謅奉告中國同胞：若要作官，乃可無恥！

共黨抗議聯軍釋俘

最近韓境聯軍把俘虜中的一萬一千名韓籍平民，甄別釋放，引起共軍和談首席代表南日的激烈抗議，指聯軍這種片面遣俘行為是把和談的基礎根本破壞了！

聯軍方面所持理由，認為這些俘虜都是平民，並非戰士，經過甄別無訛，當然予以釋放。至於這些人被釋後是回到北韓？抑投歸南韓？那是他們的自由，聯軍管不着！

記住，這是聯軍第二次的遣俘了。前一次遣回同樣的平民八千人，共方也曾經嚴重抗議過，然聯軍方面依然我行我素，無所容心。光看這點事實，即够我們瞭解板門店和談的本質與前途了。不特此也，韓戰提聯大會議辯論之說，美國已予否認，而且目前正與各國磋商，想將來月的聯大會議展期到十一月去。那時節，美國大選已完成，可以全力應付韓戰問題了。誰會相信韓戰有結束的希望呢？

世界政府的前提

有二十五個國家的國會議員，近日聚集倫敦開會，策劃世界政府的組織辦法。其志可嘉，其行甚勇！

要想奠定人類永久的和平生活，世界政府是必需的，而且也必然會實現的。

但是，人種歧視的問題不解決，政治生活即不平等，殖民地政策不廢除，資源即無法共有共享，經濟生活也不平等。政治經濟生活都有差別待遇，戰爭就自然不會消弭，有戰爭，還講甚末世界政府？

希望熱心於此的議員們，先對這兩大前提研究研究吧！

南韓部隊強起來了

京都山之戰是臨場大考驗

旬前韓戰場中綫京都山的爭奪戰，是戰爭發生以來，戰況最酷烈的一次，密如驟雨的重砲轟擊形成這一次戰鬥的中心特色。這一次爭奪戰，在戰術上並沒有若何特殊價值，而在考驗經過整訓後的南韓部隊作戰能力，則具有很重要的意義。

中共於九月六日晚，企圖以密集轟擊，驅逐南韓京都師退出京都山頂，但南韓京都師，當時遵守了一項命令：「守住，作戰」。實際情況祇是一種調換位置的轉變。九月七日京都師自山頂撤退二十碼，但九月八日京都師即開始向山頂作五次反擊，其中一次，到達山頂，但結果被重炮轟回原地。九月九日京都師又在共軍密集的轟擊中，作一時一呎的推進，經過四小時的激烈戰鬥，以後造成了中共一千二百三十六人的傷亡，終獲重返山頂，並在山頂築成了防禦體，堅強地防守住了。

中共軍九月十日以後，開始作「逐夜消滅攻擊」，並高呼：「你們明天就看不到太陽！」每分鐘射出十五發炮彈，但京都師並未移動，仍然堅強還擊，據守在原有陣地上戰鬥，為這一種脅迫所不動。最激烈的若干據點上，中共軍曾爬到京都師的戰壕，個個造成肉搏，短距離內，刺相擊。這種夜戰，美第八軍的軍官，一般相信並預斷京都師終能扼守京都山。

南韓美軍事顧問團羅貝吉少校，隨京都師在最前綫觀察，給統帥部報告說：「我見到前所未見的南韓軍作戰能力」。京都師首席聯絡官西米中校也指出：「南韓是能守住京都山，是南韓部隊作戰能力提高的最好證明。」

八軍軍長范佛里特將軍對韓戰中，這一次戰爭最感興趣，他認為他個人的希望，可以由韓共作戰中，漸形成一個可以韓軍作戰的形勢，而這一形勢的今日故，是南韓軍接受整訓的結果。計劃實施南韓美軍整訓的，是雷安少將，在雷安少將所指揮下的美軍官，有數千計的部隊，現均已列入南韓前綫，以實際戰場作為近代戰術的臨場，一些前部隊在未訓練來前，以考驗，他們的訓練以後方及游擊隊為他們的訓練場所。

南韓京都師，在京都山這一次戰爭中，以前打擊是多次敗北的共軍，即在一年以前，京都師幾乎沒有一個「守住命令」的紀律和自信心，敗績韓戰，在兩年的南韓軍基本訓練，說明今天這一個缺點之是但今日隨訓練而有所轉變了。

中共一向採取以大吃小，以強欺弱的戰略，是找南韓軍猛打，企圖造成南韓軍的恐懼心理，增加美軍戰場的負荷，今年六月以來，共軍一種用心非常明顯的；這一次京都山戰鬥，就是這一種企圖，一次而不能扼守，南韓軍的整訓計劃，可能再推後一年。對現在美軍事領袖撤退美軍及聯合國部隊，將韓戰移給整訓後的南韓軍，寄予希望。但是，彼等不能相信這一種情況可以立刻停火，到來日即可實現。彼等相信明日，即韓軍訓練計劃，縱然激南韓須為時兩年，而至少須有經整訓後擁有正規南韓部隊一百萬人。

戰事，京都山在韓戰前綫中的禿頭山，正在不斷進行，他所代表的意義，在停火談判中的一不一地得失，而是未來的另一轉捩，中韓共軍的攻擊士氣，有技術著，並沒有從前，後方的砲兵支減，退則是激烈的強大，前所未有的軍持撐得住，若這一南韓能支撐，攻擊，反攻的能力，可說是已經粗具了。在相反的一面，是中韓共軍的攻擊力，量是正在相比的減退，這在今天韓戰場的表面上所不能看出來的。

韓戰的內容和性質，隨着時間一天一天在變中，在未來的韓戰中，韓共軍是沒有辦法能討得便宜的，在今天的戰與中韓共軍的基本企圖不同，然後，還在一種企圖上，中共軍在精神上，就算已經是失敗了。

（原文取材於九月二日美新聞週刊）

未來三個月到處在開會

周恩來簽了賣國條約後，趕着回來，因為中共的「亞洲及太平洋區域的和平會議」在最近就要召開了，他必須傳達史太林的決定，這個會議後，中共黨也要開大會，偽政協也要開會。在俄國，十月五日，蘇俄聯共要舉行十九次代表大會，十二月五日，還一共產國際情報局的「世界和平大會」也定在維也納召開，一連串的會議，說明着共產黨要決定一些新策略，並將改變黨的組織形式來適應新的任務。中共呢，可能也要學着做，但黨的組織形式最主要的不是改變黨的組織形式，而是改變「政權」的組織形式，適應共匪的統治。中共報上，這幾天大吹要「準備迎接大規模的經濟建設」，即是要改變其政權組織形式的前奏。

同時就共產黨這些會議的對外作用說，也是非常重要的關鍵，美國正忙着大選，日本也忙着大選，而中國國民黨在十月十日也要舉行大會，前後時間差不多，這兩個大選和國民黨大會的決議，對共黨的關係太大，事前事後都需佈署，決定，重訂進攻的破壞的政策。

世界局勢正到了大轉變關頭，大家忙着開會，敵人也忙着開會，若說這些會議都是為了準備應付未來的局勢，那麼在明年新春，這世界可能會有新的形勢出現了，因為現狀已經閱得太久，大家都要他改變了。

·仰光通訊·

李彌部隊日趨強大

對中共是威脅　對緬甸是保障

緬甸這個國家，說起來是怪可憐的，四方八面都有手伸過來，內政又是一團糟，黨派多得很，有的有武裝，割據一方，今天反對這個，明天反對那個，使政府寸步難行。

緬甸面臨三個問題　最嚴重是緬共活動

現在最大的問題有三個：一個是石油問題，英國人本來是獨霸的，自從伊朗與英國人鬧翻後，英國人即改變經營計劃，與緬甸政府合作，這計劃自然是高明的，但因為實際上還是英國人在一把抓，所以很易引起那些民族主義者的不滿，如再受了共產黨的煽動，隨時有爆發可能，使緬甸政府無法應付。

第二個問題是來自中共，中共一向怕硬欺軟，緬甸既然這樣不行，自然是它最好的對象，它在雲南騰衝，保山配置了五萬多人的軍兵，隨時虎視眈眈地威脅着，而中共藉着與緬甸的外交關係，更可肆無忌憚的在緬甸內部大事活動，使緬政府啞子吃黃連，有苦說不出。

第三個問題是內部的緬共活動，他們在北部山地建立了武裝，中共源源接濟，並與越共配合得很密切，緬共的武裝雖分「紅旗軍」「白旗軍」，實際是一個東西，用不同的番號，說「紅」「白」之間有衝突，右矛盾，那是不懂得共黨的戰略，故意弄遮眼法，現在緬共也採用了「統一戰線」策略，把「克倫」叛軍也拉在一起，如一旦聯合行動起來，那使緬甸政府更加困難了。

澄清緬甸政治混亂　美國態度應趨明朗

美國人在緬甸，可謂無大作為，這是美國現存遠東政策的關係，他們一方面駭怕中共向東南亞伸展，一方面又不敢出而堂堂正正做些事，更態度明朗化，讓緬甸政府可以放心依靠他。所以美國在緬，好像只有維護自己的利益，並找尋他的基地，而對於整個緬甸的情況，則又老是搖頭，歎息，好像有幫不上忙之苦。

實際上，它應該放開手，先積極幫助緬甸整軍，并要求緬甸跟中共斷絕關係，把緬甸的混亂情勢澄清了，再幫助它建設一些基本的工業。整訓好了的緬軍，先把「紅旗」「白旗」軍解決，再把「克倫」叛軍收編起來，問題就解決了一大半。至於民族主義者，美國人如誠心誠意幫他們忙，幫助他走上堅強的獨立之路，他們是會合作的，而且感激的，否則，如再照現在情況下去，民族主義者很可能受共黨的「統一戰線」的利用，參加到「反美」運動中去，那時才眞的束手無策了。

緬甸人民逐漸醒悟　應與李彌合作反共

李彌部隊在中緬邊境，已建立了一個很強的根據地，實力在天天增加中，對於中共實在是一大威脅，於是共黨常煽動緬人，說李彌部隊的存在，是促成緬甸紛擾的主要因素，英國人為了私利，有時也附和這種說法，緬甸政府受人縱慫，竟然不知好歹，不自量力，派出緬甸軍去襲擊李彌部，李彌部盡量容讓，看到緬軍，總是避讓，緬軍也知道自己並非敵手，但隔相當時期到邊境打一個轉，虛應故事，藉銷了事，所以二年來從未有眞正的正面衝突。

現在緬甸人在受到了日益增加的威脅後，逐漸知道李彌部隊在中緬邊境的發展活動，事實上幫了緬甸一個大忙。因為中共現在最怕李彌部，自四十年五月進攻耿馬及猛海後，和去年七月間又分三路呈形進擊中共後，已使中共不能不用全力來防守，對於侵奪緬甸的計劃，也就迫着不敢伸出手來，所以如美國對緬態度明朗起來，緬甸政府即有胆與中共斷絕關係，而與李彌部隊合作起來。所以李彌部隊不僅實力在日益增加中，環境也在逐漸向好的方面發展。

當地人民全力支持　阻止了共黨的南侵

李彌部隊之有今天，並非易事，是在最艱苦的情況下發展起來，他是以一九三師為骨幹，慢慢地收容了其他的部隊的人員，現在已到了一個相當大的數量，加上政府和美軍的援助，二年來不斷訓練，已非常堅強了，現在它們已有了二個飛機場，可以對外聯絡，有小規模的修械廠和製造彈藥的工廠，隨軍撤退的眷屬和政府公教人員也拚命從事勞動，墾殖土地，解決了糧食問題，衣着等則全靠外來接濟，但也無缺乏之感、所以緬人看到這支號稱游擊隊而服裝整齊精神飽滿的部隊，都奇怪得不相信他們是游擊隊了。

李彌部隊的最大收穫，是爭取了當地緬人和邊族的人心，他們都支持這支隊伍，幫助這支隊伍，而部隊中的政工人員，則亦為當地人民做了不少事情，為他們修橋補路，為他們辦學校，為他們醫療疾病。大家融洽得如一家人。

這支隊伍如按兵不動，現在可牽制二十萬左右的共軍，並可使共黨在西南不得安枕，如一旦奉命動起來，將可震撼西南半個天下。而且緬甸又成了中共南侵的最大阻脚石。至於西南人民之心，因此而有所歸向，自然更重要，只要看李彌部隊每天在忙着收容逃出鐵幕的人，即可知道。（緬生）

拉鐵摩爾這個人（下）

柳英華

國務部本不擬宣佈兩項建議之內容，適因大炮參議員麥加賽氏（Joe Mccart hy）抨擊猛烈，只好將拉氏之備忘錄公布出來，計有五點：

（一）停止援助南韓。
（二）決不支持台灣之反共力量。
（三）反對組織「亞洲反共同盟」。
（四）允許中共加入聯合國。
（五）迅速撤退駐日美軍。

以上建議，如果為美政府一一採納，則台灣，日本，南韓早已不保；而越南，菲列濱，印尼，印度，緬甸，泰國恐亦淪陷魔手，今日亞洲形勢，想是「赤燄漫天，殺人如蔴」，世界前途，不堪設想矣。

拉鐵摩爾是不是共黨間諜呢？這是一個人人關心而不易解答的問題，因為共產黨組織嚴密，許多負有重要任務的黨員，名稱為「浮寄者」（Floaters）；他們是黨冊上無名，不繳納月捐，不參加會議，僅向黨中最高幹部負責；要抓住他們的佩憑實據，確是很難很難。

拉氏共黨間諜案之確據，雖嫌不足，而旁證之多，則不勝枚舉，茲陳列一二於下：

（一）一九五一年七月三十一日，前紅軍情報局高級幹部巴明將軍（General Alexander Barmine）在美國國會作證時謂：「拉鐵摩爾確為共黨間諜；紅軍情報局局長白金將軍會面告余，彼擬派拉氏協助余在遠東運存軍火之工作；後因拉氏另有重要任務，故未成事實」。除巴明將軍外，尚有脫離黨籍或逃出鐵幕之重要共黨份子如布登（Louis Budenz 前工人日報編輯），羅爾斯特（W. Rudolf Foe rster 前蘇聯重工業部之工程師），波哥尼發夫（Igor Bogolepov 前紅軍軍官），班特列（Elizabeth Bentley自首之女共諜），張伯斯（Whittaker Chambres Hiss間諜案之主證）等，均能申引事實，證明拉鐵摩爾為一負有重要任務之共諜。

（二）太平洋學會案件發生時，該會主持人加特博士（Edward C. Carter）即將該會重要文件，移藏於鄉間，但終為聯邦調查局人員於倉屋中尋獲，內中有拉鐵摩爾致加特博士私函一件，信中謂：

「老兄此次將中國部門事務交付亞洲人，（陳）漢生，（冀）朝鼎全權辦理，確係高明之舉。他們決能負責把紅色宣傳，很恰當的於工作中表現出來。……中國方面，我們必須站在中共背後，及自由份子之前講話，可以不太露骨，而確能引人注意。……蘇聯方面，我們須擁護他的國際政策，卻不要喊出他們的口號」。

姑且不論拉氏是否共諜，然其言論之強詞奪理，行動之詭語多變，十足表現一套「道地」的共黨作風；至於他擁史祖毛，影響國策，其有功於共黨，而有害於國家；此罪是不可赦的。

拉氏以中學生及小商人（彼在天津安利英洋行當過四年之小職員）之身份，竟能在文化發達，教育普及之美國，「吹法螺」，「騙洋人」，招搖中外，達二十年之久，而躋身學者專家之林，參贊大計，效勞敵國，禍害之廣，堪足驚人；一方面，我們十分惋惜美國朝野上下，對於亞洲問題之忽視，隔閡，及無知，致造成今日東方之悲劇，殊令人浩嘆不已。另一方面，我們看出來了，拉鐵摩爾純是一個投機取巧，奸詐狡猾之徒；至於他的學問成就，也不過是那些耍花拳，踢繡腿的江湖術士之流而已。很多的中外人士，不明底蘊，竟把拉氏看為是一個書獃子，而將他的錯誤，歸咎於「迂儒」「偏激」「傻氣」「獃勁」之誤，此誠自欺欺人，誤國誤民之談。假使今天仍有作如此天眞的「想法」，那他才是眞正的書獃子呢！（一九五二年九月一日脫稿於美國芝館）

·開羅航訊·

混沌的黎巴嫩局勢

繼埃及之後，黎巴嫩於十八日經過了不流血政變，陸軍總司令希哈特取得了政權，將前總統顧黎軟禁起來，這也是中東本年的第二件大事。其實黎巴嫩必定發生政變，在中東的靈通人士都可以料得到，但是最後又由陸軍取得政權，卻有點令人感覺意外了。這說明了，中東仍然存在着武力萬能時代，去民主政治之途，還遠得很咧！

中東小國　內政腐敗

黎巴嫩是阿拉伯國家中兩個共和國之一，同時也是最小的一個國家，過去原是法國屬地，二次大戰時法國維琪政府向德國投降後，英國就進駐黎巴嫩和敘利亞，一九四三年黎巴嫩便正式獨立，選出民族主義領袖顧黎為首任總統，顧氏是一個阿拉伯人的基督教徒，所以能當選總統，純粹為了半生奔走復國，尤其是勝利後，法國人重來中東，曾將顧氏加以逮捕，結果引起了全世界的抗議，法國最後終於將顧氏釋放出來，更受人民的愛戴，所以本來按照憲法任期於一九四九年屆滿，但是卻又當選連任，不過顧氏的政績實在太差，本來中東國家都是一團糟，而黎巴嫩可能稱起首屈一指。

化家為國　財政混亂

顧氏當了總統以後，可說已經化家為國，政府與其家族根本就分不開，他的兄弟，甚至都可直接指揮警察，雖然他們本身並沒有公職，美國按照「第四點計劃」的援外撥款，去年度分給黎巴嫩達七百多萬美金，這筆錢不唯未用到人民身上，而且連賬也合不攏，財政部在編製決算時，居然列入一筆總統弟借支項下七十餘萬美金，總統親戚積欠五十餘萬美金，可算是開古今奇聞。其次顧黎的獨裁專橫也是少見的，本來「民主」在中東是根本談不上，只是黎巴嫩卻更差就是了，根據憲法規定，黎巴嫩是一個內閣制共和國政體類似法國，總統僅是象徵元首，可是顧黎卻不管這些，經常主持內閣會議，任免部長，所以政制方面也鬧得一團糟，上月反對黨就公開集會聲稱不惜以武力推翻政府，當時顧黎唯以仗託便是以軍隊鎮壓，不想首先起來推翻他的統治的卻是陸軍。

陸軍起義　顧黎塌台

目前顧氏是倒台了，但是黎巴嫩的問題並不能解決，普通都以希哈特將軍比納吉培，其實這是不正確的，埃及並無眞正的反對黨，華孚特黨本身百孔千瘡，不足與納吉培將軍抗衡，所以納氏才得放手做法，雖然滔總，當中還是經過馬赫爾內閣一個過渡時間。黎巴嫩就不同了，社會黨已強大到足以取得政權，而且還具有這種準備，他們當然不會服從希哈特將軍領導的，至於希哈特本人是否肯將已得政權交出來，退而為陸軍總司令，這是更可懷疑的，所以埃及一變即定，而在黎巴嫩可能只是一個開始呢？（偏明）

台北文壇上的悲喜劇

（本報台灣通信）

台北市是政治中心地，由於政府提倡克難救國的關係，社會生活充滿緊張嚴肅的氣氛。因此，人們的心情多感不輕鬆，合乎心懷的黃色新聞，總是不脛而走，成了社會大衆的消閒品。如果有甚末男女間色情事件發生，登時傳遍九城的，桃色新聞，家喻戶曉。最近台北新聞界所發生的一幕悲喜劇，就鬧得滿城風雨，一巷街談。

緣台北市一家大報，曾經招考英文翻譯員，有一位燕京大學畢業的女性應考，以成績優良及第，派在編輯部工作。她原已羅敷有夫，夫君亦在台北作事，男有室，女有家，平日和好，無間的，不知怎的，她到某報工作不久，竟與總編輯熱愛起來了。這位總編輯亦是使君有婦的，且已兒女成羣。平時沈默寡言，頗有君子模樣。他住在大報宿舍內，很少回家，遇夜，隨時約同那位女同事看電影，上酒樓，再到宿舍來，暢敘幽情，十分寫意。既而總編輯的太太以患病進醫院，施大手術，好機會是絕好機會，一對情人乃如膠似漆，每天都到宿舍裏幽會一番，其他住宿職工，只是竊竊私議，敢怒而不敢言。但風聲早已播，那位戴上綠頭巾的先生當然知道了。如是，他先從偵查入手，某日下午，偵得總編輯與女翻譯員攜手偕行，進了電影院，乃約同該管警士一名，在院外潛伺，這男女二人出院來，指示對象，致警士認清，然後再釘梢到「四姊妹」西餐館，照樣地潛伺着。男女二人走出餐館，情話喁喁，借向某報宿舍去者。開門入房，女的把外衣脫下，即倒臥總編輯床上，作憩息狀。這時候，警士和某先生破門而入，總編輯大為吃驚，手足無措，女的不知所措。警士言提姦。總編輯：「我與×女士有先兩人在此休息一下，這房是我夫婦的，不算甚末，犯了甚末問題？」×先生說：「與×先生無關，現有原告在此，依法應同去吧！」說着把總編輯拉到局裏去，請你開步走。總編輯大慌，出門口狂呼「你們來救我」！宿舍內一些職員乃出來調解，請警士准予自行設法，不必馬上捉去，理由是今夜報館無人主持編輯，明天即出不了報，這家報是官方的。警士因為這一言，無道理，姑准暫具結候傳。所以一場捉姦喜劇，告閉幕。

捉姦消息，登時轟傳各方，成為談話資料。總編輯太太已由醫院開刀後，回到家中，但風聲了已傳到，雖臥床不能起來，怒不可遏，總編輯回家相見，她竭盡全身氣力，想起床與之拚命，奈氣衰力弱，終不能起，乃手持茶杯向丈夫狠狠地擲去，惜乎擊之不中，心裏更加憤懣，從此即絕食斷飲，婉轉悲泣，一語不發，足足地痛苦了一禮拜，然後斷氣死去，死後比一般的自殺情形尤慘！死狀可怖，目張開，口亦不閉，其情大可哀傷也。總編輯固清貧，無以為殮，主張火葬，把死妻送到殯儀館，自己照常到報社工作，文化界朋友若干人，第三天聯袂赴殯儀館弔唁，一切不問。不見總編輯，詎料館內已寂然無人，擺在尸房內，三天來人來依然無人過問，館中主人，乃知死者已無人，大家痛罵總編輯，還有失人性，文化界的女作家，羣起為之鳴不平，完成火葬者特別多，無不痛哭失聲，報人陳博生的太太，亦哭而以為路人亦聞而掩泣，尤不置之痛切云云。

但總編輯夫婦的情感也破裂了，女翻譯員也被社方解職了，人們都說：「他們二人大可以結成良緣吧！女的丈夫正不分然，今後該怎樣呢？」向法院控告，而政府的態度也是一樣，總編輯已死了妻，她跟丈夫一氣大變了，誘奸成姦，妨害家庭，總編輯對其死妻的情形。她眼看那情人，心中不禁而懊悔，還是原來的丈夫好！男子太可怕，因而悔悟過來，還這場悲喜劇的本戲已演完，但尚有尾聲，那就是法院如何受理這一樁風流案的問題。欲知後事如何，且待下回通信。（覺非寄自台北）

今日的大連
蘇軍構築永久工事 旅大併市撤退無期

這次莫斯科會議公報中，只提到旅順口而沒有提到大連，其中內幕如何？從這篇報導中可以獲得答案。

【本報瀋陽通訊】在「人民日報」和「東北日報」發表中蘇莫斯科協定的第二天，我獲得一偶然機會隨一些採購電器用品的商人結伴赴大連，沿途的車站，均奉命準備慶祝這一「盛典」，但許多人的內心卻很奇怪，為什麼這次的公報只提到旅順而沒提到大連？

警備森嚴　關卡林立

九月十六日晚九時，由瀋陽乘車向大連前進，第二天上午到了瓦房店，瓦房店是瀋陽大連間鐵道上的一個小站，小到我從普通分省地圖上找不出它的名字，在這裏經過了一連串的檢查，查路票，查行李，查身份證，到下午一時有機車從石河來，將我們拖到石河車站，火車經過石河便算進入旅大區，在這裏再經過一道檢查，才能進入大連，這次負責檢查的是蘇軍，行李被翻得一塌糊塗，令人開始發生異樣的感覺，覺得此身已入了外國境。

車子經過金縣，開始望到了海，不久工廠的煙囪也出現了，愈接近市區便愈多，情形很像瀋陽附近的鞍山，看到了這一情形，令人益增無限的感慨。

永久工事　隨處皆是

車子停在大連站後，播音機正在播着高亢的蘇俄音樂，車站上全是俄文，從這裏到市區，全是蘇軍的兵站。據同行的人告訴我，自一九四五年八月廿五日蘇軍進入大連以後，便利用六萬日俘在大連週圍構築工事，兵營外面的砲壘，都有地道相通，蘇軍在每相當距離中，有巨形軍火庫，蘇聯第六方面軍第三軍總部，即設在大連，現有駐軍約六萬人，都有極完備的配備，沿鐵路附近有一規模龐大的飛機場，坐在車上很清楚地看見停有兩百架的飛機，或起飛降落，震入耳鼓，尤以噴射機的隆聲，特別震耳，為了保護機場的安全，車站左邊即駐有很多蘇俄空軍的地面部隊，據說各種新式武器，如高射砲，高射機槍，雷達設備，均極完備，火力看來相當龐大，從這些設備的情形觀察，蘇俄是絕不會輕易撤出大連的。

重要工業　全入俄手

大連是個現代化工業城市，到處都是林立的工廠，最大的工廠是中長鐵路工廠，有工人一萬二千多人，長春鐵路的機車及車皮都由這裏供應，其次是大連修船造船廠，直屬的工廠有五六個，過去只能修造五千噸以下的輪船，目前據說已能修萬噸以上巨輪，蘇俄正準備把它變成旅順海軍基地的供應站。

除了上述兩大工廠外，大連鋼鐵廠能夠出產硬質合金，特殊鋼，和高速度鋼，是大連各工業的主要供給者，還有遠東實業公司，大連紡織廠，大連化學工廠等，重要單位不下百餘個。

這些工廠，有的是中蘇合營，有的是蘇聯獨營，但從廠長到技師，全部都是大鼻子，去年曾演了一齣移交的活劇，但事實上除了招牌上稍為更改之外，全部仍在俄國人手中。

俄國人對工人的控制很厲害，所有員工一律都要加入中蘇友好協會，學習俄文，工資方面是實行所謂七級工資制，工人待遇一般都比瀋陽為低，因為普通工人都難得升級，他們每日最少工作十小時，最低一級工資只好養活自己，就在這一剝削制度下，有三十萬的中國人，正在為「老大哥」創造「剩餘價值」。

獨佔市場　壟斷貿易

在商業方面，最大的是邱林公司，這是一個具有政治特務性的商業機構，經營業範圍之廣，可謂無所不包。我們所買的電氣器材，均由該公司代辦代運，至於收音機以及收發報機及其他照相器材，則多購自蘇聯部隊，因為他們往往將本年所配發的，私自出售，這種半公公開的買賣，已成公開的秘密，但是成品粗劣，比較過去的日本貨，簡直無法相比。

其次是中共的國營關東公司，與東北各地的百貨公司均有聯繫，純係買賣百貨，並把土產用品供應給蘇聯駐軍，此外還有兩個攤販市場，由中共旅大市政府派員管理，收取租金。一般經營商業的人，亦多有無法維生之嘆。

不提大連　存心佔據

記者曾晤見一在旅大市工作的舊友，試詢中共與蘇俄在此談判公告中，並未涉及大連問題一節，是否中蘇雙方已另有協議，他對我這一問題的提出，認為缺乏常識。因為根據一九五〇年二月十四日「中蘇關於長春鐵路旅大協定」第三條之規定：「雙方同意在對日和約締結後，必須處理大連港問題」，僅言「處理」，並非「移交」，且此項「處理」，又必須以「在對日和約締結後」，此與中長鐵路，旅順口聲明「移交」，「不遲於一九五二年末」者，顯有不同，可見「老大哥」一開頭便沒有交回大連的意思。目前，對日和約的締結既遙遙無期，關於「大連問題之處理」，自無談判必要，何況，旅順大連一向併稱，中共原設的「旅大行署」，早在一九五〇年十一月三日便已撤銷，合併改為「旅大市」，故在行政管理及軍事設備上，旅大已成一體，由於近期「共同使用」旅順軍港協定之成立，已暗示今日大連之地位，實與旅順同其命運。經過了朋友的這一說明，我才了然大悟。

在車歸瀋陽途中，看着那薄霧如雲的輕烟，想起朋友的那一番話，不禁為這一片錦繡山河抽一口氣。（九，十八日竹并寄自瀋陽）

大陸新軍閥的形成

易之

【本報特稿】韓戰帶給中共嚴重的危機，單就軍隊的損耗，使兩大派的軍力發生根本的變化，國際派林彪損兵折將，退回東北再整軍；所謂民族派乘機縱橫華南區，葉劍英取得四野司令員將所部公安師民兵隊升為四野，與東南陳毅西南劉伯承通成一氣，東北西北則為國際派軍力所控制；同時蘇俄的共軍改制建議未能實現，各野幹部反對集訓和再分配，二三野準備撤銷軍中政委在爭持中，是否從此而走向決裂相殺，要看聯軍今後的壓力和國軍反攻的形勢而定。

這裏所指的分裂，是所謂國際派和民族派的兩大分裂，不是地方小派系的分裂，雖然新黨員和老幹部，井岡山階層和延安時期階層，東北人和兩江人……等，都有非常綜錯的對立關係。我們假定毛澤東還有一些獨立的靈魂和自主的意識的話，那國際派是絕對的代表蘇俄主子的利益。而民族派是絕對的代表中共本身的利益，劉少奇，李立三，彭德懷，林彪等屬於前者，毛澤東、朱德、劉伯承、陳毅等屬于後者。

林彪以為人海可以壓倒火海，自告奮勇，親率四野入韓，民族派的二三野按兵不動，不到半年卅軍失敗了，四野喪失殆盡，林彪自知上當，埋怨二三野坐視不救，所以提議輪派兵力赴韓支持作戰；最近仍以一野為主力，由各野補充作戰。中共在韓戰所損失的，都是久經戰陣的精銳部隊，計有四野七個兵團，三野宋時輪兵團，一野楊威武兵團，二野的陳錫聯兵團，五野第十八、十九兵團，都參加了韓戰，其他如張黔的五十一軍，陳明仁兵團的五十二軍，也調參戰。在韓戰場上中共的各野戰軍番號，計有二十、二十四、二十七、三十、三十六、三十七、三十八、三十九、四十、四十一、四十二、四十三、五十、五十一、五十二、六十六、六十七，以及獨立第七、第八、第十等軍，並有五個砲兵師，這個部隊，有的補充過三次以上，有的則全部被消滅，計至目前為止，共損失一百五十萬以上，其中以四野消耗最慘，長勝軍的令譽掃地，一野傷亡亦重，整個國際派的實力，大部削弱，林彪深恐實力長此消失，不能再保地盤，自行返後方進行整補。

因為兩派軍力發生變化，民族派的劉伯承陳毅仍保持強大的軍力，繼續擴張地盤，劉伯承藉口經略東南亞，印度，積極增編各種特種部隊，暗向西南邊區移動，陳毅為要鞏固東南沿海防禦，拒絕所部調韓，且將華北三野主力向南移，分駐閩浙華南各地，葉劍英為毛澤東嫡系人物，也是民族派主幹，早授命他組織五野，因國際派反對，林彪加以破壞，致胎死腹中；林彪現因損兵折將，忙於整補所部，及需策劃支援韓戰，所以無暇抽身南返，兼顧中南軍政[illegible]扶植葉劍英，乃委林彪為副總司令[illegible]任編練東北軍事，派葉劍英代四野司令員，指揮華南軍事，葉於八月初已正式接任，因四野在華南部隊不多，葉氏乘機擴展軍力，將粵省公安師民兵隊改編幾個軍，隸屬於十五兵團，將四野原有中級軍官六十餘人更換，以自己嫡系幹部接替，至此華南地盤也為民族派所有，和西南的劉伯承東南的陳毅聯成一氣，而東北西北則為國際派地盤，目前兩派就是這樣的分野。（待續）

西寧通訊
奴役民工開渠 造成重大傷亡

青海省最近發生一件慘案，鬧得二千多名被徵建湟川渠的農民不願再做工，羣情憤怒，情勢嚴重，中共乃不得不把工務段段長魏發基，工務員惠南山等關押起來，並把工務處長楊蔭田撤職查辦。

只知趕工完成任務

原來青海的北川渠是在共黨侵佔之前就計劃好的，並已完成了百分之八十，共黨侵佔了二年，才又恢復動工，由中共青海省農林廳水利局負責，五月開工，一開工就催着要「提前完成任務」，把工人分成了幾個突擊組，彼此挑戰競賽，日夜加工，對於工人的安全問題，一概沒有想到。六月中旬，就開始連續出事，五天之內死傷了民工四人，共產黨根本不管，把死了的一埋就算完事，死傷了的也沒人招呼，還是命令繼續趕工，每紅旗落後的給貼上烏龜。過了幾天，又在鹿工地塌土，民工兩人被埋，挖出後，一個口吐鮮血，一個折了臂膀，監工向段長魏發基報告，魏過了三天才去看，看了一看，只簡單的用電話向工務處楊蔭田處長談了一下，楊又轉報局長，林局長也口頭的跟農林廳長談了一下。廳長只說，「放他們回家算了」。

塌死工人　誰也不管

被壓傷的民工回家時，一個錢都不給，去不到二天，也就死在路上。大家根本不管，工地上還是一味的趕工，並且為了「快」，工程處還規定少挖土方，勞披時，只準勞台階形披，有了危險情形，監工的站得老遠，嘴裏卻喊：「沒問題」，「不要緊」。

工人們說：北崖南崖都危險極了，再打夯，就會塌，可是工程處長卻說：「再過一天，危險就過了，所以要加緊做，死了人時，則說：「施工免不了要死傷人，那個工程不死人，死幾個不算回事，你們只管趕工，別的不必管。」

造成慘案　才來檢討

於是在七月十七日那天，小寨濤南崖崖土突然塌倒了兩千多公方，壓死了石丁二人，民工十九人，還有一個小販，造成了慘案，並把原來築好的渠工完全毀了。引起了民工大譁，大家趕來搶救，希望救個出來，可是監工的拿着槍，把民工趕回工地，大叫「誰誤了工程，十月一日完不了任務，鎗斃誰」。一個禮拜後，民工們又逢到了危險，大家噪着不願再做，鎮壓也沒有用，這才使青海省主席趙壽山大吃一驚，派了農林廳副廳長郝仲昇等去查，把工務段長撤職，把施工處長[illegible]為「官僚主義」，「單純任務觀點」，但是換了一個新工程處長來，還是老一套，還是日夜趕工，對工人的安全問題，只是口頭上提出了保證。

奇怪的合作社

共黨的廣東省合作總社，共有八十二個，基層合作社有一千四百五十個，社員有五百八十四萬五千二百四十四人，佔全省人口百分之二十二強。從這些數字上看，好像辦得很有成績。

但據中共自己一檢查，「貪污份子」佔了合作社幹部百分之三十強，「壞分子」佔了百分之二十五，「不管事」的佔了百分之三十五。存下「好」的只有百分之十。所以偽合作社事業管理局副局長丁兆祺說：「必須承認合作社的基層組織不純，在今天仍然是相當普遍的現象」。

至於「社員」都是有名無實，丁兆祺到縣裏合作社按着社員名單一查，有百分之八十以上不知道「自己是社員的」，原來都是幹部照着戶口冊子排着抄了報上去，在「報告」中充一下數而已。

業務方面，也都不是為「社員」服務，而是為了少數幹部人員牟利，例如：「潮陽九區的一個鄉合作社，如『社員』買煤油一斤要八千元，（合港幣二元）小販去買則批七千六百元。」社員反比非社員貴。

說到「帳目混亂，收支不清，」「到了沒法清理」的情形者，則佔了合作社總數的百分之九十五，還有百分之五，則根本在停頓狀態，銀行也不放款，貨也添不進，所以「在基本合作社中，能編送統計表者，不到十分之一。」

又據丁兆祺說，「原來是很好的農民，但當了社幹，學會了做生意，於是有退步思想，老是想請假回去做生意，另一種一當了社幹，再也不願到田裏去幹活。」

有的「社幹」（主要是負責人，當然是共產黨員，）總是設法套用公款，放高利貸，收回來的是自己的。這樣情形通「廣州市的合作社」都是一樣，小鄉村中的合作社更不用說了。

這是「三反」後的共黨合作社的寫照，壞到這地步，簡直使人奇怪。（士）

文壇閒話之一

為方

偶與朋友聊天，有人說到本港一張賣身投靠的赤尾報紙上，曾把過去日本軍閥佔領香港時某某報的週紀數摘刊出來這回事，問我作何感想？我笑道：你若想跟這類「前進」仁兄們談甚麼廉恥氣節的話，那就是活見鬼！他們都是些沙漠中的駝鳥式人物，只顧把頭身攢進一個隱蔽物之中，尾巴一大節露在外面，即以為別人瞧不見它的原形了。如果有人以打趣尋樂的心情，將當年他們那張報所刊「斥中共」「可恥的長春之戰」「要還不要亂」等社評，以及若干「偉大的蔣委員長」「賢明的統帥」等新聞紀事與標題，也翻印出來供世人對比欣賞一下，豈不更具精彩麼？假使再不憚煩，把他們的「史大林節」當年在莫斯科車站擁抱當日本軍閥代表松岡洋右，狂吻大叫親善友好的鏡頭，用銅版翻映在報上，尤其妙絕人寰哩！

又如：在很久以前，赤尾報為香港九工商界參加台灣展覽會事，曾肯定地說台方代表王纘齋早已祕密抵港，住在香港時報社內。到最近王某却公開的坐飛機來港，且有許多親友到場歡迎。我們如果套用一下「前進」仁兄們的腔調：「這是輕輕地一支耳光，并不大響」！

講貞操而出於阻街女郎之口，談信義而發於盜跖貨巢之徒，眞是天大的笑話！旁人聽着固覺肉麻，被他串串而罵的人亦不見得有甚末損害也。

自由談

朝貢專車

黃汎

一列廣州開來的專車，拖著疲憊蹣跚的腳步，駛進了總站，站裏早已十步一崗，五步一哨，佈下了警戒網。那車頭一等列車停定，就似乎老牛喘氣般的駛去水塔底下，蹲着吸水。隨後一座座豪華的車廂裏，走下了一羣粗壯的「大鼻子」，後面跟着一批負有特殊任務的「朝貢代表」，都被藹總站長迎接去到休息室內休息，接着只聽到室內咕嚕咕嚕傳出來一陣陣熱烈的寒暄歡笑聲調。

專車一共二十一節，除了三節臥餐車，其餘都是新近髹漆的冷氣貨車，車身上貼着有「開莫斯科」的紙條，另有幾行用紅色漆油寫上去的俄文，却不知是說點什麼。水塔底下的那架機車，一面加水，一面却不時的發出一聲聲之力的長嘯，它那麼吼叫，無非是想表示它的一點神威，然而那聲響只能引起人們一種褻瀆類的感覺，使人厭惡。那是一架馬蘭脫型MADE N.U.S.A.一九四一年出廠的機車，雖然已經那麼蒼老，但是「人民鐵道部」將它油漆了一番，再在機車兩側綴上兩顆觸目的大紅星，就不止一次的在報章雜誌上刊出照片，大事宣傳，說這是「人民鐵道部」改裝「生產」出來的新車頭；而且到現在它已有過十萬公里的光榮行車紀錄；有過拖載一千萬噸的優異累積成績；而最重要最榮譽的則還是它於一九五〇年初曾經載送過「毛主席」赴莫斯科朝聖，因此從那時候起，它就恩蒙寵賜命名為「毛澤東號」的榮銜了，——車身兩側就有赫然的「毛澤東號」四個漆寫的紅色大字。「毛澤東號」！這是多麼響人耳目的名稱。

事實上，像這次這樣負大榮聖的進貢任務，確是非它不能担當的。不久之後，「毛澤東號」又載着「大鼻子」們從南昌總站出發了，去「新耶路撒冷」的路途雖然還是那麼迢遠，好在途次是頗不寂寞的；「大鼻子」們有吃不盡廣州帶來的冷藏香蕉，梨子，番桃，酒，肉，魚，……餐車裏還有一個小小的舞池；有留機聲；有會跳烏克蘭舞的舞孃伴舞……有時候機車故意放慢速度，緩緩地在平野上滑行，讓他們舒目騁懷，飽覽一下中華人民共和國「山川之勝」，以博得「大鼻子」們翹起大指用生硬的模仿國語「很好，很好，」的讚譽，但是有時偏偏遇到那一羣一羣的逃荒饑民，倒確是大殺風景，有礙觀瞻的憾事，於是「代表團」郭團長就立刻咆哮地命令司機員：

「開快！開快！避過這羣骯髒的東西！」

在歌舞歡樂聲中，不知不覺地，專車已於第二天中午來到浙江金華車站，在那裏又掛上了兩節車廂的金華火腿，「大鼻子」專家驗看了兩隻樣品，似乎嫌太骯髒，意欲留下不要，但郭團長迎忙不迭的介紹說：「這是中國最有名的食品之一，這次朝貢食品，如果不帶點上去，實在有辱此行的……不要看它骯髒相，事實上是既可口又衛生的，從前「美帝」用消毒方法仿製金華火腿，雖然好看，却不中吃了。」經過了郭「團長」的聰論，「大鼻子」也就勉強收下。

第四天車抵杭州，自然又是一番熱鬧，由省政府市政府派人陪同他們在西湖縱情遊樂了兩天，「大鼻子」也聽說杭州的茶葉是馳名寰宇的，就向郭「團長」說：

「郭同志！此地的茶葉聽說名聞全球，我看也帶點去如何？」「代表」們是只愁「大鼻子」不開口，於是速忙又加掛了一節車皮的穀雨龍井。

……………

長路迢迢，列車也隨着路程一節一節地增長起來；紹興的老酒，即墨葡萄，永城正定的糖，天津的雪梨……專車駛出關外的時候，已是迤邐以行，縣縣然三十八節列車，「毛澤東」拖不動了，只好加上兩個火車頭分拖，就像一條長蛇一般，向北蠕蠕駛去。

關於蘇聯（五）

·舜生·

萬竹樓隨筆

「西安事變」爆發於民國二十五年十二月十二日，（一九三六，很奇怪，這個日子也正是英皇愛德八世——即現在的溫莎公爵，因為個人的婚姻問題不合英國憲法，為首相鮑爾溫逼迫退位，出國遠遊的一天。）事前張楊與中共之間究竟有過何種策畫，我至今也不明白。當這個消息到達莫斯科的時候，『消息報』和『眞理報』即於當天有社論發表。『消息報』的社論說：

『西安叛亂不論以任何口號和方案為藉口，這一行動……實代表一項危機。不僅危害南京政府，而且為禍整個中國。張學良雖高舉抗日旗幟，其行動却顯然只於日本帝國主義有利。只要南京政府推行抵抗日本侵略者的政策，抗日的統一人民陣綫便不應反對南京，而應和南京合作。』

『眞理報』的社論說：

『日本軍部正確計算到，中國以蔣介石政府為中心的團結進展，實為其淪中國為殖民地計劃的致命危機。這便是他們慫恿中國將領反對南京政府的理由，在必要時並且不惜使用抗日的口號。』

日本軍部在彼時確視蔣為眼中之釘，必欲在中國策劃反蔣的活動甚為積極，他們可使反蔣者採用抗日的口號，也是事實。但張楊這次的發動，有不有日本軍部策劃的複雜因素參合在內，我却至今尚無證據。

『消息』『眞理』兩報的社論，十足代表當時蘇聯對遠東的全部外交政策，這一是沒有疑問的。狡猾的斯大林，他運用一政策的步驟確實值得我們注意：第一步他對滿洲事件表示不介入，以安日本之心，同時即鼓勵日本軍閥一種貪得無厭的慾念；第二步，他把一條中東路也正式賣給日本，表示他已無意於東進；第三步，他策動中國抗日，同時即轉移日本軍閥的侵略箭頭直指中國，以祛除蘇聯自身所受的威脅；第四步，從西安事變中，救出中國一個適宜的抗日領導者，（其時的中共還不成東西）即無異在中國大陸預先設下一個深深的陷阱，讓一般愚昧的日本軍閥往裏面去攢，同時亦期待中共能藉着這個抗日機會逐漸長大；第五步，到一九四一年（民三〇），斯大林更與日本外相松岡洋右簽訂一個日蘇互守中立的條約，其主要目的固在制止希特勒之侵蘇，或者致陷於東西兩面受敵，同時亦在縱容日本向太平洋去闖禍，靜待日本最後失敗，蘇聯乃於遠東可大有收穫；第六步，等到日本失敗的命運已經確定，斯大林乃愚弄羅斯福總統，於一九四五年二月十一日，和他簽訂一個雅爾達協定，以為蘇聯在遠東參加對日作戰的交換條件。從這一協定斷送了中國的外蒙，東北，以致日本的南庫頁島和千島羣島，實即種下整個中國大陸淪陷於中共的一個禍根，亦即造成蘇聯在今日對整個亞洲的一大威脅！（一三二）

亂彈齋詞話

洞仙歌

馬五先生

序曰：最近香港法院接受了一樁佛門訟案，原告是本港沙田新界風景勝地西林寺的尼姑慧明師和幾個寡婦，控訴該寺住持僧浣青大法師霸佔產業，在寺內設「酒家」，供人醉樂徵歌，雀牌消遣，請予禁制，並判令該大法師歸還產業所有權。雙方對簿公庭時，方知原告就是被告的「愛人」（借用共產仁兄對太太的稱呼）曾經生兒育女。嗣以大法師為無量歡喜佛，尚擁有五個妾侍，兩個是出家的比丘尼，三個是皈依佛法的塵俗修女。僧尼間因之情感破裂，但照常同住在西林寺內，彼此出家而成家。大概是由於六根難淨，古井復波之故，慧明師不能普渡衆生，獨存「我相」，近日乃以前情訴之於理。憶元曲東坡夢「你敎那首座闍黎怎主婚」之句，為之捧腹。結果這場官司仍歸和解了事，善哉善哉，我佛如是云爾。

皈心佛法，本玄虛無謂，說甚修行卜來世？看西林，大好風月無邊，雖木石，亦有紅情綠意。況僧尼蝟集，信女雲從，那得研求戒定慧？漫道著袈裟，酒肉依然，花和尚，豔名堪繼。笑古井興波，慧明師，竟修姑不饒，佛門夫婿！

中國之友（十九）

毛以亨

戈登將軍傳（十二）

十、重回中國與再到埃及

戈登於六月四日在孟買之歸途中，得自中國發電，促告假來中國一行，然尚不知為何人所發。當時誤為李鴻章之邀，因在埃及時得李部下一封英文信，彼十四年別後之中國詳情，彼以為中國人未忘情於彼者祇李鴻章。彼決計於六月十三日前往，乃電陸軍部請假，不准即辭職；至錫蘭後，得准假還電，並以勿在中國任軍職，勿捲入國際政治旋渦為條件。又得中國來電，囑逕赴京晤赫德，過京不要晤李鴻章，乃知為赫德所邀，然他仍先至李處，至京後自由活動，許久未與赫德見面，英使威妥瑪奉政府命欲限制其活動，囑住使館，亦辭不往。

當時中俄問題緊張，當權之醇親王奕譞對俄主戰，而左宗棠贊成之。赫德所親的恭親王已失勢，與李鴻章同不主戰，但仍代清室邀戈登來帶兵，冀得英方軍備之援助。而宮庭謠言謂李鴻章以俄德二國之助，欲自立稱帝以推翻滿清，故李之處境甚危，實則俄德雖有此等陰謀而李實無發動的，謠傳英法亦贊成，此乃變相之排外運動而為二十年後義和團之前奏曲。戈登晤醇親王，謂對俄宣戰須遷都，要預備五年游擊戰始能勝，但五年游擊戰之後，滿族獨立運動將成熟，而清室已完了。經戈登乾脆幾句話，親貴們大夢初醒，中俄之和局以定，李鴻章亦得保全，乃於八月十六日離滬回國。

返國後於一八八一年晉級少將，曾赴南非，以與當道意見不合辭去，一度到過巴立斯坦，對聖經研究興趣特濃。一八八四年一月十八日戈登奉英政府之命赴埃及，並設法撤退埃及戍蘇丹之兵。戈登於二月十八日，奉埃及總理任其為蘇丹總督之命，抵Khartum。先將婦孺老弱運回埃及計二千餘人，而叛衆已將是城合圍。戈登要求釋放Zobeir，而英人以其為販奴要犯不允，各族遂傾向叛衆，和平之門乃閉。叛衆勢盛，英援軍反而撤退，計自三月被圍起至翌年一月廿六日城破戈登死焉。英政府不勝輿論之壓迫，八月間始計劃援助，而真正之援軍實自十一月開拔。戈登自分守軍最遲僅能守至十二月，而繼續支持至一月底則為奇蹟。迨英軍幾經苦戰於一月廿八日抵達目的地，則祇見頹瀉斷垣，鴉雀無聲，城破已二日了。

小鬍子，破皮鞋

小鬍子，破皮鞋，怪模怪樣的一個人，一般人稱他為笑匠，共產黨却把他當作工具，這個人就是香港稱之為「差利」，上海人叫他「卓別靈」。

他是英國人，但却在美國發展，他演的最有名的電影有「城市之光」，「摩登時代」，「大獨裁者」，「華杜先生」，內容却是配合共產黨的一時期的政策的，如前兩齣是反資本主義的，主要是形容資本主義社會對工人的剝削，和危機，當史大林進行「反法西斯」，他的「大獨裁者」就出現了。在反美運動高漲時，他排演了「華杜先生。」所以卓別靈是一個共產黨的宣傳工作者，毫無疑問。

他除了替共產黨宣傳外，並供給美共的活動費。美共中有兩個百萬富翁，一個就是卓別靈了，一個是非爾德，據說他供給共黨的錢，是規定他的稅收入的半數。

他有一個時期還做好萊塢的組織工作，後來非美委員會調查得緊，他就停止活動。所以一九四七年衆議員關欽，曾要求把它遞解出境，並禁止他的影片放映。

這次美國國務院拒絕他重回美國，主要的理由也是說他有「敗德行為和思想不純」。

卓別靈這次離開美國，可能是出席共產黨的「世界和平大會」的，利用着他在美國電影觀衆中的心理，擴大政治影響。

卓別靈為什麼願意受共黨控制？甘為共黨利用呢？主要是他的紅，是共黨有計劃捧紅的，同時，廿年來，他的活動圈子，被共黨包圍着，離開這圈子，就不容易了。再加上共黨不斷的對他宣傳教育，他自己也就受毒日深，覺得做個布爾雪維克才夠他的胃口。

共黨之利用人，可謂最到家，卓別靈的小鬍子，破皮鞋：大家看了好笑，共黨就視為是它的一種工具了。

空殼炸彈

中共的「抗美援朝」志願軍，派代表團回國訪問，到處宣傳「英雄」的故事，這團到上海，在一個會上作報告，報告者為了表示英雄，就編造說：

「美帝的飛機投彈，有什麼可怕，一天我在前綫，親眼看到一個志願軍一抱抱住了一個落下的炸彈，不讓他炸開。」後來一想，這樣講不妥，於是又說：「原來這個炸彈是空殼子的，可見美帝已經給我們打窮了。」弄得大家掩着嘴笑起來。

木造大砲

被派去前綫慰勞志願軍的，主要是說後方怎樣進步，怎樣增產，一個慰勞團員說：「我們現在在毛主席領導下，就要發明一種「神怪光」，這光一照，美帝的大砲飛機就會燒光，不再讓它吹牛了。」後來一想，這話也不對，就補充說：「因為美帝的飛機大砲窮得都是木頭造的」。

中華民國僑務委員會頒發登記證台數新字第壹零貳號

自由人

THE FREEMAN

(半週刊每星期三六出版)

(第一六四期)

每份港幣壹毫

督印人：李光強

社址　香港高士打道六六號

電話：二〇八四八

GLOUCESTER RD.
HONG KONG
TEL: 20848

承印者：東南印務出版社

地址：高士打道六四號

台灣特派員辦事處　台北市館前街五十號

台灣總經銷處　台北市中華路一二五九號

西伯利亞—世界之關鍵

胡秋原

上週之末，英國勃凡派的人報告，他們見到一個曾見史達林的義共奈里，說史達林準備再搞十年甚至三十年的冷戰，但極力避免軍事衝突。其中的話，大抵是俄式宣傳，且經過勃凡式的渲染的；不過，史達林說，十年之內不打仗，意即十年後一定打仗，則是十分真確的事。

蘇俄等待些甚麼？

史達林等待的是什麼呢？等美國經濟「崩潰」嗎？這與希望中頭獎一樣玄虛。等各國共黨革命嗎？但世界上要想找到第二個毛澤東，已不容易了。而史達林是一現實主義者，不會將希望寄托在這些無把握的事上面的。

然則史魔等待些什麼呢？在我們看，他是在等待西伯利亞兵工建設之完成。大家知道，史達林上台之後，即有所謂五年計劃。五年計劃的目的，除了工業化，集體化之外，即是建設西伯利亞。在每一次五年計劃的撥款中，西伯利亞部分，一次比一次增加。這是一長期性的計劃，甚至於可說是一種「遠謀」。俄帝以國運從事這一遠謀，有三大原因：

第一，在歷史上，俄帝每在西方失利，即轉向東方。他在東方的戰果，實在太豐碩了。西伯利亞的佔領，不到六十年。而一百年間，整個中國大陸落入其「懷抱」中了。尤其是希特拉執政之後，以及德蘇戰爭之時，史達林將工業遷到烏拉山東，以求安全。既遷矣，即不如這樣下去。因此，這已經成爲一既成事實與既定方向了。在這意義上，史達林眞可與彼得「比美」。彼得首先向西方「開窗」，史達林則改向東方「打洞」。第二，俄帝地跨歐亞二洲，在侵略進行中，有伸縮之便，但東西相距太遠，調動供應只靠一條西伯利亞鐵路，十分不便。俄帝如欲保障其侵略，必須建設兩洲武力，一如美國要反抗侵略，必須建設兩洋艦隊一樣。要建立兩洲武力，必須有兩洲的工業。到一九五〇年止，據英國「經濟學家」的報告，俄帝東西兩部分工業生產已達到平衡狀態。正要努力的事，是加強和移民。據說西伯利亞雙軌，已完全完成，而土西鐵路，正預備接通歐州，平發和隨海了（這是六十年前微德的老計劃）。第三，自俄國佔領西伯利亞以來，此地即爲犯人流放之地。史達林執政後，將這工作「科學化」，又有無數的集中營。以無償奴工，進行征服大計，是如何天造地設的配合！這便叫做「社會主義」！各國建設，首先要研究勞動力能否就近取材，任何經濟學者不會研究到勞力能否就近取材的。史達林之所以成爲蘇俄的「世界大學者」，就是證明能用西伯利亞的奴隸制度，建設西伯利亞的共產主義。現在俄國的奴工以二千萬計，總其在西伯利亞者，在一千五百萬以上。這麼多奴工尚不敷用，還要中共供給奴工，我們可以想到，西伯利亞之建設，是如何的「高潮」，如何的「偉大」！

美國工廠與西伯利亞工廠的爭霸戰

這情形，自由世界的人並非不知。數年前一位捷克軍事家即指出明日世界之爭霸戰，即美國工廠對西伯利亞工廠之爭霸戰。必明乎此，才能充分了解韓戰的意義，乃至於最近俄帝召見周恩來之意義。必明乎此，才能充分了解史達林的戰略，並決定自由世界的反俄大計。

這便是說，韓戰對史達林是保衛西伯利亞侵略基地之戰，不過由於聯軍打擊，他已由防禦攻勢，變爲攻勢防禦。這就是說，周恩來朝俄，在史達林即是要貫徹一項計劃：所有中共國人民的生命，財產，血汗，要經由中共，配合西伯利亞的攻勢防禦和長期建設之用。這就是說，在西伯利亞的建設尚未完成以前，史達林不會挑發大戰。他的一切動作，如能不費大力，不引起大戰，順手牽羊，乃至由第五縱隊出面的事，當然幹；能夠使盟國陰謀詭計，削弱，鬆懈和分化自由世界團結的事，他當然不斷的幹，但他一本正經的事，是「搞」西伯利亞的兵工事業，至於韓戰，並不要擴大，擴大便破壞了大計；也不要停止，停止了，以後西伯利亞就有暴露的危險。反過來說，他必給聯軍以和平，非絕望，免得聯軍擴大戰爭範圍。但事至今日，他決不能讓和平可能，因爲一點騷動，東北有陷於混亂的危險。這便是韓國把戲：中共使拋續吞劍的硬功夫，史達林則在表演踩軟索的巧武藝。但是，一旦西伯利亞的準備完成了，他會跳下軟索，拿起鐵錘打來的。

聯軍必須制敵機先

因此，對付俄帝的政策，也就很明白了。控制西伯利亞（軍事上盟國必須能在任何時間，迅速使西伯利亞交通毀滅），解放西伯利亞（政治上「遠東共和國」必須有新的再版）是根本問題。而在目前，必須加強壓力，壓潰中共，同時，必須發動全球反俄的政治攻勢，使俄帝不能集中力量，建設西伯利亞。

最近韓境聯軍統帥克拉克將軍對紐約前鋒論壇報記者說：「一個重要的問題，便是聯合國能否重創共軍，使中韓共轉而要求蘇俄給與更大的援助，而這項要求又高到非蘇俄認爲繼續韓戰乃得不償失爲止」。這一看法，可謂抓住了韓戰問題的核心。看了近日美國海陸空高級指揮官之集會東京，有對韓戰的新發展必有詳切的檢討和決策，緊潰中韓共軍，摧毀其後方軍需工業，間接即是癱瘓西伯利亞兵工建設之有效手段，制敵機先，此其時矣！

每週展望

·左舜生·

給俄帝一個有力的答覆

日本申請加入聯合國，已被蘇聯代表在安理會予以否決，這是毫不奇怪的。

蘇聯和中共今後將聯合起來，阻攬有關完成日本獨立自由的一切一切，豈只不許她加入聯合國而已！

我們看蘇聯目前在遠東所採取一切備戰步驟，日本顯然是她主要的對象之一。俄國人本來是日本的敗軍之將，一九四五年好像是蘇聯在東北把日本擊敗了，老實說，日本決不是敗於蘇聯的武力，而只是敗於蘇聯的陰謀。關於這一點，日本人應該引以自豪，也應該引以自警！

我已經屢次說過，斯大林萬事都可忍耐，惟獨對於日本的武裝重建，即斷然不能忍耐。假如日本對於重建武裝不能迅速積極的進行，確有遭遇蘇聯突襲的危險！

我最近在本刊已一再說明，從一九三一到一九四五的這個十四年，斯大林對遠東以及太平洋區域，曾不斷的運用一大陰謀，可以說在上次大戰中關於這一區域的戰事，十分之九是斯大林一手造成的。因此，我說一九四八年東京軍事法庭所判決的日本戰犯，決不是主要的戰犯，眞正主要的戰犯只有一個斯大林！

一九四八年經軍事法庭所判的二十八名甲級戰犯，除松岡洋右（那個在一九四一年於莫斯科火車站經斯大林三度熱烈擁抱的好人！）永野修身於審判中死去，大川周明害了神經病以外，其餘二十五名，東條英機等七名則已執行死刑；（參看本期我所寫的「筆記」）木戶幸一，平沼騏一郎，賀屋興宣，島田繁太郎，白鳥敏夫，（已病故）小磯國昭，大島浩，星野直樹，荒木貞夫，（已病故）南次郎，鈴木貞一，梅津美治郎，（已病故）橋本欣五郎，岡敬純等十六名，則被判終身監禁；東鄉茂德（已病故）處監禁二十年，重光葵處監禁七年。現在除重光已被釋放以外，其餘木戶等十四名，則仍被禁於巢鴨監獄，我主張無條件的一律予以釋放！我想除斯大林及其走狗以外，不會再有什麼人會加以反對！

我相信，這是對蘇聯拒絕日本參加聯合國，和策動中共在北平搞什麼鬼和平的一個有力答覆！同時也就是對日共一次精神的警戒！

向全世界的佛教徒致敬

從前天（廿五）開始，全世界的佛教代表一百六十七名，外加日本的代表五百名，他們來自美國，自由中國，香港，澳洲，緬甸，柬浦寨，錫蘭，法國，夏威夷，印度，老撾，尼泊爾，冲繩，檳榔嶼，菲律賓，星加坡，泰國，越南等這些地方，正在東京有名的古刹本願寺，舉行一個世界佛教徒大會，并慶祝佛教傳入日本一千四百年的紀念。他們的本旨，自在宣揚佛法，促進人類的和平，我相信，他們一定是出於眞誠，決不像共產黨正在北平要的那一套把戲！

今天擾亂全世界和平的，便是俄帝及其走狗，他們不惜與一切宗教爲敵，也與一切愛好和平的人類爲敵，我們不以團結的力量把這一共同的敵人對付下去，世界決不會有眞正的和平！

我不單只希望全世界一億五千萬的佛教徒團結，同時也希望無數的天主教徒，基督教徒，回教徒，道教徒，以及其他一切一切的宗教組織也一律團結！

宗教信仰自由萬歲！

人類和平萬歲！

佛法光芒普照世界萬歲！

大家一致起來打倒這個一切宗教的共同敵人！

共產黨惟一的本領

共產黨有一個最拿手的本領，便是擬造標語口號。

最近他們將舉行所謂第三屆的僞國慶，所謂『人民政協』，已奉命担任趕造這一項口號的工作，現已正式出版，其數目多至六十一條，可以說極烏煙瘴氣的能事，集胡說八道的大成！『好話說盡，壞事做盡』，『老百姓的眼睛是雪亮的』，誰還要聽這一套鬼話！

碧瑤會議已經過了磨練

反共形勢、進了一步

季里諾總統廿五日宣佈決定於一九五三年五月召開第二次碧瑤會議的計劃，而這個會議有兩特點：

一爲這個會議將明白表示反共，不像第一次會議時把「反共」改爲「非共」。

二是不再等待那些患了恐共病的國家改變「中立」態度。

這是時代的一大進步。東南亞的反共形勢又推進了一步。

回憶蔣季碧瑤會議

說到碧瑤會議，就要想到蔣總統於一九四九年秋之訪菲，在碧瑤與季里諾晤談，並揭櫫一反共之原則。碧瑤也因這一巨人之蒞臨而聞名於世。凡在那時得瞻蔣總統丰采的菲國人士，莫不確認蔣的反抗共產主義的堅定態度，表爲一最準確的決心，雖然這一會議當時很好和很大的影響，但是卻沒有得出一個良好結果，因爲當時的形勢還很模糊，此時的政治人物，不消說，想與中共做生意，看它會發橫財，或者幻想它變個「狄托」。

第一次會議

印尼、緬甸、印度患上了恐共病，駭怕共黨的強權和縱蹤，於是說恭維話，五之不違，那敢明目張膽反共。

因此在一九五〇年五月廿六日上午召開的第一次碧瑤會議，違反了蔣季會談的根本原則，所以中國政府堅決拒絕參加，在會前一日，蔣總統即公佈了四月二十日給季里諾的復函，中指出：「根據閣下最近所發表之言論，碧瑤會議目的，殊與前意汝不我及。」中國又特別強調告訴季里諾：「中國與菲國同一命運，均屬共黨侵略之對象，因之碧瑤會議之目標非在解除此項威脅，有何價值可言。」從今天再來面顧，就更不能不佩服蔣總統之卓見與堅定了。

失敗的原因

據說，當時把碧瑤會議弄得很遵守國際禮節，主要是他們不想激怒中共，所以要季里諾不邀中國政府，以及美國和南韓。照中菲兩國的歷史，以及杜魯門與季里諾的地位而言，自然季里諾只好「以小事大」，看人顏色行事了。又而那時的艾契遜，一再說「台灣無戰略價值」，給季里諾暗示，外長羅慕洛從艾契遜一邊聽來，以爲碧瑤會議成功，就是照艾契遜的意思只一說：「非共會議」，不是爲了「反共」，討論軍事問題。而且說和平，很有希望，他認爲碧瑤會議召開的時候，若照着來看，是多幼稚的設想，雖然他們後來也堅決做艾契遜的「世界」觀點。蔣季會議的眼光，則已被若干時日以後韓戰爆發的形勢所證明，恐怕也就早不會。

接受了教訓

不同了。世界局勢往者已矣，先見者唯能自知，終不凡究鳴呼；看得清楚的政治家，不弱了。錯誤的歷史出而知道，季里諾會談現在恢復了，再開第二次，一經過九五失敗的教訓，晚年學些聰明智慧，則爲時已經恢復了反共正路，若三年業已經過了磨練，碧瑤會議，的正當收穫，它一定有的。（千）

尼赫魯的天外奇談

·王醴泉·

紐約有個印度總領事，不久以前，在美國一個大學演講，他說「共產中國」本來可以變成「鐵托」，因爲聯合國不肯承認，不許他們加入，所以沒有變成「鐵托」。換一句話說，美國如果要他們變成「鐵托」，方法十分簡便，就是歡迎他們進入聯合會，把自由中國趕走，同時承認中共政府，最好把台灣拱手奉送，立刻停止韓國戰事，由北韓接管南韓，西方各國軍隊全部退出。

如果到了那個時候，中共還是不肯「變」，一面倒不做「鐵托」呢？那尼赫魯怎麼辦呢？那尼赫魯的總領事又振振有詞了：西方各國把日本武裝，這是指向中共的一把刀，中共的心腹安全，時刻感受威脅，他們當然不肯變「鐵托」，如果把日本武裝全部解除，中共加入國際共管，那麼中共就變「鐵托」了。

那個時候，日本五十萬共產黨，因國際形勢有利，再加上中國共產黨與俄國共產黨的援助，可能發展到五百萬，再加上新的共產國家。東方又湧出一個他們勢力，必須推演下去，尼赫魯「鐵托」政策突然增長，西方各國都變做「鐵托」，中國與日本的總領事，又可以賜所欲的，第一步，必須一律以共產黨領導的亞洲聯合國，各國一律予以承認。

這幾年以來，印度在國際上拼命替中共奔走，第一步，尼赫魯要求英國和各自治領，一律承認中共；第二步，印度要求西方各國，由美國開始，召開聯合會議，承認中共；第三步，印度主張排斥自由中國，無條件歡迎中共加入聯合國；第四步，韓戰不成，印度日夜不停的在聯合國，在倫敦各地，暗中運動西方各國讓步，促西方各國退出。尼赫魯政府，認爲西方各國都是帝國主義，自己卻以帝國主義手段，對付巴基斯坦。原來印度與巴基斯坦之間有個地方，叫做喀什米爾，其中人口百分之八十以上爲回教民族，喀什米爾與巴基斯坦，交通便利，物出口進口，十分流暢，而印度與喀什米爾，隔着崇山峻嶺，僅有山間一路可通。印度卻不惜以重兵壓迫巴基斯坦，命兵退出喀地，聯合國調停了幾年，沒有結果。萬一印度內部不穩，中共陳兵於西藏邊境，兵臨城下，尼赫魯又要嚐嚐皮鞭的滋味，恐請西方民主國家救救這「亞洲的領袖」了。

東京航訊（陳星雲寄）

日本上下忙着競選　共黨奉命到處搗亂

沒有滿意的政治領袖

日本全國上下現在正忙着十一月的選舉，讀賣新聞，朝日新聞，東京新聞，都分別舉行民意測驗，鬧得風風雨雨，更加緊

張了。測驗對選舉不一定可靠，但卻有暗示影響力，於是許多預測有意無意之間也受人操縱，但不管怎樣，各種測驗的結果，總是自由黨佔上風，一般推斷，自由黨當政諒無問題，但不一定佔絕對優勢。現在的目光，大家都放在吉田和鳩山身上，因為自由黨即使上台，而這兩個人還有一番爭奪。

新聞界方面的批評，對吉田是不大高興的，他們說吉田官僚主義氣息太重，拒平民於千里之外，生活也太奢侈，最近十月號的改造什誌，繪一漫畫，吉田大模大樣的坐着汽車，在衛兵敬禮中往前直衝，汽車背後卻用繩子倒拖了一羣平民。改造什誌本來比較靠右的，但對吉田也有些不入眼。至於鳩山呢？大家說他太老了，缺之朝氣。

日本輿論界方面不知怎樣傳來了一種苛求病，對這個不滿，對那個也不滿，說來說去，都在歎息日本沒有第一流的政治家，所以對于改進黨的重光葵，也是毀多於譽的，大概於亂世治國難，而且政治人物一旦不神祕了，就會有彼此都差不多，沒有什麼了不起之感，所謂「拿破侖的僕人不知道拿破侖為英雄」是也。

日共要組「聯合政府」

實際上，今天當日本的這份家也正不容易，討好了婆婆，難免得罪丈夫，意見紛歧得很。不過話得說回來，婆婆丈夫，不管怎樣，總究是自家人，即使搗蛋挑剔，也沒有大不了，你上台他下台，也無所謂，所以現在的問題還在於那些生了莫斯科的心腸，卻長了日本人的面孔的人，這些人一方面搞地下活動，但也不放棄地上活動，有競選機會，他們決不放棄，他們現在的策略是採取「統一戰綫」，而對政權的口號是「聯合政府」，完全是中共過去搞的一套，中共搞過這套，遽然搞到了政權，於是這套工夫就成了亞洲各國共產黨的法寶，而中共使用這法寶有效，事實上是靠了他的武裝，所以日共既走這一子棋，暗底裏也少不了這一着的，若是沒有這一着，搞「聯合政府」口號，豈非僅是搗蛋作用而已。日本人常談及北海道，就心得很，說那邊日共有武裝，有「解放區」，據我看，恐怕是共繪影繪色，煞有介事，黨另一種宣傳攻勢。

金蘋菓的誘惑性

現在做日本當家最不易對付的是商人和資本家，因為他們都在想發洋財，趁着美國人在與中共打仗的機會，一面做美國人的加工定貨生意，一面則做大陸貿易。自從高良夫，帆足計等回去後，這問題開始終在日本商人間醞釀，報章什誌也老是討論這個問題，張特使告訴日本商人，中共的「生意經」，是隻金蘋果，吃不得的，但有些商人看了這隻金蘋果還是垂涎欲滴，可見共黨拿「做生意」來補助「和平攻勢」，手段相當巧妙的，但話得說穿，如若沒有日本共黨在日本商人間煽惑，這隻「金蘋果」不見得即會引起貪慾的，所以據有人調查，日共自轉入地下後，大半轉營商業，裝得一副資本家面孔，既可掩護，又可籌集經費，三可用商人身份，響應中共號召，破壞禁運。

「和平代表」金蟬脫殼

日共這次派出大山郁夫，松本治一郎，末川博等六十人為代表團，參加中共的「亞洲和會」，這些代表中有三十幾人就到日本外交部去領護照，拒絕發給就死賴在那里，好像真是「和平」代表一樣，默默地蹲在門外，學甘地的無言抵抗，警察也不干涉，可是這樣一激怒了一般青年，一窩蜂湧上去把它們打跑了，第二天他們又來，又給打跑了，第三天就不敢再來，好多特來看這場表演的人反大失所望，可見共黨都是欺軟怕硬的，自然，幾家左翼報刊，就大鬧起來。但另一消息，說有二十幾個「代表」就在這幕怪劇上演的時候，偷渡出去，原來這是日共的金蟬脫殼之計，派一部份人員去領出國護照，領不到就鬧，吸引了大家的注意力，好讓另一部人溜走，計劃妙得很，據說用這鬼計脫出的「和平代表」已有小澤清，兒島博甚，小倉金吉，福井駿平等四人到了大陸。

日本參加聯合國問題，給蘇俄在安理會否決了，馬立克并大加評擊舊金山和約，這可激怒了吉田，也反唇相譏。蘇俄現在對日的辦法是打上拉下，到處搗蛋，但他也最駭怕日本再武裝起來，使他吃不消，馬立克所謂：「不容日本公然參加韓戰」就是這個意思，所以聯合國在蘇俄人眼中，實為一最好的攻擊和阻撓民主集團發揮威力的工具。日本人民聽到馬立克的評擊後，激動了公憤，都說史大林，說盡好話，做盡壞事，對日共也大表不滿了。

但日本給共黨從中搗亂後，思想是混亂極了，一時恐怕還理不出一個頭緒來。

今日的陰陽界

百川

深圳橋靜靜的躺在羅湖上，一水之隔，劃出了中港邊界，這橋長不滿一百英尺，兩面都站着軍警人員，橋上鋪有鐵軌，但已紅銹殘了，誰知道這往日交通頻繁的中港要道，今日竟成陰陽兩界的分水嶺。

人到深圳橋，都會有一種異樣的感覺。在橋的那一面，中共冷酷陰森的面孔，和檢查站的低沉緊張的氣氛，使出境的人一走上鐵橋，都有「今日得再生」的無窮感喟，臨到英界，手續異常簡單，守關員祗問幾句話，一亮入境證，萬事全消，祗等羅湖車站售票房的窗子打開，購票上車，旁的事是不會有人來問的了。

在橋的那一面——深圳，中共駐守的人員十倍於英方，情境完全兩樣。依照中共的規定，凡是持證前來香港的人，都須在深圳至少住上一天（視出境的人多少而定），中共在那裏，設有特務機關辦的旅館，旅人必須先住進這個旅館，接受第一步的全面檢查。照規定，前往深圳的人，行李必須件件交櫃，出境證亦須交櫃登記，其中道理，不言可知。

住進旅店後，茶房會特別關心你，問長問短，討你的口風，然後中共邊防局的工作人員再來「訪問」，瞭解你的全部歷史和出國的目的。此外，還有許多小販也不時來打擾你，說話偶一不慎，即落入圈套。到此的人，很多因心緒太緊張，無辜被押送回去，不再見天日了。

由於這二個道理，所以今天存心逃亡海外的人，很多採取了繞道穿越一途。但成功與否，卻又完全決定於中共邊防人員的手中。在今日的中港邊界沿綫各點，上起打鼓嶺，下迄文錦渡的沙頭角，事實上各處都不斷有人往來。而這一些往來的人，他們的背後受着控制。這個控制機關設在離開深圳三十里的石龍。每人要付三四百元不等。若遇邊防緊急，價錢就可能高一點，反之一二百港元也行。這一個組織，沿中港邊境各綫，佈成棧道相接的路綫，交了錢走黑路的人，由領導人一站一站的傳送（有時繞道數十里），一直帶到九龍邊境。中間決不會有中共軍過問。這證明這一些帶路的人所走的路綫，與沿途的中共軍是一氣的。據傳，若干走熟了的人，價錢更低，而且不必一定在共區交款，在港九指定的地方交，也是一樣。在今天以這一種方法，逃出共區的人，事實上比經過深圳的人多得多。這證明今日的中港邊界，中共所極力企圖放下的鐵幕，還是為有港幣的人，而大大打開。可見一般人所認定的中共的鐵幕，也是經不起的。

另外一些中港邊界的情形，說來是令人驚異。在中港邊境極南，是沙頭角，這兒上接深圳河，下接九洲海，中共在這裏住的人較多，港方的漁船，集中在這一段也較多。沙頭角距中共的邊防崗哨，相距不過三百丈。中共的崗哨，時常兩三人一起，彼此監視，但日子一久，這一班人通成一氣，什麼事都可幹了，他們要買少數奎寧，或者其他特效西藥用品，並且以港幣交易。漁民們靠了這買賣，獲利不少，大吃大喝。這是化整為零的走私一法，共軍以此為賣。

今日的中港邊境，公開的情勢，是沉重異常。而內幕的穿揷，實在是一個人類不能不相互依求的最好證明。在今天的世界，歐亞兩洲，像中港邊境的態勢有三處，一處是柏林，一處是維也納，另一處就是香港，這三處地方，內幕的真正情況，是不會有多大差別的。從這一個角度去看，共黨的鐵幕，祗是在它若干核心人物的身邊，其餘的一切，是不會如傳說的那樣嚴重的。

複雜的南非種族問題

開普敦航訊

南非應該說是目前的世外桃源，物價穩定，氣候溫和，既不受共產主義的威脅，又沒有人口過剩的顧慮，誰知道這裏目前較世界其他地方還要緊張呢？每一個人都慄慄危懼，不知大禍何日降臨，這種人為的災患，完全是為了種族複雜所引起。

種族的歧視　彼此不安

到南非最早的外族是波爾族，是屬於荷蘭民族的，那是在荷蘭人統治時期移入的，以後非洲北部的黑人才大批移入，英國人來得最晚，是在拿破崙戰爭時期以武力驅逐荷蘭人佔領了南非的，另外因為與英國的關係，又遷入二十萬印度人，還有幾萬緬甸人，這些人都取得南非國籍，而南非政府偏偏要歧視有色人種的，當然成為一個嚴重的問題，因為在南非國家，總人口一千一百萬，而白種人僅不足二百萬，雖白種人為執政者，永遠是白種人，可是對於如此龐大的黑人種族，也大感威脅，同時白人中間，也並不能團結，為數不過百萬的波爾人，才是南非的真正統治者。

希特拉信徒　黑白不相混

現任總理馬蘭，純粹是希特勒，墨索里尼的信徒，他相信波爾人是世界上最「優秀」的民族，也是上帝的選民，他發誓要以餘生完成波爾共和國，他不但排斥有色人種，而且同樣憎恨英人，現在這種思想正在灌輸波爾族的少年及兒童們，在開普敦街上，白人去的地方，有色人種絕不能跨進一步，相反的，白種人也不會光臨有色人種聚居的地區，有的餐館浴室都是如此，甚至巴士也分上下層，白人在下，有色人種在上，絲毫不得紊亂，這種作風由來已久，不過自馬蘭當政後，更形激烈了。

聯合國調停　馬蘭不理睬

印度獨立後，曾將這個問題，提出向聯合國控訴過，可是南非卻置之不理，聯合國當時指定印度同南非加上中立的巴基斯坦開圓桌會議，會議未開成，南非又公佈了一個「人種區別區分法例」，打算把有色人種完全逐出白種人居住區域，其實這個辦法，不但有色人種反對，就連波爾族也認為不合情理，因為把有色人種逐出去，白人的一切工作都要停止。但是「區分法例」還是通過了，聯合國不能下台，終於通過了「南非違犯憲章」案，這是本年一月十二日的事，可是南非對此並不理睬，當時聯合國也限定南非要在三月十二日以前恢復談判，最後南非又通過一項法案，剝奪了有色人種的選舉權，才造成最近的騷動，已有三千人為反抗而被捕，南非最高法院也判定此舉是違憲的，可是並不能勸搖高齡七十八歲馬蘭總理的意志，更進一步聲明如果本屆聯合國大會再干涉南非「內政」，南非不惜退出聯合國，聯大究將採取如何措置，目前還看不出來。

華僑在這里　同樣受歧視

華僑在這裏有五千人，大多是礦工，也有開設飯館的，雖然我們也是同樣的受歧視，我國政府在這裏還駐一位總領事，但是也談不到改進邦交，抗戰勝利後，國際地位陡然提高，也未在南非發生作用，依然受到歧視，可是假若南非發生騷動，受害當然也少不了我們。（子忱）

吳稚老臥病拒醫

【本報特訊】行年九十的國家元老吳稚暉先生，最近臥病台灣大學醫院內，雖病象已見好轉，但病魔尚未根除，原因并非病入膏肓，也不是醫藥缺乏，而是此老的人性豐富，痛念家國，感觸多端，很希望從此寂然歸去了！

稚老於大陸淪陷後，單騎避地台北，他的耄年夫人和六十多歲的女兒，仍留滬上，連年消息阻絕，不明近況。兒子早在美國，曾經害過肺病，平時父子之間，家書往還，足資安慰。詎近來很少接得兒子的信了，每有要事，如乃父抱病盼歸等情，總是用電報答復，寥寥數語，託故不歸，留美的朋友與稚老通函時，也從來不提他兒子的話。在稚老想來，這定是愛兒已因肺病長生異域了，所拍電報，都是親友們瞞瞞他的技術，以免刺激老懷，增加煩惱。旁人雖向他多方解釋勸慰，然總提不出其他的有力反證，終無法消解老人的愁悶。再加以台北合作社倒閉事件發生，稚老僅存的一點生活費台幣二萬元，亦已化為烏有。他一生以清貧自甘，投老更不願連累親友，或者仰賴政府公帑來營生。為着這些不如意的情節，他常是陷悶不樂，大有「無復人生興趣」之念。適遭國家空前大難，行吟海島，憂心忡忡，更沒有使他歡暢的境況。國難家憂，累積心胸，如是乎稚老病矣！

他的病狀，最重要的是小便不通。入住台大醫院後，醫生診察病源，他總是不願多說話，也不肯吃藥。有時候，醫生帶着護士到榻前診視，他就很生氣的把衣服全脫光，忿然語之曰：「看了這末多頭，還要看嗎？你們愛看，我就脫光了身子，給你們飽看罷！」醫生委婉解慰，說小便不通是很痛苦的事，我們既負責醫治，職責所在，信譽攸關，應該要替先生治好這種病的。他當然不便再拒卻醫生的好意，聽其以橡皮管一根，置之尿道，使用人工法以通小便。但看護一離開病室，他又將橡皮管拋棄了，僵臥病榻，寂然無語，表示着心安理得，靜待別離人世的安閒情緒。醫生們只好細心診治，設法徐進醫藥，所以病勢未再惡化了。稚老原具有曠達超脫的人生觀，然亦未能泯除其對妻室兒女的溫情，這就是「人性」，是人之所以別於禽獸的本質！

台大醫院是日治時代創設的，一切規範與歐美的醫院不同。病人住在院內，家屬親友可以隨便進去探視，不像西方國家的醫院那樣，限多端，非規定時間，即不許外人隨意進出。因此，病房中到處人聲嘈雜，探病的人，常是川流不息的。吳老入住該院後，情形自未改變。一日，蔣總統到院探問吳老，坐在病房中，聽見四周人聲鼎沸，履聲不絕，而且樓板亦被震得搖曳了！他認為這情形就是好人住在裏面也沒法休息，何況病人呢！乃吩咐該院院長，應該改善探病規則，不能再天天這樣嘈雜紛擾，妨礙病人安寧。該院乃仿照歐美醫院習例，訂定探病時間和手續，秩序已穩多了。可是一般習慣已久的市民，又感到不方便，嘖有煩言，可見民主法治精神，必須經常培養纔行的。

稚老的病並非不治之症，人們都盼望他仍以過去曠達精神，怡養天年，早占勿藥呵！（劍庵）

碧瑤這個地方

碧瑤，這個世界上最美的避暑勝地，現在又受人注意了，隨李里諾的碧瑤會議計劃的宣佈，碧瑤實在是個可愛的地方，[illegible]和仙樂風飄的地方。當你由木格下車，一路峯迴路轉，經過二十多座鐵橋和吊橋，穿過無數的叢林，碧瑤在望了，我們會懷疑起「樓閣玲瓏五雲起」的詩句，不相信這裏還是在人間！這裏有許多華麗的酒店，[illegible]前任總統羅哈斯，[illegible]我們聽了這個故事，都會想到菲律賓是熱天的可怕，也會可愛了，因此而想到這個地方，碧瑤，到了夏天便冠蓋雲集，因為這是菲律賓的夏都。

共黨「亞洲和會」的目的
統一左翼集團羣衆運動
加強各國共黨地下工作

（本報特稿）中共所策動的所謂亞洲及太平洋和會，已定日內開始，這次會議的重點，主要地在統一各國左翼集團的羣衆路線，因此會議在外表上只是過去「和平大會」的翻版，但由於亞洲左翼份子的雲集北平，可能在幕後進行若干活動。

四項中心議題皆經特別設計

共產黨的所謂和平，凡稍有常識的人，都知道祇是鬥爭的幌子。這次的亞洲和平會議，自然脫不了這一窠臼。首先從會議的議題觀察，顯係經由中俄冷戰專家縝密的設計，其中關於細菌戰一項，因西方人民，極重人道觀念，故特以禁止細菌戰列爲第一項，在作這一決定的同時，並由這次「和會」的主持者郭沫若，出面邀請六名左黨科學家，組織所謂細菌戰調查委員會，要求他們在開會前提出證實報告。中共預料這一項議題的提出，經由與會的左翼份子帶回本國，將使美國變成爲慘酷無人道的國家，這是共產國際在冷戰攻勢中的一枝暗箭。至於解決韓戰的列爲議題，其目的在推卸共方破壞和談的責任，並希望利用民間的力量，來拖住其本國政府支援韓戰的努力。對日問題的提出，是這次「和會」召開的中心目標，其目的在利用日本的左翼份子，領導反美運動，並利用亞洲其它國家，來阻礙日本的再起，所有這幾項議題，其中心目標，無一不針對美國和日本。

重視美日代表暴露中心目標

爲了打擊日美的合作，中共特別重視美日的代表，九月九日，和會主持人郭沫若，特別致函給日本人民公開信，希望日本代表能「粉碎一切困難」，出席參加。九月十一日，郭沫若又致電給芝加哥的美國左翼集團「和平十字軍」，「誠摯地希望」美代表能參加會議」。中共各級宣傳機構對美日代表的出席，均予以高度的渲染，顯見其基本策略之所在。

統一左翼羣運瓦解反共陣線

從會議的表面形勢而言，這次「和會」除了統一各國左翼集團的羣衆路綫外，不會有顯著的效果。共產國際的重視羣運，其企圖係長遠的而非短暫的，它們希望利用這種區域性的集會來確立各國羣運的總目標，造成一呼百應的聲勢。因爲一般民衆對國際形勢多缺乏明確認識，很容易受宣傳家所左右，經過了這一次的組織工作，使各左翼份子在會後能有共同的宣傳方針，緩緩在民間傳播思想，的醞素，使各國人民對政府的反共及備戰，採取懷疑及不合作的態度，瓦解各國反共的精神基礎。這種工作，自然不是一次會議所能達成，郭沫若在給日本人民公開信中，即指出須「利用各種機會，經常在羣衆中做工作，才能達成目的」。因此，就表面的會議活動而言，這次的所謂亞洲和大，祇是十二月五日「世界和大」的準備工作。

主持和會人物全是鬥爭巨頭

但從深一層觀察，這次會議的背後，必然有某種動員的陰謀。只要就和會的主要籌備人選去分析，即可以獲其端倪。先就中共方面的負責人而言，是中共「中華全國總工會」副主席劉寧一，劉寧一是中共專搞工運的特務頭子，一九四九年十一月，蘇俄導演的「世界勞工同盟」舉行「亞洲勞工大會」時，劉寧一和劉少奇均出席參加，在大會中高叫「在殖民地和半殖民地國家裏，武裝鬥爭是解放鬥爭的主要形式。武裝鬥爭要和其他鬥爭配合，敵人佔據城市，武裝鬥爭就要在鄉村展開」。那次的「勞工大會」，事實上證明是亞洲共產黨的動員大會，由這些主張武裝鬥爭的人物來籌備和平會議，則這個會議的性質，已不難想見。

其次，在各國「代表」以外，「世界工聯亞澳聯絡局委員」考非班諾夫和桑頓，及世界和平理事會執行局秘書達爾，世界和平理事會秘書顧里亞耶夫，都是幕後的主持人物，這些人都是「亞洲勞工大會」的會員，和鼓動武裝鬥爭同樣的唱子，這次都搖身一變，成爲亞洲和平大會的籌備委員。

調整工運活動將成幕後任務

由上述的主持人物觀察，在這次會議的幕後，可能附帶有二項工作：第一、是加強各地的工運：這從各地出席的代表名單中，可以發現，如新西蘭的代表團中，有四名是工運的領袖，越南代表團中，負責工運的楊白蓮，一早便到北平，其他澳洲，印度、緬甸，都有不少負責工運的人物在其中，可見加強各地工運的活動，必然是這次會議背後的主要工作。第二、是加強情報工作：由於東南亞各國的左翼份子均集中在北平，中共可能從中發展東南亞情報工作，爲未來大舉進攻奠定基礎。

基此諸端而論，這次的「亞洲和會」，在表面上乃未來「世界和大」的前奏，從實際活動而言，則係在調整亞洲鬥爭工作，爲區域動員的準備，因此，幕後的活動，更可能比幕前的活動爲重要。（九月廿五日。江海志）

永無饜足的急性食客

笨廚師：「先生，第一次的材料用完了，請稍等一下，第二次已經動手了。」

・李湘瑛作・

大陸新軍閥的形成

易之

這個局勢的形成，不自今日始，我們知道共軍的編制，名義上雖然設軍事委員會，人民解放軍總司令部爲最高權力指揮機構，而實際上，則爲一二三四等四個野戰司令自行操縱，操調遣指揮大權，一切獨斷獨行，無所聽命，早非朱德所能統攝過問，因各有其歷史背景，地理條件，割據局面，遂根深蒂固。

一野彭德懷，發跡於西北，接鄰蘇俄邊境，兩年來，得蘇俄大量武器裝備，並有蘇俄軍事人員監督指導，條件頗優，下轄第一兵團、第二兵團、第二十二兵團。第一兵團下轄第一、二、五、七、四個軍，第二兵團下轄第三、四、六、八、四個軍，第二十二兵團下轄第五十四、五十五、五十六、五十七、五十八等五個軍，每一個軍的人數由二萬五千人至二萬八千人，合計約三十萬人，參加韓戰已死傷精銳過半，現仍在韓境支撐，四野林彪，成立於東北，全受蘇俄訓練裝備，一切悉照蘇軍體制，由俄顧問直接指揮，下轄十二、十三、十四、十五、十六、十七、廿一等七個兵團，約八十萬人，韓戰被消滅六十餘萬。彭德懷、林彪、和政治人物劉少奇、高崗同走國際路綫，實在接受紅軍遠東總部及遠東情報局的命令而行動。

二野劉伯承係華中地區土共，由大別山脈起家，伸展至西南印藏邊境，下轄第三兵團、第四兵團、第五兵團。第三兵團下轄第十、十一、十二等三個軍。第四兵團下轄第十三、十四、十五等三個軍，第五兵團下轄第十六、十七、十八等三個軍，合計約三十一萬五千人，韓戰損失約十萬人。三野陳毅，原爲山東半島遊擊隊改編而成的，發展至東南沿海，其部隊裝備大部份在國內劫掠所得，下轄第七兵團（包括廿一、廿二、廿三、卅二四個軍），第八兵團（包括廿四、廿五、廿六三個軍），第九兵團（包括廿、廿七、卅、卅三四個軍），第十兵團（包括廿八、廿九、卅一、等三個軍），第十一兵團（包括卅四、卅五、卅六、卅七等四個軍），合計約六十萬人，韓戰損失二十萬人。二三野所得俄人恩惠甚微，毛澤東則積極予以扶植，但軍容和紀律比較差，蘇俄軍事顧問雖也常駐軍中，但各級官兵常不滿其過份干預，本來以民族派二三野兵力和一四野相比，無論在人數和裝備上都遜色，但因參加韓戰後，一消一長，民族派也不示弱了。

蘇俄一方面想消滅這割據的現象，一方面想組織中國的無限人力，作爲世界決戰的資本，所以建議將共軍改制，從「人民解放軍」蛻變爲「俄共侵略軍」，俄顧問的改制計劃有三：一、編制統一化。二、火器及口徑統一化。三、火力加強，人員減少，並以林彪部爲示範，喊出了「一切向四野看齊」的口號。最近蘇俄軍事代表團總團長克里夫柏柯爲設法控制各野戰軍軍官，會計劃在中共中央設一龐大機構，調集各共軍營長以上的軍事人員，施行輪迴訓練，期滿後再行分配工作，使各野幹部調換任用。但各野認爲此項辦法打擊共軍傳統，影響軍心，二三野反對最烈。建議僅在原則上，接受輪訓計劃，但須分在各野戰軍行政區內設立，由蘇俄教官指導訓練，期滿後在各該野戰軍內調部工作，不能調到別個野戰軍任職。

蘇俄一九五一一九五二年的裝備國際派軍隊，聲明如非主力參加韓戰的二三野，抑後裝備；再提出要取銷各野戰軍名稱，照蘇陸軍的編制，設軍團師團制，直接由俄人指揮監督，營級以上設俄軍事顧問。因此二三野抗「命」的事日多，始終維持既威震主的局面。同時，最近二三野戰軍以各級政委係受國際派支配，其權力超過指揮官，軍事行動常受掣肘，不合軍事體制，聯合要求撤銷或減低其權力，俾軍事指揮官有絕對指揮權。這問題也在激烈爭持中，如能實現，這又是民族派對國際派的沉重反擊。（續完）

北方來書

「增產」害死了數萬工人

大陸各工廠在共黨控制之下，爲了「增產節約」，拚命壓迫工人加工，而對於工人的安全，一概不顧，於是普遍的發生了重大傷亡事故，害死和殘廢了很多工人，以致「增產」反而變成「減產」，「節約」變成了「浪費」，因被害工人，不能做工，白吃了糧食也。

於是共黨要檢查了，一檢查才知道所有的「廠礦企業的領導人員都片面強調生產任務，忽視安全，致電大傷亡事故不斷發生，影響了增產。」

熱窰裏取磚　炙死四一人

因爲上級交下的任務太大，不完成的處分也太重，於是用「爲了完成生產任務，貫徹經濟核算制」等口號，「提高工人勞動無限制的延長工作時間，甚至鼓勵工人去「赴湯蹈火」。「如某磚窰廠事前不對工人作計劃，生產不能按計劃配合，爲了怕誤了合同時間，要賠款坐牢，副廠長趙明拿出胡懋庠打游擊的作風，強迫工人從熱窰中取磚，窰內的溫度在攝氏一百三十度以上，工人們不幹，趙明說「不幹的要趕，不幹茶罰錢」，結果四十三個工人被炙重傷了四十一個，其中十個不久即傷身死，那兩個未受傷的，可能也不幹的。於是工作不能不停頓，但工會的「黑板快報」，奉趙明之命，還寫道：「出熱窰，上火綫，各個英雄使勁幹。」

又如「河南榮豐煤礦，領導幹部只問出煤多少，少了就拿工人出氣，訂了安全計劃，共幹礦長也不瞧，拿命來賭，經理丁殿欽還不知道他有這一個職務，該礦自五月三日起三天之內連續發生了四次中毒事故，沒有人注意，可是卻注意到了煤質很好，叫工人繼續開採，第四天就爆破了透水至中毒，重大事故。害死了二百多個工人。」

工時無限長　倒死機器傍

又如「太原機械廠無限制延長工作時間，平時每日工作十二小時，還要工人連班工作，至好多工人都昏倒在機器傍邊，給機器軋傷，有個工人楊忠魁在七月三十五日，因做了十六小時工作，疲勞過度，一頭倒在電機上，就觸電身死，「至於一吐血」，「手脚整擊」，更是常事。

又「西安煤礦礦內發現了煤油味，自然是發火徵象，瓦斯已達百分之五以上，工人請求停工，且礦長不准，第三天就爆炸，炸死了三百多工人。

又「峯峯煤礦，只有一個坑道，既不把運輸巷與人行道分開，也不作備檔安，洞道等必要的保障及保安設備，終於在五月二十九日，發生跑車事故，把在巷道中的工人撞死了六人。」

濕衣修鍋爐　火車常碰頭

「又如西北鐵路幹綫工程局，在五六兩月中不斷發生列車相碰，及顛覆事故，死傷了二十六人，使裝的汽油燃燒了起來，損失重大。」「東北一個鍊鋼鍋爐壞了，趁熱才修理，強迫工人穿上濕衣，爲了「增產」，「修理，強迫工人近爐身，熱得不得了，共幹要工人把濕衣蓋上，爬上木板，人把脚下木板燒起火來，不停修理，結果，把五個工人燒傷了，還是沒人修好，都是工人修好的。」

共幹受表揚　工人遭慘死

據中共的勞動部統計，自一九五一年一月到五二年七月，十九個月中，在天津、青島、武漢、等三十一個城市中，連續發生重大傷亡事故一〇七次，害死了幾萬工人，還有許多工人受害，原料有損害，共幹以致驪上海人的搬運工人，漢口、西安有二重工人受傷，醫生常有。在這些傷亡事故發生前，共幹都曾受到表揚，事故發生後，也沒有人管，直到傷亡太多了，影響了「增產」數字，才有人出來檢查，可見共黨對工人的性命實在太賤視。現在共黨又叫「像貓哭老鼠」似的大叫安全生產，方針必須實際上勞工，仍然在強迫工人做工。共黨看了上面許多事實，報章上的文字和傳片，工人福利更無法令人信共爲僞。（華士寄）

先進經驗，官僚主義

共黨要工人學「先進經驗」，即是指要受俄國人的指導，老毛子常擺烏龍，那裏有什麼「經驗」。而且俄國人的「先進經驗」，一來就是三十種，弄得上級頭緒紛煩，下面更覺着慌，有些意見着做忽壞，有的是需要另外的工具做的，並須經過長期練習才能做，例如：「中央建築工程部直屬工程公司」，開始推廣「先進經驗」，單只工具就要大量換用三十多種，弄得無法配合。於是幹部工人大家都恨俄國人，不願再學了，因此轉而又提出「找竅門」，可是又給那些急功好利的共幹包了，今天產生了一個模範，明天來了一個英雄，都瞎說一頓，弄得工人上當不淺，而於其無補，大家就沒，這樣「找竅門」成「找邪門」。上級共幹聽了，就大事檢討，說此幹部工人，這樣對待「先進經驗」「找竅門」，都是「官僚主義」。（福）

政治是一種藝術　爲方

自由談

美國兩黨的競選人，正相互指摘對方的所謂「不道德」行爲，都是關於銀錢的事。

這些把戲原沒有甚末可說的價值，反正是「鬼打架」的玩藝，選事一畢，即會萬籟無聲的。

從第一次大戰後到現在，三十餘年來的美國大選情形，我們這些人都是目擊經過的。無論當事人競爭得如何激烈，決沒有像今日這種胡鬧的小家數氣派，彼此都保持着「君子之爭」的政治家風度，成敗皆不致丟醜給人笑話。所以，像胡佛，羅斯福，杜魯門，以及失敗了的威爾基，杜威這般人，皆具有堪任天下大事的政治家修養工夫。

這次兩黨的候選人，除却艾森豪威爾的姿態和言行，比較像是個總統人物的錢條以外，其餘都是些毛頭小伙仔，望之不似，難怪要鬧出很多無謂的笑話來了！美國現在是民主世界的領導者，世界兩極化的鬥爭又這樣地激化嚴重，如果教這般不識大體而未成熟的小伙計們來主持白宮大政，我不但替美國前途耽憂，而且爲世界的自由人類慄慄危懼！

政治是一種藝術，它需要學識修養和技術經驗，既不像持槍上陣那末簡單明瞭，也不是搞民衆運動那樣可以隨便。若使無知無識，不懂天高地厚的毛頭小伙仔來担當國家大事，而美其名曰新政新人，那是要糟糕的！

流芳　·夏雲飛·

出席了小組會議回來，吳院長眞是悔恨交集，想起了兩年來的經過，到今天眞是做了惡夢一場，如今夢是醒了，可是自己也完了，說是自作自受固然很對，說是報應也很像，吳院長此時有些相信起因果來了。

三年前的這個時光，吳院長原在南中國的第一大都市担任法院院長，當國軍撤退時，各機關都先行疏散，法院當然更是儘先用飛機遷往重慶，可是吳院長却不願意走，原因是「大勢已去」，不願再流亡到底，同時院長已經接到一位朋友的信，他是在「解放區」工作的，勸告吳院長不要走，希望能替「人民」保存財產，將來工作是依然照舊的，所以院長就不肯隨着原來服務的「反動政府」遷走，搖身一變，就向人民投擠了。「解放」後，院長依然官居原職，爲了忠誠爲人民服務，三年來也曾判決了幾千「反動份子」的死刑，至於到西伯利亞做苦工的更不計其數，所有的人——幹部除外——都將院長看成「閻王」，當然「人民的政府」對這種作風却非常滿意，譽爲模範的進步份子，有一次在大會上，負責華南黨政軍大員的某主席也曾說過要向「吳同志」看齊，院長這一來更是受寵若驚，連回到「人民法院」夜坐堂，一口氣又判決了十七個「反動份子」的死刑。

不料在這個「北京」的「人民政府」，突然公佈了「司法改革運動」，聲明要淘汰舊人，增加新血液，當然首先成問題的，便是留用人員，院長是留用人員中地位最高的，而且三年來也實撈了幾文錢，所以更首先成了對象了，第一步要他自行「坦白」，因爲院長不肯認錯，於是在今天的小組會議上展開了鬥爭，所有的同志在預定的領導下，一齊向院長進攻，方式也如同公審一樣，所不同的是院長已變成被告。可是院長也倔強的很，並不肯完全低頭，當張書記官提出批評說院長以反動時代的六法全書爲判案的根據，喪失了「人民的立場」，便展開一場舌戰，院長說：「人民政府成立後，並沒有公佈法律，我判案只好以舊法律爲根據，因爲這不能空口說白話啊」。說到這裏統戰部的饒部長便打斷了他的話頭接着說：「吳同志，這是你的錯誤，要知道舊法律沒有一點不違犯人民的，須完全替反動份子說話，可見你是出身不純，立場不正，」接着一位穿「解放軍」裝的同志，立起來控訴，說院長過去曾經把他判過三個月徒刑，完全是對「人民解放軍」的一種侮辱，所以他今天要「倒苦水」。院長當時楞了一下，仔細想一時，才記起這位「武裝同志」爲了強姦婦女，而且開槍打傷事主，結果只判了三個月徒刑，並且還緩刑兩年，沒想到今天他還會提出「控訴」。院長當時說：「戚同志，你不能怪我啊！你強姦婦女還槍傷事主，被人民扭到法堂來，我有什麼辦法，再說你雖然是勞苦功高的戰士，可是在法律之前人人平等的……」突然饒部長一拍桌子，罵了一句：「混蛋，完全胡說，什麼法律之前人人平等，這句話是含有最大毒素的，試問這件事情若是換到友邦顧問身上，你也判他們三個月徒刑嗎？假若是任何人犯罪都同樣處理，還叫做什麼人民民主專政呢？你的思想太要不得了，已經到了無可救藥的地步」。會議就這樣結束了，饒部長當時勒令院長回去寫份詳細坦白書，明晨就要送到。

可是院長回去心亂如麻，越想越氣，一夜時間寫了不到千字，第二天送去，統戰部說不夠坦白，當時扣押起來，送進了人民監獄，並且要追繳三年來所收的「熟性費」，其實這些錢當初本是按成數均攤的，今天却要院長一個人賠出來，吳院長變成了「犯人」。走進監獄，裏面有許多老朋友，還有一位認死不降的張推事，與院長是二十年舊同事，也是經院長判決死刑的，尚未執行，今天見到面，張推事却很坦然，院長自己覺到良心責備，拉着手說：「老兄我實在對不起你」。「這有什麼關係，大家最後還不是一個歸宿嗎？何必難過」。張推事反而安慰他，「雖然同是一死，你們流芳千古了，我呢」？說到這裏，院長當時暈過去。

關於蘇聯（六）　·舜生·

根據我在上一節所述，可見整個亞洲其所以造成如今日的現狀，實緣於中日一戰，而中日一戰之所以爆發，擴大，以致持續到八年之久，實由於斯大林以十四年的時間繼續不斷運用的一種陰謀，而爲之工具者則爲中共。我們試想，假定莫斯科方面能有若干的正誼感，而不願把中日正面的衝突促成，則當瀋陽事變（九一八）出現以後，即表示對遠東和平願以決心擁護，續美國國務卿史汀生之後，對日本在滿洲所造成的既成事實絕對不予承認，則日本軍閥即由橫暴，又何敢於既佔滿洲以後，更向關內挑起七七事變以促成中日的全面戰爭呢？斯大林不僅不是這樣做，反而對日本在滿洲的行動表示善意的中立，進一步派遣四領事，正式承認滿洲國；更進一步，則並一條中東路也賣給日本，作爲送給日本軍閥的『侵略獎金』！如果說日本軍閥是侵略者，則斯大林確爲侵略者的『導師』；如果說日本是挑起中日戰爭的戰犯，則斯大林確爲教唆犯！這確實是根據事實的一種判斷，而決不帶有鍛鍊周納的一種意味。

亂彈齋詞話　馬五先生

生查子

序曰：紐約一未婚婦人隱塔史密斯向法院控告一位心理分析學家威爾斯，要求賠償精神損失費五萬元。因爲她只穿着內褲，睡在床上給他分析，威爾斯坐在床頭椅子上，探究她的內心祕密，種種引誘，使她身體上和精神上喪失常態，引起了「嚴重的感情衝動」云。分析家否認她的指控，謂爲「詆毀」，令人驚異。法院已接受她的控告，尚未定期審訊。將來兩造對簿公庭，必有一番絕妙表演也。我看這位未婚婦人根本就是精神病者，否則何致於穿着內衣而任一個男人的心理機特見呢？既知其爲心理分析的玩藝，這就如同我們在按摩院內讓女人坐在床沿上一樣，如果都像這位未婚小姐，動則引起「嚴重的感情衝動」，那不知要鬧出多少的精神官司來了。

心理已非常，鬱鬱深閨裏，頓教床頭人，分析探祕。一析感情衝，再析芳心醉，幻覺醒來時，祇剩愁滋味。

又

彼美之人兮，諒已佳期誤，假戲動真情，失望滋多怒。悔吝含嬌嗔，有意憑誰訴？何以解其憂，試把于歸賦。

碧竹樓隨筆

我記得，當「救國會」變成中共的工具，正在高呼『抗日』的時候，我與他們後來變爲『七君子』之一的王造時，曾有過多度的辯論，我曾告訴他：『現在的所謂『抗日』，其目的不完全在『抗日』，所謂『抗日』，只是借着『抗日』這頂大帽子，以倒蔣……』同時我又曾勸他們……何不到南京去和蔣……中共還不成東西，……能領導『抗日』者僅有一蔣，……豈不是也把『抗日』……心安理得？』……其實……明白像這樣一種陰謀，恐怕他們至今也還不……

前兩天，一位朋友請我看他新近翻譯的一本……東京軍事法庭判決戰犯的一幕（……審判的經過，從一九四六年五月三日開始，迄一九四八年十一月十二日止，爲時二年零六個月），……被判處絞刑的共有七人，即東條英機，廣田弘毅，松井石根，土肥原賢二，板垣征四郎，木村兵太郎，武藤章是也。論到他們這幾位的愚昧，自然不能說沒有責任，可是運用陰謀，收拾殘局，以確實使得這次戰爭陷於無法收拾者，則實在是今天高踞「克里姆林宮」而依然被一部分的愚人仰爲「和平之神」的那位高加索人！對過去亞洲和太平洋的戰爭他是真正的第一號戰犯，對未來亞洲和太平洋的戰爭，他也斷然是第一號戰犯，可是今天却正要運用所謂……的工具，又在北平召開一個所謂亞洲及太平洋區域的和平會議哩！「我們等着瞧罷！」……之夜，……出門時，……在獄中陪伴他們的……教誨師花山信勝……告訴……他們無言的……就死的情形……

朋友們，這是何等悲涼的……，大家至於……確實也……本人……站在一條陣線……的人，還只有中國……你們今天能以挽救亞洲的危局，你們千萬不要又走錯了路子啊！（一三三）

戈登將軍傳（十三）

十一、結論

余作戈登傳，詳于其在中國之事，蓋足資以借鏡者殊多，歷史雖不重複，而人類心理則亘古以來不稍變也！太平天國所資以鑄成其獨一無二之最強大的力量者：第一爲貧窮，此則亦有綠林黃巢朱溫李自成張獻忠之故智；第二爲上帝教，乃基于崇拜西洋之自卑感所發生之天下太平幻覺，以鑄成其瘋狂之信仰。然待其歷經嘗試之後，大家吃到苦果，則莫不痛心疾首，避之如恐不及，而頹勢遂成莫之能挽。以今視昔何獨不然！

歷代流寇之患，其本身因無辦法使一般人得以活下去，失敗是定命的。不過激而使其挺而走險，則足以覆社稷，聽其自生自滅的拖下去，靜待新勢力的自然孕育，亦足延禍患於數十年，而生靈塗炭，人口非大大減少不可。必須加以人力，始能縮短禍患的年限，五代之亂，「雖曰天命豈非人事哉，」誠慨乎言之矣。治流寇之法，單靠窮追血戰是不爲功的，必須先挫其兇鋒然後徐圖收降而遣散之，清室之對太平軍，可稱爲得其道矣。然尚賴外力之援助，而曾李二人頗得招降之古人遺意，曾國荃以洪幫中人對付太平，而太平軍中之洪門悉歸李鴻章以江淮同鄉關係招降，而皖鄂之衆遂散；戈登以軍餉陷太平，而太平軍遂以冀得編入常勝軍而投降，西人之從太平者漸亦悉行散去。左宗棠以最優秀之楚軍平亂，惟因其主剿而不主撫，又以兩廣之太平軍無出路，故湖州之賊率逃往江西福建廣東血戰數十次而始滅，較之曾李似遜一籌了。

而太平餘孽之在北方者變爲捻匪，遲五年而始平，又延爲陝甘新疆之回亂，再五年而始平，幾以引起中俄間之戰事，則仍以剿重于撫之誤謬也。吾愛戈登，不因其常勝軍之能戰，以當時英國海陸軍之配備而臨太平軍，戰固無有不勝者，然喜其能知撫重於剿，盡量收編太平降卒尤其衛隊深信而不疑。其對蘇州殺降之憤慨，吾人雖就事論事而認爲不當，然以彼認此事爲不必要的延阻長遠投降之門路言，似亦另具苦心，而爲能堅持其原則者。今日時勢，具有國際背景，艱難千百倍于曩昔，然以人心之不安而致軍心之動搖亦殊無異於曩昔也。世有戈登其人者乎，我願尸而祝之矣。

中國之友（二十）　毛以亨

假戲真做　真戲假做

反細菌戰，現在又鬧起來了。在大陸上的共黨報章刊物，滿是照片，圖畫，統計，人證，物證，還有四五萬字的調查報告書，排日登載，一連好幾天。「人民日報」大概爲了省却各地方報的排版工夫，打好了紙型分發，各報則除報頭更換外，編排完全一樣，社論也是只許翻版，不准另寫。

共產黨長於假戲真做，不惜工本，弄得好象鐵證如山，一口咬定，你如說：「這完全是假的。」他說美孚也承認了的，各國科學家都實地調查化驗了的，有口供和簽證的調查書爲證。你如說：「這些科學家完全是你們共黨的自家人」，他會說這些證人很多是中立的國際科學家，如瑞典的安德琳博士，法國的馬戴爾教授，英國的李約瑟教授，意大利的歐利佛教授，巴西的貝索亞教授。實際上，這些科學家如果跟共黨沒有關係，他們那裏有資格到共黨的區域去，大受歡迎和招待。但是共產黨之所以爲共產黨，凶就凶在這些地方，民主國體的國家中，到處有共黨組織，可大事活動，對付美國有美共，對付民主集團有民主集團裏的各國共黨，而民主集團的任何宣傳，連一張有字的紙也很難進入「鐵幕」，連幾個傳教士，修女，都被迫得走頭無路，不是撤退，就是坐牢。

於是共黨的任何宣傳工作，可以放胆的假造，要做成怎樣就可怎樣，鐵幕外的人民，雖然不見得會相信，但他做得這樣活龍活現，久而久之，也就不能無惑，只要一「惑」，就着了魔道，共黨的宣傳工作就有了大收穫。

至於鐵幕的人民，從早到晚，只聽到一種聲音，沒有別的可作反證，而且即使心裏不信，口裏却不能不信，明知是假，也不能不以假當真，日子久了，假的也就變成眞的。所以假戲假做，共產黨有它的條件，有它的收穫。

共黨的反細菌戰的宣傳，曾停了一個相當時間，但周恩來一去莫斯科，又鬧起來了，這裏或大有文章，除了配合它的「和平攻勢」，增加「仇美觀念」外，說不定是準備發動細菌戰，供蘇俄細菌戰部隊之試驗，俄國的細菌戰專家茹科夫之參加調查，或就是在以此掩護和準備。要是如此，則共黨之反細菌戰，變成了「眞戲假做」了。

中華民國僑務委員會頒發登記證台僑新字第壹零貳號
自由人
THE FREEMAN
（中週刊每星期三六出版）
（第一六五期）
每份港幣壹毫
督印人：李光前
社址
香港高士打道六六號
電話：二〇八四八
GLOUCESTER RD.
HONG KONG
TEL: 20848
承印者：東南印務出版社
地址：高士打道六四號
台灣特派員辦事處
台北市館前街五十七號
台灣總經銷處
台北市中華路一二五九號

恭讀「中華民國憲法」

左舜生

很慚愧，「中華民國憲法」十四章一百七十五條，自三十六年元旦公佈以迄現在，爲時將及五年，自己因爲曾參加制憲國大，并於起草這部憲法的時候也曾妄參末議，對於全部結構，以及某一重要條文，當時經過一番熱烈討論爭執以後，何以卒有如此規定，其大致情形，都還歷歷在目，因此自公佈迄今，我便沒有把它取出來好好細讀一遍，自己覺得這是太不應該的。

最近三年，國家遭遇空前的大禍，整個大陸，已爲一部分中華民國的叛徒所篡奪，甚至連中華民國四字，也被他們一筆勾銷，確實令人感到非常的難過。可是幸而還好，因爲過去八年抗戰的結果，我們究竟收回了一個台灣，一個依據這部憲法所產生的政府，至今還能存正朔於海外，即令光復舊業的準備尚有待於努力完成，但大多數國民的希望，畢竟能根據這一基礎而賡續以維繫。

在這幾年流亡的時間，聽過不少新奇可喜的議論，參加過不少研究商討的場合，同時却也遭遇過不少令人疑慮不安的事實；現在的大局既愈趨於緊張，而各方面對於團結反共的要求，也愈趨於迫切，可是有不少的問題，也確有待於澄清。我覺得與其另創條文，另立辦法，總不如反求諸本，即從這部憲法來求得正確的解答，因而我才把這部憲法取出，又細細的讀了一番。

經過這次讀憲的結果，確實增加了我不少的勇氣，也給了我不少的安慰，我覺得我們年來所討論，所爭持，所期待的一切一切，在憲法上早已一一有明文規定，換言之，在不抵觸反共抗俄的這一大前提之下，只要我們的憲法政府能有勇氣把這部憲法逐一見諸實行，則一切辦法均可確定，一切問題均可解決，而決無待於外求。

現在姑舉幾個眼前的例子來證明我這種看法。

第一，關於人民入台與出台的問題。憲法第十條明白規定：「人民有居住及遷徙的自由」，依據這一條的條文，只要是中華民國的人民，他們自己願意入台或出台，便任何人不得加以禁阻。可是現在確有一個共諜問題，因此不能不另定辦法加以制約，爲維護這一反共基地的安全，我們決不反對這種制約，但我們要求必須有一定標準。我們看見在香港請求入台的人，有的人一請即得，有的人却經過窮年累月依然不得許可。據我們看來，那些容易被許可入台的，不一定就絕對沒有嫌疑；那些不易入台的，也未必個個就是共諜；可是入台的執行當局好像很輕鬆的便能加以判斷，我們確實不知道他們所依據的究竟是何種標準？如果說並無一定標準，而只是以意爲之，我們便覺得這不僅與憲法不合，即與所謂另定的單行法，也不見十分的符合吧？

第二，關於言論自由問題。憲法第十一條明白規定：「人民有言論，講學，著作出版之自由。」如果說爲共匪張目的言論，必須加以取締，這是應該的；可是我們看見成百成千的書報，完全是反共抗俄的立場，却也一樣不能入台！即以我自己所親歷的一件事來說，我印了兩本書，這兩本書的內容，都是在本刊和「新聞天地」上發表過的，當其分章分段在定期刊物上發表，已曾得過發行的自由，現在集合成了一本書，兩個月前由香港掛號寄六百本到台灣，却至今被扣留在新聞處，我不知道這個新聞處是中央的機關呢，還是省政府的機關；請人去問，只得着一個「審查手續尚未完畢」的答覆。其實這兩本書，內中有一本去年一年底已經在台灣銷過一千本，現在只是加寄的。分章分段發表可以不禁，集成一本書便要禁；去年不禁，今年却要禁，真令人感到惶惑。再加上這兩本書的篇幅每種不過五六萬字，如其說審查了兩個月，以上還沒有審查完畢，這至少是行政效率欠佳，不可原諒也還可以原諒；如果準備一以審查爲藉口，而實行禁售，一拖了事，老實說，這便是一種犯法的行爲。憲法第二十四條明白規定：「凡公務員違法侵害人民之自由或權利者，除依法律受懲戒外，應負刑事及民事責任，被害人民就其所受損害，並得依法律向國家請求賠償。」

第三，私人辦學問題。憲法第一百六十二條規定：「全國公私立之教育文化機關，依法律受國家之監督。」又第一百六十七條規定：「國家對於左列事業或個人，予以獎勵或補助：」其第一項說：「國內私人經營之教育事業成績優良者。」依據前一條，私人辦學，在憲法上確有其地位，國家僅能依法予以監督；依據後一條，則私人辦學如果成績優良，且應加以獎勵或補助。聽說政府的教育當局，對於私人興學，堅持不許，我們不知道這一政策，在憲法上有何根據，教育當局似乎應以負責的態度，加以解釋。

第四，政黨合法問題。憲法第七條規定：「中華民國人民，無分男女，宗教，種族，階級，黨派，在法律上一律平等。」第十四條規定：「人民有集會及結社之自由」。又第一百三十九條規定「任何黨派及個人，不得以武裝力量爲政爭之工具。」我們細細玩索這三條條文，則政黨之合法地位，自憲法公佈之日始，實已早經存在。但現在若干說：「海內外一切反共之政黨和團體皆有合法地位」，然必須等到「大陸收復以後」，這一點，我也完全不能理解，難道我們的行憲已成過去了嗎？

我們把當前的事實與憲法條文一加對照，實在不能不感到惶惑；我們擁護這個政府，反抗共俄的政府，是因爲只有這個政府才是依據憲法所產生的惟一合法政府，國民的觀感如此，國際的觀感大致也是如此，我希望這部憲法的政府對於這部憲法應予珍視纔好。

狄托主義評議兼告杜勒斯

鄧英豪

自南斯拉夫首領狄托與蘇聯克里姆林宮集權統治者分家後，自由民主世界的人們，恒以狄托主義爲蘇俄共產黨統治者之大敵，爲自由民主國家之友人；甚至自由民主國家的政治家們，認爲狄托主義不特在政治上可與民主國家聯合抗俄，同時在經濟上亦可與自由主義經濟制度併存。由於此種理解與認識，自由民主國家的政治家異想天開，一心寄望鐵幕國家的共黨統治者步狄托的後塵，脫離蘇俄集權統治者的羈絆，以與自由民主國家合作。我認爲抱此希望則可，持此認識則大大不可。

所謂狄托主義這一名詞，不是狄托自己的標榜，而是自由民主世界的人們，給它命了一個空虛無物的名詞。有人解釋說，狄托主義，是共產主義和民族主義的總和，實際此種解釋有點勉強。狄托政權的本質，仍然服膺的是共產主義，在現在與未來，只要狄托不改變服膺共產主義的決心與事實，狄托這一政權成分，總歸還是百分之百的共產主義。它所以毅然脫離克里姆林宮的統治，不是叛變共產主義的教條，而是反抗蘇俄不合理的統治。

蘇俄不合理的統治，在狄托的看法，是不同情史丹林蘇俄第一的統治方式，這是一個共產主義國際內部鬥爭的問題。倘若史丹林能夠改變它的統治方式，將蘇俄第一主義方式略加修正，變的開明一點，使其他附庸國有一些自主的餘地，狄托未來的態度究竟如何？實在值得考慮。

蘇俄共產集權統治者，認定狄托個人犯了嚴重的英雄主義傾向，爲不可寬恕的叛徒，但並不認爲南共是蘇俄的叛黨。相反的，到了某種階段，或者又可能和蘇俄沆瀣一氣，這是共產主義者一向熟於玩弄的手法。因此我們必須瞭解，蘇俄的反狄托，是反狄托個人英雄主義及其「叛蘇」的行徑，不是反南國共產主義者；同時狄托的反蘇，是反史丹林的獨裁作風，不是反布爾雪維克。這樣我們可以知道狄托奉行共產主義始終不變的，只不過叛離蘇俄的領導而已。

如果有人認成狄托是民族共產主義者，看法未免天眞！衆所週知，凡屬眞正的共產主義者，絕對反對民族主義本位，嚴格的講，共產主義的邏輯及其理想，根本沒有民族二字。倘有人相信列寧史丹林那一套民族問題的解決，必然會受它的欺騙，因爲那是共產集權統治者籠括世界的過渡策略，它以挑撥殖民地民族革命運動爲侵略世界主要鬥爭武器之一，當它的挑撥伎倆一旦成功，那些可憐的民族即成了它的俘虜。同樣的，狄托假定不變更對共產主義的信仰，我們敢斷定他的立場與做法，不會和蘇俄有顯著的不同。基此，我們認爲狄托今日一面強調民族獨立爭取自由民主國家的合作，一面堅持共產主義的基本立場而不變，此中大有玩味的必要。他究竟能不能成了自由民主世界的忠實友人？需要自由民主國家的政治家們多動腦筋深思熟慮。

很簡單的，共產主義的最終目的，在徹底推翻全世界的社會基礎改變社會制度，使之變爲共產化，此一目的如未全部實現，「共產革命」不算成功。試問狄托主義式的共產主義，最終還能離開這一範疇嗎？

所以我們認定狄托政權現仍堅持共產主義不加改變，其在經濟制度上一樣的不會和自由主義經濟制度並立。這兩種制度其間有極大的距離，甚本的矛盾。根據共產主義在經濟基礎決定政治制度與社會意識形態的定律，兩種制度矛盾的發展，演變到政治社會意識上，必然發生劇烈的衝突，二者互不相容，絕無並立的餘地。因此我們必須弄清楚，所謂狄托主義，基本上還是共產主義，它不過表面掛了民族主義的幌子，爭取自由民主國家的合作，渡過自身的危機罷了。這是一種策略，不是它的目的。

最近我們看到美國共和黨外交政策設計者杜勒斯先生，爲了爭取艾森豪威爾競選勝利，提出了對共解放政策的新主張，以糾正民主黨政府的防堵政策。這一新政策的主要作用，在鼓勵鐵幕國家狄托主義者的出現，以期瓦解蘇俄共產集團使其自身崩潰。此種想法和以前美國一般政治人物認中國共產黨爲農村改革派一樣的不智！

從韓戰發生以來，經過了長時間血的教訓，我們很感快意的，是自由民主國家確實瞭解了共產主義者的僞面目，不幸今日友邦的政治家們仍欲作此擬想，企圖以舊式招撫政策，鼓勵鐵幕內出現狄托第二，以此想垮蘇俄集權統治者的合作，不禁令人失望！我們可以斷言，此種政策絕對不會發生作用，縱然有發生作用的一天，也要遭逢嚴重的後果！

共產黨人一向擅於運用策略，它能利用敵人的方策，適應自身需要，完成它的政治目的。因而共和黨政策設計者杜勒斯先生強調的對共解放政策，克里姆林宮主人並不感覺恐懼，實在此種政策，減少了史丹林的恐懼，主動的製造狄托，騙取自由民主國家的援助與有關國防科學的機密，對解放政策設計者來一個反解放。很可能，假定國際局勢有利於蘇俄時，它一定會製造狄托第二，製造無窮的狄托，以僞善的態度來與自由民主國家攜手，但我們必須有這一警惕，若是將來有一天出現狄托第二或無窮的狄托，狄托的成功，是解放政策的失敗，到那時解放出來的狄托，並非民主主義者，而是貨眞價實的共產主義者。時至今日，自由民主國家的政治家，尤其是瞭解蘇俄的杜勒斯先生竟爾作此步想，確實令人大惑不解！爲了加張自由民主世界的反共力量，我們特別期望領導反共的國家美國，還是足踏實地的團結一致，共同充分準備自身的力量，不必對敵人內部作過分的擬念。我們深信共產主義者有堅定不移的理想，不至根本消滅了自由民主世界那一套文物制度，絕無能休的可能，中國共產主義者對此點尤其把握的緊牢。要想期望匪幫政變，產生東方狄托，沒有絲毫可能性。此次周匪恩來一幫莫斯科之行，導演了又一幕出賣中國的醜劇，更證：此種幻想無用。希望杜勒斯先生趕快收回這一套設計，在對共攻策上作一番根本有效的計劃。

半週展望

·雷嘯岑·

韓戰易俘新建議

板門店休戰談判中，聯軍方面又提出了換俘的新建議，原則是「自由」換遣，方法是委之於「雙方同意的中立地區或團體」。

共方唯一的心病就是「自由」原則，其他皆屬次要。問題的癥結已非如何換俘之爭，而是俄共集團的決策是否眞願休戰？假使共方眞如英美政治家的「猜測」觀察，急想罷戰言和的話，則此一最後建議，或許也有商量餘地。但，儘管可以商量，而所謂「雙方同意的中立地區或團體」這一點，亦必不易協議的。

雙方都是在宣傳上爭取有利的形勢，而實際上對休戰幷無信心，所謂新建議，不過多增加一些拖延戰事的口實罷了。

埃及的隱憂

當埃及軍人那吉勃實行政變之初，我在本「展望」台上，曾預測那氏的革命前途，若不趨於極權的軍事獨裁政治，即有發生內亂之虞。

現在，埃及各地區大地主反抗「限田」政策的事件，日有所聞，正以軍法從事鎮壓，而歷史悠久，勢力雄厚，素爲埃及政治經濟的封建剝削階級所薈萃的大集團——華夫特黨，已公開地表現反抗那吉勃政權的言行了。他們敢於向現實的權力挑戰，殊非意氣用事，其中必係有所恃而無恐的。

其次，那氏的限田政策結果，充其量只能使全國百分之二十的貧農得到耕地，此外大多數的無地農民，依然貧無立錐之地，又將怎麼辦？

埃及今後的隱憂確乎不小。不管那吉勃採甚麼手段來應付政敵，用甚麼方略來改進內政，最重要是國際上再不能有力量滲入作左右袒，增益內亂的擴大性。近來那氏再三表示與西方列強睦交的願望，用意即在此也。

日本大選前途

日本議會總選舉今天開始了。就自由中國立場說，不管自由黨，改進黨，或其他反共非共的那一黨得勝，都沒有多大的利害關係，無所用其憂喜的。

看形勢，自由黨之獲得多數議席，似無疑問。可是，當投票前夕，吉田茂與鳩山一郎的派系鬥爭竟愈演愈烈，這是自由黨未來政權的致命傷。

如果未來的政黨內閣，在議會沒有大多數議席，而不能不走聯合政府之路，日本政局，便有相當的混亂情形出現。因此，吉田鳩山這些人物，似乎都沒有與其先輩大政治家媲美的胸襟和才幹哩！

日本人應留意德國的覆轍

第一次世界大戰後，德國由君主制改爲共和制，社會民主黨當政有年，那時德國的共產黨勢力遠不及現在的日共。但爲經濟問題所苦，國民生計日趨惡化，而社民黨和其他各政黨又不能和衷共濟，且採取與蘇俄親善的外交政策，許多德國工廠，秘密設在俄境，致令德共勢力突飛猛進，迫社民黨的愛巴特政權一垮台，德共到處騷動擾亂，社會動盪不安。

同時，德國舊有的金融財閥，如帝森集團，克魯伯財團等，乃以全力贊助那位以反共爲口號而羽毛未豐的納粹黨魁希特勒，希望他能消弭共禍，因而闖出了二次大戰的人類大浩劫！

日本目前的局勢，有許多地方跟一次大戰後的德國相似，而俄共中共亦正以全力向日本發動「和平」攻勢，日本人也爲經濟苦惱而對共產世界大感通商興趣。如果內政上再不能穩定，外交步驟一亂，有如當年德國的社民黨政府一樣，幻想拉攏蘇俄以抵制英法那套辦法，那末，日本若不被淪於俄共的附庸國家，則難免要產生東方的褐衫隊政權！

日本的政治家們，看遠點吧！

新世紀的戰爭

——電子能量與誘導飛彈——

一九四〇年英國發明雷達，成爲戰爭決勝新因素以來，戰爭的藝術，即有嶄新的發展；一個戰爭的成敗，不復單純依賴於鋼鐵的生產能量；而電子能的儲備，成爲近代戰爭的另一決勝新因素。

現在正在實驗

誘導飛彈在雷達波控制下向指定目標活動，所有過程統統由操縱機電視器反映出來。與有人直接駕駛的轟炸機無異。電視器裝設於操縱台機上，母機由電視器指揮飛彈動作。

美海軍用作爲誘導飛彈的，是已近於廢料的F6F地獄貓式海軍機，此種機型，螺旋槳單人戰鬥機，時速四百哩。這種飛機被安置上電子控制器，電視眼及兩千磅炸藥，就可和以前日本「神風式」的自殺飛機一樣，不過，無人駕駛，這一種飛機，由道格拉斯AD2式「空中突襲者」空中誘導，「空中突襲者」即爲誘導飛彈的母機。誘導飛彈擊中目標時，母機電視器上可得全部反映。一個曾經從事過執行誘導飛彈轟炸工作的駕駛員說：那是一件非常輕鬆的工作。

嶄新的飛彈即會出現

在實驗過程上，誘導飛彈大半自拳師號航空母艦用電子波操縱起飛，交給半空母機控制指揮，均能命中目標，而且母機安全裕如，在已有的紀錄中，誘導飛彈轟炸共軍山頂高射砲陣地，發電廠，鐵路，鋼骨水泥橋樑，隧道（在一次進擊中且追隨共軍車輛進入隧道轟炸），具有極高的命中率。誘導飛彈，飛行半徑，目前由於母機「空中突襲者」飛行半徑一千五百哩的限制，爲七百五十哩，已有的飛行出擊距離（由拳師號母艦爲起點計）爲一百五十哩。若誘導母機電子能加大，本身油量增加，其飛行半徑更將加長。

首實驗朝鮮誘導飛彈的，是由華盛頓派來的開滋海軍中校，在開滋中校的談話中，彼曾保證美海軍有大量的誘導飛彈儲積，足供爲大規模出擊之用。據彼估計，一千八百架地獄貓式海軍機經已可能改裝完成，若誘導飛彈本身空中加油試驗成功，誘導母機飛行半徑及電視波加強，飛越洲際大陸的飛彈成爲可能。在未來的時間中，無人駕駛的空中飛彈戰爭，代替目前的轟炸機戰爭，已成爲近代空中戰爭的新趨勢。

目前誘導飛彈地獄貓式機被命名爲模型T型。但這一種彈型數目是有限的；它可由控制失靈自行墮毀，可能由敵人驅逐機或高射砲擊落，亦可由母機操縱自行炸毀（若遇有被擄獲情況時），若地獄貓式機用罄。模型T型，即算用完。美海軍指導飛彈作戰處主任賽斯少將說：T型飛彈，爲一試驗性軍械，在未來發展中，有完全嶄新的飛彈出現。

電子能量決定勝敗

美陸軍當局，於去年曾花費十億美元以上，從事飛彈研究發展，空軍方面，亦在作同樣競爭。在已獲得的報導中，該項研究工作，已促成飛彈噴射化，其最大模型爲以噸計的火箭彈，速率遠超音速。此一種巨型飛彈，仍電子能操縱誘導。但由

賽斯少將曾作警告語說：若我們認爲蘇聯沒有飛彈，美軍將陷於不智。

對飛彈的設計，使用，競爭，在東西兩大集團之間，技術上的考慮，成爲第二問題。蘇聯在上次大戰末期，即已由德國方面，獲得飛彈知識，美對蘇聯的租借法案物資，助成了蘇聯對飛彈的發展不少，當前唯一可以用作估計的，是東西兩大集團之間，所擁有的電子能量。在一般的估計，蘇聯在當前的電力，是遠不及西方的，目前也祇有這一點把握，能造成西方的飛彈優勢。蘇聯今天還沒有飛彈出現，原因恐怕也在這裏。

隨着原子彈的出現，世界戰爭的作戰新因素，轉移了它的條件；電子能量的儲備，成爲未來戰爭的基本關鍵，原子彈的產量，體型，威力是如此，飛彈的憑藉也是如此，行將產生的氫氣彈也是如此，因此，保護電子能產生地帶，避免突襲，成爲今天作戰的中心課題。（國華取材自九月二十九日美新聞週刊）

英國的政治風候

倫敦航訊

倫敦氣候之壞，是出名的，但壞到怎樣程度，現在才嘗到滋味。我到這裏一個多星期了，沒有脫掉過膠套鞋，今天做了禮拜回來，覺得冷得很，懶得出去了，就給你寫封信，或者就可當作通訊好了。

通訊不容易寫了

航空信雖然得小時可飛五百哩，但比電訊慢多了，比之廣播更慢，我在這裏早上看報知道的當地新聞，或者你正在那裏加標題付排之中，更或者昨天你已收聽到了的，所以現在寫通訊稿簡直困難無比，我抄這裏的報紙就等於你在那裏抄你的報紙，如寫這裏的社會新聞，香港的報紙不一定有興趣，有許多人就有內幕新聞，事實上兼夾這些內幕，還不是道聽途說，弄得不好，造謠惑衆，做了有意放空氣者的工具。有許多駐在這裏記者，只好拋開都市，到農村或者礦場裏去找題材，但這又要相當本錢和時間的。所以還是寫些身邊瑣事吧。

中國人在這裏不好處

中國人在英國，最頭痛的是被誤認爲共黨的問題，我租了一個房，房東太太就問我。「是不是共產黨」。

「我是最恨共產黨的。」於是她大表歡迎，以後一有機會她就跟我談中國的事情，原來她的先生以前在上海經商，賺了不少錢，自然對中國十分關心。

此外，在各方面碰到的人，他們都要打聽我，怕我是個共產黨，這實在是件最難堪的事，然而，有時我反問：「你們這樣討厭中共，爲什麼你們要承認中共？」他們都搖搖頭而歎一聲，好像有難言之隱。

英國的共產黨

從許多人面觀察，英國共產黨在英國中的活動也相當厲害的，唯一的不同處是它沒有武裝，而共黨之發展所以遲慢，則主要是英國人的現實觀念和愛國心，這種觀念和心思，在外交上就表現得非常短視和自私，惟對內而言，他却反可以阻止共黨的發展。但這種觀察還並不確實，因爲我們知道中國共產黨如沒有武裝，他也同樣沒有發展可能的。

至於從文化上政治上經濟上看這個問題，也都可得出結論，但就比較更要遠了一步。英共是不管這些的，它一天到晚在策略上，組織上，宣傳上下工夫，慢慢蛀蝕，好像在等着一個新形勢，和製造這種新形勢。自從福斯間諜案和兩個重要的外交人員失蹤後，大家更惴惴不安起來。那位紅色主教詹遜的不時怪叫，簡直是在捶擊每個英國人的腦子。

但現在最可怕的，却是貝萬的那種「前進」作風，從許多方面看來，他的工作好像在專爲英國人與共產黨之間架設橋樑。也不是我們神經過敏，共產黨的一切，我們身受得够了。

對備戰一些也不放鬆

英國人現在是苦惱的，特別對中共問題，它認承它，但三年來中共却始終似睬不睬，愛理不理，紳士作風或者表現了極大忍耐，而于事無補，生意是做不成了，要全部撤退，却也是件不容易的事。韓戰是參加了，但又天天希望着不求勝利的早日結束。這情形實在狼狽。

可是你不要小看了邱吉爾，他現在正在暗暗地準備着資本，三角飛機出現了，原子彈等也可製造了，在備戰方面一些也不放鬆，緊緊地跟着，雖然嘴巴上滑得很，手段還是辛辣的。

在香港時，還看不清楚香港對大不列顛帝國的重要性，但在這裏向東方一望，原來還是一只遠東的重要棋子，這只棋子存在一天，英國在遠東捲土重來的機會始終不會絕望的，爲了保有這隻棋子，他也正是煞費苦心，軟軟硬硬的，都得施用。

不列顛的承認中共，英商的要求撤出中國大陸，都一樣狼狽不堪。

史大林對英很客氣

英國人談起美國，多少有些妒忌，但也無可奈何。現在妙就妙在這裏，儘管心裏不願，却又必須跟着走，態度上當然有些扭妮了。

俄國人也不愚蠢，就趁着這時機，希望能把這矛盾弄得深化，史大林現在並不要英國本身有些什麼問題，而是要他對外關係上有問題，特別在遠東問題上。所以現在一切刺激英國的事，他都不做，而且很客氣。現在全世界的共產黨一切活動都集中在「反美」，連英共也是這樣，是所謂找大頭幹的辦法，只要把美國弄垮了，英倫海峽在史大林心目中是沒有阻擋力的。

拖垮美國，用兩個辦法，一是以戰爭拖，一是以「和平」拖，戰爭拖用中共，「和平」拖就用英國了。

邱吉爾不知道嗎？知道的，他有他的打算。不會上史大林的當的，但是阿德里貝萬等，就難說了。・史遠客・

反共英烈王雲沛

山禾

王雲沛接任浙省保安副司令的時候，時局已很動盪，四明山及閩浙邊區土共的騷擾已日漸威脅到整個浙東的治安。內而他一負上全省治安的職責，便積極整軍經武，一共編組了九個保安團，除七、八、九三團編成一旅駐防浙西外，其一，二，三三團編成一旅及四、五、六三個獨立團都在浙東，從事剿匪。

當卅八年四月廿日和談破裂共匪南竄的時候，浙江當局因杭州無險可守而即決定分別撤向溫州及舟山，以從事戰鬥，王雲沛由是便先到溫州，部署軍事。浙江當局之所以要將重心撤移溫州，是因爲溫州的地形相當險要，既可據雁蕩、天台兩山之險予以扼守，亦可在閩浙邊區一帶連綿起伏的山巒間從事游擊，更可固守大陳各島以海路呼應。但不幸杭州淪陷，省主席周嵒剛要率部向溫州撤移的時候，溫州的師區專員，被稱作「人造師」師長的葉芳率兵兩團，突告叛變，立刻靠攏土共，擁了溫州地區，這時王雲沛剛在樂清溫嶺一帶公幹，便不得不率保安旅陳東夫部退守溫嶺海隅。他一面急電周嵒，請周嵒臨時退到定海，一面命令溫台各縣的地方團隊向溫嶺集中，準備暫時固守溫嶺、玉環，必要時退守大陳各島。但此一計劃未及實現，陳東夫所部兩個團長王士翰和林標以早已與暗有連絡而脅迫陳東夫宣佈「起義」，即將隊伍向擅向永嘉方向拖走了。於是，他就不得不於倉卒間率隨身僅有的兩連兵，就近退到了銅頭島上。

然而他並未因此灰心，他以有限的兵力在銅頭佈了防，便繼續策劃浙東的游擊事宜。這時舟山的命令：將原已成立而由余濟民兼任的浙東行署主任一職，改由王氏兼任，由他全權策劃，指揮整個浙東的游擊軍事及地下行政。

王氏雖在極艱鉅的情形下進行他的工作，也有不少的成就：山門縣長葉××率衆一千餘，在山門、臨海一帶展開了游擊，八區保安副司令姚××率衆二千餘，在平陽，瑞安一帶樹立了勢力範圍，八區專署主任王××聚衆一千餘，在永嘉、樂清一帶打擊了共匪的行動，溫嶺的自衛副總隊長鄭××，聚衆二千餘，在溫嶺一帶展開了反共鬥爭，在鄉軍官陳××聚衆三千餘，在天台、仙居一帶建立了游擊根據地，此外，跟着組織起來的小股游擊武裝，可謂一時風起雲湧，多得不可勝計。不管共匪曾怎樣兇狠地加以「圍剿」，「鎮壓」，而溫台地區的游擊力量，依然在艱苦中不斷地滋長、茁壯，最多時，幾曾發展到十萬人之多！這可以說是王雲沛氏以他的鮮血開闢出來的一個天下。雖然，王氏本人不幸很早就已俘而殉了職。

原因就在溫台地區的游擊武裝發展得太快了，已予該兩區的共匪以非常嚴重的打擊，他們乃注視到了在銅頭島上遙遙指揮的王雲沛氏，於是，在同年十月某日的拂曉，調集了與匪化文所屬的一師匪軍，分向大陳銅頭各島展開了猛烈的進攻。照理，退守銅頭以後的王氏已獲得了海軍的掩護，但據說海軍的防務並未固定，雙方的配合也欠完善，而且舟山方面也尚未增兵充實王氏的防綫，他依舊只率孤軍兩連，獨守銅頭，當然寡不敵衆，他於壯烈激戰兩小時後，終以不支而率衛士二人跳上了舢板，打算渡向披山，暫爲隱蔽，但一下海，匪軍的機帆船便蔽日而來，乃不得不掉轉方向，再登銅頭，却就在他的舢板剛靠岸的時候，便被已佔領該島的匪軍俘獲了。

被俘後，解到了杭州，囚禁在杭州柴木巷的拘留所里，共匪曾一再誘他叛降，要他收編浙東所有的游擊部隊以爲「人民」立功，但他凜然地嚴詞拒絕了。這時，共匪的大規模屠殺政策尚未開始，正在運用所謂「政治瓦解」的時候，因而反使王氏多在獄中受了一年之久的折磨和凌辱，他曾兩度自殺未遂，共匪曾以比牛馬不如的「勞動改造」的方式脅迫他就範，可是他始終不爲所動，他的態度是一貫地非常堅毅、剛正，威武不能屈。所以他始終不曾「坦白」，毫不苟且，寧死不肯講一句話。

最後，在三十九年的十月杪，當共匪的大規模屠殺政策開始時，他首先從容地踏上了刑車，終於悲壯地犧牲在松木場了！

王氏的犧牲是我們反共抗俄陣營中的一大損失！然而他已爲國家在浙江立下了不朽的功業，更爲人間留下了浩然的正氣！

臺灣點滴

葉平

台灣雖然在亞熱帶，四季常春，易於活潑衝動。可是男女學生窮追苦戀的故事並不多。女學生心目中的丈夫，是能獨立自主的男子；男學生在求學時期，根本就不妄想婚姻的事，等到功名成就，老婆自然會送到門口。女學生爲了完成自己的學業，在經濟困難的當中，休學作一段「下女」，也是司空見慣的事。有時姊妹朋友相互商約：你工我讀，或我工你讀，集中力量，助成一人。這是台灣同胞的優點，也許是五十年來壓迫成的習性——重視物質，不重視青春。

女教員的身價：日治時代，校長是官，不獨學生絕對服從，教員也是屬下。校長室高掛着日本天皇的像，憑它就可以裁處一切。男女不平等，表現得更分明。男教員有客來訪，可以直呼某女教員來泡茶，甚至可以喊工友去請她專來泡茶。女教員並不是逆來順受，而是認爲應當。校長更能役使她們到家中服私務。記者初臨其境，深感詫異，而質之女先生，則毫無怨尤，光復後三年才改過來這樣惡習氣。現在，則是Lady first了。

拜拜節的酒肉：陰曆三月的太陽節，是台灣同胞紀念明思宗崇禎死難的日子，是一個哀痛的日子，家家閉戶焚香默禱，亦是大陸上見不到的祭典日。七月十五是祭鬼的日子，台灣同胞叫做「拜拜節」。台灣同胞大多來自福建，根本迷信就深，在海外又易於追念宗祖，所以這個節日看得很重，破費家產，也所不計；酗酒滋事的更多。

羣魔集中北平
商討外蒙參加韓戰問題
發動華僑抵制日貨運動

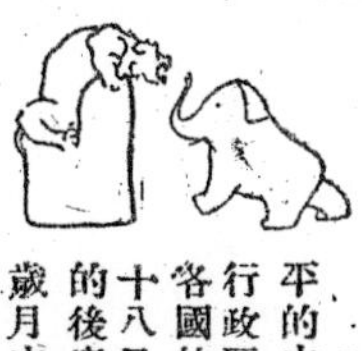

（本報北平通訊）自周恩來啣命朝俄以後，北平的中共首腦部一直在緊張狀態中。九月上旬，各行政區重要負責人物都差不多先後抵平。加上來自各國的大小嘍囉，整個北平的政治圈頓呈熱鬧。二十八日澤登巴爾率領下的外蒙代表團又跟着周恩來的後塵到北平，南苑機場上整日人頭湧湧，在苦難歲月中捱渡的北平市民，雖大多漠不關心，但一般人都意料到，中共又在搞什麼把戲了。

四方頭目雲集 將開重要會議

周恩來飛返北平的那一天，在機場上出現的人物，除了中共中央首腦外，還有幾個令人注意的人物。那便是華東軍區司令員陳毅，西南軍政委員會副主任鄧小平，華東軍政委員會副主任饒漱石，西北軍政委員會副主任習仲勳，新疆省人民政府主席鮑爾漢，這些人都是中共放在各行政區的重要棋子，現在都集中在北平，顯然地他們都在等待周恩來回來後，舉行重要的決策會議。

據此間有關方面透露，周恩來帶來的決定，是積極準備擴大韓戰。因爲克里姆林判定美國及日本的擴軍，決不會因韓戰停止而中止，因此，所有共產國家，均應積極備戰，以便隨時採取主動。蘇俄對中共所要求的軍援，已大部接納，在今後三個月中，將有更多的MIG調駐東北，蘇俄並答應在外蒙設立一聯合空軍訓練基地，代中共訓練大批飛行員。

澤登巴爾來平 商討參加韓戰

爲了提高中共的士氣，入韓參戰的共軍，將會行輪番制。蘇俄並允出面壓迫各附庸國派兵參加，其中首先被指派出兵的是外蒙軍。

外蒙全部軍隊只有十六萬人，因此，外蒙對蘇俄要求參戰一節是請考慮，結果被克里姆林駁斥一頓，並召澤登巴爾赴莫斯科，在史達林當面教訓之下，澤登巴爾只好忍痛答應出兵五師。至於給養及指揮問題，留待中共外蒙自行解決，因此，周恩來離俄以後，澤登巴爾亦跟着飛到北平。

亞洲和平會議 決定延期召開

至於原定九月下旬開鑼的太平洋及亞洲和平會議，因爲許多代表還沒有到齊，據內部透露消息，恐有延遲舉行可能，大概將於中共「國慶」節後才開鑼。

這次中共爲了壯觀瞻，特別在王府井大街金魚胡同中段設建築一座八層高的「和平賓館」。據參加修築的工人說，裏面有舞廳，餐室，日光室和花房。那裏的舞池，是目前北平最豪華的一個。配着多種顏色的霓虹燈，蘆席紋地板上打着光亮的油，足容三百人以上共舞。這裏將成爲共產國際的總俱樂部」。爲了建築這座「賓館」，中共特徵召上海、漢口等地的建築名師及裝璜雕塑的名手，全部虛耗，將達共幣三百億，要抵得好幾十萬人一年的生活費。在民窮財盡之中，不能不說是一樁「盛事」。

發動抵制日貨 成爲祕密任務

這次的亞洲和會，除了發動宣傳攻勢外，據有關方面透露，據說還有一項祕密任務，那便是發動東南亞各國抵制日貨，破壞台灣和日本的經濟合作，引誘日本投向大陸。

早在九月上旬，「人民出版社」便奉命趕印三百萬本「日本侵華史」，和「僑胞控訴日本」，此外還有二萬本連環圖，據說奉統一戰線部印製的，後來據悉統一戰線部和亞洲情報局[illegible]中共這一抵制日貨的運動，原則上，係採取宣傳發動辦法，先派發宣傳品激[illegible]華僑反日情緒，然後因勢利導，逐漸擴展成爲運動。

李維漢親出馬 拉攏各地代表

籌會曾於九月二日召開會議，由李維漢任主席。參加人員有劉少奇，張瀾，李濟深等，會議上檢討台灣琉球召集華僑與日本經濟合作的可能發展，認爲此一計劃如告成功，可能減少中共對日本的誘惑，並可能削弱中美日三角聯盟的基礎，故決定在東南亞華僑中發動一大規模的抵制日貨運動。

爲了擴大這一運動的作用，中共正準備通過這次來北平開會的東南亞各國左翼份子，希望他們協助推動，特別注視印尼，緬甸，菲律賓及馬來亞的代表。連日由李維漢出馬分別訪問，一待各地代表到齊，中共可能召集有關代表團舉行一聯席會議，正式決定統一步驟。

共幹一片忙亂 人民景況悽涼

今日的北平，正成爲一個瘋狂世界，一方面是中共的首腦人物，爲着發動侵略，製造混亂，正動員大小幹部忙於拉攏嘍囉，召開會議。一方面是工人、學生在工會，青年團、學聯的控制下，正準備十月一日在各地嘍囉面前，表現「狂歡」。到處可以看見許多營養不良的青年學生在練習扭腰鼓，表面上是一片忙亂。但在這忙亂的背後，六萬多私營工商業在破產邊緣掙扎，二十多萬失業和半失業份子在飢餓線上浮沉，全家都在「西風裏」的人，更何止數十萬。「遺民淚盡胡塵裏，東望王師又一年」，在一般老百姓的心坎中，除了一股期待的心情外，大多只是一個失了靈魂的軀殼。（九月廿八日北客寄自北平）

天蘭鐵路通車 葬送奴工萬人

天蘭鐵路共黨宣傳說已鋪好了軌，要在三十日通車，但這條路若不知已葬送了多少生命，共幹爲了達成「任務」，要在「十月一日」提好，於是拼命的強迫工人加工，無限制的延長工時，[illegible]來一班人每天只能出[illegible]

我親歷的思想改造

·木易·

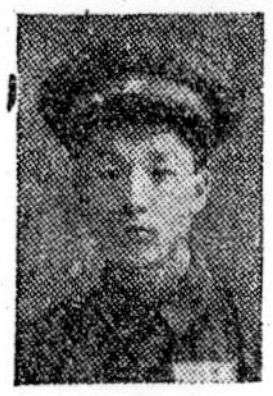

一九五一年十二月，中共「溫州地委會」說是爲了提高幹部政治水平，將所屬永嘉、瑞安、樂清、平陽、泰順、玉環、文成、青田等各縣和溫州市，調出八百名幹部，（女同志佔百分之十）我也是其中之一，集中「溫州區幹部學校」進行「思想改造」。

「溫區幹校」創辦於四九年五月，直屬「溫州地委會」領導，至今已有十三期的歷史，每期的人數均在五百名左右，訓練時間六十天至八十天，的。訓練內容是赤色政治學習，溫區八縣一市的地方幹部，除「南下」幹部外，差不多都受過該校的訓練，這期調來的幹部，大多數都受過「革大」「軍大」「浙幹」和「母校」學習過的，正至有學過三四期。

本期學習步驟，分三個階段，（一）認識共產黨的前途，（二）階級覺悟，（三）歷史交代。

五二年一月七日，溫區幹校十四期舉行開學典禮，溫州地委崔健親蒞講話，他說：「本學期黨的政策是提高覺悟，加強認識，分清敵我，明白是非，地委的方針是教育改造，打破顧慮，（」。繼而校委主任黨立章宣誓，他說：「我代表校委向大會表明心，堅決執行黨的政策，地委的方針，爲黨爲人民爲同志切實負責。」

幹校最高行政組織爲校委會，比校委會再高的是黨支部，校委主任爲全校主腦。校部分行政組織教育校務總務等五個科，全校學員分五個班，班部設主任副主任和班幹事二名，各科科長和班主任爲校委會委員，也都是共黨黨員，每班分十二個小組，每組十二至十五人，小組長和副小組長由班部指定，小組組織分三個互助組，三個委員，生活壁報娛樂委員，三個委員是小組長和三個互助組民主選出的。學習時間：每天上午七時至十一時，下午一時至五時，晚上七時至九時半，星期日上午照常學習，下午集體看電影或集體休息，只有集體自由，沒有個人自由。學習方式：上大課或文件報告，各人帶筆記本面聽，然後由校部製出若干題綱，交各班小組討論，在每次開展什麼運動之前，每人必須立一張計劃書，決心書或保證書貼上壁報欄。

第一階段　黨主任上大課，報告目前國際形勢，强調指出三點：（一）美軍侵朝一年多來，被中朝人民部隊殲滅四十多萬，擊毀飛機五千多架，美帝小腰受中朝人民正義和平誠意，只有死路一條，（二）越南和緬甸人民軍最近均取得輝煌勝利，日本人民覺悟提高，起來爲反對統治階級爭取民族獨立自由而鬥爭。（三）以美帝國主義爲首的侵略戰爭陣營，日趨沒落，以蘇聯爲首的人民民主主義和平陣營，日益強大，全世界人民覺悟日益提高，條條道路必然通向共產主義。

校部製出四個題綱，（一）目前朝鮮戰爭形勢怎樣！（二）爲什麼我們要和談，也不怕打？（三）目前世界政治形勢怎樣？（四）爲什麼全世界條條道路必然通向共產主義？規定討論五天。

第二階段　一月廿七日，黨主任上大課報告文件，他說：「資產階級的思想本質是唯利是圖，享樂至上，損人利己，無產階級的思想本質是大公無私，刻苦勤勞，富於革命自我犧牲，我們革命幹部要肅清資產階級的腐朽思想，建立無產階級自我犧牲的革命精神」。

製出三個題綱，（一）資產階級的思想本質是怎樣的。無產階級的思想是怎樣的？（二）你有資產階級思想嗎？怎樣產生，其根源在那里？（三）你準備如何澈底剷除資產階級腐朽思想，樹立無產階級的革命精神？規定討論四天，並號召反覆討論，澈底了解。

二月三日校委佈置「自我鬥爭」運動，說什麼把舊社會遺留的舊我，澈底鬥垮，建立全心全意爲人民服務的新我。强迫小組會進行自己鬥爭自己，自己辱罵自己，自己清算自己，在小組長的監視下，誰不兇，誰就受到嚴格的批評。

二月七日「自我鬥爭」運動結束，接着開展控訴舊社會運動，强迫小組會進行個別輪流控訴，控訴人將個人歷史罪惡（例如享樂腐化不勞而食）痛罵舊社會造成的，同時必須聲淚俱下，聽的人裝起痛恨的苦臉，如比算是共同痛恨舊社會，會議有成績，假使誰控不出眼淚或誰不裝痛恨的苦臉，小組長馬上狠狠的給你一頂火熱的帽子：「不痛恨舊社會即表示不願改造，破壞學習」。

二月十二日全校舉行控訴大會，選幾個油腔[illegible]作典型控訴，[illegible]

第三階段　二月十四日校委命令開始「政治交代」，在沒有交代前，地委部長上大課[illegible]

（未完）

想起德星輪事件

為方

自由談

懸着英國旗，航行港澳間的德星輪，在公海上被共黨以海盜式的行動，迫令停航搜查，劫擄乘客。海洋間發生海盜這類事件，自古已然，不足爲怪。可怪的是關係方面對這件事緘默「執輪」，無所表示。

記得一九四九年秋間，自由中國海軍依法公告，封鎖其領海間通航上海天津一帶的船舶出入，曾引起西方國家的責難與反抗，而以美國有個甚麼「飄飛」輪船公司的大腹賈老板，尤爲激昂不可理喻。迨國軍對上海施行空襲時，不但是英美的商人，羣起反抗，聯名要求本國政府武力干涉，連一些傳教士也申申而詈，悻悻指責。

而今呢？「美帝」的船舶固然休想再到津滬去「撈一大利潤」。英國在大陸的商業，也祇好自動撤退，再不聽見他們那種激烈憤慨的反對之聲了。最令人可笑可歎的，就是那些傳教士，一個個坐牢的坐牢，驅逐的驅逐，垂頭喪氣，啞口無言。當年反對國軍封鎖海面和空襲上海共黨的那套「正義」的詞色到那裏去了呢？

旅行港澳之間的人，隨時可能被海盜封擄，出入新界地帶的人，又何嘗沒有遭匪盜綁架的危險？如果與港九接壤的海陸各地區，將來都發生這類事情，這自由天堂豈不要變成恐怖世界麼？因此，今日有些在海外裝出「兩面人」模樣的工商業者，他們的最後結局，必與大陸上的西方傳教士同一命運，乃可斷言。

汚腥旗

泰木

最後一場的電影散了場後，快要入睡的街道又頓形活躍起來，但那是極其短暫的；不消幾部巴士經過，就將那曇花一現的熱鬧帶走了，終於街面又恢復了幾分鐘以前的寂靜，只有零零落落的屋簷下的行人，稀稀落落駛過的轔轔的車聲與惺忪的街燈，支持着夜的活動。

驀然兩個黝黝的黑影從小巷裏竄了出來，沿着簷下人行道疾捷的走着，好像有意避開路燈的窺視似的。

『東西帶了沒有？』搜長的一個小聲的問。

『帶了。』矮的一個回答。

『那裏去？』

『那邊的後街。』

於是兩個黑影像隼一般的越過了街道，竄進對面的小巷。他們仍然一邊走，一邊交談。

『老張！是分開做？還是合作？』矮的一個問。

『合作吧！』搜長的一個答說。這時這邊有個差人踱了過來，那個搜長的就挽着矮的臂膀，一面說：『阿李！這邊走！』兩個人就很快的拐入了另外一條小街，出了那條街子，就是一排平民住宅屋宇，雖然只有四層樓，晚上看來卻顯出分外巍峨，兩人遲疑了一會，就匆匆奔進那樓梯街，沿着樓梯扶上了去。二人在二樓的住戶門口鬼鬼祟祟審視了一回，那個被稱爲阿李的矮子，從衣襟裏拿出了一大卷紙張，檢了二份從有燈光射出來的門縫裏塞了進去。接着只聽到裏面有女人的聲音說：

『阿材！你睇乜嘢？』

『丟那媽……丟那媽海……』一個男人不止的咒駡聲傳了出來，隨着是一陣嘰嘰喳喳的撕紙聲。

『走！走！』二人一聽聲音不對，三樓也不敢上去，就轉入另一幢房屋。

『撈那娘……不要臉皮！卑鄙！』那幢房子又傳出了上海佬的駡聲，兩個人茫如喪家之犬，夾着尾巴氣咻咻地跳了出來，走了幾步，等氣喘定了下來，那個被稱爲老張的搜長個子就建議說：

『這會不對，遊過去，等人家睡了，再下手。』

於是兩個魅影在夜色蒼茫裏漸漸向東遊移開去。一陣微風吹過，稀稀有點雨絲落了下來，街上已無行人，二人踉踉蹌蹌的闖到一幢樓房底下，姓張的說：

『我看現在這樣，省得限個人跑，老弟！你年輕點，一二樓讓我，三四樓歸你，分開工作快點，你看怎樣？』

『他媽的，人家看也不看就撕了去，其實回去也吧！』姓李的發着牢騷的咕着嘴，但過細一想就：『好吧！』說着先自一個人竄上了扶梯，睇下那個姓張的在樓下打量了一會，就偷偷由門下縫裏塞進了二疊紙，他見沒有動靜，正待走上樓去，卻猛聽得樓上女人尖銳叫聲：

『救命啦……盜……非禮……』

他想：『這是怎麼一回事？』正詫異間，只見那矮子連滾帶爬的奔了下來。

『怎麼啦！』姓張的急急地問。

『他媽的！一個女人冲凉，我摸了進去，將我嚇了一跳：』矮子氣急敗壞的說，一面催着：『快走！快走！』

姓張的情知不妙，二人一前一後拔腳就奔，出了巷口，正不知打那裏逃，迎面射來了兩支電光，使他們一怔，回身就向斜街裏鑽，但他們跑到底時卻發現原來是條死街，他們想跑回去，而強烈的電光早已使他們不由自主的舉起兩手……脚下狼藉的撒滿一地腥紅的旗子。

巷口桑擁了一堆睡夢中驚醒的居民。

『他媽的！「汚腥旗」斗零一面沒人要，卻夜嘈亂，『丟那媽！嘈！』還要強姦女人……』

『今年十月一日只有龜孫子沒良心血性的才掛這一汚腥旗！』

關於蘇聯（七）

·舜生·

蒼竹樓隨筆

滿腦經男盜女娼，滿口仁義道德，今天由蘇聯所鼓動一切的和平運動，便正是類似這樣的一種行動。

雅爾達協定簽字於一九四五年二月十一，而羅斯福總統的逝世，則在兩個月後的四月十二。羅斯福在續任第四任總統以後不久，便不辭長途跋涉跑到克里米亞的雅爾達去舉行這次在大戰中最重要的三頭會議，這顯然於他的身體是不大相宜的（其時羅氏的年齡已六十三）然而他爲了世界的和平，對他自己的病體乃不敢多所顧惜，即令這次會議不能不說是羅斯福的失敗，然而他的精誠是無可懷疑的。

在上次大戰中，美國對於蘇聯的援助，眞可說無所不用其極，即斯大林也曾在雅爾達會議開幕儀式中，舉杯爲羅斯福總統祝福說：『如果沒有美國的軍器和供給物，蘇軍不能獲致這次的勝利。』這在斯大林也許只是一句泛泛的應酬語，然而事實卻是鐵一樣的事實。

以我們現在來研究雅爾達這一幕，當時羅斯福的心情是很顯然的：一，他希望戰爭能趕快得着一個勝利的結束；二，他希望儘可能的減少美國人民生命的犧牲；三，他以爲世界和平機構——聯合國一旦成立，總不難把蘇聯納入和平的軌道以內。他這些希望儘管都是十分正當，但對於一個別有懷抱的斯大林，他的估計卻是完全錯誤了。

斯大林對於參加對日作戰所提出的要求條件，幾乎是由羅斯福個人當着這個談判之衝的。斯大林對羅斯福的心理充分明白：他懂得要把日本趕快擊敗，美國的要求要比英國更爲迫切；他懂得當時在對日作戰中，美國負了更多的責任，蘇聯要於日本有所取得，自以美國的發言爲最有力；他更懂得這次會議並無中國參加，但所商討的結果，既然牽涉到東北與外蒙，其勢必須取得中國的同意，其時能給予中國的誘導或壓力者，其人選自無人更能出羅斯福總統之右；於是乎羅斯福大上其當，甚至且爲其一生盛德之累矣！

斯大林在這次會議中所取得者，就遠東一局部而言，爲日本的千島羣島及庫頁島南部對蘇聯的割讓；爲大連商港名義上的國際化，而實由蘇聯保持其優越的權利；爲旅順海軍基地的租借權；爲中東路與南滿路在中蘇共營的名義之下，而實際則由蘇聯壟斷；至於外蒙，則以保持現狀一語了之，但實際卻早已夷爲蘇聯的藩屬。然而這還是由條文的表面上所看得見的，至於後來蘇聯把在東北所得的轉移於中共，即中共在最短期間，即對國民黨在中國大陸的政權予以摧毀，以致造成如今天的這一惡劣局勢，這當時的羅斯福所不及料，甚至連斯大林也還是喜出望外哩！

美國名記者約翰根室在他所寫的『羅斯福傳』上說：

『羅斯福是在匆忙中；或許他預料不久於人世，一個人顯露急迫的姿態，在交涉上不免是要吃虧的。』

這大致可以說明羅斯福失敗原因的幾分之幾。今天的斯大林依然在高唱和平，大家明知其爲虛僞，卻依然要往這個陷阱裏面鑽，因此我對羅斯福也就不願加以更多的責難了。（一三四）

亂彈齋詞話

馬五先生

念奴嬌　用東坡大江東去韻

序曰：紐約州立大學最近有幾十名夜讀生畢業了。學校當局除發給他們的畢業證書外，另又附帶頒賜他們的妻子們一種叫做「好太太」（Good Wife）的獎狀。理由是這些夜學生修業了八年，纔把大學功課完成的，如果不是有一位賢內助，他們怎能繼續八年的求智工夫呢？我不反對這種獎狀，但主張全世界各國的大學或政府，都應該以同樣獎狀給予新聞記者的太太們，更屬合理而必要。試想：新聞記者長年俾晝作夜，日入而起，日出而歸，對於太太的損失，比較那些夜讀生而翅倍徙？我的房東太太就常常笑語「做內」道：「嫁與新聞記者眞有戀！日頭瞓覺，夜晚打工到天光至返來，咁樣嘅夫婦生活，有乜趣味啫！」我無法反駁收租婆的高論，心裏確實替同行朋友們的太太叫屈，所以希望各國的大學或政府，效法紐約大學，以獎狀安慰這些無冕之王的「好王后」！這對於人類文化前途，是有益的。

夜分攻讀，笑諸生，辜負香閨風物。師傅循循相善誘，勝過囊螢鑿壁；八載勤修，長期往返，莫間風霜雪。論功探本，難忘中饋賢傑。

涉想記者先生，通宵達旦，忙把新聞發，曙色蒼茫方歸臥，電炬陽光明滅；少婦粧台，良人倩影，對鏡驚華髮。卿情無貳，我心唯訴明月。

王湘綺之爲人（上）

·猾士·

王湘綺先生爲晚清一代文章伯，然高自標置，睥睨當世，一生不受人侮，數十年以布衣傳食諸侯，所至無不敬禮，入民國後，袁世凱數聘爲國史館館長，邑人餞，湘綺云，此行乃應年姪之招，非游宦可比，蓋湘綺與袁之諸父同年，故世凱口稱年伯，湘綺之去，實應年姪之招，非就總統之聘，返湘之時，以印交楊度，拂衣而行，猶未失其本色。蕭少玉爲湘綺弟子，滿清末年，嘗隨湘綺至鄂，便謁張之洞，蕭爲湘綺呈名刺，閽者問曰，老者何人，汝又何人，少玉答曰，請謁者王壬秋，傳帖者蕭某人，之洞俱延入，以上賓禮之，後湘綺應袁世凱之招，又過湖北，其時段芝貴爲湖北將軍，之入署，隨之者爲周媽，湘綺謂周媽曰，汝欲看段大少爺，即此人也，有何異處，段殊惡怒。又聞湘綺在船山書院時，湖南巡撫陸春江，赴衡拜謁，湘綺不納，陸去半日，湘綺買小舟，追百餘里回拜，或以問湘綺，湘綺答曰，前之不納，示不敢當，後之遠追，又以示敬，湘綺言行，多似六朝人，今之興來即往，興盡而返，與山陰訪戴，相暉映也。衡陽某學堂，謀奪寺產，和尚控訴學堂人，乃以二百元賄周媽，求湘綺函陸撫說項，但先約定，事敗則須退還，湘綺不允致書；事果失敗，然錢已爲周媽用去，和尚索之急，湘綺曰，令和尚來見，我親還之，湘綺乃書「學堂以奪寺產爲主義，凡和尚求見者須贄敬二百元」字條與閽者，明日和尚來，湘綺令其至閽者處看條示，和尚無言，嗒然而返。某次課期，湘綺出賦題，某生賦中有句曰，船中一枝曲，曲中是何人二語，湘綺批曰，是耒陽人，蓋因耒陽人駛船人，喜吹小笛也，其詼諧多類此。湘綺嘗謂人曰，晚年至江督，張孝達權江督，以忌辰不出，苦留余駐一日，余問何爲，云未答拜耳，余因告之曰，前曾滌丈在江督任，未答拜而招飲，余辭而去，彼名位年輩俱過我，嫌其簡傲，故齎禮也，君今後我，以此觀之，湘綺入世，貌似逍遙，實則處處留心，絲毫不苟，非今日窮文人所能夢見者也。

人在福中不知福

四川巴縣有個學校學生因不滿共黨措施而鬧事者日多，共黨一面鎮壓，一面宣傳說：「人在福中不知福，共黨這樣待你們好，你們還鬧什麼？」

隔了一天，牆壁上出現了幾個大字，寫道：「過去人在福中不知福；現在人在禍中不知禍。」

連共黨委書記看了，也不禁摸摸自己腦袋。

中國之友（二十一）

毛以亨

赫德傳（一）

一、總述

一般人對赫德 Sir Robert Hert 1835—1911 都備致景仰；中國海關制度是他樹立的，造就不少海關專門人才以任職於海關。這些人不特廉潔公正，辦事有効力，且爲中國官廳別開生面，以有新智識者辦新事業，使人深信新制比舊制好，以開維新的先河。而且効果之大，專家之多，即以較諸世界上最完備的海關甚至其本國英倫，亦祇有其優點而少其缺點。赫德死後，海關仍保其所過信任，蕭規曹隨，迄未稍變，猶令尹之政，盡關員終身制，待遇優，故能使人安心任事，海關簿實培養出不少人才，即平庸者亦能乾乾自守，不至失職。

迨抗戰軍興，制度乃亂，而百年來赫德所樹立之制度壞矣。

他不特辦海關，可稱爲滿清新政的總顧問，而舉辦新政需款之處均由海關先墊，故坐而言者即能起而行。且較以後袁世凱與民國政府的洋顧問，成績爲多，蓋赫氏本身於西洋文化之認識，不減當代教授學者，而對中國環境之體念切實，亦爲任何中國官僚所不能及。論教育則同文館與稅務學校均是他創辦的，論財政則關稅鹽稅爲中央政府之命脈者，均是他一手造成的。論外交則歷次對外堅持和局，保全清室亦是他一貫的主張。論交通，則郵政局初辦時頗附於海關，而電訊鐵路輪船均與有關係。以清末新政言，如有所成就則爲赫德的成就，離開赫德而談清末之政治與文化，好像找不到中心，總覺得無從談起。反是以赫德爲中心來研究則若網在綱，恍如粒粒散珠貫串在綫上了。

然當時能員皆不滿赫德，薛福成稱其「陰鷙專利，當內西人而外中國」；李鴻章爲最不滿赫德者，故亦稱其「陰鷙險狠」。我以爲赫氏具體而正大處，均未能道破；而其把持海關，勾結親貴，袒護英人，諸事爲無法避免者，亦不能以其小疵而沒其大德。赫氏爲害中國之大，爲劫持海關稅率，名爲值百抽五，實則值百抽二，如是者垂數十年，致使中國工業無法與洋貨競爭，而永淪爲次殖民地。英國固賴以執遠東貿易之牛耳垂數十年，而中讓日本崛起，幾乎獨占中國市場，釀成日本侵略中國之禍，而無法遏止。以自由貿易爲天經之經濟學者，幾等於自由港，吾人若一讀美國史，即知其工業之培，中國今日而仍爲經濟落後地區，似乎當不能責任在赫德，然他實爲英人，不能責其對中國負責的。

中華民國僑務委員會頒發登記證台數新字第壹零貳號

自由人

THE FREEMAN

（半週刊每星期三六出版）

（第一六一期）

每份港幣壹毫

督印人：李光華

社址：香港高士打道六十六號

電話：二〇八四八

GLOUCESTER RD. HONG KONG TEL: 20843

承印者：東南印務出版社

地址：高士打道六四號

台灣特派員辦事處

台北市館前街五十號

台灣總經銷處

台北市中華路一二五九號

「團結論」釋義

・雷嘯岑・

我在本刊曾經發表過不少關於團結反共力量的言論，期望自由中國人士共體「玉石俱焚」之理，急其所當急，同心協力，爲反共抗俄而共同奮鬥。又提出過「反對黨之形成與運用」問題，主張在民主憲政生活之下，必須有反對黨存在，而且讓其自由發展。這「團結」與「反對」的論調，看似相反而實相成。我個人的良知始終不懷疑這種辯證理論的妥當性，並認爲在目前是「團結」先於「反對」。我從來沒有搞過黨務，近十年來也未問過政事，至今連台灣亦尚未去過一次，自問對國人呼籲團結的動機是純潔的。因此，我要繼續地談談所倡「團結論」的釋義。

團結在甚麼之下？

今日所有反共非共的中國人，似乎都不否定團結之說。但一講到團結問題，很容易引起一種不必要的自卑感，覺得這是要大家團結在某一人或某一黨之下，甚至去作別人的工具，受別人的利用，尤其是替別人捧場造機會，從中分一點「嗟來之食」而已。可敬愛的朋友們，這就想錯了！我們今日是爲救中華民族和其國家的危亡而需要團結的，是團結在中華民國政府之下，爲國家，同時即爲自己的生存而然。今日如非神州陸沉，中華民國政府已播遷到海外的一片領土上，我們尚有迴旋餘地，各行其是，殊途同歸。無奈政府現已退到一個最後據點，我們大多數的自由中國人，亦相率而避地海外，託庇他人；流離失所，[illegible]此時此事，反共的人力物力，再能渙散抵消，不加以團結乎？[illegible]識略而忘卻了大陸上的反共力量，竊國稱制，我們懲前毖後，如不團結，還甚末力量來跟敵人鬥爭，還我山河呢？

若謂團結於中華民國政府之下是可以的，也是應該的。但，現在掌握政府治權的政黨和人物，我們不贊成，因此就不願團結，而且認爲誰要提倡團結，就是「損害個人的自由權利」！這種補鍋法——即發現了鍋底有小洞，便率性把其餘並鍋底全部敲破，再來重新配補的手段，也未嘗沒有理由。可是，我們從純理智的觀點來就事論事，這種補鍋式的作法，第一要研究：是否先把中華民國政府連根兒給它完全推翻掉，再來另起爐灶？誰能有此把握與實力？第二要研究：推翻現政府後，換來的執政黨與人物，是否照樣係其他的政黨和人物？如是，則全國反共力量在這新政府之下，是否要團結？假使有人也拒絕合作，表示不贊成，那豈非中華民國就永遠在內鬨之中，分崩析離，終至萬劫不復而後已？

我無意替現在的執政黨和其首腦辯護，只覺得共產黨更專制可慮，不先行合力將共禍掃蕩，大家同歸於盡，還有甚末政治恩怨和個人是非之可言呢？我所說的團結意義，是基於「兄弟鬩牆，外禦其侮」的心情，羣策羣力，先把共同的敵人打倒再說。換言之，現在大家團結反共，反共之役完成後，大家是否團結建國，不妨別論。

團結之中是否容許反對黨？

我們今天團結反共非共力量的用意，既非抹煞個人的生存權利，更不是抵觸個體的人格尊嚴，是爲了一個共同的理想與現實目標，合作奮鬥。遠之如抗戰時期，全國各黨派各階層的人力物力，皆集中於抗日戰爭之一途，而由中華民國政府領導其事，但各黨派各階級人士對現實政治問題，仍有其獨立的地位和主張。近之如聯合國，每一會員國皆爲聯合憲章而共負職責，然仍保持其獨立主權，且享有否決權利。基此，我們團結力量反共抗俄，各個單位或個人，對國事當然有表示可否的權利，不贊成的，照樣要說話，要反對，要否決，一切許之於大家公議，這才是民主憲政。如果在團結之中，即不許有反對的意見，那就不是團結在中華民國政府之下，而是團結在「帝國政府」之下了，非吾之所謂團結也。

「反對」不是「反動」，這一點大家必須弄清楚，尤其政府當局人物，不可「明知故昧」，拒諫飾非。中國人談政治，似乎都有些歇斯底里的性質，一聽說某人或某團體反對某一件政事，或者反對某一個人，便意味到「反動份子」這一名詞，視反對者爲仇敵，欲得而甘心。同樣情形，倡反對論調的人，也不免意氣用事，以偏概全，對自己所不喜歡的人或團體，做錯了的事，固然要反對，做對了的，也一味的盲目反對，因而形成一種成見，終至陷於「你死我活」的仇恨心情，這都是有背民主態度，毫無「容忍」精神，遇事即不會有團結合作的可能了。

我們如果真有意行民主憲政的決心，那不特要容許反對的言論，並且要鼓勵反對黨之存在和發展。反對的言論主張，祗要是合乎憲政軌範，即可以加強政治上的團結力量，[illegible]……也有權力約束它，乃至於改造它！

[illegible]……試試看！

納吉培與中東聯防

祝修衡

埃及的內在危機

儘管納吉培以「鐵腕將軍」的手段佔有了今日埃及的政治中心，在他當面的兩大勁敵——華夫脫黨與已往支持埃及政府而轉向於納吉培的回教勢力——於第一個回合中被打倒之後，表面上雖然去除了障礙，而實際上他們祇不過對納氏作暫時的屈服，而謀向地下發展，這種潛伏的力量，自不能因爲希拉利、阿勒合爾和塞拉格這一批批有力分子下獄認爲危機的消除，同時亟待進展的土地改革，亦非一個較短的時期中可以實現；納吉培從政變開始到組閣成功，作他唯一的支持，倒不過是埃及的新興商人和工業界領袖，以及德國的軍事顧問和不滿於政府對以色列作戰措施的軍人們。故納吉培還須有獲全國的軍民們集體力量來支持，尤須有充分的外援，而和美國有很深的淵源，美國的許多報章雜誌，對納吉培的發動政變不喝采，但均不約而同地讚作鼓勵性的宣傳，而以土耳其的凱末爾來媲美於納吉培，十足反映出美國對於納氏前途抱有甚大希望。納吉培對英國的態度就不同了，九月十一日，納氏宣又提出蘇彝士運河的權利。英國對埃及的關係，自不能不有作進一步的考慮，以使英埃談判迅即恢復。

美國的對埃政策

美國艾契遜考慮對埃政策時，自然也想到埃及對美國過去所殘存的嫌隙——那就是支持以色列立國所引起阿剌伯人的仇視。如今，國務院一方面因願意以妥爲安排阿猶間之困惑，另一方面對埃及內援助。決定兩個原則：一，終結埃及和以色列的爭執；二，埃及加入英國提議中的中東聯防；這種顧慮，吾人認爲前者現時不致引起任何不愉快的問題；後者則埃及可能就是英埃折衝中平衡一個妥善辦法。因爲埃及當前亟圖擺脫的困難，一個是屬於經濟的，另一個是軍事的防衛。雖然阿剌伯人對以色列的不滿，而納氏又是與勒斯坦戰爭軍人之一，在國內的反抗潛力未除，經濟尚未復甦之時，謀求阿族團結唯恐不及，何況阿剌伯內部分裂力圖彌縫之時，那有餘暇顧慮呢？不過納氏柄政之後，阿盟其他伊拉克、敘利亞、外約但、黎巴嫩、沙地阿剌伯與也門六國，對埃及以及納氏本人，抱有甚大希望，他們確認今後阿盟在國際地位將會提高，不致於一如往昔，自一九四五年三月二十二日在開羅結盟以來，在文化、經濟合作上既無成就，即「自行處理紛爭以抵抗外來侵略」的諾言亦未見遵行。此種原因，錯綜複雜，殆非阿盟始料所及。吾人願於此時作一探索，以進一步的瞭解。

阿盟分裂並非無因

阿剌伯聯盟，在外表上看，似乎是個夠團結的機構，伊朗首先有此感覺，去年曾因反英而圖結交阿盟，不惜對以色列撤銷事實上之承認。其實，阿盟內部的對立，可以從他們對以色列的關係中充分反映出來，而許多的事例，難以捉摸。如二次大戰結束以後的回教狂熱份子的瘋狂害殺，就說明「阿剌伯集團」內分裂演變到怎樣的地步。雖然，暗殺的結果，造成了西方國家對阿剌伯問題處理方面加多困難，但無疑加甚中東內在危機，去年外約但王阿勒杜拉被刺，就是一例；阿氏之死，爲的是親英結果，他原先是一九四八年發動對以色列「聖戰」的主要人物，但後來竟是對以妥協主張最烈之一人，於此換得一九五〇年五月兼併了巴勒斯坦的阿剌伯地區的土地代價，雖然被放逐的耶路撒冷回教大主教胡塞尼當時自命爲該地的統治者，終難與阿氏爲敵；阿勒杜拉及其姪兒（伊拉克王）畢竟是兩國的統治者。同時，他還抱着一個遠大的理想——建立大敘利亞國，包括外約但、伊拉克、敘利亞和黎巴嫩的全部領土。這種企圖，顯非在阿盟團結中可以完成。因此，在他與埃及爭取阿盟領導權開始，（廣結與邦）使阿盟分裂，（去年七月，六國簽署「保安公約」，獨有他拒絕）更爲顯著，此一處處爭取領導的阿勒杜拉，終遭胡塞尼大主教主謀所殺，終結了二次大戰結束後中東持續性的十二次重大的政治謀殺。

蘇丹變成了法統問題

中東的政治謀殺，予西方國家的損失，顯然很重大的，如伊朗前總理賴茲瑪拉之死，使西方國家喪失了一大油源，阿勒杜拉之死，無疑予英國以一重大打擊，同時，對於以色列，英國種下了再次紛爭的後果。然而，儘管他們在意識上堅決對猶太人不滿，用各種不同方式謀阿剌伯集團內部團結，終究是色厲內荏，並無具體行動表現。在幾種變亂之後，西方國家在中東的利益逐漸被減少，埃及繼伊朗宣布石油國有化，迫使英國在世界最大[illegible]——市場退出後，前王法魯克揭示收回蘇彝士運河區的權利和兼併英埃蘇丹，釀成伊斯米里亞激烈性的流血慘劇，雖說這是阿剌伯民族主義的積極性表現，但於此時[illegible]中東北非無論在軍事、經濟各方面，均極大不利。

先決條件在阿盟團結

埃及雖然軍人柄政，納吉培攬權並無堅實基礎，儘管托於許多平民自爲一幸福運動」的希望中，而共黨正拉攏了殘餘向政治圈外的人物策動謀反，目前雖不怎樣[illegible]猖獗、縱火、罷工事件[illegible]……九五三年七月告終）的距離，及其所持的立場說，均無辭職必要。故阿氏辭職，自可認爲彌縫阿盟分裂的先兆[illegible]……阿剌伯聯盟係一重要之工具，使吾人能用[illegible]……團結。倘使阿盟獻於中東聯防，[illegible]……倘使英國讓步的話，則中東聯防無疑可以迅速建立，而這一重大任務，也便落到了納吉培的身上。

本週展望

・左舜生・

日本大選揭曉

日本憲政已有六十年的歷史，這次大選的結果，更表現日本人民的政治水準甚高。吉田內閣在過去幾年的措施，雖不能盡滿人意，但不能說沒有成績，因此這次自由黨在衆院的席次雖已削減了四十五席，（原爲二百八十五席，現爲二百四十席，）仍能保持一個多數黨的地位。不過衆院的席次共爲四百六十六席，自由黨所得較半數僅多出二十六席，如不幸假定吉田派與鳩山發生分裂，這卻是異常可能的，則自由黨的地位自無問題，日本人民給予吉田一個警告：希望他謹慎從事，像已往那種「一人黨」的姿態是不能再有了。據我看，吉田讓鳩山組閣的可能性很小，（因爲吉田雖不失爲一個人才，但卻不是一個態度恢宏的政治家，必須假定吉田仍決心自任首相，則下次的吉田內閣，鳩山派必須佔一個重要成分，否則穩定性是必然要減低的。）進步黨這次能比較上屆多出一十八席，（原六十七席，現八十五席）這表示基礎相當良好，前途的希望是很大的。社會黨的左右翼各有增加，（右翼原爲三十席，現爲五十七席；左翼原爲十六席，現爲五十四席）這反映日本社會黨在未來趨急進的色彩，對於大規模的建軍顯然仍有困難，而社會黨仍爲自由黨原有勁敵。共產黨二十二席，這次全部敗北，這決不是表示共產黨放棄議會活動，（他們已曾提出候選者一百零七人）而只是表示日本人民對日共的十分厭棄；這雖是正當民意的表現，但爲日本政局的全解考慮，卻不宜過分樂觀。因爲共產黨的活動原不以議會爲重點，現在既是這種情形，勢必促成日共全部轉入地下活動，這就日本的現狀論，究竟是禍是福，現在還不能斷定。（中國行憲已歷五年，憲法於三十六年元旦公佈，）可是現在仍有不少的人已把這部寶貴的憲法束之高閣，我們看了日本這次大選的情況，不能不由衷心表示相當的欣佩。

史密斯情報局長之言

美國情報局局長史密斯將軍最近對人說：「美國政府各負責治安的機關，幾乎都有共產黨員混跡其間，連他自己的超祕密機關亦包括在內。」有某參議員指該國務院內也有共產黨，有人問他同不同意這種看法，他也表示同意。

史密斯將軍曾於一九四六至一九四九年出使莫斯科，並且寫過一本有名的 MOSCOW MISSION，（譯有譯本，名莫斯科的使命）他對於共產黨活動的情況是充分了解的，以他現在所處的地位，假如他不是確有所見，他決不會發出這種言論。

因此一點，令我想到台灣若干的治安機關。年來台灣治安當局對於肅清共諜的工作，做得相當嚴密，這是值得嘉許的。但無故干涉人民的言論自由，或逮捕了人而久久羈押不予審判，這種事依然不免；我相信這類治安機關，可能較美國更爲進步，不會有共產黨滲入，可是這類的舉動，小之可以分散團結反共的陣容，大之可以減輕人民對政府的向心力，卻是共產黨所最爲歡迎的，我希望『有則改之，無則加勉。』以後最好能少犯這種錯誤。

斯大林的期待

最近斯大林在『布爾什維克』雜誌發表長達五十面的論文，預測民主國家將發生分裂，尤其側重於美英法三國，他預料英國將首先與美國脫離，其次則爲法國。這本來是共產黨一貫的看法，也是他們一向的如意算盤，一點也不奇怪。

令我們奇怪的，乃是民主國家間，確有許多的歧見存在，尤其是對於遠東，乃至對於太平洋。這種歧見的存在，雖不至於像斯大林所說的會發生戰爭，但僅只這些歧見積累的發展下去，卻已經足以遺誤大局。中國是身受這種歧見的影響而犧牲的一個國家，尤其有切膚之痛。因此，我們希望大家開誠檢討，總要把這種歧見減低到最低限度才好。

十一的內幕

·芳記·

籌備

（本報特訊）港九中共，爲發動「慶祝」十一，早在九月初即開始籌備，由港替司馬文森之××××領導，廣州方面方方並撥出港幣二萬元。並說不敷之款向當地銀行商號籌集，必要做到盡量鋪張，擴大影響。

馬××係新到任者，來港不過五個多月，膽小如鼠，平時不敢露面，躲在九龍尖沙咀××道×號，和老婆孩子在一起，僱了兩個傭人，只享清福，各方面就一向對他不滿意，說他「官僚主義」「命令主義」。於是他向銀行公司要求集款時，回答都說：我們奉命「節約」「反對浪費」，不敢化錢。其實馬××背後另外有人，才是獨攬大權的，他更不出面，大家就不會買馬××的賬的。

分錢

發動工作，分「新聞出版」，「工商」，「工聯」「學生」四個組進行，各部份另又組籌備會。第一步就定這兩萬元分配辦法，爭論了半天，有的主張各部份平分，有的要求「工聯」「學運」兩組分，「新聞出版」「工商」不分，因爲他們有錢，但這兩組也不願意，說是這錢既是上面撥發爲「慶祝」之用，他們當然有份，應該分到，這是一種對員工的鼓勵，而且二年來「出版」「工商」方面都虧本，也拿不出多的錢來。爭吵的結果，馬××列出表來如下：

「籌委會」：五千元。

「新聞出版」：一千元。

「工商界」：一千元。

「工聯」：五千元。

「學運」：三千元。

預備金：五千元。

當時「學運」方面反對，馬××卻說，「你們青年團方面另有錢給的。」

大家一算，這二萬款半數竟落在馬××手中，心中都不高興，但爭了一天，到晚上十二時毫無結果，也就算了。

發動

錢分了，雖不滿意，但亦總要活動一下，於是分頭進行，這中間，「新聞出版」組最討便宜，報紙雜誌只要各自出些特刊，書店只要舉行一「大減價」，掛掛旗，紮一個花牌，在金陵酒家定了幾桌菜大吃大喝一頓即得。

「工商」組方面，也沒事，但怎樣要商會掛上旗，則亦煞費苦心，擬了軟硬兩策，軟的是說情，硬的是派人扯旗守旗。結果據說還是用了後者。銀行商行方面，都草草紮了些花牌，掛上幾只紅燈就算，有幾家連吃都沒吃一頓。

「工聯」方面，原計劃要租單車五百輛，像一九五〇年一樣，插了旗滿街亂跑，但一算，每輛車一天租費五元，就要二千五百元，五百個人踏一天，也至少要每人伙食五元，那末，伍千元就完了，各紅色工會的采牌旗子要那裏來呢？於是決定取消。說開個會講講話算了。

「學運」方面，本來要組秧歌腰鼓班，出街來跳，但一算，也不行，而且今年學生不知怎的大家都不願動。發動不起來。

籌備總會分到的一萬元（內五千元爲準備金），也是不好拿的，它要僱上二百名打手，分在各「慶祝」地方担任內部警戒，又要在各扯旗銀行商外放哨。每人每天十元。就要二千元。而在卅晚還要僱人四出派旗，從晚上七時開始，到十二時，要按家從門縫中塞進一張，共十萬張，也頗費人工。各組開會時，到人太少，也得僱人充場面，但怎樣算，馬××還是可以賺一點下來的。

失敗

十一到了，情形分外冷淡，漏夜派出的旗一張也未見貼出，只有他們的「自家人」做做場面，但好像也沒有往年之有勁。於是臨時僱用的打手出動了，帶了旗子逼着人掛，說：「你只要一掛，這旗子就送給你們。」

「不要！」

「插旗做起來也得五六大元。」

「不要！」

「眞不要我們可不客氣了。」

「怎樣，我打九九九。」

聽到九九九，就沒命跑了。

那末，就充實各組大會吧，於是調動人馬，强拉强拖，不去，就撤你職。」

檢討

十一，過去了，顯然是失敗的，於是在十二要各組在下午開檢討的會，晚上開總檢討會。

總檢討會是在××開的，大家哭喪着臉。結論是：

「這地方受美帝國特的影響太大，愈來愈反動了。」

「動員宣傳工作做得不夠。」

「有些同志不知道走羣衆路綫，命令主義，官僚主義太濃厚。不能深入，不能普遍……」

「沒有錢，怎樣做法？」

「爲什麼不早說，現在放馬後砲，錢有的是。」

「算了，算了，還是請馬××自己擬個報告，報銷了事。」

馬德里通訊

西班牙的反共宣傳

西班牙並無一份純粹的反共報紙和雜誌，但卻沒有一份報紙，雜誌，書籍不在堅決反共。

出版界的概況

西班牙在歐洲是一個落後的國家。就文化教育而論，全國文盲竟佔百分之四十，受過大學教育者在全人口二千八百萬中也不過百分之一。但就文化出版事業而論，全國出版社共六百三十八家，其中「西班牙的紐約」巴塞羅納城 Barcelona 獨佔二百二十家，爲全國出版事業之巨擘；馬德里次之，共一百六十七家，其他二百五十一家分佈全國各省。全國大小書店一千八百七十八家，就分佈情形而言，馬德里佔全國第一把交椅，共三百五十七家，其間尙有售賣舊書的書店九十一家；巴塞羅納次之，三百十一家，其中售賣舊書者六十六家；其他一千二百一十家分佈遍全國各地，西班牙人有一種普遍的說法，說一座城市有一百家酒吧而沒有一家書店，便是對那座城市的莫大侮辱，所幸現在這樣的城市已經絕跡於西班牙，連文化落後的省會也有五家書店了。

一年出版多少書籍

關於出版書籍數量方面，僅以一九五〇年度而言，共出版新書三千六百三十三種，其中翻譯品約佔五分之一；就性質方面而論，以小說佔第一位，社會科學、法律、實用科學次之，藝術、醫學、宗教、純自然科學又次之，哲學、語言學最少。就翻譯方面而說，以英文譯本最多，法文德文次之，義大利文拉丁文俄文又次之，皆在十種以上，其他十種以下者有塞特、希臘、佛來米、匈牙利、波蘭、葡萄牙、印度和瑞典等國文學作品的譯述。

日報晚報雜誌

至於日報雜誌方面，全國日報共八十四種，晚報二十五種，此外，由於西班牙是一個天主教的國家，星期日全體休業，晚報停刊，又日報發行「星期一日刊」一種，除報導消息外，尙將一週大事一一週述，做一綜合的評論，此種「星期一月刊」全國亦有二十四種之多。新聞紙外，尙有政府公報十四種，各省會報五十種，最好的省報不過能銷六七萬份之譜，等而下之不屑論矣。雜誌繁多，爲數亦夥，將近千種。大別之，宗教刊物三百四十餘種，數量最多，社會工團雜誌五十餘種，文化教育雜誌七十餘種，法律行政雜誌三十餘種，科學與專門性雜誌七十餘種，農業工業商業經濟財政雜誌八十餘種，醫學藥物與獸醫雜誌五十餘種，婦女兒童娛樂雜誌近十十餘種，旅行雜誌近十種，電影無綫電戲劇體育雜誌二十餘種，新聞與文學雜誌百餘種，其他各種年鑑五六十種，銷售方面，以宗教刊物銷路爲最佳，新聞與文學雜誌，商業雜誌，科學雜誌次之，而以婦女兒童旅行等雜誌的銷路數量爲最低。

宣傳上的反共戰術

從上面的項目與數字中，我們可以獲得對於西班牙文化出版事業的一個概念，這裏，我們要從這個角度去看西班牙的反共戰術，表面看來似乎不倫不類鬪萬里，但是我們知道西班牙是一個鬥牛的民族，青紅皂白恩怨分明，重感情而不重理智，由此種民族感情與文化出版事業配合起來而發生的影響力，是不可限量的。舉一個明顯的例子：西班牙的日報皆闢有鬥牛專欄，與經濟文化體育各欄並列，每日刊載，此外尙有鬥牛書報數種（可見鬥牛風尙已深入人心）。從鬥牛到反共是風馬牛不相及之事，然而這重感情的民族，非把它拉到反共不可，他們以前鬥牛就是反共，而以反共抗俄的鬥牛者自居，被鬥的牛便是共產主義的蘇聯國際及其嘍囉。此事雖小，但卻能從這裏看出西班牙反共抗俄的精神，隨時隨地均不能忘懷，從這種精神裏自然可以培養一種慷慨激昂的情緒來，這使是西班牙反共勝利的資本，也是西班牙抗共的有生力量。

對共黨的四面圍剿

嚴格地說，西班牙的文化出版界沒有一份純粹的反共報紙，也沒有一本純粹反共的雜誌，雖然有幾本反共書籍，卻也少得可憐，但是骨子裏卻沒有一份報紙，沒有一本雜誌和一種書籍不在反共，而且是堅決的反共，這正是平凡的事物中孕育着不平凡的至理。在書籍方面，西班牙自著的專門反共刊物，總數不會超出三四十冊。但除掉專門科學書籍而外，幾乎在每種書中，尤其在社會科學一類的著作裏，遇有機會總要痛駡共產黨兩句，至於有關批判共產主義的書刊，以及揭穿鐵幕內幕的報導冊子，西班牙都會很快的將它翻譯出來介紹國人。雜誌方面，在西班牙反共戰爭期間，祇有現任馬拉加城主教赫萊拉博士 Dr. Don Angel Herrera Oria 當時所主辦的奮鬥日報一面對紅軍政府口誅筆伐，不遺餘力，一面力竭聲嘶，喚起民衆，在西班牙抗共史上寫下一頁光輝的歷史。時至今日，西班牙的報紙和雜誌，仍保持着這種高貴的遺風，對共產主義的理論及其陰謀均毫不客氣的批評斥責和揭穿，對各國的反共言論與文字，卻儘量的全譯、節譯或簡單介紹轉載出來。西班牙是受共黨摧殘蹂躪很深的國家，直到今天仍然是仇恨似海，記憶猶新，所以每逢抗共的紀念節日，各雜誌日報皆有特別紀念文字與照片，呼籲國人莫忘前仇。

與現實問題結合起來

不僅此也，即連今日國內的一切不幸遭遇或偶然事件，西班牙的輿論界亦莫不歸咎於共產黨而向他們興師問罪者，例如今日巴塞羅納等地的罷工事件，姑不論其動機如何，輿論界都一口咬定是共產黨的陰謀，大肆侮辱與攻擊。最後如醞釀多時而終歸失敗的五月二十二日馬德里大罷工運動，皆由於輿論界大力的一面指責共產黨禍國殃民的罪行，揭穿共產黨的罷工陰謀：而另一方面呼籲市民英勇的表示愛國行動，勿受共產黨的惡毒蠱惑，共產黨也不得不向輿論界低頭，而使馬德里安全地渡過五月廿二日。

對遠東的態度也一致

其次，西班牙的輿論，對於當前世界民主與極權兩大壁壘之間的鬥爭的潮流與趨勢，也有着深刻的認識和正確的判斷，例如，對於遠東問題，西班牙的輿論界，除去一家保皇黨的ABC日報仍站在西方國家的立場外，均一致擁護麥克阿瑟元帥的主張與看法。這一點主張在今日以英法爲代表的西方國家內是非常難得的。足見西班牙的輿論界不僅反共，而且反俄，不像其他國家只反共而不反俄。西班牙的陣容嚴明，不僅對於共產主義的蘇俄及其附庸毫不容辭的予以斥責和痛擊，而且連其他姑息主義的英國法國也被他攻擊得體無完膚。西班牙是一個鬥牛的民族，這一股蠻勁兒的確使人欽佩。

照片也以反共爲主

除書籍報章雜誌外，西班牙的另一種反共戰術，便是印製大批名勝照片，此類照片中的地點，都是反共聖戰中可歌可泣的英雄事跡的發祥地，抗共史中一部血淚的導演地，或是被共產黨砲火洗刧的一片廢墟。其中著名的地方如亞而加沙 Alcazar 與維亞多 Oviedo 希洪 Gijon 等處，此類照片皆具有很深的教育意味，具體入微，感人至深，使久經赤禍的人們痛定思痛，認清共產黨的萬惡獸行，而深惡痛絕，設法予以斬草除根，在一張共產黨殘殺西班牙人的醜像上，他們曾大書着：「西班牙人哪，我們可以寬恕他們，但是卻不可忘掉他們！」從這一句名言裏，便可以看出西班牙民族反共的心緒。

萬管齊下反共第一

記得佛朗哥將軍說過一句：我們反共，因爲我們徹底認識共產主義是什麼東西，我們反的是共產主義。西班牙的文化出版界與輿論界便堪稱徹底認識共產主義與徹底反對共產主義者。現在人類已面臨着共產極權與民主自由最後的鬥爭階級，我們要獲得最後勝利，也祇有動員全部力量，動員各個單位，萬管齊下，不容少懈的來反對共產主義，來消滅共產主義的思想毒素。這裏，我們可以說西班牙就是一個現例也。每每以此自居，西班牙民族當他們高興或驕傲的時候，他們也每伸出大姆指來：反共嗎？看看我們！（漢聲）

史蒂文生

·庚泉·

美國民主黨提名總統候選人史蒂文生，和伊利諾斯州有着很深的關係，他的曾祖父在一八三二年就不辭跋涉的來到伊州，成爲白樂明登（BLOOMINGTON）第一個律師，而那第二個來自肯塔基的律師，已經是在他二十年以後了，史的祖父，安德勒，伊文，史蒂文生（ADLAI AWING STEVENSON）曾兩任國會議員，並曾任一八九二年克里夫蘭總統第二任期內的副總統，史的母親出身很富有的家庭，因爲他父母的結合，使得白城最有地位的兩家聯合起來，一時傳爲美談，而那裏最有名的潘塔格雷報（THE BLOOMINGTON DAILY PANTAGRAPH），就是他母家創立的，迄今仍爲私人單獨所有，據估計史每年總收入的四分之一，約五萬美金，就是由這裏得來的。

史出生於一九〇〇年二月五日，那時他父親正担任赫斯特系報紙洛杉磯城的發行人，一九〇六年，他和他的姊姊，現在的依凡太太 MRS. ERNEST JVES），隨同他們的父母，回到白樂明登城，他們眞正的家鄉，史蒂文生年輕的時候，曾隨同父母到歐洲去旅行，增加了他不少的見聞，在一九二二年普林斯敦（PRIMCETON）畢業以前，他担任普林斯敦（PNIMCETON）的總編輯；隨後又進哈佛法學院，中間因担任白城潘塔格雷報的記者和編輯，輟學一年，最後，他又進了西北大學法學院研究法律哲學，畢業後，於一九二七年在芝加哥開始執行律師業，第二年（一九二八），他和一個富有而又很漂亮的北方女郎伊蓮波丹（ELLEN BORDEN）結了婚，他們現在已有了三個兒子，大的叫安德勒，二十二歲，第二的波丹，十九歲，最小的約翰非爾，也十五歲了，倒可算爲幸福的家庭，但不幸的事，在一九四九年發生了，那時正當史當選伊利諾斯州州長之後，他的太太向他要求離婚，說是不贊成他的政治職務，史無可奈何的接受了。迄今尙未再娶。

正當美國經濟蕭條時期的初年，（按指一九二九——三三年胡佛總統任期內），年輕的史蒂文生，卻成了頗爲有名的律師，業務發展得很快，他的初次踏入政府，是在一九三三年，羅斯福總統請他赴華府，任農業調整執行部內的特別法律顧問，但兩年後仍回芝城，直至一九四一年，他重新到華府，担任海軍部長諾克斯（FRANK KNA）的特別助理，終於一九四三年率領一個代表團到意大利，擬劃佔領區的行政事務。不久，他回國出任助理國務卿，成爲斯退丁紐斯（STETTINIUS）和貝爾納斯（BYRNES）兩位前後任國務卿的有力助手，同時並爲當時在舊金山召開的聯合國會議美國代表之一，在那裏他和希斯（ALGER HISS）一塊工作得很好，因此後來他爲希斯案件作證時，曾代爲辯護，頗遭輿論的非議。

一九四八年，他仍舊回到了芝加哥，重理舊業，可是未經事先通知，卻被民主黨提名候選伊利諾斯州州長，以與當時任州長之共和黨員格林競爭，現在他又被民主黨拉出競選美國總統了，我們看他能否像競選伊州州長那樣，擊敗艾克進入白宮咧！

澤登巴爾奉命而來 執行吞併內蒙政策

「蒙古人民共和國」的「總理」澤登巴爾於莫斯科會議後，馬不停蹄又趕往北平，奉「英明的父親」史達林的命令，與毛澤東周恩來一羣兄弟們舉行會議。會議的重心何在，引起各方面揣測，但是一般論斷都認為澤登巴爾的赴平開會，仍然是為了外蒙軍參戰的問題，其實，這只是一小部份，主要是為了解決中蒙兩傀儡政府之間的懸案，和合作問題。

兩個傀儡爭寵鬧不休 二等奴才欺三級附庸

這件事情應當從頭說起，遠在中共未奪得政權以前，中共蒙共方面，並沒有聯系，及至中共突然獲得意外成功，莫斯科加以另眼相看，全世界共黨都熱烈慶祝，而外蒙卻表現得非常冷淡，直到毛記政權正式袍笏登場後，鐵幕內的國家承認最遲的就是外蒙，僅比東德，越盟早些，中間據說還經過蘇聯的壓力，這是最初的不愉快場面，外蒙所以看不起中共的原因，第一為了爭寵，受到嫉妬心的驅使，第二蒙共首領喬巴山也自恃史達林的偏愛，覺得先進門為大，決非毛周之輩可比。中共政權成立後，先後同附庸國家訂了許多經濟，文化協定，惟獨同外蒙未能訂立，同時在三十九年底，中共貿易部長葉季壯曾派出一個代表到庫倫打算同外蒙訂立一項貿易協定，結果受到冷淡待遇，就在這個時候，外蒙秘密和「內蒙自治政府」訂了一個「通商協定」，當時中共內部幾位「思想尚未完全搞通的人」，也認為難以忍受，打算同外蒙正式交涉，可是毛澤東自知「根基微薄」不足與喬巴山相爭，只好忍了。

表面上彼此稱兄道弟 骨子裏都在謀財害命

雖然這樣，喬巴山以二等奴才身份，倚仗史達林寵愛，總想從中共身上討些便宜，三十九年底外蒙駐中共「大使」賈爾卡賽汗，居然向中共提出要求，謂外蒙人口太少，物產不豐，很希望中共協助外蒙成立「布爾雅特共和國聯邦」，將「內蒙自治區」及甘肅，寧夏，綏遠三省的盟旗地區，合併成立兩「自治邦」，加入「布爾雅特共和國」，自然，這也是蘇聯的意旨，但形勢尚未成熟，只好暫緩，外蒙對此，自然更不能死心。

後來喬巴山在莫斯科醫治，據說是被史達林醫院醫死，原因固然很多，其中因為蒙軍在滿洲里叛變一事，受到中共控告，也是死因之一，澤登巴爾對蘇聯雖無奈何，可是卻不能忘了中共的一箭之仇，這種情形，毛澤東周恩來卻判斷錯誤，認為喬巴山一死，澤登巴爾後生小子當比較容易應付，於是借吊唁之名，派出一個規模龐大的代表團，由饒漱石率領，打算解決中共與蒙共的懸案，結果並未成功，雖然在蘇聯方面「仲裁」之下，訂立了一個「軍事協定」可是問題並未解決，中共反而賠出了新疆的布爾根以北地區及察哈爾北部的達里岡崖牧場，中共對這當然不能甘心，這次周恩來赴蘇，就提出要求，劃清中蒙之間邊界，及外蒙續派部隊參戰事，史達林就電召澤登巴爾赴蘇，當面命令雙方談判，好好解決。

史大林決定擴大外蒙 毛澤東唯有出賣內蒙

那知第一次就談判決裂了，據東德報紙記載，在維辛斯基歡宴席上，正當周恩來端杯同澤登巴爾碰杯時，莫洛托夫匆匆趕來，周、澤兩人當時即離席隨着到裏面房間去商談，只苦了一些附庸國大使的陪客，在那裏坐着呆候，約摸有兩個鐘頭才出來，已不是先前情形，周恩來哭喪着臉，有一種無可奈何的神氣，澤登巴爾卻怒形於色，終席未交一語，一場「盛宴」就這樣草草終結。最後莫洛托夫只好將這種情形報上去，由史達林親自主持了一個會議。把外蒙與中共都大罵一頓，硬性規定了解決原則，並將擴大外蒙，至詳細項目，要他們自己再去協商，當然蘇俄是也要派人出席指導的，所以澤登巴爾回庫倫後，席不暇煖又飛北平，據說外蒙答應派軍隊參戰，中共將東北兵工廠拆卸一部交與蒙共，同時提高內蒙自治權，由蒙共來經營，慢慢地把內蒙各旗接併入外蒙，詳情現雖不知，但是假若共產黨集權不倒，這是必然的事。

澤登巴爾一到北平，就說史大林爸爸怎樣愛護它這個兒子，而要它來與兄弟之輩的中共合作。這話顯然已含有恃寵威脅之意。看來中共已輸了一着，非賠出些東西給外蒙不可了。（云）

我親歷的思想改造

·木易·

黨匪說得振振有詞，非常動聽，誰知這些鬼理論乃是共黨一貫騙人的宣傳慣技，頑弄魔術。

所謂「政治交代」，分為三點：（一）個人歷史：八歲起至如今，做過什麼事，參加過什麼社團黨派。（二）家庭概況：父母祖父母歷史，兄弟姊妹「政治面目」，生活來源，經濟情況，（三）社會關係：要親友「政治面目」，與個人關係。一個一個輪流來，詳細向小組會交代，小組長和多數人認為坦白徹底了，即算通過。小組假使有不合理或可懷疑的地方，說你不夠徹底，否決通過。留下來呈報班部處置，假如班部指出他有政治問題沒有交代清楚，小組向他鬥爭，小組鬥爭解決不了，等待坦白大會處理。

二班九組有一個同學叫吳阿定，班部指出他「政治問題」交不徹底，被小組鬥爭三天，突然發起神經病，班主任還硬說他是耍花樣。

二月二十日舉行「坦白大會」，分自動坦白和指名坦白兩種，黨主任說：「首先向大家說明政策，只忠誠老實，坦白徹底，一律寬大，抗拒坦白或坦白不徹底，堅決嚴辦」。會上有十三個同學自動上台坦白，三個自首參加「反共救國軍」，一個「特務」，二個國民黨員，一個三青團員，五個女同學自白「托派」，一個女同學自白「紅旗黨員」。

然後黨主任指名坦白，指叫一個叫叶明的，他自白過去是天主堂司鐸，與反共救國軍括蒼第五支隊有聯絡關係。黨匪即道：「反革命分子叶明，坦白不徹底，所交代的都是雞毛蒜皮，交小不交大，講死不講活，大家的意見怎麼辦？」台下一羣職業學生（班主任幹事等）爭先恐後搶着叫道：「不坦白逮捕法辦」，「要求組織逮捕法辦」，「好！接受大家的意見」，黨匪說：「反革命份子叶明，既不忠誠又不老實，拒絕坦白，不願改造，當場逮捕法辦」，台下掌聲雷鳴，職業學員高呼口號：「鎮壓反革命」，「坦白寬大，抗拒嚴辦」。

同時從台後跳出兩個武裝同志，很迅速的把他摘下證章，摔掉八角帽，兩手反縛，解向公安局第四科。

這種「坦白大會」是預先經過詳細研究後排成的，我在「軍大」裏見過兩次，並且在「解放軍」隊裏親手排過一次，其陰謀不過是「殺一儆百」，嚇嚇那些神經衰弱的人，所謂能起「教育作用」。

經過「鑑定」「思想總結」填表後，「校訊」（對內刊物）公佈學員出身統計：全校「國民黨員」四十八名，「三青團員」六十二名，「特務」十一名，「反共救國軍」七十六名，「托派」一百五十六名，「紅旗黨員」九名，「青幫」一名，「偽職員」二百八十一名，學生工人及其他一百七十七名。

三月五日，學習結束，校委組織科說是為了工作需要先抽出五十五名分配工作。很多同學知道他們是派往泰順担任土改工作的。

第二天調出二百多名，同學們傳說他們可能派到溫州市工商界領導「五反」，詎料他們一出校門，交由專區公安中隊「列寧裝」同志押去，鄉鐺扣押。據許多同學研究，方知他們的「政治問題」都是「特務」「反共救國軍」「國民黨員」和「三青團員」。

第三天當衆「開除」五十名，「清洗」一百名，前者的政治問題是地主奸商和偽職員，後者大都是「留用人員」，「開除」和「清洗」大有分別，「清除」的回家剝奪「政治權」，受當地「人民」管制，督促生產勞動，「清洗」回家比較自由些，但再沒有資格吃「革命」的飯了。

八百同學經過扣押開除清洗和分配工作，留下的不到四百名，組織處理是十五期繼續改造。留學的同學中共黨團員佔百分之二十，出身大部分是學生，政治問題「托派」，「紅旗派」佔多數。

我的政治交代是（一）個人：八歲至十七歲讀書，十八歲四九年八月參加「三野軍大」，五〇年三月入新青團，曾充三野廿五軍七十三師二二一團迫砲連副連指，溫州公安處辦事員，溫州市公安大隊二中隊副連指。（二）家庭：父母出身奸商，家庭階級工商業兼地主，（三）社會：同學顧平衡青年反共救國軍政治股長，孫名忠參加軍幹校。組織對我的處理是十五期繼續改造。

萬惡滔天的中共，以宣傳法寶欺騙世人，可憐的我一直被欺騙了三年，我覺醒了，認識了中共的醜惡臉孔，於今年五月二十八日，冒着生命危險，衝出了鐵幕。

天涯流浪，舉目無親，忍飢托砵，羞立門檔，今天雖站在死亡綫上掙扎，但心靈上是永遠輕快的！（續完）

中共趕修天蘭路 蘇俄在西北備戰

中共晝夜趕築的天蘭鐵路，提前在「十．一」通車。但這條路，把隴海路和蘭州至土西路連接起來，是蘇俄在中國西北備戰和控制大陸的侵略計劃，中共修通這條路是對赤色「祖國」的忠心表現，毛澤東的賣國任務又跨前一步了。

用盡血肉白骨 填出了的鐵路

從天水到蘭州三百四十七公里的路，中共渲染它是無比的艱困，藉以誇耀它「偉大的成就」，但中共是憑什麼去修通這條路呢？第一是徵發了四十萬男女，用無償的奴工方式，強迫他們築路。中共是怎樣無人道的榨取勞力，怎樣用奴工的骨體去填路，本報曾有真實的報導（七月廿六日），這裏不欲再說，第二是動員全國的物力「這條路的修築會獲得全國各地人民的積極支援，西南運來了大批鋼軌，華北運來了兩萬七千七百噸堅實的枕木，從遙遠的太原，熱河，漢口，天津等地運來「整列車「整列車的洋灰……」物資的貨車經常在一千輛以上，全國各鐵路局又輸送來各方面的人才，其中包括不少工程師和工程管理人員等，特別是西北中共黨的組織，人民政府和西北軍區以及西北各族人民，更以大量的人力，物力支援了天蘭路的修築。」（九月廿四日新華社電）第三是蘇俄的幫助，「這樣艱巨的工程能提前八個月完成，是與蘇聯的熱忱幫助和蘇聯先進經驗的廣泛運用分不開的。」（九月廿七日大公報蘭州通訊），並選出組織自辦工程隊，成立洋灰成品工廠，防止坍方流泥，注意排水工程等，都是得到蘇俄「專家」們的指導才完成的。由是，我們不難體驗到愈是中共所誇張的事，就愈暴露它的內幕。

蘇俄控制中共 先從鐵道下手

從較早的消息說自韓戰爆發後，約在三十九年十月間，莫洛托夫秘密至北平，與中共簽訂一項所謂「中蘇軍事協定」，「協定」的第七項要毛澤東把全國交通動脈交由蘇俄經營管理，蘇俄協助中共修復六條重要鐵路：（一）蘇俄迪化蘭州線，（二）蘭州包頭線，（三）成都重慶線，（四）貴州湖南線，（五）外蒙歸綏線，（六）南寧鎮南關線。

以後的事實都證明了消息的真確性，這六條路中，在趕修天蘭路前，已趕好成渝路，成渝鐵路對於蘇俄的戰略價值也是很重要的，以莫斯科為全綫的頂點來看，除開貫通大陸南北平漢一綫以外，成渝路是南北幹綫的中間關節，俟湘桂黔路完成，即等於由莫斯科出發的國際列車，經由西伯利亞鐵道入大陸東北滿洲里，再經過東北與東南，即可南馳馬來亞，成渝鐵路南北兩端的主綫貫通，則由莫斯科南下的孔道，除開上列一條大路之外，又可由中亞細亞鐵道進入新疆塔城，有穿大陸西北西南腹部，同方向直趨星加坡。

西伯利亞綫的 重心轉移過來

至於天蘭路對蘇俄的軍略作用和備戰價值上，更為重要，這就是中共服役蘇俄趕築這條路的內幕。

天蘭路是「蘇俄迪化蘭州線」連接隴海鐵路的一段，隴海鐵路計由連雲港至蘭州，全長有一千七百六十公里，自連雲港至天水的一千三百八十二公里，在抗戰期中已通車。而蘇俄迪化蘭州線，是以蘭州由臨，渡過黃河，沿長城南麓與甘新公路線平行，通過河西走廊，經永登，古浪，山丹，張掖，酒泉，玉門，至哈密，此段全程約長一千六百公里；出哈密至迪化的路線，在七角井以博格多山為界，分南北兩段，北道經奇台，孚遠，南道經鄯善，吐魯番，兩道平相。路程較近；自迪化西向西行，經綏來，至烏蘇，又分兩道，北經廟兒溝，額敏，至塔城入俄境與土西鐵路接軌；南經精河，伊寧，至霍城入俄境也與土西鐵路相接；由哈密至邊境的路程也在一千六百公里左右。這條路綫自土西鐵路起至蘭州，隴海鐵路已由連雲港通至天水，現在天蘭鐵路築成，則蘇俄迪化蘭州綫可與隴海鐵路相聯，橫貫黃河流域，經過新疆，甘肅，陝西，河南，江蘇五省，是一條幾達五千公里的幹綫。

進入中國捷徑 配合內陸備戰

我們打開地圖一看，就明白蘇俄憑借西伯利亞鐵路，中長鐵路，恰庫鐵路，土西鐵路，向中國的攻勢情形，就好像生物學中的單細胞變形蟲一樣，向周邊擴展蠶食，深入內層。在戰略上，蘇俄以西伯利亞鐵路及土西鐵路為中心，中長、蘭州，蒙綏三路為主幹，以中長綫為中綫，蘭州綫為內綫，蒙綏綫為外綫，互相呼應。如果將來大戰發生，若東北被切斷，華北受威脅，則蘭州綫可代而發生很大的作用。

其次，由天蘭路所連接起的蘇俄迪化蘭州綫和隴海鐵路後，就是為蘇俄開闢一條控制大陸的捷徑，不僅是黃河流域受到蘇俄的直接控制，並可利用隴海路與平漢路縱橫相交的關係，間接控制着沿海和中部各省，更由天水連接川甘（天水至成都七五五公里），川滇，川黔等（公路），即整個西南均為蘇俄所控制。如鐵鎖在握，動彈不得。同時沿綫的資源富饒，黃河下游的小麥，雜糧，棉花，西北的皮毛，烏蘇玉門的石油，都是重要的軍需資源，蘇俄就利用這條路榨取侵略資源。

中共賣國任務 又跨進了一步

至於蘇俄自第二次大戰後，則積極經營歐亞的中心腹地，這計劃假如沒有中國西北基地配合，和全中國豐富的人力資源來供應是不行的。蘭州綫完成後，新疆，外蒙西北與西伯利亞連成一體，蘇俄從這中心腹地，以控制歐亞大陸內心臟地帶，北出北極海，西進西歐，南臨印度洋，東臨太平洋，佔有戰略上的優越地位。尤其值得注意的，蘇俄本土直接通至西太平洋的海港，除海參崴以及繼續強佔旅大外，由天蘭路連接隴海路後，蘇俄又獲得一個距離最近的海港—連雲港，與旅大形成犄角之勢，北洋沿海，盡在蘇俄控制之下。

我們從以上所說，中共誇耀天蘭路的成功，正是對赤色「祖國」的忠心表現，毛澤東的賣國任務又跨前一步了，這當然是中共今年慶祝「國慶」的一件「大事」。（義）

要做大官，先清「家當」

尚方

最近美國的大選運動中，發生了一種奇特風俗，即各黨候選人士，都要求對方宣佈其私有財產。這眞是聞所未聞的美式競選方法，一時使我茅塞頓「開」了！

這種報告「家當」的玩藝，原是由共和黨副總統候選人納遜參議員所表演的。他因爲蒙受了收受賄賂而又逃避所得稅的指摘，才把自己現存的私有財產，如房產現金，以及債價數目，向社會合盤托出，藉雪誣枉，其情良非得已。至於史蒂文生州長，也不過有人說他手中還有一筆由各方捐來的公積金，領袖他的用途而已。爲表示清白計，儘可公佈其收支實況就得了，自己若無沾染，別人無法攻擊的。然他卻要求艾森豪威爾也得宣佈其私財，並且要清算艾氏所著「歐洲十字軍」一書的版稅收入，這是甚末理由？難道美國總統非窮措大就不能當選麼？

這眞是玩藝，在美國似乎是多餘的。但在咱們貴國，卻有提倡之必要。許多當代文武大員未得志時，啃大餅油條，在上海住亭子間，甚至於靠牙刷過活的人，一朝上運，官拜要職，不到一兩年，即富埒王侯，食饜粱肉，他的財富是從那裏來的呢？如果不是貪污盜竊的話，照他的法定官俸收入計算，那他縱然「枵腹從公」一輩子，也不會有那種私有財產哩！

中國眞要建設廉潔政府嗎？先清文武將相的「家當」確是要訣。

自由談

夫妻翻身

禾山

這是一個來自上海的，眞眞確確的新聞故事。

張三子是「那塊那塊」的三輪車伕，年輕力強，生涯鼎盛。積了幾個錢，娶了一個面黑而妖俏的老婆，在福開森路的弄堂里築起了他的家。在這個小天地中，本來自有他們的樂趣。

然而人心永難知足。張三子雖生的是一副窮骨頭，卻偏多幻想；只要聽人家說起「共產黨」三個字，他便滿腦子泛起了天國美麗的幻象：「窮人……共產……汽車……洋房……」

「有朝……一日……春……雷……動！」他常跟着幻想，愛唱其打鼓罵曹，早出晚歸時，唱得特別興奮、清脆。

三年前的五月廿五那天，他終於看到了一隊持污髒旗，戴八角帽的人命解放軍開進了上海，他興奮，一腳跳下了三輪車，沾了四兩白乾，一咕咯喝了下去，醉醺醺地，唱着他的老調踏回家裏去；一跨進門，便得意忘形地一把拖住他的老婆給予一陣粗聲而低微的狂謔……！」

「十三點！」她半推半就半喜地一陣掙扎、嬌兒。

「×你媽媽的！這會兒，窮人可要翻身了！」他飄飄然而煞有介事地告慰着她。他對共產黨充滿了樂觀、憧憬、和信賴。

可是造物偏有點諷刺，「窮人翻身」永遠只是一個可望而不可及的夢幻！所謂翻身的第一步，是使他的生意反而差了起來，已經難能塡飽兩口子的肚子。第二步是工會的大力照顧，常要他「枵腹從公」，空着肚子參加遊行。第三步，是他的老婆已納入了「婦聯」的組織，宣告「解放」，他無法知道她究竟成天成夜在玩着什麼把戲！

起初，他倒還不十分着急，他在等待共產黨來「翻」他們窮人的「身」，詎知一「翻」「翻」竟「翻」了三年，生意一天差一天，「翻」得他面黃肌瘦，四肢無力！尤其「五反」後的上海已成死市，白天行人稀疏，入晚陰暗一片！依舊故我的只有幾立在雲霄的巍峨大樓和招搖過市的流線型汽車，但這不屬於窮人的，而是屬於那些共產新貴及其嬌滴滴底女同志的！因而張三子的心里已一天天交織成饑火與妒恨了！

在今年六月廿八那天，他有氣無力地，於是闖回家去，想跟鄰舍商量點辦法，那知一推進門，他的老婆竟赤條條地正在和一個「解放軍同志」大「翻」其身！他妒火中燒，眼看着「解放軍同志」鼠竄而去之後，便立刻扭住了光着身子的老婆一頓痛打！

「臭豬娘養的！你敢……？」她髮鬢還有恃無恐。

「幹就幹！×你媽媽的！」窮，失望，饑餓，妒恨，一咕腦兒地發洩；他立刻門上了門，用繩子細住了她的手脚，赤條條地將她倒吊在樑上，她的頭剛好碰着地，來一個玉人兒「立天頂地」！

「救命！救命！」她的狂呼立刻驚動了正巡邏在街頭的「解放軍」，他們荷槍實彈，如臨大敵地來包圍了小木棚，而後，用槍托擊開了門，蜂擁了進去！

可是，非常出他們意外的並未看到有什麼人在行兇，除了那個激人心旌的倒掛的玉人兒外，只看見張三子在地上如瘋如癡地大翻其跟斗！

「×你奶奶的！你是瘋子嗎？」他們詫異地喝問着他。一面去解下了這個被倒掛着的女人。

「這，這……這是我們窮人翻身哪！」他毫不遲疑地，氣喘喘地回答了他們。

「哈哈哈哈！管他媽的！」他們竟發了一陣淫笑，一溜煙走了！

「×你媽媽的！……」他坐在地上狂號！

「咽！咽！」她在床上縮着身子啜泣！……

關於蘇聯（八）

舜生

根據一種最普通的經驗，當人們高呼捉強盜的時候，強盜即可能混迹在羣衆之中，一樣高呼捉強盜；當人們坐在『巴士』上發覺自己的錢包已被扒手扒去的時候，那位眞正的扒手，可能面不改色的對你說：『剛才匆匆下車的一人，行迹便很有可疑。』俄帝是現在世界上惟一的帝國主義者，但她偏要攻擊這個帝國主義，那個帝國主義，這便是強盜高呼捉強盜，扒手誣指別人爲扒手的同一手法。由此類推，他們今天高喊和平，我們便可證明他們正在積極備戰；他們誣賴別人發動細菌戰，我們便可推測他們正想實行細菌戰而預先造出這樣一種口實。

帝國主義者的罪惡，莫大於侵佔別人的土地，掠奪他人的資源，奴役他國的人民，摧殘其他民族的歷史與文化；在第二次世界大戰以後，這類行動，無論在東歐，在遠東，只有俄帝實行得最爲澈底，但她卻用了一個『解放』的美名，以掩護了她這種帝國主義者的罪行。

就我在上一節所談的雅爾達協定，我們已經知道她從中國，從日本搶去的東西不少；可是中國所損失的，並不只是東北與外蒙，實際在雅爾達協定以外，俄帝還併吞了我們一處唐努烏梁海。唐努烏梁海正式歸併於『俄羅斯社會主義聯邦蘇維埃共和國』而成爲她的一個自治區，是一九四四年（民三三）十月十三日的事。唐努烏梁海這塊土地，實際比中國內地的一個中等省份還要大，地下的蘊藏甚豐，但人口卻只有十萬左右，而且是一個文化水準甚低的遊牧民族。俄帝併吞這類土地的手法，照例要經過幾個步驟：第一步，就該地製造出一個共產黨，而以俄共控制之；第二步，則促使此一共產黨奪得該地的政權，使其對俄帝發生倚賴而樂於接受其命令；第三步，則有一所謂『某某人民共和國』出現，而儼然成爲俄帝的一個衛星；第四步，如國際關係不太複雜，或該一民族的情況相當簡單，而地點又與俄帝接近，則實行吞併！儘管唐努烏梁海這個地方不大爲世人所注目，可是這四個步驟還是依照一定程序，一一搬演過來的。

今天的外蒙，已經快要實現第四步；整個中國大陸，則早已經第一第二兩步而正式進入了第三步；至於新疆，則俄帝更是根深蒂固，雖名義上仍爲中共政權所及的一部分，但實際有提前實現第四步的可能。

最近孫福坤君寫了一部『蘇聯掠奪新疆紀實』，分上下兩冊，約十萬言，（自由出版社印行）所搜集關於俄帝侵略新疆的寶貴資料，多爲外間所不經見，我因爲另有專文介紹，此處便不想多說了。

（一三五）

萬竹樓隨筆

亂彈齋詞話

馬五先生

阮郎歸

序曰：美國印第安納州有芳齡廿三的紅髮美婦查亭夫人，原定於九月初旬與其男友保羅柏克結婚的。但在結婚前夕，柏克竟逃走了。她乃坐在未婚夫住宅門前的木頭上，等候情郎來面質逃婚之理。警察勸她回去，她說：「我已丟掉工作，因而沒有住所了，我要尋他當面理論」。鄰人給以食物，她只喝點水，拒絕進食，聲言「我要絕食！」大有「之死靡他」，非成婚不可之勢，何其情癡之甚也！憶抗戰時，皖人楊氏子，留德學軍事歸，少年英俊，受職某院長衛隊長，曾與其同省蒯貴號氏女締婚約，雙方家長聯名柬邀親友，訂期在重慶市外嘉陵賓館設宴觀禮。詎於佳期前日，楊公子突告失蹤，好事竟不諧，據說他是被某一名滿天下的「幾小姐」用手鎗迫其逃婚的。保羅柏克之婚變，未必亦爲豪門小姐迫之使然耶？吾不禁爲紅髮美婦詠阮郎歸也。

山盟海誓信無違，
佳期繫我思；郎心無定
妾仍癡，夜來魂夢馳。
金屋在，畫屏低，桃
花人面悲；門前淒立且
忍飢，待佇燕來歸。

王湘綺之爲人（下）

猾士

廖平爲湘綺弟子，康有爲爲廖平弟子，梁任公又爲康之弟子，故任公見湘綺稱太太老師，王雖不認康爲弟子，而梁不可少譏也。

任公初見湘綺，即問春秋書日食義，蓋王氏所倡學術，乃在春秋，故湘綺特精讖緯學，但今人無師承，不知推法，然亦不能說全屬子虛，當年譚祖安曾云，戊戌之春，贈湘綺先生談春秋，忽取例表推之，謂今年必有人謀殺太后者，其事大怪，其言太險，當時諱不敢言，知之者不過數人，是年八月果有是變，更無人敢言湘綺已先知者。湘綺推崇曾國藩無民族思想，曾諷綺研春秋，故嘗識曾氏不必爲愛新覺羅賣盡氣力，國藩耳聽其言，手握筆書無數「妄」字，話不投機而散，故湘綺臨終自挽云：「春秋表僅傳，幸有佳兒學詩禮，縱橫計不就，空餘高詠滿江山」，蓋不無遺恨也。

湘綺講學約分兩期，在四川尊經書院時，則重詞章，在衡州，船山書院時，則重經學，湘綺本壯議學詞章，晚年治經學者也，嘗批評賢人，謂張之洞，是看書人，不是讀書人，曾國藩是讀書人，此語至精，所謂讀書人者，能道經以致用，看書人者，書是書，人是人，了不相涉也。

湘綺著作，以湘軍志著名，但后來被毀板，其中記克金陵後段云，李秀成者，寇所倚渠首，初讖生致闕，及後見俘，寇皆跪拜秀成，慮生變，輒斬之，羣言益爭，指目曾國荃，國荃自悲艱苦，負時謗，諸將如多隆阿，楊岳斌，彭玉麟，鮑超等，欲告去，人輒疑與國荃不和，且言江南蠻貨，盡入大營，左宗棠沈葆楨每上奏，多譏江南軍，會病疥，因請疾歸鄉里，此數語，爲曾國藩所疾惡，遂爲毀板之因，湘綺則曰，此乃國藩之所以切齒恨我，文人竟不可與言文，以此知令尹子蘭之不可及也云云。

曾國藩嘗問湘綺曰，皆君故人，何故刻畫之。曾言乃爲湘軍志而發，但知文之士，自知湘軍志非刻畫之文，若必有譽無毀，人皆聖人，則當時之人，可撰者衆，何必獨勞湘綺耶。

湘綺牘啓，妙趣橫生，讀之令人意遠，其與姬人六如書曰，客中所苦，夜間偶醒，無人可談耳。即函曾左諸人論事，亦詼詭百出，決不拘禮。又嘗謂曾重伯爲神童，易實父爲仙童，重伯少而多知，湘綺爲計時日，讀書若干，無論如何神速，亦不能到，故曰神童，仙人爲久居山林者，忽爾下凡，如入山陰道上，實父乃詩文字畫，子女玉帛，無所不好者，故曰仙童也。

政治工作

抗戰時，我去太行山，歇站時遇一八路，川人與他擺起龍門陣，頗投機，後問他共產黨的政治工作怎樣做的？他說：

「簡單得很，你如要問老百姓借東西，先跟他擦大，恭維地，但同時要目關四方，看準了你要借的東西，一把先抓起來，然後再說：『老伯，或老太，這個東西借我一用，回頭就送來。』說完即走，千萬勿等答覆，百試百靈，否則，誰也不肯。」

中國之友（二十二）

毛以亨

赫德傳（二）

二、先世與少年時代

他生于一八三五年二月廿日在北愛爾蘭 Portahowon 之小鎭，其地居民僅三千人。累世業農，祖父與父均爲小酒商；父名亨利，赫德一歲時即傭於人而爲釀酒工人；母名 Edgod 亦爲酒商而兼旅館商之女，係自蘇格蘭移來。有謂其先世德人 Von Hardt 隨威廉三世至英，赫德否認其事，而于官書亦無徵。其實以北愛爾蘭土著之說爲可靠，此族在當地頗衆，愛爾蘭語 Ua Airt 轉爲英語則爲 Hart。一八五五年其父還居 Ravarnt 爲農，租地五十七畝自耕，兼營水堆。一八七三年移居北愛首都之 Belfast，一八七四年，父母俱亡。

他爲長子，十一歲入小學，乃 Fanton 地方之 Weslayar Preparfary School，當時安格聯之父任教師，而安氏則與爲同學，以後安氏之在中國海關任職，並繼赫德任總稅務司，皆以與赫氏爲同學的私交關係。安格聯在民國時，扣關餘不發；又操縱九六公債而餽飽私，官僚政客畏之如虎，中國人民亦恨之切骨。十二歲即入都柏林之 Wesley College 就讀四年，所習爲希臘拉丁英法文及數學。十五歲即試入大學及格，距入大學之合格年齡尚差三年，乃進 Belfast Queen.s College，功課頗好，得全校獎學金，歷史文學地理玄學均考第一。科學雖非其所長，但曾習化學，而頗感興趣，中國海關化驗室設備較完，亦爲赫德之功。此外兼習法律經濟，而不習愛爾蘭文，因他爲統一派，而非獨立黨人，但他又反對北愛人之嚴肅信仰，他始終認哲學爲智識之標本，而非信仰之追尋。其人不好運動，認爲無益，然有愛爾蘭人愛馬的習慣，故喜騎馬，亦喜散步，而於讀書及辦公，尤樂之不倦。精力集中，遇事不厭詳盡而推敲細密，相信方法，故思想精細而文字清新。他自稱在中國之所以能有如此成功，全得力于其大學教育云。時該校校長爲 Clarendon，適任外交部長，徇港督 Sir John Bowring 之請事，欲以考試甄拔去中日兩國領事館的學習人才。爲給愛爾蘭三同鄉以優先機會關係，欲在該校三個學院各選一人，保學習翻譯。時赫德爲全校成績最好學生，而乃未經考試，即以保送前往，他自己亦極願意，因爲他適讀一年 M.A.，以經濟困難而將輟學，謀事又無把握。後以該考試亦未在該校舉行，故祇赫德一人膺選，他眞爲時勢與機緣造成的幸運兒了。

中華民國僑務委員會頒發登記證台教新字第零零貳號

自由人

THE FREEMAN
（半週刊每星期三六出版）
（第一六七期）
每份港幣壹毫
督印人：李光華
社址：香港高士打道六六號
電話：二〇八四八
GLOUCESTER RD.
HONG KONG
TEL: 20848
承印者：東南印務出版社
地址：高士打道六四號
台灣特派員辦事處
台北市館前街五十號
台灣總經銷處
台北市中華路一二五九號

不該與狄托締盟

・宋文明・

最近數月，由於英美軍政大員的連續訪問柏爾格萊德，以及南希土三國外交與軍事聯繫的逐漸加強，使人覺得一個由共產國家與非共產國家共同所組成的新巴爾幹聯盟，可能有正式實現的一天。雖狄托一再聲明南斯拉夫不願與土希兩國締結任何有形的軍事同盟，徒使反而增加蘇俄對巴爾幹垂涎的野心，而英美等國對於這一別具風格的新的安全組織，似乎懷有極大的興趣。今日預測這一問題的發展結局如何，固屬爲時尚早，但若這種想法能一如英美等國的預期終於獲致成功，無疑這將成爲自一九四八年夏季以來狄托主義的又一次重大的發展。這種發展的歷史意義爲何？它對自由世界係絕對有利還是利害參半而有之？從自由世界與共產極權的整個鬥爭策略來說這種部署是否爲一定必需？都將成爲一些值得研究的問題。我認爲：狄托主義在某一時間階段和某種程度之內，對自由世界的反共鬥爭具有若干的策略上的價值。但若某種時間一過和超過了某種程度，仍繼續把狄托主義作爲一種打擊莫斯科的武器，加以無限的運用，這當中不但包含了一個很大的危險性，而且可能亦要發生其他的副作用。這種副作用對於整個反共鬥爭所造成的損害，也許不是狄托主義的那點價值所能補償的。現在，我想從幾方面來把這種危險性，和不適宜的所在，加以概略的估量。

一九四八年夏發生的狄托主義，從國際政治觀點來說，是一件影響整個世界的大事件。這種對莫斯科的公然反抗，分庭抗禮的分裂運動，對戰後共產主義的猛烈擴張，發生了很大的遲滯與阻礙作用。從此史達林開始有了後顧之憂，更需慎將事，放慢了一直向前衝的步調，來強化對附庸國的控制和整肅。假若沒有狄托主義運動的發生，希臘反共戰爭就不會如此容易勝利結束，義大利和法國內共黨擴張運動，可能亦還有一段長時間的泛濫與猖獗。從這一點來說，狄托主義對於拯救西歐不致迅速捲入赤化狂潮，多少是有點客觀上的貢獻。西方國家的重視狄托主義運動，乃至後來形成了濃烈的狄托主義熱和狄托主義夢，也不能說沒有它的若干理由。

我認爲，史達林在某種場合中，是可以創造「奇蹟」的。今天西方國家既然把狄托主義作爲一種寶貝，視成爲打擊莫斯科的最有效的利器，則史達林絕不會傻到聽任對方一直採取主動，而不實行反擊。你要想把德日兩國培養成兩隻老虎，替自由世界看大門，他偏要德日兩國「中立化」，使它們變成迷途的羔羊。同樣的你要想利用狄托主義來作打擊他的武器，他却想從你手中根本奪回這支武器。在戰後的大步擴張階段，史達林對狄托主義確是頗感頭痛，但現在它的擴張方式已開始作整個的變更，則它對附庸國的控制方式可能也曾發生變化。我想，自從世界上出現第二個共產主義國家以後，史達林即在不斷研究和實驗如何控制其附庸國的各種方式。它用了這個方式，並不表示這種方式將一成不變，它反對一個附庸國政策錯誤，亦並不表示它將永遠反對這種政策。共產主義的哲學就是變，以變來適應客觀環境。史達林既然能把對自由世界的政策變來變去，要說它絕不能變更對附庸國的政策，那是不通之論。今天除蘇俄本身以外，世界上已有十個以上的共產主義國家，在史達林的想像當中，更還有若干候選者已等在門外。難道史達林對於這樣多的附庸國，就一直採取這種強硬的鐵腕政策，而不稍加以改變嗎？改變之方向，便是放寬對附庸國的控制程度，甚至於只要這個附庸國能保持共產政體於不墜，堅持「無產階級專政」的蘇維埃形式，史達林可能表示不拘小節，聽任各附庸國自行決定其共產化的步驟與具體計劃。而這些正是一般認爲促成狄托主義的最重要的原因。

目前狄托於接受英美建議之後，雖表示已部份改善其政治經濟現狀，但絕無意於放棄其共產主義的根本道路。除非狄托澈底放棄其馬克斯主義教條，而自行創造一種包含民主在內的新社會主義，則狄托主義運動便始終是不穩定的。今天它既然可以與自由國家合作，明天它爲什麼又不可以和共產主義的國家恢復合作？你有什麼保證可以使人確信狄托與莫斯科間的關係就不可能再度得改變？我相信這種顧慮並不僅是一種危言聳聽，而是今後國際關係的一個可能的事實。

任何主義都會免不了要感染一些國家和民族的時空影響。共產主義在蘇俄，成爲列寧主義和史達林主義，一到南斯拉夫便又成爲狄托主義。我們固不能說列史主義就是斯拉夫主義的化身，而不是馬克斯主義的俄國現代版，同樣，我們也不能說狄托主義就不是共產主義。

總之，今天的世界鬥爭，是一個歷史性的鬥爭，反極權共產主義的鬥爭。正因爲反極權共產主義爲今日自由世界的最高鬥爭目標，所以自由世界的一切政治行動與作法，亦應以是否能完全符合這一目標作爲最終的取捨標準。凡堅決反對共產主義的任何國家和民族，自由世界均應予以積極的鼓勵與支持，進而締結同盟，共同努力。反之，凡是與共產主義一鼻孔出氣，或多少對共產主義採取綏靖態度者，自由世界亦均應把它安排在共同反對之列。由於反共，必須反俄，要求反俄必須先堅決反共。單純反俄固亦有助於反共的陣容和力量，但徒反俄而不反共，便無異左手企圖滅火，而右手又在加強火勢，其結果失掉和混淆了反共的政治立場，不說以前反俄尚未見成功，而且恐怕各國內部的共產勢力却又積極猖獗起來。今天自由世界的不和堅決抗俄反共的自由中國締結同盟，反而和共產主義的狄托實行軍事合作，這便從[illegible]了自由世界的[illegible]偏差，也是一個很大的悲劇。

論取與及異同

陳克文

（一）

近來聽見有些政府方面的人對政府以外的人說：

『你們要政府民主，你們也得民主一點呀！』

又有些人說：

『政府和你們之間，現在存在着很多距離，我們總希望把距離縮短些，甚至於沒有距離，這樣才好大家團結起來。』

這些話代表目前政府要求各方面的人大家合作反共抗俄的態度。如果純從情感說，拍拍肩膀，嘻嘻哈哈，輕輕鬆鬆的，倒不失爲很得體的詞令。如果進一步，研究事實，這是否能夠眞正解決問題，却還有些疑問。

（二）

政治本來是取和與的事情，你要要求政府給你些什麼，自然你也得對政府貢獻些什麼，有取有與，公平交易，最爲合理不過。但我們還須知道，政治上的取和與到底不是把鈔票放下來，把你要得的東西取去那麼簡單，那麼現實的事情。你能夠說，美國政府准許麥克阿瑟或艾森豪威爾公開猛烈批評政府政策失當，美國政府得到的是甚麼呢？貝凡派的左翼工黨議員抨擊保守黨政府，甚至工黨當政時的政府，政府所得到又是甚麼呢？他們的政府對這些叛徒的攻擊，態度是怎樣呢？是否對叛徒們說你們得放民主些呀！他們對這些叛徒似乎並不責備他們，說他們取而不與，更沒有對他們施行鎮壓或採取報復手段。在這種情勢下，可以說民主黨政府和保守黨政府，（或工黨政府，）對這一宗交易，祇是有『與』，沒有『取』，是一宗蝕本買賣。麥、艾、貝等之徒頗有些強買強賣的『霸王』氣概，很像欠缺些紳士精神，違悖民主態度。南韓總統李承晚先生，因爲國會議員反對他繼續當選總統，他老人家毫不客氣的，把反對派都拘捕起來，說他們不懂得取與之道，結果他老人家在這一項交易上大大有了收穫。總統做他的總統。

（三）

不錯，民主黨政府和保守黨政府確實是蝕了，然而讓蝕的却是整個國家的民主精神和民主制度，李承晚先生雖然『本歸利得』，入有所穫，斷蝕的却是民主制度的前途。我們知道，以討論來做基礎的民主政府（議會政府），雖然脫離不了政黨的組織和運用，如果不能夠以整個國家利益爲前提，沒有超黨派利害關係的遠大眼光，議會制度，民主精神是根本不能存在的。祗知道眼前得失，貪圖小利，目光如豆的政治家，又安能成大事，做大買賣呢！

（四）

其次說到距離——異同，問題。大家似乎認爲有了距離便不能合作，便不能團結了。其實這種說法是『似是而非的』。當然，我們不是說主張一邊倒，高呼史太林爺爺萬歲的也能夠和我們團結合作。我們是說在反共抗俄的大方向之下，自由民主陣營中，許許多多不相一致的意見和主張，是無礙於合作團結的，不宜也不能把這些紛歧消滅之後再來談團結合作。把消滅歧見來做團結合作的基礎，不是緣木求魚，便是本末倒置。我們常聽到『過去的失敗，祗因大家不聽話，如果聽話，何至今日！』又或者說，『我早說過了，無如大家不肯相信，不肯服從。現在大家總該覺悟了！』這是領導者負責精神的表現，本來無可厚非。如果談民主，談團結合作，便不能不有所討論了。

（五）

民主制度基本精神之一，便是要求承認不相同意見和不相同利益的存在。容許反對派說話及其活動。民主的可貴不在乎消滅不相同的意見與鎮壓反對的活動。沒有了反對派和反對意見，民主也沒有了。承認反對的意見及其活動不是在形式上裝點民主，或供一時的利用，和共產黨所謂統一戰線或人民陣線一樣，祗爲共產黨搖旗吶喊，作奪取政權的貓腳爪而已。反對派在民主制度中的作用，猶之乎白血球在人軀中的作用一樣，是絕對不可缺少的。人體不能祗有紅血球而沒有白血球。故民主政治亦不能祗有在朝黨而沒有在野黨。

因此，我們要反對專制獨裁，反對共產黨的暴虐專政，我們便不能把消滅自由民主陣營內不相一致的意見來做我們團結合作的基礎，也不能把絕對服從一個人的命令或指導——不論是正確的或錯誤的——來做我們的制度中心。故民主制度的又一重要原則：是自由討論和多數取決、這一原則的實行，才可以把分歧的意見和不相同的利益，得到協調而歸於一致、這才是『謀之在衆，斷之在獨』的眞正意義，羅斯福[illegible]經濟恐慌的新政，儘管是單方，也必須經過公開的大辯論，把反對派的攻擊，從議會中擊敗後，才能見之實行。邱吉爾儘管是把英國從極端危難中挽救出來的英雄，巴力門投票結果，民心思變，也祗好悄然引退。

（六）

自然，在目前反共抗俄的形勢下，自由中國處境艱危已達極點，我們要把英美行之百年以上乃至數百年的制度精神懸爲標準，不免有理想過高，不切實際之嫌。我們決不能因爲目前的事實環境而忽略遠大的理想，最少我們一切措施的精神是不能和這理想背道而馳的。過去失敗的教訓，和共產倒行逆施的結果，都應該使我們徹底覺悟，一切錯誤，改絃更張。所謂改革，所謂進步也應該以此爲衡度的標準。有人說用共產黨的方法對付共產黨，結果豈非『以暴易暴』。此種論調當然爲反共抗俄司令部所不願聞，也爲一切反共抗俄的自由民主人士所不樂聞。然而此一心理，此一顧慮——如果坦率一些說——也確成爲目前團結合作運動中一種有力的障礙。過於重視現實得失，斤斤計較目前的利弊，其尤甚者更雜以感情與意氣用事，則此種趨勢必然日形擴大，以至積重難返。此[illegible]爲反共抗俄前途最可慮之點。

共產黨的政府，只取而不與的，祗准同而不准異，祗有服從而沒有討論。我們當然不應該採用共產黨的方法來做我們自己的方法。

半週展望

・雷嘯岑・

賴伊的書生之見

聯合國祕書長賴伊建議組織國際志願後備軍五萬至六萬人，以應付任何違反聯合國憲章之侵略行爲，輔助當地正規軍作戰。這與十六世紀英國社會主義思想家歐文的「四方形屋」之設計，同爲一種純正善良的幻想，結果是要落空的。

聯合國在應付侵略行爲上，依據韓戰的實驗結果，並非缺乏「警察力量」，而是缺乏發揮聯合國憲章精神的統一意志。大國自私自利，總想以犧牲弱小民族來博取自身的安全，在甲地可以反極權侵略，在乙地又可以鼓勵極權主義者，而眞正將受極權侵略的地區，又多係弱小民族哩！

美國以三十五萬軍隊爲聯合國憲章作戰，且弄成今日在韓戰場的窘狀，五六萬人象徵式的後備軍，就能統一各個會員國的意志麼？

除非極權侵略者的魔掌伸入了西歐各大國領土中，聯合國的反侵略行動即永遠不會一致的。賴伊的建議，書生之見而已！

北平的「和平」秧歌

這幾天，北平市上大扯共「和平」秧歌大會，熱鬧之至。說甚麼「婦女不願孩子長大後，讓他們到外國去送命！」大概只有中國大陸上的婦女們是特別的和平主義者，經年不斷地讓孩子們到韓國去送命，却是「愛國」的「和平」行爲了！

共產黨徒最令人發生反感與鄙視心情的，就是這種「不要臉」的自欺欺人之談！

莫斯科的「仇美」空氣

與北平「和平」秧歌大會異曲同工的宣傳術，即爲克里姆林宮的俄共第十九屆全國代表大會。莫洛托夫，馬倫可夫的「和平」鬥爭講演，集中火力於攻擊「美帝」之一點，同時則表示「願與西方國家合作」，這所謂「西方國家」，實際就是指的英國！

孤立美國，中立英國，緩和西歐，誘取東亞，還是俄共們指導「世界革命」的現行決策。俄共大會之政治言論與方針，都不會超出這種範疇的，而其急務乃在離間英美。

玩外交手法，談縱橫捭闔之道，英國有十足地道的資格可作全世界的老大哥，俄共們那套陰謀詭計，英國人見着心裏只是好笑。讓你去心勞日拙的叫喚罷，班門弄斧，徒現醜態，活該啊！

日本今後的政局

大選後的日本政局，不管自由黨內部是否分裂，然其反對黨的力量已大爲增長了。改進黨與社會黨左右兩派的議席，合起來跟自由黨相差不遠，他們黨派間的思想主張固有相當距離，但在議會中同爲在野的反對黨，其利害是一致的，許多方面必然可以聯合行動。

因此，今後的自由黨內閣，如果不能取得改進黨或右翼社會黨的諒解與支持，那就再沒有過去那種獨斷獨行的可能了。兩大黨派相抗衡的局面已經形成，假使日本眞是朝着民主憲政發展的話，這倒是一種進步的現象。

沒有眞正有力的反對黨存在，談民主也是假的！

埃及政爭尚難平息

埃及舊有的政治團體，有兩個勢力最大的：一爲官僚地主集團的華夫特黨，一爲回教兄弟會。

最近華夫特黨發生內訌，黨魁那哈斯宣告辭職了，這對那吉勃的新政權可以消去若干阻力。但，回教兄弟會却以「並非政治團體」的理由，依然不接受政府的整肅命令，拒絕向內政部登記。回教兄弟會的潛勢力普及於中下層社會間，那吉勃很不容易制服他們哩！

埃及的政爭前途，表面似趨平靜，實際未可樂觀。

華盛頓通訊

驢象的苦鬥

艾克漸佔上風

美國現正浸沉在競選狂熱中，廣播、電視、報章、雜誌，這個問題都佔了重要節目和地位。酒巴和夜總會，乃至各種集會場合，到處都是見面就談這事，爭吵得面紅耳赤，有的家庭最近也在那裏鬧，父親是共和黨，女兒卻讚成史蒂文生，有的兄長喜歡民主黨，妹妹卻偏愛將軍艾克。太太與丈夫也不一致，但這些都不足爲奇。

想當總統的人多着呢

民主政治實施而具體表現出來的，最主要的就是這四年一度的投票。這個辦法發明得眞妙，讓人人能夠滿足於權力慾，覺得「你要當總統」，就得靠我這一票。我有決定「總統」命運之大權。要是你做得不滿我意，那末你下次就休想多得我這一票。

以前在國內，看到好多人爲文，說美國的總統是不易當的，當上了也沒有什麼了不起，所以很多人都寧可從商，不願從政。但到這里後，才知道這還是書生之見，想做總統的人實不知有多少，因爲在當了總統的四年任期之中，究竟是有權有勢，豈赫得很，連太太女兒也成了了不起的人物，五星上將也隨便可以撤他的職，不要說旁的了。

人類還要尋求更進步的制度

凡事要看正背兩面，現在競選的，固沒有一個不說是以國家的利益，人類的幸福放在第一位的。但背地裏也實在是在爭取這個權力。所以都不惜工本，花上大把錢，裝得和和氣氣，逢人便握手，「請投我一票」。自然就爲了這樣，這中間毛病很多，但又都在儘量掩飾這毛病，因爲怕給對方發覺了，就成了攻擊的把柄，受不了。

但不管怎樣，在人類還沒有發見很好的政治制度之前，這種制度仍然是最好的一種。但也因爲這樣，我覺得人類在這方面的進步較之殺人武器的進步要落後得多，所以再向前進，在政治上創造一個更好的民主制度，實在是應該的。

艾克佔上風放出殺手鐧

現在的競選情形，當然是艾克佔上風，因爲民主黨執政太久，許多政策上錯誤百出，現在要自食其果了。日銷三百萬份的「每日新聞」，給民主黨打開了他背上的包袱，說它有六大罪狀：

一，會汚腐化，從貂皮大衣事件數起，不下幾千件。未揭發的還多着呢。

二，稅收太重，而政府浪費也太大。

三，「韓國的警察行動」弄得不生不死。

四，堂堂的國務卿竟與蘇俄的間諜有關係，並不願斷斷友誼。

五，物價高漲，生活日難。

六，杜魯門常違反憲法。

這個攻擊是抓到重心的，於是有人說，共和黨放出了原子彈，但「每日新聞」說的老實話，不管是那一面，連我們局外人在內，也覺得一點也不錯。杜魯門受此一擊，嘴巴更僵了，好半响說不出話來。

史蒂文生不賣老杜的賬

這影響可算不小，以前大家談民主黨，本來都搖頭的多，現在呢，史是弄得有些臭不可聞了。於是引起了史蒂文生的離心傾向，他覺得替杜魯門背上這個爛包袱，實在不划算，選不上，固然受此之累，選上了，恐怕也不易大刀闊斧的幹，因爲杜魯門還是想控制住他的。所以現在最苦惱的該是史蒂文生了，而又急又羞的該是杜魯門。因史蒂文生要完全不理杜魯門，自搞自的，本錢實在不夠，如完全靠老杜，則又希望很微，於是只有採半理不理的態度。杜魯門呢，眼看自家一手拉起來的人，現在還沒選出，已如此態度，選出了，那會聽他半句話。

杜魯門另外有套工夫

但是我們不要小看了這位杜魯門總統，民主黨執政這樣久，無形無意中在全國已成了個底盤，爲了直接間接的飯碗，也得投他們的一票，據說民主黨的勝於共和黨之處，即在於他們稍稍講究組織，有組織的力量在控制着，總比光靠宣傳好得多。上次杜競選，勝過杜威，大概主要理由也在此，所以杜威在失敗後，曾說要好好研究一下各種情節。民主黨有這樣的工夫，共和黨大概是知道的，這一次要預防的了。而史蒂文生之所以不能完全不理老杜，也是這個道理。

誰有本領收拾遠東局面

政爭如戰爭，死活不饒人，民主黨最近大攻擊共和黨副總統納信受賄，弄得艾克狼狽不堪，但不到三天，史蒂文生的毛病也出來了。杜魯門還狂叫要公開公務人員的財產，說句良心話，乾淨人物不多，彼此都經不起揭的。

但這些我們實在無興趣去看，我們的注意的是他們對華政策，誰有本領收拾這羅斯福杜魯門種下的大禍，我們試願見誰走進白宮。否則，我們不僅爲自己悲，也替美國在淌冷汗，請看看方北之熊，現在又在另訂新的鑽心計劃，而外包適合美國人胃口的毒藥。據說，倫敦鄰裏正在大賭艾史，價是三與一之比，我們該怎樣下注呢？（華士）

奇蹟的芬蘭

赫爾辛基航訊

據蘇聯逃出的將軍馬可夫最近撰文說，蘇聯時刻打算併吞朝鮮同芬蘭。

堅强可愛的民族

其實這種情形，住在赫爾辛基的人，或許知道的更清楚。但是直到現在，芬蘭不但未被赤色浪潮淹沒，相反的卻愈來愈堅强了。凡是這次到赫爾辛基參加奧林匹克大會的人，只要同芬蘭人稍一接觸，一定會說「這眞是一個堅强可愛的民族」，怪不得他們以彈丸之地，卻能抵抗來自東方的侵略達四十二年之久。

不幸傍邊有個惡鄰

芬蘭面積僅三十八萬方公里，人口不超過四百萬，屬黃種，原是蒙古人後裔，可能是在元代拔都西征後陸續遷去的，芬蘭國內教育水準極高，很少文盲，可是芬蘭也同我們環境一樣，東方遇上一個富於侵略的强鄰，所以從帝俄一來，芬蘭人就不斷同俄帝的將軍們搏鬥，最後雖一度淪陷，但在一次大戰後，又終於復國。可是當蘇聯興起以後，芬蘭又成了史達林侵略的對象，一九三九年，史達林乘歐戰爆發時，要求强佔芬蘭東部領土，爲芬蘭所拒絕，結果雙方發生了戰爭。

受盡了蘇俄的迫害

紅軍先頭部隊，竟被芬蘭人打的落花流水，雖然後來芬蘭終於支持不住，可是我們不要忽略了一項事實，史達林能動員的兵，較芬蘭的總人口還多。當時經瑞典調處，訂了城下之盟，割讓了東部的領土及島嶼，芬蘭人忍無可忍，終於投入希特勒陣營，最後又成了戰敗國，在和約中規定賠償蘇聯三億美元，可是在蘇聯百般需索之下，平均起來芬蘭要付出兩倍半的物資，也可說實際上是賠償了七億五千萬萬元，是一個何等驚人的數字，在一個只擁有四百萬人口的國家來說。但是芬蘭終於履行了賠償的義務，從現在起擺斷了經濟上的枷鎖。

努力於悲慘境遇的擺脫

史達林很知道，用武力征服芬蘭是不可能的事，唯一的希望是由芬共「從裏面打出來」，爲了這史達林還曾忍痛將三億爲元的賠款減爲兩億二千五百萬，可是在一九四九年的選舉中，芬共所得票數已自一九四五年的百分之二十三減爲百分之二十，現在有人估計，明年度選舉芬共票數可能減到百分之十以下，這是史達林最傷神的事。

但是在我們局外人看來，芬蘭處境是相當悲慘的，它是一個國際場合上的孤兒，既未加入聯合國，又不是北大西洋公約國，民主集團對於它並沒有保障的，它的存在在歷史眼光看，確實是個奇跡。芬共在如此有利的環境下，未把芬蘭變成捷克，將來是更無希望了。

現在已經有希望了

這次西歐舉行的大演習，五國海軍闖入波羅的海示威，在芬蘭看來，實在是一個絕大鼓勵，他們都默默體會到東方强鄰的壽命，不會太久，收復失土的日子也將來到，一旦大戰爆發，無疑的芬蘭會堅決的站在民主集團這邊。

但是民主集團對于這樣一個好伙伴，卻始終不肯伸過手去，而忍令它朝夕受着威脅，實亦說不過去。（岫峯）

馬林可夫

文生節譯

吳潮的陰森的馬林可夫，是一個俄國執政者當中最難形容的人；面色蒼白，眉目緊鎖，沒有半點表情。頰滑扁平低垂，雙顎，直髮，兩眼呆滯，全部的綫條，極不調和，但他今天卻是俄國坐有第二把交椅的人。

一個極具觀察能力的外交人員曾描述他在莫斯科與馬林可夫會晤時的回憶說：給予人最深刻的印象，是馬林可夫的目光，我感覺那幾乎是代表蘇俄所有的罪惡。另一個外交人員說：在除開爲任務的需要而外，我感覺與馬林可夫的會見，是生平的最大憾事。

在這一些外交人員中，所給予馬林可夫的共同評述，是馬林可夫無人性的感覺，僵硬，沉鬱，驕詭，機械式的動作，與及充滿仇恨的目光，足可造成任何初見他的人以很大的震驚。

馬林可夫以中央政治局書記及政治局委員雙重權力統率數以百萬計的聯共特勤人員，實際控制着俄共的複雜機構，形成國內外共黨活動的神經中樞。

美國人開始認識馬林可夫的廬山眞面目，同時亦開始認識馬林可夫爲俄國史達林以外的第二顯要人物。眞正的原因，無人知道，但很久以來，馬林可夫在若干職權上，當使用史達林授予的簽字橡皮章，則又成爲公開事實，由這一個特權窺測，與及當前在若干公開場合，馬林可夫所站的位置，馬林可夫將承襲史達林衣缽，當是無疑義的。這一次聯共第十九屆全國代表大會，這一位身高五呎七吋，重二百五十磅，年正五十的橡皮章的執掌者，必將獲得更大榮譽。

自上星期起，莫斯科共黨機關報——眞理報，開始刊出「我們的國家在迅速發展中」的標題，所有的各行政區及蘇維埃十六個共和聯邦的首都，都已選出黨代表準備參加聯共大會，報紙逐日報導史特漢諾維特地方工人，加倍生產，迎接全國代表大會，莫斯科的首都飯店，被闢作代表開會之用，完全是與外界隔絕，所知道的，是該飯店的樓下大廳，在聯共開會期中，居住該處的一千名代表，不能啓用，也許，在大會閉幕之後，代表們將被安排在那裏聯歡一宵。

代表們面部亦全無表情，但他們這一個態度，很適宜於這次黨大會，他們都熟練于該何時舉手，何時歡呼，何時鼓掌，與怎樣投票。大會的決議，一定被歸結到一個黨的政治報告，通常這一種報告是由一個達四五小時的宣言所代替。往日，這一個報告由列寧發佈，現在應該是七十二歲的史達林，馬林可夫在這一個大會中間，應該是執行每日議程的人。

在往日蘇俄的政權安排中，史達林是第一號人物，莫洛托夫是第二號人物，貝利亞是第三，馬林可夫是二三之間即介於莫洛托夫貝利亞之間，現在研究蘇俄的專家，認爲馬林可夫是已上移至一二之間，其中一半祇有莫洛托夫沒有完全被壓倒，貝利亞的法寶——祕密警察，早已在史達林的交代之下，轉移到這一個專聽史達林的話的孩子身上了。一般人的推測，史達林對他的身後安排，是讓馬林可夫，莫洛托夫，貝利亞三個人鼎立共掌政權，但是今天的莫斯科內部傳說，則是貝利亞與馬林可夫兩好無間，剩下來的祇有莫洛托夫一個人，如此將來馬貝聯合打擊莫洛托夫，而最后祇剩下馬林可夫一個人大權獨攬是可能的。

史達林知道，在二十世紀，幾個獨裁者在同一國家出現，成爲不可能，他本人在列寧死後，以大規模的謀殺獲得政權，就是一個親身實驗的實例。在他未死以前，無人會想像他會確切的指出他的繼承者，近年以來，他一直維繫政權平衡，當前他的佈置，顯然是在籌謀造成馬林可夫的足夠實際力量，以避免列寧死後的流血鬥爭再度出現。

馬林可夫誕生於一九〇二年一個中產階級家庭，當俄國一九一七年發生大革命的時候，他正在高中讀書，於共黨政權成立一年後加入紅軍，彼當時之工作，即爲偵察士兵對黨內忠實程度並甄別入黨員，因工作有效，隨即被選入莫斯科負責黨校訓練，一九二五年被選爲史達林私人祕書，時馬年二十三歲，由於馬之記憶力與收集個人資料能力特强，不久成爲史達林不可分離的人物，是時馬所負的責任，即已涉及組織。莫斯科黨部，人事，中央政治局，逐漸成爲史達林耳目，但在這一段時間，馬林可夫尚未爲外界所注目。一九四一年，二次大戰，史達林乘大元帥，派馬林可夫入政治局，負責全國黨組織及國防，這一個機會，造成史達林忙於國際協定，馬林可夫乃在實際上控制了俄國。二次世界大戰歐洲希特勒失敗，造成了馬林可夫躍登天的聲譽，同時在黨的中央，佈下了他全國性的組織。在今天馬林可夫的思想體系當中，沒有嚴格的馬克斯的學說理論，他全部概念，可說是完全承襲了史達林的思想，他可能成功一個堅苦的工作者，但不是一個能發揚共產主義思想的人，在馬林可夫代替史達林統治之下，俄國的人民，將首先遭遇劃時代的更患難的生活。（美新聞週報）

芳澤的一段史實

明心

日本駐華特命全權大使芳澤
已於本月六日在台北呈遞國書，
兩國邦交已正式建立，今後在反
營裏，將分担兩個重要的角色，
澤大使以八十高齡出任駐華大使
氣尤爲可嘉，可是在芳澤任命發
後，有許多報紙對於芳澤的駐華
不十分歡迎的，原因是爲了日特
皇姑屯炸死張作霖時，芳澤正任
公使。

當時張作霖任安國大元帥駐
京時，芳澤以日方公使資格駐北
而日本另外設了一個通北特務機
負責人土肥原賢二，在表面上說
機關係隸屬軍部，彼此原不相干
在法理上說，駐外公使既然是全
表，任何公私事務，也應當受公
轄才對，可是那時的日本政局，
已漸轉移到軍部手中，關東軍（日
省所在地）主持人，根本不能違
立自主外交，一切要仰軍人鼻息
以駐外的特務機關，眼中更沒有
館，土肥原又是一個最跋扈的傢
同公使館之間平時就
少往來，土肥原當時
特務機關長，官階
佐，另外還有一個
和知鷹二中佐（現
存）及本間雅晴少佐
（後任日本駐菲司令
日本投降後，在馬尼
處死）。這兩個人的
情比土肥原還兇，
他們認爲總應張作
立，應無問題，那
了一鼻子灰，土肥
然氣憤也只是慢慢
對策。而和知本晴
卻乾脆要與殺張作
辦法是勾通楊宇霆（時任張之參謀
）常蔭槐（張之軍需處長）等，
張死後，即由楊選補，這時和知
否而土肥原尚過不知道，但當
霖被炸時，張之日本顧問松井中
在同一車箱，而松井也隸屬土肥
務機關，事後，松井被炸傷，幾
治療時，會寫信問土肥原，
事先不將計劃告訴他，土肥原有意
露，後來土肥原一曾指大罵日
情。後來又經過一個時兆，才借
他兩人調開。和知後來在抗戰前
雖然又派到中國工作，可是本
式參加部隊，始終未曾再來。
情發生後，處境最尷尬的要算芳
使了，中日兩方輿論都集中對他
外務省也認爲芳澤太軟弱，不能
主動，消弭禍亂，而芳澤始終無
自辯。如今土肥原，本間雅晴均已
正典刑，和知鷹二仍關巢鴨監獄
一身應當時交涉經過的奉天總領事
田茂已貴爲首相，而芳澤以八十高
重蒞中國，回首二十四年往事，也
不勝低徊吧！

「亞洲和會」全部戲劇化 外蒙併吞內蒙將成事實

（本報北平特約通訊）天安門外混亂式的「狂歡」過後，宣傳三個多月的「亞洲和會」接着開了鑼。北平人對昨日的檢閱、遊行、和三呼萬歲，已由厭倦而憎惡，對於這一場五光十色的傀儡戲，似乎更沒有人關心，一般人感到興趣和關切的，倒是內蒙對中共鬧獨立的問題。

漆城門穿新衣 皆在炫耀外賓

今年的「十一」，籌備的時間比往年來得早。三個月前便開始佈置天安門，盤下欄柱和欄杆，都重加油漆，興柱一律油上朱紅色，老百姓對這位風流自賞的領袖，漸漸有了新的感覺，覺得他正向歷代的帝王看齊。還爲了對三百多個來北平表演的外賓「和平使者」誇耀新王朝的光輝，特別動員了三千多名民工，把過去的臨時擴音器改爲永久性的建築，並在天安門兩旁建立西座高逾三丈餘的標語塔。九月廿八日各弄里小組便紛紛開會，每一戶最少派一人參加「國慶」，還要他們一律穿上新衣，以便向外賓誇耀中國人民「購買力的增長」。這麼一來可苦了許多三年來有當無贖的人，到處借新衣穿，因此，在大遊行行列中，可以發現許多不合身度的新衣，老百姓心裏都雪亮，演戲只是奉命行事，騙騙外國人而已。

報紙上說是五十萬人參加，完全是騙人的話，根據我那天在場的觀察，約摸祗有二三十萬人，中共的特務全部出動，差不多一百人中便分派一名監視，毛澤東出現時，都被人囑附只能鼓掌，不能插手袋，否則便有拘捕可能。公安部長羅瑞卿、北平市長彭眞四處巡視，如臨大敵，當遊行回去以後，每個人都出了一身冷汗。

呼和平喊鬭爭 全部戲劇色彩

亞洲和會的上台，一開頭便有很濃烈的戲劇味，宋慶齡的開幕詞，竟以「動員起來！爲亞洲、太平洋區域與全世界的和平而鬭爭」爲號召，令人有愈看愈糊塗之感。最妙的是人所共知的特務頭子彭眞，亦出來高喊和平，去年二月北平「鎮壓反革命」運動發動後，彭眞親手批殺的人何止萬個人，這些屠殺國內平民的劊子手，竟然跳起腳來高叫和平，實非天大的笑話。

冷戰專家郭沫若的致辭，一演便是兩個多小時，雖然用中、俄、英、西班牙四種方言同時翻譯，但絕大數的所謂代表均莫明其妙，只見郭沫若口沫橫飛，打合打發，中共韓共的代表領導鼓掌，其他亦跟着鼓掌。

最足以表現這次會議的戲劇性的，還有下列二幕：一幕是印度的代表而被欽定的副祕書長的錢德拉把主席團名單提付通過時，坐在後排的人根本不曉得什麼一回事，只見前排舉手便一致舉手，事後「新華社」的記者在「人民日報」上說：「大家都爲這樣的團結一致的精神而綻出微笑」。另一幕是韓國女演員金英秀在郭沫若演說後跑上台去獻旗，那一股矯揉造作的騷動，更充分地發揮這次會議的戲劇性。

據幕內人士透露，會議的議案議題乃至將來閉會的宣言，老早便已準備妥當，幕後的眞正操縱者，並不是中共的嘍囉，而是蘇俄的「和平專員」法捷也夫。

內魚肉外挑撥 激成內蒙反叛

至於內蒙要求獨立一節，據說情形鬧得很凶，最近張治中劉格平的奉召晉京，據傳與此有關，特別是小孩面孔的澤登巴爾親來北平，更表示這一問題快到攤牌階段。

內蒙的要求獨立，最主要原因，一面是蘇俄唆使外蒙從中挑撥，另一方面則與中共的拚命搜括有關。自一九四九年傅作義變節，董其武在傅的煽動下投降以後，中共對烏蘭察布盟，伊克昭盟，額濟納旗，阿拉善旗，特別是綏遠境內的烏伊兩盟，極盡其殘酷壓榨的能事。對於稍具名望的蒙人，一律冠上反動、惡霸、官僚、地主等帽子予以殘害，並在各盟旗推行「土改」，自今春以來，烏伊兩盟十三個旗與土默特特別旗，蒙人被墾土地逾一百萬畝，擁有漢人佃農及下十萬人。此項墾地產糧，一向爲蒙人唯一食糧來源，自中共實行耕者有其田以後，每人給地十三畝，荒地則由山東河北兩省移民開墾，伊盟現已成立集體農場兩處，烏盟立兩處，每處均有移民數百到數千人，蒙民原不會耕作，軍糧民食均賴招佃收糧，經此一着，已斷絕其糧食來源，因此反抗意識日生，獨立運動在暗中滋長萌鼓。

由於中共的壓力日增，內蒙的國族派乃向外蒙活動，在蘇俄直接指導下，利用蒙民和中共的矛盾開始擴張勢力。

一九四五年被外蒙擄去的德王子女，均在外蒙支持下於去多返回內蒙，針對中共對少數民族自治的口號，提出獨立自治的要求，他們所提出的條件：第一是管理自己政治，撤退非蒙人員；第二是發展自己經濟，所有貿易全部自行經營；第三是要建立自己的軍隊，要求成立內蒙騎兵學校，設立軍校，第四發揚自己文化，維持宗教固有地位，這一運動目前已發展到新的潮流，成爲中共最棘手問題。

是傀儡是兼併 且待蘇俄決定

周恩來這次訪俄，據說中共曾提出這一問題，要求蘇俄明白指示，但史達林確是老奸巨滑，他竟推得一乾二淨，要中共和澤登巴爾直接談判，因此，在這此澤登巴爾來平以後，一般人對這一問題的發展已予高度的注意，據圈內人的觀察，內蒙的全部脫離似不可能，但局部自治將見諸事實，等於自治以後，是否立即併入外蒙，抑或像日治時代另成立一傀儡國，便要聽從蘇俄來決定了。（北平十月一日晚寄）

中共血洗乾城真相

焦一夫

四十一年二月廿一日，空中飛着雪片，刺骨的寒風，還在肆意地咆哮着，僞西南貿易公司，滿載軍需物資的車輛，由四川秀山運至湖南長沙，四十二輛卡車，在風雪中趕着路程，當行經乾城所屬，被因饑餓和家破人散而亡命山麓，自然形成的一股人民武力，在距所里十公里的王村，將公路挖成深深的巨坑，鋪上浮土，白雪作了牠們天然的僞裝，他們埋伏在四週森林裏，等待着取他們所理想的野物，俟共車隊落坑中，他們由四面八方，冒着押車共軍的槍彈，利用原始的武器——戈，矛，石頭，和卅七個押車的匪軍搏鬥。他們是拚命保命，而且有着復仇的心理，自然勇不可當。卅七個共軍作了異城的孤魂，被毀的卡車骨架，橫七豎八的躺在山谷與

這個消息很快的傳到沅陵，僞湘西軍區司令員孟學成，大感恐慌，手忙腳亂起來，因爲他曾向湖南軍區報告過，湘西「土匪」經已基本「肅清」。（見四十年十二月四日新湖南日報）這次突然遭襲，似乎難向主子報賬。於是憤羞成怒的飛調長駐沅陵的僞卅八師，芷江僞四十二師，並命令「坐鎮」芷江的副司令員，僞四十二師師長廖維新，担任指揮，星夜車運出事地點，取包圍的形勢，企圖一舉「殲滅」。豈知人民隊伍早已功成圓滿的返回基地消着勝利品去了。萬多匪軍撲了個空。大大小小的居民，又拒絕告訴游擊隊的消息。因爲那裏山高嶺峻，地形崎嶇，無從獲得可供研究的情報。嘗過苦頭的匪軍是知道游擊隊的厲害，自然不敢冒險深入，只得停止原地，向沅陵「請示」。

匪首孟學成見勞師動衆，一無所獲，眼上加賬，更感無法報銷，於是殘酷報復的念頭主宰了他的神筋中樞。將良心泯滅了。一口咬定燒車的不是「土匪」，而是乾城人民暴動，下令血洗乾城。

廖維新立即轉命將黎巳包圍之所里鄉及立峯鄉屬五，六，七，九，十，十一，等六個保，一，二，三，四，八，十一，十二等八個保人民斬盡殺絕，一幕慘劇，於焉開始。

匪軍殺人的方式殘酷而帶戲劇性，廿五日的早晨，下着濛濛的細雨，似是爲這些不幸者哭泣，寒峭的西北風，在威脅着人們的甜溫，何況那時正在睡眠的好時光呢？匪軍乘人們正酣睡夢中，開始行動了。首先是一村村，一莊莊的捕捉，然後開始向山谷和狐洞裏搜尋。他們不敢到那些所謂「危險」地方去。前者用手榴彈，爆炸，和推下巨石衝擊，後者則用柴蒸燒。或有人民因畏懼鬥不出的，匪軍則用汽油放火焚燒。因此，被炸，窒息，焚燒而死者，佔此次慘案死亡中的半數。匪軍將搜捕的人民，用繩子連着左手，一併解集所里廢大的操場上，陽曆二月是陰曆十二月底，正是寒冷的氣節。被雨淋濕的衣服，很快的變成冰硬的像鐵皮一樣。被害者就這樣的在風，雨，凍，餓，中挨過了一個整天。四週有近百的匪軍，臂纏紅布，手執明亮亮的刺刀，作衝鋒勢對着人堆的核心，等待劊子手下最後一道命令。約莫夜間十一時左右，人堆中一聲巨響，赫然一枚炸彈爆炸了，被害者自然爭相逃命，匪軍即乘機衝入核心，一聲不響的反覆刺殺，外面更有無數層手執刺刀的匪軍，堵截逃亡的不幸者，不使有一個幸免，倒下的在悽慘的呼號着，沒有倒的帶着被刺的創傷，作最後的奔逃。形成比戰場還慘亂，比地獄還要悽慘的場面。一小時後，慘厲的叫喊聲，由呻吟漸漸微弱得聽不見了，野獸們也各自擦去刀上的血跡，疲勞不堪的回到營裏休息去了。當時那種殘酷的情形，若不是受着有特殊思想訓練喪失人類同情本性，視同胞爲仇敵的匪軍誰能忍心啊！

第二天匪軍又施其一貫殺人滅跡的伎倆，將被害者遺體，手或四肢併縛於一處，另一端則繫於牛背，拖到所里北面十四里的五峯山，投以汽油乾柴，將它焚化，沿途屍體觸在鱗石上，因而支解的肢體，破腹拚出的心臟，到現在還留着星散的殘骨。那次匪軍究竟屠殺了多少人民，無人知道確實數字，但以十四保原有的人口計算，至少有八百人，幸運而在刺刀下逃出的，不過少數又少數而已。

奴化教育又進一步

撤銷了燕京、輔仁、金陵、齊魯、嶺南、聖約翰等大學

所謂調整院系的目的

中共於上月廿四日，對於大陸上的高等教育作了全面的改變，其目的有三：一、加強黨的控制，以前所控制者僅爲學校之行政和政治思想，現在則要控制一切，並使教育配合上它的所謂「社會主義建設」。二、把以前與英美法等各國在中國設立的大學，連校名也取消了，使「親美」思想，從根拔去。三、使各學校完全採用蘇俄的教學計劃和教材，特別培養專門的技術人員，使他們只受政治控制而不再能預問政治，而所有的政治幹部則完全由黨來直接培植。

這些學校過去對共黨都有貢獻

被取消校名的學校，計有輔仁，燕京，聖約翰，滬江，震旦，金陵，齊魯，嶺南，華南聯合。被完全改變性質的學校，計有北京，南開，清華，天津，復旦，浙江，南京（即中央大學）。

這些學校在過去都爲共黨活動的掩護基地，從學生到教授，那時都曾以民主口號來幫助共黨攻擊政府，表現過所謂「站在時代前面」的前進姿態，但共黨卻在利用過後，人燕校毀，連校名都取消了，何嘗有個老教授，聽到這命令後，只好含淚說，這是「自取之辱」，但竟然沒有一位教授敢哼聲「不」。

用盡了威迫利誘 教書不再是自由職業

據人民日報說，共黨爲了這次改革，準備了二個年頭，先是發動各學校的教職員「自我學習自我改造運動」，再進而從「思想改造」，許多比較著名的教授多寫了「坦白書」，今年又用「三反」來鎮壓那些不甘受辱的人，逮捕和槍殺了一批。於是共黨才說：「這樣，就有條件與可能把院系調整工作做好了。」共黨除了用這種血腥手段外，自然也利誘兼施的，如鼓勵各校教授無課教者留原校學習，薪金照發」等保證，另外則放空氣說：「不服從者要鎮壓」，「不服調動者以後不管」。現在這些教授們的生命乃至肚子都操在共黨手中，如不服從，即不被鎮壓，也得餓死。於是在「調整院系」「分配教師」過程中，據說是非常「服從組織分配與調動。」

過去教育工作者好拿自由職業自稱，現在反淪爲奴隸一樣任人分配了。

一切都照俄式來做

調整後的院系，一切都是蘇式了。在事前已在各校抽出共黨忠實份子派到蘇俄和哈爾濱去學習，哈爾濱現有一工業大學，完全由俄人主持，故成爲中共高等教育的示範學校，這批人學習了一個時期回來，即到處宣傳蘇俄教育制度的好處和優點，並提出大綱要各教授討論，所謂討論，當然只是頌揚。同時共黨翻譯了幾十種蘇俄專科教育的計劃大綱，要他們執行。每一學校還組織了俄文速成班，要每個教授學習。並由中共教育部派了好多俄國「教育專家」到各校負責指導，並教授俄文，故各校的俄文教授都成了太上皇，因爲他們都負有指導的任務。

從這里看，則大陸上的教育，不僅完全赤化，並已全部落入俄帝之手。（士）

赤都搶案日益多 飢民集劫運糧車

北平郊區，最近迭續發生運糧車輛被劫案件多起。一般推測當係挺而走險之飢民所爲，聞中共公安部門因此已受嚴厲之指責，近公安局長羅瑞卿已下令，凡各公路及交通孔道附近不必要之建築物有隱蔽之可能者，得一律予以拆除。

貪污了六百億元 廳長巧過三反關

中共綏遠省人民政府財政廳長靳崇智，對中共現行苛徵暴斂之財政制度，感到危險可怕，故在其收支報告中多報支出少報收入，積至今日已有六百億元之鉅，因上下一體，故能巧渡「三反」大關。惟中共中央窮極生瘋，對於搜刮，惟恐不夠澈底，因而一再復查，靳部所屬一失手遂被查出。此案揭穿後引起軒然大波，惟旋復稍停，更未見宣佈靳某之罪狀。

經理火燒合作社 一焚損失九億多

中共內蒙古自治區綏遠縣合作社，門市部經理劉魁武，因性格率直，作事熱心，致開罪中共組織人員。「三反」時被無故鬭爭，憤恨之餘，乃於最近某夜實行縱火將該合作社全部焚燬。事後據統計，損失財產達九億七千萬元之多。（陸）

惡性的反對派

為方

美國的政治社會中，近來產生了一個新名詞，叫作「麥卡錫主義」（Mccarthyism）這名詞含有胡鬧，無理性，乃至於不道德等意味，是罵人的術語，但也有間接恭維某人的作用。

麥卡錫是美國威斯康辛州選出來的國會議員——參議院——屬於反對黨的共和黨議席。他自國務院發生共諜希斯案件後，經常架起一座「言論大砲」，對當朝文武大員不斷地亂轟，自杜魯門，馬歇爾，艾契遜以次，無一不遭其攻擊痛罵，指他們縱容和庇護共黨份子，危害國家。因此一般人對於好議論攻擊人物者，即給以「麥卡錫主義」的綽號，大有「敬鬼神而遠之」的心情。但麥卡錫本人卻因此博得反對派的英雄地位，最近也在其本州再競選參議員的初選結果，竟獲得空前的多數選票，他說這是人民相信他對政府監督得力的表示。

我并不恭維麥卡錫這種作風，他只是像我國新聞界的「鬍大砲」一流人，殊不足取。然我卻贊許美國政治優容反對派的這種憲政精神。你有亂唱反調，隨意罵人的自由，我有付之一笑，「當伊嘛介事」的氣度，這就避免了政治上許多無謂的怨恨是非啦！如果杜魯門馬歇爾等人，憑其權勢，竟藉故派警察捉拿麥氏問罪，或者派人暗中揍他一頓，教他不敢在華府立足，那就不成體統，而結果毫無意義！

政府當局必具有容忍這種「惡性」反對派存在的胸襟，才可以談民主憲政的話。

自由談

豐收

黃汎

雷雨過了以後，尚有幾塊烏雲裹住小山頭凝結不散，大有山雨重來之勢，近莊的農人都紛紛提早回去了。王阿牛扭緊一挑稻草，水濘濘的像由水裏爬出來一般，從坳子那邊慢慢地爬上了那山坡，好容易掙扎到了嶺脊，漸漸的他那佝僂的身軀和兩個龐大的草堆在稜綫上出現了，他看去站得很高很高，幾乎已同雲天相接，又似乎很渺小，彷彿一個可憐的小生物給懸磨攫住懸縮着不敢動彈一樣。一陣涼風吹過，王阿牛微微感到了一點涼爽，將扭柱支撐住扁挑，偷出枯枝般的雙手來，用汗巾抹去了額上的汗水，除去了箬帽，重重地吁了一口氣，看到山巔的烏雲，他心頭的鉛塊立刻又沉墜了下來，「暖！日子是一天比一天難過了喲！」王阿牛一肚子的怨氣不知從何說起，也不知道向誰去訴說，他那黧黑的臉皮簡直像一塊生了銹的鐵塊，而那斑白的頭皮則直透出一陣陣的熱氣，他的心神已顯得十分麻木，他心頭的鉛塊不知道要比肩上的扭貫子重幾百倍，他只是感覺到苦！苦！苦啊！他看到橫有在山脚下的那個村子，他就不期然的有一種異樣的感覺；那是他生命之根，五十二個年頭來他從沒離開過那裏，在回憶裏，他只覺着它的親切、溫暖、而可愛，然而那僅是從艱苦的思憶裏挖掘出來反芻的味道，如今是變了，完全變了；自從重慘叢來了後，整個村子就充滿了血腥味與陰森恐怖的氣氛，以致王阿牛每次打從田畈回來經過這裏，看到自己的村子，就不自禁的感到心悸，使他越趄不前，這種心理他自己是永遠無法理解的，因此，他只是感到這個世界是變了；變得「日子是一天比一天難過了喲」！

當王阿牛從凝思裏回到現實，躡躡地抱着兩綑草准，從山坡上跟蹌地顛下來轉折到大路上的時候，同村的王安發也從另外一條小路斜折過來，終於會合在一起，一前一後地蹣跚向前面的村子。王安發與王阿牛原是從小廝混在一起長大的，歲月的折磨，將他們都塑成了一種定型——樸質、渾厚而可憐；而如今是更可憐了。他們有一種「同病相憐」的哀衷，在歸途中，於是又互相訴說起來：

『……農業稅繳了吧？繳了多少？』

『那能不繳！……』提起了農業稅，王阿牛就有一股抑鬱的憤慨，恨恨地說：『繳了一半多呢！』

『……今年我總算多收了六十多來斤，也是好天不負人心……』

『六十來斤，夠甚啥用？我多了四十來斤，多了六七天的稅，濟得甚事？……總比不得從前了哦！……別的不說，「土改」算分了我二畝來田，這二十多里的山路，就夠累我老命的了……』

『好田那裏輪到我們，還不都給「村幹」們揀了去，「村長」「土改」也不就是好了他們幾個！』

漸漸地他們走近了村落的邊緣，沒有說完的話，適忙一譏兒嚥回了肚裏，小心翼翼地鑽進村寨門口，躲過「民兵」與「兒童隊」的盤查後，才各自獲得了回家。

王阿牛一走進家門，他的老婆不等他擱下草擔，就滔滔的報告他許多話：

『……村政府說上八點鐘，要每戶戶主到大祠堂開會！……』

『……明早農會要開豐收慶功大會……』

說後，她又遞給他一張條子，王阿牛抖抖顫顫的接過來，他原頗能粗識幾個字，就湊近油燈一個字一個字的辨認：

『……今年的秋收，在偉大的北京黨領導下，普遍的得到了豐收……依法該戶應該繳農業稅計八十二斤四兩……』

王阿牛不等看完，心頭的鉛塊早已重重地沉墜下來，耳朵是嗡嗡發響，眼睛是一片黑……

只覺得這土屋子裏，傳出了女人哭啼聲。屋外則敲着「村政府」催促開會的銅鉦聲。

關於蘇聯（九）

・舜生・

最近因爲美國情報局局長史密斯將軍發表『美國各負責治安的機關，幾乎都有共產黨員滲入，甚至連他自己主管的超祕密機關，亦包括在內！』同時，美國駐蘇的大使肯南，因在歐旅行中，曾發表對蘇不利的言論，故被蘇聯藉口，向華盛頓提出照會，請美方『立即』召回此一不受歡迎的外交使節。

因此兩事連續發生，令我想起抗戰中蘇聯駐重慶大使館的一番景象。在一九四一年德蘇戰爭未爆發以前，蘇聯對亞洲的政策，側重促成中國加強抗日，俾自己除確保外蒙，吞併唐努烏梁海，並積極侵略新疆以外，表面上對中國頗爲敷衍，不僅曾以若干軍用物資供給中國政府，在中共毛羽未豐的當時，亦頗能留意國共的聯合陣綫。一九四一年以後，直接對中國的援助雖已停止，但宣傳與外交工作，則迄未放鬆。

其時中共的新華日報館及幾家左傾書店，代售蘇聯出版的各種書報，銷行頗廣；而新華日報的社長潘梓年，向各方有所接洽或參加各種集會，態度亦頗穩重。由周恩來董必武等所領導的一個中共代表團，則住在曾家岩，與戴笠所住的地方，相去不過數十步。記得某次酒會，我和張君勱與蘇聯大使鮑格莫諾夫曾有過一度談話，爲我們擔任翻譯者，則爲陳紹禹。鮑格莫諾夫爲一大塊頭，余對之印象頗不良好，所談亦異常膚泛。

迨勝利接近，其駐渝大使已另易一人，某次，該使館約請五六位參政員午餐，余亦在被邀之列。除蘇大使外，陪客者均使館參贊祕書之流，而武官羅申亦在座。是日被邀者，無一中共人物在場，而蘇方陪客者，則幾無一不能操流利的華語。一等祕書費德林，年少活潑，據說係郭沫若的學生，曾以『屈原研究』一文，取得文學博士學位，……韓戰，如其現任莫斯科外交部某委員會專門委員。是日與余談話最多者，即爲此君。這一天他所問我的，大致爲抗戰中中國出版界情況，余亦略問其對於中國文學的感想，純係普通的應酬性質，無一語涉及中蘇關係及一般國際情況也。

抗戰勝利，蘇大使館又舉行一次盛大的酒會，到客約在三百人左右，國民黨軍政兩方人員，參加者不少。其時毛澤東尚滯留重慶，曾被邀出席；宋慶齡風韻猶存，亦爲頗受歡迎的人物。酒後放映影片，則爲斯大林檢閱紅軍。斯大林立檢閱台，除檢閱各種軍隊外，並聽取冗長的報告，歷時殆在兩小時以上。

余與蘇聯外交機構接觸，僅此兩次，其陣容之整齊，運用之不着痕迹，其他一切駐華使館，殆無一能出其右，余對此一可怕的敵人，始終不敢掉以輕心者，與此兩度的接觸，及與其他駐華使館人才的比較，殆不無關係也。（一三六）

蒼竹樓隨筆

懷陶潛・傷飄泊

王敬濬

做了八十多天彭澤令的陶潛，因他「不屑不潔」的雅傲脾氣，覺得做官很是痛苦，寧可自己挨餓，也不願爲五斗米折腰。因此甩掉紗帽，賦辭歸去，將被人們認爲金邊飯碗的縣令，丟棄了；雖然茅賤亦足，走歸田園，回返大自然的懷抱中。

爲什麼淵明先生，正當少壯有爲的時候，卻要棄官歸田呢？我們翻開東晉的歷史，可以看到當時的政治，時常變亂，混濁不堪；在朝的官吏，爭權奪利，傾軋排擠；以致貪污弱化，賄賂公行。軍事上，擁有兵權的將帥，互爭雄長，各霸一方，不顧國家民族的危亡。淵明先生在這樣的亂世，又值中原將要淪陷於外族。一顆憂傷破碎的心靈，想在大自然中，求得充實與慰藉。因此，只有掛冠歸去，樂我天真。這種酷愛真理自由而追求獨立的超然風格，遠非一般士大夫的「明哲保身」「不求聞達」所可比擬。至若今日中國大陸上，褻身靠攏的文氓，歌頌「史大林是太陽」的跳樑小醜，一個月領幾十斤小米的所謂「民主人士」，對之能不愧死！

「憶我少壯時，無樂自欣豫，猛志逸四海，騫翮思遠翥」（雜詩）

在這首詩裏，我們可以看到他是一位抱負不凡，志向崇高的有爲青年。英勇豪邁，熱情磅礴，他的熱情，很活躍自然地流露在吟詠中。讀淵明先生爲從弟敬遠祭文，與子儼等疏，以及停雲等雜詩。可以看出他的骨肉情愛之熱，溫柔敦厚的深摯。淵明先生天性對於家庭骨肉，有真摯強烈感情與真摯的友誼，同現在共黨匪徒的清算鬥爭父母親友比較一下，真使人有雲泥之感。

「先師有遺訓，憂道不憂貧，瞻望邈難逮，轉欲志長勤」「歷覽千載書，時時見遺烈，高操非所攀，謬得固窮節」，從上面的兩首詩，我們可以看出他又是一位律己嚴正，身體力行的學術長者。受着孔孟忠恕仁義之道的薰陶，不但使他養成了高超、忠實、更完全的至上人格，更創造了淳樸自然的文藝藝術。十足成一位文化自由人。

歲月如流，春去秋來，遊子傷飄泊！讀歸去來辭至此，「田園將蕪胡不歸」，我無限感慨！困居海隅，緬懷故國，引起了我的鄉愁、家思。

「……歸去嗎？家亡產破，田園到處是淚痕，是血跡，是猙獰可怕的魔鬼在橫行！而殘酷的再火秦但，到何處去尋覓自由樂土的田園呢？

「……豁然開朗；復行數十步，土地平曠，屋舍儼然，有良田、美池、桑竹之屬，阡陌交通，雞犬相聞，其中往來種作，男女衣著，悉如外人，黃髮垂髫，並怡然自樂……」。

記得兒時讀「桃花源記」，「芳草鮮美，落英繽紛」的一幅美麗畫圖，時常在我的腦海中映現着。今天因着共產匪幫的媚俄賣國，一般人不願做奴隸，被宰割；逃亡海外，吹簫與市，赤禍泛濫，烽火漫天，那裏是烏托邦？那裏是幸福島？我不禁羨慕那桃花源記中的避亂居民，竟找到了一處自由樂土，作流亡的理想家園。日出而作，日入而息，躬耕力行，而不知今世何世。

淵明先生最使人欽敬處是：做官即無力易風化俗，求得他理想的實現。乃退而賦詩明志，避與苟合；歸隱田園，求得精神上的慰藉。他消極了嗎？絕不，他由歸去來辭，進而作理想社會組織的「桃花源記」，企圖喚醒悲觀主義者，來共同負起改造社會的任務。

「每逢佳節倍思親」，誰個不願歸家團圓，樂敘天倫！然而瞻顧大陸，赤魔亂舞，家園變成廢墟，歡樂變成慘悽，我低頭自嘆；無家可歸！懷念陶靖節先生的高風亮節，使我這個久客異鄉的飄泊遊子，更加深了國仇家恨的悲傷！

中國之友（二十三）

毛以亨

赫德傳（三）

三、到中國與來任總稅務司以前

赫德于一八五四年五月到香港，十月被命爲英國寧波領館額外翻譯，他藉一本莫理遜字典與孟子，並請中國人教中文。他在寧波遇到丁韙良 W.A.P. Martin，其人爲有名的漢學家，翌年升任助理翻譯，計共在寧波三年半，盡知中西貿易與海關管理之內情。一八五八年之初調充廣州領館二等助理員，四月任英法聯軍管理廣州委員會祕書，一年後回領事館職，一八五九年六月任職粵海關爲代理稅務司。適稅務司 Lay 告病假，乃請 G.H. Fitz-Roy 與赫德共同代理，時爲一八六一年五月。

Fritz-Roy 于一八五七年曾任額爾金大使的隨員，久任江海關稅務司，資歷在赫德上，惟熟悉貿易海關事情，又慣于與中國人交涉，故讓歸赫氏。時洋商慣于走私漏稅，領事亦助其張目，故洋商與英國駐滬領事誇至港督，均不恤壓與管理中國海關之英人爲難。而赫德所以能奠定其鞏固之基礎者，在能執行一八六〇年條約，使英公使倚畀他，而中國新設之總理各國事務衙門尤少不了他。總理衙門之首，爲恭王奕訢，年僅廿四，膽小而不能幹；惟知和議爲維持國祚長久之道；次爲文祥，警覺而富創造性爲負責之人，此外桂良位高年老而不甚管事。有恒祺者，以任粵海關監督時曾識赫德，欲藉之以達把持海關而發大財之目的，故揄揚不遺餘力，而又阻之于天津。赫德避道而于六月五日以英使 Bruce 之命到京，訪恭王不在，乃見文祥，呈上關於海關章程，深議竟日，蓋海關章程戶部不肯草率，以難總理衙門，赫德所擬，文祥所需。十五日見到恭王，適爲津商務收稅，海關各項，恭王大悅，迨三十日赫氏臨京之日則直以「我們的赫德」稱之了。英使曾以恭王之信任報告首相羅素，且恭王表示不願再見 Lay，則總稅務司一職，非落到赫德身上不可了。

赫氏七八兩月在天津，助崇厚建立天津烟台牛莊三口海關，蓋不加整頓，則賠款不能償付，而打太平的軍費亦無從出。九月再到北京，訂立長江通商章程，周旋英使與總理衙門之間，而法美亦使預聞。赫氏估計海關每年可徵稅一萬萬兩，而行政經費則年需七十餘萬兩，非此不能養廉，中英雙方均以爲然，乃于一八六三年十一月三十日被命爲總稅務司。

史大林與長壽

史大林今天最怕的是「死亡之神」對他的光顧，特命令馬林可夫領導許多醫生，生物學家等研究長壽不死之法，每年要花上一兩億盧布，可是十年來毫無結果，弄得他非常煩惱與恐懼，彷彿成神經衰弱，於是有個心理學家向馬林可夫提出一個辦法，爲了安定史大林的心理，應該儘量宣傳蘇俄人的長壽，特別是喬治耶州人的長壽。恰好有實際的例子，於是動員全黨搜尋，結果找到了一個，是一百零二歲，問他原因，他說：

第一，我不參加共產黨，第二，我不想做個殺人的獨裁者，所以我長壽了。

・士・

中華民國僑務委員會頒發登記證台僑新字第壹零貳號

自由人

THE FREEMAN

（半週刊每星期三六出版）

（第一六八期）

每份港幣壹毫

督印人：李光華

社址

香港高士打道六六號

電話：二〇八四八

GLOUCESTER RD.
HONG KONG
TEL: 20848

承印者：東華印務出版社
地址：高士打道六四號

台灣特派員辦事處
台北市館前街五十號

台灣總經銷處
台北市中華路一二五九號

雙十獻詞

·陳克文·

今天為我中華民族推倒滿清統治，打破幾千年君主專制，以建立中華民國的偉大紀念日。這一偉大紀念日之得來，又為近百年來，國民革命大運動中，無數志士仁人，革命先烈，流鮮血，擲頭顱，毀家破產以換取之者。國民革命的最高理想即在於實現民族平等，國家獨立，和建設民有，民治，民享的大同社會。

一

此一理想之追求已成為我全民族偉大的精神力量，油然之能發，凡違反此一力量，阻礙其發展者，無不一一歸於失敗。故民國成立四十年來，內憂外患雖紛至沓來，而終歸於一一[illegible]

[illegible]

二

[illegible]

三

[illegible]

四

[illegible]

中華民國四十一年雙十國慶節

我們對反共救國的意見

中華民國之誕生，是四十一年前的全民族犧牲無數先烈志士，以爭取民主自由[illegible]，以血以淚以汗所灌溉而來的。迄今，中間雖遭遇到空前的內亂和外患，如袁世凱之稱帝，日本軍閥之大舉侵略，然中華民國仍屹立無恙，且進而與世界列強並駕齊驅。這證明中華民族的歷史行程和其文化創造，是與人類向上發展的進化規律符合的。

不料四十年後的今日，莽莽神州，竟為一羣無祖國思想的民族敗類所竊據，[illegible]

[illegible]

啟事

本報為慶祝雙十國慶，本期特提前一天出版，並隨報附送國旗一面。

[illegible]

革命精神的動人史實

·姚漁湘·

革命精神表現得最具體的，莫過於辛亥革命。茲紀史實如後：

㈠ 祇有興不求取 找錢爲了革命

過去的革命，全是犧牲身家性命而不求代價的，如　總理的毀家革命，吳樾徐錫麟等的拳頭炸彈，全是。辛亥武漢之所以能起義的，主要的是劉公以捐道員的文銀五千兩移作革命經費。於是武漢機關開始不爲經濟所窮，而居正楊玉如以一千元能赴上海購置軍械，始有武漢首義之舉。（胡祖舜六十談往湖北革命知之錄）

當辛亥武漢進行革命之際，經濟最爲困難。居正焦達峯等曾三盜金佛，結果失敗。其事爲：居正向孫武說：「蘄春洗馬坡達成廟有金菩薩，鄉人謂其靈驗，每年必有人爲之飾金，所值甚多，若設法取來，可以濟用。」衆贊成，推居正焦達峯往探。三月二十八日抵達成廟，市香燭，僞爲禮神狀，居焚香秉燭，焦伏地拜叩，默祝菩薩捨身救世。焦以手撼像，屹不爲動，恐見疑，辭出。焦謂：此非一二人所能爲役，次回再計。焦乃召同志鄒永成楊任等，徵得綠林大力士任其事。查光佛建議：三角山有寺觀距達成廟近，吾輩多無辦試允僧，先匿寺中，再下山至達成廟，一夜往返儘可於夜間移著歸上山熔化。衆贊成，居正查光佛劉文錦僧往，羽山抵三角寺，賃居一室，與僧交懽，住旬日，或探赴達成廟路徑，與僧備設爐鎔金，購備路就，即於端節晚間赴廟，詎天氣酷熱，鄉人寺僧均露坐閒談，廟內燈火輝煌，無從下手，旅費亦告罄，又快快返漢。

六月初推鄒永成購鏈斧電鑽等應用工具。居正等假衣物充旅費。由達峯率會黨中有膂力的黎大漢七人於十五日抵達成廟，以大鐵鑿撬成洞，依次蛇行入。至神龕前，啓門，達峯以刀劈神像，力士乃敢搬像，堅不可動。總以鐵鉗鉗其空處，始搖之而倒。即分路的四人因失道未至，即以三人曳用後殿，盡力驟之，許久斷一手，達峯命速扛逃用洞。天將曉，隨人已有巡田的，達峯說：失敗了，命投池中。（湖北革命知之錄武昌首義之發動）

黨人慷慨就義 軍人勇敢犧牲

就黨人慷慨就義來說：如抽看辛亥首義三烈士供，彭楚藩供，審判官鐵忠問：「你是革命黨麼？」楚藩道：「不錯！我是革命黨。」因爲楚藩是個憲兵，恐怕瑞澂知道了於他們的管帶果清阿（滿人鐵忠親戚）的前途有妨礙，鐵忠故意的替楚藩開釋說：「我看你這個樣子，本是一個憲兵，你只怕不是革命黨吧？」楚藩道：「你說我不是革命黨，我便不是革命黨嗎？我只曉得以排滿流血爲宗旨，我也不知道我是不是革命黨？」楚藩最後道：「要殺便殺，何必多講！」這種不怕死的犧牲精神，實在令我們敬佩。

又劉堯澂傳，堯澂答道：「你們何必東問西問！但是我既入了你們的虎口，誰還能脫出麼？自古道：『好漢做事好漢當』，今日的炸彈，就是我放的。」又說：「痛快呀！你們殺我，我到爽快，不得再受你們的謠翻。」又楊宏勝傳，宏勝道：「好！只管殺，我只怕你們也有一日呢？」也都是慷慨不屈，視死如歸的犧牲精神。

關於軍人勇敢犧牲來說，九月初五日劉家廟之戰，指揮官張景良蹤跡不明，衆以主持無人頗形張皇。標統謝元愷曰：「此時往何處覓指揮官？勢迫矣！我願作前驅，諸君請隨我前進！」于是各部隊長召集集合，共同援進，定于午后一時開始進攻。屆時謝元愷領隊前行，第二協在右，第四協在左，齊向劉家廟攻擊，士氣極盛。清軍在劉家廟用機關槍及步砲隊頭抵抗，彈如雨注，我軍冒彈猛進，將近劉家廟五六百米遠，謝元愷令上刺刀，吹衝鋒號，齊聲喊殺，直衝至劉家廟，與敵肉搏，敵不支後退，我軍遂佔劉家廟。計是役，我軍死傷一千七百餘人，而謝元愷部死者即五百餘人。（湖北革命知之錄漢口戰事始末胡鄂公辛亥革命北方實錄）

大家視死如歸 全靠一腔熱血

初七日我軍在大智門新停車廠一帶防禦灣道，即由劉家廟進攻，協統謝元愷追知各處藏匿施壘，不許還擊，俟敵接近時衝出，以白刃相搏。正午敵軍進距三百米遠之地，協統與標統總令進發排槍射擊，斃敵甚衆。元愷令吹衝鋒號，我軍齊出喊殺，敵軍猛撲，追殺並退，敵軍死傷甚衆，並獲敵機關槍步槍若干。至初八日敵復王占元陳光遠等已帶隊復至六渡橋，以機關槍與軍砲向我軍猛擊，彈如雨注，標統蔡德懋陣亡。謝元愷督不顧身，命號兵吹衝鋒號，元愷拔指揮刀向前躍進，清軍即以機關槍向謝注射，元愷亦陣亡。無何協統何錫藩受重傷，敢死隊長馬榮，工程隊長李忠榮，亦同時戰死。斯役死傷官兵三千餘人。（湖北革命知之錄漢口戰事始末武昌革命假史辛亥革命北方實錄）當時民軍的勇猛犧牲，可想而知。

十月初六日因爲奸細散播謠言，軍心渙散，漢陽十里舖民軍大敗。時參謀甘績熙駐武昌，聞仙女等山失，頗足憤呼，謁見總司令，願挑敢死隊一二百人，乘夜尋回諸山；黃允之、遂朱樹烈同往，赴輜重營工程營挑得百餘人；又有下級軍官及陸軍學生數人，共得一百零八人。回報總司令，約以得手時即焚燬子山頂小廟，請速派援隊。續熙領隊去，猛烈持火把。韓管帶任尖兵，先攻磨子山，行動時，以息火而停止隊伍，維尖兵前行探明後始以尖兵招隊伍繼行前進。特及山頂，續熙足觸敵人槍頭，敵人步哨十餘人，倦甚隊一士坊稍營中，續熙大呼曰敵人，開槍譁驟，當點八人，其餘倉卒驚逃，莫知所措，悉被殲滅。我隊亦齊到，當衝至山頂，爾中多數敵人見我賊，殺聲大地，黑夜中亦不知我兵多寡，模糊混戰，我軍奮不顧身，直前猛撲，敵奔山逃，我即佔領磨子山，繼火焚廟以報司令增援。我援兵至，續熙復衝敵嚮扁担山。至山腰，續熙衝鋒喊殺上山，援兵俱奮勇前進。續熙病後跌躓數次，乃杖槍行或臥地射敵。援軍帶兵官一係採宏斌，一係湘軍統領劉玉堂。宏斌途間爲流彈所傷自返。續熙沿山巔有敵兵數百附射我軍，有于是與劉統領皆令士兵臥放；復擬子彈不繼，乃呼劉令停放上刺刀衝鋒，均不應，續熙自搶子彈無起，不前進必死，即起喊吶向山頂奔去。復大呼曰汝等快來將此喊一齊搶捉。又呼曰叫吵山後隊伍快去，不許紛紛上山逃，遂頗驚，復見續熙敵。開時紛猛驚，乃昌率北奔來。又將扁担山完全佔領。續熙亦膺子山時後腿已受傷；在扁担山衝鋒又傷其左手食指，猶苦戰。湘軍劉統領謂續熙曰：此山較仙山高，得此已足與敵相抗，非增援不可，君頭手俱受重傷，可回部就醫，並速催總司令派兵來。續熙亦以傷再難臨陣，欣然往；臨行囑劉周兩帶兵官曰：援兵必速來，請兩公力守此山。劉曰：吾輩死亦死在此山，第去請援兵速來。甘君之勇敢犧牲，實無匹比。時詩人胡石庵作甘俠亦以紀其事：「躍鏗戟天黑風吼，百八健兒聊杖走，雄獅一吼萬怪逃，笑把芙蓉握兩手。如斯北劇誰能，倘說甘侯名稷卿。……」（湖北革命知之錄漢陽戰事始末）

接收各省財庫 點收清清楚楚

如湖北八月廿一日吳兆麟與蔡濟民李作棟徐達明等同往藩庫點驗儲存款數目，計：藩庫實存銀一百廿餘萬兩；官錢局銅幣局實存洋七十萬元，錢八十萬兩，銅元四十萬串；官錢局實存銅元二百萬串，銅幣局銅元一串官票八百萬張，未發印一元官票二千萬張，銀幣一元官票二百四十萬張，銀元三十萬元，以上總計湖北財政存款約四千萬元。一面點清，一面令湖廷佐担任藩庫責任；劉維武統帶學生軍担任官錢局責任；高尚志担任銅幣局責任。（湖北革命知之錄都督府之組織設施及人選）

又九月初二日九江光復，軍政府成立，清查道庫，計：存銀十七萬兩，大清分行廿餘萬，裕甯官銀號九江官銀號共十餘萬兩，合計五十餘萬兩。又截獲瑞澂派出灘台委員徐某由漢湖辦來東米一千五百餘担。（朱通揣五十日見聞錄）

又十月廿二日煙台光復，廿三日點查大清銀行存有現銀八萬元，紙幣十餘萬。（中國國民黨史稿第三篇乙第一章光復之役）

其他各省，亦多類是，不具載。

不爭名位利祿 到處舍己爲人

辛亥武漢首義，舉黎元洪爲都督，黎元洪非革命黨人，其所以被推的原因，是由辛亥三月蔣翊武召集東洪山寶通寺會議決定的。蔣翊武說：革命團體，前有日知會、共進會以及群治學社等，孫武劉公李南等均可推爲都督，以免將來人爭權奪利，發生裂痕。（鄧萬迪庵與會首義三論辛亥首義節要書）

又九月十四日貴州光復，黨人首領張百麟黃澤霖不做都督，而選新軍教練官楊藎誠爲都督。九月廿一日福建光復，不舉建首功的黨人許崇智，而選孫道仁爲都督。

其他各省，如：江西都督馬毓寶，雲南都督蔡鍔，安徽都督朱家寶，江蘇都督程德全，浙江都督湯壽潛，廣西都督沈秉堃，山東都督孫寶琦等，皆非黨人。其所以被選的原因，固然由於環境使然；亦因革命黨人不爭權利不爭地位之所致。故辛亥革命自武漢首義至推倒滿清，僅滿四月，從來改朝換代未有如此之迅速的。（中國國民黨史稿第三篇乙第一章光復之役尚秉和辛壬春秋）

廉潔從公。辛亥革命，各省自都督下至小職員，皆無薪俸。如湖北諸同志都抱定愛國熱忱，議定：軍官及各部一切辦事人員一律每月各職員僅支夫馬費二十元，兵士每月支十元，頭目十二元。（曹亞伯武昌革命真史第二册中正編辛亥八月十九日武昌起義）

湖南都督府人員，均盡職從公，亦祇薪水」。如都督府布告云：「此次起義，原屬國民天職，凡我同胞均有應盡之責。現值財政困難軍需緊要，舉凡諭府內一切辦事人等除兵士工役不能不給工薪外，自本都督以下各科人員，概不支給薪水，均係完全義務。」（五十日見聞錄）其他各省，大都類是。

就上邊所說看來，當時辛亥革命的精神，是不愛錢，不怕死，因爲革命不惜犧牲一切。如果現在人人不愛錢，不怕死，皆國家民族不惜犧牲一切，則區區暴俄共匪，何患不能平呢？

紀念四十一年的雙十

再提一提中華民國的憲法

·左舜生·

今年的雙十，大家似乎比較過去的兩年要熱烈得多了。這原因很簡單：中共政權經過了三年的考驗，實在太不成樣子，過去有不少認識不清的人，對中共似乎還存着幾希之望，受了這三年的教訓，大家都變成了冷冰冰，乃一面對中共冷了，乃不能不寄其希望於自由中國，這實在是很自然的。

反共抗俄，大家都了解不是一件輕鬆的工作，因此團結一切反共力量的要求，老早便有人提出，到了今年，便似乎要求得更爲迫切，這自然是很好的。但團結要精神不重形式，重實行不重空談；叫一千遍團結，實際不如做一兩件確實表現團結精神的事實，來得更爲有力。

單說精神，自然難免流於空泛，因此也有不少的人，正在研究一個如何團結的方法。就我個人考慮的結果，團結全國反共力量的基本信條，實在莫好過於這部現行的憲法。大家要知道，過去制憲行憲，兩度國民大會的召集，乃是中共所極端反對的；這部憲法的制定與公佈，當然更爲中共所深惡痛絕。國大代表多至三千餘人，國民黨僅佔一部分，其餘非國民黨以及無黨無派，乃至邊疆的少數民族，實居大部，足以反映全國的民意，自屬毫無可疑。老實說，今天國民的權利與自由，自然全靠這部憲法以資保障，即政府的合法地位，也全靠這部憲法才有根據。然則憲法之必須擁護，乃國民與政府之所同，在今日而談團結，又豈能自外於憲法而別尋途徑？

今天日本的左傾政黨，正在依據他們的憲法以反對武裝再建，即自由黨的鳩山派，亦主張修改憲法使武裝的重建能得有一個合法的根據。日本畢竟是一個有了六十年憲政經驗的國家，他們每討論到國家的重大問題，總知道從國家的根本大法上去找他們的立腳點，日本復興之所以大有希望，便正在這種地方。

三年以來，我所讀過台灣和港九一帶的刊物，總算不少，可是我從來沒有發現一次有人提到過這部憲法，大致所謂憲法也者，不僅大多數人沒有存之於心，甚至少數人也從來不曾出之於口，天下事之可悲，寧有更過於此者？

我敢斷言：這部憲法依然是要發揮它絕大的作用的。即在最近的將來，國家有若干的基本問題，不依據憲法即無法求得適當的解決。如果在用不着或認爲不利於己的時候便絕口不提，一旦到了需要的時候，又一片價叫「憲法」「憲法」，這對於一般國民的印象一定是不會太好的。

今天已經是中華民國四十一年的雙十，像我們這種略略懂得半世紀以來中國人種種史實的人，實在最感慨萬端。我惟有希望從政，黨，或指導青年的人們，通體試把這部憲法找出來，好好的細讀一遍，把裏面有不少「人民」的字樣，有不少「自由」的字樣，而且劈頭的第一條，所謂「中華民國基於三民主義，爲民有，民治，民享之民主共和國」，便已十分的耐人尋味啊！我已多年不叫口號，今天還願踏着大同盟的日子，待我嚙着兩行歡欣的熱淚，叫出下面的兩句口號罷：創建中華民國的中山先生精神不死！中華民國萬歲！

中華民國紀元

辛亥武昌首義，以黃帝紀元（四千六百零九年），各省響應，有用同盟會天運年號者（例如宣統三年歲次辛亥，則用天運辛亥）。孫先生（同盟會總理通稱）回國，認爲有改正朔統一之必要，建議以中華民國紀元，援引公曆，由元年以至億萬年，一便于記憶，二進于世界大同，三豫算年度，減少歲計糾葛，由黃克強先生擬交南京臨時各省代表會議決宣佈。臨時大總統就職之始，咨臨時參議院審議，決議以中華民國紀元，廢舊曆，行新曆，附件擬暫錄存，但吉凶神宿，一律刪除。決議案，咨大總統公布，附件會內務部照辦。余時代理部務，集諸參事及主管禮俗司，徵考典章，取材簡易，不牟利，同編印頒行，並告各省遵照，自由翻印，無有版權拘束。初載首甚，於焉蕆事。（錄自梅川居士：梅川日記）

雙十獻詞

上接第一版

五

更有進者，團結不可以沒有中心，今日的台灣已成爲自由中國中心力量之所在，亦已爲舉世所共同承認的事實。因此台灣一舉一動所以舉國繫於自由民主力量團結合作之前途的甚大。我們無庸諱言，因爲過去大陸上的錯誤措施，海內外人士對於國民黨所領導的國民政府，就治已喪失其從前信仰擁護的熱誠。這幾年台灣的改革進步雖非昔日之時下阿蒙可比，但一般的懷疑憂慮仍然在所不免，此乃當情無足爲怪。故今日的台灣非槊至公至誠的偉大精神，從事實上表示其恢宏博大的態度，以積極行動不斷改革繼續前進以顯示其領導的能力，實不足以取信天下，祛除羈絆。今日對台灣稍稍不滿意的指摘批評，除共黨黨徒之外，我們相信不論其持論是否正確，用心都是無他的。期望殷殷，則責備亦深甚，此乃事理之所必然。

台灣既爲自由中國之中心力量所在，則切實執行中華民國憲法，以保障人民基本權利，使共黨黨徒在大陸上蹂躪已盡的自由，能夠在台灣保存滋長，此不僅爲台灣天職所在，亦由此可昭告天下，台灣所標榜的絕非民主的形式，所致力的絕非僅限於反共抗俄的消極行動。此實爲對自由民主表示忠誠所賜有的最低限度意義。能夠這樣，必然有「登高一呼，萬山響應」的後果隨之而生。團結合作亦不求至而自至了。

當此風雨如晦，雞鳴不已，面對青天白日國旗，我願以沉痛心情發抒個人對國事的意見，以就正於海內外自由民主人士。並以至誠祝國運之昌隆。民國四十一年十月十日。香港

和平攻勢掩護下
中共積極擴軍備戰
五年計劃即將實施

【本報特稿】關於中共將舉行五年計劃問題，本報月前即已指出其可能性。最近莫斯科「眞理報」發表社論中，已正式予以證實。中共的五年計劃，其目標與其謂在發展經濟，無寧謂在蘇俄的牽線下，作進一步的擴軍備戰，其結果是大陸國力民財的總耗竭，但在共產集團中，此項備戰計劃的完成，對未來大陸決戰，將有相當的影響。

蘇俄基本策略 着重長期備戰

現階段共產集團的指導戰略，乃在長期備戰，以靜待世界局勢之變。最近史達林在「布爾雪維克」雜誌所發表的論文，即一再強調資本主義國家間戰爭的必然性，認爲德日對美英法將發生戰爭，他預料資本主義國家，爲了應付本身的經濟危機，必然爭奪市場，而爭奪市場的結果，戰爭必難避免。因此，共產軸心的最高策略，在避免使蘇俄捲入三次大戰漩渦中，促成西方各國互相爭戰，而由蘇聯與中共在亞洲大陸坐收漁人之利。這一基本原則的提出，使蘇聯對現局的鬥爭，採取外弛內緊的手法，對外運用和平攻勢，儘量迴避大戰，對內則集結全力作長期備戰的打算。因此，其新的五年計劃中，一般工業生產量將提高百分之七十，希圖先使其自己立於不敗之地。在這一指導原則之下，作爲蘇聯最大附庸國的中共，進行一長期性的備戰計劃，遂成必然的結論。

中共五年計劃 集中鐵路軍工

據史文中共決定施行的五年計劃，詳細內容雖無法臆知，但其基本重點，必落在鐵路和國防工業，在今年二月，高崗對東北經建的方針，即決定循下列途徑發展：「第一壯大國防軍，訓練新的技術兵種，加強空防與海防，有計劃地訓練公安武裝和民兵，改選後勤，軍工，衛生建設」，「第二」，國防工業將佔百分之八十五點一」，「第三」，根據國防與經濟需要，有計劃的整修公路，提高鐵路工作」。今年四月十一日，高崗在東北「工人政治大學」的講話中，仍重申「在基本建設中，國防建設是第一位，輕工業和增長生產能力的建設是第二位，其他是第三位」。據中共鐵道部長滕代遠的報告：「兩年來國家對鐵路基本建設的投資，佔國家對工業交通投資的第一位」。這一情形，在今後中共經建的計劃中，仍難作顯著的改變。

未來發展目標 西北重於東北

根據過去三年中中共經建的發展觀察，中共未來經建的重心，可能以東北爲支持經建的據點，以西北爲發展經建的據點，由於東北重工業基礎爲全國各區所不能及，在今後數年中，東北仍將爲中共經建的中心。但從中共備戰的基本戰略上看，本報判斷，其發展的目標在西北而不在東北。

西北方面的建設，由於地理位置的關係，可能比較地側重於下列二點：第一是完成以蘭州爲中心的戰略交通網。其計劃中的路線，係先將隴海線由寶雞伸展至蘭州，由蘭州築天蘭路通天水，由天水築天成路通成都，與西南的成渝路相銜接而直通重慶。這一線除天水至成都一段外，其餘均已完成。其次一幹線係由蘭州修築至迪化，再與蘇聯中亞細亞鐵路系統相銜接，全線亦已測量完畢，並已分段動工。其第三幹線是由蘭州經寧夏至綏遠包頭，與平綏鐵路相銜接，轉接北寧、中東二線，與蘇聯西伯利亞鐵路相通。這三條鐵路如能築完成，西北將全部併合於蘇聯遠東軍區。

劃定重工業區 設于內陸腹地

其次是發展新工業區：主要是恢復山西太原一帶原有鋼鐵工業，使逐漸成爲鋼鐵工業區，以西安、漢中、寶雞、蘭州、天水爲據點，將陝西發展爲化學工業區；並以隴中隴東爲中心，發展甘肅爲石油工業區。如果中共經營東北的目的，乃在支持目前的戰鬥，則其建設西北的目的，可能在準備東北棄守後作爲退守的老巢，在這整個的建設計劃中，西北的建設，無疑的乃其長遠發展的重心。

至於西南方面的建設，主要的亦以戰略鐵路爲重點。其計劃中的西南鐵路系統，除已完成的成渝路外，並準備以貴陽爲中心，建立西南鐵路網，先由重慶南下，築渝貴路至貴陽，再由貴陽南下築貴昆線通昆明，銜接滇越路。另一線則由貴陽南下接湘桂線，轉接業已完成的來鎮線至鎮南關，這二鐵路的修築，將成爲共匪國際進攻東南亞的動脈。在工業方面，西南地區因缺乏電力，除發展輕工業外，重工業建設絕少可能。在中共的五年計劃中，只能列入次要地區。

正式實施時期 將從明年開始

上述的經建計劃，其大規模實施，可能由明年開始，一方面中共今年準備搜括的七十七億美元，是否能照數刮足，仍成問題，即使能刮足，但其中大部是農業品，必須經過對外貿易，積極轉化爲外匯，或交換工業原料及機器設備，才能增加其生產能率；一方面五反後，關於私營企業的改組，目前仍在開始中，而幹部的調配訓練，目前亦未至完成階段，因此，正式實行的日期，非待明年以後不可。

這一個五年備戰的計劃，其基本前提建築在韓戰不致擴大上面，中共這次的召開「亞洲和平會議」，其意義，即企圖用和平攻勢來掩護備戰，如果韓戰擴大，戰火燒到東北，不但上述的經建計劃，無法實施，而且原有的一些工業基礎亦將無法確保，因此，這一五年計劃的前途，依然是極爲黯淡的。（錢易之）

富春江畔的反共鬥爭

山禾

富春江畔，桐廬、建德、蘭谿一帶，有原任浙北師管區司令周正祥所領導的一支游擊武裝，番號爲東南反共救國浙北游擊縱隊，副司令爲李××（尚在游擊，姑隱其名）以兩營接兵部隊爲基幹，加上矢志反共的地方青年，人槍共有兩千三百餘，編爲三個支隊。起初以七里瀧兩岸的山區爲根據地，經常出擊桐廬、蘭谿、浦江各縣的匪區鄉公所及共軍共幹，特別在嚴東關、窄溪、橫村埠一帶的匪區鄉公所及共軍共幹，幾全部被摧毀、殲滅。後來共黨以搶取糧食及征派「公債」的手段，壓迫得更厲害了，民間的反抗情緒也愈來愈高漲，在金、衢、嚴三府屬的十餘縣掀起了震撼一時的農民大暴動；雙方的死傷都在三千人以上，到處洒着殷紅的鮮血！共黨以進攻不利，轉而向農民「鎭壓」，拘捕而集體屠殺無辜數千，眞是血債累累，令人髮指！周正祥的隊伍曾適當地利用了此一時機，分兵猛力地衝擊建德蘭谿兩縣的僞「政府」，殲滅共軍共幹八百餘之多，大快人心，終算爲數千個被屠殺的農民吐了一口怨氣！

從這次農民大暴動及周正祥部的數次大突擊後，匪即增調了大批「正規軍」，企圖圍攻周部，周部爲避免犧牲，已以支隊爲單位，向西北轉移於桐廬與淳安分水一帶，機動作戰，敵數度撲空。祇不幸此後不久，周正祥於某大埠之北山區去舉浦一帶途中，突與由分水調桐廬的匪軍相遭遇，一時不及走避，致被俘獲，解往桐廬，司令李××於噩訊後，即集中所部，突擊桐廬縣城營救，一度攻入縣城，展開巷戰，終以匪衆我寡，卻終無法救周脫險，周已被就地槍殺，爲國殉職了！周死後，即由李副司令××繼任了司令，並改編了浙省保安司令部所屬的富春江游擊縱隊的新番號，於極短期內，曾將組織一直發展到淳安、分水、新登、於潛、昌化各縣，共擁有八個支隊之多（此等支隊不在富春江畔游擊，故不詳敍）。此後，李氏隨身所率的三個支隊爲便於向海外呼應，並爲適應日益艱鉅的環境起見，行動已極爲機敏謹愼，有時渡江而南，有時渡江而北，聲東擊西，神出鬼沒。且由於武器彈藥補充的困難，已不得不日漸減少正面的激戰，而以破壞及小組突擊的行動爲原則。據最近自關係方面來港的商人談，李部目前仍在極險惡的情形下奮鬥中。

在浦江、富陽、及桐廬南岸一帶山區活動的，有王之輝所領導的游擊行營的挺進第一縱隊。以浦江、富陽等縣的自衞隊爲基幹，加上地方反共的壯勇之士，人槍約有一千八百餘，也編了三個支隊。第一支隊長係王之輝自兼，在浦江方面游擊，第二支隊長爲錢××（尚在游擊，姑隱其名）在桐廬窄溪一帶活動，第三支隊長章禾田在背山隴油、義橋、富陽的大源、場口一帶游擊。這三個支隊從卅八年六月起到次年一月間止，沿富春江各地展開的激戰不下百餘次，發揮了偉大的戰鬥精神，嗣後王之輝部即一致配合行動，並隨時移轉地區乘機出擊，後王之輝部交陸××兼領，移駐到江北的分水淳安一帶活動，章禾田則移到富陽的韋村一帶迴變，章戰死後所部亦交給陸。

韓戰爆發後，國際形勢日漸外轉，共軍志日漸低沉，民間反共意識重復高漲，加上海外游擊基地上精神物質的有效鼓勵，在在都使游擊隊獲得了在艱苦中奮鬥生存的幫助。尤其富春江畔山區形勢的險峻複雜，李陸二游擊領袖的堅毅英勇，以及兩大游擊隊間和衷相共的合作無間，終於使他們在狂風暴雨中屹立不搖，堅持了過來。而且日漸壯大。

南苑機場的一幕

【北平通訊】周恩來回來了，南苑機場擠滿了一大羣人，劉少奇，朱德，林伯渠，郭沫若等都在那兒，在休息室中坐着，大家不開腔，空氣很沉重，陳毅也走了進來，用鼻子嗅了嗅，叫勤務員打開窗子，可是劉少奇搖搖手說：「一朵副主席正患着感冒，開不得。」

這間休息室像三間套房，裏面的一間較小，但佈置精雅，大概是頭等人用的，中間的那間比較大，佈置也不錯，該是二等人用的，在這裏吸烟喝茶時時看手錶的有羅瑞卿，曾山，滕代遠，薄一波等。最外面的一間，很大，舖着地毯，陳設也很堂皇，西邊的沙發上坐着李濟琛，馬寅初，陳叔通，黃炎培等，還有就是一批散亂的站着的「小鬼」，都掛着卜壳，勞裏衞着彈捲，有說有笑，一若沒有把這批三等腳色放在眼裏，原來這批都是跟從在一等二等房間中歇息的「顯要」們的警衞員。每人至少帶四名。

聶治中這時趕了進來，不好意思的看看手表，連說「來遲了，來遲了，」幸好周總理還沒有到。」脫下八角帽抹抹汗，可是一個人也沒有睬他，他往中間那間房裏闖去，卻給一個警衞員擋住了，說：「羅部長在談話。」

於是聶治中只好走到李濟琛傍邊坐下，大家點了一個頭。他脫下眼鏡來擦了擦。

一會兒汽車響處，警衞員奔進來，直穿過第二室，對劉少奇報告說：「蘇大使代辦鮑德夫，武官柯托夫中將到了」，劉少奇趕忙出去迎，可是顧德夫，柯托夫已進入，大家起來，由劉少奇握手迎進去歇息了。

約摸過了半個鐘頭，有機聲從[illegible]，於是一窩蜂似的湧了出去。

「排隊排隊」羅瑞卿在喊，些人排起隊來，劉少奇與顧德夫等另一邊，宋慶齡出來得最遲，蹣跚的，眼睛紅紅的，用手絹措鼻子，面像在淚誰。

飛機上走下來的，第一個是周恩來，第二是陳雲，以後就是粟裕，王鶴壽，舒初，徐以新，陳家康。還有幾個他先與顧德夫，柯托夫握手，再與站着的人握手，周恩來的臉色和表情都不大好，大概他是暈機的，也許又由於心裏不大好見人。這時正是夕陽西下的飛機場上的風勢很大，括起一陣陣的塵沙，有不可久留之勢，於是周恩來等給[illegible]張相，就坐上車子走了。

大陸農村實況寫照

中共在農村中搞「互助組」，主要爲組織增產，但是問題多得很，往往增產不成，反而減產，而且弄得紛紛擾擾，大家不和。陝西長安縣王莽村的「互助組」即是一個例子，據九月三十日的羣衆日報說，這個互助組的毛病是：

大家太窮了

一、在勞動關係上沒有等價交換原則，以致農民間發生了不協調現象：「地多的佔便宜，出工多的吃虧。」「有牲口的用牲口，但大家不愛惜，一天到晚亂用，於是有牲口的索性把牲口賣了。」「大家沒有錢，付不出工資，」於是一個農民姚志玉說：「做活多久得不到錢，買饃吃也趕不上，螞蚱子拴在鹽腿上，變不動了。」有的則說：「互助組那及往年打短工。」於是大家不願參加「互助組」。大家說：「大家出力，也容易偷懶，一畝地本來只要一天幹了，互助後卻要幹三天。」

翻身愈翻愈深

二、組織骨幹弱：在互助組中還在挑撥鬥爭，「分發農業貸款，組長就霸持，對相好的多發，不相好的少發，不滿意的不給。」「開會太多，批評成了對罵，有時打起來，彼此結仇，結果大家都不願開會。」「許多人都不願幹組長，想幹組長的都是爲了自己方便。」「互組時，先要組員把自己的莊稼做好，別人的馬虎了事，或竟不管。」

青壯都完了

三、組的勞動力弱，缺少牲口，耕具，如牛，谷場，乃至穀種，都是五十歲以上老漢，推土送糞都有困難。牛月興組，隱組共有五戶，都是婦女，不會勞動，兩戶一個是六十歲老漢，另一戶[illegible]，總共只有兩個組員，只有一個場，[illegible]

四、村幹部的認識與組織和會議過多，[illegible]

壟斷操縱糧價

共黨又一種剝削方法

河南省秋糧已上市，農民爲了還債，套換其他生活必需品，大都急於求售，但中共各糧食公司，即奉到提高[illegible]命令，不顧農民利益，壓低糧價。如商邱專區，信陽專區等地，各糧食公司對農民求售的紅糧，豆類糧食，藉口水分大，不好保管爲理由，拒絕收購，以致各專區牌市價脫節現象，相差百分之十三至百分之二十七，形成了[illegible]市場，農民的嚴重後果。[illegible]

歡祝國慶的話

為方

十年一度的雙十國慶紀念日，今天是四十一屆佳節了。中華民國的歲紀越增加，中國人民的患難亦越深刻，今天大家只在海外高舉國旗，歡祝國慶，其心情自然是沉重的。但其熱愛中華民國的精神，卻特別旺盛，這可以證明古人所謂「多難興邦」那句話的確現不誣！

過去我們在國內歡度雙十節，大家總不免存有虛應故事的心理。現在我們在海外從事反共復國運動，同時又有大陸上竊國政權的所謂「十．一」偽國慶，用各種方法脅迫海外的中國人表示慶祝，而大多數崇尚自由生活，愛護中華民國的同胞，依然遵奉雙十正朔，薄海同歡。這是中華民族的浩然正氣，也是中華民國復興的象徵。

撇開政治觀點，從深遠處來看這次反共復國之役，毋寧說這是一場文化鬥爭。以文化鬥爭為出發點，今日所有遵奉中華民國正朔的中國人，不特對於雙十國慶的意志是齊一的，即對於反共復國的主張，也不應該有甚麼歧見。共如反不了，國如復不成，大家本身的生存且成問題，其他還有甚末可說的呢？如其我們自己不爭氣，沒有自力更生的能耐與作法，而專靠「美元」或「美援」作中心，或者只為「美元」而反共，縱然如願以償，也不過是他人的工具，那就大可不必罵共產黨人賣國，而笑他們喊「史達林爺爺」了！

自由人談

統一分配

夏雲飛

廣州大學畢業考試結束了，本屆畢業同學都要離開學校，所以這幾天校內特別緊張，這並不是為了考試，因為目前已不是「反動時代」，考試時非常嚴格，如臨大敵，現在只要學習積極，思想前進，政治分數能以及格，其他各課即使都繳白卷，也絕無問題，一定可以安然畢業的。但是大家卻特別緊張，比較考試問題，還要來得嚴重，原來在畢業考試的前夕，組織上發下一個調查表來，要各人自行填寫工作地區，在小組會議上，負責思想訓練的陳主任說：「現在已非反動政府時代，畢業即失業，目前政府是包負責將各位介紹到工作崗位上去，同時我們還尊重大家意見，按照大家願意去的地方分配，絕對予以適當照顧」。其實同學們最頭痛的就是「分配」，因為大家都清楚組織上所說的「自願」是什麼回事，可是究竟因為關係太大，不能隨便聽人擺佈，於是同學們也都自行填寫了工作地區，大家都是廣州，一小部份是上海，還有一部份願意到海外去，只有極少數的黨團領導人才填的是西北或東北區，表册繳上去以後，過了幾天全校召開大會，陳主任上台將同學們所填表上的志願統計一下，然後說：這是不正確的思想，國家正當對內建設，對外抗美援朝的時候，前進青年為什麼不走到祖國需要的地方去，而偏要躲在後方享福」。最後陳主任又說：「雖然大家這是不對的，可是「人民政府」是最講「民主」的，我們絕不勉強，現在交大會評議，用民主方式來決定」。說到這裏，台下響起疏落的掌聲，有些人也莫明其妙的鼓掌。

下面就臨到每一個同學「過關」了，要各人自行起來申述理由，首先一位填報海外的同學起來說：「我因為父母都住在×港，而且年齡已經很大，他們不願讓我離開，所以我希望能回去，即使政府不能介紹工作也沒關係：……」話未說完，幾位黨團學生已經鼓噪起來，「溫情主義」！「丟不開包袱」！「不配做毛主席的學生」！簡直把頭腦都吵昏了。這時陳主任卻擺手要大家肅靜，然後下總結說：「某同學這種觀點實在太不對了，要知道你是人民的，還是你父母的？現在這個問題都提不清楚，實在辜負了人民的教養」。這位同學在十手所指之下，頹然坐下，無法分辯，也不敢分辯。另一位同學站起來說：「我因為身體太弱，不習慣北方水土，那年到上海讀書，就常常害病，才又轉學回來，所以我希望留在廣州為人民服務」。馬上一位同學又起來指責說：「這是小布爾喬亞觀念作祟，我不能同意，青年人不應當怕吃苦，要說南方人不能到北方去，那我們的毛主席是湖南人，為什麼會到莫斯科住上兩個多月，既然為人民服務，就不應當愛惜自己」。下面又有許多人說「對呀」！「為人民服務要剷除布爾喬亞的思想」。這位同學又未過去關，而負着自的坐下。看到這種情形，大多數的人都不願意再過關了。只有一位不識相的同學畏縮的站起來說：「我有一種特殊情形，我已經結過婚，家中別沒有人，我的愛人最近要生孩子，我希望能留在廣州予以照料」。這時陳主任卻搶着說：「你這還不成問題，廣州市有的是人民醫院，還有老大哥傳授的無痛分娩法，當然不會發生困難的，你不必為這担心」。說到這裏台下看一眼，「還有同學有意見沒有」。團支部書記小張站起來說：「我提議服從組織分配，為了人民，要犧牲自己，把生命交與毛主席，他要我們到那裏去，我們就到那裏去」。陳主任接着鼓掌，大家也一齊鼓掌，事情就這樣通過。過了幾天統一分配放榜了，所有同學都是東北區西北區，而且限定三天動身，只有那位「把生命交給毛主席」的團支書記小張，連同幾位前進同學，都留在廣州，這不免引起大家的錯覺，互相談論，總覺說：「這是什麼一回事呢？小張幾個人，並未在會場提要求，為什麼算過了關呢」？也有聰明人說：「這叫做明修棧道，暗渡陳倉啊」！話雖如此說，可是組織上的決定，誰也不敢違抗。

三天後這些「英雄」們便都上道，一切都冷清清的，唯一點綴，便是一般頑固父母來送行，在大沙頭車站轉起一片哭聲。

略談諸葛亮（一）

舜生

我在「中聯晚報」上寫了十幾篇有關「三國演義」的文字，朋友們看過的不少，本來還想寫下去，可是自己的興趣一變，便只把這個題目擱下，而另寫其他的東西去了。

最近因為偶然看見王船山俞曲園的兩段文字，把我這個已冷卻的興趣又再度的燃燒起來，因此想來談一談諸葛亮。

一般人所認識的諸葛亮，大抵都是「三國演義」上那位神出鬼沒的軍師，決不是陳壽筆底的那位政治人物。「三國演義」的作者，因為腦經中橫亙着一個正統觀念，因而他把蜀漢的人物特別抬高，魏與吳兩方的人才儘管決不下於蜀漢，但經這位小說家一番歪曲的描寫，卻不免相對的有遜色了。

關羽可恭維之處並不太多，但經過這位小說家一寫，他便成了一個神；諸葛亮本來大有可稱讚之處，但因為這位小說家的恭維得不得體，卻把他寫成了一位[illegible]的策士，甚至把他變成一位陰陽怪氣的道士了。

「伯仲之間見伊呂，指揮若定失蕭曹」，杜甫老先生的這兩句詩，總算把諸葛亮認識得比較清楚了；可是史家的陳壽，卻把諸葛亮比較說：「諸葛亮之為相也，撫百姓，示儀軌，約官職，從權制，開誠心，布公道；盡忠益時者，雖讎必賞；犯法怠慢者，雖親必罰；服罪輸情者，雖重必釋；游辭巧飾者，雖輕必戮；善無微而不賞，惡無纖而不貶；庶事精練，物理其本，循名責實，虛偽不齒；終於邦域之內，咸畏而愛之，刑政雖峻而無怨者，以其用心平而勸戒明也。可謂識治之良才，管蕭之亞匹矣。然連年動眾，未能成功，蓋應變將略，非其所長歟？」在「三國演義」上凡此種種皆看不出[illegible]。

諸葛亮自己在出師表上說：「臣本布衣，躬耕於南陽，苟全性命於亂世，不求聞達於諸侯」。從這幾句話，[illegible]高士；因此「三國演義」的作者把他寫成[illegible]。

是一個用世心很切的人；第一，他能留心當世之務，[illegible]；第二，他所結交的一班朋友，如崔州平、孟公威、石廣元、徐元直之流，大抵也都是功名之士，而且造出「伏龍鳳雛」這類的名號，這雖是東漢末年的風氣，[illegible]……（一三七）

蒼竹樓隨筆

我不是自願的！

康百度

德明的爸爸死的時候，他還只有六歲，到現在已有十一年了，他已在武昌中學高中一年級讀書，他時時記着他媽媽的期望，發憤求學，所以成績優異，很得學校中的老師們的讚譽，更使他媽媽引以告慰的，覺得十多年的含辛茹苦並沒白費！

「解放」了，一切起了變化，學校裏的功課變了，教師也換了，他已不再是師友們心目中的標準好學生，讓他很難過。但最傷心的是一個名叫張強的同學，在過去功課最差，操行最壞，為他最瞧不起的，現在居然成了風頭人物，學生會的幹部，「青年團」的書記，連教師都為之側目！他過去對德明是嫉妒的，現在就儘量的向德明施行攻擊了，他曾發動了一般同學向德明「鬥爭」，說他讀死書，「落伍」，腦子裏充滿了封建思想，更說德明的爸爸從前做過縣長，是官僚階級，要他「坦白」「認罪悔過」。更常常用冷語熱嘲，刺激德明，侮辱德明，要不是他媽媽勸慰，他老早就不想繼續念下去了。這一段日子對他是相當委屈的！

韓戰發生後，「抗美援朝」運動，在「青年團」的指使發動下，瘋狂了整個學校，不讀書自然投合一般學生的心理，學生們早把書本拋到九霄雲外，功課無形停頓，這對於真正想求學的學生，自是不願意的，但又有什麼辦法呢？所以德明只好抽空自行研習。那天正當他躲在課堂內做物理習題時，忽然有人拍着他的肩膀說：「德明！好用功呀！」他回頭一看，心裏不禁打了一個寒噤，竟是他的對頭張強，他心想這可糟了，趕緊站起來陪笑說：「那裏！我將做呢！」「可是，今天竟特別奇怪，張強不僅沒有譏誚他，並且還異常和靄，和他談話也沒有相反的語氣，很溫和，並且還問了很多無關緊要的話，處處迎合他的心理，處處使他感到舒服，最後更找不到一點逼迫的地方，他說到「青年團」，他問德明是否願意參加，德明很謹慎的回答說：「我當然願意，只是恐怕他們不會要我罷！」張強笑了，笑得很自然：「那不要緊，只要你願意爭取的，一切都在我身上！」事情就這樣決定了，張強臨走時還滿意的拍着胸膛。

德明成了正式團員不到幾天，「參軍運動」便像火一樣的展開了。同一天，德明便接到一個通知：「德明同志，本團團員對於參軍運動應起帶頭作用，以作一般人民的表率，在團的決議中，同志獲得了這個榮譽……」。天呀！德明頭昏了，他想到參軍的後果，他想到他死去的爸爸，他想到他十多年相依為命的媽媽！……然而有什麼用呢？當天他就被留在學校裏，第二天他就被迫踏上了北行的火車。

德明的母親，兩天不見德明回家，跑到學校去被拒絕入內，到公安局去報案也無結果，焦急萬分，後來有人提醒她說：「不要是參軍了？」她趕到了車站。這時月台上擠滿了歡送的「各界代表」，搖着紙旗，喊着口號，她好容易擠到「榮譽軍」前，她想爬上去，可是立刻被武裝士兵阻止了，她拚命掙扎着嘶喊着：「德明呀！」這時[illegible]德明在車箱中飲泣着，聽到了母親的呼聲，便大聲答着：「媽！我在這兒呀！」[illegible]……「我不是自願的呀！」[illegible]

中國之友（二十四）

毛以亨

赫德傳（四）

四、李泰國購船事件

Lay-Osborne Flotilla

一八六一年多，巡撫薛煥建議與赫德談購船砲事，最後總理衙門訓令赫德「立即與薛換實行此項計劃。當船購到砲裝好後，巡撫薛煥或兩江總督曾國藩將派兵上船，先在寧波平亂，待各地克復後則直泝長江而上至南京。」（見一八六四年藍皮書）。赫德提議購砲船六，快船四，因函李泰國（時請假在倫敦），謂恭王急于得船，而款項無問題。所以由海關購船者，因天津條約有消滅海盜一項，而由海關負其責，在海關則於法有據，而在中國政府方面則款賴海關撥付，且事實上非得英國人諒解亦買不到船。輪船確為制勝太平軍的唯一辦法，因作戰地點皆為江湖交叉縱橫之處故。

李泰國以全權處從組海軍總司要執，請 Osbore 為海軍總司令，恭王僅允用英國軍官由李泰國斟酌。赫德將款匯去，以為此係海關巡邏船，而李泰國堅持全權。乃未得訓令先以總稅務司名義與英國政府交涉，得以徵募軍官定購船隻，竟于一八六二年九月二日大登徵募廣告。英皇勅令自九月一日起，准 Lay-Osborne 為中國服務，並許其購買戰艦徵募英人。」然首相羅素囑李泰國須得中國政府全權，始可行動，為囑，須李泰國不特在英活動，欲赴法美募人擴大活動範圍，成立一國際性的中國海軍。恭王見情勢不妙，欲改向美國購船，而停止海關赴英購船之舉，英使亦贊成，而赫德反對，謂錢已花去，定單不能退。李泰國在英買到砲船六艘，其中二艘買自英海軍，為北京號計七〇〇噸，馬力二百五十，中國號六六九噸，馬力八十，廈門號三〇一噸，馬力八十，江蘇號一〇〇〇噸，馬力一百五十，天津號五二〇噸，馬力三百，廣東號五四四噸，馬力八十，[illegible]

一八六二年十月七日赫德至北京，為取得授權狀，但只允購船和雇用人員，不合李泰國之原來要求。[illegible]六三年一月十六日與 Osborne 訂立合約十三款，而下逃六項尤為中國人所不喜。

長壽與酒

美國有人提倡禁酒，說每年死在杯中的有千萬人之多，不喝酒可以長壽，為了證明，他們訪問過[illegible]一個老人正在那裏大杯喝酒，人無法開口，只用手指了指隔壁，他們說：「你們看，我的兒子不喝酒，他現在就快死了。」

酒瓶與書本

上海有兄弟兩人，兄酗酒，日盡二瓶，弟好讀書，日必購書，於是兄之屋中滿是酒瓶，弟之屋中全是書本，友人都勸兄而譽弟，共黨到上海，兄變賣酒瓶，得款不少，還能生活，弟的書被搜去，並被判下獄。世界之事，有理可說乎？（十一）

中華民國僑務委員會頒發登記證台教新字第壹零貳號

自由人

THE FREEMAN

（半週刊每星期三六出版）

（第一六九期）

每份港幣壹毫

督印人：李光華

社址

香港高士打道六六號

電話：二〇八四八

GLOUCESTER RD.
HONG KONG
TEL: 20848

承印者：東南印務出版社

地址：高士打道六四號

台灣特派員辦事處

台北市館前街五十號

台灣總經銷處

台北市中華路一二五九號

我們要創造新風氣

雷嘯岑

我們如果承認人類由原始穴居野處的猿人時代，進化到現在戡天縮地的原子能時代，是人類的智識所使然，那，就絕對不能否認智識份子在人類生活中具有創進和領導的中心力量。共產主義者以智識份子起家後，即痛恨智識界中人，凌虐摧殘，必欲消除而後已，正是他們忌憚知識份子的卑怯心理表現，這跟秦始皇焚書坑儒，以及一切統治帝王梟雄之殘殺籠絡士大夫的用心是相同的。因此，所謂「百無一用是書生」，所謂「殺人無力求人懶，千古傷心文化人」這類說詞，只是讀書人一時的牢騷語，決非眞理。而面對共產暴力之前，即自認「肩不能挑，手不能提」的知識份子已是時代的沉澱物等論調，尤屬自甘「賤格」的胡說八道！智識的力量是偉大無比的，作爲一個多知多識的讀書人，又生在產業貧乏文化衰頹的現代中國，更遇着焚書坑儒，以「共」爲師的反動敵人，尤其不能妄自非薄，放棄其創進時代，領導時代的歷史任務。

智識份子對近代中國的影響

近代中國悲劇之編導與演出，探本追源，智識份子決不能脫卸責任。我們罵袁世凱帝制禍國，罵北洋軍閥誤國殃民，罵國際帝國主義者製造中國內亂，罵其他統治階級之腐敗失職，招致共禍，都有理由，未可厚非。但，大家如能揚棄主觀偏見，用顯微鏡作縱深的觀察，這些軍閥官僚之所以失職害政，誤盡天下蒼生，我們這般智識份子是否有助桀爲虐，教猱升木的情事呢？遠事不必談，只就「民主與科學」這兩項爲中國所必需的要務而言，即足以證明到代智識份子是不能辭其咎的。這口號原是「五四運動」的中心思想與要求，任何反動人物也不敢公然反對。當年主持五四運動和扮演運動員的若干老少智識份子，最近廿餘年間，他們在政治上飛黃騰達的人很多，在社會上佔有領導地位者亦不少，而且至今其勢猶未衰。可是，除了陳獨秀始終沒有放棄他的且有職責，蔡孑民尚亦因作官而喪失其本來面目，胡適之對民主政治仍能一心嚮往，以及有些挺而走險，投入共產黨的讀書人之外，其餘大多數人士，一經涉身現實政治，即失節背信，變成「民主與科學」的革命對象了。至其在野者，亦未見有以殉道精神，爲爭取民主與科學而不顧議論利害。竭力奮鬥，鍥而不舍的人物。或是潔身自好，超脫於現實社會的羣體生活，孤芳自賞，不求聞達，或則呼朋引類，與一般不民主非科學的官僚政客爭逐鷄鶩之食，而置時代使命於度外。曾憶民國廿一年春，南京黨政當局揚言注重科學，提倡停辦各大學的文法科，亦不再派留學生赴外國習文法學科了（提議人係某顯要）。當時預議人士，十九都是具有高深學識的智識份子，而在任的教育部長且爲五四運動大本營的北大教授，對於這種因噎廢食的不通主張，竟無人予以糾正。像我這樣蹩腳而又未曾參加過新文化運動的智識份子，卻看不過去，曾在天津大公報上發出抗議的文字。即此一端，近代一般讀書人之拋棄固有正義，熱中功名利祿的心情爲何如者！至於假借帝國主義者勢力，不問國家民族利益，專爲個人私慾打算的史事，更所在多有，汪精衛就是這類讀書人中的佼佼者，其他不必枚舉了。

近代中國智識份子的過去情形如此，一般軍閥官僚之肆無忌憚，視讀聖賢書的士大夫如無物，予智自雄，胡行妄爲，自爲必然的結果。如是乎，民主與科學的氣氛，在中國乃永遠鬧不到，永遠是大家掛在嘴上的一句口頭禪而已。中國弄成現在這種大悲劇，我們這般讀書人自問良心，能說毫無責任麼？中國要復興，根本條件還是在發展民主與科學，而這一任務，又依然非智識份子來担負不可。我們必須毖後懲前，借取歷史教訓，改變作風，創造新風氣，纔有成功的可能。

新風氣如何創造？

智識份子既有創進文明與領導社會的本能，老實不客氣，對國家對社會就有「作之師」的資格。尤其對於一般知識簡陋的統治階級，不宜隨便抹煞「師道」的尊嚴，要自愛自尊，保持着有所不爲的獨立人格，亦即古人所謂「浩然之氣」。自中華民國創建以來，四十年間，偃文修武，軍人萬能，豎兒致貴矜身手，政治竟變成了鎗柄刺刀下的附屬品，視讀書人皆可以頤指氣使，倡優畜之，而一些熱中富貴功名的士大夫，也相率逢迎諂附，烟視媚行，不分青紅皂白，見着權威即低首膜拜，希寵干祿。我們試回憶最近四十年來的政治史迹，這情景不是歷歷如在目前嗎？我們一面要求民主，同時又放棄「作之師」的立場，盲從軍閥官僚，唯唯諾諾，不敢正視眞理，主張正義，自然毫無是處了！

現代中國的智識份子必須以天下爲己任，過問政治，這是應該的，否則民主與科學生活即無從談起。但，過問政治不是盲目的同流合汚，自暴自棄，起碼要有「大德不踰閑，小德出入可也」的風範。甚麼是「大德」？即是思想政見，即是理性節操。既是爲着發展民主與科學的目的而從政，遇有不民主非科學的政治行爲，就該本着「作之師」的精神，予以糾正或反對。「師道」若不行，上焉者不惜冒險犯難，極諫力爭，次焉者亦應羞與爲伍，拂袖而去，表示一點政治家的氣魄。歐美的政治界，常有以政見不合而毅然去位的，中華民國的士大夫，則多見其爲笑罵由他，好官自爲者。舊時君主政治時代，常有屢被徵辟而不應的讀書人，民國時代就只有奔競貪緣，甚至利用裙帶關係以求官固位的智識份子。梁任公拒受袁世凱的十萬元賄金，而決然冒險發表其反對帝制的文字，這種讀書人在近代找得出幾個？君主時代的士大夫，爲着一項政策或主張，有預寫遺囑，備棺材，致於披逆鱗，冒死犯顏的，民國時代幾曾見過這類讀書人呢？我們罵那些無知無識的軍閥官僚輕視讀書人，鄙視讀書人，我們自己就必須具有凜然不可輕侮的獨立人格和高尚節操，纔能夠見重於世。有權有勢者每以富貴驕人，有知有識的士大夫，即應之以不見可欲，安貧樂道，合則留，不合則去，爲「大德」而來，爲「大德」而去。吾舌尚在，我筆猶存，要批評時政，要臧否人物，要口誅筆伐禍國殃民者，這就是民主精神，也就是有爲有守的讀書人，也就是至大至剛的天地正氣！

由於科學落後，產業不發達，中國智識份子祇有趨於「搞政治」這項職業，而且都是「爲貧而仕」的多，這確是讀書人的一大悲哀！但，貧富只是生活水準的差別，與人格無關，與事業無涉。讀書人既有一技之長，相信其不至於餓死的，不餓死即有創造事業的餘裕，豈可喪其所守，自甘墮落？凡屬能夠安貧樂道的智識份子，即是能做「爲而不有」的無名英雄，而現代中國士大夫之間，正缺乏這種無名英雄的氣質啊！無論是搞社會運動也罷，搞文化運動也罷，個個都想以領袖自居，若談到組織政治團體，那更不得了！爭地位，弄小圈子，分小派系，團體尙未組成，而擺架子擺權利排擠傾軋之風已鬧得烏烟瘴氣，令人頭昏腦悶，自愛之士，祇好望望然去之。這樣，就難怪別人笑我們秀才造反，三年不成，更難怪有權有勢者瞧不起智識份子了，我們的「師道」怎能樹立起來呢？

因此之故，我們這般秀才們既要以天下爲己任，必先注意自己的修養工夫。我們痛惡獨裁生活，自己遇事就得講究理性合作，表示民主風度；我們痛惡貪汚份子，自己就不要如呂氏春秋所述齊人之「見金不見人」；我們反對共產黨，自己就不要學共產黨那套對人對事的方法，喜對立，好鬥爭。現代中國的士大夫，不論在朝在野，似乎都在不知不覺之中，把共產黨人的一些壞處學習到了。隨時拿這套本領來對付自己人，卻奈何不了共產黨！中國悲劇之演成，這是主要的心理因素。余友唐君毅先生常著文倡導智識份子應有涵攝萬物的宗教精神，我們目前更應該創造這種新風氣。

智識份子絕對地賦有影響時代，領導時代，創造時代的技能，我們應該當仁不讓，負起這項歷史任務，而其成功要訣，首在屏除傳統錯誤觀念，卑怯心理，鄙陋氣習，大家同心戮力，創造一種新風氣，未來世界是我們的，有志於以天下爲己任者，盍興乎來！

半週展望

·王一千·

聯共大會

蘇俄共黨十九次代表大會，現在還在繼續舉行，各國共黨差不多都派有代表參加，所以特別顯出了它的侵略的「世界性」，中共出席代表劉少奇致祝詞時，據說受到最熱烈的捧場，遠過於對其他各國共黨代表，這又暗示了它的侵略的主要重心，仍然放在遠東。

「另一種決定因素」

聯共大會開過後，各國共黨接着就要分別開會，來配合聯共的決定，蘇俄宣佈五年計劃，中共也將宣佈五年計劃，中共的五年計劃當然是隸屬於蘇俄的五年計劃之下的，是蘇俄五年計劃的一個分部。從史大林在「布爾雪維克」什誌上發表的論著看，它還是取的和平攻勢，以挑撥離間分化和煽動民主陣營內鬨爲主，同時在各國內部發展共黨組織，更深入的進行間諜活動，盜竊民主國家已經發明了的各種祕密。史大林說的：「另一種決定世界因素的力量」，大概就是指此而言。

美國有漏洞

說來很是不幸，正在這個時候，中共主持的「亞洲及太平洋區域的和平會議」上竟然出現了一個美國原子科學家，她的名字叫寒春，是芝加哥大學原子核研究院物理學研究員，據她自己說她曾參與原子彈的製造，並親手觸及過去投擲在長崎的那個原子彈，根據她的「向日本人民深表懺悔」的說詞，各國共黨的任務正在強力爭取各國「物理學家」，特別是「原子專家」。

科學家們過去都以不問政治的超然的態度出現，而共黨的進攻，恰就把握了這個弱點。美國原子能委員會雖然趕緊聲明辛頓未嘗參與原子彈的祕密，但蘇俄的第五縱隊之深入于美國核心部門，顯然已有相當程度。

「亞洲和會」一閉幕

這個美國原子科學家出來大賣她的祖國後，「和會」即於十三日落幕，公佈了所謂關於朝鮮日本問題等十一項決議，這些決議當然是老調，但處處是以對付美國在太平洋的一切活動爲要件，其中最重要的一項是「加緊爭取五國訂約」，這是「和平攻勢」中最具體，也最富誘惑性的，這項決議在各國共黨操縱下，不久必然變成一種群衆運動，配合上那些和平主義者，像[illegible]伊，尼赫魯等的活動，而使蘇俄可以擺開外交攻勢的陣容，西方國家，特別是美國，如不及早防制，表示堅定的態度，將會遭遇一個尷尬的時機，而英法等國，自然是更經不起這種引誘了。

硬硬軟軟的攻勢

和平攻勢是軟的，但俄國有時也稍稍使用硬的，最近北海道美機被俄機擊落，並反被蘇方指實越境，即是一例，但如美國眞的強硬起來了，它反而會轉軟，這和板門店談判一樣，聯軍代表好好地跟共黨談，共黨代表就會大叫大鬧，聯軍代表如硬起來，共黨代表必然軟下去。白馬山的爭奪戰也是一例，聯軍守着不動，共軍即利用時機增補，到了相當時機就反撲過來，兇猛異常，現在南韓軍又把它打了下去，它又會蟄伏不動了。照理，南韓軍應該乘機發動大攻勢，作澈底的追擊掃蕩，但背後的美軍又正給共黨的軟功夫牽拖着，還在幻想「光榮的結束」。

需要新的決定的時候了

美國現在一切是在被動，不管是攻勢也好，防禦也好，乃至於援助各反共國家也好，做得總是不夠明朗，果決。反過來看看蘇俄集團，那一樣不採主動，那一樣不採攻勢，這次聯共大會結束後，他的和平攻勢將更爲擴大，更爲無孔不入，民主國家是需要新的決定的時候了。

據紐約十三日電，謂美國將在七屆聯大中，警告共方，限期結束韓戰，否則聯合國將加強作戰努力，這自然是反被動爲主動的重要措施。則新的決定就應該從這裏開始。

星洲僑胞爭取公民權

【星洲航訊】星洲僑胞爲爭取公民權，最近發動一大規模的政治運動，這一運動的發展，不僅關係星洲數十萬僑胞的前途，對英國在馬來的剿共戰爭，也將有重大的影響。

不平的待遇

自從二次大戰結束以後，英國政府雖着手開放各殖民地，但對居住星洲人口最多，貢獻最大，負担納稅義務最重之華僑，不但未增加其權利，反而剝奪其原來之種種權利，其中不平事實，罄筆難書，如星洲中華總商會，共有會員二千餘名，另有公會六十餘單位，總共會員不下萬餘人，其中屬於英籍者約百餘人，僅合總數百分之一，而總商會在星洲的代表一席，即規應由英籍會員選出，不平情形，孰甚於此，此外，僑胞歷年來所遭受的不平待遇，尚有下列種種：一，華僑在從前可任市政府議員，自民選制度成立之後，已將前例取消。二，華僑從前如居留八年以上，即可獲得永久居留權，現此例業已取消。三，華僑從前無需參加人力動員，現則強迫參加。四，華僑從前出入境極爲自由，現則嚴加限制，五，僑眷入境尤爲困難重重。六，華僑在從前不需繳納所得稅，現在所繳所得稅，約佔全部稅收之半。所有這些不平待遇，皆由於華僑沒有爭得應有的公民權，沒有取得平等的地位。

歧視的惡果

由於星馬當局對華僑的歧視，使華僑對星馬的剿共戰爭，始終缺乏切膚之感，許多偏激之徒，且因此而走入歧途，近數年來，英軍動員十萬人之衆，始終無法殺平五千馬共，不能不歸咎於政治上的薄待華僑。職此之故，自去年春天，旅星的各屬僑領，曾一再向星洲當局力爭，但星洲輔政司竟函覆謂不予考慮而擱淺。最近此間中華總商會已舊事重提，決組織七人小組委員會，爲澈底爭取華僑公民權而奮鬥。這一運動現已在蓬勃發展中。

運動的逆流

目前，出面對抗這一運動，其一是一些數典忘祖的洋化華人，他們因已取得公民資格，在華僑中成爲特殊階級，惟恐另一般僑胞獲得公民權後，將降低其身份；另一則係馬來的進步黨，這些人由於種族的偏見，他們不斷中傷華僑，赤手空拳，一無所有，既不懂英語，復不懂巫方方言，一旦在星洲獲得金錢，即匯回國家鄉，指華僑企圖將星馬來亞併入中國行省之一，希望各民族注意防範，以達其挑撥離間之目的。星洲當局對這一問題，雖仍採取緘默，但一般人相信，如果僑胞能團結一致，則以華僑在馬來亞經濟實力及廣大人口，英方人士仍不能長期忽視的。（十月十一日王英寄自星洲）

史達林的「新路綫」

具有無上獨裁權力的史達林，打破他多年來的沉寂，於聯共十九屆全國代表大會，發出他十三年來對聯共布爾什維克黨新的神化理論。全文由「布爾什維克雜誌」刊出，長五十頁，題名爲「史達林對黨的備忘錄」。文中指出：「繁榮美好的時間，又行到來，社會主義的經濟建設，又進入全新的又一研討階段。」

在眞理報的顯著評論標題則說：「史達林的意識，是黨內和蘇聯人民的觀念上最重大的事件。」眞理報爲傳播史達林「新的理論思想」，發行超過每日一百五十萬份。世界上其他各處，對史達林這一篇文告，則在從事各種推敲。

史大林只有舊調可彈

史達林的文告，於聯共大會開會之前宣讀，接着就是馬林可夫莫洛托夫兩氏的發言，在馬林可夫長達四小時的發言中，仍沿着他一貫的老路：「美國的大佬，企圖發動戰爭統治全世界，因此，蘇聯必須加强力量，防止侵略。」馬林可夫與莫洛托夫的發言，急劇的指着美國咆嘯，但史達林的文告，則單指着共產黨的策略作了很空泛的檢討，而沒有提出具體的對像。在史達林的代言文告中所佔有的最大份量，是述說資本主義國家之間，因國際市場的競爭相互的自我衝突戰爭，無可避免，他讚揚他的信徒者所忠實遵循的黨的路綫沒有錯誤。史達林的文告剛發佈出去了，蘇聯一貫叫囂的「資本主義反動集團包圍蘇聯」，和「美國戰爭販子積極進行侵略計劃」等口號。而代以蘇聯決無戰爭威脅的新思想，他在文告中反復陳指：「當前世界外表所呈顯的一些動蕩現象，都不是決定未來世界重大因素」一說，成爲支持史達林所欲命定的「新思想」的實際內容。

他想要挑撥戰爭　但不敢面對戰爭

史達林所說的「當前世界外表所呈顯的一些動蕩現象」，當然是針指着西方國家的整軍經武而言。史達林在這一方面，曾下了一些具有誘惑與注入性的預言，他說：「德日的未來，必將走出美帝國主義的懷抱，英法的聯合，在最後亦必由脫出美國的挾制而自相火併，今天的共產黨人，若思想西方結合能長久存在，就算是犯了錯誤；實際影響未來世界的力量，正在世界現勢的下面，不斷滋長。」史達林的這一段說法，顯然是在叫他的信徒不要去顧視西方的結合，人類的歷史正在爲「蘇聯而工作」，同時向世界表示：蘇聯將不屑於與行將破裂毀滅的資本主義從事戰爭，蘇聯將努力從事內部建設，使蘇維埃共和國由社會主義步入共產主義。

退而企望世界自己解放

史達林的理論文告，照二次大戰以來，蘇聯一貫的行狀去看，可說是共產黨徒的又一傑作——由「解放世界」而變爲「讓世界自己解放」，但無論史達林的狡猾程度高明到如何，怕今天世界上不會有人再去相信他的談話。「資本主義自己帶給自己毀滅的種子」，在五十年以前的馬克斯已經說過，今天史達林舊調重彈，並從中加進了一些誘惑刺激的說法，事實顯而易見的，是西方的結合，已具端倪，史達林想動也動不了，沉默的冷戰在最后的僵持中，蘇聯不會拾到便宜，因此，在這一個關鍵，藉大會的文告，來緩和西方的備戰心理並影響合作。不過，如以日本德國的整軍爲例，任何一種說法，不會影響到這兩個國家整軍的進行，相反的，蘇俄這樣一提出，反而會促成這兩個國家加緊進行她們的軍備，和特別注意她們與盟國之間的合作。

蘇俄眞的色厲內荏了

整個事實的反映，是蘇俄今天的內心，日益空虛恐懼。莫斯科的俄共大會，史達林是在非常陰險地誘導他的黨徒完全與西方現時狀態隔決，再進一步驅擁蘇聯平民爲作戰的長時期準備競爭而慘供奴役犧牲，轉移世界集中力，俾俄共有時間作種種的陰謀鬥爭，馬林可夫是唱的對台戲，意思是說：美國要找俄國打仗，俄國並不退却，現在是世界又一低潮降臨的時間，這一個時間，不知將要爲人類世界造成較長時間的平靜，或未來更大的戰爭。（王元譯自十月十三日美時代週刊）

本報各版歡迎投稿

寶島近事

新聞局將成立

合省在厲行節約聲中，聞行政院將增設兩局。其一爲新聞局，係將原設之政府發言人辦公室擴大而成。本年八月，立法院舉行臨時院會，討論對日和約時，行政院即函請同時討論會計年度自七月制改爲曆年制與增設新聞局兩案。當時因未同時送行政院組織法修正案及新聞局組織條例，以致立法院雖欲早日通過而不可得。因以在臨時會會期中，只通過會計年度改制一案，而將增設新聞局案付法制委員會審查。自第十會期集會，立法院乃完成設局立法程序。惟將原案規定之局長由特任改爲簡任，蓋現制，省政府主席，職責重要遠過於一新聞局長，其官等不過簡任而已。又將原案規定之副局長二人減爲一人。至其職掌事項，大致與原草案相同，即除主管新聞事業外，旁涉及於對於電影戲劇出版等文化事業之輔導。其中有一部份係與內政部原有職權相重複，尚有待於日後之調整。

法制局恐難通過

除新聞局外，聞行政院將增設法制局。國民政府定都南京之初，曾有法制局之設立，由王世杰任局長，斯即爲立法院之前身。比立法院成立，該局即行裁撤。茲爲行政法規之撰擬審核解釋闡揚及法規登記通報編纂及外國法制翻譯等事項，又有重新設立法制局之擬議。惟行政院雖須向立法院提出法律案，並對於所屬各機關頒佈章則命令，須起草審查，對現有法規應否修正或廢止，須加以整理，但行政院及所屬部會組織內，均設置有參事若干人，担任此等工作。茲將原設參事擱置一旁另行設局，有無必要，實屬值得考慮。即謂各機關參事缺少聯繫，行政院須加統籌，亦可使其集中在行政院辦公，不必另設機構。至行政法規之解釋，因其亦爲法令之一類，乃屬於大法官會議之職權。外國法制之翻譯，則各機關亦多設有編譯室，更不必因此而設一專局。此案如提出立法院，恐將引起激辯，不若新聞局之易得通過也。

監察院發行公報

監察院自移合辦公以後，因地區縮小耳目易周。復在中樞厲行整飭之際，各項監察工作進行甚爲積極。但監察院所提彈劾糾舉等案，台省報紙極少刊佈，是以對於明辨是非整肅紀律方面，不能發生擴大之影響。現監察院自行刊印公報，公開發售，每週一大張，只售新台幣五角，茲已出版八期，購閱者甚衆。其所公布之重要糾舉案件，有台北市台作社倒閉案，中央氣象局技術處處長薛繼壎破壞紀律案，台北市稅捐稽征處處長飽亦榮等處理大興行漏稅違法失職案，省立宜蘭中學校長趙仰雄，濫用福利基金違法舞弊案，台中地方法院院長池滮處理不動產違法失職案，台灣省農林廳林產管理局設置保林督察員職權混淆糾紛滋生案，台灣省鐵路局局長莫衡違法失職案，台灣省烟酒公賣局收購於葉辦理欠妥案。重要彈劾案有聯勤總司令部軍需署署長吳嵩慶包庇僚屬玩法失職案。均經羅列調查證據，確爲整肅官常之要案。

鐵路局浪費遭糾舉

如糾舉鐵路局長莫衡案中，述及其浪費公帑情形。謂該局有專門委員二十二人，專員五十九人，額外專門委員三人，額外專員十人，顧問二人，法律顧問四人。共計超過編制三十三人。莫到任以後三年以來，平均每日新用人員三人，如一人事室而用有七十二人，一祕書室而用有六十人。一總務處而用有三百六十二人，一主計處而用有三百十九人，一運務處而用有四百八十六人，外屬各單位則另用有四千四百〇九人，其浮濫情形，可以想見。又如坊間出版之暢流半月刊，專載歷史掌故文藝小說等等，其內容與路政毫無關係，但由路局每期訂購一三一〇本，照七五計付三千元，又每期登廣告四千元，合爲七千元。又該局對現任各機關高級人員，多贈送頭等免費車票，今年一至六月份，贈送票價即達三萬八千元之巨。此次因合作社倒閉被處徒刑之顧希平，亦贈有頭等免費車票，不知係以何種身份取得。除此以外，該局尚發有路外人員長期免費乘車證二百十三種，以每人每月全程來回一次計，路局全年即須損失一百七十萬元之多。而路局則因以收支常達難於平衡，不得不出於增加票價一途。自民國三十五年以來，運價即已提高至十六次之多。吾人對監察院諸位委員之詳實調查，勇於糾舉，實不得不表示欽佩。

官僚作風難逃彈劾

又如台灣航業公司總經理迭被其所屬羅璧確證，向監察院檢舉，乃多方設法活動。適有某君舉行個人書展，其書幅上多有于院長右任題詩，乃化作若干名人，獨自訂購書頁十餘萬元，以示聯絡，而款項均仍由公司出賬。茲爲董事會查悉，已迫其辭職。又如資源委員會所屬各公營公司以所購愛國公債擅自捐贈各社會團體，票面達數百萬元之巨，爲審計部發覺，資源委員會因以剔毀，但該項捐款尚未見收回。足見自由中國日在進步之中，昔日官僚作風必難逃監察機關之糾彈也。

盧漢重回昆明

趙南山

由雲南傳來的消息，說盧漢於九月初旬重回昆明了，住在小西門外金碧小築（原龍雲第三姨太太的住處後由龍「捐獻」給中共更名西園別墅——向被中共用着爲招待高級僞員的場所劉伯承五次去滇兩次都住在那裏），與盧漢同時以俱來的，還有楊文濤與宋獻時兩人，楊原爲盧多年搭擋，宋則是僞府北平「軍事委員會安全處」的第二副處長。看來這一次盧回到昆明，內容是頗不簡單的。

去年十月，湖南程潛，以同一方式由共黨李克農「伴送」前往長沙，接着十一月程就被發表爲湖南「省主席」，盧這一次是不是重當雲南「省主席」，還要看下文才能分曉。不過，如事實所週知，程潛今天在湖南，是以「省主席」之名，專幹徵兵剿撫湘西湘南游擊隊之實，盧這一次回去，以雲南省當前情況着眼，個中原因，不難推索概見。事情可能有一點差別的，是雲南位置不同——接近外陸；盧漢本人條件不同——較程潛精明而有頭腦；雲南的軍政負責人物是中共二三流的人物——劉伯承如左右手的陳賡；和滇西南的緊張情況與湘西南不可同日而語，因之，盧漢重回昆明的用場，雖不致與程潛有大差異，但決不能與湖南的程潛等同。

入春以來的昆明市，人民的反共情緒高漲，中共不是完全無知的，在滇西南李彌部隊的活動與東南亞國際醞釀的情勢，昆明的大街小巷之間，逐日皆有不同的傳說，而滇西的土司全部公開反共，接納流亡反共人士，更成爲昆明市內人心憑藉另一新因素，盧漢恰於此時，悄然返昆，西南的情形究竟若何，是不待深說也可明瞭了。

中共在民三十九年之前，對西南的設計，是向外擴充大於對內防的，民三十八年冬之雲南全境淪陷之後，中共軍兵並沒駐在雲南的中心地帶昆明沾益一綫，而是屯聚在西面的保山騰衝龍陵三角陣地，和南面的蒙自思茅滇緬交界各點，三十九年冬，雲南地方軍政人員大小部隊清除殆盡（人員調赴重慶受訓部隊調往華北），二野的正規的精銳部隊十四軍十五軍十六軍（是時屬周保忠指揮率領）亦已全部入滇，保山訓練處成立，大批的緬共，在十四軍軍事政治幹部領導之下，開始作大規模的訓練，是時雲南全境，決看不出中共有對內顧忌的跡象，也沒有人去想像盧漢會重回雲南，然今天盧漢是終於回到昆明了，這其間所表示的意義，至少顯出中共對西南的打算已經不同。

盧漢於三十八年十一月投共之後，即被調往重慶發表爲「西南軍政委員會委員」，四月之後，即隨劉伯承去北平，一直在北平住了兩年有餘，到今年的七月，才開始回到重慶，在重慶兩月，又才重返昆明，以中共對投降人員的一般運用外，盧漢此次返滇，除開了爲中共再作地方傀儡而外，不會有其他的特別任務。

盧漢以一個鹽販出身，因緣時會，走了龍雲的老路，而最后當了雲南的省主席，人極精明，待人接物，亦不落庸俗，若他能不受左右包蔽，意志稍爲堅强一點，他今天不致於沒有他的出路，可惜一念之差，鑄成了他終身的大錯，在深知盧漢爲人的個性想來，他今天的內心痛悔，是無疑問的。在雲南首府昆明陷落的前夕，盧漢的意志，幾乎完全陷於昏迷，是時旁邊若有一個人，叫盧漢從滇西出走，盧漢今天可能不會有這一段遭遇，可惜當時盧漢身邊，就沒有這一個人。

程潛今天在長沙，百般無賴在看中共的臉色，要他將湘西南的民變收撫工作作好，程潛在今天的環境，他能敢說這一個工作不能作好？同樣的，今天的盧漢，他縱有萬般衷曲，他能不由中共的擺佈而充作各色各樣的臨時工具？台灣一天支持完整，這一批人由形勢而保存他們一天的生命，但是今天台灣不特是保持完整，而且是日益强大了，這是他們的「幸運」或「惡運」來臨，祇有他們的內心才能知道。

尼泊爾岌岌可危

震公

最近美國基督教科學箴言報記者格拉罕自新德里發出報導，指出尼泊爾情勢日趨混亂，將成爲亞洲次一個淪入鐵幕的國家，這項消息已引起有關方面注意，首先是高倡和平的印度總理尼赫魯，已加緊派遣軍事代表團前往尼泊爾，同時更增關航空路綫至加德滿都，而正在訪問東南亞的美國駐印大使鮑爾斯也取銷了預定的行程，由菲律賓直接飛回印度，行前並向記者宣稱：「本人趕返新德里係有必要」。這都顯示着事情的不平凡，更足證明格拉罕所發出報導不是危言聳聽了。

取印度先取尼泊爾

其實共軍闖謀尼泊爾，並非自今日始，遠在共軍入藏初時，就已經佈下這隻棋子，共黨所以必須奪下尼泊爾道理非常簡單，還是爲了印度，因爲共軍雖然把「紅旗」插在喜馬拉雅山上，但是想以西藏作爲軍事基地，尚不是一件容易的事，尤其是軍糧的困難，無法支持大規模的戰爭，最理想的辦法，就是利用滲透戰略，使各國共黨從裏面打出來，於是最理想的目標更是尼泊爾，因爲尼泊爾有五百萬好戰的人民，是全世界最優良的兵種，而尼泊爾的崇山峻嶺，更是理想的對印游擊根據地，再加上尼泊爾本身仍然停留在十八世紀的政治，社會問題較之任何地區都爲嚴重，更是共產主義的溫床。

中共對付尼泊爾，仍是活動滲透的辦法，擺出一付僞善的面孔，關於這方面消息雖然報導甚少，但也可看出幾點，自從一八五五年西藏同尼泊爾打過一仗，結果藏軍敗北，訂下條約每年進貢尼泊爾政府一萬盧比，從一八五六年直到現在，一直未爽約，去年共軍入藏後，有關人士都判斷共軍不會再令西藏政府履行百年來的不平等條約，即尼泊爾人也未打算還會收到這一萬盧比的「貢禮」，結果藏方還是照送了，而且時間還較往年提早，將欲取之，必先與之，共黨的「善意」是最可怕的。

其次是尼共首領畢格博士今年一月間叛變不成，逃往西藏，轉赴北平受訓練，最近回到西藏伺機而動。同時即將在北平召開的「遠東人民革命擴大會議」也正式邀請尼泊爾派代表出席，尼共已派出利希凱施薩哈前往，更證明中尼共黨已結成一體，將在中共指導下「解放」尼泊爾。

中共果然計劃好了

至於已經報章報導出來的消息，也證明尼泊爾自本年六月已受到共黨的威脅，上月八日尼泊爾政府，捕獲了十四名尼泊爾共黨，搜出大批文件，並透露出他們的計劃之先佔據尼國西北邊境，吉與陀等區，組織「人民武裝」進行顛覆政府的工作，在兩處的尼共文件上，居然有中共黨密地圖，更乾脆將尼泊爾劃在「中華人民共和國」的地圖內。

「亞洲和會」黯然閉幕 對日策略將有新轉變

【本報北平通訊】擾攘半年開會十日的所謂「亞洲和會」，據今晚「人民廣播電台」的廣播，已準備在十三日閉幕，這次的會議，除了宣傳作用外，實際上的效果並不大，唯一已有決定的，是對赤化日本的陰謀。

代表情緒冷落 醜劇提早收場

這次的會議，從頭到尾都是中共在牽線，據「人民日報」今日發表的統計，登台發言的雖有九十人，但中共代表便佔了二十三人，包括宋慶齡，郭沫若，彭眞，李德全等頭號傀儡，以及陳文貴等所謂「細菌專家」，這些人的發言都千篇一律，照例是一面大罵美帝，一面高喊和平，因此會議開到第六天，除了一些道地的共產同路人繼續捧場外，有一些懷着好奇心理來參加和會的代表，已開始感覺厭倦。巴基斯坦的代表，最先捲舖蓋返國，紐西蘭的代表更大唱反調，發表一項否認其所作擁護中共之聲明，乃在「驅迫下」所作。這一個否認聲明的發出，更令人懷疑他們是否出於自己的意志，中共見與會的人物，並沒有預期中的熱烈，因此原定開會兩週的，不得不臨時變卦，趕速收場。

原定赤化日本 共分三項步驟

當中共籌備這次會議時，日本吉田政府還在搖擺不定中，日共的實力亦未得到眞正的考驗。因此，中共的冷戰專家們，認爲採取和平攻勢，必然可以逐步折散美日合作，使日本由貿易合作進而實現政治妥協，其原定的方針，據有關方面透露，共分三部：

第一是孤立日本：根據中共當時的估計，日本政府對重整軍備雖有實現的決心，但內部意見依然未臻一致，和平會議的初步目標，即在鼓勵日本民族主義的抬頭，鼓勵日本人民反美的情緒，同時向亞洲其它國家宣傳日本軍國主義復活的危險，使日本政府陷於孤立狀態。郭沫若的「告日本人民書」，即充分地表露出這一策略。

第二是爭取日本：當日本政府陷於孤立狀態後，進一步是爭取日本的合作。在爭取日本過程中，將利用對日貿易來吸引日本的工商界，必要時提出一新的和約，全面解決日本問題。南漢宸對日本貿易團體的專電，即係這一策略的一部。

第三是赤化日本：這一步驟的初步目標，是積極援助日共的地下活動，逐漸建立解放政權，時機成熟時，再發動全面援助，一舉而解決日本。

上述這一策略，據傳乃中蘇雙方對日冷戰專家的共同設計，但自從日本大選中，左翼份子出席數驟減，接着日共在大選中又一敗塗地，中共深覺和平攻勢可能發生的實際影響已不大，其對日策略已在全盤修改中。

日共一敗塗地 宣傳攻勢改變

九月廿九日下午，當日本左翼代表中村翫右衛門等十三人抵北平以後，中共及蘇俄負責對日問題人員，立即召開一臨時會議，開始研討日本政局一般情勢，據中村等當時的報告，自由黨在大選中獲勝已定局，日本再武裝也勢在必行。公開鬥爭已無取勝之機，今後唯有加強地下方面的活動。緊接着這一臨時會議，當晚中蘇雙方對日決策人物，跟着又召開一祕密會議，議定一初步方案，交劉少奇於九月三十日攜帶至莫斯科。同時決定在和平會議中，雖仍將全面解決日本問題列爲第一項，但避免洞空的抨擊，而專從經濟問題入手。因此，郭沫若的致辭中，除了列舉第二次大戰期間，日本軍國主義者在東方發動戰爭，所給予亞洲各國損失的數字，開了一張帳單外，特別指出日本有六千七百多家中小企業已被迫破產，日本人民失業和半失業已達一千八百多萬，強調這些情形，都是美日合作的結果，如果日本繼續重整軍備，則對遠東及日本均可能遭受更大的「災難」。接着又由日本的龜田出台演唱，和郭沫若一唱一和，第三日又由澳洲代表詹姆士出台，對日本問題作「補充報告」，從他們報告的內容觀察，可見事先均有嚴密的安排，因此，許多代表到第七日以後便託故不參加，樂得藉遊覽名義到北古蹟去溜躂。

積極訓練日俘 加強地下活動

這次的和平會議雖早已註定其失敗。但是中共對日本問題仍不會就此罷手。據此間流傳消息，東北境內的日俘，最近已紛紛調集關內某地，加強政治教育，特別着重羣衆鬥爭，及諜報工作的訓練。這次隨左翼份子同來的，有未露面的日共頭目八九人，這些人並沒有搬進「和平賓館」，而是在中共中央政治局招待所住三天後，即離開北平他往，據傳係前赴訓練日共的祕密基地，參加組訓工作。最近北平文教局曾招考一批日文翻譯人員，以年青並歷史清白爲原則，並聲明取錄後，須受政治訓練半年，一般人預料將係參加日俘訓練營工作，作爲將來潛入日本作地下工作的幹部，由於北平懂日語的人很多，據說投考的人不少。從這些迹象來觀察，大概中共已深覺和平攻勢不易奏效，日本人不容易受騙，因此改採實際鬥爭手法，從加強地下活動入手，假如所傳屬實，日本今後的內部鬥爭，可能像五年前的中國大陸，將愈來愈爲劇烈了。（十月九晚北客寄自北平）

葉金鏡的壯烈死節

山禾

葉金鏡是浙江樂清人。殉年，五十有一。幼時，以家道小康，教育良好；先就讀永嘉藝文中學，旋投入軍校四期研習軍事。畢業後，初任淳安基幹隊隊長，旋被派爲教育第二師的排連長營附等職，繼轉入華南警備司令劉峙處任上尉，少校，中校副官等職。雖然葉氏的學問好，能力強，資歷佳，但賦性剛正，不逞機巧，操行廉介，不善鑽營，故而晉升甚緩，頗不得志。至抗戰中期，方得升任國軍團長，參謀長，副師長等職，以迄抗戰勝利。卅六年秋退役回鄉，不久，被邀任了山門縣的縣長。

葉金鏡雖然是一個道地的軍人，却富有書生的氣質；當了縣長後，所謂曾經滄海，心極思靜，已漸漸改變了抱負與志趣，由馳騁沙場的叱咤風雲，轉變到了仁慈爲懷的感戚民瘼，所以他在山門縣長任內，勤政親民，廉正寬厚，可謂建樹良多，業績非凡，極爲人民所景仰，雅有「青天」的稱頌。當大陸節節變色，人心混亂，悲氛迷漫，廉恥道喪的時候，葉縣長獨首先表現了他的膽魄，正氣，和志節；不惶不惑，沉着應變，以轄區僻處海隅，得其地利，早下了決心，有了準備，還共一點孤忠，誓與共匪鬥爭到底！

山門原有地方自衛隊四個中隊，約四百人，武器彈藥，均稱上乘，葉縣長就以此作了反共游擊的基本武力，當杭州淪陷，匪向山門逼近的時候，他就率部退入了孤懸海外的鹿棲島。此時，他一面向已撤退到舟山的省軍政當局連絡，一面在該島從事游擊的一切部署。雖然那時候民間大多已中了共匪宣傳的毒而浮現着新奇而虛妄的幻想，但由於葉縣長的平日深得民心，因而振臂一呼，羣情響應，很快地就號召了山門的壯勇之士一千餘人，並由民間獻出了自衛武器，編成了一支堅強的反共隊伍。這時毛森正在定海積極佈置東南各省的地下鬥爭工作，葉縣長就接受了毛森所委派的東南反共救國軍浙東游擊隊司令的職務。

約在同年十月的中旬，退守在銅頭島方面的浙省保安副司令兼浙東行署主任王雲沛的兩連孤軍已被攻，由此，葉氏饋爲固守海島被攻，不如從進敵後展開主動的游擊，乃率部登陸，選擇了永嘉與樂清邊區的東虬一帶作了基地，首先就在該地殲滅了匪八區專員龍曜所屬的土共守軍一個大隊，一時軍威鼎盛，聲勢大振；龍匪於震驚之餘，即調集所部三千餘人向葉部圍攻，圖加摧毀，卒以葉部的堅強沉着，激戰一晝夜，終於粉碎了龍匪的企圖，並擊傷了匪軍四百餘人之多；因而，更擴大了反共的精神影響，大大鼓勵了附近各縣反共武裝的紛紛建立，可謂一時風起雲湧，後來總統都親自廣播，這邊是浙東已有十萬游擊部隊的輝煌成績，這是葉氏開了此一風氣之先。而那時，葉氏本人作風的正確健全，及其部隊紀律的優良嚴密，也可算是首屈一指。凡其軍隊活動所及的地方，民心無不翕然景從，所以使他得以控制了東虬一帶，及六十個鄉鎮的勢力範圍，屹立着自由的政權，而且切實地獲得了當地人民的熱烈支持。然而一由於給養彈藥補充的困難，二由於游擊之間合作呼應的未臻完善，三由於匪的兵力一天天在增多，壓力一天天在加重，致使游擊隊的處境必地一天艱苦一天。葉部人數既衆，作戰又繁，且爲共匪心目中的第一大患，則此境，自尤不能例外。約在次年二月的上旬，他終於遭到了共匪吳化文部大規模有計劃的圍攻，匪兵有四個團，配有俄式輕重新武器，彈下如雨，火網織烈，葉氏雖指揮所部沉毅應戰，但戰況異常慘烈，激戰約三小時，已見雙方傷亡枕藉，而衆寡懸殊，後援不繼，終難支撐，乃擬擇虛突圍，但兩次突圍，均未達成，損失尤重，最後終於不支潰亂，葉氏於悲忿之餘，曾擬舉槍自戕以殉國，但爲衛士所阻而不果，而轉瞬間，已淪爲共匪的戰俘了。

葉氏被俘後，共匪初尚僞示優待，予以軟禁。匪專員龍曜及副專員邱清會，親與問話，想利用他的號召力收編游擊隊，勸他「爲人民立功」，葉氏當即斷然拒絕，並痛加駁斥。他說：「我的許多弟兄們才眞正爲人民作了犧牲，我亦將爲人民盡節！你們只是利用『人民』這名詞作盡惡事，究能欺人到幾時？」龍曜畢竟是狡猾的老共幹，懂得先用忍耐和虛僞的功夫，進行其所謂「說服」的伎倆，爲了「人民」兩個字，他曾向葉氏展開激辯，詎知這眞合了葉氏的心願，他更慷慨陳詞，怒加駁復，了無懼色，說得龍匪不禁惱羞成怒，原形畢露，即怒飭匪幹，囚禁葉氏，但葉氏從容如故，臨走，還向龍匪等說：「坐你們的監牢，正不負革命軍人的本色！」後來，龍匪再派匪幹去勸說參加「學習改造」，他亦堅決拒絕，匪幹曾以死相威嚇，但他不僅不爲所動，且毅然回答匪幹說：「我現在就只希望死，不見你們的末日！」匪幹聞之，雖悻悻然，只已看出他的浩然之氣。欲加凌辱，却爲葉氏的浩然之氣所懾而不敢輕侮，反慨然而又得意地說：「假使國民黨的軍官都像他這樣，也許我們還在山上吃黑麵饅頭哩！」最後，葉氏終於求仁得仁，於是年三月杪某日被押上了永嘉南門外的松台山上槍殺，爲國盡節了！臨刑，他還慷慨激昂地高呼「中華民國萬歲！」的口號，這邊匪幹都不禁爲之嘆服！當時噩耗傳到東虬及山門一帶民衆及部隊裏的時候，無不欷歔哀傷，爲之感泣！死有重於泰山，葉氏可謂無愧。他雖死，精神是永垂不朽的，現在共匪的末日終將到了，願葉氏的在天之靈，拭目以待吧！

廣州通訊・中共搜刮苛重 和財政混亂真相

苛捐雜稅 名目繁多

中共的苛捐雜稅，名目繁多，不勝枚舉，根據十月九日南方日報所載：以廣東的潮安縣宏安鄉的苛捐雜稅爲例：有補助費，鄉公所費，保警費，聯防費，壯丁費，保丁費，鄉保長食糧，批脚錢（僑滙捐），秤佣，豬捐，小販捐，賣藥捐，開門錢，守青費，田畝派等數十種之多的苛捐雜稅。該縣第二區的情況更爲混亂，共有三十四種的苛捐雜稅，例如一個人自生至死，共要納四種稅，即出生捐（即喜錢，生小孩收四斤豬肉，該白水村甚至收達四十斤，有些地方男孩收二萬元，女孩收一萬元）；命名捐（給小孩取名，收穀二斗）；鄉規（娶媳婦嫁女收穀一斗）；靈牌捐（人死後設靈牌，收穀一石八斗）；其他尚有果捐，草捐，炭捐，佃捐，秤捐名目繁多，甚至豬屎，廁所，垃圾都要派捐，這些捐稅佔農業收入的比重是相當大的。

貪污中飽 浪費驚人

而共幹的貪污浪費，爲非作歹腐敗至極！據十月九日南方日報所載：苛捐雜稅的收入除少部份用做農會或學校經費外，大部被共幹貪污中飽了。共幹利用組織一個守青隊，在全村放十三個哨站，規定農民每天早上七時後才准下田耕作，太陽下山就得回家，收穫任何農作物都要向農會納稅領證，才准通過；否則，全部沒收，還要罰款，有人拿了一束香蕉去送親戚，結果也要領一個證明，納了一筆香蕉稅。一九五一年上期，共幹農會主席劉正洋還拿苛捐雜稅得來的錢蓋新房子，計用去六百多萬元；並且還買高麗參脚（補藥名，每斤八十萬元）給孩子吃，向人誇言「高麗參脚比番茨還便宜」；有一次，共幹聚餐，竟用去六担糖的價值。這僅僅是一個顯著的例子，其他類似的事情，還很多哩！

亂收亂支 漫無系統

中共地方財政的不僅在於苛捐雜稅之重，共幹的貪污浪費之多，而且中共的地方收支系統，所謂「亂收亂支」，已習以爲常，司空見慣！據十月九日南方日報報導：廣東海豐縣區地方財政混亂現象仍未糾正。列舉以下幾項事實：「有不少鄉村學校沒有嚴格遵守其縣府的規定，仍繼續攤派學校經費及追收今年上半年已經攤派而未收到的款項，如在九月上旬，仙漁鎮漁民學校仍在該鎮永齋市場向各拖船漁民攤派校金，從其賣出魚貨價款中抽取千分之五。」

上級不發 下級濫收

「並有大部分墟鎮的居民組織、鹽區的糾察隊等由於主觀上對法令不加重視，而本身經費獲得僞縣府及時予以解決，因此，仍然繼續征收各種非常捐稅。例如：香洲、青龍山、東涌、白沙湖四個鹽區的糾察隊，至今仍向鹽配購食鹽的路挑小販征收「秤脚」，每担鹽收二百元；汕尾、海城、公平、稱隴四個鎮的居民組織，九月上旬仍向當地居民征收經費，如汕尾鎮居民會即向馬路西區各商戶街道委員會征收九月份行政費及街道費，計每戶征收一千元到一萬零五百元不等；湖內鄉海埔村的民兵，則藉名看管漁船，輪流向當地漁民索取可觀的魚物，以供三區食用；梅隴墟、鵝埠墟的四區豬牙門仍公然依照自訂的「標準」，向出賣大小豬隻的農民索取佣金。而大部分縣級[illegible]都不照規定標準開支各項雜費，大部分區、鄉、村級無財政收支賬目，關於財政如何執行？該縣預算科、民政科、文教科將去年結餘的各項事業費四億六千多萬元，共擅自挪用，不按制度返納。縣級以下所謂小公家務有關部門，以及有關各項財政的款項，至今仍未進行檢查和清理，因而使財政底帳的大批物資繼續遭受損失，該縣公安局的財物及沒收的罰款都沒有檢查和清理，因此而引起中共財產不少損失。

開倉分粮運動 飢餓迫害引起的反抗

中共衡陽軍分區刻已接到湖南軍區的指示略稱：「必須提高警覺，嚴防「土匪」「特務」放火，偷竊，搶劫等破壞活動，積極整頓民兵，武裝保衛秋收。」刻衡陽軍分區已增派軍隊，同時並動員各縣黨員，團員，積極份子協同督導整頓民兵，加強管制農民，原來湖南各縣一個多月來，普遍發生農民破壞倉庫搶劫公糧事件，此壓彼起，迄無平息。最近與粵桂邊境毗連之江華，永明，藍山等縣，又連續發生較大規模的類似農民暴動的搶糧事件，僅江華一縣即有十二個鄉幾乎同時地發動。根據有關人士透露，此次湖南各縣農民暴動內幕，主要的是由於各縣民兵鑒於中共夏徵，強購的層層剝削後，與一般農民同受饑餓的威脅，覺悟了過去鎮壓農民的錯誤，紛紛將武器交還鄉政府，甚至有故將武器毀壞的，表示反對再對農民的武裝鎮壓。農民得到民兵的同情，遂羣起發動「開倉分粮」運動，影響所及，附近各縣農民紛紛響應，故此「開倉分粮」運動正在更廣泛的醞釀進行中。

防盜與防共

自由談

爲方

本港法商滙理銀行前晚發生竊盜情事，看更人亦被匪徒勒斃了。據說該行營業所在的地下大辦公室——即盜劫之處——建築甚嚴密，出入巷道只有一二條小徑，與樓上各層皆不通，事後大門又緊閉着，究不知匪徒是怎樣進出的？

香港一般人家的門禁也相當森嚴的，鐵柵之外有電鈴，電鈴之外有小洞，小洞之外，門環上還有金屬小鍊連緊着，非熟手不易開啓，而來客如爲小洞裏的眼孔所不識者，根本就不得其門而入哩！但是，私人家宅被盜劫的事，報紙上經常有紀載。可見光是門戶緊嚴，亦非絕對安全之道。裝銀鍊的「夾萬」重逾千百斤，暗鎖重疊，也可以用電鑽弄開，夾萬雖堅固，又何嘗能保險呢？

盜賊自應嚴防，但非單靠重門深鎖的個別自衛所能奏效，必須以全社會之力，積極消極地從事弭盜，分工合作，爲集體安全而共同努力，纔是上策。

防盜與防共的道理並無二致。不從整個自由世界的集體安全着想，枝枝節節而爲之，這邊廂勸共，那邊廂又親共，這等於各入門前裝鐵柵電鈴，置小洞備夾萬一樣，終歸不能消弭劫盜的！

共產社會用鐵幕來封鎖內情，而一切消息依然洩漏於外；非共社會用入境證來防止共諜潛蹤，而間諜依然不見絕跡。這也是裝鐵柵，置夾萬一類的作法，以此防奸究者十僅一二，因此困擾人民者十常七八也！

管制

黃汎

張荷保這個六十八歲的老頭兒，一生辛勤，中年後好容易置了十多畝田，以後又兼營一點小本生意，勤做儉用，抗戰勝利那年，點點滴滴總算積置了二十來畝田地，另外在鎮頭上開了一爿小南貨店，專賣一些老酒、醬、醋、火柴、糖菓之類，已可算是一個小康之家。他平日爲人又和氣，鎮上人因他一生勤儉，刻苦成家，就順口叫他作「張好報」，意思就是勤儉興家，表示敬仰之意。

直慘禍來了以後，工作幹部帶了新「聖經」下鄉施政，依照「布爾什維克」的理論，算算張荷保的田，嚇！二十多畝！僱工！不勞動！剝削！應該評定「地主」！而且註明這是「向上爬」上去的「地主」，「爬」上去的地主」，照理比「跌」下來的「破產地主」，「反動性」更來得兇險，自然應該殺打倒。再清算張荷保那爿三罈老酒，五罐醬醋，四瓶糖菓的小店，外國「聖經」上這樣說：「……本質上是中間剝削，……上可以躋身資產階級，下可以……是一種動搖的小資產者」，「小資產者」也是「改造」的對象。有了這兩張罪狀，於是乎，張荷保在「土改」被打倒後，全家依法就應受「管制」；六十歲的老婆婆去婦女勞動生產，兒子帶去苦工隊罰做一天十六小時的勞役，張荷保這個年近古稀的老頭兒自己呢！苦工當然做不動，總算「鄉政府」照顧實情，恩准批了他「求乞生產」，給了他一張求乞執照，規定討飯範圍不能越出二十里路之外，每天求乞結果，晚上回來還得向「鄉政府」提出報告，每晚認可後才准回去休息。

討飯這種「生產」工作，雖是恩賜時准，也不是太容易的，光說這口討飯腔就非常難措詞，以前叫「老爺呀！太太小姐呀！」現在這種「封建」口吻當然不行，就是「可憐可憐我這老頭兒吧！」這種語氣，也是代表舊社會被迫害者的呼聲，新社會是不應該再有的。難得張荷保念了幾年書，好生想了幾個夜晚，編了這樣一首歌，算是自怨自艾作爲托缽的開場白：

『同志們！人民們；請你細聽我報告張荷保，東頭鎮上也算是個好好佬，以前做傭工，後來良田美酒樣樣不缺少，這都是，平日太勤儉，因此犯了剝削大罪應該被打倒，現在想起來，如果當初勤吃懶做多少好，少不了，「無產階級」地位高，幸虧「人民政府」將我澈底來「改造」，從此沿門求「生產」，要請各位多指教多指教！』

張荷保自得「鄉政府」照顧，開始「求乞生產」，起先二十里範圍內，不論多少總有點收穫，但是漸漸地也就不濟事，原來鄰近村鎮的農人，繳付了農業稅，自己都養活不了自己，先前是一般相熟的農人可憐他，常常省吃一點佈施給他，後來張荷保見到這般農民餓癟臭虫的神情，也不比自己強了多少，倒是張荷保可憐他們起來，想開腔也啓不了口，有時候只得空癟肚皮回來，張荷保幾次三番向「鄉政府」請求給他「反映」上去，准他去就近一個擁有五十萬人口的杭州市內去發展，結果「區委」却召了他去當面教訓了他一頓：

『你媽媽的！杭州是什麼地方……是國際都市！國際都市懂不懂？新中國的都市裏，給你們混在裏面，還成什麼樣子，……你媽媽的！』

張荷保吃了這頓教訓回來，情知不是路只得嘎氣斷聲仍舊唱老調，然而討飯討到窮光蛋，十天難得一天飽，這樣下去怎麼辦呢？自殺吧！依照「管制」辦法，必然連累家小，讓自己餓死吧！恐怕一時又死不掉，個人逃死的自由都沒有，倒確是天下最痛苦的事，張荷保起先還可以在晚上一個人縮在破絮裏，自由自在的痛泣一頓，現在就是想哭泣，而眼淚却乾涸了，怎麼辦呢？張荷保在痛苦絕望之餘，最後想到縣城近傍的幾個小村鎮，聽說那裏還有幾家小資本者存在，多少總希望求得一餐飽，張荷保想到這唯一撈生的出路，雖然明知是越出範圍之外，也顧不得了。況且他這樣想：只要偷偷行事，多跑兩里路，大約是不致會被發覺的。第二天，當張荷保偷進西瀰鎮，鼓勵幾息，正待掙扎開腔時，想不到後面的巡邏鐵騎，却已飛馳而至。

『你媽媽的！我早知你劣根性未改，膽敢私潛出境……竟敢違反「管制」條例……你媽媽的！』

「區委」威風凜凜的騎在馬上，用鞭子直指到他頭上說。

在如是「你媽媽的」教訓之後，終於張荷保被五花大綁押進了「縣勞教院」，——這自然是違反「管制」條例應受的處分啦！

略談諸葛亮（二）

萬竹樓隨筆

·舜生·

杜甫擬諸葛亮於伊呂儕曹，陳壽也讚許他爲『管蕭之亞匹』，在諸葛亮自己，則覺得伊呂非所敢望，蕭曹則所不屑，因而以管仲樂毅自比。

俞曲園（樾）有一封寫給易笏山（名佩紳，字子笏，湖南龍陽人）的信，就諸葛以管樂自比這件事有所發揮，原信說：『前日談及考試正誼書院，以孔明自比管樂命題，弟歸途於輿中思之：孟子以管晏並稱，太史公亦以管晏合傳，樂毅與管仲人本不倫，從古無以並論者，孔明獨以之自比，此必當有說。蓋孔明生當漢季，草廬中自揣其才，若漢室未亡，羣公中有能用我者，則我必爲管仲，修漢室以匡天下；計當時惟曹孟德可輔，而惜其不能爲齊桓公也，荀文若一誤，我不可再誤，則管仲已矣。又思若漢室淪亡，則擇可輔者而輔之，與復漢室，還於舊都，我其爲樂毅乎。蓋爲管仲是一番事業，爲樂毅又是一番事業也。其後受知昭烈，輔相後主，拳拳以討賊爲事，蓋此時意中惟有樂毅矣。觀其出師兩表，與昌國君（即樂毅）投惠王書異曲同工，可知其獨有在，乃秋風五丈原，大星遽隕，不能爲管，又不能爲樂，而其自比管樂之意，千古遂無知者，可歎也。閣下尙論古人，眼大如箕，未識以此說爲然否？』

這不過是一篇史論，當日諸葛的用心是否如此，却很難說。

『曹操智計，殊絕於人，其用兵也，彷彿孫吳。』這是諸葛亮恭維曹孟德的幾句話，則俞先生所謂『惟曹孟德可輔，而惜其不能爲齊桓公』云云，要不爲無據。

史稱劉備初得孔明，『與亮情好日密，關羽張飛等不悅，先主解之曰：孤之有孔明，猶魚之有水也，願諸君勿復言，羽飛乃止。』（諸葛亮傳）從這幾句話看，好像劉備之信任諸葛亮，還在關張之上，可是等到關羽一死，諸葛的聯吳制魏之策，即被屏棄；及至劉備爲吳所敗，諸葛亮乃說：『法孝直若在，則能制主上令不東行。』（龐統正傳）可見後來諸葛亮向劉備進言，且遠不及法正之有力矣。

又劉備於永安病篤，召亮於成都，屬以後事，謂亮曰：『君才十倍曹丕，必能安國，終定大事，若嗣子可輔，輔之；如其不才，君可自取！』『人莫知其子之惡』，劉備老悖，他絕不會了解劉禪是一個完全無用的東西，他臨死說幾句話，只是表示他對諸葛亮不能放心，以曹丕與亮相提並論，更可看出他的居心不可問。

（一三八）

清末民初史料

·涓士·

偶於冷攤檢得斷爛朝報，其中有辛亥民初之紀事，可見當時滿清人心已去，革命軍摧枯拉朽之勢，今日人心痛恨之政權，終見歷史之重演也，茲將其重要者選摘如后：辛亥年三月廿九日黃興等舉事於廣州，攻總督衙門失敗，得屍葬黃花崗者七十二人。七月命趙爾豐剿辦四川爭路人民。八月十九日革命軍起義武昌，推黎元洪爲總督，（陽曆十月十日）二十二日，漢口各國領事團認革命軍爲獨立團體，布告嚴守中立。二十三日以袁世凱爲湖廣總督，岑春煊爲四川總督。二十四日湖北黃州府爲革命軍佔領，二十六日湖北沔陽州爲革命軍佔領，二十七日湖北宜昌府爲革命軍佔領，九月一日湖南省城軍隊應革命軍，佔省城，二日江西九江府應革命軍佔領九江，湖南岳州府應革命軍，三日湖北襄陽縣革命軍佔領，陝西西安府軍隊應革命軍，佔領省城，四日，廣州將軍鳳山爲革命黨炸斃，五日，以違法行私，貽誤大局，革郵傳大臣盛宣懷職，以唐紹儀爲郵傳大臣，釋放四川被捕士紳，撤斥激變官吏，貴州兵變，授湖廣總督袁世凱爲欽差大臣，節制各軍，七日，革命軍退出漢口，八日，山西兵變，舉閻錫山爲都督，九日，雲南獨立舉蔡鍔爲都督，清廷下詔罪己，十日，湖南衡州府爲革命軍佔領，江西省宣佈獨立，十一日以袁世凱爲內閣總理大臣，長沙兵變，舉譚延闓爲都督，十二日，頒布憲法十九條，先是第二十鎮由奉天調赴前敵，至灤州，統制張紹曾電奏要求立憲，政府大驚，即命資政院起草憲法，是日頒布，十三日上海爲革命軍佔領，十四日貴州軍政府成立，十五日，蘇州兵變，擁巡撫程德全爲都督，浙江兵變，舉湯壽潛爲都督，十六日，署山西巡撫吳祿貞在石家莊被刺，先是吳任第六鎮統制，與張紹曾等要求實行立憲，旋命署山西巡撫，是夜被刺。釋汪兆銘等，十七日廣西獨立，舉沈秉堃爲都督，十八日安徽獨立，舉朱家寶爲都督，十九日廣東獨立，舉胡漢民爲都督，福建獨立，舉孫道仁爲都督，二十一日山東獨立，舉孫寶琦爲都督，奉天獨立，推趙爾巽爲保安會長，二十三日袁世凱至北京，奉命組織責任內閣，西藏兵變，囚駐藏大臣聯豫，十月七日，四川成都獨立舉蒲殿俊爲都督，八日端方被殺於資州，十日各省軍政府公推鄂軍政府爲中央軍政府，十一日蒙古庫倫獨立，十二日民軍攻取南京，十三日武漢南北兩軍議和，停戰三日，十四日民軍公舉黃興爲大元帥，黎元洪爲副元帥，十六日攝政王載灃引咎辭職，十八日袁世凱委任唐紹儀爲全權代表，與民軍議和代表伍廷芳等，會議於上海英租界之市政廳，十一月一日英、美、法、德、日、俄六國駐滬領事各以意見書勸告伍、唐兩代表早日息戰議和。四日安徽舉孫毓筠爲都督，六日孫中山歸國抵滬，九日[illegible]臨時國會，公決政體，十日各省民軍代表在南京選舉孫文爲中華民國臨時大總統。次年正月一日（即辛亥十一月十三日）中華民國臨時大總統孫文在南京就任，改用陽曆，以是日爲民國元年，元旦，以五色旗爲國旗，二日清議和代表唐紹儀辭職，袁世凱致電伍廷芳，謂應商事件，須直接電商，民國臨時政府成立，陸軍總長黃興，海軍總長黃鍾瑛，司法總長伍廷芳，外交總長王寵惠，財政總長陳錦濤，內務總長程德全，教育總長蔡元培，實業總長張謇，交通總長湯壽潛，各省代表選黎元洪爲副總統，十六日，袁世凱途遇炸彈未傷，十九日，清外務大臣胡惟德，民政大臣趙秉鈞，郵傳大臣梁士詒，合詞奏稱：「人心已去，君主制度恐難保全，懇[illegible]共和，以維大局，」二十二日臨時大總統孫文提出最後協議五條，交伍代表轉告袁世凱，條文：（一）清帝退位由袁同時知照駐京各國公使，請轉知各國政府，現清帝已退位，或轉飭旅滬領事轉達亦可。（二）袁須宣布政見，絕對贊同共和主義。（三）「文」接到外交團或領事團通知清帝退位布告後，即行辭職。（四）由參議院舉袁爲臨時總統。（五）袁被舉爲臨時總統後，誓守參議院所定之憲法乃能接受事權。清軍諸將領[illegible]，按民國爲[illegible]，[illegible]共和最力者，要求二十八日[illegible]參議[illegible]清帝下詔，二月十二日清帝遜位，太祖建國凡二百九十七年，世祖入主中國，凡二百六十八年，至是而亡。

中國之友（二十五）

毛以亨

赫德傳（五）

四、李泰國購船事件

Lay-Osborne Fleet

一、Osborn 統率中歐洲軍定期四年。

二、他爲海軍總司令，輪船帆船均歸其指揮而直接受皇帝的管轄。

三、李泰國在中國皇帝方面有任命海軍總司令的權力。

四、Osborn 接受皇帝的命令須經李泰國轉達，經由別人之命令無效。

五、任用人員須經李泰國的同意，因他爲皇帝的代表。

六、李泰國當得命令不合理可不轉達。

此一海軍，名爲剿滅海盜防止走私，實爲鎮亡太平；執行額爾金開放長江的計劃而設，當時報紙（如一八六二年十二月十一日China mail Shanghai Recorder均公開提及。李泰國于一八六三年春回到中國，六月偕赫德赴京，停留五個月。在京除要款外，要求通過他與 Osborn 所訂合同，中國調援戈登服務中國，受巡撫指揮的前例，不予批准。李泰國乃運動英使反對戈登歸地方官管轄，而使其直隸於中央，英使曾亦嚴據抗議，然無使戈登辭職的行動，且懼中國政府將諸外交團體認爲俄法所利用，亦不敢積極干涉。

赫德初極反對，當李回中國，即不設一言，恭王僅見李一次，而以限於問候不提艦事，爲條件。Osborn 到滬，李鴻章聲言必須歸其指揮與發餉，又使人以高薪資誘其水手，乃將艦離滬赴烟台而自行進京。李泰國告以恭王函[illegible]司令，他不就，並主張解散海軍，英使與美使二使磋商，乃決定艦不交與中國，原船和人，一併送回倫敦遣散，將船拍賣，以款還中國。

雖祇有四艦回英，江蘇廣東廈門與另一艦輸往孟買而止，軍械移交印度總督府，修械所則爲梅輝立Macartney所得，留在中國，後成立金陵軍工廠。回英四艦賣給埃及政府，廣東及另一艦給賣給印度，廈門江蘇二艦則賣給日本，以故日本海軍早于中國。一場糾紛，中國一無所得，徒然白花了五六十萬鎊。

當時盛傳英國欲控制中國陸海軍權，助用戈登李泰國分統陸海軍；挑撥滿漢感情，以冀再施其在印度以本地人[illegible]而亡其本國之故智。滿人效忠英國而竟答以「這天下咱們不要了，送給漢人吧。」而中興諸將憚於外侮之急，不敢讓排滿與革命，故均能不受外人利用講團結以圖存。此等明智之舉，實爲中國人與印度人之所由分，而亦爲今日中國人所應師法的。

「強姦二要點」

一個新任的共軍連指導員，爲了連長強姦朝鮮婦女，特去報告政委，政委却說：「強姦的事免不了，不過咱們幹部談戀愛最好做到三點：一、不要出亂子，二、不讓士兵知道，三、不讓群衆知道，總之，最難要是不妨礙戰鬥，不妨礙工作就行了，你今天是少見多怪」。

中華民國僑務委員會頒發登記證台救新字第壹零貳號、

自由人

THE FREEMAN
（半週刊每星期三六出版）
（第一○七一期）
每份港幣壹毫
督印人：李光亞
社址
香港高士打道六六號
電話：二○八四八
GLOUCESTER RD.
HONG KONG
TEL: 20848
承印者：東南印務出版社
地址：高士打道六四號
台灣特派員辦事處
台北市館前街五十號
台灣總經銷處
台北市中華路一二五九號

民有，民治，民享！

左舟生

最近因為自由中國的人民，在國內國外普遍的熱烈慶祝雙十，同時國民黨的七全大會，又正在台北開幕，因此我們在報紙上又偶然看見『民有民治民享』的這類說法，這好比西漢亡了以後，東漢快要中興以前，老百姓看見劉秀的軍隊和僚屬，其紀律和服飾，與別人的都有些不同，因而感動得流眼淚的說：

『不圖今日，復見漢官威儀！』

『民有民治民享』這六個字雖是美國的翻版，但中華民國的憲法，卻把它採用了，規定在憲法的第一條。這一條的全文說：『中華民國基於三民主義，為民有民治民享之民主共和國。』把『民族民權民生』配合於『民有民治民享』，這並不是一種偶合，實在是因為三民主義確確鑿鑿包含得有這種精神的全部。因此，當我們說『民有民治民享之民主共和國』，實際即無異說『三民主義的民主共和國』。更進一步的說，用兩個字來代表『民有民治民享』，便是『民主』；用兩個字來說明三民主義的全部精神，也便是『民主』。

因此，我們希望國民黨實行三民主義，眞正的意思便是希望國民黨實行『民主』；希望政府從憲法的第一條做起，眞正的意思也就是希望政府實行『民主』。反過來說，假如今天仍有少數人懷疑『民主』，或在行動上與言論上違反了『民主』，這不只是對三民主義的一種損害，同時就是對憲法的一種損害。

中山先生的一部遺教三民主義，五年前公佈的一部中華民國憲法，這是我們今後建國的兩大國寶。主義着重在原理的闡發，憲法則着重在條文的具體規定。說實行某種原理，其伸縮性往往較大；說實行某一條條文，則更易於循名覈實。憲法既是『依據孫中山先生創立中華民國之遺教』而制定，即實行憲法當然即無異於實行三民主義，最低限度，總至少不會違背三民主義。

很慚愧，我現在也要算是上了幾歲年紀的人了。精密計算，我在中華民國度過了四十一年，在前清還度過了一十八年。一個十八歲的青年，對於當時的一切聞見，多少也還能記得。其時我住在湖南的長沙，總目所見，大概以官的威風為最大。他們所出的『告示』，是另外一種格調的文字；上面總是用硃筆加上一些做作，或是點上一點，或是圈上一圈，或是重重的拖上一槓；他們最歡喜用『仰』字，如『右仰通知』之仰、『仰軍民人等』之仰；至於『其各凜遵』，『毋違切切』，『嚴懲不貸』這類的句子，自然更是常見的了。他們另外有一種語言，和普通人說的不同，外國人叫做『曼達林』，老百姓叫作『官腔』；不僅言語如此，乃至表情，走路，揮手，……都有種種不同的姿態，老百姓便叫這些作『官架子』；這類姿態表演得很圓滿的時候，便叫作『架子十足』；總而言之，『官』是少不了『架子』的，沒有『架子』便好像不是官。他們出門，即都不用自己的脚，即以老百姓的肩頭做他們的脚，最大的官八個人抬，傍邊還有兩個頂戴輝煌的人扶着，怕轎子跌倒；次一等的四個人抬，扶轎的人沒有了，可是前面有一把傘，兩面鑼，好比長沙善化兩縣的『大老爺』出門，前面還有一人拖着兩條很大很大的竹板，好像表示他們隨時隨地可以打人的樣子。

我小時候還歡喜到善化縣衙門去看『審官司』，大老爺坐在上面，老百姓跪在地下，男的口稱『小的』，女的口稱『小媳婦』；在某種情形下，大老爺發脾氣了，一聲『打』！跪下的男的，便爬起來，慢慢的走下去，慢慢移動，自動放平，由隊裏別人把他的褲子褪到兩膝，屁股完全露出，然後一，二，三，四，一下一下的打！打得皮開肉綻！對女的總算客氣一點，不打屁股，專打兩頰，打了左邊，再打右邊，一直打到口裏出血。凡此種種作威作福的情形，眞是罄不勝舉，我無以名之，名之曰：

『官有官治官享』！

入民國以後，我也走過不少軍閥統治的地方，甚至在抗戰中走到四川，也還看見這類軍閥的殘影。他們的作風，比之清末的官僚多少有些不同。自然這個時候，也還是有官僚，可是官僚的威風卻還不及軍閥。因為我們只看見官僚拍軍閥的馬屁，很少看見軍閥拍官僚的馬屁，只有與軍閥最接近的官僚還多少保留得幾分神氣，其餘的便大致都不行了。有大軍閥，有小軍閥，有不大不小的軍閥。大軍閥限在大地方表現威風，小軍閥在小地方也威風十足。他們的享受，大概比之清末那些官僚，有過之而無不及。可是時代畢竟進步了，他們出門已經不坐轎子而改乘汽車，站在汽車兩傍的，已經不是那種扶着轎子的『戈什哈』，而是兩個懸掛盒子砲的『武裝同志』。清末官僚出門，老百姓還可站在街邊看熱鬧，軍閥出門，可不行，你最好遠遠的避開，因為路不平，下雨，汽車衝過，能給你濺上一身一臉的泥漿！清末的官僚大抵都有姨太太，軍閥也一樣，官僚的姨太太無論是小家碧玉或班子裏的姑娘，大致總是用金錢買來，軍閥的姨太太，則除了上舉的兩者而外，其中居然還有不少的女學生，雖欲不謂之進步不可得也。假定有人能寫一部軍閥禍國史，我想一定是洋洋大觀，我在這裏所說的，不過是一鱗一爪而已。還個時代，我想說是：

『軍有軍治軍享』！

大致總也不會太遠於事實吧。

共匪踏踞大陸，已經超過了三年，『共幹』數百萬分佈全國，除土產的特務，更有俄帝的『格別烏』，可以說億萬萬的老百姓，便完全在這種二重的控制之下。其對老百姓的屠殺之多，蹂躪之慘，方法之層出不窮，以清末官僚民國軍閥比之，當不能不有小巫大巫之歎。現在大陸的『人民』，不僅沒有一切的基本自由，乃至走路必須有通行證，還從大陸必須得許可，出進必須得有保人，總而言之，只有共產黨才是人，老百姓決是人『民』而已！共匪所實行的，是嚴格的階級制，單以他們吃飯而論，當他們沒有發達的時候，他們原已有所謂大灶、小灶、特灶的區別，現在更是變本加厲，老百姓求備皮草根不可得，他們卻是盡情享受。至於男女關係，更有所謂一杯水主義，凶暴的可以強姦，可以霸佔；文明一點的，則隨意去取，任情離合，其說法也很多，大致姨太太早已落伍，即續變也並不怎樣時髦了。從前官僚對文人太不客氣，可以引起士林的非難；軍閥增殺一兩個新聞記者，大家會大驚小怪，現在的共匪何如呢？說共匪的軍隊，比從前軍閥時代正要吃得好，但這無非是叫他們吃飽了好為他們保江山，好為俄帝打天下，正好比有錢人僱打手，養鏢客的辦法差不多，還值得一談嗎？總而言之，共匪的罪惡，不知道寫了多少本書，已經是舉世皆知了，我們只好把他們這一時期，叫作：

『黨有黨治黨享』！

期待實行民主，這是今天愛好自由的中國人一致的要求，我相信力量會一天一天的趨於壯大，共黨所謂民主也者，意思也很簡單：不要『官有官治官享』，不要『軍有軍治軍享』，更不要『黨有黨治黨享』，而要實實在在做到『民有民治民享』而已。

一週展望

·雷嘯岑·

㊀七屆聯大暫演開鑼戲

本屆聯大的軍要課題是如何打開板門店和談僵局？美國早已準備提出不能和即作進一步大戰的建議，但前天艾契遜的演說，已將此意打消了，據說是受着參戰國家的忠告而然。

其實，美國此刻若把進一步的韓戰對策提出大會辯論，那是無從的。要等到美國大選揭曉後，英法兩外長既聲明繼來出席會議，俄共集團將有甚麼攻勢演出，亦不知道，美國若匆促地提出具體而堅定的建議，徒為俄共集團之咆哮指摘，作無謂的爭辯，別無結果可言。

在英法外長未到會以前，只是演的開鑼戲，艾契遜出場『打加官』一次，讓班底先唱唱，等到要角到齊，再來導演大軸戲，這是上策。事實很明白，民主黨執政當局想在十一月四日以前結束韓戰的希望已經幻滅了！

太平洋上的海軍動態

韓戰的軍事計劃，當然不會在聯大討論的，聯大對韓戰問題祇能作政策性辯論，換言之，即是如艾契遜所說：「可以由大會之行動，向侵略者表示吾人意見之齊一與態度之堅決」而已。

太平洋艦隊總司令雷德福，第七艦隊司令卡拉克等四大將領之聯袂集議於台灣，乃與聯軍師機部隊在韓境作登陸演習的用意互相呼應。說它這是一種姿態，迫使共軍知難而退，接受和談建議，完成休戰協議固可，說它這是作最壞的打算，以便和談破裂後大打特打，亦無不可！

雷德福訪台的表面理由，是改善台灣的經濟潛力，將對台灣「中立化」政策重新估計。這是假話，也是真話。韓戰若再行激劇化，至少必須實行封鎖中共地區沿海岸，毫無疑問。這項封鎖政策實施時，台灣當然不能不扭負一部分任務，這就是雷德福等四位海軍將領訪台的真因。

所謂重新估計「中立化」的意義

近年來，美國朝野人士不斷地到台灣來觀察，文武要員，國會議員與新聞記者等，不一而足。他們對台灣的觀感，據其公開表示的，有個共同結論：即認為軍事經濟兩方面，確有長足進步。但，很少談到政治。

這不談政治的原因，不外兩點：一是告訴美國的納稅人，政府對台灣所耗軍援經援諸費用，是有成效的；二是表示美國決不干預內政。可是，在他們個別的私人談話中，卻有「台灣政治不夠進步」的批評。

「不夠進步」的看法是程度上的差別，是進步得太慢的意思，而非完全無進步也。「他山之石，可以攻玉」，我們應該以迎頭趕上的自強精神，使政治上與軍經兩方面齊頭並進，纔有「重新估計」的內在條件。老實說，如果美國對我們也像對決議一樣，不惜引起內閣總理卻還「備忘錄」的反感，而自認為是「誤會了」的關切心情，那就便是重新估計「中立化」的時候了。對政治上緘口不言，好壞不問，乃是一種「客氣」表示，尚存有「瞧你的寵」那種不甚關切的距離心思，不夠重新估計的條件，這是我們必須特別反省警覺的！

試舉例以言之

前些時，合衆社由台北發出消息，說自由中國的舊政治勢力將見抬頭。十六日泛亞社台北電訊，報導某些逃難在美洲的大富翁人家，將要回到台灣來了，其結論有謂：「此間一般認為過去舊政治巨頭打算返台，不失為良好現象，蓋自由中國前途已較兩年前光明」云云。

我就恰恰與那些「此間一般」的看法相反！如果在兩年前，這些「舊政治巨頭」，慨然申請入台，那是共赴國難的精神，殊堪敬佩。如今「自由中國前途已較兩年前光明」了，他們乃要求回台，這是「如蟻附羶」，那有「良好現象」之足云歟？有之，即是一些同病相憐的社鼠城狐，彈冠相慶而已！

台灣不僅要對舊時禍國殃民的「政治巨頭」一敬而遠之，即現時逃避在台灣的那些劣迹昭著，聲名狼藉的政治垃圾，也應該用鐵掃把將其掃入台灣海峽中，才不失其為「良好現象」，才可以使國際友人另眼相看，重新估計！

什維爾尼到柏林
蘇加緊控制東德

本月五日東德共和國成立的紀念日，蘇維埃聯邦主席什維爾尼突然率領一個相當龐大的代表團赴柏林，不但引起西方陣營的普遍注意，即東德政府本身也感到意外，因為正值莫斯科聯共十九次大會期間，東德總理格羅提渥，副總理[illegible]均親赴莫斯科致賀，居然在這時候讓他們自身都忘掉了「開國紀念日」，受寵之下，承偉大鄰邦的元首親臨致賀，[illegible]吃驚的成份大於歡喜，所以東德議會在歡迎詞說，[illegible]也未出過國，這絕不是純粹的禮貌，而是[illegible]來的。

用僞民主做幌子 以東德引誘西德

東德雖然是蘇聯的附庸國之一，但是比較其他的東歐國家，總算是較為自由一些的，第一它除去共黨——社會統一黨——以外，還有四個右翼的政黨，合組了一個僞裝式的聯合政府，雖然這些政黨也同中國的[illegible]一樣，本身已沒有絲毫的自主權，但在人們的心目中看來，尤其是[illegible]，總之較之捷克波蘭又遠了一步，同時，又因為地形的關係，東德也是鐵幕的窗口，尤其是幾年來東德人民的逃亡，統計已達百分之十一，最高紀錄到過十萬四千多人，這些逃亡的是優秀的科學家，工程師，也是東德的骨幹份子，他們的逃亡，在積極方面說，削弱了整個社會的生產力，在影響到了[illegible]消極方面說，也暴露了共黨統治的慘狀，以外人一步加強了抗共的決心，所以在這個時期的[illegible]是不能容忍的，這是什麼？完全是從現在呢？大膽的希望能不故示寬大，而為了引誘西德人，可是自從「邦約」訂立以後，東德已經不存在了。這種內素日前東西集團的放棄了和平統一的意圖，僅有再假戲一面步步將東德納入「正軌」中了。

什維爾尼到東德 要德共整肅殺人

不過蘇聯為什麼派什維爾尼出席呢？這就頗堪玩味了，什維爾尼是蘇聯名義上的元首，一點兒實力都沒有，在政治局中只是一名候補局員，同時又未出過國，在外交事務上既不熟悉，身份也不相稱，可是史達林居然派他出席這個[illegible]

德共高幹犯錯誤 蘇共將派人接替

[illegible]

印度華僑怒吼了

（加城通訊）

貧窮國度難經商　印度華僑苦的多

散處在印度的華僑，情形與散處於其他國度的華僑，略有不同。由於印度本身社會貧乏，經濟上沒有大規模的企業存在，所有較具規模的企業組織，都與英國的經濟體系（如鐵路電氣紡織漁業製革伐木等公司）連成一氣，外人插足的機會很少。印度人口有餘，工資低賤，若干區域較我國內地猶甚。輸出方面，除米棉而外，無可經營。而一般人民貧窮，外貨輸入，亦無從獲得廣大市場。因之，在印度的華僑，無論在經濟上，或人數上，反不及在緬、泰、越南或星洲的同胞了。

中國散處在各國的華僑，原以閩、粵、浙等省人士較多。而在印度則雲南人與廣東人較多，人數幾乎相等。在經濟實質上，雲南人且佔優勢，除滇、粵兩省人而外，山東人和湖北人，人數亦頗不少。以加城爲例，若雲南與廣東人佔加城華僑總數十分之六，則山東人與湖北人，應佔十分之四，而且人數大約等分。在印度的華僑，一般經營小商販，山貨藥材，餐室，製革，絲綢及牙醫館。一般說來，山貨藥材一業，是雲南人獨佔的，餐室製革兩業，向爲廣東人經營，絲綢是山東人專賣，牙醫館則是湖北人的獨特行道，小商販各省人皆有，然亦以雲南人較多，一般在加城（或者孟買新德里）能在主要的街道掛得上公司行號招牌，或者在繁盛區域能開得起一間像樣的餐室鞋店，莫不是雲南人或者廣東人，然這一些事業在當地經濟上發生不了作用，所以印度自有華僑以來，從沒有遭受排華運動，原因就在這裏。緬、泰、越南、馬來亞排斥華僑的情形，是永遠不會來到印度的。

中共派了領事來　一徵二借死要錢

由於這一個原故，中共在加爾各達領事館，也沒有像在印尼緬甸的那樣鬧得起勁，駐加爾各達的中共領事館，還是租住原政府坐落四方街的那一所舊房子，總領事是張鼓新，湖南人，雖拼命活動，但華僑們很少理他。

民國三十九年三月，中共第一任駐加城「領事」任江，到加之初，加城華僑震於國內政局的激變和印度政府承認中共政府的精神威脅，第一次以極其複雜的幕後壓迫和心情歡迎中共「領事」，出席加城華僑「聯合歡迎會」之後，加城華僑回來所得的共匪印象，即是中共領事談話頗不近人情。原來「任領事」當日在大會席上說：「國民黨的政府，是專打內仗，不管海外僑胞的利益的。」可是，國民政府的軍隊，在民國三十年對日作戰時，一直由緬甸撤到印度，成千成萬的國軍，集中在印度東北的阿薩密省的列多和孟加爾省的藍姆伽，婦孺皆知，若說「國軍專打內戰」，未免與事實太不符合，然而這一個印象，祇不過大家當時在心中的一種無言評品而已，並沒有人把它來公開計較；大家當時所集中注意的一件事，還是今後「印度華僑在袁大使代表『政府』照顧之下，一定能獲得更多的利益」這一句話、

僑鄉惡耗傳到了　魔鬼面目被揭穿

三十九年九月及十二月，中共兩次在加城以聯誼壓迫的手段，推銷「公債」，估計在加城所集中去的現款不下盧幣十萬盾（約合美金三萬餘元）。四十年終及本年初，獻機獻砲，及滙內土改逼滙錢財退押或賤價，搜刮去外滙，當倍於銷債所得之數，若干小商販華僑，不少因此而負債，大陸親屬不幸的消息，同時傳來，中共慘無人道的措施，終於由傳說而負實地加到華僑本身上來了。於是，華僑就很快地看穿了中共的騙局，唾棄了中共。

今年的十月一日的加城情形，即爲一個證明，中共九月如已召集華僑開會，籌備「慶祝國慶節」，但奉召而去的人祇有五十二位中的六位，中共這一下實在受不下，因此就派人到各華僑集中住宅區，大施威脅咆哮，謂十月一日不懸五星旗，將通知印度政府驅逐出境，若干的老實華僑，到價是唬嚇了，但幾位有頭腦而且在印度住居較久的人，如黃九淵李中之等，則直接將這一件事，向加城中央警署及移民局提出問題，謂不懸五星旗，算不算犯法，警察局及移民局最初沒有答覆，但經不住華僑再三派人去問，結果加城警察局外事課祇得派人出來說：「貴國懸旗的事，由貴國同胞與貴領事館自行商洽，與本局完全無關。」這一個答覆，無異重重的打了一記中共匪徒及其走狗一記耳光，因爲這一個醜釀，加城的華僑，本來預備應付懸旗的，結果也不懸旗，以之在十月一日一天，懸中共五星旗者，全加城不滿十面。

十月一日大出醜　破壞雙十又不成

中共自己慶祝不成，於是轉而破壞雙十節華僑的愛國運動，要求加城警察局，通知華僑，在十月十日那天，不能有政治活動及懸掛沒有外交關係的國旗，「違者犯法」。但是到了這一天，加城的華僑區百分之九十停業休息，家家的屋中的白牆上都貼上青天白日小國旗，家家老小都穿新衣服，像過新年一樣，持着短棍的印度警察，走過每一家的門前，祇有張着嘴，會意一笑。中共無恥，遠在國外，還在使用許多無恥手段，對華僑欺壓哄騙，無所不用其極，但現在終于給華僑們識開了。（十月十一日明鏡寄自加城）

白的是黑的，黑的是白的。

台灣來客談

史華

頃有友人自台灣來港，談及自由中國近事二則，內拌錄之。一爲中國近對於整飭紀綱一事甚爲積極，聞毛邦初顧希平二案之後，又着手清查屈用中及李法端兩案。屈案內容關係交通銀行於三十八年八月，由該行前董事長錢新之，前總經理趙棣華，在香港撥交港幣二十萬元開設蜀餘企業公司。嗣以局勢轉變，不利開業，而屈並不繳回，又未報經交行許可，私將該款移設泰德百合兩公司。交行一再函催結束，屈均延不遵辦。迨至四十年八月，交行怒擬屈自香港來函，謂結虧甚巨，但並未將餘款繳回。交行乃發表屈爲行務委員，屈始於今年來台。審計部認爲屈用中將蜀餘公司資金擅移他用，與交行原旨不符。至其另行開設泰德百合兩公司并致虧損，純屬屈私人行爲，不能承認。實令屈賠繳港幣二十萬元。又交通銀行於在台停業期中，反於揭近費八萬元頂進台北市廈門街巨廈一宅，供屈在台居住之用，亦屬不合。除香港蜀餘公司外，交通銀行又曾於台灣設置蜀餘公司，並由李鴻漢在香港挪用各款歷久未結。台灣蜀餘亦因經營不善，虧損三十一萬元，結欠交通銀行美金七萬二千元，資本五萬元，折合新台幣共爲一百二十萬元。交行當事者亦自覺無以交代，乃決議自四十年十月停止營業，限三個月結束清楚。現時隔一年，未聞有追賠辦法，坐令公帑遭受重大損失。

至李法端案情形更爲荒謬。李法端原爲宋子文任行政院長時之行政院物資供應局顧問，代表中央銀行處理國外物資。據有關方面調查之結果，李對於在國外物資之處理，所得佣金達百分之十八，處理費用達百分之五十二，而解繳央行者只佔百分之三十。其利圖私益，損害國庫收入，可以概見。且李所報告處理情形，出售者只佔全部國外物資百分之三十，另百分之二十三報短少，百分之二十五報缺少，百分之二十二報廢。在出售部份中，李所報售價只佔進本百分之二十六。凡此種種，均不能令人無疑。即照李自己報告數字，亦尚有美金一百萬元未經收賬，又李法端個人每年支領津貼美金六千元，代領祕書打字員薪美金五千二百元，另尚有飛機票旅費等等各美金二三千元不等。三十八年八月，國家局勢最爲阽危，李尚在香港支旅費美金七千三百元，又津貼港幣一萬元。四十年一月，奉命結束，又一次支領薪俸公費二十三個月，每月美金一千元，美金二萬三千元，又補支三十七年一月至三十八年四月津貼十六個月，共美金八千元。李所屬辦事人員，如周孝珊等七人另各支津貼旅費出差費，回鄉旅費均以美金計算，各數千元至萬元不等。四十年六月，李法端以尚有價款未經收齊，須在國外催索，每月又開支用費美金一千元，薪金美金八百元。迄七月間，奉令移交，李始終逍遙國外，未受國法制裁。

屈用中李法端二人，在我國金融機關中并非知名人士，因以其侵佔國庫款項，濫費公帑，未爲社會所注意。從此亦可知過去金融機構弊病之深，與國家受損之重。茲幸中央嚴整紀綱，澈底查究，屈李等終必難逃法律之責任。此實可爲自由中國前途賀。

二爲提高公務人員待遇，近又有一種新建議。查台灣公教人員待遇，久有提高之訊，但除士兵與鄉鎮工作人員已於九月份起實行外，其餘一般人員，恐須俟明年度國家總預算經立法院通過後方能考慮。茲有人提出建議謂公教人員待遇，理宜提高，但國庫負擔能力亦當有所顧及。爲鼓勵工作情緒計，可先用儲蓄券方式，即所提高之款項，由政府發給記名儲蓄券，俟回至大陸時再行兌現。除繼承外，不得轉讓。此案之優點在寓有儲蓄之意，並使一般人員返歸故鄉之時，略有重建力量，不人必概依賴政府救濟資助。但亦有人認爲萬一日後政府無兌現之能力，豈不失信於衆，不表贊同者。七全大會現正在開會期中，此案是否能遭采納，或將計議及待遇問題，當有分曉云。

從東方到西方　全世界唾棄共黨

日本

最近日本舉行大選，日共事先提出了一七五名候選人，打算在選舉中一顯身手，那知「人民眼睛是雪亮的」，結果全軍皆墨，連帶原來的二十二席也整個喪失了，接着又選舉教育委員，日共的十八名代表，依然完全落選，民主國家對於日共的失敗之慘，多少感到有點意外，可是若從整個世界共黨沒落的情形看，也就沒有值得驚訝的地方。

現在根據蓋洛普民意測驗所的報告，來說一說歐洲共黨的沒落情形。

挪威

共產主義的受到唾棄，在挪威最爲顯著，挪威共產黨目前力量，只及六年前的六分之一，一九四五年第一次選舉時，共產黨獲得票數百分之十二。至一九四九年票數降爲百分之五點八，一九五一年正月，一個民意測驗所的報告，指出挪威同情共黨的人，已降到百分之二點一。目前挪威的國會裏，已沒有一個共黨議員，可是在一九四五至一九四九期間，共黨在五十個議席中，卻佔有十一個席次。

瑞典

瑞典共產黨徒在一九四六年選舉中，投票佔百分之十一點二，到一九四八年祇剩半數，到一九五一年瑞典蓋洛普民意測驗所發表，最多不過百分之五點一，據該所主任布倫姆奎司特報告說：「共產黨同情者的銳減，實起於一九四八年三月間，捷克淪爲俄國人併吞之後」。可是要將本年度在斯德哥爾摩破獲的蘇聯間諜案，及波羅的海蘇機擊下瑞機這些事實加上，今天還有多少瑞典人會同情共產黨，不難推想而知。

丹麥

在丹麥，共黨聲勢比瑞挪都大些，一九四五年的選舉，原佔百分之十三，可是到一九五〇年選舉，還剩下百分之四點五，目前雖然尚未舉行選舉，但是共黨票數還是在衰退中，原來在議會佔了十八個席次，今天只剩下七席，行動力量已降到零點以下，奪取政權固然談不上，即使想對政府的反共措施加以牽制，也不可能了。

芬蘭

甚至如芬蘭本是在「史達林太陽」能照及的國土上，而且又是戰敗國，更要對蘇聯賠款、可是芬蘭的共黨，卻同樣未能得勢，一九四五年，只佔百分之二十三點五，到了一九四九年卻跌到百分之二十，而且那次選舉的前夕，史達林還特地將芬蘭賠款三億美元減到二億二十五百萬，以增加芬共競選的資本，結果更招致了慘敗。

荷蘭

在荷蘭也是同樣情形，共產黨徒所得票數，從一九四六年的百分之十點五五落到一九五一年五月的百分之六[illegible]。荷蘭民意研究所去[illegible]項公衆態度對[illegible]評價尺度，每所[illegible]由荷蘭人。[illegible]

意大利

兩國共黨勢力較大。在意大利，共黨也在急劇[illegible]中，可是在戰後第一次[illegible]時，共黨佔百分之三十一[illegible]百分之[illegible][illegible]

法蘭西

[illegible]

特別戒嚴

莫斯科現在正忙着開聯共大會，首都飯店住滿了各地來的代表，各國來的所謂兄弟黨的代表，則住在遠離市區十五里的一個特別區，除開會外，與俄共各地代表根本不碰頭。據一個剛從莫斯科來到波恩的某國外交官員說，所有的代表都像機械人一樣，不知道是特爲挑選的，還是久經訓練的，大家很少交談。但進出都是集體的。

[illegible]子弟黨的國家」，實際上是附庸國家的那些「領事館」的前門後門，都有固定的監視人員，[illegible]蠻橫，實在較納粹壞過多多。

莫斯科的近態

聯共大會的會場設在克里姆林宮裏面，實際情形如何，局外人是不知道的，但如根據真理報，紅星報等刊出的照片，可能是在那幢最大的會堂中舉行。所以最近宮牆周圍，戒備特別森嚴，通達宮去的道路，除佈崗數里外，還有裝甲車來往梭巡。[illegible]

若了外交人員

會議些什麼？除了他們要人家知道的之外，就什麼也不會知道了。駐在莫斯科的外交使節，最近受到的限制更嚴格了，聯共幾乎是以做賊之心防賊，把各國的使節都當作敵人來看，如非是名義上是大使[illegible]

要恢復共產國際

[illegible]

武漢大剛報被「整」記

上官柳

說起武漢大剛報，我們就可以清晰的記起抗戰前的鄭州大剛報，抗戰時的衡陽大剛報，貴陽大剛報，勝利後的武漢大剛報，南京大剛報，它的銷路也擁有湘、黔、平漢，京滬等綫。它的主持人是衡賽人稱譽的毛大剛（因爲他在衡陽北門外創立一所大剛中學）毛健吾，毛是江西吉安人，早年畢業於中央黨政訓練班，畢業後在津浦，平漢路局特別黨部任職。劉經扶將軍任開封行營主任時，毛以鄉誼關係，說劉出資辦這所大剛報。

從它這一段簡略的歷史看來，毛健吾本身既是受國民黨的栽培，報社又受政府要員的資助，爲什麼他還要靠攏？而靠攏又要被「整」呢？這樣我不能不敘訴一點有關靠攏的前因。

一、大剛報自鄭州遷到衡陽時，就潛伏有匪工份子黃邦和，楊坤潮。當時兩人在大剛報任校對職務，後因工作能力較強，兩人均由校對調任助編，以至主管報社編採兩部。

二、勝利之初，毛健吾雄心勃勃，想壟斷當時新聞界牛耳的掃蕩報之後，在京，滬，平，漢等地創辦大剛報，以民營報紙立場，雄睨儕輩，乘之政協和談方興未艾，遂以國民黨開明人士立場，在武漢廣拉左翼文人曾卓，端木蕻良，王采等任編輯，大倡和平救國之論，又赴南京與陳果夫先生攜手組辦大剛報南京總社。

三、三十五年秋，大剛報南京總社成立之後，毛即在漢口調去黃邦和，楊坤潮，于湘等匪工份子，編輯部以親共份子嚴問天，歐陽白主掌，採訪部以黃邦和担任，于湘即派赴東北担任特派記者職務。漢口分社即由在貴陽任總編輯的劉人熙担任社長，編輯部負責即由前中央社記者黃培楷君負責，採訪部即由西南聯大畢業生段震坤主持。副刊大江和珞珈山即由端木蕻良，與黎嘯岑主編。

南京大剛報成立半年，因經費支絀，和言論偏激，由陳果夫先生另派人接管之後，南京各部負責人（凡毛健吾由漢調去的）均紛紛返漢，毛一人留在南京，任中央政治大學教職，兼負大剛報總經理的空銜名義，不久又引咎辭職，以大剛報駐美記者名義環遊新大陸去了！

總之，他豢養了共產黨幹部，加上他與國民黨的私人恩怨，而成爲靠攏的事實。

三十八年匪部渡江之後，南京大剛報當然被「刼收」，而武漢大剛報却屹立不動，與新民，大公等報並存，爲匪搖喊，當時一般留在武漢的有識之士的猜疑，說大剛報是馬敘倫領導「中國民主促進會」的報紙，又有人說他是黃炎培領導「中國民主建國會」的報紙。以毛健吾的八面玲瓏的圓滑手腕，也可說它與「民促」「民建」都有微妙的關係，但共產黨並不重視他這政治背景，只以這幌子來招引他回國而已。

民國四十年春，毛健吾從新大陸潛回匪區，當時毛以一腔熱情去投共，滿以爲會得到熱烈的歡迎，誰知道到了漢口，連自己的報紙也不敢放一個屁。他去拜謁一些「新貴」，也被婉言拒絕不見。「三反」「五反」開始之後，才「請」他上場表演。

第一步要他「坦白」出在美存款和在美國的財產，以及創辦大剛報之初，私受劉經扶的錢鈔數目，和私受陳果夫的錢鈔數目。第二步是這些錢鈔均爲陳劉二氏「貪污的人民財產」，應該照數償還人民。第三步要他「坦白」出在美期間，所參加的任何活動，和在津浦，平漢路局特別黨部任職時殺害多少「工作同志」。

經過三番四次的審訊式的「坦白」，毛健吾的命運決定了。以「勞動來改造他的思想」。最近聽說在江西替那些匪酋們拭擦車子。

這只是毛健吾一個人的命運而已，但，因他一個人而遭害的整個武漢大剛報的非共份子，和以往對「解放」略帶一點希望的朋友都遭了殃。

首先從社長劉人熙，經理武止戈，田仁孝，總務張人驊起，大小職員百餘人，全被送入集中營「學習」，大剛報的出刊和報名，也由匪共提起紅筆一鉤銷，另由匪幹曾卓主持，改出「新武漢日報」了。

這些事實，可以寄告海外的尾巴報的工作者，請你們留心作大剛報朋友們的後塵吧！

淪陷三年來的蘭州

四十萬奴工趕築鐵路　八千名俄人飛揚市區

【本報蘭州通訊】蘭州是一九四九年九月二十三日淪陷的，屈指一算已整整地過了三年，這三年來，蘭州的人口不斷增加，變成了物資和人員的集運站，許多輕重工業亦在不斷建築中，但隨着這一表面的熱鬧而來的，是糧價的日夜上升，老百姓負担的捐稅日見其重，而勞力的供役，更接踵而來，使這裏的人，漸漸地透不過氣。

戰略鐵路　加緊興築

從蘭州的外貌來看，沒有人會否認它的進步，許多生長在蘭州市郊的老年人都說，這是五十年來的空前現象，今日的蘭州，眞說得上四通八達，自陝西北來的隴海鐵路，早已通達天水，由天水到蘭州三百多公里的公路，從一九五〇年五月開始即已興修鐵路，到前日已全部鋪好路軌，第一輛火車，已抵達蘭州。由蘭州經河西走廊，再經哈密至迪化的蘭新路亦已宣佈動工，這一條長六百多公里的鐵路，中共預計三年內即可完成。目前結集蘭州四週的奴工，總數不下四十萬人。其中有由定西隴西平涼一帶所解來的民工，有陝北集中營及蘭州集中營撥出的囚犯，亦有由華北調來的國軍俘虜營的俘虜。他們因係集體行動，不准進入市區。但在市郊附近，即時時可以看見。大多衣衫襤褸，形容枯槁。其中定西一帶的民工，中共原答應修完天蘭路即放他們回去。但由於「土改」時有的沒有返鄉，分地時並沒有分得土地，這些人目前已成了職業的鐵路工。據西北鐵路幹線工務局局長王世泰最近在「西北軍政委員會」的祕密報告，修築天蘭的十四萬民工中三年來傷亡總數已超過三萬人，平均每百公里，死傷萬人，其慘烈情形絕非外地人士所克瞭解。

軍用機場　不斷擴充

除了戰略鐵路的趕築外，中共並發動各地民工，加修幾條大公路，一條經銀川伸向綏遠包頭，再由包頭經過百靈廟伸向外蒙庫倫。一條經酒泉伸向新疆哈密，再由哈密經奇台伸向迪化。另一條經天水伸向四川閬中，再由閬中伸向成都。其目的在補助鐵路的不足，並準備將來作爲鐵路被破壞後的運輸線。這些公路的修築，係分段徵用公路所經過縣份的民工，以修完本縣境的路段爲原則。男婦老幼一律徵用，不能參加的，准出小米僱人代作。每一工每日代價二斤，超額完成任務的，可以獲得獎勵，在這一套徵用之下，甘肅全境內人民，眞正疲於奔命。

此外，蘭州市東廣武門外千里坡，最近正擴充機場跑道，準備發展爲一規模宏大的軍用機場。并着手建築地下庫，作爲西北的空軍基地，光在這一地區服役的奴工，據說便有萬餘人。

細菌研究　祕密進行

在一般人所共睹的修鐵路，建機場外，還有一項極祕密的工作，就是最近半年來，中共西北軍政委員會和中共衛生部及科學院，在蘭州市新關街的和成大樓，設立一聯合研究所，中共衛生部副部長蘇井觀、科學院副院長竺可楨，二月前曾到過蘭州，中共御用的細菌專家陳文貴，據傳亦會同來，裏面有大鼻子極多，守衛極爲森嚴，據此間流傳消息，可能是進行細菌研究，這一工作原定在東北進行，後來不知爲什麼還來蘭州，消息易於走漏，故據一般人推測，可能因東北接近韓國，還擇這內陸腹地進行。

俄人橫悍　無法無天

今日統治蘭州的，表面上是中共的大小新貴，事實上則是俄國人的天下，西北軍政委員會辦公總處，成天有俄國軍人進出，俄式六輪軍用卡車，滿市飛駛，蘭州新開的餐館酒吧和舞廳，全部都是以俄國人爲對象，一到星期日，穿着划齊裝的女文工員，和喝得醉醺醺的大鼻子，駕着吉甫，招搖過市，由於蘭州的街道不寬，馬車驢車雜踏，撞傷或車死人的慘劇幾乎日日發生，他們在造成慘劇以後，照例驅車而去，頭亦不回。因此，一到星期天，老百姓跑路都得東張西望，但由於中共對他們奉若神明，人人都敢怒而不敢言。

糧價飛騰　民不聊生

蘭州原有人口不到二十萬人，經過了近三年來四處奴工的增加，及大鼻子的增加，目前已突破五十萬人，人口激增的結果，房屋首先發生問題，較好的民房都全部被中共徵用，作爲大鼻子的住所，原有的學校，都一律變成軍營，過去住兩家的院落，目前都擠上了五六家，許多遷來蘭州的工廠、工人都住在馬厩，至於建築機場及鐵路的奴工，有許多都住在臨時搭蓋的棚子裏，往往一處露宿了幾百人，因此夏天疫病流行，冬天時時有凍斃發生。至於糧食，由於人口激增，價格已較前年增加百分之八十，共產黨唯一欺騙民衆的手法，就是把目前的痛苦說是暫時現象，但老百姓那個不心裏雪亮，築完了天蘭又築蘭新，築完了蘭新說不定他們早已沒了命。因此，天蘭鐵路的通車，雖給蘭州帶了虛假的繁榮，老百姓的心情却是愈來愈沉重。（蘭民十月三日寄自蘭州）

共幹的待遇

·雪冰·

中共於十月一日宣傳謂明年將實行公醫制度及提高公務人員待遇。

中共在一九四九年曾估計共有軍政公教幹部人員九百萬，一九五〇年中共宣佈已增加至一千二百萬以上，韓戰後，征調民兵，訓練幹部，動員農工青年，入數勢必大大超出此數。一九四九年的九百萬軍政公教人員，據人民日報透露，其中有五百萬人爲黨的幹部，其餘數百萬人爲非黨的新舊公教人員。此五百萬共幹的待遇，皆爲優厚的供給制，而非黨幹部的公教人員，係包給制。祇領取微少的薪金。兩者相比有的竟相差約達卄倍之多。

共幹的待遇，概爲「供給制」，爲最優的一種待遇。

所謂「供給制」，又分爲兩種：一爲軍事幹部，一爲行政幹部。

（一）軍事幹部的供給標準：一爲經費部份，一爲糧秣部份。約有十個供給：一，伙食費（分大、中、小灶）二，過節費，三，津貼費，四，出差費，五，公雜費，六，優待費，七，轉支費，八，烤火費，九，醫藥費，十，被服裝具有多服，夏服及裝置等的配發。

（二）行政幹部的供給標準，亦爲兩部分：一爲個人生活部份，一爲公用開支部份。個人生活部份，共有十種供給：一，菜金燃料分爲：（一）大灶菜金計油三錢，鹽五錢，肉五錢，粗菜一斤，燃料計原煤一斤四錢或木柴二斤；（二）中灶菜金按大灶二倍半計算，原煤一斤十四兩或木柴四斤），二，食糧（每人每日一斤半），三，服裝費（衣服鞋襪被帳等），四，津貼費（分爲普通、技術、特別三種），五，過節費，六，保健費（分爲甲、乙、丙、丁四等），七，老年優待金，八，婦嬰費，九，醫藥費，十，埋葬費等十種。公用開支部份，又共有十一種供給：一，公雜費，二，學習費，三，出差旅費，四，會議費，五，家屬招待糧，六，夜餐費，七，車馬費，八，裝備費，九，電訊費，十，烤火費，十一，臨時特別費等。幹部所有家屬之生活，也均由公家供給，而黨齡在十二年以上，即規定必須吃灶，家屬亦另有優待。

從共幹的這種「供給制」來看，大陸人民的血和汗的結晶，農民胼手胝足，工人日夜過度勞動，商人歲月苦心經營，皆被共幹所吮吸而去了！

大陸農村破產，農民吃樹皮吃草根，成爲餓殍，而中共不管！大陸工商崩潰，工商業家破人亡，自殺逃亡，店員工人失業饑餓，而中共則絲毫不顧！

共幹成爲至上！共幹算作第一！但是另一部份的公教人員，即那些非黨幹部，在中共的奴役的鐵鞭下，都過着窮困萬分的生活！中共給予的待遇，每人每月收入，平均只有一百廿個折實單位！而這一百廿個折實單位中，還要購買「公債」，還要拿百分之二十的「抗美援朝」的捐獻，（先由上級墊付以後在月薪中按月扣除，）還有勞保費，工會費，福利基金等，七折八扣，所拿到的剩餘下來的薪金，僅夠個人免於饑餓，一家妻子兒女數口，只有坐以待斃！只好吃西北風了！

中共何以要厚於彼而薄於此呢？顯然的，中共認爲它的政權，既係由這五百萬老幹部拿來，今日維持並鞏固這政權，也只靠這五百萬人。故必須把他們餵養好，因此所有大陸老百姓的被蹂躪剝削，也被視爲當然了。

今日中共謂明年行將提高公務人員的待遇，而受惠最多的，當然還是共幹，而非黨的公教人員所獲仍必杯水車薪而已！

三個多月不下雨　湖北省嚴重旱災

湖北全省大部分地區今年天旱未落雨，有的地方已九十五天未落雨，地下水源枯竭，田地盡是龜裂，不但農作物已完全絕望，連人畜飲水也成了問題，旱災已成定局，非人力所能抗衡。中共當局除一再號召「生產自救，節約度荒，羣衆互助，以工代賑外」，也宣告束手無策，但有坐視。最近省政府當局對度過災荒表示毫無信心，並指出許多困難以推卸責任：（一）發生災荒的原因，是由於長期的反動統治，封建地主，官僚資本剝削所形成。（二）人民經過長期的戰爭破壞和地主的剝削，加上一九四九年的水災，一九五〇年的歉收，已經沒有儲蓄了，增加救災工作的困難。（三）中共幹部救災經驗不足。（四）工作上官僚主義強迫命令作風依然存在。（五）敵人乘機進行破壞，最後又強調說：「我們曾經大力搶救，但這已非人力所能扞得住」。

烏龍水利局長　引水造成巨災

綏遠省臨縣，托縣及準格爾旗，聯合修築了一道全長九十華里的公益渠，自本年四月開工，迄今方告完成。工程至爲浩大。人民渴望能及時灌溉六十萬畝旱田，以濟災荒。近雖各地天旱缺水，亟需引用渠水，但以公益渠工程完成未久，渠背土質未固，引水河道正在暴漲，故當地人民均不敢輕動。中共綏遠省當局聞訊，派水利局副局長李直，前往實地查勘謀解決困難之道。詎李直到達現場，竟不顧民衆意見，盲目下令放水，一時巨流洶湧，勢不可當，洪水到處，渠背首先冲破，相繼決口達十數里。據初步統計，冲壞秋禾數萬畝，已知倒房百八十七棟，人畜均遭極大損害。各縣飢餓人民無衣無食，流離失所，慘不可言。

河南蝗災

河南也一樣有災荒，蝗蟲從安徽飛來「平原省」曾動員了五十萬人捉蟲，共黨的農林部並派出了一架飛機撒佈殺蟲藥粉，但結果仍未好轉，該省本年糧食損失將達六百萬噸。

據「平原」省向上級的報告，謂自七月二日至九月五日，共與蝗蟲搏鬥六十餘日，已勝利完成，可是蝗蟲殺死了，糧食也吃完了。

湖南潰堤

湖南沅江，湘陰，益陽等縣濱湖地區，於九月廿四日夜至廿五日，忽遭暴風雨襲擊，因該區防汛工作辦理不善，風暴來臨時又搶救不及，以致堤垸多處潰決，釀成巨大水災。據中共有關當局初步瞭解，淹沒稻田十四餘萬畝，被災難民達十餘萬，死傷人畜數以千計。而明年青黃不接的春夏荒，已不可免，災情嚴重可見一斑。

埃及的政變把戲

為方

自由談

埃及陸軍首領納吉勃，最近發言要將廢王法魯克引渡回國法辦，又將其政變時所擁立的三個攝政委員予以罷黜，另派一王室人員稱攝政，同時，更宣稱將擁戴另一王族承繼法魯克族爲埃及君主。看這些情形，令人想起了中國的王莽、曹操、蕭道成、以至趙匡胤、袁世凱這類人物的往事，似乎要在這文化古國重現的樣樣哩！

那吉勃在政變之初，曾經信誓旦旦，說軍人決不干預政治，一定要把政權交給文人的。証料言猶在耳，自己即被推上了軍事獨裁政府的座位，且將前日「趙孟所貴」的最高統治者攝政委員隨意任免，太阿倒持，內閣總理事實上就是埃及王了！

那氏想實現其不流血的革命計劃，先把土地改革由自己親手完成，用意未嘗不好。但他祇憑軍人的簡單頭腦，以爲土改這類事項也與上陣作戰一樣，戰鬥幾個回合就會見分曉的，宜其焦頭爛額，不易成功。如果那氏眞無自立爲王之心，就應該從改選國會議員，修訂憲法入手，纔是正軌。像他現在這樣搞法，抑大有陳橋兵變，黃袍加身之可能呵！天下軍人一般糟，聰弄政權，予智自雄，結果是「證諸爐火之上」，誤己誤國而後已。

至於法魯克族王位之被奪掉，固不足惜，因爲他的先人亦是以陰謀武力奪取埃及王權的。悖興悖亡，理所應爾也！

覺悟

夏雲飛

王新白剛到天堂下了火車，心情就感覺特別沉重，好像有一種不幸預感似的，其實在天堂搞工運，他已是輕車熟路了，不知爲什麼這一次總感到不大自然似的，他自己在想，大概是受饒部長的影響吧！饒部長是華南局統戰部的部長，專門負責指揮海隅工運的，兩年前也的確搞得有聲有色，不幸從去年以來就日漸走下坡，已經從優勢轉爲劣勢，根據各方情況的了解，近來各工會都紛紛在脫離控制，尤其是即將到來的「國慶」節。假若表現得不能比去年好些，可能要受到處分的，於是在繼續計劃之下，決計派出在海隅工會方面最熟悉的王新白同志去執行。

王新白行時，饒部長很嚴肅的對他說：「王同志，這次組織上派你去到海隅推動工運，任務是何等的重大，因爲自從反動工會成立以後，大部工會都倒向那邊去，現在你去主要任務，就是把殘破隊伍整頓起來，扭轉劣勢爲優勢，你要努力，不要負了人民的期望」。饒部長頓了一頓，掏出一隻駱駝，拿起朗臣打火機燃着，口內噴出烟圈，却睜眼看着王新白，這時他知道是要他發言了，趕快接着問一句：「我根據什麼原則去做呢」？「這很容易，按照人民的意旨去做就得了」。饒部長不經意的說。

王新白到了海隅，召集當地工會負責人，開了一次會，提到今年「國慶」大會如何慶祝事，大家一齊搖頭嘆氣，「主席」趙不全先發言說：「今年情形不要打算比前年了，想趕上去年恐怕也不很容易呢」？「這眞叫做王小二過年，一年不如一年了」。傍邊一個山東口音的同志嘆口氣，王新白回過頭來，認出是××紗廠的工會負責人老陸，當下指着老陸說：「陸同志，你這是什麼意思，有意長他人志氣，是不是替敵張目」。老陸一看上級派來的大員急了，當時不勝惶恐，趕快起來說：「同志，不是爲敵張目，這是實情，我隨便舉一個例子吧！我們廠裏的華國光那個小子，你知道他是個多麼前進的積極份子，可是最近也倒向反動工會那邊去了」。「爲什麼」？王新白聽到國光倒過去，也不禁有些愕然，在他記憶中，那是一個充滿熱情的小伙子，每次慶祝，都見他騎着單車滿街跑，積極到頂點，現在居然也變，趕快追問老陸什麼原因，老陸嘆着說：「他在上月，遇到一個鄰居，才從大陸逃出來，才知道他的父親被鬥死了，母親餓死了，妻子也去抗美援朝去了，尤其最使他傷心的，他每月省吃儉用節省幾個錢寄回去，都被農會沒收了，却造些假信哄他，說是他父親寫的，因爲他父親不識字，一向是找人代筆，所以他也沒留意，現在鄰居一說明，他當時大哭一場，把「進步」書籍同毛「主席」的像都撕了，發誓要……」「要什麼」？「要同共產黨拚命」。老陸這句話說的挺乾脆，在場都爲之一驚，反而沉寂起來。趙「主席」緩緩的嘆口氣說：「這種情形各廠都有，所以我們才落得這樣慘」。

王新白無計可施，又去找某商會理事崔大器先生，請他担任「國慶」大會的主席，崔先生一向是最熱心的民主人士，也曾回國觀過幾回光，宣誓要爲「人民服務」的。可是今年也出乎意料的冷淡，首先是婉言謝絕，表示無意活動，正閉門「養晦」，王新白眞急了，再三追問崔先生因何消極，崔大器笑笑說：「老弟，實不相瞞，在這個地方，是不准作政治活動的，一不謹慎，就有解出境的危險，我不得不小心啊」！「解出境有什麼關係，不是正好回國替人民服務嗎」？王新白有點激動。「老弟！我年紀老了，既不能參軍去抗美援朝，又不能開礦，治淮，修築天蘭路，回國有什麼用」「那是反動報紙造謠啊」！「造謠！早些日子出境的某君，爲什麼滯在澳門不回去呢」？王新白這一來眞無話可說了，崔大器又進一步笑笑說：『我究竟比你大幾歲，古人說：「前人跌跤，後人防滑」，這是眞理，也符合毛「主席」的「實踐論」吧』！

十月一日那天的「國慶」日，就在無精打采之下過去，王新白因爲負有這種任務，也從全市巡迴一遍，偌大一個天堂，懸了不到兩面旗，想盡了方法，灑出大把金錢，人民總是不掛，幸而當地兩家「人民報紙」，還相當捧場，居然登出「家家懸旗」，「二十萬人民慶祝」等鬼話，雖然王新白自己也覺得太「離譜」，也幸虧藉這將饒部長哄過去，總算交了差。

接着又奉到命令，叫他繼續留在島上，破壞中華民國四十一年的國慶日。破壞，王新白知道很難，可是命令無法推辭，同時他也正想留在島上，看一看雙十國慶島的情形，「也許不如十一呢？人民都不樂意過國慶的」。他自言自語的說。

九天很容易度過，十月十日那天，他也同樣作了遊行，繞全市一週，只見旗影似海，爆竹喧天，爲了爭買一張國旗，兩個小販子打了一架，誰都覺得不掛旗便是恥辱，幾歲的小孩子，也扛着國旗滿街跑，口裏喊道：「看啊！這才是我們的國旗」。

王新白默默無言回到寓所裏，倒在床上便睡，直到第二天早晨，隔壁的人，聽他猛拍一下桌子，大聲說：「這回思想才搞通了，我是覺悟了」。開門大踏步走出去，從此就未見他回來，過幾天，饒部長接到他一封信，大意說：「我已遵照你的指示，按照人民的意旨去做，現在你或者會罵我，但是我堅決相信，這是每一個中國人應走的路」。信後還加一句：「祝你快樂」。

略談諸葛亮（三）

·舜生·

（一三九）

就諸葛亮一生的遭遇而論，他確實是一個最使人慨歎的失敗者。『出師未捷身先死，長使英雄淚滿襟！』『運移漢祚終難復，志決身殲軍務勞！』『遺廟丹青落，空山草木長，猶聞辭後主，不復臥南陽。』『功蓋三分國，名成八陣圖，江流石不轉，遺恨失吞吳！』我們到今天讀老杜這些憑弔他的句子，對於中國歷史上這位出處分明，來清去白的政治人物，依然不勝其同情而嚮往。

關羽過於自信，劉備又過信關羽，使聯吳一策根本敗壞，這是諸葛亮失敗的原因一；失去荊州，單靠一四川，以地理形勢論，決不足以進窺中原，這是他失敗的原因二；對吳所遇的對手爲孫權，周瑜，魯肅，呂蒙，陸遜，對魏所遇的對手爲曹操，司馬懿，都是一時之傑，而他自己雖有敵將之才，又微缺容人之度，（這一點我另有說）這是他失敗的原因三。

下面所引王船山的一段議論，我覺得大體是近於事實的：

『論君臣之交者，競曰先主之與諸葛，……諸葛公曰：「孝直若在，必能制主上東行，」公之志能行於先主乎？……公之心必欲存漢者也，必欲滅曹者也，不交吳則內釁於吳，而北伐不振，此心也，獨子敬知之耳；孫權尚可相說，而先主之志異也。先主亦始欲自王，終欲自王，雄心不戢，與關羽相得耳，故其信公也，不如信羽，而且不如孫權之信子瑜也。（子瑜諸葛瑾字）疑公交吳之深，而並疑其與子瑜之合，使公果與子瑜合而有裨於漢之社稷，固可勿疑也；而況其用吳之深心，勿容妄揣也哉。先主不死，吳禍不息，祁山之軍不得而出也。迨猇亭敗矣，先主殂矣，國之精銳，盡於夷陵，公收疲敝之餘民，承愚暗之沖主，以向北方，而事無可爲矣。公故曰：「鞠躬盡瘁，死而後已」，惟忘身以遂志，而成敗固不能自必也。嚮令先主以篤信羽者信公，聽趙雲之言，輟東征之駕，乘曹丕初篡，人心未固之時，連吳好以問中原，力尚全，氣尚銳，雖漢運已衰，何至使英雄之淚不灑於許雒，而徒流於亭乎？公曰：「漢賊不兩立」，悲哉其言之也。若先主，則固非有宗社存亡之戚也。強之哭者不哀，公其如先主何哉！……』

劉備與關張是微時故交，經過『三國演義』一番渲染，有所謂『桃園結義』之說，有所謂『不願同年同月同日生，但願同年同月同日死』之說，於是劉關張的交誼，乃至今爲人所樂道，這一點，實在是造成中國政治上重用私人的原因之一，到了國家的重要關頭，只看見私情，不看見公誼，天下事乃決無可爲，又豈僅諸葛亮抱此千秋遺憾而已？（完）

故鄉的懷念

余予

蓮蕩的水，秀麗的山，肥沃的田園，美滿的家庭。可愛的故鄉啊！你不是在白雲的那邊嗎？那碧綠的原野，襯托着恬靜的村莊，悠遊自得的鸝溪，淙淙的流着，環繞着竹籬茅舍。當夕陽西下的時候，更顯得天空的美麗；大自然界的快樂。啊！……我是在故鄉的泥土中，哺育而成長的。我熟悉那裏的一塊山，一塊牧場，一條溪流，一根竹木，和一羣純樸勞動莊稼漢。故鄉對我的感變，太神聖偉大的：對我的印象，太深刻奧妙了。而我也有熱烈的鄉土愛！

而你，今天已淪入赤色殺人的魔掌，在中共血腥腥的統治下，幾乎喘不過氣來。記得三年前的時候，當五星旗幟，懸掛在我那可愛的故鄉路口的時候：當秧歌隊，在大力扭動的時候，我失去寧靜的生活，和自由的行動，天天在惶惶不安，動盪不定的情緒中。我看到了獸性，我看到了法西斯魔王猙獰面目，我看到極權主義的恐怖，我更看到一連串的冷酷、奴役、欺騙、清算、鬥爭、屠殺可怕的鏡頭。「支前」、搶光了人們僅有的食糧。「購債」、還盡了人們僅有的銀錢。「參軍」、把成千成萬年青力壯的小伙子，都誘迫充當砲灰，那暮態龍鍾，白髮蒼蒼的老年人，也因思想「封建」、「頑固」、「反動」被關進黑漆漆陰森森的牢獄，或者幾遭中共的毒手了。終於，我只得含着辛酸的淚水，仇恨的目光，忍氣吞聲，鼓着頭皮，衝出黑暗的枷鎖，突破恐怖的鐵幕，來到民主的香港。

雖然流浪的日子，是痛苦的，奔波的生活，是不安定的。但是我們赤裸裸的心坎，純潔的意志，却感到無上的快樂。因爲我再不受到赤色的恐怖，血腥的鎖鍊，再也嗅不到鐵幕裏的血腥味，再也看不到索糧逼死了人命，鬥爭逼死了人命的不幸事件，現在我可以自由的活着，高興的[illegible]靜。

不過，我還懷念着故鄉。因爲故鄉有我的童年，有年邁的父母，有親切的兄弟，有善良的友伴。

今天，中共到處造成了，空前未有的饑餓，襲擊着整個大陸的時候。我想像到故鄉，是怎樣悽愴荒涼的景象。我想着白髮蒼蒼的老人，在咀嚼着草根樹皮，我又想着鄉人的陰沉悲苦的情形。我流着了，我非常傷的眼淚。不，我要化悲憤爲力量，把心裏蘊藏着火山般的怒火，沉重的結成一股鐵的意識，和鐵一股的力量，毫不畏懼的，挺立起來，爲民主自由而奮鬥。

但是，我堅決的相信，這祇是中華民族的一場災難，並不是它的末日。一個愛好自由的民族，決不能屈服於奴役，一個有着悠久文化的民族，決不會接受欺騙。歷史終將翻開新的一頁，而極權主義的統治者終須潰亡。大陸會重回到愛好自由人懷抱的時候，我們將要回到故鄉，重享天倫的樂趣，和家庭的溫暖。對着劫後的山河，對着飽經災難的土地，我要哭……傾吐我的情懷，說出我要說的話語來。

一年容易又過去了，今年應該是反攻年，四億七千萬受難的同胞，天天在渴望反攻吧！

故鄉啊！可愛的故鄉，你是我的希望，我的渴慕者，我的一切！教我怎麼不對你有無限眷戀呢。

是回去的時候了，漂泊在天涯海角的遊子，每個人都持着眞理的火炬，帶着正義的光芒，懷着崇高的理想，準備北返的步伐呢？

充滿了希望的我，心底下沉甸甸的，內心急切的。我渴慕自由的心情，和熱愛民主的慾望，以眞理的勇氣，來迎接勝利的明天。

回去了，我們有自由正氣，有民主力量，那怕鐵幕厚？那怕暴力強？

故鄉向我們招手，向我們呼喚，趕快回去吧！

中國之友（二十六）

毛以亨

赫德傳（六）

五、組織海關

赫德於海關採集中制，且以洋船上之進出口爲限，暫時不管民帆船貿易而以委于常關。彼語誡部下之言曰：「汝爲中國官吏，受其薪水自當執行其職務，」並爲預言曰：「中國民族主義必然抬頭，亦將收回其海關。」他以海關的主要任務，乃嚴防走私，徵收關稅，管理對外貿易；其附帶任務，則爲管制碼頭，領港，建造燈塔。而介紹西洋文化則不遺餘力概以自任。」

關監督在粵，外人稱之爲戶部，在上海爲巡防道，在天津爲通商大臣，在廈門爲海防廳。稅務司所給與關監督之勸告全屬技術方面必須使其心服，否則該稅務司即作爲不稱職論。然中國海關當局，初爲關監督而非稅務司，如沒收商人貨物，通知領事館，均由關監督出面。後來發覺稅務司與關監督常有衝突，爲行政效率計，祇好將事權悉歸稅務司，是一八六八年六月之海關修訂法。於是關監督遂爲拿乾薪之傀儡，然稅務司而出席其本國領事館，既爲其治下之人民則不能以執行權力之官吏自居，故海關命令之有效與否全視領事們之善意而定。關監督在海關之職務祇爲民船登記，而席次則在稅務司上。不過稅務司如犯罪，亦不過免職而止，雖名爲中國官吏，實不受中國法律的支配，關監督則不然。

稅務司之下，尚代理稅務司，遇其出差時可以代行職權，並附以外籍幫辦書記若干人，各國人與中國人均有，人員多寡，則視其職務繁簡而定。一八七四年後赫德在倫敦設中國海關辦事處，常親往考試英國籍之內勤人才。關於其他西人，多請公使館或外交部推薦，有時亦以情面用人，藉結各國外交當局的歡心。所以中國對法德的交涉，他人往往不能辦，而有待赫德來打開僵局者以此。

一八六四年赫德向美使蒲安臣徵求美人之條件：爲十八歲以上二十二歲以下之靑年三人，須大學畢業，功課須好，而能平衡發展者，人品須溫文有禮而習勤勞者爲限。其人到中國後即補發旅費二百鎊，首二年在北京習中文，供給房屋，二年俸兩百鎊。兩年後年俸升至六百鎊，過升補幫辦，薪水從八百鎊至一千二百鎊。遇升至稅務司則年俸可自一千二百鎊至二千鎊。八年以內若有升至稅務司之希望，五年可告假休息一年，得支半薪。是年美人之應徵者有 E.B. Dew E.C.Tainter，F.E.Woodruff 三人；Dew 能力最强，頗得赫德信任，三年內即升爲稅務司，一九〇八年隨赫德一同退休；Tainter 創辦統計室，其中國海關之報告，大爲中外所讚揚；Wood 則以論中國財政問題著名。一八七四年美國哈佛畢業生之在職中國海關者，有 Morse，Merrill，Spinny，clarke 諸人，均爲 Dew 所汲引，以 Morse 著作多，爲最有名。」

中華民國僑務委員會頒發登記證台教新字第壹零貳號

自由人

THE FREEMAN

（中華每星期三六出版）

（第一七一期）

每份港幣壹毫

督印人：李光華

社址　香港高士打道六六號

電話：二〇八四八

GLOUCESTER RD.
HONG KONG
TEL: 20848

承印者：東南印務出版社
地址：高士打道六四號

台灣特派員辦事處
台北市館前街五十號

台灣總經銷處
台北市中華路一二五九號

談國歌‧軍歌‧民歌問題

‧李槃‧

香港文化界人士今年籌劃雙十節國慶紀念大會時，有人提出國歌問題來商討，因而聯帶地亦談到軍歌，民歌等項，有若干意見，值得研究。這原是屬於文藝性質的論題，說來話長。但在此非常的國難時期，大家都是從政治觀點來立論的多。詩歌乃具有激起人類「興觀羣怨」各種心情的功用，應該隨着社會進化現象與時代要求，而有所損益變化，以適應現實生活的需要，單從政治觀點來批判，亦無例外。因此，我們不妨綜合各方意見，探討一下。

關於國歌問題

中華民國創建之初，曾經製定過五色國旗，而沒有新製國歌。袁世凱當國後，有所謂「卿雲歌」者，據說是法定的國歌。但就我個人記憶所及，自民初的小學生時代，一直到民十五年這漫長時期中，除在報章雜誌上見過這種歌詞外，從來就沒聽到有人唱過，而「卿雲爛兮，糺縵縵兮，日月光華，旦復旦兮」這類古典文學作品，淺說普通民衆不知所云，即現代的大學畢業生能夠領悟其意旨者又有幾何呢？論歌是代表着一個國家民族的立國精神，是其國家的文化象徵。然中華民國建立後，竟不聞國歌之聲者十餘年，即可謂我國的文化精神出腐朽以至貧乏了十餘年！

自民十六年國民政府成立後，另行頒定現有國旗，而暫以國民黨的訓詞作國歌。國民政府依照孫中山先生的建國程序，由軍政時期進入訓政階段，暫以黨詞作國歌，於義是可通的。若照現行憲法第一條所規定「中華民國基於三民主義，為民有民治民享之民主共和國」的意義而論，也勉強說得過去。可是，問題不在形式邏輯，而在歌詞的內容，根據一般人所提示的意見，歸納有兩點：一是現時我國既已由黨治的訓政時期進到民治的憲政時期，這國歌的詞句就有斟酌的必要了，如「三民主義，吾黨所宗」云云，在一般非國民黨員看來，即感覺有些別扭，至少也引不起興趣，不肯隨聲唱和，而在其他黨派人士的心目中，更覺扞格不相入，這就失去了國歌的作用；二是全幅歌詞都注重在鼓勵國民黨員，沒有掀起社會大衆的愛國情操之處，不絕失之偏頗，未能顯示着全民族的文化精神。大家認為在未另製國歌以前，固不妨率由舊章，照常應用。但，這是立國的一項重要事件，未可等閒視之，即爲着團結全民反共救國的目的計，這歌詞也很有研究必要。總之，國歌應表現其為全國人民共鳴之聲，使人們在引吭高歌時，愛國熱情不覺油然興起，方為上乘。現在中國大陸上秧歌王朝的所謂「國歌」，是用的我們在抗戰時期那一支「義勇軍進行曲」。他們志在麻醉人民思想，甘受其驅策奴役，爲俄共集團效死拼命，乃故意以此悽楚激越的歌詞情調，來激盪軍民之心，希望大家養成挺而走險的仇恨鬥爭觀念，以鞏固其殘暴政權之基礎於不墜，我們更應該別具心裁，建設的良謨，以國歌來表示其反共救國的眞理，堅定全民意志與信心。消在文化鬥爭上，是極有意義的一著。

目前自由中國固不是個體作樂的時候，然國歌確有鼓舞人心，激勵民氣的效能，並非末務。海外文化界某些關於國歌的主張，實非無病呻吟，政府似可詳加檢討。

軍歌民歌的創作不可隨便

軍歌的性質與國歌有別，它完全在陶冶軍人衛國保民的武德，鼓勵其殺敵致果的勇氣，範圍比較狹些，然必須適應時代要求，表現其為民前驅的氣質，詞句要簡括而有力，通俗而易唱。民十五年國民革命軍所唱「打倒列強，（重句），除軍閥，（重句）國民革命成功，（重句）齊歡唱，（重句）」這支軍歌，不但通俗，而且代表了全民反帝反軍閥的兩大願望，曲調又極易上口，所以當時革命軍所到之處，人民不分老幼，皆欣然同聲歡唱，值形成了軍民一體的「民衆武力」境界，蓬蓬勃勃，充滿着興國氣象。然這支歌詞若用之於今日的軍中，也就不合時宜了。目前國軍所習唱的歌曲是那些？其內容如何？我們不甚了了。惟這類軍歌必須由專家學者，研究創作，審定頒行，其內容必以發揚民族精神，忠愛國家人民爲主，切忌粗製濫造，隨便應用。不懂得歌曲對於人類精神生活有重大作用者，決無法創作出適時適事的歌詞來。

所謂民歌，並不包括民間固有的山歌民謠在內，而各級學校的樂歌當屬之。共產黨在大陸上弄出若干歌曲，除強迫各級學校習唱外，民間的貧口小兒，白髮叟嫗，也一律要哼，構成一種普遍性的民歌，無形之中，可以麻醉人民的心靈，改變其觀念。然其詞意皆偏激鄙陋，適足以殘賊人性，汨滅國魂。我們現行的民歌是何情況，不得其詳。偶在報紙上看到一二新製歌詞，多半是模擬共黨那類腔調，令人心驚肉麻，而且看不出一點民族思想和民主精神的氣味。但奇怪，過去我們很少聽到「一切通過組織」，「反映上去」……這類語句，現在則拾取共黨牙慧，人云亦云，如這種文化精神，如何能夠打倒俄共集團呢？

歌曲是一項社會教育，有廉頑立懦的效用。就現階段中華民國情形說，無論任何一種歌詞，必須以民族思想和民主精神爲中心，以對反共抗俄有所裨益，專求豎目瞪眼，在字面上痛罵共匪俄帝，何如培養人們的民族思想與民主觀念，從根本上掀起大衆反共抗俄的意志之爲有效力呢！至於詞句必須簡要通俗，曲調必須容易上口，尤屬必要條件。歌之爲用，大矣哉！貴創之作，出於模擬，合乎全民的生活所需，適應時代背景與要求，這是一門學問，不好隨便玩弄的！

僑胞心理一斑

陳克文

（一）無言憤恨的抗議

這幾天和若干從香港前往台灣出席僑務會議的代表晤談，從他們口中可以窺見一些海外僑胞目前對祖國時局和僑務會議的心情。很值得我們注意。

首先，他們看到香港慶祝四十一年度雙十國慶空前熱烈情形。他們說：「這情形實動人，也可代表東南亞各國僑胞一般的心理。因爲各地政治情勢不同，形式上容有程度強弱之分，實際心理可以說絕無兩樣。」他們又說：「不過我們還得深一層看，這些熱烈表現，與其說是僑胞對於自由中國前途增加了信念和希望，倒不如說是這兩三年來飽受了中共在大陸上倒行逆施，清算殘殺的慘禍之後，所發出來無言憤恨的抗議。」他們繼續說：「無疑的，中共的暴虐專制已經使僑胞對於『秧歌王朝』所曾抱的若干稀薄期望完全歸於幻滅，痛憤無以復加，但他們對於自由中國的前途還是不免存着許多疑慮。」問他們疑慮的原因何在？他們說這也簡單，「過去國民政府大陸措施的失當不必說了，這幾年台灣的軍事和經濟改革進步，僑胞也不是不知道，但政治的進步究有多少？官僚習氣，派系的狹隘觀念已經消除到甚麼程度？便不能不發疑問了。」

（二）請把真心誠意拿出來

說到僑務會議，他們的表示，認爲在短短幾天會議期中，除了儀式，參觀，酬酢之外，討論時間是不會多的。僑務問題複雜萬分，會議組織向來散漫，這一次歸國代表產生，時間倉卒，準備未周，會議結果當然不會十分理想。他們說：「我們不希望在議會裏能夠產生奇跡，祇希望當局能夠把眞心誠意拿出來。對僑胞的困難和希望不要以爲瑣屑無關重要，敷衍搪塞了事。更不要把我們請回來，祇做裝點門面或對外宣傳的工具。在目前的國際情勢下，台灣處境困難，處理複雜的僑務，本非易事。不過當局如果確有遠見，確具誠意，也未嘗不可在盤根錯節之中，替我們海外僑胞做些有益事情。當局的眞心誠意，最少可使我們彷徨無主的海外孤兒得到精神上的支持安慰。最可怕的是『平日不燒香，急時抱佛腳』。平時一副漠不關心的冷淡面孔，到了政治上有某種需要時才以大義來督責我們。」

（下接第二版）

聯共大會決定採取「冷的和平」戰略

一種新的政治氣氛，橫掃過多意初旋的歐洲；敏感的政治觀察家，在發現冷戰之後，又預料世界上將產生一種「冷的和平」。「冷戰」，大家早熟知爲第三次世界戰爭的另一名詞。「冷的和平」呢，無疑是一種永無調協的和平談判和宣傳。新近吹來歐洲的政治季候風，在最初是低沉的，隱晦的，倫敦的政治圈，很冷靜的沒有批評表現，但於週前則一致而爲所有論政者的中心論題。

這一個反應，由史達林「黨的新路線」而來；史達林在聯共大會發言中，出人意料的沒有提及「資本主義的包圍」，而指陳了「帝國主義國家必自相戰爭」，這說明了在史達林的意念，他並不敢鼓勵熱戰。同時，更連帶的可以推測，共產黨對反共陣綫，方面將從事其他嘗試，而要以另一方式，先來緩弛歐洲對蘇的緊張狀態。

但冷的和平，並不是取冷戰的位置以代，冷戰的進行，還是爲克姆林宮的逐日的課題。莫洛托夫大事叫囂「美國統治圈正在指導準備展開新戰爭」；馬林可夫更狂妄指摘「美國正奴役附庸，奪制英法，它認爲彼等在殖民地利益衝突中，帝國主義終必自行步入殺伐」。換言之：即是「資本主義與共產主義可以共存共榮，蘇聯可以無所用其輸出革命，和平將永遠屬於蘇聯一邊，資本主義國家則將隨時自己會失去和平」，但事實的眞象，能有這樣簡單嗎？

「美蘇和平相處」，馬林可夫在經濟報告上，彷彿又有弦外之音。據馬林可夫報告，蘇聯工業較一九二九年增加十三倍，較一九四〇年增加一倍，統計百分比原是蘇聯報告數字的老法門，但這一次馬林可夫卻舉出了實際生產數字，由馬林可夫所報數字統計，蘇聯當前生產量爲美國生產百分之四十。在馬林可夫所估計的一九五二年蘇聯鋼鐵煤生產，鐵產量二千五百萬噸，鋼三千五百萬噸，煤三億噸，這一些數字眞實程度若何，無從確證，但蘇俄這一次是想以具體數字取得附庸國信任，則是沒有疑義的，這可以看出蘇聯這一次聯共大會策略上的多面性。

東西國際的政治傾軋，正在這一種潛流下面，展開白熱的鬥爭，莫斯科的陰謀者，不會忘記「爭取平衡而後再加轉礪」的原則的，當前可能是形成世界新因素的又一時期來臨，西方國家，又面臨考驗。

蘇俄校正他的「世界策略」，意味着世界沉寂的時間延長，西方國家是不是如史達林所說而「自相戰爭」呢？這不過是史達林想用以爲安撫他長時期勞役工作的人民而已；世界的動盪不安，對西方國家不利，對蘇俄集團亦不是完全有利；世界的不安，並不一定由共產主義的鼓動而來；若蘇俄今天正是他停擺的時間，何嘗不是西方國家清理積汚的時間，世界若能渡過危險的一九五二年，又何嘗不能渡過預料的未來的若干患難歲月。共產主義的高潮，已經過去了，史達林製定的冷的和平，不會產生出奇蹟來，相反的，反使非共世界的若干難題，使人們有更多的機會去作根本的思考。（修文節譯自十月二十日美時代週刊）

半週展望

‧左舜生‧

吉田與鳩山

一個幹政治的人，最怕的是「知進而不知退，知存而不知亡」，能把這進退存亡的道理參得十分透澈，而又以磊磊落落的態度出之，這便是一位了不起的政治人物。古今中外，懂得如何「進」的人總算還不少，懂得如何「退」的人便不太多，此所以政治史上往往演出不少悲劇也。

對吉田內閣在一個被佔領的情況之下，能把國家解放出來，[illegible]……鳩山原爲自由黨的創造者與領導者，這似乎是一件無可否認的事實。吉田幹了幾年，便把目前他所處的地位，視爲「若固有之」，老實說，在我們東方的政治道德看來，便不是怎樣適合的。

自由黨還是一個多數黨，但這次選舉的結果，在衆院已經削減了若干席，雖勉強維持多數，所有反對黨之總和，已不過數席而已，這在一般的形勢看來，已經不十分穩固；假定吉田鳩山兩派在自由黨內又終於找不出一個妥協的途徑，甚至把鳩山派「逼上梁山」，則不僅吉田的再組閣已經希望甚微，即令以多拉鳩山派的人物入閣爲條件而勉強組成，如果終於不能融洽，則未來的吉田內閣，便將陷於飄搖不定，果然走入這樣一種窮境，則除掉內閣辭職，便只有讓會再解散之一途。可是不幸演變到議會再解散，以日本當前的環境，和一般國民的心理，吉田又究竟有什麼把握呢？

我們是誠心誠意希望日本的政局穩定的，以我們所了解吉田鳩山兩位的個性，恐怕希望他們中任何一位絕對讓步，相忍爲國，已經是十分爲難，何況吉田鳩山的周圍又各有其一羣更在那裏推波助浪呢？可是合之則兩美，離之則兩傷，這在吉田鳩山兩位的內心，又未嘗不十分明白，這大概便是這幾天以來，還有一部分熱心的自由黨分子，正在奔走於兩方，而想求出一個妥協方案的事實之所由來。我們也正可藉此機會看一看日本的政治人物對於國家的責任感究竟是怎麼樣哩！

時局加緊

無論從莫斯科的俄共大會，北平的所謂和平大會，以及前天維新斯基在聯合國大會的演辭，我們都看不出有半點和平的徵兆。事實上，則韓戰的停火談判已陷於無限期的延期，而韓戰戰場與越戰場更打得加倍的激烈；看這樣一個形勢，似乎斯大林還是要決心的玩火。同時，太平洋若干位美國海軍的高級將領，更不斷的在檀香山，在台灣，在菲律賓舉行會議，看樣子，也不像完全是一種姿態。以一般的大勢考之，大概時局的轉變總不會太久了吧？

關於『青年反共救國團』

不久以前，在『香港時報』上看見『青年反共救國團』的章，並且知道是一些什麼人負責指導，仔細的想了一想，覺得有不少的話可說；可是因爲兩個月以前，自己已有兩本不相干的新書，寄了六百本到台灣去出賣，至今還留在台灣省政府的新聞處審查中，究竟能不能准許發還很難說，因此也就把我說話的興趣打斷了。前天接到『自由中國』的第七卷第八期，讀了徐復觀先生一篇批評這件事的大文，我又覺得有人說『台灣沒有言論自由』的話，並不可靠，因此又鼓起了一點興會。可是我所想說的話，斷不能比徐先生說得更委婉，更週到，因此我便只在這裏請求大家把徐先生這篇文字取來看一看，自己也就不願再說了。

增加公務員待遇

行政院陳院長自養疴數月後，已於國慶前日銷假。雖人仍顯瘦弱，但精神已健旺如常。連日於國民黨七全大會及立法院報告施政，深得出席人員之擁護。在七全大會所報告者，多爲已往之施政成效；事前備具書面說明，由副院長張厲生代爲宣讀。讀畢後，曾有一二華僑代表，對施行僑匯政策，提出檢討。聞某地華僑團體，捐有救濟大陸災胞款項若干萬美元，現尚無法匯臺。此當因受所在地政府外匯管制法令之影響，與自由中國僑匯政策無關。

陳在立法院報告，重在來年度施政方針。蓋立法院近正審議明年度國家總預算，總預算當以施政方針爲依據。陳氏親自說明，雖在久病之後，仍能言簡意賅，精神貫注。尤其陳氏平日發言時所具之風趣，絲毫未減。陳言及提高公務人員待遇問題時，謂如認爲現行待遇已可足用，顯屬欺人之談。隨舉其本人爲例，謂某次自行政院取得薪俸回家，交與其夫人，爲年幼之公子所見，乃向母曰：「此即爲父親之薪水歟？區區數百元，焉能足用？」其夫人答謂：「現在一般公教人員待遇均不高，汝父已爲較優者。家中食用不敷，只有一面節儉，一面以自己力量貼補」。乃子又問：「日後貼完後又如何？」陳氏舉此例後，續謂其本人以來台較早，當時家中一應用件均可帶來，至感幸運。至以後逃出大陸者，多屬倉促就道，甚至僅以身免，自無自力貼補可言。現士兵及鄉鎮工作人員待遇已提高，俟明年度總預算通過後，政府自當對一般公教人員待遇，亦設法增高云。陳氏所言，至爲親切。惟今日台灣待遇問題，不在寡而在不均。如國家行局仍視投資機構爲生財之外府，其董監事即由行局人員兼任，職員均爲行局人員之親故，待遇特優，名目繁多。比諸國營事業機關，平均高出百分之六十二，比之一般公務員，高出百分之一百三十四。其他生產機構，亦係個人利益高於一切。不問公司財政狀況如何，對於各項獎金及各項年終獎金等，巧立名目，與日俱增。陳院長素以有革命精神及魄力著稱，必可自根本上謀其平等也。

台灣通信

美援配棉弊端大

依我國憲法規定，審計權由監察院行使，但審計長係由立法院同意任命，並須向立法院提出國家總決算審核報告。民國成立以來，向未辦理決算，有之自三十九年度始。此爲審計機關遷台後努力之結果。四十年度總決算，最近亦已編成，送達立法院。並由審計長張承槱到院說明。張於述及美援配棉時，大聲指責台省財政當局，謂現行辦法，顯有弊端，飽肥私人，損害國庫。蓋美援棉花，免繳關稅，美援棉紗亦只收百分之五，並照官價結滙，政府已予以雙重優待。而美援聯合會紡織小組，係隸屬於行政院財經小組委員會，由台省財政當局主其事。將美援棉花配發紡織工廠代紡代織，規定每件給工資一千六百元，布每疋三十七元。但紡織工廠所用成本每件只有九百三十四元，此係根據中紡公司台灣紡織廠所報四十一年度一月份成本數字，因之工廠每件可獲利六百六十六元。中紡公司報告所列織布成本每疋實只爲二十元三角三分，則工廠每疋可獲利十六元六角七分。全年估計用紗七千二百件，則全台代紡代織工廠獲利達一億一千二百萬元，其管理費用從寬以百分之二十計算，予以除去，亦可盈利九千萬元。以全台灣人口平均計算，即等於每人每年向紡織商人繳納十元以上之服裝稅。台省內有美援配花配紗關係，凡開設紡織廠者，無需自備原料，只需集資數十萬元，即可經營。流動資金則利用銀行透支，即向黑市用高利貸款，亦仍可大有利益。

政策上實有問題

審計長又謂自四十年夏季以後，國際市場花紗價格均下跌幾成，香港紗價之日益低，爲衆所皆知之事實，但台省財政當局仍照四十年六月以前之價格，爲代紡代織工資之標準。並爲幫助台灣紡織廠獲利計，宣布停止棉布進口，以致布價日趨上漲，影響一般物價，台灣衣着之昂貴，亦係人人所受切膚之痛。今如改變政策，開放美棉及港布進口，布價即可下跌，而政府反可以增加關稅收入，並可照結滙證價格結算外滙，不必予以官價結滙之優待。如以現在配花配紗數字，二分之一開放進口，政府即可增收關稅防衛捐及外滙差價，達一億二千餘萬元之巨，如開放三分之二，可增收一億八千餘萬元。如此則市場布價必可降低，消費者負担大爲減輕，所惜者台省紡織廠商不能再有厚利可得，此或爲台省財政當局所不願樂爲者。

審計長謂台省現行辦法，使少數人坐獲巨利，增加大多數人之負担，政府並無利益，徒耗美援。而在獎勵外資、僑資、遊資從事台灣生產建設聲中，中央信託局長尹仲容竟一再表示台省紗錠已可足供本省之需，如再增加，生產又將過剩，無形中有拒絕外廠遷台之意。其實台省紡織業不圖以謀自足爲止，如能改善管理，提高品質，又何嘗不可以外銷，爭取東南亞各國市場。特當局欲維護現有廠家之既得利益，不歡迎增加新廠以分其利耳。審計長最後要求立法院執行職權，從政策上澈底檢討，以期善用美援，安定民生，以不負友邦及民衆雙方之期望云。

李石曾海外歸來

國民革命軍北伐前後，尊蔡元培，張靜江，吳稚暉，李石曾爲四老，其實張氏時年未四十，并不能稱老也。四人之中，蔡氏主北京大學及中央研究院有年，今日中樞人才，半爲桃李。而爲人沖和謙淡，爲中國古君子之典型。五四運動發生於北大，功過雖迄未有定評，然均不宜由蔡氏一人任其責。張靜江最早傾其家資助國父革命，亦不諱言做官。北伐後任浙江省政府主席，及全國建設委員會委員長，今日東南所僅有之建設，如浙贛鐵路，淮南鐵路，首都電廠，淮南煤礦，均爲其手創。國民政府成立二十餘年，所可見之建設工作並不多，而張氏將居其半。吳稚暉平素聲言不做官，確能守其素志，其忠黨愛國之誠，誨人好學之切，布衣素食之儉，今雖年逾八十，未嘗有一日改。至李氏雖亦聲言不做官，但於實際政治則常有所參與。如其所經管之中法庚子賠款，數十年來未嘗易手，亦未見有詳細賬目公之於世。北伐以前，李在北方力交馮玉祥，荐易培基爲故宮博物院院長。易盜竊清宮古物無數，監察院曾有糾舉，文化界更多舉證，而李氏仍力保其任國民政府農礦部長。笑話百出，終被劾去職。至如該部次長蕭瑜，亦係操守不佳，李氏始終袒護。論四老之福分，蔡張已逝，吳亦久病，李則於古稀之年，猶能娶少婦，大陸板蕩，避居南美，台灣安定，翩然來歸，較之三老，自屬幸運。但以論四老之風格，則在四人中將爲殿末。李回國之後，所竭力宣揚者二事，一爲將原設瑞士日內瓦之圖書館藏書移藏於烏拉圭。台省人士中都不知此圖書館係公有抑私有。其創辦經費是否出自中法庚款？李氏爲何將其移置南美，而不遷來台灣，以供衆閱。是否認爲台灣不及烏拉圭安全，抑認爲台灣無人可讀館中名籍？該館如有藏書目錄，頗盼其能印送各方，藉知其詳。另一爲將在台籌設國際外交研究院，並謂在巴黎等地均已有設置，此爲學術研究機關，無人可表異議。但李氏昔年曾力主在北平另設研究院，與中央研究院分庭抗禮。其後結果如何，外間未知究竟。茲李氏如以個人或私人團體籌辦斯院，最爲上策。如欲動用中法庚款餘額，或竟由國庫撥款，則在台灣今日軍事第一，反攻至上之要求下，恐不易實現也。

海防通訊

危急的越南

十月十六日，越盟用人海戰術，對下羅展開攻擊，至十八日上午九時法越守軍不支，上下兩重要據點卒告失守。

正在莫斯科召開聯共大會，和中共舉行「亞洲和平會議」的時候，越南的胡志明得了中共的大量的彈藥裝備，開始發動了大攻勢，沉寂差不多半年的越南戰場，又擾動起來，

下羅失守河內危急

下羅的形勢是非常險要的，離開河內僅九十公里，爲河內向東南方的要隘，另一據點爲金內城，離河內爲八十公里，法軍放棄下羅，可能退守這一據點，但下羅不守，金內城實在也不見得守得住，（編者按，發稿時，金內城已失）那末，未來的下一週，河內很可能被越盟團團圍困起來，成爲一個孤立的據點，昨天一個從河內飛來的友人說，河內已惶惶得風聲鶴唳，法國僑民的婦孺在飛機場上排隊，分別撤退到海防西貢去。各街道的防禦工事也在大事整修，越盟的恐怖行動雖然減少了，但槍擊事件還常發生，裝甲車輛駛過街道，一派戰事景色，那裏天氣還很炎熱，使人更感煩燥。糧食等還沒有大波動，因爲存糧還足，人口也在減少，許多商人想把手邊的存貨拋出去，所以反而有下跌的趨勢，經過戰爭經驗的人，都可體味到這是怎樣一回事。

越盟有計劃的攻勢

越南之戰，已有七年了，大半時間在膠着狀態中，但此或正是越盟的一個計劃，而每年到了雨多過後，即發動一連串大攻勢，在平時，則主要爲騷擾，訓練，和進行地下的恐怖行動，一九五〇年十一月，芒街就在那時被佔，弄得法軍焦頭爛額，法總理畢甲凡竟有放棄越南之意，一九五一年秋，又來一次大攻勢，幸好塔昔尼被派了來，使用「水銀反攻勢」，才將局面穩定下來，而塔昔尼之獨子實納特就在這時戰死了，又三個月，塔昔尼本人亦病死，塔病死後，越盟即發動一次大攻勢，今年二月，和平城遂爲攻佔。這次下羅之失守，已是塔昔尼死後法軍第二次大敗績。可見主將對戰局關係之重要。

法人對越迄無善策

法人之對越盟，始終無一統盤之計劃，在戰略上說，它沒有一反共之全面觀點，只看見越盟，而不看見共產國際活動之整個配合動作，以致雖對敵中共，但又不敢堂堂正正來對付，而對於留在越南的那幾萬國軍，仍不願給它們一點自由，更無論配給武裝參加反共鬥爭了。對於越南人，雖然捧出保大，但實權又不肯交出，越軍的組織仍爲其控制，訓練也不積極，武器之配備也始終不肯充分供給，法人在這里的態度，仍以殖民地的主人身份高居一切。法人的這種落後的觀念和措施，如再不改變，則越南人不易真正站起來。不能發揮更大的力量與共產黨對抗，實在是一最大危機。

中共事實上早參戰了

越盟方面，早已歸中共指揮了，不過它沒有像印共那樣發表過決議案，陳賡負了這責任，現在據估計，中共援越之軍隊在五萬人左右，所有彈藥武器，每日用五百多輛大卡車在運輸，這次越盟軍攻下下羅用的大批一二〇糎的砲，都是過去龍雲在雲南的滇軍使用的，現在都撥到越南來了。英美法等再不覺悟，正面對中共作戰，越南終有不可收拾的一天。（可達）

上接第一版

僑胞心理一斑

（三）神靈人使拜

他們這一翻話，也許多少有些偏頗之見，我們可以相信確能夠代表多數僑胞心理。

現在赤禍橫流，共產黨徒正積極運用他們滲透分化的陰謀詭計，自由民主急迴團結力量，建立互相信賴的精神。僑胞代表從海外各地回到自由祖國，齊集一堂，交換意見，表示反共抗俄的一致決心，意義自很重大。不過，顧名思義，僑務會議對於僑胞的切身問題到底不能漠視。換言之，這次會議不單該偏重政治的意義，總該兼及事務的處理。

我們知道，最近若干受中共操縱的僑胞代表組織所謂歸國觀光團，前往大陸。他們動身的時候，攜帶好幾百件僑胞對中共政權的申訴，爲大陸被害的僑胞僑眷提出抗議。他們動身的時候說，一年多來許多僑胞意見，『人民政府』一概置之不理。這一次如果結果還是一樣，我們再不願意爲『人民政府』服務了。我們籌備中的僑團新組織也不願繼續進行，招牌也不願意繼續掛出來了。他們這樣想對沒有人性的中共求情說理，自己就是與虎謀皮，他們的失敗甚或爲中共所迫害已經是鑄定了的。我們要注意的是自由中國對待僑胞的希望申訴難道也可以和中共採同樣的態度嗎？四川土地廟門聯說，『神靈人便拜，人拜神更靈。』我們不宜先責備老百姓擁護政府，必須先責備政府要具備有可以擁護的條件。這不是極淺顯的道理嗎？

（四）處理僑務問題的幾項原則

我們又須知道，僑胞有的是愛國熱誠，坦率平易，不知道紆迴曲折的政治手腕，不喜歡輕率不兌現的諾言。他們所厭惡的是官僚架子，不講效率的辦事手續，和表面的敷衍塞責。因此，當局對於僑務問題或僑胞希望的處理有幾個重要原則，不宜違悖：（一）僑胞所提建議或希望，只要合情合理，不宜因其屬於地方性質或無關大局，即隨便加以抹殺，束諸高閣，不加置議。（二）不宜以國際政治關係，或財政和人事上的困難做藉口，將有關國民外交僑務問題的基本工作完全擱置。因爲如此，足以引起僑胞認爲政府輕視該地僑務的心理。（三）辦事要講效率，手續要簡單，複雜的公文程式，和機關承轉旅行，必須力求避免。凡事能辦即速辦，不能辦也需迅速答覆說明理由。切忌不批不覆，石沉大海。主管長官，承辦人員，必須力袪官僚習氣，准時辦公，依時約見。這些本來是現代政府都機關應有的辦事精神，處理僑務更覺重要。

僑務會議現時正在開會中，要待討論解決的問題甚多，我們希望當局能夠從認識僑情，把握時機，來徹底解決僑務問題的基礎。海外工作的歷史新頁，能否在這一次空前的會議之後寫下來，須看當局和出席的代表們共同的努力如何了。『神靈人便拜，人拜神更靈』，語雖俚俗，却含真理，值得大家體玩。

史巴克曼這個人

民主黨的副總統候選人史巴克曼，出生於田納西流域的哈德樂鎮（Tennessee Valley Town of Hartselle），是一個佃農的十一個孩子中的第七個，他比他的配手史蒂文生，恰恰大六個禮拜，是一八九九年十二月二十日出世的，在美國良好的農村傳統下，他在小孩的時候，也進了『一個房子，一個教師的鄉村小學，他靠着種植棉花和其他臨時性的工作，半工半讀的完成在亞拉巴馬大學（University of Alabaama）的課程，他於一九二五年在漢得費爾城（Huntsville）開始執行律師業務。那時他已結了婚，是在學校裏認識的一位名叫伊凡荷爾的小姐，現在他們只有一個女兒，已經成爲但基威爾太太了。

他的踏入政治生涯，始於一九三六年的當選爲衆議員，十年以後，因參議員潘克漢（John H. Bankhead）的出缺，他被選遞補潘的任期，以後又獲重選連任迄今，他以減低房價和管制金的鬥士而著名，在國會裏，他是南方民主黨中與杜魯門新政及公平政治關係密切的人。他也是勞工的朋友，贏得他們的喜愛和支持——雖然有時他也反對勞工所中意的法案，大概而論，除了內政上的人權問題外，他確是杜魯門政策的支持者；當他在國會力促制訂反傑姆克羅（Art. Jim Crow）反私刑（Anti Lynchiny）和反職業歧視（Anti Job.diserimination）等法案時，認爲杜氏犯了很大的錯誤，而主張這些事情劃歸各州掌管，是比較適宜的。

史巴克曼很喜歡運動，愛好各項遊戲，對於網球高爾夫球和射擊，頗有研究，常常穿着很整齊的運動服裝，此外在華盛頓他還是兼任一個成人聖經學校的教師，是當地美以美教會設立的；他既不抽烟，也不喝酒，真是一個很好的基督徒哩！

他此次被民主黨選爲史蒂文生的競選配手，是在巴克萊、雷朋、凱福佛、羅素諸人感覺某些不合意以後的事。他是南方人，又是新派人物，既可見好於保守主義的南方民主黨人，也取得了杜魯門總統的信任，北方新政派人物的好感，故能幫助史氏，爭取選票，增加入主白宮的可能性，我們等着瞧吧！

庚．泉

增產節約無法完成 中共再度展開刼掠

【本報綜合報導】：今年中共的財政預算，收入方面將比去年增加百分之四十一點六六，約值二十五億美元。中共對這二十五億美元的籌措，除了「五反」中所勒括的「退贓」及「罰款」後，主要的靠國營企業的「增產節約」，但據最近中共各大行政區機關報的報導，這些增產任務，大多數無法完成，於是中共的屠刀，又再度指向工商業戶及農民，展開自今年五月以來的新刼掠。

增產節約　空有其名

根據中共「中央」及「各大行政區」所公佈的計劃及數字，其今年財政收入中，公營企業的增產節約，將佔一相當重要的比重。如「中央貿易部」，即決定全國國營貿易企業，今年應增產節約十一萬億，「全國紡織工業會議」決定：今年公營紡織工業應增產節約三萬七千億。天津、上海、濟南、鄭州、衡陽五鐵路局決定今年增產節約一萬一千一百億。華東區據饒漱石報告：今年增產節約三萬六千億。中南區據鄧子恢報告：今年應增產節約三萬億。西南區據鄧小平報告，今年應增產節約三萬五千億。西北區據賈拓夫報告：增產節約目標爲一萬三千億。再加上東北的六萬五千億和華北的五萬億，全部數字約達共幣三十五萬億，折合美金在十億元以上。

這一龐大的增產節約計劃，共實行並非由於生產工具的擴充，而係靠員工的加班加點。自中共展開反運動以來，各地工人都成爲鬥爭工具，生產工作無形停頓，據中共各行政區的報告，各地增產節約計劃，在上年多完成極少。如以華北爲例，據華北「軍政委員會」副主任」劉瀾濤的報告：全年決定增產節約五萬億，上半年只完成了一萬億，下半年能否完成四萬億實大成問題。至於國營貿易部門，由於內部土產的滯銷，及對外貿易的窒息，預計獲得利潤亦大打折扣，因此，中共原定的十億美元收入，大部份均告落空，爲了補足其備軍備戰的計劃，最近乃重新施展搜刼手法，向農村及城市進攻。

刼收追害　花樣翻新

首先是大量刼收工廠及拍賣民產：根據中共政務院六月間所發佈「關於結束五反運動中幾個問題的指示」，「退款」時間原延到今年冬季以後，但事實上從九月份起，各地即已展開「退贓」運動，對於「五反」中被列爲半守法半違法，嚴違法，及基本守法的商戶，依照「五反」結束時所判定的罰額，全部予以追收。對於無款繳納的商戶，中共採取二項辦法：其一是拍賣存貨，其二是拍賣房產。其中拍賣存貨係由中共各國營機構壓價收買，拍賣房產物業，則是變相充公。據中共最近所發表統計，自八月以來，廣州獲准歇業解散的商店共三千六百多家。

在工廠方面，中共另採取一套辦法，最主要的是將軍需的私營工廠，以罰款作爲股本，使其由私營變爲公私合營。據「新華日報」的報導，重慶渝鑫鋼鐵廠，大鑫鋼鐵廠等七十多家工廠，均已在這一方式被變相沒收。上海方面據「解放日報」所揭載，被中共併吞的民營工廠，有上海一樣大華綢製廠，建華煉膠帶廠等百多家。

追收餘粮　敲骨吸髓

在農村方面，最近中共一面向未被消滅的地富階級，厲行追收餘糧，特別在華南及西南等「土改」尚未完成地區，其追勒的手段，更爲殘酷。廣東各縣所追索之數額，動輒以千萬斤計，粵中及潮汕各區追收餘糧辦法，是將各鄉所有糧食全部調查登記，並予集中，然後扣除農會及「區人民政府」之全部捐稅及「公糧」，剩餘者始行「平均分配」，其中大部均在集中後，由中共運出境外。

爲了強化對農村的勒括，中共已下令各縣準備秋徵，在秋徵以前，並須完成「查田定產」工作，確定每戶的收穫量，作爲此後長期勒搾的張本。

草菅民命　運糧出口

爲了爭取外滙，中共正以其搜刮所得的民糧，大量運出國外。迄今爲止，已經中共正式簽訂運糧合同的，計運往錫蘭八萬噸，運往印度五萬噸，準備運銷港澳二地的，計四萬五千噸至五萬噸，總數在十八萬噸以上。最近一週來，由粵漢路運抵廣州之湘米，即達三千餘噸，在中共大量運糧出口的情形下，各地已發現農民割青苗果腹現象，如廣東潮汕區、惠來、普寧、揭陽、澄海、饒平各縣，均有此種現象，於此農民的困窮情況，不難概見。

勒搾僑眷　變本加厲

對海外的華僑及僑眷，中共的勒搾手法，最近亦變本加厲。新加坡及泰國華僑，最近又接獲中共的打單，據星洲報紙的統計，星洲馬來亞兩地華僑，九月份被迫滙交中共以贖家屬性命的款項，共達坡幣一百八十五萬一千八百零九元九角。其對大陸方面的僑眷，更展開「清算三年來滙」運動，先由鄉區政府發動，深入家家戶戶，要人民「坦白」三年來收支來源和家庭經濟狀況，滙出入銀號及住址等，並策動鄰居，進行檢舉，對於過去不由「國家銀行」滙入之款項，將追究其用途，進行徵借及強迫儲蓄，所有這些手法，其目的在榨乾農村及城市的一點一滴，藉此來支持其捉襟見肘的財政危機。預料在本年底以前，所有殘存廠商，及各地農民，均有更多的人被迫走上絕境。（易之）

「百花齊放」，「推陳出新」，「喜聞樂見」

中共的文藝整風，主要是「整」作者的思想，並檢討其作品，不適合共黨要求者廢，一切寫的，畫的，唱的，演的，唯有適合共黨要求者乃得印行或上演。但自「整」了以後，大家一「束手束脚」，不敢再寫東西了。僅是「把中共的指示方針，掛在口頭上，表示贊成，擁護，而不切切實實地貫徹到具體工作中去。」弄得文藝界死氣沉沉。於是罪衍又落在這些「文化人」身上了。

中共中南區最近召開了「戲曲觀摩會演大會」，把這個區內的「作者」「演者」「導者」都召了來，戲戲上演，由「中南區的文化部部長趙毅敏等組織一個評定委員會，一齣一齣評定，有的要改，有的禁演，有的則要重新編過，結果：當然沒有一齣戲是完全適合共黨要求的，但改了後再一試，仍然不合他們的脾胃，於是鄧子恢大發脾氣，在「大會閉幕會」上把這些「作者」「演者」「導者」大罵一通。趙毅敏是負實文化工作者，更是生氣，繼鄧子恢之後，也憤憤地講了許多話。他說毛澤東要把文藝工作做到「百花齊放」，「推陳出新」，「喜聞樂見」，可是文藝工作者只是口頭擁護，不肯切實做去。

毛澤東要「百花齊放」，你們偏「只讓成一花獨放，或只放三兩朶花」。雖然「沒有人在口頭上敢這樣公開講過，心裏却老是與毛澤東有「不同的看法想法」」。「據我們所知道，有人想在各個劇種中找出一種劇種來大加提倡，壓倒其他一切。」認爲「只有他提倡的一種才是好的，其他都是民間小戲，是低級的，不值一看的，」「也有人認爲地方戲，何必管它，讓它自生自滅好了。」」

自然，許多文藝工作者心裏在想，毛澤東既不懂戲劇，却連戲劇也要來管，趙毅敏這些人是假擁護者，如何能貫徹「百花齊放」。

「推陳出新」，這點更做得不够，趙毅敏駡文藝工作者說：「把陳的東西當寶貝，也不知道什麼叫做『新』的，不切實分析、研究，我想再過十年也還只停留在方針口號上。使『新』的東西滲不進去，也創造不出來。」他聲色俱厲地駡道：你們「沒有很好的更多的進行分析、研究，也就是說沒有很好的做工作。這情形就使方針大半落空了，這也是空口的擁護。」

「喜聞樂見」，趙毅敏說：「你們把毛澤東提出的「喜聞樂見」歪曲了。」認爲只要賣座的戲是「喜聞樂見」，「許多革命的東西，像俄國的影片那樣，不能叫座，就認爲這不是『喜聞樂見』的東西。於是大家只顧做賣座的，不顧做有利於共黨而不賣座的，這還成麼？」

毛澤東的『喜聞樂見』是要『把不賣座的有利於共黨的東西，要你們文藝工作者把它變成『喜聞樂見』的東西。不是專做那些『有害』的，或是『無利』的，但是賣座的東西。

趙毅敏的話說到這裏，已顯得很清楚，於是提到「要把戲曲改好」這中心問題上去，他說這個工作分二個方面，「一是內容上，即思想政治方面，另一方面，是形式上即藝術方面。」「有許多人說：『我們的任務是演戲，政治與我無干』，這眞豈有此理」。說到這裏，他又大發脾氣了，說：「你們要知道，現在的中國，無論你學那一行，你做那一行，都要配合『人民的利益』，否則就不能令『人民滿意』。」

最後，他拿出了威嚇態度說：「過去大家在戲曲改革工作中，首先強調團結，那是因爲大家剛解放出來，不團結你們，你們就不願與我們在一起，到了一起也不願講話，那還談什麼改革。」

現在「大家到一起了，但在一起，有人將此了解爲『團結是一切』，這又錯誤了，團結是爲了改造，倒是最近的三反，五反運動就是改革和改造，所以我們也要改造了。不應當拒絕。」

這意思很明白的是在說，要對這批「演者」，「編者」，「導者」也要來「整」了。

看了趙毅敏這些話，當然可以清楚所謂：「百花齊放」「推陳出新」「喜聞樂見」另有一套解釋和內容的，而主要的目的只是把「政治思想」加進去，加不進去怎辦呢？就拿那可怕的「改造」來完成任務了。（實華）

廣州通訊

「五反」後的「五查」

五反剛了　五查又來

中共的「五反」，雖告結束，而其在大陸所搜刮的民財，即其所謂「退贓」與「罰款」，估計總額，雖然約有二十三億美元的驚人數字。但中共竟意有未盡，還要追逼，乃又提出「五查」來了！

厲行五查　追根到底

「五查」：就是：（一）「查思想」，（二）「查業權」，（三）「查歷史」，（四）「查家世」，（五）「查親戚」。

根據本月七日「粵中農民報」的報導：粵中僞專署已奉到粵僞府主席葉劍英「五查」命令後，分別轉飭其所轄新會，台山，開平，恩平，高鶴，陽江，陽春，赤溪及江門市八縣一市開始進行「五查」運動工作。

粵中「僞專員」譚創奉到中共此項「五查」運動命令以後，今日已經製定表册，分發各縣市僞府，僞公安局，僞公安派出所，僞街坊小組，鄉村僞府，僞農會，分別組隊，按戶辦理調查登記工作。而其表內各欄，除姓名，籍貫，年歲，性別，出生時日及其本人職業與受教育程度等外，並有世代專頁，由曾祖至自己及子孫一代止，過去做過什麼職業，祖居什麼地方，生活狀況如何，皆須一一詳細塡寫明白。並且還另附有戚屬關係一欄，所有裏親外戚，也須註明清楚。末後一頁，乃爲思想備查專頁，幷將戶內各人的思想，性格，皆作詳細考察。且由負責調查的共幹作評定按語，以此作爲今後大陸人民生死的根據，此亦爲今後中共在大陸實行「大清算」非工非農的知識份子（包括工商業界人士）的黑單。

粵中共區，已於本月八日分別在每一地區開始辦理了。共幹分組出動，挨戶進行。

大勢不好　站不住了

關於共幹的調查與質問，上至列祖列宗的歷史，下至個人的經歷，無不一一質詢，甚至問到題外，越問越遠，有時故作錯覺，詳爲反問，企圖誘致人民上鈎！如發現漏洞，即行逮捕，再從事疲勞刑詢。

而大陸人民對於乃祖乃宗的歷史，除去翻閱家譜，可以回答得出，就是過去父母所講述的，也已經記憶不清，因之，多數人被共幹質問到，目瞪口呆！

最奇怪的，共幹常問，「你們原是國民黨統治的國民份子，不是眞正的人民份子，你們應該怎樣改過？怎樣打算替人民政府立功？」「假如我們須要撤退的時候，你們願否跟着我們去？還是願意留下來？」共幹問這些話，自然另有狡計，但至少，共黨本身已有大勢不好之感，覺得站不住了。

嚴防人民　揭竿而起

除繼續「五查」「五反」之作用，榨財外，主要爲加強對人民的統制，企圖藉此來嚴組社會，成爲一分劃很明顯的組織，便其進退運用的自如。

同時並防制人民「揭竿而起」，內應反攻！支持對外的「侵略戰爭」！

「五反」時不知刼奪了多少人民的財產，現在「五查」，又將不知犧牲多少的大陸人民的生命！（午言）

物資交流結果 各公營貿易公司大打官司

「中南區物資交流大會」現已閉幕，但成績比去年還壞，原來當時參加該物資交流大會的各地代表，爲了響應「上級」號召，獨斷地，勉強地簽訂各項成交合同，所規格等在事先來不及也不可能徵求各自有關方面的同意，結果多數都不能履行，最近紛紛請求「中南區軍政委員會」作主處理不履行合同的事件，且多有互相爭訟不休者。如廣東省代表團副團長陳文代表「中國油脂公司廣東省公司」向湖南湘潭市合作總社簽訂成交花生仁二千担的合同，但迄今該廣東省代表團及該油脂公司並未交貨。又河南駐馬店市雜貨業在大會上以現款向武漢市百貨公司第二門市部訂購高留赤紅糖三十担，加工紅糖三十担，至八月十七日運到駐馬店後，貨物規格竟完全不合，品質極劣且有藥味，以致無法推銷。又該業向湖北應城膏鹽公司所購特甲等石膏三十噸，待八月廿一日該批石膏運到後，不僅塊小，碎末多，且攙雜大量石塊。諸如此類，不勝枚舉。

最近「中南區財經委員會」特成立檢查，執行合同委員會，專來處理上述不履行合同的糾紛和爭訟案件。據該委員會內部人員透露，此類事件過多不勝其煩，且多爲公營貿易公司之間大打官司。

工人們的反抗

什亂無章

共幹之管理工廠，什亂無章，開封修配廠的情形即爲一例，拿車工間來說，工具從沒有清點，大家亂拖亂用，自己使的刀子給人拖去用壞了，新改一把得兩小時，改好後，一轉身，又給人拖去用了，於是時常發生爭吵，毆鬥等情事。有的用壞了隨便一扔，等到要用時暫急地亂找。一間車工間三十多個工人，亂作一團，什麼事也做不出來。

不願加油

在機器保養上更不注意，因爲他們覺得這機器今天害了他，工作既苦不堪言，又養不活自己，要跳槽又不准，而共幹只是凶惡，什麼都不知道，於是都想等機器壞了好休息，或者調到別處去。於是車床軸磨得發熱作響，如共幹不驚就不去加油。有的碰壞了，就要材料房配新的，共幹來查，外行又看不出，所以一年中材料損失浪費數實在可驚。幾千萬元一架車床，在往年可用十年，現在一年就走了樣。有的工人氣不過，領料時特別多領，配一件小東西，就動大料，例如該廠鏇工人打手鉗子，成品重量只有三公斤，但領料却領了十公斤，餘下的往廢鐵堆裏一扔。

消極反抗

生產競賽時更妙，大家爲表現，只撿好料豎料做，做一件實際上要費兩件，誰也不管，共幹還以爲是成績很好，到處表揚，但一算成本，則每件無不大賠其本。現在共幹發覺了：要清理資財，據說單就在一間車間中，就清點出一百三十七根斷麻花鑽頭，可是已上了銹，不能再用了。

工人們就是用這些辦法來反抗共黨黜制的。

杜魯門演說的二元化

為方

近來隨時讀到美國杜魯門總統的火車旅行演說詞，都是爲幫助史蒂文生競選而發的。其詞專爲攻擊艾森豪威爾，此中是是非非，與我們毫不相干，毋需置喙。祇覺得杜老總近來演說的詞意，跟他過去所發表那些關於內政外交的言論太不相侔了，以總統地位，闡述國家政策，大氣磅礴，詞嚴義正，例如今年六月廿七日那篇韓戰兩週年紀念演說，何等莊嚴得體，錚錚有聲，實不愧民主世界領導人的氣概也！

再看他近月來的助選講演，竟有語無倫次，喪失身份的表示，致使輿論界發生反感。他何以有此令人詫異的情形呢？大概不外兩種原因：凡是關係國計民生，或對國際間表示意見的言論，都經過了專家起稿，再三斟酌而後發表的，可說不是他自己所要講的話；像旅行助選講演之類，視爲無關宏旨，信口談談，滿不在乎，這纔是他明心見性的「由衷之言」！杜老總本來不擅詞令，常常每次自由發表言論時，引起人們一些不必要的誤會和反感。尤其最近的助選演說，他心裏認爲「老子今後不幹了，還顧忌些甚麼呢？」率性痛快地說一頓罷！

因此，凡屬一個國家行政元首的重要演說，總以敦請專家學者們斟酌起稿，自己少作主張爲佳。杜老總平時自由說話的技術實在太不行了，但其重要講演詞却是刮刮叫的。可見他的個性雖然倔強，但對於重大問題，常能虛己以聽，尚不失其元首作風哩！

自由談

她

山禾

咬了十多年的粉筆，眼看一批批天眞活潑的進來，一批批年青熱情的出去，有感慨，也有安慰。縱然歷來是一個多難多變的世紀，但年青的一代終算還享有渾然世外的快樂，各自浸沉在美麗的憧憬中。然而自從「解放」之後，一切都已天翻地覆；純潔的會變成汚濁，善良的會變成兇惡，熱情的會變成冷酷，超乎人情之常，結果却同在一個浩刧中湮沒！

就拿我的學生顧倩來談吧，她就是在這時代的魔力驅使下捲入劇變而終於犧牲的悲劇人物之一！顧倩是我兼任級任的高春二年級的學生。出生在一個半新半舊的書香門第。起初只是她的優良的成績引起我的注意，後來我覺得她的品性更屬不凡：以一個十八歲的都市少女，要沒有一點時俗的虛榮習氣，純良穩重，嫻溫良，實在不可多得。因而我在她的功課及生活方面，不免有所關切，常予鼓勵，她也以我的和易可親而常喜向我問問有關功課及一般社會、人生的問題。

「張先生：你覺得琴書這人怎樣？」有一次她忽然鄭重而羞澀地跑來問我。羅琴書是她同級的男同學。我當然立即領會到這是婚姻問題，我隨即毫不思索的回答她：「他很好，忠厚誠實，溫文端方。」事實上的確如此。

「可是……」她欲言又止。

「可是，你不喜歡他嗎？」我猜疑着反問她。

「這完全是父母之命」，她故意閃爍其詞地回答我。好像對婚姻之不經過相互戀愛而全由父母之命，媒妁之言，終覺得有點遺憾似的。雖然，她對琴書並非沒有好感。

「那末」我說：「你可以和琴書接近一點，親自加以體察，終可再向父母表示意見的。」

此後我就幾次看到她和琴書倩影雙雙的進出校門。不久，她和琴書雙方的家長就送給了我一份喜帖，要我去喝她倆的訂婚酒，她倆還特地雙雙敬了我一杯酒。我很高興，覺得這是爲人師的一點收穫。

當杭州「解放」的一天，我的學生們都在起勁忙碌：顧倩也持了一面小五星旗，態度很扭捏地跑來問我：說同學們與她一同去歡迎「解放軍」，是否應該？

「無所謂應該不應該」。我含糊地回答她，我不願，也不便表示。

「張先生：你說解放了於我們有益嗎？」她倒很關心。

「那很難說，只有看以後的事實吧。」我說。

「可是我的父母好像很憂急呢！」

「也許有他們的見解吧？」我何嘗沒有疑惑。

不久，「解放軍」終於來了！整個社會都充滿着反常的空氣。我的學生們則大多已成爲點綴「解放」的熱烈羣衆。顧倩也妖妖嬈嬈地扭起秧歌來了；雖然，她曾跑來對我說：「覺得怪難爲情的！」但我覺得：她也在變了！

再不久，顧倩跑來告訴我說要下鄉參加工作去了。我當時覺得很驚異於共產黨擁有一種魔術似底力量，也覺得自己的立身行事，與現實感隔愈遠了！

此後約有半年光景沒有看到顧倩，問問琴書，他也茫然。後來她忽然從鄉下回來了，看到我時只匆匆一瞥，僅僅點了點頭，態度非常冷淡。但我並未怪她輕慢，以爲一個人能脫了稚氣而幹起正經來，終是可喜的。過了幾天，校中的學生自治會忽然開了一個什麼叫「訴苦大會」的會議。我也被一羣學生們邀了去出席，我正在詫異於學生有什麼「苦」要「訴」？詎知赫然出現在講台上的，大會主席竟然是顧倩，而且一開口，上自校長，下至校役，都被罵得狗血淋頭！我羞慚而憤懣地走出了講堂，旋見琴書跟了出來，頹喪地告訴我，說他已被顧倩遺棄，她駡他爲「沒出息的地主的兒子」！

她的確變了！我想：而且變得超乎常情！

此後約莫又有半年沒看見她。我想她已參加這奇怪的「革命」，成王敗寇，原不說絕對不可；但曾幾何時，據琴書來告訴我，說她忽然狼狽地回來了，而且嚴重地病倒在廣濟醫院里。染的竟是惡性梅毒和淋症！共產黨沒有「照顧」她，父母也已唾棄她！

我當即以一點舊日師生的情誼去探望了她，她正痛楚呻吟在三等病房的床上，形容枯槁，已無人色！但不管共產黨的魔力怎樣浩大，人性畢竟難以澈底泯滅；所謂鳥之將亡，其鳴也哀；她一看到我，便掩面痛哭起來了！

我只得尷尬地安慰她，我說：「養好了病，正式嫁了人吧，誰愛了你，就嫁了誰吧。」

「我……完了！他們都……都愛過我，叫我去找那個呢？」她哽咽着回答我，哭得更傷心起來了！

我覺得無話可說，便藉詞離開了她，但當我幾天後買了點食物再去安慰她的時候，她已奄然逝去，只見清泰門外的一坏黃土了！

原是一個貞嫻溫良的少女，竟這樣汚穢悲慘地毀滅了！是誰害了她呢？

談羅斯福（一）

·舜生·

羅斯福總統是一九四五年四月十二日去世的，這已經是七年前的事了。

最近美國民主共和兩黨關於總統的競選，似乎鬧得異乎尋常的熱烈，其相互批評之點，好像簡直不爲對方稍留餘地；雖說美國人對於民主政治的素養已經有了一百六十年以上的歷史，足以使我們相信絕不會鬧出什麼意外，可是從他們兩黨競爭這樣的白熱化，也可以令我們意識到世界局勢的緊張已經到了怎樣一種程度。因爲如此，乃令我不能不懷念上次大戰中的羅斯福。

羅斯福是美國第四十三任的總統，他的第一任開始於一九三三年的三月四日，一直到他去世爲止，一共繼續擔任了十二年又一個月零八天，換言之，他算是整整做完了三任，第四任也已開始了一月有餘。從美國的慣例看來，連續三任已經算是空前，但他却居然已經進入到了第四任！

到一九四四年的秋天，羅斯福的身體，確實已經不行了；當時第二次大戰的勝利雖已在望，可是還有一段艱險的路程，他總覺得，戰爭是從他手裏開始的，最好便由他來結束；同時一個世界永久的和平機構，既爲他所篤信，最好也由他來完成。這種地方，從好的方面看，他總算是有一種『鞠躬盡瘁，死而後已』的精神；從壞的方面看，又何嘗不是一種『捨我其誰』的自負心在那裏作怪呢？

我們試想，假如羅斯福遵守華盛頓以來的遺教，決計放棄第三任的競選，則一九四一年的美國總統，可能是共和黨的威爾基；假如他以健康的理由擺脫了第四任，則一九四五年的總統可能是杜威；最低限度，杜魯門的這兩任，總是希望甚微了。雖說美國的政情和世局的演變，人並不是惟一決定的因素，可是假定羅氏的任期僅到八年爲止，最後的四年餘任美國總統的乃是另外一人，說對世界的局勢和美國的政治不會多少有些不同的影響，又那個敢說呢？

在羅斯福逝世以後不到四個月，戰爭便已勝利結束，可見戰爭的勝敗，畢竟與羅氏的存在與否並無必然的關係，一切世事的演變，總有一定的歸宿，一定要強調人的因素，甚至於說非某人某人不可，這實在是大可不必的。

羅斯福逝世的年齡是六十三，但他從一九二一年的八月開始，便患了一種不治的癱瘓症。這個病到後來雖說比較開始的時候已經好了不少，但一直到他的死，他的兩條腿總是不良於行，以這樣一個近於半殘廢的人，居然能有這樣偉大的成就，即此一點，已可想像他的心力之強，確不是一個尋常人所及了。

萬竹樓隨筆　（一四〇）

馬林可夫打毛澤東耳光

逸民

這次俄共大會上馬林可夫承認蘇俄生產能力，還遠遠落在美國之後，而中共以往却狐假虎威，大吹大擂，說蘇聯生產能力，已駕「美帝」之上，然則，馬林可夫之言，正給毛澤東一記耳光。

根據馬林可夫估計，將美蘇生產力臚列如下：

	美國生產能力（一九五二）	蘇俄生產能力（一九五二）
石油	三億八千萬噸	四千七百萬噸
煤	五億一千四百萬噸	三億噸
鋼	九千一百萬噸	三千五百萬噸
鍍鋼	七千五百萬噸	二千七百萬噸
五穀	一億五千八百四十萬噸	一億一千四百四十五萬二千噸

中國之友（二十七）

毛以亨

赫德傳（七）

各國人士之出用，須經一定比例，雖爲締約國人民有此權利，惟以勞務爲主，以國際性爲本。惟有以政治壓力加諸總理衙門，而促進赫德之多用其國人者亦有，以各該國對中國之貿易比例爲標準，而要求多用其國人者，日本人即爭之甚力。赫德敷衍之。

中國人則爲書記與錄事，以考試來錄用，而以略懂中文能作通譯爲主，多爲教會學校學生。凡與中國官吏來往，與將簿冊譯成中文，皆由他們辦理，赫德發覺他們亦可提升爲幫辦使其負較大責任。一九〇八年設稅務學校四年畢業後可由學習而漸升至稅司。此皆海關之直系人員屬於第一流者。第二流中文職員爲用算盤的會計員，結出報稅的款額，將報關單寄至其他海關，多爲關監督所推薦，但稅務司有權將其免職，且關監督亦不能限制，須以算術快而人可靠爲條件。第三流爲書記與錄事，管文書起稿與繕校，須以文理好字法佳爲條件，此類人亦多充任西人的中文教師。

外勤人員爲查驗貨物，巡邏走私及管理碼頭諸事，英法美人爲多，悉從商船軍艦冒險者選任。赫德從海軍人中選任Harbour master, Tide Surveyor, boat officer, Examiner, Tide waiter渠於一八六六年調察各地海關後，對內勤尚感滿意，而於外勤則認爲未能勝任，遂厘訂改組，頒訂綜末已規通。一七〇〇年計外勤人員在十四通商口岸者，監察主任Tide surveyor爲三十八人，監察員 Tide waiters爲一六〇人，驗貨員 Examiner爲四二〇人。驗貨員之職務，須懂商品學，爲知道貨品之種類，與所驗之數是否符合，有若干中國人爲磅秤員以協助之。監察員監察貨物之上下船舶貨棧而監察主任則爲外勤之總目，以直隸於稅務司。外勤三類人員，每類各分三級；而內勤共分九級計爲稅務司十七人，代理稅務司六人，幫辦九十八人。中國譯員通錄事共七十人則分七級。

內勤幫辦末級年俸爲三百磅，首級爲一千磅，代理稅務司一千二百磅，稅務司二千磅，亦有至年俸三千磅者。任職七年後可以告假二年，俾其進修，凡不懂中文與無領導能力者，進位止於幫辦。惟年俸可在代理稅務司以上。外勤年俸亦自二百磅起每次加俸以四十磅爲一級，直至四百磅止，除主任，年俸有六百磅至八百磅三級。中國通譯書記月俸自三十元起，至四十五元止，晉級爲助理通譯月薪一一二元，再晉級爲通譯月薪三百元。服務四年可告假兩個月，得支半薪，年底發雙薪。

是非篇

江舟

林曉嵐昨天從鐵幕裏逃出來了！我請他到家裏，問問曉峯的情形，林曉峯是他的哥哥，一位豪放不羈的詩人。

瘦長的個子，戴一副近視眼鏡，一年四季都穿一件愛國藍的長袍子，高攏閤袖，走起路來步伐捷健，衣擺迎風飄舞，大有揚俗脫塵之風。在很長的時日中，我同他結識成很好的朋友。

曉嵐喝了一口濃茶就傷感地說：「從去年起，大陸開始在『整風』運動了，你們知道嗎？我相信你們知道的祗是梁漱溟，潘光旦，陳垣等的坦白，不知道除了他們坦白之外，還有一批學人被殺了！

「共產黨繼『五反』之後的『整風運動』是秦始皇焚書坑儒的辦法，想消滅中華固有的文化哲學而已。」他很沉痛地說：「家兄曉峯，你們是知道的，從北大畢業出來，一直在桑梓辦學校，搞文化，從沒有參加過任何黨派，一天到晚都在弄孔清下一代的教育，的創無聊，也是把詩拿來寄情寓意。

「匪陷汝南時，家兄爲了省立汝南高的教務，一時不能脫身，但又寄念如共匪好聽的宣傳，想牠們絕不致於做出完全相反的事來。

「匪軍汝南專署文教局，爲了家兄是一個學者，先施展手腕要他繼續負實教務，當然，家兄不是一個傻子，但不被利用又能怎樣呢？及到牠們佈署完成，就要家兄去學習。

「在大陸上的人，都知道共產黨的淫威，是不敢攖犯的，牠要你去學習，已經是很客氣的了！假若你假詞不去，牠的另一套作法，會比學習更厲害，因之，家兄也就抱隨遇而安的態度去學習了！

「學習沒有到三個多月，有一天，我正在家裏喫飯的時候，街坊學習小組通知我，說是『公濟文特林曉峯』，天爺！當我聽了這個消息，內心裏是如何的劇痛啊！

「我不敢再拖延時刻，我迷惘地跑到北關內的後龍亭，空寂的曠場上，血泊中已長眠了我的哥哥。」他說完，已嗚咽得不成聲。

「怎麼？曉峯兄死了麼？」我屏息了很久，聽着這種消息，內心也有一股酸痛。

「死了！」

「共匪用的什麼罪名來處死他？」

「是非篇！祗是一首詩，就被認爲『反動派留下的文特』，槍斃後，還要曝屍三天。」曉嵐說到這裏幾乎暈了過去。

我不能讓他受到極度的悲傷，只有婉言勸慰他安息。

早晨，我由他口述記下這受殺身之禍的這首是非篇：

不怕閻羅不羨仙；寧入地獄不上天，教條體久終生厭，八股讀多實討嫌，勝敗鑄成功罪論，強弱寫出是非篇，「人民」滿口皆「眞理」，總在虛無飄渺間。

寥寥幾行，也成了共產黨殺人的藉口。（八，十七，錦田）

「冷的和平」
莫斯科新戰略

自由人

中華民國僑務委員會頒發登記證台敎新字第壹零貳號

THE FREEMAN

（半週刊每星期三六出版）

（第一七二期）

每份港幣壹毫

督印人：李光誥

社址
香港高士打道六六號
電話：二〇八四八
GLOUCESTER RD.
HONG KONG
TEL: 20848

承印者：東南印務出版社
地址：高士打道六四號
台灣特派員辦事處
台北市館前街五十號
台灣總經銷處
台北市中華路一二五九號

反共的三種力量

中國共產黨蹂躪中國大陸已三年以上，其所造成空前的罪惡，已爲全世界人所共見共聞，尤以目擊身受的中國人認識得更爲親切。

目前中國的反共力量，從大體說來，實分佈於三個方面：一、潛伏中國大陸；二、集中於台灣；三、分散於海外各華僑集中地帶，更以與中國大陸接近的東南亞一帶，其人數尤爲衆多，力量亦最爲雄厚。

大陸上的反共力量

潛伏中國大陸的這一個力量，他們算是立在反共的最前線，其處境亦最爲艱難，無論他們用積極（如游擊隊）或消極的方式去與共匪鬥爭，幾無不被共匪加以暴力的鎮壓；我們只要看這三年來在大陸上被共匪屠殺的人數之多，便可知道這一股力量被共匪摧殘到了何種的程度。共匪對付這一反抗力量的方法，不是簡單的而是複雜的，不是限於一時一地，而是長期的普及於各方；積極的反抗行動他們固然要立即加以撲滅，即消極的對共匪表示懷疑，厭棄，或不與之合作，他們也要徹底的予以肅淸。政權在共匪的手裏，軍隊警察爲共匪所掌握，他們以數百萬的『共幹』分配全國各地去從事鎮壓，更有十萬以上爲俄帝所派遣的『格別烏』，本其豐富的經驗，對這一大羣的『共幹』去加以指揮與監視，並力促其嚴厲執行。大陸上這一股反共力量處在這樣一種惡劣的環境之下，隨時隨地遭受無情的打擊，但他們卻依然是屢敗屢戰，此仆彼起，不斷予共匪以威脅。可是他們究竟是以分散對組織，以隔離對集中，以徒手奮呼對現代武器，以心理抗對大規模的屠殺；假定大戰的起來尚有所稽延，國軍的反攻尚有所等待，我們對這一大羣的孤臣孽子，實在不能不爲他們感到慄慄危懼！

反共根據地的反共力量

台灣爲中華民國的政府所在之地，亦即國際反共陣線之所集中，執政的國民黨，積有三十年的反共經驗，而且擁有數十萬人的反共武力；三年以來，陸續奔赴於政府旗幟之下的反共人士，確已爲數不少，而且至今方興未艾；其在武力以外的種種情況，以自身之奮發有爲，並與有國際的不斷援助，也確實一天天進於加強充實；目前對於一切的反攻準備，究竟到達了何種程度？其對於共匪力量的比重如何？已到達台灣的反共人士，能否予以適當的反共工作？對於反攻前，反攻中，反攻後，一切政治，經濟，外交，有無進一步的切實規劃？雖爲我們所難於詳舉，要其反共心情之熱烈，決與共匪不能共戴一天，亦決不以遁處台灣一隅而稍覺滿足，則要爲無可否認的事實。

海外反共力量

從大陸退出散居海外華僑集中地帶的這一股反共力量，我們因爲身歷其境，知道得比較的詳細。他們中間包括得有大批的知識分子，大批的武裝同志，大批的各級公務人員，一部分不甘共匪壓迫的工商界人士。他們決不是消極，決不是自私，他們中間的大多數，也決不是有居可安，有業可樂。就他們這三年來的工作而論，由他們中間的知識文化分子，寫有千種以上的反共書籍，發行了數十種反共的日刊、晚刊、週刊的報章雜誌，這些書刊能進入台灣的雖然不多，但在海外則幾乎人手一冊，或人手一紙。這三年來反共輿論之所以趨於一致，予共匪以精神上絕大的打擊，要以這一羣的知識分子盡力最多，換言之，就反共宣傳一點而論，他們實處於領導的地位，而且他們有決心，有實力，準備擴大的，加強的來繼續領導。除反共抗俄一點而外，這一羣知識分子的政治見解如何，我當於另文加以詳細的分析，此處暫不多說。

反共的力量要集結起來

這一批流亡的武裝同志，因爲他們請纓無路，轉徙甚難，目前實陷於極端的窘境。其人數以萬計，確有待於政府安排，他

左舜生

們都是現役軍人，有若干在過去對於革命與反共，也確有過相當的勞績，在政府亦不能不引爲己責。似

這一批流亡的公務人員，能生活的只有一小部分，已轉業的也只有一小部分，其餘大多數的處境，則與前舉的武裝同志無異，究應如何加以安置，似乎政府以及其他的救助機關亦應予以援手。在我看來，這班人也還是在反攻中，反攻後不可缺少的人才。

至於若干的工商界分子，一部分自給情況還好，甚至腰纏甚富的人物也還不是絕無，可是大多數卻也依然不了，從救助的觀點言，也應該在考慮之列。

這一羣流亡在大陸與台灣以外的人，他們之間是不是已有相當的團結呢？就我所知道，文人與文人之間，軍人與軍人之間，若干的小團結大致是有了的，但真正的大團結卻依然是沒有的，不過從反共的這個觀點來說，精神卻是完全一致的。

最近國民黨的七全大會，又發出了團結的呼聲，我希望他們多從態度與具體辦法上下工夫，尤其要從大家的心理狀態上求得相當的了解，單單有一個團結的原則，而提不出實在的方法，反對儘管沒有人反對，但實際的效果是不會太大的。

本週展望

・雷嘯岑・

日本政局能安定嗎？

日本自由黨兩巨頭之爭，業已暫告妥協，吉田茂仍以多數黨領袖資格，聯任內閣總理大臣，新政府馬上就要組織成立了。可是，日本的政局絕對沒法安定下去的。

吉田、鳩山的內鬨，基於自由黨的整個利益，自可「相忍爲黨」，不致形成吉田內閣的唯一暗礁，只要吉田茂在政治權益上放鬆一點，就能化乖氣爲祥和的。

吉田內閣最大的不安定因素，是反對黨在議會勢力之激增。如果自由黨與改進黨合作，不特因爲對政治權益的「分贓制」不易協調，各因人事問題而使內部產生裂痕，而且改進黨的政綱政策并不明朗，即等於無一定的政治立場，它若與吉田合作，完全是「以利相交」，談不到共同的政治綱領，利盡則交疏，乃必然的趨勢。另一方面是社會黨左右兩派議席突增了，合起來即與自由黨相等，最近又吸收了一二小黨的議員十餘名。社會黨左右兩派固不容易統一，但對政府的反對黨立場是相同的。今後吉田政府對於整軍問題，經濟問題，都要遇到前所未有的困難，而國際形勢所迫，又非積極進行不可。這些內外的矛盾對立，很難消除，不得已，祇有解散議會重行大選之一法。

本屆日本衆議院議員之壽命不長，已昭然可覩了，大概不會超過明年夏天，解散衆議院的消息我們即將聽到哩！

兩個制度在英國實驗

英國保守黨爲實踐其對人民的競選諾言，已由下議院通過將鋼鐵國營依舊交還民營了。工黨前外相摩瑞遜馬上聲明：候工黨重行執政時，這項工業還是要改爲國營的。

這是社會主義思想與資本主義思想不流血的鬥爭，在和平民主的方式下，一律訴之於人民大多數的意旨。兩個制度都在英國交互實驗，大家憑現實利害以衡量自己的理想，一切玄學詭辯的空話都用不着，唯一的答案就是：拿眞憑實據來看！

英國民族本來是注重現實主義的。他們傳統的民族性和其文化素養，依和平民主精神來實驗兩個制度的利弊得失，將來一定可作全世界的政治寶鑑。這可說是英國民族對現代人類經濟生活的一大貢獻，其後果並不下於過去「不流血革命」的輝煌成就。

我們更贊佩工黨要人摩瑞遜的風度，議會既以多數通過鋼鐵業改民營，沒有話說，但聲明工黨對其所抱理想的信心，決不搖動。所謂政治家的言行，所謂民主憲政的軌範，盡於是矣。好談民主自由的中國智識份子，應該學習一下纔行。

杜爾斯的警語

美國共和黨外交顧問杜爾斯，前天發表演說，慨歎着美國現行反共的圍堵政策，把自己也陷入重圍了！

他主張「美國必須產生一種在思想上，而非金錢上的動力主義」。他認爲：「領導地位是不單靠金錢或盡情揮霍而能造成的，祇有靠行動和思想。」

圍堵政策與軍盟主義孰爲有利？固不易輕率斷定。但杜爾斯所說領導地位需要有思想和行動的「動力政策」，卻爲不刊之論。美國最近四五年來，消耗在圍堵政策上的財力物力和人力，可謂浩大矣。然結果對共產世界處處居於下風，對自由世界好像一個公子哥兒，隨時被人勒索敲詐，而且一切行動也常常受人挾持，名義是領導人，實際有如粵諺所說的「老襯」，原因就在沒有建立一種憑思想而非專靠金錢的主動政策。杜爾斯之言，決非黨派偏見，值得贊許。

大會於台灣

台灣近來舉行不少的大會，濟濟多士，冠蓋如雲。從好的方面想，還是興國氣象，足以一新耳目，令人興奮。

可是，這次的各種會議，是否猶若大夫崔子，會議還爲會議，行動還行動，說話是湊熱鬧，決議是搞宣傳？我們雖以期待的殷情，注視大會於台灣後的事實表現

罪！

伊朗的現勢

杜德黨的活躍

共產黨徒對伊朗的經營算是成熟了嗎？他們潛伏伊朗內陸，準備爲莫斯科對伊朗快鞭先着。他們的陣容並不強，而且不普遍。但是組織嚴密，財源充沛，一旦莫薩德失敗，他們會即聯合行動起來。但，縱然如此，他們的魔掌，不會遽然伸入油田。

伊朗的局勢，無疑使西方的領袖深爲憂慮。杜魯門及邱吉爾曾經合力親謀挽救伊朗危機。他們所顧慮的，是共產黨徒在伊朗的活動，可危及更多問題的；蘇聯一旦侵入伊朗，史達林將有控制中東的更好的基礎，莫薩德的徒衆，在今天伊朗的政局上，形成對西方極爲重要的因素，莫薩德無疑的是親西方的，但今天他的徒衆竟有人說：「跟着莫薩德走或是走向莫斯科。」

美國的專家們從事伊朗的內政的研究，發現共產黨的信從者並不普遍；他們所能影響並操縱的投票者，不及選民十分之一。但是，這些人數目雖然微小，但他們以強烈鬥爭意志及良好的紀律，則在這一個懦弱的國度裏面，健全無匹。

杜德黨

杜德黨在伊朗成爲共產黨的第二代名詞。「杜德」在伊朗文中的意義是「大衆」，但伊朗的大衆，則不是共產黨。這一個黨的黨員是很少的，份子來源背景複雜，并沒有爭取到社會羣衆的精英。當前杜德黨的中心工作，是在爲其黨增加社會名譽。據杜德黨自己宣傳，說黨員已有五萬之衆，現伊朗人口爲一千七百萬，顯然杜德黨本身亦不能承認其已具有盛大勢力。

杜德黨活動中心的地帶是德黑蘭；伊朗的第一大城及首都。杜德黨徒一般工作於伊朗內政機關，工場，或爲貧苦的青年學生，一般都接受津貼。最近德黑蘭國會大選，誘導出共產黨在伊朗的眞正力量；杜德黨在德黑蘭選區中獲得二萬九千張選票，約爲總票數十分之一。很多的選票上面書明「選舉和平」。杜德黨的候選者，早爲共產黨的領導者，加上和平保衛的字樣，但這一些人，沒有一個得進入國會。

在德黑蘭之外，共產黨的活動，益爲孱弱。瑪瑪族人，控制伊朗地區約四分之一，但這整個族衆是反共的。據有這一個族衆人口四分之三的農人及農地工作者，對政治極少興趣。在伊朗中部的伊斯法罕城，馳名世界的地毯織造中心，共產黨在那裏培植有若干感染細胞。在南部的阿巴丹油田區，亦有同樣情形存在。此外在接近蘇聯的埃塞巴堅省，杜德黨的活動，益爲明顯。但無論杜德黨的活動若何，這一些地方，并未實際進入杜德黨控制。

共產黨的力量在伊朗，由反對力量的集聚存在而相形見拙。反杜德黨的力量且在急遽增加。雖然莫薩德黨的動搖內閣不足以澄清伊朗的現有危險情勢，但伊朗的一般領袖們顯然也看出何處是他們的安全方向。

杜德黨的組織

杜德黨走的路綫與共產黨無異。通常它的黨徒六人結成一組，其最大者爲六十人一組。在官方的報導，杜德黨並無其組織存在，然事實上有它的地下活動。一九四九年杜德黨企圖暗殺親西方的巴西禮非計劃失敗以後，杜德黨即轉入地下活動。由事實所知，杜德黨在德黑蘭即維持有十二個地下總機構，十二張新聞報紙，而且公開販賣。這些報紙及其幕後支持者，財源充沛。但它的主要來源，則是駐在德黑蘭的蘇聯大使館。目前杜德黨領導機構，爲「反帝國主義聯合會」，前此它的名稱則是「反盎格魯伊朗人石油公司協會」，這一個機構是主張堅決對它的敵對者作戰的。

杜德黨的領袖

杜德黨的核心領導份子，均隱藏在國外工作於接近蘇聯邊境的列克其萬地方，其創導人爲伊闊利博士，但彼已於十五年前，病死獄中。當前領袖大概是埃斯堪達雷。此人曾受法國教育，擔任過律師及伊朗勞工組織者，在蘇聯一個國外工作表上，在一九二七年，即有他的名字。彼於一九四六年當其弟夏巴爲德黑蘭市長時，曾一度充任當時短命內閣的商務部長。埃斯堪達雷之兩弟，現爲杜德黨六人組成之政治局正副局長。此六人爲開斯哈維茲（法國巴黎畢業之衛生學教授），亞地博士（德國畢業之物理學家），羅斯塔（爲唯一工人家庭出身之政治委員），皮斯哈雷（一九四六年蘇聯支撐下之埃塞巴堅省省長）及埃斯堪達雷兩弟兄。此六人組成的杜德黨核心人物，當前是否全部存在，而不爲蘇聯所發覺，無從確證，但杜德黨的牽引力量，確是從那個地方來的。

一個決定性的階段

伊朗面臨內部勢力競爭的決定性階段。莫薩德在西方的希望中具有重大的價值。若莫薩德不幸於一晚之間失敗，杜德黨極有機會於德黑蘭及伊朗北部乘間擴張勢力。在南部油田區的伊朗，或仍可維持其反共的社會環境。

共產黨在伊朗造成的現勢，縱然莫薩德能與西方保持其本人權力，共產黨仍將爲一難以消除的活動集團。原因是杜德黨有來源不絕的金錢誘惑，而伊朗的人民，則多數苦不堪言。

（譯時取材自九月十二日美國新聞與世界報導）。

台北通訊

先烈事蹟感人深　老華僑熱淚盈眶

三大展覽會啓幕

台北自雙十節以後，同時舉行國慶史展，今日僑情展覽，及赴日展覽中國商品預展。此三大展覽會因內容豐富，致每日參觀者均極爲擁擠，尤以逢週末及星期假日時爲甚。國慶史展在館前街台灣省博物館舉行，以國父與總統的革命史蹟爲系統，其中如國父遺墨總統手澤等，均爲外間所不易見及者。但對於每一時期之資料猶不能完全滿足參觀者之希望。尤其關於我國抗戰時期若干史實，距今不遠，徵集甚易，而陳列者未免太少。台省同胞至今尚有一部份人，不知日本以往對我國侵略之久，與在戰時對淪陷區同胞殘害之深者。今雖和約簽訂，我國表示寬大，亦仍宜使人人了解抗戰之艱辛與寬大之可貴。今日僑情展覽在中山堂二樓舉行，觀者最衆。雖名曰「今日」，尚對於僑胞以往對革命與對祖國之貢獻，亦陳列資料甚多，以說明國父半生在海外及華僑爲革命之母之眞相，因以與國慶史展有一部份重複。如兩個展覽會事前能相互聯繫，將所出資料妥加排列，則於觀衆之印象，尚可更爲深刻。如關於黃花崗烈士部份，雙方均有陳列，均欠完全。辛亥以前迭次革命失敗之史蹟，如移至國慶史展中，與國父事蹟相配合，亦更可表現革命大業之艱難。另如張靜江等畫像，張雖曾居海外，並非華僑。僑情展覽會並附演電影，雖多爲少數人生活之記載，但海外風光，亦招致無數觀衆興趣，此爲宣傳方法上之一大成功。記者見出口處，有多人題字留念，目覩一老者寫「華僑對得起祖國，祖國太對不起華僑，要趕快贖罪」。寫畢熱淚盈眶頻以手巾拭之，頗爲感動。台省現在人口只八百萬，而海外華僑有一千二百萬，可見反共抗俄收復大陸，必須要華僑再對得起祖國一次。至赴日商品展覽，在綜合大樓舉行，樓高四層，上下不便。去年冬季，日本商品來台，亦係在此展覽。今年觀衆人數雖亦不少，但較之去年，須在馬路上排隊三匝之擁擠情形，不復能比。再則商品展覽會，祇有宣傳卡車，在各街道周行，表示歡迎參觀，亦爲去年所無。此次展出中，公營事業及民營工廠出品，均頗豐富，香港廠商亦在四樓陳列出品，此爲合省所首見。惟三兩樓夾有中央日報時事照片一大批，致將參觀者注意力分散。聞民營工廠出品運赴日本者恐不甚多，蓋政府規定如在日出售後，其所得外匯須由官價結交台灣銀行，廠商認爲吃虧過大云。

臨時國大召集否未定

國民黨七全大會，已如期閉幕。台北各界目光，乃移轉於臨時國民大會是否即時召開問題。依據憲法規定，臨時國大之召集權在立法院院長，並不在立法院。立法院院長張道藩氏，多日以來，未對召集事有任何表示。陳誠行政院院長於七全大會後首次向立法院報告四十二年度施政方針時，論及明年度國家總預算力求收支平衡，但如臨時國大要開會，則尚需款項，未經列入。從陳氏此語中，亦可以作爲將召集看，亦可作爲不能召集看，因各人看法不同，一致結論下同。但另有一種跡象足供研究者，即若干身陷匪區遭匪屠殺之國大代表，上月曾由內政部通知在台之候補代表遞補，有一批達十餘人之多。此或可作爲行將召集之推測。

大法官有事可做了

勿

台省各縣市議會下月起即將分期改選，立法院與監察院爲可否對省市議會議長副議長行使彈劾權事，發生爭論。現行監察法規許監察院對民意機關首長有彈劾權，立法院委員林棟等認爲議會議長並非官吏，如有不能盡職情事，可依法罷免，提議將此項規定刪除。監察院方面聞訊，則認爲議長等亦執行議會中行政事務，自可視爲公務員，予以彈劾。並謂立法院所以主張刪除，乃係恐監察院日後亦將對立法委員彈劾，故須推派委員到立法院說明，必須仍維持原規定，不可刪除。按此項爭論之關鍵，端在於所謂官吏與公務員範圍之解釋如何，監察院早於三十九年六月，函請司法院解釋何者爲公務員？如包括各級民意機關代表，並請列舉其職名。又立監委國大代表暨自治人員，是否爲監察權行使之對象。自大法官會議湊足人數後，瞬已半載有餘，除曾解釋監察院對立法院可有提案權一事外，迄未對重大懸案有所解決，未免使人失望。茲立監兩院意見不同，而台省縣市議會又改選在即，各方深盼大法官諸公早作明確解釋，俾收一言解紛之效也。

（麗子）

南非的動亂

陳家方

滿是黃金，鑽石、鈾礦的非洲大陸，現在在世界上有着舉足輕重的地位，誰掌握它，優勢就在誰這一邊。因爲它有四億（有的說二億）左右的人口，有現在戰爭中最需要的大量的鈾。但是，現在這一塊豐富的土地，却正在掙脫白人之手，它要自己站立起來，或許這種站立起來的運動，背後另有原因，掙了白的，倒向紅的，果眞這樣，那就糟了。

肥土的爭奪

這個嚴重的問題導源於南非，原來一八二八年荷蘭人到了那裏，開始拓荒，留下了一百五十萬的後裔，就是現在稱爲波爾的人，到了一八八〇年左右，歐洲人開始大量殖民，除一部份德國人外，大半是英國人，在拿破崙戰爭時期以武力驅逐荷蘭人而佔領的，後來印度人也擁入了，約三十萬人。英國對殖民地的統制，在南非另有一格，於是形成了種族的歧視問題，非洲土人當然不必說了，永遠受着剝奪和壓制，至于「波爾」族，何格洛族，那時也是被統治者，於是不滿有黑白之爭，而且有白與黑白混血兒之爭，白與白之間的爭奪。弄得情況混亂透頂。

終于在二次大戰前，波爾族開始了反抗，形成了「波爾戰爭」，結果是波爾族的史末資奪得了勝利，把英國實際勢力趕了出去，建立了南非聯邦。

波爾人的報復

但是波爾族也不是團結無間的，由於對英態度上的不同。出來一個馬蘭，馬蘭引用了希特拉的一套，參加了一個打手集團「兄弟會」，倡導喚起波爾人的亞里安種精神，居然在一九四八年競選中擊敗了史末資。於是種族問題更顯得突出了。

他們把非洲人，印度人和黑白混血的有色人種，都列爲非歐洲人。他們沒有表決權，沒有罷工權，也無權跟白色人通婚。他們不能要求提高待遇，而且必須居住在隔離的區域，他們的生活是專爲白人開礦，掘礦，畜牧，或做些下賤的事，供養優越的白人。

馬蘭對於英國人也不很客氣，他提出「決不寬恕，決不忘記。」的冰冷面孔，用防制和重稅等方法來迫走，或至少不讓英國人再增加到那裏去。

兩馬的互鬥

馬蘭執政後，史末資的統一黨就沉寂，但史死後，志願黨助英國人參加二次大戰的軍人退伍回來，又重振了統一黨，於是向馬蘭反攻，一九四八年後，得年舉行示威遊行，當街與那些「兄弟黨」的人衝突，到了一九五一年，這些退伍軍人中出來了一個身體高大的領袖，恰巧他的名字也叫「馬蘭」，爲了避免混淆，特給他一個別號叫「水手馬蘭」，因爲這批退伍軍人遊行時總高擎火把，故叫他們作「火把突擊隊」，全部約有能征慣戰的青年十七萬五千人。顯然變成了一個軍事組織。

他們駁馬蘭爲法西斯，他們的主張是爭取南非的自由和民主，則與「兄弟黨」的爭取南非獨立相反，於是鬥爭得十分尖銳。

黑人塗上了紅色

白人與白人之間的鬥爭還不要緊，但由於這鬥爭同樣喚起了黑人的民族主義的靈魂。共產黨及時利用了這個機會，勾引了一批黑人和黑白混血人，其中有個頭目叫做科泰，是在莫斯科受過訓練派回來的，而都察夫諾多博士，在二十年前早已成爲南非共黨的總書記，在細心地做着地下工作，他是印度人，莫斯科專派來做南非工作的，在三年前，他看到時機業已成熟，乃不斷展開實際的鬥爭。整個南非聯邦陷入了恐怖，在佐治尼斯堡，開普頓，以及其他城市和鄉村，此伏彼起的展開了流血鬥爭，每日至少有一次，死的當然是黑人爲多，但白人的生命也常遭危害，這些黑人的行動，可說非常單純、完全是長年累月被白人欺壓下積集的怨氣，但如看一看背後的指使者，不難找到一根通往莫斯科的綫索。現在這些黑人的反抗鬥爭，在技術上大有改進，組織上也比較完密，不像三年前那樣一鬨烏合了。紅的顏色，顯然已逐漸塗上了他們黑的皮膚了。

複雜危急嚴重

實際上兩個馬蘭，乃至史末資，再至於當地的英國人，對付黑人和混血兒，態度都是一樣的，一方面驅使他們，一方面把他們不當人來爲自己勞動，而還要提倡仇黑主義，不過馬蘭做得比較更厲害而已。史末資是想把黑人劃在一個省區之中，由他自己生活，讓他們自生自滅，但遭到了需要賤價勞動的資本家的反對，而馬蘭的隔離法，則係採取各種嚴格的鎖鏈，和限制，使黑人永爲奴隸。

非洲的動亂就是這樣起來了，加上火把突擊隊與兄弟黨的衝突，共產黨在中間作祟，愈來愈複雜。

美國人呢？現正担心着非洲的五個大空軍基地，雖然離開南非還很遠，但這把火燒起來，很可能影響到整個非洲，共產黨鼓動這種民族鬥爭，消極的目的也可能就在這一方面。問題多麼嚴重。

被整肅的蘇聯政治局員　安得萊也夫

·耀華·

聯共十九次大會已正式閉幕，原有的政治局取銷，改爲主席團，由十二人擴大到二十五人。可是原來的十二人中，却有兩個人被清除出來，一個是柯西金，另一個便是安得萊也夫，比較起來還是安得萊也夫最慘，因爲柯西金尚保存一個候補委員的名義，而安得萊也夫的名字却根本消失了。

安得萊也夫是聯共監察委員會的主席，兼主管農業事務，也是當然的部長會議副主席，在政治局內屬於不知名的人物，但是他的權力却大過一般同僚，因爲他還是黨中央書記處的三個書記之一，這是蘇聯最核心的權力機構。

說到出身成份，安得萊也夫較之馬倫可夫却清白的多，因爲他的父親是斯摩稜斯克地方的一個沒有田地的農民，也和其他農民一樣，內鄉不易謀生，便湧進了都市，在安得萊也夫的幼時，便隨他父親到了莫斯科，那時的環境是貧窮極了，在安得萊也夫十三歲那年，便找到工作，在一家印刷廠傍邊的一個食物店內作洗碗碟的工作。那間印刷廠內有一部工友，都是革命黨員，經常偷印些禁書散發，安得萊也夫從他們手中拿到許多有關革命的書籍，從此他的思想便傾向於布爾什維克的主義。可是正式加入共黨還是以後的事。

安得萊也夫加入共黨是在一九〇四年，正當國內壓力最大的時候，一般領袖不是出亡就被放逐到西北利亞，而安得萊也夫因爲不出名的關係，反而得混進一家鋼利益金會去工作，這是一個最好的掩護所在，適這種優越的地位，替他做了許多工作，同時也奠定他自己的事業基礎。以後的生活都是在工會中混過去，他對於組織發動工人，富有天才，再加上出身本是工人，他曉得工人需要的是什麼？因此他變成了黨在工會方面的領袖，可是就因爲這種成功，使他犯下錯誤，直伏下今天失敗的根源。當革命成功會，安得萊也夫在黨大會上，公開要求將工廠交與工人，他的理論是革命爲了打倒中間的剝削者，可是剝削者已經打倒了，我們爲什麼不將工廠交給工人們自己主理呢？這個建議當時受到列寧、史達林、托洛斯基一致的反對，他們同樣主張工廠應由政府接管，工人應受僱於政府，可是安得萊也夫對這個問題，無論如何不肯讓步，最後當然勝利是屬於列寧和史達林。安得萊也夫的建議固然未被採取，連帶選舉的結果，中央委員的頭銜也取銷了。這是第一次受到挫折。

不過這在祕密工作時，安得萊也夫就同莫洛托夫發生了密切的聯系，他的才具受到莫洛托夫的賞識，到列寧死後，莫洛托夫成爲史達林的心腹寵臣，才又慢慢把安得萊也夫援引上來，難得的是史達林不念舊惡，並且還破格提拔，於是安得萊也夫在一九三一年以三十六歲的青年，走入政治局，成爲有史以來最年輕的局員。此後他担任一個時期的農業部長，工作對象已由工會轉爲農會，可是到了大戰結束後，他又患了第二次錯誤，在某次政治局會議上，安得萊也夫提出建議，要改善農民生活，他的理由說：目前農民生活，尚不如沙皇時代的農奴。當時引起史達林的大大不快，若非莫洛托夫的支持，可能早被清除了。

這次的聯共大會，很明顯的是馬倫可夫安排好的一着棋子，主要目的就是爲了清除莫洛托夫系的人物，於是安得萊也夫首遭犧牲，而且根本沒有下文，一般人懷疑他已入祕密警察之手。總之命運是可悲的了，再想起來已經不是容易的事。不過從安得萊也夫一生犯的兩件錯誤來看，到還不失爲一個有人性的共產黨員，也就因爲有人性，所以才屢犯「錯誤」，這眞是一件可悲的事情，由此我們可以知道，蘇聯當政者，爲什麼一個比一個更殘忍，現在大權都操入馬倫可夫的手中，也許蘇聯的毀滅是更近了。

南日島的勝利

·士華·

南日島位在福建興化灣口，面積不算小，比香港要大上三倍，離平海約十哩，人口却不到一萬人，大半集中在南日城裏，共黨在那裏駐了兩個團，是僞八十三師的二四九團二四五團，作爲守衛興化灣的前哨。

這次我海上游擊隊突然登陸，出動人數並不多，僅及敵方守軍的一半，但居然一鼓攻下，並把由石城增援來的四次敵人也全部消滅。增援的敵人也有兩個團，係僞八十三師的二四七團及八十五師的二五五團。

這次戰役係從十月十一日上午七時開始，到十三日下午三時勝利結束。幷從容把八百多個俘擄以及無數戰利品押上船隻帶返根據地。

這種渡海敵前登陸的戰爭，並非爲一容易事，拿少數的人員在敵前登陸並能殲滅三倍以上的敵人，更不是件易事，所以這次勝利，完全是表現了戰鬥訓練的成功，反共士氣的旺盛，以及行動的迅速機密。

共黨三天中丟了四個團，差不多一師以上，以時間來比，其損失較之在朝鮮戰場上要大得多，於是香港共黨的報紙未敢提及一字，現在沿海的共黨已慌得很，到處調動防守兵力，可見這一擊，又至少牽制了共黨兵力十萬人。

來函照登

敬啓者。頃閱貴刊十月十八日第一七〇期。登載「台灣來客談」內。有涉及用中者。因與事實完全不符。未敢緘默。用將經過事實。扼要摘陳。以證所談顯用誤會。而正聽聞。

一、交通銀行於三十八年八月撥交蜀餘公司之港幣二十萬元。而用中以該公司總經理之資格具領者。用中早於同年十二月二十日移交清楚。並有移交清冊。及交行第七十三次常董會議案可資佐證。用中並於移交清時。辭卸總經理職務。事實極明。

二、交通銀行前董事長兼總經理趙棣華先生。命用中等在港組設百合泰德兩公司。一切均係遵命辦理。絕非用中私人行爲。證諸交行四十年二月九日致用中（時任行務委員）公函節開。「奉董事長總經理示。派執事前往香港。辦理本行投資事業百合泰德兩公司結束事宜。」其非用中擅自設立。事實更明。

三、百合泰德兩公司。奉命組設於香港情形特殊之時。用中等不顧艱險。竭盡心力。担負所賦予任務之情形。曾不斷向交行報告有案。迨四十年二月。奉命赴港辦理結束。所有處理辦法。亦迭經報核。並早經辦理清楚。於七月說合任事。

惟恐傳聞失實。影響個人信譽。用特函達。即請　惠予披露爲荷。此致　自由人。屈用中敬啓（四一，十，十九）

中共開始南侵

軍火彈藥集中桂南　入越共軍數逾五萬

（本報南寗通訊）醞釀半年的越盟新攻勢，終於本月中爆發了，下羅的失守，證明越盟的戰鬥力已在不斷加強中。這些力量，事實上百分之七十係中共軍，眞正屬於越盟軍的，祇不過極少數而已。

援越行動　不斷進行

關於中共援越行動，早已成爲國際上公開的祕密，自今年二月八日，中蘇高級人員在西山舉行軍政會議後，援越軍事行動已在不斷進行中。近半年來，南寗已成爲軍火彈藥及政工特務的集散地。十多萬南下的「解放大軍」，像潮水般淹沒了整個南寗，而又成波浪式的轉向越緬邊界。東郊飛機場內除原有各式戰鬥機一大隊外，最近又增加噴射機一中隊，一切行動，均令人預料大戰已快臨爆發階段了。

秘密會議　決定步驟

當今年六月下旬，謠傳韓戰即將停火之際，此間中共援越解委會即在南寗舉行一次重要會議。據有關方面事後透露：這次會議一連開了五天，參加人物除中共華南局第二書記兼桂省主席張雲逸，中共援越委員會廣西辦事處主任栗在山，滇黔桂邊區縱隊司令兼雲南省府公安廳長莊田，廣西軍區司令員李天佑、廣東軍區副司令員方強外，並有越盟總司令武元甲，越南共黨總書記長征等，這一次會議的主要任務，除了檢討共軍現勢外，並決定秋後總攻的基本步驟。

這一次會議過後，南寗的軍政機構開始呈現一片忙亂。循湘桂路南下的戰略物資堆積如山，過境南調的共軍亦不斷增加，到七月底止分批潛入越北的共軍，據消息靈通人士的估計，已不下二萬人。其中大部係中共「二野」及「四野」的精銳，據有關方面透露，全部入越的部隊，第一綫已決定爲八萬名，將組成二個砲兵師和六個步兵師，由二野第四兵團司令員陳賡負責指揮。

桂越邊境　屯兵十萬

此外，據已發現的番號，目前屯駐桂越邊境的共軍，計有「二野」第十五軍四十五師，調駐廣西西部邊境之靖西，接近越南高平七溪東溪一帶。「滇黔桂邊區縱隊」第一團江鹽洲部，第二團王紹實部，第四團李永銘部，第六團龍騰霄部，調駐廣西當平縣屬下雷一，與越盟第二支隊阮一志部相連接。「四野」十三兵團卅九軍一一六師陳如海部，調駐湘桂鐵路桂南段沿綫，「四野」十三兵團四十三軍一二九師毛俊杰部，調駐廣西南部上思及南思樂一帶，接近越南芒街。同時，並有二個砲兵師，一駐選鮮縣，一駐東興縣，全部實力不下十萬人。

軍隊物資　滾滾而來

目前入越的部隊，全部以滲透方式，化裝越盟軍，每次由二千人至三千人，於夜間祕密移動，故日間決方偵察，不易獲悉大軍移動眞相，其中大部均係桂粵滇三省士兵，至於給養運輸，則分水陸二路，陸路方面，重型軍火武器，多由桂越鐵路直運鎭南關，普通彈藥及器材，則由下列二綫運入越境，一由南寗經茶嶺、安韻、高平、至靖西之龍邦，再轉東溪、七溪、岑、同登、坪埔谷地。一由南寗，拜向都安，經岳圩入越境內之重慶府，到東溪交越盟接收後，轉運河內以北一百七十五華里之北岳地區。水路方面，以湛江及鬪門爲基地，利用機帆船漁船分別運入越境。本月上半月，僅由南寗運出之戰略物資，已達三百餘噸。

政工特務　源源滲入

除了軍隊及軍運的調動頻繁外，特務和政工活動亦極活躍，八月中旬，中共曾派遣在北平、漢口及佳木斯受訓完畢的「革命幹部特別訓練班」學員千餘名，集中南寗，分批輸送越緬，協助各該地區之共黨工作，進行發動及特務工作。九月下旬南寗並設立「黨政特別研究所」，挑選各地新民主主義訓練班優秀學員、軍政大學優秀學生及各級黨部幹練人員，加以訓練，所內分情報、交通、電訊、行動、偵察等科，訓練時間規定爲三月，南寗訓練幹部所由前南寗軍管會主任，現任中南軍區副政委員莫文驊負責主持，由此推測中共對越南及泰南部的行動，將非一時之措施，而係一個長遠的企圖。

人心浮動　謠言滿天

近日南寗不但戰雲緊佈，而且謠言亂飛，有的說台灣快要反攻，李彌已進兵雲南，有的說黃杰兵團將參戰。這些傳聞，成爲街談巷議的資料。雙十節晚上，由此開往鎭南關滿載軍火的列車，在五十三公里處觸雷出軌，彈藥全部爆炸，當場斃共軍五十八名，並焚燬坦克車多輛，事後南寗曾大搜查三天，據暗中消息，可能爲桂南反共游擊隊的傑作，藉此以紀念雙十國慶，在這一次破壞行動之後，桂越路沿綫已加強戒備，附近鄉民被拘捕的目前已將近二千名，其中有不少人難免因此遭殃，這一切風風雨雨，證明即使在這一桂南重鎭，中共亦不免提心吊胆。

目前，越境大戰正開展，中共軍政機關表面上雖很緊張，但一般軍政幹部情緒却異常低落。開小差和捲款潛逃的現象，越來越多。參加韓戰的人一去不復回，參加越戰的人有機會回來的恐怕亦不多。近日中共特務部門正研究防止幹部和士兵逃亡的對策，「志願軍」的不志願，於此可見其一斑。（十月十八日南大寄自南寗）

中共的建黨訓練班

胡岳峯

無產階級太少

中共的建黨工作，現在成了當前第一任務，全黨展開組織突擊，都市裏吸收「無產階級」，但「無產階級」太少，且覺悟很高，多半不願參加中共騙人害人的組織，於是轉而又求之於農村。

在農村中找的，當然是以「貧僱農」爲對象，但貧僱農之成爲對象者，早就當上了鄉長，鄉委，民兵隊長，成了統治階級，騎在人民頭上。故吸收這批人入黨，也是勢所必然的，以廣東北江地委爲例：找來的對象爲五百九十人，就有農會正副主席九十二人，正副鄉長八十九人，鄉委員一百九十一人，民兵隊長或武裝委員會委員一百二十一人，小組長二十七人，土改隊長十三人；有其他職務者五十七人。沒有一個是眞正的貧僱農。故這個樣子的發展組織，實際上僅是在加强它的統治而已。

要的是統治幹部

吸收的方式是辦訓練班，把這五百九十人調到區裏，訓練三十天，實際是廿七天，而上課是廿一天，另外是組織活動，爭取他們「自願加入黨」，其中提申請書的有三七六人，批准入黨的爲二〇二人。其餘認爲表現還不夠積極，那些不願提申請書的，則認爲覺悟還不夠，要從新考查。

這情形，比之前一個時期已有了進步，那個時期，各地方組織找的對象，報送上去，給訓練後挑選出的，往往僅有五分之一，其餘都給打回票，原因是那時挑上去的，大半倒眞是貧僱農，但眞正的貧僱農共黨組織就看不上眼，他們也討厭共產黨。所以吸收的少。現在都挑了地方鄉村幹部，故吸收的較多了。共黨所要的是黨員，倒是這些冒爲貧僱農實爲統治幹部的份子。

訓練班的組織

建黨訓練班，與一般的訓練班不同，班主任由地委會書記担任，或是土改委員會主任担任，實際上兩者往往是兼的，班主任下設祕書，組織，教育三科，配調縣級幹部兩三人，區級幹部十二至十五人，一般幹部四十人左右，可見這個班的組織是相當龐大的。

調來的受訓人員六百左右，就要分爲三十個小組，約二十人一組，三個小組爲一大組，小組中配有鄉級以上的是黨員幹部爲輔導員或副小組長。組長則反由組員中選舉，當然事先也是按排好了的，每一大組配一區級幹部爲指導員或大組長，這些輔導員，副小組長，大組長都是要熟悉這班學員情況的黨員幹部担任。所以組的劃分，原則上都以鄉爲單位。

這是公開的組織，另有班的黨委會的組織，係直接指揮分插在各組中的黨員的活動的，他們在班中起積極作用，帶頭作用。但是祕密的。與此一樣的分佈在各組中的，是特務組織，專事探聽紀錄各組員平日的談話，行爲，這種人表現得有時很冷淡，有時發牢騷，不積極，誘惑那些內心爲共黨不滿的份子入殼。這種人權力甚大，能不能入黨，就看他們的紀錄如何了。

「三個單元」的訓練

訓練的課程是分爲所謂「三個單元」，一是關於「黨的思想」方面的，二是關於「組織」方面的，三是關於「鬥爭技術」方面的。

「黨的思想」方面主要是講「黨史」，「共產主義」「樹立長期敵情觀念」，「加強鬥志」，以及「黨內團結」問題。

「組織」方面主要是講「入黨條件」，「組織的作用」「黨員的義務權利」。

「鬥爭技術」方面則係講各種宣傳鼓動工作，各種集會的佈置、分化、挑撥、偵察，以及怎樣防諜防破壞等等。

因爲學員水準太低，例如上述北江訓練班中，五百九十人中，文盲一七五人，入過初小者三七二人、高小者僅四十人，初中者三人。所以要使這些人怎樣的瞭解，也是件不易之事，好在主持這些訓練班的脚色，也多半水準不高的傢伙，只是老一套，擺弄上級指示。於是受訓完了，好多學員都說：「你講得好，我記不住，帶不回去！」「太複雜，我越聽越胡塗。」

可見這種訓練，效果如何，實在還成問題。

審查思想的方法

那末究竟靠什麼來考審入黨的呢？除那些祕密的混在各組中的特務人員的報告外，要看各地送來的材料了，原來，各地報上的學員，都要送材料，並配備幹部一同送來，以便詳細審查，所以他們說：「有了材料，審查工作就有了基礎。」如「沒有材料，就怎樣訓也不敢吸收，例如：「遂縣和南雄送來的八十多名學員中，幾乎全無材料，隨來的幹部也瞭解得很少，於是這八十多人，都不敢吸收。」另外一種審查的方法，就是在講授「三個單元」的課時，「必須堅持四步」，即注意反映，了解思想，再設法使他們暴露思想，再提高思想。」所謂「暴露思想」就是用毛澤東的「知無不言，言無不盡」的法寶，套出各人的「思想」，然後再對症下藥，懲他一下，所以有許多學員，爲了訓練班入黨入不成，反而被關到監獄中去了，有的乃至送了命。

共黨無事不腐化

戲改運動的醜事

本報上期曾分析共黨的「戲曲改革」，據說經過這次會議之後，情況已大爲好轉。但十月十六日長江日報又說：「不得了，中南區戲曲改革工作仍存在嚴重問題。」原來「文教部副部長」陳荒煤一檢查，發現了這樣幾個情况：

加上「新」字即可上演

修改劇目工作，一方面是放任自流，不聞不問，領導人本身思想混亂，像「殺子報」一戲，原不准演，改爲「新殺子報」後，即可在省文代大會上演出，長沙各劇院，仍然通台演「雙鵰鴛鴦」，「封神榜」，武漢也通演「大劈棺」，「紡棉花」，相當賣座，冷落了蘇俄電影。

緊到什麼戲也不准開鑼

有的地方，則這樣禁，那樣禁，弄得無戲可演，如江西宜春，萬載，高安等什麼戲都禁演，河南駐馬店只剩六齣戲。湖北有些縣要經演一百四十齣戲。襄樊只准演「白毛女」，「九件衣」，「人民幣」，但不叫座，于是幹部來時演新戲，幹部一走又換上舊戲。

原來戲改幹部打抽豐

文化工作幹部會汚得利害，要上演，就要送錢，還有許多文藝幹部包戲院，聯營的兩個戲院，一年中賺了二十多億，大半給花用了。河南戲曲改革幹部安瀾專門東拼西湊，粗製濫造劇本，油印以一千元一本強銷藝人購買，後上演即先抽演費。武漢戲改幹部張叔儀要藝人爲他義演一場，收入供他吸毒。戲劇改革如此，實妙不可言。（復全）

東北共幹愛放高利貸

東北農村情況，在韓戰初期以前，顯受戰事影響，但由於城市工業的逐漸發達，農村剩餘勞動力尚可轉向工業，一時反有戰時繁榮樣子。惟自中共參加韓戰之後，隨着：（一）工廠的遷移或停頓；（二）軍役徵募和民兵的大量增加；（三）農業投資和公糧的加重；（四）人心不安和農村控制的鬆弛；……種種原因，致使農村經濟開始走向下坡。

近一年來，農村所發生嚴重性的現象有三：（一）由於準備逃亡或轉業，造成私人間賣土地之事；（二）由於工廠變動而失業，造成私人間的高利借及賤價雇工盛行；（三）由於人心不安，農業投資和公糧加重，而放棄耕地的日衆。此種現象，早在數月前已引起中共東北局的嚴重注意，高崗主席曾於四月間發出對於農村工作的重要指示，其中雖然爲着適應農村現階段的實際情形，（一）對於雇工問題，允許雇短工及技術工人，而工資一項雖有「不能太低」的指示，卻也無法予以規定。（二）對於放債問題，允許借糧利息爲春借一斗，秋還斗半，借錢利息不得超過月息百分之三。（三）對於買賣土地問題，允許正當轉業者得自由變賣或出租土地。但事實上因韓戰和平無期的影響，更以近來聯軍飛機的不斷轟炸鴨綠江邊沿，中共政權雖具控制的毅力，恐亦無法挽回東北經濟走下坡的頹勢。（陸）

·廣州通訊·

象牙彫刻業的厄運

廣州的「象牙刻」是世界著名藝術之一，是中國民族的智慧與能力，通過藝術工業內不可思議的精巧，而獲取了全球人士的讚佩與喊服。

踏入廣州大新路，四百餘間商店中，經營象牙雕刻業的，佔四十間左右，各店的櫥窗內羅列各式各樣的雕刻品：虫、魚、鳥、獸、山水人物、花草……包羅萬象，細緻精美，應有盡有，其匠心獨具已臻於至美的藝術境界，令人嘆爲觀止。

廣州易色後，象牙彫刻業一個時期維持了營業，但此時象牙彫刻業即遭淡風橫掃，情況愈下。中共政策下，人民求生不得，不饑不唯缺乏能力，亦且失了此種閒情逸緻，自然市場蕭條。象牙彫刻業因此「五反」前夕，成品價格低得可憐，四十元可值十五元港幣的，售價向昔時降低三左右。不准歇業，轉業與亂局，唯有掙扎於饑餓邊緣。

有趣的是「五反」時，四十左右的象牙彫刻店，既然被控，也以「盜竊國家資財」，「偷稅漏稅」等罪名抓進公安局，不久即先後被釋放，「坦白」了，寫「悔過書」。現在政府准許以彫刻品換取外匯，是以大批象牙彫刻品運往東歐諸國，但政府卻規定與商人簽訂合同，財產全部交與一批人領取，這也是新的「公私兩利」嗎？以至於「彫刻好」一天到晚作了大量的「色情」成品，做一些「蘇聯」的「大人物」、「好」、「新」的幹部，就是將人民的「象牙」彫刻行業的將來，「你們」的行業…（下略）

辜負美人心

為方

有個好萊塢的電影明星到白宮見當「總統先生」杜魯門，發表「總統先生」的助選旅行演說，由她獻議杜老總，而隨帶那位著名「性感影星」珍羅素同行，一定對爭取選票大有益處，這意見很有道理。美國社會素來是好刺激的，其人民的性質更富於青春熱情，活潑衝動。假使杜老總能攜帶這位為萬眾所拜倒的性感明星作火車旅行演說，第一就具有莫大的號召力，聽講者必然人山人海，第二絕對不會遇着殺人雞蛋番茄那類惡作劇。

為甚麼呢？人民普選這玩意，在理論上說來，原是一樁關係本身生活的重大事件，不能馬虎的。事實上，像美國那種本質和政綱都無甚出入的兩大黨候選人，老百姓要憑政治意識來投誰的票，實在有如遊戲所謂「臘夾二」之苦，到頭來還是感情作用最大，興之所至，就投誰一票。所以，美國每次大選期間，雙方競選人的講演，首先即以互相指摘私人的政治缺點為主，目的就在引起選民感情上的好惡觀念，所謂政見政策，不過是對少數智識份子發生一些影響罷了。

杜魯門先生若敦一性感明星作助手，為民主黨候選人爭取選票，必有意想不到之效力，決無疑問。梅蘭芳當年可以到美國國會講演，不是很好的例證嗎？女人的一般魅力已夠大了，而在政治上的潛勢力更大得令人可怕。惜乎杜老總不懂得「裙帶政治」的妙用，辜負了美人心，噫！

自由談

控訴

黃汎

往常在鎮頭上擺攤燒餅攤的母大虫金二嫂，現在當了鎮上「婦女會」的主席了。金二嫂天生一張利嘴，加上她是貧農出身，「階級意識」非常濃厚，「鎮委」選中了她當「主席」，自是別具慧眼，好漢識英雄的。無如金二嫂雖有當「主席」的熱誠，卻無做「主席」的經驗，因之目前鎮上的「婦運」方面的工作表現，似乎還未能有積極的領導展開，這是「鎮委」頗覺得有虧「主席」的，所以那天徐「鎮委」就特地邀了她去，同她檢討「婦運」工作。

「金同志！你在「婦運」工作上，總得想法表現一點成績呀……，比如，新婚姻法不是很多很好的題材嗎？……」徐「鎮委」諄諄不倦的提示她，金二嫂只是俯首恭聽，腦子裏卻旋轉着：「找點什麼題材發揮呢？」經徐「鎮委」一提，她猛的想起了：「阿英那賭骰子的臟婆子，先前她罵了一頓……很有點往來，佩生老婆說她以前跟佩生死的，可說就是給她迷了，況且她有幾畝田已評定了「地主」……何不……」但是她又想：「怎樣才能「有步驟」「有計劃」……」——這是「毛主席」常常指示同志們的話，金二嫂耳濡目染，想到這裏，不禁就記起了這兩句名言。

「怎麼樣？想到了題材了嗎？」徐「鎮委」從旁推敲着。金二嫂終於將阿英的事情，提供了出來，請徐「鎮委」考慮，不過阿英跟她賭博吵嘴一節當然不提了。

「那還不容易嗎？現在只要發動佩生的老婆向婦女會控訴，然後通過羣眾要求，……」究竟徐「鎮委」老謀深算，「鬥爭」經驗豐富，金二嫂一經指點，也就茅塞頓開，扭轉屁股跟徐「鎮委」趕回到「婦女會」辦公處，通忙召集「幹部」檢討工作，檢討的結果是：要幹得熱烈！刺激！佩生老婆提控訴可說沒有問題，反正一切代辦……可顧慮的，會場裏一般婦女恐怕情緒不夠高，提不出「窮追猛打」的問題，必須在羣眾裏埋伏幾個有經驗的老油條，專從漏子裏攢掇，才顯得會場熱烈而緊張。

「控訴大會」開的那一天，三通鑼鈸過後，各家的婦女都早已通知到了場，外加成千的男鎮民，一個市坪已是擠得滿坑滿谷，場子外則密佈着荷槍的民兵，保護大會的進行。

開會了！徐「鎮委」、金「鎮長」、金「婦女主席」相繼步上了高台，後面還跟着個哭喪着臉的佩生老婆。帀子一響，會場的喧嘩空氣頓時給澄清了下去，徐「鎮委」照例來了一個開場白，接着咱們這位初當「主席」滋味的金二嫂也結結巴巴地報告了一通，跟着就是控訴開始。

阿英被披頭散髮的帶上了台，幾個人按她跪下在台前，佩生娘子也被推了合正中，面對着阿英，金二嫂則在旁催促着：「控訴呀！」佩生娘子自上半年死了丈夫，半日一把眼淚一把鼻涕，一肚子新寡的悲愴正沒個發洩處，雖然阿英與她丈夫的死明知並無關連，但見了這活祭場面之偉大，她的眼淚，又不禁自來水的一般湧，鼻涕亦勝而至。徐「鎮委」這時就立刻跳出來，截住她的哭喊聲，用擱着高調煽動說：

「被迫害者多可憐！地主婆子誘害人家丈夫致死，你們說該怎麼辦？」

「槍斃！」

「不，要她先坦白！」

「對！」

「坦白！」

「要她先說怎樣跟佩生睡覺的！」

「對呀！」

「睡覺！嘻！嘻！好白相來希！」

「好！叫她坦白跟人睡覺！」

…………

這晚上，夜深人靜，女看守所裏，不知在什麼時候，就偷偷地懸着一具女尸，懸樑，抽嗇。

談羅斯福（二）

・舜生・

羅斯福在中學（格羅敦學校）大學（哈佛）後在哥倫比亞專攻過一時期的法律，並不是一個怎樣了不起的學生，但在哈佛所讀的主要課程，卻是美國政治史與政府，曾被選為學級委員會的永久主席，還擔任過校刊『紅報』的總編輯，這都可看出他富有政治的興趣，而且可證明他在青年時代已具有相當的政治手腕了。

一九〇五年他和伊琳諾小姐（Eleanor Roosevelt）結婚，新郎年二十三，新娘二十一。現在羅斯福夫人尚健在，但已經是六十八歲的高齡了，她在一九四九年所寫的 This I Remember，已有中文譯本，為『今日世界』叢書之一。（改名為『羅斯福夫人回憶錄』）我們要了解羅斯福的私生活，他的家庭情況，乃至做一個美國總統的夫人，其生活是如何的忙迫，這本書確實是值得一讀。

羅斯福的家庭很有錢，他在青年時代便是一個民主黨黨員。在他未入仕途以前，曾一度做過律師，但為時甚短。一九一〇年及一九一二年，兩次當選為紐約州的州參議員。無論在他的競選活動，或從他在任內的成績來看，都已表現他是一個積極有為的青年政治人物。其時他已結交了若干的政治朋友，增加了不少的政治經驗，學會了許多的應酬工夫，常常有一羣政客集合在他家裏，從事政務的商討，因此他的聲譽和地位，也漸漸為人所注目，其時他的年齡，不過剛剛三十而已。

一九一三年，威爾遜當選總統，羅斯福以海軍部長但尼爾的推薦，出任海軍部副部長。以一個三十一歲的青年，一躍而居這樣的要職，這不僅為美國海軍歷史上所無，也頗為一般人所驚異，當但尼爾以這個被任命的消息告訴他的時候，他便欣然同意，而且表示說：

『我一生愛船，也是海軍的研究者。這個副部長的職位，是我所最愛擔任的。』

他任這個職務一直到一九二〇年，不僅積累了豐富的行政經驗，而且因為經過第一次的大戰，在一九一八年，他曾兩度赴歐，一次是到前綫去視察，一次是去辦理海軍的結束，更增加了他無數的軍事常識。這與他後來在總統任內應付第二次世界大戰之能勝任愉快，當然具有絕大的關係的。

其時羅斯福已成了一個全國的人物，在黨內黨外的聲譽均異常良好，因此民主黨乃推他為一九二〇副總統的候選人，但這一次的大選，民主黨卻為共和黨所擊敗。從這一時期起，一直到一九三三年，共和黨繼續擔任了四任的總統：哈定一任，柯立芝兩任，胡佛一任。

這次副總統競選的失敗，算是羅氏政治生涯的一個頓挫，而且從一九二一年起，他又身染痼疾，痛苦了好幾年，一直到一九二八年，他才捲土重來，出而競選紐約州的州長。（一四一）

海德公園的講演者

蘇俄沒有原子彈

雪京

美國有原子彈，這是鐵的事實！英國今日也有原子彈，已在澳洲貝羅山島試驗成功，這也是鐵的事實；但蘇俄今日究竟有沒有原子彈，卻是一個謎了！

雖然，蘇俄曾於一九四九年及去年試驗爆炸過三次，但是究竟成功了沒有？蘇俄的原子武器究竟發展到了何種程度？誰也解答不出鐵幕內之謎！

不久以前，（九月三日）有一位曾在蘇俄自一九三〇年起工作多年的著名工程師，現任美國土木工程師協會主席普魯氏，申述其個人身歷鐵幕內的多年工作經驗，並且列舉其科學見地，而強調的說：「余不信蘇聯有一顆原子彈！」至今未聞有人提出事實證據，一句否定普魯托工程師這句名言的駁論！

最近蘇俄政治局委員馬倫可夫在俄共大會上竟公開的說：「蘇俄已發現製造原子彈的各種方法」！但是並不敢大言不慚的大吹大擂的堅強的語氣乾脆的說出蘇俄今日也有原子彈！蘇俄慣用的一句術語「予打擊者以打擊」，以牙還牙，馬倫可夫也不敢大膽的強調了！如果今日蘇俄僅才發現製造原子彈的各種方法，那就未免太遲了！美國今日的原子彈已經成千成百的原子彈造好了！英國今日亦已經至少是成十成百的原子彈造好了！蘇俄今天才發現製造原子彈的各種方法，怎樣製造？拿什麼來製造？恐怕不是共產黨的：「勞動、勞動創造世界」所能一蹴而成的吧？！

馬倫可夫一語露出馬腳！三次大戰，誰勝誰敗，而今可以預卜了！工學師普魯托氏的觀察，實足以使今日患着「恐俄病」的人，得到了「恐共」一顆強心丸！

談批評與自我批評

孔子治學主張「不恥下問」，博詢周諮虛懷若谷的態度，為後世士人所崇重。「下問」是欲求切磋增益，其要為「擇善」，便含有「批評」的交授。論語曾子曰：「吾日三省吾身，為人謀而不忠乎，與朋友交而不信乎，傳不習乎。」省，便是自我批評的功夫；義尤淺顯。批評與自我批評為求生增益智慧鍛礪品格的良工美具，可說自古已然。

有謂：「君子坦蕩蕩，小人長戚戚」。小人慣於藏拙護短，所以表現為忐忑敗露，心戚戚，無時或已。君子即自「每日三省吾身」，才能「不恥下問」，故少錯失；勇於改過，自然坦蕩，俯仰無愧怍，自然常樂。而「批評與自我批評」工具之靈，是其間的得失關鍵。

批評與自我批評，其功效在乎除「惡」，積極收效在乎「為善」。除惡則「醜」，為善則「美」。「醜」與「美」的境界，構成人生講求和諧的生命深厚。道德和藝術有「善」的境界，是批評與自我批評雙方的深厚造詣。

韓愈論：「古之君子，其責己也重以周，其待人也輕以約」，即「原毀」篇：「不責其二，不究其舊，恐恐然惟懼其人之不得為善之利。」對人待自己則要「重」於「周」，然後擇善固執，明知缺點，不能自有足於一善。這是批評者應具的修悟，守則，技巧，至於誠摯，有助於批評的運用境界，以致如果批評者不以待其身而以待人，要求於人，「過」事求苛責，則不僅與「批評」旨趣相違，且招來反感，則事倍功半。

修謗興，德高毀來，身譽之光，此世道之行，雖突「名」為下！社會風尚唯今日，「批評與自我批評」已淪為中共統治人民的武器，而且全非，門爭甚於蛇蝎猛獸。偶全般疏失，「錯」即能招致無端的生命危害，一大片陸上蕩蕩然瀰滿怕批評的風氣。有所怕懼，斷不免有所隱瞞，「隱蔽」導生虛偽，日漸習於「誠實風尚一掃而盡，「名譽之光」消逝，道德之行「名」甚，一絕社會墮落尤甚一步！仁恕為心，不以批評為本，而以咒罵攻訐讒者相猜，不義以。因果循環，往往報復，人類脫離親親，勢必導化當軌，跌入汎愛的惡底仇恨歧途，至於「仁義充塞，率獸食人，人將相食」地步。和成一片錦繡河山已淪為鬼域煉獄，翹首雲天，憂心如焚！司馬璁。

赫德傳（八）

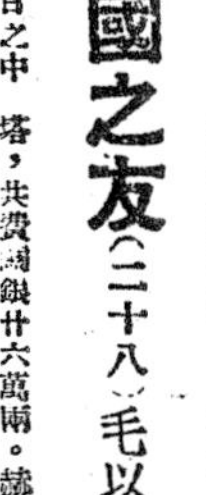

中國之友（二十八）

毛以亨

海關的會計制度，進出款項分為四類，此得英國財政部會計處之助而由 J.D. Campbell 計劃的，從一八六六年起，行了七十年之久。海關年鑑自一八六五年，由各埠分別發表，至一八八二年始彙成一本，綜合發表，而各關報告地位，不得超過四號。赫德又命發行十年鑑 1882——1891 以為補充，內容有類於今日之中國年鑑。一八六五年後，總署始在北京，有稅務司二人，助其辦事，一為祕書兼會計，一為中文祕書，並有中文錄事數人，然匯經改制。赫德自己依李泰國例，年俸八千磅。海關人員薪水之大，不特中國人為之讚羨，即對外國人亦具有強大之吸引力，後以白銀價低，又屢加俸，使中國負擔不了。然中國人經濟上在燈塔，共費關銀廿六萬兩。赫德計劃將沿海分成三區：北區在烟台，中區在上海，南區在福州，由法人 Captain Viguier，英人 Captain Hockley 美人 Captain Bisbee 分任視察，而以海事稅務司總其成，則屬意于熟悉中國沿海情形之 R.N. Forbes，並欲購三百噸之船二隻七〇〇噸之船一隻，祇須輕武裝，以為保護燈塔，消滅走私之用。預計船鈔實担之下拾不包頭者，為協定稅制，加倍與浪費猶其餘事。

一八六八年後船鈔歸海關徵收，以十分之七整理航運，十分之三為京總理衙門費用，而同文館經費即由此出。當地海關得提取十分之三為當地海關之用。於是烟台牛莊寧波共設燈塔四處，而天津廈門均疏其港口而設浮標，悉賴此款之挹注。上海所設之燈，每年有十四萬兩，因此事須十年始能完成，一八七〇年 Forbes 嫌其進行慢辦械，此事自至一八八一年復活，而改歸沿海三區視察負責。一九一一年赫德死時，已有燈塔一三二所，燈船五六隻，浮標一三八處，警塔二五七處。職員西人一一四，中國人七八一，分隸于沿岸、海上、碼頭、四部門。

領港人員會，本歸領館發給，至是亦歸海關頒發執照，中國主權，而領港章程亦由港口主任，領事，商會會同協議，而以英領之發言權為最大，因一八六八年一年中，進各港口之洋船共六八八七隻，而英船占三八六一隻。是年各港領港人照會共發出一九七張：中國人一〇三，英人四〇，美人三五，普魯士人一〇，丹麥人六，荷蘭人二，奧大利則祇一人。

一八六一年赫德即與總理衙門建議，設立郵局，一八六五年後在海關設郵政處，即為中國郵政局之濫觴。

自由人
中華民國僑務委員會頒發登記證台教新字第壹零貳號
THE FREEMAN
（半週刊每星期三六出版）
（第一七三期）
每份港幣壹毫
督印人：李光華
社址：香港高士打道六六號
電話：二〇八四八
GLOUCESTER RD. HONG KONG
TEL: 20848
承印者：東南印務出版社
地址：香港告士打道六四號
台灣特派員辦事處　台北市館前街五十號
台灣總經銷處　台北市中華路一二五九號

韓戰的黑市交易問題

幕後談判絕對是有的，談判條件亦不止於遣俘。美國要表示委曲求全的心理戰術，蘇俄要施展擒縱自如的冷戰勝算；雙方都是爲着未來的全面戰爭作準備！

艾契遜在聯大宣佈美國曾與蘇俄祕密談判韓戰僵局，經過了八個月而「毫不濟事」之後，印度出席聯大代表潘迪夫人又說有一樁「神祕的和平談判」正在進行中。這兩天纔由英國每日鏡報透露這項「神祕的」幕後談判，就是在印度玩弄着。美國國務院儘管否認，但在聯大揭幕前夕，美國卽已正式要求尼赫魯試作和事佬，每日鏡報的消息是可靠的。問題在這項黑市交易能否有所成就？

美國爲甚麽急於求和？

美國對世界兩強化的鬥爭是汲汲備戰，但對韓戰却想孜孜求和。這不一定是爲着大選利害而然，乃其整個的國策所在，布萊德雷早就聲明韓戰是「錯誤的戰爭」了。

美國對遠東方面的反共措施，始終不得不遷就其他所謂友邦盟邦的意見，而以英國集團爲尤甚，在日本的自衞實力尚未達成理想階段以前，更沒法違五角大廈的主觀估計而行事。此外，美英當局企圖以撫綏政策嘗試拆散中共與蘇俄關係的幻覺也依然存在，他們認爲：祗要韓戰停下來，縱使雙方仍保持着武裝對峙局面，但乘中共疲憊不堪，蘇俄猜疑莫釋之際，或可用金錢和物資的誘惑力，引起中共迴心轉意，也未可知。果能如此，在亞洲又出現了一個南斯拉夫，豈非事半功倍的如意算盤嗎？萬一韓戰終不能結束，那就要有第二步的辦法以善其後。換言之，卽必須把戰爭範圍擴大，至少也要做到封鎖中國大陸沿海岸，並與狄托王朝斷絕外交關係等事項。可是，要達到這些目的，談何容易！美國只有一面拉住民主陣營，要求大家團結，一面用盡各種講和方法，以示委曲求全的苦心孤詣，尤其事事要讓英國集團參預謀議，證明美國決無一意孤行之心。如果深悉蘇俄決不願結束韓戰的話，美國更要裝出悲天憫人，一意求和的姿態，教民主陣營大家知道美國已付出了最大的忍耐力，希望結束戰爭，無奈敵人不肯，實逼處此，大家卽非精誠團結，一致行動不可了。

黑市交易的條件如何？

雷嘯岑

韓戰能夠眞正結束，固所深願，卽一時的「冷和」，美國也樂意的。但求爭取時間來訓練南韓新軍，使有力量在第一線抗拒侵略，並建日本武裝，爲他日緊急之用，以免一旦有事，又要美國從遠洋，到亞洲來作戰。所以美國對韓戰的黑市交易，說它是假戲眞做亦可，說它是「明知其不可爲而爲之」的一種嘗試手法亦無不可！

民主黨候選人史蒂文生曾經說過：他主張承認中共問題，而且認爲美國若承認中共政權，是有先例可援的。經常代表官方意見的紐約時報，最近著論申述中共所急需求取者，乃其政治地位問題。倫敦每日鏡報也指出：在印度的黑市交易場中，美方曾詢問毛澤東的渡[illegible]會人，中共可否糾正反美活動，以便美國能考慮其承認狄政權問題。根據這些情況，證之過去英美專以聯合國席位來對中共作香餌的事實，美國[illegible]對韓戰所作黑市交易的條件，一定多政治性超過軍事性。例如世人所重視的遣俘問題，假使把國俘送交印度去實作甄別，不特英美贊同，卽中共亦必然同意，因爲遣俘如送到印度，實際則等於強迫換俘了！一萬五千名的中共俘虜，正好由印度「志願」走回西藏去，「毫不費力」的。[illegible]條件，黑市交易[illegible]的政治[illegible]中共進入聯合國[illegible]交換[illegible]承認[illegible]權的「考慮」。其他[illegible]以蘇俄所提示的「五強會議」爲解決遠東一切糾紛的藍本。至於雙方停戰後的軍事技術問題等項，不會那麽構成是黑市交易的障礙。只要這些政治條件作交易，英美是樂於成交的。爲着他們自己的現實利害，犧牲中韓人民的自由生命，蔑視國際道義，[illegible]的決心，[illegible]不會有所顧惜，乃可斷言。這場黑市交易之能否成功，甚至是完全看史大林的打算：他對中共一定要有擒縱自如的把握，纔放手其去做，就是要使日本不構成指向蘇俄的一把利刃。前一項在他自己的作法，後一項在美國怎樣應付。這韓戰[illegible]，不管英美如何委曲求全，史大林如不認爲滿意可靠，依然是白費脣舌的。美國自然可以主張把黑市交易的範圍限於與韓戰直接有關諸問題，然韓戰的戰鬥兵是中共，而指揮官却是蘇俄，談判者如不事先取得指揮官的同意，那有可能呢？

綜觀大勢，在美國大選未揭曉以前，這項黑市交易將要繼續不斷地進行着，以待來月中旬英法各外長親到紐約出席聯大時，再作最後決策。在這種形勢下，我們東亞的自由人類，眞是不折不扣的地處在「人爲刀俎，我爲魚肉」的可憐境地中了！我們應該警惕自強，把握自己的命運，決不許別人把我們看成「豬仔」。中國，日本，韓國的自由人民，大家要一致警覺，團結，棄小異以循大同，謹防國際扒手！

兩種政治，兩種政黨。

徐復觀

世界只有兩種政治，一民主，一極權。民主政治中儘管有各種程度之差，形態之別，然論政者總不會把民主說成極權。瑞士美國徹底的共和制，固然是民主。英國荷蘭上面有一個王室，也是民主。各國有成文憲法的固然是民主，英國連成文憲法也沒有，也并不害其爲民主。美國的總統制固然是民主，英法各國的內閣制也一樣的是民主。相反的，極權政治中儘管也有各種形態之殊，口號之別，而論政者也從不會把極權算入民主。納粹法西斯公開否認民主，固然是極權，共產黨之標榜「新民主」，也是極權。佛郎哥未得到美援固然是極權，得到美援以後依然是極權；狄托在九國情報局中固然是極權，它脫離了九國情報局，依然也是極權。各國有各國的歷史條件，各國有各國的現實環境，各國有各國自己所需要的說辭，各國有各國對於自己與他人的一套說法與看法。沒有兩個國家的政治，完全相同，而舉凡世界的政治却只能分爲民主與極權兩大類，此外都只算是假說與詭辯，而不能不說是「殊塗而同歸」的實證了。

在政黨方面，更是千差萬別。有多黨的，有兩黨的，有一黨的。有以人爲號召的，有以思想爲號召的。有各種各樣的左派，各種各樣的中央派，有各種各樣的右派。也有各種各樣的地方色彩，有的帶宗教色彩。世界無兩個國家的政黨完全相同，也無兩個政黨的政綱政策乃至組織完全相同。但把它分類起來，依然不出民主與極權的兩大類。美國稱爲民主與共和的黨固然是民主政黨；英國稱爲保守與勞動的黨，也一樣是民主政黨。蘇聯中共自稱爲布爾希維克的固然是極權的政黨；東德東歐的「統一社會黨」「社會黨」，也一樣是極權的政黨。政黨五花八門，論政者也從來不會把類分錯過。

不僅是如此。極權的政治與政黨，在非常時期固然是極權；在沒有非常事變的時候，在平時固然也是極權。民主的政治與政黨，在非常事變的時候，也依然是民主。民主不民主，乃關係于「政體」，非關係于「措施」。非常措施不能影響政體的選擇，假定民主政體因非常事變而採取了非常措施，便要變更民主的政體，則民主早已斷絕了。宋李綱上高宗疏說「有所規畫措設，必以天下爲度，必以施于長久，可傳于後世爲法，則中興不難即致。」幾百年以前，中國人懂得此理，今人反懂得很少了。然則在各種紛歧錯雜之中，而兩種政治，兩種政黨，總是涇渭分明，無從假借，到底這種大分水界是怎樣劃分的呢？因爲這是人類千百年共同奮鬥所積累的經驗，無待我這裏作學理的陳述。現在僅列舉其區別如下：

一、一是以法爲中心，一是以人爲中心。

二、一是以法作定位，一是以人作定位。一是在法之下，政治機會均等；一是在法之外，政治機會獨佔。

三、一是有批評的自由，以批評爲政治不可缺少之重大因素；一是不以批評的自由，以批評爲政治的最大敵人。

四、一是以政黨爲國家的工具，一是以國家爲政黨的工具，把國家的東西化爲政黨的東西。一是超越于政黨之上。

民主與極權的是非得失，不妨見仁見智之不同；但政治界說明瞭而不可亂，在變亂界說上用心，則總是兩頭不到岸的想法，欺人實所以自欺。我們併心竭力的去走一條路，總會走得通。想弄聰明走兩條路，那只有見其日暮途遠了。（十月廿一日夜）

日本世界聯邦同盟發起世界聯邦亞洲會議

台港文化界提出建議徵求簽名

【本報特訊】世界聯邦政府運動，在第二次世界大戰後，經歐美各國愛好和平人士的發起推動，曾舉行國際大會多次，旨在廢止戰爭，支持聯合國，促進世界和平，以期成立世界聯邦政府，趨向大同境域。當一九四八年秋間，日本朝野人士，在廣島被炸三週年之日，組成日本世界聯邦建設同盟，設總部於東京，迄今有會員一萬六千餘人，設立分會八十五處，其主持人多爲日本朝野名流，國會議員，政府首長等。吉田首相，國會兩院議長及最高法院院長等皆曾聯名[illegible]同盟顧問。最近該同盟及世界聯邦政府運動日本協會委員會發起世界聯邦亞洲會議，定於今年十一月三日至六日在廣島舉行，東邀亞洲各方面世界聯邦同盟及聯合國同志會等團體派員參加。

台灣文化界沙學浚，孫宕越，陳民耿等，香港文化界左舜生，劉百閔，雷嘯岑等，特爲此事保持接觸，提出建議，建議原文爲：東京世界聯邦亞洲會議代表公鑒：同人等認爲欲維持國際和平，應劃分世界爲若干區域，各自實行聯治團結工作。亞洲聯邦運動必須謝絕白澳與赤俄參加，由亞洲各國先謀經濟切實合作。將來推動中心應設在東南亞，至於亞洲聯邦之官方文字，應採用流行最廣之華文，特電建議並祝成功。

香港　左舜生，劉百閔，雷嘯岑，陳克文。

台北　沙學浚，孫宕越，陳民耿，陳宗經，林紫，大鵬，陳恩成，但蔭孫，張貴永，葉楚生，陳顧遠。

同時規定，徵求文化界人士響應；凡贊同簽名者港地可寄由本報彙轉。

『不可知』便是民主

美國的大選，只在五天內便要揭曉了，可是現在你去問一位熟悉美國政情的人：「究竟這次能走進白宮的，是艾森豪？還是史蒂文生？」他所能給予你一個最恰切的回答，依然是：「不可知」！不要說在五天以前「不可知」，甚至就在最後的幾小時以前也還是「不可知」。不僅決選的情形是如此，即在共和民主兩黨選舉候選人的時候，何嘗不是如此？又不僅選舉總統的情形是如此，即在選舉州長，乃至在任何一個必須經過選舉手續始能產生最後人選的場合，又何嘗不是如此？

在這樣一種情况之下，我們可以得着一個親切的教訓：即在選舉結果未正式揭曉以前，我們無法知道當選的人究竟是誰，這便是真正的民主；如果你老早就可以知道，甚至在一年前兩年前就已經知道，即令也經過一番選舉的形式，老實說，這依然是虛僞的民主！

中國有一部分人，依然對民主不感興趣，據我看，中國的民主之所以不能引起大家的興趣，其原因並不在民主的本身，而在所實行的並不是眞正的民主。

吉田組閣

吉田與鳩山之間，經過一番明爭暗鬥以後，最後似乎是以鳩山的讓步而歸於妥協；妥協的條件，大致不外在這次的吉田內閣中多起用幾名鳩山派的大將。

就是這樣一種情形，我們依然可以承認日本還算是『有政治』。因爲在一個合法軌道上來從事激烈的競爭，（例如美國的總統競選）固然是『政治』；即在一種不得已的情況之下而從事合理的妥協，也仍不失爲『政治』。以鳩山今天在自由黨的地位，至少有使自由黨陷於分裂的可能，至少有突破吉田陣營的可能，然而鳩山不願這樣做。從這一點，我對鳩山表示贊美；從這一點，我也感覺得日本畢竟還有政治人物。

半週展望

·左舜生·

繼續混戰下去！

韓戰不僅沒有和緩的徵兆，而且愈打愈劇烈；同時越盟軍也正在對法聯邦軍大舉反攻中，法聯邦軍似乎招架也十分吃力。照我們一貫的看法，這是必然的：保證韓戰不超出韓國，越戰也不超出越南；韓戰就韓戰來了，越戰也就越戰來了；像這樣一種打法，眞是斯大林所求之不得的。斯大林有一個牢不可破的宗旨：便是蘇聯永遠不出面，而且還要高唱和平，可是散在世界各地的一切冷戰熱戰，却一天也不停止，以共產黨的力量滲透到一切民主國家，來分化民主國家，以此來消耗民主國家的任何一個角落，像這樣一等到他們的準備十分充足了，然後由蘇聯正式出面，予以斷然的一擊。像這樣，一直可以打上十年乃至十五年，而對於民主國家，民主國家決不會坐視蘇聯的準備，也決不會永遠的不敢一戰，可是在高度的和平攻勢之下，人自然已經疲了，民主國家的精力已到了忍無可忍的時候，大量消耗，精力疲憊，心理上一定要發生不良的反應，等到蘇聯以生力軍大舉進擊的時候，則勝負之數，恐怕便沒有把握了。目前美國正在忙於選舉，一位新總統的出合，至少還要四個月以上，恐怕在這四個月內，蘇聯所最歡迎的，是這樣不冷不熱的混戰下去了。

蘇聯再提中共入聯合國

蘇聯提議中共加入聯合國，已經提了無數次，也被否決了無數次，她是明明知道不會通過而照提，我們決不可忽視她的用意。聯想到這並不是毫無作用：第一，她要儘量的表示她的確是擁護中共的，至少可以使中共永遠做她的爪牙；第二，把不許中共入聯合國的罪名歸於民主國家，至少可以見好於一般中立國家；第三，使得若干標榜中立的國家，只要准許中共加入，和平便有希望。我想，蘇聯的這些作用，不等到台灣正式反攻大陸而得到相當的勝利，是不會澄清的了。

聯合國軍以攻勢答覆攻勢

沉寂了已經將近一年的朝鮮戰爭，於八月下旬開始其再度擴大的象徵，然而由最近的各種跡象看來，這一個可能是很少的。中韓共軍的戰鬥力，顯然沒有比從前增加，而北韓的陣後零亂，則是前所未見。兩月來的山頭爭奪戰，由地圖上兵力配備指示，指出聯軍壓力正向北增加；三十八度以北的戰鬥陣，逐漸由東向西，平衡發展。最近白馬山三角山的爭奪戰，在中部爆發，使戰火又推近平壤。未來的趨勢，韓國的中部，可能整個平分爲二，這條今天聯軍總部前綫由東向西的斜綫，就要變更了。

這並不說聯軍在最近的將來，將以前進的兵力，指向北韓西部；而是戰爭優勢的結果，將使共軍的控制圈縮小其範圍。開城板門店正在和談，共軍沒有向這一方面發動攻勢。並不是共軍有尊重於和談區域，而是他們有更大的顧忌。

目前在韓國的中綫，由西向東兩軍的戰綫，以開城東北的寶倉山爲起點，那裏駐的是美陸戰隊第一師，再向北上路璣山是駐的美步兵第三師，於比利時希臘步兵各一個營。東北箭頭山是駐的美步兵第二師及法國步兵的一個營，戰綫自此平行走到白馬山，那裏駐的是南韓步兵第九師，其次三角山是美步兵第七師，再次狙擊山是南韓步兵第二師，尖高山是南韓步兵第六師，手指山（或京都山）是南韓京都師，電綫山是南韓步兵第三師，傷心嶺是美步兵第二十五師及土耳其一個混合旅，最后矮腳山那裏駐了南韓步兵第八師。共計南韓前綫，聯合國師的部隊番號有十一個，但最密的地方則是在西部，那裏是中共的黃海區，聯合國的海軍部隊，日夜不斷的在那裏游弋，使中共軍在那裏特別担心。

中韓共軍這一次在韓戰場所發動的攻勢，是韓戰場的中綫。那裏以南韓軍爲主，而且遠隔重洋，共軍的目的，顯然是力圖「擇弱而噬」，而且避免聯軍海空優勢的，但共軍這一個企圖，於今天並沒有實現。

聯軍挽近在南韓一連串的舉行了若干跳傘演習及兩棲登陸。結隊的空艦戰鬥機，在上旬沿東海岸元山興南一帶，逼近共軍海岸偵察轟擊，這樣突使韓戰中綫白馬山的狼鬥，頓然沉寂；由空中偵察的報告，共軍在東西海岸，正大事疏散人口，拚命挖掘防禦工事，大規模的部隊及坦克車，正以強行軍，向沿海集中，共軍顯然是在估計聯軍的側後夾擊，兩棲登陸戰與空降部隊的聯合進攻，因之後方陣綫一時頓形混亂。聯軍的內心是否在作第一個企圖，不得而知。但共軍的反應是完全的表現出來了。共軍在南韓的情報員，顯然是供給了他們主子以「可靠情報」。

兩月來的韓戰山頭拉鋸戰，損失慘重的，顯然居於共方。在韓戰場服役超過一年以上的聯合國出兵，起初對共軍幾乎沒有感覺瘋魔般（相信是獎勵的作用）的進攻，重新喚起了他們「和談」睡夢中的恐怖，但在一場狠鬥過後的結果，則又使他們陷入迷惘；共軍爲什麼是這麼的呆滯麻木毫無作戰技術呢？今天這一個問題，算是在他們的認識上獲得解答了。這一個解答，使他們作戰更趨穩定。

二次世界大戰末期，希特勒會以啤酒灌醉了的德國士兵，進攻史達林格列。今天的史達林格列讚頌者，則比希特勒更進步，使中韓的無辜人民，更無知覺的去尋得他們的死亡。但這一個方法沒有奏效，正如同希特勒在史達林格列沒有獲得成功一樣。

共軍一再發動攻勢，沒有成功。其結果如何，在對作戰心理稍有常識的人，不難獲得其一般解答。聯軍的攻勢，是否發動，尚有待進一步情況的證明，但今天至少已造成了共軍自巢穴出動，讓他們在公路行走，滿足了空中餓鷹的需求。中韓共這一次攻勢的目的，試想他們館向那裏去尋求滿足？

（英取材自十月廿七日美新聞週刊）

美蘇雙方在聯合國新大廈中的戰鬥

經過六年撲朔迷離生命的聯合國，上週開始其第七屆大會，係於新落成的聯合國大廈舉行。該廈位於紐約四十二街上側依斯蒂河畔，原爲曼哈頓區屠宰場。今天則成爲東西外交爭執的激烈論戰的冷戰地方。說來也是它「命中注定」，東西國際，經過這一個撮合，演出他們六年來永無息止的影子戲，在這一個世界動搖失調的時候，人們也祇有希望他們能在這裏，能爲人類找出「和平幸福」的道路出來。

富麗堂皇的大廈　却有陰暗的一面

聯合國新廈耗資六千八百萬美元，儀會議大廳構築一項，已付出一千二百二十五萬元，這全部幾乎以玻璃瑪瑙鑲成的大會廳，美駐聯合國代表奧斯汀大使說：那是爲人類尋求「和平」之屋，但主持這一個大廈的總建築師哈里遜則說：這一個屋子，正如它開會時的情形一樣，有它陽光普照的地方，也有它陰影常遮的角落。法國的藝術家李吉，在他爲聯合國作畫的「聯合國之屋」的壁畫上，畫出聯合國大廈會議的人，目光沉滯，在各人的目光裏面，顯露着各人的沉思和不同的想像。他說假若聯合國內代表們，能體念出這一畫中的全部情意，聯合國的各種問題，將得良好解決。

韓戰是主要辯題　艾其遜仍想妥協

本屆聯合國的議程，無疑將以阿拉伯聯盟，突尼斯，摩洛哥，南非及韓戰問題爲中心討論事項。在議事的紀錄上，雖已列出七十條討論項目，但韓戰的懸案，則在上週擬了其他項目的重要性。當本屆主席加拿大外長皮爾遜以六十票中的五十一票登上主席的席位，第一位便是美國務卿艾其遜的長四十五分鐘的發言，措詞溫和，其中祇有一次提及蘇聯，在艾其遜的發言中，主要指出韓戰和平，爲聯合國的最大測驗。彼謂韓戰停火不能實現，一切討論，將爲空談；無事實保證裁軍談判，在韓戰進行期中，祇爲枉費唇舌。彼繼請聯合國會員，復興殖民地經濟，加強合作，保障和平，重申美國意志：美國將不惜以作戰，沿現勢需要，阻止侵略，恢復和平及保衛朝鮮。

維辛斯基的謾罵　又使妥協者失望

繼艾其遜發言之後，便是蘇代表維辛斯基的評擊。照着蘇聯的老路子，他的說話是冗長而沉悶的，維辛斯基說了七十五分鐘，照以往紀錄有時間較短的一次。維辛斯基指控美國施行細菌戰爭；武裝西德及南斯拉夫；壓制殖民地民族運動；以血的金元威脅世界從事朝鮮戰爭；造成人類最不名譽的最大罪行。維辛斯基的發言，以英譯本分送到各聯合國代表手中，但他整個的談話，却缺乏新的東西，唯一使人驚異的，便是蘇聯的叫囂氣氛，遠不及從前的濃厚。

事實上，蘇聯除了指控美國上列「一連串的罪行」而外，也找不出其他「新」的東西來了。照不久前蘇聯共黨大會的宣言，蘇聯的決策是推看：鼓勵自由世界內變，並孤立美國。因此，蘇聯的活動，應該是各國的首都，而不在聯合國的論壇了。以新到美國的蘇大使查羅賓爲例：查到華盛頓後，表現從來未有的親善態度。並以更親善的態度，拜訪西方各駐華盛頓使節。在他們的意念之中，總嘗是韓戰的最后決定，是決定於美國大選完成之日，是時的各西方使節，在國際外交爭執的一環中，必佔優先而重要的地位。

整個世界在動蕩　光是開會又何用

爲了這一種估計，艾其遜展開了他的「緩衝攻勢」政策。在艾其遜的顧慮中，他早已見及北大西洋聯盟鞏固團結的必要與殖民地問題的惡化可能發展。因此，艾其遜在聯大的這一次發言，也並未以蘇聯爲中心對象。在艾其遜的溫和發言中，顯明指出復興殖民地經濟，加強國際合作，美國不惜以武裝力阻止侵略，恢復和平，保障朝鮮。這對西歐各國以及動蕩的阿拉伯聯盟是很重要的。西歐各國尤其是在北歐的若干國度，夢寐以求的「中立」路綫，顧忌的也是有實力爲後盾的團結。艾其遜在聯大的發言，這一次可算是對這一個問題，解答了很多。

浪費了人力物力　六年來一事無成

聯合國大廈，可悲的是以如許的人力物力來構成的一所輝煌大廈，用爲人類謀求幸福之地，而竟爲無顧於人類要求的陰謀家，用爲出售陰謀的場所！一切的世界和平談判，原可基於人類共存共榮的信心謀得妥善解決，但可偏有人，認爲這是他們最可利用的機會。跳入火坑了的韓戰，還有人在作卑鄙不堪的企圖。而在另一方面，則又在圖謀另一發展，今天俄國人所害的毛病，就是他們祇以爲「世界上祇有他們是聰明人」。美國人害的毛病是不能拿出眞對策，一心想妥協，所以聯合國六年，一事無成。

（爲開取材於十月二十七日美新聞週刊）

動搖商人悲哀記

江東

「天作孽猶可逭，自作孽不可活」，看看今後這個動搖商人，如何渡過「自作孽」的苦難！

抗戰前，項××在上海工商業圈裏，頗爲活躍，凡是稍爲留心上海社會上的人物，除了知道新聞界名人史量才，航業鉅子虞洽卿，紡織業大王榮德生，火柴鉅商劉鴻生，味精名家吳蘊初等這些大亨外，也終有不知道這個執着製罐業牛耳的項××，他有那些製造的工業做基礎，所以基本的條件優厚，不但能夠和史量才，虞洽卿，榮德生，劉鴻生，吳蘊初等這些文化事業家，或工商業家並駕齊驅，就是比之煊赫申江的杜月笙，黃金榮，王曉籟等，也較爲實際。然項於抗戰時，竟身敗名裂，落得經濟漢奸的臭名。抗戰勝利，就和頭號的經濟漢奸棉花大王詹方林一樣的命運，爲政府通緝，爲人民唾罵。抑鬱含愁，怕徙遭半生之恨，且亦無顏再見申江父老。

於是南走孤島，創設製罐廠，慘淡經營，以圖苟延喘，了此殘生。不想七八年來，仍然不改其重利輕義的劣根性。尤其最近一年多來，中共參加韓戰，美國爲實行對中共經濟制裁，採取全面禁運，而項某利用他的廠號，以種種蒙蔽的方法，向美國購買禁售的物資；如製罐原料白鐵皮之類，然後以之轉運上海，供應他的盜攏兒子。原來他的兒子項××，現在是上海市有名工商業代表，同時也是一個很前進的青年商人，他繼承他老子的衣鉢，經營同樣的生意。能夠把美國禁售的物資，套買過來，同時又能夠把此間禁運出口的工業原料，偷運出去，項某本領之大，與乎獲利之厚，不想可知！

但自今年三月後，他這種經營的內幕，已爲美國政府知道，把他列上「赤商」的黑名單，不但立即對該廠停售那些原料，並且命令香港的美國金融機構，停止和他往來。於是他的工廠原料缺乏，製罐業趦趄不前，生意江河日下。項某的心頭，有如負着千鈞的重壓，十分困惱！

項××受了美國這種致命的膺懲，眞是滿懷悲哀，因之對於美國，尤其憤恨。所以當他的小老婆，和兒子在大陸向他發出幾回招呼的手，他就心旌搖動，很想立即返回大陸，向中共靠攏，但後來聽了天字一號的佛婆戴××的忠告，却又放下靠攏的念頭。原來天字一號佛婆戴氏，於今年春初，曾被中共邀請偕同佛公歸返大陸，參觀人民中國的新景象；那知他倆回到上海，佛公被遣往莫斯科，參加中共祖國蘇聯所包辦的世界經濟會議，而她却又被凍結在自己的天字工廠，後來又被安排在上海有名的十三層C.M.大廈，受中共「限制」，「監視」，「釘梢」的特別優待。這次「五反」，上海的天字廠號，被認有偷稅，逃稅的行爲，被人民反出港幣百萬元，才算了事。所以佛婆自返抵海隅，對中共美麗謊言的毒辣陰謀，更是心裏有數。由於站在「狐」「兎」同類的立場，就給項某一個勸告。不然，這回項某抵滬，「三反」逃得開，「五反」脫不掉，在脫褲子割尾巴的情勢下，中共豈容老項不拿果實出來嗎？

在商言商，一般商人，只要有錢賺，什麼生意都可做，而況有一本萬利的生意，那能够閑地讓它過去。所以上月間，項××即來一次規模較大的走私生意。在中共默契之下，把價值港幣百餘萬元的製罐原料白鐵皮，密運上海。來發一本萬利的橫財，不料黑星當頭，財運不通，命運不齊，這大批的私貨，出海以後，竟被不知名的怪船所劫，於是貨物落空。白白地損失港幣百餘萬元。本來老項所經營的元字工廠，半年來因受美國的經濟制裁，原料停售，已使其產量停滯，整個營業，陷於半癱瘓狀態。進退維谷，欲罷不能，更使項某傷盡腦筋，如今又遭遇這種致命的打擊，眞是「屋漏偏逢連夜雨」，「逆流又遇打頭風」，近半個月來，項某苦心焦思，更不知如何是好。「天作孽猶可逭，自作孽不可活」，看看今後這動搖商人，如何渡過「自作孽」的苦難?!

法共的整肅運動

巴黎航訊

子明

最近法國共產黨作了一次巨大的整肅運動，引起了法國各界人士的密切注意，更成爲此間街談巷議的話題，法共此次整肅的主要人物，是書記處書記政治局委員的馬爾迪和政治局委員狄隆，馬爾迪由四個中央書記處書記中被踢出來，保存了一個政治局委員的名義，狄隆被開除出政治局還留一個空頭的中央委員，這兩個人在法共的地位，是僅次於陶萊士和杜克洛的，突然被解除了重要職務，自難免引起世人的驚奇。

替罪的羔羊

馬爾迪和狄隆降級的罪名是「因爲他們在政治上和黨的意見不一致，而且進行派系活動使黨內團結有受損害的危險。」這個罪名者在蘇聯碼要判十年苦工，但是因爲法國尚不是「人民民主的政權」，所以只好從輕發落，更因爲他們還擁有相當群衆，恐怕過份的逼而走險，攪出狄托派的故事，所以連開除黨籍也未敢，其實他倆個純粹是代黨受過，作了替罪的羔羊。假若說他們眞犯了錯誤的話，錯誤却不在巴黎，而在莫斯科。

法國人民不理

法國共產黨在勝利以後，勢力大振，成爲法國第一大黨，幾幾然可奪得政權，在一九四八，還有黨員一百萬，可是到了今天，據法國政府情報局掌握的資料，只有四十八萬五千八，黨員少了一倍以上。黨員數目大量減少，鬥爭情緒也退到低潮，法共第一次暴露弱點在人民面前，是一九五一年一月間，艾森豪威爾元帥赴歐就任聯軍統帥，法共打算在艾帥抵巴黎時，來一次大示威運動，結果雖然發動了一些人，却未能達到示威的效果，共黨却在現場被捕三千二百多人，法國政府敢以武力對付共黨，這是第一次，到了本年五月二十八日，李奇威將軍赴歐就任統帥時，法共又來一次示威罷工運動，結果更可憐了，示威未能表現出來，二號領袖杜克洛却在現場被捕，罷工是全家工廠也未響應，只有雷諾[illegible]廠[illegible]。

陶萊士回來了

可是從這天起，法國人民固然唾棄共黨，法國政府也毫不客氣的加以搜捕，凡共黨的大本營總工會，人道報，今晚報都加以包圍檢查，中間又搜出了法共青年同盟一個文件，指示滲入部隊，瓦解士氣，這以來，法國政府找到了借口，以叛國罪起訴法共五領袖，馬上有宣佈法共團體之勢，莫斯科看危機四伏，不得已把「奉命」在莫斯科「養病」的法共首領陶萊士也放回去，以求挽回頹勢，陶萊士回去以後，追究失敗的原因，大家都知道兩次暴動是受到莫斯科的命令，可是誰又敢說錯誤是在「英明的導師」史達林身上呢？於是只好推給當時負責指揮的高級幹部，這樣馬爾迪和狄隆便受到了降級的處分，只是是否能挽回法共的劣勢呢？以目前情形看，還在退潮中。

俄將恢復共產國際

俄國聯共大會閉幕，而各國共產黨派出的代表團，代表等仍滯留在莫斯科。如根據史大林在十月十四日聯共最後一次會議上的發言，則這批附庸共產黨無疑將舉行一重會議，決定相互配合裏應外合的世界侵略計劃，因此，共產國際之組織，可能恢復，外傳西歐情報局將受檢討和改組，或即爲此事。

成渝鐵路坍基百出 反共鬥爭如火如荼

（本報重慶通訊）成渝路通車以來，一直便不斷發生坍基裂土的現象，中共的西南鐵路管理局，雖嚴禁向外透露消息，免被人引爲笑柄，但是，老百姓心裏是雪亮的，他們看見過去拚命趕工的情形，便知道遲早總有出事的一天。

工程草率 慘劇頻生

十月二日下午，當重慶市民，正渡過所謂「十·一」國慶的疲勞日子以後，突然傳來一項消息，由金剛沱站開向油溪站的列車，在行至八十八至八十七公哩時，發生覆車慘案，這一地段屬於江津店子鄉十九村，該村農會主席周開俊，武裝隊員鍾建富立即飛報江津縣人民政府，江津站亦隨即報告總站，重慶的各報都沒有發表，但這一消息不久即傳遍整個市區，據道路傳聞，這次幸載客無多，大部載運白糖及土鹽，死傷約爲七八十人。

這次覆車的原因，據鐵路方面所傳出，乃由於土方坍塌，路軌下陷，但事後中共則強指爲反共游擊隊的埋下炸藥，據當地農民表示，二日始終未聞爆炸聲，只有火車翻覆時才有一些響聲，而且路基坍裂情形極爲明顯，可見這次出事，完全是工程草率，與人爲的破壞無關。

工會共幹 無法無天

路基的坍塌，已成爲司空見慣，要不是覆車，根本引不起人們的注意。國營重慶運輸公司翻胎廠軍事代表韓文祥和工會主席黃榮富的迫害工人眷屬，造成一死二傷慘劇，却成爲近日街頭閒談的資料。

中共各國營工廠的工會組織，過去原是驅策工人多拚命多幹活的機構，最近漸漸由管理工人而管理到工人的家屬。於是負責工會的幹部，不但直接掌握工人的一切，而且連工人的妻子亦在工會共幹的控制下。

國營重慶運輸公司翻胎廠的工會主席黃榮富，是一個有名的老色鬼，該廠工人家屬向仁秀，今年十九歲，喜歡唱歌跳舞，黃榮富垂涎已久，向仁秀的丈夫朱旺華早知其意，禁止其妻在廠內俱樂部出入，黃榮富因無法入手，今年五月間，當向仁秀到工新織廠去跳舞時，黃榮富即說他不正派，隨即召集工人家屬廿人餘開會批評向仁秀，強迫向仁秀亂搞男女關係，寫檢討，向仁秀不承認，黃榮富即宣佈交工廠組長管制，不准亂動，去那裏都要向組長請假，向仁秀的丈夫提出工會考慮，不但不被接納，且召開大規模鬥爭會，批評朱旺華給妻子撐腰，違背工會決議，朱無奈被迫提出與向仁秀離婚，鬥爭後，工會主席宣佈要向仁秀勞動改造六個月，表現得好可縮短勞動改造時間，表現不好，就長期勞動改造下，向仁秀受不了威迫，乃服毒自殺，這件事直到最近「新華日報」揭發，才正式張揚出來。

流鶯處處 幹部荒淫

除了工會共幹的無法無天外，今日的重慶，乃一兩極化世界，一方面是工廠停頓，失業及半失業者日趨激增，暗娼人數抵達驚人數目，其代價亦少得可憐，在陝西路一帶，白天晚上都有人肉市場在交易，中共重慶市長曹荻秋雖一再表示，要厲行掃蕩，但因爲主要光顧的，事實上均係中共的幹部，因此禁者自禁，而行者自行。

最近重慶公安局局長劉明輝，副局長段大明，曾親自執行一次掃蕩工作，一夜之間拘捕了近萬的流鶯，這些人中有不少是「五反」後因家破人亡，被迫充當的，亦有一部份是地主的流亡眷屬，目前中共決定將其集中檢查訓練，準備分別運送入藏部隊作爲軍妓之用。

至於各級機關的共幹，三反後曾有一時比較沉寂，近二月來又舊態復萌，以合作社名義出現的俱樂部新添了好幾名，入晚笙歌處處，到了週末更是如醉如狂，這些俱樂部既逃避了繳課極重的娛樂稅，而且可以向國營百貨公司購買便宜的烟酒，因此生意興隆，其門如市，和蕭條冷落的工商業，正成了明顯的對比。

袍哥復活

今年的西南地區，由於虫災，旱災不斷侵凌，加以農業稅負担普遍較去年提高二成半，因此，一般糧食均陷入不足。民間反共情緒更爲蓬勃，川西一帶的袍哥組織，最近均紛紛復活，目前各縣間均有其機構，根據成都來客暗中透露，自「五反」以後，參加組織的人一天比一天激增，參加的人，除了插血爲盟外，幾乎是數家還保，因此中共的特務組織，迄今仍極少

人心激動

破獲，許多地方工會及農會，亦有袍哥份子參入工作，預料一旦有事，這些地下組織，將成爲反共的先鋒。

在川南綦江一帶，游擊活動亦極活躍，十月初，綦江縣城糧食曾二度被縱火焚燒，損失達一二十萬擔。南充的集體農場，九月下旬亦發生二千餘名奴工集體暴動，當場擊斃幹部人員十五名，事後曾中共活埋的，據一般傳聞消息，不下二百餘人。

這些動亂的情勢，令人意料到中共的統治已面臨嚴重的考驗，目前中共所採用的，是鎮壓再鎮壓，一面下令各地趕快成立治安保衛小組，一面整訓民兵組織，希望用暴力來消滅反共的潛力，但暴力就能解決一切麼，事實的發展，將予以證實。（十月十五日渝民寄自重慶）

抛屍盜寶 共幹到處挖墓

共產黨治下的中國，與其說是「人民民主專政」，到不如說是「暴民專政」更是適合，別的事件太多了，也不勝枚舉，只拿最近中南區挖掘古墓情形來說，可作有力的證明。在河南，西華縣爲了燒磚蓋房子，曾把一些古塚（裏面有不少漢墓）破壞了。

借開荒名義 想發死人財

太康縣爲了「開荒生產」，破壞了一座大定年間的古塚，裏面有一個小脚女人的屍首還是完整的，項城縣藉口「廢物利用」，也破壞了一座天官夫婦塚，裏面的屍首也是完整的，離開封四十五里的朱仙鎮附近，把明朝周定王和鄧后的墓也挖了。除挖墓外，對於重要文物更破壞的澈底，洛陽附近一個不到百戶人家的馬坡村，發現了唐朝墓碑八十多塊，刻有人物形象的漢碑也有很多，但是幹部們不曉得值錢，若是金銀玉器就注意保管了，這些稀世之珍的東西，却由當地農民任意取出，甚至用以堆糞坑，從澠池到鄭州，從南陽到禹縣不遠的地方，已經發現了「史前遺址」共三十多處，可是並未受到重視。

聽說有金頭 挖掘宋朝墓

在湖南挖墓取財的風氣更是嚴重，如平江縣十一區，無論新墳舊墓都挖，這個風氣是從該區合勝鄉開始的，該地農民在鬥爭一個姓于的地主時，地主被逼沒有辦法，說出他母親墳內有八隻金戒指和一隻金鐲陪葬，幹部們就帶頭去挖，果然挖到了，後來又從另外一個大地主墓內挖出了幾片金葉子，於是幹部們就有了挖墓的癮，而且進一步又挖起來古墓。該縣星斗鄉幹部挖了兩個古墓，據說是宋朝兩個大官向雲岩，向復齋的，當地曾流行着「九子不葬父，一女打金頭」的故事，說向雲岩是宋朝的太師，因爲犯了誅九族的罪，九個兒子都被殺了，只有女兒是皇后免斬，後來下葬時因被斬首，他的女兒爲她裝了個金頭，又怕人家盜墓取金頭，所以做了四十八口棺材，分葬四十八處，只有一處是眞的，這個墓佔地面積很大，構造非常堅固，第一層是麻石砌的，幹部們命令數十個農民動手，挖開兩丈一尺厚一尺寬一丈餘的麻石，又挖了七層窰磚，磚下面是泥水般的硬東西，刀斧鑿不開。白費了幾天力氣，也未取到金頭，幹部們要用火藥炸，因爲不在行才勉強停止。

盜取殉葬物 還燒棺材板

該縣鯉魚嘴附近有一座古墓，據說是明初陳友諒，當地幹部又領導了幾十個人去挖，挖開一丈多深的泥土才見石頭，挖出約二百多斤重的石墩一個，數尺長的石條幾十條，後來見到一個石門，裏面滿是石灰，再挖下去就碰到比刀斧還硬的東西，挖不開了。湘陰縣也有人挖墓，幾十年的墳都要挖，如果裏面有金銀，衣服或者綁屍布，就都拿出來，如果沒有什麼，就將棺材抬去賣；這種棺材板子燒起來臭死人，並且把墳挖開後，只顧拿東西走，而把死屍隨地亂拋，任憑野狗野鷹拖啃。

共幹的這樣無法無天的亂搞，使千年以上的死人也不得安穩，各地共黨高級幹部也認爲太不像話，認爲有嚴禁的必要，但他們着眼點，還是在「塚中之寶」，並不是在人倫道德。（袁力）

「一面倒的友好月」

從十一月七日起至十二月八日止，中共規定爲「中蘇友好月」，由「中蘇友好協會總會」負責佈置指揮一切，各地的一千三百四十六個分會，六萬二千八百八十個支會，和所有二千三百萬會員都動員起來，而「總工會」，「婦聯」「青年團」以及其他組織，也要動員參加這個會議。

在具體的節目方面，是在一百七十二處同時舉行蘇俄的照片展覽，並放映蘇俄電影，爲了吸引觀衆，所有戲院不得放映別的影片。

俄國也派了歌舞團來，在各大都市演出。

一切是根據中共的指示，要做到「熱烈緊張」「表示出對蘇聯的無限忠心熱誠」。

中共爲何要發動這一「中蘇友好月」，不惜工本，如此鋪張浪費呢？主要是：

一是轉變人民對俄國人的觀念，一般人民老實說一向瞧不起老毛子的，中共佔有大陸後，大鼻子如蝗虫湧來，姦淫擄掠，品行下流，更增加了人民的反感，即中共幹部中也有很多痛恨他們，「中蘇友好月」，即是想把這種觀念沖淡。

二是許多廠礦裏的俄國專家，人品學識都太差，不僅不能指導，而且還不及中國工人熟練，於是早爲工人唾棄，故「學習先進經驗」無法推動，來個「中蘇友好月」，想轉變工人們的輕蘇態度。

三是中共即要實行「社會主義」，故需特別宣傳蘇俄的「成就」，好減少實行時之阻力。

四是史大林的命令，周恩來這次訪俄，史大林會當面表示中國人民對蘇俄人不夠友善，須加改進，故周回來後即決定實行「友好月」，而「友好月」的內容，只是「一面倒」的宣傳。

俄國人進一步控制中共的情形，在這裏可看得清清楚楚了。

三年來的中共統治方式

胡致和

中共的統治，理論上原有一假定，即「政權是一個階級壓迫另一個階級的工具」，因此，中共政權的特性，即在如何利用此「工具」進行「壓迫」。視壓迫爲當然。又因爲「階級」原是一抽象的名詞，于是「壓迫」的對象，除「共產黨人」外，普遍及于所有的「人民」。身受共黨壓迫者，事實上即其自己認爲係國家主人翁的貧農工人亦均有份，初非限于所謂資產階級與地主富農。

中共根據此一理論出發，確定其壓迫政策，於是殺戮，鎮壓，集中營，非刑拷打便成爲其主要統治手段。大陸上恐怖氣氛瀰漫，民不堪命，即是這樣造成的。但殺戮，鎮壓，集中營，非刑拷打，效用均有其一定限度，這限度即在於使人民表面畏服，不能使之眞心順服，祗能使之不敢反抗，不能使之不願反抗，換言之，單純的鎮壓，並不能杜塞人民反抗的根源，人民如一日可能起而反抗，則終必有一日會起而反抗，到時，這種鎮壓的效用，即將超過其限度而失效，進而形成鎮壓愈烈，反抗愈烈的反比例的發展。於是中共從蘇聯學習而得一種祕訣，即如何杜塞人民反抗的根源。其法有二，一爲從宣傳思想上着手，用改造思想等方法使之「一面倒」。二爲着手消除人民一切可以作爲反抗的憑藉。把人民的一切，控制於共黨之手，則人民即欲反抗而無從。這二個方法，我們看來，或以爲前者是主要的，後者是次要的，且很困難做到。但這在共產黨看來，則恰相反，他們認爲要控制「腦」，必先控制「胃」，控制了人民的「胃」才能使人民的「腦」轉變。於是這兩種統制方法，中共雖在同時並進，而重心則顯然放在後者。

中共從蘇聯共黨學習而得，並由自身長期反抗的經驗得到，人民反抗的憑藉，最主要的有四種，即糧食，現金，槍支，壯丁。這四種東西如完全控制到中共手中，試想人民還能拿什麼來反抗？人民還能不服從中共的思想改造嗎？人民還能反對爲蘇聯的利益而參與第三次世界大戰嗎？故今日中共對人民的多方面的壓榨，在中共自身看來，既可鞏固政權，又可執行莫斯科備戰命令，乃爲一石雙鳥的最高明的辦法。

糧食是農產品，於是中共在農村中主要的工作是征糧，並附帶攤派公債。金銀外幣大半集中在城市，於是先在城市中普遍強制攤派公債，並加重稅。然後再進行五反，連工廠商店都一起落入中共手中了，至於槍支壯丁，則農村城市都有，於是農村城市都須普遍搜查和鼓勵參軍。現雖統治三年，這項工作仍繼續不斷進行，絕不放鬆。

中共進入每一地方，首先即號召「民槍歸公」。「交出武器」，固不問這武器是貧農所有，或工人所有，乃至原是共黨游擊隊所有。這是第一步工作。武器發掘起盡後，進而作第二步工作，在農村組織農會，在都市組織工會，並到處用學校名義擴大招生，吸收十五歲至二十歲的青年，發展新民主主義青年團。此種農會工會及青年團的組織，亦有三大作用，一是當作他們黨的「外圍」，在這「外圍」中提煉出「積極份子」到黨中來。擴大他的黨。二是當作動員參軍的「寶庫」，散漫的無組織的羣衆是無法動員的，於是必先設此圈套，用種種好聽的名詞來引誘之使之入圍，入圍即是參加各種組織，凡中共的各種外圍組織，亦都有其所謂「鐵的紀律」，組織的命令不可違抗，青年們在此祗能任其擺佈，分配工作，學習改造，參軍支前，任其組織安排，所謂動員，僅是一種形式過程。中共爲了備戰，這些外圍組織中的青年，百分之八十便被驅向戰爭。三是當作征糧壓榨的動力，征糧壓榨，事前要有深入調查，這些組織即爲其蒐集每一農民的存糧額及每一商店資本額的情報的最好來源。在「清算鬥爭」時，這些組織又成爲最好的執行黨的命令的「有力羣衆」和「基本羣衆」。應用這種「羣衆」的力量來完成征糧壓榨的任務，及至農村的糧和城市的錢都集中於中共之手，則人如須生活，即須更聽命於中共的指揮，從事指定的勞役，淪爲奴隸。於是中共爲第三次世界大戰準備的兵源，亦就無慮竭蹶。

同時中共認爲：統制了這樣龐大的人民，即等於統制了無數奴隸，五年計劃之類的建設即可開始，新的奴隸制度，當能大量增加生產。飢餓恐慌乃一必經過程。爲飢餓死亡的人民，乃爲中共政策中正須淘汰的人民。人民既手無寸鐵，又無果腹之糧，服從尙可苟活，反抗即爲餓殍，人民遂失去反抗的可能。另一方面，中共把搜刮所得，養肥了軍隊，警察，特務，黨政人員，作爲犀利的鎮壓工具。中共便以爲它的政權的鞏固，可計日而待了。

這是一種最新型的統治方式，中共認爲蘇聯共產黨即是執行了這一政策獲得成功，所以中共亦須完全師承其法。現在各地人民反抗蜂起，到處與共黨作戰，殺戮其下鄉幹部。抗征反償。其情勢的發展，中共中央亦認爲相當嚴重，但中共中央並沒有認爲這是他的政策上的錯誤，相反的，它還認爲這是執行得不夠澈底的結果，即人民的糧食，金錢，槍支，壯丁一時還不能搜刮儘盡所致。所以中共對于執行這種既定政策，決不會有所變更。有之，僅是在某些場合的轉變作用。

波共持槍出席聯大

尚方

波蘭外長斯卡西斯基到紐約出席聯大會議，身懷手槍，出入大會堂，給人看見，最後被警察在其旅店的臥枕下搜出，依法照予沒收。但以其爲現任外交部長，居留別國時享有外交官特權，准其向警署登記了事。這在國際壇坫中是一個笑話，在外交官的行爲上是丟醜失格，有損國家體面。可是，斯卡西斯基之帶槍赴會，却有其不得已的苦衷。他帶手槍並非預備在聯大會議中跟人打架用的，而是怕死的緣故。

凡是搞極權政治的人，都與幹特工，當間諜者有一種共同的心情，即多疑怕死是也。尤其共產黨人，平日傷天害理之事做得太多，時時提防被別人暗算，坐在家下亦不免白晝見鬼，一出門更覺危機四伏，草木皆有殺氣似的。所以，他們除經常身藏武器，聊作壯胆之用而外，辦公時間亦必須在深宵，爲的是便於警戒防衛。

美國現住有不少反共非共的波蘭人，波共代表來紐約開會，心裏當然害怕萬一與反共的波人狹路相逢，血濺五步，因而身懷手槍，出入會場，並且讓大家都知道他身上是有槍的！這就是黑夜行路吹口哨的卑怯心理表現，爲着怕死，即顧不得外交官的身份和禮儀了。

帶手槍並不能保險自己絕對安全，這是常識。難道貴爲外長的波共，連這點常識都沒有麼？朋友，你得想清楚：如果他們都是有常識的，那就不成其爲共黨要人了！

自由談

人變成鬼

夏雲飛

吳子成結婚十年了，已經做了六個孩子的爸爸，想到十年前初結婚時，他在一家化學工廠裏作工，她也在紗廠作女工，那時物價相當穩定，兩個人的收入，組織一個小家庭，生活得非常寫意，而且還有餘款可以儲蓄，逢到星期日不是到天蟾聽戲，就是到卡爾登去看看電影，朋友同事們誰不羨慕他們是幸福的一對。可是這種好時光統共算起來不過一年，到他們的第一個孩子出世，家庭就起了變化，首先，她不去作工了，家庭的收入減去了一半，而却多了一個小孩子的開支，兩相對比自然是可慮的事，不過那時的生活低，收入高，本來還有些積蓄，所以也並未感到苦惱，總還覺得家庭裏面多一個小孩子是相當熱鬧的，所以這時的變化尚小，以後平均不到兩年生一個，到了「解放」的那一年已經生了五個了，這個家庭徹底的變了，生活的威脅，精神的苦悶，在工廠內固然忙得不開交，可是到了家裏更苦，夫妻之間的感情也漸惡化，大家都失去擺脫的情緒。

上海「解放」了，這也是一個劃時代的巨變，吳子成平時雖然沒有機會隨着「前進」的工友們「學習」，可是他也聽說共產黨是爲工人謀「福利」的，而且就是代表工人的政

萬，各工廠都貼着「工人當家」的標語，吳子成到不想當家，只求生活能過得好些就夠了，記得「解放」後不久，來了一位帶八角帽的「同志」到廠內演說，特別介紹蘇聯工人的幸福生活，最使吳子成聽得起勁的就是：「蘇聯今天普遍的設有託兒所，每一個工人的小孩子，生下來就送去託兒所，一文錢不要花，國家代你養活」最後特別聲明，「……」這就是新中國未來的遠景。

吳子成聽的眉開眼笑，回到家裏一說，她也非常高興，午飯也吃得特別有味，家庭中發現了多年來未有的和諧。他們夢想到明天的幸福生活，主要的是可以卸下這一付無法負起的重担。

果然，「人民政府」這次沒有說空，不到半年的時間，上海出現了工人託兒所，報紙上還特別介紹，凡是工人子弟都有資格進去，一致讚揚這是「毛主席」的「偉大領導」，也是中國共產黨「爲人民服務」的「鐵證」。當然最後還要加上光榮是歸於史達林。這些話都不在吳子成心上，他主要的就是趕快把兩個尚不能走路的「小鬼」送掉，家庭裏面也可以清靜的多。可能不久人民政府再辦什麼幼稚園又可以收容兩個，其餘一個大孩子，已經九歲，也可正式去讀小學，那時妻也可以去做工作，又恢復了十年前的光景，想到這裏，他自己也笑了，彷彿年輕了十歲似的。

吳子成先到託兒所去打聽一下，據門房「同志」說：要工廠負責人證明，吳子成只得回到廠內去找廠長，廠長苦笑說：「現在什麼事我都沒有用，你應當去同軍事代表商量一下。」吳子成只好再去謁見軍事代表，這位代表實在太忙，去了五次，才蒙傳見，「代表大人」坐在椅子上，兩脚伸到寫字檯中間，歪戴着八角帽，穿一套列寧裝，也如同「毛主席」一樣，風紀扣敞着，焦黃牙齒，瘦削的下巴，配上一雙灼灼的老鼠眼，那個尊像，實在無法恭維，代表並未同他講話，只把眼上下打量了一會，看了一個相當時間，然後才問幾句出身成份，及思想，最後擺擺手說：「你回去好了，候調查一下，因爲我對你的情形不了解」。吳子成只好退出來，又等了幾天，蒙代表大人二次召見，先說了一番共產黨如何「爲人民服務」，「毛主席」的「恩情說不完」，然後才寫下一張證明書，歪歪斜斜寫了幾個字，蓋了一個看不淸的圖章。吳子成接過來這一張證明書，身上如釋重負，千恩萬謝的拿回去，第二天一大早夫婦兩個各抱一個小鬼，到了託兒所，又站在門首足候了一個鐘頭，才算是見到託兒所的主任，一位三十多歲的女同志，接過「證明書」看一下，轉眼又看到兩個小鬼，搖搖頭說「不成，這兩個不夠資格」。吳子成當然嚇了一跳，趕快說：「同志我是工人階級，毫不含糊的，現有軍事代表的證明，怎麼不夠資格呢」？那位女同志木然的說：「這不是成份問題，因爲這兩個小孩子是在解放以前出世的，與共產黨不相干，政府當然無法收容」。吳子成這時不是失望，簡直變成憤怒了，最近他因爲時常參加開會討論，也記得幾句，當時就責問「共產黨不是常講爲人民服務嗎？爲什麼分解放前和解放後呢？」那位女同志也無工夫同他討論，乾脆答一句，「不能收容」，轉身退回去。

吳子成越想越氣，將費了九牛二虎力量寫的證明書，撕的紛碎，只好抱着小孩子再轉回去，走到外白渡橋上，正在垂頭喪氣的走着，聽到前面一陣喧嚷，原來妻在離開不到一丈遠的地方，抱着最小的孩子跳下蘇州河，吳子成看呆了，到是橋下的小舟子却拚命的打撈，也未見到影子。就在橋上橋下一片嘆息聲中，人民電台又廣播出「舊社會將人變成鬼，新社會却將鬼變成人」。

談羅斯福（三）

・舜生・

萬竹樓隨筆

羅斯福自一九二八至一九三二的四年間，做了兩屆紐約州的州長。他在第一屆的競選，所得的票數超過他的對手奧丁格者甚微；第二屆聯任，則以壓倒的多數，計七十二萬五千票，戰勝了他的對手杜德爾。從這一點來看，也可說是他在一九三二年被選爲民主黨總統候選人的先聲。其實他在四年州長任內的政績，並無特別可稱道之處，不過更增加了他對於行政的經驗，同時更多結交了若干在他未來政治上的助手而已。

一九三二年民主黨參加總統候選人競選的共有九人，競爭異常激烈。第一次投票，羅氏得六百六十六票，距法定當選的票數，尚差一百零四票；二次投票，羅氏得六百八十二票，尚差八十八票；一直到第四次，他才以九百四十五票當選。

羅氏總統競選的對手是共和黨的胡佛，其時美國人民對共和黨執政的信心，已爲全國不景氣的狂潮捲去了大半，計當時全國的失業者，乃有一千四百萬至一千七百萬人。羅氏抓着這樣一個好題目，乃以全國遊行演講，爲他競選的主要武器，共作了二萬七千哩的旅行，足跡所未到者，不過七州而已。

計當時羅氏演辭的內容，直接攻擊共和黨者甚少，例如主張擴大公衆事業的範圍，修改養老金的法律，加強公用事業的控制，改善銀行組織法，廢除禁酒制度，利用農產過剩物資以謀農業本身的發展，減少政府行政費百分之二十五，乃至主張准許菲律賓獨立等等，幾乎無一不是直抒他自己積極的主張，而且也是對症發藥，因此乃博得全國多數的同情，甚至有若干共和黨的黨員，也拋棄了胡佛而改投了羅氏的票，於是民主黨乃得重掌政權，同時也給美國人民帶來了一個新的希望。

羅斯福本人的思想原來是相當左傾的，同時他在競選的時候，已經有了一個「智囊團」，這一班人的想法，也能使羅氏的思想趨於具體化。因此，他在一九三三年三月四日就職以後，便以大刀闊斧的精神來實行改革。計當時在國會所舉行的特別會議中，（三月九日至六月十六日）所通過羅氏交議的改革法案，實不一而足。例如銀行法案，經濟法案，政府部門薪水的削減，全國預算的削減，農事調整局的組織，農業救濟法案，聯邦救濟法案，鐵路改組法案，工業復興法，老年保險，失業保險，規定最低限度的工資與最高限度的工作時間，廢止童工，鼓勵私人建屋，改善勞資關係，打破公用事業的專利，如此等等，確不勝枚舉。然而，羅斯福並不是一個革命家，他不過就當時已經發生了毛病的資本主義，作一次有力的糾正而已。（一四二）

人老心不老

重陽憶岳麓

・庚泉・

金風送爽，重九將屆，不禁使我想起了岳麓。她雖然沒有泰山的莊嚴雄偉，廬山的淸幽雅緻；可是她那富於典雅的情調，秀麗的形態，十足地表現湘女多情的色彩；尤其是革命先烈黃克強和蔡松坡的墓道，禹王碑和岳麓書院的古跡，更足以使遊人激發救國救民的志氣；引起思古之幽情，而那愛晚亭畔，情侶雙雙，喁喁私語；山澗溪邊，流水潺潺，濯足濯纓；至足樂也。

當此重陽佳節，紅葉滿山，金橘早熟，正青年學子，翩翩士女，成羣結伴，攜酒載歌，爬山越嶺之時，而那些詩人墨客，更不會放過這大好時機，登山涉水，憑吊古跡，引觴高歌，賦詩塡詞，以誌其盛，而暢所懷。就是平日勞碌奔走，爲名爲利的人們，也禁不住她的引誘，偷空請假，以作竟日之遊，這時候的岳麓山，眞可說是遊人如織，摩肩接踵，盛極一時，足與國內任何名山相競爭了。

我遊麓山，不能說出有若干次，因爲與她朝夕共處，將近二年。但給我印像最深的還是民二十五年的重陽佳節：那時我還是一個十四歲的學生，正在湖南私立明德中學讀書，校長是磨血老人胡子靖先生，在重九那天，初中部的童子軍，舉行了一個盛大的紅葉會；地點擇定對江的岳麓山，那天的節目有爬山比賽，尋物比賽，文藝比賽和詩歌比賽等四項，規定每人至少須參加一項；並且還在雲麓宮附近舉行了盛大的野餐，眞是盡情享樂，那天參加的約有二百多人，一早出發，晚間回來的時候，老校長站在校門口，笑嬉嬉的迎接我們，慰勞我們，頓時使我們忘却了一切疲倦。不幸第二年，七七事變爆發了，學校遷離了長沙。一直到三十四年抗戰勝利後，我隨着湖南大學回到了岳麓，整天和她厮守着，領略了她所有的溫情和慰藉。直到第二年的六月，舉行畢業典禮後，我含着滿眶的熱淚和她分別了，以後一直在京，滬兩地工作，沒有機會再看望我的故人，但心中却沒有一刻忘掉了她。現在整個大陸都陷在俄帝的鐵蹄下，湖南在羣魔亂舞之下，蒙受了史無前例的羞辱，具有悠久歷史的書院——湖南大學，已經面目全非了。不知那秀麗典雅的岳麓山，得無恙否？

古董

・士一・

共黨新四軍，昔日在蘇北淮陰時，饒漱石，陳毅，粟裕等喜蒐集古玩，我嘗於淮陰克復後一週去那裏一次，與一悅古齋陳老闆談及此事。

據陳老闆說：饒等平時常來舖，對古物愛不忍釋，但乏鑑賞能力，陳老闆則常爲講解推荐，饒等認購時，即寫一條命往「人民銀行」取款，數目大小不等，憑條即付。一日，得一古瓶，値金四兩，適陳毅來，論價間，饒至，饒對瓶亦大讚賞，願出五兩，陳不示弱，出六兩，正相持不下，粟裕至，見瓶，力說此瓶爲僞貨，不宜買，陳饒走後，他就寫了一張七兩的條子，由勤務員抱瓶而去。

隔日陳來，知瓶爲粟購去，大罵不至。陳老闆之古董舖，爲淮陰未被淸算之唯一舖子。

中國之友（二十九）

毛以亨

赫德傳（九）

七、同文館

明時始設譯書館于北京，司翻譯文件，並爲口語傳譯，教員爲西人，清室仍其舊慣。俄國欽差入京始于一五六七年，而第一次尼布楚條約訂于一六八九年，並未履行，第二次恰克圖條約訂于一七二七年，用拉丁滿俄三種語言寫成。該約第三款許俄人在京設立教堂並有居住權，包括教士四人，學生六人以學習中文。十八世紀中葉，清政府設俄文館使學生習俄文，教師則爲黑龍江沿岸之俄俘，故已懂滿清文字，學生限于八旗籍，名額廿四人，畢業則服務于理藩院或往邊疆任事。嗣後中俄商務不發達，俄文無用，學校在半停止狀況，俄文教員五人中，祇有一人能勝任，一八六二年爲同文館所續聘。

天津條約規定，來往公文雖附中文，而一以英法文爲準，恭王感于需要，乃奏從上海廣州商人中，選任英法文教員四人，並帶必要書籍晉京，每一教員可教八旗子弟四五人。但蘇粵督撫均找不到適當人選，後卒由英使館中文祕書威妥瑪 Wade 介紹傳教師英人 J.S. Burdon（後任香港維多利亞教堂主教）爲第一任英文教員，于一八六二年六月到職。而中國文學則由徐樹蘭任教，九個月後法文班成立，教師爲神父 Smorrenberg，俄文教師則爲使館翻譯 Popoff。Burdon 于一八六三年辭職，由 G.Fryer 繼任一年，（旋赴金陵兵工廠任譯員，最後在加州大學任中國教員，）後由著名漢學家丁韙良 W.A.P. Martin 繼任，一八六九年，丁氏升任爲館長。學生專收八旗子弟每門祗收十人年齡在十五歲左右。中文教師每月八兩銀，洋人則年俸六百磅。

一八六五年赫德駐京後張主添設科學天文數學三種課目。乃中文有根基者，而大學士倭仁反對無效，其時日本人已派人赴英留習科學了。赫德主張派同文館學生赴歐研究，並請西洋學者來中國任教，事皆實現。海關中文總文案知府斌椿率其子與同文館學生三人出洋，一名張德明，後繼羅豐祿任駐英公使。新聘教員中有法人 A Billequin 担任化學，爲第一部中文化學書之著作家，有德人而歸化爲英人之 Gumpach 担任天文與數學，其人後至與赫德涉訟，數學改由李善蘭担任。丁韙良則担任經濟學與國際法，新聘之英文教員 O' Brien 法文教員 Lepissier 則不久調任海關服務。一八六九年之同文館學生，計英文者二人，法文八人，俄文十八人，學生年齡自廿二至四十五歲不等，往往爲月薪拾元而來，殊無科學之根基。

自由人

中華民國僑務委員會頒發登記證台數新字第壹零貳號

THE FREEMAN

（半週刊每星期三六出版）

（第一七四期）

每份港幣一毫

督印人：李光華

社址：香港高士打道六六號

電話：二〇八四八

GLOUCESTER DR.
HONG KONG
TEL; 20848

承印者：東南印務出版社

地址：高士打道六十四號

台灣特派員辦事處：台北市館前街五十號

台灣總經銷處

我希望艾森豪獲勝

胡秋原

美國大選即將在幾天之內揭曉了。沒有人能夠確定的預言驢象之勝敗。我希望艾森豪獲勝。因為照我的看法，史達林最怕艾森豪進入白宮。

這不是說，在反共大鬥爭中，民主黨之黨，不如共和黨之黨。而是史蒂文生之人，較之艾森豪之人，略遜一籌。

對於美國兩黨之爭，我們自不必有所偏愛。但研究國際政治問題的人，從國際形勢之利害，作個人的評論，是另一回事。

我並且還願意說，我對於這幾年民主黨，尤其是杜魯門的功績，決不低估。一九四八年兩杜競選之時，我曾著文預言民主黨之必勝。杜魯門當選後，當時「前綫日報」總主筆錢納水先生和我曾致電杜魯門祝賀。我們還收到回信。此可見我是沒有成見的。

美國共和黨人曾責備民主黨應負遠東失敗之責。照我看，即令當時共和黨勝利，亦不能挽回已敗之局，甚至於可能使局勢更壞。使中國失去者，是當時美國政策之錯誤，是當時美國國力之不足。當時共和黨之言論，只有消極的批評，並不足塡補政策之錯誤。一九四八年來，杜魯門作了不少的事，尤以韓戰，但是一髮千鈞之英斷。他提高了美國國力，也奠立了自由世界團結的基礎。

但在杜魯門使世界渡過最困難時期之後，能夠而且應該另有一個新耳目的人了。

美國今天總統選擧的基礎，雖是兩黨，但今天美國的國力和任務，是要領導自由世界。因此，美國的總統，不僅應該超越黨派，而且應該有世界性。而美國的繁榮，不由世界問題解決，也是不能解決的。只是基於此點，我才希望美國人應有這種識見，選擧艾森豪。

美國需要先聲奪敵的總統

這原因，第一便是艾森豪有先聲奪敵之力。自一九二八年來，史達林大露頭角，為非作歹者，迄今已四分之一世紀。他在今天世界政治舞台上，已是「元老」了。能與他在資歷經驗上相比的，羅斯福死去之後，只有邱吉爾能與他相比。但邱氏的健康，似乎遠不如他。

今後對俄，主要是冷戰。同時，也要準備熱戰於萬一。無論冷戰或熱戰，尤其是冷戰，自由世界要有一個主要發言人；而這一人最好是俄國人都知道他而且敬畏他的。由於俄帝之鐵幕政策，一般人民對自由世界的情況，是隔膜的。但在二次戰爭中，俄人對羅斯福和艾森豪兩個大名，最為熟悉。不僅此也。今日俄國一般大將，如朱可夫之類，均曾隸艾帥麾下。艾森豪進入白宮，對整個俄國有一種先聲奪人之力。他要對俄國人講話，分量比其他的人大為不同。試想史蒂文生連美國人都很少知道，如何能對俄國發生吸引力呢？實際政治本如演劇。你不願多出一點錢，看名脚登台嗎？況且，俄國人如是崇拜偶像的，他們有一崇拜史達林無敵的神話。艾帥曾經是俄國救命恩人。這可使史達林的光輝黯然失色。美國人如想對史達林不戰而勝，艾森豪的名字，是最適當的。反之，史蒂文生縱是人才，還需要時間。而在一二年內，可使史達林看作「後生」而小覷他。在平時，這是小事。但在心理戰時代，這便是大事。美國人能不注意嗎？

美國需要更能團結全國全球的總統

當然，如果艾森豪僅有這一長處，是不夠的。如果他是一「英雄」喜歡多事；如果他在內政上將造成美國之混亂；那還是不好的。恰恰相反，他是一謙懷的人，他的政治本領，也許優於將略。老實說，今天民主共和二黨，儘管互相攻訐，在內政上，在外交上，並沒有多大不同。今日白宮之爭，人的問題，多於政策問題。

既然如此，美國總統職位所需要的一個人，應是超黨派的一個人。史蒂文生，塔虎特，並非不佳，但畢竟只是黨的領袖。艾森豪的經歷與人望，都表示其不是單純的「黨人」，而是「國人」。不僅此也。今日美國總統是全世界爭自由的旗幟，所以，需要一是「世界人」，而在美國現成人物中，沒有比艾森豪更適當了。

美國今天所需要的總統，是內而能團結全國，外而能團結世界；對俄帝進行冷戰，必要時，能團結全國全球，進行熱戰的人。

驢象互窺對方把戲

史蒂文生可得民主黨支持，但共和黨不滿。塔虎特可得共和黨支持，民主黨不滿。說到世界，若干英國人喜歡史氏，但若干亞洲人不一定喜歡。若干亞洲人也許喜歡塔氏，但若干歐洲人害怕。至於艾森豪，也許對各方面都不十分熱烈的討好，但民主共和二黨，以及歐洲與亞洲，都能對他熟悉的贊同。美國人不應該將自己的總統，提高到舉國的全球的水準嗎？

美國需要一個理解俄帝的總統

民主黨說艾森豪對內政不內行。艾森豪說他最懂「和戰大計」。二者比較起來，後者是更重要的。一個總統對於工業，農業不甚內行，是可以由主管部長補充的。但美國總統必須對外交軍事內行。時在今日，尤其要對俄帝內行。這個問題不解決，美國人的「[illegible]」的收入，都是鏡花水月的。

很顯然，史蒂文生雖在國務院服過務，對俄國沒有直接經驗，對歐洲亦無直接經驗。這是由他的演說，往往前後矛盾，可以看得出來的，他說也可能承認中共。這是競選宣傳，我們不在乎。但不能以遠者大者來啓發國民智慧，專以小者近者來迎合急功近利之心，不是一個領導美國以領導世界的氣派。要論到保障「荷包」，美國孤立不更好嗎？美國人必須知道，他們的荷包與英國約翰中國張三的荷包不能分開的，也與史達林的荷包不能分開的。不由縮小「史達林的荷包」着眼，任何人的荷包，是無保障的。說來說去，是要對付史達林。在這一方面，艾森豪是熟手，而史蒂文生是生手。在世界風雲日急之秋，美國人之取捨，不是很明白的嗎？

艾森豪是最理想的冷戰總統

今日史達林的政策，是集中一切附庸力量，對美國進行冷戰，孤立美國，然後乘隙擴張，最後解決美國。所以美國必須以舉國之團結，謀全球之團結，對俄帝進行冷戰，孤立俄帝，乘隙解放鐵幕，最後解決俄帝。要在平時，美國總統任何人都行。但由這觀點選擇總統，那麼，今日艾森豪實在最為勝任。冷戰之道，首須使對方害怕，同時最能團結美國和世界。史達林很可能在十一月二、三號以韓戰的某種花樣來打擊艾森豪。但這瞞不過美國人。美國人應選一個史達林戰慄的總統。我之希望艾森豪獲勝，理由實在於此。（十月廿四日）

史大林希望能向韓戰低頭者獲勝

當美國總統競選日趨白熱的時候，韓戰成為尖銳抨擊的中心論題。西方國家的情報機構，迄今尚無確切證據，足資解釋韓戰原因。就目前所已發生的事像加以判斷，所可得而言的，是共產國際，欲將美軍部隊，長期牽制于亞洲。

不介入亞洲大陸戰爭，是美軍軍事抉擇的思想原則。而美國國會方面，表現美軍撤出亞洲大陸的意見，比國防部更為強烈。一九四八年杜勒斯於巴黎代表美國出席聯合國大會時，曾奉訓令申言美軍退出亞洲大陸。一九五〇年一月艾其遜於華盛頓全國出版俱樂部發表談話，亦曾公開表示美軍將退出南韓，這可以說是美國官方一貫表示不介入亞洲爭端，而造成北韓侵略南韓的有力因素。然而一當南北韓戰爭開始之後，杜魯門又以緊急命令飭令美軍增援南韓。這說來是非常矛盾的。

關於北韓作戰能力的估計，美國官方在事先也各有不同。一九四七年，美駐南韓第八軍軍長艾其偉估計北韓兵力優於南韓。是年以後，美官方的紀錄，一直是南韓兵力優於北韓。直至一九五〇年六月廿四日南北韓戰爭爆發之初，麥克阿瑟尚不信北韓優勢。杜魯門所得的印象亦是如此。這一些估計，當然更增進美軍撤退南韓的決定，因而造成美軍今日在朝鮮所陷入的僵局。杜魯門發令之日，麥克阿瑟及杜勒斯均未被徵詢，那時杜正從南韓返日，彼兩人應該是比華盛頓知道得更多的。朝鮮的戰爭，就在這一種混亂矛盾的情況中發展開來。

麥克阿瑟奉命作戰，在美國國防部的指令中，並沒有規定何處是他的止境。一九五〇年十一月美軍迫近鴨綠江，華盛頓也沒有明白的指令，肯定這一個軍事行動，是否適當。中共於十二月參戰，事先印度駐美大使是向美國國務院提過警告的。但一當美軍自鴨綠江敗退時，華盛頓的責難就紛紛而起。一九五一年六月，杜魯門與麥克阿瑟威克島之會，結果仍是沒有決定性的政策出現，祗有李奇威的軍事努力來收拾殘局。這在整個作戰的政略上，是失敗的。

美國最根本的錯誤，是對克姆林宮的認識太少，和估計太欠正確。當中共侵奪政權時，美國的遠東政策，就種下了今天朝鮮亂局的根源，今天美國的競選，以朝鮮戰論題來作競選的藉口，應該是慚愧的。

克姆林宮顯然是在蠢動着美國的一大選戰，在朝鮮發動其中心目的，另一是要以戰爭的威脅和取有代價的和談；是次選戰，一來刺激美國人使但能向韓戰低頭的競選者獲勝，這一個現實，誰能看不明白嗎？（節譯取材自美[illegible]期刊）

半週展望

·雷嘯岑·

維辛斯基的新建議

繼美國代表艾契遜在聯大發表對韓戰問題的長篇演說後，蘇俄代表維辛斯基的「新建議」亦提出來了。這所謂新建議，其內容只有三點：把韓戰談判問題移到聯合國來，另設國際委員會從頭商議，一也；國際委員會構成份子，凡與韓戰有關國家皆屬之，包括未派兵參加韓戰各國在內，二也；以波蘭最近所提解決韓戰方案為藍本，三也。

由於第一點，板門店兩年來的和談紀錄，皆不作數，必須重新商討之。由於第二點，蘇俄，中共，北韓，外蒙，印度，緬甸，以及波蘭等國，一律皆成為處理韓戰的主體了。由於第三點，自願遣俘的話則根本談不到！

若照這種新建議的辦法，韓戰打打談談的局面，至少又要延長兩年再說。換言之，即俄共集團已決定不讓韓戰停止，成竹在胸，花樣百出，史大林冷眼微笑着，坐看英美之倉急景象，不可終日，且因此而矛盾紛歧，造成如史大林最近發表的論文所述那種形勢——「帝國主義間的戰爭，較其對社會主義世界的戰爭更易發作」！

俄共素來是視聯大為宣傳場所的，維辛斯基的搗亂建議，是意料中事，毫不足怪。韓戰是否能停，祗看幕後交易有無成就？世人千萬不必為着聯大會議情形而枉耗心神，有所期待，把它看成一場鬧劇就得了。

西方國家的武器和金錢都比東方人優越萬倍，若說跟俄式共產黨人鬧談判，鬥手法這類玩意，不客氣，他們比東方人笨拙多了，決非俄共們的敵手，他們應該向我們中國人多多請教纔行哩！

國民黨宣佈新政綱

七全大會後的國民黨政綱公佈了。綜觀內容，無論如何比兩年前「改造委員會」所發佈的政治主張進步得多，簡要得多，實際得多！

尤其在政治上，首先標明「要團結反共力量，聯合國內外反共團體，建立反共抗俄聯合陣綫」，在經濟上要「貫澈民生主義」等項，不但是當前要務，而且平易近人，大堪讚佩！

政治的實效就在平易近人，適應現實需要，「車大砲」，開空頭支票，全是廢話。記得六全大會在重慶舉行時所宣佈的政綱，其中關於經濟以及土地問題的辦法，高調堂皇，當時周恩來見着亦不能不驚呼「這比我們還左！」結果怎樣樣呢？

這回的新政綱，不左不右，實事求是，可謂中肯得之言，必[illegible]得全黨人的同情；如果大家沒有老毛病了，一致身體力行，自由中國的前途絕對大放光明，我們且拭目以俟之！

因毛邦初案想到對美外交

污吏毛邦初正在墨西哥監獄中，坐候裁決是否引渡歸國法辦。這件事的本身不必談，也不屑多所辭費，但因此却聯想到對美外交問題。

毛案純屬國內私法性質，沒有絲毫政治犯的氣味，人贓俱在美國，他們朝野人士莫不洞悉內容的。中美邦交始終如一，我們的駐美大使也久任有年。當毛案發生之初，大使館何以毫無作用，讓一個贓官污吏勾串幾個當地浪人，逍遙法外，為所欲為？這其間，原因固然複雜，但我們大使平日除却身穿大禮服參加官式宴會，或作禮儀上的拜訪等公式應酬外，完全不發生外交作用，實為無可否認之事。蘇俄的駐外使節，常常可以將駐在國境內的俄國政治犯弄個莫須有的罪名，我們却奈何不了一個污吏，所謂駐美大使，似乎可以不設，以節公帑。

如其駐美大使必須派遣的話，為甚麼不遴選幹員，予以調整？硬教一位年高力衰的老職業外交人物坐在大使椅上，從事於「但求無過」的官僚生活呢？

非常時期不特需要非常的措施，更需要非常的人才，一味地只就親近的腐舊人物，[illegible]，焉能應付非常的時勢？

我是怎樣被共產黨欺騙的
華來士坦白的自述

「你怎樣會改變態度，從親共變成反共的？」好多人都這樣問我，我自然是有理由的，我可以坦白的說：

在一九四九年以前，我對蘇俄的瞭解，認爲它有眞心期望和需要和平，但一九四九以後，我對蘇俄漸感討厭，最後才知道克姆林的手段是使「冷戰」無限期拖延下去，有時並企圖挑起「熱戰」。

覺悟從捷克被侵開始

原子間諜案消息透露後，美共的供詞使我眞是聞所未聞。蘇俄竟這樣卑鄙地盜竊我們國防祕密，用心太險了，這使我初步警覺過來。

一九四九年夏季，我們的進步黨有一位黨員到捷克去，看到了那裏的眞相，他告訴我說，美國人在那裏要站得住，只有公開抨擊美國和資本主義，捷克人民如過去自己有些資本的，朋友親戚都不敢跟他來往，而唯有在莫斯科受訓派回來的共產黨員，才掌握了生殺大權。於是我覺得我不能容忍蘇俄的侵佔捷克。

以爲羣衆眞的擁護共黨

我過去的錯誤，是認爲羣衆眞正擁護共產黨，捷克之被吞併，也認爲是捷克人民恐懼德國法西斯復活，而情願投向蘇俄。我並從地理上，歷史上乃至文化上來判斷捷克倒向蘇俄的道理，而忽略了眞正原因的所在，這眞正原因，即是蘇俄的陰謀，共產黨的天生的殘忍性和奴隸性。

這種錯誤的種因，必須提到一九四四年我訪問蘇俄和中國。當時羅斯福給予我的訓令，在蘇俄只是要我去看一看農業試驗所，羅斯福那時對蘇的一切，也是非常地有興趣的。

被騙得蒙在鼓裏

俄國人好客是有名的，共產黨招待我更是不遺餘力，他們曉得我可以決定十億美元的援助可以撥給他們，於是處處要給我好印象，那時我眞不知道他們是在爲我處處佈置，給我特有的方便中來愚弄我。

我到過馬格德，看到的都是友善，好的，誰知後來有個在馬格德被奴役的奴工李伯告訴我，馬格德就是西伯利亞奴工營中最著名的地方。但我那時訪問了那裏的學校工廠，一點也沒有看到奴工營。原來，那時共黨爲了欺騙我，把奴工臨時撤走了，四週的瞭望塔也拆了下來，並重新佈置一新，不讓我看出一些痕跡。

不僅我如此，先我去過的威爾基也被騙得蒙在鼓裏，至死不悟。現在，我倒驚奇俄國共產黨的手法的靈巧，但也欺人太甚了。

我另一個錯誤是，誤認蘇俄的科學較美國有前途，威爾基也是這樣，覺得西伯利亞的發展，相等於十九世紀時美國的西部，於是對無數奴工的困苦工作，反而感到興趣。現在想來，對俄國高級官員的戲，實是上當不淺。

韓戰爆發才真正覺醒

對中國，也犯了個大錯，一九四四年我太低估了中國的軍事發潛力，因爲我在人口多於西伯利亞的中國，幾乎找不到一件滿意的軍工業。

對于中共的土地改革認識，也是完全錯了，我覺得中國農民在小小農田上耕作，實在難以相信他的前途，所以特別同情中共的「土地改革」的主張，誰知中共的「土改」，也正像西伯利亞俄共佈置的把戲，是一個騙局。

韓戰發生了，才把我這個錯誤改變過來，使我變成了一個堅決的反共者。

韓戰爆發後，我即覺得蘇俄的侵略已不能再容忍了，於是我公開表示主持美國對韓政策，但是這樣就遭到那些親俄的人所反對，於是我必須退出進步黨。

現在，我對蘇俄的政策手段更清楚，才感到美軍之撤離韓境，實在是一個嚴重的錯誤，蘇俄在未來的十年內也許不希望「熱戰」，但是蘇俄却希望指使其附屬或所豢養的奴才，隨時出動來延續冷戰的進行，從而獲得大量的土地。蘇俄現在仍在前進之中，現在的問題是應該研究一下，蘇俄是不是能夠席捲全部亞洲。

我就是從這樣的情況下，覺悟往日所受共黨之愚，而決心成爲一個堅決的反共者。（華士節譯）

台灣的進步

從確保到建設

民國三十八及三十九年時，台灣朝野均強調確保台灣，爲施政中心任務。自民國四十年以後即進而爲建設。確保台灣屬於軍事方面之工作爲多，建設則重在政治經濟文化教育方面。但無論爲確保爲建設，均必須以準備反攻大陸爲最終目的。否則確保台灣將永爲偏安之局，建設台灣亦必成爲粉飾太平。有人謂國家處境空前艱困，爲何尚要強調建設？殊不知建設台灣即係確保台灣，因爲要確保必須先加強軍事力量，也就是須先加強各項建設，以培養並擴大軍事基礎。再則要反攻大陸，必先爭取大陸人心，也就是須先建設台灣，以與中共在大陸上一種獸性破壞相對照，達到「以大陸反攻大陸」的目的。聞四十二年度國家總預算正由立法院詳加審議中。立法院依憲法規定，於審議預算時，不得爲增加支出之提議。但於各項科目間，權衡緩急，予以調整，則爲應有之職權。如能在建設方面多予分配，化消極爲積極，實爲民間所企盼者。

預算已接近平衡

聞四十二年度國家總預算，收支業已接近平衡。此固爲財政人員努力籌劃及整頓稅收結果。但台省同胞之優良納稅習慣亦值得稱許。近日台北市政府正徵收四十一年度上期戶稅，大街小巷住戶門前，多已貼有「本戶戶稅已繳清」長形紙條。如尚未繳納，在鄰里中即爲人所非笑。此種「國課早完」精神，爲以往大陸省份所未有。中央與台灣省在體制上雖爲兩級，但在同甘苦共存亡的環境下，實爲一體。依現行法律，稅收雖有中央地方之分，而在統籌調度配合運用上，盈虛相濟，早已成爲一家。此亦爲大陸省份所未嘗有之和諧現象。台灣能以一省之大，支持整個自由中國之需，即係根據此兩項精神。但爲配合人力財力動員措施之需要，主計機關宜籌辦國民所得統計，則民間之負担情形如何，是否公平合理，即可表現明白。今日所行各種稅制，亦可有改進依據。

民防系統改屬內政

確保台灣固有賴於軍事，實更有賴於全民動員。我國自抗戰以來，有國民兵訓練系統，有民衆訓練系統，有民衆組織系統。雖曰人人均納於組織，乃以系統過多，各有所屬，效果正屬相反。台灣省各縣市原亦有自衛隊，動員會，防護會，軍民合作四個單位，人力物力，均嫌浪費。今已合併爲一，在省稱爲民防會，縣市稱爲民防隊，並聞全部將劃歸內政部系統，實爲明智之舉。十月二十五日台省光復節，台北民防隊由總統親加檢閱，其盛況不亞於國慶日之閱兵，但軍隊係久經訓練，民防隊乃係業餘訓練，婦女大隊中包括各種職業婦女，陣容亦甚整齊。救護大隊中多鬚髮皆白之老醫師，亦皆依序進退，鶴立無倦。此種全民動員之組織，即爲反共抗俄之無比力量。

在台灣動員聲中，民衆團體組織之改進，亦爲要事。台省農會問題，已有改進暫行辦法，現正逐級改組，不久可能成爲農民自謀福利之團體。但工會漁會尚一仍舊貫，未聞有所改進。台省民間頗盼望政府能以改進農會之同一精神，亦予以籌劃改組。至合作社因發生顧希平等假借牟利案件，在民間信譽已大爲減低。茲顧雖已爲法院判處徒刑十二年，惟如欲恢復合作社事業之實效，在政府方面必須加強管理，不可再如昔日之放任。另一方面宜將現行合作社法第五條刪去。因該條許可經營業務之合作社，經主管機關之核准，得收受非社員之存款。顧希平等即係利用此項規定吸收非社員存款，蓄謀倒閉。

土改與工業化

台省今後經濟建設，當於土地改革及工業化雙方面同時努力。明年度起實施限田政策，原爲扶植自耕農，茲已明白改爲實施耕者有其田。聞國民黨七全大會中，對收復大陸後之土地政策，亦決定農地歸現耕農所有。最近內政部部長黃季陸引梁士詒年譜所載，證明　國父於民國元年即已與梁啟超談及耕者有其田主張，可見有人謂　國父因俄國革命後始行提出此項主張之說爲不可靠。中國地政研究所所長蕭錚又專撰一文，說明平均地權不限於都市土地所有自動報價，照價徵稅及漲價歸公等辦法，對農地一律適用。但今日台灣有關土地改革措施，均注目於農地。實際如台北等大都市中之市地地價上漲甚速。今日台北房屋頂費之昂，遠過於昔年上海及前年香港。又如台北近郊，前因防空疏散關係，地價大漲，有至數十倍者。經營地產之獲多與營造商獲利甚豐，而政府一無徵取。此後如對於市地，不同時實施地價稅及土地增值稅，並管制土地房屋之使用與租賃，則台省實行民生主義，即不能謂爲完全。而農村之地主南去，都市之新地主繼起，亦非台灣之福。

前途無限光明

至於工業化，陳誠院長所揭示之「以農業培養工業」原則，確爲要言不繁。明年實施限田後，一部份國營或公營事業，須以發行股票方式，轉讓於地主，償其地價。但在資產估價方面必須將其平允。台省國公營事業資產，照物價計無不增值。但如照公司法，則徵須折舊。一增一折之間，政府可能多蒙損失。地主取得股票後，有轉讓買賣情事，與其讓其發生黑市，不如公開建立證券市場，活潑企業資金，以利工業發展。或謂交易所在大陸上所遺留之歷史並不佳，然此乃管理不善之故。不能因大陸上通貨曾有貶值之事，從此國家即不再發行通貨，其理一也。再則台灣欲求工業化，必須增加電力設備。此次天輪發電廠完工未久，機件即發生障礙，固爲憾事。然不能因此即不再從事電業建設。惟機件不可再向日本定製，以免再發生粗製濫造情形。又現行有關工礦事業之法規與措施，必須重新檢討修訂。以往因發達國家資本一語所拘泥，對民營事業竭力予以壓制。茲欲誘導地主投資工業，使台灣銀行中數達五億元之優利存款轉向生產，復欲歡迎僑資外資來台，則必須改變以往立法原則與管理態度，方克有濟。

建設台灣固經緯萬端，但經濟重於政治，則爲不易原則。以上所述，係台省民間一般意見，或亦爲政府當局所留意者。故樂而報導之。（白）

昭和電工案判決

東京航訊　讓之

十月的日本政壇，是最熱鬧的一月，重要的事如衆院大選，日共全軍皆墨，吉田四度組閣，尤其是吉田鳩山之間的妥協與決裂，都佔了最大的篇幅，不但成爲日本社會的話題，舉世也都寄以密切注意，可是還有一件過時的新聞，却被人們忽略了，實際上在日本政治史上，却佔一件最重要的地位，就是昭和電工的大賄賂案。

片山哲這個人

當日本投降後，正式改編憲法，舉行普選，結果社會黨以一八五票高踞首位，自由黨佔第二席，第三便是由進步黨改組的民主黨，也就是今日改進黨的前身，議員既然選出，根據憲法在衆院選舉首相，社會黨黨魁片山哲因衆望所歸，得到全體擁戴，以四百六十六票（衆院全體名額）當選爲行憲後第一任首相，也是日本史上以平民作首相的第一人，片山哲雖然當選了首相，可是社會黨在議會中幷未獲得過半數，只好組織聯合內閣，第二大黨自由黨首先拒絕入閣，只好退而求其次與民主黨合作，這時蘆田均剛擠掉幣原喜重郎（已故）新任黨魁，便以副首相兼外相地位參加了片山內閣，片山完全是個學者，對於政治一天也未參與過，所以當時內閣中，蘆田的勢力是超過片山的，另外社會黨的書記長西尾末廣入閣任內閣書記官長，也成了片山的靈魂，大權完全操在他兩人手上，到了一九四七年初，片山內閣因預算案辭職，第二屆內閣仍然是社民兩黨聯合內閣，不過由蘆田均任首相，西尾末廣任副首相。就在這年秋間，發生了昭和電工的大賄賂案，牽涉到內閣經濟安定部長官栗栖赳夫，及副首相西尾末廣，拖到十月間，蘆田內閣就垮台了。

昭和電工案原委

昭和電工會社，原是日本最大的一家化學公司，戰後成爲日本肥料業的巨擘，行銷海外，尤其是硫酸錏幾佔日本總產量十分之八，可是雖然在這種情形下，當時日本工業前途仍然是很黯淡的，韓戰既未爆發，東南亞市場，未能打開，中國大陸也因時局動盪，無生意可做，形成一種滯銷狀態，影響到工廠本身的資金週轉不靈，唯一辦法就是希望獲得政府貸款，當時透過盟總關係，日本雖得美國一部份援款，成立「復興金庫」，專門辦理工業貸款，可是在五千萬日圓以上的數目，都要經政府批准，負責執行這項任務的便是內閣經濟安定部長官栗栖赳夫，栗栖是社會黨員，爲西尾親信，原在片山內閣任大藏省大臣，當時竟批准貸給昭和電工二十四億日元，因爲數目過大，而且在工業界來說，昭和電工是資本最雄厚的，其他經濟力量薄弱的小廠，所得極有限，有的乾脆得不到，世間事，不患寡而患不均，所有工廠便聯合告了一狀，說內閣官員藉公行私，當年還未想到行賄上面，後來經法院偵查以後，確定有行賄嫌疑，於是拘傳栗栖到案，同時又牽連到西尾身上，蘆田不得不加辯護，更受到輿論的指責，在首相解職後，也遭到法院的傳訊。這件案子是日本戰後最大的一樁貪污案，牽連之大，在日本歷史上也很少見，直到十月二十日法院判處栗栖赳夫入獄一年半，科罰金三百五十萬日圓，二十二日又判前首相蘆田均無罪，二十七日最後判西尾末廣徒刑一年緩刑三年，算是告一結束。

幫了吉田的大忙

這件事情的本身作用不大，可是對於日本政治影響太大了，首先是以進步自居的社會黨遭到人民的唾棄，在下屆大選時慘跌爲第三大黨，更分裂爲左右翼，從此一蹶不振，西尾末廣固然完了，連帶片山哲也失去領導權。至於民主黨內蘆田均犯了失德之嫌，黨內頓失重心，聲望更日趨低落，直到今夏才勉強擠出重光葵任黨魁，劣勢一時仍無法挽回，因爲昭和電工一案，間接打擊了社會黨同民主黨，自由黨才得漸露頭角，吉田茂從蘆田均之後組閣，四任首相，成爲日本行憲以來，伊藤博文以後之第一人，不知道的或者以爲吉田眞有本領，可是在日本人看來，吉田學識丰度不如片山哲，敢作敢爲遜鳩山一郎，手腕靈活亦不逮蘆田均，但是這幾人都在偶然事件中倒下去，大概是上帝有意成全吉田茂吧！

× ×

聯合國大廈

用了六千五百萬美元，由哈利曼建築工程師負責主持，並聘用了十二位國際知名專家任設計委員，動員的工程師共三百多人，打的圖樣也在三百種以上，他們選擇了其中之一，在一九四九年十月二十四日奠基建造，到最近才落成，第七屆聯合國大會就在這裏舉行了。

這座舉世矚目的大廈，位於紐約曼哈坦區東河河畔，共佔二十二英畝。

主要建築物可分爲會議場與祕書處兩部份，會議場又分爲大會堂及各種會議廳兩部份。全部爲七層。祕書處則規模更大，爲一長方型的卅九層大廈。可容納五千人辦公，南北兩面全用黑白兩色大理石條砌成，用去二千多噸。窗戶的玻璃共用五千四百塊。（臨）

劉少奇滯俄不歸 有關改組情報局

「本報特稿」代表中共出席聯共大會的中共「中央政治局總書記」劉少奇及「華東局第二書記」饒漱石，「華東軍區司令員」陳毅，「上海工會主委」劉長勝，「外交部次長」王稼祥等一行人，自九月三十日銜命飛俄，已將一月，目前尚未有回平消息，據內幕消息，劉等的滯俄不歸，乃與改組共產國際情報局有關。

羣魔雲集俄京 醞釀變更組織

根據此間獲莫斯科消息，這次聯共大會中，出席的各國共產黨要員達一百一十五名，代表四十三國的共產黨，其中大部係各國的共產黨總書記。自聯共決定召開大會時，即已接獲通知，分別動程，在表面上是向聯共大會祝賀，事實上則係奉克里姆林的命令，準備舉行一種重要的會議。會議中除檢討近數年來國際共產黨的發展現勢及確定未來的冷戰戰略外。並有一重要的任務，即準備變更共產國際的活動方式。其中關於改組共產國際情報局一節，已屬勢在必行。蘇聯所以要改組共產國際情報局，並非解散這一組織，相反的係準備擴大這一組織，以便在未來的冷戰中，能發揮高度的活動力和組織力。

解散共產國際完全出於謀略

從當前的局勢而言，這一次的改組共產國際情報局，與一九四三年五月二十二日，共產國際執行委員會的宣佈解散組織，在本質上完全不同。一九四三年史達林的宣佈解散共產國際，乃基於二項策略：第一、那時候，盟國的最後勝利業已判明，克里姆林正估計此一勝利，將如何利用以有助於蘇俄勢力的擴張。當時共產國際的亡命領袖仍多留莫斯科，為了避免各國的注意，以便使這些逃亡的領袖能順利回國，執行其在莫斯科所接受的任務，解散共產國際乃有掩護的作用。第二、當時蘇俄需要西方的物質援助，為了表示蘇俄此後並無發動世界革命企圖，乃故意解散共產國際，因此，一九四三年史達林的決定解散共產國際，完全以爭取西方合作為目的，以緩和東西對立形勢為動機。

情報組織變更乃在適應現局

這次的決定改組情報局，則因共產黨所面對的世界局勢，已有極大的轉變，原有的組織已不適合於未來的變局，非重加改組無以發揮其效能。

第一、共產國際情報局的組織，該局成立的目的乃在對抗當時的馬歇爾計劃，故其組織成員只包括蘇俄、波蘭、捷克、匈牙利、羅馬尼亞、保加利亞、南斯拉夫、法國、及義大利九國的共產黨。其總部最初設於南國的貝爾格萊特。一九四八年六月廿八日，情報局宣佈革除南國共產黨以後，乃將總部移至羅馬尼亞的布加勒斯。除了展開對狄托本主義國家的情報活動外，還要展開對狄托的鬥爭。自從中共攫取政權以後，共產國際的活動中心，已逐漸由西歐移至遠東，因此，原來的共產國際情報局，已不足以擔當任務，非重加改組不可。

第二、南斯拉夫的叛變，是共產國際情報局的致命打擊，四年來的鬥爭，並未損害狄托政權的一分一毫，已令其威信大為減降，因此，更非重加改組不可。

過去共產組織具有兩大效果

我們所以認為共產國際情報局是改組而不是解散，乃因為這一組織在過去數年中，仍發揮相當的效力。

首先，這一組織始終是一座蒐集情報的總機構。在過去幾年間，世界各國共產黨所執行的戰術，其表現之配合性，說明了國際情報局在運用上的統一性，如對於北大西洋公約的反對，各國共產黨要員所發表的言論，直是如出一轍。一九四九年二月二十二日，法共總書記陶里茲發表「假如蘇軍開入法國地區與侵略者作戰，法國人民將歡迎蘇軍為解放者」，四日後，義共總書記托里亞蒂亦強調：「假如蘇軍開入義境，有效的援助蘇軍，將為義大利人民的職責。」阿根廷，哥倫比亞，葡萄牙，英國的共產黨差不多，如響斯應地發表同樣的聲明，這無疑的是通過國際情報局的運用所產生的效果。

其次，國際情報局在發展區域性組織上亦有相當的效果，如一九四八年西歐共產黨簽署反對西歐聯盟的宣言，一九五〇年的狙擊許曼計劃，斯干的那維亞半島共產黨和中東共產黨，均時常有區域性的會議，幕後的支配者，亦是國際情報局。基此諸端觀察，情報局的形式可能改變，其活動方針仍不致大變。

未來新建機構中共將任要角

目前在醞釀內的新組織，如以這次出席的人員推斷，可能作下列三項改變：

一、新的共產國際組織，將擴大範圍，可能包括遠東中東及西歐共產黨。

二、建立區域組織。遠東方面可能以中共為中心，以指揮越、緬、日本菲泰及印尼各國的共產黨，西歐方面以法義為中心聯結斯干的那維亞及巴爾幹各國共產黨，而由俄共總其成。

三、活動路綫，在共產黨已奪取政權國家，將防止狄托路綫的出現，監督勵行蘇化的計劃，在共產黨未奪取政權國家，則以協助奪取政權為目標。

在這次出席俄共大會的雙簧中，劉少奇無疑的佔有相當重要的地位，其滯俄不歸，可能正在接受克里姆林的機宜，作為未來指揮遠東共黨活動的張本。預料劉少奇歸來後，中共可能加緊發展東南亞一帶的聯絡和滲透工作，配合其最近成立的亞洲和平會議聯絡會，使遠東共產黨逐漸形成一整體，作為俄共宰割亞洲的鷹犬和前鋒。（錢易之）

中共棉產豐收之謎

雪冰

據「中國新聞社」北平廿七日電訊：「九月份，大陸各產棉區供銷合作社代中共收購棉花，已完成收購計劃任務的百分之一百四十點七。」又謂：「今年棉花的產量，可以完全滿足大陸人民和紡織工業的需要，根本扭轉了幾十年來依賴大量外棉進口的趨勢。」

這一中共的宣傳，顯而是一個騙局！溯自大陸易手的初年及第二年，即一九四九年第四季及一九五〇年，大陸紗廠及棉織廠，完全靠原存美棉及國產存棉約在五百萬担以上來維持生產。至一九五〇年第二季開始，私營各棉紗廠的原棉即逐漸缺乏了，而中共所劫收的國營紡織各廠，隨之亦發生原棉不足的恐慌，在中共統轄支配供給公營及私營各廠的原棉，初則僅能夠維持四天四夜開工，繼之僅維持三天三夜開工，時至一九五〇年下半年度，大陸私營紡織廠，尤以佔大陸紡織工業百分之七十的上海的私營紡織廠的原棉用罄了，中共所把持的原棉，僅維持原來中紡公司各廠每週三天日工的生產，而私營各廠，大部停了工。

去年六月間，中共缺之原棉供給，大陸各區紡織廠，首先華東共區的上海、無錫一帶的公私營合紗廠，中共乃宣告全部停工一月，等待巴基斯坦的棉花以大陸糧食易到後，各公私營紡織廠始行復活，但亦僅最多維持每週三天三夜開工而已！

為時不過一年，而大陸今年棉花的產量，中共說是：「可以完全滿足大陸人民和紡織工業的需要了？而且又根本扭轉幾十年來依賴大量外棉進口的趨勢了？」這個謎底，值得來加以拆穿的必要！

根據以上「中國新聞社」的報導：「由於今年各地棉農都開展了愛國豐產運動，大陸棉花普遍保持豐收，預計產量可超過戰前最高年產量百分之五十五點七（係指中南共區棉花總產量而言的），因此，在八月份下旬，大批棉花就已上市。……中南共區已有二百六十多萬戶棉農與合作社建立預售關係，合作社在九月份共收購三千七百多萬斤，超過原訂的計劃。……」

我們首先要指出的，大陸紡織原料，在戰前（民國廿五年）勉能自給。但是在民國廿五年全國所有民營紗廠紗錠僅有三百萬枚。而民國廿五年度全國棉產量一度達到一千六百萬市担，為我國民國以來最高的年產量。抗戰時期，淪陷的棉產區域遭過摧殘，棉農放棄植棉，民國三十四年全國棉花產量減至五百萬市担，民國三十五年全國棉花產量據一般估計約在七百萬市担。因此，在民國三十五年全國各紗廠所需原棉，有四分之三，取給於廉價的美棉。至民國三十六年，在國民政府積極大力增產之下，據農林部棉產改進諮詢委員會及全國機器棉織工業同業公會聯合會於民國三十六年十二月廿四日聯合發表之全國棉產最後修正估計，根據冀、魯、晉、豫、陝、鄂、湘、贛、皖、蘇、浙、川、遼寧、遼北、滇、甘等省之報告，全國棉田面積計三千八百六十三萬一千市畝，比民國卅四年增加九百廿一萬三千市畝，即增加百分之三十一，皮棉產量為一千零七十三萬八千市担，比民國卅四年增加三百三十萬八千市担，即增加百分之四十四。

在民國卅六年國營民營紗錠已增加到四百五十萬枚全國紗廠全年需要原棉在一千萬担以上，當時各廠存棉及所購的美棉在內，當年估計最多不過三百萬担，而所能收購的亦最多不過三百萬担，實際需要量，尚不足十分之四，仍須有賴美棉輸入。民國卅五年一年之中國民政府以一億五千萬美元外匯購得廉價美棉六百八十五萬担，大批儲存備用，以防棉荒，大陸紗廠在易手前，而從未感到原料的缺乏，實者賴國民政府大力促進我國紡織工業的發達，這是當年眞正繁榮的事實！

我們再看「中國新聞社」的報導中說：「合作社在九月份共收購新棉亦僅三千七百多萬斤」！假若大陸棉花普遍保持豐收，預計產量可超過戰前最高年產量百分之五十五點七」，又何能僅僅收購三千七百多萬斤？這是騙人的鬼話！況且，這九月份共收購的新棉三千七百萬斤，又佔中共收購計劃任務百分之一百四十點七，則中共原收購計劃，尚在三千七百多萬斤以下的二千二百廿萬斤而已，此即可以滿足今年大陸人民和紡織工業的需要嗎？此又可以根本扭轉了幾十年來依賴大量外棉進口的趨勢嗎？如果中共今年僅僅才收購了三十七萬担，則大陸原棉不足太大了。中共如果不多餓死千千萬萬的大陸人民，運糧食去巴基斯坦易回棉花，則大陸紡織工業可崩潰了，那千百萬的紗廠女工，而又將面臨失業饑饉！這能說不是撒入欺世的謊話！」

「中蘇友好月」的眞相

中共下月七日實行的「中蘇友好月」，大張旗鼓，煞有介事。但從中共的「中蘇友好協會總會」所發的「友好月宣傳要點」看，只見中共單是在要中國人討好蘇俄，把蘇俄捧得天一般高，蘇俄什麼都好，什麼都該學蘇俄，而給中國人安排的，只是接受指使，卑躬屈膝，以附庸，尾巴，奴才自居的位置。

這宣傳要點共分四項：一是「三十五年來蘇聯的偉大成就」，從蘇俄共產黨的取得政權，專政、建設、一直到幫中共搶得天下，乃至戰後的開鑿運河，無事不說得「偉大得了不得」。而結語是「資本主義制度的滅亡是不可避免的。」

二是「蘇聯對中共的事業和建設的重大幫助」，說中共的三十幾年，「沒有他們的援助是不能取得最後勝利的」。於是列舉了蘇俄所給的「幫助」，而這些「幫助」中竟連蘇俄「接受」中共「請求」繼續佔領旅順大連也倒算在裏邊。

三是「加強中蘇友好互助合作同盟」，這項特別強調中共有蘇俄作後台，就不怕「美帝」，於是應該「感激蘇俄」。

四是「學習蘇聯，學習馬克斯列寧主義」，要中國人思想，行動，精神都要俄化，才算夠得上標準。

試看這四項，幾乎完全是敬神一樣，覺得中國人的一切，全由俄國人所賜與，中國人只有感恩，不能作別想，「友好」何在？

今冬明春中共的中心工作

「本報特稿」中共為配合蘇俄要求，大體上已決定在明年春夏之交，或在五月初（可能為五月一日）將宣佈實施「五年計劃」，而同時即實行所謂「社會主義」，現在所要等待的是劉少奇在莫斯科請求審查通盤計劃批准，和史大林的具體指示。對中共自身而言，則謀在今冬明春這時期中，重複檢查各地毛澤東六六報告中所舉的八項工作，沒有完成的，必須在今冬明春中完成。

結束「土改」

於是各地中共分局，最近為此分別召開擴大會議，商討檢查方式及今冬明春的工作方針和任務。這會議作出決定後，發動各區鄉的黨執行，各分局組織並要派人到各地檢查和領導。

大體說來，要進行結束的是「土改」工作，華東區僅有一部份地區要「覆查」，中南區中主要為廣東省區，尚有七百萬人口的地區要進行「土改覆查」，西南區也有大部份地區的「土改」要結束，而「少數民族」地區的「土改」，則正待開始，但這部份「土改」，與中共整個政策的關聯性較少。

「全面社會改革」

現在正在進行，或準備進行的工作則有三件，一為全面社會改革，二為發展生產，三為整黨建黨。

所謂全面社會改革，主要的指「五反」而言，過去「五反」僅限於大都市，如華東只有上海、南京、杭州、及京滬線幾個大縣，中南區只是武漢、長沙、湘潭、衡陽、廣州、汕頭。

現在要做的「五反」是各縣各鎮，唯據中共華南局的決議看，這次「五反」要到明年二月才開始，即是在陰曆年過後，讓商人先在「旺季」中賺一點錢，再來迫它們吐給中共。

此外，司法改革，勞動就業，新婚姻法等，也被列在全面社會改革項下。

全力準備大戰

發展生產，現在是共產黨第一等任務，其方法是在農村中「查田定產」，要農民生產規定的數字，交規定的糧食，所以雖說發展生產，實際上是「要做好今年秋徵工作」，為的是他們的財政。同樣的，在廠礦中，要「學先進經驗」，「生產競賽」，加強勞動程度，也甚為的解決「抗美援朝」的軍需物資。至於在新疆等地建設新城市，新礦廠，以及鋪築鐵路等，主要也為了備戰，但在中共的宣傳上則列為「發展生產」。

值得的「發展生產」，卻是「土產交流」，但這是為了挽救「土產呆滯的危機」，現在還沒有超脫這範圍而走上「發展生產」的階段。而且「土產交流」的都是中間很壞，收買的，再強迫共公營機構，工人和農民配銷，「土產交流」大會，原定每年一次，現在則幾乎兩月一次，一次銷不了再來一次，於是成績反愈弄愈壞。

「整黨建黨」

整黨建黨工作是一長時期工作，但中共中央規定在今年十二月底前，必須完成第一階段計劃，明年再開始第二階段，據中共華南局擴大會議的決定，從現在開始，以建黨為主，整黨為副，大概現在的黨還整不出一個頭緒來，而黨的幹部又分配不過來，所以還是以建黨為先，可以集中力量。據一般估計，中共這次發展組織，目標為吸收一百萬到一百五十萬黨員。

建「國」整「團」工作也同時進行，今冬三個月先要在每一農村中成立組織，明春三個月則配合中共黨在各縣開的訓練班，輪送團員到訓練班去被選擇。

共黨認為，到了明春後，即可完成這些準備工作，即可召開大會，宣佈它們的新計劃。（士）

滿是歇業廣告

共黨吹牛，說「五反」後商情蓬勃，人民豐衣足食了，最近的人民日報，解放日報，長江日報，廣告欄中滿是歇業啓事，多申明「存貨資金已完」，或「血本虧盡，無以繼續，只好停業」，讀其文，如見其情，慘苦萬分。

談朋友寫信問題

為方

記得林語堂當年在上海「論語」雜誌談寫信問題，說他自己最喜歡看朋友來函中寫有「再啓者」那段話。他認爲在「再啓者」以外的那些正文，多半都是無意義的應酬詞句，或是無病呻吟的廢話。只有「再啓者」這段話纔是由衷之言，可以窺見朋友的眞性情。

我很同意林氏的觀點，但我對於朋友間的寫信問題，另外還有幾點意思，値得跟一般「不俗」之士商榷一下。我認爲友誼尚未到隨便談心的程度者，那是泛泛之交，根本就不必多所通信，所謂「問候」云云，幾句陳腔濫調，又能增進多少友情呢！既然夠得上寫信談心的交情，即不必寫「再啓」，而且以親密爲主，縱在百忙中，不妨少寫幾句，謂門見山，直切了當，實爲親切的表情。

世上偏有許多傖夫俗子，一旦做了一個聯保主任或一個洋行買辦，對朋友寫信，不是教書記寫些「久違雅教」「適奉瑤頌」的屁話，自己在末尾簽個名，以示貴人多忙的派頭；即由僱員全部用打字機打上一些方體漢字，蓋上一顆紅色圖章，裝出洋氣官派的臭架子。我每逢接到這類屁信，如果對方平日是我的眞朋友，一定親筆回信臭罵他一頓，並若是「點頭之交」的人，我罵得更厲害。如果對方夠不上談心的交情，看過信末名字之後，馬上丟諸字簏中，再附上一句話：混帳！

我平生從來不致書記或打字員寫信給貧賤或道義之交的朋友，所以最討厭自認爲富貴朋友者，對我寫信不高抬貴手，親筆一揮！

自由談

噩夢一覺

山禾

上帝給梁又新一副魁偉的軀體，得天獨厚的漂亮。加上還有個生財有道的父親，使他養尊處優，享盡豪華。一向天眞任性，不知天高地厚。

在上海「解放」前的四個月，他因桃色糾紛及成績低劣而從復旦大學轉入了××大學。但與其說是讀書，還不如說還他父親的有錢，在遊戲人間，混取文憑。

邵靄芝是××大學的校花；是一個天生的尤物。她那玲瓏苗條的身體，豐富肉感的乳峯，白嫩的皮膚，桃花似的臉龐，和她那一雙怪逗人憐愛的春波漾漾的眸子，不知有多少人曾一爲之神魂顛倒而未得一親香澤。梁又新却後來居上，很快就佔有了她的一切；從此，這一對青年男女就忘形於一個浪漫的小天地中：恣情的戲弄，醋笑，狂舞，熱吻，……同學們誰不羨妒他倆的香艷，甜蜜，幸福！尤其是一些標榜「前進」的職業學生，會酸溜溜地按照共產黨的邏輯，咀咒他倆的戀愛爲「布爾喬亞份子的墮落荒淫」！

然而這年頭無知青年們的心眞昏得不可捉摸；當上海宣告「解放」之後，像鬼使神差般的，梁又新和邵靄芝竟又[illegible]變表示了「前進」；而瘋狂地投入了「華東軍政大學」，只「學習」了一個月，便匆匆加入了「南下工作團」。明明是共產黨仇恨對象的所謂布爾喬亞份子，他和她却欣然參加了「革」自己之「命」的「革命」！

「南下工作團」一路經浙江，江西，湖南，而入廣東，所有的「同志」是一路「工作」，一路「學習」，——學習成爲「積極的革命份子」。

「南下工作團」到廣州後就編入了「四野」的文工團，梁又新和邵靄芝一同被編入了劇宣隊。因他和她的漂亮與活躍，在演出上頗有一手天才，加上情緒熱烈，態度積極，所以會幾度被「優秀」、「前進」等魔術似的讚詞，哄得飄飄然！更奇怪的是一個人經過了共產黨的「改造」，就會失去人性：梁又新在一次所謂「思想運動」的「坦白大會」上，痛快淋漓地毀了一頓自己過去的生活形態之後，竟會寫了一篇洋洋二千言的「控訴書」，向遠在上海，對他一向寵愛無度的父親實施了「鬥爭」；逼得他父親跳樓而死！而他則被認爲「合格」而和他的愛人在一次「檢討會」上一同受到了文工團團長的嘉許，當場宣佈他們核准做了「光榮」的「新民主主義青年團」團員。這是一種建立在第一悲劇上的「快樂」，誰快樂竟會使他得意忘形，當衆熱辣辣地和他的愛人擁抱了起來；引得那個團長的兩隻會妒的眼睛，瞪在他們擁抱的一瞬，發出了神祕的獰笑！

這該是他倆最迷惑而「快樂」的時候；他倆可以在一起的工作，生活，戲嬉；還有，在那「革命」風氣下的可以不拘形跡的男女的自由，只是那個團長神祕的獰笑，在梁又新的敏感的心靈，時時浮上了惶恐的陰影！也祇這一點屬於人的伴偶獨佔的本能，尚未失去，擋了毀壞的自由，急向邵靄芝提出了立即結婚的要求，她立刻爽朗地答應了。一副醉人的甜吻代替了她的答覆。然而結婚必須上級的批准，那個團長對他倆的申請，却批了個「何必性急」！當梁又新正在着急的時候，上級突然下了派他去佛山協助土改的命令，這於他更如一個晴天霹靂！爲了她，他決意抗命；立即跑去向團長申訴，陳明意見，那團長却裝着笑臉爲難的和氣勸告他：「組織上的意志，他是要遵從。」他當然還有點沮喪的情緒，可是受着嚴厲的警告，終於還是不得不忍痛離開了她。

起初他還以爲只是暫時的分離，更可請假進城，相會時約她到佛山一趣。誰料他到了佛山只一個禮拜，終因忍不住相思的苦味而請了假回廣州去看她。可是他離開廣州以後的她，已立刻被誑入了鐵幕的鐵幕；她在兩年多「革命」風氣薰陶下，早已不驚異這樣的陰謀，她只好乖乖地投入了團長的懷抱，實行了「共產」。

他曾反復徘徊在那個團長所住的幾間大廈的庭前，然而一入侯門深如海，從此蕭郎陌路人！他想：爲了迷惑於這個時髦的「人民革命」之謊，他父親都已逼死，只爲了要享受愛情，是這個愛情的包袱，終不甘如此被慨丟棄，憤怒、羞愧、嫉妒、悔恨，使他如夢初醒！

萬竹樓隨筆

談羅斯福（四）

·舜生·

大凡一個政治家的成就，下列的四個條件似乎都是不可少的：一、他隨有一套可以見諸實行的理想；二、依據理想能提出具體的方案；三、有執行方案的勇氣與技術，而又能物色得一群可共與事之人；四、還要環境與時間能給予他一個實現理想與方案的機會。羅斯福這個人，在美國歷史上，乃至在世界歷史上，其所以能夠有一番較大的成就，就是因爲上面的四個條件他都是具備有的。

羅斯福的理想，說過來也是很平凡的：第一，他要求增加大多數人民的安全與幸福；第二，給他們以更多的利益和更大的自由；第三，使他們在假期中能夠享受娛樂；第四，保證他們決不致在老年挨着飢餓；第五，使誠實的商業向前進展，能夠得正當的利潤；第六，給每一個人以謀生的機會。我們能說像這類的想法，果然有什麼使人難於理解與接受嗎？能說這樣的理想，使一定要給它戴上一頂什麼主義的帽子嗎？更能說一定要靠什麼辯證法才可以講得通嗎？羅斯福在就任第一任總統的初期，總算就根據他的這些理想，一一擬成方案，而使當時國會的特別會議通過，使之成爲可以付諸實行的法案了！

首先，他就要求國會撥款三十三億元，建設公衆事業；一個由霍浦金斯主持的聯邦緊急救濟管理處，便耗費了五億元的巨款；稍後，一個爲霍氏所担任的民事工作部，單是使四百萬人找得暫時的工作，也支出了近一億元的費用。像這樣的龐大數字，在今天看來也許沒有什麼可驚，然而我們不要忘記這是十八九年前的事；不要忘記這是正當美國陷於一個極端不景氣的時候所執行的事！僅僅憑出這樣一個例子，我們已經可以看出羅斯福的勇氣爲何如，更不必提到一九四一年以後的『租借法案』了。

羅斯福在一九三三年到一九三七年的第一任，已經使美國的經濟生活完全改觀，因此在一九三六年的選舉，無論在參院衆院，民主黨都有以壓倒的多數戰勝共和黨，而使他得以安然聯任。可是羅氏是不是就這樣便感到十分的滿足呢？不然，絕對不然。我們只看他在一九三七年一月二十日就職的演說，便完全可以了解他當時的心情與懷抱。他說：

『我看見多數人的收入微薄，家庭醫之的恐懼，無日不縈繞於心！

『我看見多數鄉村與城市的人民，依然過着半世紀以前不適宜的生活。

『我看見無數人民沒有教育，沒有娛樂，也無法改善他們子女的命運。

『我知道多數人民缺少購買力，因之使得多數的農場與工廠，無法增加他們的生產。

『我見到全國三分之一的人民，吃得很壞，穿得很壞，住得很壞！』

『民吾同胞，物吾與也』，『一夫不獲，時予之辜』，一個政治家的懷抱，當如是嗎？（一四三）

神戰

東村的滄桑

舒其誰

東村是江南的一個小村落，聚居着兩百多戶人家，原野上有着青山綠水，也有着肥田沃地，居民全都靠着農爲業，多少年來，都融融樂樂，無爭無執，他們互通有無，守望相助，相互間只知有愛，不知有恨，一村的人們春忙夏鋤，一秋收冬藏，任何人也不愁着布衣淡飯的生活！

清和四月，男女老幼都忙着育蠶採茶，割麥插秧，忙中不乏樂趣；夏天的傍晚時候，當夕陽照在西山的時候，孩子兒童，上跳躍着活潑的年青的夥子，提迷球，拉胡琴，在恢復他一天的疲勞。秋天來了，大家歡欣的忙着收割，當一担担金黃的穀子，從田間收穫回來，婦女們已備好了豐盛的晚餐，正好開懷暢飲自釀黃酒的時候。冬天的早晨，人們穿上了新織的棉服，在和暖的陽光下，談天說地，論古道今，盡討論着如何準備歡度這將到的新年，有欲去龍燈的，有欲賽鄉會的，紛紛不一。

這是三年前的東村！而今，這小橋流水人家的東村，桑田已變作滄海了！當獸性的赤色的動物，殘踏到這平靜的東村的時候，浩劫就開始降臨到這古老的村子，每個人頭上，都落到了悲慘的命運。

強盜們用無比的暴力，脅迫着每個人都要俯首地跟着他走向死亡！村子裏稍微寬裕的人家，都被指爲「地主」「富農」，遭受着「清算」「鬥爭」，屠殺的屠殺，監禁的監禁！雖被倖存的較爲窮苦的「人民」，但年青的子弟，都被送往遙遠的異國說是去救「鄰人的火」去了，換得的是門口一塊「光榮之家」的木牌，和家婦們的「春閨夢裏人」！「支前」「獻金」，「征糧」「購債」，已搾空了東村每個人的肚子！

田裏能多收穫一粒穀子，這該是農人本有的希望吧！但現在東村的農人，却希望着少收！因爲張三如果比李四收穫多，張三就得被李四欺侮，就得沾着李四，強盜們正提倡着「窮光榮」！要人們不要有隔宿之糧，如果有人在打算以後的日子，它們就說你還殘存「地主思想」！但在這少收多用之後，到了餓肚的時候，強盜們却毫絲救濟，宣稱着江南山水的肥沃，竟着充飢的野草！東村多還活着的人們，就在這矛盾痛苦中咀嚼着草根樹皮在苟延着僅有的生命！這究竟是地獄呢？還是人間？寄語苦難中的鄉老們，請你們再忍耐最後的一刻吧！當明年驚飛草長的時節，東村仍將會由滄海變作桑田的！

優待烈屬

惜夢

優待烈屬是一個德政，
借此來鼓勵傻子送命；
等到你眞正作了烈屬，
優不優待沒有人保證。

×　　×　　×

斧旭山是大同縣的農民，
家裏有一個瞎眼的母親，
自己被徵到北韓打仗，
託人帶點錢惹起禍根。

×　　×　　×

共幹說他是發了洋財，
停止了優撫還要購債，
老太婆被逼實在無法，
只好把老命捐獻出來。

×　　×　　×

撫濮縣裏有個王五江，
他被炸死在北韓戰場，
門口掛上了「光榮之家」，
從此沒有人再來看望，

×　　×　　×

婆娘兩個人逼得無奈，
哭着跑出了撫濮縣外，
在鄭州車站一家妓館，
偷偷把自己皮肉出賣。

×　　×　　×

有很多指定代耕人家，
說起來更是一種笑話，
春天撒下了三斗麥種，
到了六月還沒有發芽。

×　　×　　×

有少數就算眞正幸運，
還得主辦人格外開恩，
可憐渚活的一條生命，
也只換小米五六百斤。

×　　×　　×

共產黨存心就是欺騙！
弄得了烈屬這樣悲慘！
已死的完全作了冤魂，
未死的應該怎樣清算？

中國之友（三○）

毛以亨

赫德傳（十）

赫德以公忙不能兼顧，丁韙良遂于一八六九年十一月廿六日繼任館長。丁氏首倡譯書，擬譯Euclid和馬響所未完成的部分，Herschel的天文，Whewell的力學，與余端的自然科學。兩年後學生加倍，由廣州上海之方言館升入，亦不限于八旗子弟了。學生八年畢業，四年預科四年本科，一八七二年請Dr. J. Dudgeon爲解剖學生理學教授，擬增設醫科。

同文館學生名額，限於一二○人，至一八八八年已增額爲一二五人了。新生月薪三元，每年遞增，至第五年則爲十元，而膳宿概由校方供給，教員請不到時，每輒請海關人員暫行担任，故Piry, Rocher, Mc Kean, Morse均兼任過。一八七九年，C. H. Oliver任英文教員，後改任物理學，一八九四年繼丁韙良爲館長，同時聘S. M. Russell爲天文教員。

校址先在鐵錢局，位於總理衙門後街即今外交部街之北，一八六五年擴充校舍，一八七六年成立化學實驗室，及博物館，一八八八年，天文台與物理實驗室成立。一八七九年印刷局成立，不僅可週校方之需，并可印教科書，與總理衙門之印刷品。出版物中，翻譯有Woolsley and Bluntschli之國際法，Fawcett之經濟學，Loomis之實用天文學，Tytler之世界通史，Malaguti之化學Kerl之英文法及拿破崙法典Martin之外交指南，及新加坡法典。此外師生之著作與論文極多不暇細述，不過此類書雖過時亦甚有價値，實不能輕視。當時之著者譯者均爲第一流人物，譯筆流暢而負責，實非現代譯本可比，我于民初曾買到數本而什襲藏之。我們至少要與英國人對耶方斯穆勒之維持一樣鄭重態度纔對。

一八六六年隨斌椿出洋者三人，一八六八年隨蒲安臣出洋者六人，英法俄文每班各二人，此皆歸海關調度者。一八七○年隨崇厚赴法道歉學生二人，一八七五年派郭嵩燾駐英，陳蘭彬駐美，使館幾盡爲同文館學生，一八七九年駐外各使館學生十六人，一八八八年增至廿一人。在外國繼續進修，回國後在外交界露頭角者不少，有幾位位至部長。亦有在國內任行政官教員，兵工廠造船廠者，新政之能由中國人自辦，以有同文館爲之培養人才故。

該館燬于拳亂，以曾紀澤的主張改建譯學館，一九一一年後歸併于北京大學。

自由人
中華民國內政部登記證台警字第……零貳號
THE FREEMAN
（每星期三六出版半週刊）
（第一七五期）
每份港幣壹毫
督印人：李光華
社址：香港高士打道六六號
電話：二〇八四八
GLOUCESTER RD.
HONG KONG
TEL: 20848
承印者：東南印務出版社
地址：高士打道六十四號
台灣特派員辦事處：台北市館前街五十號
台灣總經銷處：台北市中華路一二五九號

論政客不准入台

陳克文

報載行政院陳院長向僑務會議解釋，台灣嚴格限制入境全爲安定台灣着想，官僚政客來台，則不表歡迎。又說：入境限制已放寬，但兩種人不許入台，一爲共諜，一爲卅八年大陸變色後即逃亡海外而未曾入台之自私政客云。未見原文，大意如此。

官僚如果是指政治科學上所稱的 Bureaucracy，即我國通常所說在政府機關服務的公務人員而言，政客如果是指一般專門從事政治活動的人物而言，這兩種人是和政治形影不離的，更可以說政治脫不了這兩種人，沒有這兩種人也便沒有政治。

因此，我們可以想像，陳氏所說不表歡迎或不許入境的當不會是這兩種官僚政客。他跟着下了一個界說，就不許入境的是「卅八年大陸變色後逃亡海外而不入台的自私政客」。政客而限於「自私」，自然不是指一般從事政治活動的人物了。同是「自私」政客，爲什麼又限於卅八年大陸變色後逃亡海外而不入台的呢？大概因爲在此以前既已入台的，無從驅逐出境，只好限制未來的不許再來，同時也說明了台灣現在或許也有『自私』政客。陳氏的話可謂斟酌再三，煞費苦心之至。爲安定台灣不得不採取限制入境的措施，這是應該的。陰謀破壞政府的共黨間諜之類，絕對不准入境，也是必需的。至於限制官僚政客，即使是如陳氏所指說的『自私』政客，就民主政治原則和政治措施所生的效果言，似乎還有討論的餘地。

［illegible］總還是反共的和平人士。這些少數文人入台，對於台灣內部能發生多大的影響呢？不許入台，［illegible］足以表示台灣團結反共力量的不廣，而在團結之下，予社會以不良印象。換言之，損失不在被限制的少數人，而在政府。孰得孰失，理甚顯明。總之，過去兩三年，台灣處境艱危，措施即有過甚，國人無不相諒。現既趨安定，並且力求開展，即不能不以法治精神處理事務，力求公允，以符合民主政治的原則。

安定政局的重心

少數文人入境不足以影響台灣，如前所述。換一句話說，台灣政治今後能否免於自私政客的騷擾操縱，和這些少數文人入境無關。物腐而後虫生，如果政黨的組織不健全，政治上沒有法軌與是非，則已往的派系傾軋，風氣的［illegible］，手段的［illegible］，以至［illegible］政局，故今日［illegible］政風，安定政局，應在彼而不在此。

現代民主政治，法治重於人治，如政治領導人物以天下爲私，只知個人或派系利益，或以天下爲己任，忠誠，使沒有制度，沒有法軌，即使一切出於人治，最多亦不過是『人存政息』，不是現代的民主政治。

英工黨領袖想消弭黨內分裂，對付派系的黨員凡所用武器，是以黨內的紀律。［illegible］是民主制度的決心，絕不［illegible］，［illegible］地位的人做領袖，必不能［illegible］威脅。［illegible］人服從多數精神，［illegible］地位足以建立現代民主制度的基礎，和服從多數的精神，這是健全有效組織的力量，才能團結一致，使工黨免於分裂。一方法使自私自利的政客無所施其伎倆。

我們固不能以英美民主制度標準要求於中國，處境困難，極端的自由，以處境困難爲理由，我們也不能把一切民主制度作爲理由，我們認爲限制入境的基本工作，不遂歧以不違憲和民主的顧慮；這應該根據憲法和民主政治的基本條件，乃標準，並不是過高的英美制度。

政客與破壞份子有別

從事政治活動的人物其中沒有一定主張，專以個人的地位，權力，享受爲目的；朝秦暮楚，縱橫捭闔，挑撥是非，離間感情，希冀從中漁利的人，確是不少。這些人也便是『自私』政客，或所謂搞政治的人。這些人多了，確可以增加人事的糾紛，甚或影響政局的安定。但如把這些人和陰謀傾覆政府的共黨間諜等量齊觀，却是不當的。因爲在反共的大方向之下，他們都還是擁護政府的自由公民，在法律［illegible］國境［illegible］。其次，所謂『自私』或『不自私』是沒有界限的，法律上並不規定自私政客不許自由行動。如果由個人或執行機關自由衡量，說某人自私某人不自私，某人准入境、某人不准入境，不能受限制的人感覺不平，就是社會一般觀感也覺得難怒國人，標準，不是民主法治的精神。現時棲遲海外的若干政治人物，或爲半日不滿政府，或爲政府所不滿，而又希望入台的，爲數到底有限。他們言論即使有些偏激，也終［illegible］手無寸鐵的智識分子［illegible］

半週展望

·左舜生·

讀國民黨最近所公佈的政綱

這次國民黨七全代會的結果，公佈了國民黨的三十六條政綱，對政治，外交，軍事，經濟，教育，社會，僑務均分別有所規定。

毫無疑義，這個政綱的基本精神是從反共抗俄的一個總方針出發的。既要反共抗俄，當然非由黨政時期依然退到軍政時期不可。話雖沒有這樣明說，但在這三十六條的字裏行間，我們對這種精神是不難體會的。

政綱的第四條說：『厲行民主政治，樹立廉能政風，依法保障人民生命財產及生活之自由』。這裏不說『依據憲法保障人民的身體，居住，遷徙，言論，講學，著作出版，秘密通訊，以及集會結社等一切基本自由』，而單單只舉出生命財產及生活爲說，可見憲法第八條所列舉的一切基本自由，在國民黨看來，在今天是無法實行的了。可是在我們看來，如果這類的基本自由一一被剝奪，即無所謂『民主政治』，更無所謂『厲行民主政治』，至於人民的生命財產及生活之自由，即在過去的君主時代，也並不是完全沒有保障，我們又貴何乎有這種『民主政治』呢？

我們在這裏願以最高的誠意敬告我們的友黨：中國人民爲了爭言論，出版，集會，結社等自由，已經花了半世紀以上的工夫，流了無窮的血，甚至在今天大共抗俄，九死不悔，還要來抗俄，也無非是爲了這類基本自由的確實取得。國民黨是依據這部憲法來執政的一個黨，有責令人民守法之權，凡經憲法明文規定，已經授予人民的權利，最好不去加以剝奪，否則所謂『團結反共力量，建立反共抗俄的聯合陣線，聯合國內外反共陣綫，』便難保不成虛願。因爲我們知道：今天可以用來團結聯合各方面的基本信條，僅僅只有由國民大會三千個以上的代表所通過的這部憲法，而決不是任何一個黨派的政綱所能代替得了的。

又政綱第五條說：

『反攻軍事時期，爲配合政治與軍事之運用，得暫設戰地政務指揮機構，凡是一省底定之日，恢復其正常體制。』

也許這也是一種不得已的措施。所謂『凡是一省底定之日，恢復其正常體制』云云，以我所了解，所謂『正常體制』，依然不是憲政體制，充其量不過如今天的台灣，甚至就要做到如今天的台灣，其可能性也還是很小：我們試想，假定廣東一省底定了，假東鄰閩依然是共匪的勢力可知，他們既可隨時反攻，也隨時可以有共諜要來滲透；台灣是四面環海，且有美國的第七艦隊遊弋其間，共匪要來侵襲既無可能，共諜要來滲透也不容易，尚且不能做到眞正的『正常』，能保障在大陸有一省底定，就能做到眞正的『正常』嗎？

總而言之，從這次國民黨七全代會的一般趨勢看來，中國暫時依然要退到軍政時期，憲政是談不上了，否則眞正算得『底定』了的一省，宜莫如今天的台灣，今天的政府當局在一個絕對安定的台灣來實行憲政，尚且無此勇氣，更何論將來在大陸與共匪作殊死鬥爭的另外一省呢？

蘇聯已開始威脅日本

一年以來，我有一點看法是不變的：即蘇聯對於亞洲，不由她自己出面則已，如果由她自己出面，她一定首先對付日本；斯大林萬事都可忍耐，惟獨對日本的重新武裝，則斷斷乎不能忍耐。據三日合衆社東京電：

一、蘇聯最近常有雷達攝影機、偵察新式噴射引擎噴氣式戰鬥機，在日本北海道上空不斷偵察。

二、有蘇軍四十萬，駐防於日本海彼岸之各戰略據點。

三、有兩個傘兵師，並擁有運輸機四百架及若干護航戰鬥機，駐紮於庫頁島南部；而米格十五式機，亦正在北海道及庫頁島間之宗谷海峽一帶活動。

這是很自然的，蘇聯很懂得：她不先動手把日本對付下去，日本便終於是要打她的。

美大選前夜展望

李秋生

兩黨勢均力敵，難分軒輊……事前對將來施政缺少充分準備，艾史都犯同病：競選中利用對外政策影響選民，無足深論……希望能在當選後對世界大局另作全盤考慮

從四日清晨，美國大選已在進行中，但由於時差關係，直到本刊出版的今天，我們仍舊無由懸揣選舉結果的端倪。因爲這個世界現在是處在一個複雜而艱危的局勢，因爲美國是民主自由世界的領導者，在美國以外的人們，對於此次大選結果的期待，無疑也和美國人民有同樣的殷切。

預測無益

預測是靈感的事。以我們的經驗，在過去的四度美國大選中，沒有一次預測與事實的結果相符合，像一九四八年那次，一般的看法都認爲是杜威穩勝了，結果不只他僅得了一八九選舉人票，比杜魯門的三〇三票要少一百十四票，選民衆票也比杜魯門少於民主黨的候選人。最滑稽的莫過於一九三六年大選。事前若干人都預言共和黨可擊敗新政的羅斯福，結果後者竟囊括選票的百分之九八．五，關數只有維爾蒙和緬因兩州得到了選舉人的八票，候選人蘭敦參議員的失敗，空前絕後。此次大選中，自七月初兩黨候選人推出之後，各方對兩人的推測，一般都是艾克佔優勢，比史蒂文生稍佔優勢，其間上落不一，還是一個優勢也因而時顯不同。但一般都承認相當大的百分比，踏不決者估相當大的百分比，比艾克超出史蒂文生者更多，就是說，假如那些未打定主意的人們有大多數忽然傾向民主黨，則艾克的優勢就是上述的表現看來，共和黨頗多動人的鏡頭，例如尼克遜關於收受政治捐款的激昂辯述，幾乎聲淚俱下，使許多人有同情之感動。艾克更在最後階段提出了韓戰問題，建議在當選後親赴韓國，促成停戰，也有戲劇化的意味。而民主黨方面則理智而沉穩的應戰，在政治見解上顯得比較老練。杜魯門且以非候選人的現任總統，和競選人一樣的巡遊全國，演說。艾帥巡行了三萬三千哩，發表了『二百七十次演說，史蒂文生巡行三萬二千五百哩，發表了二百四十次演說，而杜魯門也走了二萬八千哩，發表二百十一次演說，直到大選前二日纔在「我倦欲眠」中歸返到家鄉休憩。以比數的預測，雙方比較接近，艾克的紐約時報也失却了信心，表示競選結果「極難肯定」。這也就是說，儘管至今仍是艾森豪估優勢，却沒有絕對必勝的把握，結果究竟大象與驢子誰勝，可能決定於臨時一些微妙的因素。這也就是此次兩候選人打破歷史前例，直到投票前夜仍在從事廣播電視競選演說的原因。而且無論何人當選，大概都沒有壓倒的多數，而相差的只是一點微小的邊緣，有如一九一六年威爾遜之於許士那樣。（選舉票二七七對二五四，民衆選票九百十三萬票對八百五十四萬票。）

英雄與學者

就艾克和史蒂文生來比較，前者是衆望所歸的民族英雄，在一般人民中具有極高的物望，但他畢生從事軍旅，對於政治却外行，他曾一度脫却戎衣，就任哥倫比亞大學校長，但他那工作却是個失敗，而他在大西洋聯軍統帥任內的成就也遠不如任大戰統帥的輝煌，致予嘉納斯參議員辱人以攻擊的口實。至於史蒂文生，一個帶哲學氣分的政治家，幹練的行政長材，對外交和美國國內問題都有相當豐富經驗，却不是一個富有吸引力的人傑。這兩位性格相反相成，如果能同時担當是美國的理想，正能同時担任總統，但不幸陣容的兩黨中，只有一位是競選於敵對的結果必有一位是失敗者，這是任何人都無能爲力的。而且艾史兩人更有一個共同的缺點，這就是二者最初都是被迫競選者，在未經過許多促進以前，都沒有會議或考慮過當選後應該怎樣去做，並作必要的準備。像羅斯福之在一九三二年從事競選，遠自一九三〇年就開始準備，並當時集許多專家對當前美國的經濟問題（包括當時不幸的大恐慌）擬定了腹案。所以他在當選之後就能夠指揮若定，在就任之次日就下令銀行休假，挽救危機，並迫令召集國會特別會議，提出許多新政立法，那種業績是不可能求之於此際當選的新總統者。在美國歷史上，總統多出身於參議員或各州州長，而以軍人入主白宮者只有華盛頓，傑克遜，哈里遜，格蘭特，其中除華盛頓與傑克遜外，其餘的軍人總統都沒有良好的政績，特別是格蘭特的，以負一時盛譽的良將，他的統治却異常失敗，他的政府的貪污成爲黑暗與政權的特點。以此之故，美國一般人士對於軍人乘政的前例與嫌惡之好感，此次竟擁戴艾克，也並非他能樹立一個新的軍人總統的楷模，至於史蒂文生，他比杜魯門有機智，手腕圓活，而富於相似的類型，但却不是兩位羅斯福一類的總統或政治人物。

外交無差別

就雙方競選政綱看來，在外交政策本沒有多大差別，而都特別着重在內政。史蒂文生是一個溫和的「公平政治」者，艾克則趨保守。例如政府稅收預算，農產品補助等法案，和勞工法等，都有所不同，而都是爭取中間選民，但［illegible］某一種［illegible］，逐漸的選舉中途要化外交，對共黨轉移到人，對政府的外交滲透問題［illegible］，俄國［illegible］，二者都爲後者［illegible］全國選民［illegible］，但艾森豪於最後一個階段競選之間，則力量集中在外交方面，［illegible］成功，却爲共黨［illegible］所不滿［illegible］。

［illegible］人民，而又同時結束冷戰，以減削美國政府的開支。同時，讓亞洲人來保護亞洲，在原則上是極正確的，問題在於：有什麼辦法使東方人民短期內大量武裝起來，足以抵禦鐵幕內龐大的侵略軍事力量。還有，如果是軍事力量，仍需要繼續援歐洲，以防阻可能的侵略，何以現實在韓國前綫與侵略者交鋒的美軍就一定要撤回？史蒂文生在對外政策方面，只是一味的刺激力量；也許對選民沒有新意，爲政策辯護，了無新意［illegible］，對外政策總會不夠堅強，而且犯過錯誤的，例如對俄初期的姑息，與對中共的認識錯誤，但是總統這兩年來的指導，大體上是正確的。錯誤處應予改正，不夠的要加強，却決不可放鬆，更不應肯惜援外與整軍費用，且應不放棄美軍前赴國外作戰的規範。

望履行諾言

凡此種種，我們都希望其只是競選中吸引選票的辭令，而無關於未來的基本政策。對俄必須加強，對外援不容減削，對鐵幕人民堅決遏阻，今後美國對外政策的解放，至少是基本當政黨都不應，無論那一黨改，而且不能容易修，當了政府，在競選中於攻擊對方的措辭，不惜犧牲大事，已定，選票當揭曉，先應付如何，便當結束全國的惶恐，須快復對世界的政策，外不允容了一個黨一派的私見，而使全世界受其徵。艾帥的人物史蒂文生都能競選勝負的，誰人相信他們不會使全世界感到失望的。（寫於美大選之日）

美大選的空前混沌局面

·艾芝·

美國大選業已開始，自[illegible]至今日下午（香港時間，香港時間爲六日下午）可見端倪。言大美國大選，可說是美國歷史上競爭得激烈的一次，今大選期前的最後幾天，即是所謂「專家」與「觀察家」們，也沒有一人敢預測艾克與史蒂文生二人究竟何人能獲勝，以前美國歷次總統大選，事先對結果的付測，雖也有幾次頗有疑問，但民意的預測，却從沒有如此接近。

民主和共和兩黨，在表面上雖然都表示具有必勝信心，但私下都沒有一黨對結果不感到恐懼。

在四日的大選期前幾天，兩黨候選人所面臨的局面，大概是這樣的，艾史兩人能入白宮的決定，大部份在於態度未決的極多選民，他們對於民意測驗從未表明確的傾向，而他們自己也不知道對艾史兩人究竟擁護那一個。

在過去，這批態度未決的選民，到大選緊要關頭，大多要由而支持民主黨，使民主黨獲票大增，奠定勝利基礎，不過今年的大選，情形却已大爲改觀，艾克對於選民，頗有激勵的力量，政界人士，無不相信他是歷史上極能爭取選票的一位候選人，不論政府腐敗，共產主義，朝韓戰等問題對於競選的影響如何，艾森豪威爾個人的聲望，在選民中間還是能發生重大作用。

這一大羣選民，如果因爲最後一刻的某些因素而偏向某一黨，這次事先，認爲極爲接近的競選，可能形成這一邊倒壓倒性勝利的結果。

合格選民的數字，也是令人困惑的謎團，在過去一般情形之下，選民參加投票踴躍，對民主黨常產生有利的結果，但這一次，民主黨却恐懼選民蜂擁前往選舉，是因爲他們不滿政府的腐敗，要求換一個新黨來執政的象徵。政黨地方體系的效力降低，更使這種現象趨於激烈。過去，選民常讓地方上黨的領袖所提供的意見而決定他們的態度。

但在今日，美國各地這種強有力的領袖已不多見。

在各種機構所舉辦的民意測驗中，艾克一直保持優勢，不過最近兩月來，史蒂文生的勢力却日益增加，如果這種趨勢在大選之日突然高漲，他自能得勝。可是，以一九四八年上次總統大選來說，杜威在民意測驗中勝過杜魯門的程度，却不如今日艾克對史蒂文生的優勢。在競選的最後階段。韓戰問題成了兩黨激辯的最重要課題。許多人都認爲韓戰是美國人民對現政府不滿，而要求更換的最大原因。民主黨也承認，艾克提出如能當選，決親赴韓國一行，以探求結束韓戰的途徑一點，確是一個巧妙聰明的政治手法，已使這個問題產生了劇烈變化，無疑的在選民間引起一種深刻的印象。

艾克仍然是一個深受擁護的英雄，在許多州中，共和黨的勢力雖然不大，但他個人却得到熱烈的歡迎。他在幾次競選旅行中，所到之處，羣衆總是大批圍集，至少是爲了一瞻這位戰時英雄人物的豐采。對於比較年輕的退伍軍人，他仍有強大的吸引力，而對於男女青年選民，以及希望男子卸脫戎裝的婦女們，他的吸引力也相當強烈。

在有些民主黨的忠實擁護者認爲，艾克雖然未必已將民主黨的勢力擊破，但他定能獲得大量的選票，這種情形，實有重大意義，它將是美國的政治史上首先在南部兩黨合併立的局面，南北，南部各州素來是民主黨一黨獨霸的。

在南部的幾州中，艾克的基礎，將在於城市中的白人，其中包括上層和正在增長中的中層階級，南部的民主黨的勢力，今後勢將愈益基於鄉村的選民和黑人。

在競選運動結束前夕，兩黨候選人最頭痛的問題，乃是他們都知道口頭上的尖銳激辯，可能發生不利的反應，使他們喪失的選民，比爭取到的更多。史蒂文生的代理人，恐懼杜魯門對共和黨的指摘過於偏激，而蓄意迴避民主黨的敵意。艾克的朋友們，並不欣於麥卡錫，尼克遜的忠心認爲選民大部份人士一致，但對共和黨副總統候選人尼克遜却不敢信任，鄙他。因此，他們便用這一點，努力強調，艾克如當選總統後，一旦病故或發生意外，尼克遜便昇任總統，選民今日如不喜歡他，即應支持民主黨。（原材自「新聞週刊」）

越南戰事入險要關頭

越盟雖經整補，但機動力不夠，法空軍及時增援，共軍攻勢必敗。

莫休

越南戰事，上月十七日而臨一個新階段，越盟以優勢兵力，陷下羅所威的紅河蘆米區，因爲這個戰爭一先一後與韓國中部的人海攻勢相配合，加以下羅爲法軍第二馬奇諾（半年前法軍於越築一半永久性防禦工事，以保河內之安全，自曰第二馬奇諾）主力陣地之孤立據點，二日而告陷落，倉卒撤守，乃呈風雨欲來之勢，論之者皆謂法越聯軍如不能迅速阻其攻勢，則以三一八師爲主力之越盟軍，將由萊州東北山區馳向原拜與化一帶，與和平方面之敵分進合擊，而圖決戰於河內，設河內不守，法軍今後遭際，將入於倨促之境，幸而越盟受機動力不足所限。法越軍已於上月底渡過黑河，以一部份重武器向北推進，設能將越盟軍（共約三個師）之聯絡切斷，則已入侵洪和（紅河上流約六哩）的越盟軍，將難發生決定作用，暫時說，算是化險爲夷了。

拿目前數天的戰事說，越南戰事之未呈極度惡化者，係因越盟之機動力不夠，其攻擊部隊經半年之整補，雖擁七十五糎山炮與一二〇糎臼砲等攻擊武器，但互綿數十里之戰線，非山區即沼澤地帶，一般行動不夠機動水準，加以法方空軍之掃射，第一線部隊乃至無法集結展開，故曰，比一週內法軍如能穩住陣腳，以更多空軍斬越盟之增援，則險象可以平安渡過，則所失者，僅主力陣地之數個前進據點而已。

關於越戰之性質，本刊一一三期及一一四期迭有論述，認爲是越盟之向法軍進攻，其目的有二，一爲試探經中共暨美國補給之部隊，其戰力究竟如何？二則試探美援法，究達何種程度？自年易手後，內主攻部隊（三一八師，三一六師）遭受重大損失，未待法越軍之反掃蕩，其攻勢即已縮萎，此半年來，胡志明孜孜於部隊之再整理，與實戰經驗之檢討，其未以嘲笑之勢威逼河內者，我們要得一個結論，即越盟爲韓戰之副者，他的性質，冷熱參半，與韓戰之互與攻合又參半，茲者聯大召開之際，而紅河三角山區有攻勢，作爲副戰場之紅河區由有攻勢，在戰術上說是乘虛之[illegible]，在戰略上說，謂以此小之勝利，以增加維辛斯基及索林之聲勢，基於這一點看，今日越戰即是惡化，但非決定性者，聯大會場之決戰未分勝負之前，蘇俄必欲保守一個戰場的冷戰價值，而不讓他走在韓戰場的前面。

越戰在遍地烽火中，越戰爲常被南侵之一翼，且爲吾人防禦虞弱之一環，五國會議協定，上月廿日華府且聲明美將以海空軍援越，目前即是危機渡過，吾人仍以爲該兵援如救火，戰局有[illegible]，所謂二根本之者有三，第一須有大量之援兵，第二須速訓練越南新軍，第三爲求取得兵源（法國殖民者可移他用之人力），越南統治者必須真正以促進民族獨立運動對抗胡志明的政治武器，乃如頭痛醫頭，越局終有其不可想像之一天。

殺人方法大革命　蘇聯人間新地獄

劉大可

距離莫斯科不遠，就是一名不見經傳的亞歷山大洛夫城。這個小城絕無景色可言；當地的兩個小型工廠也容不下許多求職的人。但是，這個小城蘇聯人民間對於一個特殊階級，却有一種奇異的吸引力，而使它充滿了過量的人口。這種奇怪的情形基於一個簡單的事實；亞歷山大洛夫城距離莫斯科剛好一〇一基羅米，約合六十三公里。

關於這個小城的奇異故事，有如下述：如果蘇聯的政治犯在集中營中生活了五年，十年，十五年，他能夠幸運的死裏逃生，重獲自由，他的國民護照——每一個蘇聯人民都必需經常攜帶的證件——上面，就蓋上「護照法規定的第三十九條」的印證。這個「護照法三十九條」的意義就是；一個攜帶有這種護照的人民，居住在蘇聯七十五個大城的一百基羅米的半徑之內。越入一百基羅米，無論拜晤親友，生活工作，都必需往警察局去登記。

這種非常的規定，對於那些住在小城中，或集體農場中的前政治犯，當然并無恐怖之感。但是對於許許多多，當他們關在大牢之內，他們視友爲打探生死消息，[illegible]

[illegible]

陳質平的謎

駐菲大使陳質平給香港記者留下了一個謎，三十日陳大使自台北來，還未在港小住數日，但二十四小時後又以台灣爲由，匆匆去港，究竟有一位自由中國有政治的大使忙些什麼，就是給記者的一個謎。

一個英文報章記載陳氏此行是[illegible]，有所活動，這不過是揣測而已，謎依舊是謎。

來港五月的立委潘朝英，三十一日離港返台，這一位立委在港時曾被一些人傳播些什麼組織、勢力、派系之說，甚囂塵上，但離港前夕，潘氏謂此說絕不可靠。

港報熱烈祝壽

三十一日總統誕辰，香港僑團，文化機構，學校分別熱烈慶祝，祝嘏新聞成爲翌日港報的頭條新聞，根據公署太夫人[illegible]

事實沒有「尾巴」哦

[illegible]

港商冷葛「交流會」

據中共逆已報宣傳得如火如荼的「土特產交流大會」，在香港已遭遇了空前冷淡的反應，[illegible]可憐却沒有一條魚兒上鉤，港商並沒有[illegible]參加，因爲彼輩[illegible]「關長」莫的謙，就是一個很好的例子。

同時，經營土產的商行，目前亦因大陸對土產出口限制過嚴和外銷呆滯，因此積存所謂各區交流的土產估計達港幣二千萬元。

[illegible]特產交流大會」，即是一個明的例證。（本報記者）

·書刊評介·

評：「紅色中國的叛徒」

——作者：劉紹唐——

我自從[illegible]，對於俄式共產政權在大陸上所表演的那套「解放」把戲，自愧沒有身歷其境目睹其情的經驗，祇能從一些見著過「解放」與「改造」滋味的人所寫各種報告文字中，略略窺見所謂「新中國」也者，究係人間何世？除日常報紙上的斷片記載外，祖達時進，陳寒波，[illegible]諸位先後所寫的實錄，以及若干刊物中所發表的專題報導之作，我都留心拜讀過，增加了我對於俄式共產社會不少的認識，[illegible]這些著作內容似乎都非[illegible]

[illegible]

在三年來所看到的一本描述共政權內容最好的著作。[illegible]

作者[illegible]深入淺出的素描筆調，娓娓敍述一個自由主義者對極權統治機構的生活體驗——由學習階段到記者階段的各種進至幹部工作階段，以及現實生活，俱樂簡單，不[illegible]

[illegible]

他們談民主，標榜民主。但實際上正如他們自己所解釋的，是集中的民主，服從的民主，實質一命令的民主，替少數人的決定找理由的民主！

他們也談自由，其邏輯是「知他們解釋『信教自由』的話：『我們規定了信教自由，但不等於沒有不信教的自由，也不等於沒有反對信教的自由』」。

他們更談和平，但隨時喊到「我們需要戰爭，用戰爭來爭取解放，用戰爭來爭取和平」的流行口號。

他們又談獨立，說「中國人民從此站起來了！」但要厲行「一面倒」的「獨立」政策！

我尤其贊美作者在本書內所述的「文工」那套生活狀況，真教人啼笑皆非。「文工團」這一玩藝，不知誘惑了多少青年男女，陷害了多少青年男女！我希望今日一些嚮往「新中國」和讚頌「新中國」的智識份子，不問男女老少，都能先行看看這本「紅色中國的叛徒」的自白書，保證你多知多識，開卷有益哩！

·雷嘯岑·

恐怖籠罩哈爾濱
日俘訓練積極推動 十萬奴工運往蘇俄

【本報哈爾濱通訊】哈爾濱自一九四八年四月廿八日陷入中共手後，一直即在俄國人的搾取和蹂躪下，這一個松花江畔美麗的輕工業區，今天已成爲俄帝控制中國，侵略遠東的重要基地。

奴工勞動 一枝獨秀

哈爾濱的全部人口過去只有八十餘萬人，目前已激增到一百二十多萬。這些新增的人口中，有十萬係俄國人，三十萬係各地集中的俘虜和奴工。據去哈爾濱的工商業約一萬三千餘家，自易手以後，在高稅的壓迫下，大半關了門，只有中共的奴工工廠，却成爲一枝獨秀。

中共佔領哈爾濱後，開始展開慘烈的清算鬥爭，凡過去和日本及國民政府有往來的工商人士及智識份子，均被列入鬥爭之內，總計從一九四八年六月至一九四九年五月的一年中，被拘捕的達八萬多人。這些人分別拘禁在哈爾濱人民法院監獄及公安局拘留所，經過判刑以後，全部被送「勞動改造」，中共爲奴役這些囚犯，特別成立哈爾濱建設公司。其轄下工廠有織布廠、織襪廠、被服廠、織毛巾廠、猪鬃工廠、馬尾工廠等，其中拘捕人犯，由十二三歲的小童到六七十歲的老頭，有的是反動份子的眷屬，有的是思想有問題的青年，這些人都被迫從事每日十四小時的工作。據該公司去年年底的報告，全年生產總値，可供全哈爾濱十個月的消耗，可見其規模龐大的一斑。

大量奴工 集運蘇俄

去年東北各地展開「三反」「五反」以後，被鑒濾的機關職工及工商業者，大多集中於哈爾濱。華北「土改」中被拘捕的「反動份子」也有部份解集來此，總數不下十二萬人。當時適值中共將組織「哈爾濱第二建築公司」從事開墾工作。但一直到今年三月仍未見實現。四月以後，就將大批奴隸陸續北移，據有關方面事後透露，乃係由哈爾濱經西伯利亞鐵路，再轉由蘇聯邊境的俄特務，調往貝加爾湖附近。據說蘇俄在那裏正進行大規模的軍事工程，包括巨型的軍用機場和地下倉庫，由於西伯利亞人力缺乏，曾一再要求中共供應勞動力，因此中共把東北及華北的囚犯解押來此，揀選精壯份子運送蘇俄，而將老弱份子留在哈爾濱，塡補哈爾濱被調走奴工的空額，據一般的估計，其全部總數，當不下十萬人。

由於哈爾濱過去是僞滿時代的重鎭，有東方巴黎之稱。日本人在此的僞數極多，今日的「東北烈士紀念館」，當年即是日本的特務大本營。中共進入了哈爾濱以後，亦一直把哈爾濱作爲訓練日本俘虜的基地，自從韓戰爆發後，由大陸各地集中在這裏的日俘，一天比一天多，他們都在北郊的俘虜營中，平時禁止進入市區，對日和約簽訂後，對日俘的訓練工作更形積極，對日俘的待遇亦較優寬厚。每星期准許進入市區一次，中共並特別爲他們放映宣傳電影。這些人訓練完成後將有特別的任務。據此間暗中流傳消息，其中一部份可能潛入日本，一部份則接受嚴格思想訓練後，將來準備成爲日本解放軍基幹，作爲解放日本的先鋒。

空軍基地 在發展中

在哈爾濱四郊，軍事調動亦極爲頻繁，大都在夜間進行。由於晚上九時即進入戒嚴狀態，任何人均無法明白其眞相。但中共在哈爾濱，設立空軍基地司令部，則爲衆所週知的事實。這一司令部下轄松浦，齊齊哈爾，北安，呼拉爾，巴林，其中以松浦機場較大，可供噴射機升降，巴林木爲新開闢機場，現正在建築中。在空軍修造廠方面，中共東北空軍修造廠第一分廠即設在哈爾濱的馬家溝，能製造飛機各部之小零件及修理飛機，現有日本技術人員百餘人，其餘均爲蘇籍技師。近一年來該廠已有擴充，內部工人據估計約有千餘人。在韓戰中受損的蘇製飛機，有一部份停在哈爾濱修理。莫斯科會議以後，據說中共東北的「中蘇聯合空軍司令部」已決定在此設立一訓練學校，未來的哈爾濱，將成爲中共訓練空軍的重要基地。

俄人享受 百姓遭殃

在經濟方面，除了奴隸工廠外，其餘的便是中共的國營貿易公司。經營的商品，大多是蘇俄的消耗品，有粗劣的照相機，收音機，亦有樂器，腳踏車，俄國人在這裏是「太上皇」，在兆麟公園附近的高尙住宅區，全部都是俄人的居所。一個俄籍的顧問最多待遇可拿到二千分，華籍技術人員最多只有二百多分，相差達十倍以上。俄文在這裏變爲第二語言，蘇俄的「眞理報」和「消息報」，在這裏可以看到。廣播電台所播出的，清一色是俄國的軍歌，「中蘇友好協會」成爲了最有力的組織。據哈爾濱支會今年九月間的報告，參加組織的人數已激增至六十萬人，最近各地正奉命準備舉行「中蘇友好月」，連日來各工聯，婦聯，青聯和弄里小組居民小組，均紛紛出動，要求組織各種各樣的聯誼會。根據過去的經驗，結果必然是市民被迫捐獻一週乃至半月的工作所得，而大鼻子又得到了幾次精神及物質的「慰勞」。

從外表的形態觀察，哈爾濱確比過去安定和繁榮，許多過去停頓的工廠都已全部復工，舞廳和酒吧亦新增了許多家。入夜以後舞榭歌台，平添了不少的繁華氣息。但事實上除了中共新貴和蘇俄的貴賓外，一般老百姓均過着吃不飽餓不死的生活。在松花江濱遠眺東北遼闊的原野，和偉大工程的鐵橋，每一個人都會爲這如錦江山抽一口氣。（十月二十日文方寄自哈爾濱）

中共「優撫」工作大騙局

·秋虫·

韓戰前綫砲灰山積，後方遺屬深陷慘境，金日成送了一批高麗參到北平後，毛澤東已推動了所謂「優撫」工作，而受「惠」的究有幾人，這裏的一筆流水賬，即是最好例證。

今年十月二十五日，是共匪黨「跨海征東」的兩週年紀念。這個「世界革命」，可說還在開始階段，爲了來自莫斯科的新指令有增無已，以毛魔爲首的秧歌王朝，估計韓國戰場上，還有大量的鮮血待流，因而記起了冰天雪地的砲灰們，又不能不想到孤苦伶仃的「烈屬」「軍屬」們，就趕下了一道命令給謝覺哉的「內務部」，和專作表面文章的「抗美援朝總會」，要他們重視本年度的優撫工作，這是共產黨的拿手好戲，貓哭耗子，既可一振前方喪膽的士氣，被優撫的「軍烈屬」們，又可號召未來的待征的炮灰們，誠一舉而兩得。

抑說這個靈感，起源於金日成和他們的「朝鮮戰友」們，數天之前，金日成專機送了一批高麗參和朝鮮蘋果到北平去，觸景生情，毛澤東才想起這許多「可憐蟲人」，命令下去，等因奉此地到了各大都市，屬於這個僞業務的有關機關，大大地忙碌了一個多星期，關於此一工作之實際情形，單以上海來說，據說是普遍而深入地展開了，如何「普遍」而「深入」呢，最好的辦法拿去年作一比較。

正在這項工作將告結束的時候，也是上海孤群走狗們的「第三次各界人民代表會議」舉行之時，藉此機會，各區「區長」出席報告，特意加強了「優撫工作」的渲染，「報告」中所公開了的，自從「第二次人民代表會議」以後，各區機關、工廠、商店、里弄居民等，都已把優撫工作訂入「愛國公約」，換一句話說，上述的這些組織或個人，對於所在地居留的「軍屬」「烈屬」，都負有不可逃避的「優撫」義務，經此一個決定之後，全市的「軍烈屬」，也經過一次大遷居，以就地分配，計口授糧的方法，渙散了他們的密度，因之，雖然喫的是殘湯剩飯，這些「軍烈屬們」多少可以苟延殘喘，這該說是陳毅「德政」之一。

次之者，主持這項工作的人，深知長遠優撫，終有不勝負荷之苦，故而提倡「介紹職業爲主，實物救濟爲輔」，以求問題的根本解決，總計九個月以來，經過誇大了的數字記載，例如龍華區的亞麻無綫電廠，龍華水泥廠，合作社帆花廠等十多個企業單位，解決了該區「烈軍屬」一一四人的職業問題，其中有三十三人升爲長工，其他榆林區有二二八七人，江甯區有一八二人，邑廟區有一三四人……

我們不能爲這數字騙了，第一，你知道全上海的「烈軍屬」有多少人？去年據說就近十萬，今年必定不止此數，即以十萬來說，有工可做的人仍舊不到百分之一，第二，龍華區獲升「長工」者爲三十三人，其餘約八十一人，都屬於臨時工，這九個月之內，只要做了一天短工，便說已經受了「優撫」，得了他們照顧了，此非我們之有意誹謗，記得去年許多紅色報紙曾經指斥過這一點，說「所有的工廠商店，不給他們（「烈軍屬」）固定職業，僅有點綴性的臨時工作，不替老幼的人設法，專在年青的婦女身上動腦筋，至於那些醜[illegible]現象，今年並沒有多大進步，[illegible]然略而不提了，可是，不可否認的是這一比例，砲灰的父母子女們，能說「普遍」受到了「優撫」嗎？

記得去年的「人民代表大會」上，有位「代表」發言，說他經過浙江路一條巷子，一個垃圾箱旁，一個「軍屬」據以爲家，「一家光榮」的紅條，貼在垃圾箱上面，這[illegible]了毛澤東政權，因而呼籲改善，據此次（三次）會議說，這現象已經改善了，例如邑廟區「軍屬」陳明一家六口，一個兒子已經獲到了職業，其餘的可靠修皮鞋拾垃圾來維持生活，而且「安居樂業」了，拾垃圾而可稱「安居樂業」，我們也就可以知道五百萬的「優撫」人的父母妻女們，是如何被「優撫」着了。

中共大陸餓殍遍野 搾取糧食出口 搜求戰略物資

·其都·

據「中國新聞社」北平十月二十九日電訊：「中共與錫蘭政府八萬噸大米的合同已經開始履行了，第一批從大陸運往錫蘭的大米九千八百多噸，由祥利輪（英輪）在上海裝運出口。」又據本港「文滙報」十月三十一日報導：「從大陸徵運第一批大米往錫蘭的祥利輪，昨晨（十月卅日）由上海經抵香港。」

中共今日於大陸之饑荒遍地餓殍載道聲中，竟將大陸民食輸出運往錫蘭，這是中國歷史空前悲慘的新一頁！

中共與印度簽訂了六次糧食合同，共售給印度政府大米二十一萬六千五百噸，高粱四十五萬噸，最近又與錫蘭政府簽訂了貿易協定，售給錫蘭政府大米八萬噸。（根據十月二十九日「中國新聞社」的報導）這兩筆大陸糧食輸出，已有七十四萬六千五百噸之多了！

而中共不敢坦白的：三年來，中共將大陸民食一列車一列車經由西伯利亞鐵道輸送給克里姆林宮主人的大米，究竟有多少萬噸？中共就諱莫如深減口，但數量必然的超出中共對印對錫的輸出，我們敢以斷言！因爲中共向蘇俄所借三億美元的借款，必須拿大米糧食及礦產——鎢和錫，去還本付息的！況且，戰後的蘇俄，在獎勵生育下，人口天天增加，已逐將近二億，[illegible]大戰的破壞，糧食生產由於農村被破壞又不足，如今日中共以一樣餓死人民的手法，[illegible]必需以糧食輸出對外，自由國家以主權收購戰略物資及工業設備，就是中共對印對錫的貿易關係，也就是這樣形成的！

事實上，中共已於十月十五日又將[illegible]四千噸，由上海裝輪運往[illegible]，號輪往大連，[illegible]北運儲備的麵粉計有五萬噸，中共糧食公司本年營糧，第三批，前兩批均已先後運到蘇俄九萬噸去了！再加上中共每月由港澳兩地相當的糧食輸出，據估計：粵穗中共今後的糧食運外，將大批換取外匯，於米谷源源延後，作爲購買戰略物資之用，不斷的糧食[illegible]出口，現在仍源源不斷的外運！

所謂奇蹟 荒謬絕倫

爲了掩飾其與錫蘭所簽訂的「貿易協定」以大米易取錫蘭的橡膠，爲其擴軍備戰的主要戰略物資，中共不得不製造「大規模生產」，創造糧食出口奇蹟」，荒謬絕倫！

同時，中共又不打自招的說出：「一九五一年三月以來，[illegible]

供俄不足 何來餘糧

綜合以上中共糧食出口的種種事實，中共在眼裏祗視大[illegible]，而不顧大陸的人民，餓死了的千千萬萬人！[illegible]

[illegible]

增產謊言 不攻自破

據大陸再來的中共報紙：一九四九年中共自稱糧食生產「一九五〇年…」[illegible]

[illegible]

替宣傳家補遺

爲方

「智者千慮，必有一失」，這句「舊社會小資產階級意識」的成語，似乎不無道理。像近來在香港爲「新中國」作宣傳喇叭筒的人兒，就隨時秧歌昏迷，語無倫次，嘴銼一滑，自彰醜陋。我很惋惜這些「智者」們多所闕失，不够立功，讓替他們補遺一下。

秧歌王朝最近要以食米萬噸換取錫礦的戰略物資，香港一支「問獄」的秧歌宣傳管大呼這是「新中國豐衣足食」的表現！其實，「新中國」在兩年以前，早就「豐衣足食」了！若不見東北的大豆，中原的米麥，每年以百萬噸計，源源不斷地向西北利亞輸出乎？如今僅以區區一萬噸米糧向海外交換橡膠錫鑛，不過是「新中國」向外輸送糧食數量中之一滴而已，見小識大，失態甚矣！

台灣召開的僑務會議，曾宣言華僑必與中共斷絕經濟關係，對當地政府若與共區有經濟交往的事項，亦將採取不合作的杯葛態度。本港有一只「腿碗」秧歌喇叭乃急不擇言，寫文字恐嚇英政府，說港九的華僑們將要破壞英國與中共的貿易了，多麼危險！意在慫恿英政府趕快把反共非共的華僑們一律驅逐出境，免貽後患！其實，這「條陳」尙不够澈底，措詞也欠堅決，應該哀懇外國政府，把港九中國人凡在今年雙十節掛過國旗慶祝者，一概押赴深圳橋邊，交給「新中國」，豈不更顯宣傳之功？僅是吞吐其詞，危言挑撥，宣傳家提防有患肺結核之可能啦！

自由談

新武大郎（上）

·羊辛·

這條街出了個「武大郎」，且聽那些街頭巷尾的野孩子的歌唱吧！

「武大郎，
黃朝宗，
擺香擺燭忙匆匆，
三寸丁潮皮命够苦；
生個兒子像老娘來不像老公。
潘金蓮，搞得通，
秧歌鑼鼓響吵略，
半路裏褲帶來扯斷，
張同志服務精神第一功！……」

人總是有自尊心的，即使像他黃朝宗這一個擺香燭攤的小商人，懦弱了大半生，也是不能忍受太多的嘲弄和侮辱的；他漲紅了臉，跑出去想抓幾個給它們巴掌，可是那些野孩子早已嘻嘻哈哈地從小巷裏逃得無影無蹤了。

他鼓着兩隻腿，仍舊回到店裏；說是店，其實是街邊凹進去的一個床位大小的小舖面，擺了一大堆香燭紙箔之類，半邊露在外頭，只能算半攤子。他像一隻被侮辱了的狗，只能咆哮幾聲，不能有所反抗。他呆呆地坐在那裏，又氣憤，又感傷。

……說起黃朝宗，他確實是個可憐虫；擺了一個香燭攤子，省吃儉用，一直到了三十五歲還討不到老婆，大概動了那個做媒人的九嬸婆的惻隱之心，那一年居然光臨到他頭上來了，說是東街有個姓曹的女人要嫁人，叫曹秀英，不過家窮貧苦，還得聘金兩百隻洋，也得帶一個母親，也得一併供養云云，那黃朝宗正在大嘆其王老五之際，聽得有人抬舉，照上一口答應，取出了辛苦積蓄的一百五十隻大洋，不數之數，再向鄉下的堂弟借了添足，於是吹吹打打把母女兩人迎了來，熱鬧一番，就此建家立業。

他對於老婆，一向是奉之如神明，崇之如領袖的，對於岳母，也執禮甚恭，十分孝敬；那年岳母死了，他還穿麻帶孝，哭得鼻涕涎沫一大串，儼同孝子呢。辛辛苦苦風雨不斷地擺香燭攤子，也不過爲了這個家。如是乎經過了六年，却也相安無事。

可是怎知忽然「解放」了，老婆參加了里弄婦女會，就此事情多了起來，把一個黃朝宗，攪得亂糟糟！

自從老婆參加了婦女會以後，黃朝宗就是感覺有點走了樣，譬如說，以前她早時常幫忙他照管香燭攤子的，但現在可不要了，一整日不見人影，說是去開會。又譬如說，大前年死了唯一的一個兒子，黃朝宗哭得嗚嗚響，老婆安慰他說：「不要哭，我們還可以再養的。」而現在却一反過去論調，道：「現下是新社會，別再談那些兒女私情，專心爲人民服務。」好像不再理會他了。黃朝宗只好唯唯諾諾，整日獨自獃在那個香燭攤上發悶。

漸漸，那些野孩子的歌謠傳進他的耳朵來了，他起先還不以爲意，有一次，一個孩子向他買紅燭，竟當面叫他「武大郎」！這纔使他大大冒火起來！仔細打聽一下，原來所謂「半路裏褲帶扭斷」，「張同志服務精神第一功」，是說：他的老婆跟一個叫做什麼張鼎明的「同志」要好，有一回在跳腰鼓舞的時候，老婆的褲帶不愼扭斷了，當場出彩，幸而張鼎明趕忙跑來給她勒上，還爲她繫好褲帶，情況十分不平常云。黃朝宗聽得一肚子熱辣辣地，問老婆，老婆睜起兩隻門雞眼，罵道：「放他娘的狗屁，那個雜種說的？」他趕忙收了嘴，不敢再問下去。

可是，謠言愈來愈多了，有人甚至說：親眼看見他老婆和那個張鼎明走進了旅館，……

那些野孩子們，更其放肆了，一整日就是當着他的臉大聲地唱，大聲地唸，欺侮他黃朝宗懦弱，簡直肆無忌憚！

黃朝宗再也忍受不住了，這一天，他決定自己去看個究竟，以明眞相。

剛好晚上在開一個里弄文娛晚會，他知道老婆也參加演戲的，就匆匆吃過晚飯，趕去觀看。

他偷偷地擠在人叢中，心在跳，屏息着，專神貫注地瞧着台上，想從老婆和張鼎明的表情找出一些不平常之處來。

不料不瞧猶可，一瞧之下，簡直氣煞！老婆擠眉弄眼，張鼎明滿臉邪氣，好像還在捏手捏脚！……（上）

談羅斯福（五）

·舜生·

民主政治的本質，在一切爲人民打算，然而不是代人民去做，更不僅只是命令人民去做，一切一切，乃在誘發人民的自力，使『自求之』，『自得之』；換言之，即不僅使民『由之』，也必使民『知之』，其着眼點，不在如何使人民信任政府，而首先在政府能信任人民；更徹底言之，只期待人民信任政府者，便自自然然要走上獨裁，必信任人民，才不知不覺的可以漸進於民主。

羅斯福是一個懂得政治本質的人，看他實行『新政』的一個例，使我們感到一個身爲國總統的權，確實是大得不了；可是即令你的權再大，也只能在民主的軌道上行之。遵循民主的軌道，仍無害於一個政治領導者之有權，這正是民主政治一個最良好的方面；必違反民主的規範，以求所謂權的取得，則適足以證明一切極權與獨裁者的低能而已。

從大體上說，羅斯福的對內政策是成功的，也可以說民主黨這二十年的政權，也就奠定在他的這種成功之上。換一方面說，也正因爲他的對內成功，所以才能從事四年的大戰而終於獲得最後的勝利；同時也正因爲他對內的成功，才能使美國成爲一個『民主國家的兵工廠』，乃至到了今天依然使美國成爲世界民主國家的領導者而毫無慚色！

然而『智者千慮，必有一失，』羅斯福在應付第二次世界大戰中，儘管事事是得心應手，然而在去世以前不到兩個月所簽定的一個雅爾達協定，畢竟是他一生光榮歷史上的白璧微瑕，不僅身受其害者的中國深感切膚之痛，即最近這三年來的韓戰，也與這一協定有直接的關係，甚至在這次的大選中，共和黨也還拿這件事作爲攻擊民主黨的材料之一。

有人說，在雅爾達會議中，關於中國和日本的事項，完全是由羅斯福和斯大林談判的，乃至說服中國使她接受這文協定的內容，也是由羅斯福擔任，這個話是不錯的。可是簽字於雅爾達協定，除羅氏與斯大林兩位以外，還有邱吉爾，假定對這次協定的後果應該負責的話，則應負責任者決不只羅斯福一人，邱吉爾實處於同等的地位，單單責備羅氏是稍欠公道的。李海大將（當時羅氏的參謀長）在他的回憶錄（I WasThere）上說：

『就我個人的意見而言，我當時並不覺得俄國參加對日作戰是必需的。』

他並且還警告羅斯福說：

『總統先生，倘若你竟把大連的一半送給俄國人，那末你對香港問題一定也要失敗。』

李海的話儘管不錯，可是他所見到的還是很淺；後來蘇聯利用對日作戰出兵東北，其結果乃造成了中共控制整個中國大陸，這不僅在事前非羅斯福所能預料，即李海和邱吉爾，也決不會想到有這樣嚴重的後果。平心而論，中共之所以能佔據中國大陸，原因很多，蘇聯出兵東北，並對中共予以幫助，這不過是許多原因之一，把中國蘇化的原因，一切寫在羅斯福的帳上，也還是不合事實的。（一四四）（本篇完）

反動煽惑

·漢生·

布拉格有一家人，死了兒子，照老套子登了一段訃文：

「萬能的上帝，把我們親愛的兒子，召去安息在另外一個更好的國度去了……」

誰知，第二天全家竟被逮送奴工營改造。據祕密警察宣佈他們的罪名是：「反動煽惑」罪，并以訃文作證據，證明他們借故詆譭國家不好云云。

處理迅捷

「喂！你看報，有沒有看到斯羅冰斯基爲了偷看資本主義的報紙，昨天被逮捕的新聞」？共產黨的官問他的朋友：

「沒有！」朋友搖搖頭：「我祇在第四頁裏看到他的訃聞」。

中國之友（三一）

毛以亨

赫德傳（十一）

八、修約運動

英國人的在中國有兩派，赫德擁護英使的支持主張和平合法貿易，而商人的勾結領事以至港督則繼續支持非法貿易。甚至英籍關員常以干涉其非法貿易爲領事所申斥，有時爲港督所捕去，遇此等事發生關員仍支原薪作停職論。一八五八年之約，十年期將滿續訂之限已到，北京政府大感頭痛，因爲非法商人可能鼓勵英政府再來一次砲轟大沽，迫成城下之盟以多獲得利益的。蒲安臣的代表中國政府出洋，無非盼修約得以順利完成，而以美約爲將來修約的藍本，無如做不到。乃由英使 Alcock於一八六七年通令各領事以新約如何改訂徵詢各商人意見，並請英本國各商會的批評。最大商業所在地上海領事根據商人意見的報告，如下：

一、內地住居權，以商埠二百周圍英里內爲限。

二、內河自由航行以利貨運。

三、洋貨已收關稅者應與免稅。

四、子口稅不付給海關而付給各省當局。

五、船鈔的用途須限于建設燈塔及利便航業。

六、海關的沒收罰款須認爲担保金，而最後判決爲合該國當局，非爲海關或中國官廳。

廈門商人，謂其往昔對東南亞之貿易，全爲香港的自由港奪去，厘金過重，沿海貿易而須納稅，無當獎勵走私。天津商人主張開發蒙古，開採煤藏各礦，并開放北京爲商埠。香港商人之意見，由港督轉給殖民部，要求領事以超過精神壓迫的力量打開通商之門，並設珠江航運，以炮艦開放瓊州，不許潮州通商，減低關稅，廢除內地稅厘金用船鈔以津貼游弋沿海捕拿盜船之兵艦。他們又以與中國當局設立的合議庭，損害條約權利，而海關及入須受領事審判，並要求香港亦如通商口岸享有轉口的權利。修約委員會專集中於關稅的研究，各通商口岸的報告，多涉政治，爲蒲安臣出國的任務，不予討論。一八六七年的商業情形，關稅已到了八百五十萬兩，對外貿易占81%，沿海貿易占19%。在對外貿易上進口占19%，出口爲55%，貿易情形是健全的。惟進口貨中雅片占60%，棉織品占13%，而毛織品僅占9%，出口貨中茶占85%，絲僅占11%。沿海貿易則大豆，糖，生絲，土布，綢，礦物油，烟草，磁器諸項占其總數70%以上。海關所公佈一百九十九種進口貨中，有一百二十二種付稅達50%以上，最高者至69%，而在6%以下的貨品有七十七種，最低者爲45。出口貨單二百八十五種中，高出5%者有一百八十五種，最高者爲煤，付稅竟至21%，低於5%者九十七種，最低者爲金飾稅率合3%。除稅率必須調整外，最要之爭議在子口稅問題，商人咸認付過子口稅後洋貨即不應再付稅。而赫德與英國當局均認釐金與內地稅皆妨礙商業發展，但並不違約，所謂子口稅不過保護此貨從甲口至乙口的安全，並不能謂中國地方政府不應收生產稅消費稅與市政稅。惟據調查，進口貨經過地方愈多則稅愈重，有十倍於子口稅者，而出口貨則僅四倍於子口稅，事實上亦不能不調整。

我從莫斯科監獄釋出

Z.stypul Kowski 著　由之譯

作者齊比里·史泰普可斯基是一位律師，一九三〇至三五年曾任波蘭國會議員，從事愛國運動多年，他被控陰謀反抗蘇俄，拘禁在莫斯科有名的盧必安卡監獄中，他是能在祕密警察拷問下，苟全性命，同時受到公開審判的少數政治犯之一。一九三九年他在波蘭陸軍中服役，紅軍進侵波蘭時，他不幸被俘，隨後又被移交德軍看管，最後，他終獲釋放，並從事反抗蘇俄運動，而參加一九四四年的大暴動，一九四五年三月，他和十五位其他波蘭領袖被關進盧必安卡監獄，他在文裏歷述獄中的恐怖生活和俄帝的暴政，至爲動人。——譯者——

我被他們押到樓上，關在一間爲我準備的第九十九號獄室中，那是一間狹小，漆着暗綠色的小室，並附着一扇小窗，可以俯視關在一所高牆內的死氣沉沉的天井。小窗上安着粗大的鐵條，上面還蓋上一張鐵製的百葉窗，所以外面的光綫很難透進室內，只是有時出太陽的時候，一綫溫煦的陽光才會衝破監獄中層層的限制，照耀房中，雖然這樣的時間決不會長久，只有十或十五分鐘的溫暖，但獄中的囚犯却已感激不盡了。

我可以蹲伏在低矮的窗戶上，用面孔貼緊鐵條，望一望自由的天空，但每一次靠近小窗就立刻會受到衛兵的注意，而遭到他的責罵，因此看一看天，也需要厚顏和勇氣的。

獄房內的傢俱既粗劣，也極簡單，那是一張鐵床，一張小桌，桌上有一把銅壺，一個繪有黑貓的小杯，角落上還有一隻水桶，所有的都在這裏。

衛兵把我帶到房裏，對我說：「現在這就是你的家了」，我聽到鎖門的聲音，這種沉重的聲音震盪我的胸際很久很久。

蘇俄陸軍總司令邀請我共進午宴的盛會，就如此結束——在世界著名的莫斯科盧必安卡監獄的「華貴」小室中作無定時的休息。

我開始受到獄吏對我日常生活所任意施予的虐待，這些虐待多到數不勝數。最使人惴惴不安的，還是飢餓，寒冷，威脅的氣氛與無法安眠等等。

每天清晨六時開鎖的聲音對我們而言並不是威脅，相反地，這個時際幾乎成爲我們愉快無比的時候，在獄中住了幾個星期後，我一聽到開鎖的聲音時，總是高興得從床上跳起來，站在門前，伸出我的雙手，開門後，衛兵陪着穿了白色外衣的厨子進來，分給我定量麵包，每隔一天還有兩塊白糖，銅壺裏再滿滿冲上一壺開水，這就是我的早餐。

正午時候，那位全身雪白的厨子又光臨了，他給我一罐雜會在一起的食物，那是一些熱湯夾着若干椰菜，有時候你可能找到一片馬鈴薯，有時候可以在罐底發現一塊魚骨，這是我的午飯。

下午五點鐘左右，厨子分給我兩滿匙麥粉，有時加點肉湯，同時再冲滿一壺滾水，我的晚餐便算完畢了。（一）

大陸私營企業末日臨頭

津滬等各地私營工廠均依次被中共開刀，所謂「民主大檢查運動」，「節約競賽運動」，都祇有一個目的，最後將一切私營企業，盡歸毛澤東私囊。

大陸上的中共控制區，現在展開兩項規模相當廣泛的運動，一為「生產管理民主大檢查運動」，一為「增產節約競賽運動」，這兩項運動的目的只有一個，就是要用盡可能的方法，不費太多的氣力，把現存私營企業，全部奪取過來。把一切生產工具，人力，物力，完全抓在毛澤東一個人手裏，變成他一個人的私產，茲舉兩例，以概其餘。

上海卅一家工廠 意見竟有四萬條

先講華東，上海是私營工廠最多的地區，中共為了要「順理成章」的把私營企業一手抓光，於是便鼓勵職工，提出許多中共所認為「具有建設性的意見或辦法」，據十月二十六日「新華社」公佈：「僅就華通、通用、虬江等卅一個廠不完整的統計，職工們提出的意見即有四萬三千多條。」其雞零狗碎，嚕嚕囌囌，那還用說。總括一句，還不是老板有百非而無一是，勸請走開。「新滬鋼鐵廠管理員」陳宗堯，在所謂「民主大檢查」中，他個人一口氣就提出了「改革意見」一百七十八條，中共認為他條條都「有意義」，自不免嘉獎一番，要所有私營工廠管理人員和職工皆向這個不走七步就會成章的陳「同志」「看齊」。

在「暴露問題」展開中間，沒有一個私營企業的廠商不被罵得體無完膚，什麼帝國主義作風，官僚主義面目，殺人不見血的管理制度，阻礙生產的管理方法，不安全，不衛生，組織混亂，分工不明，職責不清，生產脫節，加工錯誤，報廢太多，缺乏計劃，儲蓄顛倒，浪費勞力，檢驗馬虎，交代不明等，五顏六色，不一而足。結果，命令下來，「要通過各種羣眾運動，進行一系列的民主組織和改革工作」，截至目前為止，上海私營的鋼鐵、機械、電器、化學等工廠，已全部完成「民主檢查」手續，因多吉少，老板們自然肚裏明白，在已做好準備「改革工作」的三十一個私營工廠中，十個廠有九個廠老板皆願意將其心血灌溉、生活憑依的財產，無條件的捧獻給「國家」，沒有做好「民主檢查」的「大鑫機器廠」等十三個廠的老板，雖還在徘徊觀望，做着倖存的鬼夢，但同歸于盡的命運是逃不掉的。現在這一運動的中心已轉入「工資改革」，有上萬職工，正在發揮其「核心作用」，不迫得個個私營企業的老板「掃地出門」，決不罷手。

要實行企業改革 迫工人大做文章

再看華北，天津是華北工業的總滙，私營企業，原不在少，推行「愛國增產節約運動」的口號一叫開，所有私營企業的工廠職工，都老實不客氣的拿出「主人翁的態度」，照題目做文章了。當然囉，大道理有的是：為「國家」大規模經濟建設打下基礎，徹底進行企業改革，找竅門，挖潛力，不浪費「國家」財富，廢除舊制度，表現新精神等，利落爽脆，言之成理。

在增產節約是表，企業「改革」是裏的原則下，有三十年以上歷史的天津私營「仁立公司毛呢紡織廠」，首先就被開了一刀，中共在通過該廠「前進」職工「反映」說：「一九四八年（天津淪陷前的一年）該廠年產服裝用呢十二萬公斤，到現在已降到年產一萬公斤；足見老板在經營方式上採取着抽回資金，因陋就簡，敷衍湊合，致生產發展遭受嚴重阻礙」云云，這真是欲加以罪，何患無詞，其實，盡人皆知，大陸陷落以後，老百姓過的是什麼一種生活？飯都沒有吃了，那裏還有錢買毛織品做衣服穿？至中共指責該廠雜亂無章，機構臃腫，人不稱職，職不稱能，因人濫事，相互排擠，領導無力，欲作還休等，更是信口開河，故入人罪。請問：老板既抽回資金，準備關門，為什麼卻不力行緊縮而仍任令機構臃腫，欲作還休？在中共認為該廠的許多「毛病」中，最嚴重的無過於「浪費人民的財富」一項了。據北平「光明日報」十月二十二日指陳：「仁立毛呢紡織廠今年九月份的殘次品竟佔成品百分之二十三點六，成品倉庫和未成品倉庫積壓的造紙毛毯共達六萬八千多斤，價值人民幣一百〇四億元，內成品不合規格所招致的損失共四千多斤，價值人民幣四十六億元，仁立呢的原料全部來自國家供給外匯買來的澳洲羊毛，但由於經營管理不善，大量地浪費着人民的資財和國家寶貴的外匯，這殊令人痛心。」這是很明顯的在說：「你做不好，讓我來。」「仁立毛呢紡織廠」將被「接收」的命運已注定了，其他規模較大的私營企業，也必將因害着同「仁立」一樣的「毛病」而統被「接收」，絕無問題。不然，怎麼會成為「新民主主義經濟裏的一個合格企業？」

私人廠商早入窮途 今後難逃消滅末路

事實上，自「五反」運動結束後，大陸上的私人資本經濟已經在走向消滅的道路，剩下來的只有非驢非馬的國家資本主義而已。其發展的形式不外兩種，一是「國有國營」，由於其資本、技術、設備太差，結果只能局限於輕工業及商業。對重工業，機器製造業，重要工業原料，器材製造工業等等是無法插手的。中共所能而且樂於經營的只是商業的壟斷，與官僚資本的發展如出一轍。什麼「百貨公司」，「糧食公司」，「土產公司」，「貿易公司」等，由「人民的首都」到省、縣、鄉、鎮，無孔不入。營業範圍，由紗、布、米、油、鹽、醬、醋、茶，都有，在這樣操縱、排擠的情形之下，私人商業之日趨枯竭、凋零，乃事屬必然，以至於消滅，大的私人企業又豈能例外？一是「公私合營」，這是一個滑稽的組合，除了「沒收官僚資本部份」而採合營方式外，則是中共對某一項私營企業意圖佔有的初步，先以投資的方式或「債權人」的身份，取得對企業的控制權，假以時日，私人資本和私人企業，名存實亡，被清算，凍結，侵吞，那才是絕跡！

不要忽視中共現正推行的「生產管理民主大檢查運動」與「增產節約競賽運動」，這是中共要把一切「私」、「資本」變為「國家」資本——「毛澤東」資本的第一步，在它完成了壟斷和獨佔之後，必造一種落後的國家資本主義，使全國人民，變為赤貧，俯首帖耳地跪在毛澤東的脚底下，永遠過着非人的生活！（鐵漢）

中共「司法改革」下 靠攏法官紛遭毒手

沈　著

血腥統治了大陸的中共非但拿不出像樣的法律，更拿不出一批懂得起碼法律常識的「幹部」，因而各地祇暫時利用的舊公務人員中要算司法人員最多了。然而鳥盡弓藏，走狗烹，當他們已學得了一點皮毛，特別是獲得了所謂「在馬列主義毛澤東思想的指導下總結人民羣眾鬥爭經驗」的「新法」概念後，他們終於在「司法改革」的口號下向舊司法人員開刀了！

據大陸各地千篇一律的共黨報紙上看，所謂「司法改革運動」正在如火如荼地進行着，各省市區縣都先後成立了一脈相承的「司法改革委員會」，「辦公室」及「工作組」，展開了向舊司法人員的清算鬥爭！

片斷數字即足驚人

據各地已公開的片斷消息：一、在武漢方面：由「武漢市人民檢察署」發動羣眾檢舉舊司法人員的案子已有二百八十六件。中共武漢市委書記李先念及宣傳部長李爾重在十月九日的「司法改革工作幹部會議」上發出了猙獰的咆哮，立刻有二十多個舊司法人員被送進了「人民監獄」。

二、在湖南方面：已舉破了近一千件所謂舊司法人員「違反立場」的判錯案件。曾非常「積極」的屬於留用人員的湖南省「人民法院」的副院長胡光也遭到了檢舉。據湘陰縣「人民法院」的主任書記塞元邦，審判員白易，黃飛龍、周飛等，只不過被認為對「反動地主」判刑輕了一點。也都遭到了「清算」。但是欲加之罪，何患無詞？

三、在廣西方面：雖還不會披露全省已被「整肅」的舊司法人員的人數，但據僅「中南司法部」發表的文件中看，僅梧州一市，已有該市「人民法院」的審判員謝嘉賢、張鉅璋、監獄員鍾新明、劉汝綸、及「中南分院刑庭審判組長」汪永隧等五人遭到了殘害的劫運！以此推測，則全省被迫害及將繼續被迫害的舊司法人員的數字多，便不難想知了。

四、在廣東方面：據「長江日報」所載，經「司法改革工作隊」的大力發動，已被檢舉了八百餘件所謂判錯的案子，已拘辦了兩百三十多個舊司法人員。其中廣東省「人民法院」留用的共十一名舊司法人員，已被全部整肅！

五、在雲南方面：已被檢舉了三千餘件案子，據說大多是屬於「包庇反革命份子，地主，及資本家」的「偏差」。該省全省被檢辦的舊司法人員的人數雖還未見披露，但參看各省的情形，以其被檢舉所謂「判錯」案件的比例，則該省被鬥爭迫害的人數一定驚人。最近，該省「人民法院」的刑庭庭長李豫五被諷嘲為「六法泰斗」而正被利用作為攻擊舊司法人員的典型資料！

六、在四川方面：僅重慶一市已舉發了六千餘件的「判錯」案子，和其他各市縣已被舉發的案子合起來已有一萬三千件以上，數目實在驚人！雖然因而被拘辦的舊司法人員的人數也還未見公佈，但就已披露的開江一縣來說：除了院長以下的副院長王釗鳴，審判員王守一、孫樹常、鄒中等共七個舊司法人員，已全部遭到了迫害！

七、在江蘇浙江方面：據上海「解放日報」的披露：各地的「司法改革運動」已進入了具體檢舉的階段，說轟動此一運動的檢舉文件已像雪片般投入了該兩省及上海南京兩市的「司法改革委員會」。尤其是上海，說此一運動業已「深入里弄」。此外：各大學的「政法學系」教師也通帶捲入了「司法改革運動」的驚風駭浪：遭到了嚴厲的「批判檢討」和「思想改造」；說必須徹底清除「六法思想」的殘餘！於是，作為共產黨員的學生，便將大學教授們變作了學生的學生！（共產黨語）

最後命運死路一條

中共為什麼要「整肅」舊司法人員呢？

僞「政務院人民檢察委員會」主任譚平山說：「司法改革運動是在三反運動的勝利基礎上進一步加強與鞏固人民民主專政的主要措施！」

舊司法人員究竟犯了什麼錯誤呢？

中共中南區的司法部長黃祺翔說得好：錯在「法律是永恒的正義」、「法律是全民的意志」，及「法律之前人人平等」的「六法思想」，以及「輕罪重判」，「重罪輕判」的「舊階級感情」的庇護行為！他說：「人民的法律，必須根據人民的立場」！

然而共產黨的所謂「新司法人員」據說也有判錯了案子，也有會根據舊法判了案子的，也有不新不舊還雜着兩種不同的階級觀點判了案子的，他們自己有一個滑稽的比喻，說原封不動根據舊司法判案的好像是一碗「白飯」，新舊觀念參雜着判案的好像是亂七八糟的「蛋炒飯」！不過，他們說：新司法人員的階級立場是鮮明的，堅定的，只要加以「糾正」就行了。

那末舊司法人員怎麼辦呢？這個直是死路一條！而且已有很多人被關上死路了！即使是情節輕微的，最僥倖的，也少不了照黃祺翔的說法：「必須徹底改造」——「堅定「階級觀念」的勞動改造！否則，他說：「做工，工會不要。耕田，農會不要。營商，商會不要！」總之，大多是死路一條！

揭穿中共建設老巢陰謀

·薇·

最近中共又在報上宣傳加強建設「革命老根據地」，大肆誇張，說「老根據地」的建設是如何地驚人進步，並把這些「進步」和國民政府在大陸時代作為對比，以證明它的成就。例如十月二十六日的上海「亦報」上就把中共「革命」老巢江西瑞金縣的「重建」，大吹大擂一番，歌唱着「黃金白銀，不及瑞金」，瑞金之所以值得這樣禮讚，原因是農民在田間「辛勤愉快的勞動」結果，每天獲得兩餐飯吃。吃飯是人的最基本的權利，如果辛勤的結果連飯都沒有吃，那末農民祇有全部餓死了。不管中共宣傳的是否事實，但至少農民有飯吃這一點是不值得如此渲染的。

中共怎樣宣傳，我們暫且不管，現在應該研究一下什麼叫「老根據地」？那些地方是「老根據地」？現在的「老根據地」與過去的「老根據地」有什麼不同？中共為什麼要加強建設「老根據地」？研究清楚這些問題，我們就知道中共之所以要建設「老根據地」的陰謀了。

何謂「老根據地」？

所謂「老根據地」，就是毛澤東、朱德在「落草為寇」「佔山為王」最初時候所盤據的老巢。朱毛把「游擊戰爭」和「根據地」作為他們叛亂竊國的基本政策。他們利用土地問題的矛盾因素來爭取農民，更以游擊戰爭的方式來破壞農村，使整個農村赤化，脅貧無立錐的農民來參加叛亂，於是朱毛便從這種破壞裏坐大起來。朱毛在赤化區域內得到人力的補充，鞏固了所採取以農村包圍城市的策略，擴展叛亂據點，使其勢力能夠「從無到有，從小到大，從發生到發展，從沒有政權到奪取政權」。這就是它的「革命政策」。中共這種發展「根據地」的過程，可以分為好幾階段：最初是在江西瑞金一帶建立「蘇區」，這可以說是最老的「根據地」了。第二階段是利用對日抗戰政府無力兼顧時它所發展的「邊區」和「抗日根據地」。第三階段就是抗戰勝利以後擴大叛亂時所建立的「解放區」。在這些各階段作根據的地區內，中共建立了流寇政權，成為他們發跡「根據地」。中共把這些根據地又分為三類：一是山岳根據地；二是河湖港灣根據地；三是平原根據地。最有利於中共的是山岳地帶，其次是港灣，最不利的是平原；所以中共最活躍的區域是山岳湖沼地區，這正是流寇必爭的地方。

那裡是「老根據地」？

那些地方是「老根據地」呢？請得分開兩個時期來說：一是抗戰以前，一是抗戰期間。在抗戰以前，民國十幾年的時候，朱毛僅是一股無組織的散匪，流竄各處，無所謂根據地。其後，經過政府的一再圍剿，緊縮包圍，使他們的活動範圍偏限於贛西南、閩西、鄂中、川北、豫鄂皖等地區，他們這時開始在這些區域內建立「蘇區」，這是中共有根據地的開始。其後政府更加緊圍剿，中共在這些區域裏無從立足，實行長途流竄，由江西逃至陝北，於是便建立了「陝甘寧邊區」，造成割據一隅的小局面。

在抗戰時期，由於國民政府的寬容並准許中共建立抗日軍，他們借着「抗日」的機會，大為發展，積極擴充根據地，相繼建立了「晉冀魯豫邊區根據地」，「晉察綏根據地」，「冀東根據地」，「冀熱遼根據地」，「冀中根據地」，「山東根據地」，於是黃河以北各省與省的邊境地帶都成了中共的活動中心，中央政府全力應付日寇的侵略，對這些地帶無暇兼顧及，中共利用這個機會建立了大量的邊區政權。此外在長江南北，中共也獲得充分發展，先後建立了「蘇北」、「淮北」、「豫皖」、「鄂豫皖」、「皖江」等邊區根據地，抗戰末期更又隨着日寇前進，建立了湘鄂、粵贛、粵閩、粵桂邊區根據地。現在中共所指的「革命老根據地」，就是這些地方。

「老根據地」的今昔

老根據在中共盤據這些地方時，所用的政策是以農村包圍城市，以土地改革來引誘農民，提出「生產致富」「勞動致富」的口號來使農民成為中共的農奴。中共幹部幾乎全部從農村裏培植出來，[illegible]一種宗派觀念，於是一般「沐猴而冠」的人，[illegible]且走進了城市，[illegible]優越感，[illegible]以為了「立國」[illegible]形成了[illegible]，以城市[illegible]領導農村的政策，不能再死守過去流寇時[illegible]

中共在農村實行「土地改革」已完成了，[illegible]代表的作風[illegible]，且[illegible]落後，接[illegible]無從搞起，[illegible]不得不起用一批新人，於是中共幹部也就從農村裏出來了，多大用處的地方。再說，中共所謂大陸土地改革，不但把全村的宗法觀念打消了，而且土地[illegible]，進行[illegible]，農村已[illegible]翻身鬥爭[illegible]，恐怖殺戮，[illegible]欺騙民不聊生。（上，下期續完）

第一夫人的風格

為方

艾森豪威爾當選總統之後，他的夫人向新聞記者說道：「我并不認爲我們的生活比過去會多些甚麼，事實上，我將多多會見我的丈夫，黃昏時候我不會外出。我還是一個妻子，迎接親友和我過去所做一樣」。這位懂得政治生活的道理，而矢口不談政治的賢妻良母，眞不愧稱爲「第一夫人」！

我絕對地認爲婦女應與男子同等有担當政事之權能，但最討厭那些無知無識，只知假藉丈夫的政治權勢而妄干用人行政的所謂夫人太太也者，對國計民生問題，絲毫無助於其良人，但對用人扒錢等事，卻利用裙帶關係，冥行暗索，悍然爲之，不顧一切。因而招引着一般軟骨無恥的小丑式下等政治動物，蠅蠅然鑽鑽狗洞，乞求裙帶官位，擾亂國家名器，貽害天下蒼生。越是文化落後，民主政治不發展的國家，這類禍害就越多，而民主憲政即越見暗淡。

艾克夫人的話，相信她是發於良知的，因爲她過去曾未藉其丈夫的威望地位，妄干政事。今後貴爲白宮主婦，在民主政治的環境中，她更不能不小心謹慎，表示「第一夫人」的風格。她可以有被選爲總統的資格，卻不能藉「總統夫人」的權勢來營私作歹，否則她那「第一夫人」的座位就得摔下來！

許多口稱民主不歇的官僚顯要們，十九都好弄裙帶政治，不知他們對於艾克夫人的談話，亦有所愧心赧顏否？

自由談

新武大郎（下）

·羊辛·

他頹然地回到家裏，心中七上八下——第二天，決定到鄉下找堂弟商量去。

那個堂弟聽完了他的話，問：

「你有證據麼？」

黃朝宗想了一會，對啦，沒有證據。堂弟說：「俗語道，捉賊贓，捉姦在床，沒有證據，怎麼行？」

黃朝宗只好又跑了回來，留心搜集「證據」。

過了幾日，居然給他找到證據了，那是從老婆衣袋中搜出的一張字條，上面寫道：「今晚七時交通旅社，——明」。

他全身血脈驟地緊張起來，向鄉下趕去，趕忙取了字條，顫抖抖地取出來給堂弟看，道：

「你瞧！你瞧！……證據！證據！……」那堂弟搔搔頭皮，道：

「你說張畢明是『同志』麼？」

「對的，對的，他也在——呃，呃，一個什麼會做事」

「這個，這個，……」堂弟面露猶豫之色：「我看不好辦吧？」

「好弟弟，我只有你這個親人，」黃朝宗眼睛有點潤濕，苦苦要求着：「你的不中用的哥哥遇到了這樣羞愧的事，你再不幫我，我還去找誰？」

堂弟礙於情面，只好披上衣服，跟着他走了。

下午六點鐘，已經進得城來，黃朝宗跑回家一看，老婆跑出去了，忙又跑出來，拉拉堂弟，一齊守在交通旅社的斜對面窺候。

約模過了半點鐘，果然看見張畢明遠遠地走來，而且走進旅社去了，又過了一會兒，曹秀英也出現了，穿着時放裝，東瞧西瞧了一會，也進旅社去了。

黃朝宗緊張得氣都透不過來，趕忙尾隨着進了旅社，只見曹秀英那兩隻幌動的髮辮，亦步亦趨，只見她一閃，閃進了十二號房。

「怎麼辦呢？」黃朝宗手腳失措。

「你既然要捉姦，那就捉嚇！」堂弟說。

黃朝宗終於鼓起了勇氣，朝那十二號房狠命推進去，——只見老婆跟張畢明果然依偎在房裏。

「你，你，你……你再逃！」他指着老婆，話都說不出來。

張畢明一個箭步，竄出門去了。

老婆顯得有點慌張，但隨即鎮定下來，道：「你便怎樣？」

「我，我，我……——」

「……要打斷你的腿！」黃朝宗氣得只是喘氣。

「哼，笑話！」老婆兩手插腰：「現在是什麼時代啦，你還知道麼？我和你這種婚姻，早就應該離掉！」

「可惡！可惡！你這……我和你拼命吧！」

黃朝宗說着，撲了上去，悲傷憤恨交織着他，他像發了狂，扯住老婆的頭髮，打將起來了。可是那老婆的力氣比他大，反把他摔在地上。

這場打鬥驚動了旅館當局，立即召來了警察，把一干人犯，提進公安局去了。

案子由公安局移送人民法院辦理，曹秀英當即提出了離婚要求。那審判員問明了經過情形，就向黃朝宗說：

「黃朝宗！這種婚姻是應該離婚的！」

「我不要離婚！」黃朝宗詫憤未息：「這樣子太便宜了她！」

「哦，黃朝宗！」審判員帶着教訓的口吻：「現在是新社會啦，婚姻是不能強迫的，你們一方已經沒有了感情，這種婚姻是沒有幸福的，你不能說什麼便宜不便宜，那是舊社會封建思想，要不得的。再說，曹秀英先所以是爲了逃難才嫁給你的，這是買賣式的婚姻，應該打倒的，根據新婚姻法基本精神及第五章離婚的規定，人民法院准許曹秀英的要求，判決你們離婚！至於曹秀英和張畢明的通姦行爲，總該予以深刻的批評！」

判決完畢。黃朝宗淚汪汪地什麼都說不清，還是堂弟來給他扶走，他踉踉蹌蹌地走出了法院，禁不住放聲大哭起來了。（完）

『舞台生活四十年』（上）

·舞生·

萬竹樓隨筆

這是今年由大陸出版的一本好書，梅蘭芳自述，許姬傳筆記。以體裁論，算是梅的自傳，但內容所涉及的範圍，却不啻是清末以來一部『中國戲劇發達史』，至少，也是敍述有關京劇崑劇一部極有趣味的故事書。

從去年開始印行的『毛澤東選集』，和最近出版宋慶齡的『爲新中國奮鬥』，我爲了加強我自己反共的信心，自然也得買來偶然的翻翻，可是總是看不到一兩段，便已昏昏欲睡；但梅的這本自傳，（現在還只出版第一集）我却在兩天的工作之餘，把它一氣看完了。在我眼中，一個大獨裁者毛澤東，加上一位革職了的『國母』宋慶齡，其價值的總和，乃趕不上中國四大名旦之一的一個梅蘭芳，中國政治之糟糕，中國政治人物之無聊，也就概可想見了。

梅蘭芳是甲午中日戰爭這一年出生的，他今年也算是五十八歲的人了。從他十一歲第一次登台起，一直到現在，他還隨時在平津一帶演出；他曾到過美國，到過日本，到過蘇聯，能戲之多，享名之大，去演的時代之長，恐怕在近代的戲劇史上，很少有人能和他相提並論了。

他這本書的敍述，是從他的祖父梅巧玲開始的，關於他的家世，乃至他的父親梅竹芬和他的伯父梅雨田，（一位胡琴名手，笛子吹得也好，還能打鼓。）都有詳盡的紀載，而他本人，現在也正和他的兒子梅葆玖隨時在唱戲。梅氏不只是伶官世家，而且四代都是演旦角，這眞可和譚鑫培一家四代都演老生比美了。

這本書如果給一個內行看，我想可供他們參考的地方一定很多；即在我這樣一個稍稍留意中國現代史的人，也覺得有多方面的趣味。這本書的內容，自然以敍述梅本人演劇藝術的淵源和他在這幾十年演出歷史上所得到觀衆的反應爲主；可是除掉與戲劇有關的一切敍述以外，即清末民初北京上海兩地一般的社會情況，以及人民一般的經濟力量，也有極可驚而極有趣味的紀載，其足以引起我們注意當時社會實況的材料，實在是太多太多了。

當孫菊仙，汪桂芬，譚鑫培，劉鴻昇這班鬚生盛極一時的時候，社會的風氣何以會由重生角一變而爲重旦角？這本書上的解答，認爲是由婦女在逐漸解放中，婦女觀衆逐漸加多的一個結果，這一點確實是我從前不曾想到的。

民國初年梅蘭芳和王鳳卿初到上海演戲，當時戲票最高的價格不過一元二角，後來逐漸加到三四元至五六元不等，其時的幣值並沒有多的變化，可是物價及一般社會對於享受的追求，却大大的起了變化了。

獨裁政權下的普選

正在美國競選運動到達高潮的時候，波蘭的選舉也舉行了。所謂選舉，當兩個選舉同時舉行，無疑對整個世界提供了一個關於民主與極權間分野的最明說明。

波蘭這次的下議院選舉，是根據蘇俄模式的新憲法以來的第一次，在進行期間，一切平靜，既無競選運動的喧鬧，亦不聞反對黨的抨擊叫囂。選民所得到的選票，上面一批候選人名字，全屬主席貝魯德的共產黨。他們的投票手續，是在選票上塡上姓名，然後折好，投進票匭，名義上，雖然如選民對某些候選人不表贊同，則可以將他的名字劃去，但由於政府事先已發表——這時候命令：「凡故意破壞國家的統一者，即是國家的敵人。」選民們誰敢自惹「敵人」的罪名，自然祇好乖乖將選票折起投進票櫃了。

結果，當然是共產黨大獲全勝，席捲全部選票。

這種情形，和美國這次總統大選中兩黨熱烈競爭，大叫大鬧，各提理論與觀念待人民決定總統寶座誰屬的完全過程比較起來，眞是最鮮明尖銳的對照。（明）

我從莫斯科監獄釋出

Z. Stypulkowski 著　由之譯

每天二片黑麵包

盧必安卡監獄中的食物和其他共黨監獄或集中營裏的食物大不相同，當然和德國監獄中的差別更大。盧必安卡的麵包雖然是黑的，但却是新鮮而異常又可口的，麥粉也是一樣，特別是加上肉汁以後，任何人都愛好它的美味。至於湯，雖然完全失去了營養價值，但說起來還是易於消化的，所有這些食物都盛在一隻盤子中，由一位穿着歐洲標準和傳統服裝的廚子送來，頗能刺激一個飢餓的人的食慾。這和德國監牢或普通俄國監獄是完全不同的。在那些地方，食物的滋味和派送的人是那樣的令人討厭，使得大家都望而生畏。

經過幾星期後，我開始感到飢餓了。從前拒絕進食麵包，以及衛兵將湯撤去，而以詫異眼光向我注視並偶爾對我寄以憐憫的時候，已經過去了。如何將早晨發下的麵包適當分配，以求夠整日之用，也立刻成爲一個重要的問題。因爲獄方配發的麵包，每天一共只有薄薄的兩片，而在獄中最後一個階段中，我每餐就可能吃下六片之多。因此我只好把麵包作如下的分配：早餐一片，第二片的一點點作爲午飯，剩下的當作晚餐。

以後，我開始失去了自制的力量，我只留下兩三小塊麵包作晚餐之用，而把其餘的大部份一掃而光。有一天我偶然在房中發現一小張破紙，連忙小心地將麵包屑包在紙裏，藏在隱蔽的牆角上，一直到餓得頭昏眼花的時候，才拿來大快朵頤。

當我和一個俄籍及一個德國囚徒共關在一間獄房中時，我曾看到如下的分配麵包的方法。俄國人一頓將麵包吃光，並說他一天至少要使肚子滿足一次，隨後在整天中，就眼巴巴的帶着一副饞相凝望着德國人，那個德國人却在他的制服上撕下幾條碎片，把麵包分成幾個等分，分別包好，然後再按着自訂的時間表以之充飢。我們每天向上帝祈禱「給我們今天的麵包」，這句話的眞實及深切意義，唯有一個眞正需要麵包的人才能懂得。

獄中的食物總是千篇一律的，從來少有變動。每天下午兩滿匙是麥粉，或是三個連皮的馬鈴薯，很快的被我們一下吃光，常常在衛兵送飯進來轉身關門以前，就已狼吞完畢。中午的湯總是極清淡的，但好在還熱得很，在我們食物中，水的重要性已逐漸增加。

以前我是很少喝水，特別是不愛飲開水的，但現在我已用它代替早茶，下午茶和晚茶了。它是主要的療冷劑，更能塡滿我空虛的肚子。每逢我身體疲倦時，它有如一副興奮劑。當我喝下幾杯熱水後，身體頓時温暖，血液循環的速度也跟着增加，在不斷的牛飲之下，我已能喝下七八品脫的熱水，我用毛毯緊圍在茶壺上，所以裏面的水仍能保持溫熱。（二）

△獄卒日夜緊執自動步槍守住我牢房門口▽

中國之友（三二）

毛以亨

赫德傳（十二）

一八六九年，十月廿三日恭親王與 Alcock 所簽的新約，爲唯一不出于脅迫而成于協議的，且爲互惠的中英協定。要點如下：

一、進口貨須付關稅與子口稅，在通商口岸各省即不再付稅。

二、香港轉口而至中國他處之貨，不作出口貨看，祇付沿海貿易稅。

三、溫州蕪湖爲商埠。

四、關稅案件由中外合議庭判決。

五、船鈔每四月付一次。

六、調整各貨稅率，如鴉片每担從三十兩增至五十兩，生絲出口稅加倍，貨品項目亦減少。

此約先爲外交團所反對，他們以爲不啻使中國加入國際團體，將破壞蒲安臣之活動，且以洋貨在內地再上稅爲無保障。Alcock 則認爲百分之五的稅，等于自由貿易，茶之進口稅英國爲百分之五十，而鴉片出口稅，印度爲百分之三百，香港增設領事，不祇爲體貌，完全爲商務便利起見，免得海關派艦包圍，以防其走私。他說：「外人自用的貨品要予免稅，外人有沿海內河航權，有治外法權與傳教自由權，有如此之低的稅率，那一個國家肯給與？」然以一八七〇年教案之故，英政府激于輿情，卒徇英商的抗議，不與批准。

九、間歇時期

一八七〇年後，爲赫德最不得意的時代；中國方面排外之風大盛，恭王曾被免職；英國方面不肯批評其所主張的新約，蒲安臣的鼓動又失敗了。其任總稅務司七年之一帆風順，全得中英官方之支持，現雙方都反對他了，他當然要發牢騷，說「我不是專做總稅務司的人，中國頑固得如結晶體，實在不容易改革。」不過三十多歲的赫德已爵高位，機緣眞太難得，尚有四十年的在中國服務等着他，他當然不會負氣放手不幹的。不過在此風頭不順的時候祇好弄些瑣事來幹，而此類機會倒是很多的。

一八七〇年的仇教運動，實爲醇王所主持由陳國瑞組織潛龍的民衆排外運動：太原、台灣、烟台、揚州、福州、武昌、汕頭、南昌，四川，貴州同時繼起。天津教案焚毀法領館教堂，殺死法領事及其助手，並有十位法籍女修士，二位法籍神父及其他法人四，並服務于教堂之中國人三四十，且殃及俄人三人。崇厚赴法道歉結果，赫德派了二位法籍關員 Novion Imbert，隨崇厚于一八七一年十一月見元首 Thiers 議定中國在巴黎設公使館。

因爲黃奴掠賣，南美各處的中國工人受到殘酷待遇，以古巴爲尤甚，海關派關員 Macpherson，Huber 二人於一八七四年隨陳蘭彬赴古巴調查，收到八十五件呈文，簽名者一，六六五人。乃與祕魯訂約禁止販運與虐待，以給與最惠國條款爲交換條件。

中華民國僑務委員會頒發登記證台[illegible]新字第壹零貳號

自由人

THE FREEMAN
（半週刊每星期三六出版）
（第一七六期）
每份港幣壹毫
督印人：李光華
社址：香港高士打道六六號
電話：二〇八四八
GLOUCESTER RD. HONG KONG TEL: 20848
承印者：東南印務出版社
地址：高士打道六十四號
台灣特派員辦事處　台北市館前街五十號
台灣總經銷處　台北市中華路一二五九號

以變應不變

要相信技術，不要迷信運氣

左舜生

記得在抗戰期間，有一句常常為我們所聽到的口號，叫作『以不變應萬變』。這句口號究竟是什麼人創造出來的，已經不能確指，但我想來，大抵總是出於一位對八股文有過相當訓練者的手筆。八股文有一個特點，便是講形式而不講邏輯，在形式上看，這句口號好像是通，而實際卻是不通的。中國人中了幾百年八股的毒，幾乎成了一種心理上的習慣，因此嚴格講起來這句口號儘管是不通，卻依然是不脛而走。

陋習必須澈底矯正

三十年前，中國有一位名記者黃遠生，在當時的『東方雜誌』上發表過一篇有名的文章，叫作『國人之公毒』，他曾就中國人這種攏統顢頇的習慣，加以分析與批評，覺得如果不把這種習慣澈底的矯正，中國人在任何方面便不容易得到確實的進步。

『於法無據，礙難照准』，或『手續不合，礙難照辦』，這是中國官廳批答公文幾句常用的『官話』，假如進一步追問：你說『於法無據』，究竟你所據的是什麼法？你說『手續不合』，究竟這些狗屁不通的『手續』是誰定的？他們便往往瞠目不知所對。

『明是非，負責任』，這也是兩句頗為流行的口語，好像天經地義，不會有什麼毛病，其實也經不起追問。『彼亦一是非，此亦一是非』，天地間有許多事，往往昨天是『是』，今天卻不一定是『是』；今天是『非』，明天未必一定是『非』，你之所謂『是非』，究竟以何種標準而來加以決定？『負責任』，很好，但要問：究竟對什麼負責任？對人負責任？對事負責任？對法負責任？對老百姓負責任？還是對你的長官負責任？你不負責任你的長官可以處罰你，你的長官不負責任，究竟又是誰去處罰他？我去盡責，誰叫我負責任；不應該由我負責任的我也去盡責，是不是也叫做『負責任』？『萬方有罪，罪在朕躬』，這是專制時代聖君的一種口吻，但依然只是『朕即國家』的另一說法。一個法制的民主國家，任何人的責任都是有一定的限度的，什麼人或什麼機構負責，也規定得相當分明，當負責的不負，自然不可以；不當負的也要去攬一手，實際比不負責還要壞。凡此種種，可見任何一句在表面看來沒有多大毛病的話，在運用起來也還是有一定的分際，『過猶不及』，依然是不許我們以攏統出之的。

變與不變

話說遠了，我實際的意思是要說明變與不變的這個道理。以宇宙或世界的本質而論，是無所謂不變的，不過從某一現象或某種趨向看來，好像是有變有不變而已，因此我們把變與不變對舉，並不是完全不能成立。

六十年前，日本變而滿清不變，因此滿清亡而日本強；十年以前，國際的情勢變了，而日本的侵略方針不變，因此日本敗而我勝；我之勝並不是勝在不變，乃正是勝在我們當時的行動剛剛與世界一個變的趨勢相脗合使然。我們在抗戰以前，幾乎事事都對日本屈服，這正是所謂不變；一變屈服而堅強抵抗，乃正是大變而特變，為什麼反而要說不變呢？在抗戰中，那共產黨却天天在變，而且是層出不窮的變，但國民黨在勝利前與勝利後，却是沒有十分變，因此共產黨以變對不變，乃僥倖得了這一回合的勝利。以不變應變是賭運氣，以變應變是賭技術，運氣可恃的成分少，技術可恃的成分多，因此能變畢竟是可貴的。

把握所處優勢的必要

以現在的情況而論，世界兩大壁壘對立的這一趨勢，大致是不會變的；中共在蘇聯嚴格控制之下，即令有人想變狄托，也是無可能的。然則今天的中共乃只能處在一個『以不變應萬變』的劣勢之下，而我乃大有以變應變的迴旋餘地。我們既是處在這樣一個可變的優勢地位，假如我們依然迷信運氣，而不在如何變的方面去講究技術，即令我們今天的行動又可能與世界的情勢相脗合，但勝利的取得只存乎人，而不是出諸己，這種勝利就得了，也是不能確保的，殷鑑不遠，便在抗日勝利的一幕！因此我要在這裏大聲疾呼：

我們要變，我們正要以變對不變；我們不單只要取得勝利，我們還要確保勝利；我們千萬不可再去迷信運氣了。韓戰爆發，是我們的第一次運氣；艾森豪威爾當選，也許是我們的第二次運氣；但如果不反求諸己，你以為我們便可一輩子在運氣中討生活嗎？

論尊孔的態度

・胡秋原・

眞善美之所以為眞善美，亦在其恰如其分而已。偽為美德，過當即憾容。施朱太赤，施粉太白，斯為美。同理，眞理是一種陳述，一種估計，能與實際相符或近似者，即屬於事理之平者。一過度，不是可笑，即是荒謬的。不幸愈是偉大人物，往往愈難免過度誇張之命運。

孔子是中國偉大思想家，教育家與政論家。他對中國文化，有承先啓後之大貢獻。這是毫無問題的。然任何偉大人物，只要不是神，不能不受時代之限制，也是沒有問題的。

然而，人類文化是不斷向前開創的。如果肉麻孔子，說孔子偉大，我們便以為一切道理盡於孔子；『非孔氏之書不敢讀』；有一言與聖人不合者，即斥之非聖無法，要和他拚老命。那是大可不必的。

儒學為官學，是一種必然之勢。漢武帝以來，國大一統之形成，政府以是一統可觀的。至於歷代知識份子，尊崇孔子，照我看，往往另有深心。在專制時代，專制最大，可以隨便處理百姓。讀書人便抬出孔子來，不僅作為自保人格尊嚴之模範，而且想用孔子之道，壓倒君權。這一點是萬不可忽略的。

民國以來，許多人對此未加深思，一方面看見頑固者自托於孔子，另一方面看見世界上學問，花樣百出，便以為孔子之儒學過去阻礙中國進步，現在更已落伍，尤其不如『社會主義』之時髦；便要打倒孔子。孔子非不可批評，但這些話是說過分的。他們沒有仔細看看，歷代中國學問，並非沒有進步；而進步不如近代歐洲之遠者，實在另有原因，不是孔子所應負責的。在孔子同時，全世界的思想家，如波斯之蘇魯支，希臘之七賢和蘇格拉底，印度之釋迦牟尼，在自由民主方面，沒有人比他更『摩登』的。我們自己向前進步好了，於古人何尤，怪孔子作甚？

五四之時「打倒孔家店」之言，實在早已過去。恰恰當年反孔之論，適與共產邪說輸入同時。今日大陸淪陷，許多人想到當年，遂有餘恨，既由反孔之人，首須尊孔。我認為孔子當尊，但共禍之起，另有其主要原因，與當年之不尊孔，並無必然關係。對世界各地共禍之深淺，不在一國能否堅持其固有之信仰，而在其能否適應環境，發揚其文化之創造力。就中國歷史看，中華民族之盛衰，關鍵在一般文化創造力，不在孔子之是否得尊。中國最盛之漢代，是黃老王霸雜用之時；唐代是三教並盛之時，兩宋聖賢最多，但於國勢無補。而首先尊孔子為「至聖文宣王」者，恰恰是蒙古統治之時。共禍之興，由於一般的文化淺薄，因而對任何問題不求眞知；打倒孔子之論，只是病象之一，並非病根。並且，不要以為共黨即是反孔的。共黨之當物，無所不用，尤其喜歡利用死人。近來共黨的舊籍，已與過去大為不同，正在大叫「偉大的祖國」了。孔子說得好，「聽其言而觀其行」。口頭尊孔與否，不是最重要的事，墨守是衰老，盲從是幼稚。衰老幼稚，都是容易發過度之言的。五四之病，不在批評孔子，而在批評之幼稚。為「糾正五四當時的浮薄空氣，今日之事，乃是由沈潛高明的工夫，藉於成熟；對中西文化作一番深入的研究，整理，廣博的比較，會通。既不滿於當時之偏激，我們今日必須十分厚實，不能走到另一極端。不幸我近來看到幾篇尊孔之作，那種過度熱心，不免使人望而卻步。其中我以為最成問題的，是兩種態度。

神權化非尊孔

其一，是要將孔子「神權化」。章太炎先生說，「孔子所以為中國斗杓者，在製歷史，布六藉，振學術，平階級而已」。即此四端，可說孔子之功萬世不在禹下。我要補充一點，即孔子之可敬可愛，在其入情入理，亦即禮運所云「人情者，聖人之田也」。孔子之最偉大處，即在一切本於人性人情。他說，「道不遠人」。然近日尊孔者以為不夠。他們說，將孔子當作一個哲學家便不對，而且這便是反對孔子之開端。孔子是為中國民族萬世定制之人。孔學是絕對唯一之學。其實此種說法，不自今日始。西漢今文家即以孔子為漢家定制。清末康有為罪狀班固列儒家於九流之一，認為「千古謗聖」，即無如此極端」。這無非要將孔子變為教主，他既然「長素」，便是活佛，而他的弟子，如「軼賜」「超回」之類，好像大喇嘛了。這是六十年前老新黨在新思潮輸入時的一種神經過敏的反應；我們今日讀之，只有作會心之微笑。但六十年後，還有這一類想法，以為不如此尊孔，即是不算尊孔，算什麼一回事呢？

首先，神不是一定有的。這即是說，也不一定沒有。一切宗教承認超時空的全知全能之神。我們承認一切宗教價值，但宗教也必須承認非宗教。如若有神，請到宗教中去，在哲學中不認神。這是康德的高明辦法。我們承認孔子是人，是一哲學家，一大哲學家，一古代最大哲學家。他是我們的偉大遺產，但不能給我們一切。我們尊敬他，但也可以批評他，他不是神聖不可侵犯的，也不是永無錯誤的。他自己既不承認「怪力亂神」，就不好強他老人家作神。任何個人都有自由，要將孔子當神，自有其自由。但他決無權利說，不對孔子頂禮膜拜，即不算尊孔。西漢讖緯家和康有為，已經失敗的想法，不必再嘗試的。

（下接第二版）

越南軍加緊擴建

法總理畢奈最近已向國會提出的預算，其中對越南的軍費，已較去年略減，主要係越南國軍實力業已大增強，法當局準備將駐越法遠征軍逐步撤回，以加強歐洲防務。越南國軍擴建，已有相當成就，本年目標，為越南建立四個師，現已成立大部。現以美國方式訓練下級幹部，以補充軍官之缺乏，法軍官亦擔任指導。越南軍現在即已參加作戰，士氣甚佳，最近黑河之役，越南軍均表現英勇。當局與美軍援顧問團，現正商量將越南北部防守之一小方面，由越南軍負責。

本週展望

・雷嘯岑・

美國大選後的國際反應

美國大選揭曉後，世界各國的反應固不一致，然除俄共集團外，大概都是表示樂觀的。原因不在艾克個人的政見與聲望，而在美國今後對民主世界的領導關係。

無可諱言，現時美國在政治上顯露頭角的人才，以共和黨為最多，尤其在國際政治與軍事人才方面，共和黨可說是「群賢畢集」了。艾克得着這些文武兼備的智囊謀士相輔弼，坐鎮白宮，領導世界，再加上他個人的聲望和謀略，無論從那一角度來看，總比杜魯門治下的陣營強得多。站在全球反共產極權侵略的民主陣綫上，艾森豪威爾之當選總統，絕對沒有悲觀的理由，有之，即是一些莫名其妙的半吊子罷了！

左傾幼稚病者

對艾克當選首先表示不愉快的，即為英國工黨人物，如揚格、貝萬之流，甚麼「共和黨不可能在亞洲橫衝直闖」啦，「艾克勝利就是塔虎脫、麥克阿瑟的勝利」啦！其次就是印度報紙，指美國人民「選非其人」！

這羣自命國際第三勢力的左傾幼稚病者，表面好像是由於他們抱有前進的政治理想而不滿共和黨執政，實際却是留戀美元喔！這與中國秋歌政權及其海外的喇叭筒，口呼反美，心馳美元的半吊子醜態一樣。工黨執政時代即較保守黨政府所索取的美元為多，印度近來更大量地接受美元資助。他們一貫地手法，是以「中間路綫」的姿態來換美援，再以「避免世界大戰」來恫嚇美國，只許拿美元來收買他們，多多滋養他們，美元必須有增無減，反共却是有名無實！

共和黨素來就指出接受美援國家沒有盡到自助的力量，要大家先求諸己，然後求之於人。因此，他們自然對艾克當選表示不愉快了。

凡是左傾幼稚病者，樂得上「語言無味，面目可憎」的評判詞。試看這幾天英國的工黨人物，印度的報紙，以及緬甸的日治時代總理巴莫博士等，對美國大選後的反應言論，其無常識的程度，豈僅半吊子而已哉！

韓戰問題

艾克東來韓國視察，是為的實踐諾言，他自己早聲明并無立即解決韓戰的妙法，世人自不必過於重視他這一行動。但他如能乘此尚未進入白宮之前，以私人身份來東方各關重要的反共地區走一趟，實對冷戰上是有甚深的功用，而對亞洲自由人民的反共精神，更有極大的鼓勵。

艾登、舒曼兩外長也要到聯大出席了，唯一任務亦就是要解決韓戰，艾登且透露「聯大對解決韓戰正式行新接洽」之說。好像韓戰問題隨着美大選後，硬有解決的希望了，這是幻想！

決韓戰，就遠東以至東南亞的緊張局勢而論，日本問題若不能跟俄帝有所妥協，永遠是不會鬆弛的。就韓戰本身而論，以英國為首的「亞洲托狄」，寸步不離，美英對遠東政策的歧見不消除，縱有十個艾克東來，召開一百次聯大辯論會，試行一千次的新接洽，也休想得到「光榮的和平」！

西方人的人種優越感作祟，總以為有色人種都是些傻瓜，看不出他們那種損人利己的現實主意。憑這種過時代的優越感來求解決冷戰之道，可憐復可笑！

太平洋聯盟

菲律賓總統季里諾認為艾克當選了，太平洋聯盟即將獲得支持，大有實現可能。其實，杜魯門總統又何嘗反對這種聯盟呢？艾帥而且早已說過，美國固希望這件事能夠出現，只是美國不便出面主持罷了。為何不便出面？旁邊有人扯腿搗亂之故。我看太平洋聯盟若要實現，還須恭候史大林幫忙，讓共黨在東南亞大事侵擾，烽火連天，不顧一切，那時節，今天扯腿搗亂者，必然一變而成為主張最力的阿Q了！

美國總統與外交政策

艾森豪威爾當選總統，世界各地紛加揣測，認爲美外交政策，至少在實行步驟上將有改變，至美國總統與外交政策的關係究如何，美國前助理國務卿 A.Berle 在大選前，曾撰文扼要說明，茲節譯原文如下：

美防衛首賴外交

美國不論在危急關頭或太平無事的時候，它的防衛總是首先倚靠外交，其次才依賴武裝部隊，而這兩個防衛的要素卻是密切相關的。根據我們憲法制度，決定外交與武裝防衛行動的實任都落在美國總統的肩上。

在我們這一代，美國外交與武裝防衛都受一個簡單而危險的事實所支配。那就是除非與許多其他國家合作，否則美國不能有效地保衛自己。除非與更多的其他國家合作，否則也不能有效地確保和平，如果必須完全單獨行動的話，就會處於最危險的地位。愛國的演說家指出美國是世界上最大的國家，但他們未能辨上一句，如果這句話是正確的，那也是因爲美國確實爭取了加拿大與拉丁美洲，也就是說：在地理上，資源上及其他二十一個國家的協助上，西半球已在國際協定下，成爲採取共同行動的一體，並希望能掌握其他的資源。

但在當前世界中，甚至於聯合國內，集合大量國家組成區域性的「美洲組織」雖然一定可擊退侵略戰爭，然而能否獲得世界和平，卻頗令人懷疑。因爲聯合大量國家以求能獲得或阻止第三次世界大戰的發生，除美洲集團外，還必須邀請歐洲及地中海大部地區，和中東及東南亞的部份國家加入。

因此維持各國間的合作（包括美國在內），以執行聯防行動，乃成爲美國外交上的一項重要（或者是首要）工作，並成爲總統的一主要課題，爲此，總統的外交權限如何，必須加以研究。

總統權力久經爭辯

自華盛頓當選總統以來，總統在外交方面的地位，即久已爲爭辯不決的問題。在美國與外國及外國集團訂立協定上，總統究擁有和究應擁有多少權力？在這一方面，總統的權力，究應被國會控制到何種程度？以前太平無事的時候，國會與總統權力的劃分，以及締約的權限，實際上可能尚不十分重要。

可是，現在都是長程定向飛彈與原子武器的時代了，美國可能受到來自遠洋彼岸基地的恐怖攻擊。總統業已要求執行權力並加以運用，在今後歲月中，可能還要作決定性的與迅速的運用。

作爲一國元首，總統直接對美國的海外代表負責，同時他也是海陸空軍的總司令，現在美國駐外的武裝部隊，或是當美軍需要使用外國設備的時候，都必須有賴於與外國訂立的協定。這些協定中，在理論上說有若干是軍事性質的。但任何頭腦明白的人都知道，這些協定是兼有軍事性與政治性的。從前當防務主要倚賴於深海的時候，總統締結軍事協定的權力與其締結外交關係協定的權力，可能尚有顯著的區別，但今天長程轟炸機可飛渡大西洋以及雷達已用於防衛之際，這種區別已不復存在。

聯防工作漫長複雜

美國人多認爲這些事情可由明白的協約及協定獲得解決，但實際上並不如此單純，維護並促進各國間的聯防是一件龐大而繼續不斷的工作，而決不能間斷的。至少其他國家的政策是一如我們一樣會有所變動的，而外國政府以及他們的外交與論也可能改變其意見。

過去關於總統權力的爭辯，有一個布萊克修正案，這一修正案的主要觀點係基於兩大前提。首先，它認爲總統應將締結協定的權力移交國會。第二，希望整個的美國政府，不論總統或國會，甚或兩者都應該禁止締定任何美國不顧其他國家而獨斷獨行的條約。這兩者都代表我們憲法體制的一個改變。

假使反映民意的國會對於某項國際問題，常有趕不上實際的趨勢，因爲總統必須就此一國際事件，親向國會演說，總統和他的代表，國務院及其駐外使節，以及武裝部隊和他們的代表，每天從世界各地接獲大批情報，總統對將有何種事件發生的估計，通常都比不經常與問題接觸人士爲好和準確。

或者，行政當局可以將接獲自國外的情報按日向國內宣佈，如此國會所獲的情報與行政當局所獲的情報，其時間的距離或會減少，但任何國會議員首先須使人民聽到此一情報，然後再使其懂得其意義，最後更使其體認危機的所在，這其間仍須相當的時間。

因此，束緊總統的雙手，或限制美國政府的權力，將是愚蠢不智的。

（易歐節譯「新領袖」雜誌）

台整飭吏治——監院又彈劾兩污吏

【本報台灣通訊】監察院最近又糾彈了兩個公營企業的污吏，一個已逃避在外國，僅予以「停職處分」的官樣文章，一個尚在查究中，不知下文如何。茲將兩案內容分述於次：

台航公司總經理沈華庭

台灣航業公司總經理沈華庭違法瀆職案，業由監察院提出糾舉，糾舉文中列舉沈自四十年一月份起，至四十一年五月底止，共私營香港滙兌港幣十四萬五千元，美金一千一百元。其時台灣銀行本有贍家匯款辦法；規定在台服務之公教人員，每人每月可滙港幣二百元，照掛牌結滙證價折收新台幣，即每港幣一元合新台幣二元五角五分。但沈則擅自規定該公司每一員工，每月可在該公司存港款項內，滙寄每月薪津總額二分之一。并照台灣銀行掛牌官價折收新台幣，即每港幣一元合新台幣一元六角六分。沈之經營是項滙款，并未得該公司董事會，台灣省交通處批准。純爲其個人利用公家外滙以圖酬私人之行爲。監察委員於該公司賬册中，查出若干滙款人并非該公司員工，如台省財政廳廳長任顯羣，副廳長周友端，中央信託局經理丘秉敏，基隆市市長謝貫一均有巨額數字託沈滙港。沈向監察院辯稱，以上各人均係與公司業務有密切關係者，故不得不辦。

監察院委員又於該公司賬册中，查出四十年二月送俞飛鵬女公子婚禮港幣一千元。四十年四月，又送俞飛鵬等火腿、女大衣等，只進口關稅一項，即開支五百四十元。送任顯羣等美術照片，白關地酒茄力克，三五，及白錫包香烟等達一萬二千餘元。且此等烟酒均爲台省絕對禁止進口之奢侈品，沈利用該公司來往香港船隻私自運入者。又自香港運入蘋菓三十箱，列支二千三百元，以分贈各業務有關單位。糾舉文中另尚列有開支不當，浪費公帑，濫聘顧問，支給乾薪，購買用品，處置不當等項。結語謂：除沈華庭應移送該管法院偵辦外，台省財政廳長任顯羣，主持全省財政，參與國家財經決策，竟代私人違法滙款，實屬法難原宥。請台灣省政府及有關機關予以懲處，以肅政風。

前招商局總經理徐學禹

前國營招商局總經理徐學禹因瀆職誤公，浪費公帑，由監察院提出彈劾，移付司法院公務員懲戒委員會懲戒，茲已由該會議決懲戒處分，爲徐學禹停職，期間十個月。理由爲徐於民國三十八年上海撤守時，親自在滬主持疏運事務，但其所有船隻，除担任軍差及載運用物資幸獲來台外，其餘悉未撤出。重要案卷賬册及各項公物，損失淨盡。其後徐又藉口便利業務，逕留香港。至同年十月，復攜帶大批箱籠，逕赴日本。該局香港分公司及留港海康等輪船十三隻之負責人，即於次年一月宣告叛離政府，此類人員悉爲徐所派任，其醞釀叛變，徐不能諉爲毫不知情。至其浪費公帑部份，監察院會查出十四項，如徐平素之私人支出，均列入公司決算。其出差二十六天之膳宿費，竟達美金七百元，修理個人宿舍，竟支用新台幣四萬二千元（其時台省黃金價格，每兩只二百八十元）。

徐學禹原籍浙江紹興，與陳儀有親戚關係。陳在福建省政府任內，即加以重用。勝利後主持招商局，毀譽參半。三十八年春，陳儀密謀叛國，在上海寓所中被扣時，徐適亦在陳宅，幸未波及。徐赴日本之後，曾一度來台，政府於三十九年四月，尚派其赴瑞士出席國際勞工會議，徐赴歐後即一去不返。如此污吏，而政府竟任其逍遙法外，殊堪詫異也。

葦蓆下的秘密

自財政部派專員施華路來港調查香港七艘輪是的眞相，一經調查之下，發現了前所未聞的香港台灣兩地商人合作偷天換日的把戲。

最近有一艘由台來港的貨船，載紙上是塡寫××噸的葦蓆，但抵港後旋即發現上層稀薄薄的鋪滿葦蓆，以下統是一些泥土和垃圾。

香港的商人利用這空的噸位，向大陸套取廉價同等數量的葦蓆以便獲得輸美的許可。

這一套把戲拆穿後，施華路已決定短期內赴台。

禁運工作美方表滿意

美國駐港領事館對香港執行對大陸禁運的澈底緝私工作，非公開地感到滿意，三日三艘載有價值十餘萬白鐵片和無綫電器材在港海外被緝獲，就是一個很好的例證。

工商管理處以緝私的工作向來港調查之施華路證明了香港的物資不容流入共區，目的在使香港的商人更容易獲得美國對物資輸港的信任。

商會與僑領的苦悶

香港最大的兩個商業團體中華總商會和九龍總商會都準備在最近進行改選，選票分別在這兩天發出，但並未有絲毫競選的跡象。原任的兩個會的理事長高卓雄和謝伯昌又表示無意蟬聯，看來大家都似乎無心「仕途」。

事實上，並不是沒有人有野心在這兩個僑團首長的逐鹿，倒是深恐一日上台後無法擺脫被中共牽入政治的漩渦。這[illegible]是若干僑團領袖者普遍的苦悶。

香港人看美大選

香港居民對美國的大選普遍有濃厚的興趣，香港人好在兩個美國總統候選人中，對艾克似乎有比較深刻的認識，也比較有好感，當艾克獲選後，路透社記者曾分別訪問十幾名在香港有地位的人士，大家對艾克當選都表歡迎，不過，他們關心的還是新政府是否還繼續杜魯門那種禁運措施。

（本報記者）

論尊孔的態度

上接第一版

道統化不是尊孔

其二，是將孔子之學道統化。

儒學之所以戰勝百家而興，原因之一是其本身有極大包容消融之能力。因此，歷代儒學，實在代有進步。否則，中國文化早已死亡了」。所以，儘管前人有門戶之見，我們卻不必黨同伐異。章實齋說學問必有宗主，但不可有門戶，即是此意。門戶之見，始於西漢，官家博士。而大成風氣，始於南宋理學家，他們稱爲「道統」。照他們說，孔孟而後，斯道不得而傳，一直到河南程夫子出，才接千年之學脈。這種只此一家之說，當年陳同甫已經嘲笑。老實說，此類道統之見，與「江西宗派圖」同出於禪宗衣鉢眞傳之俗，在學術史上不一定說得過去的。平心而論，程朱皆好學深思之人，於學術亦大有貢獻。但其門戶之見的門徒，卻不是皆可恭維的。到了宋史立「道學傳」，道統之說益張。王陽明首先起來反對這種孤陋妄誕之氣。他說，求諸心而是，雖非孔子之言不以爲非，況孔子之言乎？求諸心而非，雖孔子之言不以爲是，況非孔子之言乎？我相信，這倒是合乎孔子精神的。孔子「絕四，」毋固，毋必，毋意，毋我」；又說「回也非助我者也，於余言無所不悅」；「起予者，商也」。孔子何當一定要（Yesman）呢？到了清朝，康熙雖是於中國大有功勞的人，但其提倡程朱八股，實在居心不佳。他說：「朱子註經，集大成而繼千百年絕傳之學，開愚蒙而立儒爲萬世一定之歸」。（不論他也說，於見理學家言行不符者甚多，整天理學，所行與所言背謬，不得稱爲理學；口頭不講，行事與理符合，乃眞理學云云）。除此之外，還有文字獄。於是才智之士，只好逃於考據。如章太炎所云，「多忌，故詩歌文史枯；家有智慧，大湊於說經，亦以迂死」。寥寥二十字，說盡清人考據之學。當初考據，以許鄭爲宗。途窮之後，加以嘉慶道光以來內憂外患紛至沓來，於是先有言經世致用的今文之學；繼而有和會漢宋之學。大體說來，也還是在進步的。我們生於古人之後，有兼收中外古今各種學問便利，如不自求進益，還要在今古、漢、宋、程朱、陸王中爭雄，則無甚意義。而近來言尊孔者，以孔子地位之低落，歸咎於疑古之風；並由此上溯，歸咎於今文之學」，考據之學。所謂疑古，原不過一種辨僞。孔子之地位，數千年尊之不足，而幾篇文章竟能抑之有餘，何視孔子若是之輕，而視頡剛若是若是之重耶？西人亦有疑耶穌本無其人，而十字架僅爲生殖器之象徵者，然而耶穌之地位自若也。」至考據今文之學，謂之不足則可，謂其應負孔子地位低落之責，則近乎羅織。然此類尊孔之論，用意所在，無非程朱才是繼千百年之學，立德萬世之歸！」他們攻訐考據派王鳴盛段玉裁貪污。王氏愛錢成癖，世皆知之。但段氏之事，實出誣枉。無論如何，漢學家中，不是人人如此的。這是競選宣傳，不是平章學術。如以此論學，則遠而只看周密談宋末道學家，近而看清初理學「名儒而名臣」的湯斌李光地之類，豈不更令人寒心嗎？李光地非他，乃是出賣鄭成功父子的人。當然，到了那時，我們已不能以夷夏之義來責備知識份子。但事爲孔子之不屑爲。是屬無問題的。我會重程朱的地位，但我不相信「道統」在他們手中。反之，自有道統之說，孔學的生氣，漸歸汨沒了，

自由研究言行相符始能尊孔

凡屬歷史上偉大人物及其思想，一定隨歲月之遷移，光景常新。要打倒他，那是蚍蜉撼樹。不僅此也。偉大的人物和學派，反而能因有力的反對者，光輝日盛。所以儒家在戰國時代，經墨道反對而日盛。六朝以來，與二氏競爭而日盛。反之，自從儒學神權化後，老莊哲學山水文學大興；儒學道統化後，學者從事詞曲，或作黃冠（宋元間大學者多道士）。孔子是打不倒的。眞正偉大的人物和學派，其眞正敵人在內而不在外。要毀壞孔子，最好的方法是將他神權化，將上神壇；將他的學說道統化，製成教條。但這還不足以毀壞孔子。最有效的方法，是口頭尊孔而行事相反。有曹馬之「堯舜之道，」才有嵇康之「非湯論，薄周孔」。有袁世凱，張勳輩之尊孔，才有五四諸人之「打倒孔家店」！

因此，我相信只要讓學問自由研究和批評，只要有人平心靜氣研究學問，只要不是舉國狂妄，不患孔學之不振。孔子是經得起考驗，經得起反對的。只有假學問才需要政權維持；只有醜學問（如共產主義，李森科主義）才需要暴力維持；而那種地位，也是若蜉蝣於天地的。如果尊孔之士，希望進一步使孔學大昌，那便需要尊孔的人作三種努力：第一，有權勢者作到六個大字：「言忠信，行篤敬」。第二，有金錢者，能不印書；管金錢者，多多刻印「工作報告」，多印幾本十三經都好。第三，講學著書之士，陳言務去，拿出成績，尤其切忌用神權道統的架子嚇人。要知道，用神權道統嚇人之時，窮人只要實行孔子的六字戰術——「敬鬼神而遠之」，你還有什麼狠處呢？

孔子經過了兩千多年的考驗。我不相信孔子地位已經低落。如果有此情形，咎亦不在反對者，而在尊孔子者中，固多愛國憂時之士，然不幸亦有徒知以墨守爲尊崇之人；尤其是有以神權化道統化爲尊崇之人；尤其是有言過其行，爲孔子所深恥的人。

甘肅農民二萬大舉抗暴

暴政苛虐・民變蠭起

共軍調集圍攻戰鬥仍未終止 土改無法推行春耕全部停頓

「本報特稿」大陸民間反共的情緒，目前已發展另一新高潮，各地有組織的暴動，正不斷發生。繼今年三月中南區發生浠水暴動之後，西北區甘肅平涼東區七縣，亦於今年四月發生大規模的民變行動，這一場震動隴南的民變行動，一直延到七月下旬才告結束，是大陸人民對抗中共暴政的另一訊號。

二萬農民怒殺共幹

據中共西北區機關報「群眾日報」的報導：今年四月間，在甘肅平涼專區所屬西吉、海原、隆德等縣，曾發生大規模的武裝暴動。各縣農民二萬多人，在義軍司令楊枝雲，副司令馬國瑗的領導下，進攻西吉縣城市、海原縣李俊堡，殺死中共幹部百餘人，搶劫各地糧倉。附近農民紛起響應，民軍得手後分二路發展，一路進攻固原和海原，向靖遠推進，一路進攻隆德，向西推進，準備會師蘭州。被攻陷各縣的農民，先後依附，漸成燎原之勢。

土改殘酷激動群情

這次民變的發生，根據「群眾日報」所述：早在去年夏天，即已開始醞釀。最初由海原縣九彩坪內馬曉東和穆生昌等發起，聯絡當地農民領袖楊雲枝、馬國瑗和王進，王立功等，開始發展組織。在西吉縣西吉街鐵匠舖們下大批斧頭和大刀。去年秋天，該縣農民領袖狄占山、馬國璐、馬環、柯大山，楊生榮等也分別加入，因爲準備未足，未嘗行動。

今年春天，平涼地區進行「土改」，中共「土改」幹部不但霸佔財產，強徵民間財物，而且對當地群眾所信仰的「哲合忍耶」教主的道堂土地，強行沒收，激起民間普遍憤怒，於是由楊枝雲等首先發難，將海原縣中共「土改」幹部擊斃，立即召開民眾大會，決定高舉義旗，開始向西吉縣進攻。

西吉被圍以後，中共在隆德等縣的「土改」幹部，不但沒有悔悟，而且採取更兇惡的辦法，對不服從分配的農民，在公審大會上濫施酷刑，民憤更趨激昂，乃紛紛響應，旬日之間，參加人數，發展至八千餘人？原被攻陷後，人數發展到一萬五千人，進攻固原，隆德時發展到二萬人。隆德的「土改」幹部百餘人，全部被農民集中擊斃，事前並遊街示眾，民氣昂揚，達於極點。

西吉縣長棄城而逃

事變發生以後，平涼專區專員郭兆瑛、副專員王子厚，公安處長陶繼堯驚惶失措，西吉縣縣長沙里士棄城而逃。中共甘肅軍區司令鄧寶珊聞報，立則調動駐防甘肅的一野第二兵團第四軍第十一、十二兩師，沿定西南下，分兩路進行圍攻。並動員定西、隴西、甘谷、靖遠各地民兵，總數約五萬人，分路堵擊。從四月下旬，到六月下旬，先後經過十多場惡戰，民軍因彈藥不繼，被迫退入山區。民軍領袖人物馬曉東、狄占山、穆生昌、柯大山等，紛紛戰死。中共出動西北民族事務委員會派員深入回區進行分化活動，至七月下旬，乃俘虜民軍司令楊枝雲、馬國瑗，戰事始告一段落，但零星戰鬥，目前仍在進行中。

規模空前 效果重大

這一次平涼暴動，論規模和組織，都比三月間湖北的浠水暴動爲大。論行動的壯烈，戰果的輝煌，亦均比浠水暴動爲大，在浠水暴動中，係透過各地的道門及幫會組織，這次的暴動，則是基於農民對「土改」的憎恨情緒，因此一呼百應，蔚成廣大的力量。

至於這次暴動所造成的後果，據「群眾日報」的報導，最顯著的有下列諸端：第一：隴南的「土地改革」，經這一次的變亂，已無法推行。各地幹部對於下鄉土改均視爲畏途，使中共的威信，遭受極大的打擊。第二：今年春耕全部停頓，中共雖撥出十五億元作初步救濟，仍無法恢復原狀。特別是西吉、隆昌二縣，目前已陷入癱瘓破壞狀態，加深中共統治的困難。第三：由海原到固原，由隆德到平涼的公路橋樑，均在民軍後撤時全部被破壞，使中共的天蘭路新綫，面臨極大威脅。第四：中共爲應付民軍，動員二個正規師和四縣民兵，仍須三個多月才能平息，充分暴露出了中共軍隊實力的空虛和弱點。

潛伏火山 隨時爆發

中共對於這次事變，不承認爲農民對暴政的反抗，而强調乃平涼專署的輕敵和痲痺思想，對農民防範不周，鎮壓不嚴所由致。因此，除了平涼專署郭如瑛，副專員王子厚，公安處長陶繼堯各被記大過一次，西吉縣縣長沙里士被撤職查辦外，目前正對參加暴動的各鄉農民，作嚴密的甄別，並下令推行五家連坐法，預料在最近數月中，將有以萬計的農民，在「勞動改造」的刑名下，被打入奴工的領域。

從這次平涼暴動中，即以給自由世界一個極大的啓示，中共的統治，並非真鞏固，今日的大陸，正像一座待爆的火山，隨時均有迸發的可能。但沒有楔入大陸，建立一正式的基地，則各地的民兵活動，仍不易於獲得龐大的發展，如果能在大陸建立一堡壘，則各地農民，可能風起雲湧，令中共疲於奔命，促致其政權的早日覆亡。（竹園）

共區工人命如螻蟻

秧歌政權既對工人生活完全漠視，共幹本身又智識淺陋，單在重慶一地，建築業部份，爆石傷人，運料覆車等慘劇，幾無日不有數起，工人傷亡數字，正與時俱增。

中共宣稱工人當了家，說什麼窮人翻身，其實整個大陸勞工的生活，比牛馬都不如！根據重慶新華日報十月二十四日的報導，雖僅限於一隅，但也可窺全豹了。

就以重慶市建築工人的傷亡情形爲例吧，從本年度六月份以來，全市重大傷亡事故中，建築工人佔總數三分一強，事故的數字，逐月上升，十月份僅十二日一天即同時發生三件。按事故的性質有墮落傷亡，土石方塌方，放砲炸傷，水泥中毒，板車輾軋多種。就以上事故發生的原因分析，完全可以證明中共政權對工人生活的漠視和低能，以致同類事故迴續發生。如放砲炸傷事故，一般都是由於裝用火藥過量所致。以僞建設局四工區嘉家灣築路工程事故爲例，該處一貫裝用火藥過量，炸起的石塊曾飛到二百公尺以外，損壞當地民房有二百多次之多，使人民痛心疾首！九月五日，因裝火藥違炮眼深度百分之五十八（按規定是百分之三十）致使飛石打死工人陳雲清。本月十二日僞建築工業管理局第四工程處又因放「啞炮」，裝用火藥違百分之五十，致使遠在一百零七公尺以外工作的技術員王與被飛石打死。

再看墮落事故中，大多數係由於跳板沒有釘牢，拆卸舊房檢查不够，僞主管部門對此如稍加注意，即可避免發生，但竟無人過問，以致一再連續發生事故，造成對工人的重大災害。其次是中共對工人不但沒有安全教育，而且缺乏一定的操作制度，例如僞建築工程業管理局工程處九月二十九日發生運石料的板車軋死新工人唐光榮的慘劇，便可證明。假若僞主管部門能夠對於改裝在車輛上的煞車，事先檢查是否合用？或對車輛載重規定加以限制，那麼該車便不致在下坡時，因煞車不靈，車載過重而傾覆，但僞主管部門竟把過失諉諸工人自己不好，豈非笑話！

又如僞西南鐵路工程局工程總隊第三大隊八月二十三日因岩石崩落壓死工人袁長安等情，肇事地點曾有危險徵兆，該隊工人曾環請隊長李濟廣注意，並請調離該段工作，但李濟廣漠不關心，以致發生慘劇。再如僞第五工程處九月二十六日起參加修建重慶大學體育場澆鑄水泥地面工作，工人沒有膠鞋，赤足工作，在二十八日即有部份工人陸續發生腳掌被腐蝕受傷，延至三十日即有部份工人因傷勢轉重不能工作，但僞主管幹部不惟不對工人加以調護醫治，反而迫工人大力趕工，要受傷的工人繼續工作，直做到當晚深夜，致使工人腳傷更重，共六十五人當場昏倒。從上面這些事實看來，可知中共對於怎樣「提高工人生活」，「保障工人利益」的一些口號，只是一片騙人的鬼話而已。（巴人）

不堪回首話西湖

・玉心・

西湖，這多令人艷羨，依戀的天堂，現在，已變成一片血污的赤色地獄！

名勝古跡已成匪窟

從錢塘門外算起：昭慶寺已作了「援朝」榮譽同志休養院」；前後警戒森嚴，附近的居民每能於深夜，聽到一陣悽厲的呻吟，或看到一輛輛簾低垂的汽車開進又開出。雙龍洞已駐紮了「特種部隊」，山前山後，各駐衛兵，並佈有障礙物，偶有遊人至此，只得「望山興嘆」；岳王廟已作了西湖區「區政府」，早已無香可燒。孤處田隴的玉泉山已成爲軍械倉庫；玉泉寺作了他們的辦公室及宿舍，寺旁築起了兩座水泥的庫房，寺前欄起了高而又密的鐵刺網，游人早已絕跡；飛來峯下的一綫天洞內已作了彈藥庫；不再是人們避暑的勝地。靈隱寺已滿殿滿院駐着大兵。天竺寺已作了「浙江幹校」的校址，寺外寺內湧現着穿了人民裝的男男女女，有神密的失蹤，有喧囂的「坦白」，更有禽獸般的荒淫！

和尚尼姑全部遭殃

在這種情形下，和尚尼姑當然都遭了殃；雖然，和尚尼姑大多是不勞而生的，但過去西湖的繁榮，似乎不無他們的作用。現在，共產黨既要對他和她們加以「改造」，改造的方式是驅入了工廠勞動「教育」，並且要他們男婚女嫁，靈隱寺的洪妙法師率先倡導與白雲庵尼姑貞觀師太的結婚，是曾被共黨大力宣傳過一番的。然而也自不少不受「教化」的和尚及尼姑被送去「參軍」「治淮」或結果自殺。

商人農民已陷絕境

杭州的商人農民，是一向三多靠一春的，農民則靠茶葉，無論內銷出口，得值皆豐，足維一年溫飽。然而自從「解放」以後，遊客絕跡，出口不通，市況蕭條，茶賤傷農，加上千稅萬捐，一連串的殘酷壓榨，已使商人無分大小，農民無分貧富，一律倒了下去！陷入饑餓的絕境！且被殺被迫自殺的消息，一直日有所聞，事迄今方興未艾。以致今日西湖，已不再是舟遊漾，碧波漣漪的美麗的西湖，供人優游欣賞，而已成爲千萬善良無辜人民被逼投葬的「悽湖」！

郊外曠地皆成屠場

西湖歷來在每次戰爭中都得到了「逢兇化吉」，現在卻不同了！已變成了浙江的第一號大屠場！除了在西大街的陸軍監獄，登壽路的杭州第一監獄，柴木巷的拘留所，及湧金門外君子中學的特務機關內的秘密屠場外，凡屬郊外的松木場、萬松嶺、清波門、清泰門等處，都已成了公開的屠場，據說王雲沛、王紹祥、于樹德、王延猷、朱順德、王傳本、楊介一、袁勤等一班杭州知名之士及杭州一般舊軍公人員，黨團員等約八千餘人（一半以上被害者的姓名，有大陸報紙可考），都是先後的被殺於上述四個屠場；現在整個西湖已充滿一片殺氣，到處吹播着血腥！

大力建設盡爲俄人

中共口中的今日西湖，已被稱之爲「新中國勞動人民的樂園」！其實西湖卻已成了「蘇聯老大哥們的樂園！」杭州最高貴的西冷飯店和大華飯店已作了國際招待所，劉莊汪莊已作了外賓俱樂部。無數姣麗的良家婦女被「組織」着供給他們作了洩慾的工具！這還不夠，西冷橋畔和柳浪聞鶯最近還要爲他們開闢達三千畝的花園，供他們優游享樂。

揭穿中共建設老巢陰謀

・下・

老根據地的人民，在中共佔領時期，已把一切供獻給中共，現在「革命」成功，因此失盡了民心。老幹部和農民原來對「革命」的幻想成了泡影，美麗的夢打破了，於是普遍發出了怨言，「老革命不如新革命」，「革命不如不革命」的牢騷，流傳於老幹部和老根據地。這種「偏差」，在精神上嚴重地威脅着中共。這就是「老根據地」今昔的差異。

爲何要建設「老根據地」

由於幹部的離心，宗派地域觀念的流行，人民的怨聲載道，再加上國際局勢一天天的變化，[illegible]實力一天天的強大，大陸隨時有戰爭[illegible]的危險，一旦戰爭起來，[illegible]

教訓就在眼前，飲水不思源的中共，不能不把眼光再移向「老根據地」，想從速挽回已失的人心，於是喊出「加強建設老根據地」的口號，以示中共沒有忘本。其實中共這一套，一錢不值，把它揭穿了，[illegible]上述的老根據地政治[illegible]

[illegible]作用外；還有以下幾個目的：第一：是加緊經濟的掠奪。[illegible]

共幹萬能？

・沈著・

現在中共統治下鄉村組織底繁雜龐大，實在空前絕後！以浙江桐廬的三合鄉爲例：全鄉就有幹部六十九人之多！其對下層控制的嚴密，也可想見了。但這還不稀奇，稀奇的還在這些幹部都是「萬能博士」，都要身兼數職！據桐廬縣委工作隊一中層幹部在十月九日上海「解放日報」的報導：在「六十九個幹部中，有六十二人兼有職務，其中身兼五職以上者有二十一人，兼職最多的，一身兼了十七職，如六村的勞動模範邢人莫全，……」這些幹部整天只能忙於開會……

准此：可謂：中共幹部萬能！

中共徒然心勞日絀

看了上面這些分析，我們可以明白中共爲什麼忽然「加強建設老根據地」的陰謀了。[illegible]

已失民心，當人民祇迫得走頭無路，有反抗的一條路，一旦國軍反攻大陸，相信億萬人民會起來配合抗共的，中共今日的努力，不過是心勞日絀而已。

・薇・（續完）

對共產仁兄的推理方法

爲方

這次美國大選，事前事後，全球各地方都有推測評判，其中以俄共方面的表示最有趣。

當艾、史兩人熱烈競選時，俄共集團一律指爲是華爾街的代理人，無所軒輊，表示其不屑研究的態度。

等到大選將要揭曉的前夕，莫斯科大概已得到確實情報了，乃發出蘇俄方面希望艾克當選的消息。這大選完成後，凡屬俄共集團的宣傳工具，又拚命地挖苦嘲笑美國選舉之並非眞正民意表現。艾克以多出六百萬張以上的人民投票而戰勝史蒂文生，然俄共喇叭却說這不能稱爲壓倒的勝利！因此可以證明俄共們之所謂「壓倒的勝利」，一定是要像「聯共大會」選舉「史大林同志」爲總書記的結果，全場一致，沒有一張不是「史大林同志」的票，那才是眞民主！

最好笑是東歐方面的俄共喇叭筒，竟指美國大選是舞弊的。說美國人民多願意投進步黨候選人的票，然主持選事的資產階級，臨時將選舉器給弄壞了，使進步黨人沒法得到當選票！這類神話，若非具有當面造謠，硬將歷史改寫的本領者，誰好意思說得出口呢？

從這些事實中，我們可以得到一種正確的推理方法：即俄共集團的一切宣傳品和歷史紀錄，乃至於他們的一句言語，都要從他們所指的反面去設想，纔能夠理解一點眞象。

自由談

物資交流

·夏雲飛·

吳經理正坐在寫字桌上發愁，想起了「人民銀行」貸款，馬上又到付息的時候，過去向私家銀行貸款，臨時頭寸不便，都可通融，現在的「人民銀行」可不成了，限定三點鐘繳款，拖到五點鐘，就照加二成數收，再拖再加，不怕你不繳。其次營業稅也是按月照付，不問生意盈虧，一定要繳還些錢，繳還了與「人民銀行」是一個辦法，按成遞加，尤其是那些「同志」們如狼似虎的嘴臉，眞叫人不敢睜眼看。另外還有工人薪水分文不能短少，不開工也要照發，欺負就算犯法，「國營」工廠用不了的人，還要往私營工廠送，不收又不可以，再看到堆積如山的製成品，各式的熱水瓶，在過去雖然是必需品，可是在今天，大多數市民，與米麵都已絕緣，誰還要這，只好放在那裏擺着，一擱就是兩年。想想過去，比比現在，幾次三番想自殺了，但是自殺死後還要罰款，何必替兒女留累，只好死活掙扎下去。

突然門鈴一響，推門進來一位大昌水泥公司經理張胖子，實際今天該應叫張瘦子了，過去二百八十多磅的塊頭，現在已不足兩百，除去皮沒有肉，生活情形同吳經理更是完全一樣，兩位老朋友碰頭總是嘆氣，不過今天有點例外，胖子這來時，滿面春風，三年來，除去那一次他偷聽美國之音，知道韓戰爆發，麥克阿瑟元帥奉命還擊共軍進攻，跑來向吳經理報喜，出門就滿臉笑容說「天快亮了」。到今天止，算是看見了他第二次笑容。吳經理也覺得眼前一亮，趕快站起來問一句：「又有什麼好消息嗎？胖子」。胖子用手指去額角的汗，喘吁吁，說：「有件好消息，我剛得信就跑來了」。吳經理頓時精神百倍，又走前一步，附到胖子耳朵邊說：「是不是國軍在杭州登陸了」？胖子又睜大眼看看他一下，才笑起來接着說：「我的老哥，那是將來的事，我是來報告目前生意方面有了辦法了」。吳經理頓時如澆了一盆冷水，頹然坐到椅子上，也不再講話，只是眼看着胖子。

胖子說：「最近因爲百業蕭條，人民根本已喪失了購買力，貨物推不出去，商人固然不能活，「政府」的稅收也受影響，所以最近「政務院」有一道命令，舉辦物資交流大會，無論如何將冷背貨要推出去，老哥，這也算是一個好消息吧」！吳經理停了一時，慢吞吞的說：「胖子，我們被共產黨欺騙夠了，怎麼直到今天，你還信那些鬼話」。幾句話，頓時把胖子高興打掉了，想了一想，心還不死，最後說：「管他娘，不合適可以不賣，大概也吃不了什麼虧，況且聽說不參加還不成哩」！說過胖子站起走了。

第二天，「稅務局」召集開會，所有財政官都到了，稅局頭「局長」報告舉辦物資交流的意義，大意在「政府」如何體卹商艱，絕對負責將冷貨推出去。果然未出胖子的話，不參加不可以。三天後，物資交流大會就開始了，貨物種類確實到的不少，不但華東六省的土産到全，甚至吉林人參，哈密瓜，雲南火腿都有，可是會場雖然佈置的五光十色，貨物却一點也未交流，根本沒人買，如何能流得通，一連一個禮拜，未做一點生意，「局長」急了，不但佈置會場，招待來賓用去一筆鉅款，無人歸墊，而且上級嘀得了，丟了烏紗帽都不一定。到底還是局長聰明，想出來一個辦法，就是要所有商人，提對抽籤，每號兩根，抽到同號頭的，就按官價交換，不准推諉，這個辦法果然生效，不到半天，物資整個交流了，大會也「勝利」閉幕。

當天晚上，胖子又來了，吳經理覺得有點好笑，當時問一句：「胖子，你抽到什麼貨物」？「杭紡，留給誰穿，誰敢穿，留自己穿，十八代也穿不完，同業貨物，沒有我的水泥好放，又被王八蛋哄了」。胖子越說越氣，臉脹得如豬肝一樣，吳經理火候老到的多，笑着說：「胖子，你抽到的是布，我抽的是安徽宣紙，請你安排個用場……」正說到這裏，外面進來一位稅務局同志，遞給吳經理一張繳款通知單，回頭看見胖子說：「張經理也在這裏，省我跑一趟了」。又遞給胖子一張，吳經理接過來一看，原來是這次物資交流會的稅款，計開：手續費百分之五，營業稅百分之二十，印花稅百分之三，另外交流會開支，得股二百萬「人民幣」，合計應攤「人民幣」五億八千二百萬，限三日內繳上，逾期照罰，吳經理看到此地，已經兩眼發黑，耳邊又聽得咕咚一聲，抬頭一看，胖子已經昏倒地上。

百齡老婦堅欲投票支持故羅斯福總統

今年的美國大選盛況空前，投票人空前踴躍，其中有一位一百零六歲的老太婆名叫哈德爾的，也不辭勞苦投她神聖的一票。她因爲身體衰弱，久已躺在床上靜養，乃委託她的兒子阿瑟代投一票，阿瑟向她詳細解釋，史蒂文生和艾森豪威爾都是今年的總統候選人，並將兩位的生平及主張向她耐心的說明，但老太婆却無動於中，一心輸誠於羅斯福總統，她說：「他們不曾想他們能打敗羅斯福嗎？」而堅令阿瑟代投羅斯福一票。（棣華）

『舞台生活四十年』（下）

·舜生·

我是民國三年春以一個土頭土腦的湖南青年跑到上海去讀書的，除學費以外，我的大哥每月只能供給我十元錢作伙食和零用。其時上海的生活確實很便宜，學生在學校附近吃包飯，每月只要四五元，因此我居然還有餘錢濶然的去看看戲。其時上海有名的旦角是馮子和（春航）賈碧雲，毛韻珂之類，老生則有小楊月樓（此君後來改唱旦角）劉漢臣，（即八歲紅）處，小達子之流。花旦粉菊花（高秋顰）的戲我看得頗多，小生以朱素雲，花臉以劉壽峯郎德山等爲最有名，而專演紅生的，則以三麻子首屈一指。其時上海星期日的白天是演戲的，而且票價低於夜戲，（我記得前排的官廳是五角錢）這對於我這樣一個窮學生，也頗覺方便。

我曾在當時的戲場中看見過吳昌碩，況夔笙，朱古微，趙竹君，狄平子（楚青）等也歡喜看戲，可惜我不認得他們。（後來我認識了狄平子，由這是我辦醒獅週報時候的事。）

梅蘭芳和王鳳卿第一次在上海的丹桂第一台演戲，是民國二年的冬天，（其時梅二十歲）我沒有機會見到。大概我看梅劇，已經是他三十以後的事了。然而我見過的，也不過是他的『四郎探母』，『霸王別姬』，『貴妃醉酒』，『武家坡』等等，至於他最得意的如『宇宙鋒』，『金山寺』，『穆柯寨』以及『遊園驚夢』，『刺虎』這類的崑劇，我都不會看過，現在想來也還是覺得頗可惜的。

梅蘭芳第一次到上海演戲，包銀不過一千八百元，這與後來動以萬元計算的是迥然不同了。可是據他自己所述，他這次在上海所得意外的收穫還是很多。其時不僅已有夏氏兄弟（即經營九畝地新舞台的夏月潤和夏月珊）一類的文明戲，而歐陽予倩所發起專演話劇的『春柳社』，也正在這個時候在上海偶有演出。梅對這類的新鮮玩藝頗能欣賞，同時上海的舞台，燈光，佈景，以及化裝等等方面，確實也給了他一種新的刺激。

民國初年，上海有所謂『髦兒戲』，演員一律都是女孩子，我也看過，但自來便不懂『髦兒』這兩字的意義，自從看了這本書，才得了一個正確的解釋。

替梅蘭芳這本自述作紀錄的這位許姬傳先生，我很佩服，他不只是文筆生動，優美，細緻，而且是道地的北京口語，我相信，不用這種純粹的北京語體文來紀載這班京劇演員的生活，是無法傳神於阿堵的。

同時我也很奇怪，像梅蘭芳這樣一本書，中共何以會讓他出版？我們從梅的這本書裏，除掉偶然也看見採用幾個共產黨常用的字眼以外，實在嗅不出半點共產黨的臭味，而梅氏敍述他的家庭生活，確實充滿了一種溫情，可以說和中共的作風是不倫不類，難道因爲毛澤東特別歡喜聽戲，或因爲梅的擁衆太多，便破例加以容許嗎？然而我還是爲梅老板十分担心，等着瞧吧！（一四六）

中國之友（三三）

毛以亨

赫德傳（十三）

萬國博覽會一八五一年舉行于倫敦，一八六七年舉行于巴黎，至一八七三年奧國舉行于維也納了。赫德奉總理衙門之命籌備參加，乃派專員E.C.M. Bowra負責，徵集出口貨商品的標本，親赴各通商口岸，並預備了海關十年報告書，關員陪同中國代表團前往者有G. Detring, W. Cartwright, G.B. Drew, C.Hannen, M. Bowra諸人。博覽會于五月一日開幕，十月十八日閉幕，中國館獲得不少讚美。尤其閉幕後在歐劇院的招待皇族與博覽會貴賓均到，網羅第一流演員，爲維也納空前的盛會，皇太子未閉幕即到，待閉幕後始行離席，來賓共一千四百人。中國既在博覽會出了鋒頭，于是以後一連串的博覽會就歸海關去辦，藉資熟手，直至一九〇五年的里哀治博覽會始收歸商部辦理。

十、烟台條約

赫德的和平修約運動既歸失敗，天津教案又設法新敗于普，無力用兵遠東而終于妥協，曾潞士提出的修約條款中國又不接收，外國人借修約以啓釁須待另一機會了。此即所謂馬加理案件：一八七四年印度政府派上校H.A. Browne派探險隊至滇邊，英使威妥瑪Wade爲之請護照，並派領館翻譯馬加理A.R. Margery往迎，過騰越經養地方，過邊將李館處，盤桓數日，于一八七五年一月十七日到八莫，二月十八日偕中國人五名再至中國界。Browne隊伍于廿四日越界被攻因于廿六日折回八莫，路上得知馬加里于廿一日被殺。威妥瑪于三月十一日得倫敦電始知其事，乃于十九日向總理衙門提出抗議：一、中國政府須派大員前往騰越，會同英使所派人員查明此案。二、印度政府須再派探險隊繼續工作。三、賠款「五萬兩。四、實行天津條約三款四款的規定觀見皇帝。五、入口稅須重新規定。

[illegible]，然威對會同查辦，復反對印度再派探險隊。以威妥瑪與其說有Mayers的堅持，兩湖總督李瀚章乃往查辦，英館翻譯T.G. Grosvenor，領館人員Baber，A. Dabenfort會同前往，以七月七日到漢口，直至十一月五日始動身，一八七六年三月六日到昆明，五月三日到騰越。威妥瑪在京則早已擴大其要求，不復限于商約，Mayers赴津晤李鴻章，李告以彼早已告赫德，海關不能辦陸路邊境通商之事，須由雲南當局辦理，蓋早知赫德有設關于邊境之意。威妥瑪赴上海與倫敦通電，藉其時電報祇通至上海，由滬回京過津時，給李以備忘錄，節錄其要求如下：一、給英國會同調查團以赴騰事地點之安全，並准印度探險團再入境。二、派使赴英道歉。三、嚴辦雲貴總督岑毓英之玩忽。四、以上二事須在官報發表。五、改善政府與使館來往方式。六、對外國貨不得再濫征捐稅。七、邊界貿易。八、賠款。

我從莫斯科監獄釋出

Z. Stypulkowski 著　由之譯

食物的誘惑力

這樣有加無已的飢餓影響了我的體力與心情，而逐漸有力不從心之感。我一天比一天筋疲力竭了，因此引起了最危險的聽天由命的態度，我變得「毫不在乎」了。但不久第一個可怕的象徵——腳腫——驚醒了我，幸好我及時克制了這些弱點，我發覺即使是斷食也可能是內部力量的一個源泉，一個人如果向命運低頭，就要準備作最大的犧牲。

老年人遇到飢餓時，是較年青人更難抵抗外界的誘惑與壓力的，我聽見朋友們這樣說過，也在最後被囚在大獄室中時，獲得了證明。共產黨的「人民委員」們也知道這條道理，而將之作爲強迫招供的方法之一。他們把一個囚犯從夢中叫醒，而且一審問就是許多個小時，在淸晨四點鐘左右，一個人的精神和體力都是脆弱的，他既冷又餓，週身發抖，也許無意間洩露了一個字。

這時候，審問官搖搖鈴，並告訴進來的僕役說：「我很餓，請送點食物來」，然後轉身向被審問的囚徒說：「你或者也餓了？高興要一杯茶及一客三明治嗎？」審問官希望用這種賄賂方法來影響囚犯的心理狀態，並使其心理變態愈陷愈深。

睡覺也有禁例

其實，當休息時間來臨的時候，才是眞正煩惱開始的時候，衛兵進來說：「你可以休息了」，犯人就要集中全力來準備一個床鋪。因爲這並不是輕而易舉的事情，首先，一個人須要細心整理他的床褥，這種用羊毛代用品做成的褥子，在身體重壓之下，變得異常粗硬，必須盡力辟鬆方能入睡。其次，更重要的問題是，如何利用僅有的毛毯，以獲得最大的溫暖。用毯子裹緊身體？還是把邊緣壓在褥子的下面？但最後，我終於發現這根本不是那麼一回事，一條薄而小的東西，隨便怎樣，都是無法保暖的。

每個人在睡覺的時候，都必須把雙手放在毯子外面，這是囚犯們在受審期間應遵守的規則之一。有一次，我好夢方酣，雙手耐不住嚴寒襲擊，自動地放進毯裏，但沒有多久，我就被一個獄卒叫醒了，他大概是在門孔中發現我違例的舉動，連忙大聲喊着衝進來。跑到床邊，但仁慈地，像一位看護對待嬰兒一樣，把我雙手自毯內移到外面，並且在我耳旁輕聲說：「這是不許可的」。

可怕的燈光

像這類事情常常鬧醒了我，使我無法再作長久的安眠，凍得麻木的雙手實在令人無法入睡，除非再偷偷把雙手藏在毯裏，但耐心的獄卒這時又會跑到獄房裏，小心把我的手放在毯外，這樣放進放出，一晚總得好幾次。

在盧必安卡獄中，囚犯們所害怕的，光也是一個極重要的東西，每間獄室的門上，安裝一盞光度極強的電燈，整夜在室中照耀，它的光綫直接射到犯人的床上，根本無法閃避，晚間不論任何時候，我偶爾轉一轉身時，獄卒就會進來，扭轉我的頭，使兩眼對正燈光，他常常說：「我必須看到你的眼睛」。我們很多可憐的囚伴，都深深引以爲苦。

這樣整夜的無法安眠，再加上凍餒的侵襲，一個人的體力，意志和腦力都大大的衰退了。（三）

中華民國內政部登記證台版新字第壹零貳號

自由人

THE FREEMAN
（半週刊每星期三六出版）
（第一七七期）
每份港幣壹毫
督印人：李光華
社址：香港高士打道六六號
電話：二〇八四八
GLOUCESTER RD. HONG KONG TEL: 20848
承印者：東南印務出版社
地址：高士打道六十四號
台灣特派員辦事處：台北市館前街五十號
台灣總經銷處：台北市中華路一二五九號

韓戰與亞洲人

維辛斯基已堵塞韓戰和解之門，艾克赴韓與否無補大局。尼赫魯無調解韓戰的奇蹟，亞洲人應自力更生，起而自衛。台灣國軍不能參預「有限度」的反共戰爭。

雷嘯岑

韓戰的結束希望，由於俄共代表維辛斯基前天在聯大政治委員會之演說，已趨於幻滅的境況了。我們早說過，志願遣俘實際爲民主主義辦法，決非俄共們所能忍受。這關係整個俄共集團的未來生存，對韓戰本身卻沒有甚麼了不起的和戰問題，然他們決不能，也不敢接受這項飲鴆止渴貽患將來的遣俘原則。美國既屢次昭告全世界，決不犧牲人道正義以換取不榮譽的和平。彼此都沒有讓步之可能，當然不會有奇蹟出現，使選錫戰爭達成和解的。

艾森豪威爾之大選勝利，大半因爲得力於韓戰問題，但第一次在白宮所遭遇的第一個難題，亦爲韓戰。他之親赴韓國前線視察與否，並無補於和戰前途，爲的只是實踐其競選諾言而已。日來美國國會議員與輿論界，對艾克東來問題，議論紛紜，而英國方面且擬派大員隨艾氏赴韓，好像艾克一到韓國，即將有甚麼意想不到之利害作用似的，眞是好奇之至！尤其是捧場而擁不住氣的日本政府人物，竟際官決不致日本子弟赴韓國戰場流血，而不跟着別人湊趣，自審其處境與份際如何，更顯無謂已極！

印度能夠調解成功嗎？

目前在聯大所提出的印度方案，與美俄雙方對峙意見，格格不相入，唯一希望乃寄託於尼赫魯所玩弄的黑市交易上。尼赫魯素來就是吞吞吐吐地表示不贊成志願遣俘原則，也主張召開「五強」或關係國家會議以解決亞洲問題的人物，他與維辛斯基前天所提出的那套意思說法一氣。除非艾森豪威爾要更進一步地繼行民主黨的韓戰政策，變相修改志願遣俘原則，同時又不惜演一曲「遠東慕尼赫」悲劇，否則尼赫魯之強作解人，揣著弃寳，無論如何是搞不出明堂來的。尼氏的如意算盤，是要美國在東方厲行綏靖主義，以最後承認中共政權來換取韓戰的和議代價；其手法是要透過英國來對美國施行壓力；而其目的即在藉他做成一大投機買賣，形成「亞洲領導人」的地位，藉以保持印度的安全。這一套天眞而卑鄙的調解方法，民主黨政府當局且不願接納，誰能相信共和黨政府竟會悍然爲之呢！

然則韓戰即將從此愈趨惡化，擴大範圍，有如美國退伍軍人會主席高富所主張的，轟炸中國東北共軍基地，封鎖共區海岸，甚至於投擲原子彈那樣大規模戰的形勢麼？斷乎不至於此！艾克上台後的韓戰政策，依然不會逸出「手執巨棒，口吐溫詞」的範疇。過去民主黨政府是空持着巨棒虛張聲勢，不肯輕易以巨棒任敵人從事的。今後俄共集團旣抵侮禍之心，艾克政府於必要時用手棒敲擊共軍一下，以示儆戒。但其大方針還是在積極組訓南韓裝備軍，予以近代化裝備，俾有自衛能力。對整個亞洲的反共措施，也必然以美援物資與技術來加強自由亞洲人民的自力更生。換言之，即先政治而後軍事。世俗所謂第三次大戰之能否避免問題，實屬多餘的爭議，大戰的條件沒有具備，絕對不會意外地隨便發生；大戰已到非起不可時，沒有韓戰也必然呼之欲出。英國哲學家羅素把世界大戰比作山頂上的一塊石頭，只要有頑童走到山頂去嬉戲，稍不小心，便會將石塊撞落懸崖去。目前世界上的兩個頑童，都沒有走上山頂，石頭自然不會撞落下來的。乾脆說，日本與西德的建設以前，軍民工作尚未完成，民主陣營決不願引起大戰；俄共集團對大戰勝算永無把握，也以冷戰來相勸索，以待資本主義社會自行火併崩潰的日子來臨！

英美各國沒有直接的共禍威脅，他們都有好整以暇，從容應付的餘地。我們面臨共產極權侵略禍害的亞洲人，究將何以自處呢？

亞洲人應該要自立自強

最近因爲艾克在競選時說過以亞洲人對付亞洲人的話，曾引起世人不少的爭論，印度出席聯大代表梅農夫人，且公開指摘批評這一主張，認爲「令人失望」。如是乎艾克這席話乃被釋爲「亞洲人打亞洲人」，[illegible]提出的讓亞洲人民組織起來，爲本身自由而奮鬥的計劃，絕無「兩樣」，並沒有「令人失望」的理由。只有俄共集團將感到失望而憂懼，一定會喊出「亞洲人不打亞洲人」的口號來，企圖曲地刺激民族主義者的感情，以符合其「反共」陰謀一點。我們必須明瞭這一課：美國如實行組訓南韓軍隊抗拒俄共集團的侵略，是合理的；韓共之攻略南韓，就不是「亞洲人打亞洲人」嗎？在某一國家內，共黨以「革命」來掩護，在國際間以「世界革命」來掩護其侵略，民族主義者只有一個：被俄帝擴張鐵幕而侵略的人民！因此，我們亞洲人對艾克這項主張絕無失望的理由，在政治上祇能希望艾克有更明朗的政策與行動來證實其反共的誠意，我們不自立自強，難道要完全靠美國派兵來替我們反共不成？世人常擬三次大戰「以台灣坐待」[illegible]

艾克，多所譏評，即對表於[illegible]，示贊許，主張樂觀其成，以示自力更生的意志，日本人妄說不參子弟赴韓，如果日本人[illegible]近來北海道領空常有俄機進擾，即要求美國保護，赴外國流血，亦不顧數子弟，那就只有讓俄共來控制了。

韓戰初起時，自由中國政府即聲明願派遣兩個軍赴韓參戰，恪盡聯合國會員國的義務，嗣以台灣有表示於前，日韓之役，又甚有表示上戰場，有些國家且要求我們反對。西方民主陣營的當局，在所謂「有限度」的韓戰現狀下，絕不能派中國軍隊去參戰。自由中國軍隊的反共決心，由極權侵略而犧牲，不宜把軍力枉耗於狗屁不通的所謂「警察行動」戰役上。要作無限度的反共戰鬥！與聯合國決議的背道，自由中國的軍民唯有敬謝不敏！

亞洲已臨最後關頭（上）

蒲立德作　易安王錡合譯

作者蒲立德（W. Bullitt）曾任美國駐蘇聯及法國大使，對於東方情形素有研究，今春並曾以觀察家身份，遍歷東方各國，日前又由東京再度抵台，作蔡斯少將之嘉賓，台灣政要亦紛表歡迎，足見蒲氏對東方實際政治問題具有深切之關係，本文除對亞洲之一般情形有簡明之分析外，對於台灣在今後抗拒赤色狂潮之重要性，尤有確切之估計。

在杜魯門初任總統的時候，史太林不過祇能統治兩億人口，可是到了現在，僅僅幾年工夫，供他奴役的人數，已經超過了八億；他並且還繼續在向資源無限的亞洲擴展，以期充實他作戰的潛力，再增加七億的亞洲人，假若我們不粉碎這種計劃的實現，那我們將要面對着十五億的敵人。

中國軍隊能征慣戰

因此，我們在亞洲迫切需要具有戰鬥經驗的同盟者，而現在的台灣的中國政府，確具有充分價值來參加我們這一方面的；然而我們的政府就在大批派遣美國青年去抵抗在亞洲赤色侵略之際，還是拒絕了中國政府派軍去共同抵抗；中國政府現擁有軍隊共六十萬人——較我們和聯合國各盟國使用在韓國全體的部隊的人數還要多些，——這支部隊包括的是三十二萬能征慣戰的陸軍，兩千多的飛行人員，在美國空軍與[illegible]服務，其中最少有一千人曾在美國受過優良訓練，海軍方面有六艘驅逐艦，管理得很得法，還有登陸艇以及很多其他小型船艦。

中立台灣犧牲難估

我們的政府一方面拒絕中國政府提供軍隊赴韓參戰的盟[illegible]，另一方面還明令第七艦隊防守台灣海峽，這固然可以保護台灣，免被共黨侵襲，但同時也阻止了國民政府去反攻大陸，現在第七艦隊的兩三艘驅逐艦，常在這寬僅一百二十海里的台灣海峽巡邏，可是每天都有輪船經過那條航線，運輸補給軍火給中共軍，以從事射擊在韓國的美軍，有些輪船根本就是屬於波蘭共產政權的，它們來自格地尼亞，載滿了蘇俄爲從事韓戰的軍需品，中國政府的海軍本有阻止這種運輸的願望和能力，而竟來自華府的命令，自然，究竟有若干美國人在韓國受到這個政策的犧牲，是沒有任何人能夠估計的。

士氣高昂生活刻苦

中國戰鬥人員有熱愛家鄉的特性，在台灣，這種情緒更燃烈底燃起了那班人反攻大陸，打倒中共的熱烈願望，消滅共產黨以取得最後勝利的信心，是始終不渝，所以他們有高度的士氣和坦然接受目前物質生活上艱苦的耐心，在那裏祇有公平分担貧困，沒有任何人可以豪華享受，否則，七百萬的平民是無法供養六十萬的軍隊。譬如美國在台灣的軍事顧問團，軍曹所拿的薪餉是十五倍於中國軍隊將級軍官的待遇，足見他們艱苦的一斑了。

在台灣的國民政府是懷着高尚的理想而度着艱苦的生活的，在那裏再沒有貪污，也沒有任何人懷疑蔣總統個人的忠誠，他生活於嚴肅和基督教徒的信仰中，以前在大陸行政和軍事部門的許多貪污份子，現在都已不在台灣了。

中國很多才德並茂的人士，都參加了政府，而公正嚴明才力超軼之輩，更肩着高級的公職，這班人在大陸時代雖也在政府裏，可是那時政府治理着四億五千萬人民，又經過十二年的抗日和剿共戰爭，被迫走上通貨膨脹的道路，以致發生了腐化現象，他們要想防止貪污，挽狂瀾於既倒，委實不免有人數太少孤掌難鳴之感，如今他們治理的台灣，祇有荷蘭那樣大，他們表現了效率和忠誠，台灣的人民多數是稻農和蔗農，他們現在選舉了代表，參加地方政府和省政府，他們愛好這種新的政治自由，在這個島上有很優良的秩序，沒有盜匪，也沒有乞丐。

軍隊裝備尚嫌不足

台灣的農業經濟，不能生產軍火武器，登陸艇以及飛機等，所以軍隊的裝備尚嫌[illegible]

此外，還要三千多萬美元[illegible]工廠增加四千萬美元的設備，再經過一段相當的時間，才能使台灣的經濟走上自給自足的坦途。

中共進犯必遭挫敗

史太林可能利用台灣目前軍事裝備不足的時機，試行一次猖狂的攻擊，其猛烈的程度，自然相當可觀，但是那必會遭遇着殊死的抵抗，而戰鬥編制完備的第七艦隊，當可即時從旁協助，擊敗敵人的攻勢。如果美國的裝備能夠提早運抵台灣，那就更可阻遏這種攻勢的成功。而且能夠防守的軍隊，也就可以用之於進攻，祇要登陸艇、飛機和裝備等供應充份，並且國民政府的軍隊，可能對於進入越南的中共軍的側翼予以攻擊的。

我們政府曾允在一九五一年七月一日以前所應交付的大批裝備計劃，到了今年一月一日還祇運到百分之三十八，第二批的物資應該是一九五二年七月一日以前運出，是以現在沒有東西運到。

中國國民黨人士對於我們政府之忽視本身諾言，不是不知道的，他們並不因此失望，不過他們信任我們在台北的軍事顧問團的人員，和外交代表藍欽公使，對於本年度一千八百萬美元的經濟援助，是深表感謝，其實還是不夠的，最主要的設備，也得三千多萬美元[illegible]

國軍赴韓參戰問題

因爲艾森豪威爾在競選期間，曾有加強訓練南韓軍隊支持韓戰，而把美國在韓作戰部隊逐漸減少的一種說法；由此推演，乃有動用亞洲人力以解決亞洲自身問題的一種主張出現。最近美國霍華德系的報紙，更有一種有組織的鼓吹，並期待艾氏於赴韓視察之便，順便一訪台灣，其目的似在動用台灣一部分的軍隊參加韓戰。看樣子，這種主張可能形成一種有力的輿論，我們對於這一趨勢的發展，不能不加以鄭重的考慮。

因爲蘇聯自來是利用她的衛星國向四面八方搗亂，而她自己卻永遠躲在後面陰謀操縱，[illegible]我們不可過度耗損其人力物力；我們這個意思，決不是希望美國[illegible]俄帝這種狡猾的使倆，自處於至安，而處人於至危；同時我們也知道美國人一種最優良的性格，凡是主張正義的戰門，他們決不會甘居人後。便是我們所以要[illegible]是因爲知道未來的一次大戰，其情況將特別的慘酷，其規模將特別的宏大，美國既是處於一個領導的地位，便不能不特別珍惜她的實力，這在表面看來好像是叫美國來擔負一份主要的資本，而實際卻正是加重美國的責任。

關於運用台灣軍隊赴韓作戰一層，我個人的看法是這樣的：

一、當韓戰初起，中國當局曾表示願派遣一部分的軍隊赴韓參戰，話既已說在前頭，當然不容反汗。

二、我們是擁護聯合國的，韓戰既是聯合國一種代表正義的共同行爲，爲加強我們在聯合國的地位，並表示與一切民主國家同生死共患難的一種精神，我們也當然不容擺脫這一種盟國的義務。

三、韓戰是未來大戰的一個序幕，同時也就是從事現代戰爭的一種實習，年來台灣的軍隊確有長足的進步，乃爲一種不容否認的事實；可是因爲不會得着一個實戰的機會，致使人有一種「英雄無用武之地」的感想。假定利用赴韓作戰的這一良機，使我們一部份精銳的部隊去見識見識現代戰爭是怎樣一種景象，我相信必於我們未來反攻大陸的戰爭有益。

話雖如此，假定美國把派遣台灣軍隊赴韓參戰這一問題正式向我方提出，我主張我們的當局應該作如下的一種適當的答覆：

「我們決不推卸聯合國所加於我們的責任，但我們決不打所謂「有限度的戰爭」，如果美國不願放棄戰爭範圍不超出韓國的這一原則，而把我國的派兵赴韓與反攻大陸分成兩事，則我們認爲對於亞洲全面問題的解決斷然無益，決不願採取這種毫無意義的行動！」

每週展望

·左舜生·

山額夫人來

山額夫人老早就到過一次中國，其時正是中國新思潮澎湃的時候，她頗受到相當的歡迎。那次她本來[illegible]，但因爲日本的守舊派反對她，也就沒有准許她登岸。這次她到香港來，據說是出席國際計劃生育會議，路過這裏，最近三十年來，她的主張，大家都很[illegible]，世人的態度也有很大的發生變化。

就我們所知道，中國大部分的知識分子，這若干年來，早已是節育的實行者了。可是一方面儘管把子女的出生數特別減少，但另一方面專家們討論到這個問題，卻依然[illegible]，[illegible]我們所知道的情形，[illegible]中國所得到[illegible]優良化的民族分子，[illegible]生的子女往往都不成才，[illegible]這個問題並不如此簡單，我們高興有機會再聽聽這位熱心節育運動的老太太所[illegible]。

南共第六屆大會 狄托對史達林攤牌

丁匡華

蘇俄的聯共大會閉幕不久，緊接而來的是南共亦舉行大會，蘇俄多少年來覬覦南斯拉夫，但終無可奈何，南共這次大會，頗引起世人重視，狄托的抬頭，就是史達林的失色，會中全國代表熱烈擁護狄托，無疑更使史達林忡忡不安。

南共大會與狄托

一九四八年六月「國際情報局」摒棄南斯拉夫以後，南國內有「叛黨」騷動，孕育分裂危機，外則強隣覬覦，尤論國際威脅，這正給予狄托以莫大考驗，狄托爲加強內部團結抗禦外侮起見，於是立即提前在八月二十一日召開南共大會（即南共第五屆大會），以決定「奮鬥」的動向，這一會議把南斯拉夫從危險中拯救出來了，它不僅脫離了蘇俄魔掌，而且別闢着自力更生的生面；首先，狄托標榜南斯拉夫之獨立，乃爲向社會主義之路「前進之條件」以爲號召，接着他并向南共中央委員會提出具體方案：（一）加強南國人民之精神與政治團結；（二）加強及發展對蘇聯之緊密合作；（三）加強及發展對人民民主政治之緊密合作；（四）與保加利亞人民共和國及阿爾巴尼亞人民共和國作最緊密之合作，并擬訂在國家平等之原則上使南保阿三國人民團結之條件；（五）凡願遵重南國在聯合國憲章原則上獨立與平等而與南斯拉夫人民共和國合作之國家，南國均願與其和平合作；（六）南國人民將支持一切反對內政干涉之其他國家及運動等。

這一會議的收穫很大，我們很客觀地得到兩點認識：第一、南國的民族主義，頗爲堅強，大會曾熱烈向狄托致敬，并通過決議，贊同狄托對共產國際情報局所採的立場，更支持南共中央執行委員會對國際情報局的政策；最後，狄托仍被選任爲新任中央委員會主席、南國人民亦如俄國人民一樣，愛護民族自主，重視本國利益，狄托所以受南人愛戴，原係因其對祖國有卓絕的貢獻。南人對共黨并無好感，狄托藉南人的民族情緒，才維持在南的地位，果狄托不重視民族立場，一味伺候赤色主子，他將會被南人拋棄的。南共大會，表示狄托的領導力仍然健旺。第二、南共雖與共產國際情報局發生齟齬，但南共大會未舉行之前，它尚未能脫離國際路綫的掌握，或完全保持其獨立，南共原爲國際共黨的支部，南共中間，當然有死硬的效忠國際的信徒，一個「馬列主義」的子孫，教他一旦憬悟，就變爲愛國家愛民主的分子，實在困難萬分，但南共大會召開之後，卻完全改觀了，這當然等於宣佈了「死硬派」的死刑，而使南共步入國家民族的途徑上去。

南共的組織形式

南共的組織形式是脫胎於蘇聯的，把黨政置於崇高的地位，政府列於黨的統屬之內；但自南共「背叛」蘇聯以後，它一方面要自己努力振作，以求生存，另一方面卻要適應西方國家的環境尋求援助，以致南共的黨、政體制，不免因之計劃改進與革新了；這一藍圖大概是有如下述：（一）國會——南國的國會是兩院制，國民大會好像美國和英國的參議院的聯邦會議一樣，目前代表南斯拉夫各共和國的聯邦會議的功能，將由新設代表全國經濟和工業各方面的生產者會議代替。（二）內閣——目前在作爲總理的狄托指導下處理全國行政事宜的內閣，將來予以廢除，其權力和功能交給議會的「主席團」負責。（三）「主席團」——組織上，「主席團」不改變——包括由議會兩院聯席會議選出的四十人，可是他的權力使大事加增，直到目前爲止，他的權力是無足輕重，大部份祗是負責當議會休會時，批准政府的行政法令。（四）「主席團」——據新計劃「權力」——「主席團」分成許多委員會，對于關於外交內政和農業的法案，有權力處理，此外「主席團」還能够委派部長次長，和其他行政官主持目前由閣員執行的行政職務。（五）主席，國內的領袖是政府主席，因爲主席和顯權力內大事擴展，和廢止行政功能的直接內議，這個主席的職位幾必然由狄托充任，在同樣的方式，各省或共和國的政府也要根據所草擬的聯邦政府組織方法改組，在理論上，最低限度這計劃的目的是藉行政命令來減少政府機構和藉人民代表而加強政府力量。

大會的重要決議

蘇聯的聯共大會，內在的因素，固是調整黨內的組織和確定與培植他象徵的繼承人，但外發的動力，即是如何撒佈共產情報局的羅網，以竊取東西冷戰的勝利，顯然的南斯拉夫又是處在這一箭頭的尖端，而成爲唯一的威脅對象，因此針對聯共大會的「攻勢」，狄托不能不設法予以對付，表現於事實的，即是此次第六屆南共大會的召開；以其動向攻擊其決策，這正是南共大會「馬後砲」，已經排演的對台戲，全不比聯共大會遜色，十一月二日在南國首都貝爾格萊德舉行的南共大會，空前龐大，南斯拉夫聯邦的斯羅維尼亞，哥維地亞，波斯尼亞黑塞哥維納，塞爾維爾，門的內哥羅各邦的代表共有二千三百人，大會充滿了團結，充滿了擁護狄托的狂熱，現在大會已於十一月七日閉幕了，我們試一分析他的成就與決策。表現於世人之前的，我們有幾個先決的認識：（一）在大會開幕席上狄托是極端抨擊蘇俄擬發動第三次世界大戰製造世界危機，他說：「俄國正在武裝自己及其附屬國家，以圖達到以武力征服的目的，俾奴役其他國家奪取新領土并奴役其他民族等」這種宣傳，無異向蘇俄的統治威脅直接挑戰。（二）大會有三種標語，「各國之無產階級聯合起來」「實行社會主義之南斯拉夫共產黨萬歲」「南斯拉夫共產黨萬歲」，這顯示南斯拉夫的狄托新社會主義已趨於極端化。（三）狄托會在大會呼籲世界之左翼集團組一新馬克斯主義陣綫，與由史達林控制之共黨對抗，與夫南共政治局委員察拉斯指責史達林及其朋友背叛蘇聯十月革命。儘管目前蘇聯領袖爲革命的叛逆者，但狄托元帥仍繼續進行馬克斯、恩格斯、列甯的思想，並證明大會會場內高懸馬克斯、恩格斯、列甯及狄托的四大半身像，足徵狄托的共產主義思想，仍佔絕對其成份，并非進步的社會主義。（四）狄托宣稱「面對世界之危機，南斯拉夫當與西方國家合作」，這又說明狄托另一方面與西方國家「靠攏」，然而這總是形形色色的。

南共大會改組觀察

聯共大會的結果，是史達林獨裁的極權化，將政治局組織一律取消，而由所謂聯共中央委員會主席團統一指揮，它摧毀了政治局委員代表政府每一部門的角色，而由其獨攬支配；另外是將加強共產國際情報局的組織，以控制東西附庸國家的歸附；針對聯共大會的決策，南斯拉夫因此也大大地改組了。第一、更改黨名，由「南斯拉夫共產黨」改名爲「南斯拉夫共產主義聯盟」，並將「政治局」改名爲執行委員會。據前南共政治局委員吉拉斯派加德稱：「此一新名稱正式表示我們的黨與其他的共產黨（包括蘇聯共產主義在內）間有所不同，」狄托此等之重要更改，表示與共產國際情報局完全斷絕關係，其次就「聯盟」本義來說，也是與「聯共」唱對台的措施，自從此次聯共大會以後，蘇俄的集團國家，均已納入「聯共」的「鐵的組織」，南斯拉夫是聯邦國家，以「聯盟」二字加諸其上，自然更需得各聯邦的擁護與合作。第二、擴大名額，新中央委員有一〇九人，較前增加四十名，這也是仿效蘇聯的形式，這一次聯共大會的主席團擴爲二十五名，已將所有各邦的地方黨部的領袖包括在內，使能集中「力量」。南共大會有若干委員，也係由各邦增選的。第三、狄托於二千〇五票中獲得二千〇三票當選爲南斯拉夫共產聯盟執行委員會祕書長。第四、執行委員會由九人增爲十三人，委員包括外長卡德爾治（南共第二號領袖），內政部長蘭科維支，內務部長朱拉斯在內。第五、另設監察委員會，置監察委員廿三人，隸屬執行委員會由祕書長指揮。

南共大會最後一決議：「聯共」與「南共」，是「積不相容」了，譴責蘇聯爲「一企圖帝國主義之新侵略作戰聯盟」，又是「侵略的指標」，看史達林，狄托將來在共產大黨的門爭裏，有一場大決鬥！

台電費加價引起各方關注 民意機構尋求合理解決

台灣通訊

台灣自電力公司突然宣佈增加電費後，各級民意機構及社會民衆均極注意。台省物價年來甚爲穩定，市場利息一再降低，近日已與台灣銀行優利存款利息接近，且自合作社倒閉案發生後，平日特利息收入貼補薪津不足之公教人員，亦不敢再放高利，此亦爲利息降低原因之一。雙十節後，小菜場食品類價格稍見增高，尚未回跌。今公營事業忽增價甚巨，各界深恐重蹈大陸時代公營事業領導物價上漲之覆轍。據台灣電力公司發表加價比率，爲工業用電增加較少，民間用電增加較多，兩者平均增加百分之五十四。另加台省單行法令規定之防衞捐，爲電費百分之三十，電費既增，防衞捐亦隨而增加，自民間言，負擔確增甚多。公教人員待遇迄未調整，今又加重電費負擔，實屬力不能勝。

閱政府對於此點，在加價時曾有擬議，即對於公教人員所加電費，另定補貼辦法。或如日產房屋租金，公教人員可減半繳納。

民意機關質詢加價理由

台灣省各縣市議會，省臨時議會，及立法監察兩院，日來均以電費加價事爲討論案由。此爲各級民意機關共同關懷人民負擔之表現。台灣省臨時議會駐會委員會開會時，台灣電力公司協理朱江淮列席說明。朱對於加價原因完全諉爲係謀增進電力擴充設備之用。但經濟部部長張茲闓在立法院院會中答覆質詢時，則承認係爲付給台電公司以往負債利息之用。台電公司前爲增建新廠，會由台灣銀行代發行公司債，並於限額外發行通貨以充償本，由台電公司分二十年償清，但台電每年須對台灣銀行付給利息。張部長之說明自較朱所言者爲誠實。蓋台灣爲達成工業化，必須增加電力，此爲各方所一致贊同。但照國營事業管理法，擴增設備，當由國庫支給，不能取之於用戶，以用戶並非電力公司之股東也。又台電公司自十一月一日起加價，而對於用戶在十月份所用之電，已有照新價收費者，朱江淮在省臨時會議中，絕對否認有此種事實，但張部長在立法院院會中則承認有此事實，但解釋謂係因抄表日期不一之故，如已超收，則按日退還用戶。就此兩點以言，張部長風度，似較電力公司人員爲優。

鐵道局竟暗示援例加價

台灣電力公司雖屬經濟部管理之國營事業，但在台灣則尚須受台灣省生產管理委員會之節制，生管會主任委員係由中央信託局總經理尹仲容兼任。尹爲此次主張加價最力之一人。尹最近並會謂企業機關理當向用戶收錢，並暗示如鐵道局方面收支不能相抵，亦可援例再行增加客貨運費。是以社會上益感台灣省穩定多時之物價可能有新波動，而深爲不安。台灣電力公司年來努力建設，確有成就，惟其功績屬於中下級實際若幹員工。若論在上者，則於用錢方面，頗多浪費。去年一年中，經審計部審核剔除之用款，即達千餘萬元。今乃以加價彌補之，故不易獲得各級民意機關之同情也。

社會切盼獲得合理解決

關於電力事業之管理，立法院在大陸時，曾通過二件法案，一爲國營事業管理法，一爲電業法。前者規定國營公用事業費率，應由總管理機構或事業機構擬具計算公式，轉呈立法院審定，變更時亦同。後者則規定用戶電價各種收率，應送地方主管機關，或其事業所屬機關，加具意見，轉達中央主管機關核定後，在當地公告之。以法律公布的時間論，國營事業管理法在後（三十八年一月二十日），電業法在前（三十六年十二月十日），依後法優於前法之原則，則台電公司此次加價顯屬違法。聞最初行政院討論加價時，本決定通過後送立法院完成手續。但台灣電力公司董事長朱一民則引用電業法，請行政院覆議，遂改爲通過後即執行。茲立法院決議應照國營事業管理法辦理，不能謂爲無理由。現亦有人提出調停意見，謂電力公司如確爲擴充建設而增加電費，則因加價所增之收入，應另行保管，或成立獨立會計，以免與經常用費相混。此事現既已由各級民意機關一致注視，不久將來，必將有合理解決，以滿足社會人士之望。

英將領過港談韓戰 中共絕無和談誠意

在韓戰發生，即開始擔任英駐韓參軍參謀長的保在利上將，八日奉命返國述職經港。保在利上將在港四小時內，曾經向新聞界發表他將向國防部長亞歷山大爵士作一個有關韓戰的詳細報告；關於韓戰的看法，渠和幾個曾經過港的在韓美國將領一樣，他們都一致否定了中共對和談的誠意，暗示了英國和美國及其他聯軍對韓戰的立場是一致的。

這位在職兩年半還負有代表英在韓海、陸、空三軍和盟總聯絡的參軍元帥突然歸國，說明了英國對韓戰的重視，尤其是須要聆取關於艾克赴韓所可能採取的新發展。十日清晨，香港英軍總司令艾利爵士偕英皇家空軍參謀長狄臣爵士的聯袂飛往歸國，英國對韓戰的不放鬆迹象更爲明顯。

徐季良談話引起樂觀 港工廠紛紛準備遷台

香港工業訪問團團長徐季良返港的談話，使香港的工業界人士大感興奮，至少有十五家以上的香港工廠決定遷台和在台設立分廠，對於這次試探性的訪問旅行，無論是台灣或香港，彼此都可以說是成功的。

比較上最積極的，紡織業、搪瓷業、和罐頭業都有若干廠商進行在台設廠，徐氏本身的大華鐵工廠也預備在三個月完成設分廠的準備。

× × ×

香港絕大多數的廠商和商人都是愛國的，但有一部份人還在有所顧忌地不願意很明顯地暴露出來，像工業展覽會最近的一次籌備會議中，已往決定在大門樓上安裝上四根旗桿，除了兩面會旗，一面英國旗外，還掛一面什麼旗呢，那又是留給廠商會的籌備人員一個難題了。

僑胞返國訪問團 籌組合作聯誼會

九個先後返國觀光和參加會議的香港愛國團體，爲了表示團結，爲了表示力量，終於決定了籌組一個類似合作聯誼會的組織，這九個團體包括香港區出席僑務會議代表團，香港工業訪問團，香港童軍訪問團，香港區參加介壽盃籃球隊，光華足球隊回國觀光團，港區天主教人士回國訪問團，教育界觀光團，工商界回國觀光團，廠商會會員赴台參展觀摩單位，負責籌備這件事的人這兩天很起勁地奔走着，成立之期就在不遠。本報記者。

天下小事

維辛斯基的祕密晚宴

維辛斯基最近在紐約派克街的蘇聯代表團總部舉行「祕密晚宴」，招待聯合國的「中立」代表，賓客包括印尼、印度、巴基斯坦和阿剌伯集團的代表們。據說，維辛斯基對他們表示，大國的代表團，沒有一個在遊說艾契遜對韓戰的提案，而要他們注意他將在美國大選後對聯大發表的關於韓戰演說。

艾克當選國防部歡躍

艾森豪威爾當選美國總統的消息發表，美國最感興奮雀躍的人士，當是國防部中的官員，他們擁護他，在大選期間，許多人雖然明知道他們所有的秘密文件，可能對艾克有利，但持有的人卻不少，而無法拿出來協助他競選，但卻眼看着一些史蒂文生的人物利用政府方面的祕密文件攻擊艾克，所以艾克當選，無疑也是代他們出了一口氣。

代郵

「自由人讀者一忠實份子」鑒：來函所述「孔祥熙回國到台灣競選副總統」云云，據我們所訪察，殊不確，故無須「鳴鼓而攻」。大函詞嚴義正，以未署名，恕割愛不予刊佈了。——編者——

中共瘋狂推動對俄「友好」
力圖掩飾俄奴役血債
「中蘇友好月」搬演醜劇層出不窮

（本報特稿）中共為表現其進一步「一面倒」而發動的親蘇運動，目前已在大陸上狂烈推行。這是北平傀儡政權繼「抗美援朝」以後，為爭取克里姆林主子的信心而搬演的另一齣活劇。從這一套活劇的演出，中共奴顏婢膝的醜態，益發無所遁形了。

親蘇運動兩項意義

這一次親蘇運動的推行，就中共政權的發展而言，乃具有兩項作用：第一、今天的中共政權，既已直接在蘇俄掌握中，為了消滅蘇俄對中共強大的疑懼，必須造成舉國一致的親蘇運動，以爭取蘇俄更大的援助與支持。第二、中共的社會改造工作，目前已接近完成階段，從明年起準備實施所謂「五年計劃」，為了使人民忘懷西方國家的生活方式與價值觀念，甘心接受蘇俄奴役，必須宣傳蘇俄過去的成就，使人民對社會主義前途具有信心，為推行各種各樣的奴役制度開始。在這二項意義之下，中共於斷送旅順大連之餘，仍不能不硬着頭皮來歌頌蘇俄的「恩情」，所謂「中蘇友好月」，便在這一情形下產生。

宣傳要點奴性畢露

中共發動親蘇運動的中心目標，從其最近公佈的「中蘇友好月」宣傳要點中，業已暴露無遺。根據十月二十八日「中蘇友好協會總會」所發表的「指示」，其主要項目有四：

第一、是要宣傳三十五年來蘇俄的偉大成就，把蘇俄說成世界上最強大最進步的國家。

第二、是歌頌蘇俄對中共革命事業和建設的重大幫助，把史達林說成中國唯一的救星。中國的抗日戰爭，是由於蘇俄出兵消滅了日本關東軍，然後才能取得勝利。而最近蘇俄接受中共關於延長中蘇共同使用中國旅順海軍根據地的建議」，則是「在保持遠東的和平和中國的安全」。

第三、強調沒有蘇聯的援助，不但中國革命的勝利是不可能的，而且中國建設事業也將無法進行。

第四、是號召全國人民學習蘇俄一切「先進經驗」，學習蘇俄人民的「愛國主義和國際主義」。

上述這四項要點，充份暴露出中共政權的奴性，它不僅要使大陸的人民，忘記了過去蘇俄侵華的血海仇，而且要培養廣泛性的崇蘇和親蘇意識。奠立蘇俄奴化中國的精神基礎。

大小嘍囉拚命表功

在爭取主子歡心的目標下，各級嘍囉，莫不拚命表功。從「人民政協全國常委會」起，以至鄉鎮行政機構上，都在鼓動所屬投入親俄狂潮中。各大行政區、各省市，都特別成立領導機構，專負責「中蘇友好月」的活動。各地「中蘇友好協會」均通過工作計劃，準備造成親蘇的新高潮。

華東方面：華東區及上海市已成立由八十七人組成的籌備委員會，由陳毅任主任，籌備委員會下設辦公室和七個處，福建、浙江、南京、等省市也先後成立，開展宣傳活動。

中南方面：已成立中南「中蘇友好月」辦公室，由中南「中蘇友好協會副會長」趙毅敏，李先念任主任。

西北方面：各省市「中蘇友好月」辦公室亦已先後成立，西安決定於十一月七日，舉行萬人大慶祝會。

此外，各地中共的報告員，宣傳員、和「中蘇友好協會」宣傳幹事，將通過座談會，讀報組，屋頂廣播，街頭宣傳，家庭訪問等形式，深入居民和市郊農民中，進行廣泛深入的宣傳。各專區所在地和有一萬人口左右的城市，各工廠、企業、機關、部隊等，都規定要召開隆重的慶祝會和座談會，像這樣狂烈的媚外行動，除中共的傀儡政權外，任何稍有獨立性格的執政者，絕對不會如此進行的。

毒素電影獨佔戲院

除了中共方面的宣傳外，蘇俄亦動員宣傳機大量輸入毒素宣傳品，據統計在最近一週間，由蘇俄運入的宣傳品及影片拷貝達二十餘噸，規定在大陸六十六個大中城市的三百三十一家影院上演，在這一個月中，所有國語片一律停映，蘇俄並派遣規模宏大的文工團，深入大鎮各農村，參加文化工作。由於大陸人民對俄式宣傳八股的厭惡，中共正通過各地工會、婦聯會、青年團、及弄里小組、店員會等細胞組織，強迫各級人民集體觀劇，除了時間金錢的損耗外，大陸人民在精神上所受的騷擾，更無法估計。

血海深仇豈能忘却

但是，儘管中共如何卑污無賤，企圖以宣傳來塗抹蘇俄過去的罪惡，但大陸上的人民，心底下仍是雪亮的。凡是二十歲以上的人，對蘇俄過去的侵略新疆，霸佔外蒙，以及抗戰後期的趁火打劫，掠奪東北二十億美元以上的機器物資，勝利後的阻礙接收，屠殺我工程人員，當年全國皆知的張莘夫慘案，那一個不曉得是蘇俄的傑作。尤其是東北九省的老百姓，目睹大鼻子入東北後的姦淫擄掠，至今思之猶有餘恨。因此，中共欲以無稽的宣傳，一筆抹煞這些血債猶新的仇恨，而轉化為對蘇俄的感恩所產生的親蘇情緒，不但徒費心力，而且反足以提醒人民間的記憶。強迫人民崇拜強盜的勾當，在中國社會中，是絕對不會生效的，因此，所謂「中蘇友好月」的醜劇，將徒看中共的心勞日絀而已。（竹園）

會稽山下壯士喋血（二）
諸暨反共鬥爭一頁燦爛史篇

會稽山下的諸暨，曾是當年越王勾踐生聚教訓，復國雪恥的基地。會稽山頭早就留下了千古不朽的史蹟，越國的兒女們是堅強的；現在，他們為了國家民族的獨立復興，和億萬同胞的生存自由，又一度發揮了堅毅優良的傳統，英勇地舉起了反共抗暴的大纛，前仆後繼，寫下了燦爛悲壯的歷史新頁！

張清塵壯志不酬

首先，是諸暨縣長張清塵揭開了這悲壯史的首頁，雖然，他是出師未成身先死；但替諸暨的反共游擊，全面撒下了種子。

張縣長是諸暨東海人，年五十許，軍校四期出身。歷任團旅師長等軍職，於卅六年秋出任該縣縣長，以該縣地勢險雜，有名的土共頭子周子山常率衆出沒縣境，竄擾劫掠，故張縣長對地方武力的配置，一向極為重視，曾予縝力經營，除各鄉曾有自衛分隊外，縣府所直接指揮的，尚有兩個縣自衛大隊，一個特務中隊及六個區自衛大隊，人槍幾有一師之衆。加上諸暨的民性既強，軍人又多，民槍更多，故諸暨自衛團隊的實力，堪稱人壯械精，聲勢極盛。且担任縣自衛大隊大隊長的許永和趙祖光，皆曾久戰沙場，沉勇無匹，素有虎將之稱。

卅八年五月三日杭州淪陷時，張縣長已決心轉入游擊，反共到底。會擬率部移向金華，會同浙北師管區司令周正祥組成兩師部隊，在金華、蘭谿、浦江、諸暨一帶，展開鬥爭，乃即召集所屬各大隊長舉行緊急應變會議，同時與會者，尚有曾任軍長的楊鎮，及該縣紅門領袖楊松山楊繼曾等，他們都表示熱烈支持此一計劃，並擁張自任師長，另一師長則請周正祥担任。張當場表示接受，但要求楊斌出面統一領導，要求二楊發動紅門子弟響應行動，三楊都表示極願精誠合作，當將此一計劃電告周正祥，即於次日拔營北移，詎知甫抵安華，各大隊長先後向張報告，說大多下級幹部和士兵對於遠離縣境開赴別處的行動，都表恐惶不安，竭力反對，至此，張和三楊乃不得不改變計劃，要各大隊長領回士兵的意志，分別率部仍回原地相機游擊。「但是」，他說：「你們必須仍舊認為所我們諸暨的部隊乃一個整體，合作無間，生死與共，提高警覺，奮鬥到底！不久，我將會回來和你們同甘共苦的。」說到這裏，他已嗚咽語塞，熱淚盈眶，在場的人，都不禁唏噓流涕，黯然神傷，最後他揮了揮手，就讓各大隊長將隊伍帶走了。

起初，決定和張一起繼續到金華去的是三楊，特務隊隊長張若如，特務組組長趙耀祖，及衛士四人。後來第二大隊長趙嗣光將隊伍交給了大隊附鍾海良也跟着張一同到金華去。繼續去金華的目的仍為部署游擊，但到金華時，局勢已非常混亂，浙北師管區司令周正祥已率部前赴閩贛一帶。由是，張楊等的原定計劃乃告全部破滅，不得不於奈何中分道揚鑣。張縣長則隻身去溫州想渡大陳，不幸一到溫州，即遭匪拘捕，雖一度越獄脫險，化裝潛伏到了龍游，想乘機潛回諸暨，從事游擊，但不久終於為匪識破，又遭拘獲，立被解回原籍，他受威逼利誘，要他收編諸暨游擊部隊，但他卻堅貞不屈，只求速死，最後，終於求仁得仁，在去年五月間的所謂「公審」的把戲下，從容就義了。（山王）

陳賡狂噬到手肥肉
滇鹽商全部消滅
工人不堪迫害奮起反抗
鹽產激降民間大起恐慌

自從毛澤東稱起「兒皇帝」，陳賡列土分「肥」，佔了「雲南王」的寶座，擺在中共「軍管」人員面前的嚴重問題很多，而雲南省境內的鹽業問題，就是其中之一。

因為雲南一千三百多萬人口的食鹽問題，除了滇東的少數縣份須仰賴川鹽，滇南的少數縣份仰賴安南的海鹽外，其餘百分之八十的人口都靠本省自產鹽維持。

而且，雲南省產鹽的地方分佈區域極散廣，各地鹽產的情形又因地而異，如：鹽興縣的猴井、黑井、狼井、磯後井在滇西的羣山裏；祿豐縣屬一平浪的滇西企業局在距離省城昆明一百二十五公里的滇緬公路上；鹽豐縣的白鹽井，蘭坪縣的拉雞井在滇西；鎮遠縣的家板井在雲南的西南部；磨黑鹽井則地屬滇南，這些都是雲南馳名的產鹽地。有的從礦裏挖掘出來時是「鹽磚」（硬塊鹽礦的稱呼），有的則從礦中汲取的是「滷水」（鹽礦水），「鹽條」含鹽分百分比因礦而異，必須經過「泡條」、「熬煎」、「曬鹽」等種種手續；也有先曬而後熬。其中一平浪滇西企業局（官辦的），出產量較大；白鹽井，磯後井，拉雞井次之；家板井最差。

工人受惑展開鬥爭　共幹得意大發洋財

以往，除滇西企業局是屬于雲南省財政廳經辦外，其餘都係商辦，由政府課稅，這項鹽稅在雲南財政收入上佔很重要的位置，就因「鹽稅」位置的重要，在龍雲盧漢執政時代，主持鹽政一向被認為是「肥缺」，龍盧也就把這些「肥缺」用來調劑他們的有功之臣，如張冲、劉正富、魯道源……等人都曾做過鹽運使，也着實「撈」過一筆。

盧漢叛變，引狼入室，共匪魔力控制了雲南的初期，「無產階級翻身」的聲浪傳遍整個雲南，各地的鹽業工人在當地土共蠱惑下瘋狂地向他們「老闆」清算鬥爭，鹽場「老闆」都弄得傾家蕩產。生產工具也在工人「翻身」的過程中，你分一件，我拿一件，做了「二流子」「土共」「無知紅工棍」們「發洋財」後吹大烟的本錢，於是，大規模的鹽場紛紛倒閉，一千三百萬雲南居民的食鹽問題日趨嚴重，離產鹽區較遠山地的老百姓簡直斷絕了食鹽，害起「軟腳病」（即雞瘟）來。

收拾殘局陳賡嫁禍　恢復生產鹽商中計

做中共雲南王的陳賡在這種背景下，來收拾「自作孽」的殘局，搞得不堪的雲南，對此無法解決的事實，只有又要出中共看家本事的一貫伎倆：嫁禍他人。把這種不良現象，一担子壓在土共頭上，向破了產的鹽商們，巧言令色地安慰號召一番：「新中國的經濟政策，對有利于國計民生的私人工商業，不惟不取締，還要鼓勵和幫助他們，使他們積極地經營。致于勞資間糾紛問題，應本着勞資兩利的原則，適當地解決，過去所發生的不良情形，那全是下級幹部執行政策偏差的結果……」並把各地當時領頭滋亂的土共隨便拉幾個來懲辦，以安撫過去受害的鹽商。

搾取手段逐步加緊　不堪虧累紛請停業

鹽商們腦筋究竟是簡單的，在中共欺騙的號召，又逐漸地把破爛的鹽廠恢復起來，據統計全省鹽產量去年十一月已達到十一萬五千斤，全省老百姓的食鹽問題暫告解決。

可是，隨着鹽業的發展，利之所在，共黨極權的進一步搾取手法繼之而來：共產黨在產鹽區先後成立了「鹽業生產合作社」，所生產出來的鹽，由「土特產購銷處」統購統銷，人民不得私相買賣，價格一項，以今年二月鹽豐縣的價格作標準，「購銷處」購鹽每斤需人民幣兩千，而「購銷處」收購的價格卻祇是人民幣一千四百元，美其名曰「生產合作」，一進一出「中共政府」漁利三成以上，鹽商們都不堪其虧累，紛紛申請停業，但不得允許，是不准隨便關門的，還要保持一定的生產量，所以大部鹽商把賠償才恢復的鹽場，又弄得傾家蕩產而不能自已，只好無條件把自己經營的鹽廠交給「政府」，迄至今年上半年，大部份鹽廠已由商人的手裏轉到了共產黨手裏，尚有少數雖仍是商營，亦已奄奄一息，經過「五反」以後，商營的鹽廠，徹底被消滅。

工人絕望集體抗暴　鹽價飛騰民食不繼

鹽業全部由共黨經營後，鹽業工人們的生活更不堪設想，「勞資兩利」的夢完全破滅。過去一個熟練的鹽業工人，每天所得的工資，可以換得到六斤至八斤大米。現在則最多也不會超過四斤米，加以不時要供應「抗美援朝」的捐獻，絕望後的工人們，只有消極的抵抗，以怠工減產，來發洩胸中的怨氣，共幹們[illegible]，於是[illegible]挑起[illegible]鬥爭呀[illegible]工人們[illegible]，工人們只好打[illegible]游擊[illegible]。[illegible]在小星廠一帶作自發的游擊工作。

雲南的鹽業，在這種情形下，[illegible]鹽價卻又不斷的提高，在永勝、華坪[illegible]，人民幣一斤、[illegible]文山[illegible]馬關、屏邊一帶靠越南的鹽來維持，但自從胡志明[illegible]以後，[illegible]鹽路斷絕了，人民食鹽更成了最大的問題，許多人得不到鹽食，以至[illegible]，已是處處可以碰到的事實。（平）

肉麻的「偉大」

共產仁兄們，對於「偉大」一詞的利用之多，而且肉麻，真是亘古未有。最近北平[illegible]「中蘇友好月」宣傳要點[illegible]「我們熱烈慶祝偉大的十月革命三十五周年！」[illegible]「向偉大的蘇聯人民致敬！」[illegible]「偉大的斯大林元帥[illegible]」[illegible]「偉大的十月革命開闢了人類新紀元」[illegible]「偉大的社會主義建設」[illegible]帝國主義[illegible]！

最後，作者也受到了「偉大」的感染，班門弄斧，也想喊一聲口號：「偉大」的共產仁兄們當心馬屁拍得太「偉大」而粉碎！（沈著）

芬烈特的壯語

爲方

美國空軍部長芬烈特，本月十一日在第一次歐洲大戰休戰紀念日聚餐會席上演說：「蘇俄如進攻美國，或北大西洋公約組織之國家，則將如雨點之原子彈，即可投擲於蘇俄境內之目標，而迅速癱瘓其工業」。壯哉斯言，是何態雄且傑！

雖然，將帥之言，壯則壯矣，可惜太天眞，不免發生了語病。美國現在是反俄帝極權侵略的領導人，也就是自由世界的家長，目的是要打倒俄帝，挽救人類浩刼，還我自由。在這項偉大崇高的使命上，似不應該存有區域與種族的觀念存在。俄帝如進攻歐美，將如雨點的美國原子彈，即將投落俄境，以資報復。然則俄帝如進攻亞洲的日本，韓國，中國，以及太平洋區域，那就不妨靜觀等待，看看俄帝是否適可而止再說麼？換言之，只要俄帝不進攻歐美，縱然攻略了亞非各洲，奴役了全球三分之二的人類，美國的原子彈也不輕易對俄帝使用的！再換言之，只要俄帝能與美國及其北大西洋公約國家共存共榮，互不相犯，美國即可置之不問乎？

我們固然不希望美國以「世界打手」自任，到處派軍隊投原子彈來反共，却不贊成芬烈特將軍這種「有差之心」的主張。這是使全球的反共人類對美國潛生離心力，對自由世界有害無益，對美國的信譽更有損傷哩！

自由談

友好

山禾

頗具姿色的王小妹和李二嫂，她們的丈夫都是在香港做裁衣師的，雖說是「工人階級」的「兄弟姐妹」們，但她們的丈夫既在低階「英帝」治下的人民，在家鄉的她們，也就被加以運用，使她們「自願」參加「勞動服務」。

「蘇聯老大哥對我們的感情是說不完的……」共產黨的肥胖而妖冶的女指導員在識字班上講着大課。

「陳指導員！」王小妹不耐煩地站了起來，她是有點天眞任性的。

「怎麼？」陳指導員很詫異。

「那末蘇聯人爲什麼會强姦我們婦女呢？」王小妹聽到過不少這些祕密流傳的新聞。

「笑話！那有的事？我們姐妹們要交上個把蘇聯朋友還不容易，他們那用得着强姦？能有個把蘇聯朋友是我們的光榮，就說我，我也有好幾個蘇聯朋友哩！」陳指導員一面解說，一面現身說法，大力提倡。

「嗯！」王小妹只輕蔑地嗯了一聲，沒有話講，默然坐了下去。

「不要多講話！」坐在王小妹旁邊的李二嫂輕聲地警告王小妹。她是比較世故而善於適應環境的。

懂了「運用」的迫切需要，陳指導員的工作在加緊進行。

不久，蘇北地區便組織起了一個「蘇北各界慰問援朝歸來榮譽同志代表團」，代表團的團員需要五百多名女性，組織相當龐大，她們的主要來源是該區各縣的地主婦女及僑眷婦女。

王小妹和李二嫂既頗具姿色，便給選中了，自然被指名參加。

「陳指導員，我不要參加，」但王小妹提出了反抗。

「那不行！你必須報答人民政府對你的照顧，」陳指導員命令地說。

「去吧！怕什麼？怕也沒有用！」李二嫂站在王小妹旁邊，拉拉她的衣袖，她知道反抗是無效的。

各縣的慰問團團員集中到徐州浩浩蕩蕩出發了！慰問的目標在青島。陳指導員擔任了率領一縣團員的小組組長。

然而她們到了青島並沒看見有什麼援朝歸來的「榮譽同志」，却被每人一個房間的安置在青島的幾個大旅館中。當她們正在惶惑着共產黨的葫蘆里賣什麼藥的時候，却見幾百個正被慰問的對象似狼似虎的上門來了，原來那正是陳指導員所說的不容易交攀得上的光榮的蘇聯朋友」，可是這下子却並不困難，每一個團員配給三個，輪流「友好」。

但王小妹却有點「不識抬舉」，她啼啼哭哭的抗拒着，氣得三個蘇聯朋友賞了她兩記耳光，找組長興問罪之師了。

由是，王小妹立刻被陳指導員交給「人民警察」帶去，加以「教育」，而由她親自抵了王小妹的缺，去應付「友好」了。

王小妹被「人民警察」帶去後，他們「教育」方式，自然不外以實際行動去破除她的「封建」的貞操觀念。於是，她再被送回去，參加偉大的「中蘇友好」工作了。

畢竟還是李二嫂馴順，和陳指導員的關係搞得很好，對「中蘇友好」工作也已盡了義務，而後獲得了一個超生的機會，一籍詞請了五天假，一溜烟跳上火車直跑到廣州，寫信給她丈夫想辦法來到了香港。

李二嫂自己的事，對她丈夫當然諱莫如深，但若要人不知，除非己莫爲；況且說起王小妹的事多了，不覺連自己的遭遇也露了些口風。結果，她的丈夫們也無可如何。只是使本來還表示有點前進的王小妹的丈夫，却氣得生了神經病。

聯俄容共史話

——士猶——

晚近一般人多不明白孫中山先生當年聯俄容共之經過，其實中山先生於民國十一年，遭陳炯明叛變，避居上海，蘇俄利用中山先生情緒惡劣，乃派越飛爲代表，到滬謁中山，議論契合，幾度磋商遂發出共同宣言，是爲國共合作之始。其宣言略謂：「孫中山先生認爲共產組織或蘇維埃制度，不能導入中國，因在中國建設共產或蘇維埃制度之成功要件，均感缺之也。此項意見，爲越飛先生所贊同。且越飛先生認爲中國最切要之問題，即在國家之統一與完全自主。關於完成此項遠大責任，越氏對孫中山先生保證蘇聯人民將表示其極懇摯之同情，且定能得蘇聯之援助也。蘇聯並將放棄帝俄時代所取得之特惠，而與中國訂立新約，並以進中國滿蒙爲要行；而與之解決中東路及外蒙古問題。」

關於反共初期的史實，可參考民國十六年八月十二日蔣總司令爲促成寧漢合作，通電辭職之電文，其中有云：「茲更進言中正反共之顛末：數載以來，一般多有以聯俄容共之政策，爲中正所翊贊而主持者。不知中正當游俄考察歸國之時，對聯俄容共，即主審慎分別，此事仲愷同志雖亡，而精衛同志當能憶及者也。徒以總理決策已定，游夏以隨，而更贊一詞！然亦當請益于總理，而總理之言，則曰：『中國只能有國民黨，不能更有共產黨，唯欲消弭共產黨，必包容而感化之，使融合於三民主義』。總理容共之本意如此。豈謂容納彼輩，任其侵蝕，加害於本黨？乃中國共產黨傳俄衣鉢，肯更跡監，木石爲心，感化匪易，以半出半入的黨徒，肆或擒縱之狡計；擾我腹心，亂我步伐，蟠據我黨基，分散我黨員，甚至阻我北伐，禍我民生。蓄心陰毒，必欲得本黨精神生命而甘心，勢不兩立，義無反顧。中正身爲黨員，何能漠視，此中正之排除共逆，所以具不可移易之決心也。至總理之聯俄政策，甚於俄國放棄不平等條約之一點，因與提攜，冀以完成革命之大業。乃蘇聯代表鮑羅廷貌飾同情，胸懷異志，處心積慮，必欲使本黨供其傀儡而後快。北伐以來，其所加於本黨領袖之種種壓迫，專恣跋扈，尤甚於帝國主義，自非身當其衝，決不能想像於萬一。此又中正一認聯俄應以平等爲基點，而堅決主張驅逐鮑羅廷，認爲無可讓步之餘地者也。中正之反對鮑氏非爲個人，實爲本黨全體爭人格。中正之主張排除共產黨，亦非爲個人，實爲三民主義及吾民族爭存亡。中正敢言，總理當日決不預想鮑氏及共產黨專橫陰狠一至於此！若總理今猶健在，親見彼輩所爲，則排除驅斥，敢言其不俟今日而爲之。」觀此可以了然於共匪包藏禍心，由來已漸，而排除之計，始於廿五年以前，豈但無寸尺功，而卒至九宇淪胥，則非吾人所始料及者也。

和青年們討論當前的三個問題（一）

寫給我一位青年朋友D.V.的一封公開的信

·舜生·

D.V.：您上月十九給我的信，一直拖到現在才答您，偶然忙一點僅僅是原因之一，眞正的理由還是因爲這次您所提的問題太多。

老實告訴您，您這次所提的九個問題，內中的（一）（四）兩個，多少帶得有點專門性，您與其拿這樣的問題來問我，還不如就近去問您爸爸的老友吳先生，他對於這一方面是本行，而且我過去也聽過他有關這類問題的意見，相信他的答覆一定比我的可靠。

關於（二）（三）（五）（七）四題，我本來也多少有些意見，但考慮太不成熟，暫時還只好保留，等到將來有機會再說，現在所要答覆的，僅僅是您所提的（六）（八）（九）三個問題而已。

您問我：（第九題）像您這樣一個大學三年級學理科的學生，對於目前的政治問題應不應該過問？尤其有關反共抗俄這類的青年活動，應不應該參加？這個問題看來頗簡單，實際却很值得鄭重考慮。以您的資質，以您家庭經濟的情況，讀完這兩年的大學自然沒有問題，甚至在大學畢業以後，再拿三五年去求深造，這種可能也很大。假如中國是一個正常的國家，世界也是一個正常的世界，我便會毫不遲疑的答覆您：什麼事也用不着您去管，您只專心致志去滿足您求知的欲望，好好去鍛鍊您的身體，行有餘力，再揀一兩件您所最歡喜的事情去做做，作爲您的餘興，我確信您必有成就；等到您二十五六歲以後再去投身社會，我也相信您必能有所表現。可是現在的情況却相當的糟：反共抗俄既成了大多數人一致的要求，而三十年來的中國政治，也好像和青年的生活脫離不了關係；眞正能夠愛護青年的人不見得多，但看中青年的力量，願意預支青年來提前使用的人，却眞是不少。您既處在那樣一種環境，而您又素來富有熱情，要您完全擺脫，不去牽入這種漩渦，恐怕事實上也很少可能；但我必須提出兩點，請您特別留意：一、您要相信眞正能救中國的只有科學，您現在在化學實驗室所做的那些工作，您千萬不可誤會它的價值會比起任何活動爲低；二、反共抗俄是不錯的，假定不得已非耗費您一部分的時間不可，我總也希望您要站在一個有知識的大學生的立場，先要把這個問題的內容，弄個清楚：共是什麼？俄是什麼？非反它抗它的眞實理由又安在？能如此，您便仍不失爲一個大學生的常態，庶幾不會被一般淺薄的領導者，在幾句空空洞洞的口號之下，便可把您牽着亂跑，而離開了您求學的本位。您要知道：反共抗俄是一個艱巨的工作，也是一個長時間的工作，即令您目前不去直接參加，在五年六年之後，我仍敢擔保不怕您沒有用武的機會，我相信我這個看法是有確實的把握的。

維也納的誘惑

維也納警方最近要求市議會在各公園中，增設現代化的照明設備，警方的建議書中說：「目下燈光晦暗，對治安頗多威脅，同時也是犯罪的淵藪。」但議案却爲市議會所否決了，議會認爲維也納的幽僻園林，是充滿羅曼斯風情的所在，正是維也納美麗而誘人的地方。

·弟啓·

赫德傳（十四）

中國之友（三四）

毛以亨

威氏見李謂中國政府如繼續濫徵捐稅，彼將使海關停辦。而內地稅之重，往較海關稅多出四倍，惟有請於凡繳過子口稅之貨，內地即不再徵稅。到北京即向總理衙門提出此類要求，未得許可，至以撤退使館與僑民爲威脅，總理衙門聽赫德勸告命令總稅務司報告對外貿易情形以謀緩和，並藉以表示中國確有修訂商約的誠意與準備。然威氏又悻悻至滬，外交團以爲中英邦交行將破裂，不料威氏又電其滯留漢口之調查團Grosvenor等啓行。赫德報告書于一八七六年一月送達總理衙門，威氏又回京交涉，旋又第三次折回上海，以待Grosvenor的當面報告。據中國調查馬加理爲野人所殺，李鎮國確參加襲擊Browne，而岑毓英則無責任。威氏謂錯誤之責任實應由中國政府負之，與其殺幾個野人與低級軍官不能塞責的。爲担保將來的安全起見，他要求外交關係與內地稅之徹底改善。倘仍達不到目的，即將要求審判岑毓英，如再不答應，而藉證表報告書以圖卸卸責任，他將要求英政府佔領若干領土以爲執行賠償之保證，這不是交涉而爲威逼了。總理衙門請赫德到總理衙調停，其實此時英政府無意用兵于遠東，威氏全是效法一八六〇年城下之盟的威脅姿勢。

赫德代表總理衙門提出調和方案如下：一、中外商人付子口稅後，均可帶洋貨到內地。二、子口稅二厘半，適爲關稅之半數。三、中外人士對出口貨亦用子口稅辦法。四、開溫州宜昌北河爲商埠。

威氏初欲不理，[illegible]爲全權代表到烟台晤[illegible]急自牧場。威氏于[illegible]接恭王函附有任李爲[illegible]法德俄與西各國使在[illegible]。月底威氏始收回[illegible]，一八七六年九月十[illegible]，十七日中國政府即[illegible]三部：第一部關於馬[illegible]規定中緬滇路通商章[illegible]踪，英國派兵駐大理[illegible]兩，並致書英國道歉[illegible]來往及司法問題；第[illegible]已付關稅子口稅者均[illegible]溫州蕪湖北河開爲商[illegible]能通後實行，大通安[illegible]客貨之所。經赫德的[illegible]約除子口稅外，不比[illegible]協定爲壞。英國則直[illegible]始行批准，各國亦以[illegible]爲遺憾。

我從莫斯科監獄釋出

Z. Stypulkowski 著　由之譯

牢房規則　官樣文章

蘇聯每一所監獄中，都貼有一張相同的獄室規則表，裏面規定睡覺的時間是從晚上十時至翌晨六時，再從下午二時至四時，一共有十小時的睡眠時間，[illegible]但這種人道[illegible]的性質，實際[illegible]能，因爲每當晚[illegible]，獄方幾乎天天[illegible]迫口供。

在我受審[illegible]有一晚沒有受到[illegible]的傳訊，他在當[illegible]：「明天我再找[illegible]但到時他竟未如[illegible]安穩睡一覺的，[illegible]神經質狀態下，等[illegible]詢，以至於過度[illegible]不能合眼。

有時候我在[illegible]點中間，就被獄[illegible]，在這種情形下[illegible]晨三或四點鐘左[illegible]獄室，但內心却[illegible]爲我知道除非獄[illegible]對正燈光，或是[illegible]雙手放在毛毯以[illegible]何人會來打斷我[illegible]以一覺睡到六點[illegible]

[illegible]

神祕鎖聲　驚心動魄

[illegible]

中華民國僑務委員會頒發登記證台致新字第壹零貳號

自由人

THE FREEMAN

（半週刊每星期三六出版）

（第一七八期）

每份港幣壹毫

督印人：李光華

社址

香港高士打道六六號

電話：二〇八四八

GLOUCESTER RD.
HONG KONG
TEL: 20848

承印者：東南印務出版社

地址：高士打道六十四號

台灣特派員辦事處

台北市館前街五十號

台灣總經銷處

台北市中華路一二五九號

大局在醞釀變化中

我們有特別提高警覺的必要

左舜生

在美國總統的競選中，艾森豪威爾曾表示當選後即赴韓一行；並主張加強南韓軍，其理由似乎認爲韓國事件應由韓國人多負責任，俾美國在韓的龐大軍力能逐漸退出；此外似乎還有一個總原則，便是亞洲事應由亞洲人自了，在美國立場，好像只能加強物力的援助，而人力的損耗則必須力求的減輕。

這樣一套辦法，並不是艾帥發明，魏德邁老早便提過由韓國退出的主張；塔夫脫也曾有過類似的想法，其適用的範圍，並且不以亞洲爲限。

這一串辦法在未來的演變如何，目前尚難斷定，但其適合大多數美國人的心理，則似乎是事實，否則這次當選美國總統的便可能不是艾克，而是史蒂文生了。

圍堵政策弱點甚多

民主黨的「圍堵」政策，乃是以美國的人力物力，參加當地一切接近鐵幕的國家，從四面八方對鐵幕一圈，共產野獸不去加以閘堵，使牠們不至潰圍而出，以致弄到泛濫而不可收拾。這一政策的優點，在就現狀加以制止，使之不趨擴大，而徐圖徹底解決的辦法；其劣點則以圍堵綫太長，竟不是美國的力所能任；而且因爲圍堵綫太長的結果，在這條綫上所參加的弱點一定很多，一旦野獸突闖而出，美國依然不能不站在第一綫而首當其衝，韓戰就是顯然的一例。尤其有一個不容易補救的弱點，便是這一政策的執行，對於美國物力的消耗必日趨擴大，而問題却終於無法解決。蘇聯的目的在拖，愈拖可能使她的準備愈强；中共的目的也在拖，愈拖可能使她的政權愈穩。我們之所以對「圍堵」政策不能苟同，其原因便大半在此。

共和黨顯然是對這一圍堵政策不滿意的，杜爾斯已曾反覆加以說明；艾帥在過去本來是這一政策的重要執行人之一，他之所以毅然放棄歐洲聯軍的統帥，而要進一步取得美國總統這一位置，這不能不說是美國的世界政策必然要趨於轉變的一個前奏。

美英會談的重要性

現在隔艾帥進入白宮的時間，還有兩個月以上，他在這兩個月的期間，必然要就美國對內對外的一切一切加以全盤考慮。艾帥本人在勢不能不到遠東一行，而邱吉爾首相亦必然於明年的歲首，翩然赴美，這兩位巨人的握手之日，大概便是美國的世界政策快要到達確定的時候了。

我們可以相信美國未來的政策決不是消極的；整個世界局勢，也決不容許美國消極；不過在她這個政策將轉變而未轉變之際，一定要引得各方面皇皇不安，甚至連蘇聯也不能不誠惶誠恐，這是必然的。

在亞洲，因艾帥當選而首先感到不安的，大概便是日本；因爲美軍如果自韓境撤退，則日本無論爲抵抗侵略或加強自衛，均非積極再武裝不可。可是就日本一般的情形而論，過度的加速武裝，確爲日本當前的經濟情形所不許；即輿論亦尚有待於轉移；如進一步因加速武裝而召致蘇聯與中共的聯合侵略，再加上日共在內與之呼應，像日本這樣一個元氣還未完全恢復的國家，確實有些吃不消。不過，以我的看法，蘇聯遲早總是要清算日本的，在亞洲繼南韓以後而有挨打的資格的，首先便是日本無疑。毛澤東有幾句話說得不壞，他說：『對付帝國主義好比武松打虎，你打牠，牠要吃你；你不打牠，牠還是要吃你！』今天日本的處境，便正是如此。既是遲早要被俄帝來咬一口，與其靜坐被吃，便還是不如積極準備站起來抵抗的好。日本要抵抗蘇聯，在戰前有賴於美國者多，在戰時與戰後，則有賴於中國者大，這一點，日本應該明白，美國應該明白，台灣也應該明白，除掉中日密切合作，加上美國的大力援助，亞洲問題終無法得到徹底解決，尼赫魯先生儘管有種種的幻想，種種的說法，其結果是不相干的。

台灣須有本身辦法

在台灣，似乎因艾帥的當選，也有種種不同的反應，實際講起來，悲觀固不必，樂觀也無用，因爲以目前台灣的處境，無論客觀形勢如何變得有利，假如自己不有一套與客觀有利形勢相配合的辦法，便終於不能發生了不起的作用。軍援經援多少可以仰賴美國，政治則非靠自己不可，以目前台灣的政治而論，不僅反攻大陸不可能，即能也無由，這是很客觀很坦率的一句老實話。

總而言之，整個局勢確在醞釀變化中。我們確有特別提高警覺的必要了。

怎樣實現反共聯合陣綫

大陸沈淪，極權殘虐，兆民淒慘，萬千流亡，我們面對着這個萬古未有的悲劇，早應警覺到這不是「政權的轉移」，實爲國家民族存亡絕續的關鍵。所以自由中國以至海外人士，無論在朝在野，均應泯除過去一切恩怨的畛域，捐棄個人權利的私慾，在朝者固應秉持恢宏的態度，有容人的作風以示人；在野者亦宜以互諒的精神，共信的決心以相赴，在反共抗俄的大纛底下，實以復興中華爲首要前提，決以民主建國爲必循途徑。

克服危難端賴民心

國家的危難能否復蘇，端視國民的普遍意志爲其決定的唯一因素，因爲國家是國民全體生命的寄託所，也是國民普遍意志的表達場。在朝者固爲主權行使的代理，在野者則常能表達民意的歸趨。因此在朝者既不能依循理想主義者的國家觀，而以政府的實際措施，就是國家各種理想的實現；至於在野者更不應因襲十八世紀型的個人主義民主觀，竟視政府爲惡魔。

我們必須求之現代最進步的「整體主義的民主觀」，而於診治國家的病根，應以朝野二者的意志，都是診療上的決定因素，醫治的成功，繫雙方對於治療與一個階段的同意，惟於其間的同意，分析到底則爲雙方認爲政治應該怎樣的見解而定。然而「政治應該怎樣」的核心問題，最後仍應以國民的普遍意志爲依歸，所謂「民之所好好之，民之所惡惡之」。

如何達成積極陣綫

我們試看今年雙十國慶海外同胞的愛國熱情之自然流露，已充分表現着反共抗俄應有聯合的需要，朝野人士也有適應時勢，順循民意而作反共抗俄大聯合的呼籲，所以反共非共的中國自由人士，如果大家都能共認：個體的救國建國的意志，祗有在整體的國民普遍意志中，精求它的實現，那麼，對於反共抗俄的大聯合，應無異同了。惟問題的核心，却在怎樣完成健全而發生積極作用的聯合陣綫，才能發揮它更有效的力量，完成復國建國的大業。

·曹子友·

茲依管見所及，願就商於海內外的賢達！

一、應重視學術思想，建立反共建國的文化思想的主流——因爲反共抗俄是思想總體戰，民主建國更須有積極而健全的思想爲領導，我們痛心四十年來，「中華民國主權屬於國民全體」的中國大陸，何以竟至淪爲極權統治的慘局；至於三十年間的反共，過去在朝者固祇重軍事的征剿，而在野者却也沒有自文化思想上建立反共思想的體系。今天對反共沒有深長經驗的友邦，也已逐漸重視反共思想戰了。我們倘把三十年的經驗，作忠實而透闢的檢討，當能洞悉國民黨十六年的清黨以至江西的圍剿，未能根絕「共禍」的原因。迨至抗戰以後，馬列思想已深透每一角落，雖欲戡亂；而其勢已不可遏』。因此「主權屬於國民全體」的國民普遍意志，便隨中共的操縱指使了。

今天民心雖已復歸，但倘仍無文化思想的主流，以團結民心，則馬列謬說，仍難免乘隙蠢動，是以縱有反攻大陸的軍事勝利，恐仍難保持建國的根基。這是朝野人士均應往知來，亟圖建立反共建國的文化思想主流爲職志的。至於自由中國與海外書報的文化交流，尤爲目前所應即行實現的。

基礎在重視新興力量

二、應重視新興力量，並延攬眞才，容納而爲反共建國的新生基礎——自大陸沉淪，所有反共的黨派，有如敗戰的軍旅，除被俘或投降者外，尚餘存之意志堅强的份子，均已分別重整陣營，建立新生力量，準備再上征塵。至於逃離大陸或仍困敵後的反共愛國忠貞之士，雖未立異鳴高，孀情釣譽，但因痛中共的殘虐，念國家之危難，各自奮與，無論執筆或執戈，各本其智慧思慮，或發爲讜論，振奮民心；或糾集人民，反抗極權。這些新生力量，雖沒有形式的結合，但其領導社會所能發生的實際效能，當較過去徒擁虛名的人物，更能發生眞實的作用。所以在反共抗俄的聯合陣綫中，不但不應忽視這些新興力量，尤應選拔其中眞才，容納而爲反共建國的新生基礎。

三、確立文化指導政治，政治指揮軍事的反共建國的根基——自民國以來，始因內亂頻仍，軍權比年日增；北伐以後，征剿誅伐，歲無寧日；迨至抗戰軍興，在軍事第一的口號下，竟釀成軍人第一的局面，視文化只爲宣言文告之所需，淘致躓[illegible]人才，徒給中共以可乘之機。現在既以復興國家爲首要前提，以民主建國爲必循途徑，那就必須改弦易轍，務須本文化思想的主流，爲指導政治的最高原則，而軍事之指揮調動，無論其爲進攻或退守，均以實現政治的目的爲依歸。因爲軍隊是國家具形的強力，應祗以實現國家的政策爲其唯一的任務，絕不應作爲政爭的工具了。

各反共組織應團結起來

四、懇行國是座談會議，建立反共抗俄聯合陣綫——「團結國內外反共力量，聯合國內外反共團體，建立反共抗俄聯合陣綫」，已列爲國民黨的政綱，爲實現這一政綱，當以由政府策動，招請各反共團體及學者名流，舉行國是會議，共商反共抗俄的大計，與復國建國的良猷，這是團結反共以行動昭告中外之最有效的辦法，而所有反共人士的愛國意見，也可藉着民主方式的國是會議，盡量表達；政府亦可資周諮博訪，洞察民隱，且可延攬眞才，共負艱鉅。國家的命運，周決於國民全體的總意志，而實現國民全體總意志的途徑，全賴朝野人士循民意所趨而作忠誠的商討與策劃，所以反共抗俄聯合陣綫的初基，端賴國是座談會議的實現。

中歐建新防線

從波羅的海至西德巴伐利亞境內的阿爾卑斯山邊，英美法擁有一個完整的空軍基地連鎖，它們都是納粹空軍所遺留，建築優良，經三國盟軍改善後，已能供現代化的噴射機運用，不過這些基地却有二個缺點：一、過於接近鐵幕，其中許多距離蘇俄範圍有噴射機十分鐘的航程；二、這些基地的供應綫都是向東的。

對於這些缺點的最好解決辦法，唯有將盟國駐德空軍自這一帶基地後撤，而在萊因河西岸另建基地，俾能遠離鐵幕，使盟機能有時間起飛迎擊蘇聯對西歐的進攻。

因此，北大西洋公約國，已開始在法國東北部建立一條全新的空軍防綫，約在舊防綫的後方二百至三百五十哩。爲完成這條防綫，北大西洋公約組織業已化費七億五千萬美元，其中美國所負担的部份爲百分之四十。同時，盟軍當局並訂定關於建立標準基地的計劃，以適應各會員國空軍的各項實際需求。這些基地的特點，是八千呎長的跑道，當時曾要求長九千呎，但英國則認爲六千呎已足，結果加以折衷，方同意了目前的八千呎長度。

建築工作雖然曾遭遇過不少瑣碎的困難，但各個良好的基地業已逐一完成。目前「中歐戰術區」內所擁有的八千呎長的新跑道，已超過年前三倍。到本年底，大西洋公約組織的新防綫上，將有六十處巨大基地暫時可供使用，以對付蘇聯的侵略。（明光取材自「時代週刊」）

更正

上期「韓戰與亞洲人」一文，中有「以符其反美陰謀」一句，「反美」誤植爲「反共」，特予更正。

韓戰和解有望？

據說：韓戰的遣俘問題，經印度斡旋結果，將有解決希望了！唯一方法就是把戰俘一律送赴韓境附近某島嶼，在聯合國所組設的「中立委員會」監視之下，聽憑戰俘自擇去路。願回到原部隊去的，聽其自便；不願回去的，即由「中立委員會」收留，報告聯大處理。

這方法如從好的方面設想，所謂送赴另一島嶼云云，即是多餘的。「中立委員會」如其眞能得到交戰雙方的信任支持，則就現在的戰俘所在地執行自由遣俘，有何不可呢？如就壞的方面看，前途依然暗淡，因爲「中立委員會」的組成份子，就大有問題，不易取得彼此間的同意。除非使蘇俄、印度、波蘭、皆成爲「中立委員」，而戰俘們又大多數都是「志願」回到共區去。否則，聽你辦理如何大公地道，共黨總是要造出一大堆的反對口實來，臨時變卦的！

如果不是「中立委員會」作障眼法，假手於第三者來替俄共集團幫兇的印度，實行「強迫換俘」的把戲，則這種暮四朝三的遣俘議，絕對不會有好結果，乃可斷言。「俄共集團如能接受志願遣俘」的話，板門店和談早已成功了，還得「國際政治商人」來多此一舉嗎？

眞正的志願遣俘，俄共集團決不能答應，而眞正的結束韓戰，也未見得爲他們所心願的事。這兩種因素合起來，尼赫魯想藉調解韓戰成功以造成「亞洲領導地位」的投機生意，恐怕又要「蝕底」啊！

本週展望

·雷嘯岑·

可憐的單相思病者！

艾森豪威爾可能赴俄京訪晤史大林之說，首先是由英倫方面傳出的。前天巴黎的報紙也儼然有其事地渲染報導了。這是一種單相思病態的象徵，一心一意想教美國對東方厲行姑息俄帝政策，乃預先放出這類空氣來試探一下。

記得前年英國工黨政府出席聯大的代表楊格，再三要求聯合國應邀中共進來，第一步先請中共派代表伍修權等來大會發表意見。結果除挨受了一頓「英美帝國主義」「戰爭販子」等惡駡之詞外，別無所獲！如是，楊格慌張而且有點羞答答了，又大發高論，說中共之不肯加入聯合國，是受着俄國的挾制，以保持其綏靖亞洲共黨的餘地。

現在艾克主政美國，這般「輭骨」的先生，有些害怕，怕艾克要歐亞併重，乃想入非非，設艾克可能與史大林面商「和平」！事實，即使他們希望艾克這樣做，「不敢請耳」，造些空氣來試探一番，看看單相思病能否告癒罷了！

泰國大捕共諜

這幾天，泰國政府大捕俄共第五縱隊份子，查封共黨的宣傳機關——南辰報與全民報，議會急忙通過反共法案，宣佈共黨爲非法團體。理由是查獲了共黨陰謀證據，他們準備以暴動奪取政權。

我希望泰國政府於緊急處置的焦頭爛額行動外，更應注意曲突徙薪之策。例如：全國各級學校的教職員，平日慢不留心，盡爲共特所操縱；三百多萬華僑中，百分之九十以上是反共非共的，而泰政府不加利用，且制訂一些過分的排華辦法，如增收鉅額的居留費即其一例。此外，政治上一切足以製造共產份子的情形，如貪污行爲等，亦須特別警覺。消極積極雙管齊下，纔能夠獲致反共的實效，僅靠軍警之力，是不夠的。我們是過來人，身受其害，所以對友邦不得不提示一點意見，以供參考。

此地無銀

烏克蘭出席聯大代表巴爾諾夫斯基在大會演說，否認有「鐵幕」一物存在於共產區域，但謂：「蘇聯集團國家，將繼續關閉其國門，不許誹謗，諜間，及搗亂者進入」！這話很誠實，鐵幕是不存在的，只是「門雖設而常關」罷了。近代的門環都爲鋼鐵鑄造，是應該改稱「鋼幕」的！

如果有人問他：美國何以又能讓你這個「誹謗者」進來作公開的誹謗演說呢？我不知道他將如何答復了！

菲列特將軍函要求擴建南韓軍內幕

·知·

菲列特將軍最近宣佈，南韓軍將增加二個師，其實，在美引起軒然大波的「菲列特函」，未由艾克發表以前，聯合參謀部即已批准克拉克將軍的南韓擴軍建議。

美國防部久已承認建立南韓軍的重要，因此對於南韓軍的擴建，曾派出了[illegible]的訓練人員，且供以優良裝備。然而關於南韓軍的計劃，因爲更重要的事項繁多，不免遭受忽視，如果它被置於優先地位，南韓軍的建立，定會迅速得多。

菲列特將軍素來辦事力求迅捷，在他的領導下，原定建立南韓軍十個師的計劃，曾獲得迅速進展，他也成爲南韓政府與人民的敬慕對象。李承晚總統目前正組織羣衆會議，提出「我們誠摯支持，充份信任菲列特」，以及「在菲列特之下爭取勝利，打到鴨綠江再言和，統一全國」等口號。

在本年四月，菲列特會建議將南韓軍增加一倍，達二十個師，但當時聯軍統帥李治威將軍卻回覆，南韓僅可建軍十師。五月間，美國聯合參謀部決定支持李師的主張，並同意這十個師，應當加強，但僅能作爲支持性部隊之用，而菲列特則仍堅持他的建議。

克拉克建議獲批准

五月間克拉克將軍接替李治威將軍後，由於個人的訓練較部隊的訓練爲迅速，他乃於六月間建議增加[illegible]服役的南韓軍數字。聯合參謀部批准了這建議。八月間，克拉克將軍指出，南韓軍的擴建，已較任何人的預料更爲迅速，但是菲列特卻不表贊同。

就在這時，克拉克將軍又向聯合參謀部建議增加南韓軍二十個師，而在十月二十九日才獲得聯合參謀部的認可。但在十九天以前，菲列特將軍已寫信給他在美國的朋友，[illegible]當局已批准增加南韓軍若干師，這當然是指克拉克將軍的建議。

菲列特將軍的計劃，是擴建現有的南韓軍十個師，另加編制完整的陸戰師至少一個師。常備軍的總數，約爲二十二萬五千人左右，其戰鬥實力，與美軍相等。菲列特這個計劃的基礎，在於徵募南韓的青年，加以嚴格訓練，由美國供應裝備，然後與目前在聯軍中作戰的南韓部隊合併起來，合組成一支獨立的南韓軍。

在目前的情況下，南韓部隊作戰時，通常沒有砲隊的支持，而機槍和臼砲也極少，有時，即使他們擁有的步槍，也因過於陳舊而不堪使用，可是他們仍然英勇地爲衛國而首當共軍攻勢的要衝。韓戰初期時，南韓部隊曾屢屢敗北而潰散，但經過美軍整編和重新訓練以後，他們都已成爲優良的戰士，在戰場上迭建輝煌戰績，這種表現，乃使聯軍方面對南韓部隊的看法，這也是菲列特力主迅速擴建南韓軍的強有力的理由。

南韓軍訓練積極展開

今日，南韓軍訓練的體系，已遍佈全國各地。南韓軍也有其最高指揮部與一所參謀人員訓練學校，在南韓歷史上，這還是創舉。全國二所軍校和幹部訓練班，正不斷產生各種軍人，擔任步兵，砲兵、坦克，通訊兵，軍需，憲兵，輜重，情報，工程醫藥等各方面的任務。他們的訓練期間，士兵的基本課程，約爲八週至十六週，期滿後，或直接派入軍中工作，或再進高級幹部訓練班深造。從基本軍校畢業的學員，每日幾有七百人之多。

全國正在受各科軍訓的人，目前共有七萬人，其中多數，[illegible]曾在戰場作戰，[illegible]而調來受訓的老兵，也需經過幾種科目的訓練，不過，海軍與空軍人員卻並不包括在內，他們的訓練，另有計劃，而現在南韓的海空軍學員，爲數不多，與聯軍同負衛國責任的南韓軍，主要的還是陸軍。

根據菲列特將軍的計劃，每一支已成立的南韓部隊，都經從前線調回，由戰地訓練指揮部加以整編和重新訓練，凡患病或有其他缺陷的老兵（南韓軍中，肺病相當普遍），皆經剔除，送入醫院療治或退役。失效而不能再用的槍砲，都經更換或修理。

南韓軍的軍官，已有大批在美受訓，畢業後，即回國訓練南韓新兵，或再入部隊服役。這種辦法，成效極大，在南韓的美軍顧問團把它稱作「滾雪球的進程」。

南韓軍的建立，現在雖還在初步階段，它的實力，猶不足如艾克所要求的，以調上前線代替美國，抵抗或擊退中共與北韓軍，但菲列特的計劃如能充分實現，南韓軍的未來進展，勢將成爲共軍的一個嚴重威脅。

台北市議員選舉民主競選熱烈展開

·麗子·

台灣通訊

日來台北市正忙於改選台北市議會議員。台灣省各縣市議員任期二年，台北市議會爲第一批任滿改選地區，又爲臨時國都與省會所在，因以競選者多，遂形成異常熱鬧之局面。台省縣市議員，係以每人口一萬人選出一名爲標準，台北市現有人口五十七萬餘，故市議員名額爲五十七名，內保障女性議員十分之一，爲五名，男性者爲五十二名。關於此次選舉，有可注意之現象三點：

一、台灣省自三十九年四月實施地方自治後，由[illegible]認爲台省各縣市產生之縣市議會議員，水準不齊，應予設法補救，並有多人引用[illegible]主張辦候選人考試，但此次改選在即，并未見有新辦法公布，則關於候選人資格問題，當與以往並無變更。

二、前屆市議會，內地同胞當選者僅有一名。此次競選，則內地同胞與台灣同胞，人數相差並不甚多，據某一方面估計，台省同胞登記爲候選人者，七十一名，內地旅台同胞登記爲候選人者亦達五十三名。[illegible]其他方面之候選人尚未計算，總比例數字亦將甚爲接近，但若干人士意見，認爲台北市居民雖本省籍與外省籍者各佔半數，依選舉權與被選舉權平等原則言，應任各候選人自由競選。但內地旅台同胞，究係客居性質，一旦反攻大陸，均將歸去。故內地同胞當選者，最多不宜超過總額四分之一，而以四分之三爲對台省同胞之保障名額。此項比例固屬甚佳，但執行上亦非全無困難。如台北市第一選區可選出議員十五名，需保障台省籍同胞產生十四名或十五名，但截至現在止，台籍同胞已登記參加競選者只十名，而內地籍者亦如之。蓋第一選舉區包括大安中山兩區，皆內地來台人士集中之區域也。

三、台北市長吳三連，爲中國民主社會黨黨員，吳競選時，中國國民黨會支持之。此可表示三黨合作之眞誠與台省競選之客觀性。故此次市議會改選，民青兩黨黨員競選者亦將較以往爲多。中國國民黨黨員日後在市議會雖必可仍佔多數，但不致成爲議會中唯一的黨團，台北市競選運動，展開雖已數日，但緊張熱鬧局面，尚在以後半個月中。上月光復節，總統檢閱民防隊，有若干隊員受檢制服，即係準備競選市議員者所製贈。茶樓酒館，尚未因此繁榮。日後競選白熱化時，盼亦能避免酒食徵逐之方式，爲中國選政，樹立一新風氣。

凡能憶及民國三十六七年，各種選舉之被稱爲選災者，必至今尚有餘痛，美國總統之選舉方在結束，其一切經過，足可爲台北市競選議員者效法。記者亦爲台北市民，實不深企望焉。

亞洲已臨最後關頭（下）

蒲立德作　易安王錡合譯

中共南侵越南可慮

史太林固然還未明令由所導演的喜劇主角即時上演，但是事態是極其明顯，他是正在計劃着儘可能提早攫取越南，目前無論胡志明的共產軍或者法國軍沒有獲得大量的援助，是無法結束這流血的困局。史太林最近已命中共新建了一條自南寧通到越南邊境的鐵路，還在那個區域裏修鑄了三個飛機場，邊界上又集中了二十五萬的大軍。這樣的準備，從前中共在沿朝鮮的邊境上也同樣做過，一發動攻擊，就將我們的軍隊從鴨綠江邊驅回三八線。鑑往知來，少數的MIG十五型機，從新建的機場投入越南之戰，就可以掃蕩法國在東京的守備空軍。而二十五萬大軍的南攻，——那自然也像在朝鮮一樣會名之曰志願軍的——使法國遭遇的恐將是又一次的鄧扣克之役。

法國不能再增加足夠擊敗胡志明的援軍，除非是從歐洲本土調派那僅有的裝備優良勇於作戰的五個師。在目前這幾個師國的防務，是在掩護軍備脆弱的西歐，以法國政府對於是否調派這個部隊去越南，是極難決定的。

英美協議合力援越

英美政府對於這裏的局勢，已獲原則上的協議，即如中共軍加入越戰，英美立即援助法越。我們的海空軍應該能夠去援助的，而且至於運送美國的地面部隊，到多霧的鬱林沼澤的產米區域的越南去，那就未免愚笨了。因爲那裏的地理情勢，是絕不適合於美國的體格和美國全部機械化的部隊的。其實，在他們本土上有的是越南士兵，祇要有優良的訓練和領導，作戰的效率是會大於任何白種士兵的。而且他們祇要少於美軍十分之一的給養，就可以發揮其戰鬥能力。越南青年軍是支有希望的部隊，惜乎曾經嚴格訓練的軍官爲數太少，而訓練需時，史太林在習慣上又是最能把握時機的人，所以保衛越南的問題，實屬亟待解決。

史太林之要攫取越南，不僅爲那裏是著名的大產米區，同時也因爲那裏是通往泰國和馬來亞的終南捷徑；而馬來亞之錫和橡皮的產量，又各佔世界總生產量的百分之四十，爲英國全部屬地中獲利最多的地方。在馬來亞的尖端，就是戰略地區的新嘉坡，再橫過窄狹的海峽，又是富產石油而又擾攘不安的印尼。

越南如失泰馬危殆

在馬來亞鬱林區，共產黨有五千游擊隊在做着神出鬼沒的勾當，他們到處破壞橡樹園，居然能夠抵抗三萬英軍，和十萬馬來亞警察的進剿。游擊隊的武器，每十個人中祇有一個人有來福槍，其餘都是徒手的。然而他們還是善於戰鬥。假若史太林爲他們建立陸上的聯繫，自然祇有進佔越南，打過泰國狹長的尾部，來供應他們的軍火。那末，馬來亞將不會是長期的屬於不列顛的資產了。

史太林對於泰國山的煤錫鎢和水銀，以及剩餘的大量的米糧，自然早已垂涎三尺。而泰國的人民又是樂觀的，正像其他樂觀主義的民族一樣，他們酷愛和平，厭惡戰爭，他們大概不能抗拒共產黨的攻擊。

史太林進取泰國，也可以不經由越南，而假道緬甸，因爲緬甸的北部和中部，早已爲共產黨和其他政府的敵人所蹂躪，中共祇要五萬志願軍進入緬甸，就可以建立起共產政府。依現在的情勢看，緬甸如不能取得印度的合作和參加，是不能建立有效的防衛的。

但是，尼赫魯總理寧可信賴中共，專門致力於保全印度的軍隊，來對付巴基斯坦，對於印度東北部鄰近緬甸邊境的阿薩姆省，已爲共產黨所滲入的現實，不特無所表示，就是印度共黨在杜柏萊選舉大增的現象，也置若罔聞。再過些時，就是尼赫魯爲共黨所威脅所驚醒，恐怕爲時已經太遲了，可是，今天我們仍然期望不了得自他們的幫助。

西太平洋防禦連鎖

我們防衛西太平洋的島嶼鏈鎖，是從菲律賓起，經台灣、沖繩而至日本，在這個區域的海軍是相當強大，而且時刻警戒着，史太林要想武裝這些島上的共產黨，自然不是一件容易的事。不過菲律賓的共產黨所領導的「民抗軍」，在距馬尼剌二十里內的地方，就實施掠劫焚燒殺人等暴行。至於在日本，如果我們撤退軍隊和停止經援，日本很可能要受到共產的擾亂。

日本如若不能從亞洲獲得工業原料和保持亞洲的市場，那它將不能自給，所以中國大陸的原料和市場，對於日本頗富引力的。

在東南亞及鄰近地區，仍能保持獨立的期間，還可能希望日本不致斷然與中共作大量的貿易，一旦共產黨像控制中國一樣的佔領了東南亞全部，那日本將爲了貿易，被迫接受史太林經濟和政治的條件。而在中國被史太林所掌握的期間以內，又很難保持東南亞，不繼續淪落在他的手裏，所以日本在我們這面終是脆弱的一環。

而且，日本進犯過中國，菲律賓以及東南亞各地的人民，對於日本可說是憎恨猶新。假若今後想利用日本的部隊，到東南亞地區反抗共產黨，其結果，勢必促使這地區的人民倒向共產黨的一邊。因此，我們最多祇能期望日本人能夠參預本國的防衛。

遠東方面台軍力最強

根據以上分析，可以說今天在阻遏共黨鯨吞亞洲的大業上，遠東方面能夠給予我們軍事協助最大的，是祇有過於在台灣的中國政府的，他還有無數游擊隊，在大陸經常和中共軍作殊死戰；而農民現在已經體會到他們是爲共產黨的諸言所欺騙，所以紅色政權迄今尚在動搖中，不過時間是有利於他們的，假若再予以五年免於進攻的時間，則共產黨之統治中國大陸將如控制俄國一樣的穩固。

時不我待，亞洲已臨最後關頭，今天台灣中國軍隊如能反攻大陸，必可獲致迅速強大的發展，史太林正竭力通過那些衛星國的政府，籌策那些被迷惑的人民，來攫取亞洲，而我們爲了保衛亞洲，豈可拒絕友人的援助。

當華盛頓的大軍徘徊於冰天雪地福奇谷時，既困於糧草服裝的缺乏，軍火又是無以爲繼，可是法國的援助，奠定他們決不接受失敗的信心，終於贏得了我們的獨立，往事歷歷在目，今天同樣的信心已誕生在台灣，我們假若即時予以援助，不特可以阻遏共產黨的進犯越南，並可進而獲得中國的獨立。

艾利晤克拉克論及香港防衛

香港英軍總司令艾利爵士訪日，於十二日那天在東京和盟軍統帥克拉克將軍作長談，香港方面的軍事當局對這一次會談，在十三日消息傳抵此間以後，拒絕向記者加以批評，但靈通的人士已預料到除了論及在韓英軍的一般性問題外，將涉及香港防衛和援助問題。香港當局和香港人是同樣重視艾利爵士這次訪韓之行。

「交流」變「直流」尾巴報偃旗息鼓

粵共的「華南物資交流大會」在香港遭遇了空前的慘敗，開始報名了半個月，祇有兩個磚瓦商人作最淒涼的點綴，十二日宣佈截止報名，還那兩個磚瓦商也遲遲未肯成行。

三張尾巴報眼看着這回搞不起來了，沒有一個商人再來上當，就祇好搞些澳門的[illegible]商人湊湊數，最後，澳門商人也緊緊拉攏成軍，尾巴報也祇好偃旗息鼓。

香港的商人說笑話：「交流大會」這回變成了「直流」了。

澳「和大」代表嘴臉惹起反感

有五個所謂「和平大會」的澳洲代表，其中包括有三個女的和兩個男的，十二日靜悄悄的自廣州來，十四號那天又悄悄地返澳。

一個英文報的記者向這一羣連姓名也不肯告人的「代表」們訪消息，其中有一個男「代表」拿出一張攝有虎報譏諷「和大」的社論的照片來，說：「我們沒有消息，即使有，也不告訴你們虎報的記者」。這個外國記者固然碰了一鼻子灰，而這一羣所謂「代表」的嘴臉卻給了人家一個深刻的印象。

所謂「代表」所謂「和大」如是而已。

山額夫人空論節育談何容易

有三個子女的節育運動領袖山額夫人，這次二十年後重訪香港，小住了三日，演講了一次，報章上固然熱鬧了一回，但居民的反應不過如是而已。

山額夫人說每一個婦人要有一個醫生經常檢驗她的健康和指示她的衛生，假如香港的每一個主婦能夠做到這點，事實上她的經濟，她的家庭都無須乎節育了。香港須要節育的人大都是爲了經濟，而爲了經濟的人卻無法履行山額夫人的條件。所以山額夫人也說二十年以前，[illegible]要節育，二十年以後還是須要節育。

本報記者

香港三日

中共剝削變本加厲 廣大農民盡入絕境

【本報綜合報導】不管中共總喇叭筒的新華社在大陸各地報紙上發佈着千篇一律的宣傳謊言，把農業生產如何增高，農民生活如何改善，但我們仍能在大陸各地報紙的地方新聞中，及最近來自大陸各地人士的敘述中，瞭解到目前大陸一般農業生產，農村災況，及農民生活的眞實情況，乃是到處哀號，一片飢荒！可是中共爲了窮兵黷武地支持韓戰與越戰，更一日加緊一日的在搜刮農村物資，壓榨農民生活，其壓榨的方式，最近更有所謂「初級市場」，「節約儲蓄義倉」「互助」「合作」及「查田定產」等名目，可謂花樣百出，日新月異！似必欲廣大農民，盡入深淵而後已！

增產謊話與災荒

大家都知道，必須依靠人工，優種，肥料及天時才能豐收的農業生產，在農民遭受殘酷壓榨，而至於不能生活的情形下，及大量農民被迫參軍的情形下而能提高生產，實在是不可思議的。對此，本報一七五期曾詳舉數字，予以揭穿。事實上不僅是未能豐收，增產，而且是全國已陷入一片災荒之中，災荒嚴重的要算華中區，據本月三日長江日報所載：該區各省大部份地區都遭受了旱、水、虫、風等嚴重的災害，已有「數百萬」人民陷於斷糧斷炊的絕境。其中尤以湖南及湖北濱湖地區特別悽慘！而且入冬後災況將更擴大，明年春荒也勢將無法避免云云。其次要算西南區的四川南貴等省，據上月二十七日至本月四日的重慶新華日報逐載消息：該地區近來常有山洪暴發，冲毀農田、畜牧、糧食、損失稻谷在四百萬担以上，而且運許多河道的交通都遭到了阻礙！同時，蝗災也相當嚴重，正在大名發動一個「家家治蝗運動」！再次在華東方面，據上月十日至本月三日的上海解放日報連續消息：浙江，江蘇，皖南，贛北與閩北的蝗災都相當猖獗；浙江省曾發動了羣衆四百五十八萬八千餘人，點燈一百六十四萬二千多盞，從事於捕蝗工作，「華東軍政委員會」還發佈了一個冬季治蝗運動的指示。此外，松毛虫的災害也相當嚴重，據本月一日北平人民日報所載：浙江，安徽，山東，湖北，江西，河北，遼東各省的松毛虫是從所未有的猖狂，被害的農物森林無法估計！准此，現在大陸農村衰敗及農民生活的慘苦，便可見一斑了！

合作互助與初級市場

然而不管農村的實況如何嚴重，中共對農民的壓榨却是變本加厲！先有所謂「鄉村合作社」的普遍設立，它控制了農村的買賣及農民的生活，他們無限制地發行的偽幣購了農民的生產成品，而農民日常所需的用品則祇予極小限度的供應，而且大都是宿貨，次貨。繼則在農村利用積極份子，加以訓練普遍建立了「生產互助組」，控制了農民的生產權利。據本月四日上海解放日報透露的消息：不參加「互助組」的所謂「單幹農民」大遭歧視、排斥，被罵爲「頑固頭子」「落後鬼」，乃使單幹戶用較高工價雇不到工，更租不到耕牛。而且必須以由互助組合作社之間方能發生交換關係，單幹戶則只有被強購生產品的義務，而得不到任何權利，簡直完全是中共套住所有農民頸項的一種手段！這還不夠；中共最近還命令各省成立了「初級市場」工作團，所謂初級市場，一個以「城鄉物資交流」爲幌子，實際上以中共「國營工廠」粗製濫造及人民購買力薄弱，而無法出售的成品，去強逼引誘套取農民的一切產物，還不僅在有計劃的消滅私商小販，而且更進一步地剝奪了農民的生存條件。據本月三日長江日報所載：此種市場，係在「地方黨政的領導下進行」，實在完全是最經濟特務化的統治，此種統治，無論農民就範與否，都被扼殺了生活！

節約儲蓄與舉辦義倉

可是又不管農民的生活已到了饑餓、死亡的關頭，而中共的「內務部」和「糧食部」還要在上月十日（見人民日報）發佈一個「節約儲蓄及舉辦義倉」的命令。這眞是一個天大的笑話；掙扎在饑餓死亡綫上的農民固已無所可「節」，更自無所可「儲」，除了「人民政府」，人民那裏還有「餘糧」，可是他們強要「大力推廣」，要各級「人民政府」，注意秋收時發動各鄉村合作社，互助組盡量「挑戰」，要做到「戶戶存倉」，據人民日報的報導：必須以松江省二十八縣三市已積有義倉糧四千萬斤爲範，迅速推廣全國，各省「人民政府」於中共中央的命令下，已在紛紛召開會議，進行研究，積極籌備，他們虎視眈眈等候着秋收，可憐農民們又將再一次遭受宰割了！

查田定產與秋季征糧

中共爲了「保證國家農業稅的收入以支持抗美援朝和平建設的國策」，元月前全國曾發動了一項所謂「查田定產」工作，依據新華，長江，解放各報所載，各地對此一工作已獲得了巨大的成就。」所謂「查田」，乃是調查農民的耕田畝的面積。所謂「定產」，則是評定各農戶的產業標準，以作爲征收農業稅的根據。據長江日報披露，以湖北省蒲圻縣爲例，經查後的田畝數比原報出畝數多了百分之九十一點五，同時，將一般產量的標準提高到了五百斤六百斤不等，看各地報導，大致經「查」後的田畝及產量終是有增無減。雖然，其中若干地區的村鄉幹部曾發生「自私本位主義」的錯誤思想，「以多報少」「以高報低」，但立即被反爲「影響抗美援朝」，而嚴加「糾正」。現在大陸各地正在加緊所謂「查田定產」的工作。據重慶新華日報的報導，說西南區的「查田定產」工作已告完成而已開始秋季農業稅征收的準備工作，各地都成立了「秋征辦公室」，將採取「分層指導，重點試驗，全面掌握巡迴檢查。」並且由黨政首長親自下鄉掌握！算來，目前部份地區業已可以收割，因而部份地區亦必已隨之開始秋季封奪，可憐這些善良的農民，已全爲待罪的羔羊，遭受中共更酷苛的宰割了！

赤潮氾濫下武漢近事 ◎健行

我是一個商人，平時以「在商言商」相標榜，卻被共匪視爲「頑固」，「五反」期中，又被誣「偷漏稅款」，從此負了一筆還不清的武漢債，因不堪追逼，乃冒險犯難，最近從武漢魔窟逃抵這自由領域的香港，將武漢近況在廣大讀者之前作一忠實的報導，茲先述其部份如下：

殷商出路唯有自殺

漢口全市計工商業三萬六千六百戶，在「五反」期內，被鬥爭清算計二萬五千三百七十戶，據非正式的統計，因無法繳出罰款而被捕的工商人士亦達六百餘人，六月中旬，中共用盡種種方法向他們勒逼，然而他們多數抱着「要錢沒有，要命拿去」的態度，對死的恐怖已毫無懼意，自殺之事，時有所聞。如漢正街復興嚴記營造廠經理嚴子卿，被指爲「偷工減料」，罰款八千萬元，於二月二十三日逮捕入獄，限其妻於四月底前繳清，否則槍決，其妻迫不得已，即四處籌款，再將所有金飾折繳四千萬元，共兩千餘萬元，於五月二十一日始保釋出獄，餘款限六月五日送繳，嚴無法遂投江自殺，共方復將其妻拘押。又統一街順興鹽米公司經理彭錫承，以「私囤米鹽非法牟利」罪名，於二月二十七日被捕，勒繳利潤一億二千萬元，其妻黃氏以無法籌款，於悲憤中服毒殞命，最近彭在獄中聞悉此事，亦乘着守共幹疏忽之中，以玻璃碎片刎頸而死。本來中共對於工商人士自殺的消息，禁止向外公開，但嚴彭二人自殺的事，在「長江日報」卻略有透露，並說他們是以「自殺規避繳款」，作爲事後接收其全部財產的藉口。

漢口在「五反」之後，除市面益形蕭條外，即爲失業工人的增多，現偽「市府」竟異想天開，指定各大小工商戶收容失業工人，並規定資本額達五百萬元者則須收容一人在店工作，一般餘按此數類推。而壯力強的失業工人，則均被驅往韓戰場，作爲人海戰術的犧牲品。

此外工商界一般投機商攤敗類，都先後遭逢「兔死狗烹」的厄運，如工商界「代表」黃祺，早經悲慘收場，最近偽「市府」工運科副科長」李子經理孔件方，漢口印刷聯營社又被爲「喪失立場」或「勾結國特」的罪名，於七月二十日由偽「市人民法院」宣判死刑。

囚犯傷兵慘遭屠殺

在五月開始，武漢「軍區」動員武漢各監獄少壯囚犯約八百餘人，在王家墩軍用機場增建油彈庫數座，每日工作十小時，食不果腹，稍有懈息，即被監工共幹鞭撻，油彈庫於七月初建築完成，共方爲免洩露祕密，這批囚犯竟因此全部失蹤。據一住於機場附近的菜農說，在七月十四日至十八日每日黎明時分，均見大卡車數輛，滿載麻袋，曙光之下，隱約可見麻袋蠕蠕而動，同時許多居民並聽到機場附近有微弱慘叫之聲，令人陰森可怕。自這一驚人傑作演出後，鄰近該機場之住宅地區，封鎖檢查特別嚴密，居民實施五戶聯保，互相監視，如發現留客有隱匿不報者，即被加上「勾結國特」的罪名而遭殺身之禍。

共匪屠殺傷兵，現亦獲有事實證明，它自以「志願軍」名義參加「援朝」以後，受傷士兵轉運武漢醫治者絡繹不絕，傷愈者即再編送北韓參戰，殘廢則遣回鄉，而回鄉者不免以「功臣」自居，驕橫恣肆，時聞侮辱鄉村幹部，同時談中又不免論及共軍火海之厲害及共方人海之慘烈，與共俘不顧國之種種軍事秘密，現偽「軍委會」已飭令各「軍政區」停止遣送傷兵還鄉。但集中數處，又須應大開銷，故凡成殘廢者，均暗以毒藥注射致死，六月間，武漢「野戰醫院」「人民醫院」常見用車運出殘廢傷兵死屍出外埋葬，即此之故。近來這一秘密漸行外洩，乃由醫院方面公佈所有死亡之傷兵，均係因中「美帝」毒彈及細菌不治，隨由各機關部隊開會追悼，並從優撫恤「烈屬」，藉以掩飾此一曠古未有之暴行。

會稽山下壯士喋血（二）

諸暨反共鬥爭一頁燦爛史篇

鍾海良血灑東區

鍾海良是代趙和光率縣自衛第二大隊回小東一帶活動的。他回小東時，匪已劫收橫山區區署，他於回小東後的三天，即率部突擊匪橫山區「人民政府」，立斃匪三十餘人，傷二十餘人，擊斃一女性「政委」，焚毀糧倉一座，待援匪趕到，他已率部安然撤上山區，從此聲勢大振，所部迅即擴充至一千二百餘人之多，匪雖增兵橫山，却祇能守碉堡，不敢出擊。因而，他曾實際上控制了該區的鄉鎮行政，使依然屹立着自由的旗幟。但不幸在同年十月某日，他大意地只帶了一個衛士到浮塘去從洽給養彈藥的時候，突與自縣城調到橫山區的「土改工作隊」武裝六十餘人遭遇，一時已無法走脫，乃不得不就近躍上民房的樓閣，作困獸的掙扎；匪衆一面包圍該屋，一面由匪酋率匪四人衝上樓去，他乃與衛士用所佩快機掃射，立斃匪酋匪兵五人於梯次，隨即乘勢衝下樓梯，力圖突圍，但見屋外匪軍甚衆，乃不得不伏地據檻而戰，又立斃匪六人，未幾，見衛士已戰死，乃取衛士所棄械彈，雙手發射，又斃傷匪數人，卒以彈盡無援，即縱身衝出門外，奪獲步槍一支，與匪肉搏，中彈受傷以後，猶以槍托縱橫衝擊，傷匪三人，最後終於在亂槍中壯烈成仁。

在現代機動武器的戰爭中，像他這樣以一當百的英勇壯烈的戰況，幾乎有如神話！他使匪爲之心膽俱裂，使民間爲之傳頌不已！

許長水力戰而盡

當鍾海良在東區游擊的時候，許長水在西南鄉展開了強力的活動。許長水在抗戰時期已爲游擊的能手；驍勇善戰，曾兩度攻擊過諸暨日軍的碉堡，戰績輝煌，頗得中美合作所贊助。他於左足曾受過重傷，因而還是一個艱於步履的跛子。體力、意志、卻都很強盛。只是政治修養欠佳，不免對所處的環境，有一種抗戰歷史重演的錯覺，缺乏高度的警覺性。他在西南鄉對匪展開大小的戰鬥不下二十餘次，每次都略有斬獲，聲勢自然日壯，部隊由於漫無計劃的擴充，行動的窒礙和給養的困難都未加以顧慮，終於在九月初旬遭到了匪軍大規模的圍攻而他的那些隨便加以擴充的部隊便反成了累贅，激戰一小時，他的左右翼便垮了下來，他因而被突然包抄過來的匪軍擄了過去，立被解囚到了縣城的拘留所里。幸而終算他的神通廣大，不到一個星期，便說服了兩個警衛的匪兵一同逃了出來，立刻回西南鄉收拾了他的殘部，移到諸暨紹興邊區的山中從事整頓，仍恢復了一個完整的大隊。此後，他爲雪前恥，即有計劃地突擊了匪西區的「人民政府」，一舉擊垮了匪駐軍及武裝的「土改工作隊」，斃匪有七十餘人之多，武器彈藥也因而自匪軍手中得了新的補充。但不久，他又在新根基地遭大規模兇猛的圍攻，戰況異常慘烈，雙方死傷皆重，山上山下，可謂一片血色。大約激戰了三小時，他的部隊已犧牲了近半，他一看後援既絕，彈藥又消耗殆盡，乃不得不冒死突圍，詎知剛衝過一座山頭，即遭伏匪橫襲，所部又折損一半，乃不得不死守硬拼，最後，竟戰至只剩二十餘人時，他終於舉槍自戕，慷慨殉國了！他和他的同志的死是悲壯而可惜的。然而他已向共匪取得了浩大的代價，因爲事後掩埋的屍首共有一千三百餘具之多，顯然，共匪的死亡是更多於游擊壯士們的。（山玉）

少數民族不堪高壓 黑夷反共組織擴大

黑夷族是具有約三十萬人口的民族，散居在川康滇三省交界的山地裏，自從中共竊據中國大陸後，一而再，再而三的大吹大擂：少數民族已經歸到「祖國」的懷抱裏來！少數民族都在歡天喜地的迎接「人民解放軍」……諸如此類的吹噓，充滿在任何赤色政權下的角落。當偽政協在北平粉墨登場的時候，中共還推出陣前「起義」投降的雲南人張冲來冒充黑夷，在會議席上舉手充數。

可是，根據雲南的報導，不斷詳背：中共竊有雲貴川以後，先後試探進入夷區凡七八次之多，而無一次倖獲成功：一九五一年秋，中共遣代表蘇炳武自西康鹽邊縣經拉藤田到黑夷區域甘塔溝黑夷民族部落，去會小劉家（黑夷民族部落姓氏）的「大黑夷」（社會領袖）頭目劉深都。會談的目的：只想有代表駐夷區。爲烈氏所拒絕。同時，另外自雲南藩坪縣經阿比里，向苦蕃地去會小張家的「大黑夷」頭張要子，提出同樣的要求，遭到同樣的失敗。雖然派到張要子那兒去的陳奔委，他是永勝縣（永北）的縣委，而且研究黑夷問題與居住黑夷區的四周圍已多年。

與黑夷交涉，均告失敗。

今年初，鹽邊縣更變本加厲發生了事故：五六十個民兵到棉花地去催糧（棉花地在抗戰前係漢人勢力，現爲黑夷勢力所及地），道經「一碗水」的山頂，遭到黑夷的搶劫，民兵十四人被殺，搶走槍械十七枝，擄走民兵三人。二月以後類此的事件，經常發生。

由上所述事實可以證明「少數民族」根本並未接受中共政權的高壓或操縱，另一方面可見中共對西南邊陲問題之無力兼顧。極權共產主義的邊陲縣份的種種組織，仍不能阻止黑夷勢力的擴張。

其實，黑夷之與中共不和，要遠溯到流竄二萬五千里的所謂「長征」的時代，那時候「紅軍」慌慌如喪家之犬經過黑夷區域，極盡欺擾夷民之能事。當時，劉伯誠也曾與黑夷以「打親家」（結乾親）與「喝生雞血酒」（誓詞酒）等手法，向黑夷進行拉攏工作。按說一面是「敗兵壓境」一面「巧言令色」應該有所成就了，可是，並未收到任何預期的效果，而相反地，黑夷洪最有方心中的：中共曾經挑撥過他們黑夷與娃子百姓間的階級仇恨。（按：黑夷民族分：黑夷，百姓，娃子三階級）。今日封殺中共幹部的事實，不過昔時種下惡果的滋長，少數民族「歸到祖國的懷抱」，只是中共欺人自欺的濫調。（鏡）

扯把子與擺擂台

為方

自由談

「扯把子」語出川諺，意指人們爲爭取某種利益，虛張聲勢，藉以威脅對方，必須給我一份兒，否則打架鬧街，在所不惜。「擺擂台」是鼓畫武藝的術語，兩個具有流派各別，師法殊異的勇武之士，各自擺設演武台，向人羣表現其技藝，以競取大衆之同情。必要時，擺擂台的雙方主持人，不妨訂期比武一番，藉見高下。

扯把子並不一定需要眞本領，貴在能裝模作樣，恫嚇對方，平劇「打漁殺家」那位討漁稅的教師爺，即其一例。就政治情形看，像過去李濟琛陳銘樞之流，稱甚麼國民黨與三民主義的委員會同志會，以及汪精衛在租界內召開國民黨代表大會，皆爲絕妙的扯把子方式。擺擂台卻必須有點眞實工夫，因爲這是要向社會大衆博得信用，而且隨時要提防同道的勁敵來挑戰，如果虛有其表，經不起考驗，在衆人之前，貽笑丟醜，那就一輩子也沒有好玩的了！就政治生活來說，政黨的主義政綱，即是武藝，藉此跟別黨擺擂台競賽，最後由人民舉行自由的選舉投票，看看成敗誰屬。這就等於兩個擺擂台的勇士訂期比武，沒有一套眞本事是不行的！

現代中國的政治社會中，扯把子的「教師爺」似乎很多，而眞能擺擂台的勇士卻如鳳毛麟角，難怪民主憲政永遠是一句空話了。世有武藝超羣，能擺擂台，不怕考驗的英雄豪傑乎？爲之捧場，所欣願焉。

仁慈

沈著

「共產黨來了，我們怎麼辦呢？」當德清淪陷的時候，年青的徵溪鄉鄉長稽嘉滕惶惑地問着曾任他前任鄉長的父親稽桂林。的確，在天翻地覆的關頭，大多數人總不免有點恐懼的。

「不要緊」但是他的父親卻顯得有恃無恐，處之泰然。

「爲什麼不要緊呢？」稽嘉滕有點不解。

「一來，我們沒有做過惡事。二來，我從前當鄉長的時候還救過一個共產黨員哩。」稽桂林很自信而樂觀地告訴他的兒子。

稽嘉滕忽然想起來了：那是民國卅四年春天，當粟裕匪衆流竄浙西而被擊退的時候，縣政府抓到了一個匪諜份子朱企林，剛是徵溪鄉已離鄉方七年之久了的鄉民，他自己雖只承認在長興做了長工回來，但他嚮導匪軍進攻德清的事實是一點不假的，因而已判了他的死刑。可是稽桂林卻認爲有點冤枉；他說做人當以「仁慈爲懷」，又說「救人一命，勝造七級浮屠！」由是，乃向縣政府以全力保了他出來，超了他的生！現在，嘿！才相信他偏的是共產黨，而且已貴爲剛好是管轄徵溪鄉的「區委」了。但還在稽桂林並不以爲救錯了人，且潮覺得身逢亂世，正像買中了頭獎的彩票一樣幸運。

不錯，朱政委果然很有「情義」地照顧了稽桂林父子；先是訪問、安慰、道謝；態度非常誠懇可親！後來還一再寬慰稽桂林父子說：

「不要怕！人民政府對善良的地主是寬大的。你們父子，我担保更不成問題。」

這對稽桂林父子的確是一帖安定劑。可是不久，徵溪鄉就出了亂子，下鄉還糧的糧食科黃科長給人暗殺了，徵溪鄉及幾個鄰鄉的鄉民五十一百的給捉進了「人民監獄」裏，也有三十五十的鄉民逃之夭夭，弄得雞飛狗跳！稽嘉滕也弄得神魂不定，結果也三十六着，走爲上着，跟朋友們溜到了上海。

再不久，「土改」開始了，「清算」「鬥爭」的把戲一冊又一冊地演了出來。稽桂林父子正是徵溪鄉的第一號「大地主」，又當過「反動鄉長」，當然是「鬥爭」的主要對象。只是稽嘉滕已飛身遠颺，爲免打草驚蛇，反使稽桂林更受到了朱政委的熱烈「照顧」；誰都覺得稽桂林的確幸運。

朱政委甚至後來還給稽桂林送了一百萬塊錢人命幣來，他說：「嘉滕在上海一定不夠錢化，這筆錢可以給他做做零用。」又說：「我很願到上海去望望嘉滕，盡一點朋友的情份。」

這樣的「大力照顧」誰說不是好意？稽桂林當於感激涕零之餘將他兒子在上海的住址告訴了他，他也眞的就立刻動身到上海去盡其「朋友之道」。他走時，稽桂林還特地寫了一封說明他對他們如何幫忙的信託他帶去，稽桂林很希望他的兒子能回來團聚。

朱政委找到了稽嘉滕眞是百般殷勤；不僅送給他一百萬塊錢人命幣，而且還陪他看京戲、坐舞場、吃館子，痛快地玩了個把禮拜。最後才開口勸他回去，他曾一再誠懇而負責地拍拍胸膛對他：

「嘉滕同志，何必自惹嫌疑，自尋苦惱？相信我，人格担保，我包你回去太平無事！」

稽嘉滕本來已經決定跟朋友們一同逃到香港來，但一想朱政委的話也不錯，加上他父親也堅決地勸他回去，他於是終於欣然隨着朱政委回去了。

共產黨的功夫眞使淹死鬼都騙得上岸——何況以恩可以有恃無恐的稽桂林父子？

可憐！父子家人都只團聚了一天，第二日就被區「人民政府」的「解放軍同志」抓了去。而且眞是乾脆利落得很，只關了三天，就被押上「公審台」了。

稽桂林父子曾一心想找到朱政委向他乞救，但怎麼也見不到他的影蹤！綁上「公審台」後，只望蒼天能幫他們將朱政委找了來得個救星；那知轉眼間赫然出現台上的「公審大會」主席却正是朱政委！而且「公審」一開始，朱政委劈頭就數了他們一大批罪狀：當過「反動鄉長」，阻撓過「人民革命」，是地主，剝削過勞苦大衆，有餘勢，乃是土豪惡霸。

「該殺！」預佈好的鬼嘯，稀稀落落地從羣衆中喊了出來。

「朱……朱政委！」稽桂林父子有似人窮呼天。

可是朱政委像並不認識他們，只見綳現着一臉殺氣！他們就在這股殺氣之下立即被拖到了台下的曠場，驚懼而哀傷的羣衆瑟縮在四週。

「天！仁慈？仁慈！」稽桂林回頭恨恨地望着朱政委，痛悔無極，老淚縱橫。

「救人？救人！假使當年不救這個忘八蛋的命，何至父子同歸於盡！」稽嘉滕也悔恨交加，泣不成聲！

然而懊悟已經遲了！只一兩分鐘的過程，他們就倒在血泊中了。

和青年們討論當前的三個問題（二）

・舜生・

你說在今年的暑假，曾看過十幾種文學書，興趣很濃厚，因此問我（第八題）你能不能在這方面也可能作局部的發展？我看你近來給我的信，覺得比以前活潑流暢多了，而且動輒是洋洋灑灑一兩千字，我正在奇怪你那樣一種沈默而不愛發議論的態度何以忽然變了，沒有想到你那裝着許多公式的腦子裏，居然加上了這類的東西，這實在是一件可賀的事。我平日有一種主張：一個幹經濟事業的人而要不流於市儈，一個搞政治的人而要不變成鄙俗齷齪的政客或官僚，一個熱心於教育或宗教的人而不要弄得迂腐可笑，乃至一個醉心於自然科學的人而想不過度爲自己的天地所拘，還要領略一些些人間的喜悅，……；我總覺得最好能把他的腦經變動變動，變換變換；而最能使得一個人把他所專注的事項暫時放下，而能得着一種遊心於物外之樂的，就我所知，似乎莫如藝術。換言之，眞是我們所鑽研，善是我們所期向，可是世間的純眞與至善，還需和美分得開嗎？不問你欣賞一幅書畫，靜聽一曲音樂，或看一齣名劇的演出，或偶然讀到一部眞能使你陶醉的文學作品，它可能使你感到會心的微笑，有時也會使你覺得憂來無端，這不只會使得你的生活更爲豐富，心境更爲開擴，我相信，即對你所專注的學問或事業，也會使你得着一種意外的鼓舞。

我知道你對化學特別感到興味，即在高中的成績也以此爲最優，我斷定你決不會因爲偶爾看看文學書便會改變你研究的方向，這是我所非常放心的。即以文學的本身而論，我也有一點一知半解的淺見，我覺得：大凡一部不朽的作品，其寫作者的心情和態度，與一個求眞的科學者大致是不相上下的，你只要看他描繪物情的細緻，分析心理的入微，結構遣辭的斟酌，處理一個人物的環境和地位的審愼，以及紀載當時社會上某一情況的逼眞，……那一點不與一個科學者的精神相符合？好像某一部筆記上曾說起：中國『水滸傳』的作者，當他把這部大著完成以後，他一生的心血已耗損不堪，再想從事其他的工作已經不可能了；又『紅樓夢』的第一回，敘述這部書出版的經過，也曾有下面這樣的紀載：『曹雪芹於悼紅軒中披閱十載，增删五次，』然後才『纂成目錄，分出章回。』你看，一個眞正的文學作家，其對於寫作的態度是何等的不苟！你覺得一個治科學者的態度，還有比這種『不苟精神』更重要的嗎？

至於你問我應該首先看一些什麼書？這我却不能回答，也不願回答，完全要由你自己去探索，但有一點我可以說：你還是多看那些經過時間淘汰的名著爲好，時下那些計字數算稿費的作品，假定你沒有工夫涉獵，便不看也罷。

有感

・易君左・

杜陵廣廈空詩意，日日愁披鄭俠圖；
彩筆有情憐傲骨，英雄無計獻頭顱！
西戎北狄腥羶烈，東晉南明血淚枯；
一幟猶能光大漢，流人三萬奮前驅。

君左近爲救助流亡智識份子工作，收閱各方書札著述，琳瑯滿目，知天涯海角，人才濟濟，慨然有飢溺之歎，感而賦此，特錄刊以告讀者。　嘯岑附記

中國之友（三五）

毛以亨

赫德傳（十五）

十一、赫德與海軍及外交

中國方面排外運動，不過是一時的親貴藉以互相傾軋的宮廷陰謀，不久即過去的。當前的外交必須要對付，目前祇好妥協，不能不找赫德，即使要強硬的話，亦須先有準備，言準備更不能不找赫德去籌餉購械。一八七五年海關職員有洋人四〇八，就中英人二五二，美人四七，德人三四，法人二六，瑞典人一二，丹麥人九，西班牙人五，意大利三人，奧國人五，比利時人四，匈牙利、挪威、荷蘭人各爲二，而蘇聯瑞士希臘則各一，已是國際的行政機構，什麼人才都有了。中國人共一四一七，海關經費從七十五萬而增至一百萬兩，收入在千萬兩以上，而中國兵燹之後除海關外，其他稅源均已枯竭，賠款固須靠海關，兵餉借款亦須靠海關担保，而新建設需款尤多，招商局造船廠之類更不能不靠海關。海關形成活動之中心，赫德之地位既如此重要，則英政府亦不得不加以支持，以免爲他國奪去此席，而使英國蒙其不利。

當時新政最成功者爲日意格協助左宗棠沈葆楨辦理之福州船政局，自一八六七至一八七三共七年間，有了完整具備的造船廠，日意格退休時，已造了一千噸以上的軍艦十隻，較小之艦五隻，總噸位一萬六千，大砲七十五尊，水手一千五百人，都靠海關之支持與挹注的。

一八七四年中日對台灣琉球問題發生，日本海軍實已優于中國，李鴻章乃急向外國購艦械，洋商要海關經過匯豐或東方銀行保證貨到付款，還不能不經過赫德。中國需要大砲，時英國最大之砲爲十二英寸口徑共三十八噸，裝在九千多噸的船上，若費少而砲仍要大則祇有不用裝甲用木船以減少其船身分量。Armstrong發明一種木船可裝十二噸大砲，而造價僅合鐵甲船十二分之一，赫德乃主張定造可裝八十噸，三十六噸，二十六噸與十八噸大砲之船多隻。中日和談既成，海關爲北洋購船砲之計劃仍未放棄；一八七五年李鴻章決定造木質砲船四隻；兩隻須裝大砲廿六噸半，口徑十一英寸，砲彈五三六磅，速度九海里，船身六六〇噸，口長七尺六寸，共價二萬三千磅，五個月完工，餘二隻須裝十二英寸口徑三十八噸之砲，彈重八百磅，船身四四〇噸，長八十尺，共價三萬三千四百磅，十個月完工。佣金約一萬八千兩，赫德命其駐英代表 Campbell 退還北洋大臣以爲中國官吏不能收受佣金。四船到中國後，李鴻章又命續造四隻，造價三萬二千五百磅，後山東巡撫定製二隻，兩廣總督定造一隻。但這些船祇能爲輔助艦，赫德乃建議造每小時十六海里之巡洋艦二隻，該艦亦于一八八一年八月由丁汝昌以中國船員水手開回中國，每隻造價在二十萬磅以上。但 Armstrong 已派代表駐怡和洋行爲軍火商經紀人，故一八八一年後即不經由赫德，而爲怡和洋行與各督撫直接的了。從此後代中國政府購械者，在英使館有曾任金陵兵工廠廠長的梅輝立，在法有福州船政局局長日意格，而向德購克虜伯廠者爲公使李鳳苞。

猾・盦・瑣・記

蒙番活佛

猾士

蒙番迷信佛教，崑崙青海西藏其大喇嘛皆曰活佛，謂爲能再來生，青海活佛曰章嘉呼圖克圖，位最崇，是爲國師，曰察罕諾們汗，皆稱圖什汗後身，將死必自言來世生某方。圓寂後左右於其所指偵訪，凡人家生子皆記之，稍大悉抱養寺內，哺以乳粉，教之識字誦經，取寺中世傳寶物及前佛生平愛玩之品雜陳，令其抓認，抓得一二或三四，擇其數多者留於寺，再抓亦如之，統計尤多者定二三人，俟十四歲後辦事大臣奏聞，送入京欽天監，擇日諭雍和宮拈香誦經，將各書名置寶瓶中拈鬮，拈得者引見清帝，加封號嗣位，皇帝登殿受賀，留京至十七八歲後回青海，居移氣養移體，儼然王公風度，蒙以活佛奉之，進金銀珍幣逾鉅萬，活佛乃往西藏朝大喇嘛，亦以金幣爲賜，由藏回則功德道行顯著，人更而過之，其實活佛歸着淫蕩，無所不至，左右群逢其惡，利其速死再立，藉以漁利，故活佛立多早死，番民敬信，亦因其俗而羈縻之也。

韓子朱子，人皆辯其闢佛；韓子見道過於賈誼史遷，於孔子只升堂高足，於佛氏則爲門外漢，老氏殘忍，佛氏愛戀，正是反對，韓子原道欲攻佛，而不能識佛之所以然，牽引老氏一二忿語，世是嫉俗之言，以爲於老、佛、門徑尚未認清，安能搦其病根，卒佛骨一表，史是諫君，非闢佛也。朱子深于佛理禪悅，並不自諱，大學明德註曰：「明德者，人之所得乎天，而虛靈不昧，以具衆理而應萬事者也，」試問何物，孔門中有此妙諦否？具衆理應萬事六字已包括大乘華嚴楞嚴全旨，姚江心即理也，固是即心即佛；朱子亦云夜半聞鐘聲，心中便把捉不住，試問因何把捉不住，只聞鐘聲好，便一心要去學佛耳。韓子強作解人，便落俱；朱子深識道妙，遂證圓明，學者可知所從矣。

我從莫斯科監獄釋出

Z. Stypulkowski 著　由之譯

無休息的自由

散步時，我得爬幾層樓，雖然有時也坐昇降機，但通常以徒步上樓的機會爲多，我得受盡長時間的折磨，而再徒步爬樓的時候，身心極感疲困。到達頂樓，我即被一個特別衛兵看管，再由他把我帶上天台，天台上分隔爲兩部份，四周圍以高而結實的欄杆，散步時，我舉手把手放在背後，半途不得停止，如果我與被囚在同獄中的可憐兒一同散步時，我們都不許相互交談。

在不許休息的時間內，企圖躺一躺，或閤閤眼都會受到嚴厲的懲罰，我雖然知道但無法抵抗休息的誘惑，因此採用下列方法以求獲得片刻的安寧。每天清晨完畢早餐後，我就坐在床上，把鋼碗放在毯子內作爲手臂的倚托，然後把一本書放在膝上假裝閱讀的樣子，並轉過頭，將背對着門上的小孔。但和當我開始打瞌睡的時候，仍無法逃過監視人的注意，門上立刻響起如雷的敲門聲，或者是大聲斥責不許在這個時候睡覺。僅僅有一次，衛兵把我從浴室送回獄房中時，他顯然很高興，對我說：「人民委員允許你今晨休息」。至於爲什麼會給我這種恩惠，我本人也莫名其妙。（五）

自由人

中華民國僑務委員會[illegible]登記證台[illegible]字第壹零貳號

THE FREEMAN
（半週刊每星期三六出版）
（第一七九期）
每份港幣壹毫
督印人：李光華
社址
香港高士打道六六號
電話：二〇八四八
GLOUCESTER RD.
HONG KONG
TEL: 20848
承印者：東南印務出版社
地址：高士打道六十四號
台灣特派員辦事處
台北市館前街五十號
台灣總經銷處
台北市中華路一二五九號

論忠貞問題

雷嘯岑

「忠貞」這兩個字似乎已成了現階段政治上臧否人物的唯一形容詞，甚且可以說是自由中國人士的生存要素。據聞有些政治機關的俸給預算中曾有「忠貞費」一項科目，而台灣入境之核許，亦首以忠貞與否為衡量的尺度，即足以證明忠貞問題的重要性了。

在神州陸沉，反共鬥爭最激化，而共諜到處滑蹤作亂的今日，正需要全國人民皆有忠義奮發的氣質，共赴國難，光復河山。政府激勵忠良，唾棄奸慝，自屬天經地義之事。「歲寒然後知松柏之後凋」，志士仁人的事業，也必須在危難艱苦生活中，纔得以卓然獨立，今天我們以忠貞為政治上的論人標準，固其宜也。本文所述，不是研究應否重視忠貞的問題，而是關於鑒戒和衡量忠貞的道理，也就是探討忠貞的價值論。不過，這種形而上的哲理探討，再加以古往今來的歷史事實，若要詳細地說來，雖百萬言亦不足以盡意，這裏所談的，祇是個人一些感想而已。

忠貞氣質的由來

儒家說「人之初，性本善」，但所謂忠心義氣，決非與生俱來的先天性。它完全靠後天的修養工夫、除家庭、學校、社會各方面的教育功用以外，個人所處的環境也大有關係。我國傳統文化的儒學，總是把政治和倫理併為一談，教讀書人要「先器識而後文藝」，要「士先志」，要「堂堂正正做個人」，至於這項「器」「志」的基本條件，乃在「居敬存誠」，「不愧屋漏」的「慎獨」工夫。就是教人要本着是非，善惡，惻隱之心的人性，立志向上發展，我行我素，不因環境變遷而有所動搖，更不因別人不知道就言行不一，自欺欺人。這種修養精神之昇華，最上乘的為聖賢，其次為志士仁人，最下也可以陶鑄醇樸的民德，形成普遍的人生觀。聖賢固非人人可做，志士仁人也不可能隨處得見，但醇樸的社會風氣是可以藉此養成的。歷史上許多統治階級的政權沒落時，一些不求聞達的巖穴之士，常有殉節赴難以見志者，即為平日修養而來的忠貞精神。

從政治觀點看忠貞之士，不管是忠於國家民族也罷，忠於統治階級的個人也罷，更必須經之有素，獎掖得法，使一般智識份子自動趨忠貞自矢，以求其心之所安，發乎情，止乎義，才構成一個自然而然的行為規範。周姬發封比干之墓，式「商容」之閭，漢高帝斬丁公，用意都在宏獎世人的忠義精神。趙匡胤以不許隨意摧殘讀書人為家法，刻石垂訓，終有宋代理學之興，到宋朝破滅時，節烈的士大夫也特別多，而其悲壯事節，尤當震古爍今。朱洪武動則廷杖士大夫，視智識份子如奴役，迨李自成一進京都，滿朝文武即由大學士魏藻德領班，俯首稱臣，稱臣呼萬歲了。曹阿瞞倡導用人只問才幹，不管德行之說，而魏祚不旋踵以亡。這根本是民德問題，首先要從文化教育方面着手，厚植根基，再由政府儘時揚勵各階層人士的忠義行為，循名核實，虛偽不齒，蔚成一代風氣。尤其是政治上居高位的人，必須以身示範，決不苟且假借，予天下人以共見，自有移風易俗，廉頑立懦的效用。切忌偽會使詐，以為目的不擇手段，高談忠孝節義，而一般昧廉鮮恥，無所不為之輩，盡皆彈冠相慶，蜚黃騰達。那就無異於對娼妓說貞操，向盜竊談廉潔，結果是要大失所望的。最近數十年來，我心中即常時潛存着一種疑問：當以中國之大，智識份子之多，從事國家公職人員之衆，未必竟無一二獨立特行，有所不偽之士？然只見台諫機關隨時糾彈貪官污吏，政府不斷地懲究瀆職人員，社會更多落拓沉淪的賢俊，而迄未聞有優禮一個在野高蹈亮節、在朝盡忠職守的官吏。就正面看，這是是非不明，善惡不彰的衰世象徵，就反面看，即為小人道長，君子道消的危邦形勢。因此，已成熟的智識份子，固無人珍視氣節德行之說，人隨俗浮沉，惟競功利；未成熟的智識青年，也隨時變成政治工具，無從接受良好的人格教育。一旦大難來臨，稍加考驗，而失節變德者，乃多屬昔日表面矢忠矢信，裝出慷慨烈士模樣的時代驕子，這不是很顯明的因果律嗎？

所謂道德的標準，固然隨着時代進化而有所演變，但人類總以誠信不欺，知恥自愛為美德，這種合理的人生觀，總是不能否認的。中國人革了幾十年的命，甚麼都革掉了，談道德是腐敗落伍，講氣節是封建迂闊。大家對於西方人的功利主義，生活享受，刻意學習，維妙維肖。然對於西方人由宗教精神所養成的道德觀念，却絲毫沒有「洋化」的迹象。例如，西方人對於國家或團體要宣誓效忠，對一切涉及政治法律的事項也得嚴重宣誓，而其誓言又必須絕對地[illegible]信守，否則要受法律上的追訴制裁，決無寬恕。

我們中國的文武公職人員，也曾像煞有介事的效法別人舉行宣誓大典，試問廿年來誰把誓言當作了一回事？幾曾見有因違背誓詞而受過法律制裁的？大家把起誓當着玩兒，不顧遵守，遑論誓詞且！所以，過去我每次聽着要人們在大禮堂上高舉右手，宣讀「余決不妄用一人，妄費一錢」，「如違背誓言，願受政府最嚴厲之制裁」等就職誓詞時，即覺齒冷肉麻，作嘔不已。上上下下，都以作偽哄騙為能事，「烏龜不笑鱉，大家泥裏歇」，請問在這樣的社會生活習慣中，從那裏去嗅到一點對人對事的忠貞氣味，憑甚麼來培育忠貞之士呢？忠貞精神是形而上的自發地絕對理念，它是「富貴不能淫，貧賤不能移，威武不能屈」，「人不知而不慍」的浩然之氣，非官爵所能收買，所能製造的。凡是在利慾權威之前，表示其忠貞氣概者，論個人友誼，乃為勢利之交；論政治關係，為着富貴而忠，一有緩急患難，即蟬曳殘聲過別枝了。

怎樣衡量忠貞的本質

真正具有武藝的勇士，決不輕言角力，而真正能文的學人，更不會把文事隨時掛在嘴上。同樣理由，真正有修養的忠貞之士，決不故作忠貞外貌以要譽的。文天祥史可法在其壯烈殉國以前，並不得志於時，從來未向君主或朋儕們表示過自己要作烈士的言行。即辛亥年在廣州殉難的七十二烈士，事前連姓名也不為世人所知哩！他們都是渾忘利害禍福之機，覺得這樣做即心安理得，這纔是真正的忠貞表現。他們這種完美人格，是平日從學問上，世故上以及師友之間的啓發藎陶上，日積月累修養而來的。相反地，凡是表面上大言炎炎，矜夸自炫，矯揉造作之徒，臨事決難望他來共患難，稍有社會經驗者，都可理解這種常識判斷的。民國二十七年汪精衛在漢口廣播焦土抗戰的理論，連哭帶跳地大呼「我們要流盡最後一滴血！」其忠貞悲壯的情緒，只要是看過中央製片廠所攝取的這一套影片的人，也不禁要感動得下淚啊！前武漢警備司令葉蓬，也在武漢造一座碉堡，以領袖的語句來命名，凡提到「委員長」三字即立正大響皮鞋後跟的動作，也以他倡行得最早最力。可是「皇軍」一來，他們却是漢奸中的大頭目！[illegible]，現時在大陸上「狗功」的人士，也以服務人民為[illegible]多！這原因，由於大家平時不講究節操的修養，專重表面做作，而以善寫「擁護」諸標語，高喊「服從」口號，狂響皮鞋後跟者[illegible]，以貌取人，把忠貞價值看作政治市場中的交易價格，烏乎可！

中國儒家的人生哲學，注重正心誠意，觀人於微。孔子說「夫孝，始於事親，中於事君，終於立身」，而其邏輯發展，則為「求忠臣於孝子之門」。一個人對於父母忤逆，說他能對國家民族乃至於其長上有忠貞不貳的表現，你相信不相信？由之，一味嗜功利，不惜違情悖理，即不惜忘親害友的士大夫，希望他在公生活上能夠忠貞自持，寧非夢囈！二十年來，我國政治場中常有一種自以為「進步」「歐化」的言論，如有人談到某些人的品格卑下，或薄其不修的私生活，即謂「那是個人的私事，何必管他呢？」我就決不相信一個品格卑下，甚至於可以無所不為，把妻妾女兒作求取官位代價的人，臨危難之際，他那靈魂和血液中，會有絲毫的忠貞氣質存在嗎！[illegible]不講究人格修養，[illegible]在忠貞本質呢？清初范文程奉命往勸洪承疇投降，[illegible]由洪[illegible]落下來的燕泥，即斷定洪氏決不能死節，這就是觀人於微的道理。（詳見清史洪承疇傳）可惜現代人昧於此道，只知用以形迹來觀人物，[illegible]捨本逐末，[illegible]不得要領，所以，現時政府若以入台與否來衡量人士的忠貞，那共黨人士[illegible]掩耳盜鈴之[illegible]。即專就對假人的忠貞來說，也未必完全可靠哩！

總之，忠貞問題，是一種精神生活，是民智民德所在，還要文化教育的力量來培養，與從社會關係中[illegible]，尤其需要[illegible]來培養它。這不是咄嗟可辦之事，也非鼓勵勉強所能造成的。我們現在所提倡這種精神，獎進這種精神，無形之中隨時隨地心[illegible]，[illegible]上的[illegible]。[illegible]古人有[illegible]，[illegible]，[illegible]不[illegible]，乃所好不得其道者，[illegible]也。這些故事，很可供今日研究忠貞問題的參考資料呵！

半週展望

·左舜生·

氫彈與和平

美國的原子能委員會，公佈說一枚氫彈已於馬紹爾群島中的一小島上試驗成功。這一公佈的內容雖十分簡略，但意義却異常重大。

我們現在所要問的，便是：單單依靠這種殺人武器的日新月異，是否即能防止侵略，制止戰爭？

蘇聯在過去的七年，所得已經不少，其影響即尤其普遍。今天我們對付蘇聯可能採取的態度只有兩種：其一是打破現狀以根絕其侵略的野心；其一是承認現狀，暫保表面上的和平，而依然進行冷戰。

艾[illegible]在競選的演辭中，曾表示要解放一切被侵略的國家，假如他要踐這一諾言，他便算是代表了現狀打破派；杜魯門政府，連選用一部分台灣國軍赴韓參戰，也認為事態嚴重，便似乎只想就現狀下來想辦法。

自然也有人說：『現狀是無法承認的，但戰爭却依然不能不力求避免。』像這樣一種矛盾心理繼續發展下去，當然便只能造成如目前的這樣一個世界現狀。

如果像這樣一個不能令人滿意的世界現狀大家還要繼續維持，我相信，這一定能得到斯大林的嘉許，因為他雖在積極進行他的所謂世界革命，但他却並沒有說一定非戰爭不可呀！等到他『和平的』世界革命進行到相當的成熟，他相信各國內部的動亂，便會不斷的發生，即以整個中國大陸為蘇聯所控制，在斯大林眼中，他也依然解釋為：這只是中國內部動亂的自然結果，而於他無與。推而廣之，韓戰他可解釋為朝鮮人與朝鮮人之戰；越戰可解釋為安南人與安南人之戰，即將來他煽動日本人在日本去搗亂，更煽動一切其他國家的人民分別各在其本國去搗亂，他也可出以同樣的解釋。只要世界的動亂愈多，他便認為去世界革命的成功愈近！只要蘇聯不正式出面去參與，他便依然要高唱和平！請問：如果一切動亂都只是分別的在所有民主國家內部逐一爆發，你就有比氫彈更兇的武器，又何所用之？

和平！和平！天下許多罪惡，假汝之名以行！

胡適赴台

根據台北和紐約不斷的報導，胡適之先生的歸國，大概快要成為事實了。一個人在外國住了幾年，偶然高興回到本國去看看，這本來是很尋常的，但胡先生這一次的回來，却似乎引起了許多不同的看法。

據十七日紐約中央社電，說胡先生這次到台灣準備作六星期的勾留，在台大與台師大將有幾次講演，在台大講杜威哲學，在師大講歷史研究方法，這都是胡先生最喜講的題目，大概是很可信的。

據十七日台北法新社電，便說：『胡氏此番返國，完全無政治意義，是純為了解自由中國政治而來；惟胡氏可能以其本人之資望，影響海外反共分子，變成一統一反共陣綫。』這個話多少有些矛盾：既說無政治意義，又說可能以他的資望促進團結，老實說，今天的所謂團結，實際就是一個政治問題。就我所知道，今天留在港九一帶百萬以上的難民，百分之百都是反共的，即散在其他各地的僑民，大致也是如此；這原與台灣的立場沒有什麼不同，精神上也無所謂不統一，其所以還表現一點不大一致的姿態，實際的原因也很簡單：海外有不少的人想入台而不得入台，據說台灣有少數人想出境也不容易出境，要如何才可出可入，無標準，更不容易確指，大家總覺得這是不大好的。既說團結，便應多少要給予大家一點言論自由，政府也應該承認[illegible]所做的一切一切，並不是不可批評的；[illegible]若干[illegible]不能不加以[illegible]。[illegible]法。尤其有一[illegible]動不能有充分的自由，這在今天的老百姓並不認為是一件小事，一般有反共決心的人所持的態度更是如此。假如胡先生的歸國，能在這些方面發生一點良好的影響，這確實是我們希望的。

史達林想看的電視節目

華盛頓：法美反目。
開羅：埃及反英。
巴黎：法德舊恨重提。
德黑蘭：伊朗對英絕交。
邦城：阿盟抗議德對以賠款。

艾克將設軍政問題委員會

與杜魯門會談後

力求兩黨對外交合作

華盛頓的觀察家目前正集中注意昨日杜魯門和艾森豪威爾的會談，他們認為在這次會談後，艾克將成立若干委員會，襄助他解決外交、國防和其他方面的各項問題。這些組織大致將在明年一月艾克就職以前即開始工作。艾克的基本觀念，以為人民對於聯邦政府政策的制定與實施，都應參與，所以，他的委員會，勢必有社會民間的知名之士。

在軍事方面，三軍的合作與統一，以及國防部的活動等問題，艾克的一個研究組織，將予以充份討論，三軍的高級領袖與社會名流都將參加這個團體。他們將特別重視軍事體系內各部門金錢與人力的撙節，並研究原子武器對於軍事體系的影響，對於組織上的長期改革，他們也將向艾克提出建議。

在外交方面，共和黨外交顧問杜爾斯，早就提議成立一個兩黨委員會，擬訂遠期的外交政策，俾達到兩黨的充份合作，艾克對這個計劃，曾表同情，待他的委員會加以考慮以後，預料將認可而將這計劃付諸實行。

對於國會，艾克大致將採取種種方法，以改過去白宮與國會間不斷的衝突。他的目的，將在於白宮與國會間對國家的各項問題，能保持經常「相互諮商」，使這一個機構在國家的行政上成為融洽合作的「夥伴」。

韓戰場美軍官兵
熱切等待艾森豪訪問
·孟衡·

「前來韓國一行將不會造出任何奇蹟」，但將幫助新當選的總統看看這裏的軍民並理解這裏的情勢」，這是艾森豪的愛子艾森豪威爾少校在前方褐黃色營幕中所說的話。其中少校更熱烈期待他的慈父，戰地其他美國官兵一樣，能履行其競選時的諾言，前來韓國訪問。尤是第八軍軍長斐列特將軍。

此一新當選的總統或將發現三件事支配韓國戰場：（一）斐列特將軍本人，他是深信能贏得戰爭的人，也是急待向艾森豪當面報告戰局的人；（二）南韓的陸軍，很具斐列特將軍已進行編訓，以便在可能時候，自美軍手中接防的一支部隊；（三）像第一次大戰時一樣的戰場僵局，不能進行新式的地面戰鬥。

艾克的老友

艾森豪和斐列特，原是老同事，他們在西點軍校同一期畢業，兩人的成績都不算傑出，在他們同期一百六十八名畢業生中，斐列特列第九十二名，艾森豪比前者好一點，但也只是第六十一名，然而斐列特卻是全班中最優良的射擊手，也是良好的足球後衛。艾森豪對足球後衛一職，也很愉快勝任，但在踢球傷膝後，即不復在球場上馳騁。在第一次大戰結束後，與二次大戰期開始前的一段期間，斐列特和艾森豪都鬱鬱不得志，一直到二次世界大戰時，才時來運至，崛起爲顯位世人注目的人物。斐列特於率領第八步兵團在諾曼第登陸後，聲譽大增，這時艾森豪曾讚美他是「我們任何團長、師長、兵團司令中最善戰的一人」。

斐列特現任第八軍軍長，他不喜歡領帶，寧願佩戴步兵用的藍領巾，他不吸煙也不飲酒，他信任龐大的火力，他有兩句座右銘是：「火力愈猛，斬獲愈多」。

三支手槍

他在前線視察時，從來不帶衛兵，即使當地的戰事極端劇烈，他也無動於中。參謀勸告不要冒此種危險，他回答得很巧妙，他說：南韓軍不會傷害我，少數共軍游擊隊也只在我們防線的後方活動，他並說：「此外，我是一個準確而迅速的射手」。斐列特有三支手槍，一支是零點三八吋口徑警察專用的手槍，一支是零點四五吋口徑的輕便手槍，還有一支是威力強大的零點三五七吋的左輪槍，全部配上美麗的象牙把柄。

斐列特絕口不談政治，一九五一年六月馬立克提出和平建議的時候，他說：「這是我保持緘默的時候，因爲政治問題與我無關」。他不是那種經常寫信，與陸軍部老朋友聯絡，藉以達到共同目的的軍官，這也是爲什麼斐列特談到南韓軍訓練的信、會被競選時加以利用，以對國防部施予意外打擊的原因。這件事實使國防部大爲震怒。

他的妻子海倫爲了發表這封信，而大受譴責，但不久以前，今年二月間時候，斐列特曾公開說過：「美國不能像我們所有的朋友而到處作戰。」一九四八年至一九五〇年，他就在實行這種政策，促成了希臘軍戰勝共軍的勝利。

沒有派系

斐列特是一位對人和順的人，他大多外調任職，沒有任何「派系」。他相信實例，而不信任解釋。喜歡積極的決定，而不喜空泛的討論。他寧願實事求是而不愛徒託空言。對他的最好形容詞是過分的「沉着」。他淸楚書本中的定理，但也知道什麼時候可以委棄呆板板的定律。他抵韓視事後不久，漢城就在危急中。書本中寫明不願扼守背河的陣地。但斐列特還是決定在漢江前背城一戰，而結果他果眞救了漢城。

他總部中的官兵對他一致欽敬，而且也深受他做人處事的影響，國防部對他遇事的獨斷力和決心，也一致讚揚。

斐列特定於明年正月間退休，不論國防部是否建議，總統都可能親往機場迎接。如果艾森豪要求他繼續在軍中服務的時候，預料他可能答應。

南韓軍的保姆

南韓陸軍可以說是斐列特將軍的嬰兒。他於一九五一年四月抵韓後，立即對這位缺乏營養的嬰兒，妥加照顧。他力圖擴編南韓陸軍，但那時正爲歐洲冷戰煩惱的聯合參謀部，卻拒絕了他爲韓滿熱戰擴增南韓軍一倍的計劃。

在此情形之下，斐列特雖然將南韓軍的數目限爲十師，但他卻大量增加兵員的數目，由二十五萬二千人增爲三十六萬二千人。他把每一師的編制由七千二百人擴編爲一萬二千人，還積極增強每一師的火力，裝備美軍所配備的七十二公厘口徑的榴彈砲。到了今年秋天，在火線上作戰的南韓軍已較美軍多出百分之五十，同時他們也比美軍多受百分之五十的傷亡。（節譯自「新聞週刊」）

台灣通訊

胡適應聘返台講學
充份支持政府外傳組自由黨說不確
·麗子·

胡適之先生尊翁曾在台灣任知縣，胡氏幼年即曾隨宦遊台，對台灣印象至爲深刻。茲應台灣大學及省立師範學院之聘，返台講學，不日可達。台大校長錢思亮已在其住宅中爲胡氏準備住宿之所。外傳胡氏回國，對於自由黨事有關，則屬不確。胡氏之反共抗俄與現政府完全一致，但其自由民主思想，則較任何人尤爲澈底。三十八年大陸變色之初，曾有旅美人士擬發起組織自由黨之說，當時聞亦曾徵詢胡氏意見，胡氏冷然處之。其後組黨未成，與胡氏之冷淡不無關係。觀於胡氏最近在美勸告張君勱之言，認爲反共決無中間路綫，即可知其素志。外間又傳胡氏回國，或將爲李宗仁於明春舉行臨時的國民大會罷免後之副總統候選人，恐亦爲無因之談。蓋國民大會明春是否舉行，有召集權的立法院院長張道藩迄今尙未有任何表示。而在三十七年三月，行憲第一屆國民大會在南京舉行時，本有選胡氏担任總統之議，其後卒以國家局面艱巨，非由蔣總統主持國政不可，胡爲代表之一，亦力表贊成。今日大陸沉淪，國勢之險，尤過於當時，胡氏想不願放棄其治學生活，來膺斯選也。

日報擬在台發行
政府正審慎考慮

張羣任務完成即返台

總統派赴日本特使張羣，在日已三月有餘，將於最近返台。前曾有人向張氏建議，赴韓國一行。使日韓關係更趨友善。蓋日韓兩國唇齒相依，但以過去數十年歷史關係，兩國情感，尙待增進，而足以爲兩國間橋樑者，中國實爲最相宜之國家。但據最近韓國傳來消息，李承晚並未對張氏發出訪韓之邀請。張氏即欲訪韓，亦須俟諸回台以後矣。

中日和約簽訂以後，關於兩國間若干問題，迄仍在商議之中，如貿易，如漁業，如航業，均尙未有定案。文化方面，中國報紙已可在日本銷售，因以日方亦要求准日文報紙來台發行。此事中樞尙在審愼考慮之中，蓋（一）日本報紙對共方所發佈消息，登載甚多，而對於自由中國報導，則所載反甚少。如許其來台，無形中發生反宣傳作用。（二）台省同胞自光復後努力學習國文國語，進步甚速。現在民間用日語談話者已日漸減少。今如許日文報紙來台發行，對於國語推行運動，將有打擊。（三）日本報紙每日三大張，其售價每月只合台幣八元。台省報紙，有台灣紙業公司之配紙，每月每份需售十五元。如日文報紙進口，台省原有報紙銷路，亦將發生影響。日本影片，去年進口多部，自內政部加以限制後，現已停止准其輸入。蓋影片商人謀利心切，在日本所購之影片，多爲第三四流者，會其價廉故也。當時雖有中國影片二部赴日換取日本一部來台之比例，但因台灣各影片公司出品不多，并未實行。台省同胞愛觀日本影片，如任其常看低級片，對國民身心，確有妨害。

越戰縱橫談之一
越共最近攻勢的戰略
丁匡華

越北拉鋸戰進行六年了，此進彼退，差不多已成膠着狀態；這一次越共的下羅攻勢，原不足重視，但竄入黑河的越共三個師，究竟是一股「主力」，對於法越戰爭的影響很大，是因此頗足引人注意。

越共的戰略錯誤

天下「投機不當，反而失機」的事太多了，越共就逃不出這一「邏輯」的命運，這一仗，越共乘虛而入，本來是應該大佔便宜的，但是用兵不知先後，進軍不擇地形，結果是：「投機不當，反而失機」；

照黑河的兵要地理看來，對於越共大爲有利，從老街以下一百公里的黑河海域盡是越共的勢力範圍，正可順水行舟直搗泰族，它不以老街爲基地作爲後方聯絡，卻偏偏從江河區抽調三師兵力從下羅發動攻勢，致爲法軍所乘；奪其後方爲前方，使法軍進攻福壽，威脅宣光，太原，安沛，原拜的越共的「大本營」，這是越共戰略的第一個錯誤；下羅得手了，它應該將錯就錯，一下竄入紅河黑河合海地區先與和平孤軍會師，打通聯絡綫，計不出此，反從側面闖渡黑河進向泰族區，使法軍得有時間集中堵守，使河內西北門戶有備，這是越共第二個錯誤。再退一步言，假如其進軍動機是在泰族區，那麼也先得搗入心臟，向萊州山羅同時進軍，用兵地區雖好在瓊崖以上，最低也得在瓊崖據點以一師兵力一鼓渡河而入萊州，另一路在下羅平行地段（文安以上，瓊崖以下的中心）以奇兵渡河竄入山羅，在兵法上說：這是「出其不意，攻其不備」，但它卻從文安渡河，不以重兵直搗斥堠部隊，這有何用？這是越共戰略的第三個錯誤，越共有此重重錯誤，自然爲法軍所乘，由「主動」而陷入「被動」了。

「主動」「被動」之局

「被動」，「主動」之局，是越共戰略的轉捩，今天越共的態勢，看情形是要錯誤到底的：越共三師在福壽回師，越共前綫已穩定下了，那麼黑河的進攻，正是他兩面作戰的分散，法軍兵力的最好辦法「被動」在這裏，但也在次第完成防禦了，目前戰局發展如下：

越盟正規軍在黑河地區所發動之軍事行動中，刻正與法越聯軍對峙。軍方人士對於越共正規部隊在前綫出現，均甚爲重視，該等前綫，以前係由地方部隊駐防者。（法新社河內電）

越共部隊奪取下羅後，即集結黑河北岸附近。此等部隊係對在泰區內黑河南岸以下地區佈防之大部份法軍之一項威脅，連續不斷之大雨使到法軍戰鬥轟炸機未能出擊越共之供應綫，現沿黑河西岸之三師越共部隊，避免與法軍任何嚴重戰，顯已過份伸張之渠等由紅河上游迅速向黑河之進攻，渠等現正等待新的增援部隊及民伕二萬五千人刻正越過山嶺所運輸之供應品。（美聯社河內電）

法空軍刻猛襲在黑河北方及南方某地點移動的越盟軍縱隊，二十七架戰鬥轟炸機攻擊由黑河前六十哩泰區西萊（譯音）防禦前哨，及由河內西八十哩文安越盟正規部隊。其他法軍飛機，則攻擊在文安與瓊崖間黑河以北集結之越盟部隊，越盟部隊經已重新發動援性之攻擊。此項部隊之移動係預示渠等將重新進攻沿黑河南岸之大部份法軍。（美聯社河內電）

由上項戰報看來，我們可以得到三項認識：

第一：雙方仍在準備階段，越共自福壽被法軍攻佔後，補給綫已受威脅，由民伕補給綫以前，在這正常補給綫未恢復以前，越共自不敢以大軍渡河，（目前雖有訓練在黑河上游瓊崖，但並非主力。）法軍處此種被動狀態之下，用兵甚小。現正集中兵力，加強佈署，期以截堵，并粉碎越共的攻勢。

第二：越共已慢慢在改正戰略錯誤，攻勢集中瓊崖，由瓊崖渡江這是對的，相信這一攻勢的配合，可能目老街另闢後方聯絡綫，以建立穩紮穩打攻勢防禦。

第三：法軍利用空軍的威力，使越共無法大量集中，並防止渡河南下或攻掠泰族地區，還是法軍一張王牌。

張玉牌。（十一月十四日）

優良函授學校紛起
失學青年參加踴躍

台省因限制設立學校，以致中小學畢業學生失學者年有增加。加以自大陸來台青年，因缺乏合法證件，無法報考。但求知慾望固人人同具。而政府對於補習學校，既不許有專科以上程度者，又規定凡設立補習學校，須先向當地政府繳納保證金，以示限制。於是乃有各種函授學校之創辦。業經開辦者有中國地方自治學會之地方自治函授學校，不及一月，即有學生八百人，其中台省籍者與大陸籍者各半。正在籌備中者有北平朝陽大學同學會之法律函授學校，以高等考試科目爲主，學生亦必不在少數。兩校主辦人員及教授人員均屬一時之選，所編講義亦極精當。而台省民間需要智識之迫切，可以想見。

高考及格又有千人
未來出路尙無頭緒

四十一年度高等考試及台灣省公務員考試已於國父誕辰日發榜，報考者四六一八人，錄取及格者九三一人，只十分之二。經從寬錄取之日，由考試院院長送榜，奏樂鳴礮，恍如滿清科舉時代之景象。政府自遷台後，每年舉行高考，每次錄取數百人，多在投閒置散之中。蓋政府機關早經人事凍結，而每年暑假中等以上學校畢業生，省政府又保障分發。因以考試及格人員只可獲一資格而已。去年高考及格人員授證時，賈景德氏曾面允及格人員送革命實踐研究院受訓，當時及格人員頗爲興奮。但時隔一年，並未兌現。今年又及格數百人，在國家論實爲浪費。蓋在未反攻大陸前，台灣決無任用大批人員之機會，而在反攻大陸之後，又必須破格用人，方能適應該時環境之需要，必在軍事推進之中，決不能再以資格限制用人，非考試及格者不用，事實上亦非早有考試及格人員所可足用。此點在中樞諸公早有認識，乃必每年耗費公帑數十萬元，辦理科舉式之考試，以點綴太平，實不可解也。

十五萬美元大騙案
牽涉前外交界紅員

香港三日

美國新聞處在十五日那天代小羅斯福發表了一項嚴重的聲明，說明這一位前任總統的公子和所謂希騰斯洋行是絕無關係的，不過是一件冒名的騙案而已。

美新處並未對這件騙案詳加說明，但據知道內幕的人傳出，冒名的騙案牽涉到一位前中國外交界的紅員，上當的人都是急欲出國的「大亨」「中亨」，被騙的款項可能超過十五萬美元。

騙案的發生是有一個以前國內外交界的一等紅員，在一座大廈裏租起寫字間，規模之大得驚人，即使是打字小姐也有四五名之多，對外說是小羅斯福所支持的總公司設在紐約，經營大量包括禁運的出入口物資，香港方面正領備大量招股，做了股東之後，就是小羅斯福的朋友，更有機會調往總行服務。到美國去，是何等誘惑的號召，消息傳出後，由於公司的排場大，負責人的歷史不壞，許多做着去金元國美夢的人不惜輾轉相托，拿出黃金美鈔對這間公司的投資，以求實現去美國的夢。

結果，兩個月過去了，消息還是杳然，有一個東北籍的將軍去電美國查詢，始知這一件騙案的眞相。

今天，大廈寫字樓還是忙碌地辦公，上當的人誰也不能說出被騙，因爲他持有這間公司的股票，但股票上並無印着准去美國的標幟，而羅斯福這個姓，正像我們姓陳姓李一樣普遍，誰又能肯定所說的羅斯福就是前任總統之子呢。

騙案也許會就此不了了之，可是當然有許多人是不甘心的。所以，還可能有不少好戲在後頭呢。

×十四號開始宣佈十七號開始再度制水×十九小時，當天的下午就發生了兩宗因爭水而起的糾紛，十六號又有人打架毆鬥，說來許是香港人也太敏感了。

許多人對這次嚴厲的制水表示不滿，（其實每次制水總是有人不滿的），因爲到十六日零晨爲止，本港的雨量共九十九吋二分五，比較往年平均紀錄八十二吋八分七，增加了十六吋許。

固然，撙節消滴以求渡過旱季多的措施，是未可厚非的。

·本報記者·

大陸失業空前嚴重

根據中共報紙的數字，失業者已達二千萬人，所謂「勞動就業」，「失業登記」等等，祇是殘酷的大騙局，失業者的出路，唯一充作炮灰，奴工……

中共統治殘虐　失業人數日增

【本報綜合報導】雖然中共一直在大力宣傳，說「新中國的人民」如何「豐衣足食」「安居樂業」，然而事實上人民失業現象是空前地嚴重！原因是：一、大陸淪陷以後，社會秩序全被摧毀，一般職業份子被剝奪了就業機會。二、社會經濟衰敗，工廠停頓，商號倒閉，大量工人商人失業。三、中共統治人民的生命、生活、工作進步，乃使廣大人民失去了生存的權利。又雖然，中共在三年來，已用屠殺毀滅了一千萬以上的善良人民，用戰爭毀滅了約八百萬以上的壯丁，用奴役虐殺了約六百萬以上的工農大衆。（皆根據歷來大陸報導的統計）然而並不能因此「解決」嚴重的失業問題。據一個月以前到本月十一日的「人民」、「長江」、「解放」、「新華」等各報的連續消息：在中南區方面，目前的失業及所謂半失業的人員竟有三百另八萬人之多，在華東區方面：僅上海、南京、杭州、無錫等四處的失業人員，就共有一百四十餘萬之多。在西南區方面，據西南「軍政委員會」的初步統計，該區的失業及半失業人數，已共有二百六十餘萬之多。此外，廣州、南昌、福州、桂林及梧州等處巳零星公佈的數字，少者二三萬人，多者十餘萬人不等。估計目前大陸全部失業的人數，必已不在二千萬人以下。由此，已更加深了大陸人民的普遍恐慌和怨恨，此種恐慌和怨恨，實已到了不可收拾的地步。

所謂就業登記　又一奴役圈套

因而，最近偽政務院宣佈了一個所謂「關於勞動就業問題的決定」的命令。隨即自中央到各區、各省、各市組織了一脈相承的「勞動就業委員會」，紛紛召開了「勞動就業會議」。並由「中央勞動就業委員會」訂發了一個「關於失業人員統一登記辦法」，飭各地進行了失業人員的調查登記。然而所謂「就業登記」，乃是另一個大規模奴役迫害的圈套；據本月十一日武漢長江日報的社論說：「這一大批失業及半失業人員的政治思想，必須通過登記工作，方能予以掌握，從而決定其就業的方式。」而且爲了便於控制，所以又說：「在進行登記時，必須嚴格遵守登記手續：填好各種表冊，這就是要求各被登記的失業人員老老實實的自報情況，並繳納證件，再經過居民小組討論評議及街道審查組審查，和區登記站複查。」而後，又說：「依靠街道里衛的積極份子，組織他們學習政策，或予以集中訓練。」因而，這些失業人員無論在如何飢餓恐慌的煎迫中，大部份人還是不敢登記，於是「人民日報」的評論中發出了嚴厲的批判，說他們這種「縮手縮腳，抱着觀望的沒有信心的思想，或抱着怕落空而姑且試一試的思想是犯着嚴重的錯誤的！」

假使真的登記了又怎麼辦呢？中南區「勞動就業委員會」「副主任委員」鄭紹文在會議上說得好：「參加了勞動就業之後，想立刻分派到職業是不可能的。」那未登記失業人員作什麼用呢？這，在中共最近訂發的所謂「逐漸實施統一調派勞動力的規定」一文中及長江日報的社論中告訴我們，是在——嚴密管制，集體奴役！

飢餓原是政策　人民永不超生

這是一個極度殘酷的新的大騙局，但這個騙局是中共的飢餓政策有計劃地逐漸充實他的條件的。人民必須被普遍剝奪了工作和生活的自由，而後，方能「全心全意」地爲「人民服務」。怎樣服務？「人民政府」已有了辦法：一、照「關於勞動就業問題」的決定中說：「處理失業人員，必須根據國家的全面需要，從鞏固人民政府的長期打算着眼。」二、根據北平人民日報的宣傳員講話中說：「在人民政府治理下的新中國將不再有失業問題的存在，我們現在正需要大量的人員來鞏固人民的國防，發展邊疆建設。」因而，這些失業人員的唯一出路已註定是爲作炮灰，充作奴工、移民，以及充軍！從此永不超生！

但多行不義必自斃，等着瞧吧！中共總有不久將來的一天在天怒人怨中倒下去的！

會稽山下壯士喋血（三）

王紀祥事敗就義

王紀祥也是諸暨人，原係國軍師長，曾於卅六年間在東北剿匪被俘，於馬歇爾調停期間釋回，還擔任過軍調部執行小組的政府代表。戰端再啓後，他就辭職回鄉，在杭州經營商業。浙江淪陷後，他祕密受任了蘇浙皖邊區游擊總指揮的職務，他當時擇定天目山爲游擊根據地，而先從諸暨建立基本武裝。從卅八年八月間開始到次年四月間這多時間，他曾數度往返於杭州諸暨之間，先在杭州諸暨、天目山一綫中建立了許多情報通絡站。而後在諸暨富陽的邊境山區漸漸地集中起了人槍，約有兩千之衆，編爲六個大隊。這時他自己尚未在隊率領，而交由支隊長吳猷庭指揮。他原計劃於五月間親率所部移往天目山區活動，但在四月杪即遭到了匪大規模的進攻，戰況亦相當劇烈，雙方互有損傷，後來大部份突圍西撤富春江之北，有少數官兵被俘，卻就在被俘官兵的口中，洩露了王紀祥的身份，於是即遭匪四出搜捕；以杭州已無法立足，乃潛往諸暨白門繼續籌劃軍事。這時諸暨地下縣長丁國興已自舟山進抵縣境，他打算在白門與丁取得連絡，約期會商。詎知此時他派在杭州負責通絡站的女同志已被匪破獲，終於被匪偵悉了他在白門潛伏的蹤跡，於五月四日在白門被匪囚捕！經過了幾個月的威逼利誘，他始終絲毫不爲所動，終於在同年十二月間步入松木場，從容就義了！

然而他是可以無憾的，因爲他的部屬始終在持續着英勇的鬥爭。一直打擊着匪軍，替他復了仇了！

丁國興統一游擊

從卅八年五月到卅九年四月這段時間，是諸暨游擊戰鬥最多，也是最缺乏組織化，計劃化的時期；除鍾海良，許長水、王紀祥所部的幾大股外，其他凡張清廉舊部散佈在各區的大小單位不下十餘個之多，小規模的突擊，可謂晝夜無間，自曾予匪以疲於奔命的打擊。但終究組織散漫，各自爲政，易遭各個擊破，太多無辜的犧牲。到卅九年五月以後，丁國興自舟山銜命進入了諸暨，乃以其精明幹練的盛名，及諸暨縣長的職權，統一歸納了諸暨所有的大小游擊武裝，重新予以併編爲數個堅強完整的單位，並派遣了優秀的政工人員及作戰參謀人員，提高了各隊的政治活動和整訓的軍事機動性。除丁本人既係軍政幹才，又係從舟山有了相當新的訓練研究纔進入匪後，政治鬥爭的技巧和軍事行動的警覺都很高，不僅統一了游擊的指揮，而且穩定了游擊的陣脚，機動地有計劃地，向匪展開了有效的戰鬥。關於此種戰鬥所值得報導的內容自然極爲豐富，但他是現在正在艱苦中從事鬥爭的人，事關機密，似尚不便公開報導，不過目前可以說的，是他在東區及南區建立了地下行政的基礎，把握了軍事主動的優勢，使匪怎樣也無法找到他的目標而加以摧殘。這是一個長期性的堅韌的戰略，在反共游擊的現階段來講，他是非常正確的。因此，可以說諸暨的反共游擊戰爭，在經過了初期壯烈的犧牲之後，終於換得了他所應得的代價——走上了有計劃，有組織，有效力的大道了。（完）

惠陽「自衛大隊長」怒殺共幹率隊反正

活躍東江區打游擊

廣東惠陽縣中共民兵自衛大隊長李生，因不滿中共暴政，於槍斃共幹指導員陳強後，率全體自衛大隊隊員反正，投奔東江羅浮山區，從事反共游擊工作。

李生部原駐惠州淡水，自共匪「抗美援朝」，「捐獻支前」，「三反五反」……等暴行，相繼不斷迫害人民以來，即與×××游擊隊取得連繫，十月底李生藉奉命調廣州整訓時機，于集合全體官兵講話時，當衆將陳強槍斃，率部向白芒花地方撤去，雖途中遇「解放軍」兩大隊截擊，卒以李部熟悉地形，退至×××游擊基地。

自李生部與該部游擊隊合流後，區分小組，化整爲零，經常出沒東江區各地區，計先後槍斃匪共坪山鄉鄉長林僑桂等，繳獲長短槍廿餘支，子彈數千發，糧食、人民幣等，襲擊人鵬鄉匪共鄉政府；破壞沙漁涌至淡水公路「沙淡橋」，深得民衆協助，愛國青年紛紛參加該游擊隊，從事反共抗俄工作，聲勢正不斷在壯大中云云。（平）

中共官僚主義深入底層

貧女求醫公文旅行

一紙救濟申請，過二十八道關，一關竟壓了十四天

中共竊據大陸後，侈言提高行政效率，眞相如何？試舉最近福州市一個貧民鄭依妹請求醫病的事爲例，便可知到究竟是怎麼一回事了。

鄭依妹是福州市的貧民，女性，三十七歲，她因爲患着痼病，無錢就醫，今年四月十九日寫信給僞「中國人民救濟總會福州市救濟分會」請求免費治療。眼巴巴的睡在床上等候回信。誰知救濟分會認爲醫病不屬於救濟範圍，由收發員陳亞奎收信後交臨時祕書鄭丕光，鄭丕光便把該信擱在抽屜睡覺，一直睡了十四天，等到「三反」運動時，清理積壓文件，才開始處理。只加封將該信批轉民政局。

民政局的收發員時海珍收到這封信後，即交該局社會組的收發員王竹錡，王又送交社會組副組長林良玉，林良玉向來對於請求免費治療的信件，一律看作「緩辦」，而仍是官樣文章的將來信壓在「緩辦」的卷裏，一直到五月十六日才又將原文移送衛生局。

市衛生局收發員許濤於五月十七日收到此件，即交醫政科科長張玉龍，張遲了三天才交科的收發員吳筱芳，吳又交醫政科員馮帶麟辦理，馮於第二天才寫好便箋交吳筱芳轉張玉龍，張以「制度所限」爲名，又將該件交吳筱芳退回民政局處理。

五月二十五日民政局收發員時海珍收到退來文件後，仍交社會組收發員王竹錡送社會組副組長林良玉辦理，林交給陳中孚擬稿，陳於次日擬畢後送林良玉、林乃交王竹錡送副局長林浩潘，林於第三天才又交回王竹錡，六月六日經僞市府總收發室鄭傳正派通訊員林開祥將覆信送達鄭依妹家中，當送達時，鄭依妹死去已二十六天了。

鄭依妹的求醫信，從收發，經過了三個單位，十六個人，費了二十八道手續，公文旅行了四十八天，其中公文曾經手最多的一人五次，時間積壓最長的一人爲十四天。

這事件引起了市民普遍的憤怒，尤其是各中學的學生，他們認爲福州市各機關官僚主義嚴重，對市民生命不負責任，加以制度不合理，手續繁雜，以致一件不出本市的公文，竟旅行了四十八天，如果能及時處理，鄭依妹可能不致於死，於是大家聯名向僞「華東軍政委員會」，僞「福建省人民政府」，僞「福州市人民政府」深刻檢舉。結果該局來了一紙形同具文的命令，要保證今後堅決改正。

從這裏，我們可以看到，中共各級機構不僅官僚主義嚴重，所有共幹的低能和工作情緒的低落，更是無法掩飾的事實，這一現象，也是中共政權加速崩潰的徵兆。（闓客）

秧歌腰鼓聲中

中共向人民猖狂進攻

「中蘇友好月」惡作劇續演出

「中蘇友好月」的中共惡作劇，已於十一月七日在大陸各大城市演出了！

紅旗歌舞腰鼓秧歌

這一個惡作劇的第一幕，不外是「紅旗歌舞團」與「腰鼓秧歌隊」的醜態活現街頭，照得大陸人民的眼花撩亂，哭笑不得，看起來是「紅旗似海」，卻又反映着「仇深如山」！聽起來是「秧歌腰鼓」的怪聲不絕，響激雲霄，震耳欲聾，卻又雜夾着失業工人的啼飢號寒，自殺廠家的親人哀哭，破產商人的怨聲載道，勞苦農民的叫苦連天！這是中共黨人與老毛子度其載歌載舞狂歡極樂的「友好月」的熱烈的場合，這又是農工商學挨過其貧苦、饑饉、悽涼、黑暗的大災大難的歲月的悲慘畫面！

俄圖展覽　俄片放映

這一個惡作劇的第二幕，又不外是「蘇聯第一」，「蘇聯偉大」，「蘇聯爲首」的「一邊倒」，大吹大捧一場的演出！這不外是「展覽蘇俄圖片」，「放演蘇俄電影」而已！據「新華社」北平三日電訊：「重慶市的一萬多人宣傳大隊開始活動，市區各路店櫥窗都已佈置了有關蘇聯的各種圖片，在迪化市的街道上，中國影片公司新疆辦事處及各電影院組織的宣傳車和貼滿標語口號的公共汽車，來往奔馳；市民秧歌隊以及維吾爾族，哈薩克族婦女的民族歌舞隊，也紛紛出動，向市民宣傳蘇聯對我國人民無私的援助，並散發宣傳品。曾經到蘇聯訪問過的廣東省農民代表汪漢國等，正在熱情地向廣州市民作訪蘇報告。各大、中城市預購蘇聯電影座券的非常踴躍，三十多萬人口的昆明市已有十五萬多人登記。」「參加「中蘇友好月」蘇聯影片展覽的影片「拷貝」及宣傳品共約二十餘噸，正由中蘇民用航空公司和蘇聯國營民用航空公司的專機從莫斯科往北平趕運中，分發各個舉行影片展覽的城市。」「蘇聯影片輸出公司總公司和莫斯科電影製片廠對於這次影片「拷貝」的供應，盡力最大的努力，「蘇聯電影製片廠在四十多天以內完成原有任務外，並且洗印了向中國大陸輸出的一千五百多個拷貝。中共東北和上海電影製片廠，經過了緊張的突擊工作，也都提前完成了譯製任務，於九月廿五日前將全部華語對白的譯製器材完全運往莫斯科。」從以上電訊看來，足見中共竭力大吹大捧蘇俄的窮態畢露！

事實上，中共今日在大陸上六十六個城市，三百三十一家電影院，以及動員一千個放映隊到工廠和農村中放映蘇俄電影，除去爲共幹所強迫分派的戲券的少數的工人及學生而外，觀衆未必如中共以上所宣傳的那樣踴躍！

宣傳濫調　人民厭聽

中共今日所宣傳的「蘇聯第一」，「蘇聯偉大」，「蘇聯爲首」，大陸人民三年來所聽到的所受到的已經是司空見慣，毫不奇異，而事實上蘇俄除去將其集體農場及國營工廠裏最美麗最緊張的一個鏡頭攝演出來而外，也只有城市的一角光明的畫面，及奴役人民壓榨勞動的緊張的場合，拿出來展覽，也無其他宣傳的資料，可以再拿來欺騙誘惑及麻醉大陸人民的了！

民主自由國家的「宣傳」，即是「教育」，共產極權暴政的「宣傳」，實爲「欺騙」！大陸人民三年來受盡了中共欺騙的苦頭，中共再如何施展其宣傳的手法，大陸人民已經是看穿了中共西洋鏡，識破了猙獰真面目！

親歷災難深在心坎

所謂「中蘇友好月」的友好，在大陸人民的心坎裏，以三年來親身所受到空前的災難，亦足以表現中共與蘇俄的「友好」！這個「友好」，與大陸人民，並無絲毫實惠，只有大災大難！

大陸人民的眼睛是雪亮的，看得透這個「友好」的基層是建立在赤色蘇維埃新帝國主義新侵略下紅色的新殖民地的地盤！大陸人民的心坎是明白的，想得開這個「友好」，所帶來給大陸人民的，是饑饉、失業、與死亡！

百萬以上的大陸人民的生命，已經爲了這個「中蘇友好」在韓國戰爭上打死了！千千萬萬的大陸人民的財產，已經爲了這個「中蘇友好」而化爲炮灰了！四億以上的大陸人民的前途，今日爲了這個「中蘇友好」走上擴軍備戰的路上，面臨第三次世界大戰危機的邊緣。

中共這一「中蘇友好月」的惡作劇揭開了以上「宣傳」這一幕，在大陸人民的眼睛和心坎裏，更會看得清，想得開而正的「中蘇友好」！（雪京）

「嚇人」的武器！

爲方

美國原子能委員會宣佈氫氣彈已試驗成功的消息後，國際間相當地激動着，日本有談虎色變之感，其他國家多希望由國際管制原子能，爲的是在減少人類普遍的浩劫。只有曾經向中國大陸人民宣傳原子彈並不足怕，用一張報紙即可以擋住的共產仁兄的宣傳家，却別具隻眼，說這是美國爲着掩飾其在朝鮮作戰「慘敗」的虛聲恫嚇之詞，是「事實上並不存在」的示弱行爲，用意在「恫嚇蘇聯」，「安撫西方國家」！

世人過去對原子彈並不否認牠的威力可怕，但從來沒有人敎各國人民簽名作「和平」請願，要求大家不許用原子武器作戰的行爲。只有那些宣稱原子彈並不足怕的共產英雄，纔皇皇然到處迫人簽名，要求禁用此種武器。這大概就是「示強」的表現吧！

美國又曾聯合民主國家對共區實行禁運，而共產英雄們也大呼這是「美帝的自殺政策」，絲毫亦嚇唬不了「新中國」的。可是，在莫斯科「國際經濟會議」中，在北平「亞洲暨太平洋地區和平會議」中，再三地斷聲高喊「撤消不合理的禁運政策」者，又是宣稱「不怕」禁運的那些英雄們。這不知道是「示強」，抑是「示弱」，或者是表示「和平」？

我很誠意地盼望氫氣彈之爲物「事實上並不存在」，以免將來億萬計的「和平」人民，又被迫搞甚麼簽名上書之類的把戲，要求禁用這種「嚇人」的武器，災梨禍棗，丟醜難堪！

自由談

了解

黃汎

初冬的夕陽，輕弱地斜照在街道上，寥落坦直的柏油馬路，大半浸沉在夕陽的陰影裏，整日颳西北風，本來已經有點寒冽，現在看來就更顯得淒清。路傍電綫桿浴在青黃色的陽光中，拖着瘦長的影子，一條條斜躺在灰白色的人行道上，將馬路劃成一格格的斜方塊，彷彿是監獄裏的鐵欄。

這條先前車水馬龍的街道，現在偶而只有幾個行人匆匆地經過，使那乾冷的街道，發出沙沙宕宕的響聲，像空谷的迴響，令人愴涼。

一輛人力車，孤寂地停在街堂口，車踏板上佝僂地坐着個瘦削的車伕，抱着雙膝畏縮着，用兩顆失神凝滯的眼睛，盯視物色每個走過的行人，不時沉鬱地喊出：『先生！要車吧！』但似乎沒有人理會到他的呼聲，只是眼看着一個個從他面前匆匆走過。——就像一隻孤寂的貓頭鷹，棲息在荒林裏覓食，却什麼都沒有發現。

斜陽的陰影，漸漸掩蔽到他停車的地方。『該回去了！』的意識，開始向他催促，但他立刻又想到：『明天怎麼得過呢？』於是他又再呆待了一會兒，希冀着一個最後的希望，而讓那陰影慢慢地從他身上頭上橫掠過去。

行人是更稀落了，有幾座房子，已從窗口吐出淡黃色的燈光，他失望地散懶地提起了車桿，緩緩地拖着車向歸途蹓步，車子雖然走着，抑像有幾百斤重似的。

『黃包車！』驀然一個低沉的聲音使他本能地停了腳步。前面不遠的電綫桿下，正倚偎着一個壯年漢子，他欣喜的三腳兩步飛了過去，生怕同行搶了他的生意，其實附近並沒有第二部車子。

『淮海路底！』

『三千元！』

那個漢子並不講價，跳上了車，只催着：『快點！』他滿懷欣喜，很快地拉起車子，飛也似的向前奔去，轉了一個彎，消失在蒼茫裏。——雖然後面遠遠有騷動聲，警笛在狂鳴，他也沒有聽見。

淮海路底離開他的家不遠，他做了這筆生意，心滿意足的回到家裏，他的老婆一見面就關心的問道：

『回來這麼晚，做了多少？』

『剛剛做了三千，一共六千，不算壞呢！』

他將車子靠在茅房旁，鑽進了又矮又暗的房子，順手扯下面布，抹抹頭上的汗珠，正想從荷包掏出那幾張「人命錢」來，却聽得他的老婆在屋外嚷道：

『你來看呀！車子裏還有一包……啊呀……炸……』

『出了什麼事？』他說着，急忙走了出去，只見她顫抖地捧着一個已被打開的紙包，恐慌得不知所措。

『手榴彈！……啊……那漢子……』

他們的聲響，早已驚動了附近的鄰居，都奔了出來。

『我使過的，手榴彈！』

『反共抗俄！反攻大陸……』

『小六子眞難爲，還是快點……』小狗子剛吐了半句，給阿毛使個眼色，原來「里街居民委員會主席」吳得順來了，未說出的半句話，趕快嚥回到肚裏。

「吳主席！乖乖！不得了！游擊隊放炸彈了呢！」小狗子嘻皮笑臉的迎上去。

吳「主席」走進人羣，瞧問了一遍後，抖抖瑟瑟接過那枚手榴彈，這玩意兒從沒要過，草草看過，連忙交還張阿毛，還不住的叮囑：『當心點！當心點！』一面又從小狗子手裏接過幾張紙條，餘下了老花眼鏡，湊着街燈，一個一個字看着：

『同胞們！我們就要回來了……』他才唸了這一句，他的脖子上彷彿有一種刺辣的感覺，不禁倒抽了口冷氣，結結巴巴的說：

『小六子！這件事體沒辦法，你還是和我一起到局裏去，報個案，大家省得麻煩。』

『小六子也拿不定主意，既然「主席」吩咐，忙拉了車跟着走。吳「主席」自己不敢拿手榴彈，要阿毛提着，小狗子本想跟去看熱鬧，給吳「主席」朝他瞪了一眼，帶着恐嚇的口吻說：

『你近來鬼鬼祟祟，倒很有嫌疑。』嚇得小狗子慌忙縮了回去。

那晚小六子去「公安部」報案後，就一連七天沒有回來，苦得他老婆，到處央人打聽，也沒有消息。問問吳「主席」，他祗回答說：

「我怎麼曉得。」

問問「公安部」，那位斜戴八角帽的「門房同志」却說的嚕囌：『你一天到晚來，可不比反動派政府辦事，要一年半載才澈底「了解」清楚，是不是馬馬虎虎處理的，回去！回去！下次不准來。』

「了解」，「了解」，現在她就祇有含着淚眼等待這一年半載的「了解」了。

和青年們討論當前的三個問題（三）

·舜生·

萬竹樓隨筆

您眞是一個怪可愛的孩子，您通這樣一個看來平淡，實際是您所提這些問題中一個最爲您所願意知道我的意見的擇友問題，（第六題）也要拿來考試考試您這位老伯伯了！假定這個問題只是一種普通性質，我不難說上一篇四平八穩的大道理，就此交卷；可是兩個月前您的老太太來信，說：『D．V．自進大學以後，朋友一天天多起來，每逢星期六和星期天，總有五六個或七八個男女同學到我們的家裏來喝茶，我雖然忙一點，但看見一羣青年人蹦蹦跳跳得這樣快活，我自己也幾乎忘記已經是一個五十歲的老太婆了！』她還說：『D．V．今年才過二十，我雖然在他的女友中，也在代他暗暗留意，但覺得總還太早，您的看法怎樣呢？』我很懷疑：您的母親許久不會得意我的答復，您這次把這個問題再度提出，是不是依然出於她的暗示呢？好，不管怎樣，答復我總是誼不容辭的要答復的。但我得對您聲明：嚴格的講起來，以我的『資歷』，對這件事我確沒有備您顧問的資格，下面所說的種種，不過聊備您參考而已。

對於青年人的婚姻問題，我平日有幾點基本主張：一、我不贊成一個青年在求學期間結婚，這個問題最好與就業問題同時解決。二、一個青年結了婚，必須與父母分居，經濟獨立，決沒有再把包袱向父母頭上去增加的道理。三、以年齡論，男子可延到二十六七，女的可延到二十二三，過遲與過早，都不在我贊成之列。四、結婚的態度，科學的多於文學的，以我四十年來所耳聞目覩，總覺得前者比較的妥至，後者則變化太大。五、爲了這個問題，我不反對一個青年人也去找找顧問，但最後的決定權，總得操之在己，因爲這不是別人所能代爲負責的。

您的媽媽來信，還提到兩年前您們路過香港時我所看見的『那一位』，說您們依然通信很勤，言外之意我很了解。我知道，她本學期已進高三，英文進步很快，開學前曾到我這裏一次，剛好那天我們全家都看電影去了，她留下一個條子，字很娟秀，話也親切，我很高興。您要注意：我很歡喜您，是她所早已知道的！從上學期開始，她已在課餘學鋼琴，暑假中，我也會在淺水灣游泳場的沙灘邊見過她一次，您既常和她通信，這一切一切您當然都知道，不過因爲您的媽媽提到，我順便報告一下，並不是我有什麼主張。

您的爸爸計劃在您大學畢業後讓您出國一趟，我很爲您慶幸，您既有志於化工，能到美國去三四年是再好也沒有了。以您所具備的條件，我相信您所歡喜的人是不會跑掉的，預計您二十五六歸國，大概我這個顧問也可以解職了。

您所要的兩本書，打算不寄給您，因爲我寄了六百本去出賣，最近已開發行，您自己買兩本看看好了。（完）

憶陶然亭

唐辛

陶然亭是故都的名勝，過去所謂騷人墨客，多有到那裏去登臨憑弔的。有一個時期，且爲北平人有名的外城宴會地。它的附近有一片大墳場，在墳場內埋了好幾位美人名士，還有香塚和鸚鵡塚。

陶然亭上的題壁，寫滿了每一條牆的兩個以上的平面。那其內容也有一個特色，即題名少於題詩。也可見陶然亭勾引及迷惑文人墨客之魄力一斑了。抗戰勝利之後，筆者路過北平，重訪陶然亭。覺得半老的陶然亭，仍然有一種令人拜倒的淡淡的風情。其環境清幽恬靜，綠油油地一片蘆塘，清澄澄地幾灣秋水，眞使人低徊留戀不止！

在一般人眼中，陶然亭固然是消夏的最好去處，足以令人心曠神怡，如服一帖清涼散。而詩人們獨愛深秋的陶然亭，所謂「更待菊黃家釀熟，與君一醉一陶然」！大約是因爲曾經埋葬了很多哀怨的浪漫的故事，值得詩人們留戀吧。

記得陶然亭畔，花仙祠的崖邊叢樹間，香塚與鸚鵡塚前，還分立着兩方碑石，出土各兩尺許，相距約尺餘。各有碑文，都美麗極了。香塚碑文云：

浩浩愁，茫茫劫，短歌終，明月缺，鬱鬱佳城，中有碧血；碧亦有時盡，血亦有時滅，一縷煙痕無斷絕。是耶，非耶？化爲蝴蝶！

「飄零風雨可憐生，香夢迷離綠滿汀；落盡夭桃又穠李，不堪重讀瘞花銘。」

鸚鵡塚碑文：「維年若月，有客自粵來，遺鸚鵡，殊慧。忽一日不戒於蜚奴，一搏而絕！吁，微物也，而亦有命焉，乃裹以殊帙，盛以鏤函，瘞城南香塚之側。銘曰：文兮禍所伏，慧兮禍所生。嗚呼，作賦傷正平。」

中國之友（三六）

毛以亭

赫德傳（十六）

中國海軍兩次均爲海關所躭誤，致爲日本膺了先鞭，以每小時九海里之十一隻小船，如何能與每小時十六海里之兩巡洋艦並肩作戰？中日甲午戰爭，中國海軍敗之機，已伏於此，而是定命的了。赫德薦Lang爲中國海軍副司令，中法戰時辭職，斯役中國海軍船十一隻噸位六千五百均毀於福州，一八八三年重建，仍以Lang爲顧問，（海軍部長則爲醇王）渠於一八八六年來天津。北洋得過顧問，戈登服務於中國政府者遂四年半，至一八九〇年止，中日戰後，他第三次到中國，練海軍於威海衛。

中法戰爭，李鴻章以粵海關稅務司德璀琳之介已與法代表Fournier簽一八八四年和約。然諒山法國戰敗乃憤而要求二萬五千萬佛郎的賠款，美國調停抵效，然法以終不宣戰，使海關仍能保持其現狀。赫德的插入中法談判，因海關巡船在台灣被扣，法海軍司令孤拔則謂如得其本國政府訓令即可放回，因派Campbell去見Ferry順便問其戰事將於何時結束。法外長遂繼續與赫德代表接觸，而赫德本人亦常請示清廷，擬請斡旋，時總理衙門的大臣已非恭王，而爲醇王之幹部慶王了，

草約於一八八五年四月四日在巴黎簽字，由Billet代表法國，赫德的代表Campbell代表中國簽字。計三條：一、中國批准一八八四年之天津條約。二、兩國立即停火，法國立即解除台灣的封鎖。三、法國派代表至北京商雙方撤兵。赫德本爲中國外交的幕後人，而出而代表中國作正式折衝，代表簽字，此實爲首次。

十二、奉命爲英國駐中國公使

英使自Bruce回國後，均以深諳中國語文，領事館出身者擔任，Alcock, Wade, Parker皆少年時代到中國，而創立其事業者。已故Parker於一八八五年三月廿二日死於北京英使館任所。Sir Gullan Pauncefote建議於外長Granville任赫德爲英使，閣員均皆驚異，後知其與總理衙門的慶王甚好，爲促進中英邦交所必需，遂亦贊成。英外長於五月二日函赫，謂已任其爲駐中國公使，年俸五千五百鎊，而額外辦公費爲二千鎊，赫德則欲考慮拖延數日再決。乃先與總理衙門商繼任人選，欲聘其弟James自代，他於一八六七年別海關任職，一八七二年已晉級爲稅務司。然逐鹿者殊多，而勁敵爲德璀琳Detring的時爲津海關稅務司而爲中法和約之最初發動者，李鴻章欲用其私人以操縱而把持海關。慶王雖已允赫德由其弟擔任，而中國政界與論則支持丁韙良，赫德遂於七月十二日決定不幹，回總稅務司任。乃向英政府請示，以爲中國政府皇太后均欲其任總稅務司，且繼任人選爭論甚烈，爲維護中英利益計實有回任的必要。時格蘭斯頓內閣已辭職，保守黨首相即覆電「任其自擇。」

美國政壇佳話
母子同入國會

美國最近國會議員選舉，選出母子兩人，同入國會服務，在美國政治歷史上，這還是空前創舉。母親是衆議員法蘭茜斯．波爾頓，她從一九四〇年起即任衆議員，一直未曾落選，這次她在俄亥俄州第二十二區擊敗了民主黨候選人巴德溫而再度當選。她的兒子，三十五歲的奧立夫．波爾頓，在俄亥俄州第十一區擊敗民主黨候選人基巴特烈克。他在當選後說：「我和我母親都是共和黨，不過我想，有時我們的投票立場或會不同。她過去有幾次投票，曾引起我們的爭論。」

我從莫斯科監獄釋出

Z. Stypulkowski 著　由之譯

企圖毀滅人性

依我看，廬必安卡的人民委員如此做，他們是有三大目標的。第一，他們企圖完全懂得每一個所管轄的囚犯，熟悉他的智識程度，性情，抵抗力的大小以及他的弱點和志願等。每一囚犯的私生活和家庭情形，對於這些人民委員們，無不感到重要。

第二，他們企圖引起每一囚犯的幻想，並設法使他不斷在希望與絕望中打轉，來消耗並磨滅他的精神。

第三，或者也是最重要的一個階段，那便是他們企圖毀滅一個人自衛的天性。

他們備有充分的時間，他們富有耐性，他們毫不急迫。我所接受的最短一次訊問就持續到三小時左右之久。但有些更延續到十五小時，中間未嘗稍斷或休息的。每一個人都弄到疲憊已極，還不知究竟犯了些什麼罪。因爲那些人民委員們從不確實指出我們的罪名，審問我的那一個委員只說我在蘇德大戰末期，有在蘇軍後方領導破壞活動的嫌疑。他極端鄭重的談到這件事，一再的說明不厭其詳，但有時又毫不着邊際。

渴求自由

在這樣不斷的疲勞訊問之下，一個囚犯多年來所服膺的，所信奉的原則，每日冒生命危險，即已逐漸在他的心目中磨滅。恢復自由成爲至高無上的任務，爲達到此一目的，任何代價亦在所不惜，而獄中所要求的價格在他看來似乎也不過昂貴。向祕聯供出他本人以及波蘭祕密組織的活動情形，似已成爲既成事實。他開始相信人民委員所一再反覆闡明的話——換句話說，祕密警察知道了他一切活動情形，或甚至比他自己所記得的還要多些。

「你比你的同伴們遠爲落伍，」人民委員或會這樣說：「譬如，在你同伴的供詞中，我們知道你在政治活動中任的角色，請你將全部實情告訴我們，否則，我們只好作一結論，那就是當你的朋友一點也不隱瞞的時候，你卻仍希圖固執到底」。

（六）

中華民國僑務委員會登記證台僑新字第零零貳號

自由人

THE FREEMAN

（半週刊　星期三六出版）

（第一八〇期）

每份港幣壹毫

督印人：李光亞

社址：香港高士打道六六號

電話：二〇八四八

GLOUCESTER RD.
HONG KONG
TEL: 20848

承印者：東南印務出版社

地址：高士打道六十四號

台灣特派員辦事處
台北市館前街五十號

台灣總經銷處
台北市中華路一二五九號

救助平議

爲救助中國流亡知識份子協會而發

李槃

關於『救助中國流亡知識份子協會』，最近頗引起種種批評，種種揣測，這是無怪其然的。

一、美國人雖有一部分人對中國事非常熱心，但對中國一切實際的情形，究竟不甚了解。

二、中國事不能不假手於中國人，究竟以某種中國人才適宜於辦某種事，這更非美國的朋友所能懂得。

三、美國是世界最有錢的一個國家，因此大家有一種誤會，以爲凡事由美國人發起，或有美國人參加，錢一定是很多的，但實際的情形往往並不如此。

四、大家以爲美國朋友做事一定講效率，講迅速，殊不知美國一樣有所謂『形式主義』，一樣有所謂『公文旅行』，其情形也與中國大同小異。

五、在港九一帶待救助的知識分子，確實很多，其情況的迫切，更非一般人所能想像，該會辦得的款項，聽說並不甚多，可是在八九個月以前，便已大吹大擂的在舉行登記，而且漫無限制，致登記者多至二萬七八千人，既已給了大家一種希望，而又無法兌現，其結果發生一種不良的反響，自爲事理之當然。

六、有少數歡喜在報紙上寫寫文字的人，往往並不明白一件事的眞象，以一種仗義執言的姿態，招致一個顛倒是非的結果，最後可能把事情愈弄愈糟，但這種發言者，却並不負絲毫的責任。

七、聽說在該會登記的份子，現役軍官即在一萬人以上，他們想入台不得入台，想就業無從就業，至現在爲止，我們沒有看見台灣當局作過任何表示，這確也是使事態趨於複雜的原因之一。

八、聽說該會在上月底成立了一個編譯所，最近且已登報徵求稿件，其意在使一部分能從事寫作翻譯的份子，能得到一點方便，這自然是很好的；但聽說該所經費，每月不足美金一萬元，每月所出的書，也不會超過十五種至二十種，而擬徵願從事此項工作者，則多至二千五百人左右，杯水車薪，其無法使多數人滿足，其事更屬顯然。

據我們所知，即在此次擬徵從事編譯工作的二千五百人中，曾在美英法德日本各國留學，正式得有博士碩士學士等頭銜者，多至二百餘人；曾任各大學教授且有著述者，亦在五十人以上；至其他曾任政府上級行政工作及曾任軍職者的人數，更多到不可勝數。平心而論，假定政府眞有反攻大陸的一天，或眞有返回大陸的一日，這一班人便大抵不失爲有用之才，以他們這種不願與共匪妥協的精神，寧願轉徙流離而不悔，難道不可算得『忠貞』之士？不久以前，葉外長公超，曾說港九一帶的知識分子，生活優裕者頗多，他們之所以在救協登記，不過想覓一機會出國。（大意如此）但我們知道一些與此相反的事實：即此類知識分子，至今在港九澳門一帶街頭乞食者，已在百人以上；棲居難民區域，終日胼手胝足而不得一飽者，亦不下數千人。有某大學教授者，曾在國立某大學任教十二年，自身近在澳門某學校教書，所得薪酬，僅能供給一人之食宿，妻子則已展轉街頭；又有在巴黎大學曾得博士學位之某君，過去曾在北方某教會大學任教，至今則攜帶妻子，露宿於一教堂之門前，每日靠乞得一二磅麵包皮以果腹。此不過一二顯著的例子，其餘類此者，實不勝枚舉。葉外長明見萬里，洞察秋毫，對於這類事實，一定要一筆抹煞，我眞不知道這與他的外交本職，有何關係？

總而言之，少數友邦人士，不忍看見中國這類的不幸事件，不惜披髮纓冠而願加以援手，無論成績如何，其用意總是可感的。但就實際而論，這一責任却應該由政府負起，三年以來，政府對海外這一個難民問題，始終一籌莫展，甚至請求入台亦不可能，實在甚爲可惜；因爲這對於加強一般人對政府的向心力，乃是有莫大的關係的啊！

聽說胡適博士，正是這個救協會的一個首席顧問，我們希望還有他的資望，能促起政府當局對這一個迫不及待的問題加以注意，這也許比起以他的資望去影響海外一般自由分子，要有益處得多吧！

論團結之道

——兼論反對派問題——

李皎生

中共席捲了大陸三年，而所謂反共的人物與勢力，現在才呼出團結的口號來。這是告訴我們，反共過去的失敗，是如何的不團結，即失敗後的現在，還是如此的不團結哩！

反共的人們，現在可以說無一而不懷有國亡家破之恨，爲公爲私，非團結一致，實不足以有爲。然而，三年以來，日子不算少，教訓也不算不多，而所謂團結也者，還要千呼萬喚始出來。我們的團結，是亡之九九，我們的同胞，生死不得，而大家對於團結問題，現在雖似有動於中，但其實如何，其道又如何，則有待於追問了。此問題，我曾就之以發表個人的意見，就大體言，大家似乎都知團結之必要，大家都以團結爲題目。然事實上所謂團結，不但沒有事實，且未見其道。

據報：在美的所謂「游離學者」聚會，胡適、張君勱、李宗仁等也曾發爲言論，李宗仁特別強調反某人之必要。胡適說：到了現在，所有反共的人集力，團結起來，尚恐不濟，若再又彼此以對來抵消，則反共沒有前途，乃可斷言的。（大意如此）所聞非虛的話，胡適之這番話，可以值得同意的。團結且恐不濟，何能抵消呢？然而，所謂團結，至今還沒有跡象，而所謂抵消即分裂者，就理論與事實看，即不發展，也不會停止的。國家到了這步田地，還去有政治與軍事職務的人，都不能逃避其責任的。過去因不團結而失敗，現在也不團結而欲求其成功，眞所謂緣木而求魚了！這道理，誰也知其不可，而朝野的軍政要人，大家却不知覺悟，如李宗仁還是陰魂不息，於總統名位，始終講個人恩怨，而台灣當局對於團結之道，也沒有什麼行動的表現，國民黨政權對人民的自由限度，還是很狹小，這就不免令人愴然而涕下了。

談到所謂「反蔣」問題，我曾認爲蔣先生過去的作爲不能完全恭維。但他的反共意志與毅力是可愛的。我們沒有理由反對其反共的意志，也沒有人能否定他的力量。有人指其爲政治「毒瘤」，要割掉以爲快。實則這個「毒瘤」，中共更急於要割掉的，却是割不了！還誰來割呢？海外的人的力量嗎？他們是不能也不肯越俎代庖的。我不是說大家非擁護他不可，但現在對於一般唱反調的人物與言論，却不能完全同意，問題所在，並不簡單的。過去有「反蔣」的人要投共去，我對這類朋友說：如因反蔣而要投共，我就寧願不反了。無論如何，共產黨比國民黨壞些，爲中國的前途計，應先反毛。否則適爲反共力量內抵消，反共不足，助共有餘。假如蔣先生眞能如他在今年雙十節所說「謹以待罪之身」「補過自贖」，實行孫中山先生遺教，爭取民族的獨立、政治的民主，經濟的平等，我們擁護之不暇，反他幹嗎？我們既不能還這個理由及什麼力量和他爭政權，又何必空唱反調呢？若到了將來所謂「國號民主，政尚自由」時，他不實踐諾言，再說反對，也未爲遲。所以，現時若指其爲「毒瘤」而要割掉，那是荒謬，更有人一面吃反共飯，而又在週末報跟中共之後歸罪者，尤爲無聊與無賴！我也曾經反過他，但不能如此荒謬與無賴。

我過去之不滿意於現狀，完全是思想問題，與一般爭政權的人們不同，更與那些北走胡而南走越人云亦云的醜類有別。我的態度是批評的，不是鬥爭的。這一「批評」的態度，有些人或許以爲我是罪該萬死，或且說我是吃了火藥。但我不能承認。我是孫中山先生的信徒，對以實行孫先生遺教爲職責的負責人，我有資格批評他。我又是中華民國的國民，對中華民國國民所付託行政首領，我也有權利批評他。他接受與否，是他的事，他是不是痛恨我，也是他的事。所以，現在我還是主張批評，[illegible]，爲民主憲政前途植下一個合理的根基。

反對當政人物並非一件壞事，祇要是站在國族利益的立場來反對，[illegible]的。雷嘯岑兄說得好：「反對並不是反動」。[illegible]政府當局要有容忍反對黨之存在和發展的精神，在憲政軌道之下，並且要鼓勵。因爲主張相反的，可以相成，目的既在國族利益，相反即可相成。這個道理，對國民政府當局，是藥石之言。把握着這種精神，就是團結之道。

台灣當局，能否有容許反對者存在的精神呢？過去似乎沒有，現在如何？目前在海外唱反調的人，其動機不純正，行爲卑劣的，多沒有批評的價值，可以不理會。但是，他們之外，許多愛國忠貞的人士，被拒於千里之外，長此下去，即不能說沒有理由。國民黨七中全會之後，國民黨的政綱，有明白主張的，憲法上所規定的出版等自由，還要大打折扣，則團結之道，提出了，還不免是崎嶇的。

（以下接第二版）

半週展望

雷嘯岑

杜爾斯要登台了

艾森豪威爾已宣佈擬任命杜爾斯爲其新政府的國務卿。這一位共和黨內外交國際問題權威者，果如此人所料，出任艱鉅，實爲民主世界的佳音。

杜爾斯對外政策的主要內容，就他近年所發表的言論，已可窺其梗概。固然，一切政治人物在野時與在朝時的觀點，未必完全能够兌現，但其大原則決不致更改的。至少，他對反共策略必不會沿襲艾契遜的「等待觀望」與「圍堵」[illegible]，而將出以機動地自主手腕，却無疑問。

前兩天，他和塔虎脫、馬丁[illegible]，一面由艾帥方面發出杜氏已內定[illegible]，一面由杜氏對新聞記者發表談話，說新政府對亞洲問題決定採取[illegible]。

單就中國問題看，杜爾斯對自由中國[illegible]。我們如不健忘，即能想到他當年參加對日和會而赴英倫作說客那回事[illegible]。

[illegible]田茂正式具函向他保證這件事[illegible]，大陸當生狄托份子的話。但，他的[illegible]能做狄托，消滅了，美國人[illegible]，是指中共內部[illegible]這類的狄托份子[illegible]，此言而指杜氏[illegible]，是沒有了解杜氏[illegible]共和黨的政綱[illegible]！

艾登支持印度對韓戰建議

印度對韓戰的建議，美國始終表示不能接受，至少要印度代表加以明確的說明，纔予考慮。然艾登於會晤艾森豪威爾之後，即在聯大政委會演說，[illegible]，殊令人感到突兀！

艾登何以迫不及待地發表此項演說呢？不外幾種因素：一是[illegible]問題已有最後決策[illegible]遣俘的休戰目的[illegible]，二是[illegible]讓艾克赴韓境視察[illegible]共和黨互明們宣[illegible]種反響，即間接[illegible]時亦藉此安頓國內工黨議員，免得他們在國會裏鬧吵，生怕保守黨將與美國共和黨的主張抗衡一一其中尚有許多技術問題，够大家辯論一番——與戰俘問題，戰俘之移置與遣回問題，都是不容易取得雙方協議的難題。

艾登雖然表示贊同這項建議，固無損，然對英國工黨，以及對[illegible]追隨美國的氣派了。若說這就是英國[illegible]了邱吉爾、艾登這類政治人物吧！

桃源好避秦

近日有中山澳門一帶的漁船二百多艘，集體逃到香港海來，原因是不堪赤匪暴政的壓迫剝削，大家爲謀生存，乃集體逃向自由天地！

國內的共幹們大叫「窮人翻了身」，是無產階級當家的天下了。海外的秧歌宣傳家，天天狂呼「新中國豐衣足食」，「人民生活安定」。現在却有漁民一大羣以漁業爲生的無產階級，受不了共產政權的壓搾剝削——以低價勒收漁獲，不准自由出售於港澳——揭起反抗的旗幟，逃到海島來，戳穿了共產黨的鬼話連篇：不值一笑。大概在共產仁兄的宣傳上，鄙人如不是受了「國特」的煽惑，即爲「奸商」「地主」或海上「惡霸」一流人物了。不信，你等着瞧，這就是所謂「人民民主」的共產政治啦！

胡適歸國轟動台灣

各方切盼對國事提供珍貴意見

【台灣通訊】胡適之先生在離臺赴美三年之後，於十一月十九日上午八時五十分自美國經日本飛抵臺北。本報在臺同人雷震，許孝炎，程滄波等均在機場歡迎。同時在場歡迎者有二百餘人，機場盛況為上次張羣赴日本後所未有。

胡氏下機後，為歡迎人員所包圍，在機場攝影多幀。名攝影家郎靜山氏破例亦到機場為攝一影。胡在台北住福州街台大校長錢思亮宅。三年以前胡氏夫婦在台北時，亦係住此宅中。其時同住的有俞大綵夫婦與傅斯年夫婦，今俞在美未返，傅已逝世，人事變幻，胡氏於重臨故居之時，亦不無感慨。

減輕體重　恢復吸烟

胡今年六十二歲，雖旅途辛勞，並無倦容，除兩鬢稍白外，更不易使人信其已逾花甲。胡謂離台以後，曾日益發胖，體重最高時曾達一百五十七磅。後因醫生謂其有心臟病，不宜太胖，使心臟負担過大，遂力求減輕體重。減輕之法除少食脂肪肉類外，即恢復吸香烟。胡氏在戒烟之後，體重即曾增加。現在體重為一百四十一磅，較之最胖時已減去十六磅之多，因以所着衣服，都形寬大。

胡氏回台，主要工作，在應國立台灣大學及台灣省立師範學院之聘講學七次。並為其所創之自由中國半月刊，主持創刊三週年紀念。胡氏謂本擬寫「我是反共的」一文，在該刊三週年紀念特大號發表，因臨行時有若干外國文債急待清償，遂未及動筆。紀念日原為十一月二十日，因胡氏今日方到，社中籌備不及，將另行定期舉行。屆時並將上演王平陵編之「自由中國」話劇，以資紀念。

公開演講　一次為限

除講學外，各方面擬請其講演者甚多，胡氏勢必須作公開講演一次，以慰衆望。因其在兩校所擬講題為治學方法與杜威哲學，稍偏於學術性，故各方面盼其於公開講演時，能以國際外交或與民主自由有關事項為題。又國大代表聯誼會以胡氏為國大主席團之一，將請胡講演一次。在台國大代表有一千餘人，平時所累積有關國是之意見甚多，必將向胡氏有所陳述。立法院亦有若干委員，擬約胡氏到院談話，尤其美國對華政策及民間輿論，更為大衆所關切之論題，而胡氏則為說明此事之最適格人物。中國文藝協會則擬請胡氏就文藝方面作一次講演。故胡氏現雖表示公開講演以一次為限，日後或將有例外。

胡氏幼年，曾隨宦旅居台東台南，上次在台，未能作環島之遊，頗引為憾。此次有一個半月之勾留，將到中南部去旅行，且今日欲觀台灣真相，亦必須到各縣市實地考察，方可益臻於明了。台北已大部份大陸化，僅看台北，不足以代表台灣。講學旅行之外，各報紙雜誌，擬請胡氏撰寫專論者，亦必不少。其北大老同事蔣夢麟已代某報請胡氏寫一篇專欄稿。

政府諍友　各方寄望

胡氏於抗戰時期任我國駐美大使，深使日本政府感覺無法與敵。今日日本大使芳澤亦親到機場迎接胡氏，兩人握手，當不勝其感慨。胡氏辭去大使後，中央曾擬聘胡氏任行政院顧問，胡辭謝未就。胡嘗時即謂願為國家的諍臣，政府的諍友，任何名義均所不受。此乃中國士大夫數千年來之傳統，頗為中央所原諒。茲中樞退居台灣，年來銳意改革，進步可觀，但如何向民主自由法治大道更邁進一步，胡氏既為諍友，當可有所獻替。孔子謂益者三友，友直友諒友多聞，各方面頗以此三點寄望於當局與胡氏焉。

吳國楨主席今日亦在機場歡迎胡氏。吳氏最近倡導金字塔式政治，建設鄉鎮，充實基層。胡氏於五四運動以後，亦曾以金字塔喻治學之道。曾有言曰：「爲學當如金字塔，要能廣大要能高」。足見治學與治政，其道一也。胡吳二人均爲留美出身，熟悉美國情況，台省留美哥倫比亞大學同學會，定十一月二十日歡迎胡氏，并為其母校校長艾森豪威爾當選美國總統舉行慶祝，亦為胡氏回國後之第一個節目。因以有人謂，校長任美國總統，學生能任中國副總統，當非佳事，并有人謂共事并不是不可能云。姑誌之以職日之後博粲可也。（臨子）

△胡適面露笑容，翩然抵達台北機場▽

蔣總統頒題橫匾　決移總商會新廈

最近改選中的中華總商會，兩位副理事長謝雨川和陳友輝，也因為曾經反對商會掛「五星旗」無效，而決定不再蟬聯，表示消極的抵制。謝氏在商會是具有其潛在力量的，尤其是代表商會和政府機關的接觸，都少不了他，所以謝在這次毅然的決定，是很使到有意蟬聯的理事長高卓雄感到彷徨和苦悶的，更何況社會上各方不良的反響呢。

高卓雄將會接受社會的批評而改變他的主張嗎，年前蔣總統為華商總會所頒題「相濟以誠」的橫匾，昨天是決定將來搬到新的中華總商會的大禮堂上去了，這是不是能夠代表高氏今後的動向呢，假如他仍有機會被選為下屆理事長的話。

台聯合國同志會　派代表來港聯絡

事實上，自由祖國和香港的僑胞早就打成一片了，每一個由祖國返港的僑領都與僑地僑胞轉達祖國對僑胞的照顧和愛護，而各階層的僑胞也一致熱烈地支持政府，充份地表現政府和僑胞間的合作無間，這幾天台灣聯合國同志會也派了專人來港和這裏的學術界人士謀取聯繫，在反共和非共的人士看來，政府已開始採取了積極和開門的態度。

港紛攝反共影片　明年初源源運台

香港電影界的製片商人開始從事反共電影的攝製，至少已痛快地割掉了那所謂「前進」「其實醜惡的尾巴，最近有幾部國語電影都把台灣表現為寶島，若干電影商並且成立了一個機構，打算收買那些資力薄弱的獨立製片商人的拷貝，運往台灣供應，預算在明年元月，台灣就可以源源放映香港攝製的國語電影了。

女作家看這世界　盛讚台進步强大

明日將有一位美著名的女作家費吳生夫人自港赴台。

這一位年逾四十在三個月內環遊世界三萬哩的女作家以「一個女人看這個世界」爲題，在留美國學會發表了一次演講，講題雖然是軟性的，相反的內容卻是全部世界大事，他暢論自由世界，他到過台灣，更讚美台灣的進步和強大。

他定星期日飛返台灣，目的是搜集一些寫作的資料，預備在明年三月返美以前，在他的新著作中寫上有關自由國家五十頁，並可能在台發表一次演講。（本報記者）

香港三日

英法對美問題多　亟待艾克處理

杜鹿

前些時期，英國會盛傳首相邱吉爾在女皇伊麗莎白二世加冕後，將即退伍，但最近的種種跡象，卻表示，這揣測並不可靠。

本月初的二項消息，更使邱吉爾大為興奮，他願繼續做首相的意向，顯然已更加堅定。第一，是保守黨在高患康區補選中的勝利，各方都認為這次的結果，極能顯露保守黨聲望的提高。前幾次補選，都表示民意似已背離保守黨，現在，保守黨已扭轉這個趨勢，保守黨候選人以二萬六千七百五十票對二萬四千六百五十票的優勢擊敗了工黨候選人，而正在國會由女皇揭幕的時候，工黨內部的裂痕已愈擴大。目前工黨「影子內閣」選舉，貝凡派雖在初次投票中失敗，但在下週的第二次投票中有當選的機會，即使貝凡派被拒諸影子內閣外，也不能就此表示貝凡派勢力日增的趨勢已被遏止，或貝凡本人將就此放棄力爭工黨領導權的鬥爭。

邱挨訪美將在明春三月

第二個消息，來自國外，即艾森豪威爾之當選總統。遠在一九四四年，邱吉爾即將艾克稱為「卓越的美國最高統帥」，且說「他的遠見和優良的合作精神使我們崇敬；他的命令，我們已允諾尊重」，所以他在艾克當選後的賀電內對艾氏力予稱讚，自不足令人驚異了。日前，邱吉爾在下院答覆質詢時已宣佈願儘早和艾克會晤，照一般推測，邱吉爾的訪美，大致將在明年三月前後，這時艾森豪就任總統新職，對國內外的工作已熟悉，而在英國，國會適逢復活節休假，在國內政治上，邱吉爾也比較空閒。他和艾克，在第二次大戰期間，即已建立了頗似叔姪之間的親切關係，他這次赴美，無疑將發展這種關係，使它成為類似戰時他和故羅斯福總統的關係。

不過，在政策的制訂和執行方面，許多英國人都預料將會發生一些麻煩，特別是他們所顧慮的。他們知道美國必會力促英國在人力和物力上都增加貢獻，而英國卻不願，且沒有能力多以人力和物資支持韓戰了。艾克未來赴韓之行，其後果如何，也是英國一般人所焦慮的。

英人憂慮封鎖中國大陸

在另一方面，共和黨早已強調過支持自由中國，英國人深恐在美國遠東政策上，台灣所佔的地位，將愈趨重要。他們又預料，共和黨政府或會要求英國取消承認中共，或甚至封鎖中國大陸。對於這樣的壓力，英國人已準備予以抵拒。

共和黨這次的勝利，可能在中東政策上產生怎麼影響，英國人大部份不表樂觀，他們認為，這些影響大致是不會有利於英國的。他們并沒有忽視，美國的德薩斯州和加利福尼亞州對艾森豪的支持。他們認為這兩州的美國大油商，對於英國在伊朗和其他產油區所採取的行動，是並不十分同情的。

還有，美國在援助歐洲的計劃，勢將在艾森豪的新政府下重新加以詳細檢討。英國人雖深信艾克以他多年來在歐洲的親身體驗，深切瞭解歐洲的問題，包括英國在內，不過，他們也知道艾克的支持者將會要求削減美國對歐洲的各種負担，艾克本人，或將無法拒絕。

巴黎報告美法關係惡化

同時，美國駐巴黎大使館，最近曾向華盛頓提出報告，表示美法關係，現已到達戰後最壞的程度。艾森豪就職以後，美國和法國的官員都會向他發出一些怨言。

法國人感到，美國拒絕巴黎的要求，以六億五千萬元援助法國穩定預算，已使法政府在財政上處於困難地位。畢奈總理要求這筆援助，已不止五六次，但每次美國都說，所能供給法國的最高數字，祇有五億二千五百萬元。美國在聯合國中對北非問題的態度，也是法國大為不滿的。法國曾一再要求美國增加軍事裝備之越南的法軍，但美國卻表示法國應該向加拿大和比利時等國家去求取額外的軍械。因此，巴黎曾對美國提出威脅，說如果美國對越南的援助不能再增，法國將拒絕批准歐洲軍條約，因為法軍如繼續被牽制於越南，歐洲軍成立後，德國可能重新在西歐保持軍事上的優勢。

而在美國方面，他們對法國也有不滿，法國對歐洲軍計劃，似乎持着阻撓態度，法國對北大西洋公約組織的貢獻，也未曾極力履行諾言。到今年底爲止，美國對法國的援助，即將達到三十億元。法國得到如許鉅款，已有了怎麼樣的表現？這問題是美國人所懷疑的，雖然法國國防部長普利文保證法國在年底達成里斯本會議中的諾言，向公約組織提供十二個師，美國人卻私下認為這保證未必能夠兌現。法國在歐洲有作戰準備的部隊，現在祇有五個師，在其他七個師中，一個還在紙上，另外六師，裝備都不完全。法國空軍預定從美國獲得五百架噴射機，已交給法國的三百架，其中的二百五十架已編入作戰單位，但其餘仍因為沒有受過訓練的飛行員和保養設備而暫時停放着。

論團結之道

上接第一版

上所云云，是團結之道的技術問題，不是原則。沒有原則的團結，不但沒有標準，也失掉了反共抗俄的作用。所以，我們要由事實問題，進入理論問題，思想問題。理論與思想不一致，團結難。要由異中求其同，更要由反而求其成，沒有一個正確的理論與思想是不行的。我們過去討論此問題時，希望大家在孫中山先生遺教下團結起來，以求民族獨立，政治民主，經濟平等的實現。至於以一篇舊講義重新整理出來，用為經國大計，要以偏而概全，以小包大，我們在這種主張之下求團結，更將無所措其手足的。他如以馬克斯主義為『真正共產主義』的立場去反共，那更不是團結反共力量，而是聯結擁共力量，但有追隨托洛斯基於地下，趨附於南斯拉夫的狄托罷了，於中國反共力量的團結，是不相干的。

在今日而說團結，在理論與思想上，是以孫中山先生遺教為原則，是不應有疑問的。在事實上，以自由中國政府為中心，也不應該有疑問的。假如台灣當局實行孫先生遺教的諾言，開誠佈公而號召，則團結之門，即打開了。

至於在海外對台灣的人物，有的是為了政權，也有是為了主張。雖然，要爭政權的也都提出其所謂主張的。許多稿第三勢力的領袖人物，其言論主張，也領教了，其正其反，并不見得有何是處。張君勱的新談話及演講稿，有些人可以奉為綸音，但在有政治智識與經驗的人們心目中，實在缺少起作用的力量。至李宗仁已失掉其政治作用，一個政治蠢才，分裂固不見得有多大的損害，團結也生不出什麼力量的。假如台灣容納異己，比舊日的更進一步，對於只是爲主張而爭的，要消除其反感。這并非做不到的事，在台灣當局，可謂舉手投足之勞。所謂主張，最大的，是自由民主抽象的說法，只要台灣作風開明，則問題也就不大。當然，團結不是一件小事，如上所述，中間還有許多問題在。但事勢之所趨，祇要台灣當局有風度有辦法，先安其內的派系之爭，次平其外的所謂第三勢力代表人物的政治私慾，再以現行憲法為行動指南，以憲法求是，問題可以解決大半了。因年不能食肉糜，能如此團結，將來有什麼前途，我不敢以醫生的顯微鏡來求全責備，但有以老太婆求神拜佛的心情來祝福而已！

天下小事

流亡組織欲殺狄托

馬塞頓尼亞流亡人民所組織的國際馬塞頓尼亞革命會，據說正從事謀除狄托的活動。一九三四年南斯拉夫國王亞歷山大和法外長巴索在馬賽遭暗殺，兇手即屬這個團體。它的極端派會員，現在認為祇有把狄托謀除，才能使馬塞頓尼亞從南斯拉夫今日的統制下得到解放的希望。他們之間已有三個人願往暗殺狄托，甚至不惜和他同歸於盡。

安娜鮑克可能復起

捷克已開始大規模審訊前總理克里曼蒂斯和前共黨書記長史蘭斯基等過去的共黨巨頭。但在西歐，卻正盛傳羅馬尼亞被整肅的女外長安娜鮑克，或有可能重新出頭。她過去有不少有權有勢的好友，特別是蘇聯駐羅大使拉夫爾特夫。據說，他正力求證明，安娜此次被黜，是由於黨內敵人的陷害。（戈司）

中共備戰勞工遭殃

大陸鋼鐵工人傷亡纍纍

中共爲了瘋狂地進行韓戰、支援越戰，並準備第三次大戰，乃使今日百業蕭條下的大陸，唯軍火鋼鐵工業一枝獨秀。尤在最近美國大選以後，中共恐懼益深，備戰益切，更加緊推動軍火生產的全面動員，因此，大陸所有鋼鐵工人，已遭逢特別悲慘劫運，痛苦萬狀，血淚交流，慘不忍聞。

生產軍火第一 工人命不如狗

自中共參加韓戰、支持越戰以後，爲了適應迫切的需要，並積極準備三次大戰的來臨，早已在軍火生產第一的原則下劃定東北及西北兩地爲基地，從事大規模的軍火工業的「建設」。據不完全的統計：現在中共利用大陸各地搜收來的及由蘇聯前從東北劫去而再撥給他們使用的兵工廠，以及從五反鬥爭中劫自民間所有鐵工設備，分別在東北西北兩地所建立起來的鋼鐵廠（中共對軍火重工業製造的統稱），當已在一千所以上。然而這些機器的年齡過老，各種必要的設備又太缺乏，以致生產效率實在無法適合要求，因而，他們便以「人力戰勝科學」的一貫「革命精神」，慘無人道地使用恐怖統制的壓力驅迫鋼鐵工人們在「挑戰」「競賽」的魔術作着超時間和體力的「大力生產」！這一點，本月十日的北平人民日報曾不打自招地說：「工人階級弟兄們在高度的政治覺悟中克服了一切困難，平均每人每天都能積極地從事於十二個乃至十四個小時的工作，以達成高度的生產任務。」可是這還不算，而且工人們在這種非人的操作下還得不到一點衛生和安全必要設備，因而，這些工人們便在灼傷、軋傷、夜盲、肺病、咯血、□寒、乃至饑渴的痛苦中掙扎、操作，但人是肉做的，久而久之，終於抵受不住了這種超人爲的勞役，於是，便造成了成千成萬的傷殘和死亡！雖然如此，共幹們依然只顧邀功而加緊鞭迫，以至傷亡與日俱增：據人民日報披露的消息：僅太原鋼鐵廠爲例，說該廠統計去年全廠工傷、疾病、死亡的人數是二，八八人，今年一至六月即達二，八七〇人，到七月份且已累增到一七月份的兩倍了！由此可見中共爲驅奴役下的工人性命，眞比狗都不如了！

冒死提出哭訴 一片辛酸血淚

這，自然普遍引起了工人們的怨恨和反抗，不管中共的手段如何厲害，但在所謂「拚死無大罪」的情形下，他們終於在橫豎一死的激情之下紛紛冒死提出了哭訴！這，中共知道已嚴重得包不下去，於是不得不假戲眞做地進行了所謂調查，檢討，也稍稍公佈了幾封「工人同志的來信」，藉示對「國家主人」底工人們的一點小小的「民主」，並加以「安慰」，以平衆怨。

那末工人們究竟已痛苦或死亡到什麼程度呢？筆者爲避「造謠」之嫌，特將人民日報所發的「工人同志」的來信照抄幾段如後，以代答案：

「……在軋鋼車間裏，加熱爐和烤紅了的鋼條放射出來的高熱，人身是難以抵擋的，特別是夏天，車間溫度一般都高達華氏一百二十度。在這種情況下工作，又易發禍，我們曾一再提出安裝通風設備的建議，可是領導方面不接受，堅持叫我們開電扇，電扇扇風，可是電扇一開，鐵屑和灰吹起來，既迷眼睛，又傷呼吸，因而我們寧願受熱，不敢開扇。尤其不能容忍的，我們在這種高熱的車間工作連續八小時，乃至十二小時，喝涼開水的最起碼的要求都不給解決！我們不僅受着痛苦的煎熬，並且日夕徬徨在疾病死亡的恐怖里！」

「搬運鋼錠的工人，經常被這些新倒出來的燒得通紅的鋼錠烤得頭發暈，甚至死亡，但行政方面卻不肯發給防護高溫的服裝。在這種惡劣的勞動條件下，工人們在愛國生產競賽運動中還是拚命提高生產，他們是不顧一切地勞，他們只要生產任務而不關心我們工人的死活，結果使我們的工傷，疾病，乃至死亡的人數，竟佔全部職工的百分之五十四，說來眞是痛心！」

「這里，再把我們廠里有名的五種工人——紅人，白人，土人，黑人，青人——的勞動環境說給你們聽聽：紅人是煉鐵部破碎工場的工人，土人是耐火材料部粉碎坩子石的工人，白人是石膏旁的工人，這三種工人都因爲車間沒有防塵設備及防護用具，不僅衣服和皮膚變了色，連吐的痰和大便也都變了色！他們大多已得了肺病，胃病，特別是肺病，工作稍久，必至無可救藥，最近就有六個六年以上的老工人死掉了！青人是煉焦部副產股製造青油的工人，爲了通風設備不好，冒出來的焦油烟的毒素先把我們的臉蝕成青色，然後破皮，流黃水，經年不癒！至於呼吸到肺里，便成肺病。現在我們看焦油鍋的十二個工人，已全部得了肺病和肋骨中毒病了！黑人，是煉焦爐上的工人，冒出來的煤烟更大，工人們沒有防毒面具或口罩，幾乎個個都患了嚴重的肺病！結果也不免終是死亡！」

「我們工人沒有更衣室，沒有放衣服櫃子，我們自己用木板釘了小衣櫃，髒衣服、臭襪子，和一天的飯都放在一起，一臭味實在難嗅，我們拿出飯來就嘔心，我們雖曾提出要求，領導上卻置若罔聞。」「……在露天工作的搬運礦石的工人，他們因爲沒有休息房子，晴天時，東倒西歪地在露天里休息，任憑風吹日曬，下雨時，無處避雨，幾個人蹲在一起凍得直發抖，結果，輕者感冒，重者傷寒，乃至不治而死！我們的領導幹部對於這種情況熟視無睹，從來不聞不問，卻把給工人蓋棚子的錢爲他們自己造了一座樓房。」

工人階級專政 原是一大騙局

因而，工人們終於發出怨忿底呼喊：「三年多來，我們的政治地位提高了，然而我們的工作和生活在這樣的環境中，硬給我們一個大疙瘩！」「許多容易解決的問題，長期不給我們解決，因爲他們並不關心同情我們的疾苦，我們實在忍受不住了！」「這種情形，難道算是把我們工人當作工廠的主人來看待嗎？」「當我們爲這種情形苦苦地提出無數次建議的時候，我們的領導幹部先是說生產任務忙，沒時間研究，後來又說我們的建議不能徹底解決問題，就這樣從此置之不理了！總之他們就這樣硬硼硼地造成了我們工人嚴重的疾病和死亡，我們要求領導幹部檢討這種損害工人也同時損害了生產的錯誤思想！」然而這，工人們太天眞了，所謂「工人階級專政」，「工人是工廠的主人」原只是一個「人民革命」的必要騙局，形勢比人強，不用造謠，也無法強辯。可不是嗎？戰爭正在瘋狂地進行，人民的膏血都從劈劈拍拍聲中冒着一陣烟火消失在朝鮮和越南等處的天空了。爲戰爭的生產必須加緊，工廠的設備無力改善，也無心改善。死亡幾個人在中共不算一回事，縱然工人們由於「實在忍受不住了」發出了怨譟，共黨的機關[illegible]「檢討」「批評」了一回，「以後」只是少數的特殊情形，一二個廠的特殊情形，只是個別幹部的偏向而已」的話之後，就了事了嗎？但究竟是不是僅僅「一二個」廠的特殊情形及「只是幹部的」偏向呢？在另一篇記者的調查報告中，報告了一些的情形：「……一個廠的紅人們曾去過問，廠長答：『我們當前生產太忙，沒有考慮到安全衛生問題，我認爲紅人的安全衛生設備不好，以後發生了大的事故再說，可以往後拖一拖』。」「有一個廠的幹部最好向廠長建議，工人能全可地注意安全衛生地生產，但他不予接受。」[illegible]據此，便可知此種殘酷的情形，決不是一二個廠的特殊情形，而是普遍存在的現象，也可知不是少數幹部的偏差，而是中共爲了瘋狂地戰爭，奴役工人的根本結果！已入了共黨鐵幕的工人們，已經到了自由地區的工人們徹底覺悟的時候了！

·沈著·

中共治水防洪眞相

·亮公·

要瞭解中共在形式上與宣傳上所謂大力積極展開治水防洪工作的眞象，必須先瞭解中共竊佔中國大陸後，因農村施行土改，大小工廠採取陸續國有化的步驟，政府壟斷商業等，所發生的農工商三階層的空前人口過剩（失業）現象：

人口過剩虐殺農民工

對農村，中共口唱土地改革，確能擁護農民羣衆，而事實上，中國農村可耕土地的生產量早已達到飽和的程度（金陵大學的農村調查統計報告，）「土地改革」所能改變的僅僅止于空洞的「土地所有權」：從富農或中農的手上轉到貧農佃農的手裏。所有權與生產量顯然是兩件事，儘管怎樣轉換對已達到生產量飽和點的土地是無法增產的。相反地，所有權的轉換在不斷的鬥爭過程中來完成，不但不能增產，勢必停止生產或至少要降低生產，農村中農民的最低生存問題只有日益嚴重。

城市裏面，自大陸「解放」以來，社會秩序完全在混亂狀態中：先是工廠的停工，工人失業，紛緋中共的進一步的再欺騙，使工廠復工，進而取爲中共政權所有，工人不再是自由工人了。可是，在民窮財盡下又加窮兵黷武的「抗美援朝」戰爭，工廠可以復工而又取爲國營的能有多少？商業方面社會經濟衰敗與政府壟斷商業的結果，總之「三反五反」，商人失業現象處處都是。

解決這人口過剩現象，中共是不乏花樣翻新的各式各樣手法的：用淸算鬥爭的結果，不斷死亡的死亡，逃走的逃走，參軍的參軍了。根據綜合統計：三年來中共秧歌政權下已淸算鬥爭屠殺了一千萬以上的善良人民（包括城市與鄉村中）戰爭毀滅了約八百萬以上的壯丁（包括參軍而死的）。然而，由這種方法去解決人口過剩現象，並不能達到解決，所以，與之並行的方法：以奴工的方法虐殺工農大衆，根據綜合報導的統計數字，死于奴工的三年來也有六百萬以上了。

治水防洪消耗人力

治水防洪工作，正因爲中國的洪水是舉世聞名的，才是中共所矚目的消耗人力的主要方法之一。何況，提出治水防洪的主張而使之施諸實行，還可以收到中共秧歌政權下「治蹟」的表現。試看中共的宣傳：一九五一年以來，興建了大小各種堤堰、水門、暗渠，通道達一萬一千二百處，沿主要河流兩岸擴張或加高以資防水的堤防達四萬二千公里，建築中掘土九億六千立方米。一千萬人參加工作，此外還有三十二萬「人民解放軍」採取屯田方式，利用餘暇，協助工作。治水防洪所包括的地方：流經山東江蘇二省的沂水和沭水兩河；東北地區的遼東河；從察哈爾流到河北省的永定河；導黃河入淮水；治理淮水工程。

上述的宣傳，治水防洪的區域仍未包括邊遠地方：新疆的水利工程，荊江分水洪工程等。則全國治水防洪工程所需之人力要超過一千萬以上。約略的估計總要有二千萬左右人民在治水防洪的苦役中掙扎，再就喇叭報導的：三十二萬「人民解放軍」採屯田方式協助工作，即知人民對這苦役之反感，而中共不得不以「解放軍」的駐紮來鎮壓人民對中共政權的反抗了。

暫且不論人力消耗，退一步講，試問此種人力消耗所能達到的「治蹟」，究竟如何？

舍本求末水患仍舊

中國的洪水問題，主要的在黃河與淮水。雖然大小江河都有泛濫的現象，都不及黃河淮水嚴重，黃河差不多廿年一中型泛濫，六十年一大泛濫，所以有「黃河百害惟富一套」的諺語。黃河改道由淮入海的現象在歷史上亦常見，黃河與淮水常常是一個問題。黃河的泛濫原因在上流所攜帶下的泥沙，因水流緩慢而發生沉澱現象，以致河床淤積。地理上的華北黃土高原河流均有相似情形——永定河、沂水、沭水的泛濫就是這種情形。對這些河流水患的治理，中共採取的興堰堤，擴張與加高兩岸的堤防，這種方法只是防洪的最不濟事的「治標」方法而已，中共不從水文測量上下功夫，去得一保持水流速度，使泥沙不停淤的方法，是無法根絕水患。目前，無非以統治者的鎮壓手段，不求治水防洪的技術改進，只求人力得以消耗，修些堤，以壯觀瞻！政權因是發固而已。

以治淮而言，據中共的報導于今年已進入「興利」階段，過去第一年度與第二年度的工程只限止在「除弊」。大量的人力去從事：淮河上游河南省確山縣的薄山水庫，信陽縣的南灣水庫，淮河中游蔣河和交河分流工程中的泊崗引河、下游控制洪澤湖的三河閘，以及蘇北灌溉系統的八個大型水閘，淮河上游佛子嶺水庫的工程，所有這些工程都不按照高度的技術觀點去解決，蓄水庫固然可以調節水量，節制閘可以節制流速流量以增進水利，然而，一份整齊的淮水水文測量工作紀錄報告卻仍只有在汛期中測量。（中國新聞社報導）這更說明，所有一切宣傳進行工程的工作，無非浪費中國人民的人力，消耗中國國家的人力物力，最低限度的治水常識均不足，談何治水！

縱觀中共對於治水防洪的宣傳：什麼用飛機炸春天化冰堵塞的水流啦！什麼改變了河流的方向啦！（治河術語所謂裁彎取直），什麼因治水防洪而得的耕種之利啦！……說得天花亂墜，仍然遮不住借治水防洪的「名」，去消耗不滿秧歌政權人民的「實」。因爲，就治水防洪而言，中共所採的方法，絕無一絲一毫想治理好——治本的——中國的水患。至於，目前的治標——毫不講工程技術的——只有加增來日水災一旦發生的嚴重性而已！倒是可以「以壯觀瞻」，對人民的實際利益如何，請讀者張開雪亮的眼睛看看農村的現狀吧！

李立俠作苦工

前中央銀行稽核處長李立俠，於共黨席捲大陸時，[illegible]寬大，予以利用。李於[illegible]務」，立功之後，[illegible]即轉入上海金城銀行任總經理，[illegible]助手，負責一切。總經理[illegible]金城銀行過去曾與「軍統局」發生不少來往關係，李[illegible]「調查研究」。將此項去年一批「三反」「五反」運動以防[illegible]上述徐國懋[illegible]，白[illegible]非刑拷[illegible]，乃將李立俠[illegible]二年，以上二人[illegible]判處徒刑十苦頭，[illegible]之後，徐[illegible]「宣告」「人民」[illegible]增產。近[illegible]且迫其再[illegible]金。李立俠判處後，[illegible]每日打石頭[illegible]，苦工[illegible]生命[illegible]下場也。

鐵幕叢談

駕駛英雄

在共產黨英明的統治下大大地給了人們以做什麼模範和什麼英雄的機會；行車速，機油省的駕駛員，他們謚之爲「駕駛英雄」。於是：便在「新華」「長江」「解放」「光明」各報上連續看到了西南，中南，華東各地層出不窮的翻車，撞毀，輾斃行人，多得不可特別是輾斃等新聞。其中勝計，據新華日報載稱：西南國營運輸公司有輛汽車在三天之內一共輾死了兩個婦人，兩個收穫，最後還衝向田間輾死了兩個正在埋頭操作的農人！原因何在，他們說就是爲了省油，快駛，以爭取「駕駛英雄」的「榮譽」！

於是：他們就在人民身上疾駛了！

和平米·友好米

以人民底飢餓向錫蘭掉換戰略物資的白米已經分批大量的裝運出口了。現在各加工廠還有大批的米在趕緊加工以便繼續出運。本月十三日的上海解放日報說浙江海寧加工廠的工人們對這批米的加工工作感到「特別」光榮愉快，正在「特別」提前完成，而且「特別」認眞說：「大篩篩過小篩，頭風風過風二風」，使錫蘭人民能夠吃到好米。當他們在第一批米送上船的時候，說全體職工都到碼頭上去送它，像送自己的親人行遠一樣。而且大家都快樂地說：「這是和平米，也是友好米！」「人民」，「友好」到了這個境界，我也除了「歌頌」，別無可說！（天星）

薄總統而不為

尚方

以色列是猶太民族的新興國家，最近總統出缺，曾由政府負責人電邀現居美國的科學家愛因斯坦回國繼任總統之位，然愛氏復電謝絕了。

愛氏這種薄總統而不爲的表示，即使全世界的學者們增添了不少的聲光。做官無論大小，總是一種斷喪性靈的勾當，眞正有學問而「搞通了思想」的學人，决然是瞧不起官位的。莊子把做官比作在泥塗中自由生活着的神龜，無端被人置諸神龕之上，供奉如儀，好不彆扭難過。可謂通人矣！

話雖如此，何以許多讀書人又拚命地向着政治生活馳逐不休呢？這有兩種看法：一是這些所謂讀書人也者，不見得眞是讀通了書的。沒有生活基礎，亦無職業技能，覺得做官與發財乃一物之兩面，一行作吏，便可解決生活。所以，我國社會中即留下了一句「爲貧而仕」的作官格言，而中國官吏之多，也就是導源於「爲貧而仕」這句傳統的觀念語。二是國家文化衰落，產業不發達，讀書求智的長彥朋友，感覺除作官以外毫無出路。何況一朝做官即身價十倍，富貴逼人，在精神物質兩方面皆能滿足其私慾，大家乃朝着宦途官道而狂奔了。假使愛因斯坦不是科學家，不爲美國所優遇，而是住在香港調景嶺向救濟流亡智識份子機構申請登記的難民，也將不但樂於出任總統，即縣長也只好屈就哩！

希望智識份子有薄總統而不爲的高風亮節，必須振興科學，發展產業，讓讀書人多有幾條生活大道而後可！

自由談

周恩來談毛澤東

·鐵頭·

三十八年多，廣州撤退後，周恩來有一天在北平懷仁堂宴客，就籌交錯中，有人問起軍事發展情形，周說：『廣東已下，西南不久可以全部「解放」』。言下，得意之色，洋溢於面。隨又斂容作發笑狀，以遺憾的口吻說：『可惜！可惜這漢太無出息！如果張岳軍扣留不放，豈不一張可以換一張』？

意氣既經發揚，不免高談闊論。周繼說道：『軍事變化，固是無常！回想起我們初到延安的時候，糧彈兩缺，服裝窳敗，有時連水也沒有得喝。而部隊人數不過八千。那個時候，張國燾控制的精悍武裝有兩萬多，隨時都威脅着我們。因之毛主席在他的書房中，貼一首詩，詩的內容是這樣說：

『勝敗兵家乃常事，含垢忍辱是男兒。八千子弟多才俊，捲土重來未可知』。

『毛主席經常在房中走來走去，一面狂抽香烟，一面嘴裏就反覆吟這首詩，那個時候的心境與環境，你們諸位看，是到了一個什麼樣的程度』？

席間賓主十人，所得的反應，自然是一片嘖嘖讚嘆之聲。周氏飲了一點酒又來了一筷子吃下，後又說道：

『不久，西安事變爆發了，有人送來大洋三萬元。銀洋運到的時候，恰值延安戲餉告罄，眞如若大旱之得甘霖，隨後張國燾的問題也解決了，從此我們就得救了』！

從這一席談中，我們可以想像到，當時毛澤東處境的窘迫，乃假古人詩句以自慰，藉以自壯，其「阿Q的精神」，亦充分暴露無遺。而在事實上，上面所引的那首詩，本是唐朝杜牧之詠項羽垓下的自刎詩句。原詩是這樣的：

「勝敗兵家不可期，含羞忍辱是男兒，江東子弟多英俊，捲土重來未可知」。

毛大王便把「江東子弟」改爲「八千子弟」，以適合他當時的處境，反覆吟詠，有如夜行濤中大吹口哨一般。此時此地，除了劉鄧諸人，恐怕找不出一個比他高的「欲與天公試比高」的「沁園春」唱！

毛澤東煙癮的大，是有名的；但當北伐時期，他染着肺病，厭受醫師的警告，未戒絕，然吸食尚不多。記得民國十六年初春的時候，他到武昌，在第四軍特別黨部作過一次演講，講之前，相坐飲茶，並未吸煙，當時講的題目，是：『矯枉必須過正』，力闢『過猶不及』之說，引了許多譬證，並就地取材的說：『例如我們從武昌漢陽門過江到漢口龍王廟，船就須握向上游漢陽的方向開，及至到達終點，恰好就到了龍王廟，這就是「過正」的證明，後得「正」，假使一開船就針對龍王廟的方向，那末，結果必然漕到日本租界去了。這就是矯枉有過正的毛病……』隨後還發揮了一大堆『有土皆豪，無紳不劣』的理論，演講約一小時半，中間除喝茶一次外也並沒抽煙。完全不像後來演說，右手撐着茶杯，彷彿在茶館中擺「龍門陣」的派頭。

當時筆者正主編「鐵軍週報」，毛此時是中央要員，他的演說自然準備登載，而必須記錄一下，是時並無司書在場，筆者又未學過「速記」，不得已，只好「硬記」，講完記畢之後，老實說，他的湘潭官話，我有一部份眞是聽不懂，遂趁休息室見他詢問一番，然後把許多模糊的詞句及不明白的意思都弄清楚，在詢談的中間，他卻抽煙了。然而也不過一兩枝而已。

民國三十四年秋，由赫爾利保鑣，毛澤東到了重慶，閒留話談，鑑宴，拜客，甚爲忙碌，那時就有人說：毛澤東的煙盤之大，而且非大煙不過癮。同時又說覃理鳴有一晚請他晚飯，他到得很早，飯後，甚爲投機，就並坐傾談，毛氏忽然壓低聲音，莊容地問道：『理老！您看我這一次能夠平安離開重慶麼』？覃理鳴即答道：『你放心！蔣先生不是這樣的人』。隨即詳爲譬解，多方安慰，更乘機百般勸導。據說，覃在解勸中間，喉咳不已，壓不成聲，原因是毛氏一進門後，香煙就未曾離口，而且在提出這一句問話後，更大抽狂抽，一若欲藉此以鎮定其忐忑不寧的心神者然，於是煙霧迷漫，覃老那時原已患着氣喘病，經此燻刺，遂至喘咳不已了。

九月十八日這一天，國民參政會，假軍事委員會大禮堂，招待毛澤東，周恩來，王若飛等茶話，並作勝利後首次「九一八」的紀念。原來都在名義上他們三人都是參政員，但除周王二人外，毛氏從未出席過。當時主要的自然是要毛澤東講話，他也似乎有一套照例的話要講，主席略作開場白後，他就大講特講，他說：『我們勝利後，國家當前迫切的需要和平，需要安定，需要建設。……總之，「和平」，「和爲貴」！「和爲貴」……』先後不知說了多少個「和爲貴」，就當時情況與演說的本身說，大家自然誠屬不壞，掌聲如儀，筆者那時坐在毛的對面，很注意他的一切，覺得他的身形似乎整個變了，肺病彷彿也沒有了。不過，等他一開腔，湘潭官話却依然未改，而最堪驚異的，却是抽香煙的本事。茶話會開約二小時，他從一到就抽起，一直就沒停過，在他講話的時光，燒着了的香煙，是橫放在灰缸上的。不過說句實在話，演講到是一氣呵成，中間並沒有換吸香煙的，這也許是做客人的緣故罷？而他的吸食香煙，却與衆不同，他不但吸時甚長，有如作深呼吸之狀，而且煙一吸進，即化爲烏有，不但嘴裏不吐出煙子，就是鼻孔裏，也一些沒有煙子冒出，那情況直是不僅是「吸」，簡直是「吞」，而且吞得是那麼乾淨，那麼徹底，可以說是很少糟蹋掉的。加以他的吸煙神態，是如此酣暢，吸煙手法，是如此熟練！右手的香煙吸去約三分之二後，左手即伸到煙罐，另取一枝，略略豎在棹上頓緊，即以正燃的舊煙，點着新煙，並將要丟的舊煙狂吸幾口，那時倒噴出煙子來了，在煙霧濃密的時候，煙蒂就擲於灰缸之中，如是者週而復始，輪流不絕，火柴到是費得很少的，而到茶會將散時，筆者翹足而望壁上放一齊的兩罐大砲台一罐，業已去其大半了。雖然別人也有抽的，然而毛氏恐不在一小時半內吸去了十幾枝！

當時筆者輕輕的推了坐在旁邊的朋友一下說：『你有不有注意毛的吸煙？』答道：『我看到了』，我問：『簡直是燻湖南臘肉』，『臘肉在那裏』？答道：『掛在他肚皮裏的心肝五臟，不是早已燻黑了嗎？』兩人忍不住笑出了聲。鄰座悄問何事？我們答道：『將來請你喫湖南臘肉』。

後來聽到了周恩來的一席話，乃恍然毛澤東的煙癮沈痼，原來是在到延安後，於恐懼徬徨中，不知不覺的愈染愈深的。不久前，聽說他的心臟病很重，恐怕也與迭受恐懼而拚命吸煙，或者說是長期吞煙，不無關係罷。

進步的悲哀

大鐵椎

晚飯後，坐在椅上噴着烟圈，想借那麼一瞬，恢復一天來的疲憊。陡然間鑽容進來——她是我從兄的三姑娘，戰時香港淪陷，她從兄雖然是本港皇仁書院全畢業生，回到故鄉，英語文也說得很流利，戰後他似乎厭惡都市生活，或者不堪淪陷時損失的刺激，也就滿足於他可以溫飽的祖業。

別後才三年，她顯然高大了，而上卻充滿憔悴，少女的豐腴，完全消失了。見了我似乎無限羞怯，而又很痛悔似的：我仍然按不住內心的火，她不該這樣無恥，這樣心狠，爲了進身拿自己爸爸做墊腳石，固然該死，就是爲了保持自己狗命，也不該把那個半生爲她姊妹們做牛馬，正經風燭殘年的爸爸來犧牲！

『怎麼嫁爸爸的生命，嫁母親和兄弟姊妹的幸福，還不夠做嫁進身之階嗎？……』

『七叔：請饒恕我，讓我說一點懺悔的話，幫助我報仇，只要報仇，我不會忘掉誰使我，迫着我……出賣爸爸的仇人，蹂躪我一生幸福的魔鬼，我……』。

她的一一音浮在抽搐裏，我又氣又恨，可憐她是一個才十七歲的姑娘呀！『說呀，說呀』。我命令似的要她說：

『四年前黃××就向我追求了，我想擺脫他才來香港，眼見兩個姊姊在工廠裏，才同到鄉裏去』。我缺乏正視現實的勇氣，迫着了嘲糊口，

『他說：「認識了我，希望我也入團，入了組織有工作和待遇給我們，今後是共產黨的天下，我們就是共產黨的核心……」。又說「入團不是容易，除了要像樣有力的團員介紹以外，還得要立功，我要這表現進步」。

『不過：這都不是困難，想過了，嫁爸爸丟，了我已經在蔑裏嗎？不是說過嫁報告上級，拿好些子彈你，就是很好的表現和很大功勞……』。

「父母深恩」——這是封建意識作祟，新社會只有是非，新時代的兒女，是屬於國家的，無產階級的，工農大衆的……。最後一次，他生氣了，『嫁不要再猶豫，』

『我一樣可以報告，不但嫁那反動地主爸爸的老命保不住，嫁也有跑不掉的責任……。』

『他這樣威脅，雖然我悔不該爸爸繳了自衛槍，捨不得幾千血汗錢買來的子彈埋在幾個裏的事告訴他，却又無法阻止他報告上級，在他逼迫和誘惑下，我才「一面倒」了……他毀滅……我的……家庭……也摧殘了……我的幸福』。

任務，不要哭了！現在到這裏來，又有什麼要借還我的腦袋嗎？你們的慣語「坦白呀」！

『是的：七叔，組織要我來騙你回去』，她抹乾眼淚爽亮的說：『說你才是反動主力，你在這裏辦反動報，寫反動文章，做反動工作……可是：我不會這樣做了，雖然他們保證只要騙得你回去，黃××會仍然愛我，組織更會提拔我；我知道：他們將要我陷入更深的泥淖，我今後希望能報父仇，救贖母親和弟姊們苦難，這付臭皮囊和污腥的血，只要能夠洗淨我這顆罪孽的心——我不會有一點保留和愛惜……』沉痛的她還沒有說完，突然我手指着了一把似的痛，睜開眼來，卻是那個烟屁股把我燒醒了……。

啟事

萬竹樓隨筆及本期中周展習作者小病，暫停一次，下期照刊，謹乞讀者諒察。

赫德傳（十七）

英國關員均不以繼璀琳繼任爲然，恐他將大事改革，一反赫德之所爲，英人尤爲自危，恐王更不利，因以增加李鴻章的權力，遂擬以赫德之弟爲總稅務司，而派一關務署長分任其事，赫德亦不反對。他於八月十五日作告別書，繼任何人將容後發表，彼自己下文，亦未提及。惟 North China Herald 特派員的信上，謂：「爲中英利益起見，就任公使反失去我之所長……外交部關于推進以後英國利益而需幫忙，可以打算在我頭上。……並請告新任公使與我合作，而領事館以後尤須戒其不再與海關搗亂。」

我們仔細想想赫德做了中國海關獨裁者五十餘年，卒以造成中國入超數字年年擴大，乃至不可收拾，而關稅自主運動，亦延遲了三十年。李鴻章說：「赫德爲人陰鷙險狠，」當然有所根據的。

中國之友（三七）

毛以亨

北京電訊，則謂已發表丁韙良。到廿五日他已決定留任，因爲李鴻章新近對中日與中法兩次交涉已立了功，總理衙門亦繼不起其以全權之勢來相脅迫的。赫德遂于八月廿六日還函沙相謂「我此時離去海關，影響殊大……我將爲中英利益而完成海關制度……且名雖海關，範圍甚大，而皆以從各方面謀中國之幸福，實爲改良中國行政，與一切工業的中心，其故如此，故領導權非操在中國手中不可。」答推薦他的外次 Pauncefote

十三、緬甸的喪失

緬甸問題又繼之以起。一八八四年安南喪失了，法人支持緬王 Tehaw，抵抗印督的統治權，在一八七八年以來，一八八五年緬王取消英人採木公司尚有二十年之合同，而改界法人，印督乃于十月提出哀的美敦書如下：一、接待英使以各國通行之禮。二、英國派專員于緬甸，得駐軍隊並停泊輪船。三、採木公司權利仍舊。四、緬甸對外關係得依印度總督的勸告。五、中英通商，假道緬甸須予方便。

十一月一日緬甸不允所請，並與法公使以容意協商的內容，並謂英國無視緬甸，何爲我清的事實，但中國政府欲妥協，惟不願緬甸由駐英公使曾紀澤，因爲他的憤慨足以招致危險和困難，而北京英使亦祗是扳起面孔打官話。他要知道此事如何發生，緬甸的攻擊，與英人所要求的賠償。這種翻譯話，赫德聽了之後立刻與英使 O'Conor 磋商，二人遂合作辦理此事。赫德電英外部提出兩種主張：一，讓中國行使宗主權，消除緬政府損害賠償；二，把中國關在一邊，讓英國放手去幹，使緬甸向中國十年進貢一次。赫德曾向英國打算，中國願採第一個辦法，然赫德雖知的，因要採第二個辦法，祗怕引起中英衝突，因印政府已出兵，沙相主張兵動緬甸，會並謂英國知此事須再議，因爲緬甸已歸赫德辦理，使英政府承認緬甸已歸外交，赫德電英外部說：「緬甸問題，既落在我手，請你不要再同曾侯會談，曾然答與英協麼了。曾侯會見英國之友，爲什習的服的戰士樣子，一總理衙門給曾的訓令，爲「你已逾越訓令所求，再不許向英外部用力了。而英氏開印度大臣則請印督與北京代辦聯繫。

我從莫斯科監獄釋出

Z. Stypulkowski 著　由之譯

心力交瘁

當囚犯的腦力還很清醒且很愼重的時候，他不會讓自己供出實情來做出一件蠢事，但一旦他認爲審問人已知道一切時，他會惶然若失。他追憶過去的事情，忙於向審問人解釋。然而有時候，他也會把審問人向他提出的假事和眞的事實淆混不清。在他决心供出一切時，他會談些從未發生的事情，重複他一度聽見過的空話。當然，這樣仍不能使審問人滿足，因此犯人還得追憶更多的事情。

一個囚犯要供出一篇前後沒有矛盾，使獄方滿意的供詞，還有賴他的智識，精密的能力和性情，但這是極端困難的，在幾週長時間的審訊中，他的才能已大爲衰退，推論和判斷的能力也大受損害。他的外表雖還和以前略略相似，但嚴格說起，他已是一個完全不同的人。

不成人形

在審訊的末期，我遇到一些朋友們時才充分體察到這點。有一晚，我奉召受審，突然看見一位相交達二十五年的老朋友，他在兩月前和我同被拘到牢獄後就一直音訊杳然的。我們見面時，幾乎不認識他了，他的一雙眼變得兇惡而粗暴，深深地陷了下去，他的皮膚枯黃而滿佈皺紋，一身滿是油垢，他的身體不停的發抖，他的腳腫得嚇人，幾乎要把鞋子漲破，他的聲音是那樣的微弱，閃縮而時斷時續。

「你變了一點點」。我說。企圖掩飾我對他的恐怖印象。

「你，也是一樣」。他說。想笑而不會笑出來。

我可惜沒有鏡子來照照我自己。

盧必安卡獄中的囚犯經過一連串的審問，再加上凍、餓，特別是失眠的影響後，普遍都變得異常衰弱，而不復具有人形。

（七）

自由人
中華民國僑務委員會頒發登記證台政新字第壹零貳號
THE FREEMAN
（半週刊每星期三六出版）
（第一八一期）
每份港幣壹毫
督印人：李光華
社址
香港告士打道六六號
電話：二〇八四八
GLOUCESTER RD.
HONG KONG
TEL: 20848
承印者：東南印務出版社
地址：高士打道六十四號
台灣特派員辦事處
台北市館前街五十號
台灣總經銷處
台北市中華路一二五九號

胡適先生與團結運動

雷嘯岑

胡適之先生一抵國門，即發出反共力量大團結的呼籲，近日台北傳來消息，說胡先生將有香港之行，為的亦是團結運動。因此，海外一般反共非共的中國智識界中人，即有若干不同的反應。胡先生此次回國來，既表明以在野之身，為團結自由中國的一切力量而有所努力，我們只有渴望其成功。然其成功之道，不在乎來香港與否，要在能有具體作法，先使各方紛歧的意見與誤解的觀念，澄清簡化，然後大家皆具有互信互諒的心情，推誠相與，必獲事半功倍的效用。

應該澄清的誤解

由於外國電訊報導胡先生在台北招待記者時有談到「第三勢力」應否存在的話，原文與各報漢文譯語不無出入，遂使素以「第三勢力」相期許的朋友們，頗滋反感，指胡先生談話中有「第三勢力不應存在」的詞句，認爲這非胡氏所應說，不免有抹煞海外某些反共力量之意。我雖未親聞胡氏談話，但推測外國電訊所傳，他所指的「第三勢力」，恐怕是世界性的。若就中國人的反共非共力量而言，「第三勢力」這一名詞在邏輯上能否成立，即有研究必要。

所謂「第三」云者，似應介乎兩個敵對人物或勢力之間，以不偏不倚的立場，別有主張，取捨之謂。像現時的印度，一面表示與自由世界合作，一面又隨時爲極權集團張目助勢。又如南斯拉夫的狄托，他自命爲眞正馬克斯主義者，照樣施行共產政治，但不受克里姆林宮的控制，亦與資本主義國家打交道。不管印度和南斯拉夫的將來結局怎樣，但目前他們以「第三勢力」自居，也能自圓其說。至於以無條件反共爲職志的中國人，縱不滿於自由中國的政治現狀，祇可說是「反對派」或「新勢力」，而不能稱爲「第三勢力」，因其本質上只是反共洪流中的一股支流，只是中國反共陣營內的「第二勢力」，絕對談不上「第三者」！「第三勢力」這一名詞，原是美國對華外交白皮書中所引用的，美國人對中國問題素來不求甚解，幻想衝動。他們忘記了自己的本國在民主共和兩黨以外，始終產生不出「第三」的民主勢力那一情形，卻以「第三勢力」期之於反共的自由中國，於義殊不足取。我們贊成中國有新興的民主勢力，更主張在民主政治生活中要有反對派存在，可不同意「第三」之說。所以希望大家對於胡先生的談話，用不着猜疑誤會。我們唯有在團結方法上多所探討，以期於事有濟。

團結不宜用拉伕方法

過去大家一談到政治上的團結方法，總是偏重對人問題，而其所謂「人」的對象，又以一般在政治上好「扯把子」的過時政客軍人，或者[illegible]（[illegible]）爲主體，極盡拉攏之能事。對於所擬倡導結合作的政治信念與政綱政策等，視同末務，以爲拉攏了一些好扯把子的偶像人物，天下事即大定矣，這是錯誤的。這般人固係社會上「知名之士」，然多半皆非「得民之人」，他們的德器，他們的學識及其對國家民族的建樹、是否爲社會大衆所欣慕信賴？從來沒人講究。似乎一經作過大官者，不問賢愚優劣，即永遠是國家少不了的大好佬，有了他們，天下就太平，就是民主政治；缺少了他們，政府就是不民主，即爲專政獨裁！這種盲目崇拜偶像的作風，自民國以來的政治上，一直隨習相沿，未能糾正，難怪大多數的智識青年，常常對政府抱着離心力，而容易受野心家煽惑，挺而走險哩！

目的要講團結，首先應揭示一些能適應社會大衆——至少也能適應智識界人士（包括青年）所要求的信念與方針，敎大家在心理上引起共鳴，感情上自動興奮，認爲這樣才是反共救國的共同意志，自然而然的各盡所能，求心所安。今日許多希望團結救國的人，並不在爭取個人的政治地位，有些根本就對政治不感興趣，你拉他去參政作官，亦將避之若浼的。惟其如此，他們即具有充分的理智，正確的觀念，愛國家求進步的熱情。我們要從這種的基礎來求團結，才是眞正的大團結運動。若僅以拉伕方法，拉攏一些對社會大衆不發生作用，或者早已喪失信譽的「知名之士」，參預政權，絕對不得要領。因此，胡適之先生來香港與否，似爲無關宏旨，如果沒有一套能切合大衆需要的團結辦法，我認爲不來也罷。

甚麼是切合大衆需要的團結辦法呢？胡先生是民主主義者，現時一般不滿現狀，尚待團結的人士，也以民主主義爲盾牌。譬如：他們要求言論、出版、結社、集會之合理的自由權利；他們希望政治上能夠容許反對派之合法存在。胡先生對於這些問題，以在野之身，替政府設想，也替民間設想，如能針對現實需要，權衡利弊得失，作公開的建議，詢謀僉同，貢獻國策，公諸社會，樹之風聲，然後由政府分別實施，則[illegible]。實行民主政治，任何政府也不可能使每個人都感滿意，[illegible]，就是最進步的民主生活了。至於有以滿足私慾爲前提，藉「民主」口頭禪來裝腔作勢者，自難博得社會大衆的同情，設他古調獨彈，無傷大雅。[illegible]這個觀念，拿出新作風，以智識界爲團結對象，以民主憲政爲團結方法，[illegible]，不激不隨，這是我們所期待於胡先生的時代使命，也唯有胡先生纔可能達成這項使命。

馬丁提出下屆議會計劃

力主國軍反攻大陸

最近發表廣播演說，力求臺灣國軍赴韓作戰的美衆議員馬丁，在明年一月艾森豪新政府成立後，將是國會中最強有力的人物。在上屆國會中，他是共和黨的衆院領袖，在下屆第八十三屆國會，他將是衆院議長。對於下屆國會的未來立法計劃，馬丁最近向美國「新聞週刊」提出了一個梗概，其要點約如下述：

武裝亞洲的政策

「現在已到了適當的時機，我們必須向蘇俄表明，我們不容戰爭的僵持狀態繼續存在於韓國。」

這是馬丁在外交政策觀念上的重點。他且認爲美國極大多數人民同意他這看法。他曾說：「單靠圍堵政策是不夠的，我們祇有向蘇俄表明，我們決心確當地解決韓國問題，才能結束韓戰的僵持狀態，而使世界得到和平。」

照馬丁的看法，艾森豪所以能在大選中獲勝，其主要理由之一，是美國人民普遍相信，艾森豪在軍事和外交方面的成就，已證明由他來對付共黨侵略，比史蒂文生爲佳。和平是最主要的問題，而要獲得和平，則祇有採取更強硬的外交政策，並且以軍事實力爲後盾。

以韓戰爲例，馬丁認爲，在目前的情況下，在韓國即使達成任何休戰協定，它可能祇是一個陷阱。因爲蘇俄的說話，早已失去重視的價值，他們所尊敬的，祇有實力。

「我們必須爭取時間，趕緊在亞洲把反共力量建立起來。」馬丁說：「其步驟之一，是擴建台灣的中國軍力，使他們能反攻大陸，逐走共黨；我且主張將中國部隊運用於韓國。我曾目擊支軍隊的表現，他們都是優良的士兵，勇於作戰，且正急切要求從事反共戰鬥。

「我們也必須建立南韓的軍隊，使我們的健兒能撤離前綫，由他們擔負防禦責任。我以爲，我們應該建立日本的軍隊，以阻遏侵略。我們且應鼓勵中國大陸上各種反共勢力，發動反叛運動。」

援歐政策將延續

關於美國援助歐洲的政策，馬丁預料在第八十三屆國會中，不會有激烈的改變。

他說：「我們必須竭盡全力加強西歐各國的力量。祇要一個國家願意抵抗共產主義，和向共產主義戰鬥，我們便應鼓勵他的人民這樣去做。在阻遏共黨侵略威脅的大前提下，我們需要他們的合作。

我們知道，我們不能永無止境地繼續援助盟國，不過提供援助，是我們目前應該繼續做的，祇是我們可以採取一種特殊的方式，使我們的這個負擔，能在可能範圍內最早的時候予以解除。我深信，艾森豪的新政府，必會對整個援外計劃重新檢討，而由第一流人物來執行，以獲致期望中的效果。」

平衡預算

衆院共和黨議員在國外交政策的態度，大部份將視國際局勢的演變而決定。馬丁說：「我們希望平衡預算，但是否做得到，將完全視國外局勢的緊張程度而定。要是國際情況不再惡化，我想我們是可以達到預算平衡目標的，不過，我們將把保持國家安全的目標，置於平衡預算之上。」

馬丁認爲，預算的削減，將無疑義，但削減數字，是否將有些參議員所提一百億元之多，馬丁則以爲尚難預斷。在這方面，他的意見是：「我們將取消一切浪費，但我們卻決不會危及三軍的實力，我們將保持自衞以及履行域外義務所必需的軍事力量。」

對於預算削減問題，馬丁認爲衆院的撥款委員會和艾森豪政府將密切和融洽的相互合作。他相信，第八十屆國會中共和黨在削減中遭遇政府阻撓的事件，當不會重演。

關於稅率降低，馬丁暫時採取謹慎的態度，他以爲目前還不能提出確切的諾言。他說：「整個賦稅制度將加修整。我們要求把我們的繁榮基礎，從戰爭轉變到和平，要達成這目的，我們必須降低稅率。我們將成立一個機構，從事減稅的調查工作。」

爭取民主黨合作

馬丁深切明瞭，要使艾森豪的各種計劃在國會中通過，必然需要民主黨的合作。但他並不認爲，爲了這個目的，需要預先達成一種兩黨合作的安排。他說：「許多民主黨人都願意協助我們使國家回復到美國的軌道上，因此，我們是不必和他們談判的。他們這樣做，乃是一種愛國的表現。我這看法，並非胡謅，我已接到好多民主黨主要人物的電話，他們表示極願和我們合作，使健全的內政計劃和援外方案能在國會中通過。

「同時，民主黨也知道，艾森豪在這次大選中，曾得到極多民主黨方面的選票。因此，他們爲什麼要盲目反對艾森豪的計劃，而犧牲他們未來[illegible]？我也可以向民主黨提出保證，他們在參議院中必會得到公正的待遇，他們的權利，也將受我們尊重。我們已準備把他們當作平等的夥伴，使這國家恢復鞏固的基礎。」

（張松）

克拉克贊成進攻北韓[illegible]

艾克訪韓面臨困難抉擇

最近，南韓政府會組織漢城居民一萬人，在漢城爲戰火所毀的首都舉行大遊行，歷時二小時之久，他們除高喊口號，要求發動軍事攻勢，統一南北韓外，還高舉標語布旗，寫着：「我們切盼艾森豪威爾將軍及早到達。」

裴列特將軍也到了漢城，他說：「我們全體都希望[illegible]到來。一張照片，能抵過一千句話，而親眼一睹一次，將能抵過一千個報告。」

南韓現在正在急切地等待艾森豪的蒞臨。一切都已陷於停滯狀態。韓戰也在金化四周間小峻嶺的激烈爭奪戰中陷入僵持。這裏的激戰已使一週的美軍傷亡數字到達十二個月以來的最高程度（在十一月十二日前的一週內達一千三百十八名）。韓戰的和談，已轉到聯合國，到目前止，還無進展可言，蘇聯的維辛斯基再堅持共方的態度：一一共軍戰俘必須全部遣返。英國外相艾登也在回國以前，還登高向共黨集團提出呼籲，希望共方能接納印度的提案：「人道原則，[illegible]在停戰後，任何戰俘都不以強迫拘押，或強迫遣歸……除此之外，更公正合理的提議嗎？」

正在這時候，美國國防次長福斯特在環球視察後，回到華盛頓的五角大廈，對報界告說，韓國戰場上的聯合國指揮官，對於以談判達成休戰，已感到絕望。他所指的，可能也包括聯軍統帥克拉克和第八軍軍長范佛里特在內。他們的意見，已反映於第八軍、遠東統帥部和聯合參謀部每月提出的報告中，這些報告對韓戰的情況，每月有一種新的看法。

這些報告所採取的[illegible]，在基本上，這些報告祇提出了如下三種行動的抉擇：一、聯軍退出韓國；二、聯軍繼續目前的阻遏行動政策；三、在韓國境內增加壓力，或在韓國境內和韓國以外都增加壓力。在國防部的術語中，這三個抉擇，已稱爲：逃走；阻遏；和戰鬥。

許多最近自韓境回到美國的高級軍事領袖，都主張聯軍採取第三途徑，[illegible]

[illegible]

然而，杜魯門政府一再拒絕在韓增加軍事壓力的戰略，生怕這會「擴大戰爭」。[illegible]

（黃覇譯）

薩爾之爭會影響歐洲防禦嗎？

•竹生•

西德處於東西冷戰的前哨，德國重整軍備，對歐洲防禦具有重大影響。波恩下院於否決了政府要求辯論批准對德和平契約及歐洲軍協定，使總理愛特諾爾遭遇其政治生命中最大之挫敗。依據西德聯邦共和國憲法，政府還不致於因爲這一次的不信任表決而告垮台，因還能向議會提出二讀。因此，愛特諾爾雖然經此挫折，不能認爲完全失敗，其政治生命之延續，自無疑問。因爲將來和平契約和歐洲軍條約在國會作全面性之辯論時，愛特諾爾仍可能獲得信任與支持的。但是這次否決的原因，並不單純。第一、愛特諾爾的基督民主黨議員棄權，有五十三名缺席；第二、西德議員對法國支持薩爾於十一月三十日選舉，自知反對無效，遂以延緩通過對德和平契約及歐洲軍條約，作爲報復，藉以刺激西方，尤圖使美國對法引起反感，希望讓美國同情波恩政府，阻延法國指導下的薩爾選舉，繼續法德對薩爾未來地位的談判。然而，西方的反應值英美表示憂慮，恐怕夜長夢多，認爲若再拖延，將是無止境的阻礙歐洲建軍。法國呢，他們認爲薩爾區的選舉，已決定十一月三十日舉行，幷不妨礙法德兩國間之繼續談判。

歷經滄桑地位莫決

一九一九年以來，德國無時不在打算把薩爾區括入版圖，此一德國西部擁有八百萬方哩，八百五十萬人口的富饒煤礦區，平常每年產量達一千四百萬噸，但蘊藏之量幾逾千倍，而且還有巨大的鋼鐵工業。根據凡爾賽和約規定，薩爾區由國際共同管理，至一九三四年以後，它的地位，歸人民投票決定。一九三五年二月，全民投票結果，願意歸還德國的達四十七萬七千票的多數；而贊成國際共管的，佔四萬七千弱；僅二千票支持歸併法國。因此，薩爾區便回到了德國。二次大戰後，薩爾區爲勝利法軍所佔，法國提出合併要求，並擬將萊茵區與德國分離，前者各盟國並不十分反對，而後者包括共管薩爾區，則美英蘇三國均不能同意。

後來，英美對於薩爾區域的處理，僅決定限於經濟上與法合作，政治上不屬於法國，同時復認爲薩爾之地位最後取決，應與和約與賠償問題一併討論。但是，法國謀取薩爾，處心積慮，既把薩爾併入法國關稅制度以內，復在政治上不屬於法國的原則下，欲驅使薩爾脫離德國，達到「獨立」地位。一九四七年十月，薩爾在法國勢力籠罩下舉行投票，多數贊成法國的主張，成立地方議會，草擬憲法，正式宣布薩爾爲自治區。在它的宣言中，主張以社會福利爲根據；而經濟上則由法國獨佔，最高權力亦屬於法國高級長官，他監督薩爾政府；國防外交統由法人掌握，薩爾之獨立，徒係虛名而已。

法德各不相讓

薩爾在法國控制之下，逐步趨向法國化了，如薩爾之法律制度，及一切設施，均無不悉遵循法國的；法文在各學校普遍推行，法語爲第二種言語。一九四八年，雖然自治政府正式成立，這一個組織的實際權力，均操諸法人之手，僅爲對外的一個空洞名詞。因此，一九四九年歐洲議會向西德與薩爾同時發出邀請，觸發德人舊創，認爲薩爾不能與德國處於相等地位，堅決表示反對。翌年三月，法國與薩爾自治政府締訂使用煤礦協定，將其採礦權延長五十年；波恩政府大爲不滿，力斥這是法國的片面行動，德國政府及其人民不能認爲有效。但在最近兩年中，法德兩國，對薩爾地位之爭執，時斷時續，雙方各持理由，法國則認爲薩爾已經與德國分離，而且已成法國自治領的既成事實。德國則不僅否認薩爾之現實地位，而且一再聲言是德國土地應由波恩政府使用權力收回。幷向國際間爭取同情與支持他的立場；格於形勢，未見有何實際行動。對德和平契約及歐洲軍協定簽署以後，西德總理與法國外長舒曼對薩爾地位，重又進行談判；法國堅持除了經濟合作。政治問題極力避談，在最後之會談中，舒曼與愛特諾爾終於獲致協議，確定薩爾區歐洲化原則；經濟合作方面，卻仍有許多困難，主要原因，則係法國起草的法德聯合宣言全文，愛特諾爾未能完全同意，談判卒告擱淺。及法國宣布薩爾區定期十一月三十日選舉，激起德人的反對情緒，西德國防部長凱撒，於十一月十四日廣播演說，強調薩爾應歸還德國，使德國的經濟以穩定於歐洲防禦的貢獻。

繼續談判未必樂觀

愛特諾爾於十一月十八日在薩爾區問題辯論中，他首先宣布與舒曼談判之過程，並謂曾向法國建議設置一個「法德兩國專家組成的委員會以謀達成一個經濟協議，保障法、德及薩爾之利益。」最後對於薩爾選舉一事亦堅決聲明，此種選舉所產生之議會及政府，不能承認其爲合法的代表薩爾人民。這很明顯的反映愛特諾爾此舉係針對先一日法國外長舒曼所說「薩爾歐洲化已成基本定論」的反擊。就整個形勢看，西德議會對於歐洲軍協定，原則上並不反對，提出辯論案被否決之原因，和對德和平契約一樣，純係爲了薩爾區的地位，而暫予延擱。但薩爾區之地位，顯已無法改變，法國在談判中極力避免涉及政治，而政治問題不解決，經濟上的協議，自不易達成，對西德整軍前途無疑是一大障礙。因此，法德談判縱使繼續，前途也未必樂觀。

東德整軍積極進行

西德的整軍尚在胚胎時期，但東德的武裝卻已逐漸地增強了。儘管東德的經濟無法擔負一支龐大的軍力，但它的警察已擴充到十萬名；而三個師團的新軍，也已由蘇俄把它裝備成重砲和坦克部隊；雖然這些新軍的分子係由強征廿一歲以上的青年入伍構成。新軍每個師團約有一萬二千名；據柏林的報導，俄製的T—34型坦克七百輛及五十輛配有九十五種大砲新型T—34坦克，還有一、二百門納粹軍隊昔所用的德製大砲，已於上月間運到東德，以供這三個新編師團使用。從訓練和裝備上看，無疑是一支戰鬥隊伍。但尚有包括蘇俄的參謀人員和地面部隊在內共計九萬五千至十萬名的軍隊經常駐於東德且有俄人主持下正訓練二至三千名的「人民營中警察」；更有海上警察部隊五千名，正在波羅的海面進行着佈雷與掃雷的訓練。這些行動對於西德的安全自是一大威脅；因此歐洲建軍的需要，顯得更爲迫切，法德之間能否消除舊怨和拋棄當前不利，而務力解決薩爾之爭，進而促成歐洲軍的計劃的實現，這將不僅影響西歐防務的區域問題，且是整個自由世界所關注的。

美國新任國務卿杜爾斯

•丁匡華•

杜爾斯是美國政壇一張外交王牌，在兩黨的陣營裏，曾在威爾遜、羅斯福、杜魯門三任總統下歷任要職；在本黨裏是政策決定的神經中樞；又在敵對黨與本黨間爲政府充任兩黨政治橋樑，二次大戰後，一九四七年促成聯合國大會通過一項議案承認南韓共和國的獨立完整；一九五〇年，北韓共軍侵犯南韓前三日，曾在朝鮮三八綫上宣稱聯合國對於共方犯南韓的企圖將抵抗到底，一九五〇年至一九五一年之交擔任杜魯門總統特別代表，赴日籌商對日和約，共航行十二萬五千里，奔走五十餘國；最後充任領大使銜代表完成和約簽訂等一連串的外交勝利。

杜爾斯其人其事

這一位美國新任「外交部長」，一八八八年生於華盛頓，幼在紐約州水城上學，他的祖父是哈理遜總統的國務卿，他十九歲那一年，曾陪伴他祖父出席一九〇七年海牙和平會議，一九〇八年獲得普霖斯敦大學文學士，成績爲全班之冠，嗣在巴黎索朋學院研究了一年國際公法，返美後，又在華盛頓大學繼續研究法律。

第一次大戰期間，杜爾斯在陸軍服務，初任上尉，後任少校，隸屬參謀本部，一九一九年被任爲威爾遜總統出席和會的財政及賠款問題的顧問，從那時起，他就與美國銀行界社辣斯巴魯克聯絡。又與後來做總統的胡佛辦理救濟歐洲戰災地區工作，同爲盟軍最高經濟委員會的委員，他還代表美國出席盟國賠款委員會。

此後，經常在國內執行律師業務，見解精闢，法律嫻熟，成爲美國聯合法律事務所律師中的翹楚。

杜爾斯嶄露頭角是在一九四四年競選的那一年，他與若干共和黨領袖捧出了杜威與羅斯福競選，杜威以其富有才識，就聘他爲競選顧問，幷做代言人。杜爾斯巧妙地替杜威佈置競選事務，曾有條理，一時傳說很盛，說如果杜威上台，杜爾斯可能被委爲國務卿，結果杜威失敗了，杜爾斯自然沒有作成國務卿。雖然如此，以後這如許年中，他在政治舞台上一直成爲舉足輕重非常顯要的角色。

前些時候，杜爾斯在內閣雖沒有職位，事實上，他可稱爲杜魯門——馬歇爾——艾契遜政府的「欽差大臣」，憑着美國代表團顧問資格或外交代表的身份，他左右戰後許多國際會議，如曾出席聯合國成立大會時的美國代表，一九四五年秋天出席倫敦外長會議，一九四七年，出席莫斯科外長會議，和倫敦外長會議，一九四七年擔任聯合國大會美國代表，一九四八年出任巴黎聯合國大會美國代表團團長，其後出任杜魯門，艾契遜最高外交顧問。

他的最大的成就是草擬對日和約，他於一九五〇年奉到杜魯門這一艱巨大任的委命之後，他航行十二萬五千里訪問五十多國，歷時半載，終於達成使命，而贏得國際上的令譽。

艾森豪爲什麼選擇他

艾森豪爲什麼選任他做共和黨二十年來第一任國務卿？杜爾斯自有其優越的條件：

第一：他有調和兩黨合作的優越條件；民主黨執政以來，共和黨政要始終周旋在政府陣容裏而出任高級的職位和擔當方面大任的，恐怕杜爾斯是其中的第一人，雖說在後來言論上對杜魯門和艾契遜有着過激的批評，但其與杜魯門艾契遜的私人感情甚篤，艾森豪今後需要與民主黨當合作之處甚多，環境共和黨爲數人員能夠作爲兩黨的橋樑而且發生作用的，自然祇有一個杜爾斯。

第二、他有外交的豐富經驗：在最近七八年來，杜爾斯馬不停蹄地出席若干國際會議，他懂得外交的巧妙和運用，也洞悉東西各國外交的動向和路線，以之縱橫其間，自可爲美國主動外交闢一條新路：尤其與英國的艾登、法國的許曼相處濃洽，那麼在英法支持之下，製訂一個對蘇的強硬外交政策，自可勝任愉快。

第三、他有與遠東的淵源關係：今天代表遠東外交重心的一是自由中國，一是日本，一是南韓，杜爾斯與這幾個國家都是具有深切的淵源關係的；先說南韓，一九四七年聯合國大會，通過承認南韓共和國之獨立與完整一案時，杜爾斯就是美國代表團中聲嘶力竭大聲疾呼之一員，一九五〇年六月二十二日，剛在北韓共軍侵入南韓之前三天，立於三八綫上，宣告聯合國對於任何共黨控制南韓之企圖將予抵抗到底，其後促成杜魯門下令美軍馳援南韓，使南韓不被共黨吞滅，也是杜爾斯。由此淵源，南韓今後擁護杜爾斯政府，絕無疑議，次及日本，杜爾斯對日和約的貢獻，使日本[illegible]獨立，[illegible]後說到自由中國了，自從一九四九年九月白皮書發表後，台灣受美國政府忽視，若非杜爾斯和幾位議員仗義正言，著論揭露民主黨的錯誤及聯合共和黨領袖的政策，美援絕不會滾滾而來，其最維護自由中國之表現，是對日和約，當時英國堅決反對台灣代表中國與日本簽訂和約，他還齎智齊的大才，一面讓日本自行抉擇，一面向吉田提出備忘錄要其保證與台灣簽訂和約，結果是如願以償，使台灣地位更進一步，杜爾斯有此遠東外交關係，將來對於亞洲方面的一切問題自可迎刃而解。

第四、他有反共抗俄的外交理論：早些時候，蘇俄曾替「美帝」開下一批「戰爭販子」的名單，「第一號戰爭販子」的「頭銜」就是送給他，可見在蘇俄當道者的心目中最有份量的人物，不是總統杜魯門，也不是艾森豪或麥克阿瑟，而是一個未掌國政的杜爾斯。在美國甚至在整個西方國家的外交人物中，沒有一個「反蘇」的外交理論像他那樣澈底而有力，像他在一九四六年時就寫了一篇分析蘇俄共產主義的眞正動機的文章，因而成爲蘇俄「攻擊」的重大目標，其後他並著述「戰爭與和平」一書及「果敢的外交政策」一文，均是針對蘇俄而著的，對蘇俄內情瞭如指掌，故艾森豪以其出任國務卿，自然是爲反共抗俄的最基層的佈署。

杜爾斯的果敢外交

今後杜爾斯的外交動向怎樣呢？他前次所發表的洋洋二萬言的「果敢的外交政策」，可以做爲他的藍本，在這篇文章裏他指出：（一）民主黨政府過去政策的錯誤，（二）什麼是應取的途徑，（三）共產國家外強中乾，（四）軍隊輕重的重大錯誤，（五）自由世界共同體的力量，（六）三條戰略要道的[illegible]，（五）英美[illegible]行動，（六）英美對[illegible]見解消除，（七）美國外交政策須要維持兩黨外交，（八）不好戰。都有獨到的見解，[illegible]艾森豪[illegible]持的態度，預定的政策，將杜爾斯[illegible]白宮[illegible]上的實施方案，絕無疑義。

所指陳在軍事上，蘇俄還不敢出紅軍公然作「軍事征服」行動，祇是乘入不備的掠劫，他列舉的三項理由是：（一）蘇俄不圖[illegible]西方一步，包圍[illegible]的戰險，因爲[illegible]自由國家之前的工業優勢；（二）[illegible]非是一個共黨紅軍組織，它對共黨效忠的程度，不時使共黨領袖懷疑，尤其是在受命出作侵略的時候，（三）蘇俄領袖們是着重於消化別人的能力，多於吞滅的能力，所以他們運用政治手段，先於軍事力量。

杜爾斯並指出反侵略，要抵抗蘇俄的三項步驟，（一）共產[illegible]優勢，[illegible]小民族就是我們[illegible]地位的原因。（二）非物質的力量比純物質的力量更強，是我們的精神與智力，（三）多於事實決定善惡的是一種道德的，自然而定的非人爲的，自然的與律，違背這道德律而逃犯下謀殺的錯誤，就難[illegible]。杜爾斯今後運用其外交力量對付蘇俄，自不難取得最後勝利。

了，這杜爾斯是行將外交政策轉變的美國將轉[illegible]至全世界一局勢轉變的，提是艾森豪國務卿，出[illegible]命；後斯出任國務卿一致表示歡迎，我們預測杜爾斯祇有成功，絕不會失敗。

紐約時報記者歸來 趕寫自由中國報道

紐約時報，駐香港的通訊員李普曼（H. Lieberman）這一次訪問台灣歸來，已經在着手寫幾篇有關自由中國之報導。第一篇在他山頂道寓所完成的是關於胡宗南和金門防衛司令胡璉兩位將軍的紀述文章，相信在短期內就可以在紐約時報發表。

這一位美國新聞界權威性中國問題專家，他對每一事物的深刻分析是很值得重視的，他自己也十分重視這次台灣之行，爲了配合這一篇有關兩胡的文章，他曾四出設法找尋兩位胡將軍的照片。

鯉魚門外礮戰演習 筲箕灣畔居民驚惶

二十四日下午六時至八時之間，鯉魚門海面附近礮聲隆隆，若斷若續，住在筲箕灣的居民都震動異常，連半山也隱約可聞，一時奔走相告，驚惶萬分，本港各報館也不斷接獲讀者電話的詢問，最後還是由海軍當局證實這是一次未經事前公佈的礮戰演習而已。

由此可以知道生活在這亞洲冷戰前哨的小市民們是如何的恐戰和如何經常地在緊張的情緒中渡日。

港府積極展開建設 恐戰病者不醫自愈

最近香港的工務工作在積極地展開，除了皇后大道中的一段工程外，干諾道中爲了配合中區填海的工程計劃，這兩天也開始動工了，香港政府對這兩條香港最主要的通衢作一次大翻修。

根據美國友邦保險公司總經理[illegible]士因爲對香港的前途有信心而購買四[illegible]大廈的說法，顯然香港政府對香港的前途是最具信心了。

患戰恐懼病的人是可以不治而愈了，當然誰也不能担保明天將會怎麼樣。

愛國青年回到祖國 消息傳來僑胞興奮

今年十月一日和雙十節國慶日在香港對中共展開鬥爭的二十九名愛國青年都到達了台灣，其中有一部份是「十一」在兩航倉庫爲怒拆天安門牌樓而與中共的走狗們衝突的。

當這一個消息傳到此間後，每一個愛國的人士都感到興奮，也增加了每個人對祖國的信心。

尾巴報恬不知恥 談生意天大笑話

中共把一個參加所謂「華南物資交流大會」的澳門[illegible]商人欽定爲「港澳貿易團」的「團長」已經是天大的笑話，前天尾巴報，煞有介事的說「港澳貿易團」在醞釀着大宗交易，鬼才知道那個是香港商人呢，眞是恬不知恥，廣東人說：「乜都敢講」。

•本報記者•

中共推銷運動徹底失敗

大小工商業全受壟斷　民財已刮盡惡果難逃

照中共今年財政的情況，國營企業利潤要佔相當重要的比量，馬寅初曾經透露：『除了「三反」「五反」所歸還的國家財產外，今年中央和地方國營企業利潤折舊折繳，比一九五一年增加百分之八十九點八三，如將列入全國預算的地方國營企業利潤除外，今年國營企業利潤實曾百分之八十八點五，農業稅已降爲第三位。』不過要實現公營企業的利潤，其問題不在產品的控制和掌握，而在產品的能否推銷，中共對私營工商業，已採取獨佔和壟斷的形態，控制全部產銷，由城市到鄉村，由紗布至柴米油鹽，都歸公營貿易公司全部壟斷。但大量的貨品掌握在中共手裏之後，銷售不出去，物資積壓越來越多，不僅利潤不能如理想的獲得，間接又足以影響工廠生產，工廠減產關閉，工人失業，其後果是不堪設想的。

強銷運動大力展開

所以中共不能不大力展開工業品的銷售運動，中共「中央貿易部（現改爲商業部）」於本年六月十六日指示展開全國範圍的工業品銷售運動，全國國營貿易系統依照「貿易部」的指示，在華東、中南、西北、西南各區普遍的銷售運動中，貫澈以批發爲主要方針，將大批工業品批發給合作社、機關、部隊、團體、學校、廠礦和私營商業，命令各貿易部門要「充分地發動職工，改進經營方法，提高工作效率，爲國家創造鉅額財富」（見經濟導報二九二期）

中共「中央人民政府商業部」最近也發出特別通報，指示各級國營貿易部門全面展開工業品推銷運動，使工業品推銷運動深入到全國各省、市、專區、縣國營貿易的基層單位，迅速改變上下不動的情況。

華南方面開展這個運動較遲，一般從八月才正式開始，廣州市百貨公司現在推行銷售競賽運動，宣傳動員、清理貨倉、商品排隊、釐查牌價、簡化手續，要將大宗的季節性商品和滯銷商品限期推出去，因爲這一着關係中共的財經命脈，它就不能不採取一切可能的方法，求達成任務。雖然中共當用謊言來掩飾它的窮困，說「銷售運動是爲了滿足農民需要，因爲農民購買力已經大大的增漲了。」農民聽了只有叫冤，還有誰相信這些鬼話呢！

用什麼方法去推銷？

第一減低價格：廣州百貨公司由七月二十八日起至八月三十一日期間內，將一萬多種商品中的二千二百餘種的商品價格調整，平均降低了百分之十，在擴大批發推銷上，並組織及鼓勵私商經營，將一千種商品零批價合理地擴大幅度，一般增加百分之二，至十月上中旬，再將六百四十六種商品牌價降低，降幅由百分之零點四至百分之十三點三，一般的降低百分之七點五至百分之九點八，如紙張類五種降幅百分之九至百分之十一點六三，布疋類一七九種降低百分之一點九至百分之十，針織品類共一一三種，降低百分之一至百分之五點八，毛布三十一種降低百分之〇點六二至百分之七點四六……（十月廿五日大公報）

生意不好才減價平沽，商場慣用的一個名詞「跳樓貨」，跳樓自殺是沒奈何的事，如果人民購買力的增漲了，商場旺盛，供不應求，就用不着減價，這是常識以下的事，中共是掩飾不了的。

第二鼓勵商人增資經營：「五反」後私營工商業已完全破產，未被殺害的商人也只有把店務交員工處理，任由自生自滅，每日售出所得，不足維持員工伙食，無法進貨，因而「當家」疏，一方面員工的生活，感受嚴重的威脅，另一方面私營商店對貿易公司的批發商品，完全沒有銷納力，中共認爲這是由於「商人對於得稅問題、退補問題、勞資問題，很悲觀失望，對經營消極，有做着做一日和尚撞一日鐘的消極態度，有些更放棄業務，晚上去遊東堤，日間去南岸嘆」（見經濟導報二九二期）

所以中共不斷的召開各行業代表會議，一月間開了二十三個土產行業會議，二十二個土產行業業務會議（即鮮菓、國藥、醃什、紙、委託購銷、茶、雜糧、油豊、糖麵、醬料、涼菓、花生芝麻、棉紗綢布、鷄、鵝、鴨、柴、炭、蛋、生豬、牲牛、山貨、土菸、京果海味），和九個（針織、搾油、電筒、電池、毛刷、遮傘、製藥、化工、機器）工業行業產銷會議，經過大小三百五十三次以上的會議，出席會議的勞資雙方及有關人員達二萬四千六百七十五人以上，都無非要勸資方同心轉意，增資經營，承購公營貨品，傳中共作輪迴抽剝。

但商人經過「五反」慘痛的教訓，就算還有些微資本，只有坐食等待死亡，絕對沒有經營的興趣了。

第三改變推銷方針：由各貿易機構的門市部、批發部組織外銷小組，改變過去「坐門待客」的思想，主動和各機關、團體等聯系，用專地區、專對象、分頭組織顧客；訂立供應合同；同時，運用「留名留址，主動推銷」等辦法，發展郵購電購等業務，分函到各地工商聯合會及百貨商聯系。對工人則通過組織關係，強迫認購。對農民則通過農會配購，地方貿易機構發動競賽，沿門勸銷，並組小販隊兜售。

第四組下鄉訪問組：各貿易機構和各工業行業爲打開銷路，響應「面向農村」，聯組下鄉訪問組，進行宣傳和推銷工作，第一個組出發東江各地，第二個組先去省外各地，然後轉回本省各地，先到南昌、贛州、杭州、九江、上海、漢口、衡陽、長沙等地，攜帶圖片樣品及報紙刊物等宣傳品，準備要推銷八十七億四千餘萬元。

第五擴大物資交流會：廣州面臨各專區先後開交流會，採取三點交流辦法：（一）由內部認銷，（二）外部交易，（三）區內調撥。

方法雖多結果全歸失敗

雖然採取這麼多的推銷方法，但成績弄不好，計八月份的銷數比七月份增加，但九月份又減縮了。就全國來說，七月份全國國營貿易系統內銷回籠貨額比六月份增加百分之二十六點九，比去年同期增加了百分之七十五點二八，公營貿易已經代替了私營貿易，這增加的百分比就顯得推銷運動已完全的失收。

而且急於求銷的「冷背貨」，也距理想太遠，如廣州紗布公司積壓兩年以上的棉紗十一件銷完了，但積存兩年的八十支紗土竹紗四百三十疋，只銷得二百多疋，積壓一年半以上的其他布疋也僅銷出一半，土產公司積壓一年多的牛骨粉四百噸，蜜蠟三萬三千八百斤，甘草七千一百斤，蒲蓆七十六萬張，藥材古錢三千多斤，松香四萬九千擔，這些冷背貨的推銷都十分困難。

貨品滯銷的原因，是人民全部喪失了購買力，由於中共幾年來無底止的抽剝，農村已沒有購買力，生產力減，工人工資減低，軍公教人員半饑餓狀態，社會擁有大量的失業群，那裏還有購買力。這是中共最感焦慮的問題。（于亮之）

桂西僮族武裝反共

中共束手改施懷柔陰謀

桂西原是一個少數民族聚居的特區，面積包括宜山區的羅城、林江、河池、南丹、天峨、忻城、都安、宜山等八縣；邕寧區的馬山、武鳴、隆安、扶綏、龍津、崇左、寧明、邕寧等十縣；百色區的隆林、田林、凌雲、鳳山、東蘭、田陽、平縣、德保、靖西、鎮邊、百色等十二縣，共三十個縣，十萬零七百九十四方公里。種族包括僮、瑤、苗、侗、保保、毛難、越南、水家、徠徠、回族、連同漢族十二個民族，人口約共五百六十萬二千八百多：其中少數民族約佔百分之七十八，計四百三十六萬三千六百多人，其中僮族最多，約三百八十九萬八千四百多人，佔桂西區全人口百分之七〇。其他佔百分之二十。

生存權利被剝奪

這些少數民族的性格一向很強，從前中共在「長征」竄擾桂西的時候，他們就有過堅強的抵抗行動。國府在大陸時代，由於採取了尊重少數民族的溫厚政策，使他們得以安居樂業，自由自在，和平快樂地生活了過來。但自中共竄踞大陸以後，由於嚴酷的統治，兇殘欺榨、驅迫、和殘殺，已剝奪了他們生活和生存的自由與權利，於是便立刻普遍激起了他們的自衛與反抗；他們利用民間原有的自衛武器，及國軍撤退時遺留下來的武器彈藥，紛紛組織了游擊隊，計一組，百千一隊，出沒無常地襲殺深入該區的共幹和共軍，使中共初期進入該區的共幹共軍蒙受了慘重的犧牲！後來中共爲了必欲制服此種反抗，曾調用了駐防廣西的匪軍一個兵團之衆，實施「全面進剿」，並由偽廣西省主席張雲逸坐鎮南，貴州、廣東等三省的軍區司令部協同在該三省毗連桂西的邊區，聯剿兇剿。然而這些少數民族的反共意志非常堅強，中共越用武力鎮壓，他們就越反抗得厲害；他們個個毫無疑懼於所謂死是怎麼一回事。而使亡種滅族，也不肯向中共的武力屈服以喪失自由生活的權利。因此，三年來該區少數民族犧牲於反共鬥爭，及被共軍任意屠殺了的人數。據武漢長江日報年來披露了的消息加以統計，當已不在二十萬人以下。而中共幹部士兵的傷亡，也付出了大約三萬左右的代價。而且始終無法消滅日益劇烈的反抗，達成統治的目的！

堅決抵禦中共束手

因而，最近中共已於束手無策之中暫時停止了徒勞無益的戰鬥，想出了一套虛偽的「自治」戲法。以「以夷制夷」的陰謀，利用僮族的當權份子覃熙機、趙鶴等組織了一個所謂「桂西僮族自治區籌備工作委員會」，由他們兩人分任了正副主任委員。以准許僮族等少數民族「自治」爲釣餌，利用覃熙機，趙鶴等去說服，收編該區的所有反共游擊隊，先行平撫該區的反共行動，而後，再漸漸地使用滲透手法，去控制該區的特務統治。現在，中共已先派了一名叫作趙卓雲的高級統戰共幹當了該區籌委會的副主任委員，表面上說在協助自治，實際上很顯然的乃是該一組織的太上主任委員，是該「自治區」的最高統治者。

據本月九日長江日報的消息，現在該一組織已在南寧積極進行活動，偽中央人民政府民族事務委員會副主任委員劉格平及偽中南軍政委員會民族事務委員會主任委員張執一也已先後前往南寧，而援此一新把戲的手法。但他們究竟能否達成此一陰謀，還有以後的事實證明。（匡）

一朝沐猴而冠　毛魔玩戲子作樂

粉飾太平難掩民間血淚

在北平懷仁堂喧嚷了一個多月之久的所謂「全國戲曲觀摩大會」，業於本月十四日在樂極與盡之下草草終場，並於當然有介事的舉行了閉幕儀式，當堂宣佈毛王欽點的名單，大獎優伶。茲將此事始末綜合報導如下：

所謂戲曲觀摩　含有三重意義

誰都知道，今日大陸在中共瘋狂參加韓戰備戰下，正忙於控制、壓搾、鎮壓、及人民饑餓，全國災荒的情形下，於情於理，原無暇於聲色犬馬，粉飾太平，但事實上，他們終於又一次超乎常情的事，大張旗鼓地做出來了；大在勞師動衆的，窮奢極侈的，經過了各大行政區的「戲曲觀摩」之後，終於，所謂「全國戲曲觀摩大會」於上月七日在北平懷仁堂演出來了。爲什麼呢？意義並不簡單：

第一、中共統治大陸三年來的「鬥爭」所造成的恐怖氣氛太沉悶，一連串戰爭所影響於人心的徬徨、疑懼、悲觀的情緒也很嚴重，於是，他總拿粉、聲、歌、舞、來粉飾一下太平，也藉此誇耀一番「人民政府」有的是辦法。

第二、毛澤東等一班共黨頭子一旦政權在手，享樂的慾望便一天提高一天，且爲表示共黨的作爲一切都是「空前」，於是使一道命令，將散處在大陸各地各劇的第一流歌女伶人都送到了懷仁堂；南腔北調，五色繽紛，以盡視聽之娛，但是「盛況空前」，設使早已長眠地下了的慈禧老佛爺有知，也必自愧不如。

第三、中共雖已用宣傳騙得了從前一時的人心，並已用武力高壓控制住了現在的人身，但終感覺到宣傳和武力的力量仍屬不足以使人民「全心全意」地崇拜共黨，他們知道必須再用「教育」的力量來徹底改造人民的思想，而戲曲適爲從事民衆教育的有力工具，於是來一次「全國戲曲觀摩」加以考驗檢查，然後可以按照馬列史毛的思想將全部戲曲加以「標準化」。

不顧人民饑號　竭力奢侈淫樂

雖然，現在大陸人民的能否「全心全意」地崇拜中共，首先是一個最現實的生活問題。然而中共卻捨此不顧，尤在人民一片饑號聲中，他們尤用從人民身上搾出來的膏血，作着窮奢極慾的玩意兒，據本月十七日北平人民日報認承，他們除各行政區爲挑選戲曲代表而用去的錢不算外，即此次在懷仁堂演出的消耗及各戲曲代表的旅費和生活費以及其他必要開支等項，就已耗去了人命幣九十餘億之多，如果再加上各區的消耗，則其全部費用必不在兩百億以下，想想如果中共少向人民刮進這兩百多億，不知可保留了多少人民的生命？又就此次演出的規模看，同日上海解放日報的消息曾說：「這次的觀摩演出，有全國各地二十三個主要劇種參加，參加上演劇目的九十個，參加演出的戲曲工作者有一千六百多人，像這樣大規模的集中展覽，在中國戲曲史上還是空前的一次」！由此，便可知其奢侈荒淫的程度了！自然，以這樣的場合，故其爲選舉而……

事後寵獎優伶　絕無技藝標準

但所謂「獎勵」，並不以技藝爲標準；據本月十六日新華社北平電訊披佈的消息看，除劇本受獎者不論外，共計出獎獎者，榮譽獎有程硯秋、袁雪芬、常香玉、周信芳、蓋叫天、王瑤卿等七人，一等獎有丁是娥、李子英、徐玉蘭、李少春、范瑞娟、張君秋等共四十一人。三等獎共……、李林黛、許瑞生、駱洪年等共四十五人。最後催頒獎狀者，有平劇于連泉、徐小香、袁美妙、陳鶴峯、譚長華、劉奎官、郝壽臣、蕭長華等……以中共的標準來評定受獎者的標準，我們就無從知道了，但……還不是以演員的「前進」程度，和「……」的關係作爲獎勵的根據，希望以此作今後可以更理想地歪曲歷史和是非的戲劇宣傳，以徹底改變人民固有的道德觀念。

今後民族劇藝　全屬馬列史毛

可不是嗎？據偽中央文化部副部長周揚在閉幕會中的報告：「我們必須繼續發揚戲曲藝術中的愛國主義精神，加強馬列主義的教育意識，加強今後各地戲劇工作的領導與掌握。」又說：「人民的戲曲，必須配合人民政策，凡違反人民政策的戲曲，必須加以改造。」同時周恩來也親自到會的「戲曲改革工作方針」作了「指示」，其中最重要的大意是：「必須用毛澤東思想改造舊的一切戲曲，以新的戲曲去改變人民的封建意識，使人民受到生動的教育作用，戲曲已深入了人民的生活，要幫助人民進去一個新的文化」。因此，今後的民族劇藝都要變成了……

氣壯山河

·夏雲飛·

十月十九日的早晨，突然從南中國的海面上，掠過來四架漆着青天白日國徽的飛機，進入上海以後，沿着長江向西飛去，這一來嚇壞了共幹，沿江城市一齊拉警報，「人民飛機」卻未見面，長空萬里的祖國河山，任這四架飛機翱翔，飛抵蕪湖時，湊巧市人民政府正在開群衆大會，臨時疏散已來不及，幹部們下了台紛紛抱頭鼠竄。老百姓卻沒有人跑，眼見飛機來到頭上，大家在議論的擔心：「跑什麼？自己飛機還會炸老百姓」。也有人說：「即使炸死也甘心，總算見到中央飛機了」。還有的說：「兩年不見了，這大概是來送信了吧」！正在七嘴八舌議論：只見飛機打了一個轉，扔下一包東西，到半空中分散開，如同蝴蝶一樣，飄飄落下來，大家知道是傳單，一齊伸手去接，會場裏鬧成一片，人們已失去理智，忘記了「犯法」，接到的樂得哈哈大笑，未接到的也帶着哀求的口吻說：「給我看一看呀！大家都有份哪」！這時飛機已經離開，警報也正式解除，「幹部」都從防空洞裏鑽出來，飛機一走，他們又精氣十分，市「政委」站在講台上訓話：「剛才那是「反動政府」的飛機，是來放細菌的，你們拾到傳單的馬上要繳上來，不然就要中毒，查出來一定要以「國特」處理」「政委」一連說了幾遍，人民似乎不能領略這番「盛意」，也未見誰繳出來，「政委」一看沒有辦法，下令搜，逐個檢查，這一着當然有效，人們都將檢到傳單丟在地上，誰也不敢藏在身邊，就在任務接近完成的時候，遇到一個倔強的老者，他手內拿着一張傳單，看見公安隊走近時，卻用手撕成碎塊放在口內吃了，公安隊一看這個老頭有點特別，可能是個「國特」，走去一把抓住，帶到「政委」面前，「你叫什麼名子」？政委惡狠狠的拍一下桌子。「鍾國仁」老者從容回答。「爲什麼把反動傳單吃了」？「因爲我恨台灣」「恨台灣」！政委臉上露出了笑容。「我被台灣害的好苦，所以看見台灣的傳單就吃下去，才覺得痛快」。老者又補充了兩句。政委大爲開心，拍着老者肩膀說：你偌大年紀。原來是一個進步份子，現在請你將苦水倒出來，讓全體人民都曉得，怎麼樣」？「當然可以」老者態度非常自然。於是政委把老者帶上了講台。

老者態度像是一個牧師一樣的嚴肅，站在講台上，從容的說：「我爲什麼吃掉傳單？因爲我恨台灣」，政委在台上帶頭鼓掌，台下也一齊跟着拍手，老者又頓了一頓，接着說：「我們爲什麼恨台灣」？下面鴉雀無聲都在靜聽，老者猛然一拍桌子，大聲說：「我恨台灣不早回來，讓我們老百姓在這裏受罪」。這回台下響起春雷般的掌聲，共幹們也有些莫明其妙的跟着拍手，只有政委一人站在台上發怔。不知如何是好。老者也知道說話的時間不多了，向前走了一步，揮動拳頭，指着天空說「孩子們！你們看，烏雲雖然能遮住太陽，但是卻不能吞沒太陽，蔣總統及中央軍總是要回來的，我即使看不到，可是今天見到政府的傳單，也等於見到了國軍一樣」。老者話顯然說得很急迫，額角上露着汗珠，他也不顧得揩汗，又接着說：「孩子們！今天未作過壞事的，更要拿清把握，已經做過壞事的，也要及早回頭，除去這些殺人的匪徒以外，國家法律還是寬大的……」這時政委好像作夢醒了一樣，用手一指說：「老傢伙，你可是想死」？「當然是想死，人生自古誰無死，只怕你這個小子，將來要像我這樣死法還作不到呢」？老者說到這裏，振臂高呼「中華民國萬歲」。一縱身從三丈高的講台上跳下去，地面全是鵝卵石，立時氣絕身死。台下一片大亂，人叢中響起了哭聲，幹部們都嚇呆了，只有「政委」一個人氣得在台上跳，如同瘋魔一樣。這時，天空中烏雲已經散盡，太陽光輝又照耀着大地，正是中午的時候。

中共的「愛國」表示

高方

報載粵省各縣府，近奉行一種共產仁兄的新法令，凡商店招牌，如有以英美地名或偉人名字爲稱號者，限本月底一律改換，否則處以一年至五年有期徒刑。這種阿Q式「精神勝利」的玩藝，不自今日始。去年上季有一個叫作「陳崇美」的女學生，到北平見着毛澤東，即說她抱有「崇拜美國」的資本主義思想，替她改名「仇美」。共產黨人對「英」「美」兩字，除指爲西方國家的國名以外，大概並不知其作何解釋了。所以，「陳仇美」與葉劍英如果配爲「愛人」，那就是天上有地下無的無產階級人物，允稱模範同志。

共黨何以這樣幼稚無聊呢？據說是要表示「愛國」精神，證明「中國人民站起來了」！可是，他們又普遍地強迫人民學俄文。假使「新中國」的人們把名字改稱爲某某「斯基」「洛夫」，把某某店招牌命名爲「莫斯科公司」，「海參威酒家」之類，一定也是「愛國」的革命行爲，若能在嘴上常常吐出一些「多阿里許」（同志）「呀—」（是）「你阿脫」（非）等怪聲怪氣，更是天字第一號的「愛國英雄」了。因爲共產黨人心目中的祖國，並非炎黃子孫所愛護的中國，而是斯拉夫民族的俄羅斯帝國哩！

共產仁兄開口「唯物辯證法」，閉口「歷史唯物論」，遇事曝腦形而上的唯心理論。然其實際言行，卻無往而非在唯心論中翻筋斗。有人若是覺得活着難過，最好跟他們去談學說理論，包管氣死無疑！

自由談

萬竹樓隨筆

閒話讀書（一）

·舜生·

近來偶然到美國新聞處所設的兩處圖書室走動走動，總看見有上百的人坐在那兒讀書，在九龍還有一所，另闢有一間兒童讀書室，留在那裏的孩子們也不少；港九兩方的書店，一天天在增加，偶然走進去望望，常看見有不少的青年，站着、擠着、在那兒隨意翻閱；這些都是三年前我初到香港時所沒有的，實在是一種可喜的現象。因此，便根據我個人一點淺薄的經驗，來寫我這個『閒話讀書』，想到什麼，便寫什麼，並沒有什麼結構和次第，而且都是爲青年朋友們而設，對於一般學有根柢的大人先生們，我是素來不敢班門弄斧的。

我平日最不歡喜以一種高壓態度去干涉孩子們的行動，偶然看見他們的母親或脾氣，在他們的屁股上捶上幾下，我亦復很担心：總怕他們有一種好的動機，或好的傾向，給她這一下阻遏了，或摧毀了。

我平日放在書架上的一些書，自然也不大歡喜有人亂拖，但孩子們要去翻翻，我還是放任；儘管我知道他們看不懂，但看看上面的插圖我總也覺得是好的；假如由他們自己發覺還看不懂，這不已經是對他們最好的一課？

偶然有三幾位青年朋友跑來談天，假如他們問起我近來看過什麼書，我心裏總格外的高興。如果在最近看見的幾本書中我覺得那一本最好，我便往往以此作爲話題，向他們作一番介紹。我知道，我的趣味，並不一定就是他們的趣味，而且我向他們作這樣一番介紹，原不一定希望他們真的也去看這本書，但偶然讀着一本好書是一種最高的享受，是一種不大容易形容的愉快，我卻有意思要給他們一個深刻的印象。

一個對讀書漸漸發生了興趣的人，大抵都要經過一個亂翻亂看的階段。依照我的看法，這一亂翻亂看的時期，對於一個將來可能走上研究學問路子的人，並沒有什麼害處，而且只有益處。對於治社會科學的人在益處不用說了，即對於治自然科學的人，也足以擴大他的胸襟，放開他的眼界，還是於他有許多的好處。若干年以前提倡革命的人，以爲只要能把滿清推翻，中國便可以得救；一個做憲政運動的人，以爲只要有了一部憲法，中國便可以富國強兵；後來我還讀過不少的『救國論』，有所謂『宗教救國論』，『教育救國論』，『工業救國論』，『交通救國論』，『金主幣救國論』，乃至還我一位研究地質的朋友，他還有過一篇『地質救國論』哩！嚴格說起來，這班人所說的，原一一有其獨到之見，所可惜的是一個國家究竟能否得救，不是這樣一個單個的問題就是了。一個國家必須有無數的專家，但少數的通人也還是不可少；作成一個通人有無數的條件，但對讀書有廣泛的興趣，確也是養成一個通人的起碼條件之一。（二五一）

袁世凱與平劇

唐辛

袁世凱爲中國近代官僚的典型，他的政治作風以至生活興趣，都是跟着滿清慈禧太后她們一步一趨的，他的喜歡聽平劇，正是他平日受了清室權貴們的影響的例證。聽說他的皇二子袁寒雲是以演方巾丑出名，然不肯輕演，非常友好強拉不串。

有人說：他出身「皇家」，聽慣了舞台上的名伶腔調，也看慣了「鑾安會」諸君子的手眼，耳染目濡，演來自不覺入木三分矣。

提到鑾安會，當年袁世凱和他的近臣們也曾在中南海設讌演劇爲慶功宴，盡招在京有名伶官，入南海供奉。那時鬧過一場不大不小的笑話。諸伶中孫菊仙譚鑫培不肯去，九門提督江朝宗親率城防駐兵，挾持而行，鑫培沿途大笑，入新華門，乘官艇一抵居仁堂。他們在那一次堂會中，新排了一齣「新天安門」，也欲讓鑫培主演，也被他嚴氣拒絕了。

這「新天安門」的劇情，大的……中山先生及民黨人……大鬧天宮失敗，逃往水濂洞，又逃往東瀛神州，號稱大羅天仙，化爲八字鬍鬚，兩腳上捲，化爲形相狀態，儼然化裝之中山先生也，其中軍官爲黃飆大王，肥步蹣跚，又儼然化裝之黃克強也。其先鋒爲獨木將軍，滿頭戴李花白面少年，是江西都督李烈鈞。是一幕中是二，雖爲分別。佈景，海天波湧，明月當空。孤島沉寂，照見一人，坐蟠石上，高唱懷鄉自歎之一曲。時黎元洪以副總統居袁之下，（後被袁封「武義親王」）亦在場觀戲。袁黨段芝貴走近黎旁，謂黎：「副總統這戲好嗎？」黎答：「我全不懂，不知所唱何戲。」段曰：「副總統不懂戲，台上化裝的人應該認得！」黎曰：「我眼花耳聾，看不見也聽不清楚。」

以上所述，曾見劉麻哥（禺生）洪憲紀事詩注中。讀了，不禁爲這些諂媚無恥，無微不至的宵小而齒冷。而眞正的藝人如譚鑫培之流，倒還能不悖其所守，而能有所不爲的。此外，楊小樓曾被他們逼迫而飾演該劇的張勳一角，被迫，名丑角慈瑞泉飾孫悟空一角，那都不免爲他們的盛名之累了。

後之視今，亦猶今之視昔。

中國之友（三八）

毛以亨

赫德傳（十八）

赫德的條陳爲中英訂一個單的協定：第一條爲英國承認緬甸得十年進貢中國一次，而中國亦修宜英緬間之條約；第二條中國選定雲南緬甸交界一處，對英人開放通商，其條件須與通商口岸相同，而英國亦須承認進口出口各稅，須在海關付給。赫德謂緬甸百年來進貢未斷，這是有紀錄的，而中國所求的亦祇是進貢，中國既未爲緬王加冕，又未派專員駐紮，亦未干涉其內政。中國承認英緬間條約，是把第三者關出門外，不許緬人與法德諸國締約之意。開放陸路商埠則領事商人均可前往，關稅與海口相同，正表示英國較法國之要求減輕陸路關稅爲大氣，而中緬之路，亦較中越之路爲易與樂。他聲明此項建議未與總理衙門商量過，惟英國如果同意，中國是易就範的。

是年十一月緬王投降，英軍佔領瓦城，一八八六年一月一日印督宣佈合併緬甸，而中英交涉直至七月廿四日始就緒，由醇王與英代辦簽約。中國同意印緬協定，而進貢權亦爲英所承認，但以後祇進貢一次，拳亂後即止。

十四、中國官吏與赫德的暗鬥

從一八八四到一八八八，赫德殆無往而不勝利；除海關例行事務外，他樹立中國在韓國的地位，解決鴉片稅問題，並與澳門香港當局成立協定，失了安南緬甸而能與英法維持邦交。但中國官吏想收回海關，而與非英籍的關員共謀排去赫德；他以爲中國倘果進步則交回自無問題，不過以洋人之聳恿與官吏之私鬭而還海關爲已有，於中國無好處，他是不交回的。

一八八六年起赫德想休假二年，但直至一八八八年尚未離開中國，因勞過度，有辭職意，消息一漏出去，陰謀遂起。兩粵總督張之洞，以鴉片收入改歸海關，粵省稅收大減深致不滿，李鴻章則以清廷採取赫德的外交建議而妒恨在心。時曾紀澤以在俄辦外交得勝而歸，任職戶部侍郎兼在總理衙門辦事，風頭健甚，公開反對總稅務司制度。赫德的應付方針爲堅不告假離職，他致其倫敦辦事處主任 Campbell 的信道：「如曾紀澤得到海關，倫敦辦事處將關門，你亦必須離職。如我辭職而曾又得不到，則繼任人可能爲 James Hart, Detring, Brown, Bredon, Woodruff, Macartney, Martin, Dudgeon 諸人。海關以外人士如 Martin, Dudgeon，都想此位置，但可能性不大。」但重慶開埠，引起哥老會反對的問題已經開始，而同治成年，懸久不能解決的外國使臣覲見儀式問題又來。中韓間題業已因英美俄日的加入而益形糾紛，清廷爲資熟手見，不願赫德走；留他自己又因不能使其弟代彼而不願走。所以他另一信上說，「我將永遠在此了。」一八八九年二月，慈禧賞赫德以一品頂戴，榮封三代，以慰留之。

各國首揆紛擬訪美

艾森豪當選，沒有就職，許多西方國家就已紛紛設法，擬在艾克就任總統後，獲得訪問華府的邀請，邱吉爾似乎一定要去的，法總理畢奈和義總理喀斯貝里也已放出要訪美的空氣。南斯拉夫的狄托元帥宣佈對訪美之行很感興趣，甚至埃及鐵腕總理那奎勃將軍也已發出訪問華府的試探。

麥帥倔強不受勸說

在這次美國大選之前，麥帥的密友前總統胡佛和前中國戰區參謀長魏德邁中將，會函電交馳，力圖說服麥帥支持艾森豪威爾。但這位倔強的將軍卻始終無動於衷。

我從莫斯科監獄釋出

Z. Stypulkowski 著　由之譯

顛倒黑白

我明白那些朋友們是如何逐漸衰弱下去的。我在最後的供詞上簽字以前，狄周諾夫少校把一些其他囚犯有關我本人的供詞給我看。我發現這些供狀都是對蘇方有利的，而且首尾的內容都是一樣，譬如說：在第四十號和第七十四號供狀上，又重複一遍，而且審問人並不在每次審訊後都記下口供的。他常常把幾次的口供合在一起記下。這不僅容易混淆黑白，顛倒犯人的供詞，更足以表示他們之不斷的審問，並非單在錄取口供，而在消滅犯人們的精神與體力。

當犯人的精神與體力完全崩潰的時候，他不得不據實招供了。只好說：「是的，以前我沒有說出實情，現在我要供出值相了。」

緊急關頭

我自己的心與力也瀕近崩潰的邊緣。我好幾次幾乎要供出他們所需要知道的一切，但每次話衝到嘴邊，總算硬吞了下去。雖然如此，我還可覺察到內心上是如何的渴望招出一切，以求獲得自由。

幸好審問我的人民委員經驗不夠老到，不懂得我的心理，在我快要供出實情的一剎那把我送回獄室。我躺到床上後才逐漸鎮靜下去，精神也開始慢慢恢復。我再詳細考慮我的情況，而得到一個結論：我的自由與生命並不寄託在我的供詞上。即算我供出有價值的情報，他們仍可以一樣的嚴刑拷打，把我弄死而後已，在另外一方面，如果屢次逼供仍不能發現我的破綻，那麼即使我帶給獄方無數的困難，他們可能把我安全釋放的。

渡過難關

據共產黨人說，我是在莫斯科公開受審，而在審訊的任何階段中，唯一沒有認罪的人。我由蘇聯的最高法庭審判，但只我受到這比較輕微的判罪。或者大家明瞭何以有些無產階級革命的領袖如齊諾維夫、卡門涅夫、布哈林、萊科夫、拜達夫，與著名的將軍和司令，如杜哈契維斯基、齊哥羅夫、加克爾、烏波洛維斯基，以及其他被蘇俄征服國家的英勇領袖會承認某些他們所從未犯過的罪狀的理由。（完）

中華民國僑務委員會頒發登記證台僑新字第壹零貳號

自由人

THE FREEMAN

（半週刊每逢星期三六出版）

（第一八二期）

每份港幣壹毫

督印人：李光華

社址：香港高士打道六六號

電話：二〇八四八

GLOUCESTER RD. HONG KONG TEL: 20848

承印者：東南印務出版社

地址：高士打道六十四號

台灣特派員辦事處　台北市館前街五十號

台灣總經銷處　台北市中華路一二五九號

新形勢與新希望

左舜生

國際的形勢確實在逐漸好轉中，但我們的態度却須要格外的謹慎。

就我所知，決沒有人存心反對團結，但一切有礙團結的言論與行動，必須斷然中止；若干有礙團結的事實，最好能逐步予以糾正。

我們有權反對別人為惡，但我們決無權反對任何人為善。衡量民主政治一個似乎可以成立的標準，即大多數人之所是，所贊成，我們即無法悍然以為非，悍然加以反對；反之，大多數人之所非，所反對，我們也無法斷然不顧的反其道而行之。

如何矯正羣衆錯誤

自然，羣衆，所謂大多數，有時也是可能陷於極端錯誤的；但要矯正這種羣衆的錯誤，只能訴之於說服，不能訴之以權力。以說服的方式，以言論去轉移羣衆，是之謂民主；以權力的方式去鎮壓羣衆，是之謂獨裁。

艾森豪與杜爾斯未來的行動如何？成就如何？我們在今天還只能採取保留態度；但美國多數人要艾森豪出來，世界民主國家的多數人也要艾森豪出來，艾森豪便果然出來了！美國多數人希望於杜爾斯，世界民主國家的多數人也希望於杜爾斯，杜爾斯也果然出來了！這種地方，很可以看出美國不只事實上已經是民主陣綫的一個領導國家，而且可以證明她確在一天天努力求充實這一個領導國家所必須具備的條件。

假定為整個世界的前途打算，我們覺得美國目前所表現的這些事實，都可以令人樂觀，令人興奮的。那我們便不妨把我們這一套，用以衡量國際的眼光，移用過來以衡量國內的一般情況。

領導團結的要點

就我所知道，為了民主自由，為了反共復國，決沒有人認為不必團結。以我個人的想法，我自來總把人的因素看得比較的輕，把事的因素看得比較的重，換言之，今天由那個人或那個集團來推進民主自由，來領導反共復國，我可以說毫無成見；我所推重的要求，就是要兌現。所謂兌現，有三個方面：第一是屬於原則的，即民主自由；第二是屬於目標的，即反共復國；此外第三點，平日為人所忽視而又最為要緊的，便是依據原則達到共同的目標，所必須的一套切切實實的辦法。在今天，為反共復國這個目標的，可以說只要是站在反共立場的，我們可以斷定絕對沒有這種人；反過來說，對於反共復國的要求至為迫切，對於民主自由這個原則加以忽視，甚至於是陽奉陰違的人，我却不敢担保其必無，而且可能并不是一個太小的數目！因為問題的癥結在此，所以一套合情合理而又合於事實要求的切實辦法，乃始終拿不出來，因此意見不免陷於相當的紛歧，行動不免流於相當的散漫，而兩三年來的所謂團結也者，也就始終只聽見樓梯響，不見人下來！我們認為這一點，實在不是今天一切熱心團結的人所能再繼續加以忽視的了。

二項坦率要求

我願意很坦率的在這裏提出兩點請求，大家注意：

第一，有人以為既要反共復國，便不能同時實行民主自由，好像民主自由與反共復國根本就是兩個不能相容的東西。我覺得這樣一種看法，不僅我們不能承認，就是將來一切要與我們並肩作戰的民主國家，也斷然不能承認。

第二，有人以為我們過去在大陸之所以失敗，便正是因為當日有許多人天天在那裏吵着鬧着的要求民主自由，因此共產黨才得乘隙而入。我們對於這樣一種說法，並不難舉出過去若干不徹底的所謂民主自由，也不難舉出若干與民主自由相反的事實，但為遵守「不算舊帳」的這一原則起見，我們暫且不提。在目前，我們只希望一切有責任有地位的人，千萬不要把過去失敗的責任輕輕推在要求民主自由的人身上，而自己超然脫出於責任以外！

最近胡適之先生回到台灣來了，據說還可能來香港一行，我們願意在這裏謹表歡迎之意。不過因為歡迎之意甚切，對胡先生使不免希望過奢！近三年來，台灣對軍隊在那裏認眞訓練，對生產增加也在那裏認眞的下工夫，三七五減租做得相當的澈底，對一般人民生活的改善，對財政的開源節流，乃至若干政治作風的改進，也確有人在那裏苦幹；凡此種種，我們都已耳熟能詳，已無須乎再由胡先生為我們帶來這類的消息。我們所希望於胡先生的，是他能夠在台灣多住幾天，拿出他那一套治學的嚴格方法，多聽取一些客觀的談話，多實地看看，究竟台灣的政治有些怎樣的實際？負責者的心理如何？未來的中國政治究竟怎樣走法，向那一個方面去，走上一條大路，而不走到民主自由的反面，這些有關希望的問題，在香港的朋友們也許能從胡先生的口中得到一些確實的解答。

狄托訪英的意義

艾芝

英外部最近宣佈狄托定明春訪英，在此南國日益傾向西方，希土南三國積極進行聯防談判聲中，對西歐抗共防務的加強，無疑將有重大影響。

日前英外交部正式宣佈，南斯拉夫的狄托，將於明春三月訪英，這次訪問，名義上是回拜艾登今秋訪南之行，實際上，狄托在英國期間的活動，大致也將偏重於外交上的接觸，對於與西方的合作，不會有十分重要的決定，不過在此南國與大西洋公約盟國的關係日益加深，巴爾幹聯防談判積極進行聲中，狄托未來訪問倫敦之舉，無疑對整個世界具有重大意義，而希臘最近內閣更易，名將巴巴哥斯登台，以巴氏極力親西方的態度，和所受美國的支持，希臘新政府無疑將努力與南國促進外交與軍事關係，而和土耳其促成巴爾幹三國聯防的實現。

狄托在本月中旬曾宣佈，和希臘土耳其的防禦談判，即將開始，希土是大西洋公約組織中二個東端的國家，它們和南斯拉夫的聯防如告達成，必然會使在歐洲建立抵抗蘇聯侵略的壁壘工作，獲得極大的進展。

南國不願正式締盟

不過，南希土的聯防，不論從軍事，政治或思想上來說，都并不能表示南斯拉夫正式加入了北大西洋公約組織的體系。南國中央政府，雖然正進行各方面的改革，却還是不欲和西方國家獲致任何書面的協議。它堅持在政治上，採取一條蘇聯集團與民主國家之間的「第三勢力」路綫。然而，狄托和他的中央執行委員會（在最近的南共大會前，稱「政治局」），業已認清，在這緊張動盪的世界中，要保持中立，絕無可能。因此，他們雖是共產主義的忠誠信徒，却將軍事上的命運，投諸於在思想上他們所反對的國家一邊。

自狄托脫離共產國際以來，南國的整個進程，曾經過一條漫長迂迴的途徑。首先，狄托政府是努力證明它所採路綫的正確，但在這時期，它在一些地方仍然反映蘇聯的外交觀念。直到蘇聯不斷組織南國內部的破壞運動，和命令其附庸國加強對南經濟封鎖之後，狄托才開始向西方求取援助。於是他封鎖和阿爾巴尼亞接壤的邊境，協助結束了希臘的內戰，且將對外貿易轉到大西洋公約國與西德。不過，南斯拉夫的政治思想雖然因此起了激變，狄托却並不想放棄他在經濟上的共產主義觀念和政體上的一黨獨裁制。

狄托有意訪問華府

但就一般情形而論，狄托和過去的敵國，已建立了和洽的關係，艾登訪南和狄托明春的回拜，都是顯明的例證。最近他且對紐約時報記者沙爾茲伯格表示，如接到邀請，他「自然」願往華盛頓一行。他并受到希國王和土總統的熱烈招待。對於英美和其他大西洋公約國來說，南斯拉夫最重要的發展，還是它在軍事上擺脫蘇聯集團，而傾向西方。待巴爾幹聯盟完成，它與西方的非正式軍事聯盟，當然更形具體。

東地中海，是盟國陸海軍將領認為必守的地區，在南國參加巴爾幹聯防後，這區的防務便可告鞏固，日後，蘇聯如進攻中歐，由於其左翼受這集團的威脅，將是一項冒險的行動。

在南斯拉夫的心目中，未來對土希的談判，不論其基本計劃如何，它僅願達成「口頭」上的協議，而非書面的。不過它已明白表示，它對口頭協議，將和書面協議同樣的遵守，同時，它和希土，且具有相同的防禦利益。

南斯拉夫目前不願簽訂一個協定，是因為恐懼因此驚動莫斯科，不過狄托曾說過，將來如世界情況惡化，而有簽訂協定的必要，他還是可以和西方成立一個正式的軍事協定的。

三國雄師威脅俄側翼

其實，希土南三國的軍事諒解，即等於促使南國成為大西洋公約的「附屬會員」。它將合併這三個國家，饒勇善戰的三支軍隊，將七十餘師堅強的部隊，置於蘇聯在加攻勢的左翼。

在美國第六艦隊的支持下，這支軍力將能威脅保加利亞和阿爾巴尼亞兩個史達林的附庸國，且能與其他盟軍共同騷擾蘇聯黑海沿岸的工業區與高加索的油礦區。

希土的軍隊，已在美國的援助和指導下從事現代化的改編和重新裝備，同樣的步驟，也已在南斯拉夫進行，祇是南國能不受美軍官的指導而已。南斯拉夫雖拒絕接受美國官員軍事上的意見，但正接受運輸與通訊設備，以及輕型和中型武器，且不久將獲得重型坦克大砲和新式噴射戰鬥機。結果，南斯拉夫和希土軍隊無疑將更易和的軍隊配合作戰，將它們所用的武器，是相同的。目前的一個問題，乃是如何達成一個能使各方都滿意的聯合戰略，以這三國的軍隊，協調地佈置於從亞得里亞海到高加索間的各個戰略性地區。

在南斯拉夫未和西方獲致聯防措施以來，地中海區盟國參謀人員所面臨的困難，是如何保衛希臘和土耳其，以免被來自北方的蘇聯附庸軍所侵佔。現在這問題實際上已將近解除，拉夫和義大利雖因的港問題而發生爭執，但南斯拉夫顯然必須保衛它亞得里亞海邊的地區與主要海港的出路。現在，問題已轉到蘇聯本身，如莫斯科盲目掀起大戰，它將如何守住阿爾巴尼亞和保加利亞，以對付這三個巴爾幹盟國的嚴重威脅。

議會將批准歐洲軍
西德積極準備建軍
防禦處長披露計劃

西德議會廿七日終於通過在十二月初辯論歐洲軍條件與盟國對德和平契約，這無疑是總理艾特諾的大勝利，他在此前的諾言，被認為議案否決事遭遇的失敗，至此已告扭轉。雖然這兩個聯約能否獲國會通過，尚難預斷，但以政府方面議員在西德下院所佔的優勢來說，即使議會對批准問題，將發生激烈的辯論，批准的希望仍然較大。而且，美國也切盼這兩條約能早日通過，外傳正對西德當局施以相當的政治壓力。

關於實際的建軍步驟，在此等待歐洲軍條約生效的時期，西德已在積極準備。西德的負責者，是防禦處長布蘭克，最近他曾發表演說，呼籲迅速通過這兩條約，且說明西德的軍事計劃，對各國強調不會復活軍國主義，以消除各國的疑慮。他說明西德軍隊計劃的特點如下：包括他所擬的計劃，議軍中不設參謀總部，二個師和其他支持性部隊，共四十三萬人，左右，將有四十名將官指揮；軍官的選擇，將不由軍方而由一個委員會決定，這委員會將是具有民主精神的獨立人士所組成。其人選將再提請西德內閣和歐洲軍其他五國政府認可。

布蘭克說：「這支軍隊將是民主所組成，我們決不使過去的納粹時代恢復。」訓練時，士兵在軍事法庭中將有民事法官參加，士兵能自由選擇律師和提出上訴，職業的訓練將避免，並至不提「德國」這名詞，而將是「歐洲士兵」。

半週展望

雷嘯岑

岡崎勝男與大山郁夫

日本外交大臣岡崎勝男在上議院答復大山郁夫詢問，指中共爲「一羣獨裁者以暴力和虐政統治大陸」，認爲「日本根本不能和這類政權來往」，因其不但拘留若干日僑在大陸，而且有「使日本成爲其假想敵人的中蘇聯盟」，若不對此種侵略性的攻擊者作戰，乃與不抵抗外國侵略同一意義。

這是吉田政府第一次對俄共集團所採政策的明朗表示，可見日本執政者過去對中共那種幻想，已爲現實情事所破滅了，這是值得注意的言論。

大山郁夫並非共產黨人，一生以教書爲業，從未涉足政治界，但其思想自來就是左傾的。越是與實際政治生活距離遙遠的書生，越就容易陷於左傾幼稚病，終至入迷而不醒，大山先生即是這類人物。我聽過他三年的政治學講授，頗知其心性。他在議會又詢問吉田首相：對艾克主張亞洲人自衛問題作何評判？意思即在反對日本再武裝，也就是激頭激尾的非戰論者！好在他的力量很微弱，是一些「鸚鵡型社會主義者」的結合，在他那陶醉於「史大林和平獎金」的精神境界中，終其風燭殘年，對日本也不會有甚麼大害的。

佇聞高論

胡適之先生明天在台北公開講演「國際形勢與中國前途」，一定能給自由中國人士以相當的興奮之感。我們讀他前兩天對國大代表們的演說詞，好像是一篇講義，措言娓娓，却少刺激，所以很注意胡先生明天的高論，因爲我們以後有話要想向胡先生談談哩！

偷渡的「第三勢力」

廿七日東京路透社電訊：日本警察最近破獲華人有組織的人口偷渡入境機構，據供係「第三勢力」人物幹的，先後由香港等地偷運到日本境內者已有萬人，每名繳費六萬日元，合英金五十鎊。這些「第三勢力」羣，多爲汪精衛政權各色人等及其支持份子云。

汪記政權的人物當然要自命爲「第三勢力」，他們既沒有臉見中華民國，又不能向秧歌王朝稱臣爲奴，只好偷偷摸摸地投靠於舊主人家，而以「第三勢力」的招牌，作政治上招搖撞騙的工具。

美國的艾契遜、司徒雷登這般先生們真不怕害死人，無端在其對華外交白皮書上，插入一段希望中國產生「第三勢力」的詞句，致令中國的漢奸羣也要以「民主人士」自居，在國際間大賣其野人頭，走私偷渡，鬼祟胡來。「偷渡」并不可恥，可恥的是他們叫作「第三勢力」！

心勞日拙的冷戰術

以英國為主幹的「西方國家」，想從中利用印度建議調解韓戰，誘使中共對蘇俄表現「獨立自主」行動，接受停戰方案。英美代表并曾代此與中共發生過爭執，印度代表至今尚說中共有接受之可能，維辛斯基公開否認之後，其理由是建議案所謂「反對多於拒絕」，中共的態度已漸見和緩。同時，倫敦方面又自拉自唱，宣稱中共可能贊成，進入聯合國了！

共產黨人理智的抉擇，遇事以「我就是真理」的態度，以「我的國家的政治人物」，橫則脅制，遇事則以暴力，越來越強致別人附和。方法雖有剛柔之分，其爲自私自利則一也。

英印集團這種「一相情願」的冷戰法術，如其對象是北非洲的土人，或許可能發生若干「心裏想」的作用，而施之於以冷戰擅長的俄共集團身上，而且是把政治軍事經濟命脈一律置於俄帝掌握之中的中共，真可謂班門弄斧，心勞日拙呢！艾森豪不赴韓國，大概就是爲着要讓這幕滑稽劇表演完畢，敷衍一下友邦的面子。維辛斯基已在聯大政治委員會大發狂言，連「村夫」「喇叭狗」等類罵街腔調都使用出來了。韓戰的無聊鬧劇如能從此休止，實爲幸事。

越・戰・縱・橫・談・之・二

越北泰區攻防戰的觀察

丁匡華

越北泰區攻防戰展開了，越共是多面進軍，採取各個擊破，法越聯軍是重點配備，使用牽制戰術，目前泰區主力戰已在該區南路美山爆發，以越共二個師乘勝迫進，攻擊法越聯軍固佔上風，但隸屬越南政府的泰族人民緊握戰軸，却對于法越聯軍有利。

越共為什麼進攻泰區？

越共在越北有三個威脅的主鑰，一是芒街的僑區，二是萊州山羅的泰區；三是南三角洲發艷婁朱的天主教區。這三大地區鼎足而立，對于牽制越共的南侵影響極大，特別是泰族區，它緊握越西北部的動脈，阻擋越共老街和平不能會師，威脅尤甚，這是越共所寢息不安的，一九五一年冬季就已發動第一次攻勢，但因塔西尼及時防禦未見得手，這一次，它又在下羅發動攻勢，聲勢夥人，兵力倍於往昔，其處心積慮，由此可以想見。而越共為什麼要這一運二要在泰族區進軍呢？依照戰略情勢觀察，有其軍事作用，也有其政治作用。

什麼是它的軍事作用呢？第一：希望解除老街側面威脅，老街以下西南部百公里雖已墮入越共勢力範圍，但泰族首府萊州一把寶劍向西北一揮，在在足以刺向越共心臟，而牽制其動彈不得。因此越共必須進掠，始能解除老街的側面威脅；第二：希冀完成向河內的鉗形攻勢，在北面，東鉗瀾府浪塘，騎錦之線已完成鉗形之一端，但因南面的廣大泰族區握在法軍手中，却無法利用以和平作為南鉗的據點，完成南北兩鉗對河內的合圍形勢，所以它不惜以重兵貫中黑河泰區，期在軍事動作上得到一條生路。

什麼是它的政治作用呢？第一是：打通越北與寮國的政治聯絡線。我們知道，在一九五〇年十一月廿、廿一、廿二日所謂「越共」「寮人民」「自由高棉」共和國在山羅舉行一連串的政治會議，它們老早就想「聯成一氣」了，據當時巴黎「士報」報導稱：『在一九五〇年十一月廿、廿一、廿二、廿三日越寮各共黨代表集於山羅召開的會議，即是討論如何組織一個聯合國家陣線，以便此等國家民族間有所「互惠互助」，及使能實現獨立與統一，結果決定設立聯越陣線委員會，并賦予有指揮「越盟」、「自由高棉」、「自由寮國」之全權，係由此一聯合陣線共黨情報局所指導的』。然而越共與寮國之間，因有泰族區的阻隔，始終無法作大規模政治活動；第二：期以分解保大政府，保大政府是集中越南各黨各派，各個民族選成的，泰族擁有三省，四十萬泰人，在民族上是統一體，在政治上是一，泰族能擁護保大，是保大政治成功，越共要想爭取保大政權，自非從分化各民族統一不可，因之攻掠泰區政治作用，尤重於軍事作用。

攻防的戰略形勢

顯而易見的，這一次越共所採取的戰術，是多頭進軍；首先，它選擇瓊崖、藤倫（下羅西南），文安作渡河據點，「腰斬」黑河，次則遣精進軍箭頭，重點配備，以一師半的大軍佔領安州（距山羅三十里）進迫山羅是為中鋒；以半師兵力放在木州（文安之南十五里）截斷河內泰區之陸路交通（其副作用是策應和平孤軍會師），阻擋法軍增援是為南路；以一師兵力扼守黑河上游，從瓊崖起以迄平陸，迫近萊州止，其作用一在使法軍駐泰的萊州司令部指揮失靈，一在阻礙萊州法軍主力南下，施行各個擊破是為北路；三路同時進軍，大有所獲，但其中尤以中路最為得手，自十一月十九日迄今，越共集結二師兵力，以「猛虎洗臉」戰術，迅向山羅法軍全面攻擊，山羅雖有「越南凡爾登」之稱，有一萬二千守軍及空軍增援，但因事先未有精密佈署，外圍據點盡陷越共手中，故僅四日則告陷落。兵法上云「攻心為上」，山羅為泰區心臟，越共輕而取得，正是「攻心」戰略，也是各個擊破第一步成功。

法軍是怎樣對付共軍戰略攻勢呢？依照泰區軍事地理形勢來看，它對於法軍的處境太不利了。北面接壤中共區；西北南，有拔海三千至五千公尺的橫山山脈的天然障礙；東南越共盤踞和平；正面有黑河阻礙，假若在此地勢以堅攻堅與越共決鬥，定必失敗無疑，薩蘭總司令承塔西尼之後，頗有戰略天才，他既認為法軍在泰區情勢陷於被動，不利決戰，那麼祇有開闢第二戰場，利用「攻趙救魏」的戰略吸引越共回師，以解除泰區的威脅；薩蘭此一「殺手鐧」，戰略評論家，僉認為是一奇跡，來自巴黎、華盛頓、倫敦的輿論，都以大書特書的報導說是一九四六年以來共軍第一次[illegible]說，當其前鋒越過諒從紅河上溯進迫原拜的時候，攻勢銳利，誰也不能否認，這是「主動」，這是「反攻」。戰局的發展，就在越共是否中計，越共明知薩蘭的用意，倘若回師，勢必貫入黑河的三個師有全軍覆沒之虞，於是一面對付紅河戰爭，一面在黑河按兵不動，以待「發展」。出於法方意料之外，越共在紅河反攻得手之下，立刻在黑河泰區發動攻勢，以致法軍措手不及，處於戰略劣勢。

我們不能以成敗論英雄，薩蘭這一措施，確有其戰略天才的本色，倘若越共中計，法越大軍搗入越共心臟——太原、山西北光復越共之大本營。則其戰績更可超越塔西尼之上，那麼譽之為西方麥克阿瑟，誰曰不宜？

緊握戰軸的泰族

在這一次黑河泰區之戰中，論戰爭形勢，越共是「主動」，法越軍是「被動」，但以泰區本位，在泰族區域內作戰言之，那麼法越是「主動」，而越共却是變成「被動」了，諺語說：「蛟龍難鬥地頭蛇」，就是這個道理，我們知道：泰族是越南民族中，是土族裏的小族，他依顏色分為白泰和黑泰兩種，[illegible]越北，老街沿紅河上游，[illegible]黑沙河以下的萊州、山羅區域，三省人數約四十萬，散佈[illegible]，白泰族以萊州為首府，[illegible]黑泰族以山羅為首府，萊州由泰族領袖刁文[illegible]統治，山羅，黑泰族由一位年邁的白泰族[illegible]，它建有一個古式宮殿，以一個近似蘇彌的地位管治宮中的[illegible]王。[illegible]

[illegible]侵略，從共時起，泰族土軍慢慢漸為法軍改造，換以新式武器和訓練作戰技能，泰軍在去冬萊州之役，[illegible]熟習地形，收效很大，[illegible]合作，在保衛泰族區土地上是一支最大的力量，目前泰族軍約四千人，由刁文體率領，在法越戰鬥序列，則由越北軍區西北區司令科斯特統一指揮。現在越共戰火迫及泰族本土了，相信刁文體的泰軍一定會與法軍密切配合予越共莫大打擊。

今天泰族的戰局，是誰能掌握戰爭，[illegible]法軍能夠爭取主動，自可由被動[illegible]，越共如渡河成功，否則[illegible]，那麼法軍將陷於被動的地位，[illegible]就不及了。

終有失足滅頂之災

・同君・

胡適返台國代紛欲一吐意見
召開臨時國大說又盛
副總統缺並無補選必要

台灣通訊

自胡適之先生返抵台灣，召開臨時國民大會的傳說又因而增高。胡是國大代表，又為主席團之一，在台國大代表平素所蓄積的意見，均欲向胡氏一吐以為快，並盼胡能為大家說一句公道話。

公道乃對不公道而言，所謂不公道，即國大代表，在憲法上，是行使政權的最高機關，而在事實上，則顛沛流離，位尊閒散。無論就那一方面講，都無法與人相比，因胡氏的回國，使國大代表熱烈歡迎，遂有人推測胡氏亦將贊同早日舉行臨時國大，並有人推測李宗仁罷免之後，胡將為補選的副總統。但國大召集與否，權在立法院院長。當監察院提出李宗仁彈劾案之初，曾有人謂國民大會祕書處不必將其轉送立法院院長。惟國大祕書處只是事務機構，自無權延擱如此要案。

當時有關方面曾有於本年十一月十二日召集臨時國民大會討論李宗仁罷免案的建議。但以中國國民黨七全大會已定雙十節舉行，接連又召開國大，未免過分熱鬧。且美國正於十一月間改選總統，似亦可先使國人注視美國選舉情形，以為民主教育的示範，因以不及於本年內召集。至論明年召集，則現有春季與冬季二說，言春季者，謂可於三月二十九日開會，商討李宗仁案；言冬季者，則謂總統任期將於民國四十三年四月屆滿，國大依法應於總統任滿前九十日集會，不如俟冬季[illegible]會，選舉次屆總統副總統，李案即可於改選中自然獲得解決，以免於一年之中要召開兩次國民大會。[illegible]如俟至本年十二月[illegible]，則張道藩之說不攻自破，[illegible]已打銷。再進一步說，依總統缺位時，由副總統繼任，[illegible]罷免，也並沒有一定要補選的規定。[illegible]總統杜魯門繼任總統的任期，[illegible]副總統缺位[illegible]明春舉行國大補選，[illegible]季，又即須改選[illegible]國大代表，[illegible]意義。胡適之先生[illegible]的副總統，惟[illegible]為國家大局，[illegible]不容[illegible]此一行[illegible]。

韓戰進入第三個寒冬
聯軍面臨新的攷驗

韓戰已進入第三個寒冬。第一個寒冬是中共軍參入北韓的冬季；[illegible]第二個冬季是[illegible]馬立克的和平攻勢措[illegible]；[illegible]自由世界的怒火今天[illegible]進入[illegible]中韓[illegible]

[illegible]

自由工人展開捐款

香港的愛國自由工人，已開始在工人與工人之間展開一項二元捐款運動，這是用以捐助給台南慘受風災的同胞的，又於這祇是一個運動的開始，他們有感於力量的可能薄弱，因此已決定請港九工團聯合總會挑起這一面大旗。

即使是流浪在街頭的難胞對這一次受風災的台南同胞也表示關切，馬鞍山礦場的幾個礦工也把他們血汗換來的錢參加這一項二元運動。

同時曾經赴台的本港廠商參展團正副團長鄒導民和李志剛也正式籲請本港的愛國廠商捐助此一次台南的風災。

美領事館加強組織

美國駐港總領事館為了配合當前和今後的需要，已開始加強現有領事館的組織，尤其是負有宣傳責任的美國新聞處。美新處最近着手調查關於圖書館部份閱讀者的身份和閱讀書籍的需要與對象，這一種調查是使美國對香港的知識份子作進一步的瞭解，同時也對圖書館產生一種作用。

現在美國領事所佔用的滙豐銀行二樓和花園道兩處辦公已感到不敷，最初決定在九龍成立一個部門，但這一個決定旋又取銷，不過，美新聞確已派出專員在計劃這一件事。

森瑪士來難胞有望

廿四日由日內瓦抵港的新任聯合國國際難民救濟組織主任森瑪士給香港的知識難民甚至調景嶺營難民一個新的希望，等待救濟的人都寄望於森氏能夠從日內瓦總部帶來一個新的救濟辦法，由於這是很可能的。

在職二十四個月的原任負責人曾美孫曾經注過救濟知識份子和調查難民的問題，但着手執行則要看這位「來自總部的人」今後的方針了。

台灣旅行團籌組中

香港人彷彿流行了一種旅行熱，這一個星期中有三個旅行社舉辦旅行團，一個是去菲律賓，一個去婆羅洲，還有一個是去日本，參加的人倒也不少，雖說還有人從事一個台灣旅行團的籌備，但因為入境證核准的比較困難，所以短期內難以具體，否則報名的人一定更多。（本報記者）

香港三日

中共征用英商四大企業紀詳

中共突於上月廿日同時斷然下令征用上海、天津、漢口等處的英商四大企業一節，日前業已略見本港各報，茲據大陸最近消息，對此事內幕及經過情形，已獲得較詳內容，特綜述如下：

征用行動三點用意

關於中共此次突然下令強迫征用上海電車股份有限公司，上海自來水股份有限公司，上海煤氣股份有限公司，上海茂隆股份有限公司及天津、漢口、茂隆分公司的斷然措施，現據上海有關方面傳出的議論，大致可歸納爲三點用意：

一、自上海闢爲商埠後，英商在該處投資建立的企業中，要以此四大公司的規模爲最大，數十年來，盈利至鉅，尤以其中電車，自來水，煤氣三宗，均係公用事業性質，中共於佔據上海後，視之實有如骨梗在喉，必欲得之而後甘，此次乃終於斷然征用，頗在經濟意義上說，實係一大刼奪。

二、「打倒英美帝國主義」是中共的宣傳手法之一，但英美既無力打倒，則沒收或征用在他們勢力範圍內的英美商企業財產，便成爲替具體的行動表現，此次中共之所以敢無顧英國朝野的刺激而斷然征用上海等處的幾大英商企業，從政治意義上說，乃在鼓舞他們自己的「士氣人心」。

三、民航公司在港飛機的被英廷判歸陳納德收回，在中共是仇恨，也是恥辱，故在大陸不敢宣佈，却處心積慮伺機以圖報復，此次斷然征用上項英商企業，而爲報復行動之一。

一道命令立刻動手

中共之突然下令征用上項英商企業是本月二十日分別由上海、武漢、天津等「軍事管制委員會」出面下令的。但各該處發出的命令顯然係北平統一擬發，蓋該三處所發命令之措詞完全相同。該等命令的理由均說：「爲了我國的公衆利益……」末尾，則嚴峻地規定：「上述被征用各公司的負責人應立即將其全部財產（包括一切動產及不動產）造具清冊，聽候本會所派軍事代表接收處理。各該負責人應切實負責保證並移交一切財產，不得有任何偷竊、破壞、轉移、或隱匿等不法情事，否則，定予嚴懲不貸。」云云。除天津外，上海、武漢兩地「軍管會」於發出此項命令之後，立即發表了顧開極爲征用上海電車公司的軍事代表，楊春霖爲副代表；陳敏之爲征用上海自來水公司的軍事代表，程獨坦爲副代表；程達肯爲征用上海煤氣公司的軍事代表，周東方爲征用上海茂隆公司的軍事代表；蔣光東爲征用武漢茂隆公司的軍事代表，龐子凱，陳金美爲副代表。並立即分別由各該「軍管會」的「外事處」處長黃華，何功楷等派兵傳集了各該公司的負責人，重複宣讀了一番命令之後，當場即由各該公司的軍事代表帶了大批武裝共幹，挾着各該負責人實行接收。當時各該公司的各部門中西籍主管職員皆呆若木雞，不知所措，不得不在武力強制下，拱手相讓。此等中西高級職員，除少數有關技術的負責人，被暫留備詢外，大多數即當場被逐出公司，各返寓所，遭受監視。

中西員工大起恐慌

本來，在各該公司中工作而倖得免遭迫害，失業恐慌的職工們，已因中共的突然接收而感受憂懼，當一看到中共接收時這種窮兇極惡的面目之後，便更引起了一片惶恐！尤其原已滲透在各該公司中的共黨小組，青年團員，在中共接收各該公司後，即紛紛兇相畢露，大喊「清算鬥爭」，乃使原來未表「前進」而只顧工作的員工們個個自危，惶惶不可終日！據傳自上海的最後消息，到目前爲止，除各該公司的高級職員已全部被逐不算外，而其中下級職員及工人被裁的，亦已有百餘人或兩百餘人不等。且其中已有二十人被扣押訪問，至於尚倖倖留用着的職工們，以由減薪，加班加點等的憂懼，情緒均極緊張而不安，乃由原會「效率」、秩序見稱於上海的各該公司，已陷於混亂，鬆弛，傾軋恐怖氣氛中。現在各該公司的中共黨徒及青年團員，正在「搞好工作」，「努力加緊愛國節約增產」，「工人弟兄們組織起來」等等的口號中大忙大亂，據一個已在上海電車公司服務了十五年之久的老工人告訴他的朋友說：「我們正在大吃七葷八素」（「七葷八素」係上海俗語。即頭昏顛倒之意）。（山禾）

中共財經危機

中共狂妄宣傳「土改完成」，「財經情況根本好轉」，實際上，在大陸農村經濟破產，城市工商崩潰下，潛伏危機正波濤洶湧，衝垮赤色政權，已爲期不遠。

雪冰

中共今日，外有侵韓戰爭愈打愈烈而大量死亡慘敗，內有農村經濟破產與城市工商崩潰，瀕臨危機形勢之下，中共特於其宰割大陸人民的三週年「宰割日」（十月一日）的前後，大肆宣傳：「一九五二年中共財經情況根本好轉了，」欺人欺世，騙人騙鬼！

事實勝於雄辯 宣傳暴露危機

事實勝於雄辯，形勢比人強，中共愈宣傳其好轉，則愈暴露其危機，中共宣至一九五二年最後一季中尚大肆叫囂財政根本好轉，乃揭穿其一九五三年中共財政經濟根本危機的潛伏而已。

中共所謂一九五二年財經情況根本好轉，主要是根據其「土改」的完成，我們即就中共的「土改」完成些什麼，來檢討今後中共財政經濟危機之所在。

中共大力搶掠農村人民的血汗，超額征收公糧，搶收搜刮而去，農村一粒不餘，此種公糧，即是中共財經的唯一的資本。

中共參加韓戰，爲時已越兩年，動員百萬以上的大兵於韓戰戰場，至今，而能發動攻勢，而能激烈爭鬥，實由於中共壓搾了大陸農村，搜刮了大陸農民公糧爲其在韓兩年作戰的經濟力量之一。

中共以大量糧食對外輸出，易取戰略物資及工業原料，例如：中共三年來不但對印度、對錫蘭、對澳門、對香港輸出了大量糧食，而且將大批糧食運往了蘇俄，換取了戰略物資及工業原料，這是鐵的事實。這也是構成中共財經的基本的力量。

妄言「完成土改」 農民盡變奴隸

中共三年來將大陸上的兩千萬地主打倒，殺的殺了，死的死了，逃的逃了，將大陸除少數民族地區以外所有的土地都收沒了，中共表面上說，截至一九五二年八月止，已將四千七百萬公頃的耕地，分配給三萬萬本來無地和少地的農民，實際上，大陸農民每人所分得的不過一畝以下或七八分的田地而已，而中共已特大部份的好田改爲中共「國營農場」。雖然四億二千萬以上的人口的土區，在今年，中共完成了「土改」，而「土改」後的大陸農民，除每人所得一畝下的七八分田而外，至今都變成了中共的廣大的農奴了！大陸農民雖有地，而無主，能說不是爲中共所奴役嗎？共幹在大陸各村各鄉背征暴斂，農民糧食搶光光，這又是鐵的事實！中共今日打倒大陸二千萬的地主，而中共本身成爲大陸的唯一的地主。這就是中共在一九五二年土「改」完成後的財經情況根本好轉的根據之一，也無可否認。

中共今日已做了大陸的獨一無兩的大地主，廣大農民變成了農奴，中共擁有全部大陸農村糧食物資在手，城市糧食的供應，在中共一手操縱之下，城市糧價自然穩定了，糧價穩定了，以米、布、煤、油四種物資構成的「商品貨幣」的共幣——「人民幣」幣值自然也就穩定了。這樣的大陸物價穩定，也難怪中共，此爲一九五二年財經根本好轉的一個根據。

財經情況「好轉」 實際危機潛伏

毛澤東早於一九五〇年六月六日在中共「中央七屆三中全會」的報告中就說：「要獲得財政經濟情況的根本好轉，需要三個條件，即（一）土地改革的完成；（二）現有工商業的合理調整；（三）國家機構所需經費的大量節減。要爭取這三個條件，需要相當的時間，大約需要三年時間，或者還要多一點。」

中共所謂一九五二年財經情況根本好轉，唯一的根據就是望其「土改」在今日的完成。

中共這樣的「土改」就本質上說，祇是奴役大陸三億以上農民，爲其流血流汗，來壓刮大陸農村的糧食，以此持其在韓的侵略戰爭，以此籌措其龐大的財政經費的第二位收入，以此掌握糧食物資穩定「折實單位牌價」即共幣幣值及穩定物價。

中共財經情況「根本好轉」，如果是基於這一個根據的話，中共財經根本危機，也就在這一個根據之上！

今日大陸農民，已瀕於飢餓線下，一批批失業農民流向城市中去，這是中共在七月二十五日公佈的：「關於勞動就業問題的決定」中透露出來大陸農村的一幅寫照。中共說：「土改以後，已耕土地不足的情況，基本並未改變，勞動力仍有大量剩餘，流向城市，增加城市的失業」。失業者增多，即連中共也自認爲形勢已趨「表面化」與「惡化」了。

官方聲明矛盾 農業產量銳減

假如「一九五二年的大陸農業總產量將超過我國歷史上的最高年份的水平」的話，即不會有「土改以後，已耕土地不足的情況，基本並未改變，而勞動力仍有大量剩餘，流向城市，增加城市的失業」的惡化現象發生了。

中共軍事幹部及其兵力，據前年估計，已在九百萬人以上，再加上三百萬人中共行政幹部，大部份來自農村的農家子弟，多非城市義學校畢業的知識青年，則今日大陸農村人口，只有比三年前中共未竊據大陸以前爲減少，則今日大陸農村仍有大量剩餘勞動力，此豈非足以說明一九五二年大陸農業總產量的減低。

中共說：「土改以後，已耕土地不足的情況，基本並未改變……」。這一句話，又否定了中共所宣傳的「一九五二年的農業總產量將超過我國歷史上的最高年份的水平。」因爲大陸農業增產，除非增加農業資本而外，就是利用大陸百分之七十三（筆者手邊統計缺乏，請參閱商務出版「土地問題」一書）大量的可耕而未耕的土地，中共何以發生「已耕土地不足的情況，「基本並未改變」，而則顯然當不在勞動力的缺乏，中共很可以用大量剩餘農業勞動力來從事於開耕可耕而未耕的大塊土地，不必再說到大陸荒地了！長江三角洲及珠江三角洲一帶，素患人口密度過高與耕地面積太小。中共既未基本改變已耕土地不足的情況，一九五二年農業總產量的提高又靠什麼而成？

中共學其主子蘇俄既長於宣傳，也會玩弄統計數字，如果把共產黨極權暴政的統計與民主自由國家的統計一樣的信爲眞的，那就是「鬼迷了眼！」例如：中共先說：「就糧食生產量來說，一九五一年比一九四九年，增加了百分之廿八，今年的計劃比一九四九年增加百分之三十七，將可超過我國歷史上最高年份的水平。」（據九月卅日「經濟導報」報導），同時薄一波又在十月一日說：「如果把各項農產品在「解放」前最高的一年產量作爲一〇〇，那麼一九五二年有保證可以達到的預計產量就是：糧食爲一〇九……」則前後不符，撲朔迷離，使人在百分比統計上，共說來誇張共「虛假的繁榮」與掩蓋共「眞正的危機」！

總之，就中共「土改」的完成，實在找不出中共一九五二年財政經濟情況的根本好轉的根據！但祇知道中共在一九五二年以「超征公糧」來搜刮了大陸農民的公糧，約值七百八十億斤，加上中共三億美元，共國營糧食公司的賤價收購等在內，總計達三十一億美元，佔中共財政收入第一位，以此來支持其去年戰費軍政費等約在五十六億美元以上的龐大的財政支出而已。

中共壓榨剝削 川民受害奇慘

也許是由於四川多種內素特殊的原故，所以今大在大陸上共禍到處，它所遭遇的命運，比很多地方，遠爲悲慘。四川自三十八年陷共以來，由各方往來的人證明，四川所承受的中共壓榨剝削，爲西南各省之冠。以最顯著的農業稅爲例，就比貴州幾乎高出百分之二十五，雜糧徵的等級，也比雲貴爲高。至工商業的侵蝕，民用物資的控制，雖上海漢口等大都市亦不能及。

參軍運動 方興未艾

以人力爲例，自今年春川東兩次民兵升格（即以民兵編入正式作戰部隊）據重慶「新華日報」的報導，就有十二個團，由六月起到目前仍方興未艾的參軍運動，以江北縣的鴛鴦鄉爲例，半年以來就抽去了壯丁約兩百，若以四川共七十六縣每縣平計有鄉二十個估計，僅這一段時間，就抽去了約三十萬人。這一個數字，若以長時間核計，它的總數更可驚的。

四川生產的糧食，向以豐沛知名。而今天四川的糧價則反比京滬爲高。據京滬來人談，上海糧價迄今仍未超出人民幣二十五萬元，而四川的重慶，中稻米則非三十萬出頭不辦。四川的糧食並非年荒不足，這可由中共集中的龐大糧倉隨處囤集獲得解答，但中共的貿易公司所懸的牌價則是三十萬幾千元。一般的人對中共的措施，都不明究竟，秋收剛過的農村，農民就開始吃胡豆雜糧，而四川人民所辛苦耕耘出來的白米，即在一批批的往雲南廣西運，四川人的內心迷惘與痛苦，不是紙上片言語所能道得出的。

私營事業 絕無僅有

重慶成都萬縣瀘縣，號稱四川四大都市，但現在這一些地方，沒有一處能找出一家資本超出二千萬元的獨立私營工商業。四川的土產，諸如豬鬃，藥材，牛羊皮，絲麻，茶葉，經營的成本，絕沒有比從前減低，而售價則一般比從前低落三分之一。商民連年經營失敗的結果，祇是商號倒歇，工人失業，農村副產收入減少，乃至於有完全斷絕的可能。

成渝綫上的內江一帶，是四川著名的蔗糖區，原年產蔗糖約四百萬担，但現在的產額則減低到一百餘萬石，形成這一個現象的原因，是中共把糖價提得太高，一般社會一般貧窮，一般人都把白糖認爲奢侈品，市場銷路阻塞，而中共所加諸糖場的捐稅，則比從前高出兩倍半，因之，糖產也不斷減少。由於蔗糖生產無法獲得銷路，而農業稅仍然要按季徵收，因之不少蔗田被改作水稻田，蔗田一經改作水稻田，據種植有經驗的人說，十年也不能恢復原狀，這一個損失之大，任何人亦可看得出來。

自流井的鹽，是形成四川富庶的另一個因素，可是這一個因素，却正被中共在不斷毀滅。自流井的鹽井，前此是用牛來挽吸引的。中共爲了力圖增加生產，將牛改成汽車引擎改裝的吸引機。吸鹽水的份量固然增加，但不少鹽井內爲底部沒有够寬，鹽水源頭一經被快速的機器吸盡，不能相等補充的時候，井底自然乾涸，井底乾涸，井坑的沼氣即瀰滿井中，天氣稍爲乾燥即自行燃燒，像在這一種情況下所燒壞的鹽井（永遠不出鹽水）不下七十餘處，其結果是鹽產量反而減少。

煤鐵礦穴 破壞嚴重

重慶嘉陵江沿岸的鐵煤礦，產量本來有限，中共爲了欲大力開採，不惜用爆炸，以探測礦苗，可惜是技術不够，且全部開礦設備不足，以致原有若干礦穴，反被中共炸沉，以今年四月重慶南岸六十公里綦江東溪鐵礦所發生的大爆破案爲例，中共爲了增產，用過多的炸藥，把整個鐵礦總穴炸沉，死傷一百餘人，使這一個四川最具規模的大鐵礦場，至低一年以內不能運用，而與這一個工場有關的重慶大渡口兵工廠（中共煉成渝鐵路路軌的工廠距重慶三十公里），至少也要大部歇業。

中共所加諸四川人民的各種災害，據估計至少在二十年以內不能恢復，在外面的人，所聽到的「中共的建設」，「人民的翻身」，其內幕就是如此。看來四川的人民，忍受的極限也快了，各縣的盜賊蠭起，是這一個忍受的說明。今天中共都然是在想將四川關隘最后巢穴之一，而因此也造成四川人民的空前死難。古語說：「天下未亂蜀先亂」，未必還一句諺語，在今天的大陸，要在中共身上再度出現？

（叔子）

我的人相學

爲方

星相之說，原具有惰性的宿命論思想，玄之又玄，不足爲訓。然若從人類日常生活的言談舉動，以至於所寫的文字意態中，一作觀察，却容易看出每個人的氣性情來，而其品格的高下如何，也能推測過半。凡對世故人情歷練稍深的人，都能體會此中奧妙。

譬如：一個受過相當教育的智識份子，既無遁世之念，飽逐富貴功名之途，而又胸掛佛珠，貌作善士，見人即口稱慈悲爲懷者，多屬好名貪利，卑污險詐者流。倘年方少壯，而嘴上蓄着一撮短鬚，作老成持重狀者，其人每居心叵測，鬼怪多端，共安樂且多是非，共患難更休作幻想。倘有拚命鑽營作官，而逢人輒訴苦道窮，怨歎爲官清苦累不堪者，恐怕係一貪污好貨人物。這幾種人，我曾經在茫茫人海中，屢試屢驗，可以舉出很多近代的「知名之士」來作實證。至於文字表現方面，郭沫若即是唯一的模特兒。他當年寫「轟炸中來去」，描述蔣委員長如何對他親切握手，「綿軟有力」，如何讚賞他的兩耳輭而頻頻移椅懇談等情形，肉麻當有趣。今日他當然可以喊「史大林爺爺」，恬不爲怪。因爲這類人根本是無恥的，甚麼話都說得出來。言爲心聲，文字即其全部人格的粗線條漫畫也。

孟子說：「聽其言，觀其眸子，人焉廋哉！」察言觀行之道，確比看相算命合乎科學方法。讀者不妨以懷疑的實驗主義，試試看！

自由談

小老板

「回國觀光團」別記

羊辛

從G埠來到香港，我們的小老板忙得一店子人仰馬翻。經理先生忙着跟後打作揖，小廝阿三忙着給他搬行李打掃房間，——光是行李就有十來件，那間房間一向當佛殿，任何人都不能進去睡一睡的，以致塵埃盈寸，把個阿三弄得像個棉花人。

小老板要回大陸「觀光」，他是「××華僑回國觀光團」團員之一。

小老板叫跟房何先生喚來了一把的士，先上娛樂戲院看一場電影，然後坐着的士滿街亂跑，回來時帶來一盒盒的衣料和鋼筆尼龍絲襪等，那一大堆的盒子把個何先生壓得幾乎看不見人，只聽出兩隻眼睛氣喘喘地捧上樓來。

第二天，小老板走了。

「××華僑回國觀光團」的消息時常在報紙上出現，據說足跡遍南北，備受熱烈歡迎云。有一回還出現了一張照片，那是「觀光團」在北京跟那些「大人物」合照的，一瞧，小老板穩然跟圓滾滾的「毛主席」站在一起，不由不令何先生大爲感服，慨然拍案道：

「嘿！眞有他的！」

如是乎兩個月，小老板回來了。

事先他拍了電報來，於是我們這些大小職員準時到車站迎迓，他一跳下車來，還沒有來得及拍去身上的塵埃，就豎起大姆指說：

「你們沒有去瞧瞧，眞可惜，新中國眞是太偉大了！」

經理先生對於偉大似乎缺之興趣，忙問：

「那些淨參高麗都安然到達麽？」

「到達的，到達的，」小老板一面點着頭，一面有點不高興地說：「你這人眞是——搞不通！老想着錢，現在的新中國，就沒有這個現象！」

「沒有錢就活不了」經理自我解嘲地說。

「哼！」小老板橫了經理一眼！「現在的新中國，再不講這一套了，窮人都翻了身，生活得頂好，誰說沒有錢活不了？你們這種落伍思想要不得，這次的五反運動，就是專門對付頭腦腐舊的商人的，沒有這麽教訓一下，商人實在無從覺悟！」

大家被「教訓」，可得默默無言，然而管寫信的李老先生把老花眼鏡一托說：

「商人固然無從覺悟，但是，自命爲覺悟的人却也不見得怎樣前進，我請問你，窮人翻了身，爲的是什麽？共產黨發動三反五反，反來反去，錢都反到共產黨的荷包去了，還不都是爲了錢！錢，不單是商人愛，人人愛，連共產黨都愛得緊哩！甚至愛得不惜殺人放火，謀財害命，比奸商地主還高一籌。」

這盆冷水淋得小老板面上一陣紅一陣白，要是別人，早就發作了，但李老先生是小老板的父執，在他們店裏服務已二十餘年，他父親見到他都得客氣三分呢，他只好把一口氣嚥下去了。

晚上經理設宴洗塵，小老板並不因爲才被淋了冷水而氣餒，而且興緻更加濃厚，當着一些資客的面大講其「新中國印象記」，講得天花亂墜，好像他從天堂暢遊歸來，興奮得連飯都忘記吃。其中最精采的一段，是說他怎樣的沿途備受招待，「毛主席」等要人怎樣親自迎接，以及他家鄉的田地經過的交涉已如數發還。

「嘿嘿，我們吃住玩都不必錢，今天這裏玩玩，明日那裏遊遊，全有人招待，還派來一名醫生，兩名勤務員……毛主席見到我們很高興，叫我們必把祖國新生的氣象帶回去告訴僑胞，……我們天天大魚大肉，住着最高貴的招待所，坐着舒適無比的專車，反而把我們弄得有點不好意思了，誰說新中國貧窮了？單看這種享受就够了，外間誣蔑新中國鬧饑荒，全是造謠！」

「有人又說共產黨的土地改革是偏差，我說，偏差有時是免不了的，但他們能馬上改正，譬如我家鄉的田地被分掉了，我回去後據理力爭，他們居然自認錯誤，把所有的田地都發還了。……」

「你發還，別人有沒有發還呢？」有人問上一句。

「別人麽？別人都是地主惡霸，當然不必發還，我們是華僑，不是惡霸，當然要發還。」「可是我也是華僑，我的田地就沒有發還。」那人又說。

「你可以向他們據理力爭呀！」小老板睜大着眼睛瞧着他說。

「可惜我不是觀光團的！」對方幽默地聳聳肩。

「這跟官僚作風又有什麽兩樣？」默坐在一旁的李先生這時也開口了。

小老板嘿然了，漲紅着臉，連耳根也看得見血絲，想再辯論，却似乎想不出什麽話好辯，急得一聲不響。幸虧是經理來打圓場，總把空氣和緩下來了，這回演講的對象是一些店裏的小夥計，包括阿三之類也在內，大家張大着嘴聽着小老板開講「天堂暢遊記」。

講了一半，大概看見有人在打瞌睡了，小老板忽然想起了什麽，說是要去開會，匆匆走了。

小老板就這麽一去四五天，到了臨走前一天，纔又嘩啦嘩啦一陣風似的跑回來。（上）

閒話讀書（二）

舜生

萬竹樓隨筆

『舊書不厭百回讀，熟讀深思子自知』，這是東坡『送安惇秀才失解西歸』一首七言古詩的頭兩句。東坡在中國藝術史上並無地位，但在文學史上的地位却很高。就我所知，中國文學史上一般造詣很高的人，大率都是經過一段苦讀的工夫的。現在我們批評一般古文家的話，往往說某人之文『近於諸子』，某人之文『胎息史漢』，這便正是說明他們曾經過一段熟讀工夫的結果。

中國詩人如李太白，他的人才總算是了不起的，我們現在讀太白的樂府，依然隨處可看出他模擬的痕跡；並於他那篇『擬恨賦』，無論是命意，遣辭，布局，便更是無一處不在模擬江淹的那篇原作了。杜甫評許太白的詩說：『李侯有佳句，往往似陰鏗』；更恭維他說：『淸新庾開府，俊逸鮑參軍』；何以會『似』？又何以會在無意中襲取了別人那種『淸新』『俊逸』的神貌呢？這還不是由於熟讀的結果？韓愈的古文，總算是每一篇都有一個特殊的面目，好像他是從來不願模擬別人的了，可是我們談他早年的作品，如『祭田橫墓文』，（這是他二十八歲的時候寫的）却依然可看出他模擬的蛛絲馬跡。舊唐書說他『自以孤子，幼刻苦學儒，不俟獎勵，日記數千百言，（這一句見李漢昌黎先生集序）比長，盡能通六經百家學。』他的古文影響了中國文壇一千一百多年，又何嘗不是由於他『熟讀深思』的結果呢？

記得梁任公在他的『三十自述』上提到他童年時代家裏的藏書不多，他僅僅對於一部『史記』和一部『古文辭類纂』讀得很熟，竟有十之六七能夠成誦。他晚年也偶然寫白話，例如他的『歐遊心影錄』，便是用白話寫的。可是他自己說：『要他寫他那一體的文言，他每小時可能寫兩千字，寫白話，便幾百個字也很困難。』（我手邊一本梁任公的書也沒有，只記得大意如此。）這還不也是由於熟讀熟練的緣故？

不常搞中國文學的人講究熟讀；搞西洋文學的也一樣講究熟讀和朗誦。記得我從前在上海出席一個文學者的晚會，一位專攻戲劇的朋友，當場朗誦了莎翁『李爾王』精采的一段；另一位湖南朋友，就用他的湖南調子，背了一折『西廂記』的『拷紅』；都曾博得大家的鼓掌。從前有一位給我補習法文的老師，年紀不大，他本來是專搞數學的，遇着課本上有一首雨果的小詩，他除爲我詳細講解以外，又提起筆來給我寫了好幾首雨果其他的詩，當時我雖不甚了了，但給我的印象却是很深。法國十八世紀所流行的沙龍，也是一種文人登龍的所在，往往有一本新版，便由原作者拿着到那裏去朗誦，我記得看過法國的一張名畫，似正是盧騷拿着他的那本『保羅與琪薇尼』（即林譯『離恨天』）在那裏朗讀哩！（一五一）

文化大騙案

由之

在西德，曾發生一樁空前的文化大騙案，事隔年餘，始爲當局發覺。

一九五一年四月，美國駐德高級專員公署曾實施一項以「可用的教科書」供給德國學校的計劃，當時有一個名叫彼德斯的人，自稱爲德國有名的教育家，跑到專員公署表示願意寫一部「標準世界史」，供專署採用。其時負責此項計劃的萊德爾博士即予首肯，彼德斯和他的太太遂預支了一萬三千四百六十六元美金，和價值三萬五千七百美元的紙張作編印這種教科書的經費。

對於彼德斯的爲人和眞正情形，美國當局並不曾作過進一步的調查，到了約定的日期，彼德斯夫婦把九千本書送到專員公署，專署又把其中一千本分發到美國當局在全德各地主辦的情報及文化機構，剩下的八千本暫時儲放在公署內。

後來一位德國政府官員偶然看到了這本書，立即致電美國當局提出抗議，專員公署再詳細審查彼德斯的「傑作」，打算把已發出去的書即全部設法收回。

專署的官員前已經承認，彼德斯夫婦是共產黨的，那本書是一本親共的、反民主的、反猶太人的「偏見」，同時還充滿許多反神論的言論，現在美高級專員公署，已採取下一步驟，控告彼德斯，要求賠償損失。

赫德傳（十九）

中國之友（三九）

毛以亨

爲中國官吏之貪污，使淸廷覺得稅收歸洋人代管爲較可靠，實爲最大原因。一八七二年成立的招商局，因一八六七年得海關允許亦如洋人商船之可向海關報稅，故有利可圖，一八七七年乃買美商旗昌洋行之船三十隻二萬二千噸來航行。不料一八八七年十二月，招商局利源輪于十八日到蕪湖裝米，出李鴻章的公費護照，囑沿途海關放行不得留難，並免付船鈔。船長謂在營口裝大豆，亦未被留難，在上海海關亦未查驗而放行，因拒海關經常的淸倉手續。他裝了一萬包米一百袋的銅錢，但去烟台而不去天津，亦未付船鈔，這是李鴻章做了一樁私營的生意，而招商局賺了一次的白差。北洋大臣謂官船運公物海關不得干涉，祗要有護照就行，南洋大臣則謂應歸關監督及其他中國官吏查驗。此類之例不勝枚舉，以此不特海關不能收回，即招商局與以後的鐵路，亦愈辦愈糟了。

十五、郵局的創辦

一八九二年上海租界的郵局殊爲興旺，書信包裹均以上海爲轉口棧。租界當局，以上海亦如亨堡自由市，欲加入萬國郵政協會，苟得允許，則中國之郵政權將喪失于租界當局了。赫德乃命Compbell告知萬國郵政協會當局，謂上海非自由港乃中國的港口，決無合法地位以加入協會，此類交涉不特爲中國人所誤，且在協會方面亦爲奇怪的舉動。並稱中國即將聲請加入協會，亦得瑞士當局之預允，如有聲請，當爲善意的考慮。英使威妥瑪在一八七五年的烟台約，不須將中國設立郵局一條加入，但赫德于一八八二年起已將其海關的書信局擴大于沿海口岸而爲一般人服務了。然外國使館均有郵局，中國有驛站，民間有信局，赫德則使能合作而不至衝突。辦了多年之後中國政府自然覺得有設立郵局的必要了。租界郵局加入萬國郵政協會後來證明是謠言，但以此而引起赫德的注意，並請總理衙門非即行舉辦郵局不可了。赫德乃起草開辦大清郵政的大綱與計劃書；各省省會設一郵政總辦，各府設一局長，均由外人任之，而助以懂英語之中國人，縣與鎭之郵政人員亦須有訓練。第一年在沿海沿江通商口岸成立，逐漸推廣至內地，在六七年間使小鎭大村均有郵政代辦所。總理衙門下共咨于各省督撫，同時赫德電Campbell請其到Berne向萬國郵政協會探詢入會手續。得總理衙門須備正式公函請求加入，函致瑞士聯邦政府，必須譯成法文，並由中國公使而遞瑞士外交部。申請書上說明由何時起，中國郵局開始，遵照萬國郵政協會的規定，與郵資合法的匯率。赫德免外人誤解，謂加入萬國郵政協會爲中立行動，并非取消各國在中國郵局的平行動作。督撫恐外人行政勢力，藉郵局以深入內地，故多反對。關員建議用英國郵政人員以資熟手，他亦不贊成，謂英人過保守，不易與中國人融洽。

孟子新解（上）

狷士

孟子雖位次于孔子，稱爲亞聖——其實稱爲亞聖已沒趣，好像做部長衆目昭昭，至於次長誰也記不淸——却冷落不堪坐，實先師不倒翁似的，實在有點眼紅，其實根本上還是孟子，自取其咎。

孟子從來被人奚落的，一部孟子七萬話，說得多麽漂亮，談鋒多麽健，而理又多麽透澈、痛快，可是像「經書」還是很少人讀的事，直到宋朝一班禮學先生，覺得孟老爹的性善說得有點道理，大家替他捧捧場，才有亞聖的資格，否則恐怕永遠不能翻身，如荀子那樣，歸于諸子百家之流，雖入孔廟享受冷猪肉，但是孤陋寡聞的儒家總看不上孟子那種辛辣的態度，甚至以爲他的書配不上稱基本經，歷代君王擁護只崇拜孔子，奉論語孝經爲治國之本，但未見有人敢拿孟子來救國，雖則他的王道仁政說得天花亂墜，所以孟子從來倒霉，連他的後人都晦氣，你看孔家后裔衍聖公多麽神氣，榮耀了幾千年，孟家的子孫的情形到底如何，我就不得而知了，可是孟子爲甚麽被人這樣奚落呢？我們有閒去翻翻孟子，就覺得被人奚落實在有點道理，如果你再細細按一下，而且覺得是活該。

第一，我覺得孟子是一位談鋒極健的人，話說得多犀利婉轉，娓娓動聽，但是太會講話的人不是得罪了人，就往往惹起那種道貌岸然的人的討厭，你看孔子說話多麽雍容持中，諄諄教人，可是孟子就不然，有時譏刺得刻毒，如東郭墦間的故事，結尾直截了當地說：「則人之所以求富貴利達者，其妻妾不羞也，而不相泣者幾希矣。」富貴利達者，誰高興妻妾探聽富貴從何處來的，孟子講了這個故事諷刺，來挑動妻妾，富貴利達者當然銜恨，有時却滑稽可笑，眞是所謂「而勸口吃吃」的，對梁惠王，齊宣王問，與虎謀皮，人君與民共同享樂，齊宣王牛羊之爭，可說是滑稽，孟子弗一人次與齊宣王，豈天下之大稽？

例外，孟子是喜歡開玩笑的人，那人君亦不有一次他竟在齊宣王面前挖苦，弄得齊宣王無話可說，他說：王之臣有託其妻子於其友而之楚遊者，比其反也，則凍餒其妻子，則如何？王曰：棄之。曰：士師不能治士，則如何？王曰：已之。曰：四境之內不治，則如之何？王顧左右而言他。齊宣王自己也討個沒趣。有時簡直駡人，孟子就不過是于現在駡人爲飯桶而已，駡得粗魯，他曾駡楊墨禽獸，大失儒家的風度，孔子就最痛恨屈辱，最利害也只駡當時政客斗筲，不過孟子本人說，原是不得已也，后人讀起來總不免覺得刻毒，粗魯，所以他的書就遲遲難入經籍之林。

自由人

中華民國僑務委員會僑務登記證台教新字第壹零貳號

THE FREEMAN

（半週刊每星期三六出版）

（第一八三期）

每份港幣壹毫

督印人：李光華

社址：香港高士打道六六號

電話：二〇八四八

GLOUCESTER RD.
HONG KONG
TEL: 20848

承印者：東南印務出版社

地址：高士打道六十四號

台灣特派員辦事處：台北市館前街五十號

台灣總經銷處：台北市中華路一二五九號

歷史事實之重現

雷嘯岑

二次世界大戰前夕，在國際間有個陰陽怪氣，搔首弄姿的波蘭，遇事要以「第三者」自居，隨時替侵略國家助勢。尤其對中國問題，自「九‧一八」事變後，波蘭代表柏克上校，與當時的英國代表西門爵士一唱一和，無論在「國聯」大會中，或「九國公約」會議中，總是爲日本軍閥撐腰。那時節，波蘭儼然是「國際第三勢力」，而柏克上校也被西方輿論界譽爲「神秘的外交家」。然而，曾幾何時，希特勒與史大林一聲「友好」，波蘭乃首蒙瓜分亡國之禍，世界大戰的火燄，即由波蘭引起了！

歷史舊劇將重演？

歷史之神似乎故意地要捉弄人類，把過去所演悲喜劇的事態重現一番。當茲三次世界大戰風雨欲來之際，國際上又產生了一個硬要以「第三者」自居的印度，照樣地陰陽怪氣，搔首弄姿。最妙的不但又是藉着中國問題爲侵略集團張目，而且亦是與英國的外交代表們裏應外合，隨時串演雙簧，目的也無非異發——對侵略者拚命主張妥協！

我們從客觀環境來觀察：不管三次大戰之有無，也不問韓戰能否結束，只要俄帝集團的勢力一天存在，印度決難逃極權侵略之劫運的。韓戰繼續不停，也不擴大，則東南亞方面必然烽火日熾，印度顯被包圍於共產火燄中，隨時有被延燒之虞。韓戰如照印度的方案宣告結束，則喜馬拉雅高原之下，赤禍侵襲的速度更將突飛猛進，非尼赫魯的「國際政治商人」手法所能擋住的。中共近年來拚命經營西北交通：據其最近宣傳，由西川邊康藏的公路已通到昌都了，一旦讓它完成川康藏的交通運輸線，印度必感寢饋難安，岌岌不可終日之苦哩！當年波蘭對中日問題態度獻媚侵略者，用心亦在懷他人之慨，期博取極權侵略者的歡心，希望對波蘭有所憐憫，予以曲全。因爲當時希史大林，是暗中鼓勵日本軍閥向中國大陸與太平洋方面闖禍的。印度現在也想以「第三勢力」姿態，依於英國餘蔭，對韓戰問題，爲中共幫忙，冀變致印度的安全保障，同時與英美當局的「亞洲狄托」相思病，向「龍王廟」裏不斷地搖鐵尚，求神靈，以祭餅夢。歷史劇雖不一定「對證古本」而重演，但其劇情是常常可能重現的。如果三次大戰終不可免，誰敢保證印度可以遺世獨立，高枕無憂呢？

看梅農的主張

印度調停韓戰的建議案已在聯大通過了，俄共集團以維辛斯基爲首，先後表示拒絕。然印度依然還要繼續「爲和平而努力」。努力之點如何呢？印度代表梅農前天在聯大政委會有明白的解說：第一，他認爲「朝鮮和平問題若無中共代表參加，不能充分和適當的討論」，而且「應當讓北韓方面的話。」這是跟蘇俄的主張一樣，亦與歷年來英國要把中共拉入聯合國的「苦心」符合。所以，他強調：「我們認爲此舉幫助中共作此出席的日子到來了」——這也就是對中共許願道：「你容忍我的建議罷！還有好處在後——請你進入聯合國來啦！」西方國家想假手印度，以實行拆散中共與蘇俄的血緣關係，使「亞洲狄托」施施然從天而降，果有此事，不特印度的安全即告萬無一失，而西方國家害怕亞洲國力最用斜亞洲來「不能以全力守護歐洲」「文明」的心病也霍然搽愈了，豈不美哉！可惜的只恐中共「心餘力拙」，無法承受這項濃情厚誼，將來再效伍修權之流，痛罵一頓聯大會場，走出「英美帝國主義」之後，拂袖而去，使那些做着拆散「中蘇關係」幻夢的人，啼笑皆非而已。

第二，梅農對於遣俘方法，亦有特別見解：他認爲遣返一如[illegible]果有戰俘拒絕遣返，本國[illegible]即他事實上是個本國逃兵，[illegible]而可受到「處理」。[illegible]明明是指迫回去[illegible]共區的官兵爲「逃兵」，將來當受本國法律制裁的。「不管你們回去[illegible]告訴你們放心罷！」中共[illegible]不可由中立委員會[illegible]外，另用一種方式逃兵，就用印度的建議所主張的[illegible]甄別「戰俘」，不能再有任何[illegible]贊成可以由派代表去訴說[illegible]，就是說：中共與北韓可派代表去說服或威脅那些不願回去的戰俘——我們認定俄共集團決無「拆散」的希望，美國堅持志願遣俘的原則，也不會有絲毫讓步的可能。

梅農這席「高論」，不過在聯大作爲尼赫魯作國際政治活動造市場上投機失敗的遮羞口實罷了，用不着多所研究。

西方國家對中共自作多情的撫聯活動，大概以印度這次所演的雙簧爲登峯造極了。我們只盼歷史之神莫再惡作劇，又在亞洲產生一個「柏克上校」，而使印度將來成爲第二波蘭，則萬幸矣！

半週展望

假定在明春反攻大陸

左舜生

因爲印度提案被維辛斯基一篇演說和周恩來一篇聲明所否定，美國似乎不能不作進一步的考慮了。

據上月二十九日路透社的華盛頓電，美國參議員勃里奇，最近曾作如下的提議：一、美軍決不撤出韓國；二、裝備南韓軍，並裝備遠東一切盟國，當然包括自由中國在內；三、封鎖中國海岸；四、以自由中國軍隊參加韓戰，並反攻中國大陸；五、最後使用原子彈。

艾克可能一二日內到達漢城，克拉克與佛力特對韓戰前途有更親切的內部認識，這是毫無疑義的；假定艾克聽取前線將領報告，根據實地考察，所見與勃里奇不能有多大出入，則自由中國責任的加重，顯然便在目前，這是值得我們冷靜加以考慮的。

我們在本刊上曾經有過這樣的建議：參加韓戰，我們有諾言在前，不容反汗；但時至今日，我們決不願中途去參加這種「有限度的戰爭」，除非美國的亞洲政策根本改變，我們出兵韓國，即屬毫無意義。蘇聯鼓勵侵略，係在侵略中國成功以後；蘇聯加強侵越，亦在侵略中國成功以後；解決亞洲問題，不從解決中國問題入手，不僅韓戰決無停火的可能，即整個亞洲亦決無寧日，這是我們一貫的看法，也就是多數中國人的一種實際的看法。

果然美國的政策變了，既要我們派兵赴韓，又同意我們同時反攻大陸，則台灣的軍事形勢，留在台灣的美國軍事代表團，一定比我們更爲清楚。老實說，這也不是一個簡單的裝備問題，美國至少須就下列各點，作一通盤打算：

一、澈底裝備台灣現有陸軍，加強台灣的空軍，補充我大批的運輸船隻與登陸艇。

二、美國的海空軍不僅要掩護我們的軍隊登陸，並須以適當數量的空軍，對大陸採取行動，第一步即須摧毀大陸一切水陸的交通。

三、我們缺少大宗的糧食，一經登陸，在中共撤退一空以後，大陸將有無數的飢民，立即須待政府的救濟，飢民的人數，可能隨共軍的撤退而增加，在時間上可能持續到半年以上！政府決不能坐視此數的飢民在脫離虎口以後，依然宛轉於死路！

四、國軍在海岸若干點上登陸以後，最少須有三年繼續作戰的準備，關於補充，訓練，裝備……均須預先統籌，這決非我們目前的力量所能辦到。

爲政府計，下舉各點，亦須預先籌備：

一、姑以一省爲單位，必須跟蹤軍隊前進的政治文化幹部至少須有若干人？失地收復逐漸推廣以後，必須預爲準備者，須有若干人？此類人員，必須具備何種的能力與資格？

二、對大陸反共的游擊部隊，中共的反正部隊，一切反正的政工人員，各色各樣曾經爲擁中共的反正分子，……必須一一分別規定一套適宜而公允的辦法。

三、凡所收復的一塊土地，可能都是殘破不堪的，我們必須死了在日軍投降以後簡單接收的那樣一條心；大陸上老百姓的一根草也不能隨意亂動；除在陣前公然抵抗的共軍以外，凡一切無武裝的人民，不問其身份如何，一人也不能隨意亂殺！

四、城市工商分子能復業者，須促其復業；農村生產分子，須促其照常生產，不許報復，嚴禁報復。

五、凡經收復的失地，所有在該區域內一切救濟機構，須立即補充人員，酌予補助，促其恢復。

六、凡以往官吏曾在大陸置有產業者，包括房屋田產，一律不得破例讀還，查出後只能收歸國有，以爲貪污者戒。

七、凡經收復而已臻安定的區域，得由地方政府召集人民選出之代表會同設立「共匪罪行調查所」，勸導一切受害人民前往申報，並須劃定區域，限定時間，提出結論，以供政府辦理一切善後事宜的參考。所報不實者，須受相當處罰。

凡上所舉，期待於政府者，期待於美國者，均不過舉例而言，僅僅表示我們須從這類問題開始考慮而已。

美新政策展望

杜庇譯

月前，史達林在布爾什維克雜誌的一篇現已著名的論文中，解釋了蘇聯對西方的新政策，他所透露的要點，是克里姆林宮現在希望利用與加深西方國家的裂痕，以贏得冷戰。根據艾森豪與杜爾斯過去的記錄來看，對於蘇聯這個計劃，他們將全面努力，再度鞏固西方的團結，並擬造成西方內部一切爭執的各問題，採取一個完全新的共同辦法，由此促將一個共同的政策作爲一個較大的問題的一部份來處理，而放棄目前零星處理的辦法。在競選期間，艾森豪私下強調，今後的重要工作，是努力謀求消除過去的錯誤，和從過去錯誤中得到教訓，而決不再因循延誤。杜爾斯這種精神思想，[illegible]中右翼人士的要求而把英國拖入對中共的戰爭。

杜爾斯深切明瞭英國因對日和約而引起的不滿，他所感到的遺憾，是許多外傳的消息，完全是捏造。例如英國之被排斥於美澳紐安全公約之外，便是由於他的主張。

凡是接近艾森豪和杜爾斯的人，都認爲英國的這種恐懼絕無根據。他們指出，艾森豪和杜爾斯都反對極端性的要求，他們預料，等待一切英美間的問題謀求通盤解決，及共同政策達成時，英國的疑懼，自會消除。

英美關係

英美關係在西方團結中，是構成最重要的因素。在這方面，杜爾斯將有許多困難。英國官方，對杜爾斯出任國務卿的消息，並不歡迎，他們所以不信任杜爾斯，是因爲他對日和約中關於自由中國的條款，他們又恐懼杜爾斯關於解放蘇俄附庸的主張，甚至因爲他迎合共和黨[illegible]

英國將會明瞭杜爾斯敏銳地關注英國的經濟情況，和妨礙英美兩國達致遠大目標的當前困難，而設法協助他們加以解決。

遠東方面

艾森豪和杜爾斯都認爲韓戰或許是西方政策上最大的負担，在遙遠的朝鮮半島上牽制了巨大部隊，而共產集團正以它的「一等部隊」在和共產集團的「次等部隊」[illegible]在韓戰中獲得最大的宣傳資料。不過，艾克和杜爾斯也承認戰爭並無速的解決辦法，事實上，照杜爾斯將有關問題作通盤考慮的理論，韓戰大致祗有把它作爲西方對中共關係的大問題中的一部份，才能得到解決。

中共對杜爾斯的任命恐懼，已在他的任命宣佈後充份暴露。中共宣傳家曾一再拿出杜爾斯在韓戰前三八線附近所拍的照片，以求支持杜爾斯是華爾街戰爭販子」的指責，但在這種宣傳狂叫的後面，却潛伏着中共的極大不安。中共現在所最需要的，乃是時間，過去杜魯門政府的圍堵政策，正好能迎合中共的這個需求。大陸農民在苛捐雜稅層層剝削之下，早已苦痛不堪，而中共明年的所謂工業化計劃，其主要的經濟負担，還需要農民來負荷。所以中共深恐杜爾斯上台後採取更強硬的政策，使大陸的普遍不滿，更形激烈惡化。

英國害怕美國的新政府將會運用自由中國的軍隊，這也沒有什麼根據。艾森豪和杜爾斯對台灣的看法，是認爲台灣經濟已有優良改善，國軍的士氣與素質都有卓越的進展，但這支堅強的軍隊，應暫時留在台灣，保持完整，以備中共的入侵，或將來用於反攻大陸，至於運用於台灣之外，則大致要在發生中共進攻越南，或其他重要事件時才能決定。艾克和杜爾斯對於將台灣送給中共，作爲解決韓戰或與共黨達成其他協議的條件一點，早已嚴予駁斥，今後決不會再有此類考慮。

日本對杜爾斯的任命，顯然大爲雀躍，他在締結對日和約的工作中，已更深切了解日本的情況。他無疑地將會運用他這特殊智識，以處理日本在吉田政府下重整武裝的問題。艾森豪和杜爾斯目前所要顧慮的，是蘇聯在東北、西伯利亞，庫頁島和千島列島集結噴射機，其目的何在。這顯然是對日本的威脅。

中東方面

中東這廣大地區需要有許多問題，需要在重新檢討杜爾斯和西方國家的計劃中加以解決，英國的中東衛戍區的突破，和英國及[illegible]埃及的程度，事實上，幾與遠東的爭執相等，伊朗及埃及的[illegible]可能即在杜爾斯未就職前，加以處理。艾森豪在一月前，有一私函致英外相艾登，提出警告說，不論英國如何希望加強英國的地位，但美國輿論都激烈反對英國封鎖伊朗石油。他並詢問艾登，如果美政府不可避免地要和英國一樣[illegible]事，對英國的團結僅引起[illegible]可能範圍內最小的妨礙。目前爲止，英國尚未提出任何建議，不過在艾登自紐約返英以前，艾契遜曾和他討論此事。

關於埃及，英國已於二個多月前公開宣佈將立刻對埃及供應一千四百萬美元的軍火，但實際上尚未正式轉賬。埃及也對英國迄今未將定購的十五架噴射機交貨而表示不滿，這批飛機的貨款，幾已全部付清。再者，英國最近曾要求土國務院轉告納吉布，證明將軍傾向西方的辦法，是向西方最好的辦法。若干蘇彝士運河航行取消管制，和官佈決心務須與以色列和解，這國務院[illegible]要求，且對英國說[illegible]非但不能促進埃及與西方的關係，反將破壞納吉布將軍在中東所建立的權力平衡。

歐洲統一運動

艾森豪在歐洲任大西洋公約最高統帥時，曾極力支持歐洲統一運動及建立歐洲軍計劃，杜爾斯對艾森豪的立場亦充份同意，且認爲這是美國對歐政策的基石。杜爾斯甚至希望歐洲團結的範圍擴展到各方面。他認爲舒曼煤鐵計劃，如僅由六國而不再擴括其他歐洲國家，則難獲巨大成果，而他更要求統一東西歐，及解放東歐附屬國，使這些國家集合形成一個龐大和團結的歐洲。

在其他事項上，杜爾斯仍將運用他在日本所得到經驗，以促進歐洲的團結，他感到，日本如要重整武裝，它的新軍，便必須併入一支較大的部隊以內，使日本本身能以這個觀念，從事侵略。以這觀念，他將同樣用於德國，以重整德國武裝，使它的新軍參加歐洲軍，而歐洲以美國的新政府，勢將竭盡全力，以求歐洲軍與西方對德和平契約儘早生效，使歐洲軍早日實現。（節譯「新聞週刊」）

泰國大力鎮壓共黨 揭穿龐大叛國陰謀

「本報曼谷航訊」變亂迭起的泰國，它在東南亞諸多國家中也是共黨侵略的一大目標，直接間接受到共產主義的威脅；若干年來，泰國政府爲了顯否宣布「共產主義爲非法」這一點，感到極大的困惑，可是，到了一九五二年十一月，這一個多年的難題，總算得了結論，十一月十四日國會以一三一票對兩票通過了「非泰活動法案」，這一個法案，是仿照美國的「非美活動法案」草擬的。於是泰國今後對於制止共黨的叛亂，無疑有了一個準則。依照法案規定，共產黨徒將受十年以上徒刑或終身監禁；討論共產主義者，得處五年至十年的監禁；倘以糧食與共黨或予以收容者，得處五年監禁。凡觸犯下列三項者，均將處於十年以上徒刑或終身監禁：一、從事推翻立憲君主制度的活動；二、推翻私有財產制度，或攫取非法謀利益；三、破壞公共或私人建築物或國營公業。法案公布之後，國內的左翼政治黨派，終已無法繼續存在。泰國通文的決行動，據鑾泰總監堅乃物逸發表聲明說：「泰國不容許馬來亞、越南與緬甸之擾攘。」但渠在國民大會報告當前的國內形勢中指出「泰國警察當局已發現國際共黨訓令泰共煽動及宣布成立「泰共和國」之文件。」因此他要求國會批准政府所提出的「非泰活動法案」的。在外表上看起來，泰國的反共行動係在完成法案之後採取，但實際上在本月十日已經在曼谷及吞武里二府開始搜捕非泰活動分子了。然後鑾披汶總理以迅雷不及掩耳的手法，於「大團圓」進行瑯勃向國會提出法案，卒以共黨叛亂的證據確鑿通過。同時，文件中證明泰共已獲得越共支持，「籌集鐵器弩器殺害高級官員，擾亂交通，奪取無綫電台，強迫泰王退位，倘泰王拒絕，則予以殺死而宣布成立共和國，蘇俄迅速宣布予以承認」、一由於此種陰謀意圖傾覆泰國，乃炮復申述先行完成緊急措施的重要性，獲得了國會絕大多數的支持而界予政府以權力。從十日開始以來，涉嫌被捕的各色人等，已逾二百名，二十六日復將俄人爾蒙澤（塔斯社記者）及泰共著記拉蒂布拉沙於逃往緬甸途中逮捕，事後乃炮復特別提出警告，他認爲實施新聞檢查，殊爲必要。因此有兩家替共黨張目的報紙予以查封。

計劃周密終難得逞

共黨的陰謀傾覆泰國，原先有周密的安排，他們企圖先將工廠佔據，控制電流、廣播電台、軍火倉庫，並以武力侵佔各類軍事據點，然後推翻現政府，迫拉坶九世退位，擊散國會的，雖然共黨潛伏於地下之武力究有多少尚無法作確實統計，但一般相信至少有二百名以上；因此，泰國警察總根據各方面蒐集的情報，配合陸、海、空三軍展開大規模的圍剿，被捕分子，除了共黨的宣傳機關報全民報週刊學工友和承印該報的大衆印務局工作人員八十名及數月前出版而言論左傾之南辰報工作人員包括編輯記者等數十名外，這些被捕者，均係涉嫌與中共具有密切關係的嫌疑份子，并在曼谷畦匿印務局搜出大批文件及武器，該局之主人陳鴻初適在外未歸，致未遭拘捕。已公布的被捕研詢中的人，一共八十四名，實際被捕者，包括最近被拘塔斯社記者，已逾二百名。公布中被捕者在審訊中的主要分子名單如下：一、空軍上校乃攀碧，係新近學成自英返國，已直認企圖叛變主犯；二、乃沙沒·泰上校達（泰文議會新聞週刊總編輯）；三、乃乍能東盛（前北大年的民代，現任「和委會」主席）；四、乃伐那宋卡（前宋卡府民代故八世王鴛崩案被告律師）；五、娘林暖春拉賓（故國委乃通彭夫人，現任「和委會委員」）；六、陸軍上尉乃猜格哇匿；七、陸軍上校瑪哈沙里暖；八、空軍中校乃沙里。他那威文；九、乃素拋是里瑪暖（前泰駐俄大使館祕書）；十、乃頌里曾頌木（前法大半月刊總編輯）；十一、烏通遙拉軍（泰文國報新聞總編輯）；十二、乃泰文蓀是里猜民衆報（總編輯）；十三、乃叻是瑪沙暢（泰文屏泰報總編輯）；十四、乃沙榮宗沙旺限（泰文沙炎尼功報總編輯）；十五、乃巴頌注素里耶；十六、乃邁。叻差域（泰文每日新聞報總編輯）；十七，乃獨魯·汶納（法政大學男生自治會主席）；十八，頌木·素汪輯女士（鑾訕旺女兒，法大女生自治會主席）；十九，乃吉繼·補巴立（泰左派名作家）；二十，乃操·撒洛賓（泰文真言報總編輯）；二十一、乃沙帕。是里瑪暖；二十二、乃留拉龍。汝納；廿三，乃阿里。披隆（民聯黨中文通譯官，中文名陳文彪）；廿四，乃派倫（伯魯比老公司）；二十五，乃甲南·嶺打暖（泰歷二四九一年十一月一日謀叛案乃占的上校之弟）；二十六，乃然·帕匿差逸（鑾會匯之內務部長助理）；二十七，乃節·年碧眞拉；二十八，乃烏隆·素汪那助；乃巴頌·沙目讚；三十，乃巴暖·浦沙合；乃爍·纖隆林（三法大學生代表）；三十二，乃乍倫；三十三，乃阿里（李一新），歸泰及沙炎尼功兩泰文報社長與胡愈之會合辦過新民報）。括有此三十三名一共八十四名中間，大致爲全案的重要人物，自不能說是已經一網打盡。二十七日乃炮對外宣佈，他預料在兩個月之內可以將全案公開，顯然尚有若多的重要份子還沒有逮捕，僅不過遏止了十一月十日的叛亂。

三股逆流反被衝散

根據泰國警方所獲的情報，泰共企圖一九五二年十二月總以前完成；雖然去年七月間，泰國政府於將北部越南、寮國、緬甸的邊境予以封鎖，並就現實的情況觀察，一般沒有達到預期效果，「非泰活動法案」能否寫葬以撤，誰也難以遽下斷語。不過這一次的大團動中，搜獲了大宗俄製武器，還有武器究竟從何處運來，以及以何種方法運到泰國，自是最堪注視的。泰國共黨的宣傳，只不過竭其全力向知識界，軍政界爭取與說法滲透，而大多數人民則對於共黨主義，思想，卻不易接受。因此，赤色的宣傳僅能濟生一些補偉作用；好像是爲『易受蘇俄中共信任，不惜不盡力替國際共黨宣傳，但實際上卻並非如此單純，大陸上共，泰國的共黨宣傳機構，係由「全民報」一領導，全民報的主持人則是來自中共區而由北平指派的，鼓動泰共的幕後牽綫人則爲逃亡泰國元老涉嫌謀殺泰王八世的現政府的政敵，匪於中共區的乃比里，拍隆榮；共黨計劃於推翻現政府之後讓他作過渡時期之傀儡內閣，還有一份勢力就是已被捕直認爲謀反的主角乃攀碧空軍少校，據乃炮又：乃攀碧初由空軍選派赴英深造時，並不爲乃方所歡迎，空軍當局也了解他的思想左傾，便認爲留英可以改造他的思想，但在他留英期間，還誘引過許多泰國海空軍和警察，參加他的反政府集團，但并未得逞，而被誘之軍官，不僅不爲所動，反向當局告密，終使其九日由英返泰，十日首遭逮捕。這三股逆流既衛不倒政府，反被現政府的反擊力量衝散了。

審訊叛逆慎重處理

處理這批叛國分子，泰國極爲慎重，特別組織了一個審判委員會，負責進行這一特殊的偵訊工作，該委員會主席係由警察副總監拍披匿中將擔任，另有六位高級警察任委員，在審訊中的分子包括前任議員、前任國委、陸、海、空軍及警方人士中，泰文雜紙社長、總編輯、記者、律師、教員、大學生、作家、公務員、以及工商界人士；這些人物所被破獲的罪名，均與泰刑法第一〇四條叛國罪行有關，大致可以分爲：一、擾亂國內治安；二、在泰國境內宣傳共產主義；三、煽動人民憎恨政府；四、分裂陸、海、空三軍感情，使彼等互相攻訐；五、破壞泰國與各國之友好邦交；六、鼓動泰國軍隊破壞良好紀律；七、陰謀串同國外人士推翻現政府，改變民主政制。如果構成其中一項罪實，殆難避免極刑，但被捕人中經訊實無罪的，也有不少。而逮捕工作自十日至十二日較爲最大規模之外，十三日以後，便纔從嚴執行。雖然泰國各政府機構以至工商各界均呈不安之色，現在似已風浪過去，即是警車東西奔馳，亦不以爲奇。許多觀察家們相信，共黨經此巨大之打擊，綜然一如乃炮中將所說，「估計國內共產黨（泰共二千人及中共分子一萬人」。要恢復到十日以前的態勢，殆已不易。自然更談不到製造反作亂了。（林醒泉一九五二年十月二十八日寄）

「茶杯花瓶」辦法脫離現實 儲備人才亟待確立制度

台灣通訊

考試院十一月十六日出版的考銓月刊，第二十期上，載有賈景德院長在該院職員月會的講詞，其中有幾句話，至有趣味。賈說：「過去陳院長辭修先生曾對我說過，我們的用人太雜了。辦過一個缺出，推薦的人很多，的選擇很難，沒有確立的制度，沒有正當的軌道。譬如我們需要的是茶杯，你們卻不能拿茶杯供給我。我笑着對他說，恐怕也許供給的是花瓶。花瓶雖好，也不能滿足人家茶杯的需要。况且不是好花瓶，甚至連花瓶也沒有。他笑了。」按花瓶一詞，原在社會上流行的用語，專指各機關的女職員而言，所謂「書綴衙堂喻女官」是。今賈院長以之比喻考試出身人員，未免過份譏諷。考試院最近訂了一個供給茶杯和花瓶的辦法，便是要實行「開單制」。此後各機關用人要向考試院銓敘部索取，由院部開送三人至五人的名單，任其選擇。賈並且說：「今後的開單制，就是各機關要茶杯，我們就給他茶杯；要花瓶，我們就給他花瓶。所以今後的工作，就是要茶杯和花瓶都同樣能夠大量準備」。開單制的辦法，與現行的銓敘制度完全相反，現制是任用後的資格審查，開單制則是事先要由考試院介紹，以「禮部」而兼司「吏部」之事。這個辦法聞已送行政院，行政院尚未正式表示意見。但據初提出茶杯舉例的陳辭修院長，曾於最近的一個集會中，透露出不十分贊同的意見。陳說：「宜由考試院就各種職務，分類造具合格人員的名冊，送給行政院，以後有用人機會的時候，在這個名冊中挑選。如每次要函請考試院介紹的三人至五人，未免太繁。如考試院所介紹的三人至五人，任用機關認爲均不合用時，又將如何辦理呢？」觀陳氏此語，則賈院長所得意創作的開單制，能否實行，尚未可必。

台灣今日的問題，人才儲備還遠過於任用。當大陸一旦收復，需人極多。此類人才，除昔日已具有學歷資格者宜悉數調查登記以便日後分別任用外，而於台灣數以萬計的失業青年，尤宜予以教育機會。台灣多年以來，不許增設學校，增加班級，與增辦專科以上學校，此在大陸動盪之時，大家懍於過去好商勾結，肥己病民，在於議論龐雜，甚至於無形中爲敵宣傳；並在於學潮澎湃，淆亂社會觀聽，動搖人心。故對於台灣的各種限制，均表贊同。惟時至今日，亟待儲才，而失學失業青年，又到處皆是。故對於增設學校之限制，宜予放寬。國家如能以每年辦理科舉式考試之經費，移作擴充學校之用，豈非更合於儲才的宣議。無論要茶杯或花瓶都可隨心製造，也不致如今日考試任用與教育三方面的完全脫節。

事每易使人不解者，如謂專科以上學校，絕對不許增設，則淡江英語專科學校又獲准立案，月前錢穆教授應聯合國中國同志會會長朱家驊之約演講，因屋倒致頭部受傷，即係在淡江英專新建的禮堂。又如謂依照教育法令，不許私立專科以上學校的補習學校，則東吳大學補習學校因於今年甫行開辦日夜分班，學生衆多。再如謂除國立台灣大學外，不許有第二個大學，則局國人士主辦的教會大學已在積極籌備，校址在台中或中壢，尚未完全決定。足見限制設立學校，並非沒有例外，特其例外關於人事的因素多，屬於制度的因素少。今台灣的失學失業青年，所希望者係如何受得教育，日後以爲國用，並不在於經考試取得做官資格，成爲賈院長口中的花瓶。（麗子）

英埃積極談判 蘇丹問題將解決

「開羅航訊」英埃對蘇丹前途的談判，目前正由英駐埃大使施諦文和埃總理納吉培將軍在積極進行中，據說已有良好進展。其談判，是以月前納吉培將軍與蘇丹民族黨組成之代表團簽約協定爲根據，這協定規定蘇丹可自行成立自治政府，三年後投票決定與埃及合併抑或獨立，未來的蘇丹地位，由八百萬蘇丹人民自行決定。這協定宣佈之時，開羅與喀土穆（蘇丹首府）之間充滿『歡欣』，[illegible]

[illegible]河問題，當更易解決了。（中流）

天下小事

總統座車引起揣測

[illegible]紛紛打賭，想附熟悉內幕的人，艾克就職總統後，將選用那一種牌子汽車作爲正式座車。一九四八年，杜魯門總統認爲加爵拉克廠的主持人未支持他競選，故轉而採用林肯牌的車子，但明年的情形不同了，新任國防部長威爾遜是通用汽車公司的董事長，新任內政部長麥凱是加爵拉克汽車公司的老闆，所以明年又可能是加爵拉克牌的天下了。不過，福特汽車公司的主持人福特二世在競選期間對艾克的支持也是不下於任何人的。

俄共經理濫用私人

俄共在高爾基汽車工廠附近爲職工設立的餐館上週已換了新經理，原來擔任經理的俄洛科夫曾把他的親戚七十人安插在餐館裏，大多數人無所事事，有的還白拿乾薪。結果是：（一）餐館的服務一塌糊塗。（二）有人侵吞了兩萬二千五百盧布的公款。（三）俄洛科夫本人也被組織上降級，調到一家大豆醬品工廠充任雜役。須變天俄共機關報「眞理報」正在大肆抨擊，要求把餐館中俄洛科夫的七十名親屬全部開除。

陶雷士行蹤之謎

法共領袖陶雷士仍未見回到巴黎，這一個神祕的蹤跡已引起若干人的揣測，因爲老早以前，莫斯科就已宣佈在俄養病的陶雷士即將返法，但直至現在所獲的消息，陶雷士仍在俄國，而且尚無啓程的跡象，同時法共正在繼續進行大整肅，由這許多事情，更增加陶雷士行蹤的神祕氣氛。

國際情報局瓦解

美國共產黨員已經接到通知，克里姆林宮操縱的世界工聯正接管國際共產情報局的許多活動。據悉，這一自一九四七年以來成爲共產黨主持宣傳、破壞及間諜活動之神經中心的國際情報局，正在逐漸解散中。

奧影片主張杜史聯姻

奧國政府主持拍攝的一張影片已在維也納公開上映，影片中表示在此紛擾的國際局勢中，到了公元二〇〇〇年，奧國還在四強佔領下，無法恢復獨立。同時並提出一個諷諷的建議到世界和平的方案，那就是杜魯門總統的千金瑪格麗特小姐和史達林的公子小史達林中將結成佳耦。（孟衡）

中共畏懼人民協助反攻 與民為敵鎮壓日酷

中共自竊據大陸而無望「解放台灣」後，可謂無時不在戒懼國軍的反攻，及大陸人民反共力量底滋長，因而於空前殘酷而大規模地以屠殺及參軍毀滅了數千萬的軍公人員、知識份子、青年學生之後，即效法秦王用高壓的特務統治去控制全國人民，以圖霸持萬世一家的江山。

為了防攻防諜 遍地共幹民兵

他們封鎖了民間所有的糧食、生產、商業，以控制人民的生活而使之低頭屈服，他們管制了全國的交通以綑住人民的行動，他們搜繳了民間所有的武器以澈底消滅人民的反抗能力；但結果：人民在中共壓迫之下所激起的反抗情緒及受客觀形勢鼓勵所存在的切盼國軍反攻的希望，更是與日俱增！這實在使中共始終無法安枕無憂。尤其最近反攻的空氣已日漸濃厚，國軍已由彌漫海外而播及大陸，於是，他們除在各海防、要隘、邊區增駐大兵以防反攻外，乃漫無制止地擴充鄉村幹部和民兵的組織，以加嚴防制人民的舉動警惕。據上月十九日上海解放日報的統計，現在大陸的每一個鄉鎮都已有七十個以上的共幹，他們嚴密地分佈到每一個村落里作深入的控制，幾乎每一個戶籍組中（等於一甲）就有一個共幹坐鎮統治，最近且正在號稱「選拔積極份子，充實鄉村幹部」的口號，將更增加鄉村共幹人數以加強全面深入的控制。除了共幹，現在中共還在漫無限制地「組織」民兵，凡在「土改」中受到一點小恩小惠而被視作「成份清白」的無知壯丁，都被動入了民兵組織或民兵預備隊的組織。據十一月十八日的武漢長江日報透露：現在每一個鄉鎮的民兵人數，都已有兩百人至五百人不等。據此，最近大陸的一個顯著現象，已經是遍地皆是共幹和民兵了！

共幹疑神疑鬼 彷彿個個是敵

然而雖然如此，中共的幹部們依舊疑神疑鬼，彷彿個個是敵，即連已納入民兵隊組織了的，所謂民兵隊員，也不能例外。例如，據十一月十二日武漢長江日報的一則地方新聞中所載：湖南漣源縣鸛渡鄉有個名叫黃東林的民兵隊員，因要求鄉長彭福初准予出鄉營商遭鄉長呵斥而一怒當場踢了這個鄉長，於是便說這個民兵隊員是「潛伏的反革命份子」而全鄉引起了恐慌，乃使該鄉大多數民兵隊員及鄉民被視作「有問題」而增調了大批共軍來加以嚴密監視。例如據十一月十六日重慶新華日報所載：四川豐山縣一個名叫彭銘鍾的小學教師因要求與妻離婚不遂而對法院說了一句批評的話，也被當作「反動份子」而遭到了拘捕。例如據十一月十一日長江日報所載，湖南桂陽縣有個名叫曹立銘的戶籍小組組長因其妻與共幹有私恋而將之毆死，也被當作了「反動反子」。例如據同日該報所載：常德縣有一個名叫范遠仁的被留用的舊司法人員因對一個地主被無辜迫而判得公平了一點，也被當作了「潛存的反動份子」。

又例如據十一月十七日上海解放日報的一則小新聞中透露：金華縣有個名叫張阿滿的鋼匠因不服「人民警察」的干涉而發了一句牢騷，即被該「警察」當作「反革命份子」而加以拘捕逼供，而且以後還連帶抓去兩個同行。又例如據上海解放日報所載：浙江桐鄉烏鎮南鄉的玉溪縣辦「初級市場」，市因農民大參觀，被共幹當作有「反動份子」從中破壞而疑神疑鬼地大捕其所謂嫌疑份子竟達四十餘人之多！

人民枉遭虐殺 到處鬼影幢幢

因而，現在大陸就在共幹這種神經過敏，動輒「反動」的疑懼之下，便造成了許多無辜人民的被冤枉虐殺的事件，弄得到處鬼影幢幢！例如據十一月十五日重慶新華日報披露的消息說，江北縣人和鄉十五村有個名叫郭海雲的農民，現年四十八歲，土改前原是石匠，以「解放」後已無石工可做，乃於土改後改作務農，但因工作不慣，未久即告生病，七月二十六日那天，他獨自一人到重慶市石馬河去看病，路過南橋村時，共幹班長，劉光員喝問他做什麼？他說：「我叫郭海雲，是石匠。」之後，忽然神經失常，言語含糊，便被當作「反動份子」而拘送到了石門鄉「人民政府」。該鄉「鄉長」竟不考慮，即臆斷他是「反動份子」，便又將他解到重慶市第二區「人民政府」。郭海雲被拖解到該處時，病勢已加重，不會講話了，「區政府」的接待部份何健康向區長龐大星報告，龐也毫不考慮，即一面命令移送區「人民武裝部」拘禁，一面叫何健康向民政科長李鴻智請示，李也不加詢問，即同意龐大星的意思交「人民武裝部」處理，但該部的工作人員汪治一看已是個不能行動的病犯，便認為是區府找麻煩而不肯收留，即將他拋在門外。可憐郭海雲就這樣被雨淋日曬加飢餓的躺在地上一整天，到晚上病勢乃益加沉重，「武裝部隊長」朱培文回來看到了，認為「討厭」乃即打電話請示李鴻智：「死了怎麼辦？」李卻只毫不在乎地回了聲：「死了叫人抬走！」但朱培文認為擺在門口難看，乃即差人將他拖到鄉所里，結果，到第三天中午，就這樣被虐殺了！又：例如據上月二十六日武漢長江日報所洩露的消息說：湖南沅陵有兩個農民因從物資交流會上回家已經深夜了，即被路上的共軍疑為「反動份子」而予以拘捕，並當場不問皂白的一頓嚴刑拷打，結果重傷而不治斃命了！現在，我們可以想知，像這樣的例子實在太多了！結果，也使想像得到，已成為怎樣一個鬼影幢幢的人間地獄了！（沈著）

中共搜刮甘肅石油 直接運往蘇俄進貢

甘肅石油蘊藏量的豐富，舉世馳名，其中，尤以祁連山下的玉門老君廟油礦場，規模之大，出產量之多，為中國石油出產的第一位。可是，一般人只知玉門出產石油，而不知玉門石油就出在老君廟。從酒泉出嘉峪關，到莫古灘，就可以看到土著稱為石油河的細流，那河水的面上浮着一層汚油，趕大車的人們經常拿河水搞車，充為潤滑車軸油的代用品。那條河並不出產石油，過莫古灘到充車城，公路分岔了。其中一條是專通老君廟的，只要走完一百五十華里路程，就可以爬上一個廣闊盆地的邊緣，黑壓壓一片方圓數十里的礦場，清清楚楚地呈現眼前，那就是著名的中國石油生產地。

老君廟礦油藏特豐

老君廟本是一個古老的市鎮，直到中國注意都石油，地質調查所發現了它是正位於豐富的油脈上以後，才提醒了一般人對它的注目。油礦場包括採油與煉油兩部門，建築是近代化的。工人近七萬，採油部門有油井四十八處之多，（其中第八號油井因為湧油太旺，無貯油池容納而停止開採。）煉油部門有八個煉油爐（分餾器），日產量足夠兩萬輛大運輸汽車每日不斷行駛的消耗量。勝利以後經數年的努力整頓，礦務方面由于油礦局的管理改善，技術方面不斷採用新法，產量的增加大有一日千里之勢。

蘇俄顧問任性橫行

工人生活方面，因為產油的地方，多半要靠外地的主副食來維持，所以一直由油礦局統籌配給，生活頗為安適，工人們無不興高采烈從事他們本位工作，油礦局的礦警兩個警衛大隊（一大隊六百人）經常為工人們守衛礦場，維持治安。

自從中共竊據了西北，尤以老君廟的工人，即吃不飽、餓不死；不是被綁緊褲腰帶去「大力生產」，就被動員抗美去「參軍犧牲」。「中蘇貿易互助協定」締訂以後，「中蘇石油公司」成立，對老君廟中共更變本加厲控制日緊，蘇聯還派了不少「顧問」，指導工人的共幹固然是騎在工人頭上的特權階級，蘇聯顧問更是飽食終日，任性橫行，做了老君廟工人的太上特權階級。

共產黨初來老君廟先是挑撥工人階級與職員階級的情感，職員階級的鬥爭才完畢，繼之以挑撥起工人與工頭領班間的情感鬥爭，在不斷的鬥爭中，老君廟石油礦場的產量曾一度完全停頓，而鬥爭期中的「二流子」「工棍」固然在鬥爭期中為不可一世的風雲人物，結果中共再大殺「工棍」「二流子」以洩工人之怒，進一步詐欺工人大力努力生產，替中共政權的特權階級做牛做馬、做奴隸，好話說盡，壞事做完，而美其名的「工人翻身」口號搞得工人欲死不成，非幹不可，弄得人人面黃肌瘦，而產量自然更形下降。

運來破機大吹大擂

去年，蘇聯顧問又導演了一齣「互助友好」醜劇，中共大吹大擂蘇聯由高加索特地運來「新式鍊油爐」二具，實際上，則是高加索已廢棄不用的舊分餾器，外形上比原來油場上的大，而分餾出來的油，還不及原來場地上爐中的出品。中共報紙，卻大吹大擂，新式鍊油爐可出百分之百的純汽油，人人知道，即使飛機油也只98%—99%，根本無百分之百的，中共的謊言，當然不攻自破。

同時，第八號油井的油，用一條油管接通到新疆烏蘇鍊油廠，這樣離蘇聯更近更易控制，且更易將油運到蘇聯運用的地方。這就是赤色報章雜誌所大事宣傳的：偉大的油管工程已由蘇聯的友好顧問指導協助下完成了。

整個老君廟的人們都清楚中共政權對中華民族的虐殺迫害事實，都清楚「一面倒」奴顏的面目，但在這已成奴工集中的油礦場地裏，自祇好忍氣吞聲，一面暗中破壞，一面等待來日。中共的特權統治階級，當然對這種情形也十分清楚，所以不斷的組織訓練工人，藉工人相互間的感情裂隙來偵察工人行動，同時加派了近一個團的「解放軍」來防止與鎮壓暴動。然而，衆怒難犯，「解放軍」與「共幹」一不小心即會暗中被殺，這類事情，已屢見不鮮。（周田）

中共亟謀南侵 加緊消化西藏

【本報綜合報導】：自北平「亞洲和平會」及美日大選結果的一連串國際重要情勢底演變之後，中共對第三次大戰的備戰情緒，已日益緊張。近為加速執行以利用西藏為基地赤化印度半島從而控制其大量人力物資以充實大戰資本的蘇聯南侵計劃起見，正在軟硬兼施，軍政並進地加緊進行澈底消化西藏的陰謀。但也因而更激起了西藏人民的反共怒潮，到處展開了劇烈的反共鬥爭！

急欲消化西藏 大耍政治魔術

所謂消化西藏，正是中共兩年來極感困擾的問題之一，蓋由於西藏的民情風俗，語言及地理等等的非常特殊，他們雖用武力征服了西藏的政權，可並不能如意地取得西藏的民心，自然也並不能順利地控制到西藏的基層組織。因而，乃採用了一套以藏赤藏的魔術，盡量利用舊西藏的人事矛盾，加以操縱，使他們不得不死心塌地的投靠中共，而後在他們的幕後各別派出了幹練人，去以西藏人赤化西藏。因此，中共曾於今年八月間先後特地頒布了一個所謂「中華人民共和國民族區域自治實施綱要」和一個所謂「關於地方民族民主聯合政府實施辦法的決定」作為此一魔術的當量幌子。現在已被中共「全心全意」地利用着的西藏主要人物，當首推阿沛、阿旺晉美、阿瓦絲、江洛金么、土喜饒嘉措、柳霞、土登塔巴、門堆、洛桑旺堆、歐協、土登桑曲等一班僧官僧俗。關於西藏原有的執政者達賴喇嘛已完全變成傀儡，已很少被提起；實際上統治了西藏的已是「中央人民政府」的代表張經武，西藏「軍區司令員」張國華，及「政治委員」譚冠三等三個人。但他們表面上並不大權獨攬，而盡量利用這班僧官的傀儡角色去扮演赤色魔術；不久以前，已由門堆、洛桑旺堆組織了一個撒播赤色思想的「西藏青年文化聯誼會」，實際上它就是「新民主主義青年團」的一個西藏分部。今年「國慶」時，並由柳霞、洛桑旺登塔巴、門堆、歐協、土登洛桑旺堆、土登桑曲等組織了一個「西藏致敬團」；他們曾在北平駐留了一個多月之久，與周恩來、李維漢接觸頻繁。

共幹誘騙藏民 灌注思想毒素

據上月十八日新華日報透露消息：周、李二會，對如何「加緊建設西藏」問題，曾予該團以具體指示。該團返藏後，最近即由被中共譽之為西藏文學家的阿瓦絲及江洛金么出面在拉薩仲機林卡開辦了一個藏文藏語訓練班，一面搜集了四百多僧侶，一面共軍政治幹部，誘騙了兩百多個藏族無知青年，分別進行語言及思想的訓練，以用之於深入西藏，澈底赤化西藏工作。同時，為澈底改造以西藏為主要對象的僧人的宗教思想，並於本月十三日在中共特務頭子統戰部部長李維漢的擺佈下，利用了居留在北平的逃亡份子喜饒嘉措等組織了一個所謂「中國佛教協會」，預定在已以西藏為首要目標，加緊進行控制僧侶的思想、生活、和一切行動。此外，適逢其會的「中蘇友好月」在西藏也格外有勁地演進；大量的蘇聯影片和其他宣傳品已運到拉薩，在張經武的嚴格指揮下，瘋狂地、有計劃地向西藏人民展開了向蘇一面倒的宣傳。至執筆時之最後消息，原在西安「西北邊區民族學院」受訓的八十餘名中共黨員的男女藏族幹部，業於本月廿六日提早返藏，分赴各宗（縣）各定卡（區）展開基層的組織工作，以加緊達成消化西藏的目的。

開路駐兵並進 控制門户交通

但這還不夠，他們在加緊政治魔術的同時，另外還在「保衛西藏」及「建設西藏」兩個口號的掩護下，將大量的共軍迅速向西藏各方各鎮、要隘分佈，自昌都、要隘及玉樹分佈向西藏的西南邊境沿公路伸展的地帶，拼命開闢。據本月十五日北平「光明日報」消息說：大量英勇的人民解放軍已分頭越過了天險，渡過了湍急的瀾滄江、怒江、雅魯藏布江、金沙江等，越過了五千尺以上的高原雪山和大草原，分別進抵了噶大克、江孜、帕里等國防前哨。進藏的「人民解放軍」已在所駐的各宗縣建立了「馬即」、「卡（即區）兵營」及大規模的農場。據不完全的統計，中共已進入西藏的部隊，已在十五萬以上。關於築路的情形，最近重慶新華日報說：「在康藏高原上，修築康藏公路的全體員工們在「建設邊疆、鞏固國防」、「幫助藏族人民」的號召下，正在偉大的克服困難，日以繼夜地分別迅速把玉樹及昌都的公路向西推進，已接近太昭。但他們不得不在此以前，付出了重大的犧牲代價，由於大量民工的征調，不得不以跨過金沙江……」全線未能速度的急促，以致每秒鐘五公尺的水流，沖去了無數的民工和士兵，以及計算不盡的器材和機械，但他們只要能達成迅速消化西藏的目的，還是不惜任何犧牲，千方百計地分頭並進，軟硬兼施。

藏人不堪壓迫 軍民紛起反抗

然而，他們的壓迫，固已激起了藏民的普遍反感，他們的欺騙，也並不能因而即為藏民所欣賞，魔術愈施，藏民的反抗之心，也愈益堅固。據最近北平光明日報透露：中共的民族工作幹部在日喀則以北的某地工作時，曾因語言隔膜，發生了一次不愉快的事件，當地民眾紛紛逃避，以致引起了共軍的追捕，因而發生了衝突事件。此外自消息傳來，……

已有最近西藏太昭之東部，說最近西藏反共游擊部隊一股已出現。同時，據行旅人述，最近從新德里方面來自拉薩的消息，引述最近西藏境內帕斯尚族改編的藏軍，不滿中共的特務統治，曾實行叛變，自擊斃中共派往帕斯尚族的武裝共軍前往增援，雙方激戰，共軍死傷約有百人之多。

總之，今日西藏已成為蘇聯南侵的跳板，但也已成為中共西南腹地的盲腸！

偶憶陳獨秀

為方

陳獨秀這個人，在近代中國歷史行程上很發生了一些影響，其功罪如何，尚待史家論定。但其信道之篤，持節之堅，卻是現代中國智識份子中唯一無二的佼佼者。

他自從反對史大林對中國共產革命的謬誤指導而被整肅潦倒後，始終以中國共產黨的反對派自居。共黨開除他的黨籍，說他是「托匪漢奸」，是「日本帝國主義的間諜」，他不理會；國民政府捉他坐牢，要辦他的罪，他不在乎，章行嚴自告奮勇要替他辯護打官司，他說「你不配替我辯護」！

他既不因共黨的仇視而轉變其思想，向別黨或政府投靠；也不受共黨的懷柔拉攏而低頭認錯。抗戰時隱居四川江津縣，董必武等人勸他寫悔過書以便歸隊，他說：「我倒要請教各位，我究竟有甚麼過可悔？」他寧願終身以貧以病以死，決不犧牲其思想上的信仰和政治主張，自承爲宿命的反對派！

假使陳氏爲着私人生活和政治慾望，或向共黨悔過歸隊，作毛澤東的「侍從之臣」；或向政府投誠，弄上一官半職；或者另扯旗號，自封黨魁，以與世人馳逐政治上的雞蟲得失。那末，陳獨秀之爲人，在有識之士看來，還值得了幾文小錢嗎？

要想爭取民主自由，要形成有力的反對派，就得有陳氏這種精神和決心。如果只藉民主自由的口號，作爭取個人政治權位的盾牌，那與「政治市儈」的玩藝，與國家民族絲毫不相干！

自由談

小老板

「回國觀光團」別記

羊辛

我說嘩啦啦地跑回來，並非過火，因爲他一回來就大呼小叫，拍案頓地，問阿三是不是已把他的行李弄好，又問賬房何先生有沒有替他買好留聲機器，一聽說留聲機還沒有買好，他就「混蛋，混蛋」連聲直罵，跳上的士走了。回來時他買了一堆「時代曲」唱片，整個下午全在試唱，那架留聲機確是上貨，發聲響亮，直震得整個屋子像在發抖。我們只好停下工作陪着他欣賞，——即使不陪他欣賞，也根本無法把工作繼續下去。

小老板走了，次日他搭着飛機，攜帶留聲機器，還有十來件行李，裏面裝滿尼龍絲襪，口紅，派克鋼筆，衣料，兒童玩具，還有一大堆新式的日本貨，走了。我們大大地喘了一口氣。

兩個月後，公司裏忽然來了一個電話。

「找誰？」接電話的阿三問。

「我找黃少昂。」是一個女人的聲音。

「他回G埠去了？」

「我知道，我知道，」她說：「我問他什麼時候回來？」

「那可不知道囉！」阿三說，把電話掛斷了。

當天晚上，電話又來了，這回聽電話的是老五，他聽不懂對方的上海國語，把聽筒遞給我。

「黃少昂回G埠去了，你找他什麼事？」我說。

「我問他什麼時候回來？」她說，聲音帶一點幽怨。

「很難說，他不過偶然來一兩次而已。你究竟有什麼事？」

「你是他的朋友麼？」她不放心地問。

「嗯。」我含糊地答着。

「很好，如果你是他的好朋友，我想直接和你談談。」

「但是很抱歉，」我說：「我沒有空，你最好在這裏談吧！」

「這裏談起來太不方便，……」

「你在什麼地方？」

「我在××舞廳，我是……跳舞的。」

「唔！是舞女！」我在心裏說着，這又是小老板的苗頭了，爲了帶一點好奇，我對她說：「你究竟有什麼祕密事，不能在這裏說？」

「我想最好我們還是直接談，你現在有空麼？或者我現在來看你！」

「噢！我這裏不好來，」我趕忙打斷了她的話，「也許我去舞廳找你吧，如果你不願意在電話裏說的話。」

「那好極了，你就找林愛娟，我叫林愛娟。還有，你先生貴姓？」

「我姓張。」

「啊，張先生，謝謝你了。」她親熱地說。

我自然沒有去舞廳找她，過了兩天，她的電話又來了，口口聲聲要找「張先生」。

「啊，張先生，」她一開頭就用抱怨的口吻說：「你爲什麼沒有來呀？害我這兩天等得好心焦！」

「很對不起，我因爲事情太多，不能去看你，」我停了停說：「我的意思是，最好你在電話裏說吧，怎麼樣？」

她似乎在思索着，半響，纔說：「那麼……等我把門關上，……」

空氣驟然緊張而又沉寂，我緊握着聽筒，等待着，過了一會，她的聲音又出現了，細得幾乎聽不見：

「這件事情說起來有點不好意思：我已經有了孕兩個月了。」

「什麼？有了兩個月？跟誰？」

「跟黃少昂呀，就是他回國觀光回來香港那個時候。」

「那你打算怎樣辦呢？」

「就是這麼說，我問他要不要，如果不要，我就把它打掉！」

「那是萬萬使不得的，待我問問他吧。」

「好得很，張先生，謝謝你了！」

我頹然放下聽筒，我原先以爲不過是舞女要開他的條斧，把他當做旺血大戶看待罷了，卻想不到原來是這麼一回事，這可難爲我了，我寫信告訴他吧，萬一這封信落在他太太手裏，那又怎樣辦？我不是太多事麼？況且，即使不落在他太太手裏，黃少昂也未必認賬，要算一算他這類不三不四的兒子，恐怕足足可以開一班幼稚園。我不寫信告訴他吧，又有一股小說在催迫着我，而且我已經一口答應了她。……這件事使我不安了好幾天，她的電話又來了好幾次，我只有支唔以對，後來我沒法可想，只好在電話到來的時候，叫他們推說我不在。又過了兩星期，不幸這一次聽電話的卻是我，她一下子就聽出了我的聲音，高興得什麼似的說：

「張先生，你怎麼啦？到別方去了麼？我每次打電話去，都說你都不在，害急死我了！」

「啊啊啊……」我說，接不出第三句話。

「我告訴你，」她喜孜孜地說：「我已經把它打出來了！」

我呆住了。這件事情實在變化得太快，想不到她倒是一個果敢的女孩子，我不禁爲我先前的哄騙與懷疑而感到十分慚愧。

「我現在已經換到××舞廳，希望你有空來玩，爲前太麻煩你，十分感謝，張先生，有空記得來玩呀！」

這使我愈加慚愧，她對我毫無猜忌，我放下電話機，還覺得我的面在發熱。我們的小老板當然不知道有過這麼一回事，並正在彼邦繼續歌頌「人民的新中國」，讚說花天酒地重演類似這樣的事件。而我究，我也沒有去過舞廳，到現在還不知道林愛娟是怎麼一個樣子，只是有時不免惦念起她來。（下）

閒話讀書（三）

·舜生·

對於好的文學作品，尤其是好的詩歌，應該熟讀，這大概是沒有人反對的；但我依然不贊成強記。比較好的辦法，似乎是隨着各人理解和欣賞能力的增加，選擇自己覺得非熟讀不可的而熟讀之，益處總要來得大一些。可是話得說回頭，假定您讀了一首詩，您又確能欣賞它的好處，如果您半點勉強的工夫也不肯下，您對這首詩也還是記不牢的。更進一步的說，即令您在一個時候是記得了，假如您不隨時在口頭唱唱，久而久之，這首詩也就還是要跑出您的記憶領域以外去的。記得十年前在重慶的鄉下看『湘綺樓日記』，這位王老先生便常有這樣的記載：今日在輿中背詩經自某章至某章，或背易經自某卦至某卦。我總覺得老輩的用功實在是不可及的。

熟讀與精讀不同：好比您讀一部『論語』，儘管您全部都能背得，但這只是熟讀，不一定就是精讀。精讀是要就這一部書的一字一句能講得；是要對這部書所代表的思想能理會得；是要從它的整體去玩索，從它的一章一句去玩索；是要從孔子所處的時代去了解他何以如此立言；是要從他待學生，處朋友，對時人，論時事，去想像其爲人；要從他處順境逆境或死生之際去領會他是何種氣象；……能如此，雖然去了解孔子還是很遠，但就讀這部書而論，總能多少有所得了。

上面一節是昨晚寫的，仔細想來，舉『論語』作一個精讀的例子，終覺不妥，因爲像『論語』這類的書，畢竟不是適用普通的精讀法所能了事的。

平時，我們有目的有選擇的讀一本書，我覺得就下面所舉的這些方法擇一使用，也就能有所得：一，用心的自始至終一氣看完，將這部書細看一遍，把它大體的結構和要點，用寫讀書記的方法錄下來，最好把您對這部書的贊成之點，反對之點，懷疑之點，應補充之點，或與其他一部類似書籍的比較之點，……逐一寫出，留在自己的日記。二，看完一本書，強迫自己正式寫一篇書評，批評得越嚴格越好，可能時，且不妨發表。三，一面看，一面就書本子上，用自己所規定的種種符號，逐一記下，以便參考時容易檢查。四，一本書到手，先把它的章目翻一翻，著者的序文看一看，放下，就這本書所涉及的論點，先想一想，看自己有什麼意見，然後再去細看其內容，使它與自己所想的，自然發生疏密異同的比較。五，看一本書，覺得好，放下；過幾時，再看；或取其某一章某一節更細細加以玩索。六，看了某書的一部分，覺得不行，或至少於我無益，便斷然停止，以免浪費時間。

萬竹樓隨筆（一五二）

奉和易君左先生有感七律

·鄭靖·

不佞雖非甚有智識，自份確是流亡，惟於慈善團體救助協會登記，時逾半載，迄未得有救助事實，而枵腹雷鳴，伊誰援手。近讀易君左先生詩，藹然仁者之言，不覺自傷淪落，方知天涯海角，尚有同情。用是不自揣度，仍步原韻，砌成五十六字，聊抒鬱結，尤不辨是工是拙。所望協會執事諸公，一視同仁，早施救助，則今日之生生人者，總勝於異日之肉白骨也。

雞鳴狗盜慚竊賀，煮字療飢或可闊，
無奈書商新口胃，任教文丐賤頭顱。
千間廣廈甚初覺，三萬寒儒血未枯，
救助但期不偏頗，饑腸猶自任顛驅。

中國之友（四〇）

毛以亨

赫德傳（二十）

一八九六年中日戰後，中國急于維新，乃下興辦大清郵局的上諭。一八九三年三月赫德打算休假的，但他說：「我怕我的離開將影響郵政局的成立。」但等不到郵局成立，中日戰事爆發，他更無法躲開了。

十六、海關人員與哥老會

外人深入內地，爲中國人所不喜，而怨清室的無能，以排外的心理而展開排滿運動，已與辛亥革命以前的群衆情緒相接近了。煙台條約有開重慶爲商埠一條，以大灘六十且有四峽之險，航行不便，故改在六百英里以下之宜昌貿易。有英人 A. Little于一八五九年他方廿一歲時即到中國，在長江一帶經商，設店于宜昌。一八八七年他忽欲設長江上游航行公司，募款萬鎊，在滬定造船載貨二百噸與搭客一五〇人的淺水輪。英使以歸于總理衙門，卒允其定造帖償輪船航行，然奪了民船的生計，而以輪船浪的衝擊，民船常因以觸礁，故反對殊烈，而哥老會內船夫的加入綠之以惑。航行章程中英方面協議擬在宜昌起草，惟公司旋已破產，中國政府欲將其輪船買下來以求息事。而公司方面擬再募外資，對中國則藉詞要挾，謂無論有允許狀與否，十一月即將試航重慶利用英國沙相的同情與英公使的態度實得出賣的高價。乃請赫德出面調停；爲綏和英人計，赫德謂重慶不久即開爲商埠，另一方面爲敷衍中國政府起見，則將輪船買下來。乃以一萬八千鎊成交輪船，以五千四百鎊買輪船公司在宜昌所置之地，均歸招商局承受，而道合與招商局得銀一萬兩爲回佣。Little本非斷本至破產不可者，終于獲利二倍以上。

然哥老會于一八九一年在長江一帶對外國教堂開始攻擊了：一八九〇年十一月，紅帘嬰鎮江教堂，中外教友之家被劫掠焚燬者五六十家，數日後又殺二十個基督徒；至翌年則長江一帶到處都是排外的傳單與招貼，武穴殺了西人二人，蕪湖西人亦被綁。江蘇江西安徽湖北四川殆無省不出事，對天主教徒則更爲，外交國乃紛紛引起抗議了。是年哥老會是想起事的，他們的辦法，使滿室外交上引起困難，而以虐待外人爲手段。

武穴死了二人，一爲海關關員，中英兩方咸徵求赫德以意見。赫德謂「中國之和平國民性，外人較在他國之經事前保護與事後懲戒者爲安全。武穴西人之死，以去保護彼認爲在危險地帶的女傳教師穿過洶湧的群衆，互毆致死。大概說起來，中國官廳的保護是嚴密的，而中國群衆亦是有秩序守規矩的，即知有暴動，官廳亦不必率先預防。他們認爲最好的應付方法，爲讓他們一時的狂暴性發洩夠了，即恢復正常，則加以忠告，而予以薄懲，是最爲合理而適宜的措置。如果說政府沒有力量，或以爲對外人危險漠不關心，那就錯了。」赫德眞夠做一中國老官僚了。

孟子新解（下）

·猾士·

次之，我覺得孟子個性太強，火氣太重，高傲自負，涵養不足，往往給人一種不好的印象，有一次孟子自做的談起自己的志向，對當時權貴沒有一個看得上眼，加以笑駡，「說大人，則藐之，勿視其巍巍然，堂高數仞，榱題數尺，我得志弗爲也。」「般樂飲酒，驅騁田獵，后車千乘，我得志弗爲也。」權貴要人位高賓重，閑下來享有宮室，聲色，狗馬之樂那是難免的，不得志時說不說得好聽，你孟軻果一旦位高權重，也許你也如此，現在口口聲聲我得志弗爲，實在是驕氣凌人，道人之短，揚己之長，孔子決不會有這種粗魯的脾氣，最明顯的譬如孔子決心用世，奔走四方，有一次不是碰了長沮桀溺的釘子，但孔子也只自怨自艾地說：「吾非斯之徒與而誰與？天下有道，丘不與易也。」但是孟子那種高傲自負的用世態度，卻不然了。孟子在齊國不得志只好跑開，但心中總不免鬱鬱不樂，他有一位弟子充虞路就挖苦他說：「夫子若有不豫之色然，」虞聞之，君子不怨天，不尤人。」孟子曰：彼一時此一時也五百年必有王者興，其間必有名世者，由周而來，七百有餘矣，以其數，則過矣，以其時考之，則可矣，夫天未欲平治天下也；如欲平治天下，當今之世，舍我其誰，吾何爲不豫哉？」孟子這種唯我獨尊的態度，無怪乎誰都容納不下了。

亂世最好是休談政治，就是勉強要談最好漠然一點，說些不關實際的話，孔子的時代世局之亂，孔子終究是個聖人，只叫人修身正己，至於談到政治只漠然的說：「爲政以德，譬如北辰，衆星拱之，」怎樣以德卻沒有具體的五年計劃，孟子最喜歡談政治，批評是非，奔走各國以實現他自己的理想，正是所謂士不得君則熱中的人，可是他所主張的仁政怎樣，只是：易其田疇，薄其稅斂，民可使富；食之以時，用之以禮，財不可勝用也，民非水火不生活，昏暮叩人門戶，求水火無弗與者，至足矣。聖人治天下，使菽粟如水火，而民焉有不仁者乎？孟子書中說，有一次有一位戴盈之來問孟子，關於苛捐雜稅可否從緩除之，孟子直爽的說：今有人日攘其鄰之雞者，或告之曰，是非君子之道。曰：「請損之，月攘一雞，以待來年然後已，」如知其非義，斯速已矣，何待來年乎？」孟子只叫人君廢除苛捐雜稅，使民能安居樂業，人人有飯吃衣穿也好，鰥寡孤獨皆得其所，然後提倡禮義廉恥也好，與國樂敵也好，什麼都行，那麼假使只是救死而恐不贍，無暇治禮義，那麼就是亡國之兆了。

中華民國僑務委員會頒發登記證台教新字第壹零貳號

自由人

THE FREEMAN

（半週刊每星期三六出版）

（第一八四期）

每份港幣壹毫

督印人：李光華

社址 香港高士打道六六號

電話：二〇八四八

GLOUCESTER RD. HONG KONG TEL: 20848

承印者：東南印務出版社

地址：高士打道六十四號

台灣特派員辦事處 台北市館前街五十號

台灣總經銷處 台北市中華路一二五九號

港九難民問題

左舜生

港九的難民不限於調景嶺，調景嶺外還有難民若干萬，其情況比調景嶺也不會有什麼區別。

這兩天香港爲寒流所襲，天氣驟然冷了，這對於一般無衣無蓋無食的難民，實在是一個太嚴重的威脅。

這一大羣人都是受靠共匪的壓迫而逃出大陸的，有的遠在三年以前，隨後陸續逃出的爲數亦復不少。

他們有的是攜家帶口，有的是孑然一身。

他們中間多的是軍人，公務員，中小學教員，學生，作家，新聞記者，律師，學者，大學教授，技術人員，總之各色各樣的人員都有，我也無從列舉；但我知道自私自利的政客一類，反而並不太多。假如他們眞也懂得自私自利，他們早已步郤力子張治中翁文灝葉公綽章士釗一輩的後塵了，何至於至今還在這裏忍飢挨餓？

他們的籍貫遍及全國，看來是一幅鄭俠流民圖，實際是中華民國的一個縮影，我們目擊這種景象，確實爲中華民國的前途不寒而慄！

自顧不暇難同舟共濟

他們第一年初到港九的時候，情況還不如今天這樣糟：有的身邊還多少剩了幾個錢，隨身衣服也帶出了幾件，甚至於太太手邊還有幾件首飾，即同難的親戚朋友，只要情況比他們稍好一點，多少也還可以得到一點照顧，現在可是不然：一切剩餘都已賣盡吃光；親戚朋友也早已自顧不暇；於是乎他們乃眞陷於走投無路！

港九的職業崗位，本來就不多；不通英語不會講廣東話，乃更加不得其門而入。

港九也有少數慈善機關，但大抵力量微薄；偶有一二國際性機構，但內容也同樣空虛。

問他們何以不到台灣，十個總有九個慨歎入境證不容易到手，同時確也憂慮即能入台也一樣不容易找到生活。

他們初到港九的時候，大家的面色都還好，現在確已都是面黃肌瘦。三年來這羣人的死亡率如何，我不知道，但我知道老的小的經不起拖，死的確已不少。

人人切盼反攻大陸

他們中間的一部分，還是天天在等待一個奇蹟：總以爲國軍的反攻大陸，一定是「近在眼前」。但比較明白現實一點的人却不無疑慮：總以爲有人又在作「長期抗戰」的打算，他們重返家園的希望，可能比「遠在天邊」的「天邊」還遠！假如是在本國，便再拖五年原也沒有什麼稀奇，但像現在這樣飄流海外，却教人如何熬得下去？

我們知道政府亦自有政府的困難，但這班人的心理，政府却也不可不知：他們最不能理解的，便是不知道被准許入台的與不被准許的標準究竟何在？就我所分析，這羣人中間自私的政客確不太多；果有共諜，他們也決不在難民的行伍之列，而且可能另有其入台之道！如果除防範政客與共諜的兩個理由以外，找不出第三個，他們的十分難過，大致是不難想像的。

窮困日甚亟待援救

聽十萬難民入台，增加政府的困難尙小，讓這幾十萬的難民，餓死海外，足以提高大陸人民對共匪壓迫的忍耐，增加將來反攻大陸的無窮困難，可眞不小啊！

今年這羣人的情況眞是不了，我是明明白白知道的；「飢者易爲食，渴者易爲飲」，當他們初到港九的時候，每人每月的生活費一百元，並不會感到怎樣寬裕，現在恐怕能有五六十元也得勉強將就了。事實如此，因此可以知道，假定政府在第一年便要爲這班人想點辦法，確實很難，拖到今年，便容易多了。

我說這番話，知道用處不大，可是目擊心傷的事見得太多，到底不願放棄這種言責。同時我也究竟有一個最低限度的希望：總還在期待政府至少把這個問題看成一個問題，儘可能的求得一點解決。

聽說有人還在憂慮所謂第三勢力，我却自始至終不承認有這樣東西，假如今天眞有所謂第三勢力，我覺得他們第一件應該做的事，便是從這幾十萬的難民中用嚴格的選擇方法首先救活一萬個有用之才，成爲他們的死黨，如果並此而不能，則所謂勢力也者，豈不與憂慮這個勢力的同樣可笑？自古以來夠得上一個造反力量的，便是秀才加難民，今天眼看着數十萬的難民，而秀才一籌莫展，還有什麼方法可以造出第三勢力！

自由中國的兵力使用問題（上）

·黃震遐·

遠東大局，雙方備戰日亟，箭在弦上，一觸即發，其中自由中國的兵力使用問題，變成足以左右大局的關鍵，遠東打了五年（從東北戰役算起），血流百萬伏屍萬里，戰線從五年前的長春張家口蘭州伊犂一綫，轉移到今日卅八綫台灣海峽香港紅河三角洲之綫，自由遠東的作戰，到舟山撤退釜山被圍高平失陷跌進最低潮，到退讓到最大限度，鐵幕世界的擴張，則在同時抛過它的攻勢極限，到處碰壁頓挫。這是今天存在的大勢。檢討過去，可以發現一點，即在自由世界的環球戰略上（假定早已有此一個戰略存在的話），倘若西方決策當局願意承認我們的東方作戰，實爲自由世界環球抗俄作戰的一部，則自由中國在東方作戰中所担任的角色，是非常明顯的。——除非我們缺少戰史的觀念，否則我們如不健忘，則自由中國在過去所担任的東方艱鉅任務，必須被自由世界承認爲掩護，自由武力在東方集中的緒戰任務，沒有國軍的犧牲，美國必然不會在一九四七到韓戰爆發以前的階段，決心返回遠東，鐵幕亦不能受阻。

當然，我們不擬否認，自由中國單獨抵抗俄共在遠東擴張的進攻，未能成功。我們亦不否認這是一個嚴重的敗績。但此敗績在當時的環球戰略基礎上，是很難避免的，雅爾達波茨丹的形勢發展，中國實際處於被自由世界丟棄的地步，在國共進入決戰階段的時候，美俄在實際上已在遠東劃好勢力範圍，蘇俄的陰謀早已展開在堪察加到中央亞細亞全綫，東北的俄軍集中在松花江以北，外蒙和新疆是兩枝箭頭，指向華北平原，中共武力的漲大，不特有一百五十萬的蘇俄軍爲其後盾，有「關東軍」物資的營養，而且擁有整個強留世界的同情和默認，及英美「輿論」的支持，那是何等優勢。反之，美國對於中國（二年以前尚被認爲戰後四個主要國家之一的）的態度，則爲外交上向俄投降，迅速撤退它的遠東武力，並在政治上施展壓力幫助共黨在內政上發展。拿白皮書來打擊中國的民族精神，在此形勢上，一部份職業常備軍的孤立抵抗，自然不能克服整個世界的阻撓與迫害。

我們深抱懷疑，英法兩國如在一九四〇年即被美國遺棄（或羅斯福和希特勒達致了劃分勢力範圍的諒解），或是英國提前撤退它的援法軍隊，並且在輿論上支持納粹的「理想」，的同樣場合下，法國軍隊是否能夠表現出四平街、徐蚌、上海的門志來。以及加給對方以一百三十萬傷亡的代價（法軍祇加給德軍十五萬人的傷亡），當然，這個比較，祇能指出民族主義一方面，在內政問題上，希特勒的「歐洲新秩序」不能與毛澤東的「新民主主義」相提並論。但此在總體戰觀點上，實更證明中國常備軍所遭遇的困難，要遠較法軍所遭遇的困難爲大，國軍所碰到的整套俄式總體戰力，要比法軍所碰到的德式總體戰力爲複雜，深入，科學化而不易招架，這指出，在自由世界中，任何一枝孤於純軍事基礎的常備軍隊，還不會有過國軍的失敗經驗。

失敗爲成功之母，南韓軍隊沒有在漢江德川諸役的失敗，美軍沒有第廿四師在錦江的潰亂，聯軍在今天不能死戰傷心嶺，揚威白馬山。自由世界不經環球性的失敗，今天必不能恢復自信，失敗是大家的，教訓應該是共同的，遠東五年來的滄桑，自由世界首腦會重中國的經驗，總不致捨本逐末。

從「杜爾金事件」看塔虎脫未來態度

·莫依·

艾森豪目前完成的新閣人選，提名民主黨人杜爾金出掌勞工部，曾引起塔虎脫的不滿，指摘「不可思議的任命」，據外國通訊社的報道，塔虎脫這個態度，可以形成共和黨內部艾克與塔氏兩派爭執的表面化。但共和黨衆院領袖馬丁則於事後表示，這個所謂分裂，預料即可平息。

塔虎脫在共和黨控制的新國會中，無疑將仍爲一個強有力的勢力，不論他成爲參議院的多數黨領袖，或接受其他名銜，他在共和黨總統提名競選中雖告失敗，但在許多共和黨人士間仍有「共和先生」之稱。因此，他的立場，對於未來艾森豪的措施，將有重大影響，這次「杜爾金事件」雖不致擴大和艾克的歧見，但也由此可說，在未來的國會中，塔虎脫勢力會提出若干與艾氏不同的意見。所以在新政府未成立以前，關於塔氏的態度，實有若干予以認識的必要。

基本上，塔虎脫認爲他和下屆國會中的多數，能夠而且必要與艾森豪密切合作，對於內政問題，他和艾克多數意見相同，至於外交政策，他則表示將待艾克採取行動之後，再決定他的態度如何，不過大致他會盡力予以支持。他會說：「外交政策上的步驟，應由艾克採取主動。」

對於明年度的預算，他希望能減到七百億元，而到一九五五年財政年度再減到六百億元。不過他祇是希望能達到這樣的目標，而並非堅決要如此削減。在競選期間，美國人民曾極力希望艾克當政以後，能將納稅負擔大爲減輕，塔虎脫感到在短時期內還不易做到。如果在二年內預算能減至六百億元，則稅率或可削減百分之十一至十三。

目前美國的盟國正激烈要求美國減低關稅，擴充它們的市場，以解除其本身的經濟困難，其中尤以英國爲然。目下在倫敦舉行的聯邦經濟會議已再提出這樣的要求。在這一方面，塔虎脫深信新的國會將對互惠貿易協定法案重新檢討，不過是否將大事更動，不易預料。則塔虎脫不願應各盟國的要求而減低關稅，將首先建議由關稅委員會審查，是否損害美國的商業，然後才由國會辯論。

關於人民福利，塔虎脫在大選後第一次與艾克會談時，即會提議，設立一個委員會研究聯邦政府在健康、教育、社會安全、住屋等方面的措施。艾克對這建議頗感興趣。

在競選期間，勞工問題佔重要地位，這次塔虎脫對艾克表示，新任勞工部長人選其出人意外，也就由於他對勞工問題的態度。著名的塔虎脫、哈德萊法案，早已成爲勞工爭執的中心，勞工方面會一再激烈要求廢止。史蒂文生在競選期間，以提出取消這法案的諾言，作爲打擊艾森豪的武器，艾森豪當時也允諾，一旦當選總統，他將謀求將這法案加以修改。至於塔虎脫本人，他亦準備在新國會中提出若干點修正建議，不過其中關於暫時禁止罷工的條款，他認爲仍有保留的必要，特別是在國家遭遇緊急情況的時候，這規定對國家的利益殊爲重大。

半週展望

·雷嘯岑·

捷共大興血獄

捷共前外長克萊門蒂斯，斯蘭斯基等最近大事審判，自捷共元勛暨內閣副總理以下十餘名共黨要員，皆以「陰謀叛國」「外國間諜」「狄托主義」等罪名，判處絞刑，沒有一個例外。這些人，在共產主義的國度中，是極端的「罪該萬死」，不得已而爲之的「民主」「法治」「仁政」表示。任何殺人事項，好像都是「罪該萬死」。

史大林當年在俄共之同志而被功臣者，布哈林、李可夫、季諾維夫、托洛斯基等，都是俄共黨內最老的同志，布哈林、拉克等，亦是俄國政權下投機轉變過來的，大法官維辛斯基，在「同志」之前，認爲「帝國主義間諜」「德日特務份子」等罪行，逐一走上了斷頭台！

凡是瞭解共黨數十年來清黨情形的人，都會認爲這一次捷共大屠殺的形式，根本與俄共同一血獄。這不過是「革命」的必然手段，所謂「矛盾」的統一法則之運用而已。共黨存在的時間尚能苟延若干時日的話，這把戲照樣也會出現於中國大陸，不足爲奇。

因此，世界上任何一種反共非共的政黨，除非採取俄共那種殘酷手段爲維繫紀律保持政權的唯一方法，則不宜仿效共黨的作風，否則利不可見，而害必滋生，結果是誤己誤人的一場悲劇而已！

印尼的軍情

近來印尼軍界不斷地發生動盪形勢，陸軍的師長們隨時宣告獨立，國防部長日惹蘇丹且有辭職之訊，一若政局將有非常事變發生者，其實不然。

印尼現任師長級的領兵大員，多爲當年與現任總統蘇卡諾，國防部長日惹蘇丹等，從事獨立鬥爭的民族英雄。但這些英雄們有若干并非軍人出身的，印尼政府爲整飭國防軍，加強作戰力量計，乃由國防部擬訂整訓計劃，教那些非軍人出身的領兵大員，改學文從政，轉業從政。如是乎，就有些師長不願意解甲，靡言獨立，拒受軍部節制。這與我國過去軍閥時代的情形一樣，軍隊尚未國家化的緣故。

可是，印尼陸軍的真正軍人，尤其是師長以下的各級軍官，都是對蘇卡諾效忠無貳的。而蘇卡諾自受任總統後，即脫出其所領導的「印尼國民黨」黨魁地位，在政治上居於超然立場，他在全國軍隊中更有信仰，說話就更有效力。這般一時不願意歸兵權的老同志，經他見面懇談，還是會就範的。因爲下級官和士兵們都對國家效忠，光桿師長終歸造不起反的！所以，印尼的軍界儘管有變象，但其內容與我國過去的軍閥政治不同，最後一定平安無事。

由「天堂」逃出來的青年人語

曼谷的華僑青年學生林秀生，於去年十一月間，因平日「嚮慕」共產宣傳，相信祖國已成爲「人民天堂」了，跑回大陸家鄉——廣東揭陽縣——住了七個月之後，發覺「甚多遭清算，凡此種種均與余在泰所閱共黨報紙上關於大陸情形之報導絕對相反」；而最使他恐怖者，即爲「余之親屬幾全數被鬥爭於過去數月中被處死。彼等罪名爲地主，惡霸，或華僑地主」。因而他「已認清中共政府的眞面目」，設法逃到香港，轉回曼谷，對僑胞們詳述這些經過。（詳見三日曼谷美新處電訊）

這是海外千千萬萬被騙走回祖國去的覺悟青年中之一個「過來人」的事實報導，此外，類此情狀尚不知多少！青年都是有求進步的熱情與勇氣的，一經事實證明，他們的失望也最大，痛恨被欺騙的反感，亦比我們未曾身歷其境的人更強烈。對於這些青年，希望自由中國要特別留意，廣泛爭取。如認爲曾在共區居留過的人，即一概以有色眼鏡相看待，懷疑他們都是「共諜」，總不免有「因噎廢食」的毛病吧！至於共黨對這類覺悟青年的反應，自然是指爲「國特」無疑。在這「國特」與「共諜」的夾板中，我就耽心會犧牲掉若干有爲的覺悟青年啊！

聯軍在韓空戰眞相

聯軍在韓的空戰究竟成效如何？全面轟炸問題仍在爭執中。部份官員認爲其效果不高，另一批官員則相信這是獲取勝利的廉易辦法。對此問題，下文有詳盡客觀的分析，所根據的都是美雜誌「美國新聞與世界報道」自東京獲得的最新機密情報。

·艾芝譯·

美軍轟炸機在韓境所獲得的效果，到目前爲止，大致可簡述如下：

一、北韓的龐大電力網，實際上已告癱瘓。

二、北韓的鐵道活動，已降到正常程度的百分之二。

三、工業事實上已陷於靜止狀態。

不過，雖然如此，敵人的崩潰，不論是在共軍前綫或後方，現在還無此可能。平民都已陷入絕望，但共產黨的軍隊，糧食甚至比從前更充足，而服裝與裝備，也與一年前一樣。

上述聯軍轟炸的戰果，是根據克拉克將軍總部由「美國新聞與世界報告」雜誌記者所提供的祕密情報。而這些情報，是經由祕密間諜、戰俘、難民及空中偵察等途徑而獲得，它們構成了關於聯軍空中攻勢所獲成果的最新資料。

二年餘以來，聯軍轟炸機幾日日進擊北韓的目標。自本年六月二十四日起，全面空襲更加緊進行，以摧毀北韓的戰爭潛力，及破壞共軍的士氣。在這一階段中，空軍已出擊二萬二千次，在北韓所投下的炸彈達四萬二千噸，火箭達一萬八千支，汽油彈達二十萬加侖。

鴨綠江畔北韓境內的發電設備，自六月以來，即爲最主要的目標。前此，北韓電力設備的發電量，約爲二百五十萬瓩。

電力與工業體系幾告崩潰

這發電系統的心臟的鍛河電廠，東北的米格機基地和旅順大連的戰爭工業，都仰賴它的電力供應，自聯軍大舉予以轟炸後，北韓實際上形成斷電狀態，據可靠的情報報告，水力發電廠，已摧毀百分之五十，而受損的，另有百分之三十，通訊機系曾一度崩潰，直到小型的發電機修復後，才能部份恢復。目前，北韓地區的電燈，僅有極少的電力供應，還減用的電力也大量減少，共產黨正推動廣泛的節省運動，對人民提出苛減的措置，說電力不久即可恢復原狀。

由於電力網遭受嚴重打擊，北韓的工業也大受破壞。各巨大的製造工廠，在戰爭初期即已幾乎全部摧毀，鋼鐵廠，煉油廠，與化學品工廠，因損失重大，在一九五〇年即被聯軍認爲不復有重要的轟炸價值。其後聯軍的轟炸便轉到幾百處小工廠和修理廠，據情報報告，聯軍對水力發電廠的轟炸，對修理及生產戰爭物資的設備，以及糧食供應，都具有直接影響。電力機器，車輛，火車，小型武器，彈藥，坦克與大砲，已暫時不能在北韓生產或製造，而必須仰給於國外。

鐵道破壞經濟惡化

關於北韓的鐵道運輸，情報機構報告說已陷於混亂，在平壤與元山綫以南，鐵道交通幾已完全停頓。平壤至高城的最重要鐵道綫，戰前的運輸量，每日一萬噸，而在遭聯軍猛炸後，今日已降至一百噸，而且其中部份地區，因鐵道中斷，必須憑藉卡車轉駁。因此，北韓南部運輸供應，遂不得不大規模依賴卡車，人力及牛馬，尤其是在距離前綫的五十哩的範圍內。

北韓與東北之間的鐵道運輸，已因聯軍轟炸而減少百分之六十。不過，共軍仍能以大量供應品與裝備由北綫運輸，照情報機構的說法，共軍的供應情況是這樣的：「聯軍的轟炸雖並未破壞敵人對前綫地區部隊的後勤支持能力，但無疑已影響了敵人準備長時期全面地面攻勢的能力。」換言之，共軍在目前的供應情下，還能無限期的把戰爭維持下去。

然而，據克拉克將軍所獲得的報告，北韓的民間經濟破壞已異常困難。電力廠的被炸，已大量減少了灌溉設備，農民缺乏肥料與種子，收成銳減。爲改善嚴重的糧食情況，共軍部隊不得不分組從事農耕工作。城市的勞工，與農民的苦況絕無差別。聯軍的情報報告表示，民氣已到達韓戰爆發以來最惡劣的程度。

民氣頹喪將起嚴重惡果

目前，城市居民集體遷徙的趨勢，正日益擴大。幾月前，聯軍空軍曾警告七十八個地區的居民，說他們居住於軍事目標附近，必須迅速他遷，以避遭受轟炸。結果，情報報告表示，許多城市的居民已剩下不多，例如平壤，人口即已降到戰前的百分之十。

此於工廠與電力設備的破壞，工人大批失業，同時爲了逃避徵召參加共軍，他們正紛紛逃出城市。在農村中，許多農民已被強迫參加所謂「勞動隊」而成爲奴工，從事修築公路、橋樑、鐵道及建設後方防禦工事的工作。

克拉克總部的機密報告說：「自北韓暴露了無法侵佔大韓民國的企圖時起，北韓的民氣即日益惡化。到目前，這種民氣敗壞的情形，已接近對共產政權引起嚴重惡果。」

不過，這些報告也表示，共黨的極權式殘酷鎮壓，至少在目前尚能控制這局面，使它不致妨礙戰事的進行。

相反地，共軍的士氣，卻相當高昂，這大致是由於共黨雖苛待人民，但對軍隊卻儘量改善其給養與裝備所致。

綜觀克拉克將軍總部所獲得的情報，聯軍的高空轟炸，雖已使北韓的工業、鐵道、重要電力廠，與及民間經濟都受嚴重破壞，但還沒有全部切斷到達前綫的各主要供應綫。這個月來的大舉轟炸，也尚未迫使共軍接近崩潰的程度。（譯自「美國新聞及世界報道」）

胡適之在台灣動態

出席本刊旅台北同人公宴 談與張君勱在美相晤情形 文化界希望他作一次「紅學」辯證

台灣通訊

自由人社台北同人於本月二日午刻假自由中國社公宴胡適之先生，計到王雲五、雷震、許孝炎、程滄波、陶百川、王新衡、成舍我、徐佛觀、卜少夫、胡秋原、崔書琴、端木愷、吳俊升、阮毅成、閻奉璋、陳石孚等諸人，多數係胡氏老友，自由談笑，興趣盎然。大家關於反共抗俄前途及自由世界各項問題，交換意見甚多，彼此見解大致相同。胡氏謂在美國時，只遇見張君勱一次，係在華盛頓與之共進早餐。至李宗仁甘介侯輩，極少晤面，即偶有遇見時，彼等知胡支持政府立場甚爲堅定，亦少有異意表示。

當其與張氏晤談時，胡問其是否爲稿所謂第三勢力而來？張含糊答言：「一般朋友太苦了，到處不能容身，想到美國來辦辦法。」張氏欲到華盛頓大學教書，然並未實現。

胡氏定本月十一日赴台中，遊覽名勝，並應台中各界之約，公開講演，然後回台北，參加十七日的北京大學校慶及二十日的故台灣大學校長傅斯年逝世紀念會，再赴台南台東，重訪兒時舊遊之地。香港方面，雖有多人函電請其來港一行，按照胡氏目前行程，恐怕時間上所不許。且香港友人衆多，如時間匆促，殊難一一叩訪，胡決定新年後則行返美，但經過日本時，將停留一星期，實地考察戰敗後東行復興的日本情況。

胡氏在台北已作「一次公開演講，到場聽講者萬人，向隅者數倍。由當時會場主席張道藩之請，謂如尚有話想說，當再公開講演一次。此項附有條件的諾言，恐終係一張無法兌現的支票而已，惟胡氏此次在台所有講演講學的紀錄，將由自由中國半月刊社彙編，並由華國出版社印行。華國社主持人王雲五氏，乃胡氏於清季在上海中國公學求學時代之老師，故獲得印行的優先權。胡氏再當面表示版稅收入，則捐作自由中國半月刊社經費云。

胡在台大講治學方法，其第一講引紅樓夢考證事爲例。台北省立師範教授潘重規氏近曾迭爲紅樓夢作新考證文字，認爲係明末具有民族意識的血淚作品，賈寶玉生時口中所含之玉，即係明朝的國璽，賈寶玉愛吃胭脂，又歡喜紅色，則係不忘朱氏。胡氏在美閱讀及此文，曾來信不表贊同，胡仍始終認爲紅樓夢只是曹雪芹的自傳，並無其他影射內含意義。胡氏到台後，只與潘教授在台大歡迎酒會中匆匆一面，尚未當面研討紅學問題。台省各界都頗希望二人有一次對話式的辯論，並加以廣播，使聽衆作一個「誰的假設最大膽，誰的求證最小心」的判斷。

鐵幕內反共運動迭起

鐵幕內面的反共運動風起雲湧，各附屬國家人民正力求擺脫俄帝的桎梏，英勇參加爭取自由的鬥爭。最近土耳其邊防軍在鄰接保加利亞的邊境上，發現一百二十五具彈孔累累的保人屍體，這些顯然是嚮往自由企圖「逃亡」的保人被共軍發覺後槍殺的。還有在捷克比爾森列寧兵工廠（它的前身就是舉世聞名的斯柯達兵工廠）內，捷克工人曾和中共強迫派去的華工大舉衝突。同時，在羅馬尼亞首都布加勒斯特以北的鹽山峽嶺中，反共志士在那裏設了一座電台，在干擾共方電訊交通上，頗爲成功。

配斯極力支持擴建南韓軍

許多人都以爲美國第八軍軍長斐列特將軍是主持訓練南韓陸軍中主要人物，但據少數熟悉國防部內幕的人說：陸軍部長配斯才是負責南韓訓練的主要角色，他不僅力求此項計劃的實現，而且還不斷督促他的參謀人員和遠東司令部加緊執行此一計劃，這種情形，美國當選總統艾森豪威爾知道得很清楚。所以將來政府全面改組時，在極少數可留繼續留任的高級官員中，配斯也可能是其中的一位。

英名醫關注邱翁健康

英國的著名醫生們現在正小心照顧七十八高齡邱吉爾首相的健康，因爲邱翁每逢到了冬天，倫敦的多霧和嚴冬特別使他易患感冒。但邱翁一向是不肯認老的，他固執的脾氣更使他不願接受醫生們的種種限制。因此，他總是想出各種方法，來規避醫生的注意，其情形就和小孩子害怕吃藥，而不肯見醫生一樣。

美小童對艾克「頒獎」

天下小事

美國尼布拉加州的林肯城，有五個小孩特地送了一頭名種小狗給艾森豪將軍，作爲他膺選美國總統的「獎品」。他們的父親代特米雅致電艾森豪說：「因爲閣下的家裏沒有狗，所以我的五個孩子們特別選了頭名種狗送給你，還是他們細心選出來的，……它的名叫比夫。」其實，代特米雅弄錯了，艾森豪家裏已養了一頭鬈毛狗，名字叫做史背基，是艾帥愛子小艾森豪少校的寵物，艾帥夫婦對它也特別寵愛，他的三位孫兒更把它鬧弄不休。（孟衡）

菲島政治暗流洶湧

國外通訊

·如音·

自由黨在首屆地方選舉中遭遇到挫折以後，國民黨潛勢使抬起頭來，形成了菲律賓第二大黨；對日和約不僅受阻，明年大選中，季里諾的自由黨更多了一個政敵，雖然國民黨的政策並不完全反美，至少是季里諾以及「山姆叔」大傷腦筋的。

【本報馬尼剌特約航訊】菲律賓在太平洋上的地位，隨着冷戰的加劇，正日趨重要，自一九四六年以來，菲島政治雖然獲得獨立，國防建設，仍賴美國援助；在美國環球戰略中，菲律賓無疑是一個突出的據點，與馬來半島，扼緊了太平洋、印度洋的咽喉。在美國軍事學家的心目之中，菲律賓僅次於琉球群島，美空軍第十三航空隊在此設有基地。但在國內的政爭中，與美聯盟間卻使現任總統季里諾屢受反對黨內實難，民有遠大的抱負，在季菲島目前的經濟困難中，更無從解除此一精神上的重壓，因此，政治暗流洶湧起伏，兩黨政爭日趨尖銳化。

兩黨攻訐失却均衡

去年菲律賓舉行首屆地方選舉，和參議員的選舉中，在野的國民黨，竟然獲得了空前的勝利，爭到八席參議員，二個特別市長，二十四個省長，使執政黨——自由黨大爲失色，而和他「打擂台」的國民黨（Nationalistas）便應運而生，這一個新生的國民黨，他已被擁爲菲律賓的「國家主義者」，以「汎菲主義」爲號召，進一步控制了民意機構。參院共爲二十四席，原先兩黨所佔的席位國民黨（包括公民黨二席）與自由黨均等，這後兩黨激鬥在爭執中，自由黨議員鄭狄順病死，另一議員則被法庭判爲「違反選舉法」改由國民黨遞補，便失去了均衡。國民黨的聲勢更爲龐大，它的政綱政策，與自由黨却走相反的方向。對日和約批准，原無重大困難，不致於延拓，到現在仍不決狀態中，只因國民黨向來堅持賠償，在兩黨失去均勢後，尤要求日本對菲戰時損失償付鉅額令人滿意的代價，否則決不批准對日和約；同時，國民黨對於現政府的外交立場，亦大爲不滿，它主張「汎菲主義」的自主外交。它對美國雖有若干處不甚滿意，但由於菲律賓的窮困，却並不反對美國來援助。此在大多數的仇日與若干不親美的菲律賓人看來，確實是一個可以代表民意的政黨。然而，對菲律賓現政府，却無疑是一個慘重的打擊。

政治寃仇擱置日約

國民黨得勢以後，並不以在政治上地位大增就感到滿足，猶企圖奪取政治資本，以準備明年的總統競選；它的行動，尤在首都馬尼剌，表現得更爲顯著。屬國民黨的市長陸遜，即以大力積極革新市政，清除貪污，使市民大爲喝采。因此，結下了多少政治寃仇，終於造成了兩黨的「政治戰」，舉因起陸遜指控警察局長范中校貪污；而法院判決「證據不足」，撤銷控訴。「這一隻「老虎」沒有給打死，陸遜市長滿口怨氣，移向了主審法官文地沙身上，於是對他作無情的抨擊。法官却又反控市長「誹謗罪」。自由黨本來就想陸遜動手，這末一來，季里諾便有理由下令停職了。

更動一名市長本不值得大驚小怪，但消息傳出之後，蜓市人心，大爲震動；國民黨的議員們認爲這是借刀殺人，在參議長羅里藝斯主持下，向大理院遞送備忘錄；準備採取更激烈的行動，來彈劾季里諾總統。

這一個內政的轉轆，也就影響到菲國的外交，使原擬召開國會特別來討論對日和約的決定，隨着這一個政治的漩渦來臨而淹沒。此不僅使季里諾的外交政策更難爭取議會的合作；而美國對菲的外交政策，也勢將受到重大的影響。

但現時菲島的政治空氣，由於國民黨的氣燄高漲，甚爲緊張，如果不在此激烈的鬥爭中尋求解決途徑，則季里諾之當前政敵——國民黨議員團體和勸進，以及公民黨領袖陳迎拉，當不會隨便放棄下屆大選時爭取總統與副總統寶座的。但迄今爲止，還沒有和解之跡象可尋。如果國民黨能夠站在「國家主義」立場，將「汎菲主義」加以修正，未始不是菲律賓之幸，而競選下屆總統，或可獲必勝把握；而在另一方面，季里諾倘能徹底改革政治，亦未始不可蟬聯下屆總統。（十一月二十九日）

復台灣基隆市謝市長

貫一吾兄：奉本月三日惠書，以本報前刊台灣通訊，報導監察院糾舉台灣航業公司總經理沈鎮庭一案，其中涉及　足下爲救濟旅港同鄉難胞託該公司依照牌價兌振款事，囑予更正。竊以　足下此舉既屬救災，又係捐款，自非營私漁利者可比。縱被牽涉，當不爲罪，固無損乎本報一言也。來函洋洋灑灑，情文併茂，惟弟老朽昏聵，素來看不慣用打字機打來之函件，故謹以鉛體方塊字印復之。嗣後如有見教，須弟專函答復者，盼用筆寫，不論鋼筆毛筆均可也。

弟雷嘯岑啓　十二月六日

中共魔掌下青年水深火熱
俄式奴化教育三路並進

中共最近為了進一步獻媚蘇聯，徹底執行一面倒政策起見，正在瘋狂而大規模地進行着俄式奴化教育，方式是利用「中蘇友好月」以大力宣傳蘇聯，展開五年掃除文盲運動以灌輸奴化思想，及學習俄文俄語以達成數典忘宗一切俄化底目的，分頭展開，三路並進。

「中蘇友好月」旨在替蘇宣傳

所謂「中蘇友好月」初期進行的情形，本報前已有所報導，現看大陸各地報紙所載關於此一醜劇的消息，業已完全暴露了他們的真實面目和目的，乃在大力替蘇宣傳，以「普遍而深入」地傳播俄式奴化毒素。隨着此一醜劇的上演，除史太林派出了一個以吉洪諾夫為首的所謂「蘇聯文化工作者代表團」為導演外，各地一脈相承的所謂「中蘇友好協會」便在各級共幹的指揮下展開了瘋狂的醜行！此一醜行以區域論，首先由北平、武漢、上海、廣州、重慶、瀋陽等地開始演出，而後迅速地由大都市到小都市，由小都市到城鎮鄉村，乃至到保甲里衖，以及西藏新疆內蒙青海西康等邊疆。以單位論，首先由黨部機關帶頭演出，而後迅速地由學校到工會，由工會到商會，到農會，乃至到每個人民，不論是勞動者或被壓迫者，都同樣捲入在這個瘋狂的漩渦裏！現在，什麼「晚會」「報告會」「座談會」「文娛晚會」「園游會」「中蘇聯歡會」等，正各到各處，象頭拳腳，接二連三地扮演着；什麼「中蘇友好盃」的各項運動比賽，及中蘇友好獎的俄文俄語比賽會，正各到各處瘋狂而無恥地演出着，各大都市的「解放路」已改作了「中蘇友好路」；傳播奴化思想的蘇聯特製影片正在水銀瀉地般的由各巡迴電影隊到處放映；各地的共黨報告員，宣傳員正全部出動，到各城各鎮各鄉各團體各學校各工廠各里衖各村落「廣泛」地展開了「加強中蘇友好和學習蘇聯」的「宣傳教育」。據上月十九日上海解放日報所公佈的江蘇一省為例，就已出動了六千多個黨的報告員和二十八萬多個黨的宣傳員。他們無奇不有的甚至爬到人民的屋頂上亂叫亂喊地向工人們宣傳着什麼「蘇聯的今天，就是我們的明天！」向農民們宣傳着「蘇聯的農人是我們的老師！」此外，什麼「學習蘇聯先進經驗」，「中蘇友好萬歲」，「史太林大元帥萬歲」等的口號，及「親愛的蘇聯卓婭姐姐」的嬌呼，以及「史太林頌」「中蘇友好歌」的歌聲，正交響着大降價的變奏！——

總之，現在中共正利用所謂「中蘇友好月」瘋狂地宣傳着蘇聯的一切「成就」入於「神」化，他們企圖使大陸所有的人民都變成失魂似的迷信者，以從而鞏固他們不堪考驗的赤色統治。

五年掃除文盲　灌輸奴化思想

但他們認為單憑這種全面瘋狂的宣傳還是不够，他們認為不識字的人民正好是適於任意圖上紅圖——馬列史毛思想——的白紙，因而他們乃鄭重地展開了一個「五年掃除文盲運動」，以進一步用強迫灌輸、注入的方式，將所有的人民都改造成史毛的奴隸。現在此一「運動」已由偽文教部展開了一個「全國掃除文盲座談會」訂設了一個「五年掃除文盲計劃」而正由各大行政區全力推行中。據上月二十二日大陸各地共黨報紙的披露：西南、中南、華東等區，均已同時在各「軍政委員會」的「文教部」主持下召集『各該區的各省、市、區、縣的文教廳、局、科長、各省市工會的文教部長、各大廠礦工會代表、及中共各局宣傳部長、各區文教委員會、各區民族事務委員會、各區勞動部、工業部、軍區政治部、青年團、婦女會等有關機關團體的代表舉行了所謂「掃盲座談會」。在會議中，各區文教部長傳達中共中央的意志時都說：「掃盲工作，是新中國一個最遲打算的必要手段，是一個艱鉅的政治任務。」又說：「所謂掃除文盲，並不是把文化思想賜給羣眾，而是要羣眾接受政治思想教育。」同時，人民日報的社論中引證着毛澤東的話說：「從百分之八十的人口中掃除文盲，是建立並鞏固新中國的必要條件。」社論中又說：「掃除文盲，並不是只在教羣眾識字，而是要他們懂得共產主義的政治道理以鞏定他們的政治信仰。」現在，就基於他們這種非常「必要」的意圖，已在動員着各地的中共政治幹部，全力展開所謂掃盲運動。雖然，他們也同時承認此一運動對於生產效率底影響及大量師資的不易稱職（說舊知識份子不可靠，新知識份子不够用，也不够水準，）進行也覺不準。）是非常澀滯的。

學習俄文俄語　以求一切俄化

然而只要共黨有了目的，他們會不擇任何手段地實行灌輸的。現在他們儘管對於掃除文盲運動還正存在着嚴重的困難，却在聲嘶力竭地拚命，却同時還要來一個加緊學習俄文俄語的運動。據上月二十日北平新華社專電中說：「為了使人民直接認識蘇聯，學習蘇聯，擁護蘇聯，加強中蘇文化交流，各地的俄文俄語學習工作正在特別趕快車的進行着，而且已形成了一個普遍而熱烈的高潮！」據該電中所誇耀的熱烈情形說：「除在「中蘇友好月」中各地舉辦着極有意義的俄文俄語比賽外，現在全國包括內蒙古西藏等民族自治區的所有各大中小學校、各機關、團體、各工廠、礦場、及各城鎮地方，都已普遍設立了俄文系、俄文班、或俄文俄語講習班、或俄文俄語學校；各地中蘇友好協會和各地人民廣播電台都聯辦了俄語廣播學校、或俄語廣播講座。」電中又列舉數字說：「上海市的俄語廣播學校已招收了三班學員，其中一班就有三萬多人，組織了一千一百多個互助小組。北京、瀋陽、哈爾濱、旅大、南京、武漢、廣州、西安等地的俄語廣播學校，也已招收了兩班至三班，各有兩萬人至五萬人不等。此外，各大城市還普遍設立了俄文補習學校，俄文業餘補習夜校，或補習班，每校每班都有很多蘇聯教師予以認眞地教習。各工廠、礦場、機關團體、也有很多蘇聯的技師、顧問在主持教習，同時，為了加速培養俄文師資，各大城市都特地設立了高級的俄文專修學校或訓練班。根據初步的統計，相信全國已有人口百分之五的人員已投入了學習俄文俄語的熱潮！」據此，便可知現在大陸在中共驅策下瘋狂學習俄文俄語的情形及其如何數典忘宗以求一切俄化的面目了！

總之，這簡直是一種令人不堪思議的事情：中共在一個支離破碎，朝不保夕的環境中，竟會有這樣的大勁為了臣服蘇聯、獻媚蘇聯而似瘋似癡地同時「獻」演着這三大既悲而醜的滑子戲！也令人費解的：中共竟有這樣的豪興以千方百計地去使全國人民都變成史太林的奴隸！

・沈著・

中共瘋狂鞭策勞工階級
重慶工人傷亡慘重

山禾

自中共盤據大陸以來，儘管他們曾怎樣標榜着「工人階級當了家」，而大陸所有的工人，却正在中共盲目的生活奴役及共幹偽表功而瘋狂的鞭迫下注定了空前悲慘的命運，造成了大量的病傷和死亡！

即以重慶一地而論，據最近新華日報所載關於一篇「發動羣衆進行保安大檢查」的檢討性文字中所透露說：解放三年來重慶市的搬運工作雖有了很大的成就，但搬運工人的傷亡情況非常嚴重，事故不斷發生。」

工人生命全無保障

據該報所載：「僅在今年九月一個月內，全市即先後發生了二百零九次傷亡事故，其中傷亡了兩百八十餘人，中毒一百一十三人。這樣嚴重的傷亡，結果反使生產造成了極大的損失！九、十兩個月內，因傷停工的工人竟共有一千六百八十八人之多！搬運工人在一般的情況下得不到最低安全的保障，成為十月下旬全市積壓物資一萬二千多噸的主要原因。」據此，我們已可想知重慶一市在這三年多中，被迫傷亡的搬運工人，就已不在一萬人以下，舉一反三，也可想知其他各地所有搬運工人的傷亡，情形是如何地慘嚴重了！

何以會造成這樣嚴重的傷亡？據中共自己承認，原因却很簡單：

第一、是共幹的粗暴與無知。據該報所載：當他們要工人搬運撒有六六六殺虫粉的糧袋時，不知道工人會中毒而不給工人們帶用防毒口罩。等到已有很多工人中毒之後，也不加以注意而依舊只知要工人拚命搬運，結果乃造成了更多人的中毒乃至死亡！據該報披露，前後因搬運此種糧袋而中毒的人竟共有三千三百餘人之多，其中有百分之十四的人已不治斃命！

日夜工作力盡筋疲

第二、是共幹為急於表功的片面生產觀點下所必然發揮的極度殘忍手段：他們只求達到迅速搬運的目的，便不擇任何手段地鞭策工人們拚命地幹去，竟強迫工人吃飯的時間都不肯放鬆，往往要他們都要做到每天十四個小時以上的工作，並有時且得了所謂「突擊搬運」，竟通宵半夜都要工人們起來工作。譬如以陳海山事件為例；陳海山是重慶朝陽場碼頭的工人，年紀已經五十多歲，在十月十二日那天，他已工作了一整天，本來已很疲勞了，但共幹不管他行不行，又調他在晚上拉板車到漢渝路，當一車木料捆好時，天已大黑，且下了一陣雨，遍地都是爛泥，路很滑，陳海山曾向共幹要求等一下路稍為燥一點再出發，但共幹大發雷霆之怒，打了連篇官話，硬要他跟其他工人立即出發，他只好硬着頭皮拉着車跟就出發，當車子拉到上土灣而跟其他工人在路上歇下來時，已是午夜四點鐘光景，他實在耐不住飢餓和疲乏而在路上躺下來睡熟了，但工人們為了避到怕受處罰，就把他拉醒來再走，結果，他終於不支而在車子經過松柏老站的山坡時倒了下來，當場被車輪攔腰輾過而變成兩段，慘遭輾斃了！

這，在現在整個大陸來說，不過是一個小地區的小例子而已，但這樣的小例子也够慘的了！

現在，他們雖已假惺惺地提出了什麼檢討呀，保安大檢查呀的一套把戲在做給被驅迫下敢怒而不敢言的工人們看看以資安撫，但在中共根本把人不當人看的本性和鞭策下，工人們的命運始終是已經注定了的，結果，還不免是一個「慘」字！

「查田定產」運動
中共對農民展開新攻勢

在三個月以前，中共在湖南、湖北、江西三省，開始一項「查田定產」的運動，這可說是牠一貫對農民猖狂進攻所發展下來的一個新的攻勢。

現在誰都知道，中共的「土改」，不是在實現「耕者有其田」的理想，而是在達到牠「耕牛有其田」的壓搾企圖。牠把農民根本當作牠的一種勞動工具——牛馬，因此，農民分得的田地，不能維持最低生活，而「捐」「獻」花樣，日日翻新，這在「翻身」的農民，是不堪忍受的。記得今年春耕的時候，農民生產情緒，普遍降低，正是「許多農民對生產存有顧慮，怕上了肥料，糧食收多了要多繳公糧」。中共恐怕影響到秋征，于是挖空心思，大力展開所謂「節約增產」運動，叫得震天價響，鼓勵農民「搞好自己的生產」。今年秋季，一般勤勞農民，多收了幾顆谷子，中共却又眼紅了，實在，也是由于牠做着蘇俄的侵略工具，經常要支付出龐大的戰費，三反五反之餘，再不好向工商業要錢，只好又向農民打主意，「查田定產」的把戲，便應時出籠了。

提高每畝產量　得以加緊搜刮

中共對農業稅的征收，是實行所謂「依率計征」，這樣，田畝數越多，田畝產量定得越高，對於征收越更有利，此次查田的結果，增加的田畝數，是驚人的，如湖北省蒲圻縣第三區增加的田畝數佔原報田畝數的百分之九十一點五，湖南省邵東縣增加的田地佔原報田畝數的百分之三十五。在定產方面，也是一樣，把生產量大力提高，例如湖南省瀏陽縣第九區一九五一年評定每畝平均為三三三斤，現在則訂定平均每畝產量為五七〇斤。所以中共自己說：「降低產量的結果，必然影響到國家的農業，因而就會影響到抗美援朝、穩定物價和經濟建設，損傷了羣衆的長遠利益。」

與「查田定產」相結合的，就是所謂「勝利完成秋季農業稅征收任務」了。照中共說，農民都「心甘情願繳愛國糧」，「許多農民在秋征工作還沒有佈置以前，家家戶戶都在積極的作送好愛國糧的準備。如江西省湖口縣江橋鄉務謝村的羣衆，把自己要繳的公糧曬了又曬，篩了又篩，用風車車過一道又一道，保藏得好好的，準備一接到通知立即就向倉庫送。」這種人民「愛戴政府」的狂熱，眞是史所罕有。實際上是否如此呢？

農民無糧可繳　「愛國」變敵人

我們再看中共自己說：「目前各地已經開始或即將開始秋征準備工作，又是一個艱鉅的政治工作和繁重的組織工作，各級領導機關和廣大農村幹部，仍應本充份發動與依靠羣衆的方針，向農民羣衆進行廣泛深入的愛國主義教育與合理負擔政策的教育：……號召愛國農民按時繳好糧，展開愛國交糧運動。」人民既然心甘情願繳「愛國糧」，却還要事前來一個愛國主義教育，這不但多此一舉，也是史無前例的。還不止此，它號召各級幹部貫徹征收任務，「應當作好一系列的準備工作：第一、召開縣以下各級幹部會議與代表會議，佈置任務，研究辦法，學習政策，使他們取得認識一致的思想，成為工作中的組織者和領導者，成為政策的宣傳者，成為貫徹政策完成任務的良好工作者；……作到有秩序的組織運送公糧，作到「避免人畜傷亡事故」。」這種戒愼恐懼，去對付心甘情願繳愛國糧的人民，眞莫測高深！已若不是「繳愛國糧」，那當然就是不愛國了，就是反動，就是特務，所以牠在工作中同時發動羣衆，揭發敵人的各種陰謀破壞，及時粉碎敵人的破壞陰謀，保證「勝利完成農業稅征收任務」。」

大陸農民在中共「耕者有其田」的虛偽下，生活日益低落，生產情緒又在各地低落，致因而牠所謂「積肥運動」，號召人民「一早翻田，多積肥」，「家家戶戶積肥」，（以上俱見十月廿四日長江日報）否則中國農民傳統和一般習慣，都有勤勞積肥，需要在積肥運動的浪潮下才會積肥。

・周作傑・

「經濟空前繁榮」
共報自打嘴巴

打開本月三日武漢長江日報，首先看到「河南城鄉經濟呈現空前繁榮」的大標題新聞，覺得很有興趣，使一口氣唸了下去；雖然，在看到了該省一大鎮農村如何豐收、市場如何繁榮的流水賬之後，也看到了「成交不到兩億元」[illegible]

經濟已「空前繁榮」！

・乘文・

法魯克的自白

為方

　埃及廢主法魯克最近在異國流亡生活中，大寫其回憶錄，說他之被逐放，是出於蘇俄陰謀，俄國駐埃及大使館乃幕後導演政變的大本營。他指出自己是「中東統治者警告勿將門戶開放給蘇俄的第一人」，當年曾要求英大使勿迫使埃及與俄國復交，接納蘇俄使節時，曾經「眞正流淚」。但，英大使藍浦遜以其「一向傲慢與輕蔑的態度」答道：「你們埃及人必須認淸楚蘇聯乃吾人的盟邦！」

　這位花花公子式的帝王人物，江山失於夢寐間，原因固然很多，未可一槪推之於俄共身上。假使自己有辦法，取得軍民愛戴，俄共雖有陰謀，其奈我何呢？不過，他所述英大使當時教訓他的情節，却是可信的史事。西方先進列强，對一般弱小國家的邦交，素來是以優越感爲友誼基礎，以犧牲弱小民族利益爲遷就其現實的功利主義爲原則。二次大戰後，美國特使馬歇爾以其剛愎傲慢心情，强使中國政府要跟他們所認爲「土地改良主義者」的共產黨合作，以及現時西方列强還要在亞洲對俄共集團妥協的經過事實，不是與藍浦遜當年對埃及的態度一模一樣嗎？

　最近英外相艾登聲言在亞洲反共應以民族主義爲武器，同時，英國又在聯合國支持法國對北非民族運動的高壓政策。我對於西方大國一般所謂政治家的言行，總覺得他們都自以爲是的派頭，實在可笑，更知道他們的智慧並不比別人高到甚麼地方去！

自由談

誰養活誰

·聶雲飛·

　新塘鄉的農民學了聰明了，晚造收割時，比較預期的時間提前，而且每家都儘他一部份，這個辦法說起來完全是受了「人民政府」的「教育」，農民們記得去年晚造收割時，幹部們都下鄉助催「秋徵」，急如星火，馬上要繳齊，還要晒乾揚淨，雖說數目「並不太多」，只合到收益的百分之五十，可是因爲村長將收益報的高，而且濕稻晒成乾稻，繳淸之後，已不夠下百分之二十了，大多數的人們，也都担心來日的生活，漫長的一年如何度過。但是幹部們都拍胸保證，「人民政府」自有辦法，絕不會餓死一個人，人民當然信賴，「政府」，大家都遵照命令，完納淸楚。

　可是不到春天，已經發生了饑荒，人民眼見倉庫充盈，不能撈到吃，「望梅止渴」或者可以，望糧絕對不能充飢的，於是許多老弱婦孺便個個餓死了，但是報時只能說「病死」，最好說合錄經投的救濟米「撐死」。斷不能說餓死，因爲「人民政府」是不准餓死人的，何況今年又是豐收，如若不信有輸往印度錫蘭的大米爲證，這些都是去年的話了。

　今年人民領教了「政府」的「德政」以後，知道爹有娘有都不如自己有，爲了延續生命，只好偷藏一些穀，這個方法當然不是新塘鄉「獨家發明」，但是最先指出事的却是新塘鄉，這就要「歸功」新塘鄉的王「鄉長」和區內劉「政委」的「明察秋毫」了。

　劉政委並不是增城縣的人，原籍是鄰縣博羅，因爲眼愛斜視，人民背後都喊「劉斜子」，王「鄉長」也讀過幾年書，出身在破落戶的家庭，作事十足是爛仔作風，可是一經劉「政委」賞識，一躍而爲「鄉長」，兩年來在各種名目之下，彼此都撈點油水，漸漸關係愈密切，漸漸地「鄉長」妹妹和劉政委也發生了「階級友愛」，但是名義上并未正式成爲「愛人」，原因是劉「政委」家中有一個「愛人」，根據「新婚姻法」一人是不能有兩個「愛人」的。劉「政委」究竟地位還低，既不能將家中「愛人」送到莫斯科「改造」，又不能勸去西湖「休養」，只好暫時先實行一杯水主義了，因此劉「政委」雖然管轄了許多鄉，却經常是在新塘鄉辦公的，理由是「公私兼顧」。晚造上場了，劉「政委」冷眼傍觀，每家的草堆很小，而且人們都有些鬼鬼祟祟的態度，尤其見到他時，總有些張皇的神氣，「一定有鬼」，劉「政委」自己說，當時同王「鄉長」兄妹開了一個小組會議，決計進行調查，首先去「『瞭解』亞和，這是一個出名的精明鬼，「政委」先問：「亞和，你今年草堆不大，收成可能不好。」「是的政委，恐怕趕不上去年的產量。」亞和回答的非常安祥泰然。「爲什麼」？「那就很難說了，雨水不調，肥料不足，播種時正在修理河道，都有關係。」亞和依然從容的回答。政委知道遇到對手，從他身上查不出下落，回頭去找吳明，十足的胡塗蛋，這回改了方式，劈頭就說：「吳明，亞和報告你隱瞞晚造，你坦白好了。」「什麼我藏晚造，他比我藏的還多。」胡塗蛋一口氣說出來，毫不費力，好了，根據這個線索，查出了七十八戶私藏晚造，隱瞞產量的，亞和當然在內，「政委」派了一個中隊，逐戶搜查，男人完全用繩綁起來，家中糧食雞鴨，一律先送到王「鄉長」家中，第二天在新塘鄉開了一個鬥爭大會，劉「政委」站在台上咆哮着說：「三年來，你們受着毛主席的恩惠，吃的毛主席的糧食，住着毛主席的地方，用的一切東西什麼不是毛主席給的，毛主席養活着你們，你們却欺騙毛主席，你們自己說，對得起毛主席嗎？」

　劉政委這些妙論，說的台下「犯人」面面相覷，精明到亞和，胡塗到吳明，都不懂怎麼是毛主席養活了他們。「政委」還在台上跳，你們說好了。亞和忍不住了，他說：「政委，我們老百姓自己種的糧食，藏一點吃，怎麼算是毛主席給的。」「什麼？不但糧食是毛主席給的，連你身上的肉却都是毛主席的」。一句話說的台下大鬧起來，一齊吵着：「我們不知道毛主席怎麼養活了我們，到是我們的糧食送給你們吃是千眞萬確的事，總是我們養活了你們連主席在內。」吳明吵的更兇，「政委」當時下了台打個電話去城內報告：「新塘鄉暴民勾結游擊隊抗徵。」回電話是「就地處決」，於是七十八名「犯人」在一排槍下「伏法」了。「政委」「監刑」回來，桌上已擺好熱氣騰騰的雞湯，「政委」喝了一口笑說：「反動份子喂的鷄到肥的。」鄉長妹妹也挺笑着問：「政委，這到底是誰養活誰？」「政委」斜眼看了她一下，兩人同時發出會心的微笑。

◁懲戒頑童妙法▷

閒話讀書（四）

·舜生·

　「言之無文，行之不遠」，這兩句話便在今天，也依然有它存在的價値。自從白話文在中國流行以後，似乎有不少的青年人發生了一種誤會，以爲所謂白話文也者，就是隨隨便便可以寫出的一種東西。其實講起來，一篇好的古文和一篇好的白話文，其所必須具備的條件，實在沒有什麼了不起的區別，甚至有時候白話文所要求的比古文還要來得苛刻。

　舉例來說：古文要選字鍊句，白話文豈不更要選字鍊句？古文要講層次，講結構，白話文豈不更要講層次，講結構？古文最講究簡練有力，簡潔而止；白話文最忌的，豈不也就是冗長拖沓，滿紙廢話？

　本來，「集字句以成篇，集字成篇章」，就是文的本義，一說到文，便離不開美。古人所說的「言之無文，行之不遠」，就是說一本書或一篇文章，假如太沒有文采，太不美，希望它在空間上傳播得很廣，時間上流傳得很久，乃是不可能的，你能說這樣一種看法是不正確嗎？

　近來讀到一些人的著作，往往感到種種的痛苦，便是因爲他們的文字寫得竟體完整的實在不多，儘管某人的一篇論文或一本書的內容是我所要知道的，但因爲他的文字太壞，便把它看不下去，這究竟是讀者的不對，還是作者應該反省的呢？

　據我想：按字數算稿費，也是使得大家不願多在文字上下工夫的原因之一。可是除掉這樣一個辦法以外，一般出版家也還沒有想出第二條更好的辦法，尤其是在今天，便運用版稅的這個辦法也不是容易行得通的。

　歡喜讀書，也是一種習慣，這與歡喜喝酒，歡喜踢球，並沒有多大的區別。一個喝酒的人長久不喝，可能看見酒便生厭；反之，假如你常常喝一點，久而久之，便可能把你的量喝得大起來，而且只要酒一到口，你也即能辨別它的好壞，甚至還它的年代都可鑑別出來，讀書的情形又何嘗不是如此呢？

　近來也隨時有和一般青年朋友談天的機會，談到讀書這一方面來的時候也是有的。我有幾句話常常歡喜向他們說：「你眞想研究一點什麼嗎？你眞想從多看幾本書使得你的生活更爲豐富嗎？最好便是逐漸養成你一種讀書的習慣。這好比是一條無窮無盡的路，你不要以爲有什麼終點，就有，也不是任何人可以達得到的，可是只要你天天在走，今天十里，明天二十里，那沿途所見的一切一切，往往爲你以前所意想不到，已經足以償付你勞力的代價而有餘啊！」

（一五三）

中國之友（四一）

毛以亨

赫德傳（廿一）

　然赫德不知此次非尋常的暴動，而爲有目的者，且已參預于其海關洋員，則尤所未料。有馬遜 Mason 者貌似中國人，任職鎭江關，管出口子口稅事，其人喜研究中國史與其政治制度，乃與洪幫發生關係。再欲脫離則覺有生命危險，逃走則失職，祗得讓會衆來擁護做領袖而任其所爲。後挾欵赴滬見當地之洪門領袖，設法購軍械運至鎭江。他欲說服 Crosky 與其中國教師錢某加入，Crosky 勸告不聽，海關當局囑虛與委蛇藉以多知消息，馬氏乃派其得搶命令即占電報局並據金山以斷貿易之路。一八九一年七月，他得兩個月的假期，名爲赴日旅行，實則赴港，海關遂派人前往跟蹤。他化裝到港，得洪門首領之助，得到軍械，裝成三十九箱以濟元輪運滬轉鎭，以機器鋼鐵名義報名，而自加封。並在港雇了英國水手二十人爲之服務，然祗六七人跟隨之行。並請 Messy 將軍助其攻吳淞暫募千人，許以高官，將軍則未與理會。他于九月初到滬，在回鎭江路上，函上海代稅務司 Bredon 謂紅幫將起事，有三十五箱軍火在途中，最好放行讓其到鎭江，纔可偵察紅幫之下一步行動。他寫此函，足見其神經業已錯亂，或尙想取得海關的默諒，等于自首，或爲使海關墜其術中，槍械一到鎭江，紅幫即可劫械了。

　海關當局 Bredon 于九月十二日即將軍械查獲，對馬遜則勸其赴北京，向赫德自首盡告所以知，馬遜見之，但于赴鎭江途中又函當局，他已收到威脅其生命之恐嚇函。十三日到鎭江時，即被解往稅務局官邸，搜査其行李，發現若干槍械。而他聲言其生命已在危險中乃以英艦載之至滬，依領事裁判權，十月判決，祗訴其私藏炸藥於行李中之罪，故爲坐牢九個月。中國輿論大譁，總理衙門提出抗議，中國駐英使館主張重審並審査海關全部洋員，如此則赫德派成問題了。赫德處以鎭靜，率紙舉動，將總理衙門亦以小事而遂放過，待一八九二年出獄，馬遜即回英國，則又以熱心于被壓迫民族自由爲言了。惟勾結外人運送炸彈顚覆滿室之計劃，此實爲第一次。以後則東一個炸彈，西又一個炸彈，到處都是炸彈響了。辛亥革命之成功，就靠此另星的炸彈，而多由於外人的代運。

十七、中日戰後和約

　韓國問題，赫德是主張中國拿出勇氣來公開宣佈將其合併的，李鴻章亦謂東三省之與韓國猶之唇齒，韓國一失，則東三省亦將不保，乃牽引俄人勢力進入東三省，以抵制將來日軍之侵入。然韓國則欲獨立，日本則籍助其獨立爲名，以實行其侵略，謂日韓一衣帶水，韓國在他國手中，日殊不能自保。惟藩屬國之名，則安南、緬甸之前事可鑑，決不能在他國之侵入韓國，而實際上則中國駐軍在韓，派人助其辦理海關與外交，李已有控制權，韓國尙未取得合法之地位。鴻章薦美人 Denny 充韓王顧問，他主張韓國獨立，袁世凱亦主張促使外國承認，乃決派使臣赴歐美。先向中國政府請示，中國告以須守藩邦之道，即一、使臣須先至中國使館報到；二、由中國公使爲之引見外國當局；三、與國際有關事項，如有所行動，須先報告中國並得其同意。

交換禽獸表示「友好」

　北平西郊的萬牲園，以前是一個幽靜的好去處，自從「解放」三年以來，萬牲園不斷在改變，變了，諾大一座公園，倒是比「解放」前熱鬧而多啦，「不過越變越雜亂，更像從前的天橋。天橋反倒冷落了起來。最近，爲了「中蘇友好月」的指令，特別開放。來參觀遊玩的大鼻子「老大哥」專好與畜牲們逗着玩，惹得那老虎，雲豹：禿鷲，猞猁，亂蹦怪叫，「老大哥」們也和那些畜牲一樣高興得亂蹦怪叫的。聽說最近將與「老大哥」「蘇聯」「匈牙利」「東德」交換禽獸，以交換禽獸表示「中蘇友好」這倒是絕妙的諷刺。

廣東水菓進貢

　廣東是南中國出產水菓最多的地方，據農學專家們的統計，全世界有水菓四百多種，而廣東所產水菓却有三百種左右。

　自「解放」以來，廣東的水菓去香港的較比麻煩，而本地的銷場，在老百姓經過連年，民窮財盡的共政權統治下，購買力極低，所以近廣東水菓北運的爲多，銷場一方面是爲了政權的「新貴」們，另一方面是「大鼻子」顧問，更遠的去路，則要裝上「水菓列車」向莫斯科進貢。「水菓王國」的新氣象：人民「翻身」「進步」了，人民也就少吃了自己手植的菓品。（燕）

憶抗戰首都兼懷川人

——·鐵頭·——

　抗戰時的首都——重慶，有一部份地形，頗與香港相像，不過香港馬路層叠之區，是偏而於一面，而重慶則三面沿岸，梯級而上，只有一條直通的馬路。南面就是林森路，過街樓，西街的馬路，越過陝西街，到達朝天門。北面的馬路，起朝天門，經過千斯門，滄白路，七星崗，曾家岩而達兩路口，由城南公園與林森路溝通，就算繞行那陸上的半島一週。

　每當暮靄蒼茫，華燈初上的時候，你若經過觀音岩，康寧路等處，回首一望，但見高低層疊，大田灣，大溪溝，國府路一帶，燈火閃閃，一明一滅，光彩奪目，隨地勢的起伏，星羅棋佈，有若千軍萬馬，人手一燈，漫山遍野，整裝待發的模樣。又彷彿鄧尉觀梅，超山看花，高高下下，一片彩霞。此情此景，恍忽如在目前！但當時身歷其境者，未有不覺得這是奇景的。七星崗以東，朝天門以西，以督郵街，精神堡壘爲中心，馬路縱橫，市廛櫛比，摩肩接踵，熙往攘來，車馬之聲，日夜不絕，其情其景，直有點像現在的香港中環，更有點像目前的九龍半島，而都郵街的神態，尤與上海街相似，不過沒有上海街那麼長罷了。

　初到抗戰首都的人，一下子很不容易弄淸楚重慶的地形，因爲它是夾在兩江之間的石層峻嶺，所謂道路，必須依循地勢，蜿蜒伸展，曲曲折折，轉轉彎彎，當你走路的時候，遠遠看見一幢房子或一棵大樹，原在你的右手邊，但經過一段坡路，加上幾個轉折，抬頭一望，那一幢房子或一棵大樹，忽然到了你的左手邊，你不禁大吃一驚，自己想道：「莫非我走倒了路？」於是停一下腳步，回過身來，縱目四觀，企立並未顚倒，而不過你所走道路的方向時在變換罷了。因之初到重慶的人，對於東南西北，往往很久都是一頭霧水。那末，香港的朋友不免要問：「難道你不會觀測太陽的影子，以鑑測方向嗎？」「不錯，這本是最原始而又最方便的辦法，可是，你却忘記了重慶是差不多半年難得看見太陽的。

（一）

中華民國僑務委員會頒發登記證台教新字第壹零貳號

自由人

THE FREEMAN
（半週刊每星期三六出版）
（第一八五期）
每份港幣壹毫
督印人：李光華
社址：香港高士打道六六號
電話：二〇八四八
GLOUCESTER RD.
HONG KONG
TEL: 20848
承印者：東南印務出版社
地址：高士打道六十四號
台灣特派員辦事處：台北市館前街五十號
台灣總經銷處：台北市中華路一段二五九號
台灣郵政劃撥儲金帳戶九二五二號

民族主義的時代諷刺

·雷嘯岑·

卅多年前，俄共首領列寧發出一種「援助世界被壓迫民族」的口號後，民族思潮到處激蕩，世界從此不安。二次大戰後，若干被壓廹民族乘機取得獨立自主生活，乃欲以國際「第三勢力」自居，又使世界產生了一種新的不安形勢。最近英國外相艾登倡導以民族主義反抗共產主義之說，然英政府却反對聯合國過問北非摩洛哥突尼西亞的民族自決運動，讓宗主國採取流血的對付方法。民族主義竟被一般政治野心家歪曲利用，兼弱攻昧，取亂侮亡，致令人類將進入另一黑暗時期，真是時代的一大諷刺了！

共產黨與民族主義

俄式共產主義的發展戰術，是以利用人類不平衡的仇恨心理爲要訣的，而民族思想即其現成的有力工具。這是隨着資本主義發展而來的殖民政策替他們造成的武器，正是配搭「世界革命」的[illegible]。他們[illegible]助被壓迫民族的口號，鼓動民族思潮，引起內亂，然後從而劫持其行動，左右其動向，終至淪爲俄帝附庸，而美其名曰「國際的民族主義」。所以，他們也照樣地向人民談「愛國」，談「獨立自主」，以迎合大衆醫有不平衡的仇恨心情，使大家甘於飲鴆止渴。因爲這種新式共產帝國主義的未來禍害，潛在着衣的包裝中，一時不易警覺，而舊式資本帝國主義的殖民地生活滋味，却已普遍地飽嘗夠了。你說共產帝國主義將如何流毒人間，寄倒民族，大家尚未身受其害，依稀彷彿，付之懷疑而已。至舊式殖民政策的痛苦，乃爲家喻戶曉，塞是最的影響事實，隨時皆可以激起大衆的反抗情緒。

凡屬被壓迫的弱小民族，文化必然落後，生活必然貧乏，生活水準必然低下，而其爭取自主自決的政治意識却甚強烈。物質生活的貧困，大家過慣了，忍耐一下，并無所謂，最迫切的問題，即爲精神生活的政治要求能夠實現。俄式共產帝國主義就利用這種心理因素，培養一些當地爪牙，如毛澤東，金日成之類，穿着民族主義的紅袍，在「蘇聯老大哥」梯後指揮操縱之下，出面「革命」，高呼「反帝」口號，自然[illegible]一般積怨孕恨已久的人民，一時盲然盲從了。

有一項眼前事實，很使西方先進國家感到困惑莫解，即中韓共黨同是亞洲落後地區的人民，何以一經落到共產主義者的手中，即那末剽悍不怕死，而越南的保大軍隊，照樣地得備現代裝備，竟不能發揮作用，抗拒一個裝備落伍的越共進攻呢？實則這原因很簡單，那就是俄帝在表面上滿足了落後地區人民的政治要求，鼓起了他們的勇氣，而法國在越南的殖民政策，却原封未動，無論如何也引不起當地人民的向心力。反過來看，南韓軍何以又那麼勇敢善戰，對俄共集團大戰了兩年，也沒有被共產宣傳蠱惑而有投降「起義」的事呢？這是由於南韓人民已脫出殖民地生活，得到了獨立自主的精神安慰，大家對反抗外來侵略的流血流汗工作，認爲是自己的事，而非替宗主國家維護殖民地利益，雖戰死亦覺心安理得。菲律賓游擊隊之日趨沒落，其道理也是相同的。即看香港，俄式共產主義者的言論思想，儘管在這兒自由傳播，也有些「第六縱隊」——共黨同路人——或明或暗的作俄助勢，但香港既不會發生像摩洛哥突尼西亞那樣騷亂事件，更不會有如越南胡志明集團出現，這並非得力於強大武力的鎮壓，而是香港的政治措施比越南和北非進步所致吧！

國際第三勢力與民族主義

落後地區民族國家的正當發展，應該跟那些眞正以平等待我的先進友邦人民精誠合作，以主權操之在我的原則，接受先進國家的文化交流和物質與技術援助。現在絕非閉關自守的鎖國時代了，國際間的距離已經縮短，人類必須息息相關，必要時，你不要求別人援助，而有些國家也將自告奮勇，非來援助不可的！

然而若干在戰後南告獨立，自主的國家，尤其是亞洲東南部的國家，以印度爲首的尼赫魯總理作領袖，想藉着民族主義的招牌，遊世獨立，在極權與自由世界兩大陣營之間，以「第三勢力」自居。他們心理上留有殖民地時代生活的暗影，爲保持其千辛萬苦得到的獨立成果，唯恐再蹈覆轍，因而欲置身於世界兩極化之外，未嘗沒有可以同情之處。然如印尼之貨棄於地，物滯其流，亦不願吸取先進友邦的合作與援助，以增強其生產力，培育文化，滑能，即爲狹隘的民族主義之過了。尼赫魯更有趣，高掛着民族主義的金字招牌，一面用武力佔領土地，而拒絕聯合國調處的要求，而對過去英帝國[illegible]……俄共作國際第三勢力的盟主，把民族主義的精神搞……

的社會主義者明年要在緬甸開大會，他們既不[illegible]資本主義之剝削人類，也不贊成共產主義之專制，這些說詞之漂亮，但不知他們將拿何種思想作第三勢力的思想基礎？……

緬甸面臨最後抉擇

史密雲

共產主義的火焰正積極向東南亞伸張來，緬甸的地位，顯得更爲重要。在近三年來，緬甸政府妄想苟安，看到中共在大陸上的武力擴張，對自己的地位，感到不安；它明知道中共的魔手一經伸入國境，將來殆非屈從於中共之武力下，殆將懾服於第三國；而再嘗殖民地的苦杯。因此，中共對它的壓力，堅持以驅逐國軍李彌部隊出緬境爲建立外交關係的交換條件，就緬甸當時的國防力量而言，事實上無相當的實力來和李彌部抗衡。但英國和印度，則已經承認了北平的偽政權，德欽汝總理竟就毫不猶豫地向尼泊爾借兵伐李了。結果是李彌雖然率部離開了中、緬、泰三角地帶的景棟，而緬甸却欠了兩筆債——尼軍死傷的賠償以及捕殺近三百名無辜華僑，至今這兩筆債却無法清償。中共以緬甸的這種軟弱外交，並未因緬甸付出了這種高的代價來爭取友誼而感到滿足，却繼續對它的壓力加重。要緬甸將驅逐李彌的問題，在聯合國尋求政治方式解決，但未爲自由世界理會。然而，緬甸却已遭遇到中共又一次白眼，中華民族的仇緬，雖未形諸於色，而德欽汝之物望，却更爲貶落。

有利形勢未予把握

就地略形勢上說，李彌部隊，對中共的軍事南侵，無疑是一個重大的威脅。中共向緬甸增加壓迫，口口聲聲要驅逐李彌，無疑企圖減輕其威脅，與解除其南侵的障礙。同時，中共以滲透與軍事叛亂來奪取德欽汝之政權，使德欽汝陷入了傾覆的危機，此種情勢，雖然德欽汝極力應付，但無實際的力量可以敉平內亂，遏止亂萌。另一支喀倫族軍却趁勢而生，它打着反共旗號，與李彌部合作了。這一支軍隊，不問其效能如何，至少予緬共在精神上是一大打擊，而在其滑能擴張中，自是一大障礙。故李彌部雖已進入滇境，他的力量，可以使喀倫族軍作它的橋樑，貫通中緬，自無疑問的。假如用軍事學者的目光去看，德欽汝政府大可以從容充實他的國防力量，雖然中共已在東坦和騰衝建立了兩大硬緬基地，但它前面已被李彌部隊遮住，而這一支孤懸景棟以四六十哩猛勞附近的部隊，顯然已成爲緬甸與中共間的緩衝地帶；緬共對仰光的進侵部署，雖也正在形成一條弧綫，從曼德勒以至臘戍一綫；但喀倫族的地下武裝，已自晉緬娘向東水延伸，無形中已切斷了中緬共軍南侵的路綫，可是，緬甸政府却並不把握住這軍事上的優越情勢，對李彌仍存歧視心理。

李彌部隊孤軍深入

這幾天當地報紙又傳說緬甸政府的飛機向猛勞附近轟炸，而許多人又爭相走告，中華民國的孤軍李彌部隊，已佔領了一個僅次於臘山的城市——猛勞。一般的估計，緬甸政府雖然派出空軍對於捲土重來的國軍轟炸，不致會有重大的殺傷。

這是國際局勢的演變結果，已使德欽汝對於承認中共北平政權的信心無形減低；對李彌部隊的態度，緩和了以往的積極的進攻改爲消極的阻截了。從十一月一日起東部各省實施軍事管制，景棟自貢晉至黎明執行宵禁後，證實了李彌部隊已於十一月二十六日重返緬甸，而且在猛旁再度建立反共基地了。目前的許多跡象，雖有理由指出緬甸政府對付李彌部隊有過分行動。民間的反映，足以促成政府及時反省的，例如緬甸的華僑們反共情緒高張，已使保守的緬人對自由民主與極權奴役有了充分認識，客觀情勢殆已不容他們再事猶豫；實際說來，德欽汝本人的態度，也有了決定性的改變，他在三十二屆民族節，發表演說，堅決地說明了緬甸爭取的途徑。他說民族主義本質，是獨立性而非向任何集團一面倒的、他又說當前的國際形勢，已不容其左右，應以緬甸民族的利益爲依歸。更爲二次大戰時期「緬人曾有靠左或媚右，而致失去獨立自由的本質，結果一無所得的，徒然表現了可鄙的奴性。」以證德欽汝對那已往之失策，有了悔意，但他將如何修改他今後的決策，則又并無下文了。然而，最近倫敦消息傳來，邱吉爾與各聯邦首要集會，邱氏於關於外交政策中，剴切陳言「利用民族主義的力量去打擊共產主義擴張」一點，東南亞甚多國家，異常重視，緬甸自亦不能例外。德欽汝究竟何去何從，在這十字路口，已臨到了最後抉擇之時。

民族主義即是人類平等主義

近日北非的摩洛哥突尼西亞各地區民族主義者大事騷動，法軍以飛機投擲催淚彈，一次之內死傷總五十人，而歐洲人竟有被肢解者。法政府認爲是聯合國委會辯論北非民族自主案所誘致的結果，如同勢惡化，擬加派陸軍前往鎮壓，云。想不到以「自由平等，博愛」爲立國精神的法蘭西共和國，曾以義勇氣魄援助別民族獨立自由而博得國際榮譽的法國，今天竟抱着殖民地主義，頑強地不肯接納北非民族的自治要求，且對聯合國的出面調處亦表示一拒絕，史大林聞之，定作會心的微笑！摩洛哥、突尼斯的自治呼籲，非自今日始，其要求亦非迫法國的國防中心力量必須退去北非不可。法國既不願自動地改善其殖民地政策，又不肯滿足殖民地人民的合理願望，這才激動了民族怒潮，而使問題更複雜了。……看法代表聯合國來大爭論此問題，似乎認定北非無民族主義……有採取武力爲手段……最怪英國政府當局……既倡英美以民族主義對抗共黨……又在聯合國替法國辯護……式殖民政策，美國亦令人莫名其妙，投鼠忌器，對這項民族運動發出些無關痛癢之言。這些作法，不是爲淵驅魚嗎？民族主義即是人類平等主義，不承認人類平等生活的原則，而又瞎談自由，空談反共，且謂以民族主義來反共，不是時代的一大諷刺是甚麼？

> **啟事**　黃遐先生小病，「自由中國的兵力使用問題」續稿未到，特向讀者致歉。

半週展望

·左舜生·

艾克召集海上會議

艾森豪正式登台的日期已一天天接近，杜魯門總統所留下來的一付沈重的担子，眼看就要落在他的肩上，「臨事而懼，好謀而成」，於是在他的訪韓歸途，乃於「海倫那」巡洋艦，將舉行一連串的軍事政治會議。

在這些會議中將討論什麼？我們最多只能想像若干的議題，內容當然無從知道，他其所以選擇了在這些地方舉行會議，一方面固然爲的是節省時間，一方面也正因爲最適於保持最高的秘密。上有蔚藍的天空，下有洶湧的海濤，時間是這樣迫促，問題是這樣嚴重，未來亞洲的命運，不，整個世界的命運，便可能與這些會議發生不可分的關係，這是何等值得我們加以密切的注意啊！

從大處看來，艾森豪，杜爾斯，布萊德雷，威爾遜們這一群參加這類會議的人們，態度是出人意料之外的突變，似乎是不可能，即有，也決不會在最近期內即可展開，整個大局總還得有相當時間的拖延混沌。

艾克經過韓國前綫一度的視察，聽取了若干重要的報告，戰爭不能依靠過去的方式以求得光榮的和平，他應該已經是洞燭無遺；杜爾斯有一顆明澈的頭腦，對蘇聯，對歐亞各主要國家的心理，也早已胸有成竹；凡只有由一個冒失鬼才可能幹出的一種舉動，在他們則將以縝密週到的計劃出之，我們當不難想像。

可是，不問你如何縝密，如何週到，大勢總是這樣一個大勢，換言之，說不需要人類的一次大流血，便可獲得世界的和平；不需要對蘇聯來一次徹底的清算，便可求得世界秩序的重建；我總覺得決不會有這麼一件事。

現在要問的，便是我們將何以自處？

葉外長之言

關於國軍是否參加韓戰這一問題，葉外長似乎發表過兩次談話，最近一次所說的，表示中國不願參加無決定性的戰爭，這是不錯的。我們自來在本刊上便是這樣一種看法。

我們認定聯合國爲援救南韓而抵抗侵略，這是一種義戰，以聯合國的立場去採取這一行動，這是千應該萬應該的。假如在最初便准許我們派兵赴韓，則我們的數萬健兒，也許在韓戰場與友軍比肩作戰，已經有兩年以上的時間了。但我們畢竟有一種比較切實的看法，我們總覺得韓國問題是從中國問題演變而來，假定把中國問題置之不論，而只單純的去解決韓國問題，便再打三年，我們相信也不會有什麼結果，所謂『不揣其本而齊其末』，我們認定這是沒有多大意義的。

如果今天美國幫助我們以二十萬大軍反攻大陸，同時保證台灣的安全，而希望我們以十分之一的精銳移到韓國戰場去使用，我們也還是不宜反對，何以故？以我們絕對擁護聯合國這一義戰故。

關於清算胡適思想

前天胡先生在北大同學會發表演說，提到中共在大陸有發動清算胡適思想的這件事，同時也涉及到了蔡元培。中共之所以要清算『胡適』，乃至於要清算『北大』，實際只是爲的要爭取『五四』運動這一歷史的領導權。在中共看來，『五四思想』的大部分，乃是他們所最討厭的，尤其這種思想在那裏繼續發酵，更使得他們感到慄慄危懼！可是『五四思想』的另一部分，也使他們覺得頗可歡迎，自然我們也無法否認五四運動與中國共產黨之起來不無或多或少的一種聯係。所不幸的，今天在反共陣營的少數人，他們乃不懂得五四思想的大部分隸屬於中共不利，也在無形中在那裏爲中共張目，甚至於還想清算到已死去多年的蔡元培，以圖減輕自己的責任，這便實在是太可悲了。

史塔生談援外計劃

在艾森豪的新政府中，史塔生將繼替哈里曼出而主持數百億美元的援外計劃。史塔生久已對國際問題具有濃厚的興趣，他曾任舊金山聯合國會議美國代表團的代表，並曾數度旅行國外。在這篇美國新聞週刊華盛頓分社主任林特萊的訪問記中，史塔生說明了他打算如何負起這個新責任。箴啓譯。

像美國當選總統艾森豪一樣，未來的美國共同安全總署署長史塔生是認爲美國需要強大的盟國，並必須繼續支持自由國家來完成其軍事和經濟上的準備的。他認爲要達成這一目標，勢須繼續支出巨額的費用，同時，史塔生表示在性質上，援外並不是一種臨時的權宜之計。只要在世界安全遭受最嚴重威脅的時候，援外計劃是應該繼續執行的。

共和黨援外政策的主要目標

史塔生說：「共和黨援外政策的主要目的，在完成艾森豪的最高目標；和平與繁榮。共同安全計劃與此有極重大的關係，當年艾森豪威爾元帥在倫敦基爾特大會中所發表的演說，就是對這一問題所作的重要聲明。他那篇演詞中的基本觀念——自由民族如果沒有共同的安全，則整個世界即無眞正安全之可言——久已銘刻於我的腦際。

我們的安全建築在他們的安全上，他們的安全也有賴於我們的安全，這是基本的原理，用不着我們時常提到的。」

新政府會立刻削減援外經費嗎？

史塔生說：對於現在援助的計劃是否能在最近的將來大加削減，他沒有意見。他承認對亞洲作更多的軍事援助似將增加援外的費用。同時對中東也須作較大的援助。至於歐洲的需要如何，他迄未表示意見。

史塔生指出，即使當考慮全球各地的需要時，認爲有予增加的必要。但不參照我們自己的國防預算，和我們整個的財政計劃，共同援助預算的數額大小便無法決定。

然而，他强調安全決不是廉價可以獲致的，甚至由長期的趨勢觀察，耗費巨大決不會有換來不安全的可能。

共安總署的施政將如何改變？

史塔生一向是開明的。他準備隨時接納外間的意見。他說，在沒有和國會領袖磋商並獲得總統認可以前，他不能宣佈任何確實的政策和計劃。自然，他對霍夫曼與洛克斐勒如何以一個單一的機構，來管理各種海外經濟活動，是頗爲熟悉的。他也知道外間對於政府各機構（包括共同安全總署在內）在海外用過多的人所作太少的事所表的不滿。但他認爲目下就對這個問題作任何具體的結論，還嫌過早。

新主持人如何處理安全工作

史塔生已決定他的第一項工作，是對整個的共同援助計劃和我們盟國及其他自由國家的軍事及經濟情形，作一次全面的檢討。他打算在少數研究人員的協助下，有系統的從事此一工作。他曾與現任署長哈里曼會談過，後者已把安全總署所有已獲或可能獲得的情報告訴給史塔生。

他已與未來的國務卿杜勒斯舉行會商，並即將與未來的國防部長威爾遜商談。此外，他並將要求前任經合總署署長霍夫曼和麥克洛埃及其他人士，告訴他有關國際經濟事務的經驗和知識。

史塔生說：「我的經驗告訴我，如果你擁有一批有高度能力而且以全力從事研究工作的幕僚，同時還與具有廣泛經驗及高度判斷力的人士多作討論，你一定可獲得最好的結果。兩者都是必要的，光有經驗而沒有眞正的研究，所提出的建議不可能健全無疵。由研究所得的決定，如無廣泛的經驗參證，也缺乏現實感」。

關於安全總署派駐海外各代表問題，史塔生不願在明年一月二十日就任以前，先行討論。

史塔生承認對於整個的外交政策，國務卿應該是總統的首席顧問，他說：「我願意强調我對國務卿在政策事項上處於領導地位的認識，過去我常常提到此事，現在我要再說一次。」

關於第四點計劃

他認爲第四點計劃——提供技術及經濟援助，以開發其他國家的資源——的原則是健全的。他贊成繼續推行此項計劃，但此項計劃究應如何擴展，是否擴展，或擴展多少？他不願有所揣測。

史塔生希望增加美國在海外的私人投資，並打算研究每一種刺激投資的方法。

他認爲現在提供美國海外投資者的特別保障是正確的，他知道共安總署目下正在研究進一步的保障方式，但其性質如何，他不願即加評論。（譯自新聞週刊）

共產國際對日新陰謀

最近中共突聲言願遣返部份羈留大陸的日俘，日本官方已指爲新陰謀，而適在此時，日警方宣佈破獲日共武裝暴動的詳盡計劃，根據種種跡象，這顯然都是北平「和會」期間所策劃的亞洲共產國際對日秘密決策的一部

赤化日本策略 北平秘密授受

現在，不管日本立國的政策已有了不拔的根基，也不管從日本大選中已完全證明了人民反共意志的堅强高漲，但史大林和毛澤東等的赤化日本的陰謀却在更加緊的拚命進行；因而中村甑右衛門等的日共頭子於接到了莫斯科的電令之後，千方百計地逃過了日本政府的監覷踏到了北平。這些所謂「日本人民代表」們熱鬧地串演了幾幕有聲有色的「哭秦庭」，並議決了：一，有關國家必須締結具有全面性質的眞正對日和約。二，反對日建軍。三，任何外國軍隊應立即撤離日本領土。四，任何外國政府對於日本對外貿易的各種人爲限制等的四個宣傳性和挑撥性的議案之後，便立即與蘇聯「代表團團長」伊．伊．阿尼西莫夫、毛澤東、劉少奇等還繼續舉行了三次歷時甚久的秘密會商。據東京方面透露的此一會商內幕，乃是重新決定了三個赤化日本的原則：

第一：以達到篡奪日本的政權爲理想。實現此一理想的手段，爲一面由史毛加緊支助日共的地下活動，並加緊訓練日俘乘機在日本北部建立游擊武裝，及邊區政權，一面由日共採用中共的鬥爭經驗，加强所謂統一戰線的運用。

第二：假使由於日本政權鞏固及美國援助積極而使日共無法達成前述理想，那末就一面高唱「反蘇」及「中立」的論調，以煽惑人民迫使政府延緩整軍及反共的進行，一面高唱「民族主義」及「經濟獨立」的論調，以激出人民反美情緒，并促成日本與中共的貿易，從而擾亂日本的外交政策以落入史毛强力牽制的圈套，進一步接受史毛的控制爲次一理想。

第三：又假使前述次一理想亦未能達成，那末就使在反共政權掌握下的日本，整個陷於孤立狀態，進行此一計劃的方式，是一面向國外大力宣傳日本二次大戰所謂「反動軍人」的蠢行及軍國主義的復活，以激起亞洲各國的反日情緒，間接的也加深亞洲各國與美國間的矛盾，一面在國內鑽營發展地下組織，以無形的滲工去癱瘓日本的工業及社會各部機能。

統戰魔術搬演 內外交互運用

在他們決定了這三個原則後，即由劉少奇，李維漢，彭眞等幾個中共「統戰專家」另行詳密地將中共的統戰經驗有系統地全盤教給了中村，龜田、南博、小畠金吉、金子健太、櫻井英雄、嶋井鼎平、澤淸等幾個主要日共頭子。不久，此一統戰魔術就很快地在日本初步演出：據前月廿二日新華社不打自招的東京消息，著名的日共頭子之一大山郁夫在東京附近各地文化教育界潛伏的共黨份子及其同路人的茶會上，宣佈組織起了「統一戰線」，一如過去的中國，在日本共產黨的擺佈下，以勞農黨，左派社會黨等日共外圍爲點綴品，共同煽動日本人民進行聯合鬥爭。接着，曾任國會前衆議員的另一日共頭子立花敏男及左派社會黨的傀儡松井岩男等即在神戶等地也進行了「統一戰線」的宣傳及組織工作。又不久，也一如過去中國，「反整軍」「反戰」「反片面和約」「反徵兵」「反帝」「反迫害」「反飢餓」，及「民族解放」，「經濟獨立」「人民民主」等口號都喊了出來。被利用着的無知工人學生的示威及怠工，行動也都做了出來，因而已有許多工廠被迫不得不解雇了這些以做工爲名而以破壞爲實的共產份子。他們這樣做，就在以癱瘓社會機能與離間對外國多交相運用。現在中村等雖因日本政府的下令逮捕而尙滯留北平，但日本國內的日共頭子們，將根據此一新的陰謀，在日本各地大力策進，如果美國和日本朝野漠視中國內慘痛教訓而不提高警覺，那末日本未來的命運，實在很可能步上中國大陸可悲底後塵的。

日俘加緊訓練 伺機武裝暴動

現在據東北流傳消息史毛爲了强化日共地下活動及乘機奪取政權的後盾。已將被羈在西伯里亞及東北境內的三十餘萬日俘加緊訓練，其中除大部份係受新式俄式武器的使用及一般游擊戰術外，有一小部份所謂成份較淸白的日俘在受嚴格的特種訓練，以爆破、宣傳、諜報、暴動鬥爭等爲主，其中特別又挑選了一批爲數約二千二百餘個知識較高的日俘，而態度積極的，最近從東北調到了撫林附近，在中共主持下受着高度的所謂統戰戰術。然而領導全球反共鬥爭的美國在艾克當選總統，共和黨組織政府的底定後全世界，特別是亞洲的反共情勢基本上有了更積極的演進。其中尤其是日本，韓國，及台灣，對於戰略、整軍、援助，乃至如何有效地解決根本的禍患，必將有所表現，在日本方面，雖然目前對於整軍的問題不免有所憂懼而予日共以宣傳破壞的機會，但畢竟也因而使他們面臨了新的致命傷—（王玉）

史達林格勒挖戰壕

艾森豪當選美國總統後，蘇俄的恐懼心理日增。他們正準備在史達林格勒四周構築一條廣闊的戰壕。以便一旦大戰發生時，能幫助抵抗來自兩方的攻擊。同時，附庸國家軍隊內部不穩，也使俄帝大爲担憂。保加利亞陸軍最近發生幾次小叛變，俄國當局也不敢向外聲張，只將若干少壯派官員逮捕、審問和槍決了事。

蘇俄支援毛毛恐怖活動

英國陸軍部報告：堪雅的毛毛恐怖活動是受蘇俄所支援的。據說：克里姆林宮已命令亞的斯亞貝巴（是阿比西尼亞的首都，離堪雅沒有多遠）的俄國特務就近指揮恐怖份子的活動，並負責供給毛毛組織的經費。

南韓政府將遷漢城

由於艾森豪威爾訪問韓國，或將促成南韓政府遷回漢城的實現。李承晚總統老早就打算把政府自臨時首都釜山遷返漢城，但聯軍統帥克拉克將軍和第八軍軍長斐列特將軍都不贊成，認爲漢城離火線太近，實在過於危險。但現在南韓政府已有了很好的藉口了。當選美國總統的艾森豪，以一身繫美國及世界的安危，尙且可到漢城去。南韓政府自釜山遷回漢城，自然更不成問題了。（孟衡）

天下小事

立法院工作緊張 兩大法案待月內通過

·麗子·

台灣通訊

立法院第一屆第十會期，於本年九月一日開始，依法應於十二月底休會。茲會期已逾四分之三，而最重要之兩大法案尙未完成。一爲四十二年度國家總預算，行政院按照憲法規定，於年度開始前九十日送達立法院，現正由立院預算委員會會同各委員會聯席審查中。各國家行局另有營業概算送至立院，關於中央信托局部份，最爲審查時引起爭辯之論點。另一爲實施耕者有其田條例，甫於最近由行政院定稿，送達立院。立院定期，請陳院長蒞會報告施政，並聽取其對於該項條例草案之說明。中央早經宣佈自明年元旦起，實施限田，立院勢須於本月以內，將該條例完成立法程序，以期配合。故此後二十餘日內，將爲立法院諸公工作爲緊張之時期。

耕者有其田條例

實施耕者有其田條例，原名扶植自耕農條例。茲由行政院最後所決定之草案，關鍵不在於名稱之改動，乃在於內容有顯著之區別。一、原稿規定保留土地之地主，以本人在鄉者爲限，今改爲地主無論在鄉不在鄉，均可以保留土地。但一年以後，地主可以出售。關此項改動，係因台省籍政務委員蔡培火等在行政院所極力主張，並以國父只謂耕者有其田，並未謂不耕者不得有田爲理由。陳誠院長，亦認爲軍公教人員如在鄉間原有土地，現在雖不能返家耕種，但日後或則解甲歸田，或則退職歸耕，自宜預先准其保留土地，因不在鄉地主亦可保留土地，故由公家收買轉售於農民之土地，遂減少若干萬甲，政府目前所須繳付地主之地價，亦可減輕一部份支出。

二、原稿規定，地主每戶可以保留之土地，爲水田二甲，畑田四甲，茲改爲三甲與六甲。台省每甲合十四畝餘，三甲即爲四十餘畝，在大陸省份東南地區，此數已屬小康之家。因地主所保留之甲數增加，相對地即分配於農民者減少。故此兩點改動雖有必需，但與扶植自耕農原旨則不無影響。

債券股票問題待解決

除條例須由立法院儘速完成立法程序外，關於收購地主土地應行付給之地價，聞政府亦已積極籌劃。收購地價原估計需款新台幣二十億元，以五千萬元現款分配於小地主，另以發行土地債券及出售國省營五個公司股票抵充。茲收購之土地，既已因上述兩點改動而減少，故現款部份或可免付。惟出售國省營公司，如台灣省工礦公司，農林公司，均爲收支不能相抵之企業，人民未必歡迎。他如水泥公司及紙業公司，因營業狀況較佳，爲人民所樂予接受。今各公司估價手續尙未完畢，發行股票，更需要時間，而明年元旦之期，轉瞬即屆，因以有人建議暫時一律用土地債券，收購地主在保額以外之土地。俟日後各公司估價完畢，股票印成，再准其用土地債券掉換。此說現尙由政府在研究中，如時間迫促，或不免採用此策。

與國省營公司發行股票有關之問題，爲設立證券市場以便股票交易問題。股票發行既尙未有時日，市場之成立自非短時間內可以實現。惟成立之後，是否即以此次出售於地主之五個國省營公司股票爲交易範圍，抑可擴及於國家發行之公債，其他國省營公司之民股股票與民營事業之股票，聞主管機關尙未決定辦法。如專限於此次因限田出售之公司股票，則證券市場交易必不能十分熱鬧活潑；如遍及於各種債股，又恐其對整個金融市場發生不良影響。至如國家公債若在市場中跌至票面以下若干成，尤足以損及於政府之債信。聞證券市場成立後，爲避免重蹈大陸時代交易所之覆轍，對於經紀人之限制較爲嚴格，其一爲經紀人數將不致甚多，傳說在二十與三十戶之間。除台灣銀行暨各民營銀行合作金庫各須當然担任一戶外，所餘戶數已屬有限。其二爲欲任經紀人者，除限制資格外，並須繳納巨額保證金，則專恃投機爲生者不敢輕易嘗試也。

平均地權應擴至都市

日來台省輿論界，對實施「耕者有其田」條例，均渴望早日通過實施。惟國父遺教中關於土地問題，實以平均地權爲中心。平均之道，在由地主自報地價，政府照價徵稅或照價收買。尤其因工業發達交通進步等因素致使地價上漲時，地主不應不勞而得漲價之利益，必須由政府重徵其稅，以爲國家與地方最重要之財源。實施耕者有其田條例對於農地可謂爲一大改革，惟台省各城市年來地價上漲情形，地主與土地掮客所獲利益大過於鄉間地主所得者不知若干倍，迄未聞政府有限制或重稅的辦法。實不能謂爲三民主義已完全實行。今行政院所送草案固只限於農地，但如立法院諸公亦能遵奉國父遺教爲都市土地立一平均地權法案，尤爲行政院所樂予接受並更爲廣大民衆所支持，可以斷言。

整風學習難除慢性毒菌
偏差腐蝕大小共幹

中共對幹部普遍發生的幼稚、盲目、貪污、浪費等問題，雖連續進行了大規模的所謂學習、整風、培養，但高級幹部業務與政治的矛盾，低級幹部新的偏差，及新幹部與黨員疑懼不進，畏縮不前等的現象，現仍層出不窮，中共內部問題之嚴重，正愈演愈烈，決非中共任何辦法所能改善，秧歌政權整個腐蝕，實已期不在遠。

高級幹部學習業務政治矛盾

大家都知道，中共高級幹部的一大來源，是「長征」時代的幾個人物，其次則爲「邊區政府」時代所培養出來的老幹部。但這些幹部不僅文化水準很低，而且因一向局限於一隅，沒有見過大世面，缺乏大政治場面及大工業機構的領導、管理的常識與經驗。他們一旦從深山走進城市，從手搖機換到電動力，便手忙脚亂，不知所措；乃使幼稚怪誕，盲目蠻幹，浪費消耗等的弊病乃至得意忘形而貪樂貪污的現象，層出不窮，弄得焦頭爛額，烏烟瘴氣！由是，中共乃不得不忍痛開刀大規模的「三反」整風運動，並犧牲若干時期的業務以進行大規模的幹部學習運動。但整風只暫時整掉了一些貪污現象，學習只糾正了一部份浪費現象，對於業務領導管理的經驗與技術既非一蹴可幾，而學習與業務的脫節，及業務觀念與政治思想的矛盾，卻由此發生。據上月二十八日北平人民日報所載一篇關於「高級幹部理論學習」的檢討文字中自己承認：「許多高級幹部自知領導政治與管理業務的經驗不夠而能加以研究學習，但他們只知在書本子內理論上兜圈子與實際的工作脫了節。」又說：「許多高級負責幹部在認眞學習蘇聯先進管理企業或領導政治的理論和經驗時，發生了『抓住了業務，丟掉了政治』或『抓住了政治，丟掉了業務』的弊病。」接着又舉例說：「許多領導政治的高級幹部，因抓住了事務而丟掉了政務，便存在着喪失政治遠見及馬列思想的事務主義作風。許多廳、局、處長忙碌異常而抓不住重心，提不出關鍵。許多領導企業的高級幹部，因抓住了業務而丟掉了政治，便存在着小圈子的違反政治原則的本位主義作風。只管生產任務而忽略了政治立場，只顧單位表現而蔑視了組織性的進展。」因而，現在針對這些嚴重的矛盾，已將毛澤東的一「矛盾論」當作聖經般的搬了出來，作了高級幹部理論與實踐學習的主要課題。但，能否「統一」這些「矛盾」？毛澤東的藥方，未必見得即是萬應靈膏。

低級幹部整風產生新的偏差

至於說到低級幹部，問題也相當嚴重：雖然中共曾以「三反」的整風運動大張撻伐的處置了低級幹部們的貪污、浪費、官僚主義，及左傾幼稚病等的腐敗及偏差的現象，整垮了很多幹部，但這些幹部，已被整掉了的不必說，未被整垮的已發生了畏縮不前的所謂「退闇思想」，及得過且過的所謂「供給制思想」。此種思想，給帶來了「多做不如少做」，「主動不如被動」的新的偏差；並加深了黨員與羣衆之間，下級與上級之間，本地幹部與外地幹部之間，新幹部與舊幹部之間的隔膜。據上月二十七日武漢長江日報所載關於整風運動檢討一文中指出：「各縣、區、鄉級的幹部在經過整風以後，雖已糾正了許多缺點，但已有不少人存在着不必要的恐懼與猜疑，恐懼的是工作起勁了以爲容易犯錯誤、受檢討而大多畏縮怕事，猜疑的是領導幹部之間分了界限而且不信任，還都是對整風運動的基本精神缺乏認識所致。」又說：「造成此種新的偏差的另一原因，是「三反」進行時給與亂戴大帽子，互相攻擊，及放在羣衆面前，公開控訴與鬥爭的過火作法，也很有關係。」當然，這些新的偏差，已嚴重地影響了中共所謂基層工作的推進，尤其是目前大力提倡「基本建設」中的一大妨礙，因而，他們已「及時」展開了所謂關於「幹部對整風運動後的認識」底宣傳教育，以資補救。但能否補數，也還有待以後的事實答覆。

內外一片疑懼幹部補充困難

此外，是幹部的培養補充問題也同樣嚴重。雖然，中共在對人一貫殘忍的本性下原無所謂幹部的培養補充問題，但事實上整風整垮了（雖然被整除的還是以叢擴及被留時留用的公教司法工業人員爲多）的各級幹部並不能如他們理想容易迅速培養補充。因而已存在了部份地區工作停滯，一般幹部發縱過多，及黨的組織盤旋不進的現象。此種現象的主因，根據最近大陸各報所載的情況，大致可歸納爲下列數點：

一、高級幹部驕傲，大多懷有成見，存有戒心，除了重用私人，不肯大量提拔幹部，培養幹部。

二、部份地區被整垮的幹部人數過多，在時間上一時不及補充，尤其一般身爲黨員的領導幹部懷有疑懼，不敢採所謂「積極份子」提拔任用。結果，乃使大多共幹，當身兼五六職以上，乃至到十七職之多，除了開會，便無法工作。

三、中共的所謂運用幹部，有很多圈子觀念，主要界線則在黨內與黨外。中共在整風運動時發覺過於人，曾聲言所有偏差、類多爲新進黨員及新進幹部所犯，乃訂定了所謂「共產黨員標準八大條件」，嚴格地限制了黨員的吸收。造成了想進的不敢進，及要進的不得進的嚴重疑懼，他們的幹部既以黨爲主要的圈子，不僅使他們黨的組織盤旋不進，也便同時使幹部的補充難決，而且還大大地影響了一些被利用的外圍份子的情緒。現在，他們雖已因發現了此一矛盾而提出了檢討，但這個嚴重的幹部問題之一，仍非一朝一夕所能解決。

總之，中共無論怎樣一套又一套的在對他們嚴重的幹部問題加以竭力補救，但先天的不足，後天的失調，加上斷傷過甚，實已病入膏肓！最近尤其已喊出了「大力基本建設」的高調，隨着此一高調而來的第一個難題，卻正就是幹部問題。沒有辦法，便不得不來一個東抽西調，這無異是飲酖止渴，挖肉補瘡！但試問，挖肉豈補得了瘡？（沈著）

翻開中共經濟建設的底牌

其都

中共還來如瘋如狂，大呼所謂「迎接一九五三年大規模經濟建設的高潮」，如非是「癡人說夢」，也是「垂死掙扎的自我陶醉」！

三年來的中共經濟建設，唯一的資本，就是強迫奴役大陸人民，壓榨大陸人民的血汗，來從事生產！抄襲蘇俄壓榨工奴的「斯塔哈諾夫運動」，抄襲蘇俄的「生產競賽」、以及「勞動模範」「勞動英雄」的慣技，來誘惑欺騙大陸勞工流血流汗出力拚命！

勞工血汗盡成賭本

大陸勞工，三年來的血汗結晶的生產果實，盡歸中共的私囊，成爲中共韓戰的賭本，以兩年來的中共韓戰戰費龐大，及其軍政經費的繁重，何來財政預算的總支出百分之五十以上的「國」營企業投資？假若中共一九五二年「國」營企業投資，竟佔財政預算總支出的百分之五十以上，則中共一九五〇年財政預算中所列的總支出百分之三十八點八的軍事費，百分之二十一點四的行政費，百分之四點一的文化教育費，百分之二點三的地方補助費，百分之零點一的東北公債還本付息，百分之九點四的總預算費，如何大量削減而降至總支出百分之五十以上？始可有百分之五十以上的國營企業投資，這豈不是欺世欺人的騙局。

中共今日狂吠「迎接一九五三年大規模經濟建設高潮」究竟靠什麼？靠蘇俄嗎？蘇俄今日，在聯合國的西方各國根據「巴黎協定」嚴厲實施對蘇俄及其東歐附庸國的「經濟封鎖」與「貿易禁運」的雙重壓力下，已經減到自顧不暇，捉襟見肘，窮態畢露，即蘇俄本身的第五個「新五年計劃」，今後如何完成，亦大成問題。不但是無力來協助中共明年的經濟建設，相反的，而且是大量壓榨中國大陸的資源與奴役大陸中國的人民！中共今日大言不慚的宣稱「迎接即將到來的大規模經濟建設高潮」，除了傾力壓榨大陸農工的血汗而外，別無第二個資本！

外滙枯竭建設無資本

況且，中共外滙今日已告枯竭，更無法擴充其明年經濟建設的資本！如果中共在經濟建設上無法增加其設備，即大量購進經濟建設的機器器材，而祇在大陸原有經濟建設的生產設備上大量折舊，只有大大降低經濟建設的固定資本！

三年來，中共用盡其詭詐，來誘騙大陸農工的增產，提高其勞動生產率，到如今，死的死，傷的傷，殘廢的殘廢，失業的失業了。

根據中共「中華全國總工會祕書長」賴若愚一九五二年九月十六日的報導：略爲看看工人階級三年來在生產戰線上的英雄姿態吧。大陸易手後的第二年（一九五〇）有六十八萬三千工人參加了勞動競賽；一九五一年就有二百三十八萬人參加了競賽；一九五二年上半年，「三反」、「五反」運動後參加「愛國增產節約競賽運動」的佔全體職工百分之八十以上。」「東北工人在一九五一年的勞動生產率已超過易手前最高水平百分之四十二，一九五二年上半年又比一九五一年同期超過百分之二十點九。以煤礦生產爲例，勞動生產率比易手前提高了百分之八十八。」

我們從以上這一報導中，可以看出中共強迫奴役，殘酷壓榨勞工參加生產競賽，嚴厲！中共除以此殘酷的手法，是無法增加其生產率的！其實，現在工業的發達，生產率的提高，不關壓榨勞工的勞力，而圖縮短勞工的勞動時間，及增加勞工的生產技術，來使用現代的工業設備。這一「原始性」的勞動生產率的提高，只是剝削勞工的「剩餘時間」及其剩餘價值」，中共今日已成爲大陸上的唯一資本家了！唯一的大地主了！

偷雞賭徒必然慘敗

近一月以來，中共在大陸正如火如荼宣傳「中蘇友好月」，其間，玩弄勞工的手法，又不外在於造到一九五三年多騙幾個勞動英雄與勞動模範的出現的陰謀詭計而已！以提高其生產率，而供中共對外侵略及其在韓戰與參加越戰的賭本而已！

中共是只講目的，不擇手段的暴徒，而其殘忍，曠古未有，中共在大陸自從展開「生產競賽」以來，忍不顧人命的，工人傷亡之多，以中共報紙公開承認之數字而論，即堪駭人聽聞！而今日大陸各地的職工失業狂潮，怒濤澎湃，即中共高層自己也不打自供的承認：「今日大陸失業問題嚴重化，表面化了！」今日大陸各大城市的失業職工之多，雖無法統計，但以廣州一市而論，已達失業工人十二萬人以上，佔全市人口四分之一。再加以職工家屬在內，今日大陸的失業人民，至少總在千萬人以上，失業民不聊生，安得不成餓殍遍地，飢民載道！這一大陸失業問題，乃成爲中共的致命傷，中共自知其絕對無法解決以後的失業問題，在蘇俄憲法中乃有明文規定的「勞動權利」一條，而中共於其「人民大憲章」——「人民政協」「共同綱領」中即其三十二條「勞動政策」，則并無明文規定「勞動權利」，足見今日的大陸勞工，只有「勞動義務」，沒有「勞動權利」，故中共的勞動制度，較之蘇俄，尤爲殘酷。

總之，中共今日大吹大擂的什麼「一九五三年即將到來的大規模經濟建設高潮」，大言不慚，我們設法翻開了中共無恥至極的底牌，中共經濟建設不外是強迫大陸人民的加緊奴役！一「偷雞賭徒」的中共，終有慘敗而亡的一天。

無辜嬰兒慘遭殘害
中共「婦女託兒所」真相

·匡·

現在在中共慘酷統治下的大陸，由於中共查「德政」所賜，連拖兒帶女原爲社會組織基本一環的家庭婦女們，都不得不爲一日兩餐而拋兒棄女地去充作中共的工奴，但這些被棄的可憐的孩子們終得有人去管，於是，中共便在大力宣傳一番怎樣「照顧勞動人民的困苦」之後，即因此令各地普遍地設立了所謂「婦女託兒所」，將這些孩子統統收容到了「婦女託兒所」裏。但這只是一種大欺騙政治把戲之下的一個小插曲而已，他們並不把這些硬硼硼被奪去慈愛的可憐的孩兒們當作是人，他們是一貫殘忍的心腸在對待這些可憐的孩子們，這些孩子們不但得不到屬於人性範圍內的應有的保養和照顧，而且也得不到最低限度的飲食、衣着、和衛生，於是，乃使他們疾病叢生，死亡纍纍，這當然曾引起了孩子的父母們的怨恨，然而一直被這些一手造失的共幹們用大帽子罩住着，最近，還是因爲有個女共幹的孩子也在其中，而且病了，乃終於包不住而揭開了帽子，在上海解放日報上提出了檢討，乃使我們獲得了它的全盤眞相。

孩子送去二月 疾病虫蝨滿身

眞相怎麼樣？據十月廿二日上海解放日報所載一個名叫劉玉佩的女共幹所說的話比較清楚些，爲保眞起見，特將她的話抄錄一段如下：

「去年十月底，我響應組織號召，到皖北參加土地改革，因爲家裏沒有人，祇好將孩子送到愚園路婦女託兒所去，土地改革結束回來後，我就跑去看我的孩子，誰知道僅僅離開了二個月，孩子就瘦了很多。一問之下，才知道孩子在進託兒所不久就害了氣管炎，當時我心裏眞有說不出的難過。但更使我氣憤的，我孩子頭上竟發現有活的蝨卵，那時我眞想把孩子馬上領回去，但由於自己工作忙，沒有工夫照顧他，祇好仍寄在那裏。我想以後每星期來看他一次，大概他們總會負責一點吧。誰知道每星期去看孩子，每星期都發現孩子在瘦下去，而且孩子的肚子一直瀉個不停，由於自己在前一階段（「三反」「五反」「思想改造」）工作較忙，平日實在沒有時間去看他，有時祇能打電話去問一下，但是託兒所總是千篇一律、輕描淡寫的回答我：「好了，沒有事！」可是一到星期天我去看他時，孩子總是鬧着不舒服，因此孩子的問題，就使我背上了一個沉重的包袱。

前兩個月，我抱他去看了醫生，配了藥水，送到託兒所後，曾再三叮囑保育員：「要按時給孩子吃藥。」誰知等我星期六去看他時，瓶中的藥水只吃了一格。還有一次因爲孩子身體不好，我買了鈣片請保育員每天給他兩片，一月後我去檢查一下，一看，一盒鈣片祗吃掉四片。今年夏天，孩子不僅更瘦了，而且生了一頭的熱瘡，我實在忍受不下去了，就決定將孩子領回家。當我問他們要孩子的衣服，襪子和日用品時，他們東找一樣，西找一樣，還要問我這是不是我孩子的。結果一件絨線衣找了半天都沒有找到，我當時實在被他們氣得無話可說，看見孩子這一副樣子，我又氣又恨就走了，一直到現在有一個多月了，他們還沒有給我一個處理的辦法。

在這個託兒所裏，不僅我的孩子是這樣，我曾注意其他的孩子，也都很瘦弱，而且已有好多孩子死掉了，實在是那裏的營養太差，保育員又少又缺乏愛護祖國下一代的責任感。」

由此，我們便可知所謂「婦女託兒所」是怎麼回事，也便知道在中共魔掌下的兒童們已遭到了怎樣的劫運？現在，雖已被他們自己的共幹提出了檢討，但能否改正，誰都不敢相信，即使能改，也已經夠慘了！

人民土豪

·銘·

共產黨統制人民的方式是花樣百出；現在都造成了許多特殊階級的人物。近來大陸農村中正流行着所謂「農業生產互助組」。據本月四日上海解放日報所載：安徽定遠縣蘆橋區的重點互助組組長杜林，以組的名義，由於區委及區人民銀行的支持，借得了耕牛貸款節約後的共二百萬元，於是化了十萬元大吃大喝一頓以後，即將部份款子買了一頭驢子（他自已已有耕牛），放在他自己家中使用，餘款充作了他買菸葉的資本，一個錢也沒有分給他組裏的農民，後來農民知道了，以他借有給組委做的保山，也都怒而不敢「言」。至於耕田的時候，他從不去「助」人，而一味頤指氣使地以組長之命令別人來「助」他，稍有不順，即遭他亂戴「反動」帽子，橫暴比之於從前的土豪劣紳更大膽，名之曰「人民土豪」！

談名詞的是非

為方

近日香港市面發生一種名詞的爭訟，鬧到法庭上去了。原因是：一個房東以文字指稱一位並無「黑絲板樑」小姐爲「師奶」，受之者認爲損害名譽，訴之於理。這名詞如果在我們「外江佬」的觀念中，一定不會起是非，因爲「師奶」二字在我們看來，乃含有「師母」的尊稱之意，與粵語涵義有別也。

由於我國方言複雜，人與人相處之間，常常容易引起無謂的誤會。抗戰時期，四川人稱外省朋友爲「脚底人」、「下江人」，不知鬧過多少是非爭執。實則川諺中的「脚底」與「下江」等字義，決無侮辱意味，他們只是以川省居長江最上游的地理觀念而有此代名詞罷了。我們在普通社交中，稱男性朋友一聲「大哥」，總覺禮貌之至，但，你若在山東境向人稱他「大哥」時，對方準是大不高興，他必然作色的答道：「你纔是大哥哩！」對山東朋友如叫他爲「二哥」，對方就很高興，理由是水滸傳中的武大郎是「大哥」，武松是「二哥」啊！又如「相公」這名詞，在唐宋時代是對宰相階級人物的尊稱，即在現代我國的中南部人士，亦是對門閥子弟或高等智識份子的禮貌稱呼。然若以此稱燕趙之士們，他卻非揍你一頓不可！我們外江佬稱「粥」爲「稀飯」，若對廣東人說「請你吃稀飯」，他必然回敬你一句：「丟那媽！」因爲粵語所謂「稀飯」，是指人身的部。

許多名詞的是非，都起於方言習慣之不同。所以，凡是志在四方的朋友，對於某一地方的語言習俗，總得特別留神，以免觸犯忌諱，平添無謂的煩惱，弄得啼笑皆非。

自由談

冬耕

徐芄

江南的柚子樹葉，這時候本早該紅透了，然而今年卻是一片枯黃，不復有往年「彤葉流丹」景象；代替了紅葉的只有那無數的鵝紅旗子，觸目驚心的飄揚在村莊四周。南海的鳥兒彷彿今年根就沒有到過，況且這時候也早該回去了，因此更現得一派蕭殺氣象。能夠看得到的；只是多了幾隻寒鴉，遇到有人走過，就呀呀的噪個不休。鐵幕般的殺氣，雖然冽風終日呼呼的颳着，卻未曾吹動了靈霄；大地整個罩在鐵幕般的靈罩下，田野稀稀落落有幾個農人在耕作，冽風裏夾着蒼涼的歌聲：

「麥子兒播下了種哟！

滿心巴望它一暇一暇的茁長，

爛菜（即肥料）一把一把撒下了田哟！

麥浪兒翻黃，

×　×

莊稼漢子挑回一担担黃澄澄的麥子哟！

大娘大嫂們眉開眼笑喜氣洋洋，

我說你且慢慢喜歡！

運糧隊就要下鄉來哟！

一車一車兒送去北方……」

「王老爹！你這首歌，可眞好聽，誰教你的呀！跟我來學學看……」小二禿抖抖身上的泥土，也想學着唱。

「別學！別學！我是唱着玩的可，不要給人聽了惹出是非來。」王老爹眺着背，右手緊把着犂尾，左手執着枝竹鞭，那老水牛踏一步噴一口氣的拖着，四隻腳蹄兒陷在泥堆裏，好像就要跪倒下去似的。

王老爹揚起了竹鞭，正想使勁抽牠一鞭，打到牠那瘦削得如同岩石的髀骨，他的手就不期然的緩緩垂放了下來。

「牛啊！牛啊！你也是同我一樣的命苦，這年頭吃也吃不飽，也眞難怪你了，好吧！就息息吧。」王老爹自言自語的說着，隨手就給水牛卸除了耕具，牽着走上田埂，朝埂上一屁股坐了下去，一邊說：

「小二禿！你也息會兒再鋤吧！」

王老爹從衣襟裏掏出了旱烟桿，用火石打着，深深地連吸了幾口，接着長吁一口氣。

「小二禿！」王老爹猛然想起了吳阿牛，吐出了一口白烟說：「怎麼阿牛到現在還不來，你給我去催他一聲好嗎？唉！這年頭請人幫忙可眞難，要不照農會的規定，又說是能夠削了，又不準依了規定，又不準時來。」

「我看他是不會來了，我來的時候，他嫂子告訴我阿牛又去了農會，準是開那勞什子的會去了，去了也是白跑的。」

「唉！如果自己兒子阿義不拉去參軍，又何用請人。」王老爹自怨自艾的說。

「那可不是，阿義哥一個人少說說也抵得了兩個阿牛，可是共產黨年青力壯的，就都要參軍。」小二禿也不服氣的說：「假如我長得長大點，也還不是一樣要去參軍。」他好像很給自己僥倖。

一陣北風吹過，遠遠傳來了跳扭秧舞的鑼鼓聲。

「天這麼冷，息着吹風，倒不如做了熱身。」小二禿覺得身上有點冷，說着先自提了鋤頭下田，又一鋤頭一鋤頭翻起土來。

王老爹仍獨呆坐着抽烟。遠遠有個人由壟上奔過來，等能看清楚了，原來是他十四歲大的女兒阿英。

阿英一邊跑近來，一邊嚷着：

「阿爹！阿爹！農會裏又派人來催繳自衛農業稅了，媽媽叫你快回去說個明白……還有下午農會在市坪召開全村多耕大會，要你趕快回去參加，牛也要牽去參加的。」

「他媽的，開什麼催命會，多耕就是多耕好了，我種了幾十年田，從來也沒有聽說種田一定要先開會的，唉！現在人花樣可眞多，種田有種田會，收割有收割會，踏水有踏水會，農業稅繳過了，又要補繳什麼糧收稅，種田的人眞給累死了。」王老爹一聽到開會繳稅就有一肚子氣，一面吩咐他的女兒：「好吧！你先回去，我就來。」

爲了參加「多耕運動勝利展開」的「羣衆大會」，王老爹和小二禿只得將種了一半的田擱下來，獨個兒牽着老水牛，趕往市坪。這時候，市坪四周紅旗飄揚，人頭鑽動，「米來！米來！米來！」「米來通通光！米來通通光！」的扭秧舞及鑼鼓聲，嘈雜成一國，農民們一個個懷着沉重的心跟着舞蹈。

田野是一片寂靜，只有北風颳着樹枝呼呼地怒號，老鴉則停在壟上呀呀的哀鳴個不停。

狐媚之姿

·同書·

閒話讀書（五）

·舜生·

「知之者不如好之者，好之者不如樂之者。」假如您眞已養成了一種讀書的習慣，便可不期然而然的進入一種「好」與「樂」的境界，那種淺薄的功利主義便自然的不會存在了。

「書中有女顏如玉，書中自有黃金屋」，這算是最起碼的功利主義；等而上之，進大學的目的，只是爲了一張文憑，一個資格，希望藉此可以就業，可以結婚，以高考及格，也就還是功利主義的一種，再進一步，如古人所說的「通經以致用」，或者立意在自矜博學有以勝人，乃至存心著書立說，希望博得一個學者稱號，享受一世的大名，這也就不過是功利主義的變相；一個讀書人腦經裏先有了這一類的胡思亂想，便聽憑你搞一輩子，我想也不會有什麼了不起的成就。

在我想來，一個眞正的讀書人，除掉滿足他自己的求知慾或興趣以外，他是決不會先有一個「讀書究竟是爲什麼」的問題隨時懸在腦經裏的；換言之，讀書就是讀書，並不是爲的什麼。「日知其所無，月毋忘其所能，」「人一能之己十之，人十能之己百之，」像這樣積之既久，果然感到一種自得之樂；或果然懂得了一種前人所不曾懂得明白或說得明白的一番道理；或果然發見了前人所不曾發見的一種事物；然後迫不得已，把它好好的寫了下來，公諸時人，留贈後人，而且嚴格的保持着一個「知之爲知之，不知爲不知，」的態度，甚至連他這本書或這篇論文發表後，究竟會有一種什麼影響，也不是他所十分關心，能如此，庶幾他這本書或這篇文章才眞有值得一讀的價値了；然而這豈是一個抱着淺薄的功利主義者所能率爾從事？

薛寶釵和襲人對寶玉的讀書問題，甚爲關心，往往還要對他說出一番酸不可耐的議論。林黛玉却在園子裏搶着寶玉的「西廂記」，假如寶玉不用「多愁多病」「傾國傾城」那樣的句子去調侃她，她是連「混帳」也不會罵他一句的。就同在這一回，黛玉走到梨香院的牆角，聽着一班唱戲的女孩，配合着笛子在那里唱「良辰美景奈何天，」及至聽到「只爲你如花美眷，似水流年」等句，乃不禁坐了下來細細咀嚼，這種地方眞可看出林薛的仙凡之別了。對於一個有出息的青年子弟，做父兄的最好聽憑他的性分去發展，順着他的性分去加以誘掖，拿着一種功利主義去強迫他，去鼓勵他，甚至加以過分的督責，無論如何總要他得着一百分，或考上一個第一，這實在是萬萬要不得的。

『書當快意讀易盡，客有可人期不來，世事相違每如此，好懷百歲幾回開！』像陳後山這種意境，我們也是常常有的，究竟一本好書到手，我們還是應該快讀，或者應該從從容容的讀，我認爲這也很値得加以研究。（一五四）

萬竹樓隨筆

中國之友（四二）

毛以亨

赫德傳（廿二）

閔妃之戚閔泳廣爲赴美代表，于一八八七年杪成行，韓廷予以盛大歡迎，而以獨立國之禮待之。袁世凱至命韓已免Denny之職，他于一八八九年歸去，日人遂乘機繼美人之後來韓。一八九一年日韓商約成立，將日本棉織品輸入之稅酌減；本來韓國出口百分之九十五全銷日本，而其進口貨則僅佔英國貨三分之一，訂約後日韓貿易關係轉盛。在仁川開設日文學校以教韓人，並鼓勵韓人赴日留學，而日人移殖于韓者至一八九二年，至少有萬人，韓國造幣廠亦爲日本人所管理。於是數十萬東學黨人派代表向韓王請願，要求驅逐洋商與禁止外教。排外反日的招貼到處皆是，至與軍隊衝突，袁世凱乃告外國使館謂中國砲艦與軍隊已在中途，將開來維持治安。

一八九四年三月廿八，親日派首領金某在滬被謀殺，凶手與屍首同載中國砲艦上回韓，不聞凶手竟爲韓王所歡迎，而屍首反被斬首。五月東學黨亂事日甚，韓王乃求中國援助，六月中國兵到牙山一五〇〇人，並有七二五人在三砲艦上續到。李鴻章通知日本，謂俟東學黨亂平即將撤兵，並謂日本可派一二砲艦前往護僑。然日兵已大量湧入韓國，僅仁川與濟物浦二處，有四五〇〇人，而另數千人已向釜山進發。惟其時韓軍已平東學黨之亂，而擒其首領，顧中日兩國兵隊迄不言退。六月十七日本使臣苦中國，請其共同改革韓國內政，中國婉謝以素不干預藩屬之外交。二十二，日本謂彼將獨立改革，而不需協助，二十八日本要求韓王宣佈獨立不再爲中國藩邦。英美俄法四國使臣遂聯合照會請中日共同撤兵，中國允之，而日本則不允。日本獲得韓國金礦開採權，與公路鐵路電報的建造權。赫德謂「中日雖有共同排俄之意，但自己將會打起了。中國將受到另一教訓，而促其改革，因爲他的軍隊未能如其所預期。」這是他一八九四年七月十四致Campbell的信上如此說的，戰敗之數殆早已定局了。

總理衙門以爲國際上必出面干涉，而日本亦在要價還價，然日兵到韓者已愈來愈多，而促韓王之改革亦愈逼愈緊。中國方面，待軍械接濟運到，已自知非日本之敵，方與李鴻章協商二星期，俄亦派幾艘兵艦至韓，允爲中國後援，總理衙門停止出判，日其海參崴之海軍待機而勸，各界國亦同情中國，而不覺成日本之以武力促韓國改革。惟日本已決心宣戰，以縱領於東亞，並極仇英，七月十五，英總領事Gardener海關稅務司Brown出外散步，即遭日兵襲擊。一星期後日兵即進襲王宮，捕王與妃及其太子置之于日本方面，則脅王下令于七月二十七日，由大院君攝政，而由德國顧問漢納根Hanneken在海口爲日本所宣戰。二十五日中國兵一二〇〇人，對中日宣戰之時。不久牙山敗耗已至，全軍又以覆沒。巡洋艦所載，英政府遂避免自陷于紛，承認中日宣戰在二十三日日本逼宮之時。不久牙山敗耗已至，中國海軍撤出鴨綠江，十月日軍遂渡鴨綠，敗勢已成，李鴻章遂革去黃馬掛及三眼花翎。赫德以爲日本雖最初能勝，但決不如中國之能持久，後見最近十年撥給海軍之三千六百萬及海軍經費，全爲慈禧造頤和園與改良京劇所花去，赫德乃灰心謂中國實是老大病夫了。

愛因斯坦認錯

·由之·

以色列第一任總統魏茲曼逝世後，耶路撒冷許多有名望的人士曾擬請物理學大師愛因斯坦博士出任第二屆總統，但這位高年七十三歲淡泊名利的老人所拒絕了。

他本月初曾出席紐約的聯邦法庭作證，爲原告基布辯護，布基今年七十二歲，是三十五年前和愛因斯坦在德國一見如故的老朋友，他因爲專利權受到侵害，所以向法庭提出控訴。愛因斯坦爲了幫老朋友的忙，特不避嚴寒，出庭担任證人，前後幾受法官及律師辯問達兩小時之久。當時愛因斯坦於作完他爲布基辯護的證詞後，又把證詞的紀錄詳細研究一遍，隨後向法庭上說：他想修改其中的一部份。法官頗感興趣：把身體向前微傾，並假裝很驚愕的神氣說：「怎麼，你是說愛因斯坦博士已犯了一次錯誤？」「可能是」，愛因斯坦點點頭，承認他的錯誤。

憶抗戰首都兼懷川人

——·鐵頭·——

如果你在重慶，要訪一個朋友，那朋友並不住在交通幹線的大馬路上，而你又不坐滑竿（山轎）全靠兩腿走路去找的話，那可有得你跑的！一個地名，縱橫三五里，房子疏疏密密，道路枒枒叉叉，門牌八號與門牌九號，也許相距一里有半，而十號與十二號卻隔一個小山頭，正好是南北背立。假定你的目標是十二號，當初如果是由某條馬路穿一小巷，爬一陡坡，再走幾步路就到了它的門口，然而你卻按照地址，順着門牌，沿路找去，結果只跑得滿身大汗，頭昏眼花。其初次尋人的困難，較之九龍的鑽石山，黃大仙，只有過之而無不及，比起九龍的許多木屋區，更散漫而無從問詢。

在抗戰八年間，全國各地，乃至舉世各國，差不多是全有人到過重慶的，然初到時的印象，卻都不很好。因之有人造出謠言，形容重慶的天時，地利，人事，說是：「天無春夏秋冬，地無東西南北，人無禮義廉恥」。這末句話，是很不敬的，而以實際上言，三者全非事實，而以最後一句，尤爲荒謬。只不過反映出初到重慶的內子，或不免匆匆來去的過客，短期遊歷，一切不很習慣罷了。

古人把四川的氣候，與江南對比說：「蜀犬吠日，吳牛喘月」。這話有一部份是對的，與江南的漫長重慶每年入秋以後，霧季就開始了，中間差不多要半年是霧季，很少看見太陽，或出現一面兩面，好像香港雨季中的一面太陽，一面從雲隙中露出的陽光。也從紅雨林中望去是模糊不清的一團，但抗戰首都却受了這種氣候的蔭庇達七年之久。

每到霧季，從三峽的上空起，整個四川，尤其是川東，全爲雲霧所籠罩，密密重重，疊疊綿綿，雲霧之厚，常達數千公尺，雖然地面以上數百公尺的空間，依然明朗如常，然川東的四山峻嶺，都達千公尺以上，若非地面有高度的航空設備，乃絕不可能，飛機低飛是以霧季期間，敵機之不能飛越，防空之固，可謂並世無倫，西一步，我們代爲一年四季估計了，大氣一半以上，秋冬，難道還能埋怨它沒有春夏嗎？（二）

自由人
中華民國僑務委員會頒發登記證台教新字第壹零貳號
THE FREEMAN
（半週刊逢星期三六出版）
（第一八六期）
每份港幣壹毫
督印人：李光譯
社址：香港高士打道六六號
電話：二〇八四八
GLOUCESTER RD. HONG KONG
TEL: 20848
承印者：東南印務出版社
地址：高士打道六十四號
台灣特派員辦事處：台北市館前街五十號
台灣總經銷處：台北市中華路一二五九號
台灣郵政劃撥儲金帳號九二五二號

培養政治的新機與活力

從一個古老的故事談起

· 左舜生 ·

要培養中國政治的新機與活力，需要好好的教育我們的國民，使中國成為一個有學之國；要使中國成為一個有學之國，則一切搞政治的人物，應以「不讀書的好漢」愈少愈好。

一個古老的故事

孔老先生有一位長於文學，姓言名偃的學生，做了魯國一個名叫武城縣的縣長，老先生很歡喜這個學生，他雖是做官去了，老先生依然對他十分的關切，尤其注意他能不能把平日所學的多少表現到他的行政工作方面去。

有一天，言偃來看老師，問過老師的安好以後，老先生便叫他坐下，問了許多武城地方的情形，談到最後，老先生問他：

「你到武城已經有不少的時候了，你也發見什麼人才沒有呢？」

言偃回答：「武城這個地方很小，人才不算太多，但有一位姓澹台名滅明字子羽的，看樣子有些古怪，但其人剛方正直，半點不肯苟且，他在我衙門裏辦事，可是除掉因為處理公事不能不找我以外，他從來不到我面前說一句私話！我嫌他有一個怪脾氣，走路一定要走大路，叫他少走幾步抄一條捷徑，他是不幹的！」

老先生聽了，點點頭，沒有說什麼。

有一天，老先生一清早，看得天氣晴明，忽然心血來潮，便對他的學生們提議說：「言偃自從上次來過以後，又有好久不曾來了，究竟他在武城忙些什麼呢？我們今天到那兒去看看好不好？」學生們聽見老師要放假，大家都高興，有幾個平日注意地方政治的，要求同去，好藉此見習見習。老先生欣然同意，便叫備好兩部車子，帶着六七個學生，一直向武城進發。到中午，便已到達武城，縣長言偃得到消息，知道老師帶着幾位同學，前來參觀，連忙整肅衣冠，出城郊迎，在老師車前行了禮，又和同學們打了招呼，便登上老師的車子，陪老師同坐。老先生一面和這位縣長學生談天，一面瀏覽路邊的光景；見田野齊整，溝水清潔，道路兩傍，已居然種了不少的樹木，田內的農夫，正在忙碌的工作，有不少的婦女和小孩子，手裏都挽着一個籃子，身上穿的衣服，倒也相當整潔。老先生看見這種情形，心下着實歡喜。車子走近城邊，人烟已漸漸稠密，忽聽見一派弦歌之聲；路上行人，看見縣長陪同一位客人下車，便都佇立兩傍，表示一種親切而又自然的禮貌；老先生更有一種說不出的高興。一進衙門，看見辦事的人員並沒有幾個，可是一切一切都井井有條，老先生剛坐下，同學們也陸續進來了，老先生滿面笑容，開始說話了：

「一個小小地方，你在這樣當一個縣長，在這裏大家都等於拿着一把殺牛的刀子去殺雞嗎？」

言偃一聽，心下便有點不高興了，便質問老師說：「老師，您平日不是對我們說：幹政治的人，第一便是要使老百姓有工作有飯吃嗎？等到他們的生活過得去了，便必須加以教育嗎？你不還說：一個幹政治的人，必須受過良好的教育，才會懂得愛老百姓；老百姓也必須受過教育，才會懂得和政府合作嗎？學生在這裏所做的，一切都是遵照老師所教的辦理，老師為什麼還要笑呢？」老先生一聽，便知道剛才的話說錯了，便連忙加以糾正：「同學們，武城的所見所聞，實在使我高興極了，我因為抑止不了我歡喜的心情，所以說了幾句開玩笑的話，實際講來，偃的話才真是對的哩！」

政治何以缺少活力

我平日注意民國以來的政治，總常常感覺缺少一種新機，缺少一種活力，也可以說缺少一種演變，演變，復演變，把今天的大陸變成了這樣一個中國，自然，原因細細研究起來是很多的，但我覺得這幾十年的教育不會辦好，而從政者又大抵不把學問看得很重，實在是最主要的原因之一。

我本來是清代遺留下來的一個「遺少」，在辛亥革命的那一年，我已經是一個十九歲的青年了。我常常把我在童年時代所受的教育和現在我自己的孩子們所受的去比較，我總覺得他們的福氣不如我，至少我知道他們的先生們那樣決不如我的先生們那樣有學問。以當時我故鄉長沙的地方官而論，我現在還能寫出他們的名字的，有陳寶箴、趙爾巽、黃公度、江標、徐仁鑄；俞明震；這般人，與我後來長大了，也還偶然看見他們的一些字，讀過他們的書；至於當時的紳士，更不可以一二數。入民國以後，情形確實不同了，一天一天必說了；就是一班軍閥與官僚也大不懂中國文化，他們任何從政的門路，不是由一讀書研究而來，一旦做了官，當然更不講學問了。

國民需要好好教育

記得我在六七歲的時候，親眼見過一位在湖南做糧道，這位老先生已經是七十左右的人了，但他雖然也有著作，但不是以學問著稱的。偶然一次，我跟到他衙門裏去玩，不知如何跑到這位老先生書房附近的花園裏邊去了，我張眼向他玻璃窗子裏邊一望，看見這位老先生鬚髮斑白，正在燈光下拿着一本洋板書在那裏細看，我連忙走開，看見他房外裝着玻璃的書櫃，總以數十計，書櫃裏面擺得整整齊齊，何止萬卷，這實在給了我一個至今不能忘記的印象！

民國以來，尤其到了現在，一班讀書人，在從政者的眼中，似乎或者是奴才，或者是臭狗，向他們還要拿這班人去學習，去看齊，至要作之君，作之師，從政的人，例如今天，既不要讀書，更不要讀書，已胡鬧，又率全國人從了他們自己的胡鬧，而胡鬧，於是乎鬧來鬧去，乃把一個中國鬧成如今天的這種景象！

要培養中國政治的新機與活力，無疑的還是要好好的教育我們的國民，使中國成為一個有學之國；要使中國成為一個有學之國，則一切搞政治的人物，總以「不讀書的好漢」愈少愈好，否則共產黨便還是要胡鬧下去的，一直把中國鬧完為止！

我對於胡適博士的希望

王獨石

記不起光緒那一年！在私塾讀書的我，讀到滿清攝政王多爾袞致史可法書中之「燕京物望，咸推司馬」的「物望」兩字的解釋，總不了解。以後活了數十年，看了許多事，仍舊不知何為「物望」。想不到家破國亡的今日，無意中卻由胡適博士身上得到它的解釋。便是：自由中國的物望，咸推胡博士。

由台北以至海外的知識份子，何以對於胡博士抱着那麼大的希望呢？德國大哲學家黑格爾有卓越的發明。他指出：歷史上的英雄，雖然追求自己的目的，而它，在同時卻是普遍的目的。胡博士手無寸鐵，沒有兵、沒有權力、沒有金錢，何能使人們從他的身上找到普遍的目的？表面上看來，好似是不對的。但如冷靜地想一想，卻能發現人們熱望他的原因。的確，他是沒有兵、沒有權、沒有錢，但他卻有大人先生們所沒有的權威與信心。他的權威，就是學問；他的信心，就是自由民主。只有建立於學問之上的權威，才是真正的權威。具有這項本能的人，他所追求的自由民主，纔能夠成為普遍的目的。英國大文豪托馬司·加萊爾在他的不朽之作「英雄與英雄崇拜」中，也有類似的意見。他把克倫威爾與拿破侖列在但丁之後，就為着這一理由。

那麼，胡適博士能夠領導人們實現自己的信心嗎？對於這一點，卻有許多不同的意見。歸納起來，約有三項：

第一種人，從胡博士的權威與信心出發，有這熱望：中華民族的命運，決定於能否實現自由和民主，今日反共與抗俄之歷史目的，就是實現自由和民主。要達到這目的，唯一便捷之路，是自由中國的強大。但，這需要今日的自由中國執政者能夠認識它！自由中國的確進步了，然覺得這步伐還不夠。怎樣促進它的步伐？必需有一個強有力的反對黨。那反對黨的任務，不是志在搗亂，而是作政府的「諍臣」與「諍友」。誰是最適當的反對黨的領袖呢？朝野上下咸推胡博士。

於是，那些主張者，對胡先生抱着一個希望：他應該出來組織反對黨。

第二種人，從胡博士的生活方式出發，否定他有出來組織反對黨的可能。他們不是否定胡適之先生沒有政治的才能，恰恰相反。他們曾引抗戰期間胡博士出任駐美大使的成就，證明似美洲獨立史上弗蘭克林的他，具有卓著的政治才能。可是，也有人說：胡博士是典型的中國讀書人，他有所為，也有所不為，決不是治亦進亂亦進的人物。在現階段出任反對黨的領袖，雖不就等於跳火坑，但「我不入地獄，誰入地獄」的人，歷史上是罕有的。由這一認識，他們斷定胡博士不會獻身政治舞台。但卻抱另一希望：胡博士似應定居台北，推動思想運動，使文化沙漠的自由中國，變為文化綠洲。他們說：這一工作的歷史意義，不比組反對黨小。

第三種人，從前兩種人的假定與結論，發出另一意見：胡博士既不組黨，當然也不會做思想運動。因為，那兩者是一物之兩面。五四時代的胡博士，既然與陳獨秀有所分別，今日的胡博士更不會過問政治參加政治了。但他們卻有這希望：胡博士可卜居台灣，在那兒照舊考證「水經注」。到必需時，為自由中國的知識份子說幾句公道話。在尚不免有誤用權力的低能官吏的今日，那公道話出於胡博士之口，是有作用的。因為，自由中國現在已有不說話的自由，應該要有大膽說話的自由呀！

大家對於胡適博士的希望愈說愈小，不免有些灰心了，那都是普遍的目的。體現它的人，經過分析後，卻愈難實現它。最後的結論：總怕胡博士還是到美國去！

在這不愉快的感想中，又有人說：「我們應該請胡適博士在上述三條路中走一條路。我們用民族的名義，應有得項要求的權利」。

是否胡博士還更有好的路？那是不明白的。但整個自由中國的知識份子，對於胡博士的希望，大概是這幾點了！

附庸國人民

蘇俄劊子手對腳下的附庸國人民說：「那邊新的戰爭販子要來了，我是保護你！」

半週展望

· 雷嘯岑 ·

北非平靜無事？！

摩洛哥、突尼西亞各地方的人民騷動，在法軍武力鎮壓之下，只是卡薩布朗卡一處，即死傷四五百名，據說現在各地已「平靜無事」了！

法國總督的善後方略是：繼續逮捕「叛亂」首要，宣佈當地的民族獨立黨和共產黨為非法組織；驅逐法共份子十二名；同時，聯合國政治委員會則以廿六票對廿四票否決了邀約突尼西亞國王出席報告詳情的提議，而對於摩、突二國的民族運動問題，噤若寒蟬，祇說過一句「希望法突雙方直接商談」的外交詞令而已。

當地總督既把要求獨立的政黨與共產黨等量齊觀，皆在非法懲辦之列，何以對於參預事變的法共十二名，又只遣送他們回國，不一律拘捕法辦呢？聯合國過去處理印尼民族對荷蘭的獨立運動，與巴基斯坦、以色列的獨立問題，都不袖手旁觀，對於北非民族的爭持事件，卻更處理以色列的獨立問題，卻袖手旁觀，這證明自由世界亦是以「強權即公理」主義為處理所在，敢不可嘆！

我們但願北非「平靜無事」，只就心世界從此多事，徒然替俄帝集團培殖其「世界革命」的預備軍哩！

杜爾斯將訪問遠東

美國新任國務卿杜爾斯表示於明年正式視事後，即將東來訪問中、日、韓、菲各反共友邦。這是美國未來新政府的一項重要動態，也意味着這次軍政首要在檀島會議的新決策，對遠東關係至大。

不管韓戰是否擴大範圍，惟今後決不會讓現時這種不進不退的僵局繼續下去，卻是必然的。如何採取主動以打破現狀，必須在東亞方面作新的佈署。杜爾斯之東來，雖不見得即可以促成他人所期望的太平洋聯盟之實現，但對東亞這一角落的區域聯防事項，必有相當裨助無疑。

杜魯門沉不住氣

杜魯門先生近日肝火大發，當着新聞記者說老麥自東京回到美國後，不到白宮謁見「總統先生」兼最高統帥為無禮貌；說老麥有解決韓戰的妙計竟不向在位總統提出，為有虧職責。更因此而遷怒於未來總統艾克，指艾氏赴韓視察是「煽動民心的奸雄行徑」，並且說他自己在大選時也有人請他到韓國走一趟，但他認為「此舉不過是欺騙無知的民眾而已」，拒絕不去云云。杜老這番話，可與當年親筆寫信要打記者的鼻子那齣劇相彷彿，是江山易改本性難移的老毛病發作了！

麥帥是否有解決韓戰的妙策，固不可知。即令他有，那不是很好，把計劃獻之於新總統執行，一樣是美國的利益，杜老又何必定要計較成功自我呢！如果老麥並無妙策，就讓他去吹破牛皮好了，相信了老麥，理由有一套，杜老總統慌張地急不擇言，反而不能得人信仰。至於艾克赴韓，無論如何總是有益無損的。他已經當選了，「好雄」之匹，才是他自己的事。他說「好雄」，正是形容你自己沒有玩政治的本領，結果落得一個「荷荷」。因此，我更覺得史蒂文生不愧為大政治家的風度，雖敗猶令人景慕，不忘。這原因只有一項：學問的深淺關係。

鹿地亘事件

日人鹿地亘被美軍拘禁事件，曾激起議會的騷動，經日本警察局長證明鹿氏曾做過「某國」間諜的要份子後，輿論已經方平靜下來了。

凡在我國抗戰時期的大後方居留過的智識份子，大概都知道鹿地亘其人的。他是左傾的幼稚病者，與郭沫若、章乃器之流同一類型的人物。他之可能作俄共間諜，是與郭沫若之可以被俄共稱為「普希金」的人格一樣，沒有甚麼稀奇。日本警察方面的調查報告，「大概」是事實。

艾克訪韓之行的收穫

E. Lindley 著　張松 譯

艾克訪韓，有百利而無一弊，雖不足促成休戰，但已使世界注意力，集中於遠東，新政府未來對韓行動，必能更受美國人民的擁護、和盟國的支持。

不論從何種角度來看，除了個人身體上的危險一點以外，艾森豪以他寶貴的時間，化於赴韓之行，確是有百利而無一弊，縱使他在韓期間並未提出這個諾言，今日的情形亦是如此。他這次訪韓，可以激勵該區美武裝部隊的士氣，協助促使世界的注意力，集中到這個地方，到目前為止，仍有許多自由國家，也許因為對韓戰的負担並不重大之故，把這戰爭列於次要地位。這次訪問，也能使艾森豪以他深湛的軍事經驗，實地研究整個韓戰問題中的軍事因素。

如能即獲休戰　亦非此行之功

不過，韓戰如能在最近將來達成休戰，卻並不是由於艾森豪在這次訪問中所發，所做或所得悉任何事情而致。這個休戰，將是由於其他已在醞釀進行中的影響所形成。這種情形，不但休戰在美國新政府在明年一月二十日正式成立以前達成是如此，即使在這時以後達成亦然，除非新政府在就職後對北平或莫斯科施以最後通牒性質的壓力，使共產黨低頭屈服，而不致引起更大的戰爭。

不過，無論新政府對韓戰採取何種行動，由於艾森豪個人對韓戰局勢的戰鬥注意，美國全國人民必更熱烈地支持這個行動。這也許是艾森豪訪韓之行的最大潛在價值。

然而在決定應對韓戰將採取何種行動路線這方面，艾森豪這次訪問韓國，其重要性，實遠不如杜勒斯目前在從事的，對世界情況及美國外交政策整個重新檢討的工作，因為解決韓戰之鑰，並不在韓國戰場，而握於莫斯科北平之手。

韓境的共軍，如再遭受一次軍事上的失敗，可能迫使北平和莫斯科讓步，這是美國一部份職業軍人主張發動春季兩面攻勢，並在韓實行兩棲登陸的目標。這個目標，雖然也可能運用對中共大陸施以有限度的直接軍事壓力的方法來達成——例如海軍封鎖大陸海岸線，以台灣自由中國軍隊對大陸發動突襲，或對大陸若干主要目標發動轟炸，但以過去的情形來看，這樣的軍事行動，須付出巨大的代價，冒重大的危險，而要獲得美國的積極盟國及其他自由國家的支持，在政治上有困難。艾森豪對這種局面，認識的異常清楚，已不需要國務卿來提醒他了。

共和黨外交政策　向較重視遠東區

艾森豪親赴韓境視察，而對本月中在巴黎舉行的北大西洋公約組織，甚至連觀察代表也不派一位去參加，這件事，可能使外間所傳新政府的外交重點將自歐洲移到亞洲的說法，更爲甚囂塵上。過去，在一般人的心目中，共和黨的政策，對太平洋和亞洲，向來比較對歐洲更爲重視。這個理論自有相當根據，特別是在過去二年半中，自促成對日和約的談判開始以來，杜勒斯一直將他的注意力大部份放在太平洋政策方面。

同時，歐洲及美國部份人士以爲歐洲現已獲致安全，也是造成注意力轉移遠東的一個因素。這種藉以自慰的理論，在一九四九年蘇聯解除柏林封鎖的時期，也曾風靡一時，後來美國劃作沒有遠見的削減防禦計，其大部份原因即在於此。現在，這個理論，也可能再使美國的防禦計劃遭受大量的撙節。

不過，我們可以確信，艾森豪對西歐重要性的估計，和北大西洋公約的組織獲致成功的旨趣，並沒有因此減弱。他和杜勒斯，都主張環球性戰略，且已鄭重接受集體安全的觀念。他們的目標之一，就是將英法及其他歐洲國家的政策，和美國本身的政策對世界一切地區調和成一個整體。

但是，一個環球性協調戰略的需求雖然更高，西方國家却決不可能以此作爲聽任韓國陷於目前這個僵局的藉口。除非休戰能在一月二十日艾森豪就職前實現，否則艾森豪和杜勒斯即必須採取某種與今不同的行動來處理韓戰問題，而美國的盟國，也必須準備與這行動合作。耐心等待，決不是一種政策。

美國防新政策

艾克新國防部長威爾遜談

美國新政府的國防部長威爾遜，是個卓著的實幹者，處事精明，秉性保守，但也不怕改革。他以工資每小時一角八分的學徒出身，四十三年來，不論是做技師，當商人和行政人員，都已證明他的才幹和創造力。

不過，當他在艾森豪政府內就任國防部長時，却需要更高的能力，這個職務困難重重，隨時可遇障礙，自五年前美國武裝部隊在國防部長之下「統一」以來，國防部長一職，已四度易人。福雷斯特因工作過度煩重，以致精神失常，自殺而死；詹遜遭杜魯門免職；馬歇爾將軍任職不一年即行引退；羅維特則識在大選以前，即宣佈不論民主共和兩黨何者獲勝，他決在新政府成立後辭職。

國防部的問題

國防部不僅是政府中最大，支出最多，和最專門性的行政部門；而國家的存亡，即操於它所屬人員之手。它的高級人員所作決定，可以在冷戰或熱戰中形成國家的勝利或失敗。

威爾遜對於重大職務，久已熟悉。在他目前通用汽車公司董事長的職務範圍內，他管理着世界一個最大的商業組織，在第二次大戰中，這家公司即曾與政府做過一百二十億元的生意。這個是擴大複雜的組織，廢除了中央集權，所屬各部門營業與生產方法，都相互激烈競爭。

不過，國防部長任務的煩重，却非威爾遜以前的任何職務所能比擬。他將負担美國僅次於總統的第二個最重要的任務，將近五百萬人——其中軍人佔三百六十萬——將在他之下工作，他將每年支出四十億至六十億美元的鉅款，雖在世界各種預算紛紛增多的情況下，這仍是一筆最大的預算。

武裝問題的解答

在政台上，他將面臨力求撙節的國會謀求削減支出的方法與途徑，以平衡或至少降低國家的預算。在他本身的部門內，他將遭遇各系的衝突和激爭。威爾遜需要解決這些現象，以治療國防方面目前猶豫不決的疾病。他也需要在削減軍費，和增加國家軍力的兩種要求間，尋出一條適當路線。

對於這新職位上將產生的問題，威爾遜已表明過他的解決途徑。他很久以前即認爲「自一九四五年積極的戰爭結束以來，美國一直沒有一個適當和實際的工業動員辦法。當韓戰發生時，國防部手忙脚亂，祇能以應急辦法來對付，這種措施代價既高，且妨害民間經濟，甚至不能及時達到足夠的程度。」

他的答案，是使美國的工業能隨時改變，以適應全面和平，全面戰爭，或非戰非和的國際局勢。他這答案的論據，是認爲「在無限期的時期內，美國的準備應該是一個持續性的政策」。

他對於他所提出的辦法，本身即已開始實行，通用公司目前正建立幾座所謂「汽車飛機工廠」，民用和國防的設備都準備於廠房，能隨時向國防或民用生產方面轉變。

威爾遜和艾森豪將軍一樣，也認爲武器計劃，不能單由軍方人員來推動。這個計劃，乃是一面保持武器的源源供應本國與盟國的軍隊，一面保持新武器的發展與改良。它需要集合軍方和民間最優良的人才共同研究和實行。他感到他所提議的那種具有「雙重目標」的工廠，也能協助解決這個棘手問題，使已定型式的飛機、大砲、坦克繼續充份生產，而更新的武器能從設計階段進入實際製造。

武裝部隊的內爭

威爾遜認爲各武裝部隊間的衝突，是可以解決的，他說：「我將偏重於謀求三軍的合作與協調，不過我希望美國人民，不要希望太高，也不要求太迅速的效果。」

他將定下一個政策路線，然後讓所屬各部門自己採取主動去執行它。

「每一個武裝部隊，從上到下，都有獨立行動，作決定和正常業務的範圍，像一個商業組織內的部門一樣」。他深信這種競爭的方法，能使每一部門有它的責任感，且能自行提高其效率。他說：「各武裝部隊如能適當地統一，它們的工作效率必能提高，支出卻可減少。」

威爾遜對這些鞏固軍事機構和使它獲得良好活動基礎的計劃，並不採取普通方式來實行它們。據他的朋友說：「他不採用已有的各種方法，而祇運用他自己的『威爾遜制度』。」他在勞工方面，即已以這「威爾遜制度」解決了許多困難問題。

威爾遜從沒有想謀一官半職。他曾說，祇有艾森豪威才是他願在華盛頓供其驅策的人。這樣做，他不惜放棄了通用公司年薪五十六萬六千二百元的董事長，而接受年薪二萬二千五百元的國防部長職，且使他進入他素來不喜歡的政府官場。（周明譯自「新聞週刊」）

自由中國的兵力使用問題（下）

・黃震遐・

自由中國的主要作戰條件，在能運用最便利的政治因素，包括中國民族心理及社會的傳統，地理適應的能力，加上一種由時勢所造成的反極權反共黨專制的主義立場，轉而對付敵人，過去失敗的原因之一是由於過份堅持統治地位，以後則可立於反抗蘇俄侵略的民族革命地位，反其道而行之。當使自由中國一旦發展攻勢，可能號召人民，將共黨所動員的鉅大人力，掉轉頭來對付共黨自身，國軍的兵源是在大陸內部，不在台灣。台灣需要提供的，祇是一枝訓練精強紀律嚴明的突擊軍，以使打開鐵幕的缺口，讓大陸內部（特別是沿海）的反叛勢力乘機起義。

此外還要的一點，是政治工作，對付一個極權敵人，不能沒有能訓民衆的計劃，政治工作操之過急，權力過大，可能轉爲極權主義，但自由中國的政治工作，是爲一種自由民主的理念而戰，不致有此顧慮，戰鬥最前後，戰場中的實際鍛鍊及自由世界的後方推動力量，可能使政治工作提高品質，融合自由與組織兩種制度之長，而形成一種「民主的政工」。屆時世界其他地區如仍處於僵持的冷戰狀態，則中國內部的火辣考驗，將成非常值得注意的事實。我們不敢斷定一種新世界的模型，會在中國內部誕生，但是如果中國獲得優先實驗此種戰後秩序的機會，則其動力所及，必對蘇聯世界的八億人民，發生直接的影響，這點也是自由中國擁有的優越條件。世界上沒有一個國家有此條件。

局勢進入軍事階段，民族主義的心理及政工技術問題，將較其他任何抽象政治的原理更爲重要，自由中國所以能夠來重於西方戰略決策當局及自由中國的未來勝利基礎，皆基此兩點，不通過五年的，見經驗及未來的實戰鍛鍊，是不可能的，環境倘不賜給自由中國以此歷史形勢的勝利，也是不可能的。自由中國的兵力使用問題，這點關鍵非常重要。

如何方可運用中共所動員的「人海」，利用中共政治工作的基礎而不受其害。使反攻的解放勢力隨着人道及自由的民族精神而深入、普及、和壯大發展起來，使內戰的形式服從民族戰爭的內容，纔是減輕敵人阻力，粉碎蘇俄壓力的重要手段。劉邦「約法三章」的目的，並非根本取消秦政，而是給與秦政以若干人道意義。

跟着來的是以秦政爲基礎的文景自由主義，由此奠定漢武的壯大。

這是專指一個戰略問題而言，不是談理想，自由中國及中國人民纔可產生治國平天下的理論，纔可走向民主與進步，但在反攻的實戰過程中，民族主義及政治工作是不可少的，怎樣提高此二者的品質，使有優勝的進步力量，纔是反攻大陸的基本前提。

基此，軍事前提的結論，纔是政治。在軍事上，自由中國的兵力使用方向。必須指向中共在政治上最感痛苦之處，以求收穫最大效果。自由中國的兵力，必須好像滾雪球般越滾越大，是瓦解而非殲滅敵人，纔是用兵的原則。

捨此不圖，而純走狹義的決戰路線，我們將看不出一個明晰的出路，也看不出接受教訓的決心。目前已經到此關頭了。（完）

尼龍避彈衣的祕密

美軍當局十日宣佈已製成避彈褲，即將運往韓境。此類尼龍製成之避彈衣，早已在韓境試用，成績優良，在七個人中可以救活一個，雖然並不能阻擋步槍彈，但足以防止手榴彈和傷人最多的砲彈碎片，一個步兵，憑着這個避彈衣，就存在戰場上死裏逃生的機會。

避彈衣的效用

美國在韓戰的傷亡數字，最近已增到每星期一千二百人，實爲一九五一年十一月以來最高的比率，但傷亡比率雖然很高，如美軍現在不穿上新型的避彈衣，則傷亡數字恐怕還要更高。

由前綫士兵及海軍陸戰隊大量使用之避彈衣已經發出，在某些戰區，避彈衣已使傷亡數字減少了百分之六十六。總之，它們已能從七個作戰受傷的人中救活一個。

前綫步兵使用的新型避彈衣，全部是新製，經過九年的發展，已於本年春間，由陸軍方面小規模的在韓國使用。另外另一種形式的避彈衣，則大量配發給海軍陸戰隊使用之後，由於陸戰隊成績甚佳，因此在陸軍方面也就普遍應用。陸軍方面當時就要求三萬一千套特別適合陸軍使用的避彈衣，現在當然需要得更多了。

避彈衣是由許多層尼龍薄片或塑膠疊成，可以從肩頭一直保護到腰際，對胸部及背部都一樣有效。

現在所使用的兩種避彈衣，實際上那一種都不能夠真正避彈。除非從很遠射來的那種強弩之末的砲彈，則避彈衣是不直接能防止來福槍的。但美軍約有百分之八十是給手榴彈破片，迫擊砲，或大砲破片所擊傷，在許多情形下，穿上新型避彈衣，就可以防止手榴彈，迫擊砲及大砲彈碎片，有時還可以防止刺刀的刺傷。因此，避彈衣可以保護身體最重要部份，以抵抗最危險的戰爭。

塑膠避彈衣

由海軍內醫療局偕陸戰隊研究的塑膠避彈衣，已經廣泛被使用。它是一種無袖的尼龍背心，裏面嵌着塑膠片，像魚鱗一片一片疊起來，保護上體周圍各部份，每一膠片大小五吋見方，厚八分之一吋，而且微微有些彎曲，以適合身體的輪廓。它是由十五層透明的纖維重疊而成，形如魚鱗，共重七又四分之三磅，價值美金四十五元六角。

尼龍避彈衣

由陸軍後勤部研究的尼龍避彈衣，自今年二月以來就已經在韓國使用得很有成效。但到現在才大量定製。外形與陸戰隊的避彈衣相似。係由十二層尼龍布疊成鱗形，因此非常柔軟，比前者重一磅，至於價錢，兩種大致都差不多。

兩種避彈衣係由陸軍部及海軍部各自發明的，都是模仿美國機師在第二次大戰中所穿的高射砲防禦衣。這完全是重金屬薄片製成，至於如何將這種二十五磅重的裝甲設備，經過不斷試驗和改正，造成了地面部隊第一套現代化的貼身的避彈衣，它的祕密卻從未公開過。（黃韶泉節譯「美新聞與世界報導」）

△一個士兵正從尼龍避彈衣中取出一塊可以致命的彈片。

「人民幣」再度貶值後
共區物價上漲人心動搖
中共財經瀕臨崩潰邊緣

中共的人民幣對外牌價，自一九五〇年一月一日以來，至最近一次調整前，曾經過二十三次變動。由一九五〇年初到一九五〇年三月十一日，其外匯牌價的八次變動中，均係逐次掛高外幣比率，其差度以美匯為例，適上漲一倍。自一九五〇年三月十一日至一九五一年一月二十日的十四次變動中，外幣比價即不斷被抑低。從一九五一年一月二十日作第二十三次變動以後，即一直未加調整。其所以不加調整原因，一方面在加強人民對共幣的信心，另一方面則因當時中共方致力於搶購物資，降低外幣比值有獎勵輸入之功。自一九五一年下半年以來，由於美國及東南亞各國政府先後限制僑匯，加以大陸土產滯銷日趨嚴重，使中共外匯資源逐漸陷於枯竭。到了最近，這一情形已抵達惡化階段。因此，維持二十三個月的外匯牌價，不能不實行更改，而於本月六日正式宣佈貶值了。

調節貿易作用不大

這次的貶值幅度，照中共官方所宣佈的比率，除美滙外，一般均下降百分之十，這較歷次貶幅為大。依照共方的宣傳，「人民幣在國內市場上的購買力和其外滙價無關」，這次「人民幣的降低，主要的是調節對外貿易的一種手段」。這一說法顯然在掩飾其通貨膨脹的趨勢，絕對不能作為貶值的合理解釋。

在現代的經濟結構中，外滙牌價在正常情形下乃關聯對外貿易的樞桿，外滙牌價的變更，確能影響商品外銷的成本：降低本國貨幣的比率，在國內物價不變的前提下，可能達成促進輸出限制輸入的目的。但在中共包辦對外貿易的情勢下，貶值對貿易雖有若干刺激，但實際上的影響不會太大。因此，其不顧宣傳上的損失而實行貶值，必然不會完全為了貿易，而係另有其它動機。

二項動機迫使貶值

第一個動機是由於中共財源枯竭，已使其通貨膨脹到了無法收縮的局勢，索性利用貶值來搾取大陸各階層人民。本年度中共的財政預算，總額達七十七億七千餘萬美元，其年終赤字，最低限度當在十億以上。自「五反」結束以來，其通貨即一直在膨脹中。據中共「中國新聞社」十三日北平消息：去年年底全國參加儲蓄的共三百零六萬戶，到今年六月底，儲蓄戶增加到一千四百四十四萬戶，全國銀行的貨幣活期存款增加二點五倍，貨幣定期存款增加二十五倍。如果每乙存款戶的存款額平均以共幣一百萬元計（約合港幣二百五十元），則人民存於中共銀行的存款，即達十四萬億，根據這一數字推算，目前中共所放出通貨，最少在三十五萬億以上，貶值百分之十，即等於一次括入三萬五千億。

第二個動機是想藉提高滙率來騙取僑滙：自台北召開僑務會議以來，中共對華僑的政策，已在逐漸修改中，除了下令海外銀行辦理所謂「約期滙款」外，「託收」「託管產業」、「贍養費」等辦法，其目的皆在於搾取僑滙，這次的放長外滙滙率，顯然亦係企圖藉此僑滙，以彌補其日趨枯竭的外滙資源。

物價上漲貶值無益

但不管中共如何玩弄戲法，由於其經濟情勢的惡化，與海外華僑對中共痛恨心理的滋長，貶值對獎勵僑滙所能發生的作用將極微，對促進對外輸出更可能發生相反的效果。

第一、自中共宣告貶值以後，在過去一週中，香港市場的「人民幣」黑市，已下降至一比七千六百元，較新牌價又低百分之八十，內外價差額，不但沒有消除，而且正在急劇擴大中。海外華僑，誰肯將穩定的外幣，滙回大陸？

第二、降低滙價以刺激出口，必須國內物價能保持穩定，但自貶值以來，大陸物價，實際上已跟蹤上漲，據本港「工商日報」的報導，廣州日用必需品牌價，貶值後已上漲百分之五以上，而舶來品更上漲百分之二十至二十五。據共方報紙的宣傳：「中國百貨公司的存貨被搶購一空」，國營金銀首飾店門前亦大擺長龍，「[illegible]顯示出異常繁榮的現象」，這一情形說明人民對共幣的信心業已喪失，正急於拋出貨幣，以圖保值，這一現象的發展，將使共幣流通速度大大增加，直接刺激共區物價的上揚，間接抵銷貶值對出口貿易可能發生的影響。

韓戰繼續中共必垮

根據當前的情勢觀察，由於大規模備戰計劃的推行、與韓戰越戰越不斷的消耗，中共財源確已面臨山窮水盡狀態。明年度中共的所謂「基本建設」，乃中共企圖鞏固其政權基礎的最後掙扎，但「基本建設」非財莫舉，在大興土木的需求下，「人民幣」膨脹可能變本加厲，中共雖可能再用捐獻公債進行收縮，但貨幣的流通量超出物資的供應量，幣值的降低仍將無法避免，「人民幣」[illegible]結果，必使「人民幣」陷入「金圓券」的覆轍，成為中共政權敗亡的基本助力。如果中共不能懸崖勒馬，趕緊結束韓戰，則以有限的國民所得，填無底的戰費深淵，可能使大陸經濟由枯竭而崩潰，這次「人民幣」的貶值，祇不過是一個開端，眞正的風暴，還在後來呢！（竹園）

中共進一步刼奪私有企業
上海民營工廠首遭開刀

「補課」運動是要把私營工業中尚有人性、繼續消極頑抗中共政權的工人全部改造和消滅。

民主補課初步　澈底控制職工

中共近爲澈底控制私營工廠工人，並利用其作爲完全刼奪私營工廠的幌子起見，業已在私營工廠最多的上海首先展開示範性的所謂「私營工廠民主補課運動」；隨着此一運動的展開，現在大陸所有私營工廠眞正已臨末日，今後勢已名存實亡！

中共雖一味標榜工人階級專政而在盡量利用工人，但控制大陸三年，對於私營工廠的工人，尚未能做到澈底消化、控制。據最近上海總工會副主席劉民公開報告，解放以來，私營工廠的羣衆工作還是不充分的，政治覺悟尚未達到應有的高度，工人階級內部還存在着某些不團結的現象，基層組織仍很不夠健全云云。因而又說爲了進一步發動羣衆，提高政治覺悟，劃清革命與反革命的界線，幫助舊職工交清歷史，放下包袱，純潔工人階級的隊伍，加強職工團結，堅強工人階級基層組織，並爲保證黨的政策和國家法令在私營工廠正確貫澈創造更有利條件，乃開始進行了私營工廠的民主補課運動云云。據此，所謂私營工廠的民主補課運動的用意何在，當已一目瞭然。也可明白所謂「補課」即是「鬥爭」，即是「澈底鬥爭」。

怎麼鬥法？據本月四日上海解放日報披露中新聞說：「爲了加強運動的領導，除組織強大的工作隊以外，還必須採取集中訓練本廠幹部和積極份子的辦法，使他們通過回憶、對比、訴苦、控訴、自覺交代等，提高覺悟，初步純潔領導核心，作有計劃的大力推進。」因此，又說：「現在上海所有私營工廠的工人階級弟兄，已在紛紛訴苦，控訴，或交代，已獲得百分之七十八以上的成績。」亦因此，現在所有私營工廠的工人，業已全部被中共的工廠幹部緊緊地勒住了頸項，完全變成好像玩戲的猴子了。

民主補課目的　整個刼奪私廠

但中共之控制私營工廠的工人只是一種手段，其目的還在澈底刼奪私營工廠的財產與生產權利。因爲在組織了私營工廠的工人普遍地演出了訴苦的活劇之後，即向資方進行了鬥爭，在所謂「暴露」的民主「[illegible]」下要他們個個都「交代」了「歷史」，而「加強」了組織以後的工會，選派代表（實際是由共幹自派自任）去「協助」了各廠的會計，材料，庶務，營業各部門的業務，實際控制了各廠的主權。據本月四日上海解放日報所載，說上海第一期實施「民主補課」了的私營工廠已有七十四所。第二期已有三百三十一所，目前正在進行的第三批已增加到九百多所。他們的所謂「工作隊」是一廠一隊，亦已增加到九百多隊。又說私營工廠工人的訴苦運動在各工作隊的鼓勵支持下都非常「踴躍」，僅私營申新五廠甲班搖紗車間的十九個工人，就訴說了四十四種苦處。私營大隆機器廠的七百六十多人，就「吐」出了三千多件「苦」。又說因而結果已劃清了「恩仇」與「階級立場」，亦因而「澈底掌握」了各私營工廠的行政管理和生產方針。

現在，隨着上海的「帶頭」展開所謂「民主補課」運動，各地已提出了同樣的口號，勢將所有大陸的私營工廠全部刼奪而後已。

至此，我們——特別是因循苟且或想投機結納——實已可澈底明白：中共的所謂「民族資本家」或「勞資兩利」或「新民主主義」中所說的允許私營工業的「自由發展」，乃完全是一種籠住人民財富而加以及時劫奪的圈套！因此，眼看今後大陸的所有私營工廠不僅已名存實亡，而所謂「民族資本家」的最後命運，亦已到了悔之已晚，只有死路一條的悽慘地！這對於自由地區的工商人士，實在是一個很有意義的血淋淋的教訓。（沈著）

中共高喊修建鐵道
爲蘇俄侵略舖路
攫取中國民族資源　史魔更可暢所欲為

中共秧歌政權登場以來，關於中國大陸的鐵路即提出了「恢復與發展鐵路交通」的口號。這一口號若叫囂得有聲有色，做得煞有其事，如仔細分析其修築鐵路的圖像，任何人都能瞭然：中共一切手法仍只是替其主子史達林完成侵略資本而已。

說起鐵路，中國大陸上的鐵路分佈：東北諸省佔百分之四十三，爲全國鐵路最密地方；長江以北佔全國百分之二十二的鐵路；其餘則多在長江以南，全長共約三萬五千公里。所有這些鐵路除滇緬鐵路是在抗戰中設計修築者外，大部都在中日戰爭前八年就早已通車了。抗戰期間，鐵路線爲日軍所佔用，淪陷期間日軍只有在軍事需求的情形下來維持鐵路的營運，非軍事所需自然就談不上

從修路看扒路

修築鐵路，客車和運輸在這個時期亦幾不到。然而，這種情形究竟係非常的情形。勝利以後，殊不料，共匪作亂，同時，他們爲達到顛覆政權的目的起見，不惜將國家財富的鐵路二萬餘公里毀，搞得拆的拆，拔道釘的拔道釘，扒路基的扒路基，從萬里冰封的東北角到遙遠的西南省份，只要有鐵路通過的地方，沒有一處看不到「橫躺的路軌：倒在破毀了的路基兩旁，或者斷裂在路基上。這種「豐功偉績」，中共政權一向諱莫如深，可是，身歷目睹中共的「扒路」的人，對於中共所導演的「扒路」慣技，以「扒路」起家的事實是透透徹徹的了。中國大陸的鄉里間，那個不知：八路軍又稱「扒路軍」。而今，儘管中共爲了遮掩這種事實，恐嚇中大興兵黷武的土木以炫其煌煌收穫，卻愈彰其秧歌鐵路的[illegible]

[illegible]「充軍」、「勞動改造」，異己去服苦役——修路，爲了達一己私慾的「一面倒」……斷把它恢復取政權而一但「以「全國鐵路強迫於人們」下大陸人民對過去彰明昭著的那些事實，總是記憶猶新，眼睛雪亮的。

據中共的報導稱：修復的鐵路約一萬五千公里；新修的一千五百公里，目前全國通車的鐵路全線共二萬四千公里。

單就上述簡單數字的分析：修復的鐵路有一萬五千公里之長，可想見中共在流寇「扒路」時代，對中國國家財產破壞的情形之烈：全國鐵路線約二萬五千餘公里，被破壞的百分之六十，照三年來所新修大關鐵路與成渝鐵路已修完成，說全國鐵路約二萬七千公里之譜，中共本年度全國總路程與[illegible]的統計亦有如此，二千[illegible]卻只有二萬四千公里，通行字（一說近其餘二千公里的鐵路仍未通車，究竟原因何在，不得而知。

一切為了俄帝

再看，這所謂中共秧歌政權大力新修的鐵路——「成渝」與「天蘭」，在一對照中共所有官商一切與地學社出版的地圖對中國鐵路所有的[illegible]說明之下，都爲一條[illegible]修建鐵路，侵略的目的而已，[illegible]建造的，並不能[illegible]中國經濟交通的輸送，[illegible]繁榮。那[illegible]修建[illegible]的蘇俄侵略[illegible]南族[illegible]民族[illegible]

怒江怒吼了

西南三大峽谷區中的河流，以怒江最能名附其實：怒江從西藏的唐古喇山脈起源，經西康與雲南，水勢洶湧澎湃，像發怒的樣子，一直流到緬甸叫薩爾溫江。

怒江流域的區域是「民家」少數民族與「傈僳」少數民族雜居的地方。他們還過着部落式的生活：背着筐筐，越山爬嶺到百里外的「街子」去趕街，以交換他們的所需，往往他們帶了山上出的黃連與其他藥材牛漆等貨掉，再買回「鹽巴」使用。

中共的民族政策的所謂正確領導：對這些無知落後民族採牢籠與懷柔的政策，在三年中毫無收穫，因為中共所用的少數民族共幹根本對那些少數民族的生活方式無瞭解，處理問題時候操暴妄動，對民家與傈僳的空頭支票從來不曾兌現，就拿片馬附近民家一支趙姓的人家來說，共幹誘導他們走到「婚姻自由」的路，借他們民俗想「因勢利導」進共產黨式的「林水主義」，以便吸收民家人，「以民家治民家」，可是結果害得那家人爲民家人不恥而家破人亡，引起了民家人對中共的普遍不滿，據最近來人的報導，民家與傈僳比較開化的「有權階級」都祕密組織起來，準備幹掉共產黨。（仁）

[illegible]

遙憶司徒雷登

為方

據白宮宣佈消息：美國駐華大使司徒雷登已自動請求「炒魷魚」（粵語解僱之意）那經杜魯門總統核准了。司徒博士臥病多時而依然負着大使的名位，延到民主黨政府垮台總照例昔辭；杜老總對許多在任官員懇請掛冠的皆留中不發，獨於司徒之去，却馬上照准。這都是反映着未來的對華政策眞的要變，變得要跟杜魯門主義走不同的路線了。

司徒博士乃十足地道的牧師型人物，在中國傳傳教，辦辦教會學校，或許有些用場。教他搞政治，已經是荒乎其唐了，再要他幹那政治上最不容易應付的外交業務，這與我國過去派馮玉祥爲考察美國水利工程特使的玩藝，同屬「不勝惶恐要命之第」！眞是沒有的玄事兒。

記得卅八年上海大戰時，我住在親戚家，有位朋友跑來暢談時局，很莊重地說道：「現在唯一挽救國家的有效策略只有一項」。我問有甚麼妙策？他答：「密令駐京部隊譁變，擾亂各國使館，把司徒大使幹掉，美國一定興問罪之師，我們馬上無條件投降，讓美軍佔領京滬一帶，大局不就穩定了嗎？」我大笑道：「老兄敢情是司徒先生的學不成！何其思想見解與司徒雷登先生的對邦外交方法如出一轍也？」朋友嘿然告別，至今不知其「胡適」，其情景與司徒大使之悽然追別南京，不知所措，又是一般無異。我追憶司徒先生的過去與未來各情，更聯想到這位現代諸葛亮的錦囊妙計於不置啊！

（自由談）

夢幻

山禾

錢長江是生長在北方而出生世代書香的×大高材生，可說品行好，功課佳。只是富於激情和幻想，特多不滿於現狀的苦悶和煩惱。但幸好他有一個爲他同級同學的愛人文幼蘭；不僅生得姣麗，而且勤於求學，熱心政治，社會的情狀，使他倆志同道合，互相切磋、鼓勵、安慰，暫且擴開現實，有他們自己一個理想的小天國。

三四年前的大陸有一股神祕的暗流在到處衝擊，播盪。這暗流利用着社會十足的浮亂狀態，一時風靡着苦悶的，憧憬的，以及投機的人心。不久，北平已宣告「和平解放」，這暗流乃漸漸公開成了一種「風氣」，錢長江兩情人於是天眞地將他們的小天國投入了俄式「社會主義」的幻夢；走出×大，走進了「華北軍政大學」。

走進了「華北軍政大學」以後的錢長江和文幼蘭被認爲是長於文字而編入了「新聞工作人員專修班」。俄式新聞人員的職責全在歪曲事實，假寫報導，蠱惑人民，因而，他們必先學習一套俄式的邏輯和眞理。

起初，良心在錢長江和文幼蘭的胸中作梗，很不容易接受那套俄式的邏輯的眞理，而形勢比人強，他們又不得不硬着頭皮人云亦云地接受，他們乃遭到了空前未有的苦惱，後來在無可奈何之下，只好假想這套俄式的眞理也許確是在長遠的將來走向大國的不二法門。因而，他們終於認眞地學習，順利地走過了從知識青年到「新進幹部」的這段過程。

「華北軍政大學」的大部份人是爲適應林彪南下所需而加緊培養的幹部。錢長江和文幼蘭也隨軍南下到廣州當了戰地記者。他們起先爲了違背良心而依然不滿現狀，感到苦惱，但幸好兩人依然能在一起相處，依然可以互相切磋，安慰，特別是商討着如何抹煞良心，以達成「人民記者」的任務。

他們曾當着「解放軍」在任意屠殺善良無辜的時候寫過怎樣英勇地鎭壓「反革命」的文章。

他們曾當着內繳糧徵稅而至自己剛剛皮草根了的老百姓寫過人民在解放後如何豐衣足食的文章。他們曾當着鄉村一片災荒，市場一片蕭條之下寫過村農如何繁榮市場，如何興旺的文章。

他們明明在面對這些可悲底現實加以歌頌；但一年，兩年，三年……他們愈走近共產黨的圈子，愈感覺到關閉他們理想的小天國愈遠。他們已更不滿於現狀，但他們在一個鐵網的籠罩下幾已混沌思的自由和勇氣都已失去，他們徹頭徹尾地感受共產黨的無微不至底控制的恐怖！

因而，他們已漸漸地不得不將政治社會的理念與責任感完全丟棄，他們已只想在他們的小天國裏有了愛情便已滿足。他們開始在愛的狂熱中打發人生。

然而不久，他們的愛情已受到四野「政治部文教部」部長的檢討，警告他們不要因愛情損害了工作。祇是那位文教部長對着文幼蘭所警告的詞句非常輕佻，他的眼鳥溜溜地盯住她時，充滿了邪意！

從此，錢長江的心頭已完全蒙上了陰霾！

又不久，錢長江突然奉到了從廣州調往武漢長江日報學習的命令，既沒有不去的自由，他就不得不暗然神傷地握別了他的愛人，悵惘地踏上了北駛的火車。

但到了長江日報以後的錢長江與其說是「學習」，乾脆還是說是那文教部長有計劃的佈置下調虎離山，給他個易地軟禁。因而，他不僅從此已不再能看到他的愛人，即連他連續給了她十多封信也看不到她一個字的回信，她已有如石沉大海。

他當然不甘心，最後終於「任性」地冒了險溜出了漢口，踏上粵漢車，他想到廣州看一看她的究竟，愛情的力量使他顧不到任何的危險。

然而他剛下火車，還未到四野文教部去，已明白了她的眞相，他在車站上碰到了一個一同南下的×大同學，他告他她已被組織指定做了那位文教部長的愛人。

於是，他如夢大醒，還他那已只有愛情而不談政治的小天國也幻滅了！終於，進既不能，退又無地，便自然而然地偷偷溜走出鐵幕。他輾轉地偷行在大帽山上，回頭一望，恍惚一片迷茫，一切皆成夢幻。

閒話讀書（六）

舜生

要怎樣才算得一本好書？我的回答是這樣的：您看得懂，您覺得很有意思，它能解決您的某一問題或某些問題，它能給您所已經積累的知識聯繫得起來，而且給您若干的新材料，甚至給您一個新的境界，……這至少對於您便算得是一本好書了。換言之，別人說好說壞都不相干，一切都要您由自己去判斷。

記得若干年前，我有一個很好的朋友，他的文字不壞，也會做詩，談政治更頭頭是道，一天，他忽然走來看我，說他當晚就要上船回長沙，問我有什麼新近出版的好書，介紹兩本給他在船上消遣？其時我剛看完了魯迅的「吶喊」和「彷徨」，正擱在我的書架上，我問他看過沒有，他說不會，我便用報紙包好送給他，並鄭重的對他說：「這總算是自有新文學運動以來兩本值得看的小說。」他欣然的帶走了。不到一個星期，便得了他從漢口發來的信，信上大致說：「承老兄介紹給我的兩本書，很耐心的看了幾篇，實在再看不下去，船快到漢口，便丟在江裏去了，我還覺得兩本隨波逐流而下，心裏很愉快，我還高呼了一聲，『魯迅先生，請了請了！』」當時我覺得很奇怪，但仔細一想，也就並不奇怪了。

最近友人某君，從南洋某雜誌剪下一篇記載林琴南的筆記，給我看，十分之九都是抄我的，但內中有一段，却是我以前所不知道的。據該筆記說：湘綺先生晚年很歡喜看林譯小說，民國三年十一月他最後一次由北京回湖南，還搜集了林譯小說數十種帶回家去。此說果確，則其時湘綺之年已八十有三，依然未能忘情於新知的吸取，其好學眞不可及也。

二十年前，梁任公和胡適之各開過一個國學基本書目，梁任公看見胡目裏面有一部「綴白裘」，大不謂然，曾理直氣壯的說：「如我梁某人，便不曾看過『綴白裘』，但說梁某便對國學毫無基礎，總也不見得吧！」（大意如此）其實胡先生所以舉了這樣一部書，只是由於他看中國文學發展的一種見地，這一點我們後來看他爲汪協如標點的「綴白裘」所寫的一篇序便可明白。梁任公可能不看這部「綴白裘」，但「綴白裘」所由取材的那些原本，他當是看得不少，豈只看得不少，他自己還模擬過這一類的玩意哩！我舉這個例子，在說明讀書總以由自己去揀擇來得可靠，任何人的指點都不免各有其主觀，至多不過能供我們參考而已。

萬竹樓隨筆

有錢買書，也算是快事之一，所買的書，不一定馬上就要看，但買來擱在書架上，便總有機會用得着，有時也還可方便方便朋友。我在國內旅行，所到之處，都有過買書的經驗，大概我們只要看在某一地方所能買得書籍的多少，或看它的種類如何，便可略略窺見當地文化的淺深，及其學風的趨向。書籍也離不了地方背景，例如在成都容易買得的書，在北平也不一定能買得着；甚至在武昌偶然得着的一部書，即在長沙也不容易發見；因此我每到一處，總歡跑遍該地的書店，據經驗告訴我，這類工夫不是白花的。（一五五）

科學漫談　單軌道火車

一九〇一年，德國在某兩城市間行駛着一種單軌道火車，這種火車只有一根軌道，火車就吊在下面行走，遠看起來，就好像懸在半空中似的。當時很多人認爲過於危險，寧肯步行，也不敢輕易乘坐，但事隔五十一年，目前這種火車仍在照常行駛，而且從未發生意外，已足此證明當時許多人，實在是庸人自擾，單軌道火車實在有其存在的價値的。

當年設計這種火車的時候，原打算它能每小時行走一百哩的，但因爲氣體力學設計的貧乏，在高速度下，火車走起來，搖擺過於利害。爲安全起見，乃限制最高速度不能超過每小時二十五哩。

最近美國洛杉磯的發明家，已設計幾種新型的單軌道火車，企圖使洛杉磯交通擁迫的情形，可以略爲和緩。他們的模型公開展覽之後，已引起廣大人士的注意。市政當局並且撥款五萬美元，作他們繼續研究的經費，以便單軌道火車計劃，在不久的將來，即可在洛杉磯實施。他們的新式設計和古老的火車大不相同，有一種是在上面及底部都安有一條軌道，火車就在當中行駛；另一種是火車依然吊在下面，但由於設計的完善，不僅速度增加，而且更爲安穩。（由之）

赫德傳（廿三）
中國之友（四三）

毛以亨

總理衙門對戰事旣無信心，又不直接議和，祗盼國際干涉，以爲外國商務利益攸關，必起而阻止日本。果然英國出面提出條件與各國磋商了，謂韓國由列強保證其獨立，中國賠償日本戰費來議和；惟俄國不願日本佔領韓國，美國不願參加干涉，其他各國均無所謂，英國之提議遂告失敗。十月廿四日日軍二萬已佔遼東半島與旅順大連，然旅順固中國第一軍港，曾費銀一千六百萬兩以建成者。北京乃始震驚，慈禧六十歲萬壽遂停，並使恭王復職重回總理衙門，並擬任漢諾根爲總司令；作最後決戰，赫德竭力主張，而官吏猶豫卒使大局日壞，總理衙門祗盼國際干涉，而日人則堅持須直接交涉，藉以盡形深入中國，使之屈服而後已。

李鴻章欲派其德籍顧問德璀琳前往試探，清廷允之，乃持李函往見伊藤，但日方以非全權代表，拒之未抵岸，恭王即電促其回。日本又暗示美國，謂美駐北京使館可代洽和議，恭王遂與美使館磋商，以韓國獨立與中國賠款爲前提。時同龢李鴻藻文廷式已勸請帝西狩，乃派前駐美公使現任戶部侍郎張蔭桓與台灣巡撫前任駐俄代辦二人赴日，並聘美人福士德 Foster 曾任國務卿者爲顧問，而日人以無全權拒之。時已爲一八九五年二月，日本擴大戰果而佔南滿，并于十日進兵山海關了。海上則欲摧毀全部中國海軍之逃至威海衛者，乃以兵三萬在威海衛西登陸，二月十二日，要塞海軍降。二日李鴻章以全權大使赴日，請美人先容而得日方之許可。李氏于三月十九日到馬關，隨員有李經方，伍廷芳，羅豐祿，與美顧問福士德等。

李氏先欲議休戰協定，而日本欲以山海關天津塘沽及其附近鐵路爲擔保，李乃改議和約，而伊藤又稱日本已進攻台灣，李出門時，即爲人所狙擊，左頰眼下受傷。國際輿論乃轉而不利日本，天皇乃領休戰約，但以奉天直隸山東三省爲限，期間爲廿一日，李在病榻上，改以書面交涉，福士達助之，賠款乃得從三億減爲二億，並不再以奉天爲担保品，遼東半島之割讓範圍縮小，而北京湖漳福州開爲商埠。馬關條約于一八九五年四月十七日簽字，五月八日在烟台換約，內容爲韓國獨立，遼東割讓，台灣澎湖歸日本，增闢沙市重慶蘇州杭州爲商埠，沙市重慶間，上海杭州間運河黃浦江之內河航行權開放。一八九六年七月廿一日簽商約于北京，日方始自威海衛撤兵，日本從此亦有領事裁判權，並藉最惠國條款得在商埠設廠，藉免關稅。

憶抗戰首都兼懷川人

鐵頭

不過，重慶的夏天，也確實有點酷烈，它炎熱起來，是火辣辣的，人們好像關在爐子裏生烤的燒餅一樣，走出外面，四處八方是一點風也沒有，躲入屋裏，從藤椅子，從蓆子到眠床，全都是滾燙的，似一鍋蒸，渾身冒汗不止。一個長夏，日夜搖動扇子，使你手腕酸痛欲絕。當時流行一個笑話，說是：「有一個人死了，閻王爺查他的功過簿，發現他罪惡多端，甚爲震怒，後又查出他對父母尙爲孝順，乃顏色稍霽，說道：『照你的罪惡，萬死不足蔽其辜，姑念尙有孝心，只罰你一個最輕的處分，並且一次就算了，在許多種刑中，可由你自願挑選一種，以資儆戒。』說罷，就列舉出許多刑罰的名字：『上刀山』，『下油鍋』……等等，死者聽後就趕緊說：『我願意下油鍋。』閻王於是說：『鍋中不免帶點……』意思說：『爲什麼你偏偏挑了這種最難受的刑罰呢？』死者道：『我就是單單不怕這種刑罰，因爲我是在重慶經過幾個夏天，受過訓練的呀！』」

話雖如此說，酷熱難受的地方，不過是重慶城區及其附近的地方，南溫泉，黃桷埡一帶，與城區的溫度，經常要差十度八度，汪山，與黃山，更不用說了。假如你住在黃桷埡或廣益中學附近，從龍門或儲奇門過江，一爬上山坡，一過了老君洞，空氣即爲之一變，但覺松杉蔽蔭，翠綠滿地，清芬撲人，一陣陣微風徐來，黃桷傘張，三兩聲鳥語嘹亮，令人塵俗爲之頓歛。

假如一定你有興緻爬上文峯塔去眺望一番的話，那更有意思了！四週松濤微波，涼風習習，東望汪山，鬱鬱林莽，有如一條蒼龍滾滾而去，西面萬山叢立，尙稱起伏，不知其幾千萬峯，極目天涯，上接雲際。南山腳下，則峽谷蜿蜒，窯下的地方，阡陌交錯，有若不規則的棋盤，綠竹叢中，綠蔭之際，一幢一幢的房子，等於小孩玩具，行人往來，彷彿蠕蠕斜行的螞蟻。而北邊，好像一隻巨輪，頭重尾輕，擱在水中，但迷漫的煙霧變幻，好似大上搖下一罩，當整個船面，陣旋風，就把它輪上三五個大煙囪所冒出的煤煙，捲滿了一船，於是煤屑，煤灰，飛飛滾滾，環繞不絕，因此，船裏面的人看外面不清，船外面的人也看裏面不明，但覺紅塵萬丈，一片混沌，而芸芸衆生，就在那裏面翻騰顛簸，喜怒哀樂，不一而足。（三）

中華民國僑務委員會頒發登記證台教新字第壹零貳號

自由人

THE FREEMAN

（半週刊每星期三六出版）

（第一八七期）

每份港幣壹毫

督印人：李光華

社址：香港高士打道六六號

電話：二〇八四八

GLOUCESTER RD.
HONG KONG
TEL: 20848

承印者：東南印務出版社
地址：高士打道六十四號
台灣特派員辦事處：台北市館前街五十號
台灣總經銷處：台北市中華路一二五九號
台灣郵政劃撥儲金帳號：九二五二號

今後的聯合國前途

·雷嘯岑·

聯大消耗了七個星期的時間，玩盡鈎心鬥角的花樣，纔以最大多數的表決，通過印度調解韓戰建議案，由大會主席皮爾遜呼籲中共接受，現在經中共正式拒絕了！其所據理由，與俄共代表維辛斯基在聯大政委會的說詞，如同錄音廣播，並無異樣。這結果，除尼赫魯深深地痛感其「亞洲領袖」酣夢之幻滅的悲哀外，絕無人認為是意外而覺得詫異的。聯大此後對韓戰在事實上是否尚有過問的必要和能力？大成問題。但聯軍在韓作戰，是揹着聯合國旗幟去討伐侵略的，聯合國却不能不問。要問，就得變更作風，樹立威信，否則必有陷於「國聯」覆轍的危險。因為當年的「國際聯盟」，即由於對中國和阿比西尼亞被侵略問題處置失當，纔無疾而終的！

還能做「拆散中蘇關係」的靈夢嗎？

這次印度建議案之通過，很顯然地是西方民主大國始終堅持其「拆散中蘇關係」的信念，利用尼赫魯政治投機的夸大狂心理，實行暗渡，直尼赫魯，期待着不勞而獲的奇蹟出現。若說這是一項對俄帝冷戰的成功事業，藉使世人明白俄共集團負破壞和平的責任，實爲自欺欺人的解嘲語。參加聯合國的五六十個會員國，除蘇俄及其附庸國而外，誰不明瞭韓戰不能結束的癥結所在，根本用不着發號喊呢！誰又不曉得西方三個民主大國控制着聯大，操縱大多數會員國總是正義與公道，以曲從其製造「亞洲狄托」的病態作風呢！當時的「國聯」，就因中國「九一八」事變[illegible]累月，纔產生了一個「李頓調查團」方案，毫無結果；終以西方大國對阿比西尼亞問題瞞騙作我處，竟把「國聯」弄垮。現在聯大的印度建議案，可與李頓調查團報告先後輝映，而北非的民族自主與南非的人種歧視問題，又與當年的阿比西尼亞事變相彷彿。前事不忘，溫故知新，如果在聯大佔着領導地位的西方民主國家，再不警覺自愛，對韓戰仍犯着「拆散中蘇關係」的單相思病，不能用行動來遏制侵略者，實現聯大所通過宣告的「建設民主統一和平的朝鮮」那一塊燒決議，以表現各民主大邦尊學聯合國憲章而自我犧牲的精神，因而加強全世界弱小國家民族對聯合國的信心，那末，聯合國的聲譽將大爲低沉，世界又恢復傀儡政治的勢力範圍時代，則今日口口聲聲反對擴大韓戰，以期避免世界大戰的國家，表面好像是戰禍的消防器，實際乃是全面大戰的推進機！歐洲已經出了「狄托主義」，對俄帝關係可說是完全拆散了，試問歐洲所感受的共禍威脅，是否就已大大地減輕了呢？俄帝隨時準備資本主義國家間將要首先火併，西方民主大國亦期待着共產國家間發生對立相斫的局面，彼此都想做永遠的漁翁，不勞而獲，豈非可悲之「非愚即妄」的心理？[illegible]變假全世界的共產？

否決權應否取消？

聯合國憲章規定大國享有否決權，原是羅斯福總統的一番苦心孤詣，他基於建設世界永久和平秩序的理想，爲期避免重蹈「國聯」覆轍，乃創立大國否決權的制度。運用[illegible]意，有如先進文明國家的當權者，管領下集中科學家的智慧戰術，大家學戰思想才力，拼命研究化學戰，却誰也不願輕用，以希特勒之殘暴，至死亦不敢嘗試喲。聯合國成立迄今，運用否決權的中、[illegible]國家主義，都變成了「狄托主義」，依然實施「狄托主義」，其共產極權社會生活，有如現時的南斯拉夫，公然的不知西方民主國家，是誠否即與共存共林，友好親善，上月在南共代表大會，狄托演說時，美之援助南國，指出英美援國，純粹是爲自身的利益，並非對南國人民有所愛好，若使西方民主大國所切盼的「狄托主義」遍見於歐亞各地，我們有充分理由可斷定，英美須先資本主義王國，必然先跟這些「狄托主義」集團發生戰爭，以及汽車，美元和機器，冰箱，收音機，尼龍絲襪等物力，絕對不能消弭思想鬥爭的騙事呵！

美、英、法各國，運用否決權，蘇俄卻不斷予以濫用，七年之中，竟使此種權力爲搗亂世界的武器。若干年來，政治家與學者多次提出了改組聯合國的建議，早有人主張取消否決權，而否決權仍存在，乃由於俄國加入十幾個新的國家之建議，自然[illegible]。多方阻撓，對於[illegible]決。無論有任何合理的代表大會，否決權乃俄共破壞必然之舉。當年蘇俄共產集團，如非[illegible]受鬼崇反對，時[illegible]頭腦，[illegible]中國人民了。

國代表出席不能討論韓戰合法的[illegible]案，在蘇俄集團主使之下，否決權之成立，而否決權厚皮，再以出席，今後即不再與聯合國，然此故也。何能以否決權爲[illegible]少數國家侵略集團內的組織，否決權實有至少數國家的特權，但世界和平必須採取的措施，才有一切實現，重要的，是如何根源於「不平」，因少數強國的目的，聯合國原在[illegible]？

一消滅世界之不平，即必須大大國家生存的權利，小國也有同等的權利，然而小國的正當主張，在大國的侵略爭辯中，也往往受到自決，正義的聲音被壓制。但是在非洲，法國拒絕突尼西亞的民族自決，是在聯合國大會中，也是主張自治的，但對世界的和平，否決權[illegible]通過的。假如否決權存在，人類的幸福和平，必須[illegible]，在聯合國的前途中，否決權的存廢，當爲人類之急務了。

獨立與自由
——從北非動亂說起——

涵之譯

法屬北非動亂不已，舉世注目。論者多以北非爲西方戰略要地故惹人注意。但其意義，非僅如此狹小，而係異常深遠。有人謂：第四次世界大戰將係種族之戰。但從目前之局勢觀，如殖民地宗主仍不憬然醒悟，革除種族歧視，而目前之動亂擴展下去，則種族間問題可能併合入自由與極權的衝突，而成爲第三次世界大戰。

目前世界尚有二億人不得自治，而受制於人，他們正渴求獨立。第一次世界大戰打倒德國軍閥主義；第二次打倒納粹與法西斯主義；但民族主義如潛之暗流，亦隨此兩次大戰而澎湃前進。祇就第二次大戰後的情形而言，自聯合國組成後，已有五億人民獲得政治上的獨立。亞洲方面，有九國：印度、巴基斯坦、錫蘭、緬甸、菲律賓、南韓、印尼、越南、尼泊爾。中東方面，有四國，敘利亞、利巴嫩、約但、與以色列。非洲方面，有利比亞與[illegible]。

民族主義既如大川洪流，未獲獨立者當然感到不耐。其因素有三：（一）他們的生活非常痛苦，貧窮而疾病叢生，在亞洲每年患瘧疾死亡者有三百萬人之多。嬰孩出世未及一歲而夭亡者，佔三分之一。普通人的壽命，平均不到三十二歲。（二）他們回憶及一向所受到的歧視與被剝削，心懷怨恨。（三）民族主義之刺激。

縱使俄政權即傾覆 世界和平亦難確立

縱然蘇維埃政權在明天傾覆，這個問題如不解決，世界和平仍然沒有保證，和平有賴於人類全體獲得自由。又正因這些落後區域多在西方白種人若干年統治下，蘇聯現正利用此點，煽動這種未獲獨立的民族，去摧毀西方的民主陣營。共產黨的活動有：（一）以自由獨立爲誘餌，煽動落後區域民衆推翻統治者，（二）對農民鼓動其反抗地主，而投入後迫農民入集體農場爲農奴。（三）強調西方對他們的歧視，引起對西方的反感而甘受其赤化。蘇聯利用上述的方法，將亞洲與非洲的落後區逐一併吞。因此，我們要提防極權主義者利用種族問題來破壞自由陣綫。

普通人往往忽視政治上的獨立與自由的不同。例如美國在一七八三年脫離英國而獨立，不過是趨向自由的第一步而已，還須經過許多努力，才能獲得真正之自由。還有一層，獨立係與責任相連的。必須有獨立的能力，方能獲得真正的獨立。例如一九四九年聯合國大會通過准許利比亞成爲一「統一而有獨立主權的國家」。一九五一年十二月二十四日英法移交政權給他們了，但利比亞大部份的農收，還有賴於英法兩國及聯合國的一百萬美元和技術援助，和美國的一百五十萬元援款，維持獨立，和開發經濟、與工業上的資源，以及訓練人員，都需要金錢。宗主國不能簡單地放棄其殖民便了事；不能無計劃的跑開，而讓共產黨人跑進去。因此，殖民地與宗主國之間，必須採取共利的慢進蛻變。一方面不能意氣用事，另一方面不能固持民族優越感。鷸蚌相爭，祗使漁人得利而已。

如要維護自由陣營 必須摒絕陳腐思想

在一種族問題上而言，現在聯合國分裂。[illegible]如英、法、比、荷、丹、澳、紐執行管治國家，他們代表希臘羅馬與西歐的文化，[illegible]擁有強大的力量，許多經驗，戰略基地；另一方面，落後區域[illegible]其中大多數軍力較弱，[illegible]其餘殖民地的政治[illegible]困難。[illegible]民族自決，[illegible]國家[illegible]。[illegible]不能存在，十九世紀的歐洲優越感，[illegible]均衡[illegible]。目前由於[illegible]世界的民族，未必與二十世紀[illegible]，須以保護，落伍的政治必須由自由陣營[illegible]。否則[illegible]民族以美國爲首者一切今後的[illegible]立，求獨立者必須了解，而要否[illegible]本年秋季號（[illegible]節譯）

更正

本刊第一八二期「對胡適之先生的希望」一文，第二段末句「[illegible]字誤植「[illegible]」字，特此更正。

半週展望

·左洋生·

艾帥與麥帥

艾克訪韓歸國，並在途中舉行了一連串的會議，當他返抵紐約的時候，便發表了一個書面的聲明，他說：「現在不是發空話的時候。因爲我們所面對的敵人是不能希望透過空言，而只有以行動，才能使其獲得深刻印象的。」他說：「此行不是終結，而是新努力的開端。」「我相信如果我們清楚地思想，審慎地計劃，不疲地工作，我們定能拯救自由和獲得安全。」他還說：「……精神上的準備，在我們這個多事的世界裏，是和物質的裝備一樣必要的。」我覺得他這些話都說得很好，而且充滿了把握。打仗就是打仗。打仗的結果，不是獲得光榮的勝利，便是忍受屈辱的投降。想在不勝不敗之間，求得一種不痛不癢的和平，以我們敵人的處心積慮，事實上是一個不能想像出的奇蹟！我不相信麥帥據說麥克阿瑟和艾森豪的見面將於週內舉行。我不相信麥帥已經有了一個怎樣的神機妙算或一個怎樣的經驗方法可能立即結束東方的戰爭，但我確認他在遠東長期服務的「經驗」以及他那一種老當益壯的「精神」，是值得我們加以重視的。

我平日每一想到麥克阿瑟之爲人，便令我同時想起中國歷史上廉頗、趙奢、馬援……這一類的名將。麥帥和杜魯門先生間一段不愉快的關係，曾隨時引起我一種耿耿難忘的不快之感。同時我也淺嘗亞洲國的人民：他們對於一個爲他們所不能遺忘，有信賴的人物，他們確實是有權叫他們停止一切有害國家的輕舉妄動的。假定麥帥真有一天負責遠東的聯軍統帥，而把他的總部設在台北或馬尼拉，（最不相宜的是設在日本）我相信亞洲局面立即變色，那時候韓國一局部的戰爭，倒大有結束的可能的。

胡適之最近言論

胡先生這次回到台灣，有不少的人對他存着一種過分的期待；甚至有一種淺薄無聊之輩，還想就他所說的話來斷章取義的利用一番。我覺得這實在太對不起他的。

我們檢討胡先生最近在台灣的歷次演說，確沒有什麼非常可喜之論，甚至連他主張把蘇聯及其附庸國家驅逐出聯合國，也早有人在兩年前便已大聲疾呼過了。但是之所以先分贊成他，便正在他不再發非常可喜之論的態度。就今天我們國家的嚴重情況或世界未來可能的劇變來看，我們無論從求學，做人，做事，以一種腳踏實地精神，一點一滴的做起，世間真正可貴的乃是『布帛菽粟』而決不是那些『海錯山珍』。我們對三十年前的希望，我相信他是絕對無法使得大家滿足的。我確信，中國只能從一種平淡切實的努力中得救，那一些新奇可喜的把戲，我們只好讓給那些年輕的朋友們去玩耍，從實際說來，所謂新奇可喜，乃可能是陳腐不堪；反而平淡切實，乃大有賴於我們的努力。

張君勱加入民憲黨

不久以前，有人傳說張君勱先生在美國爲『民主戰鬥同盟』有所活動，同時也有人說他想抄一些錢去辦一個大學，但最近來自美國的消息，却說他加入了『民憲黨』，在美國發行的雜誌『民憲』，乃證明是一件事實。昨晚偶然在某處看見一份『民憲黨』在美國本來有一個『民憲黨』，其潛力遠較國內的任何新勢力爲大。伍憲子先生便是該黨的主席，加入乃是李大明先生副主席君勱與這個黨原有不少的歷史淵源，加入也沒有什麼稀奇的。君勱始終徘徊於治學與政治之間，但假如他不能擺脫若干不必要的包袱，而找着一些幹練的朋友和他合作，他對於這兩者都是不容易有多少具體的表現的。

克拉克的韓戰戰略

如何結束韓戰，克拉克將軍並未向艾克提出實際的辦法，但對發動正面攻勢、實行兩棲登陸、擴建南韓軍、及運用台灣國軍等問題，他已具體解釋了他的戰略意見，艾克未來的對韓行動，無疑將以這計劃為決定性因素。

·杜鹿·

艾森豪未來對韓戰的決策，克拉克將軍的意見，無疑將有重大影響。在艾克這次訪韓期間，克拉克以聯合國軍總司令，及美軍遠東區統帥的身份，向艾森豪解釋了韓國和遠東的「整個情況」，他們兩人，已有長時期的友誼，克拉克將軍在他敍述第二次大戰時期非洲與歐洲戰役的「估計中的危險」一書中，即曾詳言艾克對他的推崇和他們之間的關係，所以，他們這次會談的親密與和洽，自在意料之中。事後，克拉克對記者宣佈說：「我們向他報告『整個情況』，包括我們面前的各種問題在內，」這個報告，當然異常機密，不容洩露，不過其中無疑包括了許多克拉克前此已向美國聯合參謀部提出的意見。

和聯合參謀部的關係

克拉克向聯合參謀部提供戰略性的意見，是以平等的身份，有禮而恰當，且有力而富於自信。這和他的兩位前任不同，麥克阿瑟將軍的想法，常超越聯合參謀部，他不是忽視他們，便是祇保持表面的階級關係；而李治威將軍，則素來恪守軍人的成規，他和聯合參謀部的關係，處處循規蹈矩，因而頗受聯合參謀部的同情和尊重。

克拉克將軍對於他的上司，並不感到作為下屬的卑微，他根本不需要如此，遠在一九四三年，他在義大利成為盟國史上最年輕的傑出陸軍指揮官之一，後來，他爭取陸軍參謀長一職失敗，被他西點軍校的同學柯林斯將軍所得。他接受地位的降低，而出任陸軍野戰軍總司令。在杜魯門任命他出使教廷的建議遭擱置時，他曾幾乎退出了陸軍。

對韓戰的戰略意見

不過，自本年五月他繼李治威將軍接任聯合國軍最高統帥以來，他的影響，已有顯著的恢復。他的意見，自受聯合參謀部慎重考慮，這次艾克對他的意見，無疑亦是如此。據一般揣測，他向艾克所說明的可能戰略，大致不出以下幾項。他已向聯合參謀部提出的：

正面進攻

他估計，要將聯合國軍的前線，前移至韓國的蜂腰部，約再需要美國增兵三個至四師。

運用中國軍

他指出，中國軍隊二三個師，在今秋已準備就緒，但尚需要更多的物資。把它們用於韓境，或協助它們反攻中國大陸，將意味着重新引起與中共的戰爭，這是超越了他職責範圍的政治問題。

擴建南韓軍

克拉克贊成菲列特將軍力主擴建南韓軍的要求，不過，他指出，要達成這工作，需要及時供應韓軍更多物資與裝備，他不願使若干必要物資的儲撥，因為撥交南韓軍而降低，以致少於九十天的使用準備。

敵後兩棲登陸

克拉克將軍認為，要實行敵後兩棲登陸，美軍與南韓軍的軍力都應增加，且需要更強大的空軍和海軍實力。同時，他在預見這步驟涉及內在的危險。國防部的專家曾經表示，如欲獲得實效，聯合國軍必須困圍數十萬敵軍，而且需要迅速和強有力的發動兩棲攻勢，以克服氣候以及其他意料之外的因素。否則，這次的登陸，又將像麥帥所發動的兩棲攻勢一樣，不能得到期限中的效果而把韓戰結束。

擴大空襲

克拉克將軍贊成空軍方面的意見，認為在韓境投入更強大的美國空軍，將屬錯誤。東北雖有若干良好的轟炸目標，但這些重要設備，中共可能把它們內遷。要阻止這種遷移和摧毀中共的交通網，將需要擴大數額的飛機。

封鎖大陸

克拉克在這方面也同意海軍當局的觀點，認為封鎖中國大陸沿海，雖然要得到扼殺中共的效果，將相當緩慢，但仍能對中共引起即刻的損害。

克拉克關注的問題

克拉克在說明這些可能性時，曾特別着重南韓軍的擴建一點。聯合參謀部經過長時期的考慮研究後，雖受國務院和華盛頓方面的阻延，他最後還是贊成了這個辦法。杜魯門政府已將擴建南韓軍作為它的政策步驟，不過這步驟却並不甚強烈和勇猛的。同時，中共軍的擴大增加，已引起菲列特、克拉克以及聯合參謀部的嚴重關注。現在的種種跡象雖還不能表示共軍將立刻發動攻勢，但像克拉克將軍的報告，如要阻遏這攻勢，聯合軍在若干地區的前線，可能需要後移十哩左右。對於聯軍的後備兵力，克拉克將軍也感到不夠充足。

因此，克拉克將軍所提出的，并不是一個富於激動力的計劃，不足引起[illegible]，可及早獲得解決的新希望，然而這是一個實際而具體的計劃，至於艾克如何決定對韓戰的未來行動，這計劃自然將是左右其意見的重要因素。（取材自「新聞週刊」）

顧往瞻來

政府檢討本年施政

台灣通訊

一年容易，民國四十一年又將歲暮，中央政府對於一年來各項施政，已着手檢討，以為來年施政之依據。今年元旦，蔣總統曾頒佈告全國軍民書，號召全國總動員，並厲行政治、經濟、社會、文化四大改造運動。一年以來，固不能謂為並無成就，然亦不能即謂為業已全部完成。深信民國四十二年，總動員與四大改造運動，當仍將繼續從事，以期建設台灣反攻大陸之使命，早日完成。

對於中央政府及台灣省政府本年度施政之檢討，蔣總統近曾特別有所指示。並以「新」、「速」、「實」、「簡」四字，為以後施政之要旨。總統謂每日檢討所為之事，於次日將缺點改進之，即謂之新。以往在大陸時代，各級政府亦有所謂施政計劃，但在制定之初，即未能與預算配合，而至年度終了，更無所謂檢討。於是年復一年，因循敷衍，卒以招致大陸敗亡之禍。政府自遷台以後，不但每年對施政有檢討，並且每年能辦理決算，此為民國有史以來所未有之事。至每年施政計劃，不但能依據當前情勢，並且必以前一年度之檢討成果為主要基礎，更以預算控制政策，步上現代政治的常軌。

立院政府緊密合作　總預算案按期通過

四十二年度國家總預算，自行政院依法定期限於本年九月底以前送達立法院審議，立法院亦依法定期限於本月十日以前完成審議程序函復行政院。此種雙方均能遵守法定限期精神，實為近年來最優良之表現。立法院於審議過程中，尤其最後數日，預算委員會各委員每日工作至午夜，某次大會亦延長至晚間九時方行討論竣事。尤為難得者，向例民意機關審議政府機關所提出之預算案，多只作手續上之處理，而此次立法院所通過之四十二年度國家總預算，能在公營事業機關預算中，核實增列收入，詳切汰減虛耗，以便總預算獲得收支平衡，實為對國家重大貢獻。數年以來，自由中國收支逐漸達到平衡，固由於政府當局與財政經濟主管人員之努力，但如無此次立法院之通盤研討，在國家總預算上，尚難確實表現。茲公營事業機關中，尚餘台灣電力公司預算，則未獲立法院通過。自只可暫仍適用本年度預算。所以未能通過之原因，一方面因電力加價問題，尚未解決。行政院當已遵照立法院決議案，將電費計算公式送請立法院討論，但立法院委員中頗有人認為公式計算方式殊欠允當，因以尚在審查階段。另一方面則因各界檢報電力公司浪費情形與員工待遇過分優厚，現各方輿論咸認為台灣既達成工業化，則擴建電力設備無可非議，酌量增加電費，亦情所可原，但電力公司之浪費與優厚待遇，主管當局必須負責予以澈底改革，始能使一般用戶樂於增費。

電費增價影響堪慮　土地銀行提高房價

關於電力公司增加電費之另一顧慮，在於是否將引起其他物價之上漲，尤其一般公營事業，是否亦將效尤，此點於加價消息公佈之時，當局即已說明已知照各公營事業機關，不得援例加價。但事實上台灣土地銀行公產代管部近已分別函知各日產房屋承租人，房價將按原價增高十分之二十，催請各承租人從速繳價承購住屋，以免增加負擔。如不承購，則以後房租將照新估價全年百分之八計算。所謂日產房屋，原係日人在台時所置之私人產業。因接收之初，前台灣長官公署未能有及時有效辦法加以管理，以致化公為私者有之，一再轉頂者有之。現名義上屬於公有者，全省尚有二萬餘棟。均由公產部出租，現住人承租，相互訂立租約。現住人如自行轉讓於他人，亦可照收頂費，只須另向公產部辦理過戶，公產部則照收按估定房價百分之十四之過戶費。台省各級政府，主管人員多有官邸，其中有由日人遺留者，有由各機關到台灣後新購者，官邸多數寬宏精緻，設備周全。職員則多有宿舍，有眷屬者更分配住宅，因以有官邸與宿舍可住者，固無需與公產部訂立租約承租日產房屋。至國大代表立法院監察院委員等，因係民意代表，無官邸或宿舍可以分配，乃多係自行出錢頂屋，為日產房屋之承租人。此次既將增加電費，又將增加房租，台北居，誠亦大不易矣。

緬甸政府迫害日甚　我僑胞遭悲慘厄運

以華僑資金為基礎的緬甸商業社會，在緬政府承認中共以後，僑胞們已成為徬徨無依的孤兒，今年六月以來，僑商臨到了悲慘的厄運，十八名有資產、地位，而能影響整個商場的僑胞，將被逐向鬼域。

國外通訊

【本報仰光通訊】緬甸在六十六年以前，原係我國藩屬，現在大多數的緬甸人風俗習尚，和我國相同的地方甚多，而各地商業，吾國人亦佔了重要地位，商業社會，成了僑商的重心。最近，緬甸政府對僑商的迫害，一步步加緊，由於今年六月四日發生了所謂私藏黃金案之後，許多僑商們便臨到了悲慘的厄運，除了被捕之外，又有曹區美、鄧永漢、陳興邦、鄭裕清、王若晉、許恩霖、黃其清、林國樑、陳建鼎、丘介生、曾竹三、袁源、張妹（女）、王相堯、謝子宏、林克遜、侯幼蘭、黃桂壽等十八人，將被驅逐出境，送往中共區去。他們的年齡，從六十六歲到三十三歲，內中年人，而且都有一個很好的家庭，擁有龐大資產，而在商界具有權威地位的守分商人。被控的罪狀，還是遠在六月四日的「私藏黃金走私」和「賄賂緬甸政府木材」案牽累下來的。但經過出事半年以後，這件事情，竟又給提起，是不是中共給予緬甸政府的壓力所致，抑係緬甸政府「執法如山」？引起了甚多揣測。但僅就緬甸政府的驅逐措施一點上看，如果僅限於「驅逐」，那末，把這一批僑商驅逐出境，就算了；為什麼要通知緬駐中共「大使」，轉達中共取回出境的僑胞，然後把他們直接遞回他們的出生地去；讓他們再去忍受中共的清算鬥爭呢。

一人藏金集體不安

遠在今年六月，仰光班都坦警局在[illegible]古街一家金店中，在一個華僑商人王昌福身上搜出了十根金條，循了這一點線索，警察在[illegible]街會徵欣商號繼續搜出金條一百二十五包，共有一千二百五十餘條，總值緬幣達二百五十萬盾以上。就已往之緬甸黃金走私紀錄上看，這是前未曾有的龐大數字；警方隨即將涉嫌的陳昌山、治那、邱麻等三人拘捕。到八月終和九月初間，緬甸政府對這一件涉嫌的黃金私藏與走私疑案，雖然經過冗長調查，仍無從決定它是否僑商向政府請購外匯及黃金進口執照，續將一大批僑商逮捕，計有：（一）民衛公司經理伍冰漢，為了三十一萬一千六百零八元的港幣用途不明；（二）源與公司經理袁新泉，亦為涉六十六萬一千六百二十六元港幣；（三）聯星公司經理楊克西，為港幣三十三萬二千二百六十二元；（四）德元祥經理伍勵，為二十五萬○二百八十五元；（五）林休安公司經理黃照七，為十七萬五千八百七十元；（六）合[illegible]公司經理許文錦，為二十七萬七千九百七十七元；（七）大[illegible]公司經理倪凱欽，為二十萬○二千六百四十九元；（八）振[illegible]公司經理陳鼎升，為十五萬二千一百七十五元；（九）新安公司經理葛萬升，為十三萬四千八百四十六元；（十）揚[illegible]公司經理黃基平，為二千六百三十二元；（十一）錦隆公司經理[illegible]洛十七元；（十二）[illegible]源公司經理高[illegible]平元，為十二萬二千[illegible]港幣，用途不明，這些港幣的用途不明，都無形中成了他們「走私」「套匯」類項。

中共魔手伸入海外

時間，雖然經過了長一段，[illegible]不是件容易事情。本月二十二日那天，給予他們一家自由之路，實令每人各出五千盾之保證人，出外候訊，這才使他們離開了中央監獄。十月六日，[illegible]一筆黃金[illegible]是否私運入口與來自何處；但私自買賣並沒有結果。然而，完全由僑商們維持的緬甸商業，[illegible]

阿國糧荒騷動蔓延

[illegible]

球員打輸被捕鞫訊

[illegible]

捷克大審訊小內幕

[illegible]

保軍攻土發生激戰

[illegible]

艾克行蹤曾被洩露

[illegible]（孟衡）

自由人

中華民國僑務委員會領發登記證台僑新字第壹零貳號

THE FREEMAN

（半週刊逢星期三六出版）

（第一八八期）

每份港幣壹毫

督印人：李光華

社址：香港高士打道六十六號

電話：二〇八四八

GLOUCESTER RD. HONG KONG TEL: 20848

承印者：東南印務出版社

地址：高士打道六十四號

台灣特派員辦事處：台北市館前街五十號

台灣總經銷處：台北市中華路一二五九號

台灣郵政劃撥儲金帳號九二五二號

所謂二十六點計劃

中國實爲問題的關鍵

·左舜生·

據本月十六日法新社華盛頓電『美國新聞與世界報導』雜誌，曾載有艾森豪威爾所擬定的二十六點計劃；並且說此項計劃的目的，在使美國於歐亞冷戰中從蘇聯手中奪取主動的地位云云。

我覺得這個消息來得相當突兀，其可靠性如何，我們只能採取相當保留的態度。可是話雖如此，以美國今天所處的地位而論，如有決心要來解決當前的整個世界問題，必須有一兼顧歐亞的積極性戰略，自屬毫無疑義。

歐洲情況，艾帥具有豐富的經驗與認識，就已經所進行的各種事項而論，只要有方法司以加速完成，並在執行的中途少發生其他的岔子，大體上便可無慮。

問題困難　在於實行

就所謂二十六點計劃中關於亞洲的十點而論，即令可靠性尚有問題，但我們以此作爲討論亞洲問題的一種資料，却仍不失爲有益之舉。所謂有關亞洲的十點計劃，其內容大體如下：

一、截斷朝鮮共軍，二、對共方基地加以全面轟炸，三、炸毀中共的交通綫，四、對中共實行徹底的海上封鎖，五、加速日本武裝，六、許台灣反攻大陸，七、鼓勵中國大陸的游擊活動，八、加緊援助越南，九、組織裝備亞洲軍，十、利用美國的剩餘糧食爭取亞洲的支持者與兵士。

就這十點的主張而論，可以說三年來我們都會一一加以考慮，困難不在於原則的提出，而在如何分別緩急澈底的見諸實行。

所謂截斷朝鮮的共軍，就我們所了解，一面在使已在朝鮮境內的共軍無法退出，一面在使留屯東北的共軍無法增援，要達到這一任務，除從南面加強加速全面的進攻，同時大規模的澈底轟炸東北以外，實別無其他巧妙的方法。更澈底的有效辦法，又不僅在使留屯東北的共軍無法入韓，同時還要使得留在山海關內的共軍無法馳援東北。如此，則澈底破壞中國大陸所有水陸的交通綫，實爲當務之急。能這樣做，則不僅可使得中共數以千萬計的正規軍，保安隊，民兵全部陷於肢解，而且可期待下面所列舉的事實不斷的發生：一、台灣的國軍登陸，可能減少有力的抵抗。二、中共大部西北的計劃可能加以遏止，以減輕中國大陸的澈底破壞。三、中國大陸所潛伏的游擊隊，可能紛紛的起來，三年來遭受中共蹂躪的人民，也將與游擊隊打成一片。四、散在中國南部的中共軍隊與軍頭，在這種全局瓦解的情形之下，必將乘機獨立，或公然反正。五、散佈中國境內以顧問或技術人員名義數以十萬計的蘇聯間諜，必爲中國的游擊隊，中共的獨立軍，以及憤怒的人民，加以全部的屠殺。六、假定上面的幾幕逐步實現，而蘇聯尚未發生根本的動搖，則毛澤東劉少奇周恩來等，仍可能發動第二度的長征，率領一部分的餘類，竄往甘寧青新一帶，作最後的掙扎，但結果仍爲釜底游魂，必隨蘇聯的解放而澈底歸於消滅。

能這樣做，大膽的這樣澈底的做，我想不出兩年，假定中國大陸全部崩潰，蘇聯可敢冒大部分的力量投向亞洲，則不僅爲中共的支援，歐洲可以大大的鬆一口氣，且可能期待蘇聯在東歐的若干附庸國，紛紛起而步南斯拉夫的後塵，自動的求得解放。如此，則將不是蘇聯如何發動去侵略西歐，而是以西歐全部的力量如何去搗毀蘇聯的心臟！

東西夾擊　摧毀蘇俄

就大體說來，蘇聯必然毀於東西的夾擊，而重亞實即所以重歐。假定今天西歐的大國，過度重視自身的利害，而對美國在亞洲的行動多方予以掣肘，則不僅歐洲的災難無法解除，而亞洲赤禍的蔓延，乃更將不可收拾。其結果則不僅「亞洲國軍」無法實現，甚至日本的武裝重建，亦將無法完成，乃至使得日本首先遭受蘇聯的突襲而陷於糜爛，亦正難說！

總而言之，統而言之，好好的來解決朝鮮問題，實爲解決世界問題的起點，澈底的來解決中國問題，乃爲解決世界問題的關鍵。中國自身決非一好戲者，但因爲世界整個局勢的推移，不能不使中國來扮演這一大悲劇的主角，則實爲中國所無法推卸的一個責任。美國是這一悲劇的導演者，其責任當亦不在中國之下。爲合衆計，目前所應該加速完成者，乃爲三十萬眞正可戰之兵，假如一定要我們援助韓國，則我們與其援韓，實不如援越，即令非援韓不可，我們所能用以對韓的兵力，亦決不能超過所有兵力的十分之一，而十分之九必須同時用以向大陸反攻，否則援韓無效，而問題亦終不得解決。

祇此一法

文化與政治

·曾子友·

文化主導國家前途的命運，政治掌握國家現實的生機。爲國家前途着想，文化應居主導的作用；但自國家的現實來看，政治才是唯一的機樞。因此，在野者固常以爭取思想言論自由，爲推進政治的張本；而在朝者則又壓持政治控制文化思想爲鞏固的作爲。至於西方近代民主運動的發展，亦也是以爭取信仰自由，言論自由，出版自由等爲重要課題，而且在歐美民主自由運動史上，也曾藉此得到了學術思想的輝煌成就。

文化與政治的關係

但是，文化與政治對於國家雖同是生命的影響，就其作用的性質言，固有前途與現實的分際，惟就其實際需要言，是互相滲透，交織爲用的。沒有文化指導的政治，這種政治不會有光明的前途，或者政治主流所宗仰的文化，是迴旋的倒流的文化動向，那麼，這種政治景象，也必然與「夕陽無限好，只是近黃昏」的情境相若，殊難有長遠的穩定與繁榮。反過來看，沒有政治支持與獎進的文化運動，縱然藉創造少數的努力，甚至普遍化而爲社會的主流，但是倘使這種文化運動，不能達到以政治爲其實現的場所，那麼，這種文化運動，必然常被壓抑，縱能以強轉化，而爲潛流，也不易達到向上的發展。

所以在現代的民主國家裏，文化思想與政治運行間的關係，不但沒有對立鬥爭的需要，而且必須以交互爲用，相輔相成爲職志。這不但由於歐美二三百年的民主運動，把文化思想的自由，言論出版的擴張，陶養了自發自成之可遵循的準備，因此在文化論壇上，固以普當的批評，積極的建議爲主；而執政的人員，也樂於採納衆議，尊重輿論，而其更重要的因素，則爲在現代的國家，無論民主與極權，一切政治措施，需要在它所嚮往的文化的系統中，才能獲致它所祈求的成果；而學術文化的研究設備，以至於創實現的過程，又必須依仗政府的贊助與扶植，最低限度，也必須有不爲政府所干涉之社會的鼓勵與支持。

因此，現代國家所要求的文化與政治的關係，即須有緊密的紐帶關聯作用，不應爲對立鬥爭的歷史重演了。

思想重於砲彈

在今天的民主與極權鬥爭中，「思想重於砲彈」，這一眞理，已由事實情勢的教訓，已成爲民主國家的政治家們所已接觸到的嚴重課題。馬列主義的興起與泛濫，原是植根於西方文化沒落廢墟上的迴光返照，因而也就能泛濫於東方文化沒有更新的自覺運動以前。人類文化在這一眞空狀態期間，西方由於宗教信仰的崩毀，也就失掉了道德的原則，加以思想上的空虛，以及隨工業革命而來之生活技術，支解人性，於是陷入焦燥，孤獨與彷徨，哲學思想已難有重建領導時代的精神，於是全體主義極權主義乃能乘歐洲文化空虛的間隙，驅使思想上無所適從的大衆，任其操縱與宰割，這是西方因文化沒落所演變而來的大悲劇。

至於東方，尤其是中國，因爲百年來受着西方文化的衝擊，到最近三四十年來，已由抗拒與厭惡西方文化，轉變到羨慕與抄襲西方文化的時候。西洋文化正是隨風萎謝的時期，然我們尚在欽羨與抄襲的氣氛中，對於中國固有文化，惟恐摧毀未盡，於是源遠流長的文教國家，也即是以文化領導政治，藉政治推進文化的中國，乃成爲蠻荒一片，文教全非的大陸。然對於所讚仰與所學習的西方文化，縱然它不是在沒落途中，而中國人士之所讚仰與所學習者，也僅爲零星的、技術的、甚或是強調西方十八九世紀以前的文化木乃伊，作爲中國今天文化需求的強心劑。西方二十世紀的文化，猶不能遏制共產洪流淹沒歐洲的氣燄，則中國大陸之必然陷入極權統治的悲劇，寧非勢所必然，理有固然的結局嗎？

所以，今天在民主世界，尤其在自由中國與海外反共人士的重責，並不是怎樣強調與發展文化與政治應如何對立與巧弄鬥爭的問題，實際的需要，是怎樣創建新文化以摧毀共產文化的毒菌，建樹人類文化的時代領導精神。這在西方文化來說，須從文化根基上，另樹基石，但這不是說，西方已有的文化成果，要全部摧毀，而是說，它們應在新的基石上，把過去文化的成果，作爲水泥鋼骨與磚石的材料，實施重建的安排。就中國文化看，則爲怎樣實現文化的更新與自覺，換句話說，中國文化沒有另立根基的需要，而是要在這固有的根基上，怎樣去涵攝與安排西洋文化的成果，作爲營養與補充的文化更新與自覺運動。

年來若干有識之士，屢有提倡「文化領導政治」的主張，但在現實政治上，尚沒有開放「文化交流」的作風。倘以中國固有精神言，「文化領導政治」，原不是今天的新課題，而且是數千年來的老習慣，今天需要文化領導政治，比歷史上任何時期尤爲迫切。從深處遠處看，不僅爲在野者所應有的警覺，亦爲在朝者本政治推進文化的決心，以實現文化領導政治的藝術。今天對極權主義之思想戰的需要，政治上應自僅有消極的重視與採納輿情的作風，轉進到積極的普建文化思想，才能在民主與極權的決鬥場，爭取最後的勝利。我希望在朝在野的人士，都能共同體認「文化與政治」交融交織作用的重要性！

半週展望

·雷嘯岑·

不必過份緊張

麥克阿瑟以共和黨的支持者兼遠東軍事專家地位，說他有一套解決韓戰的新計劃，願意貢獻於共和黨的新政府；艾克以共和黨所擁戴復選的未來總統，爲求集思廣益，籌劃應付韓戰之有效方法，樂於跟同黨的「老上司」晤談一下，聽取高見。這些動態，都是政治上極平常的表現，沒有特別驚奇之處。

韓戰現有態勢，以及美國對遠東政策，必然會有變化的。無論麥帥的新計劃是何內容，能否爲艾克所接納，但在時間上，還得等待三個月，在空間上，仍需要爭取別的「盟邦」之同意支持，纔能見諸實踐。美國人基於杜、麥與艾、麥之間已往的政治史迹，把艾麥會談形成戲劇化的消息，轟動一時聽聞，那是美國社會的事，我們用不着替今人担憂，過份緊張，只有以冷靜心情，注視其未來演變。此刻把艾麥會談的作用估計過高，或者輕作失望的揣測，都嫌太過衝動了！

日本政府怎麼樣？

聯大正在討論新會員國入會問題。美國要求允許日本、南韓和越南加入，俄國即以支持北韓、外蒙和阿爾巴尼亞入會相抵制。尤其對日本，認爲是與蘇俄尚在戰爭狀態中的敵國，非先跟俄國簽訂和約不可。但簽約又得以承認中共政權爲交換條件！

吉田茂政府在國際政治上，始終想學英國，講現實主義，却昧於「有伊尹之志則可，無伊尹之志則篡」的道理。尼赫魯仗着「老上司」國家的鼓勵應援，連年來在國際上玩「中立」「花樣」，且弄得到處「擋板」，哭笑不得，眼見快要自傷淪落了。日本內在條件還不及印度，也想以「國際的兩面人」姿態出現，企圖達成復興之望，可能嗎？

智識份子與共產黨

一個逃亡到美國去的蘇俄外交人員兼紅軍軍官波哥萊普夫其人者，本月十八日在國會調查委員會供稱：「史大林在西方國家激起共產革命，乃專靠知識份子，而不是靠工人」。他指出史大林在一九三五年就有一篇祕密演說，認爲馬克斯以工人階級爲共產革命主力的思想，爲「完全不切實際」。史魔對西方的世界革命方法，是從「攫取智識份子的頭腦」入手，而以美法兩國爲主要目標。

這話完全合乎事實。自列寧、托洛斯基、布哈林、季諾維夫、史大林，拉底克這羣革命元勳的老布爾希維克份子，以迄現時隨侍史大林在克里姆林宮搞世界革命的大[illegible]們，那一個是眞正出身工人階級的？至於中共那般頭目和幹部，與夫其他一切俄帝附庸國的「人民民主專政」政府人物，更無一而非小資產階級出身的智識份子。史大林在十七八年前就有此「祕密轉變」的世界革命戰術，自難怪他有今日的成就啊！

智識份子常被俄共利用，作革命的貓脚爪，如果像十八九世紀的智識份子搞民權革命那樣，能夠享有革命的成果，自主生存，倒還想得開。然在俄式共產革命成功之後，轉眼即變成「階級敵人」，成爲「否定之否定」，而且還得自認爲「帝國主義走狗」，「間諜」，「反革命份子」，「僞裝進步」等罪犯，然後引頸就戮，不亦寃乎！

智識份子最迷戀的榮冠，即是「前進」，這頂高帽子，祗要有人給戴上這頂榮冠，馬上全身飄飄然，飛入半天雲中吹喇叭了！（按湘諺「半天雲中吹喇叭」，指不顧現實的高調也。）結果常常被人利用，從半天雲中跌下來，頭破血流，甚至於粉身碎骨，後悔莫及。目前在中國大陸上的「民主人士」和「進步份子」，就是標準的模特兒。

求進步是智識份子的可貴精神，是社會進化的動力。但，不求甚解的「前進」觀念，以沽名弋譽爲動機的「開明」言行，那就容易被人玩弄操縱，尤其容易墮入共產黨人所設的陷阱中去。青年的智識份子更應該特別當心，當心着被高帽子壓傷了腦經！

艾森豪訪韓秘記

·第啓譯·

在美國特務最週密的佈置下，艾森豪完成了歷史性的訪韓之行；在韓境的三日中，他以軍人兼政治家的身份，保持民主作風，會見各方面軍政要員和前綫的小兵；對有關韓戰的種種問題，他得到了透澈的實地觀察。

一個星光燦爛而寂靜的晚上，約摸五點半鐘光景，一位在長邊路六十號艾森豪曼哈頓住宅外看門的紐約警察，耐不住嚴寒與孤寂，正在頓足來驅除身上的寒氣，這時一輛黑色的卡笛拉克轎車駛入這荒涼的街道，驀然停在路邊，隨後有兩個美國特務走出來，其中一個走到看門的警察旁邊，和他閒談，並把他帶到附近喁喁細語，另一個特務卻乘機溜進門去。不一會，警察回到門前的時候，一位帽子戴得很低，駝絨大衣的領子也高高翻起的人正匆匆走出來，大步踏上汽車，然後兩個特務也急忙跳進車內，這輛卡笛拉克汽車一溜消失在黑夜裏。

特務的最巧妙掩護

艾森豪就這樣在美國特務最巧妙的掩護之下，神不知鬼不覺地步上他訪問韓國的旅途。當他的座車駛向密契爾空軍基地的時候，他一行中的其他各人在靜靜地準備啓程的工作。三個被指定隨行採訪的記者也在曼哈頓賓夕法尼亞車站碰頭，而後與負責安全的特務同車駛往長島。艾克的國防部長威爾遜一個人慢慢踱出華都飯店，叫了一輛營業汽車開往第五十八街和第五街的東南角上，他在那裏等了一刻，另一輛轎車把他匆匆載往密契爾機場，到達那裏時，只見機場人員正圍着兩架星座式機迅速的工作。

艾克的賓客和隨行人員魚貫的走上飛機，那裏面有他的老朋友和西點軍校的同學，聯合參謀會議主席布萊德雷將軍；他的國防部長威爾遜；他的總檢察長布朗尼爾；已退休的柏爾遜少將；與當局特別指派的白宮特務首長羅萊諾人。艾克站在機旁的梯子上和大家一一握手。五點五十五分鐘，他的星座機首先起飛，十分鐘後，記者所乘的飛機隨着動身；兩架飛機都載着兩班的機上工作人員。

海上的謹慎防範

兩架星座式機從紐約啓程，遙飛舊金山，繼飛檀香山，而後抵達中途島。沿途，它們都使用假名，飛行的次數也是謊報的。在大洋中飛行的時候，他們與船隻或其他飛機至少保持百餘哩以上的距離。在降落加油之際，也不許任何人出外探觀。於飛出中途島後，記者專機的引擎突然發生故障。當機上人員把情形電告艾克專機的時候，爲了安全的原因，只獲得「來電收到」寥寥數字的冷淡答覆。後來記者的飛機勉強地飛到威克島修理。艾克的專機則逕飛琉璜島，降陸時，剛好趕上海軍陸戰隊在血戰出名的琉璜島山上所舉行的降旗典禮。

當記者專機第二天早晨趕至琉璜島追上艾克時，攝影記者曾請他再往琉璜島山上一行，拍攝具有歷史性的照片，艾克表示同意。在途中，他們放棄了原坐的契維蘭萊式的汽車，改乘一輛吉普，以便攀登山頂。這時因出任國防部長而即將辭去通用汽車公司董事長的威爾遜向司機說：「我們爲什麼要換乘吉普？」司機回答道：「那是因爲山道太陡，契維蘭萊式車不太好爬的關係。」「確是這樣的嗎？」威爾遜一點也不放鬆。「確是如此，先生，」司機回答。威爾遜走開後，那個任司機的美國大兵用很重的鼻音，粗聲粗氣的問道：「這是誰呢？」這時坐在一旁的布朗尼爾笑着說：「他就是製造契維蘭萊汽車的老闆。」神氣的司機聽了，連忙噓了一口氣，說道：「啊，糟糕，我簡直和自己搗蛋，不是嗎？」

熱朱古力和三明治

星期二日剛剛八點鐘過後，兩架星座機悄悄地降落在漢城郊外一個很少使用的機場的結冰的跑道上，在場迎接的，只有一位上校。因爲美國當局已獲悉最近已有二百五十個共黨特務潛入漢城，惟恐高級首腦出動迎接，可能露出艾克抵達的消息，當時艾克穿着一件大衣跳進汽車，一行在零度以下十八度的黑夜中，靜悄悄地駛進漢城。當艾克座車停在第八軍總部門口的時候，聯軍統帥克拉克將軍和第八軍軍長斐列特將軍都在黑暗中迎迓，和艾克熱烈握手，隨後兩人擁着他走進裏面，吃一客火雞三文治，一杯熱朱古力，隨即舉行會議。

當晚布萊德雷將軍睡在斐列特將軍的房裏，窗口對着街上，艾克則在特務的苦勸下，在一間沒有窗戶對着街上而面向着營房的房間裏休息。至於身爲四星上將的斐列特則被擠到無處安身，結果只有在盥洗間開了一張陸軍用的吊床，臨時過了一晚。

舊夾克再上身

他們一覺醒來時，已是晴明而苦寒的星期三。艾克穿起他的舊軍用夾克，上面沒有階級徽章，但依稀看得出歐洲盟軍統帥的肩章，穿着陸軍的羊毛袴，再加上一件陸軍的皮外衣和一頂毛帽子。首先，他坐一架「L——十九式」的小型聯絡式機，飛往視察第四戰鬥機大隊，在那裏他曾詢問有關MIG式機性能的情形，然後他到距離前綫僅六哩的第一陸戰師指揮所逗留片刻，下午艾克抵達第一軍團總部，戴起他出任北大西洋公約部隊統帥時的金邊軍帽，在嚴寒下檢閱由十五個聯合國家所組成的儀仗隊，接受他們的敬意。最後，他抽暇在晚上和他的愛子，第三步兵師的小艾森豪威爾少校單獨團聚，在艾克視察韓國期間，美軍當局特把小艾森豪少校自原部隊中調出，權充他父親的副官。艾克會將他三位孫女的情形告知他的愛子，並說，他已買了一件皮大衣，作爲送給媳婦的聖誕節禮物。

●蔡斯將軍的報告

其後的兩天——星期四和星期五日——都在聽取報告和會議中緊張地度過，他曾以戰略家的姿態，於清晨八時起床，與美國駐華軍援顧問團團長蔡斯少將會談，事後蔡斯少將說：「我肯定的認爲，艾森豪將軍對台灣情勢的瞭解，已比他以前所聽到的爲多」。艾克也曾以世界軍人的身份，停車探訪他的老友英國的威斯特少將。事後威斯特曾說：「他對我這師情形的瞭如指掌，正和我本人一樣」。艾克又曾以美國總統當選人的資格告南韓的將領說：「就我所知，你們南韓人正在逐漸壯大，且獲得很大的進展」。艾克也曾以上將的身份，視察一所陸軍活動醫院，並與傷兵交談。

十二年多以前，艾克曾在第十五步兵師中擔任中校，率兵駐在華盛頓州的劉易士堡，他這次訪問韓國，也曾以老兵的資格，探訪他原來服務的部隊，他站在第一營的第二連前面徘徊，隨後又坐在一塊舊彈藥箱上，與三個大兵端着糖膠製成的糕子，一塊兒大吃豬排和鹹菜，他們談到新聞、艾克的談話很自由，大兵們則很拘謹，對他們的上賓抱着敬畏的態度。在閒談中，艾克曾作了一段驚人的自白，他說：「我不看報紙的，直等到他們跑來告訴我，我才知道當天的新聞，如果消息很壞，我才願聽下去」。當一個傳令兵跑來邀請艾克與其他將領在一張營幕中會晤的時候，艾克說：「你的意想是全體的各級將領都在那裏嗎？好，但如果我帶着我的老朋友一同去時，那也對的麼？」「那是不錯的，」艾克就帶着他的老朋友一道兒去了。

李承晚要艾克回拜

作爲外交代表的艾克，最後也遇到一個尷尬的局面，當他訪韓時，他曾三度與南韓總統李承晚會晤，但在離韓時最後的一個忙碌的下午，李承晚總統的特務人員突然跑到艾克的臨時總部，私下對他的左右說，如果艾克不到總統府回拜，李承晚將失掉了面子，而力請艾克回拜李承晚。隨行的美國特務對此表示反對，但艾克幾經考慮，最後還是回拜了李承晚總統，並改變了他預定的行程。不到一小時，艾克即匆匆趕回，檢點行囊，留下二十塊美金的小費給斐列特僱用的的南韓侍女蘇濟（事後蘇濟告訴人說，她仍認爲史培爾曼大主教是最好的美國人），並向衆人話別，上午八點零一分，適在他抵達後的三天，艾克的專機起飛直航關島。一小時後，陸軍方面始發表他訪韓的消息。（節譯自時代週刊）

艾克在韓境前綫和士兵同進大鍋菜

美國防部將大加改組

一般人都期望美國總統當選人艾森豪對國防部機構作重大的改組。由於國防部工作的繁雜與缺乏效率，即一向以精力充沛見稱的羅維特也已有精疲力竭之感，從前福萊斯特爾因過度辛勞，以致神經錯亂自殺，羅維特記憶猶新，故爾積極求去。同時，現任參謀首長聯合會議主席布萊德雷將軍是陸軍出身，在艾森豪的新政府中，下任主席可能出海軍或空軍將領出任。

韓境共軍可能猛攻

艾森豪這次到韓國旅行，他所獲悉的各種事實中，其中有一項是：敵人可能發動一次大攻勢——但由於補給問題，攻勢將無法支持一週以上。第八軍軍長斐列特將軍深信來襲的敵人將被擊潰，甚至可能在遭受重大的傷亡後，還無法保持原陣地。

西歐基地建地下油管

華府正在鄭重考慮建築地下油管，期使北大西洋公約國家九十五個噴射機基地，在戰時也能獲得安全而迅速的燃料供應，這個計劃原是北大西洋公約理事會所提出的。同時，一俟美國與佛朗哥政府對基地問題獲致協議後，目前駐英的美海空軍部隊，很多會調往西班牙去，預料這是最近的將來即可實現的事。

美女公務員負担減輕

美國佛羅里達州參議員司馬瑟擬向新國會提出一議案，要求凡因本身工作而不得不僱請管家或保姆的女公務員，一律減輕她們的稅賦負担，相信這一個提案必可獲得女人們的喝采，而且也會受到新國會支持的。根據美國的法律，任何商人凡聘請一位經理代他管理業務的，這一筆費用可稱爲合法商務費用，得自其收入項下扣除，免繳所得稅，司馬瑟的提案，也根據這一條理由，而認爲女公務員也應將她們僱保姆的工資自收入中扣除，方算公允。

▷孟衡。

共產主義亟圖南侵聲中
越局緊扣亞洲安危

北大西洋公約組織巴黎會議，日前通過盟國共同支持越南戰爭，視爲對西方與韓戰同樣重要。這決議雖仍偏重於對法增加物資援助，但在促使西方盟國重視越戰一點，已產生重大作用。然而在另一方面，這個決議也充份顯露了法國對在越負担的焦慮。

從法越聯軍總兵力數字上看，以四十六萬之衆大兵員對付越盟叛軍，顯然不會困難了，但事實並非如此，因爲越南戰事的性質，已非一九四六年初期可比。在一九五一年，表面上雖由越盟領導，而實際由中共策動的「越南、老撾、柬埔寨民族統一陣綫」建立以後，在國際共黨的煽動之下，已將越南三邦結成了共黨心目中的一個整體，再加上中共以裝備供應越盟，早已由局部性的「內爭」，而演變爲國際化的侵略了。共黨在這一個廣袤的七十三萬七千餘方公里的土地上，軍事與政治雙管齊下，幾已被侵蝕去三分之二。而各方面的視綫，僅被吸住於越南的攻防戰中，忽視了政治滲透的陰謀。迄今爲止，越南三邦的國際地位，聯合國幾經辯論，由於抵制越盟代表的加入，把越南、老撾、柬埔寨三個獨立國的申請擱置，無形中便增加了共黨的宣傳，他們口口聲聲說是「要解放帝國主義壓迫下的奴隸」，而發動「印度支那人民民主的解放戰爭」。在這個大事渲染的口號之下，無疑是在替蘇俄掠取南亞的鋪路。

長期消耗漫無止境

法國自不甘放棄越南，但它在越南所支付的代價，七年來已不是一個小數目，戰死、受傷和失蹤的增加，包括越南和北非的摩洛哥軍在內，據舒曼宣佈，已逾九萬人，而其中僅屬法國的軍官，則達一千一百十一名，故法國的軍官訓練名額，亦大量增加，本年度已自（一九五〇年）四百四十名增至八百四十名，不是這樣，幾無法彌補在越南作戰中的消耗；但支持此一戰爭的軍費，過去已支付一萬五千四百六十億法郎，而一九五三年度法國國防預算中爲三八七〇，〇〇〇，〇〇〇，〇〇〇法郎，佔有了總額的四分之一，這種龐大的軍費支出，投擲於這難見結束確期的戰爭，在今日法國經濟困窘中，自是一個異常重大的負擔，而且這一個地區的戰事，一如韓戰，還要繼續下去，倘使能夠把越盟叛軍擊潰，那末即使再增加幾倍於已往之代價，也還值得。但今日的戰事越勢，甚至比過去還缺乏轉機的迹象。同時越南人對法國的幫助亦非不見諒，雖然尤不見諒於美國，雖然美國援助越南的軍需供應七十噸，指定必須付於越南政府，而拒絕由法國軍方支配運用。這樣看起來，法國對越南在經濟、軍事上常年所付出的代價，實在太沒有意義。有人譏說：「法軍乾脆地退出了越南，讓越南的形勢是不會壞的，因爲至少美國人不會見死不救，讓共產主義在越南得勢的。」但是，法國人既已消耗了如此龐大的人力和法郎，儘管形勢再惡劣，當然要求爭取最後勝利；至於有無此種把握，則在現時誰也難以遽下斷語。

最近的戰事雖在泰族會劇烈一個時期，但仍然足以影響整個越戰的決定性大戰。

美山孤立勢在必守

紅河三角洲的威脅，是越南戰事現階段的焦點，但存在已非一時了。自去春和平戰一役以來，越盟經過中共的大量接濟及內部重加整頓後，又作積極的再度對泰區進攻，一直蠶變到今日對美山包圍，美山的地位重要性，在於作爲紅河三角洲的門戶，一向是供應越北前綫的軍需補給基地，而在越盟軍心目之中，這一個據點勢在必得，而法越聯軍則必須保持，否則前方空投軍需既無源源，戰綫將再行縮短，扼守三角洲必將增加重大困難。

經濟問題影響軍事

保大這一次巡視前綫之後，會表示具有擊敗越共的信心，但並沒有使人得到法越聯軍將發動一次有計劃的攻勢以奪回失去的土地的跡象。同時，中共的戰略物資正由來（賓）鎮（南關）運入越境，越盟軍的兵力繼續增援，就現實情勢看來，如果美山不守，三角洲受嚴重威脅，而法軍無法予越盟軍以一次決定性的打擊，則不僅越局不易扭轉，而東南亞整個地區的危機，更必然激烈加深。這種情勢，盟國當然充份明瞭，但其中除美國外，都在自顧不暇，雖願協助法國，但心有餘而力不足，在法國一再呼籲之下，總算在這次大西洋會議中，提出了「盡力提供物資援助」的諾言。

越南的問題，還不僅在於軍事，經濟情況實際上也甚嚴重，政府歲入的來源，明會經引起各方指摘，據經濟部長阮輝萊說，法國援助越南建軍費共爲七億元；另撥八百萬元作混合法院費用，總共等於全部預算百分之十五；美國援越的經援總數爲二億一千三百八十六萬六千九百四十五元，其餘的百分之八十五，均由越南的納稅人負担；此種稅收，僅國防稅、土地稅、關稅及郵電稅的收入，可徵二億三百萬元；據說，將來法國援越的建軍費且殆將削減，故越南政府又將增加原有的稅額。但米糧出口因受米價上漲影響，雖因此米價回跌，政府與人民由於米糧之產量減少，各方面均蒙受重大打擊，如果戰事繼續蔓延，產米區之米量減少，一般人民受了米價的威脅，禁運顯又無法取消，則外滙收入銳減，關稅亦遭打擊，在這種情形之下，一九五三年度越南財政收支，自然無法如想像中的平衡的。（歐）

中共瘋狂進行備戰
俄人指揮擴建鞍山軍火工業

中共三年來的盲目「生產」「建設」遭到慘敗，為積極「備戰」，乃提出「加強基本建設」的口號，並宣佈指定鞍山為重點，在蘇聯有計劃的佈置下，使用大量的人民膏血，進行鞍山軍火鋼鐵工業的改建和擴大，以「帶頭」加強各處軍火鋼鐵工業的大規模改進，而展開瘋狂的備戰生產競賽。

已在失敗慘重　鞍山帶頭改進

中共的所謂「基本建設」，原是基於「國防」觀點的以建立大規模鋼鐵廠，製造武器、彈藥、車輛、鐵道、五金，開發軍需礦藏資源，增加電力，改善防禦建設等的軍事建設的別稱。因而他們在過去三年中，面對着過去自己所破壞的殘敗局面，雖一面嘶聲力竭地從事於搶取及盲目的生產以圖恢復原有的生產建設的基礎，而一面仍繼續瞎幹地進行所謂「基本建設」。惟過去三年中的「基本建設」在積極備戰的迫切需要下經蘇聯顧問們一加調查檢討，已發覺了普遍慘敗的情形。據上月二十九日北平人民日報認承：一、是「方針上的盲目性」，說許多礦、廠、及領導機關的負責人，對基本建設往往不從總方針及主客觀各方面條件去計劃設計，而只憑「好大喜功」與「急於求成」的「熱情」下去蠻幹亂幹。結果礦、廠、機關，傾其所有資金胡亂地買進了許多不合用的機器，建造了許多不合用的房屋，蒙受了浪費與凍結的嚴重損失。二、是「組織領導放任自流」，說各領導幹部缺乏對基本建設的認識，任憑片面的生產而忽視了基本建設的重要性。三、是「計劃建設不嚴謹」，設計部門設計時，「盲從蘇聯」，施行時，「隨意變更」，尤其有些高級領導幹部都不懂技術，而濫充能幹，無視技術人員的意見，亂搞一起。四、是「不重視施工領導和管理」，說在每個工程施工前，對材料供應，勞動力調配，工地的準備及整理工程進度，都沒有適當考慮，或根本未加考慮，以致開工後大部停工待料，或積壓材料，使整個工地陷於混亂，能按期完成工程的，僅屬少數現象！五、是「資金的積壓、浪費、與濫用」，說由於指導思想上的「好大喜功」，「急於求成」，與組織領導上的「放任自流」，「無人負責」以及計劃設計和施工的不週密，以致資金積壓、浪費極為嚴重。又說據不完整的統計：「全國有此種現象的礦、廠、機關，竟有百分之七十八以上，而每一單位積壓或浪費資金的數字，平均約在三十億以上，多者竟達一百億以上者。」又說此外生產部門挪用基本建設資金的，或基本建設部門挪用生產資金的違犯財政紀律的現象也非常普遍而嚴重！然而，現在中共已根據此種慘重失敗的教訓，指定鞍山為重點，進行所謂「重點建設」，以鞍山為模範，從而擴大「全國」的「重點建設」以進行普遍的「改造」。

旅大掩護鞍山　建立軍工重點

照理，鞍山在地理形勢上講，並不適宜於中共在戰爭中建立軍工重點，但由於蘇聯顧問們的意見認爲鞍山背有旅順大連的掩護，並有完備的交通條件，所以擇定鞍山爲示範性的最大規模的軍火鋼鐵廠的位置，而且事實上，現在的東北，早已成爲蘇聯遠東兵工廠的基地，因而，此次鞍山鋼鐵廠的改建和擴大，完全是在蘇聯的一手計劃下和主持下所大力進行。據本月三日北平人民日報披露：「鞍山鋼鐵公司所有各項巨大建設工程，是由大批優秀的蘇聯專家和技術人員來幫助進行的。負責指導這一工作的蘇聯專家赫列巴尼柯夫，已率領大批人員到了鞍山，僅他們作出的初步計劃書，即已有一百二十巨冊。」至於中共在鞍山所進行的所謂「重點建設」的規模究竟有多大，據同日該報的披露：「到現在爲止，已集合了數百名主要管理幹部，數千名技術人員，數千名基層幹部和技術工人，數萬名各種專業工人，和數萬名普通工人。成立了地質、設計、計劃、材料、設備、財務、工程管理、勞動工資、組織、保衛、宣教、祕書等的十二個處的業務和政治工作的機構。分設了土木建築、機械安裝、金屬結構、電器安裝、安全設備與爐窯等六個工程公司和五個工地管理處，及五十六個工務隊。此外，還建立了混凝土攪拌、模板、鋼筋、木材、採石、採沙、礦渣磚等七個附屬加工工廠和一個包括挖土機、起重機、鏟土機、平機、捲揚機、萬能裝卸機等數十種自動化機械設備的供應站。」又據該報披露說：「現在擴大鞍山基本建設的工程正在加速進行，而於極短期內全部完成，而後將製出大量的鋼鐵機械以供應全國各重點基本建設的需要，並將製出大量的國防用品，爲全國各重點大規模生產的標準。」

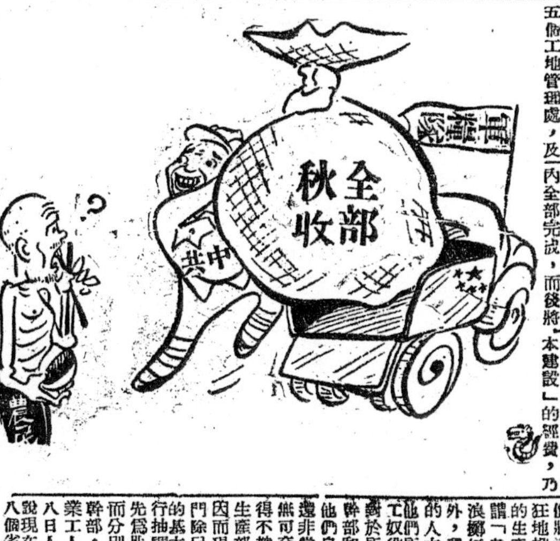

浪費人民膏血　人力挖肉補瘡

據上述這種組織及建築規模看，當然已夠得上他們自己所誇耀的「偉大」二字。但中共今日孤注一擲所用之於拚命爲戰爭需要而進行的「基本建設」的經費，乃是歷年從征糧、征稅、捐獻、五反等等一連串的壓搾下抽集攏來的人民膏血！他們現在欲達以戰爭自保的目的便不惜任何代價將這些人民膏血瘋狂地投入了軍火鋼鐵的生產，但他們的所謂「基本建設」除了浪擲無數的人民膏血外，還必須投入大量的人力方能推動，而他們所需的人力除勞工奴役不虞匱乏之外，對於所謂優秀的領導幹部和技術人員，據他們自己承認，困難還非常嚴重！最後在無可奈何之下，乃不得不挖肉補瘡地從各生產部門大量抽調。因而現在各地生產部門除已準備爲各地區的基本建設的重點進行抽調幹部外，已首先爲服從鞍山的需要而分別抽出了大量的幹部，技術人員和專業工人。據上月二十八日人民日報披露，說現在已有全國四十八個省、市爲鞍山輸送了大批的幹部，技術人員和工人；例如東北北鎮一縣就征派了四百多個勞工，僅瀋陽一市即抽調了一百二十多名架工。據說依不完全的統計：「現在全國各地爲重點建設鞍山而準備抽調征集的幹部、技術人員及工人，當可在十萬以上。」雖然，他們也同時承認，現在從生產部門中抽調幹部到基本建設部門去的這一任務，正遭受着嚴重的困擾！然而，只要中共產生了一個目的，他們還是不顧一切的盲目蠻幹下去，縱然他們常常會發現偏差而提出官僚文章的檢討，而新的偏差依然不斷地從上層的決策到下層幼稚中不斷地造成。因而，我們敢於預言，他們的所謂「加緊基本建設」和「重點建設鞍山」，這一孤注一擲的掙扎，結果又不免是焦頭爛額，一敗塗地的！

•山禾•

廣西大學沉淪赤潮中

今日的廣西大學，完全爲政治氣氛所籠罩，「思想訓練」代替了學術研究，過去的和諧寧靜早變成了一片恐怖緊張，在政治高於教育的原則下，爲着「抗美援朝」，爲着「淸算鬥爭」，宣佈停課，已是家常便飯。

政治術語莫測高深　共產邏輯變成笑柄

現在全校男女學生名額是八百八十九人，不及過去的三分之一，原有的教授和職員共留下五人，一位在「解放」前任省立桂林中學初中部歷史教員的蒙永明，係過去省立師專畢業，那時師專的校長，即現任西大「校長」楊東蓴，楊是共產黨員，所以師專也就成了廣西共黨的溫床，蒙在師專讀書時，由楊介紹加入共產黨，畢業以後，一直以教員作掩護，從事「地工」甚力，於是夤緣附會，這次做了西大的「教授」兼「祕書長」，這位新貴平時滿口政治術語，使我們莫測高深，祗是有次出席講演，他不知怎麼說了一句「在路上碰到一個[illegible]」的話來，這句話，儘管他自己認爲可以合於共黨的邏輯，但不懂這一邏輯的學生們卻認爲語病太深，事後大家都拿他這話作爲笑柄。

在楊「校長」的領導之下，西大的確「改造」了不少，首先將校本部（將軍橋）的大禮堂改爲「中蘇友好大廈」，法商學院的法商館改爲「列寧紀念館」，連故校長馬君武先生所題的校牌，也被拆除，聽說楊「校長」要請毛皇帝御書，以示光寵，同時以「不准小資產階級再有浪費」爲理由，並響應中共中央的「精簡節約」號召，不僅校外各飲食館被禁止營業，即校內合作社公共食堂亦告取消，行駛桂林市之校車一律停開，校本部與校分部（良豐）之間，僅每星期日對開兩次，同學們對這些雖深表不滿，但因爲怕戴帽子，誰也不願說什麼，誰也不敢說什麼。

「領導作用」未產生　「志願參軍」乏反應

西大是廣西省的最高學府，照理對中共什麼運動都應起「領導作用」，可是在事實表現上卻適得其反，像「購買公債」「獻機獻砲」，處處都出於被動，尤其是「志願參軍」的成績最壞，因而「省人民政府」和「中南區文教部」均不惜三令五申，責楊「校長」注意加強學生思想上的教育。「省主席」張雲逸遠在南寧，平時很少機會光臨西大，本期開學不久，適張「主席」因赴武漢之便，路經桂林，乃應楊「校長」的邀請，到將軍橋作一次鼓動性的演講，全校教授同學工友都必須參加，他在演講中，首先指出西大學生對「抗美援朝」的意義不瞭解，動員不夠深入普遍，繼則將「美帝」如何「侵略」朝鮮，如何「屠殺中朝弟兄」以及美機如何「濫炸」中國東北，說得滿面流涕，煞有介事，最後提出「抗美援朝要有實際行動」。拉拉雜雜演講了兩個鐘頭，累了我們楊「校長」也恭恭敬敬的站了兩個鐘頭。

「抗美援朝要有實際行動」，這是張「主席」到西大演講的最大目的，他這話的意思就是叫學生響應，以實際行動去「參軍」，在張「主席」天真的想法，以爲我們經他這次演講，在感情上一定有被衝動而發爲「實際行動」，然而對學生們始終沒有引起這種作用，正在桂林招致的「人民海軍」和「人民空軍」，西大的同學還是很少人報名，學生早已明白，所謂「參軍援朝」，不過是把自己送到朝鮮戰場替「蘇聯老大哥」當砲灰而已，他們已瞭解得太深了。

•穆穆•

搜刮民財又一手段
中共的保險事業

中共對於民間的財富，用盡種種手法，不斷搜刮。所謂「中國人民保險事業」的發展，反映了秧歌政權「取之盡錙銖，用之如泥沙」，對人民利益絕不顧惜，只求本身既得權利的鞏固，但「敢怒而不敢言」的群眾情緒，正如破堤之潮，因此日益洶湧，在直向赤色政權衝去。

任何人都知道，「保險」是近代工業社會中，補救意外損失的進步制度。老話說：「天有不測風雲，人有旦夕禍福」。對「意外」事件的防不勝防，而產生了「保險」補救制度，的卻是適應時代需要而有的制度。它適應每個人的需要而自由投保，近代國家的保險事業，因之日漸發達。

掛起幌子　搜刮民財

可是，在中國，保險事業一直不太發達，這是因爲中國還沒有進到工業國水準的原因，所以保險事業，大部爲歐美商人在中國國內所經營，全國百分之七十五左右的保險業資本爲外人所投資，保險的人或法人也都循着本身的需要去投保。

秧歌政權竊據了中國大陸，有見於「保險事業」的理論好聽。利潤豐厚，可以利用來做爲搜刮民間財富的手段。三年來，不斷的利用人民保險公司爲總機關，挑着：「保護國家財產，促進物資交流，增進人民福利。」的幌子，搜刮了不少民間財產。

根據中共的報導，在人民保險公司的名下，先後舉辦了四十餘種保險業務，到今年十月止，人民保險公司在全國各地共有了六百二十七處分支機構，代理處三千七百三十五處，其用「保險」名義的搜刮網之廣佈，可以想見。

強迫保險　加強敲搾

這保險公司對國營企業，合作社，國家機關的財產一律施行強制保險。所謂「強制」，就是人民保險公司硬敲強索，許多單位的工作人員，原來工作辛勤所得，已在中共各種名義的搜刮結果下，搞得不能溫飽，因此而無形中又多了一層剝削：機關，合作社，企業付出的一筆保險費，還不是「羊毛出在羊身上」的從工作人員身上打主意。

中共爲支持這種強敲硬索，曾于卅八年十二月的財經委員會討論中決定國營機構必須參與保險。去年的二月還頒佈了一道強制保險的法令。如此，人民保險公司更搜得有聲有色了。據統計：東北全部國營機構三萬餘單位已投保；中南區專署以上的國營機構有百分之九十投保，工業電器系統全部投保；華東區全區省級以上單位投保達百分之九十五，縣級以上單位達百分之九十……由這些數字的統計，可見，中共出「投保」刮進腰包裏去的財產之數目實在龐大得可觀。

牲畜稻禾　也受剝削

中共對「農民」的油水，當然不會放棄「這油水」的，中共人民保險公司巧立了不少名目。如牲畜保險，據說有六百多個地方辦理牲畜保險，現在有了一千二百萬頭牲畜保了險；農作物保險，包括各種莊稼，如：小麥、水稻、甘蔗、菸草、麻……等。

此外，城市裏的水險、火險、運輸保險、海上運輸保險、旅客意外傷害保險、團體人身保險……等「保險」在利之所趨的引誘下，威之所迫的壓力下，人民保險公司給中共政權的新貴們從中國人民的身上確實又搞到了不少錢。

至於，「保險」的實惠，請再看幌子：「保護國家財產安全，促進物資交流，增進人民福利」，那麼多重要的「名詞」，難道你們人的「私利」，還能照顧嗎？「保護國家」連人命都賤如土；「搞好生產」又是中共教條的人間不二「美德」……於是，疲於奔命的「工作」多經過「保險」，使工作人員更加多工作，使中共能更多巧立名目，多收些「稅」。大陸的人民如果擁護這種巧取豪奪的共產主義制度，也就是擁護自甘趨向死亡的制度，然而，凡是人誰不願意自由快樂的生活下去的，這種「制度」，在反「人」的基礎上，自然決不會受到擁護，相反地，祇會更引起人民的反感和憎恨。一個政權建立在人民的反感與憎恨上，那就有不垮之理。（國之）

看報的閒話

爲方

前兩天，報紙上出現了一則由台北發出的外國通訊社消息，說是「據稱常可靠方面」指出：毛澤東最近在高級共幹會議中，列舉中共十項缺點，認爲是「解放」整個亞洲的絆腳石云云。

我不知道國出這種幼稚的常識性宣傳消息的「經常可靠方面」，用意安在？中共缺乏戰略物資，沒有兩棲作戰部隊，大陸沿海岸防綫太長，鐵路系統非新式的，英美佔空軍的優勢……等類情況，簡直皆能知之，皆能言之，還待特別宣傳嗎？就中共區域的交通現狀看，他們正以極殘酷的奴工方法，拚命建築西北方面的鐵路公路，要把康、藏、川、陝、甘、青、寧、以至新疆作交通網完成，與蘇俄國防體系相表裏，他們對於中原腹地的交通，根本就不重視，必要時，那幾條舊式系統的鐵路也可以拆掉的。還些情況似乎「可靠方面」幷未注意，專門搞些自我陶醉的常識性宣傳，不但是將增益自由中國反共精神的惰性發展，而且更將供給西方列強製造「亞洲狄托」的良好題材哩！

西方列強爲着祈禱上帝降生「亞洲狄托」，這年間挖空了心思來造出若干個當然的口實，藉以脅持美國對中共妥協。最近出於中共拒絕韓戰的結束方案，他們正感到有些羞愧不安了，我們又用些幼稚無謂的消息給他們解嘲，還是那一類型的宣傳技術呢？

如果是我「發明」這類高見，那就不止是替毛澤東指示十項缺點而已，還有一項極機密的珍貴的情報尤其不該漏掉：中共沒有氫氣彈啦！

自由談

走頭無路

・黃汎・

胡若海一清早就提個籃兒外出乞食去了，他開始「學習」這門勾當，事先幷未經「人民政府」的核准，所以乞食方式，只能偷偷摸摸專找那些尚吃得起飯的熟悉親友，分點殘飯冷羹糊口，實踐「毛主席」訓示的所謂「三個人飯五個人吃」的游乞生活，他這樣混了兩個多月，在先是親友們還抱着點「同病相憐」的「溫情主義」時時「照顧」他，但近來親友們也似乎漸漸「不講情面」起來了，很難得到他從後門偷偷溜身擠進來，就繃着頭說：

『啊呀！若海伯！實在不瞞你說，前天佈施了你一餐，自己就餓了一頓，你還樣天天來，我們……

……』

這社會雖然已是自命爲「進步」了的「新社會」，但究竟還沒有進步到「科學的共產主義社會」那個境地，可以施行「你的就是我的」的「共搶」手段，況且他的「舊社會道德意識」的「尾巴」仍然未能完全甩掉，不能就此翻了臉皮，假借起「職業乞丐」的「說服」態度來強索，所以當親友們這樣回絕他時，他就只得失望地默默退了出去。

在這樣情形下，胡若海已是整整兩天沒有粒飯進口了。他昨晚想了一夜，哭了一夜；妻女自從今年春天回到鄉間，聽說因爲被評定爲「地主婆子」關了進去，至今訊息全無；自己則在「三反」「五反」的暴風下，將這二十年苦苦經營起來的店舖，反得一精二光，還欠了一筆永遠付不清有如天文數字的罰款，上個月「人民稅局」查封了他的店舖，僅僅算抵銷了罰款的尾數，其餘的欠數，稅局一再派人催繳，要他設法將海外的產業變賣抵付，就是通他兒子從南洋滙來接濟他的一點生活費，也給扣繳了去，胡若海弄得走頭無路，爲了肚皮自然已顧不得「舊意識」的「體面」關係，只得權且「學習」起「伸手將軍」的門徑，但是在「新社會」裏，乞丐這門職業原是爲「照顧」失業工農的優待辦法，不是任何人可以隨便享受的，胡若海自問並沒有這個資格，於是就只有偷偷摸摸從親友那裏討點殘飯冷羹度日。然而現在是連這個沒奈何的勾當也竟走到了窮途末路無以爲繼的境地了；他蜷縮在破絮裏愈想愈悲憤，一肚子的辛酸，只有讓它從淚水裏流洩出來，直到淚濕了半床破絮。

他今天一清早提一個籃兒出去，還是昨晚淚濕力竭之餘，最後想到的一條生路，那就是在離城三十里的吳家庄，他記得還有一位貧農出身的表親，這年頭想來這個表親一定是「翻了身」的「幸福人民」了，何況今年農村又「豐收」，這趟大約不致於完全落空的，他有了這線生機，腳下也輕快起來，雖然肚裏仍然飢腸如轆，而他內心是十分愉快開朗的，就這樣他那乾癟得已像風乾文旦的兩頰，也裂開了一絲希望的笑痕。

當胡若海掙扎到吳家莊的時候，首先使他詫異的是這個農村竟淒涼得有如置身鬼域，完全沒有一點報紙上所說的那般「豐收後普遍繁榮」的氣象，他好像踏步在沙漠上，感觸悼懸與空虛，但他仍然滿懷希望着這個沙漠會湧現出一個綠洲的奇蹟，然而當他打聽到他的那個表親竟已在三個月前因爲欠繳「農業稅」自殺身死之時，他的唯一希望也破滅了，他幾乎也跟着死了過去，他彷彿一只洩了氣的氣球，全身震抖，搖搖欲墜。

總算農村「封建社會」的「舊意識」比較濃厚，有幾個農民知道了他的原委，將他扶持到屋裏，等他神智甦醒過來，大家湊集了幾個麥餅，燒了一壺茶給他充飢，他覺得人間居然還有這點溫暖，感動得再吃不下一點東西，他同時更就憂到今後的生活，他的辛酸悲憤又都不由自主從心胸中湧起，天生萬物，何獨逼人如此？他不禁號啕大哭起來。「哭泣」這回事，在「新社會」裏原已是被認爲不應再有的「情緒」，所以胡若海的哭聲，立刻就驚動了民兵，帶着「村委」自己也跑來親自調查。

『啊！你是城裏人來找那位「落伍」農民吳三義的，吳三義的自殺，是最可羞恥的行爲！是懦夫！你居然同情他，竟敢這樣大哭大叫，你是不是有意鼓勵羣衆情緒……』

「村委」厲色俱厲的教訓着，胡若海却似丈二金剛摸不着頭腦，瞪目不知所對。

「村委」懷疑他的情由絕不止如此簡單，爲了不能放鬆「革命羣衆的警覺性」，於是立刻派了四個民兵，像捕了大盜似的，將他押解到城區「公安部」去，而且就呈報他是一個「反革命嫌疑份子」。

「公安部」訊辦這件案子，出動了全部偵緝人員，經過了廿四小時的「疲勞審訊」，結果總算由「人民稅局」提供了許多資料，證明他不過是一個「漏稅的逃法戶」，原不是什麼了不起的人物，「同志們」才鬆了一口氣。

『他媽的，起先問你不早說，唧唧唔唔像斷了氣似的，害得大家忙得一團糟……現在限你在一個月必須將欠繳的罰款補繳出來，否則……』「公安部長」氣憤憤地說。

胡若海從「公安部」釋放出來的時候，他兩腳踉蹌，眼前黑黯黯一片，整個身體似乎就將迸裂，面對着殘酷的人生，他茫茫就不知何去何從。

閒話讀書（七）

・舜生・

書有硬性的與軟性的。硬性的書，往往是那些篇幅繁重或說理艱深的東西；軟性的則往往文字輕鬆，表現明澈，能從性靈上去撥動讀者的快感。硬性的書永遠只是爲少數人而設，一般人很少有機會去和它接觸；軟性的書則能使深者見其深，淺者見其淺。又有一種作者，他所談的本來也就是一種很平常的東西，假定他能夠深入淺出，也未嘗不可以使多數人理解，可是每每他那枝筆不能從心，有時候也未嘗不是以艱深文淺陋，故意要擺出一幅學者的面孔。還有一種天才家，他又誤會天下人的聰明才智總和他相去不遠，他往往只把自己深造自得的簡單結論示人，至於他如何得着這樣結論的過程，却不肯多說，此所謂『鴛鴦繡好從君看，不把金針度與人』，有時候也實在有令人莫測高深之感。

大概每一個比較高級一點的讀書人，大家都可能有這種經驗：他們拿着一部有名學者的書，泛泛的看過一遍，說不懂，似乎大體又懂得；說真懂，却又有若干的論點，不了解他是如何構成的。我想，這裏有兩點可以說明這種現象：一、大凡一個像樣子的學者，他所懂得的東西，一定相當廣博；他所涉獵甚至深造過的學科，一定是很多的；假定你對他持論所依以出發的若干學問毫無門徑，當其你去看這位學者的一本大著，可能會要感到目迷五色，很難得着要領，此多讀門徑書和廣吸常識之所以不可少也。二、不問怎樣一個了不起的學者，他總永遠只能站在一個承先啓後的中間，他的一切理路，總脫離不了歷史文化的傳統，有時且擺脫不了與他血統有關的民族性。因此假定你在讀某一國某一位思想家的一本大著，或讀某一國某一位大文學者的一種傑作，如果你對該國的歷史文化及其民族性與生活方式先有一些基本概念，你讀起來一定要親切得多，否則即難免模糊之感，學術源流和思想背景之不可不知，其原因大概也就在此。

我最歡喜讀一個學者或事業家的年譜或傳記。一本寫得最好的年譜或傳記，一定對該譜主或傳記主人的家世，時代背景，師友淵源，個人習性及其私生活等等方面寫得很客觀而且很詳細。對其人有了這樣的了解，再去看他的著作，或研究他事業的成績，便有把握得多；所謂『讀其書不知其人可乎』，這句話是很有道理的。拿眼前的例子來說：近年對於『紅樓夢』這部不朽名著的作者曹雪芹，已經有了較好的考證，我們進一步再來讀這部書，所得的新啓示便實在不少。推而至於您就研究孔子的思想，如果你不把他的時代背景弄得相當明白，你對他的種種說法，還不是永遠陷於似懂非懂之間？今天我們來讀一位外國學者的書，當然這一類的工夫更是不可省略了。

萬竹樓隨筆（一五六）

日公主的雞蛋

・由之・

日本天皇裕仁的四女順宮公主自下嫁平民後，她婚後的生活情形即未見報章報導。最近日本時報的記者曾訪問順宮公主，發表她婚後的第一篇訪問記。據說：順宮公主的夫壻原是一位經營農場的青年，因此順宮下嫁後，就親自操勞，幫同丈夫料理農場事業。每天清晨六時，即起床工作，協助丈夫飼養他們的三百頭金絲雀，五十隻狗，九頭乳牛，四十隻豬，九隻山羊和一千隻雞，照料這麼多的家畜，雖然是一樁繁雜而骯髒的事情，但享盡宮中繁華的順宮，却毫不以爲苦，而自得其樂。

她們的農場中，每天出產很多雞蛋，而且這些雞蛋都運到東京城內，可以賣到很好的價錢。因爲善做生意的商人，已在她們農場出產的雞蛋上，加蓋一個小印，上面註明是「順宮公主農場」的出品。一般敬奉皇室的日人乃爭購出較高的價錢，而不肯買普通的雞蛋了。

在日本來說，順宮公主總算是一個了不起的女性，她敢破例地下嫁平民，她肯拋棄宮中的榮華富貴，而安於樸實無華的生活，都是她勇敢而偉大的地方。

赫德傳（廿四）

惟俄法德三國已以俄爲首于四月廿日起勸告日本歸還遼東半島，理由是佔領旅順足以威脅北京，且使韓國獨立爲幻想。經過三星期之考慮，日本卒屈服，但增加三千萬兩之賠款，有人疑爲李鴻章在動身前與俄法公使祕密會議的結果。赫德鑑于日本之勝，乃下令海關人員專心服務于海關，不得參加中國海軍，其嚴格中立的態度，與前數次絕不相同。然當中國籌戰費亦頗努力，一八九三年曾商海軍借款六百萬鎊于英倫銀行未成，乃改向滙豐銀行借一千萬兩亦未成，後在英德商人處各借約一百萬鎊。對日和約成後，須于每六個月一期付賠款五千萬，其餘四期，則分攤七年還清。是年四月八日，赫德電倫敦要求六千萬鎊借款，三百萬鎊爲解散軍隊之用，一千五百萬鎊爲還遼賠款之第一期付款，而以後每六個月須付六百萬鎊，滙豐銀行，願向國際市場上去設法。乃組銀行團，以分担此六千萬鎊借款，惟除關稅外，以鹽稅厘金田賦爲担保。惟諭傳德國欲包辦借款，而擔保足于其統治下，以便由德人璀琳代赫德，所治海關全部改組。中國人軍機俄法德之能力促日本還遼，而俄尤甚，美國則勸日本收受中國政府借款，以售于國際市場，惟英國則一無作爲，所不爲中國所重視，俄使且告中國，謂賠款不須速繳，俄可爲借款，再證明一次中俄的友誼，蓋以得法銀團之支持故，德銀行團則堅持要担保品，幷須英國之參加。

中國之友（四四）

毛以亨

一八九五年七月六日，中俄一億盧布借款簽字，係六個法國銀行，四個俄國銀行組成之銀行團承貸而由俄國担保。實付百分之九十四又八分之一，俄法佣千分之四，分至一九三一年償清。俄國滙勝銀行于中國，欲使海關稅款存於彼處，法人並欲爲中國稅務司以代赫德。一八九六年英德借款一萬萬兩（合一千六百萬鎊）成功，由滙豐德華兩銀行負責半數，年息五厘，英國勢力軍復抬頭，法公使 Gerard 欲薦六人充稅務司，亦爲英公使 Sir Claude Macdonald 所反對。然一八九六年的借款，祇能償付日本賠款至一八九八年止，欲盡行清償尚須再借一批。一八九六年李鴻章赴俄之後，俄人提議，若再借款須四厘息，以九三折付現，而以厘金田賦爲担保。然中國之財政建設權與華北之路礦權均須歸俄承辦，總稅務司出缺亦須歸俄人担任。總理衙門嫌條件過苛，乃改向英人商辦。時于一八九七年十一月一日膠州教案起，中德交涉正在緊張中，英市場對中國借款無興趣，然倘中國借款成功中國必亡於俄，而海關與滙豐銀行終恐被俄有。滙豐經辦 Cameron 在倫敦告外部負責人 Bertie，謂「英國若不援手，中國將爲俄行省。」寇松 Lord Curzor 提議對中國借款由英倫銀行協同滙豐銀行辦理，而由英政府担保。同時中國政府允開大連，湘潭南寧爲商埠，緬甸鐵路直通長江，內河通航，取消釐金，監督財政。Curzor 在國會演說亦允再借款，謂在中國英國與他國一樣開門不能退讓。英德第二次借款于一八九八年三月二日簽字，款額一千六百萬鎊，八三折實付，年息四厘半，至一九四三年還清，以關稅，滙蘇杭厘金，宜昌漢口大通鹽稅爲担保；担保品每年收入可逾五百萬元。

憶抗戰首都兼懷川人

——・鐵頭・——

那時站在塔上的人，不斷身體如燕，腦清如水，轉不期而然的微微點頭嘆息道：「生在重慶那爐火之中似的人們，何苦來哉？何苦來哉？」然而轉眼之間，最多渡過了一個週末，那嘆人的人，依然要奔下山去，回到那個霧迷漫，炎熱如火的巨輪中，恢復了其照常的工作了。但是身心畢竟得到了休息，意志畢竟得到調劑，而抵抗力與適應力也畢竟在不斷的增長中，於是瞬息之間，七年過去了。

今日回首前塵，非特不覺其苦，且津津餘味，彌覺其甘。

說到重慶的人情味吧。當時初到四川的時候，確有許多感情不很融洽，而彼此中懷憾憾的事情發生，但是一兩年下了，也就慢慢相安無事。關頭一段，主客的形勢，自然是很強烈的，但仔細分析，所謂「主」「客」之爭，並不正確，實際上是「主勢」之爭，原來的本地人，自然以東道自居，而負着抗戰使命，西遷入蜀的英雄們，也卻不甘做客。且覺得我們不來保衛你們，日寇一到來，你們就變成了亡國之奴，那裏還能裝腔作態呢？加以來者多係中央機關，向來居高臨下，統取一切，已成習慣，一面覺得我們是客，不遠千里而來，你們理應招待，一面又以爲四川本係中國一省，我們避寇遷都，依然在本國境內，你們並不應謂吾人爲避難災民，更因民國以來，蜀地久成脫輻之勢，加上社會種種傳說，把川人形容成強悍狡詐，很難相處的樣子，於是在心理上先造成了矛盾的成見，在精神上不免採取了攻勢的防衛。

而重慶的人們，則恰恰與此相反：第一，你們若無艱難險要，阻遏追兵，早已消滅，焉得神氣活現？第二，你們若無四川天府，供應饋餉，行將餓死，豈可君臨一切？第三，你們中央的人，是會發鈔票的，下江的人是最有錢的，把我們的東西買貴了，弄得我們生活愈加困難，你們還是安份點罷！而且第四，你們來了炸彈也跟着來了，大火也跟着來了，又是關火巷，又要拆房子，只弄得烏煙瘴氣，神鬼不安，還要埋怨我們？（四）

中華民國僑務委員會[illegible]

自由人

THE FREEMAN

（半週刊每星期三六出版）

（第一八九期）

每份港幣壹毫

督印人：李光華

社址：香港高士打道六六號

電話：二〇八四八

GLOUCESTER RD. HONG KONG TEL: 20848

承印者：東南印務出版社

地址：高士打道六十四號

台灣特派員辦事處　台北市館前街五十號

台灣總經銷處　台北市中華路一二五九號

台灣郵政劃撥儲金帳號　九二五二號

必須爭取青年的向心力

雷嘯岑

前幾天，本刊的若干作家，在「自由人」編輯部茶話，有人提出一個問題：中國反共救國之役，其成功是必然的，但這是就客觀環境來推斷的結論，如果主觀條件不相配合，則成功之遲速和大小，很成問題。主觀條件中的唯一要務，即是如何能使一般青年對現實社會所感覺的空虛徬徨心情，在精神上得到安慰與鼓勵，爭取其向心力，蔚成生氣蓬勃，希望無窮的新時代。這一問題，實在值得重視。像我們這般已屆中老年齡的人，雖說尚未到昏憒腐朽的境地，然去日苦多，來日苦少，作好事固不無心餘力絀之感，作壞事也壞不到那裏去了。反共救國的主力軍，還得靠青年來担任，尤其需要智識青年大家起來，共同奮鬥。

文化思想上的問題

現代中國青年最感煩鬱的地方，無過於文化思想上的空幻脫節。共產極權社會的暴虐專制生活，大家是不贊成的，至少也潛存着疑懼心理。但，反共社會的情形如何呢？光是一種民主自由的口號，決不能形成反共抗俄的堅强信念。民主自由的界說固然言人人殊，而其缺陷亦復不少。青年們都具有求進步的熱情，追尋向上發展，不滿足現實環界的勇氣，民主自由這種空洞口號，當然不能填補他們心靈上的空虛。試看過去許多由政府資遣，或經富裕家庭送赴歐美資本主義國家留學的子弟，學成歸來，多往大陸跑。這些青年未必盡爲共產份子，也不見得個個都是被誘騙脅迫而然。最大原因，還是對現實社會不無失望，要以探險心情去試尋精神上的理想生活。再看海外華僑最多地區的中文書籍各商店，凡屬俄式共產社會宣傳品較多的所在，青年顧客亦比別的書店爲多。這些人決非嗜好那些敎條式而又幼稚單調的宣傳理論，大多數仍是爲着文化思想上的枯寂，總想追求新刺激，久而久之，即不免「如入鮑魚之市，久而不聞其臭」了。

我們應該在民主自由的思想領域內，積極地供給青年們以精神食糧，而其要訣即在獎掖作家，儘量創發義理，了無顧忌。只要是不違悖反共抗俄的國策，任何著作和言論都不必加以禁制，而且相反地要予以贊助。我們旣標榜民主自由的文化精神，若在文化思想上又採取標準化的「一條鞭主義」，甚至與反共抗俄的思想問題並無絲毫關係的作品，稍有涉及現代達官貴人的一字一句，亦在禁制之列。試問這在智識青年們的思想上，是否對於我們所恃爲反共武器的民主自由理論，將發生莫大反感？是否聽着我們高呼民主自由口號時，將要嗤之以鼻，唾之以沫呢？還這套文化思想的精神生活，怎能激發全國智識青年的反共熱情，樂於赴湯蹈火，負弩前驅乎？經過了歐美那種言論自由的民主社會生活的中國青年，且感到不滿足，回國來看看我們自己的自由生活，於意云何，不言而喻了。

政治社會上的問題

共產黨以偏激怪誕的思想言論，利用青年們好奇維新的弱點，引起他們的向心力之後，一面使用鐵幕手段，敎青年們如登賊船，無法回身。一面則以各種政治魔術，如「清算鬥爭」，「勞動服務」，以至於「人民公審」，「反美援朝」，「三反五反」等類玩藝，使青年們的好奇維新心理，一時感到興奮，却永遠變成了牧羊人長鞭驅策下的羊羣。但這種不是過來人，即不易理解的後果，一般青年殊不以爲意，而誤認共產社會爲有朝氣，有進步，再加上共幹隨便殘殺一些土劣黑霸，清算一些地主貪官，如是乎血氣未定的青年，大有如飲狂泉之勢。每被麻醉而不覺了，共黨之所爲，完全是發抒「人性本惡」的偏頗作用，以青年爲芻狗，但期利用，無所顧惜。我們必須反其道而行，從「人性本善」的觀點出發，適應青年們要求進步革新的正當願望，在政治上表現新作風。積極的如剷除貪污，實行法制，消極的如掃蕩官僚作風，力求行政效率，尤其對於過去政客官僚，名流，必須敬而遠之，我們旣能依法對間諜執行極刑，又何嘗不可以殺一儆百呢？在社會生活上，一切舊有的陋俗惡習，究竟已有多少改進？我們所謂民主自由，云云，光是口號呢，抑有事實給青年人共見共聞？美國大選時，輿論要求競選人宣佈私有財產，當事者即不能不據實報告。今日我們的一般達官顯宦，除却極少數的一二人而外，有胆量公開而誠實地宣佈其私財嗎？如其不能，那就表示我們的社會生活，依然是當年那種無公道是非的腐惡內容，如無從使青年們引起嚮往之心。談到青年們自身的生活指導問題，關係更大。我們固不宜效法共黨，將他們看作羊羣來牧養，然亦不可蹈過去覆轍，視青年爲政治資本，一切訓練與組織，其用意都如招兵買馬，然以個人利益爲目的。我們應該以期待自己子弟希聖希賢的天下父母心，來指導一般青年，協助他們向上發展。世人認爲五四運動對青年的影響，數十年來，害多於利，實則這不是五四運動本身之實，而係數十年來的政治社會生活，妨礙了青年們的生機，因而招致了神州陸沉的共禍。今後爲期反共救國大業之及早成功，還是要以爭取青年爲急務。

團結反攻　·同書·

印尼政潮的本質

·鄭學稼·

印尼在獨立運動中產生了四位領袖，即蘇卡諾、哈達、日惹蘇丹和沙里爾。蘇卡諾與哈達分任正副總統，掌握政權，日惹蘇丹任國防部長，掌握軍權；沙里爾雖有連任三次內閣總理的記錄，却只是第三大黨——印尼社會黨的黨魁。

沙里爾的政治生活是外結英國和尼赫魯，內有和他一致的政界人物，如第一大黨的瑪斯友美領袖納席爾，更重要的，日惹蘇丹的部屬，也站在他的一邊。他的政治野心和威望，使他不能長此老驥伏櫪，月前椰嘉達的政變，就是由他導演的。

政變的經過

早在十月初，印尼已掀起政潮，那就是國會與軍部的對立。繼以國會通過馬奈、蘇斐安不信任日惹蘇丹的提案，政局急轉直下，乃發生莫斯多波中校所指揮的示威事件。參加示威的人，多由郊外趕來。他們先搗毀國會和拉下荷高級專員公署的荷旗，再包圍總統府。同時，在椰城出席軍事會議的各師長，也在國防部高級軍官領率下，自稱「以兒子會見父親」的態度，迫總統接受示威者的要求，下令解散國會。勇敢的蘇卡諾，面告有大砲與機槍圍的羣衆和他們的首領道：「我不願充當獨裁者，是否解散國會，應詢諸各地的民意。」賴着蘇卡諾的勇氣，第二天首都解除戒嚴，釋放被捕議員，啓封報社。從形式說來，這一幕所謂「政變」，却無「政變」的內容。

開始之時，各地社會黨幹部，領導中爪哇各地的示威，呼應首都，後來由於蘇卡諾們態度的堅定，沙里爾自知陰謀不成，立即關斷。這一後退，不能解決問題，因爲駐東爪哇泗水的第五軍區部隊，在邦邦·蘇本諾上校指導下，解除忠於日惹蘇丹之代師長蘇溫多中校的兵權，擅委團長第曼中校接代。原師長邦邦·蘇根上校，也突然「病癒」。雖然事後國防部追認蘇第曼的暫代，而蘇中校却報以該軍區士兵只忠於大元帥——蘇嘉諾。在東爪哇的退役軍官，亦擁抵抗英軍成名的印尼人民黨魁蘇多摩爲首，號召國會議員到泗水開會。

有了軍隊，左翼政黨議員便公然反對解散國會。內閣總理威洛波除了不關痛癢的廣播外，好似沒「政變」的一宗事。沙里爾與日惹蘇丹：面臨這一反抗，束手無策。

日惹蘇丹失敗

蘇卡諾旣電慰邦邦·蘇根的「病況」，又以參加烈士節爲名，飛往泗水。逗留三天後，再飛往蘇門答臘島南部。當他路過嗒都拉耶時，公告熱烈的歡迎者：「有人要我做獨裁者，我拒絕。有人要我深居總統府內不與人民接觸，我如接受那意見，不如離開總統府。」反觀他的話，是駐西里伯島望加錫的第七軍區參謀長哇羅中校扣留師長加鐸·蘇布洛多上校，自兼師長，並通電斥責國防部。又在蘇卡諾離開巨港後，當地第二軍區的部隊開始行動，和前任師長邦邦·烏多約上校「復職」。政變之前，印尼軍隊中流行一個傳說：「今年是邦邦的倒霉年」，政變之後，邦邦們都重掌軍權了。

有了軍隊做後盾，國會就於十一月末復會。在這重要的關頭，蘇卡諾忽擲脊赴世界遊歷家所稱譽的「南海天堂」——峇厘島。失敗的日惹蘇丹，既准政變主角之一陸軍參謀長納蘇申上校辭職，又請邦邦·蘇根繼納氏的職務。依國會議長蘇多諾公開的談話，日惹蘇丹不久也會去職。可以說：十月政變的後果，是總統打敗了國防部長，遊擊出身的將領戰勝了職業軍人。

政潮尚未澈底解決

政變的發生和結束，恰似兒童的演劇。但能否說：印尼的政潮由於政局的明朗化，而消弭呢？不能。因爲，日惹蘇丹們鑒於軍紀的廢弛、軍事技術的落伍、剿匪的無功，和國際形勢的緊張，要求整軍是合理的，所不對者是「政變」的結果產生獨裁。蘇卡諾強調他的「建國五原理」中的民主主義是對的，而和用腐敗軍人破壞軍紀乃大不合理。儘管在表面上「民主」戰勝「獨裁」，根本的問題並未解決。以印尼共產黨爲中心的各左黨，所怕的是整軍後的剿匪順利，並非民主的眞正擁護者。還有四個師的日惹蘇丹派，雖然失意，並非失勢。如蘇卡諾們相迫過甚，將引起新的浪潮，即內戰。一旦發生那不幸的事，首先遭殃的即是華僑。因此，我們對印尼政局的動向，應當特別注意。

半週展望

·左舜生·

反攻與撤退

蔣總統昨天在台灣宣布：『明年完成反攻大陸的最後準備。』美軍顧問團團長蔡斯也說：『已在美國會見美總統當選人艾森豪，商談的內容，還不能說，未來將發生些什麽事情，也很難說，但是明年在我們這裏，將有更多的事情要做。』他還說：『預料明年軍兵器的供應，將大量增多，飛機也將大批運來，將比今年多得很多。』

這些都是台灣將於明年採取積極行動的一個負責表示。『知己知彼，百戰百勝，』我們現在要替軍研究的，便是中共在大陸的準備究竟怎樣？從大體說來，中共的準備可以說是撤退與抵抗雙管齊下！嚴格的說，中共撤退的工作早已開始，抵抗的準備也在逐漸加强。他們將撤退一切有用的人員，一切有用的物資，一切大小的工廠；集中一切可能集中的糧食，必要時，搬走則搬走，不能搬走，燒！乃至房屋的材料（當然揀好的），交通的器材，一切握在人民手裏的金屬工具，可能趕走的牲畜……總之凡可以保存他們的實力，增加『軍困難的行爲，只要他們能做得到的，他們都會要做。這樣做了，他們是不是便會不抵抗呢？不，他們還是要抵抗的，而且還會有強烈的抵抗，人員物資的撤走，儘可能的提前，軍隊的退却，儘可能的壓後。

中共的要害在北而不在南，中共的命脈在交通，中共的褰命之源在物資，器材與糧食。嚴重的打擊北方，可促使南方瓦解，但比較有爆發大戰的可能；逐步的攻擊南方，足以使中共的北部加强，登陸的國軍可隨時受到反攻的威脅，但蘇聯斷然不動，大戰可延緩爆發，不過問題依然不得解決。

這是就事實就大勢作一個簡單的分析，至於反攻究竟宜採怎樣的一種戰略，自有中美的軍事專家在，用不着我們來越俎代庖。

但有一點必須注意者，即國軍的反攻，斷然不是一個單純的軍事問題，至少下列各項，其重要性斷決不下於軍事：

一、如何安頓中共退出區域的老百姓，使他們不致活活的餓死？

二、如何加強人民對政府的信賴，一如赤子之有賴於慈母？

三、如何接受武裝的人民，使他們能發生最大的作用？

四、如何應付中共反正的部隊，（如從南方逐步反攻，此種反正的部隊不會太多）使他們永遠的，安心的脫離中共？

五、如何處理一切反蒙擁的分子？

六、當中共撤退後所遺留下來的滲透分子，如何予以肅清，而又不致株連到無辜的老百姓？

凡此種種，眞是萬緒千頭，稍一不愼，即可能給予中共捲土重來的機會，甚至給予國際以不良印象，而使得反攻無法竟其全功，這確實也是準備期間所不能不提出實際辦法的。

維也納醜劇閉幕

維也納的一幕和平醜劇，已於十九日宣告閉幕，一共胡鬧了八天，據說到了代表兩千，代表八十五國，究竟他們代表誰？誰請他們代表？會後還發表了一通宣言，並由蘇聯以主人姿態，頒發斯大林和平獎金，一切做得『像煞有介事』，乃更加醜不可言。然而有一點仍然值得注意，即世界上依然有不少的人在那裏期待和平，蘇聯自身非到萬不得已，也斷然不願出面；但蘇聯最妙的一個手法，便是她確能夠攻守兼施，攻是動用他人的血本，守是緊住她自己的老營，因此在她的邏輯上，儘管斯大林是今天第一號的戰爭販子，依然無害於她的高喊和平。可悲的乃是這一羣的應聲蟲，儘管他們早已知道陷入了斯大林的迷魂陣，儘管他們已經爲戰爭拖得苦不可言，可是只要蘇聯不許停止韓戰，他們還是只好奉命惟謹，繼續的爲他人去充當砲灰！

中共傘兵實力詳表

中共為進行韓戰，準備應付第三次大戰，正瘋狂擴軍，其中降落傘部隊，為主要部門之一，茲據最近自大陸逃港之接近共軍人士，報道其傘兵兵力及裝備等情甚詳，爰特臚列如下：

中共傘兵，現有三個軍團，五個獨立聯隊。人數爲九一、三九〇，在一九五二年底預定擴增十五萬人之總額。軍團下設師，師下設聯隊。各獨立聯隊，與各聯隊兵力相等，均轄三個大隊，每大隊九七四人。

中共傘兵部隊，係隸屬於軍委會，人民解放軍空軍總部之指揮。

聯隊以上各級司令部，均設有技術顧問室，是俄人負責，每聯隊有四〇至六〇名不等。合計一、三〇〇餘人。

各聯隊各師團的政委、參謀長二缺位，爲某種原因，目前均虛懸。

裝備

各師團

一、每人有降傘一具
二、六〇砲四九六門
三、冲鋒槍三三二二挺
四、卡品槍一、五四〇支
五、輕機六七挺
六、戰防槍一六支
七、火燄噴射器一六支
八、火箭筒二四支
九、步槍一、九六二支
十、手槍六、一四八支
十一、電台六七七座

各聯隊

一、每人具有降落傘一具
二、六〇砲一二六門
三、冲鋒槍九八二挺
四、卡品槍四五六支
五、輕機八十挺
六、火燄噴射氣四支
七、戰防槍四支
八、火箭筒六支
九、步槍五八〇支
十、十一、七八〇支手槍
十一、電台一二九座

各大隊

一、每人降傘一具
二、六〇砲三六門
三、冲鋒槍三三六支
四、卡品槍一一二支
五、輕機二七挺
六、步槍一六二支
七、手槍四〇四支
八、電台二七座

附註：

一、具備俄式輕便武器，其火力甚強

二、排以上俱有小型無線電話。

三、大隊以上直屬部隊均有戰防槍一連，係以火燄噴射器戰防槍、火箭筒編成的。

於六〇砲冲鋒槍。

編制

中國人民解放軍降落傘兵團司令部

兵力：轄八個師團五個獨立聯隊共九一、三五〇人
司令員：周士第
政委：璽環
副司令員：劉善本
參謀長：王鷗
副政委：劉雲山
駐地：徐州

第一軍團司令部

駐地：北京排雲殿
司令員：王錚
政委：曾璜
副司令員：魏應中
副政委：李如皋
參謀長：周士元
兵力：轄三個師團

第一師司令部

兵力：一〇、六九〇人
駐地：蘭州安正門
司令員：袁再仙
政委：郭美藻
副司令員：梁宇天

第一聯隊
兵力：二、九二二人
駐地：西安甘寨
司令員：璽廣仁
政委：李培南
副司令員：卓仁

第二聯隊
兵力：二、九二二人
駐地：蘭州穩安門
司令員：蔡正和
政委：羅文玖
副司令員：劉志強

第三聯隊
兵力：二、九二二人
駐地：西安甘寨
司令員：賀美貞
政委：蔡格心
副司令員：賴昌毅

第二師司令部

兵力：一〇、六九〇人
駐地：迪化東郊
司令員：郝義錫
政委：趙石人
副司令員：嚴岩

第四聯隊
兵力：二、九二二人
駐地：迪化迪七公路東
司令員：達理扎雅（蒙族）
政委：[illegible]
副司令員：烏蘭林

第五聯隊
兵力：二、九二二人
駐地：哈密西郊哈迪公路
司令員：常思俊
政委：劉明輝
副司令員：陳子祥

第六聯隊
兵力：二、九二二人
駐地：南疆闊龍橋
司令員：張萬青
政委：譚拓夫
副司令員：解學恭

第三師司令部

兵力：一〇、六九〇人
駐地：北京萬壽山
司令員：于榮源
政委：鄭遜仙
副司令員：吳履施

第七聯隊
兵力：二、九二二人
駐地：太原振武門
司令員：胡立範
政委：蕭治文
副司令員：何昌

第八聯隊
駐地：北京南郊南苑
司令員：裴崇傑
政委：李畏昌
副司令員：關鍾駱

第九聯隊
駐地：北京萬壽山
司令員：王行之
政委：劉玉山
副司令員：黎毓鵬

第二軍團司令部

駐地：廣州
司令員：劉善本兼
政委：袁士安
副司令員：邢幼鼎
副政委：梅屏
參謀長：賀劍民

第四師司令部

兵力：一〇、六九〇人
駐地：廣州北郊三元里
司令員：陳子陽
政委：閔時良
副司令員：陳秉志

第十聯隊
駐地：榆林港西北臨川
司令員：方新中
政委：張活人
副司令員：黎步青

第十一聯隊
駐地：白雲機場西端唐溪
司令員：時匡
政委：涂仁
副司令員：伍文彬

第十二聯隊
駐地：桂林李家村
司令員：歸又民
政委：白先
副司令員：戎冠華

第五師司令部

兵力：一〇、六九〇人
駐地：桂林二塘
司令員：金鼎鑛
政委：王輝兆
副司令員：胡文欽

第十三聯隊
駐地：柳州柳江南
司令員：呂向春
政委：趙深元
副司令員：方鼇

第十四聯隊
駐地：桂林二塘
司令員：陳克農
政委：胡文兆
副司令員：高昭貴

第十五聯隊
駐地：南寧柳邕公路西
司令員：李仰斌
政委：趙琪翔
副司令員：馬杰

第六師司令部

兵力：一〇、六九〇人
駐地：漢口南湖
司令員：邢秉婷
政委：蔣寒江
副司令員：黃曙時

第十六聯隊
駐地：湖南芷江
司令員：黎振鐸
政委：江昆明
副司令員：鄧明暖

第十七聯隊
駐地：漢口南湖
司令員：郭東亮
政委：陸鐵民
副司令員：沙從遠

第十八聯隊
駐地：瀋陽渾河北岸
司令員：錢霄一

第三軍團司令部

政委：[illegible]新
副司令員：潘少山
駐地：瀋陽
司令員：李國英
政委：沈[illegible]榮
副司令員：[illegible]堯生
副政委：司東[illegible]
參謀長：馮國銓

第七師司令部

兵力：一〇、六九〇人
駐地：瀋陽渾河北岸
司令員：王悅鑑
政委：史國柱
副司令員：楊翰東

第十九聯隊
駐地：長春五星堡
司令員：時木色楞
政委：榮策
副司令員：黃震中

第二十聯隊
駐地：哈爾濱東郊松江南岸
司令員：孫堅貫
政委：王陽
副司令員：曹國輝

第二十一聯隊
駐地：吉林東郊吉拉公路北
司令員：東逸倫
政委：靳振鐸
副司令員：禹作民

第八師司令部

駐地：上海龍華
司令員：江一帆
政委：田弘
副司令員：丁鶴雲

第二十二聯隊
駐地：上海虹橋
司令員：齊解
政委：侯雲明
副司令員：莊理

第二十三聯隊
駐地：徐州
司令員：李騰民
政委：黃鴻鼎
副司令員：徐向榮

第二十四聯隊
駐地：杭州
司令員：彭鼎明
政委：陸明芳
副司令員：俞趾子

獨立聯隊

獨立第一聯隊　駐地：四平西北郊楡樹屯
司令員蔡玖　政委黨卓民　副司令周用
獨立第二聯隊　駐地：南京光華門外
司令員白偉能　政委申丞烈　副司令范俊都
獨立第三聯隊　駐地：昆明
司令員仇啟　政委曹坤廉　副司令盛少傲
獨立第四聯隊駐地：佳木斯松江南岸
司令員雁振亞　政委章茂森　副司令黃多青
獨立第五聯隊　駐地：哈爾濱
司令員顧騰雲　副司令李文審　政委呂康年

團結問題在台灣

台灣通訊

自由中國的輿論界及朝野各方面，在近一個多月以來討論得最熱烈的問題，也就是如何團結反共人士以加強反攻大陸的力量的問題。這問題以本刊提出爲最早，此所以最近在台灣能引起各方面的熱烈重視，可以說有兩個原因，一是中國國民黨第七次全國代表大會的宣言與所通過的政治綱領，均有團結一切反共人士的號召。二是由於胡適之先生適於此時回抵台灣。胡先生雖係無黨無派人士，但每逢國家危難的時候，他都能首先與政府團結，共赴國難。從胡氏過去迭次所表示的團結態度看，即本諸愛國者的熱忱，無條件的與政府團結。政府有艱巨的任務付託給他時，決不推諉。

因此，台灣的輿論界在胡先生返國之時談團結問題，不僅希望胡先生能影響若干人士，幡然來歸，並且希望今日與政府講團結的人，都能以胡先生的無條件態度爲模範。

在台灣，首先召集了一部份人士舉行團結問題座談會的是自由世界社。本刊在台同人邀參加者有程滄波，胡秋原，阮毅成等人。是日到會者包括有國民黨黨員，民社黨的蔣勻田，青年黨的夏濤聲及無黨籍人士多人。各人對於團結問題，提出了許多具體的意見。歸納起來，可以分爲幾點：（一）凡是時代重大轉變的時候，總是團結的時候。辛亥革命推翻滿清，是全國反帝國的大團結。討袁之役，是擁法維憲的大團結。十五年北伐，是全國反對北洋軍閥的大團結。抗戰是全國反對日本帝國主義者的大團結。這些事實說明了團結就是成功，而不團結便要失敗。袁世凱的帝制自爲，背叛民國，就是當時各政黨的不團結所致。（二）團結之道在天下爲公，凡反共的不論其過去如何，都應在團結之內。（三）團結的要素在於誠意。決不是把不相干的人都團結在一起，所謂反共人士，也不是就是一些做過官或要做官的人。而所要團結的，是有智慧有能力在社會上能發生領導的人士。

除自由世界社的座談會以外：台灣最近數日出版的雜誌中，也多有關於團結的意見發表。綜合各方意見，都對團結的大前提沒有疑義。所研討的，只是團結的方法，有人說：談反共與團結，一定要大家能在一個制度之下，做應做的事，說應說的話，能發揮其特殊的力量，來有所供獻。有人說：大家談的意見，大體一致後，希望能在台灣舉行一個擴大的反共救國會議。海外的大團結，號召，對大陸同胞是一個大鼓舞的。即以聲勢而論，也使中共震慄的。有人說：現在要反攻，當然要團結，反攻要築成一個鞏固的反共戰綫，最好的方法是把「圈子」的外綫拉開，變成爲一條直綫。綫的這邊是反共力量，綫的那邊是敵人。有人說：團結並不是消滅合法的反對派。所謂團結，是就大同，而容小異。如關於政策的商榷，錯誤的摘發，自不應因團結而受任何限制。有人說：在極權世界，不會發生團結問題，因爲主人皮鞭一揮，羊羣鴨隊都俯首帖耳。惟有自由世界方能談團結，其要點在「和而不同」。尤其要能尊重個人的自由與尊嚴。如一方面別有希求，一方面也就別有操持以爲討價還價之憑藉，即非今日所希望的團結方式。

從上面所引述的各方意見中，可以看出台灣各方面已在如何熱烈地研討團結問題，並盼其早日實現，所困難者仍爲方式問題。本月十三日，胡適之先生遊日月潭時，適將總統亦在該地，聞兩人曾單獨晤談甚久。其所談內容，會否涉及團結問題，外界無從探悉，但必然有裨助於反共救國的大計，則無疑問也。團結的至誠，當可於遊海外時，對此問題有所致力歟？這是自由中國人士對他的真正期望。

中共鉗制工奴花樣翻新 展開各地工人冬訓

大陸工人在中共重重壓迫鉗制下，工作效能低落，成績紀錄大減，技術水準激降，這是中共對付工人的兩面手法的結果，是它的隱憂，也是它的致命傷，針對這一困難，它最近又使出了一套法寶。

中共對付工人的伎倆，向來是採兩面的手法的，一方面把工人抬舉成「領導階級」，項上套上一條美麗的鎖鍊；以便過事好驅使他們起「帶頭作用」；另一方面則是運用嚴密的組織力量，以發揮互相監視的作用；同時又用各種虛榮作爲釣餌，迫使他們接受過分的操勞，以期在極度疲勞之下，再無心力可以不滿現實，另涉遐想，而收到相安無事的效果；這一齊計，行之已久，也爲一般人所習知，以中共的立場，在某種意義上說，的確也效用宏大，可是時間一久，便也漸漸的發生了毛病，在長期的工奴生活之下，一般工人已完全喪失了活力，反映出來的是極端的麻痺狀態，不僅思想如此，就是在工作上也莫不如此，一天到晚生活在緊張的生活中，固然忘記掉了什麼是輕鬆，同時也必然感覺不到什麼叫緊張，儘管在各地陸續不斷的可以製造出許多的「勞模」，然就一般的工作效能講，確是一天天的在那裏減低，成績的紀錄減低了，技術的水準也降落了，這是中共始料所不及的，是他的隱憂，也是他的致命傷，針對這一困難，他們最近又使出了一套法寶，

冬季工人訓練班 東北進行最熱烈

這一法寶是什麼？就是普遍發動大規模的工人訓練，照目前的情形說：要推東北各省進行得最爲熱烈，東北各地的「國營」和「地方國營建設工程公司」，大都已經展開了多季工人訓練工作，各單位參加的人數，共有十五萬多人，其中十一萬人是各工程公司固定下來的土木建築工人和徒工，其業務學習的主要內容，是總結和實習各工種的先進技術操作經驗；對參加這一訓練的兩萬多個機電按裝，機械操縱，礦井建設等方面的技術工人和徒工，一般都採用理論和實踐相結合的方針，使他們在三個月內就能學會和操縱機械，初步掌握電焊，火焊等技術，以便保證在所謂明年的部分基本建設工程中實行快速的機械化施工；以上是東北各省進行工人訓練的大概情形，不僅東北如此，其餘各地的「建設工程公司」也進行得非常積極，各數都舉辦了各種專業幹部訓練班，大量培養各種技術人員與行政管理幹部，單是東北僞工業部所屬的建設工程公司，就舉辦了十二個訓練班，妄想把挑選出來的四千多名所謂優秀工人訓練成技術工人或行政管理人員，由此也可以看出他們計劃的龐大。因之僞政務院所屬的「華北行政委員會」也從勞打氣忙個不停，十二月一日至十日在北平還召開了一個建設工程會議，決定：各省、市「人民政府」要迅速建立工程局，從施工部門和廠礦生產部門中抽調人員，參加設計工作，充實施工機構。華北全區還計劃今年冬季，訓練五萬多名工人和幹部，進一步提高建築工人的組織性和技術水平，並且準備從這裏面提拔一些人擔任領導幹部；另外，這個會議還要求各地在今年冬季做好明年施工的一切準備工作，來迎接明年大規模基本建設的任務。

從中共的這些計劃與措施中，分析起來可以得到幾個要點：

中共要訓練工人 已暴露本身弱點

一、中共對工人的控制將更見加強：加強控制是針對工人的麻痺而致的，麻痺所招致的後果，是組織渙散，工作情緒低落，技術水準下降，這些弱點都已成了鐵一般的不可掩的事實，中共對此也並不加以諱飾，所以僞華北行政委員會召開的建設工程會議才有「進一步提高建築工人的組織和技術水平，並且準備從這裏面提拔些人擔任領導幹部」的決定。

二、從這裏可以看出：中共統治下的工人不論質與量都已經不能配合需要：辦訓練班本來是臘月三十晚上做年豬的辦法，臨渴掘井，不得已而爲之，這是沒有辦法的一種辦法，因爲工人的質太差了，只好在惶恐中求急功，不然也不致妄想：「使他們在三個月內就能學會操縱機械，初步掌握電焊、火焊等技術」了！至於工人數量的不夠用，也很顯而易見，否則就不曾把徒工和技術工人一齊看待，期望在最短的時期同時變成聽使喚的材料了！

三、由這些措施中可以看出中共的雄心很大，他們把明年——一九五三——定爲「基本建設年」，口口聲聲要「迎接大規模基本建設的任務」，他們準備建設一些什麼？蛛絲馬跡，也不無綫索可尋，各省、市要迅速建立工程局，對工人訓練的項目無非是建築、機械、廠礦、電焊等部門的技術，任憑如何也找不出有替老百姓提高生活水準而從事織布、碾米、造平民房舍、開溝渠塘壩等工作的跡象，處處地方都顯出把建設的重心擺在預定的未來的戰爭上面，所以最注重的是建築，備戰的第一要務是趕建鐵路，鐵路建好，不僅便利運兵，即是把中國糧食運去進貢也較爲迅捷，同時一批一批來中國淘金的蘇聯觀光團來往起來也會覺得更要便當，這是一舉數得的事，因之進行得也比較積極；還有一點，就是訓練廠礦生產和掘井建設的技術，無非是想對蘊藏在地下的稀有金屬有所打算，中共包藏禍心的動機已昭然若揭，這倒是值得深深加以注意的！（丹心）

中共剝奪農民財產 大量組農村合作社

中共最近爲加緊奴役農民，控制生產，大力搜刮農村物資，已普遍在各地組設農村合作社，幾乎村村皆有，乃使大陸所有農民的勞力、生活生產等權利，完全被剝奪淨盡，陷於生死兩難、慘苦萬狀的絕境！

所謂農村合作 可分兩大類型

中共現在普遍組設的所謂農村合作社，可分兩大類型：其一、是以「生產合作」爲幌子，而以控制農民的生產手段，奴役農民或勞力爲目的底所謂「農業生產合作社」。此類合作社的合作方式，據上月二十四日北平人民日報的公佈，又可分爲五種：（一）以完全按勞分紅爲特點，土地大部是「國」有，小部是私有，在「國」營農場掌握，租用「國家」的水利灌溉等設備，收穫物扣除一切投資後，完全按勞分紅。（二）是「國」營農場與農民合辦的合作社。但說此種合作社可能影響削減弱「國」營農場的社會主義的經濟性質，故只可作爲提倡合作的過渡手段而不宜推廣。（三）以土地入股爲主要特點，實施土地勞力兼顧的比例分紅，或實施土地固定地租，收穫物扣除地租、投資、按勞分紅。（四）是以勞力得工資，收穫物扣除投資、工資後，完全按土地分紅的合作社。（五）是以土地、勞力、牲口、農具、種籽、肥料等統一入股，按股分紅。其二，是以「運銷合作」爲幌子，而以控制農民生活必需品從而搜刮農村物資爲目的底所謂「購銷合作社」。此類合作社經常以「物資交流」爲名，用非出自農村的生活必需品去套取農村物資，或以「初級市場」爲運用手段，有次序，有計劃地將農民各項及時的大量產品強迫其投入市場，而後分別送進各地各種「人民」的倉庫。

奴役統制搜刮 全賴合作運用

事實很顯然，不管他們「合作」的形式如何？目的終是三個：——一、有組織地奴役農民，二、有組織地統制農業生產，三、有組織地搜刮農村物資。此等目的，除可以從上述各種合作的形式上很顯然地看到外，現據最近大陸各報消息研究，並與最近來自上海浦東鄉間的農婦黃氏所談的實情對證，約可扼要列舉徵象說明如左：

關於勞役農民勞力方面：一、農民必須首先參加「生產互助組」，而後分組結成「合作社」以便實行「集中領導」和「統一指揮」，凡不參加所謂「生產合作」組織的，不僅已無法生產，而且被提出作爲鬥爭的對象。二、「合作」方式，以「國」營農場掌握爲主，而以「國家」所擁有的水利，機械農具，作爲高價的「投資」，去換取農民低價的勞力。三、現在中共對於所謂「烈屬」「軍屬」以及歸國的傷殘軍人的生活，除了從農民身上分出田來給他們作了賣命錢以外，便已無力「照顧」，而此等人物又無力耕種，致使此等人物的生活形成了中共今日的一個極嚴重的社會問題。現在即利用農會合作社的組織，以「愛國互助」爲名，迫用了農民的勞力去替他們「合作耕種」。這種種，無一不存奴役農民的勞力。

關於統制農業生產方面：一、中共現在對於農業生產的種類，已以他們的需要爲根據，而由合作社統籌管理，農民已沒有自己選種的自由。二、一般產品的數量，原先必須加以調查，方能統制，現在則不僅由合作社記有產量，而且由合作社扣繳農業稅，乃至集中存儲，計口發糧。必要時，甚至由合作社出售（亦即轉撥）給購銷合作社，農民無權反對。由此，合作社已徹底控制了農民的生產手段及其產品。

關於搜刮、劫奪農村物資方面：一、「鄉村購銷合作社」普遍設立以後，所有私商、小販已徹底消滅，農民非假手合作社，已沒有交換生活資料的機會。二、當中共需要某種產品時，或通過生產合作社的控制，或使用強迫的所謂「調查」「鼓勵」等把戲，將農民的產品盡量籠入購銷合作社。故而現在大陸的農民，事實上雖以辛苦所得無幾，自用不敷而無可出售，卻仍沒有不售的自由。

抓住當前機會 大力進行秋購

現在，此種合作社正在水漲地設起，一個迅速普遍組設着，就是爲了一個迫切的目的，就是爲了抓住目前的機會，利用合作社以展開普遍而大力的秋購。

照理，據浦東黃氏親自所經歷的情形——中共征收農業稅平均爲百分之六十五——來看，現在大陸的農民在秋收而繳了這麼多的農業稅以後，所除自食尚感不敷，自無餘糧可售，但中共不管農民死活，他們爲了一個控制糧食以向蘇聯錫蘭印度等國換取戰略物資的目的，就不顧一切手段的瘋狂地展開了所謂秋收，現在普遍設立的合作社就作了秋收工作的基層機構。

據上月二十九日北平人民日報所載：「全國各地糧食部門和合作社正在大力進行秋糧收購工作；九月份全國完成收購計劃百分之一百零八（東北、內蒙尚不在內）十月份完成收購計劃百分之九十三。」

又說：「國營經濟力量的日益壯大，是合作社在購糧中起的作用。是今年秋糧收購工作的一大新的成就。據河北、平原、察哈爾、山東四省二十五個重點市場統計，十一月上旬各地糧食部門委託合作社代購糧食，佔糧食上市量百分之七十一點五。全國收購點共有一萬一千三百五十八個，其中合作社代購點就佔了七千九百多個。今年由合作社收購的秋糧一般的要佔糧食部門的百分之七十四，使合作社充分發揮了它的組織效用」。

又說：「現在各部門對於運用合作組織的效用，已有了深刻的組織和經驗；它將是我們今後掌握農村生產運銷，強大國家經濟力量的一大方法。」

又據浦東黃氏說：現在大陸的農民已根本難得有飯可吃，將來的稻谷除了准許留下種籽，使大多已被收進了中共的各地糧倉，因爲除了繳納大額的農業稅以外，其他要糧的名堂如秋購、義倉、愛國節約存儲等等，多得不可勝計。所以現在生活最好的農民也只能吃點麥餅麥粥，一班的，則只能以荳餅、麥糊、或麵皮等物拿來充飢，以苟延殘命！她又說現在控制農民生活、生產，而使之無法取巧（逃避中共的監控管制之謂）的，就正是這種雙管齊下的合作社。

由此以觀：我們已可完全瞭然！中共的所謂「購銷合作」和「生產合作」是怎麼回事？也可想像得到：今天在中共一天一天嚴酷的奴役和劫奪下的大陸農民的生活情形，已到了何種境地！（沈著）

大渡河上奴工營密集 石棉礦中夷民死傷枕藉

西康省遠處邊陲的峽谷區省份，高山與深谷相間並行：高約峯達到五六千公尺以上，橫斷山脈南北縱行着，奔流的江水激于深谷裏。其中與四川交境的邛崍山脈與大雪山脈之間的大渡河是出產石棉的所在地。

大渡河岸上的石棉礦區蜿蜒六十餘里，靠近巴丹地方。所產的石棉，纖維長達一尺以上，可以製造高等工業用品，一直由政府在那兒從事開採，礦場上的礦工都能過着安適快樂的生活。

夷民不就範驅作奴工

自從中共來到了西康，因爲西康省民族複雜，中共採取了懷柔少數民族的政策，先盡量來瞭解夷民（彝民係中共用懷柔政策，表示有別於「蠻夷」的夷而改用的）然後分化、操縱、利用他們內部的矛盾，漸漸把「夷」與「藏」民中的不易就範人民亦用「改造」的名義悄悄地遣送礦場，讓他們在礦場裏面服苦役，所以現在大渡河的石棉礦區，不再是純粹礦工開採的礦地了，同時也是折磨中共民族政策下的犧牲者的勞工苦役集中地。

原來的石棉礦工，散居在石棉礦場綿延的六十里地域上，自由自在地開採。現在既然成了「變相集中營」，中共劃分了礦廠與組織了小組，層層節制的管理。並且爲了管理的方便，分好了的各礦場區域中都搭了鴿子籠式的宿舍。各小組更由「進步」工人起着「帶頭」作用，不斷的舉行研究：「搞好生產」，「寫決心書」，迎接「超過生產水平」，更進而超過生產水平，……等等類節目，是礦工們從來所未遭受過的。

連唬帶哄 迫寫決心書

今年九月份共幹不斷地「挑起工人們的生產情緒」一定要每人開採至少五斤的標準，可是五斤談何容易採呀！十月總結的時候，幹部大駡礦工們腐敗落伍，連唬帶哄要礦工寫決心書超過以前標準：至少六斤石棉。于是礦工們只好多出勤，有事情都不敢再請假，總結的時候勉強地平均達到了原訂的標準六斤，共幹見到這現象，又有了說辭：礦工同志們的生產能力很高……標準應該盡量訂到高水平去；……。再加「進步」礦工的一吹一唱，標準到了七斤，礦工們任何人也不能請假了，就是有病都要打起精神硬幹一番，這情形下，礦工的身體日益由弱而病倒，每人都面黃肌瘦，但是，共幹們仍視若無睹，因爲新的礦工們大量而不斷地源源而來，共幹們所發愁是礦場無地容納新來的礦工，由歡迎而病倒與死亡，正是共幹們所望的。（功列）

「反動份子」殺不盡

儘管中共曾怎樣不眨一眼的殺滅了幾千萬所謂「反革命份子」，也不管他們怎樣殘酷鎮壓所謂「反動份子」，但這些喜歡「反」的人，好像依然遍地皆是，叫人寒毛慄慄似的！據十一月十二日人民日報所載，說湖南漣源縣九區龍潭鄉發生了農民突然殺害鄉長的事件，說鄉長彭福初是工作極爲積極的「新民主主義青年團」團員，因農民黃東林要求他開通行證出鄉去作買賣，他不允，結果便當場被黃東林三拳兩足擊斃了。又說：由於疏於警戒，在場的「農會主席」王保富，「青年團支部副書記」李健雄皆未能搭救，甚至也險遭毒手。待「民兵」數百人趕到，經過搏鬥，方將黃東林制服拘捕，當送上級人民政府法辦。而且又說：鄉民們一致認爲黃東林一定是「反革命份子」無疑，要求嚴懲不貸云云。

的確，黃東林既敢擊斃「人民鄉長」，豈有非「反革命份子」之理？但可恨他平時明明是一個人民四大階級之一的農民樣子，居然也會突然「反」將起來，眞太令人防不勝防了。

法魯克亦不俗

為方

埃及廢王法魯克平日所給予世人的印象，是饕[illegible]愚昧，跟我國的明武宗同一類型人物。但，近來在報上讀其自撰回憶錄，覺得此人也有若干言行表現得并不俗陋。

當他被迫限期坐游艇由亞歷山大港去國之際，政敵納吉勃——也就是他的叛將——趕來送別，他站在甲板上，向納氏說道：抱歉得很，未能在此久候閣下，因我是被限在六小時以內要離境的！其言頗富幽默感，因而使納吉勃亦感到有些忸怩不安，表示事變不是他所能完全控制的，希望諒解。君臣二人這段話，當然彼此都是基於仇怨心情的偽裝之詞。但在那種場合，還有甚麼好說的呢？法魯克能以幽默語調，間接對叛將隱示其倉皇出亡的不平之意，可謂恰到好處，無傷大雅。

其次是談到做禱告信上帝的話，他指出一般基督徒說耶穌為上帝所遣的先知者，篤信無疑；然對回教徒說穆罕默德是上帝所遣的先知者，却不置信，而且要以「劍端」來教導別人的宗教信仰。這是很深刻地描繪出西方先進文明國家對一切弱小落後民族的「帝國主義」思想之根源，發人猛省。

法魯克是東方人，然其言行與東方一般統治階級人物的意識形態有別。東方統治人物最鄙陋不堪的地方，即是那種儼然有介事的尊嚴派頭，絕無絲毫幽默感！

自由談

靠攏份子

·嘉華·

梁華派在海珠橋值崗，挺熱的天氣，太陽像一團火，就在這團火的下面，穿上厚土布的警裝，還要束起腰，徘徊四個鐘頭，這他媽的，過的什麼生活？

一閃身躲到一家涼茶店的簷下，順手解開喉嚨的扣子，摘下了鴨舌帽攝涼，眼光正碰上帽子的紅五星帽徽，眼球受過太陽的刺激，看見那顆星星成了一個黑色，不由的想起了許多往事，氣也不哼的搭拉着腦袋！

涼茶店的夥計，看見這位「人民警察」大駕光臨，早就嚇得胸膛上滿是黃豆大汗，以為又要攤收什麼捐、稅、獻金、代金、慰勞金……連忙遞給一杯茅根蔗水，還呲牙咧嘴，把面皮繃緊，硬裝出一付笑臉。

梁華頭也不抬，他正陷入了回憶的漩渦：他想起去年夏天在半島時，穿着一件綫衣一條拷綢褲子是多麼瀟灑自如？他想起每天早晚在地頭巡園，向每一個攤販收取三毫五毫，生活得多麼舒適？他甚至於想夏天喝一瓶綠寶，或者一杯椰子雪糕，多麼舒服？一切一切，還有煙館，私娼……一切都完了！

他後悔；幾個月前，根本就不該為了小數目而被××工會所利用——工會願意拿出每個人七塊二毫的代價，托他找些人參加遊行，結果跑了兩天召集了二百二十幾個「草鞋仔」每個扣起三元，滿以為這六百多塊，準可以袋袋平安！誰知，遊行竟弄成大皮漏，第三天的清早，他就被殿明的治安當局，押送到邊界，踢了兩脚，滾進了鬼門關。

還算不錯，他以絕義英雄的資格，到了廣州，因為具有打不死的身體，毒辣的心腸，厚的臉皮，下流的手腕，還懂得怎樣敲詐勒索，奸詭拐騙，居然受了一個多月的思想訓練，許他靠攏，便派到河南「人民警察局」當任警察。這任務是他的專長，以前在半島，還不過偷偷摸摸的幹，現在掛起人民的虎頭牌，豈不是名正言順，得心應手！

他後來纔明白，事實并不那麼簡單，同時吃這碗飯的還有五六個特務組織，互相盯緊，就像一羣餓狗圍擁着一堆臭屎，其中「民警」只算是頂起碼吃不開的角色了。何況，他的上面還有便衣偵緝，科長，局長等等一串頂頭上司。

……「丟那媽！」擺吓大鍋飯啦，細佬！他拍一拍頭，遙望望珠江對岸的大鐘，懶懶的扣上帽子，踱到分局。

當夜，想不到「警長」竟帶他到局長室，「局長」光着肩膊，女幹部何姑娘，却穿着睡衣歪在床上搖扇子。

「局長」笑嘻嘻地，沒有半點架子。梁華明白，這就是所謂「平等」的作風，但是自己却還不敢放肆！

聽說「你以前是×合會的」？「局長」笑容滿面。

「……」

「那麼，你對於社會的黑暗面，當然很了解，我考考你！」「局長」還是笑嘻嘻，梁華却慌起來，怕的他要考考思想的問題。

「像現在這裏的市面，窮得很，有些什麼方法，能增加人民警察的經費？你懂不懂？就是老糠怎樣能榨油！……要秘密而不引起反感的方法」。

梁華半晌不出聲，腦子直翻跟斗。

「唔……市面窮……男人窮了就好賭，女人窮了就可以隨便了！這不是……至祖師傳下來的……「理名言」。梁華總算答出了。

「你的意思，就是說賭……包娼」？

「局長」搖一搖頭：「我們已往考慮到開賭，至於包庇私娼，現在有錢玩的人可沒有幾個了！」再說，自從咱們男女關係隨便，私娼也沒飯吃！」

「不妨找僻靜一些的地方，開些番攤，字花」。梁華又有了靈感：還有……烟格的入息也不錯！」

「你籌劃籌劃吧！辦法想好了，再和我商量！這不過是為了你們與人民，我……」「局長」話未說完，眼睛斜斜的溜到何同志身上，梁華知趣地扭頭迴跑回宿舍。

僅僅半個月，梁華居然託人從黑市滙給家裏港幣五百元，他到底想出什麼辦法？那是他們的秘密！

祇獲了一次，據說這幾天他已經被人民檢舉押起來聽候公審清算了，當他被押起來的時候，「局長」曾拍過桌子大罵。

「丟那媽！靠攏的份子，就沒有一個不該殺的！」

閒話讀書（八）

·舜生·

一個人在造次顛沛的時候還要能保持一種安定的心情，確不是一件容易的事。拿一個普通的人來說，只要遭遇着一種輕微的拂逆，便很容易引起一種不快之感，大致在這種不快之感還存在的時候，既不能妥貼，構思也決不會週到，天地間有許多事，便往往敗壞在這種心理失其平衡的人的手裏。一個在心理上隨時都可能失其平衡的人，確不宜使他處在一個負有重要責任的地位，更不宜讓他單獨去應付一個繁複的事象。

這種情況，即平衡的心境偶然的遭遇着一種逆變而陷於憮惑或若悶的時候，究竟有什麼方法可以醫治呢？依我個人的經驗，方法却是有的：第一，把這件引起您憮惑若悶的事完全放下，出去跑跑，或找一兩個可談的朋友談談，乃至找一件要運用體力的事做做也使得。其次，便是找一本您歡喜看的書來翻翻，最好是找一本您平日讀過而得過它的益處的書更好；以我自身的體驗，這第二種方法能使我得屢試屢驗的，實莫如得着一本文學書，尤其是詩歌，記得從前嚴又陵譯『法意』的時候，他曾為孟德斯鳩寫過一篇小傳，他說孟德斯鳩每當心境鬱怫的時候，只要能打開一本書靜坐下來看一會，便能使得他的精神恢復常態。就我所知道，一本好的文學書，確能把您從這個現實的世界，移入另一世界，不問它是從正面給您愉悅；或相反的向您訴說一個更大的悲劇，即令您所感受的淺深不同，其足以轉移您的心境則一；乃至人間的一種美德，例如對人寬恕，對己反省，也往往能從這種心境回復常態的過程中萌動起來，使得您的處事條理或對人態度，得着一個很好的糾正。

孟子說：『故天將降大任於是人也，必先苦其心志，勞其筋骨，餓其體膚，空乏其身，行拂亂其所為，所以動心忍性，曾（同增）益其所不能。』我常常是這樣想：天不一定有多少的大任一定要降之於某人某人，同時一個平常人的處境，也原不一定有機會會處到那樣的一種窘境，可是需要我們動心忍性的時候却是隨時都有的。我自己做這種學習工夫，只用兩個極簡單的方法：其一，我常常歡喜和小孩子們在一塊兒玩，聽憑他們怎樣頑皮，乃至於怎樣胡鬧，我總要練習到自己不發脾氣，甚至看見他們鬧出一個小小的亂子，也總願意從他們的心理上去理解，決不願給他們一個粗暴的印象。其二，我總要求我的腦筋裏隨時有問題，而把我讀書的方向集中在與這類問題發生聯繫而求得理解，即令我所理解的並不深澈，但積累復積累，也自然有一種愉快，而使得那種足以使我鬱怫的襲擊退處於無形。我自信，這兩個方法都是容易行之而有效，尤其處在今日這樣一個容易使人苦惱的世界，我們總得有方法去做點這類的工夫。（一五七）

光緒之寃

猜士

光緒之為人，智愚賢不肖，以客觀批評其人，甚難下一肯定語。吾人今兹不必效康有為之頌「天王明聖」，亦不必效章太炎之斥為「小醜」，姑就其戊戌百日維新所行之事，一為論列，則其人倘得良股肱相助為理，似尚可與為善。當康有為未嚮用時、吳汝綸譏其「論學偏駁，異日得志，必以執拗誤事」，聞者未之信。初，有為以翁同和之薦，光緒特旨召見，命在總理衙門章京上行走，許專摺言事。有為又引楊銳、林旭、劉光第、譚嗣同等四人，為四品卿，參預新政。十旬之中，明詔凡數十下，六七月間，一日所收條陳，多至一百數十件，一日所發諭旨，多至三千百數字，言聽計從，舉朝側目。然而求治過急，指摘紛乘，所謀不減，執拗僨事。卒至新舊兩黨，各別町畦，門戶之見，釁若鴻溝。新黨恃眷倚之隆，譏守舊者安常襲故，苟且自安；舊黨恃根柢之深，斥維新者背規失矩，喜功僨事，勢不兩立，各趨極端，誹謗繁興言：「用不得其人，雖新亦舊；用得其人，雖舊亦新。」欲以調停出之，亦無效果。平情而論，新黨之中，固多憂時之彥，濟世之英，凡所主張，有利於國，就令措置容有未當，要其用意未可厚非；至於頑固舊臣，錮習已深，從容雅步，周旋廟堂，深恐變法以後，新陳代謝，不克保其祿位，為自便身圖計，遂不吝以國家為孤注矣。

光緒厲行新政，變法圖强，三令五申，以勵有位，顧言者諄諄，聽者藐藐，詔書絡繹，等諸具文。蓋內而宰輔，外而疆帥，咸為西后之黨，非光緒所得指揮。對于奉旨交辦之件，類皆束之高閣，置若罔聞；其眞能實力奉行者，僅湘撫陳寶箴一人，諸如電報輪船礦務荒政，次第實施，頗著治績。迨八月初六禍作，西后復垂簾聽政，章京被戮，康梁通緝，寶箴革職，永不敘用，所有四月以後新政詔旨，悉作無效，各官復歸原制，各庵觀寺院，無須改立學堂，鄉會試及歲科各試，仍用四書文試帖，經文策問，不應奏事人員，仍不准擅遞封章。一言以蔽之，凡光緒所興作，無論是否為良法美意，在所必棄，士大夫諱言新政，視同洪水猛獸。即如甘肅藩司曾鉌，（正白旗滿洲人）本非新黨，戊戌冬，擢授鄂撫，以疏請變法故，觸忤深宮，遽加以「莠言亂政」之罪，尚未履新，即予褫職，倒行逆施，識者早知清祚之末日矣。

中國之友（四五）

毛以亨

赫德傳（廿五）

此三筆借款為中國外債的開始，以後以累積而愈多。當一八九五年李鴻章赴馬關議和之日，赫德告李，日人索賠款約需二萬萬，若能分十年償還，海關是能够負担的，萬不要作舉外債的打算。李鴻章與日本的協定，竟將賠款分七年償清，而指望舉外債，遂使中國以負債而陷於奴役之境幾與埃及相同。借到之款為四千三百萬鎊，而付出不止一億鎊，當償債期屆銀價必落，滙兌上亦暗虧不少。甲午戰爭陷中國于萬劫不復之境，此次而對日放棄賠款，眞可使日人饞羨了。

二十、租借地問題

中日戰後各國均思在中國佔一席地，中國人稱之為瓜分，赫德則謂「列强硬欲將中國拉做一塊一片」。第一為德國，一八九四年十一月威廉二世即欲佔領台灣，後六閱月改欲佔沿海一口岸而未果。一八九六年李鴻章偕德籍稅務司德璀琳赴柏林，威廉二世即請其為德國得中國沿海一口岸，德璀琳拒之，謂適以起列强的嫉妒。（見Grosse Politik vol IX）

一八九七年十一月一日，天主教德籍神父Nies, Henle二人被殺于膠州，此非仇外與仇教的運動，乃土匪夜間行劫，附近鄰居，均被洗光，無一家能倖免者。不到兩週，德砲艦三隻由海軍司令Von Diedricho率領即出現于膠州灣，登陸後限中國軍隊三小時內離去。提出要求：一，為死者樹立牌坊，撫卹其家族；二，重建三個小教堂；三，將山東巡撫免職；四，賠償佔領軍費；五，山東路鑛歸德國專利；六，以膠州為德國海軍基地。李鴻章首先反對，謂德人不特違約且違反國際公法。赫德謂「是否砲艦政策將被再用，是否國際法規定武力制裁在先而談判居後，外交代表之目的是否免於訴諸武力？假使德國被認為對的話，則惡例一開，法國可以不通知而登陸英國，危險孰甚！

但美國方有事于古巴，英國不願獨力對付俄法德三國，中國祇好屈服，一八九八年三月六日，簽九十九年之膠州灣租借約，青島及沿岸五十公里之島嶼均屬之，並許德國駐兵。該約則將山東路鑛權讓與德國，此即所謂勢力範圍的開始。

李鴻章之與俄密約，有將膠州租給俄國十五年的規定，今德既取膠州，俄乃以旅順警抵抗。俄外長Mouravief曾以英艦二隻到旅順過多而提抗議，而尤不願英約開大連為商埠的實現，李鴻章函沙相，謂「開大連為商埠，俄人殊反對。」中俄租借地約簽字未三日，俄人即提出旅大租借約，並及瀋陽至旅大之鐵路敷設權。英國曾抗議而不以武力為後盾，租借約遂于一八九八年三月廿七日簽字于北京，另一協約又于五月七日簽字于聖彼得堡：租借期限廿五年，三月廿七日中國軍隊撤出旅大。總理衙門為以夷制夷計，至告英使謂將以威海衛奉與英國，（英使Macdonald致Salisbury一八九八年二月廿五日電）。四月二日威海衛租借約簽字，條款悉視旅大，惟賠款未清，日兵尚佔威海，直至五月九日日兵退出，英軍始往佔領。法人援例佔廣州灣，並欲取得滇越鐵路以滇桂為其勢力範圍，乃于一八九八年派兵艦在廣州灣登陸，是年五月九十九年之中法租約簽字。

憶抗戰首都兼懷川人

——·鐵頭·——

「脚底下的人」這一句話，最初更引起了無數的誤會與糾紛；重慶人說這一句話是一種習慣的口頭語，並無絲毫惡意，只是歷來覺得四川居高原之上，其他地方都比較低下，所以認為四川以外的人都彷彿在脚下一般，話的本意完全是以地勢作出發點，以較之香港，把廣東以外的人都稱為「外江佬」或「上海佬」，更不會有什麼壞的概念。但初到抗戰首都的人，乍然一聽，大起反感。在文人學士們，不免想到「雲泥之隔」，「上下床之殊」。而普通人們，亦犯了「你是什麼東西？你不過是我脚底下的泥」這一句罵人話的忌諱，因此相打相罵的事隨處發生。如以川人相罵，視為習常，至親好友，在所不免，開口就是「龜兒子」，閉口就是「格老子」，而下層社會，愈熟的人，罵得愈凶：幾乎無話不罵，以作為親切與友好的表徵，這現象一直到一兩年後，才司空見慣，相習相安。

四川人，同各地方的人一樣，自然也有他們的許多特點，他們短小精悍而活潑，他們喜動好說，而機警聰敏，他們多的是主意辦法，而缺的是[illegible]，他們的長處是衝鋒陷陣，而短的是堅毅頑强，他們社會上受兩種書的影響最大，等於河南人沒有不看過包公案，或受過包文正故事的影響一樣，這兩部書，一部是三國演義，另一部就是水滸傳。

三國演義，大半原是本地風光，所以擺起龍門陣來（就是閒談或講古）自然頭頭是道。但他們對於張松這個人，是很避諱而又痛恨的，其意儼然視張為四川的吳三桂，這點似頗影響到川人的門戶主義與排外觀念，這或許是因為三國演義及其所由產生的許多戲劇把張松描繪成為一個小丑的原故，其實張氏天才橫溢，聰明絕頂，當時基於希望地方改革及國家統一的觀念，物色天下賢豪，以結束劉璋那種闇冗無能的政治，避免爭奪離亂的局面，與民族漢奸吳三桂無論動機和行為都是絕不相同的，可惜早遭刑戮，未能表現其抱負，而其合作的法正，亦未永年，致同賚恨千古。（五）

本報各版
歡迎投稿

自由人

THE FREEMAN

（半週刊每星期三星期六出版）

第一九〇期

每份港幣壹毫

督印人：李光華

社址：香港高士打道六十六號

電話：二〇八四八

GLOUCESTER RD.
HONG KONG
TEL: 20848

承印者：東南印務出版社

地址：高士打道六十四號

台灣特派員辦事處：台北市館前街五十號

台灣總經銷處：台北市中華路一二五九號

台灣郵政劃撥儲金帳號：九二五二號

反攻聲中的三個基本觀念

救民重於伐暴　糧食重於武器　政治重於軍事

左舜生

明年是一個多事之年。即令眞正的世界大戰還不一定於明年正式爆發，但比較韓戰越戰更爲熱烈的場面更將陸續展開，當爲一無可倖免之事實。

我們是中國人，中國問題自更能吸取我們的注意。而且我們有一基本信念：中國問題不能得到適當的解決，即中共政權不根本予以摧毀，則世人的一切想法與做法，均屬徒勞。我們只要看韓戰，越戰以及馬來亞之騷動種種，無一不因中國大陸的淪陷而發生而擴大，乃至曠日持久而終於無法收拾，便可證明我們的這一信念決非由於我們的主觀，乃爲顛撲不破的客觀事實。

艾森豪威爾的新政府，三個星期後便將正式成立，依據共和黨的主張，他們在大選中之所標榜，乃至艾克在當選後所採的種種步驟，解決亞洲問題將成爲美國解決世界問題的第一個項目，實爲毫無疑義。

世界問題中中國據首位

中國問題在一切世界問題中處於第一等的地位，不自今日始，亦決不至今日止，世界政治家如果對進入二十世紀下半期的中國問題加以忽視，或魯莽滅裂的掉以輕心，其足以召致無窮的禍害，自屬當然的結果。過去日本軍閥以滅亡中國作爲解決中國問題的方針，召來了他們自己一度殺身與亡國的慘禍；羅斯福與杜魯門政府甚至把中國「一筆勾銷」，乃闖下了幾年來亞洲的大禍；斯大林以獨吞中國作爲赤化世界的張本，這何異於吞下一顆氫彈？只要斯大林還可延長三年的壽命，我們一定有機會看見他以第一號戰犯資格，出席世界人民公審的最高法庭！

我們是這樣強調中國問題的重要性，決不是想以此引爲中國莫大的光榮，實際中國問題之所以變爲這樣重要，乃百餘年來若干複雜的因數所形成，而中國人乃不幸成了這樣一齣大悲劇的主角！今天，算是這一齣大悲劇發展到頂點的時候了，我們在泣血創痛之餘，與其去埋怨別人，還不如自身發揮深刻的懲艾：誰叫我們把這一百餘年寶貴的光陰是這樣浪費？誰叫我們一直到了今天還死也不肯長進？誰叫我們在這一百餘年中聽憑一切牛鬼蛇神陸續產生而終於無法肅清？

三個基本觀念

假定明年眞是我們一個反攻準備完成之年，甚至是我們一個反攻開始之年；更假定在我們反攻中美國能以全力相助，而其他的民主大國也能以同情的態度出之；則我們在今天有三個基本觀念，實在應該加以好好的思考。

我認定：第一個要緊的觀念是『救民重於伐暴』。今天散居大陸以外的人民，不足三千萬，留在大陸的，乃在四萬萬以上，除毛澤東及其少數重要幹部以外，其餘的人實在是無罪的，即有也是可原恕的，尤其是青年分子，工商分子，以及良善的工人與農民，假如說他們也有罪的話，則我們這些教育過他們的，領導過他們的，治理過他們的，豈不是更有罪嗎？毛澤東等所犯的第一大罪，不在他組黨，也不在他搶奪政權，而在他奉着蘇聯主子的命令，屠殺中國的老百姓，毀滅全體中國人的人格，摧毀中國的傳統文化！毫無疑義的，我們的反攻之師，應該是仁義之師，除持有武器從事抵抗的必須予以擊破以外，我們千萬不要忘記這一次的反攻戰爭，完全是由於蘇聯的魔鬼，驅使着中國人去自相屠殺，我們決不是好戰，我們只是不得已而戰，『仁者無敵』，『不嗜殺人者能一之』，就在今天，也還是我們最好的教訓。

第二個要緊的觀念是『糧食重於武器』。蘇聯與共匪的毒計，是準備在我們反攻中，再餓死中國幾千萬的老百姓，假如我們收復地區的飢民束手無策，這便正是我們的根本失敗。我們自然要向美國要求有效的武器，良好的裝備，我們尤其要向美國要求大宗剩餘的糧食，以及運輸這些糧食到達我們收復地區的一切海空工具！

第三個要緊的觀念是『政治重於軍事』。從前在江西剿共，已經提出過『三分軍事七分政治』的口號，我以爲是確實收過良好的效果的。我們今天雖不必抄襲這種刻板文章，但在反攻期中假如沒有適當的政治措施與之配合，則戰爭可能無限期的延長，甚至給予共匪再度反噬的機會；這樣一來，豈只老百姓受不了，還要引出其他的岔子也很難說。這個意思似乎是老生常談，但我們不要諱言，中華民國其所以經過了四十一年依然無法使得戰爭中止者，政治沒有納入一個使全國人都能相安的常軌，確實是最主要的原因之一。如果今天仍把政治的改進視爲緩圖，我很擔心『後之視今，亦猶今之視昔』哩！

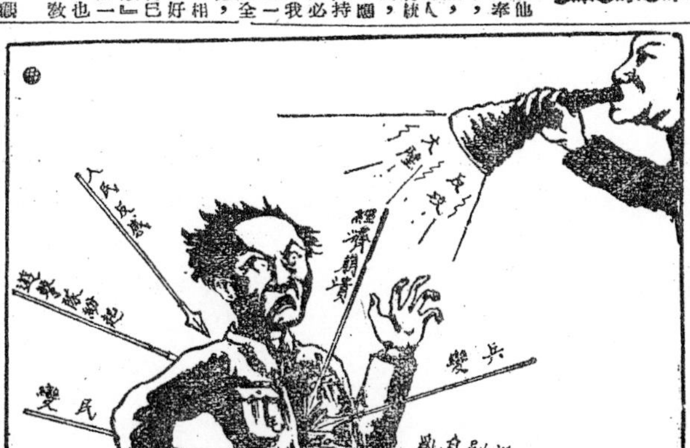

號角一聲響

·同書·

東歐鐵幕傾塌先兆

捷共清黨暴露了克里姆林宮的內憂

涵之譯

捷克清黨，暴露了克里姆林宮對東歐附庸國發生離心力之恐懼。經過審訊和判決後，要將審判口供錄音，給布拉格廣播電台加一番剪輯，然後播出。他們怎樣「編輯」這些宣傳資料，和怎樣將「排演」露馬腳之處刪去，固無人得知。這班被告的「坦白認罪」廣播，說話好像很肯定。可是聲音低微而單調。而且僅是「毫無表情」。沒有向大衆說話經驗的被告，還經過一番的小心準備背誦。史蘭斯基和克里曼蒂斯的自我譴責，好像有淚，但斯弗靡華夫人（前黨幹部委員會主席）出現時間短暫得驚人，聲音低微，幾乎聽不到。在情緒極度緊張下突然昏倒，這倒還似乎很迫眞。

各被告派系不同

此次清黨被告人物，不但在黨中有長久歷史和[illegible]，而且他們似乎各不相關。凡熟悉捷克人物的，都認爲他們不會共同聚會過，來陰謀不軌的。他們當中有些在戰時居住在莫斯科很久，有些是所謂「倫敦派」。其他有許多是政治目的不相關連的。

例如：史蘭斯基和克里曼蒂斯，雖然在戰時大家都在倫敦，但史蘭斯基是篤信共產主義而毫無問題的效忠於共產國際情報局路綫的。而克里曼蒂斯，雖然沒有特別表示同情西方，（他曾著作兩本討論「汎斯拉夫主義」的書，）但持有某種獨立的見解，在戰時是屬貝尼斯派的。

因此檢察長對此立場紛歧的一班被告，欲構成其控告理由，也費盡心機，巧妙的配合。

據說，政府說這班陰謀者的罪狀是破壞現政府組織，恢復資本主義的政體，依靠西方，與搗亂破壞工業；說他們存心反共，其中有狄托派，有托派，——還有新奇的「猶太民族主義者。」

得寵傀儡「做人難」

這次清黨另一特點，是有經濟上的控罪。（一）說他們從西方輸入更多的原料。（二）建立美元準備。

其實這兩項都是政府原有的政策，不過因爲冷戰使東西貿易萎縮了，無法實現罷了。可見在鐵幕內，無論何人配合不上克里姆林宮的政策，就被肅清。這是眞眞正正的「做人難」了。非但蟻民是如此，縱然是得寵傀儡，也隨時可以從天上跌落十八層地獄。

莫洛托夫的經濟互助計劃，是要東歐集團和蘇聯互相配合的。捷克在附庸國中工業基礎比較深厚，所以要捷克注重重工業而忽視輕工業。因此捷克的日用品缺乏，引起一般人怨懣，魯布爾 LOEBL 博士被控與西方作有限的貿易協定——事實上是政府批准的——說他把電視機器零件運去聯合王國，和售賣肉類給英國。這是把消費者因莫斯科指示的經濟政策而受的苦，歸咎於這一羣替罪羔羊。

從支持猶人到反猶

還有，就是把人民對捷克共產黨的不滿，轉到猶太人身上。在捷克像在中歐和東南歐各地一樣，共黨中之智識份子和祕密警察的中堅人物，多屬猶太種族淵源。十一個被處決的據說是猶太民族主義者。史蘭斯基和奧閩契炎和其他猶太民族主義者被控告參與民族主義陰謀。這當不錯，但須記憶，這是當時在蘇聯指導之下去幹的。一九四八年春季和夏季，當巴勒斯坦在託管完結的時候，被英國封鎖禁運在巴勒斯坦戰爭第一個月，捷克的裝備挽救了猶太人。但史蘭斯基和奧閩契炎絕不是猶太民族主義的同情者。他們是眞正共產黨員。一生反對猶太民族主義，以爲他們是走錯誤的資產階級路綫。他們支持猶太人，係依照蘇聯在成功湖轉變的路綫。現在他們被控告與四年前的蘇聯政策相反，因爲後來以色列接近西方再回轉到「資產階級的錯誤路綫」，蘇聯又改變對猶太的態度了。

總之，捷克這一幅鐵幕，其團體已不堅牢了。克里姆林宮中的人憂慮它會像南斯拉夫一樣的倒塌，所以稍有離心傾向，便嚴厲整肅了。

（節譯十二月六日 Statesman and Nation）

本週展望

·雷嘯岑·

不相干的噱頭

紐約時報以製造新聞噱頭的動機，藉聖誕節前，向史達林通信，問他是否認爲美俄兩國戰爭必不可免，以及是否願意跟美國新政府商談結束韓戰這類老生常談的應酬話，目的只在替報紙添些新聞花樣而已。這與美國記者問葛洛米柯是否將向美國人民祝賀聖誕節的玩意，並無二致。

史大林的答覆，當然不會說出「美俄勢不兩立」，「決不願意結束韓戰」的言論來。好似葛洛米柯答記者一樣，自己分明是反對上帝的無神論者，卻不能不表示要恭祝美國人民的聖誕節。美政府人員對史大林的話沒有反應，艾森豪威爾置之不理，都是對的。

史大林既願意結束韓戰，爲甚麼維辛斯基在聯大會議中，竟堅決反對印度的建議案，而且擅行代表中韓共拒絕這項結束戰爭的要求呢？至於史魔把世界緊張形勢之所由來，歸諸於民主國家對蘇俄的「冷戰」策略，尤覺無聊已極。美國方面指爲這是毫無新義的「濫調」，可謂確評。

可是，西歐方面的政治界，又不免要興奮一陣，騷動一場了。英法暫先表示感覺興趣，主張要「審慎考慮」這種言論，而路透社二十五日由莫斯科電訊，即說杜爾斯將赴蘇俄，締商「艾史之會」。北大西洋公約國理事會亦正在「研究」毛澤東變成狄托的可能性。史大林投其所好，放出一縷「和平」烟幕，便使這些犯着恐俄病者，有如吃到麻醉藥的鴻魚，醺然亂竄，不知所措，眞是好笑煞人也！

假使史大林教東德捷克那般嘍囉們，向西歐來一下像越盟軍和馬來亞游擊隊的軍事行動，那些反對擴大韓戰的西歐政治家，如不大叫「三次大戰」已爆發，拚命要求美國趕快投原子彈或氫氣彈，那纔是怪事哩！

配合好的「和平」魔術

維也納的所謂「世界和大」，宣言要求「結束韓戰」；中國大陸上的俄共爪牙，聲言放回三萬日俘，教日本派代表去協商；史大林再聲明兩個世界可以「和平」相處，願意結束韓戰。這一套互相呼應着的「和平」攻勢，只在防範美國新政府採取對共產陣營的積極行動。要用「和平」朦藥麻醉西歐各國，對美國大事作梗，不但反對擴大韓戰，最好是把北大西洋公約國的建軍計劃再用「重質不重量」的理由，大大地降低，低到使北大西洋聯防問題名存而實亡！

這樣，史大林依然保持着冷戰的上風地位，進行世界革命的和平戰略如故。但有一點可以告慰於西歐各國者，即馬歇爾計劃與美國援外法案必不致撤消，美元照樣地源源而來，焉用建軍爲哉？

照西歐國家目前自私苟安的惰性發展下去，我們對史大林所指出資本主義國家必先發生相斫悲劇的論據，實在沒有膽量否定它呵！

國大代表應有的職責

旅台國大代表聯誼會近日決議召開臨時大會，並召李副總統宗仁（又稱代總統）回國來恪盡職務云。

召開臨時大會與否，暫且不談。惟召李回國一事，確爲代表們的應有職責，用不着要開大會才能夠做的。身爲副總統，當國家危難之際，擅離職守，溜到異域，置國事於不顧，而且又要在外國行使總統權力，居然包庇本國的貪官污吏，丟盡中華民國的體面。國大代表選任非人，深負人民付託，早就應該以現在台灣和海外的千餘人集體名義，電令該副總統限期回國，藉符體制，何必一定要等召集臨時大會呢？這是國大代表的份內職權，自由行使，誰也不會干涉，誰又有資格來干涉？

李副總統如其肯回來，勤宣國事，那是再好沒有了。大家相忍爲國，團結奮鬥，正合全民期望。否則，國大代表再依法能免他，亦係仁至義盡的不得已之舉。憑着抗命不歸的事實，即已構成罷免的條件，不必另講廢話了。我希望聯誼會先做這項份內的事！

胡適的影響

·子潛·

台灣通訊

十二月十七日是北大校慶，同時也是校長胡適的壽辰。這天晚上，在信義路陳院長寓所有一個小規模的壽筵，主人是現任和前任的行政院長陳辭修和張岳軍，貴賓是壽星胡適，陪客爲胡氏的幾個朋友。這是一個非官式的宴會。據參加作陪的某君說，在壽筵中，沒有世俗祝壽的繁文縟節，也不夾雜官場的外交詞令，從開始到結束，一直是在輕鬆的歡笑氣氛中，大家無拘無束海闊天空的談話，而且是百分之百充滿人情味的。做主人的陳院長和做客人的胡博士在親切的談笑中，更是表示互相推崇互相敬佩。

硬漢和書生

陳誠和胡適，從出身講，一個是軍人，一個是文士；從性格講，一個是百分之百的硬漢，一個是地道的書生。陳誠之爲硬漢，表現於他治軍從政大刀闊斧的作風上，表現於作事之要求效果不計成敗不問毀譽的爽朗態度上。而書生則反是，窮研事理，頭頭是道，辨白知黑，條理清晰，但書生往往對政治生活不感興趣。胡適在台大講學，就說他辦理學校行政自媿遠不如傅孟眞，的確，很多前期或後期的「北大人」，也常說胡先生在北大對校務行政是無爲而治。胡適近三十年亦曾過問政治，但也只限於文人論政，再具體點說，他只以歷史學者的眼光批評政治，除了一度執節出使美國外，始終是坐而論道，沒有參與過實際的行政事務。從這些觀點看，陳誠和胡適代表存在於中國兩種顯明不同的典型，惟因同時存在於現代苦難的中國，他們對國家的熱愛卻是共同的。一個總希望當政者能把國家搞好；一個是站在從政者的崗位上希望國家一年比一年好。由這一共同之點，建立起硬漢和書生間的友誼。

陳誠的言論自由觀

陳誠是由衷的欽佩胡適。他私下對人講：「胡先生鼓吹言論自由，我絕對贊成，政府不能接受善意的批評，政治不會有進步。只是實際政治與政治批評往往有些距離，但這也不要緊，如其批評得對，應虛心接受，批評不對，儘可以照原定的主張作，到最後是非黑白，自有定評。」胡適十二月十日出席台北編輯人協會演講，曾說：在今天許多開明的領袖領導之下，言論自由一定可以獲得進展，因爲現在政府的確也需要人民的支援，只要我們是善意的批評，而不是煽動性的言論，當然會獲得採納。在當前國家處境艱危之際，我們的言論自然都是爲使政府好，所以要儘量避免刺激，保持平實和負責任的態度，慢慢地政府也瞭解了人民的善意，人民也能體諒到政府的苦衷，互相諒解，言論自由就可以完全實現。據說陳誠在一個集會上曾向他的僚屬說：「我很高興胡先生在編輯人協會的演講詞，其中引用了我向他說過的話。」

陳誠態度嚴肅，但並非不懂風趣。前些時在立法院作施政報告答覆質詢時就說：「現在是民主自由的時代，立法院就是言論自由表演的場所，我今天在這裏講話，就要向立法委員要求給予我充分的言論自由。」他又說：「我也要求立法委員，對政府施政要作無保留的批評。」事實顯然，由他的言行所表現，陳誠似係充分了解并充分尊重言論自由的當政人物。

批評胡適有自由

胡適之先生返抵國門後，接受各方面的邀請，充分發揮了他個人的言論自由。私人談話或未經發表的不算，單就月來報紙所已刊載的說，幾乎沒有間斷的演講，包括一般性的和學術性的，包括有特定對象的和沒有固定對象的，有時一天連演幾次，素來聲音爽亮的胡適，嗓音也沙啞了，逼着他不得不去請教喉科大夫。統計胡氏在台境有的講辭，足可出一本厚厚的集子。胡博士二十一日乘星期天的餘暇，曾特地跑到北投一所別墅中專門整理講稿。

胡氏在這些演講中，雖然內容各有不同，概括起來，當不外下列三點：（一）鼓吹反共反俄；（二）鼓吹民主自由；（三）提倡治學方法。以胡氏之權威的地位，其影響之廣大深厚，是顯而易見的，這些影響有時就在目前，也許還延續到以後的若干歲月。就目前說，使反共情緒更趨昂揚，反共理論亦可開展幅度，再則使讀書空氣更加濃厚。記者在這裏順便一提的是台灣讀書空氣原已非常濃厚，學校裏不說，一般社會也不說，單就軍隊說，文盲幾已絕跡，每個戰士離開槍砲便摩挲書本，這是記者親眼所見。一個文化人跑到部隊裏，便有很多弟兄圍着你，問長問短，和你談韓戰，和你談美國大選，雖然不一定有高深見解，但大致皆不離譜。

胡氏一連串的演講在報紙發表後，曾引起各種不同的反應，有的作文章，有的給報紙投書，有的向胡博士寫信，質疑問難，有增無已。但胡氏認爲這種現象是可喜的。他期待因此激起更廣大的波瀾，引發更多的論戰。這在一個具有悠久文化歷史的國度裏，必須文化領域中，百花齊放，門艷爭妍，才不致衰老。胡適是一個民主學人，當然有雅量接受別人批評胡適的自由。

克拉東與克拉西

文化問題原本是一個最複雜的東西。自從五四運動時候起，當時倡導的兩個東西，一是賽先生，一是德先生。賽先生的問題比較簡單，因其比較具體，科學和科學方法，作爲一個近代的人，不會有反對的。德先生的問題就稍爲抽象了，英美的德謨克拉西會被共產主義者攻擊得體無完膚，特別掛出一幅「科學的社會主義」的幌子以作爲眉牌，在這塊盾牌下面鑄造成今天的鐵幕。德謨克拉西本來並非永恒的眞理，不過在現存的世界中還沒有一個比它更好的東西更令人嚮往，特別是在今天共產極端者想用鐵幕籠罩整個世界，它便更令人嚮往，若干年來，中國內學者對於德謨克拉西也曾從各種角度作過各種的批評，其中最主要的一種說法，認爲民主是重要的，但中國有中國的國情，我們不能無保留的接受英美的德謨克拉西，因此很多人對於作這一派主張的人稱之爲「德謨克拉東」。胡適思想所代表的是純粹的德謨克拉西，胡氏此來將留給自由中國的人一個課題：我們還是走向克拉東呢，抑是克拉西？

喀邦紛爭引起中亞危機

印巴對喀什米爾地位的爭執，延續幾年，聯合國雖一再努力調解，迄無顯著成就，巴基斯坦曾數度表示願意讓步，而印度則非欲喀邦括入其勢力範圍決不罷手，最近聯合國的決議，僅顧及印巴兩國的駐軍問題，并未考慮到喀什米爾在印度導演下，結束了百餘年的王朝而代之以「共和國」稱號一點。在另一方面，中共乘着兩國的紛爭，正將其魔手從藏境伸入，似未爲印巴兩國的視綫所及，其後果的可怕，實在不容忽視。

印度和巴基斯坦對喀什米爾的紛爭，具有兩大不易解決的因素：一、喀什米爾的地位，其地略形勢，佔有了中亞極重要的一環，任何一方擁有了這八萬四千方哩的區域，對方無疑有被侵的威脅感，一九四七年開始大規模的流血紛爭以來，雙方均基於戰略觀點，誰都不肯輕易放棄這一地帶的領土要求，雖然印巴的武裝鬥爭於一九四九年一月一日經聯合國代表葛拉漢調解，達成停火協議，但間歇的衝突仍有。二、衝突的基本因素，與停火協議的成功，仍基於人民自由決定喀邦誰屬，印度和巴基斯坦，雙方均有一個幻想──中立。在印度，當時認爲擁有相當勢力的喀邦領長厄多拉，是親印的領袖，如果人民自己去決定喀什米爾的命運，則厄多拉無疑仍將保持權位，喀邦在實質上仍是歸於印度的。巴基斯坦的想法又不同，他們以爲照人口比率，以及文化傳統與語言生活習慣來說，回教徒佔全人口四分之三，有了這樣的數字，就不怕被印度教徒佔去了優勢的。可是，事情的發展絕不是這樣的單純；印度卻自恃可以把握住厄多拉，而且厄多拉在喀邦內潛力，顯非巴基斯坦政府的力量可以控制，因此，巴基斯坦的想法，隨即又改變了。對於聯合國主持下的公民投票方式，發生疑懼，堅決要求「部分投票」。這種不公平要求，卒被拒絕。殆投票決定了厄多拉統治之後，巴基斯坦與印度對喀邦的爭執，形成了回教與印度教的鬥爭了。這兩大基本因素，迄今仍未獲致有效的疏解。而另一股來自藏境的中共威脅，乘着印巴間的不解「怨恨」，向喀什米爾進襲了，中亞的危機，正一天天加甚。

喀邦取消百年王朝

喀什米爾地位所形成印度和巴基斯坦間的「怨恨」不解，除了雙方各自放棄成見，慨然讓步之外，誰也沒法解決的。可是，局勢演變到今天的地步，雙方讓步的希望，已經令人感到渺茫了，就印度而言，印度自從哈利‧星哈這一位喀什米爾的印度教主席浦舒（喀邦首揆）的回教徒取得巴基斯坦方面的土著協助而叛變的時候，他被印度允許合法進入印度的，印度不僅對他保護，並且派兵進入喀邦，而同時掠奪了星哈的權力，將喀什米爾政府交給了當地的民衆領袖厄多拉酋長。這樣，喀什米爾事實上已變成了印度的藩屬，巴基斯坦自是不甘緘默，對印度不得不採取武力對付，幾乎釀成了一九四九年又一次大規模的流血。在公民以投票結果，結下了不解的「怨恨」。然而，儘管聯合國代表葛拉漢的一趟又一趟調解，不僅難望協調，反而陷於不易疏解的地步。因爲印度企圖造成一個既成的局面，自恃這一個現成的事實獲得聯合國的承認，就一了百了。此一企圖，最近已獲成功，林納加消息傳來，喀邦議會通過廢除君主制度的決議，以便滑留印度的一百零六年來的王朝與老王星哈的名義統治正式結束，而代之以新的「共和國」，由其子出任「共和國」的新總統，此一二十一歲的「王子」是哈那加的封號亦告廢除，以「沙達立斯德」（總統）之尊稱。然則，印度這種苦心的安排，在其地位誰屬未經雙方協議確切規定以前，聯合國未必會接受印度要求，予以事實上的承認。

聯國注視駐軍問題

聯合國除了刻意籌劃着一個「停火綫」問題之外，其他方面，尤其是喀邦地位誰屬，還以爲是已往的公民投票的決定有效的，故確認爲是一個單純的「停火綫」問題了。最近安理會並決定接受英美對喀什米爾政府的建議，要求印巴立即進行談判，以期達成在停火綫的兩旁終了之時雙方在停火綫的兵員數目作一規定。這一個建議的數字，規定了巴軍三千至六千，印軍一萬二千至一萬八千名。雖然，這一個決議案在一九五二年十二月二十三日獲得通過，而規定兩國在一九五三年一月三十日以前向安理會提出答復，但從兵力的衆寡一方面看來，巴基斯坦未必會同意。既不能同意，則印巴之談判，殆不致舉行。印度現時因尚未將喀什米爾何時取消王朝改爲「共和國」經過向聯合國提出報告，顯然恐怕西方對於喀什米爾問題之重視之時，避免增加他們的刺激。而巴基斯坦呢？認爲印度既不提出要求國際間承認喀邦的既成事實之前，遂以表示反對此種措施，不一定會獲得國際上的支持。因此，既不公開承認，又不力斥其非，等將來有一天直接談判之機會來臨時，不妨再加論爭。

中共正圖乘亂入侵

中共對東南亞之侵略企圖日形顯著之時，謀掠中亞之心，雖有大多數人想到，却并未發覺中共久已利用印巴間之矛盾，醞釀入侵的機會；若干年來，它一方面與巴基斯坦訂交，一方面與印度結誼，對喀什米爾問題，極力避免介入。就蘇俄的態度上說，與中共是完全一致（二十三日安理會通過英美對喀什米爾建議之時，蘇聯投票棄權。）是很顯明的例子。中共進侵的陰謀，也曾有過一個相當的時期醞釀，其初時先對鄰近地區情勢瞭解，然後利用拉打省內佛教徒，作爲入侵的橋樑，因爲拉打省的人口中，大多數有西藏的血統，與西藏間宗教一系，他們向來傾向印度而不願意受巴基斯坦的統治，年來中共利用此種矛盾，便偷偷的把武器運入，極力收買喀邦的狂熱分子，與回教徒的狂熱者擴展開激烈的鬥爭，而煽動現在不斷的宗教紛爭。如果印巴兩國雙方一旦演至衝突，則必有一戰，中共就不難乘亂而坐收漁翁之利了。（卓鑾）

天下小事

美海軍設最強電台

美國海軍現已擁有世界上力量最強大的無綫電台，這一座電台名爲「大參娜」，設在華盛頓州的參格耶克谷，它的電波之強，甚至可以直達深海中的潛艇。同時海軍部還有另一個足可稱霸世界的，是設在馬里蘭州柏杜遜的新飛機試驗中心，它的跑道也將是世界上最長的——長達三哩。

俄巡洋艦改裝航艦

據盟國所獲的情報報告，本月份停泊在波羅的海內的赤色艦隊，計有四萬二千噸的俄國主力艦，上面裝有雷達和火箭發射器。重巡洋艦四艘，其中三艘有發射火箭裝備。此外，還有重巡洋艦兩艘正在愛沙尼亞的港口中改裝爲航空母艦。

歐記者改善對美報導

美國務院已暗地裏通知各歐洲盟國，說他們駐美的通訊社頗存有反美的偏見，他們拍往國內的電訊很多都描述美國暗淡的一面，據說：法、義和其他幾個北大西洋公約國家的政府已接到這一通知，且已採取行動加以改正。

聯國將開除親共華籍員

據熟悉聯合國內幕的人士說：聯合國一百一十位華籍僱員中，其中有二十名左右是親共份子，但聯合國並沒有承認毛澤東政權，而且正與中共在韓國作戰，因此，預料不久的將來，即將有要求聯合國秘書長賴伊立刻對那些親共的華籍職員，採取行動。

氫彈戰爭可引起「暴雨」

若干著名的核子科學家認爲，將來全球發生氫彈戰爭後，全世界可能有劇烈的改變，他們害怕將來大戰發生時，投擲無數的氫彈可能造成放射性的「暴雨」，而對人類產生極嚴重的影響。（孟衡）

法國的多難之秋

法國畢奈內閣因預算案不獲聯合政府各黨的一致支持而垮台，在這法國多難之秋，確有極嚴重的影響。前此不久，北大西洋公約理事會議方告結束，法國對摩洛哥的動亂暫獲平靜，而突尼斯君主終於在法國的壓力下低頭，批准了一部份法國政府所提出的改革計劃，在這時期，許多問題都待法國政府以果敢的行動來處理，但畢奈內閣却突然傾塌，國務雖仍由畢奈維持，可是全國無疑的發生了沒有領導者的狀態，西方自由國家，尤其是美國，對法國政治不安的焦慮，自然是易於了解的。

同時，美國新總統艾森豪正準備以世界性的基礎，全盤檢討世界問題，這時期法國以及殖民地的種種危機，經濟、政治、以及殖民勢力的削弱，將更使艾森豪瞭解，西歐防務的增強，如要以法國爲中心，則將如何以新的行動來協助法國解決這些危機，而北大西洋公約組織的前途，以及歐洲軍的成立，其主要關鍵，仍在於法國問題之解決。

法國對聯合國干涉「北非」，曾大爲不滿，美國的決心保持這個對它軍事安全有關係的地區和前途，都有大關係的。

在歐洲，如失去北非，法國將不能作伙伴，而決不容許德國重整武裝。在越南，更多消耗法國的經濟力量，法國已不能維持戰爭，才不得不要求美國與越南的軍事援助。它在越南的戰爭是法國負擔的主要因素，阻延了法國在歐洲的主要負擔。

族主義問題，是美國對北非的民族主義支持，如何在北非一面支持，一面又使法國不致引起自決的要求，這是美國所面臨的問題。如何對越南的戰爭，是不是法國局部的一個問題？正在決定之中。法國處在這時候，猶豫出兵而不致引起懷疑，是否將採取行動，也許可以不要步驟的避免法國艾森豪來……有供給，力不可行，過去美國所提供的武器不多，行動極慢，法國總理院所一再要求的，已獲得答覆，但越南及北非的戰爭，其他國家都有困難。美國首先討論的是，越南可否增加負擔？這是艾森豪大能供給的，但美國認爲必須有比例……處境是「無法供應武器」問題，比利時並未參加；直接拒絕，歐洲的三個國家有相同意見：一、必須提出大量武器供應越南，歐洲各國同時必須拿出工業能力；二、以上條件行銷一先……的軍事制度，尚無端倪，目前，比利時等國家所堅持的幾項條件，新法國政府成立後，是否再加考慮？延擱法國的，這些問題，也是未了的疑問。（黃鴻）

中共新婚姻法澈底失敗

幹部胡作爲醜事疊出　婦女慘遭凌辱悲劇叢生

據本報最近大陸綜合消息：自中共爲澈底利用婦女提出「婦女解放」底口號而公佈實施「新婚姻法」以來，由於舊的倫常已被摧毀，新的秩序無法建立，再加上法律本身的乖謬和粗率，以及幹部的無知與亂搞，已使此一措施弄得一敗塗地，不堪收拾，其醜事之多，悲劇之繁，眞是罄竹難書：救結果，已不是「婦女解放」，而是婦女遭殃。最近，他們雖然因而發出了一個所謂「關於繼續貫澈新婚姻法的聯合指示」，企圖加以補救，但頭痛醫頭，其結果是亂上加亂，可以預卜。

實施新婚姻法　原爲利用婦女

查當初中共之所以實施「新婚姻法」，目的原在利用婦女。他們根據列寧的指示，認爲一般婦女的懦弱與無知，正好是使他們控制整個社會的最廣大的也是最理想的利用對象。他們利用婦女，括有兩大目標：

其一，在利用婦女作爲廣大社會特務控制的工具。因爲除了可以利用婦女幫助「教育」兒童的赤化思想外，更可以利用她們作爲監視丈夫思想行動的義務特工。但要作有效的利用，必須打破她們的夫婦間狹隘的感情觀念，代之以威嚇和訓練，使她們存有共產主義的玄妙的政治思想。

其二，在利用婦女作爲鼓勵奴役和犧牲勞力的工具。事實很明顯：他們利用大批婦女充作營妓去犧牲色相以鼓勵士兵衝鋒陷陣，甘作炮灰。他們利用婦女鼓勵丈夫去爭取「戰鬥英雄」「勞動模範」等等，爲共黨爲拚命打仗，拚命生產。最後，則利用她們自己的勞力去爲共黨的生產而聽任奴役，必至死而後已。

一如前述，男人被女人鬥爭而死的，和女人映鬪而死的，結果自己也歸於毀滅的，不知値有多少。

竭力提倡淫風　醜事層出不窮

亦如前述，中共爲了要達成女人控制男人的目的，而打破女人的感情思想，便以破除女人的貞操觀念爲唯一的手段，因而便大力地提倡淫風。一杯水主義固已老生常談，亂倫的事件也不勝枚舉。原有的社會秩序當然摧毀了；新的社會秩序却建立不起來，於是人慾橫流，狂瀾難挽，亂得一團糟。

例如，據武漢長江日報所載：廣州吉祥街有個名叫伍超羣的[illegible]隊隊員，將一個九歲的女孩袁佩珍連續強姦了六次，經兩個月之久方被發覺，家長告到「人民法院」，法官一看是解放軍，便說「食色性也」「情有可原」，結果只判了他一年徒刑。相反的，湖北沔陽縣二羊鄉有個名叫王安欣的婦女，因夫婦口角，賭氣回娘家住了一天，丈夫到區「人民政府」告她說娘家有人私通，再加上一個「鬧生產情緒」的大帽子，區「人民政府」竟把她綁來毒打一頓，再罰她一個天天報到彙報。

又例如長江日報所載：江西浮梁有個名叫趙瓊珠的有夫之婦跟人家私奔了，被丈夫報告區「人民政府」去抓了回來，辦她「私奔之罪」，但後來案子鬧到「人民法院」，法官却指斥區政府爲什麼辦她私奔之罪，他們說私奔也是「戀愛自由」的行爲。

例如上海解放日報所載：江蘇宜興有個名叫李和尙的老農夫跟媳婦通姦，被兒子捉住了，鬧到「區政府」，「區政府」就將他們兩人綁起來示衆羞辱，後來縣「人民法院」知道了，認爲有害「人權」，有傷「自由戀愛」的精神，便判了個媳婦跟兒子離婚，再跟老子結婚。這案子後來又反映到縣「人民法院」，却認爲「人民法院」犯了偏差，再予重判。眞是公有公理，婆有婆理，莫衷一是。

又例如長江日報所載：廣東曲江有一農民，因妻子與人通姦，將姦夫姦婦一同殺死，「人民法院」判了他一年徒刑，但後來省「人民法院」認爲殺死姦夫姦婦的罪判得太輕，有違「新婚姻法精神」而將他改判十年徒刑。

又例如新華日報所載：現在工廠中的男女工人更弄得一團糟，有的男工見廠里的女工比妻子漂亮，便提出跟妻子離婚，有的女工見廠里的男工比丈夫有趣，便跟丈夫提出離婚，有的男工和女工便公開在廠里肆無忌憚地隨地實行性的解放。

選舉婚姻模範　標準乃在三厚

另外還有一樁怪事，乃是選舉婚姻模範。據本月九日天津光明日報所載：僞內務部發出了貫澈新婚姻法的指示後，河南魯山縣已首先召開了「貫澈婚姻法模範代表大會」，選舉了趙光啟、劉淑賢等二十二對模範夫婦，馮宗義、暴同花等兩模範民主家庭。模範夫婦的標準，據該縣共黨書記宋志興說乃在三厚：一要臉皮厚，要做得出新婚姻法的帶頭提倡；二要嘴皮厚，要說得出在新婚姻法下的夫婦的快樂有聲有色，活龍活現；三要手皮厚，要能夫婦勞動競賽，挑戰，先取到勞動模範的獎勵，而後才有資格稱模範夫婦。民主家庭的標準，是像暴同花那樣鼓勵丈夫去治淮爭取勞模，丈夫三年不回家，她去年生了一個孩子，丈夫不但不怪她，還很贊成她開明，她也很「愛」她的丈夫，而常寫信去安慰他、鼓勵他。由是，乃可稱爲一個「和平民主」的模範家庭云云。

幹部從中亂搞　婦女死路一條

然在另一方面，由於幹部之拿着「新婚姻法」做幌子而從中亂搞，還有更多的悲劇：

其一，除所謂地主婦女或逃亡眷屬之不顧改嫁而被逼自殺的固不必說外，即一般寡婦閨女之不願改嫁或出嫁而至被逼自殺的也多得不可勝計。據光明日報的統計，山西臨汾一縣在一個月內被幹部盲目逼嫁而至自殺的婦女，就有九十八人之多。

其二，離婚案子雖然一般係由女方提出的多，但有些許多婦女被丈夫戴上一頂「懈怠生產」的大帽子而被幹部強制離婚，結果因「固執不化」而自殺了的事，各報亦時有所刊載者，不勝枚舉。

其三，有些男女向當地「政府」或「法院」申請結婚，被幹部指爲「成份不合」而至雙雙自殺的事，也多得不可勝計。據長江日報所載，廣西柳州區在一天之內，就有因此自殺的男女五對半之多。

其四，有些婦女確因不堪當了紅朝嬰孺的丈夫的壓迫而「依法」提出離婚，但被司法幹部包庇縱阻而自殺了的也層出不窮。據長江日報所載，僅廣西米賓一縣，三天之內，先後就有九個婦女投河自殺。總之，「新婚姻法」只有一個「階級觀念」，而沒有一個是非標準，幹部們便據着它隨心所欲地胡作妄爲，結果終不免是婦女遭殃，死路一條。

但他們現在還要盲目地所謂「貫澈」下去，眞不知將伊於何底呢？（沈著）

爲誰辛苦爲誰忙　大陸農民普遍挨餓

各地逃荒現象益發不可收拾

現在大陸一般非共農民（亦即指除新土豪以外），由於「解放」後連年不斷的水、旱、風、虫等一連串嚴重災害的侵擾，再加上中共無孔不入的一連串殘酷壓搾（據最近逃亡來港農民所述，僅「農業稅」一項，即須平均剝奪農民稻谷收穫量的百分之七十以上。）除極少數人尙倖能以麥糊、荳餅等物充飢聊延殘命外，其大多數人的生活，確已陷於飢餓底絕境！對此，本報曾一再作有系統的報導。當然，飢餓的結果，必然發生三種現象：一種是強者上山游擊反共鬥爭。一種是弱者聽天由命，流於溝壑。一種是乞食求生，出外逃荒。本文所要報導的，是關於逃荒這一點。

農民湧入城市謀生

關於大陸農民逃荒的情形，據本月十一日北平人民日報的透露。說：「近來有不少地區，已發現有大量農民自鄉村盲目流入城市，他們大多還持有地方人民政府的證明信或遷移證，其中不少是扶老攜幼，拖兒帶女的全家離鄉，到處流動，沿途向地方及政府纏擾！」又說，「如北京市南苑區在八月十日到二十三日，就有外來找工作或乞食的農民八百多人，現在已愈來愈多。他們多來自鄰近北京的通縣、武清和安次等地。如軍隱市，也發現由江北、瀘縣等縣大量的農民向市內流入，幾乎平均每天都有三十餘人之多。此外如山西、蘇南、西安、秦皇島等地也都發現類似情況，問題非常嚴重！」又再參看同時期的天津光明日報、上海解放日報，武漢長江日報、及重慶新華日報等消息，可說現在整個大陸除西藏、蒙古、東北、新疆、雲南、貴州、廣東等尙處未曾提及外，其他各省內地區都已普遍發生了此種現象。尤其在歷來逃荒風氣最盛的蘇北皖南贛北等處，要算逃荒的農民人數最多。據本月十一日上海解放日報透露：該等地區的逃荒農民，大都向蘇南、浙東、浙西、京、滬等處流動，據不完全的統計，平均每縣至少在一千人以上云云。

中共下令禁止逃生

因而，現在北京「中央人民政府內務部社會司」，已發出了「勸阻農民盲目向城市流動」的命令，他們要各級地方政府，特別是區鄉幹部們立即執行此一命令，制止此一現象的繼續發展，即並立解決此一「危害社會安寧」的嚴重問題。但對於如何解決這些農民的生活，却只有一句「移民墾荒」的老調。

那末中共的管制人民怎麼嚴酷，這些農民們爲什麼居然竟能拖兒帶女，離鄉背井的到處飄流呢？這有個原因：據僞內務部社會司指出，是由於各地區鄉幹部的「推門主義」，認爲這些生活有問題的農民擺在鄉里討厭，因而不僅不勸阻他們留在鄉中，反而開了路單和介紹信等希望他們出鄉，甚至有些幹部爲怕負責任而圓滑地連路單和介紹信等都不開給他們，而且鼓勵他們出鄉去謀生。更甚至有些地區的幹部曲解了城市的勞動就業登記而慫恿這些農民向城市湧進云云。

然而不管他們怎麼說，這些農民之所以要逃荒，原因很簡單：先是受中共恩賜的飢餓所驅迫；後是爲共幹因討厭而所默許或鼓勵。最後的命運，却是「移民墾荒」，再是再「大力生產」，再「愛國節約」，再「光榮繳糧」，爲了報答毛主席和共產黨的「說不完呀」的恩情！——死而後已！（心田）

雲南的烏煙瘴氣　共幹們無法無天

【昆明通訊】中共的幹部，雖然打着爲人民服務的招牌，實際上無法無天，內地如此，邊區的地方更厲害，現在舉出下面幾個例子，證明他們不僅腐化，而已經到了惡化的階段。

借米公文旅行　共幹官腔十足

在廣通縣第二區西屯鄉的農民，因爲缺乏口糧和生產資金，曾向「縣人民政府」借了二千三百市斤大米，支付書上本塡的是八月三十日，可是因爲公文旅行，二十九日才發到區人民政府，區長大人又壓了一天，及至發到人民手上，已是三十一日早晨，農民們接到支付書，一刻也不敢停留，馬上動員了一百五十人去揹糧，（因爲鄉間根本已沒有牲口）到了糧庫後「主任」周鳳軒接過支付書一看，只說一句「滿期了」，不能發，便把支付書往袋裏一裝。一些農民就上去哀求說：「同志，過期不怪我們，我們是今晨才接到」。周「同志」眼一瞪：「你們還能怪政府不成，人民政府會有錯」？看見成了僵局，又過來幾位年老的人說：「周同志不是錯的問題，請你照顧一下，我們現在等着插第三道秧，怕的是秋分晚了，就誤了時間，影響了生產」。周鳳軒冷笑一聲說：「那我管不着，我就知道時間過了我不發」。還有農民說：「當然過一天時間我們是知道的，可是現在是生產正忙的時候，就誤一天的生產是一天的事情，這兩天那個得閒來還要等着，如果不是揹糧的話，早就下田去了」。這一席話把周鳳軒說火了，跳起來說：「我是人民幹部，又不是地主，你們不要拿這種態度對付我，現在你們有本領，開倉搶去好了」。農民也忍不下去了，齊聲鼓噪起來說：「我們又不是土匪，爲什麼叫搶」。還有人說：「還證不發，偏要等，是什麼意思」。馬上事情要鬧大，倉庫裏職員做好做歹，把農民勸走了。

接着天就下雨，一連十來天，農民們奉令送灰來修倉庫，但是又找不到周主任，結果灰放在雨中淋壞了，又過幾天倉庫整個倒塌了，所有糧食大部份都糟蹋了。事情鬧到僞廣通縣「人民政府」，結果也沒有下文。

「國營機構」職員　態度傲慢拒顧客

這是一件比較重大些的事，其他「國營機構」的官僚作風，更是不勝枚舉，據僞雲南日報載「讀者」王熾、李光顯、楊開勝、馬順生來信說：「我們到建水百貨公司門市部去買東西，問售貨員有沒有對角紙，連問了幾聲，都沒有回答，又問有沒有牙膏，他們也不答應，原來幾位同志，正在裏面玩耍（可能是十三張），到底也未出來賣東西，我們只好走了」。「讀者」江鑫培來信說：「我到南屏街百貨公司去買布，我問一個穿黃中山服的售貨員五尺布夠不夠縫一件衣服，他說不夠，我就請他量五尺五，等到他把其他顧客的布量好時，我就請他量，他只量了五尺，我問他爲什麼只量五尺，他氣沖沖的把量好的布望櫃台上一丟，就去另賣別的了，傍邊有人勸我說：「買同志的東西，得開些」，我只好拿着不夠的布走了」。「讀者」王有安來信說：「零售公司金碧路零售店的工作人員服務態度太壞，一天，我到環城東路的該店去買米，老大娘因爲他們正在吃飯，等了很久還沒有買，很多人都擠在門口的[illegible]，等他們吃飯，有人向他們提出輪流值班，改進工作的意見，他們不但不採納，還和買米的人吵起來，有一個女同志說：「你們當緊，我們吃飯冷了怎辦？」」「讀者」胡鼎易來信說：「支公司門市部爲了舉行慶祝，減價兩週，但第二天的飛象牌電池，只要六千八百元一對，第三天就漲到七千四百元，並且還不准試好壞」。這些例子，實在不勝枚舉。我們共黨據說根據「人民服務」了，但深切了解情形的人也可清楚他們爲什麼所有的「百貨公司」、「國營機構」都貨堆如山，無數的物資交流大會也交不出去，只好任它發爛。（碧峯十二月十四日寄）

「人民」醫師有新法　右腿受傷醫左腿

在「史太林爸爸」和「毛澤東同志」領導下的「人民民主國家」，的確什麼都已進步到了「出神入化」的地步！共產黨的「人民醫師」，豈會例外？

據本月十二日上海解放日報所載：「中國教育工會上海市蓬心小學」的事務主任戎鐵弼於上月八日上午因公外出，在廣西北路被榮瑕監繩絆跌，傷勢很重，立即送仁濟醫院治療，經醫師檢查，是右腿骨受損，必須住院，而該院已客滿而無法收容，乃由其家屬轉送陝西南路長樂路口的怡和醫院。入院後，直延至十三日上午纔將某病者之手術施行。但等手術完畢後，其婦金錦入內探訪，覺受傷之右腿依舊，而無病的左腿則已滿塗石膏，乃向院長兼主任醫師朱克明指出錯誤，朱醫師看了病歷，乃知道弄錯了，但他說：「不過，我們既是醫錯了腿，就改醫右腿好了」。他又說：「你們是不信任醫師的新治療法！」於是再化了兩個多鐘頭，把石膏鋸去，而後重新塗上右腿。這個笑話便是朱醫師「新法治療」的學理根據吧！抑必有如此的「人民」，而後乃有如此的「人民醫師」呢！

代郵

易安、王錡、中流、鄭端諸先生鑒：請便至高士打道六十六號本報張國雄先生處一談爲荷。

本報編輯部啓

唔好丟架嘅！

為方

自由談

近來看到若干吃政治飯的旅美高等華人的政治新聞，很有意思。

一是有個曾任特任官的李先生，自組甚麼「民族自救會」，要挽救中華民族的浩劫，當然大祭其民主政治的法寶。我回憶這些先生們過去身居出將入相之位時，那種置國計民生於腦後，不談民主，尊奉獨裁，好官自爲，鞠躬如也的景象；再看他們一旦下野，即刻組團體，掛招牌，大叫實行民主反對獨裁的勁兒。他們或許不自覺其有甚麼忸怩之情，但我却不勝肉酸之至！

一是號稱政黨領袖，爲民主而從事「戰鬥」的張先生，「因與南海任公之交誼」，自告奮勇，又要求加入南海傳人的政治團體。南海者何？，康聖人也；康聖人之政治主張者何？君主立憲也！難道說矢志爲民主而立盟「戰鬥」的黨魁，忽然間又想調調君主立憲的政治口味不成麼？別人皆可以調口味，惟有標榜着爲民主而戰鬥的黨魁，似乎更不得，尤其不必「因南海之誼」而然。鳳兮鳳兮，何德之衰，我眞爲中國的民主政治前途，「索氣」不已！

張三的民主如此，李四的民主又如彼。住在那標準化的民主生活新大陸中的高等華人，這樣搞法，總不免教人感覺失望，「大佬，因住來嗜，唔好丟架嘅！」

嗚呼先生

·黃汎·

這幾天來，情形又似乎緊張起來了，每晚入夜後，死寂的街道，不時走過三三兩兩「解放軍」急促低沉的腳步聲，那聲音彷彿是荒野深谷山鬼的奔走聲，每一聲的腳步都好像踩到每個蜷縮在家人的心頭上。

「不會有什麼事吧？」

「不會與我有干係吧？」

三年來的「解放生活」使每個人的心弦都絞得緊緊地，就這樣經不起一點波動，一點刺激。

假如有特殊例外的話，那恐怕祇有施伍夫的「有恃無恐」了。

施伍夫是這個縣的縣立中學校長，縣裏人因他往年寫讀得一口好祭文，什麼「嗚呼哀哉」「嗚呼尚饗」呀！吟得不分清脆而耳，堪稱「飽學之士」。不過施伍夫是「學富五車」，「識貫古今」，身爲中學校長，卻是這兩根骨頭輕飄飄地，委實不像一個「經綸之士」，加以「伍夫」「嗚呼」差不了多少，大家就給他起了個「嗚呼先生」的諢名，其實是讚而近諷的。嗚呼先生於「解放軍」來時他首先就以「開明紳士」身份，歡迎共軍南下，以後在購買「救國公債」、「捐獻飛機槍砲」、「土改」、「三反」、「五反」……都一直表現出他的「帶頭作用」及「知識份子向工農大衆學習的精神」。平日在學校裏則整天帶着一班學生，蘇拉！蘇拉！多拉多！大跳其扭秧花鼓舞，縣裏人無論什麼時候，只要走過學校附近，就可聽到鑿昌鑿昌之聲不絕於耳，假如這不是「解放區」，人們一定懷疑這是一座戲館或是雜耍馬戲團子了，幸而這個學校也竟像戲館馬戲館子；男學生搽胭脂，抹口紅，扮妖怪，女生穿三角褲，化裝「和平女神」，大家嘻嘻哈哈扭成一團，因此這學校表現得非常「前進」，很得上級賞識，嗚呼先生平日在「縣人民政府」又是進進出出，難怪他確是「有恃無恐」的了。

這晚上嗚呼先生照例蘇拉多！蘇拉多！從學校學習會裏回來，他老婆見他那般瘋瘋癲癲模樣，實在有點看不順眼，不免又嘮叨起來：

「你也不想想自己有多大年紀了，開年就是五十歲了呢！整天蘇拉多！蘇拉多！成什麼一個模樣，外面這幾天抓人很緊，昨晚隔壁張老四就給帶了去，今晚「解放軍」出動得這樣多，自己也該留意點！」

「你懂得什麼！我同他們怎麼好比，誰不懂得我是「開明進步份子」！「開明進步份子」懂不懂？你們女人家曉得點什麼東西！」

「人家却說你黨擁份子還早也……」

「放屁！他們知道什麼，思想搞不通！我呀！我呀！……」

施伍夫一提到自己三年來的工作表現，是頗有點值得驕傲的，所以「我呀」兩個字的語氣也特別重了些。

「你怕與人不同？」

「我有一連串「立功」事蹟的表現，他們？你知道點什麼！」

施伍夫覺得連他老婆都不信任他的「立功」成績，確是感到十分氣憤的，他心裏想：『女人不懂事！』是不屑與她爭辯的。」所以也就任她嘮叨，不再予理會。

……

然而就在那天晚上，嗚呼先生也果然給「縣人民政府」請了去，據說是爲要「前進」，如今十多天了，還不見他回來。請了去以後的下場，不用說大家心裏是都會明白的，因此他老婆很着急，四處央人打聽，但也無訊息，現在她僅僅祇能這樣想：『他立了許多「功」，是不是眞的能「將功贖罪」呢？』——她只能寄托在這唯一的希望上了。

西太后的寵臣

娟士

西后所寵宦官，除李蓮英外，尚有一馮某，尤黠而狠，相傳戊戌八月初六日之晨，西后自頤和園還宮，光緒逆知有變，喘息急促，色如死灰，初求計於蓮英，蓮英謝曰：「是非奴才所能爲力，蓋商之於馮！」光緒轉向馮乞援，馮獰笑曰：「恐不可活，」光緒欲入後宮自裁，未果，爲內侍所擁，往見西后，戰慄俯伏，噤不能聲。西后戟指頓足，申申而詈，示以幼所着衣，斥其無良，光緒惟有涕泣。西后頤怒之下，欲賜以鴆酒，大學士王文韶等長跪乞恩，近支王公從而和之，始命幽禁瀛台，其地在西苑之太液池中，三面臨水，寬及兩丈之吊橋架於兩岸，朝放夕收，實與囹圄無異。又命總管太監李蓮英派心腹宦官二十人，輪流監視，禁止自由行動，俾與外廷隔絕，黃公度詩：「樂奏鈞天夢星過，瀛台縹緲隔星河」即詠此。

八月政變，首先告密者，爲御史楊崇伊龐鴻書，而罪魁禍首，則實爲袁世凱，以故光緒憾袁，痛心疾首，無與倫比，迨康有爲將前兩諭宣布，不過「託諸臣保護」，及命康出外求救」之語，然則袁之銜諭，亦無廢后之事，可想而知。

宣統元年，楊銳之子慶昶，赴都察院，繳回光緒手詔，中謂「頑固守舊大臣，朕固無如之何，然卿曹宜調處其間，使國可富強，大臣不解體，而朕又上不失慈母之意，」資政院議員陳寶琛等提議：「奏請昭雪戊戌冤獄案」。略云：「戊戌八月之事，不知者非以爲先帝求治之太急，即以爲新進諸臣獻謀之不臧，甚之以風影之談，妄測宮廷，積成疑謗，幸而楊銳奉有先帝手詔，於孝欽顯皇后顧念人心，愼重變法之至意，與先帝承志不違，委曲求全之苦心，皆已昭然若揭。」

綜以上觀之，則光緒但有委曲求全之心，初無劫持牝朝之意，袁世凱之叛主賣友，希寵邀功，殆已百喙莫辯，而其子克文撰「洹上私乘」，猶謬謂光緒欲假世凱之兵，謀危西后，先授以侍郎，繼使譚嗣同至小站，矯詔命圍西后，世凱早識究謀，乃佯諾之，屬榮祿入覲奏聞云云。巧言曲筆，欲蓋彌彰，是亦不可以已乎。

閒話讀書（九）

·舜生·

從前有人說過，讀書可以變化氣質；也有人說，世間最足以益人神智者，莫如讀書；這類的話，我大體也能相信。可是世間也眞有一種所謂『書呆子』，四體不勤，菽麥不辨，人事不知，終日獃頭獃腦，手不釋卷，甚至把一個身體，弄得糟不可言，問他是不是對於某種學問，確能深造自得，卻又很難說，我眞不知道世間何貴乎有這樣一種讀書人？

世言董仲舒讀書，三年目不窺園，這種搞法，我實在不敢苟同，假定董仲舒所住的附近找不着一個花園，甚至於連一個菜園也沒有，那便眞沒有辦法，如果有的話，每天在倦讀之餘，到那裏邊去走動走動，仰觀宇宙之大，俯察品類之盛，來一兩次深深的呼吸，這難道便會對於他的讀書有什麼妨礙嗎？

有一天，孔老先生和他幾個學生在一塊兒談天，老先生叫他們每人說說他們的志願，當子路，冉有，公西華說了以後，輪到曾皙，他正在鼓瑟，一聽老師問到他，便把瑟輕輕放下，鏗然有聲，然後站着回答說：『我和他們三位所說的有些不同。』老先生說：『不妨，你只說你的志願好了。』於是曾皙回答說：『莫春者，春服既成，冠者五六人，童子六七人，浴乎沂，風乎舞雩，詠而歸。』老先生聽他說完，便慨歎着說：『我倒是很贊成你的。』

我們試想想，孔門氣象，何其與董仲舒之類之不同也。

眞要讀書，一個良好的環境，似乎也是不可少的。像我現在這樣：八口人住着一間樓房，四個孩子下學歸來，總是嘰嘰咕咕的吵，有時還不免找他們三朋四友來參加；偶然打開課本唸唸，一律都是廣東調，令人摸不着頭腦；初學英語，還要『這是一隻貓』，『這是一隻狗』的亂叫！而我又是絕對不願去制止他們的，有時候還要把他們叫攏來，講一回『孫悟空』，講一回『武松打虎』；女孩子們不大歡喜猴子和老虎，便還要教她們唱唱『葡萄美酒夜光杯，』『兩人對坐山花開！』我就在這樣的一種環境，居然度過了三年，總算也還看了幾本書，至少寫了一百萬字的稿子，騙過朋友們不少的稿費，您你能不佩服我的能耐？

回想四十年前在長沙定王台圖書館讀書的時候，那裏有那樣幾大間窗明几淨的閱覽室，而長川在那裏看書的又往往不過三五人，圖書館的藏書雖不算太多，但新舊也有五六萬冊，有時候遇着雨天，雨聲淅淅瀝瀝地打在窗外的幾棵芭蕉上作響，拿着一本好書，可以靜坐下來看上半天，以之與現在的環境一比，眞也恍如隔世了啊！（完）

（一五八）

竹林精舍

赫德傳（廿六）

中國之友（四六）

毛以亨

赫德認爲瓜分之禍，足以喚醒中國人的反抗，列強將自食其果的，時中國人已有築路開礦的運動，以防外貨侵入了。美國發起一種門戶開放運動以反對瓜分；門戶開放一詞本見于南京條約，而美國務卿海約翰門戶開放的宣言，則出于海關稅務司英人 Hippisley 的建議。他在美休假與海約翰之顧問 W. W. Rockhill 常提起遠東問題，彼此甚爲投機，乃借住見國務卿海約翰。他們甚爲興奮，惟以總統麥金萊 mckinley 爲謹愼之人，須從長計議慢慢說服他。Hippisley 于八月十七日以英美商人共同名義提一備忘錄于國務院，認門戶開放政策爲各國在華之商業機會均等的必要條件，各國須共守下列原則：一、劃爲勢力範圍的各國，不能干涉在其勢力範圍內的通商口岸。二、除自由港外，中國海關對海陸任何貨物都要徵稅，不問其屬于任何國人民。三、碼頭稅，鐵路運輸費須一律，不能因其爲勢力範圍之國民而優惠。Rockhill 再將其擴充，加上幾條，于一八九九年八月廿八日以備忘錄致海約翰。時俄人已于八月十五日宣佈大連爲自由港，德人繼續宣佈膠州灣爲自由港，海氏乃勸總統採取主動，乘機提出由 Rockhill 代海氏起草致美國駐歐各大使訓令，請各國宣言尊重上列三項規定，承認門戶開放機會均等的原則，而各國之勢力範圍，美國亦承認之，並促北京政府改革內政，以維其領土的完整。其時中美國貿易僅爲美國貿易總和百分之三，這是政治意義較重于經濟意義的措施，而美國在遠東反對殖民地政策的精神亦于此時開始奠定其基礎。英國首先響應，謂他國若願歸還其租借地，英國亦將歸還威海衛，但故意遺九龍新界之以租借地名義于一八九八年取得者不提。俄國最恨此事，答覆最遲，語多敷衍。然門戶開放之運動爲反對瓜分的反提議，乃海關中之赫德美國所爲，而德皇瓜分中國之議，又爲稅務司德璀琳所倡，反對而罷，誰謂洋顧問無利于中國哉！

三、義和團與赫德

維新派被逐，反動派當朝，排外殺教士的風氣因以大盛。北京各外國公使告清廷，謂他們是對光緒帝而不是對皇太后的代表，西太后受到刺激之後，遂爲有計劃的排外了。然而光緒的生命之所以保存，中國人盛傳外人如何迴護光緒之處，亦不過這一句幽默話的廣播與擴大而已。董福祥軍調進京之後，英美海軍陸戰隊來京保護其使館了，一八九九年整年却在危機關頭渡過。英使麥多納不信此類謠言，而赫德則特別警覺，他說：「中國人數千年來，以頭腦的冷靜著稱，然戊戌的失敗使他們陷於絕望，而發其怒吼，所有外國人都要滾出北京。」「如果沒有這些番鬼，局面必不敗壞至此，我們要教訓他們，願與他們同歸于盡」，這是當時中國人的想法。似乎本年夏間有大變故，非爲廢立，即爲排外，西太后雖然想做，但董福祥的軍隊實在過多了。一八九九年十一月赫德給其英國朋友的信上說：「日本人比別國人對局面格外關心，中日兩國同種，終須合作，但還要等待一二百年。中國民族是立得穩的，不能被消滅，早遲總要上場的。」

憶抗戰首都兼懷川人

·鐵頭·

水滸傳一書，又調劑了川人的性格，所宣講的全是江湖俠義，四海一家的事，所以內則「袍哥」遍地，（袍哥即黑社會組織）外而到處交結，雖以軍閥吳佩孚，到了窮途末路，無家可歸的時候，川人卻歡迎他進夔門去住，這充分表現了川人的熱情與慷慨，而也就頗有這種氣質，所以儘管「天下未亂蜀先亂，天下已治蜀後治！」但始終對國家的形態，還不像蘇格蘭之於英倫，所以抗戰首都能赫然屹立於重慶，而毫無後顧之憂。

然而四川人民也確實會「歪」的；歪，照字面一望而知是不正的意思，但其含意，並非純粹是不道德的行爲，四川人常常有這種口頭語說：「你歪，你歪，我比你更歪！」其意若曰：「你調皮，我比你更調皮。」這多少是帶有一點抵抗，報復，或者說是正當防衛的意思。進一步：「假使說，你不歪，自然我比你更不歪。」天下滔滔，都在那裏講以牙還牙」「以眼還眼」的時候，又何能偏責川人而不先自反省呢？

川人長於自衛，富於防禦精神，確是很顯然的，當其初與人接觸時，渾身上下，將你打量一番，第一步先看你的神態，對他有無瞧不起的意思。第二步繼續聽你的語言，對他有無陰謀詭計的勾當，再進一步，第三項就看你這個人夠不夠朋友了，假如三關通不過，他那稍稍欠大的眼睛向上，微微露骨的鼻樑朝天，驕氣狂態，也就夠使人受的！

但假若你誠意與之相交，而他又認爲你是朋友的話，則其豪情勝概，一諾千金，滿不在乎的作風，又確令人感到榨菜般的滋味，又脆又爽，使千里遊子，頓覺「江南江北是一家」何必離人愁重？

而且就抗戰階段說：川人總算是深明大義的，不要說徵糧徵兵，出錢出力，在全國比例中佔據是何等的水平？那些大事吧，即以留居重慶的人而言，有誰拿過金條或外匯去頂房子的呢？反之，自機關以至個人，恐怕很多始終是受的招待，並未花費分文，或者花費很少的法幣，只等於象徵的租費罷！然而勝利以後，重慶人到南京和上海等處去，有沒有得到同樣的報酬呢？

所以在抗戰最後階段，若干寄居重慶的人就乾脆打算不走了，勝利而猶留居的，幾逾三分之一以上，而離開重慶的人，一面固然勝利狂歡，手足無措，一面對這抗戰首都，確也滋生了依戀之情，故若干人把重慶的身份證，鄭重保留，事後見了川人都說：「我們是同鄉呀，我重慶的身份證都還在呢」！而每一個人，委實多多少少，也交結了幾個四川朋友。

現在我們又逃難了，我忽然想冒昧的問一聲，許多流亡的先生們，你們打過手印的身份證，是不是準備將來鄭重保存，以便認同鄉呀？而寄居此地三年以上，你們究竟交結了幾個本地的朋友呢？

重慶啊！你究在何方？川人啊！你們近況何如？翹首長天，不禁黯然！（完）

中華民國郵務委員會頒發登記證台數新字第壹零貳號

自由人

THE FREEMAN
（半週刊每星期三六出版）
（第一九一期）
每份港幣壹毫
督印人：李光華
社址　香港高士打道六六號
電話：二〇八四八
GLOUCESTER RD.
HONG KONG
TEL: 20848
承印者：東南印務出版社
地址：高士打道六十四號
台灣特派員辦事處　台北市館前街五十號
台灣總經銷處　台北市中華路一二五九號
台灣郵政劃撥儲金帳號　九二五二號

變自由世界矛盾為反俄鬥爭

·胡秋原·

艾森豪之當選總統，等於自由世界任命了一個反俄總司令。他與塔虎特攜手，任命兩個民主黨員入閣，與麥帥會談。這表示他不只是共和黨之總統，而是美國舉國一致之總統。這表示其團結的才能。他視察韓國，在軍艦上舉行會議，表示其戰鬥性。他的「二十六點方案」，表示其決心爭取主動，反守為攻。

史達林的和平攻勢

史達林當然感到事勢不妙。艾氏當選後，我曾在「香港時報」上預料，史達林必有大規模的和平攻勢。聖誕節史達林談話願與會晤艾氏；只是這和平攻勢之開端。更駭人的表演還會來的。其臉皮之厚，還有過於心黑之處的。

這有兩個理由：其一，他的確有點害怕，有點心虛。他需要再等幾年攤牌。他怕艾森豪「將軍」。其二，俄帝傳家祕訣是：「變帝國主義戰爭為國內戰爭；變反蘇俄戰爭為帝國主義戰爭」；然後，變國內戰爭為共產黨專政，變帝國主義戰爭為蘇俄征服。如今自由世界團結起來，是「革命低潮」。變低潮為高潮，必須「退一步，進二步」。因此，他便「願意會晤」艾森豪，藉此分化民主國家，同時安定鐵幕內部的反側，今日他如果能見艾森豪，是可以抬高他的身價的。

艾氏初步答復是：一，拿誠意來；二，外交途徑和聯合國會場是表現誠意的地方。這答復甚好。在俄帝拒絕了肯南回任和在聯合國一貫搗亂之後，這答復是極適當的。

邱吉爾提前訪美

邱吉爾原定二三月間到美。現在提前往，自與史達林之談話有關。艾森豪團結了美國之後，第二步當然首先要團結英國。史達林的談話固表現其陰謀，亦表現其弱點。對於促成英美共同政策之確立，應該亦是無益的！

美英兩國今日如充分團結，自可對歐亞非的反俄陣容發生極大的鼓舞作用，促成對德契約之最後批准，促成中東聯防與太平洋聯防之完成。

今天美國決心爭取主動。所謂主動，決不只是諷俄帝，猜測美國下一步行動，而是要有具體方法，變自由世界矛盾為反俄鬥爭。而這便需要杜魯門邱吉爾艾森豪三人能在一九五三年一月二十日左右，對全世界有一全面的號召，全面的方案。

「七洋憲章」的需要

當年羅斯福邱吉爾的「大西洋憲章」曾對反軸心鬥爭發生極大作用。今日需要一新憲章——但不是「大西洋憲章」，而是一「七洋憲章」。

這七洋憲章應不是抽象的原則，這已有「聯合國憲章」和「人權宣言」了。這應該是根據聯合國憲章與人權憲言對世界當前問題之解決的原則。

他必須說明決不承認蘇俄及其附庸由武力造成之佔領事實。

他必須說明必須使史達林放棄侵略，取消鐵幕，世界和平才有基本保障。

他必須說明促成自由世界經濟合作軍事聯防之決心。

他必須說明對德國經由民主選舉而統一之願望。

他必須說明對歐洲經濟統一軍事聯防以保共同繁榮與集體安全之願望。

他必須說明對於中東、北非之民族獨立政治自治之同情。

他必須說明對以阿糾紛，阿巴糾紛之和平合理解決之希望。

他必須說明援助北非、中東、東南亞經濟復興之決心，以及對中東聯防之願望。

他必須說明安定東南秩序，團結社會力量，鎮壓共黨勢力之決心。

他必須表示對自由中國之同情，對日本加入聯合國之歡迎，並對於一切太平洋聯防體制之鼓勵。

他必須鄭重說明維護韓國之統一民主，並助其驅退侵略者之決心。

最後他應該說明在史達林威脅之下，中立主義乃無聊之幻想。

同時自然應該宣布，自由世界願與蘇俄人民友好之誠意。

美英二國如決心團結，以最大的道義與慷慨，促進自由世界之團結，是一定能達到目的的。但必有解決今日世界一切問題的公正方案，並以事實表現和示範，才能消弭自由世界之矛盾，共同反俄。才能打破俄帝陰謀，把握主動。

談經驗

·陳克文·

經驗本來是人類文明的重要因素，傳統力量對於政治影響之大，即是無待贅詞的。我們可以說，沒有傳統精神，便沒有現代文明，也沒有現代政治，經驗的價值，是無人能加以鄙薄厭棄的。敬老尚齒的觀念；和居高位，握重權的，往往是年高德劭的政治家；這又是人類歷史上，最普通的自然現象。

但經驗有時也可以變成阻礙人類進步的一種因素。經驗束縛人類的思想，養成人類的偏見，固執，和苟且偷安，憚於改革的惰性。歷史上許多糾紛，流血，戰爭，都是新舊衝突的結果。現代生產技術進步，交通發達，社會情況日見複雜，新舊衝突的程度，也就愈來愈見深入普遍。人類社會要求改革，要求進步的新觀念，也愈來愈見強烈。對於過去那種崇尚傳統，尊重經驗的精神，也就愈來愈見淡薄——最少是前者要和後者同時並重。成功的人物，已經不再是皓眉皆白的商山四皓所能獨佔的了。可以炫耀的事業，也再不是幾百年的「陸稿荐」老招牌了。

人民的要求

曾經從生死搏鬥中，把大英帝國的命運拯救過來的保守黨，和功業彪炳當世的邱吉爾老首相；戰爭一了，便成為「鳥盡弓藏」的失意者，大英帝國的人民，毫不留情的要他們下台休息，執政廿年的民主黨，曾經領導一億五千萬人民的金元王國，渡過經濟大恐慌的災難，贏得第二次世界大戰，使美國一躍而高踞世界盟主地位。但這一次大選，共和黨卻以美國歷史上壓倒多數的選票，入據白宮。談勞績與經驗，保守黨和民主黨，都可以無愧於他們的國家和人民，為甚麼人民卻冷落他們呢？此無他，因為人民要求改革，要求進步的新觀念得不到滿足的結果。他們再要獲得人民的信仰和擁護，必須重新鑑定他們的政策，切合新的觀念和新的要求，保守黨的重握政權，即其一例。

由此可知，經驗是可恃而不可恃的。

譬如我們近卅年的反共經驗，固然可以給自由世界以明確的反共觀念，使他們不要再蹈我們覆轍，對共產黨保持任何幻想和傀儡心理。但這只是消極的作用，最要緊是能根據失敗的經驗，作進步有效的改革。我們不否認自由中國在最近三年來的各項改進，如軍事上的革新健全；經濟上的土地問題，幣制問題，均有實質的進步。中外人士到過台灣的，無一不交口稱道。我們認為自由中國是反共抗俄的新希望。不過我們卻不可自滿自驕，而應以戒慎恐懼的心情，努力不懈，務期使過去人民失望和厭棄的心理，完全消失，轉變為一種衷心信仰，積極擁護的新力量——好像北伐時代之服從國民政府領導那樣的偉大力量。換言之：目前的自由中國，以言反攻，也許軍事和物質的準備已經差不多了，國際形勢也快將成熟了，但心理條件的準備，似乎還待作更大的努力。

自由中國應反省

最近政府實行軍事人員實行假退役辦法，讓新人有晉升和負責的機會。這是值得稱許的措施。這便表示一種不願意為經驗所束縛，忽視新觀念的產生和形成力量的精神。可惜這種改革只是限於軍事的人事方面，軍事上的改革，還不足以使自由中國面目一新。我們沒有工黨，也沒有共和黨，只是沒有選民的自由投票，廣大民眾的新觀念，新願望，沒有發揮宣洩的途徑可尋，這便是過去政局不安，禍頻仍的大原因，也就造成了共產黨的竊據大陸，屠殺民衆的機會。現在應該急起補救，以圖自贖，所謂七年之病，求三年之艾，及今不圖，即貽噬臍無及之變而已。

今日的自由中國，在精神上是否潛伏着若干過去訓政時期的獨裁意識？大家不妨反省一下。即以言論自由說，不少反共抗俄的書報什雜，其所以不能入境的原因，在稍具政治常識的人看來，是莫明其所以然的。尤可笑者，有些與反共抗俄決無絲毫妨礙的作品，刊在報紙上，不但允許銷行台灣，而且交口稱讚。但集印成書之後，卻視為禁物，不許入境了！竟自創一說，認為登在報上與印成書本的性質不同，世界各國有這樣的奇聞嗎？民意機關，言論對外，不負責任，關起大門，本無不知無不言，言無不盡；時須表現相互爭辯，以示民主作風。政府當局遇事總是歡喜言論一致，全場無異議，拍手。這些觀念，即不能不說是訓政時期「黨外無黨，黨內無派」的舊意識。民意機關為甚麼這樣的難於成會，許多人「仗馬寒蟬」？原因是值得深長思的。「入則無法家拂士，出則無敵國外患者，國恒亡。」我們的法家拂士何在？法家拂士何以總產生不出來呢？經驗是可貴的，也是可怕的。現代的大政治家不祇要有豐富的經驗，更要有認識時代，趕上時代的新觀念，進而蓄成接納新願望的勇氣和雅量，以決心，和實行新的政策。

史達林的生產夢

煤礦 50.000萬噸　鋼料 6.000萬噸　汽油 6.000萬噸　生鐵 5.000萬噸

·同書·

本週展望

·雷嘯岑·

邱吉爾匆匆訪美

·倉·

邱翁於歲盡前夕，倉卒訪晤新總統艾森豪威爾，其情甚迫，其事自關重要。

據美聯社傳出消息，邱氏此行最首要的任務，即在探明艾克對韓戰的決策如何？他最怕韓戰擴大，想說服艾克，將來對韓戰不論採取任何措施，都得跟英國先事磋商。

但是，美國的軍民人等以及國會議員們，對韓戰均不願意作慢性的流血悲劇來遷就「盟邦」了！英國要想保持其對遠東問題的發言權力，已非口舌所能濟事，必須對自己的現實主義，也多少能遷就「盟邦」一點，互諒互信，才有可能。若都是用「避免世界大戰」這類含着恫嚇意味的外交詞令向艾克游說，似乎不值了。

民主陣營過去藉反共大業而向美國索取美元，軍援、經援，這然又處處對美國的反共措置從中作梗，把美國看作「瘟生」，這決非富有衝勁的美國民族性所能長期忍受的。看看北大西洋公約國家最近對建軍聯防事項的惰性發展，再想想美軍在韓戰場上所負百分之九十五的流血任務，邱氏此行如果不付出若干代價，恐怕得不到什麼收穫罷！

李承晚訪日

南韓總統李承晚亦有訪日之說，謂將與吉田茂商洽增進日韓兩國邦交之道，這是可喜的現象。

日韓兩國由於舊有的夙嫌，戰後始終未能建立外交關係，而兩國急待解決的複雜問題，也跟普通國家不同。在這種情況下，只要有眼光遠大胸襟恢宏的政治家，不辭勞怨，以一身當天下之大任，才得共存共榮。看李氏與吉田茂二人過去的表演，似乎皆不足以語此。

我們希望吉田茂首相先去其優越感，李承晚總統先泯其嚙懷之思，乘此機會，彼此開誠相見，建立友好基礎，則一切問題都容易協商解決了。

艾契遜的亞洲政策觀點

美國務卿艾契遜前天總述美國對亞洲政策的成就和觀點，認為印度、緬甸、印尼、巴基斯坦諸共走「中間路線」的國家，由於美國很仔細地施行四點計畫，情形已日見好轉，而認定中共決不會佔取安南。

艾氏所指對東南亞各「中立」國的成就，大致不差，但說中共決不攫取越南一節，卻不能無保留地教人相信。中共何時進取越緬，原非中共自身所能作主，乃唯史大林的命令是從。當年美軍在仁川登陸之際，美國當局也絕對相信中共決不會參預韓戰的，結果如何呢？

艾氏又指尼赫魯並非同情共黨，這觀點在現在或許可以成立，因為印度這次費盡心機在聯大所搞出的停止韓戰建議案，被中共最後拒絕了。他也想近幾年來不斷地為共作倀，只是被共利用而已。亞洲領袖固然當不成，在國際上更丟盡了臉，此時的尼赫魯心情，當然不無變態了。他是否從此不再同情鄰國的共黨，一如其對付本國的共黨然，還要看俄共集團是否對他的「剩餘價值」尚有利用之必要，因為阿Q式的政治人物，是隨時陶醉於精神勝利的。

甘地有後

尼赫魯以甘地信徒自居，藉民族主義與和平運動的口實，取得政權，在國際上搖首弄姿，大唱高調，卻要以武力佔據鄰國土地——喀什米爾，堅決拒絕聯合國的調處，還藉優勢武力使巴基斯坦無可奈何。甘地九原有知，能不黯然神傷乎！

然而，甘地的子孫卻能「克紹箕裘」的明德之後，為着南非聯邦的歧視種族法令，小甘地竭力反抗，幾次被捕絕食，而其孫女「施德甘地」小姐最近亦在南非聯邦聯合青年同志，向執政當局發出反對種族歧視法令的抗議電文。一門皆忠於信仰，見義勇為，不管他們的抗力量能否使南非政府改變其不合理的措施，但其「人道主義」的精神足以廉頑立懦，為世楷式了。

勃烈奇斯提出結束韓戰建議

施軍事壓力迫敵休戰

必要時運用原子武器轟炸東北

在美國新國會中，共和黨參議員勃烈奇斯所佔的地位，其影響的重大，可能超過其他任何議員，他將任參院撥款委員會主席，且有希望當選參院多數黨領袖，最近他應「新聞週刊」記者之請，對艾森豪新政府將面臨的若干問題，提出如下的意見。

如何結束韓戰？

問：以閣下的意見，對韓戰問題最佳的解決辦法如何？

答：我認爲對韓境的武裝共產黨徒運用最大的軍事壓力，時是我們迫使共黨結束在亞洲侵略的最佳希望。我反對關於這政策可能使戰爭擴大理論。在韓阻遏共黨，雖然在理論上是聯合國的行動，但實際上是美國的。美國的政策必須設法節省美國最珍貴的資源——人力，和開拓美國最大的實力——工業潛力。因此，我提出這幾個主張。

一、更充份的運用我們在亞洲的非共盟國，主要是以韓人在戰區內代替美國人，並動員日人，菲律賓人和台灣的中國人。

二、運用若干新式武器，包括原子武器，祇要它們的使用，能減少美國人性命的犧牲。

三、消除追擊敵人到東北及轟炸東北的政治障礙。

四、海軍封鎖中國大陸海岸綫。

未來援外將削減

問：美國對歐洲和世界其他地區的援助將繼續嗎？如果是的，它和杜魯門，艾契遜路綫將有什麼不同的地方？

答：我預料援外將繼續，不過它的基礎將削減，且將作某種交換性的安排。我們的援外，是以集體行動爲基礎，我們必須使它確實是集體性的。我們認該以援款來換取戰略性物資，免費運用外國基地，消除經濟限制等等。

以我的意見，認爲美國經由經濟援助對戰爭破壞下歐洲的經濟協助其復興，已超過了任何道義上的責任。因此我們必須明瞭，我們不能單單繼續供應金元援助，來講取反共的友誼。

預算大量削減

問：關於大量削減預算，其可能性如何？

答：我認爲還方面的遠景頗佳。在第八十屆國會中，共和黨雖然不獲政府機構的若何合作，還是在平衡政府預算方面成功了。關於當選總統艾森豪對撙節政府支出一點所公開表明的意見，我相信白宮內要求削減的願望決定反映到各行政機構中，在充份合作之下，我們定能達成在龐大政府結構中並從事確實撙節的目標。

問：但如果大量撙節，軍費不是也要削減嗎？這是不是會有害國家的安全？

答：我深切明瞭這個問題，且已和艾森豪討論過。我將及早在下屆國會中提出一個議案，作爲解決這問題的一個途徑。這議案將是設立一個民間的非政治性委員會，和過去的胡佛委員會相似，從事研究關於我國國防政策的整個問題，使我們的政策能配合美國的經濟能力。我希望這委員會能在一九五四年一月一日前向總統和國會提出報告。

問：二個賦稅法將於明年期滿，即過額利得稅在六月三十日滿期，和所得稅增加法案在十二月三十一日滿期，它們將就「滿期而不再延長」了嗎？閣下認爲美國人民的納稅負担能不能減輕？

答：過額利得稅僅適合對龐大軍事支出的時期，使各方面不致因備戰而獲得鉅大利潤。不過，現行法律有若干缺點，它們促成企業情形的不良。我認爲，我們應該訂定一條法律，其目的與現在相同，却不再有那些缺點。我且感到整個賦稅制度應加修正，使它能對私有企業產生激勵力。至於個人所得稅增加法案，是不是能在十二月三十一日終止，則須視我們平衡預算的努力能不能成功。

國會與白宮的關係

問：閣下以爲國會與白宮之間將保持怎樣的關係？國會中什麼人將被邀請參加白宮會議？這樣的會議將多少時候舉行一次？

答：我預料國會和白宮的關係將十分融洽，我們都知道艾森豪的個性誠懇和熱烈，在調和矛盾的意見，而促使觀點不同的人共同合作方面，他的聲名卓著。我相信，艾森豪將會依照慣例，每週和國會領袖舉行會議一次。我且將向他提議，當討論有關立法的問題時，也將主持這些問題的國會各委員會主席邀請與會。

問：在下屆國會中，調查工作將佔什麼樣的地位，其主要目標將是什麼？

答：二十年以來，共和黨將第一次檢討過去的行政紀錄。在這些檔案中，有許多都被不必要地保守祕密。這些無疑將被公開佈露。如果調查是唯一的方法，能使這些紀錄和事實向人民公開，我必然建議進行調查。（杜鹿譯自「新聞週刊」）

美維持對俄關係的原因

美何不驅逐蘇使節

美蘇之間的關係雖然已很脆弱，但美國仍不斷和蘇聯保持外交關係。即在蘇聯排斥肯南大使以後，此種關係仍未改變，這樣對史達林當然極爲有利。他在美國的特務人員，只要不推翻美國政府，其他任何事情都可以隨他們高興去做。相反的，在莫斯科的美國人，却過着一種孤立而被監視的生活，雖然這樣，美國的官員仍然以爲總比完全斷絕關係爲好。

不久前史達林政府曾通知美國，表示蘇聯不再歡迎美駐蘇大使肯南。因此就有人問何以美國還要派駐蘇大使？何以不讓留美的蘇聯外交人員滾蛋，何以不把蘇使館人員召回？像加州共和黨參議員諾蘭，就提出這樣的建議。

但杜魯門總統與國務卿艾契遜，終於把這問題壓下來。因爲艾森豪威也支持杜艾兩人的決定；除非莫斯科採取主動，則美國決不首先斷絕美蘇關係，雖然彼此已不甚友好，但雙方的接觸仍要保持。既然這樣，問題就在究竟華盛頓是否決定，不讓蘇駐美外交人員超過美駐蘇外交人員所享的權利。肯南在訪問柏林時，他以現在莫斯科的孤立情形，和他在第二次大戰時被納粹德國拘留時的情形來比較，他說：「如果說納粹允許我們在街上行走，並禁止吾人與任何德國人交談，我們現在莫斯科就完全和在納粹德國一樣。」

兩國大使的活動範圍

美大使肯南在莫斯科的工作能力，與蘇大使薩魯賓在華盛頓的工作能力就有天淵之別。據肯南自己說，正常的消息完全爲這個警察國家，根本不知道美國民主方式的獨裁專制所隔絕。因爲許多蘇聯人民和外國人往來，無論其是否友好，蘇聯政府均判以罪名，甚至處他們以死刑。

而他方面蘇大使薩魯賓，却在一個完全自由的國家裏活動。他能和任何人交談，並可以和一家自由報紙接近而不受限制，同時還可以自由收得他本國發來的「最祕密」的情報。究竟兩國大使所享的權利有何不同，從下面的比較，即可完全明瞭。

美蘇兩國大使在駐在國，所受待遇的比較：

A．美大使在莫斯科

（一）不能作的事情

一、未經蘇聯特別許可，不能旅行莫斯科二十五哩以外的地區。

二、法律規定不能同太多數俄國人講話。

三、除蘇聯外交部少數幾個雇員之外，不能和任何一個俄國人發生關係。

四、除開由蘇聯外交部外，從別的地方就不能獲得官方的文告。

五、僅能邀請少數蘇聯外交官員，不能任意多請。

（二）能作的事情

一、能讀到審查過的報紙，能參觀商店的櫥窗和物櫃，能在莫斯科觀察俄國人，能去博物館，美術陳列館，和歌戲院裏看戲。

二、可以參加其他外交官員舉行的舞會（那些外交官員大多數也受着同樣的限制），能在職務上訪晤蘇聯的領袖。

三、能親手送交和接受外交照會。

B．蘇大使在華盛頓

（一）不能作的事情只有一條，即是：

未經美國官方許可，不能在華盛頓或紐約的二十五哩以外的地方旅行。

（二）能作的事情

一、能和任何一個美國公民商談任何事項，不受法律的限制。

二、能直接或透過他的美國朋友，訂購任何雜誌，地圖或其他對於美國公民有利的資料。

三、能在華盛頓或紐約拜訪任何人，並可和任何人餐敍。

四、能自由與其友好國家的外交人員聯絡，包括蘇聯衛星國的外交人員，因彼等能在美國內部各地遊歷。

五、能讀自由出版的報紙，聽辯論演說，並能在言論完全自由的地方談話。

六、能親手送交和接受外交照會。

美駐莫斯科大使

美駐蘇大使從七層樓的美使館，可以把克里姆林宮看得很清楚。他的窗戶可以看到三十呎高的紅牆所圍繞的，史達林及其同僚居住和工作的城堡，但蘇聯已要美使館遷離該地。

自從一九四一年五月以來，蘇聯就嚴禁所有住在蘇聯的外國人在蘇聯境內旅行。本年一月，蘇聯百分之八十的地區，就不讓外國人進去，而外國外交官員要求走出莫斯科二十五哩以外，也極難得到許可，就是在莫斯科，好些地方也被列爲禁區，外國人休想進去。（上）

（黃韜泉譯自「美國新聞及世界報導」）

阿剌伯集團的前途

張志華

本月二十日阿剌伯聯盟七國，於埃及政變之後，舉行第二次集會。本次會議，從表面上看來，該是甚爲重要的，諸如巴勒斯坦問題，突尼西亞事件，以及中東的聯防；大體說來，巴勒斯坦已由聯合國處理，突尼斯王已屈從於法國的「自治改革計劃」。比較爲西方國家認爲重要的，只是中東聯防，早幾天的傳說，阿盟將邀請亞洲自由國家括有伊朗、巴基斯坦、印度、阿富汗，錫蘭、緬甸、中華民國與菲律賓九國，舉行一次廣泛性會議。無疑是阿盟本身的力量取得實現，自不得不聯合許多國家來自成一系。但是，現時亞洲諸國，西方與論亦在計劃一個亞洲自由聯盟式的一個大集團，譬如說，一如太平洋聯盟；迄今爲止，此一擬議，終因爲形勢迥異，各國外交立場不同，雖艾森豪最近亦有此主張，但一時尚無迅速促成徵兆。而阿剌伯國家，本身意旨并不一致，要聯合亞洲九個自由國家結成一股「中立」洪流，自非易事。

僅圖排外易受赤潮侵襲

阿盟祕書長阿薩姆被迫辭職以後，一般說來，阿剌伯內部可以更爲團結，而且，他們六國間還於埃及總理納吉培的成爲理想中的領袖，但在近三個月來的表現，阿剌伯聯盟，并沒有任何較前充實的象徵。就其民族意識而言，各國亦未見協調，而其立國、建國的先決條件，經濟和國防都沒有一個堅實的基礎，阿剌伯社會依然充滿着濃厚的[illegible]務，國防建設根本就談不到。顯然是由於民族意識幻成了一個排外的思想，忽略了自強防侵的基本要求，卻不知共產主義的入侵成了條件，埃及的共黨，正抓住了社會經濟凋竭的弱點，外表上雖然并無顯著發展的迹象，但其內容的危機並不能由納吉培的（一時而且難行的綜合易舉）「土地改革方案」可以消除。其他六國的建國條件既未充分，共黨下手的機會，則隨時隨地存在。這種危機不圖迅謀解決，僅恃一時意氣發洩「怨府」排外，易遭共產主義逆襲。

中東聯防之題外問題

中東聯防一日不建立，儘管美國環球戰略部署得怎樣穩妥，而介於歐亞非三洲的中東門戶依然洞開。美國當選總統艾森豪，對中東防衛亦甚關切，但西方擬議中的中東聯防計劃，已爲阿盟峻拒，延擱經年，迄仍闇然沒有頭緒，本刊第一六六期，對中東聯防問題，亦會縷述其困難癥結所在：當時恰爲阿盟於埃及政變後首次在開羅集會，但集會之結果，對聯防計劃雖加討論，却並無具體可行方法。這一次會議，雖然決定於明年開會時再加討論，但事實上已反映出終止討論中東聯防；以另一個方式研商聯合亞洲九國及阿剌伯國家的「中立國」機構，顯然試圖將自由世界對付共產主義侵略的力量分散，謀置身於東西兩大集團之外，這種不明事理與不適合於現時國際情勢的打算，自非設想天真，不啻椽木求魚，尤不知共產主義的擴張已進入高潮，自由亞洲的危機，已臨到日形迫切之地步。

不摒除「中立」意識　難拾垂危之局

亞阿剌伯的「中立」機構，計劃中亦邀請自由中國參加；其他的國家姑且不問其是否同意參與研商，吾人認爲自由中國對於這種不合時宜之舉，將會婉言拒卻，因爲自由中國是切身忍受共黨侵略的國家，準備反攻大陸拯救同胞之時，絕不容許置身於自由民主與極權侵略鬥爭外。況且，太平洋聯盟，一度有望於形成之時，（一九五一年二月）自由中國堅決提出警告：加盟國家必須確定反共抗俄的外交立場，否則，自由中國雖過去曾爲太平洋聯盟之發起國之一，亦願意放棄。故阿盟合縱聯盟，首先必須摒除「中立」機構，則聯盟自較可以迅速形成。但尤爲阿盟本身之力量，不僅加強與國之團結，而且各國國防基礎尚待鞏固。納吉不僅要將排斥西方思想轉移爲反共防侵略基本精神，重振阿自由國家推誠合作，阿剌伯國家纔有光明的前途！

拉鐵摩爾受審

迪華

對於美國對華政策與美國對華看法有重大影響力的霍浦金斯大學教授拉鐵摩爾，他的案件終於兩週前鬧上法庭了。自從參議員麥卡錫稱拉鐵摩爾爲「俄國高級特務」以來，三年中，這位霍浦金斯大學教授曾做了如下的幾件工作：（一）寫了一本名叫「誹謗的嚴重考驗」的書，爲自己辯護。而受到自由主義人士的讚美；（二）出席參院某調查小組（泰丁斯委員會）作證，大多數調查人說他無罪；（三）在另一參院調查（國內安全小組委員會）中遭受盤問，此一小組委員會則證實他是「蘇聯陰謀之有意識的與顯然的工具」，而謂拉鐵摩爾因作假證，應送交法庭受審。兩週前，華盛頓聯邦大陪審法庭於詳細研究聯邦調查局與司法部代表人所提出的證據後，乃對拉鐵摩爾起訴。聯邦大陪審法庭控告他在參院國內安全小組委員會作證，談到某些事情時，有故意欺騙小組委員會的行爲。

他所說過的那些話是：A，從未助長共產黨或促進共產黨的利益；B，並不會聽說過曾爲太平洋學會工作，其後終成爲共產黨員的趙廷驥（譯音）博士，是一個共產黨；C，並不知道曾向他所編輯的太平洋事務雜誌投稿，筆名爲「亞細亞狄克斯」的人，是一個共產黨；D，並不會故意發表共黨人士所寫的文章；E，並沒有在白宮助理克爾里離開的機會，處理他的郵件；F，並不曾搶先與共黨當局接洽，安排一九三七年的中國旅行。

拉鐵摩爾一再猛烈抨擊「三年來我所受到的此等報復性的不斷的攻擊」，他並說：「我所能做的就是，我只好泰然處之，並拿出男人的勇氣來。」

法官審克爾在審問他的時候，問他有甚麼答辯，拉鐵摩爾說：「我實在無罪」，現在他已以壹千美元保釋，並定於明年三月初再審。

（譯自本月二十九日時代週刊）

中共擴組少年兒童隊

摧殘兒童不遺餘力

中共為陰謀澈底奴化下一代，早於一九五〇年七月間即已在偽教育部及偽青年團中央委員會的聯合決定下普遍展開了所謂「中國少年兒童隊」的組織。但據最近該兩機關的所謂「全盤檢討」，認為兩年多來的「努力」，雖已有了「基本上的成就」，惟距最後理想，相去尚遠。乃於本月六日又會同發佈了一個所謂「聯合決定」，飭所屬各級迅即加緊對此一組織的全面擴展，並加強其奴化教育及政治特務訓練的全面推進，以及早實現其澈底奴化下一代的目的。

組織內容 原非尋常

蓋少年兒童隊的組織內容，原非尋常，決非自由國家一般童軍組織可比。若以組織主旨論：正如偽教育部及青年團的聯合決定中所說；「少年兒童隊的工作是向少年兒童推行新民主主義教育不可缺少的組成部份。」「目的」乃在嚴格地培育健全的未來社會主義社會的主人翁。它是：「目前國民教育的基本組織。」由此，已可知此一組織之性質，決不是對兒童們施行體、德、智的正常教育，而是在強制灌輸共產主義的澈底奴化的政治訓練。若以組織形態論：它不屬於學校的教學編制，不歸學校節制，而是屬於偽青年團的附屬組織，歸青年團組織領導。它的組織系統，學校設中隊，區設大隊，縣、市設總隊。市、縣團委設「少年兒童工作室」為單位領導，省或特別市團委設「少年兒童工作部」為高級領導，中央團委設「少年兒童工作委員會」為最高領導，各級教育機構，只不過是聯絡、協助的配角而已。

三年奴化 成效欠佳

但過去近三年的此一組織及奴化的工作，他們認為還做得非常不夠。說全「國」現在雖已擁有五百二十餘萬的少年兒童隊隊員，惟人數既距理想尚遠，訓練的成績及組織的分佈也相差甚巨。原因何在？

據偽教育部及青年團的聯合檢討承認說：一、是一般團幹未普遍認識少年兒童工作的重要性。他們認為「娃娃工作，無足輕重」，因而未曾認真地去大力推行此一決定。偽青年團中央委員會指斥一般團幹忽視了「黨所特別交付給團的光榮任務」。

二、一般從事少年兒童隊領導工作的人與學校當局及大多教育幹部未能協調。說他們專斷驕橫的作風破壞了學校的教育行政。而一般教育幹部的意氣用事也阻礙了少年兒童組織及訓練的進展。

三、一般領導少年兒童隊的團幹的工作方式欠當，行動過火；他們施之予兒童的政治教育的進度過急，使兒童神志迷亂，無法消化。尤其是由解體育訓練的意義而驅使兒童參加過重的社會勞動，使一般兒童大感畏懼，損害了大多學校對建立少年兒童隊的勇氣，更阻延了大多兒童入隊的興趣。

改進辦法 大力毒害

因此，偽教育部與偽青年團於本月六日所發出的聯合決定中已針對此種缺陷，提出糾正，并補充了一些新的方法，以進一步加強「少年兒童隊工作的進展；大力而全面地加強毒害兒童。

首先是規定各級團委，以大量發展少年兒童隊的組織及切實訓練少年兒童的政治思想為他們目前的首中心工作，并列為首要考績。要縣市以上各級團委的少年工作部門加強人事配備，要縣以下各級團的組織選派專人負責少年兒童隊工作的全力推進。

其次是加重各級教育機關的責任，要各級教育機關加強與青年團的聯繫，要他們將少年兒童隊的工作當作「自己的工作」。並規定各學校於召開行政會議或教師會議時，必須邀請少年兒童隊的總輔導員列席報告該隊的工作情況，以加強各學校行政當局及全體教師對少年兒童隊工作的瞭解和幫助。

再次是硬性規定每一學校必須建立一個中隊，每區必須建立一個大隊。并要各級團委均設一支所謂「優秀的輔導員隊伍」；要各級團委邀得各教育行政部門的協助下，積極而有計劃、有步驟地選聘足夠和稱職的中、小學教師和高中學生擔任本單位的少年兒童隊的總輔導員和中隊輔導員的工作。

又次是規定從各師範學校或師資訓練班中培養少年兒童隊的領導幹部，以能專任為原則。倘不可能，則盡量減課，或免除其社會活動，使少年兒童隊的工作趨於專門性。

最後，規定每一學校所建立起來的少年兒童隊，在每天都排定政治訓練及政治活動的節目，並規定所有入學兒童，必須納入少年兒童隊的組織。說務使政治思想的「基本訓練」與知識教育同時並進，以有計劃，有系統地穩固兒童的「政治基礎」，培育成下一代的「健全的國民」。

終極目標 數典忘宗

由此以觀，大家已可瞭然，中共對於奴化下一代的陰謀是如何瘋狂地大力推進。而其奴化的終極目標，還不僅在使兒童都變成共產黨的迷信者以鞏固其萬世一系的江山，而是還在灌輸一套歪偽的歷史，無恥地使兒童們都存在一個「蘇聯即是祖國」的觀念，要下一代都變成數典忘宗的「志願」的亡國奴。若問何以見得？則中共一貫賣國的一切蘇化的行動固可證明，即偽青年團中央委員會在所謂「關於進一步加強中國少年兒童隊工作的指示」中亦有所暴露。該指示中曾說：「少年兒童隊的活動，主要的，不僅是要進行愛國主義的教育，且應擴大進行國際主義的教育，以使兒童們一般的都有着遠大的國際化的政治素養。」

總之，中共的此一陰謀是可悲也是可怕！在赤色的鐵蹄下，我們的下一代已在受着無恥的殘酷糟蹋！凡關心國家前途的人，不能不引為殷憂，更不能不予以嚴正的注視！（沈著）

活躍熱河邊境的反共武裝

漢蒙反共復國軍（上）

漢蒙反共復國軍最初僅是由赤峯人王敬久，滿人欒寶善，翁牛特右旗蒙古小王鮑士信，所領導的一支五六百人馬的騎兵部隊。後與北票喀拉沁左旗，蒙古王爺沁布多爾吉濟合，勢力大增，由五六百人一變而為一千四百餘人。兩年來活動於北票、朝陽、林源、平泉、寧城、赤峯、圍場、林西、林東……這一廣大地區裏。經常給共匪的工礦，機關及交通設備，以嚴重的打擊。共匪對這支隊伍的圍勦也從未放鬆過。但兩年多來經過無數次的大小戰鬥，除欒寶善在乃林戰役中陣亡外，這支反共部隊，截至目前仍健全存在，且日益壯大中。

其間雖曾一度與總部王李守信取得連絡，但只僅是精神上的遙相呼應而已。

兩年餘來，共匪對這一心腹大患的嚴重事實，始終是諱莫如深，除了去年七月乃林一役欒寶善陣亡後，匪東北日報「勦匪」消息中，曾略為提及說：這支「微不足道」的「土匪」已被「人民」的公安部隊全數消滅。此外關於這游擊隊的消息，在鐵幕內從未披露過。且錦古，北寧鐵路沿綫的人民，亦不准談論這件事。這當然是匪幫諱疾忌醫，惟恐揭穿其粉飾太平的外衣之故。

因此，不管是鐵幕內外，對這一事實發展經過的詳情，鮮有知者。

保全實力假裝投降

筆者謹將所悉，據實報導，藉以撕破匪類粉飾太平的外衣，並讓鐵幕外反共的自由人士知道，今日鐵幕內不願作奴隸的各族人民，正在與匪作英勇的，掙脫奴隸枷鎖的浴血戰鬥。并盼望着早日與海外反攻部隊的會師。

王敬久（這支部隊的創始人）是赤峯城內三道街的紳士，少讀書，但極有謀略，舊時曾在張作霖部下任過營長。偽滿時代在地方作過不少公益事，深得衆望。日本投降，被國民政府委為先遣軍赤峯地區司令孫明手下任大隊長。殊知國軍未到，「大鼻子」和「八路」卻先到了，孫明當時被解決，王則率所部三百餘人，逃入赤峯附近鄉村打游擊。及至民國三十五年十月，國軍九三軍收復赤峯。由軍長盧濬泉電請長官部（長官杜聿明）加委任為保安第四支隊第一團團長，撥歸九三軍指揮。時王部已擴充為八百餘人，馬六百餘匹。

民國三十六年四月，九三軍奉命放棄赤峯，往解四平陳明仁之圍。撤退時，由王部殿後。軍行至赤峯葉柏壽間之三十家子。被林彪匪部腰斬，全軍損失甚大。王部卒為切斷。王當時為保全實力，不得已而假裝投降。共匪本欲將王立即解決，但有顧於王部子弟兵之團結；并顧及赤峯一帶人民對王之景仰，故改對王取安撫政策。令其仍率所部回駐赤峯，担任清勦赤峯附近由散兵游勇及地主所形成之「土匪」。維持赤峯一帶治安，招誘這一地區反抗共匪之人民歸順共匪。

欒寶善（旗人）生赤峯城東三十餘里廟子村，與王係摯交，投共前後一直任王副手，其人誠樸，勇而無謀。

鮑士信，三十二歲，住赤峯頭道街，翁牛特右旗之小王，北平[illegible]大學畢業，杜聿明長東北時，曾在長官部掛名為上校參謀，共匪佔領赤峯後，為要拉攏蒙人，故將鮑亦委在王部任副職。

初，王鮑等以為能就是這樣維持現狀下去，使地方相安無事也就算了。

立定主意乘機舉事

殊不知共匪將東北戰事整個解決後，於是對人民也就逐漸露出猙獰面孔。一步緊一步向人民壓迫。尤其在「土改」「清算鬥爭中，他們眼見着親友們一個個在鬥爭台前血淋淋地倒下去；親友們的老弱被「淨身出戶」後，凍餓在冷落的破廟或街邊牆脚，哀號掙扎，而不准人同情。這一幅幅悽慘圖畫：使他們觸目驚心。所謂「拔窮鷄毛鷄骨疼」、而何況照共黨「劃階級」「定成份」的原則分析，王鮑等當然也是不折不扣的「鬥爭」對象。所以不立即開刀者，蓋以尚有用他們之處。等到「飛鳥盡良弓藏」的日子到來，上斷頭台的災難，也就難免。這些問題在王鮑等心中，已認識得很清楚。他們同時也有了打算——準備乘機舉事。（劉俠）

中共大力劫持下

南開大學 名存實亡

「天津通訊」天津的南開大學，在全國是屬於第一流的大學，所以中共對它一直是挖空心思作着打算：怎樣把它變成自己的御用學府。自從天津之戰中共竊據了津門，中共首先派人去天津郊外的南開校本部以示拉攏，大部分的教職員看不清中共偽善面孔，因而多以靜觀待變的態度來適應，殊不知「共產黨」來，教職員們一再地被「洗腦」，搞得哭笑不得，活不了，死不成。就是在這種淒慘的歲月中，度過了幾個歲多。

今年夏天，中共人民政府高等教育部正式發號施令：把全國的大學再改變一次形式。於是南開大學被迫改為「綜合性大學」之一。所謂「綜合性大學」只是栽培「教書匠」（按中共區教書工作，教員既不需發揮自由意志，當然與「匠人」是相同的）與研究御訂科學的「所在地」。如李森科，米丘林的學說，蘇聯「先進」的科學，除此以外是在禁例內的。

教條色彩濃厚 教授都須洗腦

三年來，南開大學在精神上既早就蒙上了中共的教條主義的濃厚色彩，再經過這一次的「形式」更改，南開大學已不再是南開大學而完全「走樣」了，前南開大學包括理學院、法商學院，裏面所讀的課程，幾乎完全改變：理學院的理論與實驗既然都採歐美的教材，教授又都是喝過「洋水」的非俄羅斯留學生，所以幾經「洗腦」後，已澈底的打擊了「資本主義體系的一套教學思想、教學制度，」法商學院的課程也採取了「共黨八股」做教材，學生毫無可讀的情形下，只好隨着職業的「進步」學生去扭秧歌，胡三胡四的亂搞窮混了。

南開的這次大變動的儀式，是在十一月二十九號舉行的，中共派了高等教育部的馬敘倫與天津文教委員會的黃松齡去主持監督。開會時的學生心緒都很壞，每個人的臉上都帶着憂鬱——偽南開大學的前途而悲哀，會中由化學教授南開大學副校長的楊石先先作一番官樣八股弱詞（在中共區域任何人必須善噓善頌！）後，才由馬敘倫，黃松齡講話。

馬敘倫說：教育的改革仍只在開始，以後將要有不斷的重大改革。這種講話使所有的教職員與學生感覺不安，三年來不斷的「改革」大家不得安定地工作，所受的教訓已經不淺，再要不斷地重大「改革」，他們感到「疲於奔命」的切身脅迫更大了。

黃松齡講：南開大學的改革是為趨向社會主義體系的教學思想與教學制度……講了一大套連他自己也不懂的廢話。大家都在心裏自作打算，誰又有心聽他講話呢！最後由教務長吳大任致閉幕詞。

這十一月二十九號的可紀念的日子，所有「南開人」都應該記得它！這是葬送南開過去光榮歷史與閉塞南開作育人材的後路的日子。（莫勤十二月十日寄）

北平大造新屋

招待三萬俄人

由於國軍反攻大陸之期日益接近，大陸上中共控制區已風聲鶴唳，草木皆兵。北平是毛澤東的窩巢，蘇聯為恐一旦戰火燃及大陸，刻正以北平為司令台，向各方面發號施令加緊佈署。以是，近一時期，俄顧問到北平的數字，達到了驚人的程度。

到北平的俄顧問究竟已有多少？這是秘密。不過從「北京貿易總公司」透露出的一鱗半爪消息看，至少有三萬人。因為該公司負責替各單位所採購作招待用的牛肉和雞蛋的數目，是駭人聽聞的，據統計每天要供應牛肉六千斤，雞蛋十萬隻。

吃的問題還好解決，住的問題就太嚴重了。北平的房子，大多數是中式平房，招待「老大哥」似覺不夠體面，於是在「繁榮人民的首都」漂亮口號之下，打腫臉充胖子以加緊興建洋房來解決這問題。「北京市人民政府副市長」張友漁，現正奉命專門主持這件事，張認為這是拍上蘇聯關係的最好機會，走這樣的國際路綫對自己是有幫助的，因此忙得很起勁，而一些負責採購的下級幹部，更心照不宣，乘機「大撈一把」。

據北平「人民日報」透露，僅採辦磚瓦一項，幹部和商人串通貪汚「倒把」掉的「人民幣」就不下三百億元，離北京不遠的通縣，大大小小十二家磚窰廠為「工作便利」，竟在北平城裏成立了「聯營社」來公開進行活動。其中有名「利順窰」，經理吳××以手術高妙，一次就騙取了中共花花綠綠的「人民幣」三十億，逃之夭夭，跑到香港。事後中共派人到通縣去調查，那裏來的什麼廠？僅僅租了人家一隻爛窰桶擺在那裏做樣子而已，知道上當，悔已無及。再跑去找舖保，担保的是家小米店，全部財產不足十担米，都充公也不值幾文錢，所幸吳某拐跑的錢是小數目，張「副市長」倒不心疼，怕只怕以吳某的一跑而影響了「老大哥」的事，對自己的前程影響就大了。（歐文）

本報各版 歡迎投稿

往事知多少？

・山禾・

「春花秋月何時了？往事知多少？」這是多愁善感，好懷舊戀昔底周老先生常愛唸的兩句詞。現在更在他口中嚶嚶哀唸不絕了。

初冬的天氣是一片黯淡！尤其在「解放」後的鄉村，更到處顯得一片悽慘、荒涼！周老先生每在早晨傍晚，總習慣地呆倚窗檻，滿懷怔忡，凝望着南天底一角。眼前的現實實在太殘酷太痛苦，他就常借這兩個靈光撐開現實，沉潛在往事底咀嚼和未來的憧憬中。然而陡地，往往被身前走過的一羣歪戴着八角帽的「解放軍」的喧嘩聲或一羣傴僂着背的農人們的咳嗽聲驚破他的夢幻！那前者的猙獰面目和後者的哀愁面目，立刻使他回復到殘酷悲苦底現實裏！回頭看看陰暗寂寞的庭院，又撫一撫自己蒼白而稀落了的鬢髮，體味到憧憬已不是以他這樣年逾古稀的風燭老人所能依托，而往事，往事知多少？已是一個無法捉摸底夢了！

說起周老先生，有幾十畝田勉可耕，原是一個出身世代書香的鄉村知識份子，照共匪黨的「鑑別」，算是「中農成份」。年青的時候，他原也有過一番壯志雄心；到外地去趕過功名，當過幕客。後來不知怎麼忽然心冷了下來，便意態蕭條地回到鄉裏，娶了鄉村一位門當戶對的而溫良賢淑的小姐做了太太，從此成了家，生了孩子。除了管管農事，栽栽花草，也還在自己的門庭內設館替地方上教教兒童。雖然生活很過得去，但他很多苦悶，知識份子的責任感和一顆善良的心便是苦悶的源泉；面對一個殘破離亂的世局，他不免想想六代豪華，也不免感喟着「往事知多少」？

時光在偷偷地溜去，年齒在暗暗的增長，曾幾何時，周老先生已由「而立」而至「不惑」，兒子娶了媳，女兒出了嫁。不久，兒子已做了父親，出嫁的女兒也做了母親，但他們的母親——他的妻子——卻遽然撒手逝去！中年喪偶，倍覺悽愴！雖然兒孫繞膝，而想想自己逝去了的年華和伉儷恩愛的情趣，又不免慨嘆着「往事知多少」？

抗戰了，兒子和兩個年紀較大的孫兒爲了担負一個時代的使命，在兵荒馬亂中踏上了去大後方的征途，留下的只是一個守着寂寞的媳婦和一個剛在呀呀學語的小孫兒陪着這個老人，相依着接受驚恐、寂寞、憂念的滋味渡着日子，當然又不免感慨着「往事知多少」？

勝利了，兒子和兩個已娶了孫媳的孫子終算都平平安安地回來了，這下子敍一敍天倫，終算是苦盡甘來的得意一事。但好景不常，曾幾何時，跟着勝利而來的是一重新的憂患，戰爭始終不會結束，社會一天不景氣一天，人心一天浮亂一天！這現象在每個人心裏打了個結！周老先生平素富有頭腦和責任感，他已預知到這憂患終將變成災難，他想，在他年青時代的世局雖也不見得足以恭維，但畢竟威脅和苦難沒有這樣嚴重，他見不到新的希望，便只有懷舊以自我陶醉，結果，自然又不免輕吁着「往事知多少」了！

然而人世遭遇的悲慘的事還在後頭，什麼「解放」以後，才真的是不堪回首了！就像周老先生那樣：「解放」以後，年已五十了的兒子首先以「反革命份子」的罪名下了獄，結果被處殺在獄中，跟着是長孫以「國特」的罪推上了「公審」台，結果被槍殺在台前！又跟着是次孫以將「功」贖「罪」爲名去「志願」參了軍，結果連人帶屍都永不回鄉！再跟着是媳婦因丈夫兒子的死去而哀傷過度害了病，結果在病中自縊殉了身！最後是長孫媳和二孫媳被迫改了嫁！留下已只有一個剛成了年的小孫兒和他倆人作相形影相弔，相依爲命！

本來，周老先生在共匪黨的預算內，最後也要「清算」的，後來還是他被迫改嫁作了共幹的愛人的孫媳兒暗中幫了忙，終算給了他一個破格「寬大」的待遇。本來，周老先生曾想自殺以及早了結這悲苦底人生的，但他有一個倔強的意念，他還是想看一看，究竟這世界將伊於何底？

這世界將伊於何底？正是現在大陸一般人們最大的也是最痛苦的謎！周老先生不過想得較深一層吧了！

「往事知多少？」是周老先生一生的感喟，現在真的已到了極至的地步了！現在，他就只能這樣每天從開窗到關窗，凝對着無際的穹蒼，沉溺在恍忽的冥想中過日子！想想往事固未必就是好的，但較之眼前，畢竟太不堪回首了！他想想亡國之滋味，歷史的殷鑑還歷歷如繪，但那有現在這樣亡得澈底、殘酷、悲慘？於是，真的，像他這樣的老年人除了唸唸「往事知多少」或「故國不堪回首月明中」一類的感傷詞以外，還有什麼辦法呼吸下去，以再看看這個世界？

送歲之詞

為方

今日爲一九五二年的除夕，明天即是新年元旦了。凡屬不忘情於現實生活的人，每逢歲時節氣，總不免要回憶過去瞻望未來一番。不管他或她的職業生活是那類，其留戀已往，希望將來之心情則一也。等由准此，我亦未能免俗，爰撇把送舊迎新之思，歲月而興也，亦賦也！

我是新聞記者，當然三句話不離本行，對過去這一年中世界上所發生的新鮮事情，特別關心，譬如說：美國人在歡渡聖誕節一夜之間，便喪生七百餘人，大家毫無悔吝之意。假使美軍在韓戰中一場夜戰而死去七百條珍貴的人命，國內一定輿論譁然，羣情激越，不可名狀吧！又如：美國共和民主兩黨競選時之互相指戟謾罵，其醜態並不下於咱們貴國一般搞政治派系的人那種爭奪權位，你死我活之象。但，選事一畢，大家盡忘前嫌，相忍爲國，共和黨政府且委任民主黨幹部作勞工部長了。他如：英國八十歲的學者羅素，第四次做新郎，跟五十歲的美人結婚，尤其值得喝采。如果羅素是中國人，他縱然「老而不死」，而行年八十，恐怕爬亦爬不動了，遑論結婚之勇！

一九五二年確實產生了不少的悲壯熱烈與風雅的事兒，令人低佪留戀，深覺不可多得。我祈禱一九五三年的歲神，更多帶些和平高雅的生活散給人間，「千祈唔好拋浪頭」，把原子彈氫氣彈作玩具，要在世界上「攪攪」！

自由談

新年談國歌

・舜生・

『名不正則言不順，言不順則事不成，事不成則禮樂不興，……』孔老先生這幾句話，我們就在今天讀起來，也還是覺得它非常有力。

中華民國已進入到第四十二個年頭了，在過去的四十一年間，我們曾經過無數的驚濤駭浪，也曾享有過無上的歡娛，可是至今還沒有一個爲全國人普遍能唱的國歌，不能不說一件憾事。

現在代替國歌用的這首國民黨黨歌，氣象原也不壞，音節也相當的沈雄，但惟嫌急促而高亢，像在國民大會那樣一個三千人以上的會場，能唱的乃不能超過三分之二，永遠拿它來代替國歌，究竟不甚妥當。

民國初建，章太炎先生主張唱『卿雲歌』，不爲無見。但這個歌有一點長處是辭谷大雅，有兩點短處是歌詞簡單，內容空洞。『史記』釋卿雲說：『若煙非煙，若雲非雲，郁郁紛紛，蕭索輪囷。』以之作爲國歌，確不免令人有蕭索之感；尤其用在國際上互唱國歌的場合，只得聊聊六句，便戛然中止，也實在極不相宜。

張季直（謇）先生曾於民國元年有國歌的擬作，近見於友人唐祖培先生所寫的『張謇傳』，現在把它轉錄在下面，我覺得至少可作爲國人重製國歌的一種參考。原歌共分三章：

其一

『仰配天之高高兮，首昆侖祖峯。俯江河以經緯地輿兮，環四海而會同。前萬國而開化兮，帝包犧與黃農。巍巍兮堯舜，天下兮爲公。貴賓兮君位，揖讓兮民從。嗚呼堯舜，天下爲公。』

其二

『天下爲公兮，有而不與。堯唯舜求兮，舜唯禹顧。莫或迫之兮，亦莫有惡。孔述所祖兮，孟稱尤著。重民兮輕君，世進兮民主。民今合兮族五，合五族兮固吾圉。吾有圉兮國誰侮？嗚呼合五族兮固吾圉。』

其三

『吾國尚，吾國昌，民氣大和兮敦農桑。民生厚兮，勸工通商。堯勵舜兮，民變德章。嚮民兮在昔，孔孟兮無忘，民庶幾兮有方。昆侖有榮兮，江河有光。嗚呼昆侖其有榮兮，江河其有光！』

第一章爲吾國文化之肇始，而以『天下爲公』強調民權。第二章述合五族以建國，強調民族，第三章則以敦農桑勸工商強調民生。此與中山先生創立中華民國之遺教無違，而於中華民國憲法前言所列舉的『鞏固國權，保障民權，奠定社會安寧，增進人民福利』者，亦無不合。而節奏之抑揚頓挫，含義之反覆叮嚀，誠有泱泱大國之風也。

（一五九）

窮漢遇刼記

馬五先生

現回台灣述職之我國駐祕魯大使保君建（既星）先生，江蘇南通人。二十年前，君偕其美國籍夫人僑居上海英租界大馬路某西式公寓樓上時，余常自南京赴滬，抵步必與君游樂暢談。民十八年冬臘，君生活頗窘，以夫人故，未便易地而居，仍爲華廈寓公，然竟以此被刼盜誤認爲富豪，險遭奇禍。盜且假余名義得與君相接，其事殊危而趣也。

某日午間，君在寓所接一電話，謂本人自南京來，便帶內政部參事老友某（指余名）託致君密書，須面遞，詢相見時間。君深信不疑，約當晚九時在寓候駕，蓋余固隨時託人帶信與君商事也。屆時，該人如約至，君延入室，素不相識，但其外貌都麗，若公務人員然。君之夫人即退入臥室內，俾主客彼談一切焉。君對客寒暄後，旋索閱所帶余之函件，客從懷中取一綢帕包裹，面君揭示，則赫然利刃一柄也！客謂：實不相瞞，特來借貸數百金，否則五步流血，幸毋自誤。君知遇盜，惟房門緊閉，戶外原有一巡捕立梯口，然不敢呼。乃和顏與言，告以窘困實情，且取出衣袋中所藏當票一疊作證。君一面懇談乞諒，一面踱步室中，擬行至屋角地毯上踏動暗藏其下之警鈴。地毯上亦設警鈴，免罹殺身之禍。「請不必」，語君：「我沒有錢」，君無奈，想得「我夫人在臥室以客久坐不去，詫異，雖不懂華語，但對「沒有錢」一語却能聽能說也。逆料良人必爲錢事與來客有所爭執，乃啓門出而以英語詢君曰：『夜深矣，話猶未盡耶？』盜見狀，恐事敗，急納刀袖內，起出曰：『好了，好了，沒有錢不必結仇』。下樓，君目送其從梯口巡捕身旁下樓，亦未呼捕也。

越數日，余至滬訪君夫婦，方悉上述經過。深怪刼盜何以知余與君過從之密，而對余在都門公生活亦詳悉不爽也？頃得君書，夫人談次猶有餘悸焉。君之夫人已於去年九月病逝臺灣，偶憶前塵，尤不勝悼惜之至矣。

中國之友（四七）

毛以亨

赫德傳（廿七）

一八九九年三月十五日上諭給教士以官員身份，於是仇教之風又起，遍及浙江江蘇福建貴州四川湖北江西安徽山東諸省。水災與飢荒盛行於黃河流域，除上述諸省外，尚有兩廣雲南甘肅新疆陝西奉天諸省，土匪紛起，有些排外，有些已是排滿了，協辦大學士剛毅到江南廣東，強迫勸捐，尤爲造亂之因。而禍端則在山東開始，是年三月裕興任山東巡撫，謂公開侮辱洋人不算犯法，於是遂有義和團之組織，而以扶清滅洋爲號召。相率搗毀教堂與有教友的村莊，此風蔓延及南直隸，以外吏的抗議，裕興被調爲山西巡撫，在京優禮有加。

一九〇〇年一月十一，慈禧有鼓勵愛國團體的上諭。五月二十八日義和團已焚蘆溝橋，毀豐台車站與機器廠。赫德於五月二十日函其友人道：「義和拳要來造亂了，我們將有衞隊警戒使館，我們就要出事，中國人則出爲九十月。」使館信爲嚴重，而總理衙門則謂爲兒戲可笑，慈禧與西太后同情之。如不將義和團鎮壓下去，則外實將採取行動了，但如加以鎮壓，扶清之舉的義和團反變爲反清的匪徒，清廷之棋不定，祇能兩面敷衍者在此。

時外國兵艦已到大沽，使館衞隊約四百人，加以僑民，竟能從六月底起，至八月十四日而能守住使館，眞是奇蹟。六月十一，日本使館書記被殺，十三義和團占領皇城而與董福祥之軍會合，十三大沽砲台被攻下，二十日，德使克林德於赴總理衙門途中，爲抗議上諭限外人二十四小時內離京而發。此一上諭頒於大沽被攻下之反應，而各國使館皆不之知。於是風潮大起，直至八月十五，聯軍二萬人攻下北京始止。各省督撫保護外僑不許匪徒擾亂者爲兩廣之李鴻章，兩湖之張之洞，兩江之劉坤一與山東之袁世凱。六月十日赫德已電廣州稅務司King命其立去見李鴻章，告以所有使館均將被毀，政府不能協助聯軍的干涉是必然的，中國也許會亡。請電太后以使館安全爲要，不許官吏主張敵對行動。李如赫德之言，電太后，但局面已非太后所能控制了。十三日，義和團開始毀壞外人房屋，包括教堂、大清銀行、電燈廠、造幣廠、鐵道、郵局及銀行，奧意比荷使館，總稅務署，郵局及赫德與其他外人住宅，均付一炬。二十日，使館已被圍了。

赫德在被圍時即以書面擬出界外致總理衙門，直至七月十日始得答覆，謂南洋大臣已任命總署之統計處長Taylor爲總稅務司（此係領事團提出，交南洋大臣任命者），赫德即請衙門代電上海稅務司安格聯Aglen，請會同Taylor代理總稅務司職權，此函八月九日始到。赫德慣非英籍關員專其位置，又恐海關制度爲聯軍接受而被破壞，如此經過，他是滿意的。時倫敦報載赫德已死，欲爲舉行葬儀於教堂，英外部並商請其繼任人選，初擬以海關倫敦辦事處長Campbell繼任，後海關各高級職員休假在英者均主張任用，提出門戶開放政策之Hippisley，在英各商會亦贊成，沙相至屢催其動身，至七月底則赫德未死之消息已到了。八月七日命李鴻章爲全權代表向他國交涉，然未及一星期外兵即到北京了。

言論自由（西洋名畫選）　美・福爾特作

艾克的民主作風

當艾森豪訪韓完畢，在赴夏威夷途中時，他接到一封奇怪的信，是夏威夷一位記者的太太瓊恩寫*的，邀請他到她家裏進晚餐。信裏請艾森豪把「我們的家當作自己的家，如果你需要一個安靜的地方，和享受一頓眞正的家常菜的話」。

不過這位太太並沒有讓她丈夫知道這件事。當艾森豪到達時，她接到他副官的電話，請她到他那裏去進餐。她欣然去了，和艾森豪及前來開會的幾位軍政要員大吃了一頓。出來時，她遇見了大批記者。關於她和艾克的談話，她說必須保守祕密。不過對於艾克，她說：「他眞是一個可敬的好人！」（明譯自時代週刊）

自由人
THE FREEMAN
（半週刊每星期三六出版）
（第一九二期）
每份港幣壹毫
督印人：李光華
社址：香港高士打道六十六號
電話：二〇八四八
GLOUCESTER RD.
HONG KONG
TEL: 20848
承印者：東南印務出版社
地址：高士打道六十四號
台灣特派員辦事處
台北市館前街五十號
台灣總經銷處
台北中華路新號五九四之一
台灣郵政劃撥儲金帳號
九二五二號

政治生活與「四不主義」

雷嘯岑

一

胡適之先生自認不能從事於實際的政治生活，如組黨問政這類事業。因為他有「四不主義」的習慣——不拜訪，不回拜，不請客，不介紹人。有此「四不」之一，就不夠搞實際政治的條件了。胡先生這種觀察，自然不為無見。[illegible]生活的黑暗面，是舊有腐敗低能的政治[illegible]革它的命，要創進一種新社會的[illegible]義」實用於政治生活，或許不免有[illegible]積習已深的中國舊有政治必須矯[illegible]正，這從力學原理上可以尋到證明[illegible]先生的看法，不敢完全同意。

一般的政治生活

所謂「四不主義」，即是一般沈湎於官僚式政治生活的人物所強調的「人事關係」。不錯，官僚式政治生活的要訣，是推，拖，吹，騙四字，要想獲致上下交譽，八面玲瓏的官僚主義妙用，端賴濫用這四字訣，神而明之，存乎其人。如果要做官，而且想做大官，人事關係不搞好，那就休作妄念！怎樣才可以搞好人事關係呢？把胡先生所說的「四不主義」反其道而行之，準是功德圓滿，穩操勝券無疑。若不能奔走權貴之門，或奔走而不知結交親倖，如當權的太太或得寵的姨太太舅老爺之類，固然不合時宜，難期發展，即平日酒食徵逐，任用私人等要務，也不可稍有疏虞。尤其是胡先生所指的「介紹人」一項，更應苦心孤詣地念茲在茲，[illegible]國政治[illegible]們，參有一種特別作風，即對平日縱然素不相識的行政首長，亦隨時要向其介紹「人才」，不管阿貓阿狗，都得儘先任用，最好是不等他介紹就去拜訪，很誠懇地要[illegible]實心任[illegible]，為事求才，竟從國家每年以掄才大典所錄取為及格人員中，分別遴用，表示其天下為公的精神，那你的人事關係一定惡劣不堪，動則得咎，如不得到「妄自矜狂」的考語，至少也要嘗受「不懂政治」的批評。

為甚麼有這樣的現象？難道所有從事現實政治生活的人，就沒有一個自覺之士不成麼？是又大不然！關鍵乃在推拖吹騙的政治本質上。大既以「混下去」（Through Muddling）的官主義為從政之本，[illegible]

[illegible]

中國的政黨政治

[illegible]

結語

胡先生的看法，[illegible]

美參院外委會新主席惠萊

泛論美未來外交政策

在美國外交政策方面，參議院外交委員會主席的地位僅次於總統與國務卿，參議員惠萊，即將在新的參院中担任這職位，最近他對新聞週刊記者發表一篇談話，對該委員會將面臨的問題提出如下意見，同時，也表明了下屆國會在外交政策上將採取何種路綫：

聯合國

問：在肅清聯合國秘書處美籍職份子方面，是否已有確實進展？

答：肅清工作，雖已獲長足進展，但需要完成的步驟尚多。聯合國秘書處及其他特別機構的美籍職員中，仍有相當數目的人因為不忠於美國而必須清除。秘書長賴伊曾坦直的說，聯合國職員中共產國家來的赤色份子，已給了他太多麻煩，使他無暇顧及美國籍的共產份子。不過他已確受複雜的規例所限制，他有些免職的決定，業已被若干執行機構所否決，而對於被停職的職員，且須付出鉅額的賠償。再者，許多外國代表對於國際法學家的中立性組織、賴伊、和美國政府對此問題所採取的反對立場，不是表示極度懷疑，便是強烈的反對。

現在，我們需要由司法部及時訂定一個制度，國務院及公職委員會將有關聯合國美籍職員的充份事實向聯合國提出，俾使賴伊能採取適當行動。我希望這樣的機構將在下一屆政府中，即一月二十日前開始工作。我們必須以一勞永逸的辦法來解決這個問題。

問：將蘇聯及其附庸國逐出聯合國是否能促進集體安全？

答：即使在聯合國憲章下我們能這麼做到，其後果亦將異常嚴重。相反地，我深信一切自由國家都會承認，與蘇聯代表團坐於會議桌上從事言語的爭論，總比和他們完全隔離，而可能發生戰爭，要好得多。

解決韓戰

問：對於解決韓戰，閣下意見如何？

答：首先，我們要知道下任行政首長對這當前的問題，意見如何。艾森豪會說，[illegible]祇有行動而非言詞，才能使中共放棄韓戰，這確是一針見血之談，其含義乃是我們必須對中共增加軍事壓力。[illegible]

第三次大戰？

問：對於援外，下屆國會將採取何種行動？

答：國會無疑將繼續美國的軍事援助，特別是對西歐及越南等優先地區。同時，國會亦明瞭援助的總額，必須削減。將來不論有什麼有關於軍事經濟援助的問題提出，將必須具體說明理由，才能使國會接納。

問：在下屆國會中，外交政策是否將獲得國會的支持？

答：絕對如此。我已和艾森豪及杜勒斯談過，我知道他們都百分之百的贊成求共和民主兩黨在外交政策的合作。如國家在此緊急關頭，尚不能團結，而把國際關係作政治上的足球，則於國家[illegible]

心理戰計劃

[illegible]

西歐鬆弛整軍努力

李治威將軍雖一再警告，蘇聯進攻威脅絕未稍減，整軍不容鬆懈，但西歐盟國由於經濟困難的壓力，及部份政要認爲冷戰將長時期延續，熱戰危險暫時已告降低的理論，在最近巴黎會議中，終議決放棄已定整軍目標，及大量削減軍建費用；這無疑是自由世界擴建抗俄實力的一個挫折。

鳳儀譯

盟國一致支持越戰

在去年聖誕節的前一週，北大西洋公約組織的十四國外長，國防部長及財政部長在巴黎夏洛宮舉行的會議，其主要目的，是對一九五三年西方的軍費支出達成協議。辯論雖然激烈，但多數代表認爲對公約組織加以澈底檢討的時機已來臨。

法國在歐洲的實力，大部份受在越南的負担所影響，它要求各會員國承認公約組織對該區的利益，這得到各部長的同意。他們一致呼籲各會員國政府繼續支持法國在越南「英勇鬥爭」。到目前爲止，法國在越戰中化費的金錢，已達三十六億美元（美國對越戰的援助，約佔這總額的百分之三十四），與犧牲了大批年青軍官。在這次會議中，久被許多人認作殖民地的越南戰爭，終於被公約國家承認爲：對付共產主義的實力攷驗，其重要性僅次於韓戰。

英國主張放緩整軍

英國提出了一個更基本性的問題，即公約組織應準備對付長期的冷戰呢？（其理由是蘇聯進攻的危險已「略見降低和疏遠」，這理論甚至邱吉爾亦曾一再公開表示認可。）還是應該草擬計劃，準備應付熱戰？（在這種情形之下，戰地的一個師，應該可抵得過尙在計劃中的五個師。）公約組織的軍人，認爲這樣的論調，至少要在西歐已建立了最低限度的防務之後才談得到。但外交官却表示，他們贊成前者，因爲他們感到蘇聯的壓力業已逐步放鬆。經濟學者同意這種說法，同時他們也認爲歐洲的戰軍經濟情況已無法維持更迅速的整軍。

最後，外交官及經濟學者的意見成立了。代表美國的艾契遜在他最後一次重大國際會議中說：「我們必須做我們能力所及的，而不應做我們所希望要做的。」這四十二位部長雖沒公開承認，實際上却放棄了著名的去年二月里斯本會議中所訂定的目標。不再提及在一九五三年內建軍七十師的計劃，似乎把它當作一種「櫥窗裝飾品」，當時旨在促使美國國會迅速通過對歐軍援的。各部長且把公約組織軍人所緊急要求四億二千萬元軍事建設經費削減了半數。這經費的用途，原規定用於建造機場、雷達網及噴射機所需的輸油管等，如今經費激減，這些設備中無疑將有許多項目無法興建或完成。還有，各公約會員國雖然都預先同意增加它們一九五三年的軍事預算，但各部長却都避免訂定目標，以免將來無法達成時遭受指責。

李治威大爲失望

這些決議，雖然沒有一項表示北大西洋公約組織已告破損和實力大減，但對公約組織最高統帥李治威將軍來說，却使他大爲失望。在巴黎會議閉幕後第二天，他即在歐洲盟總幹部訓班的畢業典禮中說：「作爲一個負責的軍事指揮官，對於那種以爲潛在敵人不欲戰爭，並未準備戰爭，及不致發動戰爭的說法，我絕對反對，且認爲這是異常危險的。我也絕對反對所謂我們將從事長時期的冷戰，所以我們的計劃必須加以修改的觀念……我們決不能尋求種種藉口，以求鬆弛整軍努力，降低整軍速度，及表示消極……我在軍事上保衛北大西洋公約歐洲會員國的責任，並沒有某種規定，我並沒有接到命令，祗需要保衛某些部份的疆域或人民，我也沒有接到命令，我的責任要到某一個未來的日子才生效。今日我即負有保衛一切西歐盟國及人民的責任，這責任不容我『放鬆』。」

地中海指揮權獲解決

巴黎會議的另一決議，是以一種特殊方案，解決了二年來英美對地中海區盟軍指揮權的爭執。這解決辦法是折衷性的，英美將共同担負這區域的指揮權，受最高當局李治威統帥的節制。

美國仍保持其第六艦隊的指揮權，屬於干尼海軍上將。這支艦隊在地中海區是實力最強的，其主要責任是投擲原子彈及支持地面戰事。在另一方面，英國的勢力範圍，包括它本身的地中海艦隊，另加法國及義大利撥交大西洋公約組織的海軍部隊。

英國的地中海區統帥將是蒙巴頓海軍中將，英國王夫愛汀堡公爵之叔。他和干尼將軍，在李治威將軍之下地位相等，在戰時，他們將從事職責上的「協調」。何謂「協調」？公約組織祕書長伊斯美勳爵曾加以解釋說：「協調就是互相合作商討。」（取材十二月廿九日「時代週刊」）

美維持對俄關係的原因（中）

黃韜泉譯

隨時隨地有人「保護」

至於在烏克蘭首都的基輔，和白俄羅斯首都的明斯克，也拒絕外國人進去。這就是說聯合國的官員，沒有事先得到莫斯科的許可，也不能到這兩個會員國的首都去。蘇聯法律對於和外國人講話的俄國人也可能判死刑。如美國外交人員在莫斯科街上，向所認識的俄國人打招呼時，那些認識的人就會躱避無表示的趕快離去，僅有少數俄國公民才能與外國人保持一種極不自然而拘泥於形式的接觸。

此外，美國大使在莫斯科還有使人啼笑皆非的「特權」。無論白天或夜半，當他走出自己的住宅和大使館辦公室時，就會有四個祕密警察來「保護」他。他去踏百貨公司，他們也「保護」着他，他和家人舉行野餐，他們也在附近「陪伴」，有他們出現，自然別的俄國人就沒有勇氣和美大使談話了，這些人衆皆知的政府警察人員，暗地裏還有許多祕密警察在協助他們。凡是在莫斯科的美國人，就是在大使館任職最低的雇員，無論到甚麼地方，都有特務警察的影子。

美大使館的雇用人員，像低級的書記，花匠，挑夫和僕人等，其中蘇聯人有一百人，另有兩個中國人，他們通通都要在蘇聯外交部的人事處登記，並經他們同意才能在美使館工作。而且這些使館裏的雇用人員，都可能把使館的一切活動，按期向他們報告。

從去年五月初到九月底這段時間，肯南就是在這種空氣下工作，後來他赴倫敦參加美駐西歐外交使節會議，路經柏林發表他的對蘇觀感，蘇聯政府便要求華盛頓把他召回。肯南對於俄文造詣極深。他畢生研究蘇聯，而且被認爲是美國對蘇「圍堵」政策的起草人。

肯南在五月離美赴蘇就任時說，他希望說服蘇聯的領袖們，使他們和美國發生比較正常的關係。相反的，他在莫斯科時，蘇聯政府却正鼓勵「反美」運動。因此肯南描寫那種孤立情形簡直是其冷如冰。

俄大使在華盛頓

蘇聯大使在華盛頓，雖然也受到較冷的待遇，但却是他本國政府自己造成的。直到去年五月美國才限制外交人員在美國各地旅行。現在爲了報復蘇聯的限制，薛魯賓及其他蘇聯官員與通訊記者，未經國務院特許，不能在華盛頓和紐約二十五哩以外的地方旅行。但對於蘇聯衛星國的捷克和波蘭，却沒有這樣的限制。因爲捷克和波蘭，是准許美國外交官員在他們國境內旅行的，因此美國也讓他們到美國各地去。可是這些衛星國的外交人員，常常是蘇聯大使館的座上客。

華盛頓蘇使館主要部門的雇用人員，由大使到水手和擔任雜務的女工，都是蘇聯人。他們在華盛頓和紐約的其他機關，也雇用極少數的美國，但不能在他們使館主要部門工作人。

台灣電費加價問題

——民主政治的新考驗——

台灣通訊

台灣電力公司因擴充電力設備而呈准行政院加價一事，曾引起民意機關之非難，尙在依法審議中。將來如何定案，固不可知，然以此事頗爲社會所注意，特爲讀者述其經過焉。

台電公司過去因擴充設備，已發行公債九千餘萬元，由台灣銀行承購，迄今猶未淸償。上年九月間，又有擴建計畫，其經費預算亦在九千萬元以上，若再用舊法爲增加設備之經費來源，即無異使台幣發行額膨脹，自爲財經政策所不許，再四籌維，除加價一策外，別無他計，乃正式呈請行政院核示。政院接得公司加價呈文及所擬計劃後，認爲台灣電費原甚輕微，雖說增加百分之百（計電費百分之七十，其他法定附加百分之卅）仍未過重，而依照舊有「國營事業管理法」之規定，行政院有逕予核定之職權，僅於事後咨知立法院可矣。斯時院長陳辭修在烏來養病，院務由副院長張厲生代行，祕書長黃少谷以其爲增加民衆負担之舉，曾簽註意見，請交立法院審議，但張代座以有法令根據，不欲有所周折，逕予批准了。

按照公司所訂加價時期，本係自去年十一月起，然總經理朱一成於奉准加價之後，竟從十月份收起。加價既加到百分之百，收費又要多收一個月，因而更促發社會物議之朋興，立法院則根據「後法優於前法」之義（政府遷台後，曾新頒法令，凡屬增加人民負担之事，必須經過民意機關同意）提出異議，監察院亦對該公司總經理朱一成之作爲，深致不滿，擬予糾舉。適陳誠院長病痊消假，認爲此事應交民意機關核議，政府不宜固執成見，一場風波，乃告平息。

惟自立監兩院對台灣電力公司未經民意機關通過即先實行加價提出異議後，民間紛紛提供台電公司浪費情形，因以收得不少資料，足以解決擴建電力所需款項之大部份財源。民間所提供之資料中，如：（一）台電共有用戶五十二萬戶，每戶每年所用收據紙張等，竟列報廿七萬元之多。（二）台電只有工人三千人，而竟有職員二千二百人，員工比例之近，爲任何事業機關所無。（三）台電去年發生產獎勵金一千七百萬元，足見上年營業係有盈餘，並未虧損。（四）在行政院人事凍結命令之下，台電仍新增職員，並一一爲之購買住宅，添置家用設備。今年總預算雖已通過，但台電預算因牽涉加價問題，尙在立法院審議中。聞經過切實節約稽核後，在台電明年度預算中，可以節省出四五千萬元，則爲擴建設備所需之款項，已大半有着。不足之數，再用加價方式出之，亦僅須照台電所擬加價標準一半即可。立法院能代國家整頓國營事業，並代人民減輕負担，而無礙於台灣電業建設與工業計劃之進行，實爲深得人心之表現。有人向立法院建議：如不得已電費仍須酌量加價時，應對用戶另擊收據，日後可以此等收據彙集而掉換公司股票，作爲對台灣電業建設之投資，而非增加電熱電力使用者之負担。台電公司雖曰國營，本亦有商股，此議或可爲立法院所採取。據立院審議電價小組某召集人對記者表示，台電加價事可於最近完成審議手續，由院會正式決議通過云

天下小事

東德警察謀刺俄使

蘇俄駐東德大使西蒙卓諾夫最近幾乎送掉了性命。某一天，有兩個外表上看來像是電器工程師的德國人，將一顆小型炸彈偷偷帶入東柏林蘇俄新建的大使館，不幸在西蒙卓諾夫抵達前的十分鐘即已爆炸，重傷大使館職員兩人。據悉，刺客是東德人民警察總部中的兩位警員。事發後，蘇俄當局曾竭力隱瞞，不使消息外露。

俄共改組表面文章

據著名外交界人士的判斷，蘇俄眞正的大權現仍握在業已正式宣佈取消的俄共政治局的手上。新成立的主席團不過是名義上的統治機構而已。據西方所獲的情報說：前政治局委員現都成爲主席團內執行委員會的重要委員。在去冬舉行的莫斯科蘇維埃大會中，會場內所懸的像片，都是政治局委員們的老面孔。

季里諾亟謀連任

熟悉菲律賓內幕的人士說：季里諾總統擬繼續任總統的決心十分堅強，甚至可能採取劇烈的手段，以確保他能在今年秋間的大選中當選。這些人士承認，如果舉行公正而自由的選舉，菲律賓國民黨領袖勞萊爾當選的機會要比季里諾爲多。

美共放棄進步黨

雖然並不會公開通告或聲明，但美國共產黨已祕密地決定放棄他們的進步黨，原因是進步黨在去年十一月四日總統大選中的表現，太過分貧弱了。今後美共將仍以紐約的美國勞工黨，和加州的獨立進步黨作爲他們的對外活動的幌子，但所有的美共「同志」都已奉到指示，試圖滲入民主黨各地方黨部，各重要工業區的民主黨黨部，尤是美共試圖滲入的目標。

布魯斯可能留任

如果杜爾斯挽留現任副國務卿布魯斯繼續留任若干時日，這並不是件令人驚異的事。布魯斯雖是一位民主黨員，但和杜爾斯之間相處得很好，而且杜爾斯初入國務院，很多地方，都須借重布魯斯的熟練。依照杜爾斯的打算，將來的副國務卿，他擬邀請一位職業外交家担任。（孟衡）

法律蕩然·流寇行徑
中共司法界一片混沌

由於中共在「司法整肅」運動中只知一味反對「舊法」，而又自己無從訂出一部起碼可用的「新法」，致使他們的司法工作，一時弄得六神無主！雖然他們後來因而曾以「階級觀點」四個大字去訓示他們的司法幹部作爲「放之四海而皆準」的要訣而意圖填補此一缺憾，但由於這些共幹們的幼稚無知，意氣驕橫，這四個字便剛好作了他們各寫文章，各行其是的符咒；眞是生殺予奪，隨心所欲！結果：不是造成寃獄，便是逼死人命；怪誕矛盾，一片混亂！

這裏，我們舉出幾個例子：——

逼死民兵隊長

據上月三日光明日報所載：河北正定縣小集鎮有個村長於某夜失掉了一頭耕牛，他疑心夜間巡邏的民兵隊長金柏松有問題，跑去縣「人民法院」告了他一狀，院長認爲金柏松並無黨團關係，正好站在「階級立場」來一次「公事公辦」給人民看看榜樣，於是即將金柏松扣了起來，結果：一問，二逼，三打了，金柏松便在獄中自殺，但不久已去關外參了軍的金的兒子知道了而告到了保定區「人民法院」，區「人民法院」却認爲金既當了民兵隊長，兒子又是「革命軍人」，便不應該像普通犯人一樣逼供、重辦。他們認爲縣「人民法院」失了「立場」。然而不管是誰掌住了立場，而金柏松究竟是否竊犯，始終是一個謎，人却已經死了！

是地主不是地主

據十一月廿三日長江日報所載：河南陳留縣有個游民朱格賢因態度積極而被提拔當了火眼鄉鄉長，又爲了急於表功而拚命「鬥爭」逼死了農民楊本智，後來縣「人民法院」，認爲楊本智只有五十畝田，而且人頗忠厚，毫無政治色彩而不算地主，即將朱格賢關起來判了罪，倒也大快人心！但後來案子翻到他省「人民法院」，他們却認爲有五十畝田，不管怎麼樣終是地主，朱格賢逼死地主不算罪，爲了鼓勵「階級觀點」，朱格賢不但釋了罪，而且還受了獎。然而不管楊本智是不是地主，人亦已經死了！

算反動不算反動

據上月七日上海解放日報所載：浙江於潛縣溪窰家村有個寡婦潘香球，在「土改」時被領導窰村「土改」的區幹部歐梅驁（區委書記孔滿的妻子）認爲她丈夫從前當過兵，雖在抗日戰爭中殉了職，却算他有「反動」成份而不分土地給她，她乃背着兒子跟歐梅驁及另一區幹王榮星死纏，結果被吊了起來打一頓後推出了區公所，兒子當場受驚得病，次日即死！，她乃背了死尸到縣里告訴，這一告，告出了原來歐梅驁還是地主出身，縣「人民法院」認爲潘香球的丈夫早死，她已沒有「反動」成份，而歐梅驁出身地主，認爲區政府失了立場，於是便支持了潘香球的控訴。但現在案子一鬧已鬧到了省「人民法院」，到省「人民法院」却又認爲潘香球有一點「反動」成份，尤其背屍告狀，實有刺激人心之嫌，而歐梅驁雖屬出身地主，因早已參加「革命」，已滌除了「反動」成份。然而不管誰算「反動」，誰不算「反動」，死的固已死了，活着的也還沒有搞得清楚！

向省告狀縣裏不滿

據上月三日上海解放日報所載：浙江蕭山戴村有個造紙工人顧伯賢，因天旱地揭發村長與區幹的貪污、剝削、案子被擱山縣「人民法院」不痛不癢地敷衍了一下，表示不服，向省院告，省院即批飭縣院再重審重判，縣里却不滿顧的大胆向省告狀，乃反告了些罪證判了他的罪！現在雖被省里知道了而在翻案大鬧，但還沒有結果。

諸如此類例子，現在大陸各報所能看到的極爲衆多，實在不勝枚舉，但舉一反三，大家便可想而知現在中共對於司法工作的混亂程度了。

總之，中共既無所謂「法」，更無所謂「是非」，他們只有一個「階級觀點」，這個「階級觀點」，却又是那麼玄虛而混雜！那有不一團糟的道理？（沈譽）

衡陽魔影幢幢

「縣長」遇伏重傷

僞「縣長」趙企賢於十一月六日，率幹部衛兵共九人，同乘中型吉普車一輛，循衡寶公路赴元貞、仁義、仁化等鄉「視察」，事先爲我方地工人員偵悉，遂及時通知某地游擊隊作伏殺之準備，當該車駛抵英陂附近時，即遭預伏之游擊隊以機槍密集射擊，司機雖加足馬力，終無法衝出火網，結果，趙及幹部三人重傷，餘均當堂斃命，駐西渡（距英陂二十華里）之僞五區「區政府」聞訊，即派「公安隊」馳至出事地點，游擊隊早已遠颺，惟當地「民兵隊長」萬忠平及農民毛蓮先等二十餘人，被拘往「區府」解縣審訊。

市民人人盼大戰

僞加緊「抗美援朝」的戰爭氣氛，十一月二十日，衡市街頭巷尾，貼出了僞「軍管會」和僞「公安局」會銜發出的佈告，以「美帝反和平的行爲，日趨顯明，爲預防敵機挑釁，希望市民提高警覺。」幷訂定空襲時市民應注意事項十二點，特別強調如違背規定事項，概以「反革命」論罪，大家看了這佈告，個個都喜在心頭，懷着「三次大戰快要爆發」的會心滿足。

時事測驗滿紙笑話

僞「省黨委會」爲着要通過報紙以加強對人民和黨員幹部的思想控制，幷打開報紙的銷路，特通令各縣市「黨委會」，向所在地各機關進行「檢查讀報」和「時事測驗」兩項工作。在衡陽已於十一月底宣告完成，據「衡陽新聞」透露，「市政府」所屬各單位（包括六個「區政府」）共訂各種報紙四百三十七份，有閱報能力的幹部共一千六百六十三人，隨便看看標題的五百三十四人，能夠經常認眞閱讀的僅三百七十七人，各單位中以「工商局」最壞，二百一十五人中，經常認眞讀報的僅十九人。又各單位參加「時事測驗」的共一千人，（包括各中小學教員）及格的僅五百九十四人，而測驗中所得的解答，更中共拚命炫耀爲一九五二年「最大成就」的所謂「亞洲太平洋區和平會議」，竟有很多人不知道是怎樣一回事。最令人捧腹的，在答「蘇聯代表馬立克爲什麼要求美帝在朝鮮戰場停火」一試題時，有四[illegible]答爲「因中[illegible]兄弟死人太多」，[illegible]有七百四十一人答爲「怕美帝使用原子彈[illegible]北」，[illegible]主委」認爲這[illegible]幹部患有嚴重的[illegible]恐美病[illegible]不敢出[illegible]報[illegible]政治水準太低的問題，實在是一個嚴重的問題，[illegible]「革命」前途很大，故決定從明年元月起，各機關如再有不認眞看報和時事測驗不及格的幹部，將要予以懲罰（以弭赤禍）。

活躍熱河邊境的反共武裝（中）

漢蒙反共復國軍

乘機起義避入深山

去年一月間，王部奉命編入共匪第二機兵團，暫一四五師爲騎兵大隊。開赴安東補充匪軍由韓戰打垮下來的部隊。此時全體官兵反對情緒沸騰：誰願替大鼻子當砲灰，誰願幫別人打仗，的聲浪充溢着整個部隊。雖然共匪的政治人員，在部隊中盡量欺騙解釋：「抗美援朝是保家衛國呀！我們如不去打美帝，美帝便要來打我們呀！北韓是我們的兄弟之邦呀……」等好聽的詞句來給官兵們打氣。但，有什麼用。官兵們自己都很知道：誰在侵略我們的國？誰在破壞我們的家？「美帝」如果會打中國，他們從前駐在中國爲什麼還會撤退？北韓是兄弟之邦，南韓又與我們有什麼深仇？

共匪當局對這支不甚馴帶的隊伍，很傷腦筋。所以決定趕快把它拿在韓戰場上去送掉；既可用與「美帝」拚一傢伙，又可除掉未來心腹之患，「一石二鳥」的算盤，共匪是打得很如意的。

一月二十二日，王部奉命由赤峯出發，準備到朝陽向一四五師報到後，隨同乘車赴安東。

當赤峯人民及各機關，敲着鑼鼓，扭着秧歌，歡送這支將赴戰場隊伍的時候，父母妻子們，滿眶盈溢着不敢流出的淚水，眼望着他（她）們的兒子和丈夫，在塵土飛揚中遠去。官兵們憤怒的火燄，直燃上了髮尖。

一月二十四日黃昏，軍行至離赤峯百餘里的乃林宿營，一顆憤怒的炸彈爆烈了。當時殺掉共匪派在該部的政治人員十七名，並乃林的區長，區委等匪幹四人。當即宣佈起義。該地人民及民兵立即參加者二十餘人。王於起義後，迅率所部連夜奔赴赤峯寧城間之五虎山，九雞峯一帶，憑藉山形險隘，以備匪軍來攻。

自王部舉義後，共匪對這一隊毅的嚴重事件，極爲震驚。一四五師雖仍是開赴安東去了，而駐在平泉，林源一帶整訓的暫一四六師，便接奉專一追勦王部的任務。在兵力比較上，王部與之相差十倍。但王部激着人民之同情與合作，子弟兵之英勇強悍，山形險峻，地理熟悉……等優越條件。兩年來，與匪軍運用着「捉迷藏」式的戰術，使匪軍疲於奔命，王部也就在艱苦奮鬥中保存下來。

人馬日益壯強

去年五月，王部向匪之北票煤礦襲擊時，蒙古王爺沁布多爾吉，（當時沁爲共匪北票蒙旗政府主席），號召所部當場起義。煤礦工人參加者二百餘人，民兵自衛隊攜械投降者亦甚衆。當將北票煤礦之兩個礦井中，洗煤樓，煉焦廠等炸毀，經激戰鬥後，開赴北票埠新開之蒙古營子，

去年五月二十日，王沁兩部合編，成立「漢蒙反共復國軍」，王擁沁爲司令，王自任第一副司令兼第一支隊長，鮑爲第三副司令兼第二支隊長，欒爲第三支隊長。

此後，這支部隊更壯大了，由原來王的七百餘人，一變而爲一千四百餘人，馬六百餘匹，步槍八百餘枝，六〇迫砲兩門，重機槍四挺，輕機槍十三挺。

還有值得一提的是，當沁部在北票起義時，北票煤礦醫院的兩個日籍醫生亦自願地參加了這支中國人民自發的反共武裝行列，其一爲狄橋俊一（男），一爲伊籐辛代（女），還有一個中國醫生吳爾昌，並攜來若干貴重藥器材。從此這支部隊的醫藥問題有了辦法。

部隊在蒙古營子連整編就緒，正殺豬宰牛慶祝成立紀念，和慶祝出擊北票勝利的時候，匪軍一四六師兩個團追來了，由於他們情報靈通，當匪軍尚離五十餘里，他們就繞道逃跑，經海州，清河門，九關台門，繞在敵後，在金嶺寺一場激戰，全數殲滅該處匪守軍一個連，幷炸毀錦古路上一座最大的橋樑——金嶺寺大橋。

去年八月，當他們駐華子星濤的時候，有匪軍一四六師之軍事教員，熊守金，蔣榮生，韓國柱等三人脫離匪軍前來參加。此三人均係匪「軍政大學」畢業生，對匪之一切極爲稔熟，尤以毛澤東怎樣以游擊起家的一套，更自諳練。沁部自得此三人後，無異當年劉備之得孔明，無論是在軍事，政治各方面都有極新的表現。

軍事方面，他們學會了：敵進我退，敵退我追，敵住我擾，敵疲我打，先行孤立分散之敵，後打集中強大之敵，圍城打援，以大吃小，一點兩面，什麼人打什麼仗，什麼地點打什麼仗，什麼槍打什麼仗……這些毛澤東的「板眼」他們都全會。（劉佚）

鉄幕叢談

「主人」皆是賊

共產仁兄們常天經地義的標榜着「工人階級專政」，說工人即是「國家的主人」，「各級領導幹部」，和黨員只不過是「爲人民服務」的「國家的僕人」而已。但事實上這些「僕人」們實在不客氣得很，不盡喧賓奪主，而且還將這些「主人」視同竊賊，日夜提防，頗不放心！

從上月六日北平人民日報上看，現在共產黨各公司、礦場、工廠、倉庫等處，都有一個變相的「搜腰」制度；工人進出，都要經過警衛人員嚴格的搜查，以防偸竊。其中尤其是糧庫的搬運工人，據該報所載，說工人們常常看到破爛的麻袋將米糟塌一地，很覺可惜，大家便於上工時帶些紙頭以便塞漏，但糧倉幹部却認爲工人都有偸米的嫌疑而下了禁帶紙頭進倉的命令。因此，他們認承說工人們對於熱心反被侮辱的情形，引爲非常傷心云云。

文物都遭殃

現在大陸一般地方共幹，由於曲解了中共篡改歷史的用意，認爲歷史既篡改，文物古蹟自應予以摧毀，於是便到處破壞名勝古蹟。遠者不說！近者如湖北黃鶴樓，四川雙林寺，杭州柳浪聞鶯，都已遭到破毀。據最近長江、新華、解放等報所載，說黃鶴樓上已攝敗不堪，不忍憑吊。樓下則已充作馬廄，糞氣沖天！說雙林寺已被共幹串同木商拆售，變成瓦礫！說柳浪聞鶯爲改建房舍，已面目全非！

現在，中共雖已發覺錯誤而有所制止，但爲時已晚，算來全國名勝古跡之已遭摧毀者，當已不會少於百分之五十了！

新年奇聞

尚方

今年元旦，大早起來看報，最具刺激性的消息，莫過於由菲律賓逃亡的一個共諜洪細鈎在空中劫飛機這件事，其經過的驚險情節，有如電影鏡頭，可稱爲一九五三年的第一大新聞了。

據菲律賓官方指出；這個劫機殺人的共諜，是在馬尼剌犯罪纍纍，早經通緝在案，然竟能安然懷持武器，乘坐飛機款段離境。若非遇着中國空軍搭救，還得贈送一架飛機給他作禮物，這却不能不說是怪事了！一個屢次犯案的共諜，在軍警嚴厲搜捕共黨份子的環境中，乃讓其漏網，已可怪；逃犯能從容坐飛機而走，更可怪；飛機乘客可以攜帶手槍兩支而沒人檢查出來，尤覺怪之又怪！

遞這項傳奇式的共諜劫機事件來觀察，我對菲律賓的勦共工作，似乎不敢樂觀，而對當地文武公務人員的服務精神與行政效率，尤其不敢領教。假使有一百個類似洪細鈎這樣角色的共諜，潛入菲島各重要都市內，從事搗亂，我很懷疑當地政府是否將口噤目呆，束手無策？聽說菲政府正要求引渡該犯歸案究處，我看還是派員來台灣會辦法辦的好。如果引渡，萬一又讓其越獄逃走，再行持槍作亂，豈不大糟其糕！

世人對台灣嚴厲防諜的措施，每多指摘，看了這幕「空中霸王」劫機的慘劇後，試問於意云何呢？

自由談

「英雄」的「榮哀」

·黃汎·

吳阿三是愈來愈「得意」了，鄰里的人誰敢不「欽敬」他三分。

鄰里的人「欽敬」吳阿三，倒並不是因爲他家門口掛有那塊「××英雄」的朱漆木牌惹人耳目，而是大家看到吳阿三居然也穿起「列寧裝」來了。「列寧裝」這種「新中國」的洋服，與「舊社會」代表「資產階級」的西裝，固是有着「前進」與「反動」的根本差異，即是跟「解放裝」也是有着「本質」上的差別的；據說穿「列寧裝」的人物，多半是去過「新耶路撒冷」或是「思想激底搞通」了的；再不然，至少也該是「毛主席」以下什麼部長委員之流，才能「榮襲聖服」。然而吳阿三既不是曾經萬里「朝聖」的「信徒」，也不是精通「唯物辯證」或懂得「國際主義」意境的「前進份子」，更不是什麼「革命元勛」的「大人物」，僅僅不過是沾了點「半無產階級」的餘蔭，竟也大模大樣穿起大反領的「老大哥」服裝來了，這是鄰里的人都引爲之詫異不置，而吳阿三却頗引爲自豪的，難怪他是愈加喜形於色，「得意」非凡了。

吳阿三的「平步青雲」，固然有賴於他本身具備先天的「階級意識」，以及歷來積極的「工作表現」，但是多半還是靠「區委」「幫助」他「搞通思想」才能有今天的成就，因此，吳阿三「飲水思源」就常常這樣說：「毛主席的恩情是偉說不完的呢！」

吳阿三自小幫人種田，廿五歲後才做佃農，他那時只是滿心巴望能從佃農「爬」上來，將來可以「勤儉興家」。這種「封建思想」，在共產黨來了後，當然被完全打倒了，而在共產黨的啓示下，他漸漸了解要「興家」原可不需「勤儉」就可「翻身」的；他又漸漸領悟該怎樣「仇恨」別人，所謂「有仇報仇，有怨報怨。」就是「毛主席」最有名的「革命箴言」。吳阿三起先對於「仇恨」與「革命」的關係本不甚了然，他想一定是有什麼「不共戴天」殺父之仇，或是被人霸佔土地財產的怨恨，才能算是「報復」的對象，然而「布爾什維克」的「聖經」上這樣說：「無產階級」的眞正敵人應該是透過「階級意識」……也就是要向那些有好衣穿，有好房住，有田出租的「布爾喬亞」展開「清算」，「鬥爭」，這層道理，吳阿三起先很不容易理會，但有一樁事實，使他深受「誘惑感動」的，那就是大凡一個「敵人」被鬥倒了，大家「論功行賞」就可以多多少少分點「果實」。過來，這種「仁政」是最使他嚮往而相信「人民政府」的確是「爲人民服務」的，例如：他以前有一個時期羨慕吳大成家裏的絲棉被，常常想：「假如自己那一天有這麼床絲棉被，該多麼舒服呢！又輕又軟又暖和。」這個宿願在上半年「區政府」發動「鬥爭」吳大成「惡霸大會」時，就使他完全如願以償了，那次的鬥爭會，「區委」特別稱讚他的「立場」穩定，說他提得出「窮追猛打」的問題，重重地擊中了「敵人」的要害，使吳大成「死而無怨」，於是當場就將那堆「果實」裏的大絲棉被賜給了他，這件事足足使他興奮了三天，因此他常常勉勵自己，假如能再兇狠點，那麼吳升泰的金漆大櫥、朱阿旺的雕花大床、八仙桌、籐椅、涼床……還有徐德成那老頭兒的小老婆，白白胖胖的豈不是都……吳阿三想到這裏，包藏不住心頭的愉快，不覺裂開黃牙，得意地哈哈大笑起來。

過不幾天，鎮上召開「鬥爭大會」了，吳阿三當然特別興奮，而「鬥爭」的對象却正是他垂涎已久那個白白胖胖女人的丈夫徐德成，這當然是尤其使他特別感到興奮的，然而他有點躭心，因爲朱麻子最近向他「看齊」得很緊，「區委」近來也常常稱讚他，自己如果不表現得特別出色，未必就能「獨佔鰲」，如果這次鬥不住朱麻子，那末他先前所搶的「果實」一股腦兒加起來，也萬萬抵不上一個白白胖胖的……他這樣想，是既心急又巴望，既興奮又顧慮。

這次的「鬥爭會」，情況比以前是確乎熱鬧得多了，未開會前一大堆鄉人先「圍」住堆放在地上的「果實」嘰嘰咕咕地品評個不休，吳阿三則到處打聽那個小女人的消息，會場是嘈雜成一片。

開會時，徐德成跪在台子中央，按照向例這次也仍然由一個個訓練有素的「積極份子」先「控訴」了一番，而吳阿三的「控訴」，因爲「胸有成竹」，所以特別來得生動：

『你！徐德成！該殺的徐德成，你剝削……你不勞動……你頑固……你反動，……』

吳阿三說得口沫四飛，博得了不少的機械式的掌聲，他「控訴」後，得意的步下了台，他想朱麻子是絕不會比自己再精彩了的，然而接下去朱麻子也不甘示弱的來了一套：

『你！徐德成！該槍斃的徐德成！你剝削……』

『他媽的，自己想不出東西，光跟人學，撈摸！』吳阿三等不及聽完朱麻子的「控訴」，十分重視的嚷了一口沫，心裏的話，不經冲口而出。

事後，「區委」做了個結論，認爲他們兩人都好，都十足發揮了「階級鬥爭」的「革命意識」。在徐德成拉出去處決了後，「區委」又把他們兩人叫去，並肩而面對群眾，接着「區委」作了一篇莊嚴而慎重的演說：

『吳阿三，朱興發，都是我們區裏最堅決最勇敢的鬥士，他們反霸反封建的精神，大家應該向他們二人「學習」……現在國家正需要他們這樣英勇的鬥士，我以地方「黨代表」的地位，鄭重地介紹他們二人爲「抗美援朝」的「保家衛國」的戰士，大家贊成不贊成？』

「區委」演詞未完，台下早已如山洪爆發，響起了一片「好！」「贊成！」「擁護吳阿三朱興發參軍！」吳阿三與朱興發好像兩具石像，一股歡懷，早已[illegible]上彷彿一桶醍醐，澆在朵朵的心坎上……先前的冰霜，再也出不了句話，只是臉上仍得裝出勉強的微笑，誠惶誠恐地接受「榮衰」的歡呼。

光緒之四（上）

狷士

光緒既被幽禁，西后餘怒未息，必欲行廢立之事。八月十三日傳諭。「皇帝患病甚重，命各省督撫延訪名醫，入京診治」，又僞託光緒口吻，頒發明詔云：「本年四月以來，朕躬一病再病，將愈未愈，深受慈恩，未克負荷。」藉爲異日遜位張本。讀黃公度詩「九鼎齊鳴雞雉雊，千金懸格購龍髓！」與「怨傳有疾詔，遍求千金方。……瀛台百尺高，遠隔海中央，齊東野人語，傳說多荒唐。賊相與醫師，髮短心甚長。欲滌前星，高置宮中勞。」可見當日人心惶惑之一斑。實則光緒自四月以至八月，視事臨軒，未嘗一日間斷，人所共聞。西后欲以一手掩盡天下耳目，逐日僞造脈案藥方，傳示各衙門，以明光緒疾篤之非虛。梁啓超謂西后佈光緒病重之謠，其用意欲施酖毒，當非苛論。故候選知府經元善與旅滬紳商聯名電請「保護聖躬」。新嘉坡華僑邱菽園（煒萲）等五百餘人，亦電請聖安，皆有爲而發，非無的放矢也。

戊戌政變記云：「初六日垂簾之詔既下，初七日，有英國某教士向一內務府御膳茶房某員詢問：「皇上聖躬安否？」某員言「皇上已患失心瘋病，屢欲向外逃走。」蓋皇上自恐不免，因思脫虎口也。……當皇上之欲外逃也。聞有內監六人導之行，至是，將六監擒獲，於十三日與六烈士，同遇斬。」又「九月初二日，皇上在瀛台微行，已至某門，經太監蘇拉等跪阻，仍還瀛台。次日，西后命將瀛台之板橋拆去。」崇陵傳信錄云：「還上於南海瀛台，三面皆水，隆冬冰堅結，傳聞上常攜小奄踏冰出，爲門者所阻，於是有傳匠鑿冰之舉。」可見光緒雖監守瀛台，形同俘虜，不甘屈服，猶欲鴻飛也。不意因此兩事，閱傳於外，而武昌遂發生僞皇帝之案，先是湖北蘄州城內有一旅舍，某日忽來一口操京音之少年投宿，雍容華貴，舉止不凡，是夕，州官至旅舍查夜，覩狀疑，還告，遞之至署，詢所從來，其人曰「送我至武昌晤張之洞。」州官訝其言，姑如其意，伴之晉省，之洞親加鞫訊，其人自承爲光緒，之洞察其狀貌，彷彿似之，特以事前初無音耗，突如其來，疑莫能決，正躊躇間，武昌知府陳某晉謁，請間，堅謂是人斷非光緒，之洞立傳命提訊，其人供認如前。詢以大內瑣事，亦復洞悉原委。問何以出京，則自言「失歡母后，不得已出奔避禍，至是，陳本旁坐觀審，突自後握其人髮辮，用力曳之倒地，厲聲曰「何處刁奴，大膽乃爾，孰爲主使，敢作作此滅門事乎」？其人出不意，聞言色變，之洞遂決其作僞，拍案命用刑，其人大懼，始實供「爲京師某親王乳媼之子，故敢設計出京冒名詐騙。」之洞不欲興大獄，乃杖斃之。

啟事

左舜生先生病，本期半週展望及萬竹樓隨筆均暫停。

中國之友（四八）

毛以亨

赫德傳（廿八）

俄使故表好意于中國，謂使館之圍已解，外兵可退，俄兵將先退，各國知俄軍已占東三省南部，故均不理。惟德爲聯軍盟主派英助之，在一九〇〇年十月十六日和會開會以前四日，英德協定簽字，內容爲：一，通商口岸仍舊開放，使各國機會均等；二，兩國不求土地擴展，而維中國領土的完整；三，如第三國藉此機會獲取領土，兩國須協商，訂立對付方法。奧意日亦同意於原則，故予發表以促俄國考慮。俄謂他可自南滿撤兵，但須派兵護路。

時赫德已六十五歲，在中國服務逾四十年。他被釋放時道，「援兵八月十四到達，我們被釋了。清室不知逃往何處，各國使館與中國政府失去聯絡，幸而我還能找到幾個大官來商量，英使館是知情的。我明日復職，能幹多久就一直幹下去。」慶親王于九月三日回京，翌日赫德帶其見各國公吏，中國官吏欲使慶王攝政，但他依我勸告請皇帝回京。赫德仍留京協助一切而命其副總稅務司 Bredor 赴滬設分署，直至一九〇四年毀撤。

八月廿四，李鴻章又奉上諭與慶親王全權辦理交涉，但李已爲俄所利用，各國並不歡迎，七月李又被命爲北洋大臣，逗留滬上多時，九月二十日至津。十月十五與慶王提出談判條件：一，中國承認違反國際法；二，中國願盡力賠償；三，與各國修約；四，總理衙門全權須歸還中國；五，交涉開始即停戰。但當時各國已一致對付俄，乃不與李慶二人交涉，而外兵不撤。德國重兵已到，乃主先懲凶再開議，九月廿五日上諭，莊怡二王革職，其餘各人亦擊辦。英公使麥多納要求外交團會議，照會慶王，請兩宮回鑾，十月五日法使先發表其預提要求：一，戰犯須懲戒；二，對各國及私人的款賠須有適當數目；三，使館派兵守衞；四，大沽砲台須毀，京沽沿途須有外兵駐守。但延擱至十二月中旬，共同要求尚未能提出。

時俄人已于九月佔牛莊遼陽安山，並據營口海關，收其稅以爲其佔領軍之行政費。欲佔山海關，未果，因英軍已于一小時前先在，乃佔山海關至天津之鐵路，直至一九〇一年二月始退，俄軍又佔東岸車站一千英畝之地爲俄界，將車站亦包括在內，引起各國不滿。然英德對中國的態度極不好，朝野都提起瓜分，赫德寫了幾篇爲中國宣傳的文章，當時歐洲人都對之不滿，而現在預言却多中了。這些文章彙訂成書名爲 These From The Land of Sinim稱義和團爲愛國運動，計有五篇：

一、中國武裝起來即成大國。

二、修訂商約須徵詢地方官意見。

三、現在解決糾紛而不甚于報仇心理，必得到中國人的感謝。

四、指出中國病狀，而與以處方：應取消領事裁判權，放棄齷齪的特權；中外須在平等基礎上，不可使中國屈服。

本報各版歡迎投稿

中華民國僑務委員會頒發登記證台僑新字第壹零貳號

自由人

THE FREEMAN
（半週刊每星期三六出版）
（第一九三期）
每份港幣壹毫
督印人：李光華
社址
香港高士打道六六號
電話：二○八四八
GLOUCESTER RD.
HONG KONG
TEL: 20848
承印者：東南印務出版社
地　址：高士打道六十四號
台灣特派員辦事處
台北市館前街五十號
台灣總經銷處
台北中華路新號五九四之一
台灣郵政劃撥儲金帳號
九二五二號

國軍赴韓問題

·陳克文·

美國新選總統艾克從南韓返美後，使用臺灣國軍到韓參戰的討論，忽又熱鬧起來。現時每日報章，幾乎都有關於此事的記載。

美國方面，很多人作此主張。南韓總統李承晚，卻明白表示，不歡迎國軍入韓。英國和其他參加韓戰國家，尙未作若何表示。英國看來，是始終不會同意的。我國外長葉公超到美之初，雖曾說過，三萬五千人國軍入韓的舊諾言，依然有効。但目前，臺灣方面，似乎並不熱心。到底國軍現在應不應入韓？如果聯合國真的通知入韓，要不要實踐諾言？這些問題，都和自由中國前途和亞洲反共抗俄前途有關，應加審愼考慮。

美國民意趨向

半年前，或者更早一點，美國民意測驗，幾乎百分之八十的受測者，都主張使用國軍參加韓戰。艾克提出「亞洲人對付亞洲人」後，這種主張，恐怕只有增加，不會減少。這種主張的中心，在從速打破韓戰僵局。李承晚的反對，沒有明白說出理由，也許怕會把中國的內戰帶到韓國來，也許怕因此增加韓戰的複雜。英國是一向反對韓戰擴大，主張重歐輕亞的，以爲國軍赴韓將引起三次大戰，影響歐洲防務。其他參戰國也有同樣顧慮，不肯輕易表示態度。站在自由中國的立場，當甚麼也會忽然遲疑起來？自然也不是沒有理由的。一個美國新聞記者，到過遠東各國實地考察之後，對於這一點，曾有如下意見：

「我們如果把台灣國軍，當作傭兵使用，讓了我們的困難（韓戰）解決後，他們的問題（收復大陸），如果還沒着落，這是不道德的。我懷疑，他們願意在這樣的情況下作戰。這樣，我們將放棄在亞洲的道德地位，永被詛咒。我們不願爲自己的目的，利用亞洲人作工具。而否認他們的合法目的……」

這段話，純從兩國目前利害不一致着眼，忽視遠大的共同利害，原不十分可取。但他說出台灣國軍有一個重大的任務，不願因爲應付目前的韓戰困難，輕易使用，卻是十分正確的。

韓戰情勢的轉變

韓戰初起，我們因爲是聯合國的一員，聯合國在韓的反侵略行動，衷心贊成，願意出兵，不僅表示擁護聯合國憲章，也是盡我們國際的責任，義無反顧的。不過當時在杜魯門中立台灣政策之下，國軍赴韓，也就作罷了。

韓戰演變到今，情勢已和當日大不相同。現在已成爲不許戰勝，又不許戰敗的僵持局面。國軍此時赴韓，如果僅限三萬五千人，雖和其他象徵的參戰國家有別，到底不足以使韓國戰局發生重大變化，在美現行政策之下，也不能有重大變化。除了獲得實地作戰經驗，和替代美國兵力之一部份外，再沒有其他意義了。並且這三萬五千人赴韓之後，勢須補充，或輪調，這又將影響台灣的防守力量。削弱台灣防守力量，不僅是台灣本身的安全問題，而是整個亞洲反共抗俄陣線問題。因此，國軍目前赴韓，於韓局無補，於反攻大陸，解放赤色中國之任務乃大有損害。

韓戰演變至今，已經不是杜魯門的防堵政策所能結束得了的。艾克的亞洲政策，如果可以從「亞洲人應付亞洲人」，和「解放鐵幕內國家」這句話表示[illegible]，已顯示解決韓局的新辦法，和杜魯門時代大不相同了。我們可以說，韓戰已成爲整個亞洲反共抗俄運動之一環，決不是單獨可以得到解決的問題。李承晚總統以爲現時韓國的聯合國力量，或南韓本身的力量，可以推進鴨綠江，結束韓戰，完成韓國的統一獨立，這未免過於簡單樂觀，也未免過於自私了。

解放赤色中國，乃解放鐵幕內國家的第一步工作，也就是亞洲反共抗俄的基本工作。這便是台灣國軍的惟一任務，如果忽略此一任務，枝枝節節消耗力量，實爲自由世界的莫大錯誤，正是共產黨求之不得的。

美對反攻大陸的看法

[illegible]

……命軍可以從中國南部，一直向北進展，短短兩三年之內，使完……[illegible]

成功的希望甚微。還是杜魯門時代的法，和「解放鐵幕國家」的政策是不符的。蘇俄現在強調的和平攻勢，也是一時的，也許永遠的。這並不表示俄沒有積極推行征……[illegible]

美共勢力實況

周明譯

美當局對國內共產威脅的警惕，近已日見提高，國會議員正加緊進行調查政府及聯合國機構中的共黨份子，在這種情形之下，美共表面上雖遭嚴重打擊，勢力大減，但它的地下活動卻祇有更爲激烈；聯邦調查局長胡佛最近的警告，已引起人民對這方面的注意。

反共戰鬥的成就

在一九四八年當章布勒開始公開披露美共的活動情形，使國務院軍要職員希斯以假誓罪入獄時，他便將他的證詞稱作「一個作戰的行動」。其實，美國共產黨自一九一九年成立以來，便一直在和美國作戰，美國政府且容許其滋長，對它的陰謀與滲入工作，似乎視若無睹，尤其從一九三三年到第二次大戰結束，它甚至還受到縱容與鼓勵。不過，從一九四八年以來，美國政府便積極注意它的活動，而設法加以遏止，但在民主制度下，這種對抗共黨的戰鬥是緩慢而需要極大忍耐的，每一個行動必須經過合法的手續。到目前爲止，這個戰鬥已有了些什麼成就呢？

從表面看來，美國目前的情況，已是它三十年黨史上最惡劣的，下述數項，事實，即是顯明的例證：

一、實際上，美共公開的領導階層，幾乎每個人都已和法律發生麻煩。十二人全國委員會中，已有十一名委員已在一九四九年經過冗長的審訊，以陰謀顚覆美政府罪名判刑。在這十一人中，八人仍在獄，其餘三人則已乘保潛逃，至今仍爲逃犯。美共名義上的首領福斯特已遭起訴。去年美共的二級重要份子，有二十人被提出公訴，其中十三人現在還在紐約受審。自一九四八年以來，一起已有八十五名共黨要員在史密斯法案下被起訴，八十八名外國籍共黨被驅逐出境。

二、公開的黨員總數，目前已降至不足二萬人，而在一九三八年，則有九萬人（包括共產青年團在內），一九五○年亦有五萬四千名左右。

三、財政拮据。美共機關報「工人日報」久已發生經濟困難，上月曾發出聲嘶力竭的呼籲，進行募款及徵求訂戶。協助供給該黨經費的一個保險公司，現已停閉。

四、一百五十個美共外圍機構已被政府列爲顚覆性組織而失卻其效用。

五、在十年前，美共曾大規模滲入代表全國百分之二十有組織勞工的職工會，到現在，共黨勢力較強大的，已祇有代表百分之二有組織工人的工會，不過這些工會中，有些相當重要。

六、共黨的秘密組織也遭遇嚴重打擊，希斯、艾爾特、葛林杜格拉斯及羅森堡夫婦的判罪，已破壞了共黨的間諜活動，雖然現在還無法得知共黨的間諜組織基礎，已被摧毀。

秘密組織受嚴重的打擊

美國共產黨一直是包裹着濃厚的陰謀氣氛，不過從一九四八年以來，它已被迫採取守勢，關於黨員名單的檔案已不許保留，最近四年來從沒有發過黨證，黨的紀錄及案卷，已被毀滅或匿藏，公開集會已被限制到最低限度，使用電話及郵件，也受嚴格限制。黨員們奉命不得再在私人家裏舉行小組會議，而改到汽車或咖啡館中。由於最近的披露，共黨階層中有政府特務，他們的精神已受打擊，我們當一個「過去的共產黨員」公開以政府人員的身份出現時，黨員們便會惴惴不安，深恐在旁邊的同志所出賣。

據聯邦調查局長胡佛說：美共現所剩餘的公開黨員，「是由異常複雜的黨小組制度組織起來的，這些小組，受十個左右分佈於全美各重要地區的區部指揮。它們再經過複雜的程序，擴展成數百個地方性組織，深入社會階層。」

在這些公開黨員之外，更重要的是黨的地下組織。這情形其實早已存在，自從政府激烈打擊公開的美共組織以後，美共地下組織的地位即更爲重要。最近幾年來，在表面上脫離共黨的人中，約有三分之一實際上是滑入地下，目前的地下黨總數，據估計至少爲一萬人。這種滑入地下的準備，開始於一九四八年。據一九五○年脫黨的共產黨員勞特納對政府供稱，他曾受命起草一個複雜周密的地下活動計劃，準備在共黨一旦被取締時實行。他的計劃，是將地下黨員組成一小組，他們除本組的黨員以外，祇認識另外三個黨員，以保持接觸。黨的領袖另行製造新的身份，他們可在郊區購買下若干小店，對外充作老闆。

地下活動目標

共產黨在美國的地下工作，其目的可簡述爲二：一、滲入工業及軍事設備，待發生戰爭時從事破壞工作；二、滲入非共黨甚至右翼的政治、社會或民間組織，美共的紐約州委員會會分析去年十一月的大選情形，而得到如下結論：共黨把活動集中於「左翼及進步」的工會，是犯了嚴重錯誤，因此，他們必須改變路綫，努力滲入「右翼」的勞工和人民的組織。

美共即使遭受重大挫折，但仍設法成立了若干新的外圍組織，還沒有被司法部列爲顚覆性機構。它們有二條路綫：一、即是所謂「和平」，也就是從事任何能有利於蘇聯，而損害北大西洋公約組織及形成美國與盟國分裂的活動；二、人民自由，也就是抗議「麥卡錫主義」，和要求撤銷史密斯法案。

荷蘭一家報紙會說，共產主義的「盟友」，「不僅有第五縱隊潛在於效忠莫斯科的各國共黨中，而還有一種第六縱隊，它的份子是反共也反美的各界人士，他們盲目地陷入莫斯科所佈置的每一個陷阱，不論這些陷阱是如何簡單。」

這個第六縱隊在美國雖已減少，但尙未摧毀。美共勢力今日雖已似乎大爲削弱，使許多人認爲它已不足對美國構成重大危險，不過在實際上，正係胡佛所說：「美國共產黨的歹惡仍與往昔同樣可怖。」這警告，無疑已引起美人民普遍注意。

（譯於一月五日「時代週刊」）

本週展望

·雷嘯岑·

「我可能有偏見」

邱吉爾在紐約答記者問，認爲世界危機的重心在歐洲不在亞洲，因而他反對擴大韓戰，也不想跟中共絕交。但他卻聲明一句：「我可能有偏見」！

邱翁說這句話的作用，是在緩和美國記者們所抱着的不同觀感之反應，含有外交詞令的意味。然亦是一句老實話。

當美國大選初期，塔虎脫活動甚力之際，邱吉爾曾在國會告誡那些好談反美論調的工黨左派仁兄們，莫再替塔虎脫增加選票！現在邱翁到美國從事說服的對象，又恰是與塔虎脫同黨合作的艾森豪威爾，他當然不好再以過去訪問杜魯門的那副「老大哥」神情來對付艾克了。

過去他對美國國會議員講話，第一句就說「我不是來向諸位要錢的！」結果卻要到了百萬噸鋼鐵，滿載而歸。這次想以「我可能有偏見」的詞令來說服美國堅持「重歐主義」，又想以「貿易而非援助」（Trade No Aid）來打破美國關稅政策的壁壘，問題恐怕沒有那麼簡單了。

你可能有偏見，別人也可能有偏見，所貴乎主宰世界命運的政治家，就在其能把偏見揚棄到最低限度。人類許多悲劇，都是由偏見製造出來的！

國際社會主義者大會

國際社會主義者或政黨代表，昨天大會於緬甸首都，甚盛事也。

這次大會的目的，如果是在重振第二國際的旗鼓，以與俄帝的第三國際相抗衡，要使民主的社會主義精神發揚光大，那是可貴的。如其志在形成國際「第三勢力」，教世界若干落後的弱小民族，關起門來搞社會主義，那就是牛頭不對馬嘴的玩藝，毫無意思可言。

民主社會主義是有其一定內容的。艾德里認爲資本帝國主義與法西斯極權主義，都是「對人類的侮辱」，此言有理。可是，一切的社會主義設施，由於經濟生活之必須對個人自由多所制約，在政治上即容易流於極權毛病。民主社會主義者對這種可能發生的病態，是何觀感，作何主張？若能藉國際大會的機會，集思廣益，從哲學基礎上建立一套整然的體系和方法，那是世人所願安承教的。

中日韓三國協商

南韓總統李承晚正在東京訪問，自由中國外交部長葉公超亦將於日內經過東京回台，因而引起中日韓三國協商的傳說。我看這祇是個人行蹤的一種巧合，談不到三國協商區域聯防這類重大問題。

日本對建軍問題還在半推半就的心情中，即對反共工作要「待價而沽」；日韓兩國尙未訂交結束其戰爭狀態。在這種情況下，聯盟性的三國協商，是無從談起的。

有一項問題或許可以乘此機會交換意見，即美國新政府所計劃的結束韓戰方案，中日兩國如有可以效力之處，這時候當然不妨談談。除此以外，再無可談的了。

李奇威空着急！

北大西洋公約國聯軍統帥李奇威將軍，指西歐各國建軍進度遲緩，大爲着急，說蘇俄如果在今年發動攻勢，決難抵禦。其實李將軍之着急是多餘的！

上月北大西洋公約國理事會決議降低今年的建軍程度，緊縮「重質不重量」。這是對共和黨政府的一種姿態，一種要挾手段，教共和黨的國會議員們不要輕予削減對歐的外援，領袖換手，有如邱吉爾近日對美國記者所說：好似下棋一樣。「將」它一着！

邱吉爾一面說世界大戰危機已大減，主張緩進建軍工作，一面又強調世界危機的中心在歐洲。要艾森豪威爾不吝惜大量美元，源源地有求必應，歐洲建軍工作也不會停滯的。李奇威將軍之急，未免太天眞了。

日本擴建中的新軍核心

緒方竹虎最近公開披露，美國正力促日本正式重整武裝，這個問題，將是艾森豪新政府遠東政策的要點；實際上，日本的新軍已有了良好的開端，陸軍的核心，正由美籍顧問進行訓練及裝備，其費用部份也由美國負担，下一步驟——海軍與空軍的重建，也已在積極進行中。

新陸軍的出現

在最近某天的一個下午，東京行人都駐足注視着兩團士兵在街上大踏步走過，這些士兵穿着橄欖色的夾克和長褲，配備着步槍，機槍和火箭砲，很容易被人誤認爲是美國的大兵。

實際上，這些日本人正第一次看見了他們的新陸軍——一支由美國人組織，訓練和裝備，以代替美兵保衛日本並矯正遠東軍力平衡的陸軍。同時，日本抵抗進攻的日本新海軍和戰術空軍也正在組訓中。它們正向着美國總統當選人艾森豪使用亞洲人保衛亞洲以抵抗共產主義的目標邁進。

僅僅在戰敗並解除武裝七年以後，日本即已成爲西方的盟國，並被扶植恢復她在東方傳統的強國地位，在美國戰略計劃上，建立日本的軍力擁有最高的優先權，這一美國戰略計劃是一個須動用數十億美元的計劃，在初期實用中，預料美國將負擔很大的一部份。

這是美國旨在阻遏中共在蘇俄支援下進行新侵略之戰略計劃的一部，目下擁有十師人的南韓陸軍，正進行擴編爲二十師。台灣的中國國軍也在受美國的裝備和訓練。美國武器正源源運往越南、泰國及緬甸諸國，以協助當地部隊抵抗共黨的進攻。

以冲繩島、關島、菲律賓及日本爲基地的美國戰術空軍和海軍部隊將繼續作爲一支機動的部隊，如果中共對台灣、越南或緬甸有所行動，這支海空機動部隊可能猛襲中國大陸上的鐵路和工業中心，並封鎖沿海一帶。

重整武裝旨在自衛

照現在所計劃，日本純粹是一個處於防守地位的角色，目的在阻遏蘇俄和中共企圖攫取此一工業島國的野心。

現時的日本軍隊和一九二〇年及一九三〇年代她們建立以征服亞洲的陸軍相比，已較爲拘謹和謙遜，美國的盟國，特別是澳洲，紐西蘭及菲律賓，以及美海軍的若干高級軍官都反對建立足够自行採取攻勢行動的日本軍隊。

在整軍計劃上，日本新陸軍享有最高的優先權。當一九五〇年美陸軍自日本趕調韓戰場時，麥克阿瑟將軍即已着手編組警察預備隊，以接替原駐日美軍的勤務。這就是組訓日本新陸軍的開始。以後警察預備隊又改名爲全國保安廳，現正大力加強中。

人力方面，正由七萬五千人增至十一萬人。此舉將可使日本新陸軍於今春由每師一萬五千人之四個師擴增爲六或七個師。美國正要求日本於一九五三年底，再增召七萬人，以便使戰鬥的實力增爲十個師，但日政府則表示，國家的經濟不能担負如此迅速的擴展。

美軍撥交大批坦克

到今天爲止，東京的美軍總部已以步槍、機槍、火箭砲和迫擊砲等輕武器裝備七萬五千人的日軍部隊。而現在日本又正獲得第一批美國交來的武器——坦克兩百輛。榴彈砲二百一十門。據說，遠東美軍司令克拉克將軍正準備再以兩百輛坦克和一百五十門大砲交日本使用，但這個計劃已橫生枝節。

在佔領時期，美陸軍當局曾以軍需物資供應日本，現在佔領已結束了，美國當局需要繼續此種軍援計劃，政府將要求第八十三屆國會撥款繼續武裝日本陸軍並間接補助日本軍火工業。同時，克拉克將軍還打算將武器「借與」日本。

由於在二次大戰及韓戰中所獲致的教訓，這一支新陸軍的編訓是以美陸軍爲藍本，而不是以日舊式陸軍爲藍圖的。日本舊式陸軍曾軍於人力，高呼「萬歲」以步兵輪番衝鋒是他們的標準戰術。新陸軍則注重機動性與火力，每一個師將成爲一強有力的戰鬥體，其火力可能等於從前八個師火力的總和。

日本前陸軍軍官指控日本不能組成一支美國式的陸軍，他們對一百六十名美軍顧問正在訓練日本新兵的事實，也埋怨不置，而且，這支陸軍最後究竟擁有多大的實力也是另一個爭論的主題。美軍當局要求於一九五五年底，擴充爲三十萬人，分編爲十四至十六個師。但日本軍事專家則力稱有了十個機動師即足够調用。他們認爲日本的防務主要繫於海空軍。

海軍的重建

日本的新海軍，目前還是與一支海岸警衛隊相差無幾的部隊——稱爲海上保安隊，但正在加以擴充中。它現時的實力只擁有九十三艘小型巡邏艦艇。美國正準備借十八艘巡邏砲艦和五十艘登陸艇來擴建此一部隊，而日本本身也正將官兵增爲七千五百九十人。

一俟日本造船廠獲得建造軍艦的合同後，日海軍將作進一步的擴編，當局現正研究建造三艘時速達三十浬的驅逐艦的計劃。

依照現在的計劃，日海軍並無進攻的能力。計劃中既不打算製造巨型主力艦，也不擬興建造航艦。計劃的重點只着重於能對付潛艇的高速艦隻，但號稱世界最大造船工業之一的日造船工業仍可能轉造主力艦與航艦。若干觀察家相信，在未來的幾年中，日本將積極擴建海軍而試圖不倚賴美海軍的保護。

日本的空軍還在始創階段，其正確的性質，仍是美國軍官與日本官員爭論的主題。目下日本正在編組陸軍航空隊中，它的職務將是負責聯絡，偵察及指示砲兵作戰等。初創時將擁有聯絡機一百二十架，美空軍官認爲這支陸軍航空隊實隸下戰術空軍屬下的核心。但美國人並不喜歡如此。

依照他們的意見，日本主要的需要是一支由快速噴射機組成的攔擊機隊，足以防止敵人對日本的空襲。美國專家認爲是日本所無法供養的奢侈品。但無論如何，美日兩方都不會打算建立由巨型轟炸機組成的戰略空軍，只是美國將繼續以日本爲他們戰略空軍的基地。

日本兵源充沛

對於日本新軍而論，需要的部隊，人力方面是非常豐富的。根據日本當局的統計，日本擁有役齡男子約七百萬人，但日本官方相信，要募集二十萬或三十萬陸軍所需的志願兵，外加海空軍所需的兵員將有困難。

但日本新軍的指揮問題，却是一個棘手的問題。如果要像美國要求那樣迅速的整軍，日本必須大量徵召其兩萬五千名前陸軍軍官和六千名前海軍軍官服役。然而這些退伍軍官中，其中很少人已放棄建立帝國的夢想，同時大多數人都輕視代議政治。

而在另一方面，訓練新軍官又將需時數年，在這種情形下，日本必須放緩其整軍步伐，否則即須冒軍國主義復活的危險。

日首相吉田正試圖以推行若干整軍計劃和調用若干前職業軍官的方法來處理此一問題。但仍堅持新軍隊應由文官控制，以首相的身份，他現在兼任全國保安廳長官，相當於美國的國防部長。

日本人是相信美國會撥出撥款來支付整軍開支的。但究將援助若干以建立適當的防衛部隊，還純是一種揣測。在過去一年中，日本所用於國防上的，共計五億美元，其中包括維持美軍基地的費用在內。這一筆款項佔日本全國收入百分之三．七，日本經濟學家認爲這是日本所能負担的最高額的國防費用。

美國負担大部費用

武器與裝備的基本供應是由美國撥付的。迄今爲止，已有價值一億五千萬至兩億美元的武器、彈藥、艦艇和裝備以「租借」的方式交予日本。美國當局將於本年內要求國會撥款四億至五億美元協助日本整軍。據日本官員說，如果要日本足能自衛，至少需每年援助四億至五億美元，共達五年之久。

日本整軍的另一大障礙是日本憲法。麥克阿瑟元帥曾堅持憲法中應規定禁止日本建立任何種武裝部隊。如果要大規模進行整軍，必首先修正憲法。而由於政局的不穩和許多日人反對整軍的關係，修正憲法至少將需時六個月，而且日本內閣還感到現在不是開始修正憲法的適宜時候。

雖然有許多人加以反對，但日政府還是在逐行進行整軍在兩年之內，日本新陸軍即能接管日本的防務，同時並將在時間較長的美國大量援助下，建立一支海軍和空軍，來接替許多美海軍和空軍的負担。（節譯自「美國新聞與世界報導」）

△日本保安隊的裝甲車行列▽

台灣的四年建設計畫

台灣通訊

繼實施耕者有其田條例之後，行政院將台灣經濟自立四年計劃送達立法院。立院已舉行秘密院會，聽取政府有關當局說明。此項計劃內容，未經政府宣佈，無從探悉。但有數點可以推測者：（一）台省自本年實施限田，並扶植自耕農後，在農業問題的改革上，暫告段落，此後必須多從工業方面致力，以期達到「以農業培養工業，以工業發展農業」的成效。（二）兩年以來，政府是以建設台灣及反攻大陸爲施政目標。此項目標實含有雙重意義。以建設台灣所得的成果，增強反攻大陸的力量，一也。以建設台灣所獲得的績效，作爲反攻大陸建設的模範，二也。而建設台灣的基本要求，即在能使台灣本身達到經濟上的自立，不再仰求外援。（三）但在建設過程中，仍須藉美援爲助。自政府遷台以後，美援多用於積極性的生產方面，故台灣經濟自立四年計劃的重點，當爲配合美援，促進生產，而使台灣成爲工業化的島嶼。

台灣在日治時代，日人曾擬將南洋各地所產的原料，均運至台灣加工，而後再行向外銷售。蓋歐洲各國雖在南洋各擁有殖民地，但從未爲之建設重工業，日人乃思取而代之。觀乎日人在台灣建設大規模的水力發電，作爲工業用電的電源，即可以概見。我國抗戰期中，日人之所以急欲南進，攫奪南洋各地資源，當亦係爲此。我政府此次所訂的台灣經濟自立四年計劃，其用意完全與日人相反。日人當初想爭取南洋的生產原料，只在台灣加工。我們的計劃，乃是設法增加台灣能自行生產的原料，所以，這個計劃當爲工農並重的計劃。再則日人當初想在台灣加工後，以加工品向各國銷售，爭取外滙，我們則只是求台灣的經濟能够在四年之後自給自足。

台灣的增產工作，近年來最著成效者，厥爲糧食。此不獨使台灣人民及大陸來台軍民從未感有匱乏之虞，且有餘額輸出，並大量儲備，以應不時之需。當民國三十八年，陳誠任台灣省主席，提出減少糖產增加糧產的計劃時，曾爲少數人士所不滿。四年以來，台灣糧產增加的成果，以及國際市場糖價慘跌的實際教訓，已使當年不贊同陳氏主張者亦改變口吻支持其政策了。在此四年計劃中，增產糧食當仍爲第一要務。今年台省產米已達一百六十萬公噸，如能在此後四年內，從興修水利，改良耕作，增給肥料，實施耕者有其田數方面入手，則每年必尚可增加若干公噸。至少在明年度內先增產十萬公噸，當無問題。惟欲糧食能繼續增產，肥料供應問題又實爲其先着。台灣所用肥料，多爲氮肥，磷肥，及鉀肥三種。在日治時期，每年已需要四十萬公噸。此後爲積極增產，更需增加三分之一强。此等肥料大部份均特國外輸入，如一旦國際形勢緊張，他國肥料工廠改製其他產品或減少產量，或海運交通發生阻礙，則台灣糧食不獨不能增產，且並現有之產量亦將難以維持。故台灣亟需擴展肥料工業。而肥料工業之擴展，又須先擴建電力。依照一般估計，台灣欲於四年之內，達到經濟自立，則電力必較現在擴充一倍，方能足用。

美維持對俄關係的原因（下）

黃韜泉譯

薩魯賓在華盛頓街上散步，或駕車繞城駛行時，他總是單獨一個人，而不需攜帶護衛人員，他可以在任何地方，自由的和所遇見的任何一個美國人講話。任何蘇使館的任何人，都可以選擇任何時候及任何地方，和他們的美國朋友或認識的人晤敍。

不知是他們自己選擇，還是莫斯科的命令，蘇聯的外交人員都住在蘇使館或辦公地方的附近。他們都忙着搜集各種情報和把這些情報送回蘇聯去。蘇聯的外交人員從信件裏，或親自，或從他們附屬機關雇用的美國人，都可以得到每一種對美國大家有益，有關技術，政治和官方的文件，並且把他們寄到莫斯科。

總之，蘇聯外交人員在華盛頓，可以享受自由國家全部利益。然而，美國外交人員在莫斯科，卻在蘇聯國家爲他們造成的鐵冰箱裏過生活。

雙方的算盤

但美國的蘇聯專家，就連肯南也在內，都不贊成和蘇聯斷絕外交關係，因爲在美國來說，不管他們怎樣孤立，但經過訓練的觀察人員，總能在莫斯科看到許多事情，而這種發生的事情，蘇聯就是如何謹慎也不能完全遮掩的。從莫斯科商店裏的貨物，就可看出蘇聯的生產情形，在莫斯科街上，地下鐵道，或在戲院裏看到的蘇聯人民的衣着舉止，也反應出蘇聯的生產情形，外國的外交官員，給蘇聯孤立得成爲一個國體，而他們也願意像一個國體，因爲他們就在這個圈子裏交換着極其寶貴和極有價值的情報。

至於蘇聯，不論他派大使駐在美國與否，都可以很容易設法獲得大量的情報。但和美國一樣，蘇聯或許也覺得保留一條外交的通道，總對自己有益。

因此，美蘇關係或許不會完全破裂。因爲有例在先。兩年以前保加利亞要求美國召回駐蘇斐亞公使，使美國完全斷絕了美保的關係。預料美蘇關係破裂，將對全世界發生極大的影響，故使兩個國家在採取行動上，不能不謹慎小心。

冷淡時期

由於肯南無意重回莫斯科，但他仍保留駐蘇大使的名義。很可能的蘇駐美使館人員將繼續留在華盛頓，美使館人員也將留駐莫斯科。不管他們現在如何疏遠，雙方的目的均在爲建立良好關係開一條通道。（譯自美國新聞與世界報導）

天下小事

拉鐵摩爾無所遁形

拉鐵摩爾上月在華盛頓大法庭受審時，雖然自稱無罪，法官定期再審。但預料在下次開審時，美國司法部將搬出一張王牌來證實拉鐵摩爾的罪行了。這王牌不是別的東西，對於拉鐵摩爾來說，可算是一個炸彈式的證人，這個證人原是共產黨高級特務，後來脫離共黨，轉而爲美國情報機構工作，目前正在歐洲從事秘密活動。他對拉鐵摩爾和共黨是否有任何關係，當然瞭如指掌。在他的出席作證之下，再狡猾善辯的拉鐵摩爾也將無所遁形了。

美在韓試驗新飛彈

美國空軍的進展可算是一日千里，一年以前，每天還只能製造噴射機引擎十七座，但現在已能日產六十座。海軍方面也在大量擴展，截至今年六月止的會計年度中，海軍部用於定向飛彈的款項，將爲一億五千二百萬美元，而一九五〇年的會計年度中，僅爲一千一百萬美元。海軍部還在加里佛尼亞州伊約克地方，建築一所長達十一哩的火箭射場。這種火箭每小時的速度是兩千哩。同時，預料陸軍方面將會宣佈在韓國試驗新定向飛彈，以前美官方曾以定向飛彈襲擊共軍，試驗它的性能和效果，但這一次要試驗的飛彈其威力比以前更要強大。

美出專書嚴譴共黨

美國務院正在搜集證據，來證明匈牙利，羅馬尼亞和保加利亞違反和約中所規定保障人權的條款。國務院計劃將這些證據編印爲十二册，并提交聯合國大會參考。如果這一計劃實現了，將成爲譴責共黨暴行最厚的專書。（孟衡）

敷衍・顢頇・驕橫・報復
共幹官僚作風嚴重

自中共竊據大陸，即由於「勝利」冲昏了頭腦及殘酷極權統治的必然結果，共幹早已普遍產生了極端顢頇、驕橫的官僚主義作風。目前，此種作風已到了不堪收拾的嚴重地步；他們不僅已造成了本身極大的損害，也連帶使人民無辜遭受了痛苦和犧牲！

沈著

批評檢討把戲　原在愚弄人民

大家都知道，雖然中共曾一再宣傳，說「批評檢討」乃是「人民民主專政」不斷求進的武器之一；而中共自上而下一般所犯的錯誤却特別繁多而且嚴重！蓋他們的所謂「批評檢討」，用之於當年拚命破壞、刼掠的所謂「戰略」和所謂「政治藝術」上，或有一部份「精益求精」的功效；但用之於今日顢頇滿志，驕橫無度的所謂「治國牧民」的工作上，實已失去了「起死回生」的作用，完全變成了一句粉飾門面的口號了。這尤其是在中共對大陸人民方面：他們一面嚴酷地控制了人民所有的一切，（身體、思想、行動、生活、財產、無所不包），將人民都變成了他們的家奴，而後，告訴人民說「你想什麼？不滿什麼？建議什麼？或要什麼？都可以提出批評檢討，都可以提出你的要求。」於是，忠厚的人民便受了愚；痛苦既太多，不滿到處有，要求滿身是，什麼申請啦，建議啦，控告啦，要求啦，文書乃像雪片紛紛投入了各地「人民政府」的收發室；但結果：這些文書却像坐長監似的關進了什麼局長、處長、科長、主任等的抽屜裏，永無消息，於是，建議的，控告的，全屬「自說自話」；申請的，要求的，要等人死了以後，方得解決！

公文信件處理　收到即行歸檔

倘若不信，則中共中央最近發出了一個「反官僚主義」的鬥爭指示以後，各地中共高級領導機關都已經過檢查而有所認承，即就華東一區而論，據上月十六日至二十日上海解放日報所透露的，已極可觀；例如該報說福州市方面，僅據十七個部門及所屬單位檢查的統計，就共積壓了人民來信五千八百五十八件之多，其中三百十四件，甚至被積壓了一年半以上！如市民政局優撫股王保堪一人就積壓了三百三十餘件。江台區積壓的人民來信，說有三，四寸厚，不分輕重，上面一律批簽「作爲民主建政參考」等字樣便送進了檔案室。例如在上海市勞動局的檢查中，該局承認該局的共幹不僅對工人來信的長期積壓非常嚴重，且對一般工人的態度，及其問題的處理，還非常顢頇驕橫！說對許多案件的處理，有的「立場」模糊，漠視工人疾苦，敷衍；粗枝大葉，拖延時間，有的不請示報告，不負責任；有的擅作主張，胡作妄爲。結果：有的工人無辜遭受失業；有的工人被逼至於自殺；有的工廠被搞垮台！又例如在上海市工商局的檢查中，在這次運動中揭發出來的官僚主義事例也很多而且嚴重。單只局本部就積壓了人民信件等文書一千八百多件，其中屬於漠視工人的有五百多件；推三推四，不負責任，不調查研究的有八百多件；不理人民及不報告請示的有四百多件。甚至如「市場違法處」，曾將許多人民來信束之高閣達五百餘天；人事處將許多失業工人的來信連同所附回信郵票一併歸檔了事。更荒唐的，如有些機關決定於某日下午二時約某些工人或人民談話時，竟在超過約定時間兩小時後方將通知書發出。總之，這種官僚主義作風不僅證明中共已到了「等因奉此」的敷衍程度，而且已到了「收到即行歸檔」的極端顢頇程度，其結果，人民固然受了愚弄，他們組織的本身也受到了嚴重的腐蝕的損害！

辦事荒唐顢頇　人命視同兒戲

這種官僚主義作風之使中共自己受到損害是咎由自取的，但人民受到愚弄的結果而產生了許多悲劇是非常無辜的！同以上海解放日報披露的消息爲例：如福州鄭依妹，她是個貧民，上年四月間，萬火急地寫申請信請求免費醫療她的毒瘤病，但這封信經「中國人民救濟總會福州市分會」「市民政局」和「衛生局」等單位多方週轉，經過了十六個人，費了二十八道手續，拖延了卅一天，當決定准她治療的時候，她已經死了十九天了！又如手工業工人朱依弟，在「土改」後他要求收回在郊區被沒收的一畝多地，公文往返了二十二個月，當最後批准發還時，他因往返城鄉卅餘次，外加疲勞，生活困難，憂恨成病，已死去二十多天了！又如福州財政局在處理林慈秦土地時，經過四十三個人，三百五十九道手續，十九個月另八天，那時才得到部份處理，他却已拖倒在床了！又如在處理上海大中華橡膠廠做了二十一年的老女工龔蔭氏的要求復工事件，及梁恒豐一個學徒的要求留宿店中事件，均被拖了三個多月之久，不予解決，結果，他們便都被迫自殺了！再如福建台江縣有個女教員於產後流血過多，病勢危急，到合組醫院請求輸血，但該院共幹非但不予輸血，反而百般敷衍推諉拖延，使她不治而死！這種官僚作風且極端荒唐顢頇的，特別還在醫藥衛生部門，據他們自己檢查認承，說有許多醫院竟會有用石炭酸給病人灌腸的；有用薄荷給病人點眼睛的；至於打錯針，用錯藥，醫錯位等等的事，更是多得不可勝計！

一旦老羞成怒　便行報復打擊

這種官僚作風表現在另一方面的，是對於人民的檢舉（其實是一些傻裏傻氣的「積極份子」好出風頭的「積極份子」）或上訴，及幹部與幹部之間的傾軋鬥爭，往往在老羞成怒之後，予以打擊、報復！

據中共自己檢查認承，說許多機關在收到了檢舉信件後，即將它轉給了被檢舉人，使檢舉人遭到報復，打擊。例如他們的梅芳庭事件即爲一例：梅芳庭是上海公共交通公司的五十二路站務員，因爲態度天真「積極」，會對交通公司部份領導共幹的惡劣作風，向上級機關提出反映，批評，結果上級機關將他的反映批評毫不負責的全般寄了原告，於是，他便被這些被他批評過的共幹加上一個「有反動破壞嫌疑」的大帽子，遭到了撤職，扣押，拷打的打擊報復，等別人來替他解忙救時，已經關了一〇四天，遍體鱗傷了！又如安徽肥東縣黃栗鄉有一部份農民向縣控告該鄉鄉長貪污腐化，結果，縣方將原件遞交了該鄉鄉長，他就將「破壞鄉政」的罪名戴在這些農民的頭上，大鬧了一陣「清算反動份子」，及「鎮壓反動」的把戲，給這些農民一個有力的報復打擊！又如湖北沔陽縣二羊鄉有個農民代表李正鑑因不滿農會主任朱正福包庇他的岳父多分好田，少繳公糧，向縣檢舉，結果，縣共幹怕麻煩，就將原檢舉信交朱正福了事，而李正鑑却因此被朱正福串同鄉長將他綑綁起來掛在樹上打得半死不活！至於在幹部與幹部之間傾軋，報復，則如上海市零售公司的負責共幹邢一新的所謂「獨斷獨行」遭到了人事科長兼黨支部書記王振華的反對後，便互相傾軋，各顯神通；結果，邢一新便使用職權，將王振華調職，用一連串的侮辱等報復手段給了他一個打擊！

像這樣的實例，實在多得不可勝計，但僅就這樣的例子，也已不難想見中共現在的官僚主義作風嚴重的一班了！

總之：現在據中共自己檢查認承的：在公文處理方面，已普遍有了「推」「拖」「擱」「混」「騙」的敷衍現象。在一般工作的處理方面，已普遍有了輕蔑、粗暴、混亂、急躁、蠻橫的現象。至於對所謂人民來信，則根本已成爲一種愚弄人民的把戲，這裏面是一片顢頇、荒唐！而幹部與幹部之間的意氣用事，爭權奪利，更已到了自相腐蝕，不堪收拾的地步！

再重複總結一句話！這乃是赤色獨裁政權必然的結果，雖予再度「檢討」，却以病入膏肓，加之本質不變，那仍不免只是一種虛妄的赤色政治玩藝而已！

活躍熱河邊境的反共武裝
漢蒙反共復國軍（下）

軍愛民・民愛軍

政治方面，他們學會了：軍愛民，民愛軍，軍民本是一家人的道理。定出嚴明的軍隊紀律，重新制定部隊的組織方法，和學習制度。教育每個戰士都成爲一個良好的宣傳員，向人民宣傳，揭穿共匪種種陰謀罪行。每到一地都能各別自動的去打進城市和村莊，第一件工作便是打開共匪糧倉，把那些共匪從人民手裏搶來的糧食，送還給無飯吃的人民。最初人民不敢拿，但戰士們訓練有素，自動地一袋一袋往窮人家裏揹。並迅速召集群衆大會。將罪大惡極的匪幹當衆處以極刑，讓人民能舒一口怨氣。他們不主張殺戮和報復主義。他們懂得「優俘」政策；除罪魁禍首嚴予懲辦外，自願脫離共黨參加他們的，歡迎。其餘俘獲後，給作過「紅色消毒」便釋放。他們知道嗜殺者，沒有一個會成功，屠殺並不能解決問題，相反能徒增加仇恨。

而且他們還學會了巧妙的破壞交通的方法；也能效「八路」拔路那樣，使十幾里的鐵路一下整個大翻身。這支部隊目前可說是「以共匪之道，還治共匪之身」。

圍攻失敗改使安撫

共匪對這支游擊隊的軍事圍勦技窮後，繼之是政治瓦解，把游擊區的人民以「居民小組」爲單位實行連保。保證不參加游擊隊，和幫助游擊隊。凡已參加游擊隊的家屬一律由當地「政府」扣押，脅迫其向已參加游擊隊的親屬進行招撫；并用好言欺騙：「只要悔悟，回家生產，一概不咎既往」。但家屬們多數俱有「徐母」的精神，他（她）們都很明白，讓自己的親人在游擊隊，總比回家後去韓國當砲灰要強得多；而且有意義得多。即在游擊隊裏便是犧牲了，那也是光榮的。

械彈缺乏亟待接濟

這支部隊自成立以來，大小經過數十餘戰，其中當推老虎山，金嶺寺，葉柏壽，乃林諸役最爲慘烈。第三支隊長樂賢善，就在乃林戰役中陣亡。這次在夜行軍間中了一四六師一團人的埋伏。這幾次的戰鬥對游擊隊的犧牲都很大，但不久他們又恢復了。

乃林戰役受到嚴重損失後，他們退到赤峯東面的黑水地方整頓。正感械彈缺乏，無計可施的時候，四道井子的一個農民王長林，前來參加；並報告他所知道的一處日投降前埋藏的武器彈藥。眞是所謂：「皇天不負好人心」。於是由王長林引導，連夜到赤峯城外十餘里的「花木蘭坟」傍邊一個山窪裏，發掘出一大批械彈：三八式步槍四百支，輕重機槍十二挺，昭和十四年式手槍二十五枝，迫擊砲六門，九四式山砲四門，各種彈藥五萬餘發及一些通信器材。還有黃色炸藥二百餘斤。他們將合用能帶走的帶走，笨重不合用的如山砲這些完全把它破壞，以免資敵。

自得這批械彈，暫時的問題算是解決了。但「死水不經取」，常此以往，械彈的補充，還是最感憂慮的。因東北的民間藏械很少，不比西南多。補充全靠敵人當然是有限。

目前這支部隊最感困難的，就是械彈的補充問題。若能早日用空投方法給予補給，其發展是不可限量的。（劉佚）

陰險狠毒曠古罕世

中共誘逼農民俱成農奴

最近以來，從宣傳的喇叭中不斷的又聽到了全國各地豐收的消息，據說：這次豐收是連續三年豐收中的最盛的一次，假若以戰前稻穀的總產量爲基數爲一百，那末，去年（一九五二）就大大的超過了戰前的生產水平，竟達到了一百一十六，特別是在湖南省，竟然超過了戰前生產水平百分之三十；不僅如此，在各地豐收的喜訊中，還出現了千萬個爲人們見所未見聞所未聞的豐產奇蹟：以前一畝田產稻穀一千四百七十二斤的湖南醴陵縣水稻豐產模範李呈桂，每畝田產稻穀一千六百二十斤的廣東揭陽縣水稻豐產模範林炎城，到現在已經算不得什麼了！束緊褲帶換來的榮譽也被完全抹煞，原因是：今年出現了千萬個李呈桂，千萬個林炎城，湖南的醴陵、南縣、沅江都成了水稻高額豐產縣，特別是李呈桂的故鄉——醴陵，平均每畝出產稻穀八百多斤，林炎城的故鄉——揭陽安樂區，每畝田平均產稻穀一千斤左右，其他各地每畝田獲得千斤豐產的鄉村和互助組，差不多到處都有，最稀奇的是：湖南通道侗族聚居的土溪還出了一個女千斤戶，名叫栗福盛，她種的六畝四分田都分散在離家很遠的山杯山谷和山冲裏，土質很黏，插秧、犂田都很費勁，當她向區政府提出保證的時候，不僅她丈夫不表示信心，就是共幹也認爲確是難事，結果，她還報告每畝收穫，乾穀一千〇一十四斤，這是如何作到的？據共幹們解釋是運用了「先進的方法」，這「先進的方法」又是什麼？簡直妙到了極點！任憑如何宣傳，三年來每年都是豐收，但是每年只到冬季，遍地就開始餓死人，這是事實，這種慘象的造成，與其說是天災，毋寧說是人禍，因爲即令豐收是假的，如果不進貢，不接濟鄰邦，還是差強敷用的，這一人禍的由來，是有其雙重目的存在的：第一是要履行條件，向「老大哥」獻媚；其次便是設法控制農民，使之逐漸走入集體農場，永遠成爲農奴，這裏只對後者詳細加以說明。

假面具背後面目猙獰

每年到了青黃不接後，家家差不多都要斷炊的時候，中共照例來一次普遍的賑濟，這並不是市惠，比市惠要厲害萬倍，因爲市惠最多不過是虛僞的籠絡，缺乏眞誠而已；這就不僅沒有善意的關懷，而且還要抽筋吸髓，所以首先就擺上一道門檻，施賑的數量，必須以下屆的生產量爲標準，換句話來說：年度越多，現在得賑也得多，表面上所持的理由，無非是獎勵生產，以免再蹈覆轍的又要挨餓，說來自然是非常動聽；可憐愚蠢的農民那裏識得破這竟然是計，只圖短時一飽，個個都自告奮勇，開出支票，強調秋收的時候每畝可以出產稻穀千斤以上，以飲鴆止渴，沒有顧到後果如何，這就是栗福盛敢提出保證的道理，有些比較警覺的，也不免在深耕，細作，密植，施肥這些技巧上動腦筋，因之，不少的「勞動英雄」產生了，無如生產必須是要受效用遞減的規律的限制，任你磨穿手掌，合理的增產，當然可能，夢一樣的奇蹟，那裏會有！像湖南通道土溪那種瘠瘦的土地，每畝田每年的出產（每年一熟）至多不能超出兩担穀（每担約一百一十市斤），硬要把他提高成一千零十四斤，豈非天方夜譚！可是栗福盛爲了要實踐諾言，爲了要避免反動的罪名，爲了要不遭檢舉，除了咬緊牙關，束緊褲帶忍痛納糧以外，還有什麼妙策？好就好在「人民」們並不實行查倉，只要你按照諾言的比例繳穀，下存若干，概不過問，農民的方法先進！總不如「人民」的方法先進！

威脅利誘　軟硬並施

從此，年年累進屆屆增高，於是李呈桂、林炎城一過年就喪失了模範的資格，更總要逼得你自己發現各家單獨的經營自己田絕對無法生存，甘心情願馴服服自動的走進集體農場，他才放手，所以除了上述的硬性之外，還輔之以軟性的欺騙，最不足信的莫如醴陵農民竟創造一畝田的產量達到一千九百多斤的紀錄，其所以能夠這樣高的遞增，發揮其生產的積極性，據說是改變了耕作方法，因之被封建制度所埋葬了的農業生產的潛在力，至是乃完全被農民發掘了出來，標準既定得這樣高，改變的新的耕作方法又終未見公佈或傳授，過去是無法趕上的，任憑如何努力，也只好到這裏中共已經窮匕現了！歸根結蒂，這樣是要農業集體化，爲了下中國的農民，必然以後，完全要變成農奴！而且將永遠陷入萬劫不復的境地，這已足以促成我們的決心，趕快收復大陸，拯救這裏受難的同胞，逃出這一厄運。（丹心）

最後的信念

·徐丸·

許士濟從來自信心是頂強的。「解放軍」沒有來時，他就是曾經這樣說過：這次的內戰，可不比抗日戰爭，抗戰是中國人同日本人打，這次是自己人同自己人打。日本人打到中國來，將中國人一律都看做了敵人，燒、殺、淫、擄，當然是外國人對付中國人的一貫手段，中國人同中國人打，是打天下，大局一定，總還離不了「為政以德」的治國古訓，據此；他認為共產黨一定不太可怕，憧憬未來無疑「庸人自擾」而已，何況共產黨還是標榜真正要為人民服務的呢！

許士濟的這個信心，「解放軍」初來時，總算大致不太失望，比如：「解放軍」不拿人民一針一綫呀！都表現得非常令人「敬佩」，有時打破了老百姓一口碗，往往就賠十口碗的錢給還百姓，還要口口聲聲歉謝不已，直喜得大媽大嫂們眉開眼笑，歌頌不絕，因此，許士濟是更加自信自己的觀察是確乎非一般「淺見」之流所可比擬的。然而，他所堅持的那份信心，時不及自己加以修正，如已陷身囹圄，備嘗鐵窗風味了；他現在只是靜待死神的降臨，只是自己那顆充滿了慚愧與鬱憤的心竅，就此悄悄地死去，每當夕陽西下，殘餘陽光的脚步溜出了囚房，黑暗開始吞噬殘留在監獄裏的最後一縷光明時，他心靈的汐潮就又開始泛濫，而他的眼淚也同時不自禁地直淌下來，如果「死不瞑目」是「封建社會」形容一個人蒙了不白之冤心有不甘的話，那麼他蒙受這個「新社會」的「莫須有」罪名，是尤其使他的「思想」永遠「搞不通」的。

許士濟的這份自信心終於是徹頭徹尾的破滅了！

四畝田和一爿一天賣不到五尺布的布店，就是許士濟的「出身階級」，也是他的祖宗遺留給他不大不小的「禍藪禍根」。這在當時他是完全不自覺的，何況歷來中國的讀書人士竟沒有一個看出這是所謂「變質剝削」最最要不得的「反動行為」直到「外國聖人」出來了，也才「東方紅」，中國出了一個毛澤東，將中國社會徹底「改造」一番，於是許士濟的這點「小布爾喬亞」的氣味也竟成了「追根溯源」的鬥爭對象。

關於許士濟的「階級」問題，地方上下起「村幹」「村委」，上至「區長」「區委」，都是引「經」據「典」，經過一番討論；第一是許士濟有四畝田，究竟應該劃分在那一個「階級」呢？有人說：照村裏一般農民狀況，四畝田其實只能算「貧農」。而「村委」就大不同意，因為他的四畝田自己並沒有種，完全出租給人種的，「不勞動而以「剝削」為生，「聖經」上說應該列入「地主」。——「貧農」與「地主」之判別，是絕不止「徒刑」與「[illegible]」的，而且也不容許稍有含混的。第二，店無論大小，總是屬於「商業資產階級」，「資產階級」與「貧農」斷斷不能混為一談，這已是天經地義的「革命道理」，於是許士濟在「寧枉毋縱」的原則下，就只能羅織核定為「地主階級」了。

依據「革命邏輯」，一個「地主」就必然應該經過「對立的鬥爭」，而許士濟的四畝田，就由「人民政府」發掘出四個「苦主」向他「鬥爭」。

這是一九五二年一個秋天的早晨，往常作為酬神賽會的戲台上，在鑼鼓聲喧天，紅旗飄揚，萬頭鑽動的情緒中，演出了一幕真情實景的真戲，四個「苦主」在「人民救星」的「解放軍」導演下，大吐其「苦水」：

余阿水這個五十四歲的老佃農，他窮了一世，苦了一世，往年遇到豐收可以過幾天好日子，「解放」後名義上算分了他幾畝田，然而生活上是每況愈下比較以前更窮苦了，現在「人民政府」要他「吐苦水」，姑不問許士濟以前租給他的一畝田與他的窮苦有什麼關連，但他每說到自己的苦況，總是老淚縱橫，不勝唏噓的，今天在這種場合下，當然更擠出了不少淚水，於是「村委」就代他作了一個結論：

「余阿水這樣窮困，完全是給許士濟剝削去了！你們看「剝削階級」多麼可憐！」

以下輪到「訴苦」的是程阿萬，許阿才與施根土，他們三人各有一肚子的悲愴；程阿萬的兒子去年參了軍，施根土今春配了老婆，許阿才則給「農業稅」逼繳得走頭無路，他們一面訴說，就一面想到自己痛楚的遭遇，哭訴不已。如果沒有「村委」透過「政治立場」將他們的苦況，硬聯到許士濟頭上去，「羣衆」們是永遠聽不懂這幾口「苦水」是含有什麼「鬥爭」意義的。「訴苦鬥爭」的下場，許士濟不敢想，「羣衆」們是不難想見的。然而在許士濟卻漸漸恢復了自信；當他看到台下人海沸騰時，他彷彿就看到了海浪滔天，不久將被淹捲以去，他想：我自己是終究完了，但是為德政者必然是會回來的，……

他想到這裏，他的熱血，他的勇氣按捺不住，他不禁振臂高呼：

「中華民國萬歲……」

說自負的人物

為方

「文章自己的好」，這是人類自負心理現象之一。但這種心理現象有時候也有例外，自認文章並不比別人好的，非無其人，（我就是一個）至少亦不會當着親朋面前，大言不慚地自命為天下第一作家吧！

一般人具有絕對的自負心理，毫無例外者，唯有賭博性的玩藝而已。埃及廢王法魯克在其所著回憶錄中，再三强調「余之紙牌技術頗精，勝利多於失敗」；而咱們同胞中之好打麻將者，縱使他連褲子也輸掉了，亦決不肯承認自己的「手藝」——這是一句四川話——太潮：依然學着西楚霸王的口吻說：「非戰之罪也！」讀者們試一回憶你所熟悉的親友中之樂於此道者，即可恍然證實啊！

凡屬賭博性的玩藝，原無一定的準則以作成敗得失之論據，「偶然」多於「必然」，不像文章的好壞，尚有邏輯和修辭的論點可資批判，令人不得不折服，因而人們就儘量發抒其自負心情了。政治生活也與賭博性質差不多，是非功過總是見仁見智，言人人殊。你說他是官僚主義者，他卻見人即賭咒式的聲明：「我是為做事而來，並非為做官而來的！」你說他是個貪污官吏，他逢人即訴述為官賠累之苦，聲淚俱下。任何一個官吏，即使他搞到撤職查辦，吃官司坐牢監，也決不會承認自己做得不好的。

所以，幹政治與賭博打麻將，玩撲克，賭羅盤，以及推牌九等，在本質上完全相同。還不是跟官兒們的一切弄政情形毫無異致麼？官兒與賭徒也者，天下最自負之人也！

自由談

光緒之囚（下）

狷士

光緒自立大阿哥後，地位似贅疣，所居瀛台，還為道光夏月聽政之所，殿屋已久，景象荒涼。一日，召內務府大臣繼祿入見，命量加修繕並添置器物，繼祿意良不忍，一一遵辦。越日，忽傳西后懿旨，賜以西洋狗一隻，俄又賜黃綾匣一，內貯小孩玩具豬狗等物，繼祿知旨，蓋請假避嫌。光緒臥室之窗，皆糊以紙，日久洞破，冬令朔風怒號，鐵馬作響，室內人蜷局一隅，寒不可耐。會內務府大臣某進，覲狀惻然，既退，召匠人入，易以玻璃，西后聞之，惡其市恩，假他事罷其官，兩事頗相類，不知是一是二，姑並存之。

吳漁川（永）官直隸懷來縣知縣，庚子七月，聯軍入京，西后與光緒出奔，漁川首先接駕，尋即隨扈西行，伺應宮門差使，日必召見三五次，於宮內情形，瞭如指掌，據云：「光緒見臣下，不能發語，每次宴見，必與西后同坐一匝，不設一言。西后徐曰：「皇帝你可問話，」始問：「外間安靜否？」「今歲年熟否？」凡歷數百次，只此兩語，即一日數見亦如之，二語以外，更不加一字，其聲極細，幾如蚊蠅，非久習殆不可聞。光緒問罷，西后乃滔滔不絕，大放厥詞。」然惲毓鼎「崇陵傳信錄」則云：「己亥十月，駕自江南回京，銷假日，召見於儀鸞殿，太后偶語及豫省疏報災事，而忘其縣名，顧上曰：「皇帝記為何處？」上即應曰：「鞏縣也。」時馬家埠抵永定門新設電車，太后問及焉，復顧上曰：「此何國所謂？」上應曰：「德使海靖出摺，」因歎雖一循例報災之摺，數年前所興之工，上猶留心不忘如此。」李岳瑞「春冰室野乘」亦云：「戊戌夏聯日議起，命黃遵憲為出使大臣，總署恭撰國書，德宗親筆於大日本國皇帝之上，加「同洲同種同文最親愛」九字，詞意亦多所改定，命王文勤（文韶）張樵野（蔭桓）詣日使館，與日使矢野文雄商権，而齋詔不令李文忠（鴻章）與知，蓋文忠仇日甚，不願聯日也。」至於「戊戌政變記」中過情之譽，更觸目皆是，姑擇惲李兩說觀之，似光緒之為人，尚非昏闇庸懦者流，殊與吳說大相逕庭，意者韜晦光，佯為鷗衰，藉以自全歟。

美最新噴射機

圖中的F八十四F型噴射式新機，是按照軍刀式機改良而成，能載小型原子彈，及在空中加油，續航力極強，第一批已發交美空軍部，現正大量生產。

中國之友（四九）

毛以亨

赫德傳（廿九）

赫德見解是準確的，可惜當時各國政府不能用，直至民國十六年，俄國力量再來之後，始放棄領事裁判權及關稅自主，此時赫德已死過三十年了。

一九〇〇年聖誕節前夜，各國代表在西班牙使館會議，共同提出要求，交與慶王，必須中國應允後始撤兵。與法人所提者相彷彿，共十二條；派親王至柏林道歉，對日館書記之死給與撫邺，嚴懲附拳匪者，設紀念碑，禁軍火軍械進口，賠款，使館駐兵，夷大沽砲台，佔領北京至出海要點，懲外省督撫之排外者，總理衙門改為外務部。規定覲見儀式。十二月二十七西安電接受，均由李鴻章慶王二人轉達。

但草約直至一九〇一年九月七日始簽字。德帥瓦德西欲派兵深入洗剿匪巢，實則欲佔西安，而英美反對。一九〇〇年十一月抗俄游擊隊已經消滅，俄國經過李鴻章欲單獨媾和，各國乃警告中國謂單獨媾和無用，而俄人在東三省的活動，祗有將來由日本來制止。

賠款由英法德日四國委員會研究結果：一、每年付賠款能力不超過二千萬；二、不能舉債付稅；三、收入上祗鹽稅與厘金為大宗；以海關銀一兩等於八先令六便士。總數為四萬五千萬兩，加上年息四厘，每年付一千五百萬兩，分三十年償清，合計須為九萬萬，然賠款祇付了三萬萬，不到應付之數三分之一，各國就陸續退回了。時俄人欲借款七千萬，中國政府不敢接受，而罷。

二十四、日俄戰爭

一九〇〇年俄人占營口海關，及要塞，稅務司Bowra與俄人交涉，其尊重海關財產，并照常執行關務，惟須在俄軍管轄之下，而關稅由俄銀行代收餘款俟約簽定後交還中國政府，海關經費亦由俄銀行代付。中俄本約定一九〇三年四月八日退出營口，但未履行，且提出在東三省不許再開商埠與領館，其領土亦不得割讓於他國，而他埠海關經費亦須由俄銀行統收統支。英美日均向中國政府抗議，時英日同盟已經生效。而一九〇三年十月八日，美日商約又簽字，主張開放瀋陽安東為國際商埠與住居地帶。日俄已正面對立，中國政界袁世凱張之洞合作，排親俄派之王文韶使出軍機，以那桐代之，暗助日而明為中立。一九〇四年一月，日本要求俄國退出東三省，而承認其對韓國之特權，俄人拒之，日本又要求南滿劃入日本勢力範圍而承認俄人在北滿之優勢，俄人反加強其警戒，且直接干涉營口海關。二月八日，日俄絕交，是晚即攻旅順，海上遂歸日本控制了。三月中旬，日兵十萬自韓國登陸，五月一日過鴨綠江。另有二師登陸，切斷旅大俄兵與旅大之聯絡，直至一九〇五年一月一日始占旅順。一九〇五年三月十日，京瀋陽，俄之波羅的海艦隊於一九〇五年五月廿七日在台灣附近為日海軍所殲。時法國不欲俄深入遠東，以妨其共同對德，六月八日羅斯福請雙方討論休戰條件，九月五日，日俄和約簽字於新澤西州之朴斯茅。以遼東半島，及旅順至長春之鐵路讓與日本，而兩國允許滿洲之門戶開放。日本要求十六億盧布之賠償，與庫頁島之割讓均被拒絕，結果以南庫頁島與日而止。

上海點滴

丁懷

友人自上海來書，對中共暴政下的人民近況敍述甚詳，其中部份頗值得為讀者報道，特摘錄如后：

※秋多原是商場旺季，今年，市內那些旗風招展的大減價的旗幟，仍然脫顏敗色抖慄在寒風裏，還是黃浦灘上罕有的現象。更慘的是，在往昔，那怕是再鬧不景，各商店貨色總是滿窗滿櫥，琳瑯滿目，今年，踏進那先施、新新等四大公司，只見櫥窗擺着各色各樣的土產，再有，便是大吹大擂宣傳的蘇俄花布。呢類毛織類的衣料通失了蹤。單調，寒酸氣氛與寥落顧客相陪襯，倍覺淒涼。百業蕭條之中，唯獨寄售店「一枝獨秀」，福建中路許多寄售店的貨物，諸如西裝、旗袍、口紅、古玩、針綫應有盡有，至於貨滿為患。笨拙龐大的衣櫥與席夢思都排列在人行道上，用鐵綫紮牢，等待顧主。

自殺事件，以「五反」時期達於高潮，蔚成風氣。時間過去了四五月，餘波漾漾，仍有增無已，去年十月下旬一天黃昏，外灘公園又發生一樁大小五口集體跳江自殺悲劇，雖說人們的感覺已經麻木，但親看親聞三條幼稚弱小的生命無辜的遭受禍害的時候，其誰之過？每個人心靈就不能不增添一份沉痛與悲憤！時天色陰晦，浪濤湧起了一伏，結果僅救起了一位五歲大的女孩，[illegible]默然流下了眼淚！

[illegible]知識份子[illegible]據估計，總[illegible]不下於四十萬了。「華東勞動就業委員會」與「上海市勞動就業委員會」成立機構，可見[illegible]就業一事嚴重。[illegible]登記[illegible]西伯利[illegible]都不敢嘗試，寧可忍受饑餓的煎熬，而放棄就業的機會，徹底破產了對共黨統治的信任。

嚴重的失業，廣大的影響治安，[illegible]月來，市民們偷竊、搶劫，入晚[illegible]不到八點鐘，路人絕跡，靜如死市，偶而雜一聲[illegible]令人毛髮悚然。據統計，到十月份[illegible]

殘存的王家妓院[illegible]

自由人
THE FREEMAN
（半週刊每逢星期三六出版）
（第一九四期）
每份港幣壹毫
督印人：李光[illegible]
社址：香港高士打道六六號
電話：二〇八四八
GLOUCESTER RD.
HONG KONG
TEL: 20848
承印者：東南印務出版社　地址：高士打道六十四號
台灣特派員辦事處　台北市館前街五十號
台灣總經銷處
台北中華路新號五九四之一
台灣郵政劃撥儲金帳戶九二五二號

論艾森豪新內閣

·程滄波·

艾森豪當選美國總統，早在就職前已將內閣人選陸續發表。也未來的內閣名單就職業背景加以統計，也這一個內閣，如以名之，謂商人內閣。譬如內閣中主要的部門：（一）新任財政部長亨佛利 GEORGE E. HUMPHREY 是一位著名的實業家，（現任財長史奈德 JOHN M. SNYDER 原係鐵路局的銀行家。）；（二）新任國防部長威爾遜 CHARLES E. WILSON 是通運汽車公司總理（現任國防部長拉飛脫 LOVETT 是紐約一位著名的銀行家。）（三）新任郵政部長薩默非爾德 ARTHUR E. SUMMERFIELD 是汽車商（現任郵政部長唐納遜 JESSE M. DONALDSON 是郵政局科員出身的郵務員）；（四）新任商業部長魏克斯 SINCLAIR WEEKS 是一位商人，（現任商業部長索葉 CHARLES A. SAWYER 是一位律師）；（五）新任勞工部長竇根 MARTIN P. DURKIN 是技術專家，並爲工會領袖（現任勞工部長托賓 MAURICE J. TOBIN 是一位政客）。

根據美國憲法，總統對內閣閣員，大使，最高法院推事及其他重要官員之任命，均須提請參議院同意，但在過去參議院對總統提名者，否決者甚少。譬如一九二五年，柯立芝總統任內，兩次提請華倫 CHARLES B. WARREN 爲司法部部長，均爲參議院否決，那是十分例外的事。所以艾森豪今天雖尚未就職，其所宣布的內閣閣員，須經參議院的同意，雖以今天艾森豪在參議院同黨之雄厚，這種同意是不成問題的。就這個內閣閣員的大批閣員，作一個統計，艾森豪的未來新內閣，是一個商人內閣，是名實相符的。以美國未來新政府的內閣中，總統是職業政治人，而內閣是多數職業商人，研究美國政治工商家，把美國新內閣人選作一個統計與比較，這是美國歷史上一個創造的新局，就這個新局所創造的說，我們說新內閣是一個新局。如果要預測美國新內閣未來的政績……

預測美國新內閣對其國內外的影響，我們得先解答美國內閣的性質。在解答這個問題之前，我們先把美國內閣與英國及歐洲其他國家的內閣作一比較。美國的內閣與英國內閣的性質完全不同，便與歐洲其他國家如法、荷、瑞等國的內閣，在性質亦不相同的。

美國的內閣，是總統的內閣，亦是他的幕僚，閣員與獨立性的政治家很少有，美國的閣員是總統的幕僚。閣員沒有所謂自己的政治責任，在美國總統是一切政策的決定者，並負政治上的責任，閣員均操在總統手中。總統可以在決定政策時，徵詢閣員的意見，但最後決定之權則操於總統一人之手。內閣會議的舉行與否，可以隨總統決定。時常總統一年沒有舉行一次內閣會議。再，閣員方面，除了有時可以在國會委員會中說明法案，其他時間是不能列席國會大會的，美國有名的「潘德爾頓議案」（PENDLETON PROPOSAL）是主張內閣閣員可以列席國會的，但此種主張八十餘年來未能成立法案。美國的內閣只是總統的一個小團體，只能作一個政治家集團。如塔虎脫（TAFT）、克萊（CLAY）、胡佛（HOOVER）等，他們之被提名爲總統……

[illegible]

[illegible]

[illegible]

[illegible]

本週展望

·雷嘯岑·

邱吉爾訪美結果

邱吉爾此行已結束與艾克的會談，到華盛頓作外交禮節上的訪問了。他此行因爲發過一句「反對擴大韓戰」的話，爲美國人民所不喜，大受輿論指摘，表面上已沒有像過去幾次訪美的風光，渾未免使邱翁不無黯然神傷之感吧！

至於他與艾克三度密談的內容如何？是何結論？世人固然無從揣測。但艾克早有決不從事祕密外交的聲明，而第八十三屆新國會又正在開幕之中，無論艾邱談些甚麼問題，艾克第一是不會作決定性的承諾，第二是要取得國會同意，乃可斷言。

邱翁此行首要目的，當在財經問題上。美國必然要支持大英聯邦的經濟發展，自無疑問。究竟支持到甚麼程度，這却非艾克所能專斷，必待國會議員們研議的，而其標準，又必以英國在政治上對美國現行世界政策的支持程度爲依歸。

不管艾邱會談的問題有多少，將來結果如何，上述各項原則却是肯定的。

社會主義者爭議問題

仰光的社會黨大會中，對援受馬克斯社會主義與史大林共產主義的理論問題，已發生爭執，分成了兩派意見，這是可喜的現象。喜的是：他們知道史大林主義與馬克斯主義大有區別了！

馬克斯分析資本主義的發展情形，當然比列寧史大林明萬倍，所以，孫中山先生也承認他是社會病理學家呵！至於馬氏對這些社會病理的醫道，由於他是採取「以偏概全」的邏輯之故，自有許多不足爲訓的。但他却不否認社會主義生活可用民主的和平方式來達到，這點即與俄式共產主義的理論大相逕庭。

凡是相信民主社會主義生活的人，就應該唾棄史大林所謂「一國社會主義建設」的僞馬克斯主義理論！

杜魯門臨別吼聲

美國總統杜魯門在其快要去職的十天前，向史大林提出警告，教他不要幻想有與資本主義國家作戰取勝的階段存在，要有這種幻想的話，那就是「閣下的政權及其國家同歸毀滅」。因爲資本主義世界已進化到能夠製造較當年轟炸廣島、長崎更具有猛烈摧毀力的原子世紀了！

史大林近來正在發表其「和平」言論，既說願與資本主義國家和平相處，又說願盡力協助解決韓戰。不料英國的艾登外長已揣斥其對世界和平毫無誠意，而杜魯門則乾脆地教他當心自己的政權和其國家將遭到毀滅！這是對付俄共冷戰的唯一有效方法，不拿實棒說話，他們是冥頑不靈的。

俄共們對於這種獅子吼聲的反響，大概爲「美帝」製造戰爭的威脅言論，一面更高唱和平論調，再過些時候，總由塔斯社發佈消息，說俄國對原子能也有進一步的發展了。

日本與中共洽商遣俘

日本的所謂民間代表七名，已赴中共約國大陸，交涉遣回三萬日俘問題了。能夠將三萬以上日俘，先遣還三萬，自是好事。可是，照日本政府現時對待共產黨的辦法看來，這三萬經過共黨長期訓練後的日俘，回到國內，將發生何等作用，很難想像。仰光社會黨大會中的日本代表，即表示要接受史大林的共產主義理論，而日本左翼社會黨亦提出與俄共締結建議。日本是否將蹈第一次大戰後希特勒時勢的覆轍，實在不敢樂觀。

菲律賓大捕華僑

菲島以肅清共黨理由，大捕華僑二千餘名。肅清共黨，我們希望季里諾慎重處理，不可稍事枉縱。如果華僑都是共黨份子或其同路人，何至毫無勸導告發之能夠，即使菲島治安大受影響，而且設法緝捕，兩千多名共黨份子，那麼容易束手待擒嗎？

美國的氫彈威力

杜魯門的國情咨文，率直警告史達林，如敢發動戰爭，美國決以氫彈使蘇俄陷於毀滅。這還是美官方首次正式承認美國製造氫彈的能力，及已在恩尼威托克島的試驗中獲得證明。至於美國的氫彈發展究已到達何種地步，下文是一篇詳盡的報道。

（上）　周明譯

恩島試驗的意義

十一月一日恩尼威托克島的試驗中，究竟爆炸了什麼？

那是到目前為止威力最大的炸彈。從理論上說來，這次試驗的炸彈，仍是一枚原子彈，和用於轟炸日本的相似，不過經過「改良」，而擴大了炸力。它顯然含有小量的氫素，將於日後用於正式的氫彈中。

為什麼這次試炸異常重要？

它表明了美國已擁有氫彈的「秘密」。這次在恩尼威托克島顯然爆炸成功的鈾與氫合製的炸彈，乃是科學家目前正在努力製造的超級炸彈之一種，稱為「T型」。

這次試驗是否表示氫彈不久即能運用於戰爭中？

不致於。即使氫彈的基本製造方法業已完成，但它的實際生產尚需時數年。例如大量製造正式氫彈所需的巨大工廠，目前尚在建築中，須到本年才能完竣。

氫彈和原子彈是不是有極大差別？

在理論上是如此，不過在用途方面，它們的結果相同，祇是氫彈的規模遠超原子彈。氫彈中，仍含有一個正常的原子彈作為其射發器，它的爆炸，使氫化為氦，而在這過程中，將能變成更大的爆炸力量。

從實際觀點來看，它們的不同究在什麼地方？

它們的不同祇在爆炸力量的強弱。氫彈與原子彈都造成放射綫，強烈的高熱，和龐大的爆炸壓力。不過，在正常原子彈的威力有一定限制的方面，氫彈的威力與大小在理論上卻並沒有這方面的限制。

據說遭受氫彈爆炸的小島，實際上曾全部焚毀而消滅，那麼這種炸彈是不是一枚即能使整個世界化為火海？

決不可能。這小島祇是樹木遭受毀滅，其本身並未就此消失。一枚氫彈能焚燬一個巨大都市，但並不能焚燬整個世界。

製造氫彈的理由

製造這種武器的理由何在？

大部份理由，是在於心理上的影響方面。一枚氫彈，力足摧毀需要原子彈十餘枚才能摧毀的一個大都市。適合使用這種炸彈的目標，事實上並不多。它的製造費用極昂貴。以這種方法來摧毀軍事目標，其效率並不高。但是以它遏止蘇聯的影響來說，作用卻十分重大。對莫斯科以氫彈作報復性轟炸的威脅，或可使蘇聯不致發動第三次大戰。

以紐約為例，一枚氫彈是不是能將這樣大小的都市摧毀？

在理論是能夠的。以足夠氫素（約一噸左右）加以鍊製而造成的氫彈，可以把紐約所有的房宇幾全部摧毀，並炸死其大部份居民。

一枚氫彈的破壞範圍，能不能超過一個都市？

不可能，除非是幾個都市相並連的。炸彈的大小，顯然有實際上的限度，即使我們製造一個氫彈，力足摧毀一千哩的範圍，但這個區域，也不過祇有三十五哩長和三十哩闊。

那麼在理論上呢，一個氫彈能不能摧毀一州，例如四千九百方哩的康涅狄克州？

不能，即使一枚氫彈的破壞力有如此強大，但它並不能在足夠的高度爆炸，使它的破壞力擴及弧形的地球表面上那麼大的範圍，至少在目前的飛機與飛彈發展階段中，還沒有此種在高空過炸氫彈的方法。

在和平時期，氫彈的資料能不能用來產生力，或其他任何實際用途？

事實上還沒有。到現在為止，並沒有人知道能用什麼方法，使氫彈的爆炸緩慢進行，而具有和平時期的用途，像鈾質的原子能一般。

氫彈的破壞力

在實際方面，一個氫彈究能摧毀多大的一個區域？

氫彈的大小不同，所以，每一個氫彈的設計目的，大致將在於摧毀它的特殊目標。不過在理論上，可能範圍內最大的氫彈能完全摧毀一個像紐約或莫斯科這樣大的都市。

氫彈爆炸所發出的放射綫，其危險性是不是超過原子彈？

是的，不過最大的危險還是氫彈的爆炸壓力和它所產生的高熱。換言之，放射綫所造成的死亡數字，其比率大致不會增高。

氫彈是不是還有其他危險？

有的，如果氫彈爆炸得多的話。每一個氫彈將造成一種放射性的炭氣同位素（其原子量為十四），無限期地存在於空氣中。美國原子科學家認為，氫彈如有數百或數千枚爆炸後（還沒有知道大概是多少），可能在空氣中產生大量的這種炭素，使世界上全部人口失去生殖力。

一個氫彈的爆炸會不會造成生殖力的喪失？

幾乎可說絕對不會。如果個人距離爆炸區尚遠，能繼續生存，他所吸收的放射能，並不足剝奪其生殖力。

氫彈的製造費用，是不是遠超原子彈？

是的，要超過極多。單是建築必要的工廠，並使它能生產氫彈，便需要二十至四十億元。其後，每一個氫彈的製造費用，可能需要二千五百萬元左右之鉅，包括它的「引發性」炸彈的費用在內。原子彈的費用雖到目前猶嚴守祕密，但由於原子工廠業已建成，且有大量生產基礎，以一個氫彈的費用，當然能製造許多枚原子彈了。（譯自「美國新聞及世界報道」）

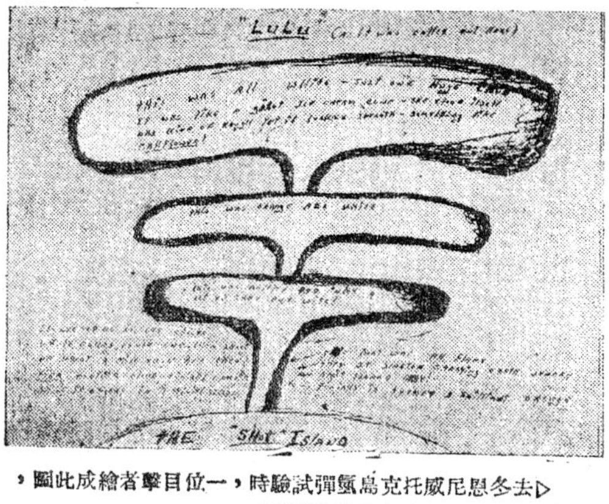

▷去冬恩尼威托克島氫彈試驗時，一位目擊者繪成此圖，描繪三重菌狀雲層裊裊上昇的情形◁

天下小事

斐列特的可能繼任者

美國總統當選人艾森豪目前所面對的一個難題，乃是如何安插他的密友和長期助手格魯塞將軍。艾森豪顯然不願意讓格魯塞仍留在歐洲，擔任歐洲盟軍最高統帥李奇威將軍的參謀長。他可能派格魯塞將軍接替在韓代斐列特將軍出長第八軍。但據最可靠的消息說：艾森豪將把格魯塞自巴黎調返華府，或者充艾氏的私人參謀長，不然即出任陸軍參謀長。

韓境鹵獲武器運南國

在韓國俘獲的敵軍武器現在源源運交南斯拉夫的狄托政府。最初，陸軍首腦對如何安置大批俘獲的共軍武器頗傷腦筋，但後來他們偶然想起大部份的南斯拉夫軍隊都是使用俄製的武器和裝備，這些武器與裝備是狄托與史達林攜手時，由俄國供給的。所以，原來囤在一邊的共軍武器，現在已找到一條出路了。

聯合國秘書長爭奪戰

聯合國秘書長賴伊仍打算提出辭呈。但據熟悉內幕的人說：未來的聯合國秘書長，只可能有兩個人競爭，印代表梅農及南美洲國家人士出任的傳說已成過去。這兩人不是別個，一是菲律賓代表羅慕洛，另一還是賴伊本人。若干國家（包括英國在內），現在都贊成賴伊留任。因此，賴伊很可能再幹下去。但如果美國新國務卿杜爾斯堅決支持羅慕洛時，羅氏的機會可能更多。

賴伊俄籍助理將辭職

聯合國秘書長賴伊的俄籍助理齊路科可能辭職。賴伊已明白表示，不論齊路科何時提出辭職，他都加以接納。自從齊路科的助手史凱佛索夫援助間諜，作不利美國活動的眞象揭露後，齊路科在聯合國中的聲望已一落千丈。

俄報人著書揭露暴政

前俄共著名報人蘇維維夫最近出版一本厚逾五〇六頁的專書，描寫史達林統治下的暴政，異常翔實詳細。他在十餘歲時，原是布達尼騎下紅騎兵中的寵兒。後來被官方送往學校進修，冀圖把他造成為史達林新蘇聯的領袖之一，他迅先担任政府「消息報」駐西伯利亞記者，稍後改為駐克里姆林宮記者。因為他知道政府的大屠殺案和大黨獄過多，所以當整肅降臨時，他即慘遭開除並充軍至偏遠的省份。戰時，他從事游擊工作，為納粹拘捕。戰後前往美國，才算獲得了自由生活。（孟衡）

越南赤禍延及高寮

·勁草·

大西洋十四公約國理事會通過了支持越南抗共戰爭，與美國增加對越南軍事援助以後，法越聯邦軍無疑已增加了一股新生力量。但進攻泰族山區的越盟軍，卻已改變計畫，分向老撾和柬埔寨進竄了！

國外通訊

（本報西貢通訊）最近北圻的局勢，顯然在法越聯邦軍隊採取降落傘聯合反攻步驟以後，予越盟軍的進侵火燄，逐漸地抑壓了下去。此種原因有二：一、法越當局於去年終以前獲悉大西洋公約國家全面認可法外長舒曼所提支持越南反共戰爭的建議，和美國於同年宣布對越南的軍事、防衛援助增加以後，予前綫、後衛的法越軍注入了一份興奮劑，士氣於無形中大為充進。二、越盟軍內部的矛盾，已充分反映出由指揮不統一而形成步調不能一致與不合作現象；雖然，這種現象不會對蘇俄的全盤侵略東南亞計劃有何打擊，至少可以使紅河三角洲的危局暫時得到緩和。

東北之役越共大敗

越盟內部的矛盾，僅係越盟軍總司令與參謀長黃文泰間的不合作。黃文泰率其部驟南犯，而武元甲則在諒山按兵不動，處於此種形勢，再加法越軍的龐大掃蕩攻勢，迫使黃文泰在泰族區的一支前鋒，陷於孤立；且共軍目前的戰略，已不願易採取「人海」「火海」」的拙劣攻堅戰術。因此，使略的火燄轉向西部進襲高棉（柬埔寨）、寮（老撾）兩國了。雖然，高、寮兩國的危機久已潛伏，而這兩個國家，在法國保護，與美國經常給予援助之下，向來很少注意到國防建設方面，因為一方面是這兩國建立軍力之舉，不見容於法國的統治者，另一方面法國於戰後君到越南三邦的民族主義崛起之後，尤其在胡志明反叛的擴充兵力具有戒心，於是便忽略了共產主義乘虛進襲的陰謀。從表面上看起來，越盟軍向柬埔寨進攻還是距今半月之前，係在百鑾奔西北八十公里地區對柬軍一營進攻，結果是越盟軍死傷四十七名，俘獲三十五名，柬軍的傷亡則官方並未宣布，僅說毀了營地三十座。顯示當時的作戰過程非常激烈。至於老撾被越盟軍武裝進襲報道，僅是在最近才被發現，法越當局僅說強大共軍集結於老撾邊境，至如何對付此一壓境的「強大」的共軍，卻並無下文了。

柬奸同國形勢惡化

實際上，柬埔寨的危機，和越南同樣的嚴重，柬埔寨不僅外受共產主義的威脅，而內在的反對派王族的壓力下，已使柬埔寨的本身力量，窮於應付。大多數人總認為越南三邦造成今日這樣的危險的局面，殆屬外來的殖民地勢力高壓所致。就地形上說，柬埔寨在中南半島確是佔有重要地位，雖然它的民族富有忍耐與團結信心，但自從一八六三年八月十八日被法國褫去中國藩屬的外衣而迫使締結烏龍山條約以來，屢經變故，一直遭受法國統治者支配；法國在名義上承認它是一個「獨立」國家，但內政、司法、外交，軍事、財政，法國依然有權過問。礦藏亦由法人開採。可是，已經六年來，共產主義不擇手段向它進攻，以政治滲透方式迫使此擁有四百萬人口佔土地面積六萬七千方哩的柬埔寨就範，而甚現出極度不安與動盪。雖然他們對共產主義原無認識，在反法、反政府的民族派領袖孫玉明看來，是一個抬頭的機會；孫玉明是日治時代的總理，他於日本投降後遭法國逮捕，判刑十年，後來改為緩刑釋放返國，激烈反對法人，國內的形勢使更見惡化；反對派王族與國王西哈諾克之民主黨政府的對立，更形尖銳，終於格格不入而趨向於分裂。誰知這種分裂，卻是越盟共黨有意的安排，並非單純的民族主義與民主黨政府間的政見未臻協調。

胡志明勾結內奸反叛

越盟主席胡志明於孫玉明返國之後，便使他暗中結合反政府的勢力，先行組成一個「民族解放委員會」，然後由越盟負責規劃，再行組織一個「民族統一陣綫」，號召民族統一解放運動。然而，這僅是柬埔寨內部叛亂的形態，當初也並未給人重視。迄一九五二年三月二十九日孫玉明離開百鑾奔失蹤之後，這件事看來就不尋常了。這經證實，這一個與越盟勾結的E族，竟於泰、柬邊陲三百呎高的峭壁荳蔻山脈中崛起，而另成一個屬於共產主義的一個「國家」之後，孫玉明便公開向西哈諾克及其民主黨政府宣布反叛了。一年來雖無大規模的活動，而潛伏於地下的力量，卻已逐漸擴張，越盟電台廣播中誇稱已「解放」了百鑾奔以北大片土地。然而，柬埔寨政府，在這一年來軍事防衛與政治設施，事實上並無進展，它在國際間的地位，由於蘇俄對聯合國杯葛，倘無必然可能加入聯合國之迹象，也尚有許多國家並未承認其獨立。在越盟軍首次入侵受阻之後，自不能斷言柬埔寨足以有力擊退越盟之進攻，且當前之內在的危機未除，至少亦是柬國的一大負累。

老撾危機同樣嚴重

老撾的複雜形勢不亞於柬埔寨，他處於半島的西北部，佔地面積八萬九千方哩，僅擁有人口一萬五十萬，他的立國經過與已往之遭遇，也與柬埔寨相同。老撾的內奸梭發羅馮親王，也是越盟安排下的一個共黨傀儡，經常獲得武器的接濟，而於一九五〇年受制於越盟，組織「民族解放委員會」，由該梭發羅馮親王自任主席。形式上與柬埔寨的叛黨相似，但它的發展則并無柬埔寨之速。迨胡志明續將高、寮聯合建立了「印度支那聯合統一陣綫」之後，國際共產黨對東南亞之侵略陰謀，已經極為明顯，而說明了無論越南或是柬埔寨與老撾二邦是誰一舉手一投足，無不是整個牽連的。故越盟軍向柬埔寨北部的進竄，與越盟大軍迫臨老撾邊境等等，均是共黨侵略的整個行動，而非單獨的對付老撾或是柬埔寨的。局勢的發展已經非常明顯，但高寮兩國尚均無準備作戰計劃，法國人也并沒有積極的表示。這一點，不僅西貢的許多外國人感到驚異，即越南人尤認為大惑不解，而感到越南的局勢仍然嚴重，大多數人認為，越盟軍或會先取高、寮，而後再將越南解決的。

中共奴役剝削殘酷無極
鹽民處境慘絕人寰

自中共竊據大陸而瘋狂地展開全面的奴役、剝削以後，原來自由生產，自由生活的鹽民，即陷入了中共「國」營工廠形態的嚴厲管制。此種管制的目的，乃在有組織、有計劃地搾取鹽民的勞力，剝削鹽民的收穫。惟由於奴役過慘，剝削過苛，致造成了鹽民普遍而嚴重的傷亡，剝削了鹽民最低限度的生活，終於在鹽民的忍無可忍拼死一呼之下，揭開了一向在中共一手掩蓋之下的事實真相。此種真相，真是悽慘萬狀，不忍卒言。

鹽場變成官府　鹽民視同鹽奴

大陸鹽民何以會如此悲慘？首先一個主要原因，是鹽場一律變成了官府；變成了經營、征稅、和統治三者混合的特別衙門。鹽民在這個特別衙門的共產黨一貫殘酷兇惡的統治下，在基本性質上，早已變成了鹽奴。

例如據「華東軍政委員會」的闡述，就說鹽場的組織機構，是企業和政權混合的，既要執行行政職務，又要經營企業。現在除了經營部份暫且撇開不談，即就執行行政職務部份，它就同時擁有三種形態和權力：在生產上講，它像一個工廠，採用計件按工計酬制，它使鹽民變成了雇工，剝奪了鹽民原有的買賣、儲藏、依息調節的任何自由。在征稅上講，它又像一個鹽務局，它以低廉工資强斂來的食鹽加上營利和稅額統制出售，而後將鹽稅向上級繳納。在管理上講，它更像一個可以任意施行單行法的特區政府，任何工商機構所不便施之於工人的壓迫，它都可以用政權去行施它。簡括一句話，它統御了鹽民所有一切的自由使他們無法動彈。

其次一個主要原因，是中共不顧一切的執行其「增產節約」的實自政策：爲了「增產」，便瘋狂地向鹽民施行奴役，爲了「節約」便殘忍地盡量壓低鹽民的工資；這結果，當然損害了鹽民的健康，摧殘了鹽民的生命，也剝奪了鹽民的生活。

再次一個主要原因：是中共在「增產節約」的原則下，並不是不可能顧到鹽民的健康，安全，和生活的，而是中共中央曾有一個「不顧現實條件盲目地改善工人的生活對工人階級的根本利益是不利的」指示（見本月二十一日上海解放日報）這個指示便根本注定了所有工人，包括鹽民的命運，只有坐視淪入地獄而永遠無法超生！即使提出檢討，也已大錯鑄成，積重難返了。

奴役殘酷無極　到處傷亡慘重

鹽民究竟悲慘到什麼程度？即以淮北鹽場爲例，便可見一斑：

據本月廿一日上海解放日報透露消息說：「一般鹽場工作雖有成績，但也存在着許多嚴重問題。首先在安全衛生方面，即以淮北鹽場爲例：解放以來，由於生產領導欠當，工傷事故便急劇增加，一九五一年因工死傷人數共二百九十一人，而今年一至八月中，即有三百四十五人，其中積勞吐血者有二百二十一人之多，而女工因體力不支而致流產者達六十五人之多！」

何以會造成這樣慘重的死傷？該報又承認說：「以上嚴重事故的產生，主要是由於過份加强了工人的勞動强度，致工人在生產時勞動負荷太重。如挑鹽時，每挑鹽皆在一百六十斤以上，至兩百斤者，且工時太長，一般都在十小時以上，旺產時，竟有每天工作至十六小時者！致工人不堪疲勞，有的坐下來一吃飯就丟了碗筷不知不覺的睡熟了；有的在路上走就會暈倒！尤其是女工，她們有了孕固要照常勞動，即快要分娩了，也仍要勞動；於是，有的便不支而倒了有的便釀成流產；有的便在啼啼哭哭的硬撐着！」

造成嚴重傷亡的另外一個原因，是鹽場的安全衛生設備實在太差，同據該報披露說：「鹽上走灘沒有橋石；大鍋有的沒有脊骨，風車沒有保險扣，工人腳上沒有套襪和綁帶，致使工人在工作時容易發生扭傷、跌傷、打傷、戳傷等故事，輕者增加工人的疲勞和痛苦，重者便成爲殘廢，乃至死亡！而衛生設備方面，全場又只有一個醫務所，只有兩間小屋，更缺乏醫務人員，甚至連普通的水袋、水壺都很少，同時，求診手續却很麻煩，收費也很大，看病是馬馬虎虎，敷衍了事！」

據此，我們試想一想，這是怎麼一種景況？對着這種悲慘悽涼的景況，我們能不懷疑這是不是還是一個屬於人的世界？但中共對待鹽民的還不止單是奴役，而還在拚命剝削着鹽民們最低限度的生活：

剝削變本加厲　生活盡陷絕境

同據上海解放日報所承認：「在工資改革工作中及調整勞動力上存在的問題也很嚴重！今年一般鹽場改變工資制度的精神有了偏差；沒有從改善經營管理，提高鹽產質量去設法降低成本，而單從降低工人工資方面來減少開支。」又說：「如淮北鹽場，今年產鹽計劃比去年提高二百萬担；而工資支出，反比去年減少百分之十三點六五；去年尚有十五億元獎金，而今年產鹽定額提高，工人已很難取得生產額獎金；今年發放工資係按蘇北揚州工資分值計算，而鹽區物價又高於其他地區，致使今年一般鹽工已無法維持最低限度的生活！」不僅乎此，在中共所謂「一定員定額」的辦法中，還剝奪了一部份鹽民原來可以自由生產的權利，同據該報披露的消息，說淮北場今年已裁汰了兩千多個工人，其中多屬女工、老年、或半殘廢者，却不給她們安置，致造成了嚴重的失業現象！結果，這些人因生活陷於絕境，不是自殺，便是糾纏不休；也必然的影響了其他正在生產勞動着的鹽工的生產情緒！他們承認：說這些現象，已「嚴重地影響了人民政府在工人羣衆中的威信」！

就因爲這樣，已迫使所有鹽民無法生活，致各地鹽民已入於浮亂不安的狀態，據該報承認：現在一般世代以產鹽爲生的工人都已不願再繼續充當鹽工。

總之：現在大陸的所有鹽民，在中共此種型式的管制之下，及在此種用心的奴役、剝削之下，死的固已死了，還活着的也已到了無法再活下去的地步！雖然，或說他們現在已在報上提出了一點檢討，但中共的政策不變，檢討幾個幹部的「偏差」，「兩個字頭上推一推，又有什麼用？何況所謂幹部的偏差，已不是局部現象，而已到了積重難返，層出不窮的地步了！當然，這對於中共的最後崩潰，固是又一註解，但可憐大陸的鹽民却無辜特別遭了殃了！

中共的「節約」！
廣大羣衆普遍挨餓　中共倉庫儲糧腐爛

中共在大陸上推行的政策，除去努力緊棉外，便是儲糧緊縮，高呼着節約增產的口號，不過儲糧節約的辦法，也只是要老百姓勸緊褲帶，獻出最後的一滴血。共幹本身依然是高度享受和大量浪費。

這種例子太多了。就以四川一地來說吧！據十二月十七日新華日報載：「南充專區各縣糧食局（庫），由於機構合併，忙於交接秋徵及收購入庫工作，疏忽對存糧的保管檢查，加上近來氣溫驟降，倉內溫度不能排散，因而發生高熱、虫蛀、霉爛等現象。如南充縣世陽庫新字第四號倉，存儲稻穀面層五寸厚全部霉壞不能食用，估計損失佔儲糧數的百分之二。又川主宮倉房存儲稻穀發生虫害更爲嚴重，受害粒佔百分之三點六，杜仕中民倉存穀四個月來都未檢查，倉內汽水結成露珠。岳池縣普安，新民兩鄉存儲稻穀，面層發霉含有臭氣。其他營山，武勝等縣倉庫亦有類似情況」。這一批損壞的糧食，只是說出百分之幾，並未公佈實際的數目。大概是因爲數目太大的關係，另外還有一宗就更加駭人聽聞了。

據同日新華日報公佈一位「讀者來信」說：「四川省酆都縣第一區糧庫和第七區糧庫的工作人員，忽視公糧保管工作，不認眞執行檢查制度，使八十八萬多斤公糧遭受到霉壞，發燒等損失。

該縣第一區糧庫現已查出損失公糧小麥三十多萬斤，全部霉變和發燒，其中有八千多斤發虫吃成空殼殼，糯米二十五萬斤，試行加工的結果，有一半變成碎米，其餘也因有霉味而不好出售，在稻穀倉中，霉變和發燒現象更爲普遍。去年秋徵入倉的稻穀就有三十二萬斤霉變發燒，還有六千多斤稻穀根本不能加工。

該縣第七區王家渡集中倉的庫存小麥，也都全部變質，出粉率已很低。

據第一區糧庫工人譚德福反映說：他們去年秋季徵收公糧入倉後有好幾個倉至今還沒有翻動整理過。第七區王家渡集中倉的庫存小麥，自去年六月把小麥裝入倉後，保管人員以爲已經過空倉消毒，并且糧內還經過分層篩糠等工作，不再深入檢查……」這種情形，當然不止四川一省，更不止是南充酆都兩個地方，不過新華日報作「揭露」的登出罷了，目前軍農餓得面黃肌瘦的人民，看到報上的消息，再聽到幹部們的「苦口婆心」勸大家少吃飯，多吃粥，三餐改爲兩餐，對照之下，只有長太息了，還有什麼話說呢？

·雲·

民族文化瀕毀滅
中共控制下的出版事業

·沈著·

中共統治的第一課題，就是麻醉人民的思想，因之，對於出版事業管制也異常嚴密，現在的大陸上，除了各種專業的『國營』出版社以外，私營的出版社幾乎已完全沒有辦法立足，單就『國營』的出版事業說，最大的也只有新華書店一家，截至去年夏季，已有分支店共一千〇八十六家，陸續還在發展增多，儼然成了出版社的托辣斯，新華書店不僅組織龐大，而且負有特殊任務，一方面既然收到了擴大力量與建立統一書刊發行的效果，同時又統一了全國各地『國營』書店的管理工作，全國各地的書店，即令是『國營』，如果不通過新華書店，根本不可能發行片紙隻字，對於私營出版事業管制的嚴格，由此可以概見，他的目的，無非是使私營出版事業自趨消滅，用心的狠毒與淘汰私營工商業，完全出於一轍，只有過而無不及！

揭穿數字的誇大

從表面上看，中共統治下的出版事業在一九五二年總共出版書刊八億九千萬册，這比歷年來出版數字最高的年份—一九三六年，全年出版書刊兩億一千萬册，似乎是擴大了幾倍，但是仔細研究一下，就曉得是在那裏故弄玄虛，施展那一慣的騙人伎倆，出版書刊爲什麼不以數字計算而以册數計算，不用說明明是一些薄薄的小册子了！這還不過是就量的方面講，如果就質的方面講，再看看出版的那些書刊的內容，適足以使關心祖國文化的人勃然大怒，這種書愈出得多，愈足以速祖國文化趨於毀滅，中國古代的作品，祇有水滸傳、西廂記對他們還感興趣，不是誨盜便是誨淫，其餘可以陶冶優美的性情，培養高尚的人格的書籍，一概遭到被視，幾乎已經絕板，最風行一時的，就是那些「暴風驟雨」，「太陽照在桑乾河上」，「銅牆鐵壁」，「龍鬚溝」，「白毛女」，「新兒女英雄傳」，「李家莊的變遷」，「小黑二結婚」等等，一類挑撥階級仇恨的書籍，再不然就是一些「卓婭與舒拉的故事」，「普通一兵」，「我的兒子」等俄國人的作品，現在大陸上的人就是不認識字也以拿一册俄國小說譯本爲時髦，好像不如此就不足以表現他的前進，這幕後是有人在那裏作有計劃的提倡的，風氣的造成，並不是因爲俄國人的作品果真具有什麼吸引力，而是因爲必定要如此才足以表現他的「一面倒」的程度並不亞於他們的「領袖」！有了這些道理，那並不要多少代價即可取得的薄薄的小册子，自然可以不脛而走銷行甚廣，加之又有圖書館、文化館的大量購藏，工廠、學校的大力推銷，於是形成了出版界的蓬勃，這與文化的發展究竟有何關聯，更不用說文明的進步了！

文化氣息消滅

關於中共本位文化的推進，在共酋們的意念中根本是不存在的！毛澤東說過：「中國人民被人認爲不文明的時代已經過去了，我們將以一個具有高度文化的民族出現於世界！」他口中的「高度文化」是什麼？可以斷言，就是俄國文化，這並不是甚於主觀的見解信口來胄定的，這是根據近年來他們出版的情形，客觀來判斷，除了上面所說的一些小册子外，其餘較高級理論著作的出版，都是系統的在如何發展和鞏固國家的力量求得最大的保證這一條路上走，所以在一九五一和一九五二兩年之中，他們認爲極重要的出版物只有「毛澤東選集」的第一二兩卷，其次就是：馬、恩、列、斯的「經典」著作，以及斯大林最近的著作「蘇聯社會主義經濟問題」的譯本，至於社會科學、自然科學和有關古典文學、現代文學的研究性的著作，在上面所說的八億九千萬册之中恐怕沒有一册，這並不是恣意武斷的，因爲高級的、中級的和初級的自然科學及工農業技術的書籍的刊行，還只是在他們的一九五三年的出版計劃之中，由此可知，那幾億幾億册的出版書刊之中，除大部份的麻醉青年思想的小册子外，其次就是染有濃厚政治色彩的教科書，再次就是馬克斯、列寧主義和毛澤東思想「武裝人民的頭腦」，從而使之精通特定的自然和社會發展規律的書籍，毀滅中國文化爲的是「一面倒」，「一面倒」爲的是鞏固政權！狼子野心，是很顯而易見的！

（丹心）

反共健兒活躍天目山

天目山一脈東延，止於舟山羣島，在東南形勢上，一向佔着重要的地位，抗戰期，可謂曾爲東南半壁對敵鬥爭的一大中心。大陸陷匪以後，便成爲蘇浙皖三省的游擊基地。三年來該地游擊部隊雖處於非常艱險的環境中，但由於游擊志士們的意志的堅强及鬥爭技術的不斷進步，乃始終屹立不墜，愈鬥愈强。最近據杭州來人談，以由於近來國軍沿海活動的加强及反攻空氣的日漸濃厚，乃使該地游擊隊亦相繼趨於活躍，突襲、截糧，時有所聞，予共軍以極大困擾！

據談該地游擊情形，大致可劃分爲三個階段，茲略述於后：（凡現尚在游擊者皆隱其名，代以××××）

初期游擊如火如荼

第一個階段，乃是淪陷初期，國軍撤退而共軍小部隊不敢進據的真空時期。這一段時期的游擊單位非常龐雜，情形也可說是如火如荼。

在昌化方面：有國軍一九二師失了通絡的三個軍隊由參謀長郭××率領從歙德一綫退到昌化，與當地游擊隊趙樹勛林少階部會合，趕走了匪縣縣長裘正，解決了一部份土共，他們實際掌握了昌化的自由政權兩個多月。

在於潛方面：前任第三戰區少將高參的徐鑑率領了四百多人槍，番號爲浙西游擊縱隊，活動在於潛的太陽，臨安埠一帶。原爲洪門領袖的呂國華率領了三百多人槍，番號爲青年救國團獨立支隊，活動在於潛藻溪叫口天目山麓一帶。

在於潛、孝豐邊境方面；昌化的在鄉軍官李雲飛率領了三百多人槍，番號爲富春江游擊縱隊第七支隊。活動在羊角嶺一帶。

在於潛、分水一帶：於潛的地方青年劉××率領了人槍兩百多，番號爲富春江游擊縱隊第六支隊，活動在印子埠或分水北鄉一帶。分水的在鄉軍官陳雨滄率領了五百多人槍，番號爲富春江游擊縱隊第三支隊，活動在分水及於潛南鄉或分水畢浦一帶。

·東·（上）

談「我地美國」

為方

香港華商總會的監選委員會，為着新選會董之辭而又補，補而又辭問題，日前集會商討善後方法，大吵大鬧。會有一位華商「引得」美國的公司選舉法作辯證論據，聲言「我地美國唔係咁嘅！」這句話翻成外江佬的說法，即為「我們美國并非這樣的！」當場有人問他：「你們美國是否位在北冰洋？」一場激辯，終無結果而散。

言必稱洋人，行必作洋狀，這原是過慣了殖民地生活的咱們中國同胞的普遍現象。那位「我地美國」之華商先生的高論，我卻認為「未可厚非」！美國乃今日民主世界的領導者，「銀紙」又多，貨物更大把，以「在商言商」，不談政治來解嘲的華商先生，叫一聲「我地美國」，也不算是太離譜。君不見許多搞民主政治的高等華人，亦以走美國路綫，弄得美元為第一義乎？又不見在港出版的「今日美國」已改名「今日世界」乎？四海之內，皆兄弟也，只要有美元可撈，管它美國是在北冰洋？抑在西冰洋呢？

不過，我希望那位「我地美國」的華商先生注意一件事：「我地美國」是早已對共區實行禁運政策的，既以「我地美國」自命者，即不可又以「在商言商」的理由，把花旗貨品向共區走私運輸，大撈銀紙，那就是：「我地美國唔係咁嘅！」否則，以後別人說你「離晒大譜」，請你走出會場，你就只好「有得傾」了！

自由談

狼狗

漢生

這還是一九四九年十二月的事了。

毛澤東把整箱整包的清宮裏面的古董字畫，打摺停妥，準備到莫斯科朝賀謝恩的前夕，他忽然嘀咕起來，滿地團團的打轉。

藍蘋在席夢斯床上，鵝茸被窩裏，總不見她的胖愛人鑽進來行一個臨別大禮，冷得怪難受，忍不住便捏着喉嚨，嬌聲嬌氣地開腔了：

「今兒晚上別想再往『女看護』那裏跑！這麼冷的下雪天，還不快來」？

「……」

「怎麼啦？你！」

「我想起那條狼狗，跟着我二萬五千里跑來跑去那條老狼狗，明天我走了，誰照料它？」

藍蘋嗤的一笑，翻個身擦擦頭髮：「我還以為什大事呢？原來那條老狗！幾十萬人命都不在乎，倒為那條狗擔這份心事，笑話！」

「你懂什麼！我珍愛這條狗，好讓一班老幹部心裏舒服些……」老毛抓抓那一頭三寸的長毛。

「那還不好辦嗎？等我把警衛員們喊進來，考驗考驗他們誰最忠心於這條狗，就交給誰，不就完啦」說着，一伸手抓住床頭上的電鈴零零的亂按一陣。

兩分鐘後，召來了五個高級的警衛，一溜的排在宮門橫扇外面，靜聆懿旨。一個個凍得牙齒格格的響。

是娘娘的聲音：「主席同志，明天要朝拜去了，他的黑狼狗交給你們，可有點不放心！連我也不放心。現在，我先考驗考驗你們的思想，誰能說出怎樣忠心侍候這條狗的，就交給誰。」

沉寂了三分鐘，祇聽見一堆牙齒格格地響。

第一個開口了：「報告毛主席的愛人同志！我當這條狗做我的爸爸侍候！」

橫扇裏面的毛澤東搖搖頭：「咱們黨裏的同志，是屬於國家的，向來不再像資產階級念念於倫理傳統習慣，連小孩子都念過『不要爸爸，不要媽媽……』你的思想怎麼還未搞通！……不行！不行！……」

「對呀！」藍蘋也說了話：「全中國都正在清算爸爸殺滅爸爸，哼，你當它做爸爸，……靠不住……」

第二個想一想，吸一口氣，挺起胸脯道：「我當它做我的『愛人！』」

「愛人？」毛澤東笑了：「愛人算什麼東西？在新婚姻法中，愛人除了肉的需要之外，只能算是包袱……」說到這裏，一看藍蘋的嘴翹起來了，四週滿了菊花紋，纔不敢說下去，急忙改口：

「不行，當愛人不行！第三個！」

第三個想了幾分鐘纔開口：

「我……我想把狗當祖宗！」

噗的一聲，毛澤東和他的老妃子都笑了。

「祖宗？咱們還要挖祖宗的墳呢！家族主義的落伍思想，要不得，要不得！不過，有膽量說出把狗當祖宗，倒也算你思想搞通了。」

第四個膽管不敢大了，低聲咳嗽一下說：

「報告主席，我把這條狗當作主席行不行？」

毛澤東還來不及張口，藍蘋可火了：

「什麼話！那我豈不是成了母狗啦？」

最後一個倒挺機靈，一張口就喊道：「我當這條狗是太史林，咱們的太陽，咱們的爺！」

「你怎樣想起來的？」毛澤東兩手一擡，沒有鬍子的嘴，橫着一拉笑起來。

「因為咱們崇拜的就是那光明的領導者史太林，再說，他也就是您的爸爸一樣！」

「嘿，我剛才不是說過，咱們不要爸爸的嗎？」

「可是咱常聽見您說，要史太林呀！」

老毛沉吟了一下，點點頭：「你對黨的信仰總算不錯，本來可以放心交給你了，不過，我如果相信你，就不必考驗，這次考驗，按辯證法來說也就等如我信你不過。再說：……全中國人民嘴裏對我喊萬歲，心裏想要我命的人可多了，到底還靠不住！」

毛澤東決定放心把這條狗交給這把狗子當作史太林的人，而且特別指定，必須用最好的特灶營養餐飼養這條狗。

於是，當每天清早這個警衛侍候這條狗到城根溜躂撒矢拉尿的時候，老遠的便扯直喉嚨的叫行人讓開。他叫道：「躲開點！毛主席的爸爸史太林來啦！……」

章太炎評論光緒

狷士

章太炎「駁康有為論革命書」中有云：「君人者，善惡自專，其威大矣，雖以文母之仰御，侯人之讒嫉，至秦始皇之正位，能取太后嫪毐不韋而踣竄之：今載湉何以不能也。幽廢之時，猶曰爪牙不具，乃至庚子西幸，日在道塗，已脫幽居之窮，而尚不能轉移俄頃，以一身逃竄於南方，與太后分地而處，其孱弱少用如此，是則仁柔寡斷之主，漢獻唐昭之儔耳！」此論最為觀辟入裏。光緒恒得有不如漢獻帝之歎，足徵彼亦有自知之明也。

「庚子西狩叢談」記許景澄袁昶被禍經過，其事甚詳，似尚未經人道，略云：「庚子拳禍未宣戰以前，召集御前會議，和戰紛紜，帝在座見許景澄，即下座執其手，呼名語之曰：『聞曾至外洋，又在總理衙門辦事多年，外間情勢當應深知，究竟能戰與否，須據實陳奏！』景澄因言：『鬧教堂，殺教士之案，向亦有之：但傷害使臣，毀滅使館，則茲事體大，國際交涉，向無此種成案，宜請慎便。』帝亦知萬無戰理，劫於西后，不能邀陳己意，以景澄熟諳洋務，將欲借以為重，既聞景澄之言；所見正同，因執其手而泣，景澄亦泣。袁爽秋（昶）班次與景澄相近，亦從旁矢口陳奏，三人團聚，放聲縱哭，太后見之，疑許袁二公必有何等密語，刺激德宗，不覺大觸其怒，即注目厲聲曰：『此成何形狀，尚復成何體統？』德宗乃始釋手。後此上諭，以『離間宮闈』罪許袁，遂今棄市，實基於此。」由此觀之，西后之疑忌光緒，無所不用其極，許袁之無辜受禍，可謂冤矣。

光緒卒於戊申十月廿一日，西后卒於廿二日，先是十月中旬，西后患河魚之疾，衰年久瀉，識者已知其弗久於人世，顧未聞光緒有恙也。二十一日噩耗既佈，人猶疑為謠諑，俄聞新君已立，乃知傳之非虛，大為驚異。然終不明光緒得疾所由，或謂為西后所戕，殆非無因，蓋孝貞后之猝斃，即為西后所謀害，以情理測之，非不可能也，傳聞西后疾革時，竊竊私慮，光緒一旦親政，必修舊怨，若蹈禍且不測，遂交通奄官，行浸潤之譖于西后曰：「皇帝聞老佛爺不豫，弗憂而喜，何也！」西后于戊戌舊事，原未健忘，卒聞讒構，隸厲曰：「孺子無良，竟欲咒詛老身乎？若曹可寄語，須知老身一日不死，終不聽彼逞志也。」有此一言，益可證明光緒之非善終，不然，以壯健無疾之人，（按「崇陵傳信錄」謂光緒體氣健實，三十四年無疾病，未嘗一日輟朝，忽傳凶信，）且其死期又適在西后彌留之前一日，其故何歟？

趙四風流

唐辛

九一八之役，張學良以不抵抗主義，為國人詬病，加以其私生活浪漫，尤為賢者所不齒！馬君武先生詩云：「趙四風流朱五狂，翩翩蝴蝶最當行。」久已膾炙人口。朱五是北洋老官僚朱啓鈐的女兒，與學良雖一度為友，但不久即告中斷。惟趙四從學良最久，迄今猶患難相依也！

趙四名一荻，是趙慶華的幼女。趙慶華，號燧山，浙江金華人，歷任津浦，廣九，滬甯鐵路管理局長，上海交通銀行經理，交通部參事等職，是梁士詒時代交通系的紅人，長女嫁給馮武越（啓繆），是馮耿光先生之姪，留法學生。二十年前，武越夫婦在天津辦「北洋畫報」，替學良宣傳，銷數不惡。因為馮夫人（即趙大小姐）的關係，趙四小姐乃時時出入於學良的旅邸，（他在天津常住利順德）那時趙四不過十五六歲，學良也正在年富力強的時候，恰似與梅村詩中所謂「白皙通侯最少年」。兩人日久情深，便相愛好。張因趙四的處女貞操貢獻了他，因而尚不肯像對其他女人一樣的始亂終棄，而且不久就有了孕。

民國十七年左右，學良偕趙四回東北同居，張的夫人于鳳至不許搬進帥府，兩方相持不下，成了僵局，迫不得已，在帥府隣居商借一所房屋，開一旁門出入，卻因此惱怒了她的老父慶華，認為有辱趙氏的家風，憤而登報脫離父女關係，文內有「四女綺霞……私奔……」等語。這稿子送到大公報的胡政之，不敢登出來，趙氏親自質問，次日終於補登出來，一時滿城風雨。學良在東北當金時代，趙慶華隱居從不出關，人稱硬漢。

赫德傳（三十）

在此日俄戰爭時期，中國朝野曾同情日本，而政府則聽赫德之勸告守嚴格之中立。使戰爭限於東三省而不擴大至山海關內之理由，為山海關內，根據辛丑和約，為八國聯軍駐守于京津塘沽一帶，已經國際上共同將中國維持其武裝中立了。如認為在中國領土上而許兩國作戰場，即為中國不守中立之確證，則可稱中國已不能行使政權于該處，國際法上無科不能行使權力者以負責任，而認為可以行使。且使中國不能行使政權于該處，其事在戰爭之先，而實由于日俄兩國之破壞國際法來佔領，所以日俄如以此來責備，盡可加以反問。中國于日俄開戰後遂頒佈中立法規，四國之有駐兵者，請日俄兩國將戰爭限于東三省，得獲准可。

但根據中立法規，交戰國商船須于四十八小時內離開中國境內，而俄船避于上海，日人提出抗議。關員 W.F. Tyler 允海軍部中立事務顧問，部議使聯繫冰告師交戰國道：「所謂中立義務，須聽兩造的意見。中國的責任在依國際法做去，不欲與人討論其責任，亦不願他人以此壓力而加諸彼。如果她犯了國際法上的錯誤，有經常的糾正手續可循。」

兩國須佈違禁品，不許在海上運輸的貨品，名單約略相同，為滿足其要求，必須遵照辦理，都是海關的責任了。海關於是禁止攜帶米穀麵粉至東三省及高麗沿岸，後來大豆豆餅雖皆亦不許攜帶。中國仍許與兩國通商，但不特須依照平時商約，尚須依照平時法規，故商船駛赴交戰國者海關不特予以精密查驗，且須使其提出可以確信的担保。船如為交戰國所執，無論是否在戰區，船貨均依照國際公法送交捕獲法庭辦理。但中國聲明捕獲到船，此一事實不能作為推論中國業已破壞中立之根據，而中國中立，不至陷入漩渦。

美使 Conger 謂中國處境困難至此而尚能守嚴格中立，辦得如此的好，眞不容易。赫德則[illegible]的辦理應付方法道：「我們先不得不極端嚴格的辦理。但一步一步的對交戰國所限制商業的要求漸漸鬆下來。祇怕人責我們有所偏袒不再是中立了。」

二五、開灤煤鑛

中國工程鑛務公司于一八八二年在天津成立，資本一百五十萬兩，擬採開平煤鑛。李鴻章為其後盾，外人亦有投資，用外國工程師，鑛務極爲發達。惟華股難募，欲請英公司投資以大量開採，李鴻章首先贊成。一九〇〇年拳匪之亂，日俄威脅延該鑛，主持之張元茂商于稅務司德璀琳，欲改掛英國旗而得其保護。德璀琳乃商于胡佛，即後來美國之總統，其時在天津，爲 Moreing and Bewick 公司代表。組織中英合辦之公司，中外股權并重，設經理部二，一在中國一在倫敦，華經理爲張元茂。一九〇一年二月十九日，舊公司全部移交于新公司，由新公司代表胡佛與 Wouters 接收，完全爲避免日俄兩國之攫取。新公司核定爲股份三十七萬鎊，但新公司又欲在倫敦方面增股六七十萬鎊，顯爲欲賤低舊股東之發言權。袁世凱最不喜李鴻章所信任的德璀琳，乃命張元茂解散新公司，以財產交還舊公司。

中國之友（五〇）

毛以亨

比利時民主國王巡視貧民窟

一輛福特式的轎車緩緩在布魯塞爾大街上人羣中駛過，停在馬羅萊斯區的街上，三個人從裏面跳下來：一個牧師，一個中年的官員，還有一個是穿着褐色雨衣的青年人。他們在貧民窟中慢慢走着，在一條街上，迎面來了一羣小孩。

「這是國王！」一個孩子叫起來。

「你如何知道這是國王？」

「一定是的，他有這樣一雙精美的鞋子。」

這些孩子們羞怯地摸着那青年人的雨衣，年紀大些的人則帶着迷惑的眼光注視着。的確，站在這些最貧苦人羣中的，就是比利時的年青國王鮑杜因，他今年還只二十二歲，沒有帶一個衛兵或侍從，只由衛生部長泰伊和牧師佛羅杜陪同，來貧民窟中巡視。佛羅杜在貧民窟中傳道有年，他曾著了一本動人的小冊子述描貧民窟中的苦況，這本書還不曾引起內閣閣員的注意，但卻被鮑杜因王發現了，他讀過以後深受感動，決心親來視察一番，他在佛羅杜牧師的引導下，在汚穢的小屋中跑來跑去，絲毫沒有不快和嫌惡的表情。

鮑杜因聽到一個患肺病的貧民向他陳訴每天需付出四十法郎的醫藥費，他連忙把窗的藥瓶子袋起來，顯然打算送給那個肺病患者一些藥，在光綫漸漸暗下來時，他仍用電筒照路，往各家探視疾苦，貧民的孩子們則在前面跑着，一邊大喊，「國王來了」。在一間搖搖欲墜的房子中，鮑杜因仍想上樓訪問，裏面的居民嚇得手足無措，其中一個說：「不要上樓來，陛下，裏面太髒也太危險了。」鮑杜因也不顧，堅持己意，安慰他們一番後，即刻告退。他訪遍每一個貧苦的家庭，在每一家留下一點錢。受益的貧苦大家無不深為感動。

他驅車返宮的時候，天已經黑了。他向衛生部長泰伊說：「國人過着如此的生活，這是政府的恥辱。」第二天再問泰伊打算怎麼辦時，泰伊卻很坦白地回答：「政府正在準備計劃，至於何時準備完成，很難輕率地說明」。

·由之·

△比利時的年青國王鮑杜因▽

中華民國僑務委員會新聞登記證台數新字第壹零貳號

自由人

THE FREEMAN

（半週刊每星期三六出版）

（第一九五期）

每份港幣壹毫

督印人：李光華

社址：香港高士打道六六號

電話：二〇八四八

GLOUCESTER RD.
HONG KONG
TEL: 20848

承印者：東南印務出版社
地　址：高士打道六十四號

台灣特派員辦事處
台北市館前街五十號

台灣總經銷處
台北中華路新號五九四之一

台灣郵政劃撥儲金帳
九二五二號

歲尾年頭話台灣

·樓桐孫·

「歲尾年頭」這四個字，如果譯成外國文，即覺得很不通順，很勉強。因爲外國人一般的性格和習慣，說「歲尾」就是歲尾，說「年頭」就是年頭，很少會把這兩個有明確涵義而在時間上分屬於兩年的名詞搞在一句話裏，不知到底指的是「歲尾」還是「年頭」？是去年還是今年？

可是在我們說來，這句話不但是十分普通，十分自然，而且事實上且有「天衣無縫」之妙。大家試看，各人桌上或壁上的日曆吧。「中華民國四十二年一月大，8。星期四」，還不明明白白是「年頭」嗎？然而在同一頁日曆上，同時又可看到於8日之旁——如果是案頭日曆，或是壁上的掛曆，印有「農曆壬辰年十一月小，廿三日，己未，初六大寒」等字，有的並且還要在「己未」下，加印「大門[illegible]」這一個怪誕難解的名詞。這明明不是「歲尾」嗎？介於這「廿三日」的「歲尾」與「8日」的「年頭」之間，以本年而言，不多不少，足足地相差三十六天！這三十六天的時間，我說是「歲尾」罷，却是「年頭」；說是「年頭」罷，却偏偏是「歲尾」。我們硬說它是「年頭」。證據：大小報章雜誌，一律出「元旦增刊」或「特刊」；報面上並印滿了各界「恭賀新禧」的廣告；政府機關都舉行「團拜」；——首長們還免不了要發表一篇冠冕堂皇，普通籠統的文章；公教人員及若干工商「閒人」，紛紛交換「賀年片」：——一縷好大的花銷！然後在絕大多數老百姓的生活裏，乃至在幾乎極少例外的機關首長們和公教人員們的心頭裏，所懷慣，所意識的，却依然是「歲尾」！這在現代人類生活中不能不說是一種「奇觀」！

可是，我們中華民國的事情，無論公私大小，竟都可作「如是觀」！感情，意氣，無謂，紛擾，甚至支離，矛盾，不合邏輯！這種觀念和心理一日沒有澄清，則天下事很難得有走上現代化，科學化的一日！

先談胡適回台的言論

筆者就想在這「歲尾年頭」談談台灣的三五事。

首先談的是胡適之先生這次從美國回到台灣，風度甚好，風頭也自然甚健，這一切不在話下。他到處講演，席不暇暖，大有披髮瘏悴之勢。他講的不管是學術性的或是政治性的，自然都有他深切的體驗和正大的立場，用不着我「佛頭着糞」，妄加介評。但是就我所略知一二的，就是他「言者」講得多了，一般「聽者」就不免各有各的感想，各有各的了解，誤解，和反響。很多人的味清了，覺得心上有一股清涼，眼前有一線光亮，因之情感上難免激盪，生有某種模糊的期待……這可說是正面的效果。但也有少數的聽了，以爲胡適從黃金美國回來，提倡「合法的反對」，「合法的批評」，高唱「自由」，大談「民主」，似乎是別有用心，而對這一代學人，不無有某種的失望。我想，在這種見仁見智的情形之下，雙方意見，自不免都有相當的興奮和誇張。但這是沒有關係的。這對於自由中國，正是一種精神上的充實。一池春水，無風不波，遠遠的吹來一股清風，使寂寥靜止的水面，起了若干圈案式的浪紋，這豈不於歲尾年頭很好的景象？至於「自由」，決不是淡說風涼話，唱唱高調所能得到的。即以自由中國台灣今日的安定局勢來說，都是三年來八百萬軍民，在蔣總統領導之下，同心戮力，堅苦奮鬥所爭取的成果。雙十節前夕南日島的大捷，就是最好的例證。這道理，我想胡適之先生不會不知。他明知之而故言之，或者還有他的道理。聽說他快走了。他也許沒有時間和機會再和自由中國人士發揮一番。我不知道這是可惜，還是可喜？希望胡先生還是把自由中國這些自由的迴聲帶去新大陸慢慢的體會，細細的檢討罷！

新元氣，新力量！

大家一向都說我們的民族老了。即筆者本人也曾有過這樣的設想。那知不然，大大的不然！我們的民族沒有老！不但沒有老，而且正在表現出非常充沛的新元氣，新力量！最近廈門上空截殺匪機的空軍將士和大海上千鈞一髮，救同天行巨輪的普通航員，只不過是這種頂天立地，磅礴鬱積的新元氣，新力量的肇端！

是的，這不過是一個訊號，一個反共抗俄，爭取自由無上忠勇的崇高精神的一個表面化，尖銳化的例子！駐台美軍顧問團蔡斯將軍於去歲歲尾「失蹤」了幾天，從韓國前線密謁艾帥歸來之後，不是曾說台灣國軍，今年——一九五三年——將有更多更大的事情要做嗎？本年元旦，他不是對合衆社記者說「國軍有極高的潛力」，而亦以搶救匪機的傳奇式的事件，認爲「這是中國空軍進步的良好例子以及其戰鬥力的具體表現」嗎？不但自由中國六十萬養精蓄銳的大軍，一俟時機到來之一定個個都會有這樣類似的表現，而且自由中國每一個老百姓，對於不久即將揭幕的反攻復國的大業，亦必個個都能國爾忘家的以高度熱烈的心情來完成歷史神聖的使命。天行輪的廳阿三於瞬息存亡之間，智擒匪徒、救出全船，不只是一名最平常的「伙伕」嗎？我深信他們都只是本着「見危授命」的大無畏精神，行其所不得不行而已。像顧鍾珏，周善擇，秦志琪，郭鳳林這四位空軍勇士平均年齡，每人剛剛只有二十八歲。這都是激於義勇，自動自發的愛國，成了英雄。他們之所以普遍的受崇敬，其理由就在於此。

（下接第二版）

高唱入雲

法新閣前途多艱

·易徵·

法國政潮經過多時的延續，終於由急進黨領袖梅耶組成聯合政府而告解決。新閣陣容，以老政治家皮杜爾接替舒曼而任外長，國防部則仍由普利文擔任，除居伊留任國務部長兼副總理外，其他都是新人，似乎面目一新，在新政府施政方案未向國民議會提出以前，自難窺見其未來的內政及外交步驟路線，但有一點是可預斷的，即畢奈內閣突然垮台所遺留下來的許多問題，及外交與內政上許多未完成的工作，將決不是梅耶新閣所能輕易或在短期內解決與完成的。

內政與外交問題

法國今日的內政問題，多數是屬於經濟和財政方面，如梅耶能像最近在國會通過其任命時一樣，獲得強大戴高樂派議員的支持，在議會擁有大多數，則這些問題大致尚易解決。而法國的外交問題，如加以分析，可列爲二類：一是對西德促進邦交，二即是更重要的大問題，對美改善關係。

畢奈本人在以總理身份向國民議會發表最後一篇演說時，即曾檢討這些問題，指責其反對黨所提出相矛盾的建議，事實上無法調和而使任何政府接納。這種情形，幾乎是任何法國前總理都會遭遇過，梅耶當亦不免。

未來財政政策

畢奈的話，或可能對梅耶即將面臨的局面而提供一個說明。他說：最重要問題，乃是如果新政府放棄平衡預算及保護法郎的政策，財政危機將立刻發生。到目前爲止，市場尚採觀望態度，一切硬幣與黃金，價略有上漲。

畢奈又強調，如在一年初發生危機，則財政部將更難應付若干去年底所留下來的賬額，非向法蘭西銀行求取巨大協助不可。因此，梅耶將需要向該行請求提高透支的最高限額，目前據說法政府在該行所透支的款額，已接近頂點。

除這些財政上的迫切問題外，還有未來的整個財政政策待梅耶決定。一九五三年度預算雖已有部份獲國會通過，但仍有若干重要項目在虛懸中。其中包括復興經費，軍事支出，裝備，投資，政府對社會安全計劃逆差的津貼，糧價，以及鐵道等等。

此外，增稅問題亦極重要，而這一點又牽涉和物價與工資的問題，若通貨膨脹一旦發生，這問題勢將隨工潮而趨於嚴重。畢奈堅信，他的後任，實祇能維持他本人的路綫，即抑平物價，平衡預算，避免加稅，才能防止這種情況的發生。不過，他的反對者會一再指責這些措施，認爲他將法郎價值提得太高，而使全國商業發生呆滯狀態。

對美國關係的影響

至於法國的外交問題，畢奈說，最嚴重的是越戰，韓戰，法屬北非的糾紛，及整個西歐的不安情況，此外尚有西德再武裝，及歐洲前途等等歐洲的問題，還有法國對外貿易的逆差。

這些問題都是互相牽連，且牽涉到同一個因素，即對美國新政府未來政策的不安。美國對於所有這些問題的解決，都有巨大影響。不過，法國和美國的關係日益惡化，却是不可否認的事實，有人甚至已在憂慮兩國的密切合作或將不能再延續下去。

西歐一般認爲，美國的經濟援助，大致將於今年內結束，至於以什麼來填塞留下的空隙，則無人能預料。以法國來說，它還沒有從戰爭的破壞中完全復興，經援的斷絕，對它自有嚴重影響。而且，法人也恐懼艾森豪新政府將偏重注意亞洲，而忽略歐洲，特別是自己不爭氣的法國。梅耶在試組內閣之前即提出赴美與艾森豪會談的諾言，顯然希望藉此打消法國人民間普遍存在的這種疑慮。

梅耶訪美目的

過去，法國曾勉強接納美國對其外交問題提出的解決建議。但美國所要求於法國的二項主要步驟：開放貿易及提高產量，法國却始終因爲政爭及經濟問題而未曾做到。

對於西歐六國煤鐵合營計劃的前途，以及歐洲軍條約之批准，法國的憂疑現已日益加深，甚至茹益將軍亦反對按照歐洲軍條約的目前形式重建德軍。這兩個計劃，原是法國接受了美國堅持德國應參加西歐經濟、軍事聯合體的要求而擬訂的，現在法國却希望美英共同保證，歐洲軍的實現，不致於導致德國軍國主義的復活，而引起法國人民對政府的反感。梅耶如果赴美，這問題無疑將在他和艾克的會談中佔有重要地位。

法國對美國的懷疑，更因爲最近兩件小事而加深。一是美國新移民法的實行，法海員必須受美國移民局人員的質詢；其次即是美國新立法規定在美居留一年以上的法僑必須入美軍服役。對於後者，法國國會業已採取報復行動。

現在，梅耶上台後最主要的任務，將是如何求取艾克的協助，掃除法人對美國的疑懼，進而謀求兩國的諒解，扭轉目前兩國關係的惡劣局面。這步驟一旦達成，法國外交問題雖未必迎刃而解，至少也將有解決的良好希望。法新閣在外交方面獲得穩定後，其內政的安定，自然會隨之而來了。

進攻海南島之說

外電消息：美國軍事專家主張封鎖中國沿海岸，由國軍進攻海南島，以牽制中共對東南亞方面的侵襲，尤其能藉此以減輕越南戰事的威脅。

若就紙上談兵，進攻海南島固有這種效用，然國軍如進攻廈門福州及潮汕等區，更足以鞏固台灣外圍的安全，而且是真正的反攻大陸之舉；如從杭州灣登陸，對共黨攔腰痛擊，尤其使共軍首尾無從兼顧哩！

反攻是一回事，從那裏開始反攻又是一回事。真正的軍事機密話，決不會拿來作新聞材料的。艾克早說過要爭取冷戰主動地位，進攻海南之說，即是主動的冷戰戰術。中國海岸綫很長，重要港口也多，國軍可以攻取之點，應有儘有，今天可以攻海南，明天亦可以下廣州，後天或許對上海灘頭有所行動了。

中共對蘇俄不滿？

東京的合衆社指出中共對一九五〇年「中蘇協定」的實施感到不滿，理由是中長鐵路所有一千三百餘名的俄籍人員，一律予以挽留，而鐵路局長之上，又有俄國顧問操縱着。這些都是必然的事實，但絕對談不到中共有不滿的話。自北平的「中央人民政府」，以至於全大陸各縣市機構中，那一處都有「老大哥」所派的顧問和技術人員指導監督着呢！區區中長路的俄籍人員與顧問，算得了甚麼？何況東北已成爲「老大哥」的天下，俄兵遍佈，胡馬縱橫，中共那敢稍存「不快」之念？

西方人至今期待中俄發生分裂，從天上掉下一個亞洲狄托來，隨時「一心以爲鴻鵠將至」，以便不勞而獲，坐收漁翁之利。因而在若干當政人物的口頭上，不斷地對中國人的民族主義表示贊許與鼓勵。他們却忘記了過去對中國關稅自主和廢除不平等條約的那種真正的民族運動，曾經千方百計地抑制不許；更忘記最近對其殖民地人民獨立運動之無理壓迫。如今却希望實行「國際主義的民族主義」之中共，能與其「無產階級祖國」反目絕裾，寧非自我陶醉的神話嗎？

每週展望

·雷嘯岑·

麥克阿瑟的出處

關於麥克阿瑟將出任艾克政府的「蘇聯問題顧問」，這大概是新聞記者想當然的推測罷了。

麥帥並非蘇俄問題專家，他對國事的意見，也無須通過國務院顧問的頭銜能夠披陳的。他是在役的五星上將，政府隨時可以徵調他服役，他亦早已表示過這種願望。但蘇俄問題顧問的職務，却不需要他來效勞。

世界局勢如無重大的變化，至少遠東方面沒有突變的情勢發生以前，麥氏依然是以現有身份，對艾克政府實行不負名義的「顧問」職責。幾時世界風雲丕變，亞洲烽火連天，那就會聽到麥帥「一來也」的聲音了！

撲克牌的政治手法

以英法爲主的北大西洋公約國理事會，決議減低今年的建軍進度，爲的是間接警告美國莫因韓戰而疏忽對西歐國家的援助；美國共和民主兩黨的國會議員們，則警告西歐各國，今年必須達成二百師歐洲軍的建軍計劃，否則削減歐援。雙方都像是採取打撲克牌的手法，加注「梟斯」，你來我往，結果籌碼最多的一方將佔勝利，不成問題。艾克與杜魯門的牌術，不同了，能最後是志在必得，不怕道友「梟斯」的！

美國與印尼的新協定

美政府宣佈已與印尼簽訂新的協定，以經濟與技術援助爲主，取銷舊有協定內贈與式的軍援條款。

印尼尚未直接感受外來侵略威脅的國家，對於贈與式的軍援所應負擔的義務約束，總不免介介於懷。事實上，這類國家的軍備亦非短期內即能達成自衞力量的。先從改進其經濟生活入手，也是培養其自衞力量的根本辦法，又可以避免若干無謂的疑懼，這是一項明智的外交政策。

胡適的來去

台灣通訊

胡適之先生自上年十一月十九日返抵台灣，轉瞬已一個半月。他將於本月十七日取道日本去美，何日再來，未能預定。胡氏在此一個半月中，誠如他自己所承認：說的多於聽的，聽的多於看的。而在社會輿論方面，則認爲他應酬太多，交際過繁，未能有更多的機會與民間人士接近，也沒有足夠的時間安靜地研究問題。因而曾有人呼籲要重視胡先生的健康，不要使這位花甲老人過分的勞累。

二個主要問題

現在胡先生就要走了，究竟他此次回台，曾發生些什麼影響？他所篤信的民主自由，在台灣又留下了多少種子？這是若干關心世局及愛護胡先生的人所關心的問題。

在胡先生未回到台灣以前，關於自由世界與自由中國的關係，在輿論上確有紛歧的看法。有人認爲自由中國的前途，只有倚賴自由世界。單憑自由中國這一點力量，是無法達成反共抗俄的任務的。也有人認爲自由中國應當有其自己的前途，並不需要也不應該完全倚賴他人。胡先生到台之後，於每次講演中都強調前一個看法。他說：自由中國是自由世界的一環，自由世界有辦法，自由中國才有辦法。自由中國能多傾向民主自由，便是提高了其在自由世界中的地位。蔣總統在其四十二年元旦告全國軍民書中，會特別說到：「我們如要保衛和平，維護自由，以及保障國家獨立的唯一出路，只有認清敵友，和國際間相互依存的關係」。從這幾句話中，可以瞭然以往各方面在觀念上的紛歧看法，恰與胡先生的話相融合。

胡先生在台歷次談話中，均表示其願爲國家的諍臣，政府的諍友。因而他關於台灣的安危，有過份樂觀的氣氛，他曾要求大家加意警惕。蔣總統在元旦文告中，也說：「如果到了時候，準備未完，實力不足，那即使有了很好的時機到來，亦會錯過。只有看着人家成功，而與我們無關，更無樂觀可言，尤其是盲目地過份樂觀，那其結果必將會招致極度悲觀的危險」。以上幾點都是政府當局的見解與胡先生的意見大致相同的地方。

台灣最大的進步

胡先生在環島旅行之後，認爲台灣最大的進步之點，在教育與地方自治。他認爲軍隊的進步與土地的改革在國外的輿論上表現得較多，而教育與自治總都是基本的工作，在國際的報導上實嫌不足。胡先生在國外久了，他曾親身看到過美國幾次總統大選，此次在台灣看到了許多民選的縣市區及第二屆縣市議員的選舉，尤感興趣。惟他對於這兩項要政並未提出更多更具體的意見。胡先生對於其篤信的民主自由，此次曾具體的提出了意見。關於民主者，他希望加強監察權，并且希望立法院能盡到善意的批評政府作爲政府內的合法合理的反對派的任務。立法院規定五分之一委員出席即可開會，曾有不明瞭外國議會歷史或議會法的人表示不滿，而胡先生則甚爲稱道。他此次在國大代表聯誼會和立法院長與監察院長茶會席上均曾發表極有意義的演說，但行政院母雖曾舉行大規模的茶會，爲之介紹與各方面人士見面，胡氏並未致辭。司法考試兩院院長只是歡宴如儀，也沒有給予胡氏以對兩院同仁一抒所見的機會。從胡氏在立法院茶會的講辭中，却引起了自由中國的一個辯論問題。即立法院是否中央政府內的一部份，抑係與政府對立的機關？也就是說立法委員究係在朝抑係在野的身份？立法院若干委員雖不願以在朝自居，但如完全作爲政府以外的人員，亦未必樂意。立法委員中絕大多數人既是中國國民黨黨員，而國民黨又係當前的最大執政黨，欲使立法院立於政府之外而專作對行政部門的制衡工作，亦勢所不能。有人說：胡先生的說法是對的，但須俟回到大陸以後才可以這樣做。今日在台灣，是一個艱苦奮鬥的局面，宜於同心合作，却不宜這樣做。

爭取言論自由

說到自由，胡先生特別注重言論自由。他一再地說：言論自由要靠爭取，不單靠憲法上的條文規定。他又說近五十年來美國的進步係得力於言論自由。要如何才可以爭取言論自由呢？他迭次舉其在北平辦理獨立評論的情形爲例。就是完全自己出錢出力，不收受政府或其他任何方面津貼。他屢次說到在抗戰勝利以後，他就不能恢復獨立評論，因爲紙張要政府配給，借款要向國家銀行申請，事事倚賴政府，還有什麼言論自由可保？所以胡先生對於報紙雜誌，都勸主持的人要從廣告方面謀取收入，他說美國報紙因有大量的廣告費收入，故可以成爲獨立自由的企業。

胡先生是服膺杜威的人，重實驗主義，不尚玄想，因此，他所講的並不是玄邃新奇的理論，而是平易近人的實事。另有一部份人則相反地認爲胡氏的民主自由調子太高，與今日反共抗俄的大環境不能適應。胡先生是主張言論自由與批評自由的人，他自然能夠容忍別人對他批評的自由，所以我們雖看見對胡先生表示異議的文章，却沒有看到他有所答辯。胡先生又有一個長處，就是能篤守其所信，無論外間是否有人對他的意見表示異議，他總是繼續說他所要說的話。

總之，胡先生是一個和而不同的人，他有反共抗俄的決心，也有民主自由的信仰。他要講他自己的話，并不是爲了要求有多大的影響才講的。現在，他快走了，他在國內留下的影響並不算小，他帶來的若干問題，也在台灣產生了相當反應。如果有人要問胡先生此行回國的結果怎樣？這兩句話就是答覆。

菲共將發動新攻勢

國外通訊

一九四八年以來，菲共無時不在打算將菲律賓這一島國吞噬，但是五年來不僅並無顯著的進展，反遭到慘重打擊；今年是菲國政治鬥爭與對抗共匪軍事威脅最重要的一年，盛傳「虎克黨」（民抗軍）將發動新和平攻勢，其主要目的是在菲律賓兩黨政爭中產生破壞力量，來打擊十一月的大選。

【本報馬尼剌航訊】一度曾因中共特務洪細綁劫菲航環島班機不遂在金門捕解台灣之後，所引起中菲外交上爭執，繼而引發了一件驅逐華僑二千三百名出境事情，經季里諾總統放棄考慮採取行動後，緊張的氣氛，已逐漸消散。但圍繞於菲律賓政府的事情依然很多。如：一、如何使境內的中共份子肅清；二、對「虎克黨」的殘餘勢力待剷除；三、下屆總統選舉的適當安排；四、菲律賓參加亞洲集團防衛的準備。

境內潛共仍難根絕

去年十二月二十九日與本月八日連續破獲了兩宗疑係共黨利用郵遞走私美元往香港的事情發生後，使當局認爲潛伏於境內的中共特務依然是很活躍的，而兩次走私美元的數字（第一次七千九百元，第二次三萬六千元）合起來是一個相當龐大的數目，自非有規模宏大的商業性機構憑藉，不易調得這麼大的數字。因此，當局根據第一次七封前後合計二十四封信的假設地址研究，迄今仍無線索；自然更談不到把境內的中共潛伏分子清除。由於此事與其他若干原因，使警方有了一個概念，以爲凡是華僑，「均涉及共特嫌疑」。但又無法將每一個華僑逮捕訊，傳訊。如果這作法，不僅有礙中菲邦交，且會遭到反對黨──國民黨的抨擊，更足以助長國民黨抬頭的機會，因此，只有把這件事情交由保密機構慎重處理了。另一方面，對中國政府警告幻鈎的觀念，雖然引渡洪細，對中國政府於審訊洪案中提供於菲律賓之資料，有非常濃厚的希望，却認爲該案有關情報在時間上，恐怕已失其重要性，可能給予一般認爲中國政府固有報告，至多僅能作爲參考。

菲共準備政治進攻

國防部長馬格西塞，對於清剿菲共民抗軍確具充分信心，雖然他爲了剿匪辛勞使健康受了影響（上月廿一日在拉古那省聖達古魯鎮演說時曾突然暈倒），他的工作並沒有鬆弛，顯然是爲了競選下屆總統，不惜以健康博取功勛，以贏得下屆總統，他坦率籲請全國民衆與政府合作，保證實施社會福利及經濟計劃，以全體的力量，剷除殘餘的菲共勢力。他雖然沒有保證在他辭職以前決將殘匪肅清，就其聲言於數個月內可以結束戰爭一點上看來，幾乎剿滅民抗軍具有充分把握。可是，國防部的一位官員，却已提出嚴重的警告，謂叛軍可能於本年內發動一項「和平攻勢」，來打擊下屆總統的大選，這一位國防部民事署長克利沙少校，無疑他諉爲國防部長對民抗軍於軍事獲勝後，政治上並未戰勝共黨。克氏堅決指出菲共的滲透時間表上學校已被列入「優先目標」；因此於同時中學生教師在學校形成共黨細胞之企圖，尤其提高警覺。而菲共之「和平攻勢」係用於誘致人民走入虛偽之改變幻覺。克氏此種略遭過政府軍給予重大挫敗之菲律賓軍隊，現已較往昔更有準備，足以應付民抗軍的任何威脅。但警告國人勿沾沾自喜，共黨對下屆總統大選所作的「恐嚇宣傳」預謀仍不可忽視。陸軍參謀長杜蘇克少將，雖然把「壞傢伙以潛艇運載武器濟菲共」，謂關於民抗軍鼓勵士氣的謠言，他對全國海岸線的嚴加防範，並不放鬆一步。（陶彬元月十一日）

美國的氫彈威力（中）

周明譯

美國的氫彈，將在什麼地方製造？大致將在新墨西哥州洛阿拉摩斯市的原子能委員會的武器製造中心。現在，一切原子武器都是在那裏裝配的。

那麼現在正建築中的所謂佐治亞河氫彈廠是什麼呢？那是一所龐大工廠，建築費達十四億元，設在南加羅林那州艾根市附近，目的是製造氫彈所需的重氫。它將生產氫彈的主要原料，正像華盛頓州漢福市的原子工廠的生產鈈，供作現在原子彈的主要原料一般。

氫彈能不能無限期的儲藏下去，像原子彈一樣？

不能。氚（原子量爲三的重氫）的生命有一定的限度。它是未來氫彈最昂貴的原料。其生命僅有十二年，而且，爲了保持氫彈的效力，大致在較短的時間內即需要更換新的。

氫彈能不能用美國目前已在使用中的轟炸機投擲？

以它的重量而論，是可以的。不過還沒有人的預斷較大的氫彈將大到什麼地步。一般說來，一枚「小型」氫彈的威力，即比最大的原子彈強大許多倍，這種炸彈確已能由美國現有的轟炸機投擲，但未來較大型式的氫彈，可能需要把現有的轟炸機重從設計，使它能被運載到適當的目標。

這種新型的氫彈能不能在戰鬥中用來對付敵軍？

即使可用，也不會十分有效。目前的趨勢是，在可以預見的將來，最大的炸彈，約能摧毀一百方哩的地方，即闊十哩，長十哩。韓境的敵人分佈於數千方哩，其前線約長一百四十哩，深度從三十哩至一百哩不等。這樣的目標，分散過甚，不宜使用這種爆炸力龐大的武器。

氫彈是不是確係嶄新的東西？

不，關於氫彈的觀念，甚至在原子彈未試驗以前即已在研究中。德人在第二次大戰期間，即曾試驗「重水」，而從事氫彈計劃。美國有若干科學家在一九四四年即研究這問題。不過現在美國的氫彈計劃，是一九五〇年一月杜魯門總統命令科學家開始試造氫彈而才展開的。目前，這計劃的實行，是由原子能委員會主席狄恩負責。（譯自「美國新聞及世界報導」）

歲尾年頭話台灣

──上接第一版──

自由中國的青年，又有那一個不是如此！所以筆者認爲他們在這歲尾年頭所表現的英勇行爲，不過是自由中國新時代之新元氣新力量的一個開端。這一開端所將帶給我們的，必然是秧歌政權的毀滅和中華民國的復興！這是新年值得大書特書的一個意義。

急待「消毒」的黑暗面──司法

不過我們也得知道，凡物都有兩面：光明面與黑暗面。書云：「滿招損，謙受益」。易云：「謙。亨。君子有終。」謙卦詞旨解說道：「吾人身託宇宙，有覺世勸獄，反之本體，原不加得些子。只因自家德器淺薄，便承載不起。稍有功勛，輒不自禁」。這是說不謙。如果能謙，「則見事業等若塵埃，亦只是個浮雲，心如太虛，不見所有，所以有而不居。」我們大家今天處這臥薪嘗膽的寶島中，必須具有這樣的襟懷，力能合於「天道下濟而光明」的道理。這種道理，也就是國父所昭示我們必須努力恢復的固有的民族道德。假使我們猶於這二三年來各方面相當的成就，而稍稍存有「盈滿高亢」之心，「則人惜共惡之而毀斥必及焉」（見易經謙卦註解），那將是極可遺憾的事。筆者不諳哲理，以前述光明彪炳的事蹟以後，也得談談台灣最近的黑暗面。而尤其不能不使人特別驚心動魄的，就是這些黑暗偏偏在最應絕對光明的司法機構裏發生！近代法治先進國家，如美、英等，均以司法爲人民生命財產的保障。我國，固其實亦是。管子法法篇即言：「法者，天下之至道也」。「法者，民之父母也」。管子任法篇：「聖君之實用也」，「君臣上下貴賤皆從法，此謂爲大治」。所以管子所言：「不爲君欲變其令，令尊於君」。凡此精義，古書裏多得不勝徵引，歷代的政治家如鄭之子產，秦之商鞅，漢之諸葛亮，宋之王安石，明之張居正，他們的事功，那一個不是得力於法？即以淵源於我國文化主流的儒家學說而言，「天生蒸民，有物有則」（詩經），「不識不知，順帝之則」（同上），「乾元用九，乃見天則」（易象傳），與「天敘有典，自我五典五惇哉」，「天秩有禮，自我五禮有庸哉」（尚書），等等，又何一不指的是法？所以儒家乃用「天則」或「道」這一類的名詞，來表達法的觀念而已。法的重要，當然是古今中外毫無二致，不料近年以來，自由中國事事都在進步，由中風紀，司法獨然層見迭出，竟然到了監察院提出彈劾，而司法行政當局本身，亦不能不向中央社記者公開承認：「最近半年以來，台灣若干地區司法機構曾不斷發生司法官員貪污瀆職的疑案件」，而自稱「已具有最大決心」，進行一種所謂「消毒的工作」。如此之多，以司法官員而有貪污案件，可見這「毒」決不是一時的外感，而必有其內在的根源。司法如此，則自由中國社會各方面的進步，都勢必受其阻礙，甚且被其消滅，太重大了！所謂危心的政府當局，把這種內在的病毒，儘速從根消除，然後方足以言復興的大業。

行政與立法

末了談談自由中國政治活動的中樞神經──行政與立法的關係。

本年度的國家總預算案，行政院依憲法第五十九條規定如期提出於立法院，立法院亦如期審查通過，總統如期公布。這是自由中國實施憲政而運用得好的現象。當政府施政方針，民意機關的監督，人民的容許，國家總預算是國家的政府十分廣泛，複雜，內容不免有不符之處，若干方面不得不大小小的詳略，少有不得方便。這是因爲法治國家的常軌，若干行政與立法的關係，雖各國有其生命的步驟，而或對立而相成，實際上却是分工合作。尤其立法院對於預算案的審查，大家不分晝夜，辛勤審議，辦理得極爲周密，剔除浪費，使得若干部會的主管人員，營業機關的首長，都不得不面對民意「數」人，有些不很客氣的質詢，代表也只得敢言，而不敢怒，也顯出民意機關確有代表人民的權能。抽緊政府錢的代表，目前留在行政與立法之間的一個大問題，就是行政院於去年十一月二十九日提出於立法院的「實施耕者有其田條例草案」，這問題確實很大，亦因各方意見的距離很遠。國內各方面言都公忠謀國，「但大家都各言爾志」。立法院特別爲了此案延長會期，加緊審議，積極審議中。立法委員們雖然，精神也相當紛歧，也是從不同的觀察角度，但依平心立法方面觀察，改善民生，實行三民主義的增產，是完全一致的。但在我們此前，我們決不敢斷言內容的各方案，縱然必有若干的修改，但大體終將趨於一致而僅通過──也許當本文與立法院讀者相見之時，已審議完畢，由政府公布施行，亦未可知。

結語

自艾森豪總統當選後，親赴韓國視察，繼而英國首相邱吉爾訪美以英美密談，往後的英美首相以及國際人物的談判，尚難預測到底，事實上一些什麼國際情勢的變化，不過艾森豪總統就職後，國際情勢一定有大轉變，天天緊張，那一天我們站在天天對我們好轉的自由中國反共抗俄的尖端，上上下下，大家放大眼光，懷抱大的方針，爲國家的前途，一致團結，協力從事，以迎接最後的勝利，至於大家，日常家務，公忠體國，智仁勇兼備，只他必然會協力關心，團結，努力奮鬥的！

打出江山滿足不了個人慾望

共幹意志消沉相率逃亡

集團貪汙成公開秘密

毛澤東在三年以前曾大聲疾呼過，他在幾次的「整風運動」和「打倒功臣思想」的演講中，便預料到：他的徒子徒孫必將漸趨腐化；時至今日，果然被他言中，這並不是毛澤東的高人一等，而是確乎有必然性存在。

就大體上講：共幹們差不多都是出身草澤的「土包子」，他們之所以能夠拚命「打江山」，大概每一個人的腦海裏都盪漾着一副五顏六色的美麗遠景，即如天津市的地委張子善就這樣說過：「老子們打來的天下，應該享受！」其餘經不起物質引誘的人，大多是掩耳盜鈴以「革命幾十年，為的是什麼？」來自己解嘲，因之，「打劫求財，即是革命的目的」這一觀念，早已普遍的根植在共幹們的思想深處，起初，大家都以為草創伊始，不免有所期待，對現實還不敢表示不滿；久而久之，發現了一肚子的希望，居然成了鏡花水月，再伸長頸子一看：毛澤東已是擁有藍蘋在西山修「皇宮」，陳毅、潘漢年都討了女戲子（童芷苓、言慧珠），這才大夢初覺：「老子們革幾十年命，原來在這裏當傻瓜！」

始則是少數人有這種感覺，繼則在多數的腦子裏萌芽，終致普遍的瀰漫，以至澎湃得不可收拾！越是物質引誘力強的地方，腐化的程度越深，陳毅的部衆蹤跡遍地黃金的江南，加以有一個上海的大熔爐，因之也就起了濃烟的帶頭作用！貪污為的是享受，講享受就必須奢侈，奢侈就免不了浪費，奢侈、享受，一味浪費，還談得到工作情緒！於是便產生了官僚主義作風，一脈相承，各有關聯，這就是去年「三反」反不出道理的道理！

「人民」的鑽石皇冠

共黨們何嘗不知道幹部的物質慾望有亟待滿足的必要，所以在共黨供給制度之下，集團貪污早已成了公開的祕密！這是一種紅色的酬庸報功的辦法，完全以黨齡、職位作為分贓的尺度，曾經得到共黨們的默許，倒也秩序井然，相安一時；這辦法的妙處就是壓在下層的奴才，以及奴才的奴才，永遠沒有運用經濟力量威脅上層的可能，尤其是沒有法子躐等，因為資格越老地位越高所得也越多，這樣一層一層的羈縻，根據經濟支配一切的唯物原理，於是毛澤東永遠高高在上，人民民主專政的局面豈不可以長久保持？聰明是聰明極了！可是日久也漸漸走樣！薄一波說：「有一種極不健康的現象在黨內、政府內、軍隊內流行着，這傾向不僅未受到嚴重的打擊，相反的，有些地方還受到讚揚，有些專門造假賬虛報開銷，損大公，肥小公的幹部，沒有被認為是犯罪，倒被認為是有能力……」。這種不健康的現象為什麼認為如此其嚴重？

因為「小公」與「大公」的經濟力量不能比例發展，而呈現一種越軌的趨勢，如果任其奔騰，終有一日「小公」必會駕凌「大公」而上之的，以他們的邏輯講，不是非常危險！所以以「小公」而威臨「大公」應該算是犯罪，若是脫離「小公」而私自尋求個人的滿足，便是大逆不道了！可怪的就是那班被物慾沖昏了頭的「土包子」們，為什麼能夠乖乖的遵照「欽定」的秩序相安一時？這裏面是有很大的文章的：首先要明白，他那「大公」的頭上是戴得有一頂「人民」的鑽石皇冠的，大凡有利「大公」的勾當，統統都是屬於「人民」，銀行是「人民」的，鐵道是「人民」的，大工廠、大企業都是「人民」的，甚至連政府也是「人民」的，損了「大公」，就是損了「人民」；誰敢造次？其實，稍微深入一點觀察，任何人都能看出：所謂「大公」也者，無非是毛澤東和他的貼身的班底那一羣，跑龍套的還魆算是「小公」，「民主人士」，「黨撓份子」，根本不在「公」之列，那末，真正的老百姓就不用了談！

「三亡主義」的人生觀

中共向來以自我檢討——坦白作為馭人的武器，千千萬萬的奴才，都是在這一政治魔術下受到羈縻而無法解脫，那裏知道，鋼受了過分的壓力就要折斷，水受了過分的壓力就要橫溢，時間一長，那些共幹是吃得飽，心靈就越感到空虛，眼見山雨欲來，已經是風滿樓了！情緒的徬徨自不待說，於是昔日儼如初出之犢的「前進的革命人生觀」熱度突然降到冰點以下，而變成了「三亡主義」的人生觀，那三亡？就是「亡家」、「亡國」之後，繼之以「亡命」！他們已能漸漸的體認到：在嚴格的強迫「捧包袱」之下，又遭到層層不斷的鬥爭，家是已經亡了！像這樣的堅決而又盲目的「一面倒」政策，「國」終究也是要亡的！天下之大豈不是沒有容身之處？有了這樣的變亂，不免引起一些人作未雨綢繆之計，積籌資斧，充實行囊，準備亡命！這種嶄新的人生觀，現在正在那「鐵的紀律」下滑滋暗長！有些作賊心虛懷有鬼胎的，乾脆懶得零零碎碎損害「大公」，乘這水還於混的時候，索性毅然決然的來他一個攜款遠颺！香港、澳門免不了作了這種人逋逃的尾閭！毛澤東祗許他的徒衆有一種「御製」的「無產階級的人性」，那裏知道，「無產階級的人性」還是一種人性，既然說是人性，絕對不是獸性！在天賦的人性之外，想再製造一種特定的假的人性，是不可能的！機械的人生觀經不起溫暖的吸引，殘酷的藝術受不住歷史的淘汰！這是共幹們的悲哀！也是紅朝必潰的原因之一。（珊瑚）

中共統治下的高等教育

中共治下的「高等教育」，當然要向「老大哥」已往的寶貴經驗「學習」「看齊」，所以，列寧說的艱深的知識只是「一大堆無用的、累贅的、死板的知識，閉塞青年的頭腦。」這句「聖論」成了中共教育政策的最高理論基礎。中共竊據政權以來的種種教育措施，在事實上的表現確也是照着這種「馬列主義教條」去幹。

思想改造天羅地網

先就中共為達到「思想一統」而實施的「思想改造運動」來說：在接連不斷的大力灌輸「共同綱領」、「時事政策」、「新社會發展史」、「實踐論」、「矛盾論」、「毛澤東選集」、「大衆哲學」、「黨史」……的理論學習中，又繼之以一串「土地改革」、「三反」、「五反」……的實際行動。對高級知識分子所撒下的天羅地網，可說層層密佈，攪得中國大陸任何角落裏的有高深的知識分子頭昏眼花，天翻地覆，這樣一來，高級知識份子所認為最可貴的「教學自由」，只好順從中共說的：那是「超政治」、「超階級」……而要不得了，把惟教學自由才能皓首窮年研究出的心得當做「包袱」丟掉，列寧的那句「因陋就簡」的牙慧被拾了起來！

可是，事情並不那一簡單，於是中共將為人師表的教授拿來做了「殺雞做猴」的榜樣：像教育學家邱椿、史學家教授雷崇岐、優生學家潘光旦、……先後遭到口誅筆伐的事實已為人人都知的事情，甚至於「口誅筆伐」之不足則施以「勞動改造」，還迫任何人都要「一面倒」地供中共奴役與驅策。因此，這種「超政治」、「超階級」、「純理論」、「……」「教學自由」被打倒了。「高等教育」的學府裏，整天間只有了千遍一律的馬列主義、毛澤東思想、唯物論辯證法、……一類「幽靈」書，講壇上的馬、恩、列、史、毛成了「口頭禪」，一切學科都離不了它。學生們，整天的功夫用在「鬥爭」、「挑戰」、「帶頭」、……那些濫調的學習氣氛中，非馬、恩、列、史、毛……的「教條」不足以為學，再不然就要吃飽了「臨糧」挺起秧歌。像這樣，老年一代成熟的智慧再也無從發揮，再也無法傳授給下一代；青年一代的奔放熱情卻宣洩在盲目激動的時代狂衷。「思想改造」的收場，不過就是如此而已！

院系調整的結果

繼「思想改造運動」的次一節目就是「院系調整」，「院系調整」的結果：「高等教育」就再也不是敷施教化的學校了，充其量只好算訓練班。因為「系」的範圍據說是「太廣了」，教學單位不再是「系」，而是專業。這種美其名的「高等教育」學府既不能有深與的智識可供學習，更沒有廣泛知識補助專業智慧的不足。「高等教育」若是只求「專業的範圍小得很」，那麼「高等教育」倒不如「學藝」的「作坊」，其範圍更小！試看中共最近的報導：「高等教育」學校自原有的一百九十一所增加到二百十所。」初看數字的增加，與分析「高等教育」的實質做一對照後的觀感相印證，中共的技倆又會露出了馬腳：

據人民日報的統計，「今年中共竊據地大陸上的「高等教育」學校招生的情形：「綜合性大學、獨立專門學院、專門學校一共招了六萬八千多名高中畢業「程度」的新生，而現屆高中畢業生才三萬多人。」這一項報導很容易使人瞭解的是：假如現屆高中畢業生全部升學，則今年度所多招的三萬多學生來源不明，究竟是中共派送，還是歷屆高中畢業的游手好閒分子浪子回頭地想起讀書來？……這種無根據的猜測一時無法論斷，不過，照中共慣例的「訓練班」性質的「革大」與「區域性政治性大學」來看，所謂「高等教育」仍會不脫那種調調而已，學生可以有一號算一人，學校當局只求無過於政治、學識一點，根本就不必十分「拘泥」，自然對錄取新生就不會苛求了。拿這種隨隨便便的「山寨」作風與往時教育考試新生來比，自創辦大學以來，著名大學錄取生的比例數佔投考人約百分之十左右。則學生程度的大為低落是可以意想到的。中共的所謂「高等教育」學府的實質，正可以表明了，只是掛「高等教育」招牌的訓練班。至于，中共口稱有「二十一萬九千多個「大學生」」的宣傳，這種「大學生」的肚裏材料如何，大概一般水準如何，也不難想得出。

總而言之，中共所謂大規模經濟建設需要大量人材的宣傳，提出「高等教育」的現況來作吹噓題材，只是一慣故技的對自己的一切總是自我宣傳，歌功頌德。在中共認教育就是訓練，教育工作必須遵循政治任務的原則下，高等教育早已離開了敷施教化的目標。所謂人材苟不服膺于最高政治原則而變成了愚民政治的爪牙，亦勢必因不堪折磨銷沉埋沒了。快歟政權所預期的效果，固然是絕無達到可能，此不足惜！可悲的是中共掛「高等教育」的美名「粗製濫造」的「人材」是中國下一代不淺的損失。

珠江三角洲共軍概況

珠江三角洲，向為南方軍略重地，中共竊據大陸以後，尤視為南方的政守門戶，駐有重兵。此無論其意存窺伺，抑為嚴防反攻，均堪注視。現自該地獲得確切情報，悉共軍在該地駐兵情形甚詳，似不無參攷價值，乃就其四大兵種，分別報導如下：

一、正規軍

一、四野四二軍之一二四、一二五、一二六三步兵師分駐流花橋、河南西村、東山一綫，約三萬八千人，軍部在流花橋。二、四野四四軍一三一師之二三兩團，駐沙河一帶。三、四野裝甲兵一團，轄三大隊，大小裝甲車一〇〇輛，駐穗市東郊三聖社一帶。四、四野十三兵團機砲營一營，配全部俄式機砲一五門，官兵八〇〇人，駐黃崗沙頭一帶。五、四野一五兵團砲兵一營，駐寶安、南頭觀、大杷島一帶。六、四野四四軍砲兵一團，駐寶安、南頭一帶。七、四野一五兵團砲兵第三師八團一營，約五二〇〇人，配長程砲二門，九二砲四門，火箭砲四門，雷達控制高射機槍四挺，駐外伶仃、担杆山一帶。綜計全部兵力約共五萬五千人。

二、地方部隊

一、粵匪公安第一師杜川部駐河南。二、粵匪公安第十師李遠芝部，分駐黃花崗、石牌、沙河東、埔河南及番禺一帶。三、粵匪水警團駐大沙頭、東堤、白鵝潭一帶。四、粵匪保警總隊駐東山、維新路西濠一帶。五、廣州匪城防部隊有李國良、孫桀宜兩總隊，約共三千二百人。六、粵匪軍區直屬警防團約二千人駐吉祥路、德政路。七、粵匪軍第六軍分區獨立砲兵團約一八〇〇人於上月調駐唐家灣。八、粵匪第六軍分區轄公安團四團，直屬警衛、工兵、偵通、山砲、衛生等五營，共約一萬五千人，分駐石岐、崖門、港口、浮圩、大涌、張家邊、南朗、容奇、寶安、唐家灣一帶。綜計全部兵力，約共六萬五千人。

三、防空部隊

一、穗市匪防空司令部李化文轄四高射砲大隊，第一大隊駐天河機場；第二大隊駐河南、石碁村、鳳凰崗一帶；第三大隊駐小港、嶺南一帶；第四大隊駐白雲山、觀音山一帶。二、匪空軍警備第二師一團，約二千一百人，守衛白雲、天河二機場。三、高射炮營一營，配俄造高射機砲一二〇門，日造高射機槍二〇挺，駐防東莞。四、廣九綫布吉、主塘頭站兩邊山頭築有新型大小炮壘二十七座，現由曲江南調之高射砲隊一大隊駐防。五、粵軍區所屬砲兵何宏偉團，以防空為主，配有火箭砲，雷達控制高射砲機關槍駐防於前山、橫琴、燈籠沙一帶。六、垃圾山由粵匪防空司令部派出蘇聯顧問維辛斯托設立防空站，配有雷達網。

四、海防部隊

一、匪中南區海軍陸戰隊一六團第二砲兵營三百餘人，配火箭砲三門，八二砲三門，駐榕樹頭、垃圾尾一帶。二、匪中南軍區司令部所屬海防第二總隊約二〇〇〇人駐東莞、寶安一帶沿海担任海防。配有長程砲二門，九二砲二門，火箭砲四門，八二砲四門。二、匪江防司令部萬山指揮所江防第三大隊駐垃圾尾，並附有海虎、要豐二砲艦，及小型炮艇四艘，武裝機帆船二七艘，經常巡梭於萬山一帶。三、匪江防司令部石岐指揮所第二大隊駐石岐、唐家灣一帶。

以上綜計其全部兵力，當不在十五萬人以下（民兵尚不計在內），可見共軍在該區之駐兵，甚為雄厚，也可見其窮兇極惡之一般。

張鼎。

反共健兒活躍天目山

在臨安方面：原任杭市刑警隊長的何××率領了六百多人槍，番號為××局浙西××隊，以臨安東天目為根據地，以餘杭、杭縣、杭市為突擊對象，擅長小組行動。

這些游擊隊，對內各有範圍，對外一致戰鬥，曾予匪以嚴重打擊，都獲得了犧牲、戰鬥的代價。

經過洗鍊滙成三軍

但到卅八年八月共軍大部隊作有計劃的進擊以後，便起了很大變化，經過一番惡鬥，滙成了三大主力：其一、昌化方面：郭××部劇烈迎戰進攻之匪，連續達一星期之久，雖予匪以極大損傷，但結果因彈藥補充困難，無法長期硬拚，兼之趙樹朝與林少楷又不慎被俘，乃不得不放棄昌化縣城，向西天目山轉移。同時原在羊角嶺活動的李去飛部在孝豐報福鎮遭圍攻，李去飛不幸督戰陣亡，所部即向斜坑，西天目山移撤，乃與郭××部合流，以西天目山及羊角嶺一帶高山區為根據地，集成一大主力。其二、於潛方面，匪未進攻前，徐達先遭呂國華暗殺，呂則因意志動搖而相繼為部下解決，兩部即由呂之副支隊長蔡××統一領導。迨匪向於潛進擊，蔡××即聯合富春江游擊縱隊之第六、三兩支隊全力抗拒，亦曾予匪嚴重打擊，與匪相持於麻車埠一綫有一月之久，後以吳匪在文部增援大舉圍攻，乃向於潛分水淳安之邊境撤移，傳入山區活動。此時第三支隊陳爾滄部即向浙東轉入新嵊邊區活動。第六支隊則即於此時與蔡部合洗，由蔡統一指揮，又匯成一大主力。其三、何××部一向以小組活動為主，避免正面硬拚，匪向臨安進迫後，彼除建立指揮重心於餘杭臨安邊區之山地外，即以小組向臨安餘杭、於潛、分水、杭縣、杭市，乃至桐廬、富陽、新登等處散佈，活動範圍極廣。此時以各縣個別組織活動之受情勢所逼，大多即納入何部受統一指揮，又滙成一大主力。此後，這三大主力，以由於環境底艱困，皆陷於不斷戀戰，掙扎，苦撐狀態，沉寂一時。

東。（中）

豈有此理的特寫！

烏方

在報紙刊物上寫人物評傳或印象記之類，決不可「以意為之」。因這類文字與小說不同，即令是談古人物，亦須有些事實根據，以示對讀者的責任感。若寫現代的人與事，更不能信口開河的抹煞真象，有渲染或厚誣的詆毀。否則，不特其作品為識者所不取，即作家本身人格，亦要受到損害的！

近來在香港報紙上所看到的這類作品，五顏六色，盛極一時，其中最令人噴笑者，莫過於某報將孔財神父子描寫為近代中國少有的廉潔幹練人物，恭維得肉麻透頂。孔氏父子或許有其特長，不然，何至於富甲全國，響馳異域呢！但他們一門男女老少在中國政治上所作所為，事實顯然，全國人有目共睹，一篇小品特寫，豈能替他們洗刷乾淨？只就其在美國所設公司，兩年前因非法販運戰略物資赴天津共匪漁利，被美國商務部正式吊銷執照，停止營業一事而論，即已夠丟盡中國人的臉面了，這類人還能說他是廉幹的愛國之士嗎？近日在同一報紙上，又有人特寫「政學系」，想替所謂政學系也者解嘲捧場，但卻把楊永泰當年稱三不顧出任鄂省主席的史事，說成為「自請外調」，更可哂的是指楊氏乃熊式輝所引薦於中樞者，且指熊為蔣總司令或蔣委員長的參謀長，尤屬不經之談，真可謂胡說八道，對讀者太豈有此理了！

自由談

我奉勸好寫近代稗史的「大作家」，總得自己留意一點，不要為着稿費或其他目的，而讕言欺世，把讀者看成傻瓜，纔像是文化人的風格！

自作自受

· 夏雲飛 ·

「阿成被捕了」！在龍津路一帶引起騷動，人們在談起這件事，有的喜歡，有的嘆息，不管是什麼表情，但對阿成被捕，總是一件人心大快的事。阿成為什麼被捕呢？據說是私通游擊隊。人們聽到這個消息更加稀奇，連阿成那樣的積極份子都會私通游擊隊，誰還靠得住呢？共產黨真要完蛋了。

阿成是個小販，在龍津中路擺什貨攤子，家中有母親妻子，生活還可維持，「解放」後，阿成特別「前進」，變為最積極份子，受了幹部的注意，派為里弄小組長，從此阿成更加賣力，每天只是忙於開會學習，家中生活也丟在腦後，「五反」時，整個廣州市裏鬧得昏天黑地，在阿成管轄下的人民，更為遭殃，幾乎在所有商店中，沒有一個守法戶，一點一滴小事，阿成總有辦法會掀起大風波，老板們完全垮了，可是阿成也未得到好處，還是擺什貨攤，又因為他自己丟開手不管，生意也不如以前了。雖然他母親常常勸他萬事留個退步，阿成也只當耳傍風，遇着不高興時，還要罵幾句「老頑固，已經是該死的人了，你知道什麼」。

出事的前一天，阿成剛從派出所開會回來，看見攤位上東西弄的一塌糊塗，母親坐在那裏哭，老婆在撿掉地下的碎物件，「怎麼攪的」？阿成兇恨的問，老婆白了一眼，也不理他，母親還在哭，「到底是怎麼一回事」？阿成踢了老婆一腳。她跳起來指着阿成說：「我不知道怎麼攪的，來了幾個警察，把牌照摘了去，東西灑了一地，你是怎麼攪的，還來問我」。阿成呆了。「一天到晚，生意也不做，儘是跟着鬧，回家來說不上三句話，總誇着同所長有交情，跟股長是朋友，現在怎麼攪的」？阿成眼瞪着，一句話也說不出，母親擦擦眼淚過來說：孩子，你太實心眼了，人家哄了你，還不知道，現在牌照也拿去，明天生意也不能做了，一家三口，只好餓死」。說到牌照，阿成才醒過來，祇說了一句：「我找他們要去」，轉身走了。

派出所長老王，是山東人，這樣無產階級出身，自從參加「革命」後，才學習文化，據說也認識了幾百個字，在「解放軍」中是文化水準甚高的幹部，廣州「解放」後，隨軍進城，被派到龍津中路担任派出所長，三年來很得阿成的幫忙，撈了許多外快，所以同阿成的確有些交情。這天正端坐派出所裏無事可作，看見阿成慌慌張張的跑進來，可能是「生意」上門，不覺精神一振，笑着問：「那裏又出了事」？「我出了事」？「你出什麼事」？「牌照都給我抄去了」。「你還裝什麼呆」，阿成恨恨的說，頭上脹着青筋，未等所長開口，又接着說：「現在用不着我了，不是五反時按門收熟性費的時候，用傻小子去打衝鋒，可是也不應當先拿我開刀啊」！老王楞了一會，聽到抄了牌照，才明白過來，當時打個哈哈，拍着阿成說：「老朋友，這事歸衞生局主辦，我真不知道，你錯怪了人」。「那怎麼辦呢」：「容易，你寫個呈文，我替你轉衞生局去好了」。「寫呈子」？阿成遲疑一下，「我會寫呈文嗎」？「沒有問題，只要寫的明白就成」。老王又解釋「新民主主義」，公文程式，要簡單明瞭，讀着順口就可以了。阿成想了一想，勉強寫出：「報得阿成，原是小販（誤寫為叛），牌照抄出，速予發辦」。遞給老王，老王看也未看，只說：「要得，要得」，掏出「官章」蓋上，吩咐通訊員來在緊急公文袋裏馬上就傳，阿成也高高興興的回去了。

不知是所長有心之錯，還是通訊員同志「搞了烏龍」，傳呈文，卻送去公安分局，分局長一看是緊急公文，不敢怠慢，拆開看了一遍，十分懷疑，又把吳局員找來一同研究，吳局員是有名的「智多星」，接過來看了一下，笑了笑，「這很簡單，阿成這個傢伙特別想作小販叛變，這是文件已經抄出，要趕快辦理，所以派出所才送來緊急報告」。分局長恍然大悟，當時拍拍吳局員說：「真是智多星，料事如神，那就請你辛苦一趟吧」！於是當天夜間，阿成就被捕了。

阿成被捕後，分局長也打電話給派出所，要他來一趟，老王報告詳細經過，偏巧老王到外面去「辦公」，一夜未回，……

明史枝談

· 娟士 ·

明太祖用法過嚴，一時仕宦多以鮮血染衣帶，一有捕命，即吮帶死，每早朝，即與妻子泣訣，至暮，則相慶更生，求仕如此，有何生趣，初疑紀載或稍失實，後閱明祕史，謂「太祖視朝，若舉帶當胸，是日誅戮蓋寡，若按而下之，則傾朝無人色。」可為類鈔佐證，蓋明祖雖一時豪傑，而夾有賊性，其始也以盜賊酷辣手段，驅殿其臣民，其卒也，遇張李二賊，以酷辣手段荼毒其宗藩，非天道好還之一徵耶。

「文官不愛錢，武官不惜死。」古今至言，明福王時馬阮黷貨，高劉擁兵，彭遇明為若輩解嘲，謂馬世英曰，「岳飛言大誤，文官若不愛錢，高爵厚祿，何以勸人，武臣必惜死，養其身以有待，」亡國妖言，南都之覆，宜不旋踵。

明祖多忌諱，閱徐一夔賀表，謂「光天之下」「光」字為髡頂。「天生聖人」「生」字為僧。「為世之則」「則」字為賊，意其侮己為僧，為賊，命收斬之。（見明祕史，）與「維民所止」，「雍正無首」之獄何異，至都民偶畫一大足婦人，懷西瓜而坐，謂其譏馬后，戮一家九族三百餘口，因疑僧中有冒名者，欲盡戮三千沙彌，與張獻忠屠殺川民何異，又以惡僧道游手之故，降勅，凡火居道士，有妻和尚，均許人挾詐銀鈔，無則打死勿論，至學唱者割舌頭，下棋，打雙陸者，則斬斷手腕，蹴圓者斬脚，亦過於暴戾，趙甌北二十二史劄記謂，「太祖具聖賢、豪傑、盜賊諸品性，」其好殺也。非根於賊性與。

明季政治濁亂，官貪於上，民變於下，可于趙南星韓一良兩疏見之，趙疏云，「長安之書帕日多，安得不貪，貪則多酷，既浚其脂膏，又加以毒痛，安得不亂」（上天啓疏，）韓疏云，「今世何處非用錢之地，何官非愛錢之人，向以錢進，安得不以錢償，至於科道入號為抹布，謂只要他人淨，不管己污名，」（上崇禎疏，）明室之亡，亡於流寇，流寇之起，由於官邪，張李之禍，二公若或見之。（明代官場，以書儀手帕相餽贈，後易以金銀，仍曰書帕，猶清世之炭敬。）

亘史外紀云，王荊石相公（明太倉人，）見戲場有裝傀儡者，王笑曰：「昔也傀儡裝人，今也人裝傀儡，」蓋傷時云，文震孟上熹宗疏云：「皇上昧爽臨朝，鴻臚引奏，第如傀儡登場，了無生意，」皇帝也裝傀儡也。人裝傀儡，其害己亦小，皇帝裝傀儡，其禍國亦大，若今日中原共匪為俄帝作傀儡登場，甘扮傀儡，任人牽引，如張邦昌、劉豫輩，其貽禍國家民族，尤不堪言矣。

新世說補遺

馬五先生

三毛詩

時人雷震，體軀頎碩，而頭髮自幼稀疏，無蓬勃氣象，胡適常以「三毛」呼之而不名，日久遂成小字，君亦聞呼輒對，泰如也。三十八年國府移廣州時，君與現任中央日報社長胡健中，國大祕書長洪蘭友諸君，由台北飛穗市，行前電其在粵垣之夫人來機場相迓。乘客臨行例須過磅驗體重，君量逾一百七十磅有奇，洪僅一百零，而貌似偉之胡氏，亦少百三十餘磅耳，相予詫異。迨抵廣州，雷夫人惠然蒞機場迎候。四人入市中酒肆憩息，胡洪盛稱君體重殊出意外，而雷夫人力言其不實，洪胡又指證非虛，夫人啞然曰：「他的身體有多麼重，難道我還不清楚嗎？」胡氏掩口胡盧，洪則斂容而對曰：「三毛在其他場合，容或有身輕如飛燕之情，然在機場過磅，我確目擊其準重若磐石也！」君苦笑一旁，無以解嘲，但連聲「聽說」不置。某君聞悉此情，乃以打油詩一首詠之。詩云：

一毛天下亂（指毛澤東）色變見三毛！過磅身心樂，從軍意氣豪（坊間有三毛從軍記小說）協商跨黨派（政協時君周旋各黨派人士間最勤）流浪任消搖（借三毛流浪記遊場閒說事）留得一根在，衝冠掃赤巢！（馬五先生評曰：結句佳妙入神，氣煞杜工部矣！）

中國之友（五一）

毛以亨

赫德傳（三一）

一九〇四年，張元茂遂與德璀琳同赴英國起訴新公司于英庭。時袁世凱已奏准，上諭飭張氏將財產交還公司。德璀琳以此事請示赫德，他以為新公司有攫取之心，固屬不對，然既為法律所保障，亦不能任意取消。德氏欲為張辯上書清廷，赫德則告以千萬不可提起袁世凱，祇以說明事實為限。然德氏為不能自制不聽勸告之人，乃上書攻擊袁世凱，此書請赫德轉遞于外務部。赫德還其書，告以須注意下列諸點：

一、凡監築所記關於袁世凱者須勾去。二、說明事實經過並提出應支持的理由。三、勿上書外務部須直接函袁世凱。四、以致袁函抄寄外務部。五、勿要求調查。

德氏竟不聽其勸，直接相反的上書外務部，而以副本致袁，袁立即將其退還。一九〇五年此案在倫敦審判時，始知德璀琳每年得該公司津貼一千二百鎊，並收受該公司純利百分之五，已經三年，一九〇二年新公司代表MOREIN攜來五萬股到津時，張不肯受，德璀琳則允為保管。

真正問題為英公司根據一九〇一年代為保管的協議，不肯交還中國市面，一面則多酬二十萬鎊與舊股東，等於買下其舊股權。法院認為保管合同雖有效，但保管可隨時解除，法院即可宣告解除的，張元茂並不違約，損害賠償之訴撤銷，訴訟總算勝利了。

德璀琳收到礦務局之津貼是違反海關章程的，袁世凱想趕他離開天津。但德使館為其後盾，必然反對，乃藉詞為他迄未做海關十年報告，而將其免職。這位李鴻章時代紅人想做稅務司未遂的德璀琳，不做津海關稅務司後，仍家于天津。

開灤的英公司股權仍在，中國不過收回代管部份，而袁世凱則定欲將英公司取消。上訴法庭亦維持英公司的存在……

香塚與鸚鵡塚

自由人
中華民國[illegible]登記證台版新字第壹零貳號
THE FREEMAN
（中華星期三六出版）
（第一九六期）
每份港幣壹毫
督印人：李光華
社址
香港高士打道六十六號
電話：二〇八四八
GLOUCESTER RD.
HONG KONG
TEL: 20848
承印者：東南印務出版社
地址：高士打道六十四號
台灣特派員辦事處
台北市館前街五十號
台灣總經銷處
台北中華路新號五九四之一
台灣郵政劃撥儲金帳九二五二號

送胡適之先生去國

·雷嘯岑·

胡適之先生今天離台北前往美國了。他這次回國來住了一個半月，忙忙碌碌，席不暇煖，口不停說，究竟對國家民族帶來些甚麼？對他自己有甚麼收穫？胡先生或許只是行其心之所安，盡其力之所及，無暇計較這些的。我們冷眼旁觀，從文化思想和社會心理方面來衡量他此行的作用，有幾點似乎值得提出來談談。

讀書人的價值

胡氏是一個純粹的書生，一生除却在國家對外抗戰期間担任過一次外交使節外，始終站在文化教育崗位上，鑽研他的實驗哲學，闡述他的民主主義，既非達官顯貴，更無黨派奧援。但當他這次回國門時，受到社會各階層人士自發的尊敬歡迎，其熱烈情緒，可謂罕見，據說遍台北以外各地區的學校負生，都徒步而來參加了歡迎場面，這就是卡萊爾（Thomas Carlyle）所說的「英雄崇拜」心理之表現！胡氏如果是一個政治領袖或軍中元帥，不必然，即是一位富可敵國的豪門財閥，他受着這種禮遇，我們只驚其俗不堪耐。他是個在政治上無權無位的學人，沒有足以禍福人的能力，而得到國人這樣地推崇，這不是偶然的幸運，是出乎日讀書有得，立身行己不苟且的價值所在。換言之，即是他的一貫思想之發展表示。他倡導民主自由思想，數十年不易其所信，造次必如是，顛沛必如是，因而他反抗共產極權主義，堅定不移。假使他像普通一般讀書人那樣，重視做人一時的現實利害，危行言遜，遇着權威即低頭膜拜，讓他過去在學術界的地位，向共黨表示擁護，誰都可以相信，他必然受到毛澤東的另眼相看，不啻之為「新中國」的高爾基，也將待之如愛倫堡，翁文灝郭沫若之流，只合替胡先生充任馬前走卒呢！因為他能守道不渝，有所不為，這才使共黨要掀起「清算胡適思想」的運動，要威逼那些留在大陸的讀書人，一個個言不由衷地對「胡適思想」羣起而攻，如臨大敵！胡氏曾說過：胡適思想既值得清算鬥爭，那就證明它是有力量的。不錯，一個人的思想既然承蒙以政治權力來防範攻擊，當然具有無形的力量，致反對者寢饋難安。然這種思想價值，不是隨便可以構成的，世界上儘多積學深思之士，由於他們不能篤信其所守，不免自相作踐，善變趨時，乃形成「早晚時價不同」的學說思想，沒人重視了。胡適思想今日所構成的高貴價值，就在他能夠有所不為，使人們知道個人人格尊嚴與理性觀念之有如寶樹常綠，不能玷污，間接即致一般無所不為的假讀書人有所感悟。這對中國反共抗俄的文化精神上，影響很大，即對國民道德的修養方面，亦有其無可估計的良好作用。因此，胡氏固非政治上叱咤風雲的英雄，却是文化上作育人倫的思想導師。中國要完成反共救國的大業，即需要有這類文化思想上的一代英豪。人們狂熱地歡迎他，不是歡迎胡適，而是歡迎胡適思想！

取得自由生活的途徑

胡氏到達國門之日，即對人盛稱自由主義之可貴，但他認為自由生活必非乞取而是爭取得來的，纔是實在的自由。是的，人類今日所享有的自由人權，沒有不是爭取而來的，因而各國自由生活的進度亦不一致。今天若有人向英美社會要求自由生活，一定被視為瘋狂的神經病者。然在文化精神衰敗，生產貧乏的中國現階段中，自由生活却為當務之急。如果認為人們的「慾望」是促進經濟生活向上發展的內燃動力，則自由思想即為促使政治生活進步的唯一利器，毫無問題。凡是厲行全體主義的，其文化思想必然僵化枯寂，其社會現象必然煩鬱無生氣，有如死水一池，逐漸腐臭。德國民族的哲學科學，獨步世界，但在納粹主義時代，我們却未見德人有一本裨益人類文化思想的著作出現。蘇俄自十月革命迄今，除僞造歷史，杜撰學說外，更無文化可言，像開立克那類出入國際坫壇的智識份子，當年在東京跟麥克阿瑟談話，竟不知李嘉圖是甚麼人！中山先生在其三民主義的遺教中，曾說過中國人的自由太多了的話，那是指中國人太沒有組織的生活習慣，所以予外人以一盤散沙之譏，並非說中國人已不需要政治上的自由人權，否則孫先生又何必講民權主義，倡國民革命呢！在現代講求自由生活的人，決不會否定社會的組織效能，而願意搞孤立的自由主義。自由與組織看似相反而實相成的道理，英國現代哲學家羅素已有妥當的批判了。例如言論自由人權，縱在開明專制的國家，也是不予抹煞的，英國至今尚有皇帝，但言論自由生活，英國人享受最早，故有「憲政之母」的榮譽。不過，人類的支配慾在政治上，是特別地畸形發展着，統治人物總是不樂意給予人民以更多的自由生活，以免遇事顧忌多端，不能暢所欲為的。胡氏所謂「爭取自由」之說，乃根據世界進化的史實而來，並非他個人的創見。爭取之道，亦不是教人以「造反」的心情，專用革命手段，而是以理性主義為主，理性與自由是一物之兩面，這需要講求自由生活的人，守死善道，鍥而不舍。像日本明治維新時代的板垣退助，為爭取自由而殉身，他在被人刀刺倒地時，尚睥睨着刺客道：「板垣雖亡，自由不死！」這種精神求爭取自由，纔可以取得真價實的自由人權。所以，日本過去雖因軍閥干政而招致敗亡之禍，但其政黨政治的憲政表現，無論如何比我國優勝、進步，其來源即應歸功於板垣那些以理性主義爭取自由的若干志士仁人身上。我們要爭取基本的自由人權，當此時此事，當然應以理性主義為尺度，胡氏所強調的意思，即在此點。他企望中國政治生活能作溫和的改進，這一點如不可能，那我們就不配談甚麼民主政治了！

同情鐵幕內的讀書人

胡氏曾對中國大陸廣播，他特別對留在大陸的智識份子，表示諒解與同情，主張以寬容的精神來看待他們，這亦是尊理性崇自由的人所應有的態度。自由主義者貴在遇事能設身處地替他人着想，而不必「執一說以為是，而禁天下人之言其非」。今日陷身大陸的若干讀書人，其處境與抗戰時期留在淪陷區的人民一樣，政府當時既沒有以堅壁清野的政策，教大家投止別方，作桃源避秦之計，今日他們淪入鐵幕，沒有沉默的自由，其情形自堪憫恕。固然，我們可以「讀聖賢書所學何事」的大義相責，然好生是人類常情，文天祥史可法一流人，究竟不是人人可做的。我們如果相信真正的讀書人是有思想的，非暴力的，那對於一時被羈留在大陸的一般學人，就該有略迹原心，不忍深責了。這些話，出於胡氏之口，尤覺饒有意義，藉此可使「胡適思想」在大陸更見蔓延，更能促進非暴力主義的自由思想之普遍「瀰散」。

若從政治觀點來推測胡氏此行的結果，我們看不出他有特殊的作用，然從文化思想與社會心理方面而說，胡氏有了上述幾點表現，對自由中國前途是大有裨助的。我們既喜見胡氏之來，也贊成他及時而去，去到新大陸為自由中國前途所能作的事，是比住在國內強得多罷！

艾德里口中的民主精神

·李槃·

英國前任首相艾德里，在仰光發表演說，強調英國式的民主精神。他指出英國民主生活已經傳揚數世紀，目前所行的是「議會民主制」。他特別珍視反對黨之存在，認為「堅強的反對，對民主很有裨益，反對黨在英國扮演重要角色，它不僅服從政府，且與政府合作」。艾氏這番話，決非為其所領導的工黨是在野的反對黨而藉以解嘲，是實行真正民主政治的至理名言，值得尊重的。

現代西方先進民主國家的政治生活，其本質都差不多，其類型則有英美式與法國式兩大區別，前者是兩黨制，後者是多黨制。他們之所以有此分野，自是由於各國的文化傳統與社會結構所使然，而生產力的發展情形，也大有關係。民主政治的創進，必須隨着生產力的發展階段而逐步演進，纔能得到真實的成果。二次大戰以前的日本政治，可說是軍閥政治，但在第一次大戰後，到「九一八」事變止這段時期中，日本的政黨政治運用情形，不特視我們號稱民國的政治本質，更接近憲政軌道，即與英美式的議會民主亦庶幾近之。原因就是日本的工商業在第一次世界大戰前後，突飛猛進，急速發展，即使憲政生活容易推行。在那時期中，民政黨和政友會兩大黨，交換執政，秩序整然，軍閥們也不得不接受內閣的裁軍計劃。現在的日本政治，不是法定的民主生活了。然其政黨的活動頹消沉，反不如當時軍閥政治下得有聲有色，一次選舉，如果得不到國際的物質援助，便有一籌莫展之苦，鳩山一郎為着競選之故，把家當都快弄光了，黨魁如此，其他可知。吉田茂不是賴有女婿麻生久的煤礦生財之幫助，就不容易從政，而沒有美元撐腰的話，更無法穩坐在自由黨的總裁大椅子上哩！我指述這些情形，是要說明我們中國的民主政治何以不容易發展的癥結所在而已。

沒有反對黨，就不配稱民主政治。全國上上下下都是一面倒的政治主張，非當政人物之言不敢言，非當政人物之行不敢行，那還說甚麼民主呢？然而，反對黨却不像蕭公仔，韓陶苦那樣容易搞成的。中國智識份子的從政目的，十九都是為着解決自身生活，若再藉從政機會來找尋「政治資本」——財富——的人，就算是了不起的政治家了。為貧而仕，因仕而會，藉會而搞小組織，玩政治團體，這與市井無賴藉販賣鴉片嗎啡致富後，結交紳士，附庸風雅的社會進化之謎，有何分別？一般農工大衆們，多是文盲，連自己的名字都認識不到，怎能希望他們在選舉上發揮真正意志，選賢與能呢？從事實際政治的人物，既是為吃飯穿衣而來，真正的人民又對政治生活無從行使主權，前者患得患失，後者不識不知，根本就是七折八扣的假民主，自難望反對黨應運而生了。

中國也常有反對黨，但其本質却與英美的所謂反對黨不同。大多數都是以個人利益為出發點，即自己在朝時，從來不喜歡有反對的言論和異己的主張，我行我素，為所欲為。一旦在野，馬上擺起民主招牌，組團體，發宣言，指摘在朝的人這樣不民主，那樣是獨裁。實則今天他所指摘的情形，正是他自己昨天在朝時的所作所為。英美的反對黨也常有參加聯合政府的時候，但必須以政策為前提，而個人利益不預焉。如這次的邱吉爾內閣成立時，邀請勢力弱小的自由黨入閣合作，然自由黨因為有些政見不合，終於拒絕參加。反對黨只源政策來決定對政府贊否的態度，然後對艾德里說「它不僅服從政府，且與政府合作」的話，纔講得通。中國政治上的反對者却不然，它是以個人利益為贊否的條件，其他政府的權位只要有他和其黨徒的一份，其他都非所介意了。

為甚麼中國的民主精神竟是這樣的呢？一言以蔽之：「為貧而仕的結果」！借用一句馬克斯的話：「存在決定了思維」！

中國既不能因工商業之不發達，即不要民主，不設法培養民主精神，前面說過民主精神是逐漸養成的。因此，只有希望在朝在野的人，一致自愛自尊，為民主前途，做點起碼的拓荒工作：政府當局應不沾滯舊觀念，恢宏氣度，啟發政治上的民主作風，縱不能如土耳其國元勛凱末爾獎勵組織反對黨，至少也應該不同政治觀點（注意：不同觀點並非思想相反！）的人，有過問或批評政府的自由。以反對派自任者，能以政治主張為出處進退的標準，合則合作服從，不合則割席異議，薄高位而不居，辭萬鍾而不受，一是皆以政見為本。大家有這種修養精神，庶幾乎就有資格談民主政治的A·B·C了。

杜史訪歐與梅耶訪美

杜史訪歐目的

艾森豪最近宣佈決派將就職的國務卿杜爾斯及共同安全總署長史塔森赴歐實地觀察，研究大西洋公約下西歐盟國的軍政問題，以及美援的情況。同時，艾氏並令美駐大西洋理事會常任代表特拉普向該會表明，美國在新政府下將努力促成歐洲團結，換言之，也就是力求歐洲盟國早日實現擬議已久的歐洲軍和經濟問題，使德國軍隊武裝，強化西歐抗俄防力，及發展歐洲的經濟力量，作為軍力的後盾。

正在這時期，法國新上台的總理梅耶又宣稱，他即將赴美訪問，與艾氏會談歐洲軍政問題，並保證法國將極力達成歐洲軍條約與西德和平契約的批准；在赴美前，他也將先赴英與邱吉爾商談對美國提出的問題與要求，並希望英國能增加對歐洲軍的聯繫與支持。

這幾件事，已使整個世界的注意力一時又都集眼於歐洲的整軍前途。而西歐整軍問題中最重要的一點，便是歐洲軍約的成立。但拖延已久的歐洲軍條約，是否能在杜史訪歐及梅耶訪美後即迅速順利的批准，目前尚是絕大疑問。對於已簽訂的六國歐洲軍條約，法國政府要員已一再要求加以修改，不過，西德總理阿登諾，却希望歐洲軍條約即使修改，也待該條約經六個會員國均予批准以後。

茹盎元帥的警語

歐洲國家對成立這六國聯軍的延宕，雖然主要原因在於法國對德國軍國主義復活的恐懼，以及各會員國本身經濟力量難以再支持更大的擴大，但歐洲一般人士之感到大戰威脅已告稍減，也是一個重大因素。對於這一點，法名將茹盎元帥最近曾繼李治威將軍之後提出了嚴重的警告，他說：「敵人已兵臨德國的薩克遜尼及土林吉亞三角地帶，距離萊茵河僅一百五十公里，這三角地帶是一支子彈已登膛的手槍，直指法國的心臟。如果俄軍一九四四年在白俄羅斯對德軍發動的攻勢，現在再度運用於萊茵區，而它的大軍能再度獲得當時的集中程度及前進速率，則這樣的進攻，將力足在二十三天內到達巴黎。」

但這個一針見血的警語，似並未在法政界引起若何重大影響，法國各黨，除為本身利益而發生的政爭外，仍在紛紛要求對於容許德軍參加的歐洲軍條約加以修改。這條約簽訂已七月餘，但計劃中的四十三師制服、武裝、指揮統一的聯邦，還在紙上。要是艾克新政府與法總理的努力仍然不能使它實現，那將產生怎樣的局面呢，歐洲的政治家似乎都沒有想到這問題，也不敢去想它。西德總理阿登諾對這問題的答覆，似能代表一般歐洲政治家的態度，他說：「為了避免過份耗費無益的腦力，我不能考慮成立歐洲軍以外的其他任何抉擇。」

戴高樂提出修改歐洲軍約

至於法國對修改這條約的要求，可以戴高樂將軍的意見為代表。他認為照該約的目前形式，法國將遭遇四項不利：一、法軍被分裂為二，一是參加歐洲軍的部份，另一是剩下的法國國軍；二、法國聯邦將就此終結；三、軍事上與心理上都將發生在弱勢情況；四、德國將乘法國在弱勢的機會而重新取得稱雄歐洲的地位。他又提出幾點修改的確切建議如下：一、各國的軍隊，包括德軍在內，仍然作為個別的部隊，直屬一個遠較舒曼鐵煤合營組織廣大的「歐洲聯邦」管制，而並未合併為統一的歐洲軍；二、每一個會員國在未獲得其他會員全體同意以前，不得在歐洲從事任何軍事行動；三、德國必須允諾，在和平時期，其現役部隊，不得超過法國在歐洲的部隊，法國派在海外服役的軍隊不在此範圍。

如果將來歐洲軍條約加以修改時，不論在其批准之前或以後，戴氏這計劃大致將成為商討的基礎。（陸薇）

亞洲社會主義者會議的反殖民反俄帝運動

·丁匡華·

亞洲社會黨會議在仰光召開多日了，大會所表現的，較預定似更爲積極，代表們除高唱大亞洲社會主義者團結，及大呼反殖民主義外，更對蘇俄提出激烈的斥責，這次會議雖未必有具體的成就，和重大的作用，但至少對於俄帝的所謂社會主義運動，是一個打擊。

參與會議的國家

這一次在緬京仰光舉行的亞洲社會黨會議，是由印度、緬甸、印尼三國聯合發起，經過很久的籌備和商討，始得如期召開，出席參加的國家，計有印度（人民社會黨）、緬甸（社會黨）、印尼（社會黨）、東巴基斯坦（社會黨）、西巴基斯坦（社會黨）、黎巴嫩（社會進步黨）、以色列（社會主義勞工黨）、伊拉克（國民民主黨）、埃及（社會黨）馬來（全馬來工黨）日本（右左兩派社會黨）、等（中國的孫寶剛是代表所謂自由社會黨以列席資格參與）。而前英國首相艾德禮、法國社會黨領袖莫勒、挪威社會黨領袖畢涵克則僅以代表國際社會主義黨資格列席其會，還可說是名符其實的亞洲社會黨會議。

反殖民主義

亞洲社會黨會議的課題，據早前的透露即是一、給亞洲社會主義者的活動下一個定義，此即：「爲了世界和平」；二、調整亞洲各國社會黨的綱領和運動的方針；三、徹底研究減輕亞洲農民的負担的方法；四、研究提高亞洲人民生活水準；五、檢討亞洲非洲殖民地區人民的自由程度及加以援助；六、促進亞洲社會主義者之間的友好關係。但在十幾個國家代表聚首之下，大部份的議程被忽視了，而他們集中的焦點，則祗有兩個問題：一是反殖民地主義；一是如何建立亞洲社會主義的永久機構。先言反殖民地主義吧！代表們盡是同一鼻孔出氣，，戰前亞洲的殖民地，，雖在戰後大部宣告獨立，但仍有名無實，比如印度、緬甸、巴基斯坦雖然脫離英帝國而獨立，但仍是英聯邦之一員，而各該國之政治設施，還須受英聯邦決策的重大影響，並未完全脫除殖民地的羈絆，這自然是亞洲國家所不能甘心，也難怪各代表們發出共同怒吼了，大會主席緬甸國防部長宇巴蘇首先在大會開幕席上宣稱：「世界上仍有殖民地存在之日，將永無和平可言。」次則日本社會黨代表勝田淸一亦稱：「社會主義國際尚未放棄支持殖民地主義之各項主張，頗令吾人失望」，因此如要與此等國家尋求團結一致，社會主義國際自應從速改善其對於亞洲國家之態度。」這一問題提出之後，在小組委員會中且曾掀起東方與西方的一場舌戰的小風波，突尼斯社會黨領袖施廉姆則斥責西方國際團體未支持在非洲之突尼斯民族自由運動，而法社會黨代表皮含脫則表示反對，他說：「法社會黨過去及現在皆支持突尼斯民族戰鬥之立場。」亞洲國家對於切身之痛的束縛，自不稍爲放鬆，故雖然英國工黨領袖艾德禮遠道來作說客，但亞洲代表們並未爲其所動，結果是通過組織「反殖民地局」以爲與殖民主義者鬥爭與反抗的利器。

「亞洲社會黨局」的設立

在亞洲社會黨大會的前夕，我們曾經聽到法國社會黨領袖莫勒有關歐亞社會主義者聯合的一個「弦外之音」，他說：「如果會議將決定設立獨立個別的亞洲國際，則社會黨主義國際將感到不幸。」又說：「他與艾德禮將關懷亞洲和歐洲社會主義者可以結合一個機構下，能自由地追循獨立的政策與適合各國的利益。」「亞洲社會主義者與歐洲社會主義者間的歧見，我認爲這是一項可行的解決辦法，亞歐設立他們自己的地區組織，但須在同一最高組織領導下。最高組織的成份將包括地位平等的歐亞代表」。這一論調，表面上雖是和藹可親，娓娓動聽，但實際還是爲着「社會主義國際」而設想，他以爲如果亞洲社會主義組織成立，不惟是分散了「社會主義國際」的力量，而且明明是貯有分庭抗禮的用意存在，故必需予以彌縫，然而亞洲國家的反應，則是適得其反，日本代表曾說：「亞洲社會主義者與社會主義國際的結合，目前尚言之過早，亞洲社會主義者實不能將其新組織成爲社會主義國際之一個地區性會議，該組織在目前應脫離其他任何組織而獨立」。亞洲各國代表對於這個問題的研討，也很慎重其事；巴基斯坦、黎巴嫩、埃及，均對社會主義國際完全表示不滿。印度、緬甸及日本社會黨則認爲亞洲社會主義者應自行成立一個永久機構及與社會主義國際聯絡。馬來亞首席代表蘇比依則主張大會立即成立一個亞洲機構，及擔任該機構與社會主義國際討論修正規章之各適當辦法」。說來說去，均是爲着「亞洲人管亞洲事」的大前提。

現在「社會主義亞洲局」已經大會正式通過設立了，它並且闡明兩點：（一）該局不與西方控制之社會主義國際聯合，但亦不與該國際機構對抗。（二）該局總部設於仰光，每六個月開會一次，及每兩年召開一次全體大會。如此一來，亞洲的社會主義國家，顯然已是做到空前的「大聯合」了吧！

譴責蘇俄極權主義

大會代表的另一怒吼，是堅決反對共產主義，艾德禮首先予以揭示，他說：「社會主義雖係自由思想及馬克思之著作所產生，但今日蘇俄所實行的並非共產主義而是極權主義，根本與社會主義毫不發生關係」。南斯拉夫代表巴伯勒維即直率地說：「蘇俄現已成爲一新侵略者，其暴力之可怕，實爲過去歷史所未有。他以社會主義及喜愛和平之假面具掩飾其最可憎之暴君面目，殊足令人忿恨。」印度代表納拉揚亦說：「蘇俄係共黨獨裁，非工人國亦非人民國，在蘇維埃之集體化籠罩裏，工人在行政上並無發言權，因此如接納蘇維埃政治組織爲對社會主義者之一種籠罩式，吾人將堅決予以拒絕。」由此我們可以得到結論，亞洲社會主義會議的召開，不僅是標榜反殖民地主義，而且尤爲積極反對蘇俄極權主義。

美國的氫彈威力（下）

周明譯

現在是不是有理由相信蘇俄也在從事氫彈研究？

是的，理由之一是蘇聯顯然會從原子間諜福克斯爵士處得到一切有關美國早期試驗及計劃的情報，福克斯是英國的共黨科學家，曾在洛阿拉摩斯參加關於氫彈理論的討論，另一個理由是戰時從事氫彈研究的德國科學家，現在甚多已在蘇聯，由於我們可以推斷，蘇俄現在定已優先偏重氫彈的發展。

如美蘇都有了氫彈，蘇聯所得到的利益，是否將超過美國？

蘇聯運用氫彈的效力，將甚於美國，因爲美國人口集中於大都市的數字，四倍於蘇聯，美國對蘇聯可以運用氫彈的目標祗有十餘個，而蘇聯在能有效地對美國數十個大都市運用氫彈。

那麼氫彈是否將使第三次大戰成爲集體自殺？

氫彈的發展正指向這樣的後果，不過同時它也增加了一種希望，由於雙方都明瞭必會遭氫彈轟炸所毀滅，就沒有一方願發動另一次大戰了。

如果蘇聯有了氫彈，美國的民防計劃，是不是大部份將被破壞，而必須重新設計？

是的。目前在設計中用以對付普通原子彈的防空室，在許多方面對付氫彈是不夠的。儘爲應付長崎式原子彈轟炸的醫藥設備，將無法應付死傷數字遠超這種攻擊力量的氫彈空襲。在原子彈轟炸下可以得到安全的工廠疏散計劃，由於氫彈的破壞力範圍更爲巨大，將不能再合實際。

現在已經造成的防空室等設備，是否將必須加強？

大致是的。除非它們的建築，原先已超過所需要的安全程度，否則這些建築物仍然危險，因爲氫彈的爆炸力將大於計劃中的數倍之多。

最近在美國各地所建築的「防彈」設備，是不是足以抵耐彈氫的轟炸？

這要看這種設備的情形而定，例如已經遷入地下的工廠，如果它們的深度足夠，對付氫彈還是有效的。不過多數高樓大厦最近所增加的設備，都是僅以應付原子彈爲目的，它們不足對抗更猛烈的壓力和深廣的輻射綫，當然需要再予加強。在決定改建或補充防彈設備之前，必須先行考慮未來氫彈的威力，然後擬訂詳細的氫彈防空計劃。

氫彈爆炸所發出的輻射綫，是不是運用一普通的「蓋傑」式放射能探測器便能測出？

是的，氫彈所發出的發射綫，與原子彈爆炸所形成的相同，不過更爲强烈而已。

爲應付氫彈轟炸，是不是需要改變急救的方法。

不必。氫彈所造成的傷害，大致和長崎式原子彈相同，大部份是皮膚破裂灼傷，肌肉開裂，放射綫造成的各科疾病，以及頭腦遭受震盪產生的影響等等。實際上，急救的方法，將較原子彈轟炸更爲簡單，因爲生存者將少得多了。（譯自「美國新聞及世界報導」）

△美氫彈工廠進口處，職員入內，都須受嚴密檢查。

國外通訊

鑾披汶加緊清共

泰國掃蕩共諜的工作，已由社會各階層遍及政府各機構，各級政府已奉令改組，外交官員不准和共黨分子打交道；華僑受「非泰活動法案」的影響，匯款返大陸接濟家屬也違法，被捕者不准保釋。但儘管鑾披汶的手段如此嚴峻，從馬來亞侵入的匪徒卻捉不到一名，半月剿匪的結果，是警察「掛彩」回來。

【本報曼谷航訊】在最近兩個月中，泰國政府根據「非泰活動法案」，已進行兩次大掃蕩，除了封閉中共的機關報——全民報，逮捕蘇俄間諜塔斯社記者爾泰澤以及其他泰文報紙的編輯記者與律師之外，被捕的華僑佔了大多數。因爲該法案的包括很廣泛，即人們討論共產主義與共黨分子結交均有被捕處刑五年以上的可能。去年十二月二十六日，泰警於捕捉中共派駐於泰越（南）叛亂的首腦之後，搜得了許多有關中共向中南半島的侵略計劃，此後泰國的搜捕工作，更爲嚴厲，並於同時發現有三家華僑銀行，經營泰國與中共區的匯兌業務，經過一番嚴密調查，認爲不僅是華僑匯款往中共區各地，而且尚有一部匯往蘇俄。因此，本月七日將涉嫌「利用公共資金從事共黨活動」的潮州會館祕書丘心宴逮捕，潮州會館爲曼谷規模最大的華僑團體，旅泰華僑潮籍的佔有百分之七十。丘心宴在大多數華僑中擁有相當地位，在丘被捕以後，警方十日復宣佈拘捕華僑六名，此等華僑係涉嫌匯款往中共區者，但未正式披露被捕者之姓名。

改組各級政治機構

去年十二月八日二次大搜捕中，除了已被釋放的，現有涉嫌共諜六十名尚在嚴密審訊中，一部分已被確定爲中共間諜，而其中有一名爲特別部華僑科官員乃天。戌哥頌，華名陳大賜，他於被調往盤富里府任職途中被捕，經查明有傾向共產黨與左派人士暗中勾結、掩護共產黨分子犯法。泰總理鑾披汶於獲悉此一事件後，認爲政府各級機構實有整肅必要，於同月二十八日斷然下令改組各級行政機構，如省長、區域長官、市政局首腦，均分別予以更調，然後續由各個新任主管官對委任級之職員，陸續甄別任用，此種行動，旬日來僅完成了一部分的主管更調計劃，整肅內部工作，尚未開始。鑾披汶後此復下令國內外交官員，嚴切告誡不准與共產國家的共黨分子來往，否則，仍將按照「非泰活動法案」辦理。預料此種反共的積極行動，今後殆將更爲嚴厲。惟若干外國記者則認爲鑾披汶此舉係澄清泰國反共立場的進一步表現。

剝奪出生華僑權利

最近內閣會議中，又通過了一個「國籍法案」，這一個法案是「泰國出生華僑應保留中華民國國籍」。在表面上看來，泰國這種態度倒像是尊重了中華民國之地位，實際上係基於如下兩種原因：其一是剝奪此等華僑應享之權利；第二爲可以增加一筆隨身證費的收入。關於隨身證費，去年泰國爲了彌補財政上之赤字，每人每年繳納二十銖，增加到四百銖；在中泰外交史上，也曾被寫上一筆，由中國政府曾經堅決反對，依據現在的法案，顯然又將引起外交轇轕。現在這個「國籍法案」、還未經過國會辯論，照現時的趨勢看來，原則上不致被否決，一般認爲實施只是時間問題。就目前「隨身證」費每年的徵收數字看去，四億八千萬銖已經是一個相當龐大數目，如果再行增加，顯非大多數華僑可以負担。

圍剿馬匪毫無收穫

泰國與馬來亞當局聯合剿侵入泰境的馬來亞恐怖匪徒，係繼於封鎖泰緬邊境，及擊斃中共聯絡員符忠之後，堅決地採取的行動，經過了半個月的圍剿，雙方動員兵力亦在二千名以上，可是，並沒有捉到一個匪徒；三名參加剿匪的員警，則於圍剿中被匪狙擊受傷。根據馬來亞當局宣布，潛入泰國境內的馬來恐怖匪徒至少在一千名以上，這一次英軍與聯邦軍警向吉打森林搜索，直至泰國邊境雙方會師的過程中，並沒有遭遇到任何潛伏武裝的反抗，僅發現匪徒們遺棄的營房，而此等過去顯係匪徒之根據地則已空無所有，此等匪徒據報已聞風北竄逃入泰境，泰馬這一次會剿，現已告一段落，除了將邊境的營房予以摧毀之外，並無任何斬獲。然而一千餘的匪徒於侵入泰境後還頓失去蹤跡，致使泰國的軍警當局對此大爲困惑。（華英元月十一日電）

陶雷士生死之謎

巴黎盛傳法國共產黨領袖陶雷士已不復存在於人世間。據靈通人士說，這一個消息並非空穴來風，實有其立論的根據：第一、陶雷士自離法飛往莫斯科「療病」後，迄今已匆匆兩年。過去屢次傳出他即將返法的消息，但迄未成爲事實；第二、他的太太珍妮曾萬里尋夫，前往莫斯科探病，但抵達俄國後，迄未能見到陶雷士一面，俄共告訴她，陶雷士適已遷往克里米亞進行新療治，醫囑絕對靜養，不能接見任何客人，珍妮滿腔高興而來，只好敗興而返。由以上兩點，對於陶雷士的生或死，不難尋出一些端倪。

蘇俄的禮物攻勢

蘇俄正對西方的外交使節發動新攻勢，這是他們冷戰中的另一新策略。兩週前，幾個西歐國家的駐英大使館官員都接到蘇俄大使館送來的禮物，禮品中包括英製的名貴打火機和最客氣的新年祝詞等等。對這種前所未有的新行動，許多西歐國家的外交使節都不由得大感驚異。其中有一位外交官不願白受蘇方的禮物，立刻送還一對野雉給俄大使。

莫斯科將建史魔墓

史達林的私人辦公室已認可一個史魔逝世後，在莫斯科紅場建築巨大寢陵的藍圖，以便將來史魔去世後，他的經過人工防腐的遺體能保存在陵園裏供紅色嘍囉們「瞻仰」。這一所墓園落成後，現時的列寧墓即將降爲次要的地位。

同時，自艾森豪威爾當選總統後，蘇俄恐懼原子襲擊的心理日增，許多大城市已準備在最近的將來舉行大規模防範原子彈空襲演習，據說，參加此項演習的人民，總數達三千萬人。（孟衡）

天下小事

中共財經部門最腐化 設監察機構垂死掙扎

倘非健忘，大家必還記得：中共在尚未佔有大陸而正拚命打家刼舍、到處製造禍亂時的那副攻擊政府人員貪污腐化事例而擺出的正經相，眞可說是「義正詞嚴，有聲有色」！如今，大家也必能體會：他們當年也着實靠了這一點機會，騙取了不少的民心；加深了社會的矛盾；促成了大陸的淪亡，亡於蘇俄。然而這個俄屬的傀儡政權建立只三年，其貪污腐化，不僅已由於墮性的作祟而較前人過之而無不及，且已由於層層節制的集權統治的狂妄結果而造成了空前嚴重的弊病、此種弊病，特別在他們的財經機構（包括國營工廠、礦場，農場、公司及一切企業單位）中，已到了不可挽救的地步。

共黨將從人民身上榨取來的大量血汗，除了一部份當然已供作「抗美援朝」的「正經用途」而不提外；其中一部份則不是毀於無謂消耗浪費；便是落入了共幹們的腰包，作了他們窮奢極侈的享樂之資！這情形，眞如中共最高機關報的人民日報在指斥中所承認：「已嚴重地損害了國家的建設」！因而，僞政務院已於本月六日設佈了一個「省（市）以上各級人民政府財經機關與國營財經企業部門監察暫行組織通則及編制原則」的命令，首先要從財經部門建立一個監察制度，以向已存在的嚴重的貪污腐化現象進行「鬥爭」，並制止此種現象的繼續發展。然而現象既由於此種積重難返，也由於一般幹部的心存疑忌，便正形成了一個內在的尖銳的「鬥爭」，其結果：勢將逼使此一「制度」虛若具文，不過是作了一度垂死的掙扎而已！

暴政勢必自腐 財經部門帶頭

說到共幹的貪污腐化問題，病因何在？前面已有所說明；至其病象，則首先該說明是「普遍而嚴重」。而本文所以僅報導財經部門者，乃由於財經部門起了「帶頭作用」並特別嚴重的緣故。至於如何嚴重？據最近大陸各報自已所檢討承認的，大致可以下列數端作扼要的說明：

最主要是貪污部份：在政府財經機關中，有假造報銷，虛加識出決算書金額，挪用公款，匿報稅款，虛報倉耗，勾結私商牟利，或漏稅分肥。在「國」營工廠、礦場、農場中，有虛報工人名額，虛報工資支出，虛報損耗，僞賣原料或成品。在「國」營公司企業中，有私營舞利，多報進價，少報盈餘，偸漏物資等等，此種現象，在「三反」時期，雖曾一度收歛，但「三反」過後，不僅故態復萌，且已變本加厲！

其次是浪費部份：在財經機關中，浪費機關辦公設備及職員生活設備等支出，盲目地浪費行政支出。在「國」營工廠、礦場、農場中，浪費人力、原料、包裝、運費，損耗物資、狼藉產品、浪用電力、盲目裝備（各種建築及設備缺乏設計，不合使用，造造拆拆，拆拆改改。）等等。在「國」營公司企業中，浪費包裝、運費、設備、人力、及浪費各種開支和損耗物資的情形也很普遍而嚴重！

此外，由於財經幹的官僚主義作風特別嚴重，正如人民日報的社論所說，因而造成的消極怠工，陽奉陰違，違法亂紀，強迫監制，胡作妄爲等等的腐敗現象，更是層出不窮！由此，當可想知共幹們的貪污腐敗現象，及其損害中共本身血肉的情形，已到了如何嚴重的程度。

所謂監察機構 只是徒具形式

這種情形，在一貫善演「檢討」「鬥爭」把戲的中共，自然要再熱鬧一番：訂出一個「監察制度」，在各省市的財經機關及財經企業部門增設一個所謂「監察室」起來。這在中共的立場，用心不謂不苦，立意不謂不「善」，但我們從他們的這一組織及職權來看，還不是只是一種徒具形式的把戲而已。

從組織上看：中央的部，只設監察幹部三人至十人；其所屬的獨立局、處，只設監察幹部二人至四人；大行政區的局、處、及省、市的廳、局、處，以及每一「國」營的財經企業部門只設監察幹部二人至四人。試問，一個管理全「國」財經業務的部只有三人至十人，那裏監察得了這種層出不窮的現象？一個省市級的主管單位只有二人至四人，那裏監察得了全省市那些紛紛沓沓的貪污腐化事件？至於那些財經企業部門，範圍雖不及「政府」大，但在中共一切皆在統制剝奪之下所獨家經營的企業，範圍也不會不大，而且又是最實在的部份，貪污腐化，違法亂紀的事必最具體而繁多，只有兩個至四個的監察幹部又何嘗管得好，管得了？

從職權上看：首先是監察幹部的級位被規定爲「相當於本機關、部門的科長級幹部担任」，由此而想要他們去「監察」事實上由各機關首長或處、局長等首腦所主犯，或串同所屬幹部所表現的貪污腐化事件，實無異有以卵擊石！其結果：或遭受壓制、打擊、阻礙、或屈服、同化，乃屬勢所必然。再看監察室的從屬與權力方面：在「暫行組織通則」中的第五條規定：「各機關監察室受本機關、部門首長，及上級機關監察室雙重領導。」第六條規定：「各機關監察室根據本機關首長及上級監察機關的指示，有重點地進行監督檢查。」第八條規定：「各機關監察室依照規定屬於本機關範圍內的懲戒處長，須經本機關首長批准執行。」第十三條規定：「各機關監察室對內對外的重要行文，均須由本機關首長簽署，以機關名義行之。」由此可知不僅各監察室的權力甚小，而且隸屬重重。想以此而去鬥爭已嚴重地存在的貪污腐化的現象，並制止其繼續發展，根本是不可能的事！

整肅困難重重 無非垂死掙扎

從前面這些情形看，我們也隱隱可以看到一點跡象：就是中共那些高級幹部們的功臣意識和潛在勢力，已多多少少造成了一些與中共中央間的疑忌。不久前縮小各級軍政委員會的權力既經一番爭執，則此番在財經部門的整風鬥爭中勢必多維持些高級幹部們的一點威權。然而也因此造成了這些有所恃的中下級幹部們的對監察幹部間的疑忌。這一點，人民日報的社論中曾承認：「監察室在建立與開展自己的工作時，不遭遇一部份的思想作風不純的幹部的抵抗是很難避免的。」同時，對於這些監察幹部的選用，也是困難重重，要「文化高」，要「黨齡老」，要本身「作風健全」，又要「不怕打擊」，「毅力堅強」，還要從中共現在的陣營里去找，實在已不容易找到這樣優秀可「愛」的「革命同志」了！即使還有，量既不會夠，質也不會高，還須如人民日報所說經過一番嚴格的特別訓練，最後能否勝任？能否達成此一「整風」目的，依舊都有問題！終之，這當作一個把戲再玩弄玩弄，當然未始不可，否則，眞是困難重重，無非是一度垂死的掙扎吧了！（沈著）

上海紅絮錄

秋月

這段文章，雖非熱烘烘剛出籠的一大新聞，但是絕非嚮壁虛構，有個商人新從上海來，談了幾段上海花絮，由此，我們可以窺到共產黨的「新政」，以及其媚俄諂俄的面目了。

恭喜！恭喜！

去年春天實行「五反運動」，能夠領到通行證出國的人爲數極少，據主管此事的僞公安局發表，全年上半年度僅得五九三人，這五百九十三人中，無疑絕大多數爲貿易幹部和化了名的高級共幹。「五反」結束，管制雖然較前爲鬆，但是請領通行證仍然十分困難，我這朋友是去年秋天申請的，幾經調查證明，一直到年底才發下來，上海的親友們知道他領到去香港的通行證，有爲其餞行者，有向之賀喜者，一片「恭喜」之聲，十足寫出了身在地獄中人的悲痛心情，這朋友也自知他脫離苦海了。

小「英雄」的收場

去年中共實行清潔運動，上海亦不例外，於是在共幹策動之下，全市男女老幼總動員，大人捉老鼠，小孩打蒼蠅，此係鬮事，老鼠中有「打鼠英雄」，小孩裏面產生了「捉蠅模範」，孩子們爲了要爭得英雄美名，終日廢寢忘餐，蹲在垃圾箱和廁所的旁邊，埋首工作，到了冬天，僞衛生局發表統計，全市秋天內小孩生病的總數，較之前年加多了兩倍半，其中以霍亂性時疫佔極大多數，研究起因，自然是捉蒼蠅的結果，「小英雄」們手上拿了蒼蠅，一五一十的清數，回了家，父母們再以糖菓獎賞，那些細菌，便連糖菓吞下肚皮裏去。

台下的表演

蘇俄文工團到滬，這是上海最近的一件大事，「中蘇友好協會」固然大忙特忙，看管人民的公安局與「里弄小組」也是忙得不能開交，「老大哥」表演，規定不收門票，但是市民們必須踴躍參加，這件事由「里弄小組」負責，挨戶輪派，每戶參加一男一女，必須選擇儀表最好和年輕的男女去，參加者規定要穿頂漂亮的衣服，女人須着尼龍絲襪。許多女人早已沒有這項享受了，共幹仍強迫她們去借。臨到觀幕的前一天，還召集他們練習鼓掌歡呼，藉以表示中國人民對「偉大蘇聯藝術」的欣賞能力。

大學生出路

蘇聯文工團到達上海，除了表演之外，自然得有一大串參觀節目，表演的前一天，還在「上海工人文化宮」（東方旅館改建）舉行了一次擴大晚會，除了文工團之外，各部門的大鼻子顧問大部參加，客多於主，這使招待人員頗費週章，結果仍由「友好協會」主辦，在各大學校臨時挑選，以面目姣好得俄文者爲限，女的陪着跳舞，男的除了充任嚮導翻譯之外，還客串了一夜茶房，所有端菜盛饌者，無一非大學生。

疲勞性旅行

這位朋友是生意人，不懂政治，也不牽連政治，他對共產黨的交通措設，亦不諱言其好，此次旅行，據他說鐵路上的某些積弊（如管理紅帽子，禁止小販上車，旅客座位對號等）已較前減少，可是，旅客的精神負担，則已加重不知若干倍，火車上裝了擴音器，設了閱書站，紅色歌曲與時事講話每天播個不停，車務負的監視與旅客集體體操，更是令人坐不安位，三天過去，車達深圳，方始如釋重負，我這朋友說：「如此，更覺得香港是天堂了」。

中共加強特務統治 舟山漁民遭殃

舟山羣島，向爲一大漁區，可謂百分之八十以上的居民，皆賴漁業生產運銷爲生。往年，由於產量豐富，魚價正常，無論漁民漁商，所獲皆厚，生活堪稱優裕。但自前年國軍撤出，共軍乘機佔據以後，情形即突變；此種突變，固無異於大陸的任何「解放」區，惟一部份，則於舟山「解放」[illegible]，且曾予共軍以非常慘重的損害，在一般共幹的心理上頗有成見和竄氣；一面由於舟山位於東南海戰前哨，一面對台灣與大陸一直保持在軍事的緊張狀態中，因而所予舟山居民的迫害，便異常慘酷！其中除清算、鬥爭、屠殺、並前後提防、疑神疑鬼而已造成陰風慘慘，鬼影幢幢的地獄般的慘況外，即就漁業的生產運銷被嚴格統制一項來說，便已足够扼殺了舟山所有漁民的生命了！

寸步難行 生產大減

據上月十三日上海解放日報透露：現在舟山共軍當局，以「海陸聯合保安」爲名，除一面加強舟山地方的特務統治外，一面已實行捕魚管制；漁民必須納入生產互助小組的組織，並領得捕魚許可證，方得在集體行動下出海捕魚。個別捕魚不但已被禁阻，且已被認爲有「越外活動」嫌疑的危險舉動。而出海捕魚的範圍，也已以保障治安爲名被局限得非常狹小。因此漁業產量，現在舟山已大爲減少。據該報透露：總產量已不及從前原有的百分之五十。且其中有些魚類，如蟹等，甚少捕得，這種結果，甚至已使舟山漁民的生活陷於困境，但中共不管死活，還要加以苛酷的剝削，予以運銷統制。

運銷統制 低價強收

運銷統制的手段，係由「浙江水產運銷公司舟山分公司」所執行。它下面所運用的機構是有系統的所謂「生產合作社」及「生產互助組」。因此私營漁商已被完全消滅，漁民非假手此種機構，已無法換取生活資料。而此種機構便在一手掩蓋之下，竭力地壓低魚價。例如今年的桂花黃魚上市時，每百斤竟掉不到一斗米吃。倘非屬旺季，則正如該報所透露承認：「連地瓜乾也吃不上」。又例如像海蜇，照常例該是產量既如此之少，物以稀爲貴了，但現在海蜇的收購價，僞運銷公司方面規定爲幾十塊錢僞幣一斤，比之米價，只值一升米的百分之一，其他便可想而知了。至於其他一般魚類的收購價，若以米計值，亦大多皆較原有比值低了百分四十至六十不等。但雖然如此，市上的魚價並不比先前便宜，還反而貴些，這道理是很明白的，因爲在市場方面是物以稀爲貴的現象，在產區方面，則在統制管理中，是中共壓價的水產公司收購，完全在剝削漁民。講剝削，可說是集古今中外之大成了。

漁民待斃 漁業衰敗

當然，舟山的漁民在這種情形之下，必然比一般地區的人民更爲悽慘了！但這是沒有辦法的，除了反抗、拚命、或反攻大陸可以解救他們以外，便只有坐而待斃之一途了。同時，生產既如此銳減，生活也頻於絕境，則該地整個漁業的衰敗，這也是勢所必然的了。據上海解放日報的消息，即已有所暴露，說現在舟山的大多漁船及其他漁具，均已年久失修，一時無力修補，根本很難恢復原有的生產標準了。總之，在中共無情的摧殘下，別說修補，生活都已陷於絕境，那有不衰敗之理？（心田）

反共健兒活躍天目山

反攻日近活動增强

然而據談不久前自游擊沿海突擊登陸加强及美國大選結果而台灣反攻空氣迅速播及大陸後，民心大爲振奮，士氣亦都極思動，在大陳的激勵及太湖的呼應下，展開了主動的突擊：何××部曾於上月中旬集中一部份兵力同時以快速行動偷襲宵靈橋區「人民政府」及臨安邊嶺腳糧倉，當場擊斃該兩地保衛隊及民兵三十餘人，運走稻谷百餘担，餘則舉火焚毀，待匪軍大量趕援，何部已迅即隱沒。未幾，何部又派員突擊杭縣匪縣長葉心蘗之汽車於杭縣小河至良渚段，雖未成功，當會擊斃車中祕書一人，已予匪以精神上極大威脅，使杭州之僞省治安機關大爲震動！上月下旬初，郭××部繼何部之突擊後，即由天目山繞道甚嶺關突擊昌化冷水鋪區「人民政府」，亦擊斃了匪保衛隊及民兵約三十人，運走了一部份糧食後，亦即舉火焚毀了該處的糧倉！撤退時，曾途遇來自龍崗的援匪，劇戰約半小時，予匪以重創後迅即北撤隱沒。同於此時，分水於潛邊境，蔡××部亦有類似行動，印子埠一帶亦皆有激戰，情形則較爲模糊，他說最近這種消息，在杭州方面民間，雖有少數人加以懷疑，但大多數人則傳說甚盛，言之鑿鑿。他說若從一份部「解放軍」的西調及杭州治安空氣緊張這兩點跡象來看，似非空穴來風之事。他又說杭州去天目山區雖不算遠，但由於中共對不利消息封鎖之嚴，使一向成爲大諱，惟終究由於兩地人民的交流，還是有少數人能獲悉該地的大概情形的。

終之，最後他又說：最近大陸一般地區的空氣，顯然都已有點異樣，此種異樣，似是暴風雨前夕的醞釀！

·東·（下）

從槍斃楊四郎談起

為方

據說大陸上舊有的一切戲劇，大半都經「人民」改造過了。改造的目的，自然是在「站穩階級立場」，適合「人民」要求。

例如：皮簧舊劇中的「四郎探母」，楊延輝探母回來後，即以「通敵賣國」和具有濃厚的宗法觀念的理由，把他交由人民公審，執行槍決了！李自成張獻忠既被「改造」為革命英雄，不過，楊四郎當然應該槍斃。我站在「國際主義的民族主義」立場，不免替四郎呼冤。他能夠揚棄溫情主義，丟掉家庭包袱，帶着敵情資料，跑回國外國丈母娘帳下來，為「國際的祖國」服務，這正與今日「人民民主共和國」所倡導的「一切為保護世界無產階級祖國蘇聯的利益而犧牲」的世界革命思想相符合，為甚麼還要受公審槍斃之罪呢！

如果楊四郎要改處極刑，纔合乎「人民」立場的話，那末，比這種事實更封建反動的舊劇情更有大大地改造之必要。如皮簧劇中的「寶蓮燈」劉彥昌的兒子在學校打死了秦官保，正是打倒封建秦門的革命行為，劉氏夫婦不但不應該教兒子去償命，而且要稱讚兒子為「學模」纔對啦！又如「會審」中的蘇三，尤其應該當堂跟王金龍補行結婚典禮，以符「新婚姻法」的解放精神。

戲劇本是某一時代生活背景的象徵表現，共產仁兄卻硬將往古變成來今，使舊有文化藝術，一律弄到陰陽怪氣的境地，不惜教張飛與岳飛打架，夫是之謂改造思想，吁！

自由談

微山湖

·鐵幕故事紀實·

詹琦琛

一位剛從大陸出來的朋友告訴我一個微山湖的故事。

韓莊上沿着公路豎着牌樓，歡迎「華東局土地改革委員會人事室主任參事王本仁」，他是一個吃小灶的幹部，他曾參加過「長征」與「解放戰爭」立過汗馬功勞，只怪不學無「術」，被毛皇冷落，解放大陸之後，這只狗腿子只得一根冷板模坐坐。

去年十月他被派去率領一批「參幹」份子到東北去參加「集體農莊管理學習工作大隊」，他便自任「總長」北上。

在他奉命之前，他的「上級」要他在沿途多學一點「唯物哲學」「辯證種植」與改變「土地」以後的農村。因為「革命」不斷地「前進」，農村裏也日新月異地變化無窮。據此，他領率這批人馬也就浩浩蕩蕩地從津浦路北上至徐州，又轉上公路到韓莊。

韓莊的區政委為了歡迎「上級」把他留住在微山湖旁的孔家村裏。

孔村裏的孔二先生是曲阜孔氏的後裔，韓莊上有名的道學先生，雖然他不滿意共產黨，但是為了幾口子要活命，他只有用「順」的哲學去尋求生與死的安所。

像這樣把共產黨當父母的人，該算是善良的「人民」了吧！可是：第一批「抗美援朝」運動，區「幹部」們就逼迫了他的兒子孔正緯去「參軍」。

老兩口只有一個兒子，三個女兒，眼看見兒子被迫去「參軍」，在共產黨的淫威下，只有悄悄地飲吞着眼淚。陪着笑容，卻遇一批「幹部」，偏說他是「老頑固」。

在「革命」「勞動」無法剝奪孔老二的生命之前，他頑強地在這韓莊上活着，確實是「幹部」們一件頭疼的事。

區婦女部也鼓吹過孔家三個妮子，要她們「清算」她父母的「頑固思想」，但三個妮子卻表揚她父母的「前進」，只是「幹部」們想施行無恥的行為時，她們就拖着她們父母出來做保護。

誰都不懂這三個妮子玩的什麼法術。誰都痛恨孔老二的「頑固」，但明顯地說：這些幹部們對他家裏都有一份微妙的矛盾的「情」緊繞着他們的心。

王本仁一住進孔村，區政委就告訴他這老頭兒的可惡，也讚揚一陣大妞的漂亮，二妞的窈窕，小九子的天真活潑。最後告訴他若要享受「同志愛」的話，必須給一點苦頭與老頭兒嘗試嘗試。

苦悶的「革命」理論中有這些微的羅曼蒂克「革命細胞」，王本仁激蕩得飄飄然地拍拍胸口說：「革命可以攻破頑固的堡壘」。

早晨，他讓一批「參幹」在空地裏做健身操時，他披着大氅看看那遼闊的微山湖。

微山湖水泛起清澄碧綠的波紋，環湖的柳子樹葉像鮮血一樣地殷紅，光禿禿地微山把北國平原刻劃得凄涼而又死寂，冰冽的田野看不見一根紅蓼藤。

一幢破茅屋籬笆下，一個六十來歲的老頭兒，披一件破棉襖，一面咳嗽，一面撥弄着籬笆。

屋裏走出三個不大不小，不肥不瘦的大閨女，穿着大紅棉襖，白皙皙地手裏拿着搖船的篙子。

王本仁貪婪地目不轉睛的瞧着她們，看見她們走到湖邊，他也走到湖邊。

「首長，您搭船嗎？」小九子淺淺地一笑，小臉蛋上浮起醉人的酒渦。

王本仁踏上只能容許四五個人的小船。

在岸上做健身操的「參幹」們，看見他們的「首長」陪着三個閨女搭着一葉扁舟朝着湖心划去，一直隱沒，大家仍嚮投着羨妒的眼光。

到了下午，孔二先生夫婦也不見了人。

第三天傍微山湖臨城湖岸躺一具代八角帽穿解放裝的屍體。

光緒之死秘聞

·猜士·

光緒之死，比西太后先一日，宮闈黑幕，久成疑案，筆者當年在上海，曾因此事訪問曾經診治過光緒的病的御醫屈桂亭，據屈說得很詳細，足為攷討歷史有力的資料，屈述如下：「前清光緒末年，皇帝久患重病。外國公使有懷疑其中蹊蹺太后之毒者，蓋外使自拳亂後多惡后而袒帝也。法使館徵得內廷同意，派法醫狄得氏入宮診視，知帝確患重症，羣疑始釋。

時在九月初旬，一日早晨，太后與光緒臨朝，召見軍機大臣。帝困苦不能支，伏案休息。太后乃謂：「皇帝久患重病，各大臣何不保薦名醫診視？」慶王弈劻首先奏對：「臣自六十九歲大病之後，袁世凱薦西醫屈某來看好了。自後不再吃中藥，也不知道有甚麼好的中醫。」袁世凱繼奏：「屈某係北洋醫院出身，歷任醫官院長現兼醫院總辦。臣全家均請其治病。前北洋大臣李鴻章總督直隸時也是請其診治的。」繼而張之洞與世續兩中堂亦陸續奏言家人患病亦請屈某治病，均稱順手。當時軍機大臣六人，只有鹿傳霖與醇（王即後之攝政王）二人未發言。太后乃云：「中西醫藥是一樣的，但要治好病人便得了。既是大家保薦此人，可請來看看。」慶王復奏可以辦到，請定日期。太后乃定十三十四日。（此段應對語係事後親聞諸慶袁二人者。）下朝後，余即得袁之侍從醫官王仲芹由電話密告此消息，時余在天津衛長北洋衛生局，以診治光緒皇帝病責任重大，在專制政體之下，正俗語所謂「有抄家無封誥」，本甚躊躇。距不移時，直督楊士驤先後接到袁慶電話，催余立即赴京。余於是成行，時九月初十日也。到京後謁見慶王。慶對余謂：「此乃軍機大臣共同保薦，不能不去，但去要小心看看，有無危險，可直言先告訴，密奏太后。」

時，太后與皇帝均在西山頤和園。十四日清晨，慶王帶引余覲見太后及帝于正大光明殿，光緒正面坐，太后坐其側，聞中醫陳蓮舫，接西醫規矩要寬衣露體，施愚等亦會到診。太后問余如何診法。余即對答，光緒施用「望聞問切」的診視工作。余細察其病徵有：常患遺洩、頭痛、發熱、脊骨痛、無胃口，腰部顯是有病，此外肺部不佳，似有癆症，但未及細驗，不能斷定，面色蒼白無血色，脈甚弱，心房亦弱。其人體質本非強壯，屬神經過敏之質；加以早年色事過度，腰病之生，由來已久。彼不禁刺激，神經稍受震動，或聞鑼鼓響聲，或受衣褲磨擦，或偶有性的刺激，即行遺洩，且不受補，愈食補藥，遺洩愈頻。余復問取其尿攜回化驗，又開方單以進，並奏明方單是西藥，可到外國醫院或藥房配藥，或內服，或外敷，而個人不便進藥，蓋明代「紅丸」故事早知戒懼也。（故宮博物院清廷所留下之光緒病狀一紙，也言其患遺洩病者。）（上）

新世說補遺

幗內一例

馬五先生

對日抗戰初期，吾國留德學生以納粹政府與日本軍閥狼狽相依，對我不懷善意，紛紛作歸計。然旅費無着，尤以自費留學生為最艱窘，乃由學生界與駐德使領分別設法募捐濟助，特設委員會綜理一切，推丁文淵氏主其事。先從調查入手，凡屬官費生，或其家資豐裕，素無貧乏之狀況者，皆不在救助之列。

有楊生者，國府交通部所派遣之官費生也。其妻嚴氏亦隨夫在柏林求學，以自費生資格經核定得領救助金一份。旋有人檢舉其不應救濟各事實，復查非虛，即通知本人註銷。嚴氏悻然來向丁理論，斥丁侮辱女權，咆哮不已，丁和顏解釋，終無效。次日，伊夫楊某亦來詰詢此事，謂為不公道，聲色凌厲，咄咄逼人，丁語之曰：君為政府資派之留學生，何必為此戔戔者，干清議，敗公約耶？願婉告尊夫人，共體時艱，以彰愛國心情，方不負國家培植之意，願君慎思而明辨之，吾斷不能徇私舞弊也！楊怒霽色低聲以對曰：公言良是。然余妻實悍甚，余素憚其虎威，今日之來，亦實逼處此，非出本願也。我有一策，唯公採納焉。丁曰：願聞明教。楊謂：余妻應領救助金額，由我如數奉交閣下，但請嚴守秘密，免受室人兇譎之苦，何如？丁憐而納其請。嚴氏來，告以彼之救助費固不能列支捐款，願私人另行設法相助，以泯是非。嚴問款從何來？丁答：君但求得款，焉用探源為？嚴欣然致謝去。

越旬日，嚴氏訪丁大鬧，指丁詐欺取財，謂將訴之於理。丁駭詢究竟，嚴謂：良人近以病入醫院，我檢查其衣袋中之日記本，乃悉前所領救助金實即汝向吾夫索取者！丁知秘密已被揭破，恐楊病中再逢妻怒，殊不忍，即正色而告曰：事誠有然，以君固執無可理喩，余為顧全大家體面，乃向楊先生獻此策也。余因此而與楊先生締深交，君如不慊於余，一任尊便，倘還怒病人，余基於友誼，必不讓余友枉受委屈，幸君自愛！丁斯時負管理留學生職責，故作此言以脅之，冀弭懼內如虎者無妄之災耳。

赫德傳（三二）

政府則鑑於赫德年事已高，將行退休，惟再落於另一外人之手，美國留學生其時主張收回最力。袁世凱收羅一般留學生為己用，其時懂海關制度者只有一位唐紹儀，袁氏在韓國時，唐氏適在韓國海關 Von Mollen dorff 之下任事，二人因以認識。今袁氏任直隸總督，乃以唐氏為天津海關道。唐氏於一九〇四——一九〇五年至西藏，過印度時，對英人治印頗為不滿。回國後主張中國海關不能長為外國利益服務。赫德已七十二歲，故少年中國應不顧一切將其海關收回。一九〇六年五月九日上諭以鐵良為戶部尚書，唐紹儀為侍郎，兼稅務大臣，時伍廷芳調至刑部，唐紹儀甫回自印度，乃繼其任。外人譁然，顧赫德則解釋為清廷因彼欲退休之謠言而生之預備步驟。英代辦 Carmergie 認為中國政府倘派人接收海關，即是違反一八九六，一八九八兩年之借款合同。美使 Rockhill 以問唐氏，唐答以關稅既作借款担保，中國政府自然不能動用，總稅務司一職，仍為英國人担任。但總稅務司既為中國官吏，中國政府必有權予以監督如是而已。

泰晤士報訪員莫理遜則謂鐵良負責編練新軍，欲藉海關之助以得軍餉，乃粵人助袁世凱籌款之辦法，清廷多不贊成。法國尤憤慨，竟主張必要時再來一次共同行動，前安南總督 Lonesson 撰文竟謂日俄戰後黃種人已看不起歐洲人了。德人則表示緘默，以為說得太多足以壞事，實則德人與袁暗有默契的。因為稍一不慎，赫德本人即不採取任何行動，可引起辭職甚至免職的問題，且他既為清廷服務，對上諭是祗有服從而不能批評的。赫氏心中亦明白少年的留學生必欲取而代之的，而海關必須交回中國，他認為當然，好日子也不會太久了。五月十三日鐵良唐紹儀告以一切仍舊不過請其多繕一份報告戶部而已。鐵與唐對赫德優禮有加，然已告以須在彼任內將中國政府如何監督規定好以便下一任有所遵循，所以雖無人願其辭職，然關稅自主的運動實已開始了。

外交團於五月十九日召集會議，英使反對中國收回海關行政權，赫德頗不贊成此一提議，以為反而刺激中國人，而使之愈積極。他國亦有支持中國行政獨立的觀點者，唐紹儀是有作為，而不易說服或被推翻的。慶王於六月一日對英使的答覆，選派兩位大臣，並不改變海關行政。英人所不放心的，是鐵良唐紹儀以大臣名義，隨時干涉海關。英人要他們的衙門設在北京專聽報告。一九〇六年七月二十二日乃成立稅務處於北京，由外務部戶部海關三方共派出二十餘小職員組成。路透社謂赫德時在北戴河，絕不退休，甘居中國官吏之下的。倫敦輿論以赫德不僅是海關稅務的担保人，倘入中國人手中，將以失去，人必須防止。債券代辦者以安詢赫德意見，實則赫氏告以如鐵唐二人所面告者，并無抵觸於稅務署與海關統計借款合同，果同意再行干涉，則有超而干涉表面之意，殊與總稅務司職權逐漸增加。中國行政雖獨立，但債權國規定的償付辦法，則有羅經矛盾，要求不遂反原來規定。他始終認總稅務司既不能長久維持下去，尤其他本人之任總稅務司不至太久了。

中國之友（五二）

毛以亨

冷戰中的烈士

兩週前，一個共黨警官走近東西柏林的交界處，向左右不安地望了望，連忙解開他的大衣，掏出一束花圈，交給站在那裏執勤的西柏林巡邏警員，並很穩地說：「敬獻給你們的那一位烈士」。隨後即匆匆地走了。

這一位烈士名鮑爾，年僅二十六歲，是西柏林的警員，但不幸在聖誕節的早晨，為紅軍三名所殺害。兩週前，西柏林當局為他舉行國葬，有二十萬個感激的西柏林人參加執紼的行列。當執紼的行列步入西柏林市政廳前的廣場之際，由二百五十名防暴動隊的隊員組成一支儀仗隊，樂隊也奏着葬禮進行曲。西柏林市長路透教授發表悲壯的演講，盛讚鮑爾的英勇和偉大，末後他還說：「如果人類不能幫助我們，我們將高舉着我們的手，高呼『上帝讓我們自由』。」悲穆盛大的儀式完畢後，鮑爾即靜靜的躺在墳場裏。大家無不為這位冷戰中的烈士祈禱。

當晚，東柏林的共黨受到西柏林盛大的追悼鮑爾的反響，也在搜求他們所稱的烈士。第二天早報上，他們登了一則廣告，上面說：「在一月五日那天，……柏林所有愛好和平與愛國的人民都將向人民警察的模範鬥士裴斯特致別，裴斯特已被法西斯路透市長的特務所謀殺」。

十九歲的裴斯特也由東柏林當局舉行了國葬儀式，但只有冷清清的四個抬棺的人，而他是頸後被人槍擊命的，但沒有人知道誰是兇手，當天起許多共黨報紙馬上發表「愛國母親」的來信，保證將鼓勵他們的兒子參加人民警察的工作，承繼裴斯特未了的事業，但就在那幾天中，東柏林難民，逃往西柏林的，一日竟達一千五百二十人，創造了逃亡數字的新紀錄。（由之）

△鮑爾的隆重葬禮▽

自由人
中華民國僑務委員會頒發登記證台教新字第壹零貳號
THE FREEMAN
（半週刊每星期三六出版）
（第一九七期）
每份港幣壹毫
督印人：李光華
社址
香港高士打道六六號
電話：二〇八四八
GLOUCESTER RD.
HONG KONG
TEL: 20848
承印者：東南印務出版社
地址：高士打道六十四號
台灣特派員辦事處
台北市館前街五十號
台灣總經銷處
台北中華路新號五九四之一
台灣郵政劃撥儲金帳號九二五二號

美國新遠東政策

·陳克文·

艾克上台了，美國的世界政策必然與杜魯門時代有所改變，已爲衆共知。新政策的輪廓已從新國務卿杜爾斯本月十五日在參院外委會所作報告，露其端緒。新政策大體上反對杜魯門的圍堵政策，改取主動的解放政策，施用壓力，拆散共產世界。新政策特別重視遠東。杜氏說，蘇俄與中共之結合，係一種邪惡同盟，美國不能忍受其繼續存在。新政府擬對蘇聯在遠東行動，更加注意。這大概便是新政策的重點主義。

共產集團的反應

新政策發表後，美國的職業外交家，已有反響，駐俄大使季南的五點冷戰理論，即其一例。這種理論爭辯，是否足以改變新政策，這裏姑且不談。共產集團，在事實上也已經有了初步反應，實是吾人所應密切注意的。新政策正式表示雖在本月十五日，但遠在艾克當選後，已陸續有所透露。近兩月內，共產世界許多新行動，似乎都和美國新政策有關。中共宣布所謂『五年經濟計劃』，『制憲運動』；蘇俄最近藉口『醫生謀殺案』，實行排猶運動；東德與其他歐洲衛星國的整肅運動；似乎都是美國新政策所引起的結果。

圍堵政策，尤其是韓戰僵局，儘管自由國家認爲已經對共產世界的擴張加以禁阻，因此避免了第三次大戰爆發，增強了自由世界的防衛力量。但在共產集團看來，利益是屬於他們方面。因爲他們逐漸消耗了自由世界的實力，增加自由世界內在的困難和分裂傾向。他們確定自由世界，決不至有任何基本政策，足以動搖共產主義征服世界的基本原則。時間於他們有利，圍堵政策的繼續執行，是他們求之不得的。

現在，新政府的政策改變了，要從圍堵改爲解放，要瓦解共產世界，根本推翻共產主義，這如何不引起他們的憤怒與驚慌？中共的『五年計劃』，『制憲運動』，便是利用糖衣毒藥，抑制大陸人民，避免反側，避免『拆散』和『解放』的惡毒手段。蘇俄的排猶，歐洲衛星國的整肅，便是利用恐怖殘殺，鎮壓內部分裂，增加鐵幕力量的手段。中共如果不是經過『土改』『三反五反』的殘殺，民心極度不安，也不會和蘇俄與東歐兩樣，僞裝和善面孔的。總之，共產世界要在美國新政策還沒切實執行以前，鞏固鐵幕內部，使新政策無可乘之機，避免崩潰，情勢已甚明顯。鐵幕國家這種驚惶失措，倒行逆施的現象，已可知道新政策的威力，實遠較圍堵政策爲偉大，因爲新政策是可以制共產主義死命的。

避免大戰　加重壓力

新政策的重點，在拆散中共與蘇俄的非神聖同盟，也便是一變過去重歐輕亞的錯誤觀念。具體方法，杜爾斯並未說明，當亦未便說明。但有兩點似已確定：（一）避免普遍戰爭。杜氏說，解放政策，並非解放戰爭之意。（二）施用種種壓力，其中包括宣傳重壓。杜氏說，認爲通常壓力，與宣傳重壓，不能達解放之人士，對等實不知其所談者爲何。杜氏舉南斯拉夫脫離克里姆林宮爲例，以爲拆散共產世界，削弱蘇俄，不必從事大戰，或在衛星國內煽動一種必遭失敗的暴動。

杜爾斯這種解釋，如果是針對美國職業外交家的理論爭辯，和聯合國各國恐懼大戰的心理，是有其必要的。如果確實相信，無須戰爭（非普遍的大戰），只賴宣傳重壓，便可以貫徹『解放』和『拆散』政策，理論和事實都是不通的，其效果和圍堵決無兩樣。第一，南斯拉夫的解放，是宣傳重壓成功嗎？鐵托之後，克里姆林宮已加強其對衛星國的控制，中共的五年計劃，制憲運動，蘇俄的排猶，東歐的整肅，即其具體表現。只有宣傳是決不能再有鐵托出現的。第二，鐵幕國家的鎮壓殘殺，是不必等待自由世界的宣傳煽動，和暴動之發生的。過去三年中共大規模的屠殺，目前蘇俄和東歐的排猶整肅，都是最好的說明。只要共產世界存在一日，世界一部份人類便不免要遭屠殺和奴役的悲慘命運。

解放政策　需重軍經

所以解放政策，寄望於通常壓力與宣傳重壓，是不夠的。可是杜氏所說的壓力，顯然不止宣傳，宣傳之外應該包括經濟和軍事。杜氏所說要避免普遍大戰，並不說要避免一切戰爭。今日的遠東，要拆散中共和蘇俄的邪惡關係，已經到了宣傳之外，必須實施經濟封鎖和擴大韓戰，到中國海岸成南中國的時候了。非此，不獨解放和拆散等於空言，即韓戰也是無從解決的。說到這裏，發生兩大困難問題。第一、會不會因此引起三次大戰？第二、聯合國內部意見能否一致？大戰是否會爆發，全在蘇俄自己估量其能力能否取得最後勝利。不能，雖中共崩潰，也不至於動手。否則隨時隨地均可動手。兩年韓戰，柏林封鎖，均不至變成大戰。則封鎖中共，也一樣可以不至變成大戰，台灣國軍反攻大陸，尤其是英法兩國，目前自然不贊成擴大韓戰。擴大而不至於危害馬來，香港，和越南，不至於削弱歐洲防務。他們自然也不得同意了。我們總覺得蘇俄可以支持中共，韓共，越共，馬共，進行長期的侵略，而不至發動大戰。爲甚麼聯合國不可以支持台灣國軍反攻大陸，解放赤色中國，而不必訴諸大戰。加強海上封鎖，解除台灣中立，這是時候了。也是美國新遠東政策必須要走的唯一道路。除此之外，我們實看不出新政策和圍堵政策會有甚麼分別，新政策會有甚麼積極意義。

自由中國對新政策將作何反應呢？是否也認爲宣傳可以瓦解中共？是否仍安居中立地位，於中共屠殺千數百萬同胞，大陸陷於水深火熱之中已歷三年之久，還假中共以時日，聽任其制訂憲法，進行所謂經濟建設，以加緊其剝削和奴役的陰謀詭計呢？陳亮上南宋孝宗書有言，『南師之不出，於今幾年矣。豈無一豪傑之能自奮哉。天地之正氣抑鬱而不得泄，其勢有時而發泄矣。苟國家不能起而承之，必將有承之者矣。』又說，『東西馳騁，而人才出矣。盈虛相輔而兵食見矣。……是豈合據之勢，而非可坐而致也。』今日國軍反攻，正是承受天地正氣的時候，時機稍縱即逝，反攻之後，自可造成雲合響應之勢。安坐中立決非長久之圖。

鐵幕整肅狂潮

·凝之·

共產黨是一個恃不斷清黨整肅而維持其內部安定的政黨，自從史達林於一九二四年繼列寧柄政以來，三十年間，舉行過無數次的清除。這種方式，自然並非史達林所發明，列寧也曾一再表示過贊成按期的清除以保持黨內的清潔，但那種清除卻只是把他所認爲不利於黨的黨員逐出黨外而已。到史達林，纔把俄羅斯與東方陰賊險狠的傳統運用到清黨方面，他任意捏造罪名，用極毒辣的手段深文周納，凡是遭受被清除嫌疑的人，斷頭台是其唯一歸宿，只有不甚重要的幹部或羣衆，纔有被關進奴工營的幸運。

就在列寧逝世的一年，克里姆林宮開始了反托洛茨基的鬥爭，那也就是共黨藉清黨而實行殘殺異己的第一次，此外在一九三六年，有季諾維夫加米涅夫一案，一九三八年有布哈林賴可夫一案。這都是最大規模的殘酷清黨，所牽涉者動輒爲共黨的若干重要機構和數以千萬計的人們。此外較少的零星的清黨和處決更僕難數。法國革命的大恐怖，比起共黨內部的恐怖殘殺，眞是相去不可以道里計了。

大部共魁均無善終

去冬聯共黨大會所廢除的政治局，是俄國共黨的最高權力機關，政治局委員擁有最高最大的權力，大自蘇德不侵協定的簽訂，小至女人應該穿什麼樣式的衣服，都有待於政治局去決定。那是最能發揮極權政治的一個機構，但是過去充當政治局委員的人們都不一定幸運，尤其是最早的一批人。一九二四年以前曾任政治局委員者計共九人。列寧病死，另一位委員史威爾德洛夫死得更早（一九一九）。此外至今健在的只有史達林一人。托洛茨基是在被放逐之後，在墨西哥被史達林陰謀派遣的兇手劈碎了頭顱（一九四〇）。季諾維夫和加米涅夫處決於一九三六年，布哈林賴可夫克利斯汀斯基處決於一九三八年，另一位政委湯姆斯基，蘇聯最重要的工會領袖，於一九三六年黨案中自殺，倖免了審訊自白和處決的恩遇。那麼，在史達林專政以來所任命的政治局委員應該比較幸運了，卻又不然。一九二五年進入政治局的是莫洛托夫和伏洛希洛夫，前者有資格做來日被清算的候補者，後者已被打入冷宮，無復當年繼托洛茨基任紅軍總司令的氣燄。此外的十八人（眞實數目局外人無法弄清），至今健在者不過一半。此外只有加里寧可說終其天年，基洛夫被刺死（史達林曾藉此案掀起季諾維夫一案），茹爾塔克，柯西埃，朱巴爾都神祕的失了蹤，奎壁歐夫，奧強尼基哲和柴達諾夫，都是中年驟死。據事後公布，奎壁歐夫和柴達諾夫都是被醫生謀斃，最近正在藉柴達諾夫一案大起黨獄，迫害猶太人。政治局委員們的升沉，就是俄共內部傾軋整肅的一個指標。只有不斷的清黨，誅鋤異己或其所不快意的人，史達林政權纔得以繼續維持。

整肅程序繼續發展

在大戰期間與戰後最初數年間，蘇聯不曾發生過大規模的黨案，雖然柴達諾夫之死也曾引起若干黨內要人的遭受清除。因而若干人得到一種印象，認爲史達林政權已告鞏固，一切權力都集中在他的親信手中，以後可不必再假手於殘酷的整肅手段。其實並不盡然。史達林如果有其必要，是不惜把其親近幹部送上斷頭台的。像已往的季諾維夫和布哈林，何嘗不都是和史達林合作過的人物。而且即使蘇俄聯共內部情形比較單純，各鐵幕國家卻正發展到俄國十月革命初告成功的階段。在捷羅匈保波蘭和阿爾巴尼亞各國中，有托洛茨基，也有杜嘉切夫斯基。因爲克里姆林宮操之過急，逼反了南斯拉夫的狄托，在各附庸國中，也有無數潛在的狄托存在。因此從捷克完全被納入鐵幕之後，即開始了鐵幕中的整肅程序。最初是清除異己的政治家，第二步輪到與有正義感且要是非分明的知識份子，第三步是迫害宗教領袖，特別是天主教，第四步的目標則爲猶太人。從前年冬天捷克共黨書記史蘭斯基被捕一案開始，反猶運動一天天在擴展，到去冬捷克史蘭斯基克里曼蒂斯一案的審訊和處決，猶太人復國主義居然也成爲最大罪狀。繼則最近莫斯科公佈九名醫師被捕案，說柴達諾夫是被他們所謀殺，此外並企圖殺害瓦西列夫斯基和朱可夫等高級將領，而這一陰謀據稱又是猶太人所主使。現在整個鐵幕都罩上恐怖陰霧，歷劫僅餘的鐵幕國家中二百五十萬與俄國境內二百萬猶太人，又臨到一次遭受排除迫害的厄運。

（下接第二版）

半週展望

·雷嘯岑·

艾森豪威爾總統的難題

一般人對美國新任總統艾森豪，都認爲他面臨着兩大難題，必須有所作爲，才可以一新世人耳目，那難題即係如何結束韓戰和強化西歐防衛？

強化西歐防衛並不太難，因爲以英法爲主的北大西洋公約國，在本問題上並無歧見，只要美國肯見義勇爲，不吝美元大量消耗，那是不成問題的。邱吉爾所謂世界危機重心在歐洲之說，並不完全是他的「偏見」，眞正大幹起來的話，蘇俄當然對西歐拚命攻擊，民主國家要制蘇俄的死命，也非從歐洲下手不可。這些情形，美國與西歐各國的人都沒有不同的看法。所不同者，英法深恐美國要在東方大幹，對西方不免鬆弛，萬一倫敦再又嘗試一次被敵機晝夜不歇的轟炸生活，如何是好？若想到原子彈的威力，那更是太可怕了！美國則不願以上駟對下駟，在東方長久打濫戰，急於要設法中止這場「錯誤的戰爭」，基本觀念與英法並不衝突。所以艾總統的難題只是如何結束韓戰？

西歐各國的心理是不妨讓俄帝集團控制遠東的，只要不來控制他們在東方的殖民地和經濟利益圈子，那就毫無所惜了，美國卻不能這樣做。因此，艾總統要解決韓戰，即千萬不必借助於英法各國，以美國的道義精神和物質技術的優厚力量，一心一意地支援遠東自由國家，調協他們彼此間的歧見，通力合作，起而對抗俄共集團。非如此，那就依然是「蘇俄奏樂，美國跳舞」的被動形勢，使史達林更好舞弄其魔術棍子罷了。

尼赫魯的小丑嘴臉

尼赫魯總說巴基斯坦將被邀參加中東防衛組織，聲稱「深表關懷」，喃喃然大發其小丑式的論調。

這一位自命「亞洲領袖」的政治商人，平日藉着民族主義的口實，反對別人干預任何獨立國家的事，裝出「中立」態度，像煞有介事。他自己卻覬覦巴基斯坦爲其附庸國，旣派兵隨意侵佔巴國的土地，拒絕聯合國調解，現又干涉別人的國策，說巴基斯坦參加中東防衛組織是把「大戰」火線帶到印度洋岸來，他不能不表示反對！

美國人眞是太老實了，說出甚麼將要放棄爭取印度的困難工作，改以巴基斯坦爲民主世界在東南的據點等類言論來，這焉得不使尼赫魯心慌意亂呢？「亞洲領袖」當不成，固然遺憾之至，尤其不能對美國招搖撞騙，賣弄風情，藉以獲致美援，實爲莫大地失望痛心之事！這好比一個蕩婦，眼巴巴望着一時對她有意上鈎的「金山伯」（粵語多財者的意思）移情別人了，能不醋興大作嗎？亞洲人總被西方人瞧不起，即是這類小丑式的政治人物太多，隨時替亞洲人丟臉所致啦！

中共在大陸的最近動態

中共近來一面在華南沿海地帶增兵，惶惶然如大難臨頭；一面定期召開甚麼「人民代表大會」。

華南沿海地帶若無強大的海空實力，增加些「人海」浪潮，有何用處呢？譬如：國軍如果進攻海南島，瓊州海面一定封鎖得水洩不通，「人海」困守島上，只有化爲砲灰的命運，「老大哥」是望洋興嘆，「人海」無能爲力的！美遠東艦隊巡邏機在潮汕上空被共機擊落，也表示中共在沿海武備之嚴。這件事正在探巡實情之中，結果不管怎樣，斷不會有甚麼驚人的發展，還得經過一二個月，先實施對大陸的封鎖政策，才可以看出一些動靜來！

所謂「人代」會，只是一場猴兒戲，把靠攏派和「民主人士」像猢猻一樣，穿上紅綠衣裳，隨着共黨的鑼鼓跳跳蹦蹦，做些「反美援朝」的「堅強」決議，以便欺騙老百姓而已。

可憐的「民主黨派」人士，其生命實是完全寄託在台灣自由中國身上的。台灣日見強大，這般人的性命就會苟延一天，但台灣如再強大，以至於實行反攻，這般人即死期來臨了！

胡適行矣

台灣通訊

胡適之先生回國兩月，已於十七日午刻離台，經由日本返美。到場送行者不及來時歡迎者之衆，一因前一晚風雨甚急，若干人恐其不能成行，二則動身時間一改再改，直至下午二時方始起飛。胡先生在台期中，曾應各方請求，講演多次，早打破初到時只作公開演講一次的限制。並寫字甚多，所寫者均爲「種瓜得瓜，種豆得豆」。或「要怎麼收穫先怎麼栽」。胡氏此次回國，顯尚爲栽種階段，若論收獲，恐須俟諸他年。

各方催促仍無新詩

一週以前，中央日報社長胡健中氏曾寫一首白話詩贈胡，題爲：「留下幾首新詩再走」，意謂自五四以來，白話文已有成績，白話詩尚待建設，胡氏已多年未寫白話詩，在寶島勾留兩月，應有新作品留下。羅家倫氏也照此意寫白話詩一首催胡，但胡氏俗冗繁多，並未交卷。臨行前一晚曾爲友人寫一扇面，所寫係白話詩，乃係舊作，並非新吟。詩爲抗戰前遊西湖烟霞洞所作，句云：「我來正值黃梅雨，日日樓頭看山霧，纔看遮盡玉皇山，回頭又失樓前樹」。胡氏回國竭力提倡自由民主，各方的反應並不一致，或亦有如樓頭看山霧之感耳。記者曾屢問胡，對台灣亦有不滿意的批評否，胡氏坦然謂有，但當直接向當局陳述，毋須喧騰於報紙云。其風度如此。

對台進步備極讚揚

胡氏對台灣的進步，備極讚揚，而於地方自治稱道尤多。台灣省臨時議會日正舉行大會，討論四十二年度省預算。各縣市第一屆議會任期屆滿，已有十一縣市改選畢事，於本月十六日分別成立第二屆議會。尚有一部份縣市，本月亦將改選。台灣的地方自治法規十五種，已由行政院核定修改了十四種，只有縣市長選舉罷免規程尚在審議中。法規修改以前，台灣省政府曾先將草案送請省臨時議會討論，省議會亦曾提出重要修正意見。但行政院最後核定時，並未完全採取，因以引起省臨時議會職權問題的辯論。省議會認爲縣市長任期規定爲三年，縣市議員任期規定爲二年，不能配合，應一律改爲三年，以減少辦理選舉的次數。又認爲縣市議員競選應先繳納保證金，如日後於選舉時所得票數，不及簽署提名其爲候選人的人數時，該項保證金即予沒收。再則省議會認爲縣市議員應改爲有給職。以上各點，行政院均未採納。關於職權問題，行政院認爲中央自有對於省級政府與議會的監督權，而省議會則認爲本省的單行規章，自應有決議之權。今日台灣省級地位確屬微妙，蓋中央政府係依據憲法組織，縣市又已實施地方自治。惟有省政府尚係依據訓政時期國民政府公布的省政府組織法設置。但台灣省政府委員人數若是之多，各廳處又均設首長一二人，又與省政府組織法不合。

議會選舉中民主精神

台灣省臨時議會所堅持的幾點意見，除縣市議員任期由二年改爲三年尚有理由外，保證金制度將使缺乏金錢力量者無法參加競選。此次十一縣市議員改選，登記爲候選人者並不太多，足見實無以保證金限制之之必要。至縣市議員改爲有給職，有背於議會的性能。且如受俸給，即將視同公務員，須受有關公務員身份地位的若干法令拘束，恐並非任縣市議員者所願意。若干年來，政府對於「公務員」與「官吏」二詞的解釋，迄無一定答案。最近大法官會議發表解釋，謂凡政府投資百分之五十以上之企業機關職員，均視作公務員，已引起輿論界的批評，認爲不當。

在此次十一縣市議員改選過程中，先則發生本省籍與外省籍候選人當選比例的問題，次則發生少數的選舉訴訟事件。幸主辦選舉機關事先審愼，法院又能公正審判，均已妥善解決。

但就民主政治原則言，選舉與被選舉，均係公民應享的權利，不因其原籍貫如何而生問題。台灣雖爲中國新自日人手中收復之地區，究亦爲全國最早實施地方自治之地區，凡所設施，均將爲日後收復大陸時的借鏡。爲鼓勵台灣本省人士踴躍競選，而顧到籍貫問題，自未始不可。選舉訴訟本亦爲選舉過程中不可免者，此次台北市最爲各方面所注視之案件，即在選舉前一日，有人在途中檢得空白選舉票一張，認爲選票預先洩漏，將招致選舉不公正的結果，請法院判決選舉無效。法院則先委托刑警總隊檢定途中發見之票係否眞票，其答案爲眞票，繼則判決原告之訴駁回，確認選舉仍爲有效，其理由書尚未宣佈，但據主辦推事在判決時所言，一票之洩漏不能影響全局，且選票洩漏一張，亦不得視與任何選舉法規相違反。選舉訴訟係以高等法院爲管轄法院，並以一審爲終結。凡此皆可表現自由中國重民主尚法治之精神。胡氏對台灣地方自治特加讚許，當亦以其已能適合民主自由的原理也。

▲胡適行前，在松山機場攝▼

埃及新政變前因後果

·卓繆·

埃及內在的政治危機，六個月來幷沒有消弭跡象，雖然四個月之前，納吉培逼倒了獨立派的馬赫爾內閣而成爲埃及的實際統治者，迄今距離他徹底改革政治的目標依然還有一段悠長的途程。西方由於中東聯防計劃的延擱，對埃及前途大爲疑懼。儘管納氏打算廢棄專制王朝改爲民主共和，但這一次「政變」，無疑是獨裁者加強權力的矯飾安排，二十五名軍官被捕，成了後此謀「變」者的警告。

儘管埃及叫囂驅逐尼羅河流域的外國軍事控制勢力，西方對於埃及有無力量去填補這個一經空虛的脆弱地帶，至今仍大爲疑慮。去年七月政變，納吉培於九月柄政之後，民族主義的火焰激盪着內在的政治危機，使這一位「鐵腕」將軍沒有顧及排外，而致力於政治上的改革，在決鬥的第一回合中，擊敗了華孚德黨與已往支持埃及政府而轉向納吉培的回教勢力這兩大勁敵。當時他所標榜着「提高埃及人民社會經濟地位」的聯合運動，確實使人民擁護，而寄望於在新政權之下的土地政策，任何人不得擁有二百英畝以上的地產，在全國土地爲少數富豪佔有的埃及，顯然是一項爭取羣衆的新猷；可是，迄今幷沒有澈底地執行，除了少數的權顯產業予以處分之外，大部分地產依然把持在若干人手裏，他們的潛力依然保持而沒法動搖，民間的貧困幷沒有稍弛，土地改革變成了一句口號。而且消滅貪污腐敗的這一項重要諾言，既不嚴格執行，竟證明由各黨派自行去肅清其腐敗分子。因此，不僅人民對他的向心力大爲減退，他的幕僚也非常不滿，尤其是他們主張要把過去的舊官清算，甚至把遜王法魯克判刑。納吉培却幷沒有接受，這倒幷非納氏沒有澈底改革政治的決心，而係如下兩種原因阻延了他前先揭示的目標。第一、反對派在朝的勢力雖被擊垮，潛在的反抗勢力尚未剷除，而且絕非一個短時期中可以剷除的；第二、國內的反抗情緒未見緩和，民族主義的力量無從發揮；因此就暫時採取了放任態度；但他又不願說明這是「暫時的容忍」。

對蘇丹作重大讓步

英埃談判恢復之後，埃及對蘇丹作了重大的讓步，埃及允許蘇丹於一九五五年投票自行抉擇蘇丹由埃及兼併抑是完全獨立。在這個過渡的三年期間，依據四項原則：一、設置一個委員會，由埃人一名，英人一名，蘇丹人兩名，中立人士（印度人或巴基斯坦人）一名組成，協助總督施行內政；二、選出之蘇丹議會將在三年過渡期間決定自治之時日；三、英埃兩國駐軍在蘇丹獲得自治之前（或由一個立憲議會之決定，或由民族自決）將次第撤出；四、在蘇丹政府各部門中，多容納蘇丹人任職，俾蘇丹之行政逐步「蘇丹化」。此項決定，埃及與蘇丹之間已達成協議，只等待英方同意就可實行。大體上說，英國固然無充分理由堅持反對，但在最近三個月來英國駐埃大使施諦文與納吉培總理所作之談判，其重點已由蘇丹轉到了蘇彝士運河區的撤兵問題。英國於一年前建議中東設置一個防衛機構，而主張此一機構由英國人主持，更由於此一機構之設置，可使蘇彝士運河區劃入聯防範圍，英軍五萬名仍可不理於埃及之撤兵要求。可是，埃及何嘗不考慮到英國這種預謀。因此，納氏於最近特別揭示英軍撤出運河區的決心，否則，拒絕參加擬議中的聯防計劃。英國在這種情勢之下，得改變其堅持態度，而允許運河區的駐軍撤退。但希望於某種形式保持他在埃及的戰略基地設備。

中東聯防無形擱置

現在，英埃間談判持續，而且已瀕於破裂的邊緣，即使雙方能夠協調，對中東聯防雖有裨助，但距離中東聯防機構的建立，依然遙遠，此種原因，當非西方與回教國家間的不夠瞭解，因爲此一機構是括有多數有關國家的防衛。如以色列，儘管西方給予它以許多援助，依然尚未釋去其猜疑，近竟因西方對阿剌伯國家軍事上援助作無情之抨擊，而以色列與阿剌伯國家之間，至今仍缺乏和諧氣氛；同時，阿盟內部的團結，也幷無一較有顯著的跡象，一九五二年阿盟最後的一次集會中，對西方的中東聯防建議似乎幷不十分重視，可能以爲過去反對美英領導中東防衛而堅持由阿盟自衛爲得計，將此一重要問題延擱至今年定期討論，目前英埃談判尚未圓滿結束，阿盟自無意於此時考慮。現在看起來，當時阿盟表示自衛中東防衛之動機，顯然寄望於納吉培出而領導，可是，埃及的聲威，而今與六個月之前法魯克在位之時，改進不了多少，而且外交手段更無一年以前那樣強硬。因此，他們感到納氏是傾向西方，甚爲困惑。其實，納吉培外交立場，至今未見澄清，雖然以色列對西方抨擊，只是英國撤除以軍火售與埃及的封鎖，美國務院迄未採取挽埃之行動，主要原因顯係阿猶間之歧見尚未消弭，以及埃及參加擬議中的聯防尚無明確表示。

瞻望前途問題甚多

最近埃及以一批棉花售與中共，受到西方的指摘，在納吉培本人看來，這是因爲對外貿易窒息出於不得已之行動，不能視爲與西方爲敵的象徵。至少他已拒絕了某一方面建議與中共談判締訂貿易協定。

而圍繞納吉培周遭的，如人民對他的失望，幕僚們的抱怨，已使這一位年高五十二歲於「政變」中崛起之民族領袖對他的政治生命感到惶惑。然而，他仍有一股魔勁，而策劃廢君主改共和的勇氣。這是舉世矚目的一件大事，埃及人民自亦特別重視。本月十二日揭曉的民意測驗，反映出大多數人民均主張共和政體，這是一九二二年來專制王朝所留下壞影響之結果。據說，納氏現已開始起草這一項計劃，有待於未來三年內自行統治埃及，這是基於目前急待實行的兩個目標：第一、可以鎮懾其若干官員間日益深刻之不忍耐情緒，因此等官員要求對英國侵犯者迅捷採取行動；第二、鎮壓政黨的敵對行爲。十四日晚上，納氏遂下令逮捕包括有前華孚德黨政府內政部長塞拉格，及遜王法魯克之堂弟哈廉親王等二十五名（其中多數爲現役軍官），此外，尚有平民十五名一併下獄。事後封鎖新聞達四十八小時之久，總經官方正式宣布這些被捕者係「陰謀發動政變」分子。並於十七日內閣會議中通過兩項法令，其一是將總理的特別權力自六個月延長至十二個月（按此項權力係自去年七月起生效）；其次爲解散各政黨，沒收其基金，禁止各政黨的黨員參加任何政治活動；任何人違反此項規定，將被處刑三年，罰款三千埃鎊；且不准組織新黨。顯然的，這是獨裁者以矯飾「政變」來增加其權力而鎮壓反抗者的結果。現時埃及警方奉命搜捕的工作，尚在繼續執行，此正反映出反抗的情緒仍未消失，倘使納氏僅憑這一套「鎮壓」的辦法來支持他的政權，而不圖以修明的政治資本去博取人心，至多亦不過暫時獲得苟安，何況還有潛伏於地下的共黨勢力正在擴張呢？

天下小事

伊總理衆叛親離

伊朗總理穆薩德最近已到了衆叛親離的境地，從前幾個出全力支持他的有力人物，現在已公開指斥他的專橫，和他站在對立的地位。第一個離他而去的，是擁有極大潛勢力的下院領袖喀斯海尼，喀氏也是領導恐怖份子的領袖，他曾一度向穆薩德保證決以「全力支持」。但目前却處處以國會議長的地位和穆薩德過意不去。其後，原來親穆的勞工大衆黨領袖巴格海也加入了喀斯海尼背叛穆薩德的陣營。前兩天穆提要求國會延長他的特權，巴格海竟率先反對。本來穆薩德還有一位有力的朋友的，這人是伊政府中第二號要人，副總理兼石油委員會祕書馬甚，但馬甚最近自華府歸來後，也一改他擁穆的態度，在穆提請求延長特殊權力時，他爲了表示抗議起見，竟辭去議員職務。

匈牙利新車運俄

聖誕節後的第二天，共產匈牙利曾發生一樁他們歷史上最慘重的火車失事慘劇，有二十個人因而喪命，一百多人受傷。但因爲匈共封鎖新聞，甚至匈牙利人也很少知道這事件，直到美國之音加以廣播，匈人才獲知這一消息。

上一週，有一位逃抵慕尼黑的匈籍工程師，他對匈牙利的火車情形，提供不少可貴的情報。他說，四年前他在匈牙利鐵路管理局工作時，當時鐵路上有許多新型火車頭，但這些都是向東駛往俄國去的，他們國內使用的仍是殘破的舊車，自然，出軌失事，都是必然的事。

法國佳釀贈艾克

巴黎喬治五世大旅館的經理布勞萊最近訪問紐約曼哈丹時，曾帶來一件「沒有人能夠買到的禮物」，送給該旅館的前顧客美新任總統艾森豪威爾。這件禮物確實名貴異常，原來是一瓶一八〇〇年的白蘭地酒，還是從拿破崙一世的私人酒窖中拿出來的。（孟衡）

上接第一版

鐵幕整肅狂潮

現在屠刀轉向猶人

從上文所述克里姆林宮在各鐵幕國家中消除對象的發展趨勢看來，其主要用意在於消除每一個和鐵幕以外具有任何關聯的人，而緊緊把他束縛在克里姆林宮的周圍，因而小馬薩里克，拉日克，柯斯托夫、明眞諦等人便依次成爲遭受清除的對象。現在的屠刀正轉而移向猶太人。在第一次大戰到二次大戰期間，東歐各國共黨領袖多半是猶太人。他們也像十月革命之際許多知識份子之皈依列寧一樣，認爲共黨與共產主義代表着正義和平等，只有在共產革命成功之後，人間纔能出現理想的樂園。但是任何猶太人都是四海主義者，他們心目中的祖國是巴勒斯坦，而不是莫斯科。並且他們也都不是唯唯俯首聽命於克里姆林宮的人。因此便成五十年代初期共黨新整肅下的主要犧牲者。最滑稽的莫過於他們的罪名，一方面是民族主義者，另一方面又是國際主義者，這不禁令人想起伊索寓言中狼與小羊的故事。

此次以猶太人爲目標的大規模整肅，其殘暴也許不下於納粹，但其間却有一點重大異點，這就是說，希特勒的排猶是種族性的，而史達林的排猶則應該屬於意識形態的範圍。使史達林煩惱者，不是猶太人的血族，而是猶太的文化與觀念，那必然會冲淡了其對史達林的效忠。而在眞正能效忠於他的人，即使屬於猶太血液也無關宏旨。所以成千成萬的猶人都遭受迫害，而喀干諾維支與愛倫堡却依然是史達林的親信。

至於克里姆林宮何以又要假手於血腥的整肅，大概東歐去年經濟情勢的普遍惡劣是一主因，可能蘇俄內部也有不穩情勢，因而不惜再度發動一次血的統治。現在整肅尚未大舉進行者只有中共。但是大勢所趨，決無例外。中共範圍內雖無猶太人，但無疑要有大大小小的幹部注定要做整肅的犧牲品，我們等着瞧吧！

東北帶頭展開農村整黨

小嘍囉先遭開刀

各地共幹人人自危一片恐慌

中共自踞有大陸，經三年多來的胡作妄爲後，不僅已將整個大陸弄得破敗不堪，一片悽慘！即連他們組織的本身，也已普遍腐蝕，半身不遂！這情形，當然爲中共中央所焦心憂恐，惶恐不安，乃不得不忍痛整肅，惟爲避重就輕，易於着手計，乃決定先行農村整黨，向小嘍囉們開刀！並首先自東北各省帶頭發動，採取經驗，而後全面推廣，以圖垂死的挽救。

驕侈墮落泛濫　組織普遍腐蝕

中共爲什麼會普遍腐蝕？原因當然很多，但就其主要的，似可分兩部份作扼要的說明：

其一，在中共未踞有大陸以前所有的所謂老黨員方面，如中共自己所已檢討認承的：是「勝利」給黨員們帶來了「太平觀念」和「功臣思想」。此種觀念、思想，所表現於那些老黨員們的行爲上的，即爲縱侈的享樂；或胆大妄爲的貪污；或好大喜功的驕飾；或頹喪苟且的墮落；或驕橫顢頇的官僚主義作風等等，此等行爲，已根本湮沒了在他們打家劫舍時代的那種「革命」的傻勁！

其二，在中共已踞有大陸以後所吸收的所謂新黨員方面，亦如中共自己所已檢討認承的：是大量新黨員的吸收，違反了黨員標準的八大條件，情形非常複雜混亂，造成了組織的泛濫！本來，關於這些大量新黨員的吸收，原是中共中央的一大決策，目的在利用所謂「積極份子」納入黨的特務控制，而後以大量黨員去鞏固特務統制。但由於「黨員標準」的多面化，不是被黨幹們作了濫收表功的依據，便是被黨幹們曲解而造成了偏差。譬如在去年中共大力建黨時期，中共曾一再督促各地黨幹，全力發展組織，吸收黨員，結果，據北平人民日報所載：各地黨幹爲盲目表功，乃有的只要看到某一人的態度積極便收作了黨員；有的只要以爲某一人的「成份」單純便收作了黨員；有的只要以爲某一人的歷史「清白」便收作了黨員，如此：建黨的任務，固然又照例是「超額完成」，而組織的濫而亂，也就糟到了不可收拾的地步！

怎麼糟法？據大陸各報的先後透露：一、說未入黨時，支部、工會、團都找談話，入黨以後除了要任務，便反而沒人管了。二、說黨委對新黨支部及新黨員要求過高，新黨員本身也功利思想濃厚，使什麼職權都向他們身上亂加，尤其在農村中，有多至身兼十七職者，乃弄得忙無頭緒，便亂搞一陣！三、說平日缺乏黨課教育，大多農村黨員對農村經濟發展方面認識不清，已發生了農民個體經濟的資本主義傾向。四、說大多農村黨員已滋生了剝削思想，貪污行爲，及違法亂紀，脫離羣衆的命令主義作風！據此，便可知中共的組織已腐蝕到了什麼程度？

嘍囉替死開刀　先從東北發動

然而中共爲了易於着手而避重就輕，乃選中了這些農村中的屬於小嘍囉的所謂新黨員們作了開刀的對象，展開了「農村整黨」工作，同時，爲先行取得經驗，乃先從所謂「全國樹範區」的東北開始發動。

據東北各報及北平人民日報透露的消息：現在東北的「農村整黨」工作，經中共東北局發出指示後，松江、遼西等六省已分別召開了全省縣委組織部長聯席會議，各省委書記都根據東北局的指示，強調指出「要做好整黨工作必須貫澈領導方面的啓發教育與廣大黨員的自我思想改造相結合的方針，採用分批集中考查、訓練及民主補課的程序」。據說各省大致皆分三批進行考查、訓練，總計每省受整黨員人數，平均皆在十萬人左右，統於今年二月底前可以完成。現在，隨着此一「工作」底展開，東北各省的省委已從黨校、省直屬機關抽調了一百多名高級黨員幹部（其中有廳長、處長、區委書記級者十餘名）爲所謂「深入」農村整黨的高級領導，已動員二千名至三千名不等的中級黨幹爲縣黨工作的專職幹部。同時，各縣已紛紛設立了「整黨訓練班」。並已由各省派出了「督導小組」，組織了十個至十五個不等的流動電影隊，帶了「幸福的生活」「白毛女」「光芒萬丈」「鋼鐵戰士」等影片；「蘇聯集體農莊」等百餘套幻燈片，及反映蘇聯「農村先進經驗」，先進人物，人民生活的百餘套圖片，巡迴到各縣去教育黨員，眞可說是「大張旗鼓」「如火如荼」！

個個作賊心虛　一片恐慌疑懼

但由於這些農村黨員的大多犯有錯誤、偏差、及貪污、違法亂紀等罪行，再加上看慣了他們黨內一貫陰狠毒辣的所謂「整風」手段，乃幾乎個個自危，人人恐懼！據松江省委在瀋陽日報指出：說有的怕坦白出醜而畏縮不前；有的怕清算鬥爭而憂恐萬狀；有的甚至怕遭殺身之禍而惶惶不可終日！同據該報透露消息：如松江省五常縣有個女黨員，只爲了她丈夫放過債，便裝病逃避學習受整。如遼西綏山縣有些黨員怕參加受訓時脫離了工作崗位即遭羣衆反映他們的官僚作風而藉詞要求留鄉受整。甚至如遼西昌圖、北鎮等縣有些黨員，怕整他們的貪污事件而有發生逃亡的情事，由此，也就可知現在中共東北農村黨員在農村整黨中的恐慌情形之一斑了！（沈著）

揭陽老儒謝天垣被子清算記

——一首打油詩，竟召殺身禍——

揭陽在城鎮人謝天垣，字容甫，年七十八歲，爲前清拔貢元，功名早達、工書法、嫻詞令、能文章、體格修短合度。民國七年，揭陽縣令楊玉衙，委任謝氏充保衛團總局董事、同時局董十六人，多係遜清舉貢生員一類型人物，良莠不齊，叢蕊各異，有好事者，就十六人名下，系以打油詩，有褒有貶，其詠謝氏詩曰：「關量卑狹甚，拔元兩字滯胸中」。這首詩在三十五年前，原是無謂的諷刺。不意餘韻竟流傳至今，中共竟藉爲清算藍本，教一位老師宿儒，風燭殘年，死於非命，眞可悲歎！

揭陽自「解放」後，凡屬年在四十以上的讀書人，稍有明辨理識是非之輩，共黨皆認爲有「莫須有」罪名，[illegible]以殺害，然而謝天垣以大名鼎鼎的拔貢[illegible]知，富而且貴，一時竟告無恙，流亡海隅的潮汕人士，竊爲謝氏慶，殊不知另有隱情，僅待最後喪身而已。

女兒媳婦都是共諜

原來謝有女名××，在抗日時期，與當今潮汕土共領袖林美南等加入青抗會，遠在十餘年前爲共黨地下工作，近跟一紅員來海隅有所作爲。又謝氏次子謝書暉，爲留日學生，曾在普寧中學任教職，與一女生由戀愛而賦同居，學校當局不諒，將之辭退，轉來揭陽簡師任教務。詎知那女學生即是「共諜」，早以色相誘致乃夫加入共黨，夫婦探刺隱情，煽動學生入山，對「人民」著有勞績。及至潮汕易手，謝之子女和媳婦，一門三傑，皆爲共黨紅員，父以子貴，居然稱太公，歷次由「土共」主持之「清算」鬥爭大會，謝均逍遙無事。殊好景不常，去年十一月，中共派遣一隊外籍人員至揭，複評「地主」身份，謝知書暉夫婦有包庇乃父之嫌，迫其大義滅親，而謝遂不免矣！

去年十二月初六日，揭陽在城鎮公審台上，坐有一位公審員——謝書暉——押訊一個犯人——謝天垣——跪在台前，台下擁滿觀衆，鴉然無嘩。主審員劈頭宣佈犯人罪狀稱：「謝天垣，你的拔貢元的來歷不够坦白！追查清末光緒皇帝死後，宣統繼位登基，大赦天下，且有恩賜，揭陽得到恩賜拔貢元一名，拔貢生一名。當時合于恩賜之邑庠，計有鄭秉樞、林奇、黃鐘、謝天垣四人，你自知才望不及人，遂挑撥黃鐘，通名檢舉鄭、林兩人爲廣州方言學校肄業生，依例不得受賜，該是由黃署名交你送設，而你另署僞名以進。果然鄭林被黜，黃有好事之嫌，屈居第二，詭計得售。「拔貢元」的頭銜上身後，你分別在潮安、揭陽謝氏宗祠豎旗鐫石，剝削佃農，非法攫去赤谷千餘石，還用這筆橫財，營高利貸，建厦置產，剝削工農，允宜提付公審，予以清算」。

打油詩台前朗誦

罪狀宣佈後，乃父面紅耳熱，氣得七竅生烟，反唇大駡乃子曰：「我所剝削來的錢，是用來培育你這「什種」的！你今得志，就變成梟獍了。我的功名有何不正當，且舉證來」——公審員聞言，即將上述一首打油詩向台前朗誦，并將其父不可告人的隱情，如數家珍，當然纖悉畢露。書暉爲欲「站穩革命立場」，先起將乃父八字鬚拔淨，皮破血流，續有若干佃戶，債仔上台拳足加交，要其「退租」「退債」。公審員判其退谷千餘交還謝姓農民兄弟，家中財物即時被人搬光。此一老儒士此時足不成步，遍體鱗傷，羞憤交迸，自忖無生存希望，夜間潛在伊家客閑，叠起三層床，系繩于樑而懸之，及家人發覺，已返魂乏術，是爲揭陽儒生最後死之一人。死後家宅被查封，而那位「前進」人士謝書暉從此亦無家可歸了。（敝帚）

井陘煤礦共幹官僚主義作祟

奴工遭非人折磨

中共爲實行分而治之，才劃出的平原省，它的西面矗立着太行山脈，那正是中國煤藏最豐富的地區：太行山的西側在行政上的劃分屬山西省，所以一般都知道山西是中國最大的煤田。其實，在地質學上，山西的煤藏與太行山東側平原省的煤層是一綫相連的，只是太行山東側的煤層較薄而已。

太行八徑之一的井陘，恰好在太行山脈東，是全國出產煤最多地方中的一個。清由于井陘的交通方便，運輸迅速的原因。井陘西行過娘子關可到山西，東行則到正定與平漢路相接，運煤外出確佔一個有利的形勢。所以，井陘的紅煤是華北各大城市用煤的主要來源，就是山西的煤亦無不都從這裏轉運到華北去。

井陘採煤的情形在往時，有土法開採，亦有新式開採，但是由于煤層比較薄，而且煤藏散佈面積極廣，因而，土法開採的礦洞多，新式大規模的開採反倒不十分花算了。所以，井陘採煤的主要問題，一向是管理的問題：是工人生活福利的問題。惟有管理得法，工人福利增進，煤的產量一方面不至于浪費，另一方面工人生產情緒提高，才可以大大增加煤的生產量。

然而，中共來了以後，共幹們口口聲聲向羣衆學習，卻一直沒有搞清楚井陘煤礦的「增產」必須條件。派在井陘的行政領導共幹數目上千，他們除了開會無事，左一遍右一遍向工人灌輸那套「共八股」以外，要不然就是吃飽了喝足了偷偷地去逛「土娼」，正應了那句老話：「飽食終日無所用心，難矣哉！」至于「增產」，那不過說說「嘸量」，就是了。

拿井陘礦務局來做例說，行政領導幹部只顧自己當着工人面前作威作福，背地裏悄悄狂嫖亂賭，上級指令摧他們領導「搞好生產」，到無法「搪塞使」，就抓工人的晦氣。把工人每天挖煤的數量，由幾百斤、半噸、一噸左右的直訂到了一噸，工人的基本生產量，要求卻一向不予滿足。煤礦工人的洗澡問題，在任何時間，任何地方都由「礦主」照顧，行政領導幹部以礦主是國家了，反倒對那工人的福利，視若無睹。「三反」、「五反」，幹部們不得不應付，才修了二個只有十五公尺長、二公尺寬的水池充洗澡塘，每次一小班就有五六百人洗澡。不必說那水都已成了灰漿，由于池子小，人多，擠不過來，工人只好到外面換衣服，很多人因此着涼生病。工會曾向行政方面提議，要求在澡堂外面搭席棚，抹上泥，然後按上爐子做換衣室。但直到今天，這問題還未解決，行政方面只有用席子敷衍着搭了一個小胡同，根本不能禦寒。十一月十四日，因洗澡而生病的病號由一百個增加到三百個，嚴重地影響了出勤率與工人的身體健康。

一礦工鋼工廠的工作場所，房頂上有三十多個窟窿，夏天漏雨，冬天漏雪，工人根本就無法工作，天冷時手拿不住工具，工會也會向行政方面建議修補，行政方面毫不理睬。

別的礦場情形完全大同小異。由這個顯著的例子，可以見到，中共的「搞好生產」，在共幹的官僚作風，忙忙碌碌的事務主義、不務正業、不動腦筋，……所謂「生產」是無法增加的。相反地，工人的奴工也有限度，在忍無可忍的時候，終將瀉出一支反共的洪流。

太行八陘的井陘，在大家都已不快樂的情形下，雖然江山舊，卻面目已非了。這一紅煤（按紅煤係較純的一種燃煤）主產地人們的苦難，願他不日「苦盡甘來」吧！（鏡）

「主任」借車弄得稀爛

女主人埋怨惹橫禍

妄加五大罪名「妓女」竟居其一

共產黨統治大陸已經三年多，無法無天的事，簡直說不完，最近在安徽潁上縣又發生一件慘絕人寰的故事，在共黨無法遮掩之下，首先由「人民日報」於去年十二月二十五日揭露。其方式又是採用「讀者來書」，據這位「讀者」王顯臨說：「我是一個小攤販，現在安徽省潁上縣南照鎮擺小攤過活。今年五月一日，南照鎮農會主任楊玉保挾嫌報復，在槍決反革命份子時，將我女人陳氏拉去『陪斬』，並宣佈管制二年，將她驚嚇成病。我特向報社控訴，請上級政府派員澈底調查了解，保障她的生命，並糾正這種欺壓羣衆的惡劣作風……。」

事情經過是這樣的：王顯臨說：「今年二月，楊玉保主任借我的自行車騎，把車子掉在水裏，胎內帆布爛壞，把車弄得不成樣子。我妻無意中將這件事和人家談過，楊主任知道了，很生氣。他第二次來借車，我妻沒借。他就此懷恨在心，四月間事。因治淮僱民工修堤，由街上商民自願擺派。開會時，我妻自報願出二分半。楊主任強迫她出三分。她不願出，並說楊主任不公平。楊主任生氣了，將她扣押起來。她也氣了，就把土地改革幹部多分果實的事當[illegible]了，她說：『你領導窮人翻身，爲什麼和你有親戚關係的幹部的都分到好房子；貧僱農倒分不到，分到也是壞的。這不是不公是什麼？』楊主任就更生氣了，決定要『治』她一下。六天以後，正是『五一』勞動節，鎮上開慶祝大會，公審反革命犯。羣衆都去開會，她也去了。公審大會開始後，號召羣衆檢舉反革命份子，楊主任佈置了人檢舉我妻，捏造了五大罪狀：一、是妓女；二、流子；三、做生意惡買惡賣；四、駡鄰居；五、破壞土地改革；五、不出工分，破壞治淮。區委書記傅月波就把她叫上台去，上了手銬，命令她和反革命犯一齊面朝北跪着，不准她發言，並由人民法庭宣佈管制二年。散會後，民兵拉着她強迫跪步回鎮。當時她已懷孕五個月，走不動，民兵們在楊主任的指示下，一人拉住手銬，一人用鞋子按住她的嘴，用腳亂踢，一人用棒打，她被連打帶嚇，鞋子、襪子都跑掉，人也嚇成呆子了，不會說話了。當晚區委書記傅月波派人把我找去，說：『你的老婆太壞了，駡幹部，我們是爲了教育她，現在你將她帶回去吧，要好好教育她，不要叫她死了。如果死了你要負責任』。天黑時，我將她領回去，她已不會走路了。第二天，她全身青黑，腫脹疼痛難忍，痛哭流涕。我請醫生醫治，醫生說她恐怕要小產。我請鄰人及醫生多人照顧，吃了藥，才未小產。我爲了她不能營生寫人，一百多萬資金都用完了，還欠下債。一家四口（兩個小孩），每天只有暗自啼哭，她每天頭暈腰痛，還要尋死，我一天到晚不能離開她。我想向上級控訴，恐怕又會遭到報復。無奈特向報社寫信，請你們轉達有關上級政府速派員實際調查，爲我訴這個不白之冤。」

這個不白之冤究竟申訴了沒有？至今還沒有下文，其實縱辦一下，也無非調回學習，最重是開除黨籍，還是明辦暗不辦過去就算了，只是這樣的「民主」制度下，老百姓那裏還有活餘地！（淮穎）

聽俄共的廣播詞

方

自由談

本月十六日，莫斯科廣播電台播出一段關於美國農民生活的「所得資料」，根據該項資料說明：美國五分之四的農民家庭，其收入不足維持起碼生活，他們消得住在幕棚中，若干成千的人，且睡在壕溝內。這般人被剝奪一切權利，從朝到晚，只得到極微的勞力代價云云。

美國農民生活情形是否如此？我沒有到過美國，手邊也無「所得資料」，不敢武斷。但平時聽到許多由美國留學或游歷歸來的朋友們都說：美國農民平均三五個人即有一架車子代步，而無綫電收音機更普及了農村，這似乎不像是住在幕棚或壕溝人家的生活狀況。又見美國大選時，競選人竭力爭取黑人選票的情形，也不像是「被剝奪一切權利」的農奴境遇。

世界上的一切事事物物，光憑嘴說，是非即多，你說海水都是綠的，他說紅海的水就不然，你有理由，他更有理由。最可靠的實證方法，只有讓別人實地觀察，才可以明白眞象。「美帝」的農民生活那麼痛苦，但它卻讓世界各國人士隨意入新大陸去到處旅行觀風。俄式共產社會的人民生活，據說是家給人足，好過天堂了。可是，鐵幕緊閉着，絕對不許外面人隨便進去看看，即外國使節在其居駐的首都範圍內，也不得自由走動，隨意觀察的。

渾身花柳病的人，決不肯當着別人面前脫衣入沐，而且反說別人害着楊梅大瘡，有礙衛生。俄式共產黨人的宣傳技術，就是這類自欺欺人的卑劣作風，反正在他們的字典中，幷無「羞恥」二字啊！

初曉

黃汎

這是一個值得紀念的日子：民國卅八年五月廿一日那一天，K縣縣城裏的老百姓，都懷了一份驚惶恐懼的心情，預感着災難即將來臨；眼看國軍一批批撤離了縣城向山區轉進，從早到晚不停的開拔。那一天的天氣特別陰慘，整日下着毛雨，彷彿也象徵着苦難的陰影已經臨頭，街上除了有幾個胆壯的百姓悄悄溜過，大多數的人都躲在家裏，靜待着命運的安排。傍晚時狂風怒號，整個縣城陷於震盪飄搖的不安狀態中，只有縣政府門口的告示牌，仍觸目的勁立在狂風裏，那板上已不再見到那些蓋着紅印的告示，換有一張用藍墨水寫就的白紙長條，赫然的張貼在牌上：

「我們必定回來！」

六個茶杯般大的字，迅速地就像通了電流般傳播開去，深深的印刻在每個百姓的心坎上。——這是國軍戰士撤退時沉痛的臨別留言，然而卻成爲千萬個百姓所朝夕祈禱的願望。

當天晚上，街坊上就出現了一批遊首垢面臂膀上纏着紅布的共軍，這批共軍迅即佔領了各個城門口及通衢要津，步槍及駁殼槍的示威槍聲，斷斷續續不絕地在黑夜的長空裏發出凄厲尖銳的呼叫聲，說明一個恐怖的暴力統治已經開始，魔鬼已降臨到世界；而第二天清晨，各處都張貼出歪歪斜斜字體的通告，正式宣布：這座城池已捲入了赤流漩渦裏——

從這一天起，K縣的百姓就遭逢了一個曠古未有的浩刧：屠殺、清算、奴役、放逐、逃亡、失業、飢荒、繪成了一幅流目驚心的血腥圖畫，一幅原始野蠻人類互相殘殺的素描，而人民在這血腥的統治下，已熬過整整三個年頭，三個年頭了啊！「我們必定回來！」這句話，此時對人民的感召，是尤其比當年的情感含有更深重的意義的，然而雞鳴雖已催曉，但黑暗暫時還沒有去，K縣的人也只得容忍着這焦灼難捱的片刻。——

是一個月黑風高的晚上，K縣抖瑟在峭寒的夜氣裏，天空偶而划過一二聲夜雁的長鳴，四野是一片死寂，一羣蝙蝠活動的黑影，在郊外的山岡上散開，散開，匍匐前進，刺刀的閃光與星光互相輝映。

道路口有幾個共軍哨兵在巡邏，太久的寧靜使他們都已感到無所事事的疲憊；深信這個世界確已是「全國人民一致團結在毛澤東旗幟下」而「天下太平無事」了，這個邏輯與他們「一定社會背景發展爲一定社會形態」的道理，當然是表裏相通的，因此，他們深信這個社會必然已是屬於一個固定不移的形態，他們自然深信將永遠這樣「專政」下去，永遠一個接一個的「勝利」下去，直到他們的「世界革命策略」完成爲止。然而今晚的這一幕活劇，似乎卻有意無意的都直接打擊在「無產階級」聖典的「馬列教條」上，使他們不得不承認這一次又該是屬於「一個革命低潮」內開始了罷！

無數個的黑影，像無數隻敏捷的猴子，躍過了山岡，又躍過了田野，二個共軍哨兵幾乎完全沒有感覺的被繳了械，就像一條蛟龍吞噬了二隻小蝦子般的沒有絲毫反應，他們輕輕的像一股初漲的潮流湧過去，近了，近了，漸漸迫近到K縣的城下。

K縣仍然是酣睡未醒般的沉寂，而東方卻吐露出一線曙光。

這羣戰士再回到別了僅僅三年的古城城下，三年的歲月算來並不太長久，然而就彷彿是一座陸沉了幾個世紀的古城重新發掘出來一般悠久，那麼蒼涼、殘破，不復辨認當年面目；城垛上隨風飄展着幾面絳色的招魂幡，一幀「親愛爸爸死大命」的大油像懸掛在城樓上，如果是一個對中國毫無認識的人，誰一定會懷疑這塊土地或許是從高加索喬遷過來的，或是斯拉夫的「老大哥」所恩賞寵賜的了。

乒！一聲嘹亮的槍聲，打破了這破曉的沉寂，達達達——機關槍伸吐出忿怒的火舌，國軍游擊指揮官發佈了攻城的命令，一羣羣游擊戰士向各城門直湧而進，使這班安閒得已給「勝利沖昏了頭腦」的「同志們」，倉忙慌亂地不知所措，無數支的游擊壯士的巨流衝進了城，立刻就像無數支導火點火索引發，隨即整個城池開始爆發，吶喊聲、槍聲、手榴彈爆炸聲，歌唱聲、歡迎聲，混雜一片……

『解放監獄！』

『解放奴役營！』

『解放全縣人民！』

無數股的人潮，分不清是老百姓或是游擊戰士，整個縣城像熱潮般的沸騰，淘湧，老百姓一個個從睡夢中驚醒，一個個馬上睜眼惺忪興奮地參加了新生的行列，向每個角落流散開去，流散開去。

天已亮，紅日從東方帶着微笑撥開重雲鑽出頭來，城頭上飄揚起鮮艷的青天白日旗，而縣政府門口的告示牌上也張貼出這樣的標語：

「同胞們！等待着吧！中國歷史上最醜惡最黑暗的一頁將從此翻過去了！」

小「大人」干政記

英國伊利沙白女王二世，即將舉行加冕大典，全球各國政府屆時皆將派使節趨賀，萬國衣冠拜舞蹁躚，甚盛事也。余因此偶憶及女王之父喬治六世當年加冕時，我國致賀特使某氏父子之政事軼聞，有足稱述者。

特使原爲在任之當朝顯要，以內閣副首相兼掌度支，位高權重，出國期間不可無人權理政務，而環顧左右，胥無足以勝斯大任，堪資信託者。因思其子某某，方爲政府派任爲交通銀行常務董事，代表官股，亦可稱國家命官。雖年少更事無多，然父子之親，代行職責，公私皆鮮顧慮也。特使乃於臨發前夕，手令度支部與其綜持之國家銀行各色人等，在本人出國期間，一切政務皆由交行常董某某代行之。羣吏奉令維謹，而其子亦昂然以特任官姿態，實行乃父職權，頤指氣使，不可一世。自度支次長司長以至銀行副總裁等要員，雖年高資深者，皆對此乳臭未乾之小「大人」捧卷册鞠躬侍候如儀，啼笑皆非。小「大人」得意忘形，某日以政事須電商鄂省主席何成濬，何氏爲民黨老輩人，年事高於特使，其孫兒固與小「大人」「相伯仲」也。詎其致何氏電文，首稱「何主席雪竹兄」，末尾僅署己名而略其姓，附以韻目日期，儼然上司口吻，官派十足，何氏閱電啞然搖頭，歎爲今古奇觀焉。

既而「代特任官」以政務繁勝，無暇兼顧銀行事，改命其女弟日往銀行代攝父職。女爲才氣縱橫之巾幗英雄，驕倨過阿兄，每巡行展視案牘，稍覺不洽，輒對僚屬叱吒叱咤，如獅子吼，員役莫不震懾。某日，余赴該行訪友，正暢談中，忽見壁間所懸三數按字電鈴小牌內，有一面現出霓虹光色，上映「二小姐到」四字，全行氣息立呈肅穆緊張之象，余友急振衣趨蹌別室，迎候「代總裁」蒞臨。余曾詢友具何感想？友言：「少爺尙易與，小姐不敢當」。余爲之狂笑而別，愧無妙筆描述二十年來目睹之怪現狀也。

新·世·說·補·遺

·馬五先生·

光緒之死秘聞

·猾士·

「自從每日早晨，余即到診一次，宮女等一見余至，輒呼『外國大夫來了』。」光緒帝平素服中藥至爲審愼，必先捧藥詳細檢視。余診視多日，見其呼吸漸入常態，用藥亦頗有效。關於食物營養之選擇，余屢行進言，彼亦照行，故病狀頗有進步。光緒帝性情甚好，寫字尤佳，此殆得力於相傳翁同龢之功也。有一次，太后對內務府大臣而論關于食物事，帝聞而氣憤之極，即怒擲杯于地以作表示。其後太后與帝復回北京城內，仍居三海。余繼續每晨入宮在勤政殿照常診視，光緒每晨最清早即須到儀鑾殿省視太后，然後隨同到勤政殿視政，生活殊不舒適，加以病魔纏身，更爲苦事。余診視一月有餘，藥力有效，見其腰痛減少，遺洩亦減少，惟驗其尿水則有蛋白質少許，足爲腰病之證。

迨至十月十八日，余復進三海，在瀛台看光緒帝病。是日，帝忽患肚痛，在床上亂滾，向我大叫：『肚子痛得了不得！』時中醫俱去，左右只餘內侍一二人，蓋太后亦患重病，宮廷無主，亂如散沙，帝所居地更爲孤寂，無人管事。余見帝此時病狀：夜不能睡，便結、心急跳、神裝、面黑、舌黃黑，而最可異者則頻頻呼肚痛——此係與前病絕少關係者。余格于情勢又不能詳細檢驗，只可進言用暖水敷熨腹部而已。此爲余進宮視帝最後一次。以後宮內情形及光緒病狀，余便毫無所知，惟聞慶王被召入宮酌商擇嗣繼位問題，未幾即聞皇帝駕崩矣。」（下）

赫德傳（三三）

中國之友（五三）

毛以亨

唐紹儀不允英使之請，以書面保證干涉海關行政，他以爲口頭通知就夠了。幾經壓力之後，唐氏始允通告，不對赫氏下命令。九月九日赫氏往稅務署，僅見到以前在海關任事的職員，感到稅務處將逐漸收回其海關行政，遂決退休，而于佈置就緒後十八個月始實現。

唐紹儀以和平方法趕走赫德是成功的，他本人也願退休了。

是年九月十日新英使朱爾典 Jordon 就職，其人爲中國通，而深諳中國禮節者；朱氏勸赫德稍遲再言辭，及稅務署之事。唐紹儀則函赫氏謂不願外人干涉中國內政，爲海關前途計，希望赫氏通告各關，以前隸屬外務部之海關，現已隸于稅務署了，惟總稅務司仍照常執行職權，並仍兼管郵政。並盼外人服務于海關者勿多驚擾以致壞事，赫德依其所請，頒發通告。其致 Campbell 函謂「昨日與唐紹儀長談，他痛斥英使的無理干涉，尤其恨倫敦英人所組的中國協會，以爲海關等于屬諸英國政府而不屬于中國政府了。目前英海關照舊有行政系統，但新分子既已出頭則所需於外人者必漸少。不需要外國人時，中國人必起而代之，至海關優點，如手續忠實有效能等等可望仍能保持下去。」

赫德不與英使代辦一致，不認增設稅務署爲違反借款條約，殊可贊許的。他認爲他留此時將制度改好，較新任來時改制爲較少麻煩，不過事先不與商議，較覺不愉快。他認爲外務部所涉範圍太廣，隸于稅務署較爲適當。中國政府還沒有具備收回海關行政權的勇氣，外人的驚憚實爲庸人自擾，赫氏是見得到的。

二六、赫德退休與其死

唐紹儀的被命掌握稅務署，無當給赫氏以預告，赫氏在華多年，不能不使人對之留去後之思，於是佈置後事了。一九〇六年秋，他告知英使朱爾典，謂來年春天，他將休假返國，以 Bredor 代理。惟中英兩國政府均反對其人，而赫德告中國政府則謂將提出三人，由中國擇一任命。赫氏對英使言，仍主張 Bredor 以爲處理關務，殆無出其右者，而中國政府所主張之 Hippinley 提出門戶開放政策之功，任之爲郵務局長（當時尙隸于海關）稅務署亦同意。一九〇八年一月廿七日，上諭赫德給假一年，以 Bredor 代理，然英使早已表示反對，且英政府亦曾以此告知中國駐英公使。經外務部担保 Bredor 是暫時代理，即赫德一去不返，稅務司亦將實授他人始罷。

我參加越戰（一）

法軍中一個外籍兵的自述

L. HART 著 第啓 譯

本文作者林達爾·哈特（見圖）是一位著名英國軍事作家的兒子，他曾參加法國的外國軍團在越南作戰，下面是他自入營起以迄在越作戰情形的報導，親切眞實，至爲動人。

一九五二年二月間，我乘車經過馬賽的一條險峻的公路，直抵聖尼古拉斯堡法國外國軍團募兵總部的大門口，那個地方相當荒涼，門外站着一個衣裳襤褸的衛兵，我忸怩不安地以法語向他說：「對不起，我想加入外國軍團。」他立刻招呼一個士兵引我進去，裏面有一個金頭髮的德籍伍長要去了我的護照，並給了兩床毯子給我。我把它舖在分配給我的床位上。通過窗戶上的鐵條，我可以看到聖尼古拉斯堡下的港口。我已加入外國軍團了嗎？現在還沒有，我還能自由的出去嗎？但也一定不可以的。

那裏面四周圍着聖尼古拉斯堡的高牆，到處陰森森地，就像中世紀的煉獄一樣。每一週，總有些當局認爲可以的人，接到發下的黃褐色大衣，列隊開到碼頭上去。每一天，也總有些對他們過去的生涯，不能提供令人滿意說明的人，或是被發現身體有某些缺陷的人，被募兵總部中的軍官遂出來，好些人還是被戴上手銬在軍營門口移交給警方的。其中有一個是一位粗壯的美國人，他告訴我說：「我在軍政府工作時，和柏林的蘇區也有交易」。但在這所中世紀的煉獄中，也有許多愉快舒適的安琪兒在，自越南戰場上退下來的負傷傘兵，他們掛了很多的勳章，每天清晨和司令官熱烈地握手，而後在我們敬畏的眼光前，一跛一跛地去吃他們的早點。

管理這些數以百計等待轉運的壯丁的，是一批粗莽暴燥的下士，他們藉着口笛、拳、脚等來控制這一羣各種國籍的士兵。同時，擴音機也不斷地召我們前往訊問，或者在晚上，我們會發現某一個床位上的毯子會突然拿走了。

「祕密地告訴我」，有一天審查官問我說：「你爲什麼要加入外國軍團？」這些理由如果在倫敦說起來，似乎是可以滔滔不絕講上幾個鐘頭的，但這是軍營，而我能講的，又是斷斷續續人的法語。

中華民國僑務委員會頒發登記證台僑新字第壹零貳號

自由人

THE FREEMAN

（半週刊每星期三六出版）

（第一九八期）

每份港幣壹毫

督印人：李光華

社址：香港高士打道六十六號

電話：二〇八四八

GLOUCESTER RD.
HONG KONG
TEL: 20848

承印者：東南印務出版社

地址：高士打道六十四號

台灣特派員辦事處
台北市館前街五十號

台灣總經銷處
台北中華路新號五九四之一

台灣郵政劃撥儲金帳
九二五二號

歐洲的新自由主義

·程滄波·

最近兩年的歐洲，正在醞釀着一種新態度，亦可說是戰後的新秩序，也就是「新自由主義」。這是社會主義或勞工黨中具有遠見者，和保守黨派中同樣具有遠見者，雙方的一種調和，也可說這兩派有識之士滙合起來一個中間路綫。

歐洲思想的轉變

老友胡秋原先生一月前在香港時報發表「論歐洲」，這樣一個大題目，胡先生能在一篇短文中扼要評論，眞不愧爲大手筆。胡先生的論斷，有許多地方，我不能完全贊同，或者他寫想中的歐洲，是三年前的歐洲，而不是最近三年來的歐洲。第二次大戰中及大戰後，歐洲思想上第一個轉變，便是從抵抗運動中的一片熱誠，到戰爭結束後的一片失望，這一個對照，幾乎使歐洲人在精神上於戰後難撑下去。歐洲情緒最低落的階段，是在一九四七年捷克政變以後，也在發現德國漸漸恢復力量以後。從那時候起，歐洲人幾乎一致感覺今日之天下，無論是法西斯或共產黨，終歸是全體主義的世界。奄奄一息的歐洲民主國家，不是被再一次戰爭所毀滅，即將俯首帖耳臣服於蘇俄。

三年前歐洲人面對的道路，是這樣一幅慘淡的景色。這中間物質的缺乏，與戰爭的創痕，固然觸目皆是，而各國內部的矛盾與磨擦，——多半是共產黨的，更使歐洲人精神上消沉低落，比中世紀還要不如。中立主義就在這種環境中產生的，捷克政變後歐洲各國流行的中立主義，是當時歐洲精神錯亂中的一種夢想。這與第二次大戰前的綏靖主義，同樣爲歐洲靈魂墮落的象徵。多數歐洲國家人民得不到最低的必需品，他們瞧着蘇俄可怕，瞧着美國仰攀不上，加上共產黨的威脅利誘，把歐洲人的耳目視聽完全攪亂了。耳目昏花中的幻想，想到了中立主義，以爲當今世界大戰，是美俄爭雄，在兩雄角逐中，最好的辦法是兩面不參加，最好是向有力的一方面盡量培養好感。可憐的下賤無聊，這說是歐洲精神崩潰中一個副產品。（尼赫魯只好算是一個英國的印度人）。

歐洲戰後的復興

感謝馬歇爾計劃，大西洋公約以及互助安全計劃，歐洲三年來慢慢地在那裏復蘇。照去年前年兩年的情形，歐洲各國人民的必需品，如食糧、衣着、及家庭用品，一般已比較地增加，一般情形是比較穩定，繁榮與清醒。（根據英國經濟學人報的統計）尤其值得注意的，歐陸各國的民主政府，雖然歷盡各種風潮，還是始終存在着，而且比較不受左派或右派極端份子的牽制，其在共產黨與新納粹組織方面，反而時時發露內部的分裂。歐洲各國人民，工作比較以前更爲勤勞，在去年一年，意大利及法國工人，已有利用假期在國內旅行之事，法國在兩年來據官方公布，人口生產率不是減少而是增加。譬如英、法、意、西德諸國的人民，憂慮的是租稅、物價、及天災，許多國家的人民對蘇俄侵略的恐懼，遠不如美國人民之甚。所以根據最近各種歐美的報章雜誌，歐洲在過去三年中，已從極端的消沉與失望中，慢慢在那裏站立起來，歐洲人對前途，既不抱着幻想、希望，也不爲沮喪的失望，清醒地認清現實，一步一步向前掙扎。

「新自由主義」抬頭

最近兩年的歐洲，從各種報導綜合研究，正在醞釀着一種新態度，亦可說是戰後的新秩序，這就是我上面所說明的「新自由主義」。這三年來在歐洲各國，這種「新自由主義」正在那裏抬頭，不過有的地方表現比較清楚，有的地方顯露比較隱約。什麼是「新自由主義」？在一方面，是社會主義或勞工黨中具有遠見者，和保守黨派中同樣具有遠見者雙方的一種調和，也可說這兩派有識之士滙合起來一個中間路綫。在「新自由主義」之下，那一方面也不想百分之百的實現自己的理想。那一方面也不認自己過去的成績爲滿足，就在主張及信條方面，那一方面對未來的顧忌，也不那樣堅持。馬克思所叫囂的階級鬥爭，——勞資的階級，與勞工及中產社會的階級，——早已不復存在。因爲階級性的逐漸消滅，所以階級鬥爭自然不存在了。十九世紀中政治上的紛爭，最主要的是中產階級的參政，十九世紀英國國會三次改革法案，就是說明當時中產階級向貴族地主爭政權。這個問題到十九世紀末期，從英國到歐洲各國，都已解決，所以在二十世紀，就很少有人再談此問題。今天勞工階級的情形，亦復相同。勞工參政，今天在歐洲各國都已一致實現，就在全世界各國也都一致接受了這一個原則。所以，歐洲各國的勞工黨，如英國的工黨，瑞典、挪威、丹麥、西德與法國的社會黨或社會民主黨，今天已不屑再爲勞工參加政權而奮鬥，因爲今天的歐洲中產階級，一如十九世紀的貴族與地主階級，沒有人再想阻止這一個改革。勞工參政權的確立，產生了一重要的後果，勞工已經參政了，勞工政黨今天已感到自身的責任了。從前勞工政黨一切說話可以開口鬨叫，因爲他們根本很少掌握政權的機會，今天則工黨或社會黨隨時可執政，在未執政以前的說話，即不得不十分慎重，這種責任心的覺醒，是工業社會民主化的實際收穫。

再舉幾個具體的政治實例：英國的工黨，在戰後執政達六年之久，所以英國的情形，最可說明新自由主義的趨勢。其餘如法國，如西德，如意大利，三年來的政治措施，也可充分說明「新自由主義」的展開。在英國，工黨執政後六年下台了，但保守黨在國會的多數，那樣微弱，一九五一到一九五二年英國各地方選舉工黨的抬頭，都說明工黨隨時可重掌政權，他們這一段在野的餘暇，正可使他們充分靜思及反省本黨政策之得失。現在工黨中許多有識之士，已不斷發表言論，認爲過去該黨的國有企業政策，不應在階級鬥爭的立場上去發揮，而應當着眼在國家整個的經濟改造。所以現在工黨內部對於政策的考慮，不再專門在資源的分配上立論，而逐漸想到如何重建國家的整個經濟。同時在保守黨方面，也不像在野時把英國的經濟枯竭全歸咎於工黨，而漸漸歸給到生產方法與機器陳舊等基本的問題。就如企業國有問題，雖然他們在原則上反對國有，但他們除了鋼鐵與運輸外，他們並不主張一切恢復原狀，而且保守黨亦已承認若干工業如煤礦等應該國有，這類事業若勉強歸私人經營，反而有害，所以今天的英國兩個政黨，對各該黨平常所號召的政策，都主張緩和的漸進，保守黨私營企業，都主張漸進。此其一；在法國，畢納內閣是戰後惟一的中間偏右的政權，他公開揭櫫「新自由主義」，而以維持勞資平衡爲實現其政策之方法。在其「新自由主義」號召之下，他提供諾言，要打破經濟上各種托辣斯，要減低糧食與消費品的價格，並且要建立社會保險與大量供給勞工住宅。畢納內閣現在雖已下台，其政績並未能完全實現其諾言，然在其九個月的執政期間，確是向着這一方面走。此其二；在西德，總理艾德諾是受大資本家企業家支持的，但他認爲西德的經濟生活，應當由勞資雙方共同決定一切大方針，煤鐵兩種大工業，已實行這種原則。這一原則將推行到其他實業，也是艾德諾政府公開所揭櫫。此其三；在意大利，格斯波里 Alcide de Gasperi 總理是基督教民主黨，經過長時期的實際準備，現在意大利已開始有限度的土地改革，在南意大利若干區域，已着手實行合作農場，土壤改良，及水利建設。許多意大利負實責的人承認土地改革不能根本解決工人失業及人口剩餘等問題。但他們認爲這種土地改革的步驟，對農民心理上是一種振奮。此其四。在梵蒂岡，教廷近年一再強調應該建立社會平等並改進工人生活狀態，所以這類觀念，以前好似社會主義者的專利品，近年竟爲天主教所努力提倡，天主教所提倡的，不啻就是新自由主義，天主教徒不僅在西德與意大利，并在法國，努力宣導此種運動，此其五。

政經生活的緩變

歐洲今天在變化中，在相當的寧靜中變化，這種變化是政治經濟生活機構的變化，而且這種改革，常在保守派政治領袖手中進行，許多保守派有遠見的政治家，在他們的政治見解方面，與非共產的左派相同，他們今天所感到的困惱，不是對方的反對，而是自己陣營中不肯負責任的資本家與地主。如法國的畢納，與意大利的格斯波里，便常常感覺若干份子對他同樣地和反對黨對他抨擊阻攬。這許多保守派中具有遠見的政治家，如果他們不動作，那纔眞是等待大禍之臨頭。歐洲戰後的一切，戰爭創傷與共產黨陰謀促成歐洲一個新社會秩序，這個新社會秩序，是勞工與資本家同樣的社會，一個寬廣的新社會，勞資合作，解決一切，把共產黨藉口的資料都掃光了，歐洲人認爲：惟有民主主義者的行爲，不是一切反共的詛咒，主義纔眞能決定二十世紀的戰鬥。

我寫這篇短文，要想告訴大家：今天的歐洲，不是那樣悲觀的。歐洲在思想上，在物質上，歐洲正在醞釀一個新的社會，我不能完全同意於胡秋原先生者，或即在此。此外，我還有一個感悟，便是一個中國國民黨黨員，看了歐洲的近狀，頓然會想到國父所提倡的民生主義，實在包括這所謂「新自由主義」。今天自由中國，一方面在反共抗俄，另一方面根據國父遺教在建造三民主義的新國家。我們相信民生主義實是消滅共產主義最有效的靈藥。看了歐洲思想的進展，我對國父的先知先覺，格外增進深切的認識與敬佩，眞是自由世界不應忽視的。

西歐軍經團結運動受挫

法國前任外長舒曼的下台，其在歐美所引起的波瀾，到現在還未告平靜。對於大西洋兩岸力主歐洲大團結的人士，這位精幹外交家之脫離法國外交部，似乎象徵西歐各國的分裂狀態可能漸趨嚴重。

二個重大疑問

由老政治家皮杜爾接替在職四年半的外長舒曼，已在這些人士心目中引起二個重要疑問，舒曼煤鐵合營計劃以及歐洲軍計劃所孕育的歐洲軍團結之夢，是否將因此消隱？美國對歐政策的基礎，是否將因此破碎？反對歐洲團結的勢力，確實相當強大，但法新任總理梅耶，業已力主將繼續執行舒曼的政策，雖然將予以若干修改。皮杜爾，與舒曼相同，兩人都屬於主張歐洲團結的法大衆共和黨。設於法國史特拉斯堡的歐洲理事會（非正式的歐洲議會），其諮詢大會（類似下院）正繼續從事歐洲憲章的起草工作，準備在這憲章內將舒曼計劃及歐洲軍計劃均予括入。在西德首都波恩，總理艾德諾仍在努力爭取歐洲軍條約的批准，雖然他對議會所採取的戰術業已改變，而且也同意歐洲軍條約作次要的修正。同時，在盧森堡舒曼計劃的總部，其主席法代表莫納正迅速進行展開舒曼計劃的實際工作，希望在下月十日建立歐洲的煤斤聯合市場，然後在四月十日完成鋼鐵的歐洲市場。

加強英對歐陸聯繫

梅耶的目的，在於爭取民族主義及右翼戴高樂派的支持，能在國民議會獲得大多數。他的收穫，是戴高樂派首次對歐洲軍條約表示同意，不過也提出了「幾點修改的要點」，梅耶是否能予接納，到現在還成疑問，怕非要在他訪美和新總統艾森豪商討以後不能有所決定。在另一方面梅耶所建用的策略，除免除舒曼的外長職外，且已對反對黨允諾把歐洲軍條約和西德和平契約之批准暫時延擱，

（下接第二版）

本週展望

·雷嘯岑·

艾森豪就職流淚

艾森豪在白宮就總統職，於宣讀誓詞時，熱淚盈眶，這決非喜極而泣的心理現象，也不是受寵若驚的表情，艾氏是見慣了大場面的人，何至如此啊！他的流淚，是因爲誓詞而流淚的！他一面既已今後對國家和世界所負責任之艱鉅，一面又要懇求上帝助佑的話，不能不有所感泣了，這是流露的責任心使然！

我常常這樣想：西方人稱民主政治可以比東方人高明的原因，除了物質生活水準提高，民智提高以外，宗教精神的潛力，亦有很大的關係。試看他們的法律上規定「違反宣誓」的刑罰特高，而社會上[illegible]道德上的無賴漢。因此，大家自然[illegible]的習慣，擔當職務時，責任心就很強烈。艾森[illegible]感的流露也。我們中國的官吏，就職時亦要「宣誓」，[illegible]當作一回事！越是違背誓詞者，在政治上[illegible]名利雙收。宗教精神根本沒有，固有的傳統道德[illegible]能耐得出好事呢？

另一例證

艾總統新任命的國防部長威爾遜，因[illegible]車公司的股東和百萬富翁，國會參議員依[illegible]家命官。艾森豪勸他把股票賣掉，以便入閣[illegible]也，理由是：「怕社會人士懷疑他的人格之[illegible]做，一怕令人懷疑他[illegible]怕人們說他是以官職財富[illegible]對個人的社會信譽與人格[illegible]評過了這一幕，他纔公開[illegible]法精神。[illegible]別人吧！個人在民主政治生活內[illegible]社會信用和人格[illegible]，珍視[illegible]都不配談民主政治[illegible]

杜魯門先生

杜魯門走出白宮之後，[illegible]他是一個公民了，[illegible]他又說：「我現在亦要[illegible]機會。請你們（記者）通知我」[illegible]杜魯門先生的言論[illegible]可驚，有些[illegible]杜魯門先生的這幾句話，[illegible]民主風格之可貴。[illegible]之位因是世襲的，它具有[illegible]資身價以外的，一無論任何[illegible]人生活史[illegible]尊大的價值呢？然而，在號稱「民國」的東方政治社會生活全盤西化的人物，他那種驕其妻妾鄉[illegible]擺得十足，好像做了大官之後，他的肋骨就[illegible]對。假使杜魯門先生是咱們國內的士大夫，從新聞記者說出那些「有忝官箴」「有失尊嚴」的[illegible]看成是要搞民主政治，先要大家有民主的心[illegible]必太過於像煞有介事，毫無稀奇之處，隨時對人現出同一時[illegible]來。

美機在中國東北被擊下？

中共宣傳一架空中堡壘式的美機，飛入東北[illegible]上十四名「美帝」人員，三名斃命，十一人被俘[illegible]中又有「美帝」的特務！美國根本否認有這回事，指這是共黨僞造謠言技倆。誰是誰非，唯一辦法即是找第三者實地調[illegible]給人察看，自然水落石出。不能這樣，[illegible]不歡，有何意義呢？自我宣傳的把戲，世人已[illegible]感興趣的！

國外通訊

馬來共匪轉入地下掙扎

馬來亞的緊急狀態已踏上第五個年頭，在長期戰亂中，雙方均付出了重大的代價，五百五十萬平民福利大受打擊。森林中的剿匪戰事依然進行，當局表示一九五二年確實獲得前所未有的勝利，是軍民合作的具體表現。但是克里姆林宮指揮下幾近七千名的武裝游擊隊及二、三萬秘密的恐怖匪徒，已暫時放鬆恐怖行動，轉入地下，進行宣傳的政治攻勢。因此，馬來亞聯邦也已採取適當的反擊步驟。

【本報星加坡航訊】一九四八年六月二十日馬來亞的恐怖匪徒開始叛亂，聯邦政府於一個月之後隨即宣布進入緊急狀態。並力謀調諧巫華各族間的情緒，調集部隊向森林匪徒進剿；五年來，英國對於這一個半島的消耗，無論經濟或是軍事上均付出了重大的代價，尤其是一年前葛尼爵士被狙殞職，寫下了英國反共戰史上不易磨滅的一頁；鄧普勒將軍東來繼任聯邦欽差大臣之後，在督剿匪共的軍事策劃中，確能把握着優勢，使馬來亞恐怖匪徒的活動機會大爲減少；在扶植該邦的政治獨立運動，鄧氏並無較有顯著的建樹，這是可以在拿督翁於一九五一年倡導馬來亞獨立運動的表現中可以看得出來，至今馬來各族對於「何時纔能獨立」一點尙存疑問。他們更覺得英駐東南亞高級專員麥唐納的甚少活動態度，於獨立之希望已不若一年以前之高，這一位敦睦巫華各族與支持獨立黨成立的贊助人，在過去一年中，很少出現於商討有關獨立運動的場合，是不是受了政府的壓力，抑是馬來亞之獨立已經奠定了基礎？就獨立黨的發展遲緩一點上看來，前者的可能性較大。然而，於整個剿匪軍事却並不因此感受影響。

人心趨向進步顯著

大多數的馬來人對鄧普勒過去一年中的設施，幾已疑惑他們的處境已恢復到「英國大憲章未簽署前一般封建地主所爲」者的地位，但一般較爲開明的人士則認爲緊急狀態中不得不採取嚴峻的政策。就最近兩年來渠在反共剿匪中所作的貢獻來看，如果以一九五二年與上年作一比較，確實有顯著的進步；一九五一年共匪被消滅的每月平均數目是一百一十六名，保安剿匪部隊的傷亡由九十九名減低到五十五名，平民的傷亡也從八十五名減退到五十二名，僅以一九五一年十二月來說，共匪所製造的嚴重事件達一百八十六次，去年同期則只有二十九次，但同一時期的次要事件次數也由二百七十八次減至九十二次。至於武器和子彈這一方面得失的比較，在軍事當局是引爲光榮的，一九五一年聯邦當局的武器損失了一百八十四枝，但去年比對之下，反而獲得了五百八十枝之多，子彈方面，則自獲得二萬七千發增加到四萬發之鉅。此種成就，是多方面的協助與密切配合的結果。據剿匪副指揮官英國洛哈特將軍說，剿匪的戰鬥中，保安隊的力量，佔百分之二十五，其餘之百分七十五是人民的向心力，在一九五二年的過程中，人心的表現佔有了顯著的地位。

共黨技倆在馬碰壁

馬來人爲甚麼對匪徒們仇視，這倒並不是馬來亞當局與共匪政治鬥爭的成就，而係他們的幻想中有一個美麗的遠景，誰都以爲共匪的恐怖懾嚇手段更甚於英國給予他們的束縛，他們所不滿意而不側視英國人，並不是英國給予他們有何迫害，而係「馬來人出了勞力英人坐收利益」的一個傳統的觀念，事實上並沒有什麼深刻的仇恨，只要英國人放棄剝削，何嘗不是一個良好的盟友。故此五年來共匪所作的恐怖活動，不僅難以懾服人心，更不能打擊剿匪軍事的進展，反而被人民所唾棄，轉而成爲馬來亞軍民一致的反共壁壘了。現在新收復區的鄉村，已經實行重建，城市中的避亂難民已陸續回鄉，保衛這些鄉村的武裝甚幹，也已開始組訓，除了由當地人自行負責自衛之外，大量的師資也已着手訓練，將來鄉村裏的學生，受完全的反共教育，過去的殖民地教材，將成爲歷史的渣滓了。從這方面看，共產黨的政治鬥爭在馬來亞已經碰壁，如果共匪要滲入到鄉村去，在各個自治機構的嚴密控制之下，是難以得逞的。但是聯邦當局估計現在的趨勢，雖然如此，但如果要說「幾時纔可以結束馬來亞的剿匪戰爭」，一時尙難遽下斷語。

澈底打擊共黨陰謀

馬來亞局勢雖然不能與韓國或越南來比較，但馬共則已陷入了泥淖而無法自拔，唯一的支持馬共軍事發展的中共，大批軍火與補給品不能通過泰國這一條走廊而運入馬來北部的森林地帶，上月廿七日以迄本月九日爲止的泰馬剿匪結果，雖無所獲，至少馬共已不易活動。這一股爲數幾近七千的武裝游擊隊以及二、三萬秘密工作的赤色恐怖份子，據報已獲得了克里姆林宮的命令，轉入地下活動。當局預料一九五三年馬共在軍事活動方面已瀕臨窒息之境，而彼等之主要目標將係於地下進行政治鬥爭，不再襲用以恐怖與破壞的方法麻痺馬來人生活，而代之以花言巧語來引誘人們。這在馬來新收復區無疑是一個重大障礙。於是，聯邦當局也已設想週到，除了嚴飭各級機構密切注視之外，並且決定兩項辦法，第一是設置「土地運用諮詢委員會」，研究收復區的土地問題，並計劃開發礦地的資源；第二是鼓勵在學學生不參加任何政治活動。這兩項措施，已經同時實施，對馬共之滲透，無疑是一個有力的反擊。雖然馬共的陰謀詭計，現時尙無可乘之象徵，但它的失敗命運殆已注定。（司徒森甫元月十八日寄）

台灣通訊

由國際大事談到耕者有其田問題

四十二年已過去了半個多月，在這完成反攻準備的年初，台灣朝野都密切注視着自由世界的動態。所最關心的則有三件事：（一）邱吉爾訪美，已經知道他沒有獲得艾森豪的任何承諾，暫且存而不論。（二）李承晚訪日，這是一件大事。自日本無條件投降以來李承晚始終不願與日本談合作，還在韓國人民的心情上是當然的。中日兩國自從締訂了和約，合作已有基礎，日韓兩國的合作尙待促進。自由中國應負起促進的責任。外傳三國將締結同盟，這並非必需，但三國的合作基礎，實需要趕快建立起來。葉公超回國路過日本，適在李承晚訪日與日本駐韓大使芳澤回國之時，蛛絲馬迹，自與促進三國合作不無關係。（三）美國新參衆兩院議員，醞釀在韓戰場上用原子彈，以期早日結束韓戰。自由中國各方面人士都不贊同此議。因原子彈如不用在蘇俄本土，即等於沒有效果。上次盟國大舉轟炸鴨綠江南岸，并沒有使韓戰結束。死傷的是韓國人民，損失的是韓國財產，反使蘇俄多一宣傳口實，并使鐵幕中人民對民主國家增加反感。

✕　✕　✕

第一屆立法院第十會期，本週於去年十二月底休會。在會期中，政府所送重要提案，共有四件：（一）國防組織法草案，（二）民國四十二年度國家總預算案，行政院依限送到，立法院亦依限審議修正通過。（三）台灣電力公司增加電費案，幾經研究於去年底最後一次大會中，通過准予加價百分之三十二點二，今年元旦起即行執行。（四）實施耕者有其田條例草案，行政院於上年十一月底送到立法院，因距休會之期只有一個月時間，審議不及，只得延長會期十五天，旋再延長五天，以便在本會期中完成立法程序。最近曾將大會停開兩次，省出時間，使審查工作得以充分進行。

耕者有其田條例草案，係由行政院擬送，上年夏間，中國國民黨改造委員會決議，自今年元旦起，在台灣實施限田。後由台灣省政府起草辦法，名曰扶植自耕農條例，并曾函送台灣省臨時議會討論。然後呈送行政院，交由內政、財政、經濟、司法行政等部審查名稱又改爲實施耕者有其田條例。扶植自耕農較三七五減租爲進一步，實施耕者有其田較扶植自耕農爲又進一步。立法院內政等委員會審查時，首先發生幾種不同的主張：（一）依國父遺教平均地權辦法，（二）小農制、大農制、合作農場，并採兼施。（三）法定土地所有人與現耕農直接買賣，（四）贊同原案但須稍加修正。經過了詳盡的辯論，仍係贊同原案的多數。但在贊同原案者之中，却有人主張宜用扶植自耕農名稱，也有人主張宜用實施耕者有其田名稱。在審查會中表決時，第一次雙方的票數均不足過半數，第二次可否同數，仍無過半數，第三次始以四十票對三十六票，通過了名稱改爲扶植自耕農條例。因雙方票數相距甚近，可見兩種名稱均有可以採用的理由。

實施耕者有其田是國父的遺教，中國國民黨第七次全國代表大會於上年十日所發佈的宣言中，亦明白謂：「我們在台灣首先着手的就是耕者有其田」。立法院立法委員中以國民黨員居多數，最後結果仍回復行政院原案的名稱。原案的名稱，特別注重實施兩字，這在對大陸的人心號召上，也有功用。名稱而外，立法院在審查中所表現與原案不同的意見，主要的尙有三點：一是共有耕地的征收，二是承領耕地農民的負担，三是地主所得地價以土地債券與公營事業股票搭發的比例。所謂共有耕地，在台灣并不少，但共有人的所有份往往甚小，并無所有的興趣，其有份收入亦對其生活無多大幫助。原案規定一律征收，立法院審查會中則有人主張免予征收。并且有人提出所謂自耕農，應當包括自然人及法人兩種。法人而有土地，自必爲一種共有形式。關於承領耕地農民的負担，在現在只爲千分之三百七十五。有其田以後，要負担對於國家的田賦，對於地方的戶稅土地移轉時要繳契稅及監證費，并於十年以內分年攤繳地價，立法院中認爲農民的負担反較現在爲重，恐對政府的扶植，不十分感覺興趣。至於土地債券與股票的搭發，原案規定各半，立法院中認爲各個地主的興趣未盡相同，似不必硬性規定各半搭發。

名稱問題以外的這三個問題，立法院既有人提出意見，其結果如何，當看大會的最後決議。照目前趨勢以觀，共有土地勢必在全部征收之列，以免減低土地改革的效果。各個自耕農用合作方式共同經營則是另一回事，國父所謂耕者，恐未必包括有法人在內。農民的負担必須有所限制，即使不能仍爲三七五，至多也不宜超過千分之四百。至於債券與股票的搭發比例，亦將改爲彈性規定，不必一律各半。從條例的名稱到這幾個問題，都有了大家所可接受的結論，即立法院，必可完成立法程序，行政機關也來得及於春耕以前着手施行，不致有違農時了。

上接第一版

西歐軍經團結運動受挫

但這一延擱，却可能歷時數月，對於主張歐洲團結者來說，這又是一個打擊，而且勢必會引起美新政府的焦慮與失望，因爲現在整個歐洲軍團結的前途，已繫於法國，而更確切的說來，也就是繫於歐洲軍與舒曼計劃。

梅耶最近曾表示，在這兩個條約未批准的階段內，他準備優先處理薩爾的未來體制問題，並確定若干補充條款，以「解釋或闡明」歐洲軍條約中引起會員國政要不滿的規定。他希望這些補充條文，將保證法國有權在共海外領地發生「嚴重緊急事件」時，將其業已併入歐洲軍的「歐洲化」部隊調出，用於出事地區。並使歐洲軍與英國駐屯歐洲的軍隊，獲致更密切的聯繫。

西德建軍的拖延

舒曼的去職，曾使西德大爲震驚，甚至反對黨社會黨的報紙，過去雖一向對天主教政治家（如西德天主民主黨，及法國的大衆共和黨等），都不表友善，但這位在德國旗幟下長大的阿爾薩斯人舒曼，却特別著論頌揚。目前，西德的一般情緒，對於皮杜爾個人以及戴高樂派所支持的聯邦政府都表示懷疑。

由於以上種種情形，艾森豪乃親自函致愛登，希望藉此提出呼籲解決關於歐洲軍的僵局。這封信是在他未就職前不久發出的，事前曾與國務院商討。他在軍中，在歐洲出任大西洋公約聯軍最高統帥期間，所持的意見，認爲歐洲軍集團對於世界和平與安全實有重大貢獻。這信的措詞雖然并未構成任何具體的建議，但愛氏在接到之後，態度却有驚人的轉變，他感到除迎合法國政界要求修改歐洲軍條約的趨向之外，已別無他途可循。因此，他公開表示：德國也要求對該約作若干修正。不過他仍然堅持該約「儘速批准」，認爲德國的軍事不容再緩，因爲即使該約及早通過，建軍的實際建組，仍需要相當長的時期。歐洲軍約的批准，却並非一人的努力所能實現的，其他四個會員國：比、荷、意、盧，都在予以拖延，致歐洲建軍的前途，愈來愈顯得危險與黯淡了。

受挫的五大原因

總結歐洲軍團結運動受挫的原因，主要約可分爲五項。第一，是這幾個月以來美國國務院的軟弱態度；英國外交部的袖手旁觀；和歐洲六個會員國的爭執與猶豫。二是史達林新的宣傳假面具，誘使許多人，以爲大戰危險已告減退。三是國內政治問題，西德將於本年八月舉行大選，愛登諾並無必勝把握；法國新總理梅耶要保持其內閣的穩定，不得不向戴高樂等反對黨讓步；四是英國堅決拒絕參加歐洲軍。蒙哥馬利元帥雖公開主張英國有條件的參加，但國防部立即聲明這僅代表他個人的意見。邱吉爾雖然曾熱烈贊助歐洲團結，但自他重出執政以來，却一再反對英國在軍事上與經濟上加入歐洲團結運動。五，便是美國在大選和艾森豪未就職以前的時期內，未會在歐保持主動和領導的地位。（陸薇）

天下小事

麥帥傳會要求復職

在美國總統競選期間，身爲共和黨巨頭之一的麥克阿瑟元帥並不曾發表演說，支持共和黨總統候選人艾森豪威爾。麥帥之所以保持緘默，據熟悉內情的權威人士解釋是：麥帥確曾被要求出面支持艾森豪威爾，但麥帥則提出要以恢復他遠東美軍司令的職位作爲交換條件。

邱揆贊成轟炸東北

據有資格的人士說，邱吉爾本月初和艾森豪晤談時，他所提出之最重要的事情是：英國決不能容忍封鎖中國大陸沿岸。邱吉爾告艾森豪說，聯軍可以一直打到鴨綠江，甚至可以轟炸鴨綠江的北岸，英國都不會加以反對，但聯軍必須不封鎖中國大陸，英國認爲聯合國一旦封鎖大陸，蘇聯船隻遲早會試圖衝破大陸的封鎖，如果聯軍將蘇船擊沉，勢將引起世界大戰。

斐列特擬揮戈北攻

當艾森豪赴韓視察時，第八軍軍長斐列特將軍僅向艾克提出一項請求，那將是如果聯軍在韓國採取攻勢，應該還讓他留在韓國指揮。據悉，美國陸軍部之所以延期召回斐列特，以及將他退休的日期展延者，純粹是基於艾森豪的請求。但除此以外，艾森豪並未向斐列特作進一步的保證，所以如果斐列特竟然返國，那并不是說聯軍當局已放棄進攻的計劃。

美共脫黨風起雲湧

自從去年十一月間捷克共產黨大審猶太籍捷共領袖史蘭斯基及克里蒙蒂斯等以來，一般美共懍於共黨的殘暴，脫黨者日益增加。迄今爲止，短短兩個多月中，美共脫黨者竟多達兩千人左右。他們之所以如此，乃是在抗議克里姆林宮現時的反猶太計劃。據報，英、法及其他西歐國家的共產黨員，因不滿俄共的政策而退黨者也日漸增多。

保人消極抵抗共黨

保加利亞人民會突然起而反抗共產政權，現在已露出許多端倪。在最近幾次選舉中，有二十七個共黨候選人都未能取得多數票當選。有四十一個選舉區的選民，因爲反抗的情緒特別强烈，致逼使共黨當局不得不決定在那四十一個選區中暫停選舉。（孟衡）

幹部祇知粉飾欺騙自我陶醉
中共官辦事業一團糟

中共「國營」事業的亂七八糟，經先後揭發的不計其數，但都限於關內，或者有人認為關外在「老大哥」指揮之下，應該比較健全些，不知道天下烏鴉一般黑，原來都是一樣的，最近的中共官方報紙，更揭露了國營事業的混亂達於極點，幹部們只知粉飾、欺騙，自我陶醉，滿足於「完成任務」的思想，在貿易系統是已普遍存在。

現在的共匪，隨處都可以聽見：「賣錢任務超額完成了，」「上繳利潤交上了」的論調。但是，爲什麼任務完成了而上面壓下脫銷的現象反而越來越嚴重？原來他們所謂的「完成任務」，只是指的他們自己訂的「賣錢」金額，而不是指按照調撥計劃，供應合同上所規定的各種品名，數量，滿足了供應。

「完成任務」自我解嘲

這裏且舉鞍山市百貨公司一九五二年十一月份和批發站訂的供應合同爲例：「金額照例超過，但其中有幾種很主要的商品並沒有供應上。如合同上要二萬五千雙球鞋，只供應了兩千多雙，一萬條麻袋和一千條自行車胎，根本沒有供應上。而這些商品的庫存卻是數量龐大的。其他沒有供應上的商品還很多，這就不用去說了。據各縣、市公司採購人員講：批發站不按合同供應是常事，通常只能滿足合同上規定品種的百分之六十。這裏必須指出，供應合同是推銷單位根據市場需要提出要貨計劃（雖然不準確），批發站再根據自己的採購能力和庫存情況將要貨計劃大加削減，反覆審核後訂的。這樣簽訂的供應合同還是不能認眞執行，而他們卻滿足於「完成任務」；他們自己也不得不解嘲似地稱這樣的「完成任務」爲：合同破產，計劃完成（所謂「計劃」是指臨時撥貨，要貨。）」甚至如批發站業務科長趙鐘麟也說：「一面是大量積壓，一面是嚴重脫銷，既沒有滿足人民需要，又沒有將生產服務得很好，這怎麼能算完成任務呢？」

可是幹部同志們卻認爲「任務完成得很好。」但是就在「國慶節」大減價已經開始，批發站正在將「絨衣已經撥光」而沾沾自喜之際，東站倉庫運來幾次電話，說還有七火車絨衣要他們趕快分撥。他們認爲倉庫在「胡扯蛋」；不久幾次要求撥給絨衣均遭到「撥光了」回絕的，撫順市百貨公司採購員又來了，手裏還拿了一張東站庫存絨衣明細表，要求快辦調撥手續。但調撥員死口咬定：「絕不會再有絨衣了」！後來，保管絨衣的倉庫保管員楊中岳「同志」親自拿着保管賬來了，請他們把分撥賬拿出來對對。一對，才發現這樣一件「漏撥」的「怪事」；分撥賬的格子很窄，中上下三格都是絨衣的品名，數量，上下兩格的絨衣分撥出去後，各蓋一個圖章，把中間那格也蓋住了，調撥員並沒仔細查對，便認爲三格內的絨衣已全部撥出，而拒絕聽取採購人員和倉庫保管人的意見，深怕這樣的眞實情況會影響他們「完成任務」。像調撥的事絕不是個別的。

不負責現象深入各業

這種自造「完成任務」，實際上是不負責任的現象非常普遍。這次檢查絨衣積壓事件時，順便就發現于春明處理的兩件非常不負責任的事：

第一、部份「庫存物資催撥表」上開列的積壓商品總值爲二千多億元，其中只有一小半品種歸于春明負責調撥，另一大半品種歸另一個股長負責，他根本沒有想到應該把「催撥表」轉給另一個股長看看，他說：「我認爲我管的絨衣等品種已經撥光了，就沒有去想不歸我管的那些商品究竟如何。」第二、他調動工作時，順手把一包文件當做爛紙包一樣丟在屋角，其中有很重要的文件，還有一款五噸紙的稅票，（沒有稅票，那五噸紙就出不了庫）甚至有一張「貨物出庫證」。有人問他：「這是怎麼搞的？」他說：「這我實在想不起是怎麼回事」。人們問他：「你知道每天從你手裏進進出出的國家財產值多少億元？」他答不上來。

至於他們經常的業務是什麼情形呢？說起來更會把人嚇一跳：「一九五二年十一月，瀋陽市聯營公司在瀋陽地區物資交流上訂購了約一百三十億元的貨物，但會後到瀋陽地區百貨批發站（交流會的主持者）去提貨，絕大部份的貨物都說是「沒有了」而遭到回絕（只提了四分之一）。在物資交流會上訂購的貨爲什麼有一半（另有四分之一是聯營公司主動不要的）提不到手呢？據批發站及其所屬各批發部說，是「沒有了貨」。既然「沒有貨」了，爲什麼又在交流會上交易呢？事實上絕不是沒有貨，例如合同上有拖克皮鞋一千雙，批發部回答提貨人說，沒有貨；但是，單在第一倉一庫裏，就有一批從一九五二年一月二十日入庫的拖克皮鞋，到我們去倉庫調查的時候（十二月十八日）還有一千四百三十四雙。」

生活腐化信心盡失

另有兩件比這更其嚴重的事實：

第一件，合同上有兩百件進口羊毛衫，去提貨時也說「沒有貨」，但是在車站倉庫裏，卻有兩火車進口羊毛衫，已經積壓了兩年，部分已經損壞。庫倉保管員於一九五一年冬天催撥，調撥員說，這是春季用品，現在不是季節；趕春秋兩季去催撥，不是說過時間，就是說沒人要。這次正在季節上有人要貨了，他們又說是（沒有貨）。一個倉庫工作人員說：「他們這樣兩頭弄（指對倉庫「沒人要」，對零售商店說「沒有貨」），是爲了什麼呢？這是一個國家商業工作者應有的態度嗎？」

第二件，合同上有五萬條毛毯，也說「沒有貨」，但是在第一倉庫裏卻有批發站在一九五一年一月，三月分別入庫的十四火車，約二十萬條各色毛毯，也是催撥九次未予處置。這批毛毯積壓的結果，增加了近四億元的保管費倒垛費，平均每條毛毯每天約增加成本六千元；而上級公司爲了這批毛毯積壓太久，不得不降價百分之三十五以擴大推銷。」

倉庫爲什麼積壓呢？仔細檢討起來更爲有趣，有一件最突勵的故事：「第二倉庫的保管員了解到市場上非常需要紅緞子，但他保管的五千多碼「巴黎」緞積壓了十個月還不見分發；催撥幾次也無效。他就跑到瀋陽市百貨公司布疋呢絨商店去和一個營業員聯系好：「你去要貨，我去催撥，緞子就會上貨架了！」但是，營業人員去要貨時，批發部還是說：「沒有貨！」仔細一追查，原來是那批緞子的稅票丟了！稅票丟了，貨物出不了庫，調撥員爲了省事，一律回說「沒有貨！」而不積極想辦法處理。

這些爲人民服務的幹部們爲什麼變得這個樣子，連總經理王健都說：「……私人生活腐化……我認爲財經工作沒出息……過得去就行了。」

當然事實不全這樣簡單，實在說是受到三反的打擊太重了，任何人對財經工作都視爲畏途，另外局勢的緊張，也使他們喪失了信心。

・湘健・

中共大學教材俄化概況

中共在對蘇「一面倒」的基本原則下，現在已利用大學教育爲澈底俄化的高級手段：因而已規定「學習蘇聯高等學校的先進教學經驗的基本方針之一」（見光明日報）從而大量地採用了蘇聯教材，實行了蘇聯的教學方法。

蘇聯的教材與教學

據中共自己承認：各「正規大學」自一九五一年上半年起，已開始試用蘇聯的教材和試行蘇聯的教學方法。到目前爲止，據說各大學所開課程中已絕大部份採用了蘇聯教材。此種教材，計有：馬克思列寧主義基礎、政治經濟學、辯證唯物論與歷史唯物論、邏輯學、民法、刑法、國家法、國際公法、國家與法權基礎、國際關係與國際問題、簿計核算原理、財政學、統計學、貨幣流通與信用、企業組織與計劃、信用與結算組織、中國與蘇聯國家預算、工業經濟、農業經濟、工業簿計核算、貿易簿計核算、合作社歷史與理論、經濟統計、工業統計、司法統計、世界近代革命史、經濟地理和物理學等三十門課程，幾已取代了各大學原有教材的百分之八十五以上！可說除了所謂「中國革命史」（當然是中共唯物史觀的革命史）中國通史、政策法令和國文等四門課程無法採用蘇聯的及行政法和訴訟法兩門課程無法完全採用蘇聯的外，其餘的，業已完全採用了蘇聯的教材。既如此絕大多數的採用了蘇聯教材，當然要採用蘇聯的教學方法，所謂蘇聯的教學方法，完全是用注入、製造，代替了啓發和自由研究；完全用政治的偏見去歪曲科學的眞理；完全用無形的壓力去使學生們接受這一整套的固定思想，而美其名曰「民主灌輸式」。由此以觀，現在大陸所有的大學，已不是「中國的」大學，而完全是「蘇聯的」大學了。

蘇聯教材的主要企圖

這種「蘇聯的」大學所用的教材中，含有三大企圖：

其一、在灌輸強烈的黨性：無論那一學科的蘇聯教材中都貫穿着強烈的黨性；尤其在政治理論課本中表現得最爲明顯。如「世界革命史」、「政治經濟學」、「財政學」等，無論在那一章的敘述和分析中，都針對歷史及自由世界的政治經濟財政等理論，作極度歪曲的解釋而予以兇惡的抨擊。他們在這些課程中極度強化其「階級觀點」，以使大學學生皆備受黨化教育而成爲黨所利用的社會主幹。

其二、在有計劃的完整的推銷馬列思想：他們以「馬克思列寧主義基礎」爲教材的重心，其他一切教材皆以馬列爲根據，強加闡述。據他們自己說：「在說明任何問題時，都從馬、恩、列、史的基本理論出發。」

其三、在使學生都成爲忘本的共產國際主義者：因爲在「政治經濟學」等課中，特別強調着「俄國人民在歷史上的偉大成就」及其「蘇維埃社會主義制度的無比優越性」從而提高着熱愛社會主義的「祖國」的情緒，以使他們衷心地去臣服蘇聯。

但目前一般大學的教學情形，甚多困難：首先是各大學必須聘用許多蘇聯教授，而一般學生的俄文學習程度尚無法趕緊配合，文字語言的隔閡，阻擾了這些教材的如意運用。其次是各大學原有的教授也還不能適切地使用蘇聯的教材和教學方法。不過，只要共匪黨有一個目的，他們照樣是會拼命蠻幹下去；這一個通過大學組織的高級俄化工作，現在正在大力進行。本文所介紹的，乃是一個概況而已。（沈蓉）

福安茶農在苦難中

福建省和浙江省交界的邱陵上，一向是福建茶葉的主產區，政府把這地區規劃成一個行政專區——福安專區。

往時，一開春，那密佈在漫山遍野的茶葉叢林，都吐出了鵝黃的新芽，採茶娘的歡呼以山歌的韻律繚繞在那綺麗風光的邱陵田莊上，一唱一合，充分表現了茶農們融合於自然天籟的神彩。約有二十七萬畝茶園，人口（茶農）三十萬的廣大地區裏，出產着二千萬斤一年的上好茶葉（一九三六年最高統計如此），誰不知道福建「坦洋工夫」茶是舉世上品！茶農不但溫飽有餘，還都過着快樂的歲月。

茶園荒蕪產量大減

八年的抗戰果實，原可以讓茶農飽經兵燹之後重溫往時的溫馨：把爲維持生活而砍伐的茶樹，把整片相繼荒蕪了的茶園，把只剩了改種些雜薯的十萬畝茶園，重新擴展，讓油綠的茶林更廣闊地遮蓋起禿赭的邱陵吧。然而，共產黨作亂了，土共出沒各處，殺人越貨，綁架勒索，日子越發難過。共產黨竊據整個大陸後，茶農更變本加厲地過着非人的生活！茶園只剩了十萬畝，茶葉出產得少得可憐——只有不到四萬担的產量。

三年來，中共除了把年壯的茶農打發去「抗美援朝」充當人海炮灰，利用老弱婦孺，打起「努力生產」展開「支前」運人民做着開天闢地以來從所未有的苦工。

中共確是說盡「甜言蜜語」，做完「表面文章」，譬如說：

一、貸款：在陸續不斷的公告裏，中共報告稱發放了茶貸一百零一億三千四百九十九萬元（折合港幣約二百萬），這是包括福安、福鼎、甯德、壽甯、周甯、霞浦、柘榮等七個縣二十多萬茶農的「生產貸款」。每人平均不到十元港幣，談什麼「生產」！還是三年來的總計，豈不人人都要餓死！所以「貸款」只是做「表面文章」，宣傳是「丑表功」！

統制壟斷賤價收購

二、設置茶廠：中共利用中茶公司的名義在福鼎、關頭、賽岐等處設了製茶廠，並且廣佈收購站，規定毛茶的價錢。茶農生產的毛茶就是不夠開消，也只好賣給這「獨此一家」的統制機構，以一九五一年每担茶價平均三十九萬八千元來說，只合港幣約八〇元，試想：那樣不到一元一斤就買走了的茶葉都是上好的茶葉，爲生活而忍痛賤售的茶農眼淚只好往肚裏咽。

三、組織茶農互助組：就拿福安縣的情形爲例，三年來茶農互助組的共幹們分散在一千一百二十三個單位裏，就以每單位一人來說，這種「寄生」人特權階級剝削了茶農的數目就十分可觀，何況他們既是「新貴」不但好吃懶做，還要作威作福。「茶貸」全是由互助組發放的，三年來發放的統計也只二十八億八千兩百萬元。共幹們說扶助了五萬三千三百九十四戶，就是全發給茶農，每家只合十元多港幣。人民担了「茶貸」的名義，享福的倒仍是「互助組」的共幹。這種「巧言令色」誰又不知！

勞力加倍利得銳降

然而，共幹們勸着的「互助組」，用盡「批評」、「坦白」、「生產模範」、「寫決心書」、「訂生產計劃」……種種巧妙手法，卻是恢復三萬零九十畝面積的茶園，產量也達到了兩萬担。不過，這種越多生產，越對中共有利，越對茶農有害（勞力加倍，而生產利得反而降低。）的手法，茶農雖然仍在敢怒而不敢言的階段，人的「容忍」是有限度的，反抗中共的「心聲」正滋長在每一個茶農的心田上。總有一天，以「翻身」引誘「茶農」而騎在了他們頭上的「人民政府」，會被正義的洪流滌蕩得一乾二淨的。「甜言蜜語」與「表面文章」，終是不會頂事的。（饒鈞）

共幹貪污・人民坐牢

據上月十二日上海解放日報披露：說上年八月四日有個泗涇航運合作社船戶朱四三，代米商先後兩次上解「中國人民銀行松江支行泗涇營業所」「人民幣」三千餘萬元。此款解入營業所時，曾當場經共幹點明數目，而後掣其收據交朱四三收執，終算當時雙方的手續已經完備。可是十日上午，該所淸理款項時，忽發覺短少了一千萬元，經收該款的共幹在無可奈何之下，便一口咬定是朱四三解款時短少的。本來，在「舊社會」中，任何機關公司行號的款項出入，是當場點明，各負其責，錯了也只活該要賠，但「新社會」中卻不同，他們不但可以要解款人補賠，而且還可以一紙通知給該地的公安局派出所將朱四三抓了來，關將「人民看守所」里去坐牢！

這，後來事情弄僵了，纔查出來原來就是該所的經辦人員生了三只手偸了一千萬元，乃將偸款追回，將朱四三放了出來。但已坐了不少日子的冤牢了！

少了款子而到第六天能夠發覺，自己的辦事人員偸了款而在弊僞之後能夠查出來，還證明共產黨的作風是「偉大」的，而其發覺款項少了以後可以追究原解款人補賠乃至可予坐牢幫助「解決」困難，更證明共產黨眞有的是「辦法」！

・山禾・

看標語難過

自由談

高方

若由九龍坐「巴士」赴啟德飛機場一帶，即在機場側後方的石山上，常見有兩條粉白大字標語，上寫着「打倒共匪」，「消滅共匪」兩句，旁註「中青B四四」等字樣。我每瞧見一次，心裏即難過一次。爲什麼難過？敢情是同情共黨不成！非也，我是對這種拙劣的宣傳技術難過啊！

「中青B四四」是何意義？我不清楚，但相信其爲寫此標語的人或團體的代名詞無疑也。香港市民二百萬以上都是中國人，反共非共者甚多，擁共親共的亦有。因爲這兒是民主世界，思想言論極其自由，寫寫反共標語，原無所謂。但標語的作用是在發生廣大的宣傳效力，如果只寫出上述兩句話，而不畫蛇添足，再註出甚麼團體名義來，即可教人們意識着這是一般不滿共黨的普通華人所爲，心中總不免浮起一陣疑信的反應。若註出了寫標語的人或團體，人們馬上會想到：「呵，原來是你們搞的！」觀感就大不相同了。這是心理學的妙用，說來話長，懂得此中妙用的，當不否認吾言。再說香港政府是禁止居民作政治活動的，有組織的政治行爲更不允許。寫上「中青B四四」這類名義，豈非自己暴露身份，教當地政府注意稽查，好從事取締「非法活動」嗎？

有人說：寫標語的人或許是要藉此表示反共的工作成績，以便居功邀賞的，怎能不註明身份呢？我不禁喟然而嘆曰：過去就是被這套「表面英雄」的作法把大陸弄垮了的，老毛病還不知痛改麼？休矣乎，斯疾也！

·幽默小說· 偉大發明

·漢生·

祇要是蘇聯老大哥們搞出的花樣，大陸的紅色傢伙，總歸譽爲萬無一失；如果說香的，決不會是臭的，如果鬧出偏差，也不妨運用他們的辯證法，補救補救。

話說前兩個月，蘇聯的生物學家，無意中又有了重要的科學發明，——據說：蝨子的聽覺器管，是長在大腿上！」

原因是一位著名的生物學家，捉住了一隻跳蝨，最初的動機，是想研究這種小生物到底有沒有聽覺，或接受馬克斯主義之可能？一開始，便用最簡單的單字試試，順口便叫了一聲「跳」！

卜的一聲，蝨子果然跳得高高，但是也不遠，原來蝨子上老早被專家用頭髮拴牢了，口頭上叫「跳」，其實他能夠跳得多遠？

大鼻子可樂啦！一來，證明蝨子確能懂話，二來，這隻小動物也像鐵幕裏的老百姓一樣，一經統治，再也跳不出手心。

第二步他又把蝨子拈到顯微鏡，擺下弄了半天，也看不見它有耳朵，這可就怪了，它怎能聽呢？

粗手大腳，一不留神，竟把蝨子的大腿捏掉，這一回遭着叫了幾聲「跳」！蝨子卻動也不動，於是，生物學家獲得了結論曰：「蝨子的聽覺器管，原來是長在大腿上的！」

這寶貴的新聞，傳到「中華人民共和國」，那眞不是一件小事，報紙都鄭重的翻譯出來，印在顯目的地位，祇敢加上十三個字的按語說「咱們眞要大力的向老大哥學習」！

因此，提起了人民科學家們研究的興趣，根據這個蝨子的原理，人民科學家也有了重要的發明。

他們的發明，更能襯托出蘇聯醫學家所說的無痛分娩，是的而且確的，而且絕對符合辯證法。

他們研究所得是：人的肉體遇着不可忍受的痛苦時，神經緊張，反應就要哭的。女人們分娩時，非不見得大聲的哭，所以分娩顯然並沒有痛苦。反之小嬰孩一生下地就哇的一聲哭起來，所以結論是，女人分娩肚子產門都不痛，只有小嬰孩纔感覺到痛。

這偉大的發明，是惟有在偉大的毛澤東統治下的人民科學家，纔會研究得出來，於是報紙上也照例大吹大擂一番。

這些報紙讓周恩來看見了，從頭到尾把這兩件大發明的經過，念了一百多遍，念一遍，提摸一遍，提摸得透徹了，不由的呲牙咧嘴，大「鬧情緒」。

馬上把各社的編輯負責人宣召了來，開一個檢討會。

周恩來先提出了檢討的題目，他說：「蘇聯老大哥的發明，絕對的沒有問題，當然是對的。不過，你們這染得可不對勁！何況，咱們的科學家的發明，又焉能跟老大哥的科學家相提並論，這件事祇能怪你們這一批自命爲智識份子的，舊社會觀念撤不清，纔搞出這樁子糊塗事，險些連我都搞糊塗了」！

一大堆人都嚇得鴉雀無聲。

周恩來的眼四下裏一溜，便又來個結論：「你們是智識份子，是認得字，纔讓你們辦報，可是你們糊塗，弄出亂子，你們想一想，以後該要怎麼纔能避免不再出亂子？」

大家的頭一齊搭下來，引用辯證法去想補救改良的辦法，半天沒有人哼氣。

人叢中一個人舉起手來。

「報告總理！如果想不再出亂子；就要編輯們不糊塗，如果想不糊塗；就要用不認得字的非智識份子！」

「對」！周恩來腦袋不由的幌起來「這⋯⋯⋯完全符合辯證法！」

當天，便實行在提征老部幹裏，物色一批不認識字的非智識份子，去接替各報刊物編輯工作！

王陵基之驕倨

前四川省府主席王陵基被共黨捕繫軍營集中營已有年矣。或言其倔强性成，因不肯低頭坦白而遇害；或又傳其尚在奴役勞動中。鐵幕地獄，眞象難明，然就王氏生平個性言，似無倖存之理。

王在巴蜀軍人中，素以「王老師」著稱，劉湘雖未嘗受業，然因其肄業四川陸軍速成學校時，王曾以日本士官畢業生在校任事，劉日後顯達，亦隨俗尊稱王爲「老師」，王泰然居之，驕倨既成慣習，處世接物，目無餘子，大言炎炎，罔所顧忌。當巴蜀羣雄割據時代，王歷膺劉湘參謀長師長等職，嘗建內戰功，文武將吏，皆對「王老師」禮讓三分，而王更睥睨自矜矣。民國廿一年初夏，王率川軍范紹曾等部駐鄂西征伐共軍賀龍，曾入京與中樞當道相接，時汪精衛任行政院長，王晤汪，亦以老氣橫秋之態，操其純粹川語詰之曰：「精衛，你們搞些啥子明堂？？整得來共產黨到處橫行無忌！」汪苦笑而已。王由京乘江輪回武漢，何成濬郝夢齡上官雲相等適同行，王於大輪間對諸人暢論國事，謂在京如何告誡精衛要好自爲之，談及對共軍事，對當時坐鎮武漢剿匪之蔣總司令，亦如其平日對劉湘之老師口吻然，「介石」之聲不絕，何等悄然離席去，不便對答也。

王抵漢口小住，蔣總司令曾在總部設宴爲禮，訂時午後六句鐘，王準時到來。適蔣公尚在其怡和新村公館與客商事，囑招待員告以故，請王稍坐，王留名片即歸旅舍。旋蔣公至，命以電話邀王駕臨，迄不應，且語人曰：「他講新生活，我更講新生活！」其驕倨若是。既而剿匪總部派徐源泉綜持鄂西討共軍事，川軍亦應受徐指揮，王大不懌，於接奉總部限期進軍電令後，復電拒命，謂川軍裏糧入鄂剿匪，辛苦備嘗，如須進軍，請先給足餉械，內有「餉械朝至，陵基之軍即夕發」等句，電文首銜爲「漢口蔣總司令」，末僅署「陵基」二字與韻目，形同下行命令，蔣公赫然震怒曰：「余治軍數十年，未見有驕悍蔑紀之部將若此者」，即電飭劉湘撤王職，押解武漢剿總軍法處究辦。劉知「王老師」任性闖禍，驚惶莫名，急乞老友湖北綏靖主任何成濬設法轉圜，何與總部祕書長楊永泰，軍法處長仇鰲會商，合詞簽請總司令，准予將王交由其主帥劉湘依法懲處具報查核。王自是鎩羽回川，鬱鬱不得志，迨抗戰軍興，劉湘下世，始受任卅三集團軍總司令，率川省保安團隊八團子弟兵，轉戰湘贛間，晚年歷主贛川省政，以迄被俘。凡知「王老師」平日性習者，當信其不肯向共黨自虐之說爲不虛也。

新·世·說·補·遺

·馬五先生·

西太后的淫威

·猬士·

「戊戌政變記」云「西后待皇上，無不疾聲厲色，少年時，每日訶斥之聲不絕，稍不如意，常加鞭撻，或罰令長跪，故積威既久，皇上見西后如對獅虎，戰戰兢兢，因此胆爲之破，至今每聞鑼鼓之聲，或聞吆喝之聲，或聞雷輒變色云。」亦可相互參證。

又云皇上每日三膳，其饌有數十品，非臭腐即久熟乾冷不可口，故每食多不能飽。」予嘗疑爲言過其實，不近人情，及讀近人所撰，「清宮瑣記」亦云：「庚子回鑾後，太后益厭覩帝，甚至日不能得溫飽，」則梁說不爲無因。「瑣記」又云，「顯后導政後，嘗語近支王公及內侍，曰「他（指光緒）本是個譬慣人，萬不至如此胡鬧，總是所與非人，所以才鬧出這個禍來，」言語間頗不甚責景帝，惟恨黨人特甚。」據此則知西后於新黨積憾甚深，迄未忘情，觀於拳亂以後，再度變法，庚子十二月初十日諭旨，尚有「自丁戊以還，僞辯縱橫，妄分新舊，康逆之禍，殆更甚於紅拳，今海外逋逃，尚以富有貴爲等票，誘人謀逆，更藉保皇保種之好言，爲離間宮廷之計，正不知康逆之談新法，乃亂法也，非變法也。該逆等乘朕躬不豫，潛謀不軌，朕籲懇皇太后訓政，乃拯朕於瀕危，而鋤奸於一旦。」等語，且終光緒之世，黨錮諸人，不復召用，其用意已可想見。「瑣記」又云：「大公主（按此爲某親王之女）娟事太后，頗得太后歡心，帝屬請公主，代懇寬禁，太后勿許，一日，大公主同太后弈棋，帝立太后背後，爲時甚久，帝頗憊，大公主故作倦態，太后始命罷棋。」此與「戊戌政變記」所云，「皇上至西后前跪而請安，不命之起，則不敢起，每日必跪至兩點鐘之久，」情事如出一轍，夫西后之虐待光緒，幾不復齒諸人類，如在英武有爲之王，當謀匡復，效唐玄宗所爲，原非難事，何以一籌莫展，任令牝后操作威福至此。

中國之友（五四）

毛以亨

赫德傳（三四）

Bredon 代理時期自一九〇八年四月二十日至一九一〇年四月十五日，爲海關最大改革的時期。自然唐紹儀利用其不得英政府支持，易於就範藉此乘機改革了。而中國方面以西太后與光緒帝之死，引起人事上的變動以影響海關。

海關之第一項改革，爲成立稅務學校，培養內勤人才，使高級幹部可以中國人來替代。一九〇八年四月，赫德回國後，稅務學校即成立，隸屬於稅務署，而由該署與總稅務司各派一人任其監督。總稅務司所派的監督爲前一年赫德所提出的 C.H. Brewitt Taylor。其人於一八八〇年任福州船政學校數學及天文教員，至一八九一年始入津海關，他是翻譯三國志演義爲英文的人，至一九二〇年始退休。稅務學校第一次招生在一九〇八年於京滬漢閩粵五地。該校於一九三五年遷滬後即不常招生，共栽培了六百以上的有能力之內勤人員。

其另一大事爲拒毒運動。中國已大量種雅片，僅川滇二省年產四千萬磅，而一九〇六年洋土進口祇七百萬磅，計本地出產已超過進口貨十倍，英國人已把中國人教會吃雅片而且種雅片了。赫德在職時，本打算對土產雅片徵稅，每担爲稅銀一百五十兩，計可得每年收入五千二百萬兩，以供新兵訓練之資。然民間拒毒運動風行，唐紹儀自印度調查回國後，主張仿印度辦法，提出管制。遂與英國訂約，期以十年內禁絕，以後印度烟土即不再進口。自一九〇八年開始一九一七年止，以三年爲試辦時期，每年減少十分之一。但一九一一年中國之禁烟成績，超過預定計劃，遂決於一九一七年，不使洋烟進口。實則土烟價廉，洋烟已無銷路，英國樂得做個順水人情，以挽回其販賣雅片的聲譽。

光緒被幽十年，死於一九〇八年十一月十四，而慈禧亦死於是日，享年七十三歲，大家都疑心慈禧臨死前先殺了光緒。赫德於一九〇二年爲慈禧所召見，謝其調處而免於瓜分之忠忱，他對慈禧提出立憲，故拳匪以後的改革，主動者已是慈禧，而推動者爲赫德了。預備立憲，各省設諮議局的上諭，都是慈禧下的，不過各省諮議局召集於一九〇九年十月，慈禧已未及見了。資政院召集於一九一〇年十月，一九一一年五月，改爲內閣制，以慶王任內閣總理而對國會負責。

我參加越戰（二）

L·HART 著　第啟 譯

興趣與刺激

我參軍的動機是複雜而令人難以置信的，在一個星期以前，我做過很久的專門採訪英下院新聞的政治記者。但北非廣漠的地區似乎比倫敦古老的街道更引起我的興趣，外國軍團的行列比自大的政客更令人刺激。爲什麼要參軍，我沒有單純而具體的理由，我不曾犯過法，也沒有失戀的煩惱，我並不想死，甚至根本不願意作戰，但，結果，我的名字還是被列在外國軍團的新兵名單上，不久之後，我們都要坐船去北非。

簽訂五年合約

我們被帶到一間辦公室，桌上早已擺好參軍五年的最後合同，每一個人要塡寫一式六份的合約，因爲桌子是那樣的小，而表格又是那麼的多，所以我們只能看到簽字的空白，有些人在上面簽上自己的名字，有些人像我一樣，簽上他們在軍中所用的化名。

我們每人領得了一點點錢，免費理了髮，還領下一堆舊的制服，——英軍的帽子，法軍的上衣，美兵的褲子和德國兵的皮靴。隨後我們即離開煩惱的歐洲，當大多數馬賽居民都已入睡的時候，我們悄悄地踏上去北非的旅途。

踏上北非

在海上過了幾顛的兩天，一列北非特別緩慢的火車把我們運到賽第貝亞比斯——外國軍團具有歷史性的總部，我們到達那裏時，天色還剛剛明亮，大家就在車站旁飲着咖啡，來等候當局的查詢，我們所剩下的老百姓的服裝，這時候也被營方沒收，換來的是五包非洲土製的香烟，初抵軍營的一個星期，除了重複的檢查體格和安全查詢以外，剩下來的時間不是看守軍團陣亡官兵的公墓，就是把營中出版的雜誌，用紙捲起來寄給世界各地，在看守公墓的時候，面對着那些長眠在烈日焙炙下墓地中的弟兄，我們有一種說不出的悲哀，包寄雜誌，所給與我們的，也只是一種枯燥乏味的工作。

△瑞尼古拉斯堡荒涼的大門▽

中華民國內政部登記證台誌新字第壹零貳號

自由人

THE FREEMAN

（中週刊每星期三六出版）

（第一九九期）

每份港幣壹毫

督印人：李光華

社址：香港告士打道六六號

電話：二〇八四八

GLOUCESTER RD. HONG KONG TEL: 20848

承印者：東南印務出版社　地址：高士打道六十四號

合北總經銷處：台北市館前街五十號

合灣總經銷處：台北中華路新五號四九之一

合灣郵政劃撥儲金帳戶：九二五二號

為艾森豪總統進一解

·黃雪村·

從艾森豪的就職演說，我們雖然一方面可看出美國今後將更積極的負起維護世界和平的責任，另一方面對於侵略者亦已具有予以防阻制止的決心，不過正因為這兩個目的能夠有效的做到，還有兩個現實問題，值得這位美國新元首特別考慮。

美國對世界的責任

美國艾森豪威爾總統在其就職典禮中所發表的演說，以動人的詞句，表達出他明智的主張。在全球民主自由的力量與違反人性毒害人類的俄共集團鬥爭中，無疑是一篇具有重大價值的歷史文獻。

在這一篇演說中，不僅打破了世界人士對共和黨傳統的孤立主義之觀感，而且特別強調了今後美國對世界的責任，他已表示要「再接再厲，為世界和平而努力。」至於為「制止那些威脅我們的人們遂其野心」，他雖然表示「厭惡選擇戰爭的辦法」，同時申述其更遠大的理想：「準備與任何其他的人士共同努力，消滅國與國間的共同恐怖與猜疑心理的因素，并使得大刀闊斧的裁軍成為可能。」但是他并不忽視現實的敵人之陰賊險狠。接着他說明，「認清常識與常理，都同樣的表明出姑息是無用的，我們不能從事虛偽的與邪惡的交易，出賣榮譽以換取安全，并藉此以安撫一個侵略者。因為在最後選擇下，一千兵士的背包并不像一個囚犯的鎖鍊那樣沉重。」最後，他更明確的指出美國人民應有決心「來接受所有需要我們從事的犧牲。」

這一篇演說，內容所涉及的極為廣泛而充實，表達也很夠明晰，毋庸在此重加銓釋，但從上文引述各節，我們雖然一方面可以看出美國今後將更積極的負起維護世界和平的責任，另一方面對於侵略者，亦已具有予以防阻制止之決心。這種英明的決斷，當然是值得我們欣慰；不過正因為這兩個目的能夠有效的做到，筆者却以為還有兩個現實的問題是值得這位美國新元首特別加考慮的。

蘇俄侵略仍着重政治

第一，我們必須知道，今天的俄共集團，雖然他們曾經發動過對南韓的侵略戰爭，而且這個戰爭還在延續，也決不會就此因無法遂其目的而罷手，但是從他們對整個世界侵略的計劃來看，至少截至現在為止，仍舊是着重於政治性的行動以代替軍事之直接侵略。是運用廣泛的滲透工作來擾亂社會的秩序與安寧，挑剔人與人間，民族與民族間，國與國間的仇恨心理，搖動人民對政府的信任。在混亂與動盪之中，他便可以更進一步散佈其毒素，加強其挑撥離間，煽動，分化的工作，終使政府的力量，在無法應付之下，由癱瘓而瓦解。我們中國政府過去在大陸上的失敗，即其例證。以往杜魯門政府對中國政策的錯誤和失敗，也就正是受了中共欺騙的結果；而且他們也曾運用各種不同的方法直接在美國負責的官員中發生滲透作用，影響當時美國政府的對華政策。今天我們自由中國，根據以往的經驗，對共黨陰謀之防制是具高度的警覺，然而世界其他的反共國家則依然讓共黨有「合法的」公開活動，這實在是反共工作上一個最大的漏洞。如果不能決心嚴密防堵，而僅只注意到軍事國防力量的充實，恐其結果將如中國的成語所說：「前門拒虎，後門進狼」。

在軍事上應採主動

第二，艾森豪總統雖然宣示對侵略者不姑息與不惜犧牲的決心。但正如我們前段所說，狡猾的史達林，他却決不與你正面來交手，并不與你從戰場上來決勝負，那麼，你所準備的力量，只能做出防守的作用而已。而且我以為今天世界反共國家特別要認識的，是今日之史達林決不是當年的希特勒。希特勒是彰明較著的要以武力征服世界，他也自認其武力足以征服世界。而今日之史達林，不僅完全是要運用政治陰謀來滲透一切反共陣營，達到其所謂「解放全世界」的目的，同時，他自己顯然知其軍事力量必不足以與美國爭勝於疆場。因之他決不會挑起戰爭。即令有使用武力的必要時，他儘可命令其附庸國作貓腳爪。無論在任何情況之下，蘇俄決不露面，以致引起直接衝突，他永遠命令嘍囉們和你週旋，你儘管威力極大的氫素彈，你能在美俄直接戰爭沒有發生之前丟到莫斯科去嗎？於是附庸國儘管失敗，蘇俄是永不會受到戰爭的影響，這是史達林與希特勒完全不同的地方，也是史達林最聰明的打算。為今之計，我以為美國如果決心發揮軍事實力來克服反共領導國家的任務，至少要在軍事行動上爭取主動，雖說不能即時去「選擇戰爭的辦法」直接對付蘇俄，至少應該在對付蘇俄的附庸國，尤其是今天在韓戰場中直接參戰的中共這一最大的幫兇者，予以主動的打擊。剪除了蘇俄的羽翼，便等於削弱他的力量，摧毀了他的衛星羣，就是打擊他對世界共產國家的領導地位。縱令他仍不挺身而出，也可以達到坐困的目的。麥克阿瑟元帥對韓戰具有真知灼見，這是他在遠東親身體察的經驗，他清楚地認識了敵人的作法。艾森豪總統在就任前曾與麥帥詳談，我想麥帥對此問題必有積極性的建議。

孫悟空戰牛魔王

最後，我願告訴艾森豪總統一個中國故事：中國有一部著名的小說，名叫「西遊記」，裏面記述一個妖猴保護一個和尚到印度去取佛經。這個猴兒的身能有七十二種變化，在到印度去的路上，他們曾經遇到各種的妖魔鬼怪，這精靈的猴兒都有本領克服。有一次，遇到了一個牛魔王，是一個力大無窮，本領高超，決非猴兒所取勝的敵人。猴兒於是決不以力取，偷偷的跑進牛魔王的洞裏，搖身一變，變成了一片茶葉，貼在牛魔王的茶杯邊沿上。牛魔王在喝茶的時候，一不小心，便將他吞入肚裏，於是猴兒在裏面動刀鋸棍，大翻跟斗，結果牛魔王痛疼難堪，只好向猴兒投降。這個故事對今天俄共們的陰謀詭計是一個最好的說明，他們正是玩的這套跑到肚裏翻跟斗的把戲。如果讓他偷進了你的內部，則你縱有比他大的武力，亦將無所施其技的。我希望艾森豪乃至全世界反共國家的當局，都能重視這個故事所啓示的意義。

所謂猶太醫生謀殺案件

·鄭學稼·

讀中世紀意大利歷史的人，對於每個被毒死暴君的記載，常有這結論：暴君、可為而不可為。也許克里姆林宮的暴君們——所謂「無產階級專政」，實是集團的獨裁——領受那一歷史的教訓，選擇忠誠的醫官，并給與嚴密的監督。但蘇三十五年布爾什維克的專政史，却不斷地演露醫生毒殺、暗殺紅色顯要的祕密！

列寧和高爾基等人是誰謀殺的？

一切罪惡的根源，是在爭奪權力。毒殺、暗殺或公開審判，都不過是爭奪權力的手段。至於利用醫藥、手術的殺人，那只算爲諸手段之一。布爾什維克專政史的毒殺、暗殺、公開審判或別的屠殺，都和一個人有關——就是史大林。

最初被暗殺的人，是布黨的創造者列寧。依史大林政敵托洛茨基在他的「史大林傳」中描寫道：「當列寧病重時，史大林在一次政治局會議上宣稱：列寧為減少自己的痛苦，要求服藥自殺。季諾維也夫和卡米尼夫臉色灰白不敢說一語，但終被托氏所否決」。後依克里姆林醫生的診斷，列寧的病是可以復原，而且果然日漸康復了。就在這一好轉情況中，政治局突然宣告列寧病卒！同時，它（政治局）又不許托氏由南俄趕回參加葬禮，似有消滅謀殺證據的預謀。自然，這些話出於托洛茨基之口，會減少它的價值的。但列寧將死之前，與史大林有不兩立的衝突，却是事實。列寧遺囑上向中委會建議，免去史大林的總書記職，在理由是這位「喜歡加辣椒的廚子」，常常濫用職權。

列寧死後的「三巨頭政治」，是為着對付托洛茨基。史大林深知：要削除紅軍創造者的實力，必須先奪取軍權。這時的名將并握有兵權的伏龍芝（FRUNZE）却親近托氏。一九二五年，史大林以政治局命令，迫伏氏施行手術，而若干名醫却認伏氏之身體不適宜開刀。到底，軍事委員長伏龍芝走上手術台而告死亡了。那時，革命傳統還在，言論相當自由，著名「同路人」文學家皮涅克（PILNYAK）受這伏龍芝之被謀殺流言的激動，寫了一本「不蝕月亮的故事」（POVEST O NEPOGASHENNOI LUNYE），以軍長加伏里洛夫（GAVRILOV）影射伏龍芝，另在序文上作「此地無銀三百兩」似的聲明：小說的主人公并非謠言的伏龍芝！史大林懲罰皮涅克，禁止任何刊物登載皮氏的作品，雖有高爾基的說情與拉狄克們的保護，一九三七年大清黨中，皮氏終以「人民公敵」的罪名被處死。

伏龍芝死後，軍權落在史大林的忠實走卒伏羅希洛夫手裏，但握着特務權的却是波蘭人捷任斯基（FELIX E. DZERSHINSKY）老布黨。捷氏並非史大林的親信，而且還憎惡史大林。一九二六年七月，捷氏暴卒，大家相信是被史大林所毒死。因為死前數小時，他還發表一次激昂的演講。從此以後，代替捷氏掌握特務權的，即是史大林的鷹犬雅哥達（YAGODA）。

如果知道雅哥達的生史，便可推知謀害列寧和捷任斯基的凶手是誰？雅氏是藥劑師，他的特務機關，特設化學室，專事研究殺人毒藥。史大林的謀殺，都經過雅氏。他是否需要醫生，臨機應變，并不一定，但毒殺高級紅色要人，却非經過克里姆林宮的醫官不可。因為那些人們的死，按照成規，屍體都要受醫官的檢查，並由主驗醫官在死亡證上簽字。那些醫官們為什麼要聽雅哥達命令？答案十分簡單：自一九三〇年起，史達林已是獨裁者。也可以如此說：在該年前，史大林要毒殺、謀殺政敵，相當費力，該年後，他只須舉手投足之勞了。人們所以知道雅哥達為史大林幹謀殺的工作，亦是史大林自己編演出來的。供出那祕密，是高爾基案件。

高爾基因反對布爾什維克的暴政，於十月革命成功以後亡命國外。取得了政權的史大林，為增加自己的威望，想利用高爾基。他派特使以甜言蜜語騙高氏返俄，回抵赤都，目擊史大林一切舉措的高爾基，雖然曾依史大林的心意修改「與列寧相處的日子」一書（內中把初版之列寧恭維托洛茨基的話，改為斥責），心裏，總不以為然。到他忍不住時，常公開諷刺時政，並對外國記者批評史大林。憤怒的獨裁者，就決心毒殺大文豪，執行那命令的，是特務首領雅哥達。雅氏迫克里姆林宮御醫李文（LEVIN）使用毒藥，在莫斯科，高爾基的被害和伏龍芝之橫死，同是公開秘密。知道這些內幕的史大林，利用三十年代的大審判，把李文充當小角色。審判官曾問李氏：你為什麼聽雅哥達的命令，不向克里姆林宮報告？得到的回答是：「你知道雅哥達是何等人，站在他的背後是誰？」這兩句話，不等於說雅哥達是奉史大林之命，毒死高爾基嗎？

（下接第二版）

本週展望

·雷嘯岑·

亞洲聯盟與志願軍問題

亞洲聯盟或太平洋同盟之說，最近呼聲又高了，菲總統季里諾尤其熱心倡導；而亞洲反共志願軍計劃，據說是麥克阿瑟為解決韓戰的建議方法之一。

在亞洲要搞沒有軍事約束的廣泛「聯盟」，其意義與作用，不會超過上月在仰光召集的「亞洲社會主義者大會」，似不必再有所謂「聯盟」之舉。至於「同盟」，如美國方面所希望的「中、菲、韓、日同盟」的組織，無疑是以集體反共的軍事作用為主，亞洲反共志願軍計劃也包括在內。這項同盟和志願軍的目的，如果是以中共為對象，那就必須由中華民國政府出而倡導主持，纔合邏輯。（美國當然間接支持指導）否則不但計劃不容易實現，即令勉強搞成，其後果將不堪設想！

這一問題，關係亞洲未來前途甚大，直接亦與自由世界的反共利害大有影響，希望自由中國和美國當局要特別注意。

國軍赴韓參戰

據說台灣可派軍一師赴韓國戰場參加聯合國服務，美國當局已有此決策。一師人對戰場的實戰力量固然沒有多大影響，但在自由世界反共作用上，意義却非常重大。國軍參加了以中共為對象的韓戰，然後對亞洲反共同盟和組織志願軍等工作，自由中國政府即名正言順的可以迅速號召了。世俗所謂「台灣國際地位日見增高」云云，乃其餘事。

中共最近的反英言論

英工黨左翼「名人」貝凡在議會發表了攻訐自由中國政府的論調，主張聯大安理會常任理事國改由北京政權充任後，中共電台即如桴鼓之應，廣播反英言論，說英國支持台灣代表留在聯合國，是玩弄「兩面人」的手法。

記得去年邱吉爾在議會說過：英國決不怕共產黨滲透——只要英國內部沒有共黨同路人！一點不錯，共產黨能夠到處鬧亂的唯一特效藥，就是各國內部一些有意無意的同路人。這類人物，百分之九十以上都是些不學無術而又對政治慾望極其強烈者，裝着進步份子模樣，好出鋒頭，結果徒然替共黨作工具。

過去中共在大陸上能夠滲透發展，完全是靠同路人之力。像現時在大陸淪落自傷的「民主人士」羅隆基也者，當年即認為「共產黨有百是而無一非」，其人其事，與今日英國的貝凡之流，不啻一母所生。可惜英國內部的共黨同路人不多，英倫三島不易出現鐵幕生活，不然的話，我們倒有眼福瞧瞧貝凡這類人的下場呢！

美國新政府的幹部

美國政府新任文武大員，多為富有的企業家，因此而在參議院發生了不少的波折。共產黨人藉此大事譏評，說美國政府素來就是「華爾街的代言人」，觀此更可以證明了！美國的經濟制度是資本主義式的，共和黨所代表的社會力量是全國工商業階層。在野二十年的共和黨，復握政權，當然有此現象。實則民主黨政府中人，又何嘗不是工商業巨頭佔着多數呢？

資本主義在美國尚未有如馬克斯所預言的「走到地獄之路」那種情形，一方面是能厲行反托辣斯方案和高度所得稅，一方面即靠民主憲政的法治精神。例如參議院責成國防部長威爾遜等人的同意任命，必須教他們賣去其持有的股票，斷絕與工商業機構的利害關係，即為法治精神的表現。威爾遜等人的股票，若在咱們中國，很可以教自己的親戚朋友化名承購，換湯不換藥，敷衍法制，好官自為。但在美國却不行，因為在民主的社會生活中，任何不可告人之事都有人予以揭發的。專欄作家一篇內幕報告，就使你身敗名裂，終身抬不起頭來，誰也不願意去冒險，這就是民主生活的可貴處！

中共圖謀東南亞日亟

積極準備侵越

加強宣傳攻勢企圖爭取民心

越南總理阮文心說：除非中共大舉入侵，越盟不難於兩年內全部瓦解的；現在六千名的中共「技術專家」，已把侵韓的「經驗」帶到了越盟軍中，每月三千噸的軍需供應，輸入越北。儘管各方面傳說中共企圖於四月間向河內入侵，目前的共黨攻勢已暫從軍事轉而偏重於紙上宣傳，越盟的南侵顯已被遏止了。

國外通訊

邱吉爾與艾森豪會晤之後，自由世界對東南亞之當前危機，有了一個深刻的認識，大多人均在注視着東南亞聯防前途之時，從大陸上傳出來一項消息透露，中共已決定了八項原則，準備在今年三月底完成，於四月間企圖向越南入侵，協助越盟發動大規模的攻勢；此一攻勢的主要目標，係竭其全力奪取北圻軍要戰略據點河內。現在已將三野的四個軍南調，安頓於兩廣邊境，另調四野第十三兵團所屬之三十三軍赴南寧，四十軍抵龍津、憑祥，四十二軍駐東興，與三野四個軍會合，僞中南海軍司令部派遣了一千五百噸級以下之艦艇卅五艘，部署於華南沿海與東京灣，其中有四艘爲改裝之俄式砲艇，另有六艘爲舊刷新的日式砲艇。中越邊境的四大轟炸基地也已完成，分設於南寧、龍州、百色、北海境內，括有戰鬥、轟炸、運輸、驅逐、偵察機七十架，分自漢口、衡陽、長沙南調；囤貯中越邊境的一千輛卡車，已有部分據報已運入越北使用；另外括有醫療、交通與其他必需的「技術專家」六千名，現在赴援，此種中共自詡爲「專家」，係自北韓戰區南調者，據越南總理阮文心說，中共顯欲以侵韓的「經驗」帶到越盟軍中去使用；而中共給與越盟之軍需供應，每月竟達三千噸之鉅。阮氏堅決地指出，「除非中共大舉入侵，越盟不難於兩年內瓦解的。」可是，中共侵越的企圖，已日形顯著，目前越盟的攻勢固已遏止，這個局面能維持多久，似乎誰也難以肯定。

越盟內部歧見難消　中共顧問不起作用

中共侵越的原因，雖然是克里姆林宮侵略計畫中的一項重要步驟，但亦絕非是單純的。大體上說，越盟內部對立的趨勢，縱非臨到決裂地步，在侵略步驟中多少受到阻礙，過去武元甲曾計畫於一九五〇年底奪取紅河三角洲的陰謀，在已往兩年中顯然已告粉粹了！一方面固係法越聯軍在軍事佔有優勢，另一方面係屬越盟軍中不合作造成的。去年武元甲的權力被「參謀總長」黃文泰削弱之後，黃文泰試圖以孤軍深入打下法越軍在北圻的重要補給基地那山而奪取紅河三角洲以擴張他的權力，終因武元甲按兵不動，以受重大打擊，形成了一個進退維谷的局面；可是，儘管黃文泰改變他的策略，分調一部兵力去進窺柬埔寨，在巴蘭奔的北部又復遭到柬軍的殺傷，使他企圖轉移法越聯軍的目標也沒有實現。黃文泰這一支兵被法越軍吸住，而補給亦已受到困難，本月二十日那大向西貢以北三百哩安溪外圍進窺，自是企圖奪取該處守軍之軍需，事實上已不敢傾巢出犯了。雖然，越盟這種內在的矛盾已伏下了傾覆的危機，中共何嘗不力圖使其擺脫，但越盟軍中的中共顧問，並沒有控制的力量，起不了任何作用，除非有一支大於越盟的武裝，纔能左右越盟內部的歧見。這是中共目前急圖侵越原因之一。

中共無力長期消耗　只想撈回往日投資

第二，中共侵越是整個赤化亞洲的計劃之一；七年來越盟叛亂的總結算中，只是向中共透支，而共黨本身並沒有收穫，迄今爲止。越南之糧食仍保持於法越軍手中，越盟軍中的糧食，只有仰給於中共，在過去，中共供應越盟的糧食是相當充餘的，現已逐漸減少，這種原因，無疑是中共曩昔幻想越盟奪取紅河三角洲來彌補大陸上的糧源的希望，現在顯已經消失了，眼前的趨勢似乎非假手於中共無從攫取這一大穀倉；而最近多方面的傳說，邱吉爾氏主張締訂東南亞聯盟，非律賓的季里諾總統也在計劃着太平洋國家聯盟，不論兩者的性質差別如何，在中共看來，不啻是越盟的喪鐘，這一個幾乎可以到手的穀倉，自是不易搖撼的了。可是，克里姆林宮所加以中共的壓力，就目前的趨勢看來，支持越盟的侵略，已不能拖宕延擱。雖然自由世界草擬的反共與遏止侵略計劃尚未採取行動，則中共已對於自由世界的團結感到疑懼，因此，華南的共黨在過去一月間曾經集會磋商過幾次，不問它集會之內容爲何，一時固無法懸測，就其事後於行動上之反映，足以證明了彼等集會之目的係侵越的安排，而殆欲於東南亞反共聯盟未締成之前掠取括有越南之東南亞其他國家，是否可能重加檢討。就目前中共的行動上看，要席捲東南亞的可能性已大爲減少，僅有的餘力至多祇有對越盟作局部的援助，長期消耗，顯非中共能力所及，只想選其「一部分武力來奪取紅河三角洲，寄望於巳往投擲於越盟的資本撈回。

越盟發展紙上攻勢　中共控制大部報刊

中共無論在任何一個時期，它的宣傳並沒有越盟那樣深入，一九四九年以後雖然又當別論，照目前的情形看起來，越盟的出報條件夠不上中共，但他的報紙却還能夠吸住自由越南控制區的讀者，假如以土地面積來和中共報紙的發行數字作比較，中共還非其敵，一百五十種各式類型與性質不同的報紙，大部分的編輯、記者都來自中共區或是中共派遣的，管理與發行竟會比中共區的報紙好，這一點幾乎誰也想不通的。越盟的報紙紙質與印刷沒有一張比得上中共控制區的報紙，它唯一的特點是能夠反映現實，而且簡單明瞭，擺開任何一張紙張拙劣的報紙，一行獨行的標題，一經觸眼就可以推想到它的新聞內容是什麼了；頭號字是最大的大標題，把一篇新聞內容安排的非常簡潔的，不像中共報紙上慣見的冗長浮文，雖然有時也有共黨們的文告，濫填文告通常不超過一千字以上的，每一種報紙的銷數，從一九四七年以來，儘管他們有時因爲戰事影響或是紙張不濟脫期，仍能保持於二萬份以上，「救國報」的銷數高達十六萬份，在整個印度支那這一塊廣大的地區沒有看不到的，這一張報紙係「聯越」陣綫中央委員會的傳聲筒，它是掌握着越盟區中的民衆運動，如增產、墾荒、納粮、繳稅、支前、捐獻等等，自由區的人要看看鐵幕裏的有關上述動態，便經常地訂閱；「勞動黨」的「人民週刊」，每期也能出二萬七千份，重要的文字由該黨總書記長征（原名鄧春區）執筆的，此人現在正主持「整風」、「坦白」、「檢討」運動，用來排斥異己，打擊胡志明的，這一個反映越共內部的刊物，所以也能吸住一批研究越盟內部矛盾的讀者。（上）（勁草元月十八日寄自西貢）

歐洲盟軍傳將易帥

美總統艾森豪可能在短期內另覓新人，代李治威將軍出任北大西洋公約國部隊最高統帥。李治威可能轉任與聯合國有關的新工作。據熟悉內情的人士說，現任東京聯軍統帥克拉克將軍可能是李治威將軍的繼任人，至克拉克的遺職將由陸軍參謀長柯林斯將軍接替。柯氏目下訪問東京，或與此有關。

美攻俄有新計劃

美空軍部原打算一旦大戰爆發時，派遣轟炸機潛入俄境作快速的轟炸，但現已放棄了這種觀念。據說，俄國的雷達網及地上監視哨組織十分嚴密，爲達到摧毀蘇俄的整個作戰能力起見，空軍方面計劃在大戰開始時派出大批的轟炸機進襲俄國，但內中只有少數眞正載有原子彈，其他的飛機都只在保護原子彈轟炸機，担任掩護和吸引俄軍火力的任務。

俄共下場分爲兩等

蘇俄對他們最高級官員的葬禮分爲兩等，第一等是用棺木裝殮，送殯的行列可以浩蕩通過紅色廣場，而後埋葬在列寧墓後的墓園內。第二等是舉行火葬，而後，親屬護送屍灰經過紅色廣場，安置在克里姆林宮的壁龕內。

邱吉爾的驚人菜單

去年除夕，英首相邱吉爾登瑪麗皇后號郵船訪美時，他的許多僚屬都爲這位高齡七十八歲的老政治家，如何愉快渡過顛簸的海程而担憂不置。但後來傳抵英國的消息却使他們大爲驚異，原來邱翁在大洋上，不僅無絲毫痛苦，而且食慾大振，身體精神都比在陸上尤感健全愉快。下面是他在瑪麗皇后輪上，最後一頓午餐的菜單，看過這張菜單，就明瞭邱翁的僚屬們何以要驚愕不置了。計開：蠔、魚子醬、羊肉三至四塊、雪糕、酪餅以及白葡萄酒，紅葡萄酒、白蘭地等等。

艾克引起服飾革命

作爲美國總統和第一夫人的艾森豪和他的夫人媽咪已引起美國服飾和髮式的溫和革命，自艾森豪決定在就職典禮中戴用窄邊凹頂的亨堡型禮帽後，據紐約的商店報告，對這種式樣禮帽的需求量已增加百分之五百，而且，據華盛頓的美容師報告，媽咪型（即前額覆有劉海）的髮式最近突然異常流行。一個理髮店老闆說：「雖然我們認爲媽咪型髮式，只適合上了年紀的太太，但一般妙齡少女和艷麗女星也競相採用」。（孟衡）

天下小事

所謂猶太醫生謀殺案件

鄭學稼

（上接第一版）雅哥達槍決後，由葉佐夫（YEZNOV）繼任特工首領。但沒有幾個月，葉氏下落不明，代替者是貝里亞。這次所謂九個猶太醫生謀殺克里姆林宮要人的案件。有一宗是在貝里亞握特務權期間發生的。難道史大林有意把貝里亞作爲第二雅哥達嗎？

所謂醫生謀殺案內容

依一月十三日塔斯社的報導：九個克里姆林宮的猶太籍醫生，受猶太民族主義者（ZIONIST）組織的密令，充當「美帝」及「英帝」的特務，暗殺了兩個紅色要人，並陰謀毒害其他顯要。那組織，就是猶太人的「美國聯合救濟委員會」（AMERICAN JOINT DISTRIBUTION COMMITTEE）。它的領袖，是著名猶太籍演劇家密考爾斯（SOIOMON MIKHOELS）。

這個報導，與事實完全不符。所謂「美國聯合救濟委員會」，是第二次大戰時，運送物資救濟全歐受難猶太人的團體。當時受救濟的，還有鐵幕內猶太人。至於密考爾斯，在第二次大戰期間赴美，宣傳美國援助蘇俄。他可能是史大林特工組織的外圍人物。他在美時，曾參加「猶太人反法西斯委員會」，鼓吹親俄。該委員會於四年前解散。那時，史大林正狂熱地反猶，在俄國境內，所有猶太人的文化團體被解散，猶太人領袖被拘捕，並發動反對抱有「世界大同主義」（COSMOPOLITANISM）思想的猶太籍知識份子。現在把密考爾斯牽連案內，只有一個原因，即史大林根據希特勒的學說：凡猶太人，均非善類！

那九個猶太籍醫官，依塔斯社報導分爲兩組。第一組是（一）沃夫西（M. S. VOVSI）教授，內科醫生。（二）比．比．科甘（B.B. KOGAN）教授，內科醫生。（三）費德曼（A.I. FELDMAN）教授，耳喉科醫生。（四）艾丁格爾（Y. G. ETINGER）教授，內科醫生。（五）葛林希坦（A. M. GRINSHTEIN）教授，精神病醫生。第二組是（六）維諾格拉多夫（V.N. VINOGRADOV）教授（七）麥．勃．科甘（M.B. KOGAN）教授；（八）葉高羅夫（P.I. EGOROV）教授；這三位都是內科醫生。另有（九）馬伊奧羅夫（G.I. MAYOROV）教授，內科醫生，則未指明屬於何組。第一組之沃夫西教授們，共受「美國聯合救濟委員會」的指揮，從中傳達密考爾斯指令的，是名叫希麥些奧維赤（SHIMELIOVICH）醫生。第二組之維諾格拉多夫教授們，供受英國特工的密令，且是「老牌的特務」。說到維氏，現年七十一歲，是克里姆林宮著名的醫官。去年二月二十六日，蘇聯主席史維爾尼克曾以「列寧章」獎賞他的服務功勞。除了克里姆林宮顯要由他治病外，還有前第三國際主席狄米特洛夫、外蒙總理喬巴山、法共要人索力茲（MAURICE THOREZ）的病，都由他主治。值得注意的，狄米特洛夫（一九四七年）和喬巴山都死於赤都；巳醫了兩年的索力茲謠傳巳死，難道這三位都有不忠於史大林的嫌疑，而被史大林密令御醫毒死的嗎？還要補充一點，前蘇聯主席加里寧的死亡證，也是由維諾格拉多夫簽字的。

所有克里姆林宮的醫官，都受葉高羅夫的指揮，因爲，他是醫藥處內科主任，自一九四七年起，葉氏即就任該職。

那九個醫官，曾「謀害」（？）了那些人？依據塔斯社的報導，第一名是國際情報局指導者日丹諾夫（ANDREI A. ZHDANOV）。當一九四八年日氏死前，他和馬倫可夫爭權，是衆人皆知的事。他的死，依當時的公報，是「自然的死亡」（NATURAL DEATH）。現在却說醫官們「對他的病作了不正確的診斷，並隱瞞他所患的心機梗塞症，開了一個不利於這種嚴重病的處方，從而謀害了日丹諾夫同志的生命。」但在日氏死亡證上簽字的醫官，還有兩個非猶太人，即瓦西連珂（V. VASILENKO）和費多洛夫（A. FEDOROV），何以又不負謀殺的責任？第二名是紅軍政治部主任中將謝爾巴科夫（A.S. SHCHERBAKOV），他死於一九四五年，即在貝里亞主持特務」的期間。當他死亡時，公報是「心臟痲痺」，現在却說醫官們「不正確地使用烈性藥劑來爲他治療，開了一個有害的處方，這樣就引起了他的死。」又依塔斯社的報告，那些醫官還要謀殺五個人，即（1）國防部長華西列伏斯基元帥，（2）地面部隊司令官科涅夫元帥，（3）柯元帥的參謀長希捷曼科大將，（4）第二次大戰時芬蘭駐軍司令官戈沃羅夫元帥，（5）海軍副部長列夫欽科海軍大將。在全部神話似的文獻中，何以被列爲謀殺對象的都是元帥和大將？難道那些握有軍權的人，有不忠於史大林的嫌疑而受警告嗎？或者還有別的非我們所知的陰謀嗎？

史大林導演的舊劇

熟悉克里姆林宮醫療實況的人，對於史大林的宣傳，都表示懷疑。因爲，主治蘇俄政要疾病的醫師們，要在政治局會議席上報告病人的病況及醫療方法，縱使那九個醫官是受「英帝」與「美帝」的指使，何以別的醫官們，尤其非猶太籍的醫官們，竟不起來反對？由這一點看，可以推想史大林演這幕戲的目的，不外兩個：第一、配合當前的反猶政策，對國內人民宣傳：凡屬猶太人，均爲外族敵對的間諜。（自公佈九醫生案件後，各大城市有激烈排猶反猶動作）第二、使巳成公開祕密之日丹諾夫的橫死，找到幾個假凶手。但如果世人已證明基洛夫（KIROV）的被刺，主凶是史大林，誰也想得到謀殺日丹諾夫的凶手，也是史大林無疑。依希臘大哲人亞里斯多德的說法：獨裁者的左右，永不能出現和他的地位威望相若的人物；而基洛夫和日丹諾夫，却是史大林內心所懼怕的才氣煥發的人，他倆威望之高，幾等於史大林。也許人們要說：殺了雅哥達，巳使人們明白毒死高爾基的凶手是史大林了，爲何這次不玩得聰明些？要知道，獨裁者很少不是愚蠢的，史大林，還算是那群愚蠢中的聰明人。否則爲什麼要編導奇奇怪怪的審判來呢？

塔斯社的「眞理報」，除斥責「美帝」，「猶太資產階級民族主義者」之外，還吐露了一句話：「此事件正在展中，未來當還有發展。」究將如何發展呢？審判和殺戮，那是事件的結果，不算做發展。該報曾斥保安機關不能預先防止恐怖份子組織的活動。這指斥，可能有文章：即清算特務機關。是否和三十年代以葉佐夫清算雅哥達的手法來清算貝里亞？那是一個謎。

美國蘇聯通史瓦茲（H.SCHWARTZ）早在本年初即已指出貝里亞有失勢的可能，因爲在去年俄共第十九次大會和十月革命第三十五週年紀念日中，他的像片由第四位貶到第六位去了。何以貝氏可能失寵，那由於去年審治喬治亞的大清黨，他在當地的幹部，都被清算了。如果史瓦茲的推測屬實，其中應該還有別的權利之爭。

近二十年來，國際上發生許多奇怪的暗殺和毒殺案件，幾乎都和史大林有關。這次所謂九個猶太籍醫生的謀殺紅色顯要案件，也不過是史大林的舊戲重演而已。

比「封建制度」的壓迫更慘

中共怎樣「解放」婦女

中共於過去三年中對於大陸婦女的控制、欺弄、迫害、奴役，雖已盡了他們極大的「努力」而造成了無數的悲劇，但他們却還認爲距離他們最後的要求尚屬遙遠，因而，乃於最近召開了一次所謂「全國婦聯第四次執委擴大會議」，由該會祕書長章蘊提出了長達八千言的檢討報告，發出今後進一步擴展婦聯組織，加緊奴役全國婦女的詳細指示。

奴役尚感不足 還須更進一步

中共對過去奴役婦女的勾當怎麼尚感不足？據章蘊的報告中檢討指出：在組織方面，說婦聯組織的發展還是不平衡的，許多地方的基層組織還很不健全或流於形式，也還有不少地區尚未建立組織。在工作方面，說婦嬰衞生和兒童保育工作還遠遠趕不上婦女參加生產和學習的需要，因而大大地阻礙了婦女們參加勞動生產的要求進度；在婦女工作前進的道路上還遭遇着相當大的「殘存」的舊意識的梗阻和頑抗；婦女羣衆的改造教育還做得不夠深入，不夠普遍。因而，說在動員全「國」婦女參加「愛國增產」的大前提下，可說過去的「婦運工作」是「極少成就」的。

鄉村城市並進 迫害無孔不入

既然如此，當然還需更進一步，怎麼進法？從「全國婦聯」的中央執行委員會的指示中看，可以列舉其主要手段如下：

第一，關於農村婦女方面：一，盡量普遍發展鄉村婦女會的基層組織，將所有鄉村婦女，納入組織的控制和「教育」。二，飭所有鄉村婦女會要協助農民組織和農業生產領導機關，進一步發動所有婦女參加農業生產互助合作，以增強所謂「愛國豐產」運動的力量和推進互助合作運動。三，使用一切壓力，迫使婦女參加農業主要勞動，并以所謂「組織起來集體主義的前途教育」，以澈底利用婦女潛在的勞動力，大力發展農業生產。四，在婦女向來不參加或很少參加農業勞動的地區，則先行「教育」他們參加農業輔助勞動，而後進一步督促他們担負農業主要勞動。五，運用一切方法和力量，迫使廣大的農村婦女擺脫家庭，投入所謂「愛國增產」運動。

第二，關於城市婦女方面：一，首先加強並普遍擴展勞動單位和里弄的婦女會組織，規定省市以上的婦聯，抽出幹部建立專管城市婦女工作的部門，以加強城市婦女的控制和奴役。二，由於目前城市的生產機會很有限度，他們便決定一方面要城市婦聯組織所謂「有計劃」地動員所有婦女參加到各「學習組織」中去，目的在消除她們的固有倫理觀念，灌輸其赤色政治思想。一方面則由中共的城市工業管制機關有組織地進行家庭手工業的建立，以削剝城市婦女的勞力，三，關於女工及工屬（男工的眷屬），一方面加強工會女工部的領導控制，以「愛國增產」爲詞，驅迫女工作超體力和時間的工作；一方面加強工屬的組織和「教育」，使她們一面參加家庭手工業勞動，一面去如瘋如狂地「鼓勵」丈夫拚命的勞動以爭取「勞模」而達成中共盲目增產底目的。

第三，關於少數民族地區的婦女方面：中共已令飭各民族地區的縣級婦聯根據各該地區的特殊情況，提出具體方案，供當地黨委及上級婦聯研究；並規定民族地區的省市級婦聯指派專職幹部加強各該地區婦女的組織、控制、和奴役。

第四，中共已再度強調，各地婦聯組織，以所謂「貫澈新婚姻法運動」爲掌握婦女的一大手段。同時，所謂「模範夫婦」的命名，還是以拚命的勞動爲中選的最大條件。歸根結底，所謂「新婚姻法」的神髓，除了在打破婦女的貞操觀念和固有的家庭組織外，便是在掌握婦女以供作奴役勞動的工具。

自由平等圈套 婦女盡入地獄

大家都熟知：好話說盡，壞事做絕，乃是中共一貫底手法，若根據婦聯的宣傳和口號，原在「解放婦女」，「實行男女平等」，「爭取婦女自由」，「提高婦女權益」等等；然而事實上，大陸婦女在中共欺弄下三年來的命運，說起來眞是一片血淚！

例如婦女「性解放」的觀念，是借「男女平等」「婦女自由」等口號的曲解來造成的，於是「一杯水主義」，「戀愛自由」，「新婚姻法」便相繼大力提倡，結果却悲劇叢生，遭殃的正就是婦女，因而自殺了的婦女不知已有多少？

例如驅迫大量婦女供作「解放軍」的營妓，是在爲「革命犧牲」底口號下進行的，因而被糟蹋了的婦女又不知有多少？

例如三年多來的婦女超力勞動，孕婦勞動，因而暈厥、死亡的事，也是在「男女平等」的口號下所「鼓勵」大力迫進的。蓋所謂「平等」，只是在勞動上要她們「平等」，何曾在權益上給她們「平等」？在權益上，則據中共自己都承認：即就工資一項，男女同樣的工作，女工就比男工少。至於在「愛國增產」的瘋狂奴役，大多婦女還要從事社會和家庭的兩面勞動，其勞苦程度便可想而知了！然而現在中共並未以此爲已足，他們還要利用婦聯的組織去擴大，并加緊婦女的控制和奴役，必欲她們盡入地獄而後已！（沈蓉）

共幹姦淫無忌

「新婚姻法」破產

「照顧幹部情緒」僞縣長重婚

史良這個老太婆，爲了「解放」她自己心靈上的苦悶，以「一杯水」的戀愛觀給共匪搞一套富有浪漫氣息的「新婚姻法」。這本「法」經公佈之後，不但瘋魔了匪區裏的青年男女，連海外的青年男女都迢得發狂似地飄飄然。

假若我們還記得共產黨的國度裏，是黨權可以決定一切的話，什麼「法」都是虛設的，「新婚姻法」也絕對不能制止共幹們的禽獸行爲，再象之「史有前例」毛澤東可以拋棄賀子珍去愛藍蘋，幹部們又何嘗不可以「學習」一番呢？

只管私利忘了一切

匪僞「最高人民法院西南分院」院長張曙時，本年元月三日「公判」一個有十五年黨齡，曾任貴州省綏陽縣僞縣長兼該縣人民法院院長李民，所犯「重婚」罪行，在重慶僞鐵路局大禮堂席上很沉痛地說：「有些幹部，在其他的鬥爭中都很英勇，可是往往在私人利益面前，及對待婚姻問題時，却不遵守『國家法令』了！」（見元月四日重慶新華日報）這句話可以證明出共幹中不只李民一人「棄舊迎新」，且有無數的李民，以「功臣思想」蹂躪着大陸的婦女。

強姦有孕女同志

三年多來匪僞的「革命」題目翻新，「新民主主義」的「新婚姻法」調不能常彈，蘼濫是嚼不出一點味兒來的。匪僞們的獸性暴露，「杯水式」的「同志愛」冲激，竟演出強姦，霸佔，重婚等罪行，又毋怪張曙時說出：「又如貴州某副縣長，『竟敢』強姦到該縣去參加土地改革的女同志……某機關一個男幹部，以流氓手段來強姦一個已懷孕的女幹部。」（見同日新華日報）諸如此類的事情很多，我們能聽到從僞「首長」口中說出，能從僞機關報章看見，那只是百分之一而已。

例如：張曙時指出：「我們處理某機關男幹部強姦一個懷孕的女幹部時，那一個機關的某些同志竟至認爲這是『小事』，認爲這是『私生活問題』」。雖然他沒有指明是那一個機關，我敢相信在「打天下」的共幹們，每一個腦子裏都存在有這種概念的。「反正妻子的名份只是『愛人』，愛的選擇學，發生問題時，愛就可以遭到否定，愛的意識潛在時，『法令』也沒有辦法可以制止，因爲，只要有黨的決定『照顧幹部情緒』，什麼『法令』也就擱擱。犯案的當然在黨的權護下更多。以百分之一作估計絕不會是誣衊他們。

無法無天荒淫無忌

就拿李民「重婚」案件來說吧！元月四日匪僞重慶新華日報刊出「最高人民法院西南分院關於李民重婚案判決書」敍訴李民與前妻丁華（共產黨員）離婚，和陳惠明（工作幹部）結婚經過，我們就可以清楚地看出匪幹們怎樣無法無天地姦淫無忌了！

「一九五一年七月十七日，李民以丁華三次脫離革命，思想落後爲理由，向該縣縣委申請與丁華離婚，該縣委竟被其「蒙蔽」，於二十二日「輕率」地同意李民與丁華離婚……李民家住山東肥城縣，丁華住家在平原省范縣，李民却要綏陽縣人民法院把申請書寄到肥城縣辦理，這時，李民已決定調任綏陽縣縣長兼任人民法院院長，前任縣長兼法院院長張子濤急於交待，李民遂鑽這個空子，親自催促綏陽縣人民法院於同日（廿二日）給肥城縣一封公函，公函在二十分鐘寫成，爲照顧幹部情緒起見，務請在三月內處理，如逾期，本院即依法進行判決。而肥城縣法院收到申請書後，只傳李民之兄李志富到案，簡單問了幾句（筆錄只有半頁，問答只有六句），丁華住在另一省另一縣根本不知情，肥城法院又竟於八月十八日以丁華故違不到爲理由，缺席判准李民離婚。十月中旬李民持肥城縣人民法院的判決書和陳惠明正式談婚姻問題，十一月三日在綏陽縣結婚，自收到判決書之日起，至結婚之日止，其間相隔僅二十天左右。」

根據李民這段離婚和結婚的經過，我們可以看出匪僞執「法」人員，對於「法」的使用，以及蹂躪婦女的罪行了！（春暉）

學生既失利用價值

中共現出猙獰面目

共產黨統治下的教育事業，完全是爲了政治上的需要而設，同時學生也被當作機器，一點不如意，馬上可任意「改造」即使毀滅了也在所不惜，去年六月二十九日宜昌師範就發生了一件迫害學生的行動，副校長曾將學生扣押二十六天，用過七種刑法來拷打，後來轟動了全國，僞教育部還下過命令嚴各級學校嚴禁體罰學生，不過積習已深，說者自說，作者自作，誰也管不了誰。據去年十一月十四日福建日報載，閩侯西邊鄉小學校長林濱釵就是一個典型的人物。

教育方法蠻不講理

林濱釵的作風，完全是得到共產黨的眞傳，對待學生是蠻不講理。林濱釵常以封建法西斯的教學方法來「教」學生。本學期五年學生林武先，因生字認不清，連問她兩次，她不但沒耐心講解，相反的，大發脾氣，擰着林武先的耳朵說：「你的耳朵那裏去了？」還有一次，她在五年級教算術，因講解得不好，學生領會不了而發問時，林濱釵就把粉筆用力的摔在地下，憤憤走開；學生很害怕，第二次上課再不敢多問了。林濱釵經常把不認得生字的學生，禁閉起來，不讓回家吃飯。學生如果不聽她的話，就有遭受失學的危險。如九月六日學生林依治在休息時間和同學閑玩笑，林濱釵就不滿意，扳起面孔，用椅子在地上頓了一下斥問：「你爲什麼這樣調皮？」林依治說：「我並沒有什麼。」林濱釵認爲不「服從」，就把他開除學籍，級任先生向她提意見，她也不理睬。

其次就是疑心生暗鬼，認爲所有的學生都是她的敵人，所以要加強專政。閩侯專署衞生院來西邊鄉檢查衞生情況，發現學校衞生工作搞得很糟，提出批評，林濱釵不但不作自我檢討，反而懷疑是同學向衞生院報告情況。因此，每當放學集合時，她就威脅說：「什麼人說校長壞話，一定要『坦白』，如果不『坦白』，將來查出來，一定把他開除。」學生林赫先在課堂上寫字看到林濱釵走進來了，怕字寫不好，不好意思，便把字掩起來。林濱釵當場厲聲斥問：「你敢寫我什麼材料？不行，非給我看不可！」這樣，全校的學生都不敢自由寫字。國慶節的前一天，學生潘公欽和林書田兩個人，在下課休息時間，肩靠肩的在說話，林濱釵看見了，懷疑他們在說他什麼壞話，上課時就逼着他們兩人「坦白」，弄得全校學生都不敢自由說話。學生會主席林學先說：「我在這裏唸書，眞像受罪」。

向家長任意敲竹槓

同時又任意向學生家長敲竹槓，以學生的升級作威脅。本學期修建校舍，林濱釵向羣衆捐募經費，該鄉農民鄭禮記熱心教育，當時自動捐出一百斤穀。她不滿意，要再加十斤，鄭禮記因力量有限，沒有答應，林濱釵板起面孔說：「你這個人看穀子太重了，我給你兒子提升一級還不止值你十斤穀子。」

同些鄉村幹部也因爲利益衝突，時常發生鬼打鬼的事件，有一次，因爲受到上級的批評，懷疑是鄉幹部從中和她作對，就進一步威脅鄉幹部。她對西邊鄉長說：「我這次到閩侯縣文教科去控告你，你要注意，我一定要幹倒幾個『壞羣衆』，『壞幹部』」。

體罰事件層出不窮

還有安徽省學校也時常發生體罰學生的事情，據十二月十六日光明日報載：如黃山小學教師王顯明就是一個例子。王顯明體罰學生是一貫的，他上期任林莊小學教師時，有一次放午學排隊唱歌，八歲小學生儲炳南：「請王先生教我們唱」。王顯明以爲這個學生瞧不起他，就大發雷霆，在那學生的頭上用力的打了兩個「猴頭」，學生的頭立即起了兩個大包，上面還現出了血影子。這事引起學生家長一致的反對。那受傷學生的家長很痛心的說：下期如果王先生還在這裏教書的話，我的孩子不再唸了。後來王顯明調到黃山小學。這裏是一個單班小學，只有學生二十八名。他來了以後，就先後打了八名。體罰的方式也是多種多樣的。最嚴重的竟把學生儲成榮的頭打出了血，儲玉蘭的耳朵扭紅了。十月間，有八歲的小學生陳結松在路上拔了人家的山芋吃，王顯明知道了罰他到旗杆台上坦白，並要全體同學鬥爭那個小同學。由於體罰學生，當地羣衆和學生家長，一致反對，學生也不願留校學習了。原有二十八名學生，現在只剩下七名了。學生家長陳文斗說：「我的孩子是苦養大的，我都捨不得打他。送到學校裏，竟被教師任意打罵。這個書我只好不讓他唸了」。該校兼校長宋新民向他建議，王顯明竟說：「你多管閒事」。

這些情形，究竟如何處理，尚未見到僞教育部有何意見，只好任他們「專政」下去。（飛）

共區肺病何以嚴重？

從近半年來的大陸各地報紙及一般在港流亡人士之與大陸親友的通信來看，大陸各地的肺病流行，現已到了非常普遍而嚴重的地步！這種嚴重流行的肺病，連「蘇聯老大哥」也告束手無策，乃使中共在這一問題上，不敢再唱「蘇聯醫生「先進經驗」的高調，所以不管在怎樣一切「唯蘇」而無條件「反英美帝國主義的技術觀點」下，而對於肺病特效藥一種，却是特准進口，而且鼓勵進口；以致近來大陸人民之來函託在港親友購寄肺病特藥者，空前衆多！

共區肺病爲什麼會這樣流行，據最近自上海來的一位商人所談，理由似甚恰當，他說大陸目前所以肺病流行的原因是：一、首先從各工廠或農村的過度勞動中造成勞損，形成肺病，得不到治療和隔離，而且繼續勞動，乃在各工廠中日日由內而外的迅速蔓延。二、大多人民的生活太苦，營養太差，心境更壞，久而久之，也造成肺病。三、蘇聯與中共皆無法醫治，而且沒有作有效的防阻措施，乃在工廠，農村、及社會各階層交流傳染，愈染愈廣，終到了不可收拾的地步！（心田）

關於用「成語」

為方

自由談

所謂陳腔，亦就是「成語」。它有兩種對象：一是古人說過的，如「塞翁失馬」之類；一爲現代的流行語，如「人民的眼睛是雪亮的」等等。

在文字寫作中可否使用新舊式的成語？這問題似乎不必多所深究。祇要用得恰當，舊的也會化腐朽爲神奇；不然，再新亦徒貽笑柄而已。遵此標準以察看報章雜志上所刊文字的語句，有許多地方卻値得「吹求」一下。

「棘手」二字原是舊有成語，若將它改爲「辣手」，那就是笑話！因其與一般洋場才子所謂「辣手摧花」的意義大有區別也。又如「職志」一語，它是指人們對某項問題所抱持的堅定意識與信仰而言，好比反共的中國人一定要掛青天白日的國旗，就是以反共爲職志的表示。有人竟覺得這「職」字太不普通，要把它改成「織志」，即與原意相去千萬里了，這叫做自作聰明，弄巧反拙！再如「初試啼聲」這句成語，用以指稱艾森豪總統的就職演說，亦毫不擬於不倫。至於新的流行語，雖用時亦得把字義或語意搞清楚，不好囫圇吞棗似的，但求「聲通」，不管「意通」。如「份量」，寫成「份兩」，總是敎人費解的。「像煞有价事」竟說成爲「煞有价事」，若敎眞正的上海人聽到，他一定反問清：「儂講的啥？」因爲他聽之不懂啦！

寫作文字用成語，新的舊的都可以，問題是先要把成語的本意弄明白，否則最好少用。這與借別人的衣服來拜客一樣，若穿上太不合身段的衣服，走在街上，好像是演文明戲的，給人暴笑，何苦呢！

·鐵幕故事紀實·狀元府

石茵

月亮從蟠有龍身的東面屋脊背後爬上樹梢，照著破落了的四面庭院，冷冷清清地，脫了油漆的窗檻，糊著一張白紙，白紙被癩頭皮的花貓抓破幾個窟窿，房裏透進來幾綫白芒芒地月光。

夏明濤一夜沒有入睡，他悄悄地下床，拔開門拴，走出殿外，在那銀色鋪滿的台階上，仰望着沒有些兒雲層的碧空，圓圓皎潔地明月，朝西北偏斜，而東南的屋簷口，現出幾片殘破的瓦桷。

他想起白天被「鬥爭」的一幕，又想起明天將在幾個八角帽「同志」的淫威下「掃地出門」，自己已是幾十歲的人，死了也無所謂，但是這三個小孫子怎麼辦？沒有喫不算，遮遮風雨的擱子都沒有一間，瞻前顧後，他心裏不覺一陣子黯然。……

×　×　×

幾十年的狀元府，幾十年狀元府的光耀，簡直比夢幻還要荒謬。

據他知道他的祖父曾在清裏創下許多產業，但在他父親夏府蘇手上，一中了狀元，就在北京城裏花天酒地，把原有的地產都賣去一大半，家裏人只盼望他放外官，就可賺回一筆，可是滿清政府垮台了！狀元也落泊了——再碰上父叔輩分家，結果留給他的只是這幢破破碎碎的狀元府。

「虎死雄威在」，狀元雖然在北京老死，他的孫子在貴州麻江縣的高梘，仍是被鄉下人崇敬的。因此，夏明濤在這鄉下也是一個很有號召力的紳士。狀元府的聲名也不會被人遺忘。

抗日戰爭期間，明濤要他的兒子去參加抗日，他的女兒去參加住在貴陽的青年軍，把這幢房子也借給政府住紮從南京撤下來的通信兵學校。爲了表示開明起見，他又把大門口懸掛的「御賜」「敕封」「皇恩浩大」「狀元府第」的扁額卸下，具有封建色彩的「官僚」外型的「府第」，也就成爲普通平民的院落了！

共產黨「解放」麻江縣之後，僞縣長趙松柏首先就去拜訪遠在高梘的夏府。他除了對這府第讚賞一陣「宏偉」而外，特別很優渥地歡迎明濤到城裏去，担任一角「開明士紳」。

這使明濤感到意外，他受寵若驚地替共幹們幹着「支前」「徵糧」的勾當。

「開明士紳」的頭銜是不容易戴的。他把他的兒子奉獻給「人民政府」去「學習」「參軍」之後，又把他女兒送到北韓去慰勞「人民」，他的叔伯兄妹都做了「開明士紳」的禮物，高梘街上的老百姓都因爲「開明士紳」的關係受到「人民」的「照顧」。他們門上與「狀元府第」內的雕木牌，變成大紅紙泥金字的「光榮之家」「參慶」「開明士紳」「人民功臣」。眞可謂琳瑯滿目，美不勝收。他也自認比他父親搶來的「御筆親點」及第「魁元」來得漂亮，實際和榮耀。雖然沒有苦坐寒窗讀孔孟。

兩年多身他平安的渡過，也是共產黨給他的禮遇。

去年七月間，雲霧山裏的游擊隊打進都勻，「人民」發現該游擊隊的負責人是夏壁熙，是「開明士紳」的堂兄弟，貴州的「人民」「主席」楊勇湘，就要他去「招撫」。大！誰知道他一去雲霧山就被夏壁熙痛駡一頓回來。

既然無「功」可邀，當然要被奚落，倒是共產哲學裏的「眞理」。去年九月僞縣長又叫他自動把「狀元府」拆除，材料捐獻給縣府修建「工人文化宮」，被他婉言推却。

這一着可惹動「人民」的肝火，趙松柏再不顧念「人民功臣」的「功勞」，遂鼓動「人民」清算「狀元府」的「靈服」。

他的祖父是一個「剝削地主」，他的父親是一個「封建官僚」。他是一個「封建餘孽」，受過「反動政府」的教育，教他的兒子作過「反革命」「反人民」的工作，雖然靜後向「人民」低頭，給「人民」立功，但是，都是僞裝龍進，實際是一個「假革命」的「投機份子」。

一篇「罪狀」欽定之後，「人民」用「雪亮的眼睛」批判「開明士紳」的過錯，要該全家「掃地出門」，讓「人民」去劫收狀元府。

「前塵眞是如夢一樣的荒謬。」他喃喃地自訴着：「兒子「參軍」了！媳婦死了！這三個小孫子怎麼辦？」

他在庭院中來回地踱步，他想：假若他死了！這三個小孫子，將是人間最苦命的孤兒，假若他留在世上，他又不忍心看見祖孫四人活活地餓死或凍死。

「死」和「活」在他心坎裏交織着，一層一層地矛盾繁纏着，他想到一個人只有一次悲劇的結束，絕對沒有兩次或三次的表演的時候：

他摸索地走近柴堆，劃燃一根火柴，熊熊火燄，映紅了半邊天際。

第二天，狀元府變成一堆瓦礫，沒有人敢去掘他祖孫四人的屍首。

罵陣發迹之何其鞏

曾任北平市長之何其鞏，在春明籍中國大學校長地位棲息近二十年，抗戰時未嘗南來，亦得自全。毛澤東入燕京稱霸後，曾聞其組黨活動，旋即寂然，或已被送赴他處勞動改造歟？

何氏安徽桐城縣人，青年肄業蕪湖省立農業學校，未及卒業即投身社會，展轉得入馮玉祥軍中，以書記起家，洊任至西北邊防督辦公署二等祕書，碌碌無所表現，馮氏固輕視文人，亦無從得表現之機也。

民國十四年多間，馮軍與直隸軍務督辦李景林戰，總指揮爲察哈爾都統張之江，兩軍初交綏於廊房楊村一帶，馮軍迭敗績。雖時軍人內戰，例以通電互訐爲時髦表演，雖一旅團長，亦常通電從事。李景林自稱「討赤軍」，傳檄指馮軍赤化，受俄共接濟。張之江則通電斥李爲軍閥割據。然在當時宣傳上，終不敵「赤化」論調之足以聳動聽聞也。馮軍初戰既不利，電文又居劣勢，殊沮喪。適其旅長過之綱復在前綫受挫，過亦通電驕敵，一面則申述其敗戰情由，電文尤欠佳，結句有「綱之過也」一語，恰與其所署姓名顚連成趣，京津報紙資爲笑談，頗事諷刺。馮氏乃改調綏遠都統，令鳴鐘爲前綫總指揮，

新·世·說·補·遺

李至張垣，首囑督署秘書長與各秘書郎分擬以職作戰通電，文詞務以痛斥李景林爲主。何亦奉命屬草者，其電文首爲「李賊景林，行同梟獍」等語，中比景林爲李自成，而以古文「神人之所共憤，天地之所不容」兩句附麗其間，詞意頗壯，辱罵備至，李大爲激賞謂「這幾句罵得痛快啦！」一決採用何擬電稿，祕書長爲之遜色。旋景林戰敗出關，鳴鐘由綏遠時，即請馮派何氏爲其都統署祕書長，何大喜過望焉。

民國十五年八月，馮軍爲吳佩孚張作霖圍攻不支，西行入甘肅，何氏與李鳴鐘走庫倫。時馮玉祥偕于右任先生自莫斯科來，醫言革命，約余與皖人張秋白，直人鄭增愷等同赴五原，余三人皆遜謝，唯何氏從之去。迨馮軍由甘陝出中原，下燕薊，何乃出任北平市長。逾年去職，即以文化人姿態，長中國大學。抗戰勝利之始，蔣委員長曾電命何氏爲其私人代表，暫與當地僞政權人士洽商善後，維持現狀。當以中樞遠在川省，一時不及派專人北上接收，姑囑何爲通消息耳。詎何竟視此「私代表」爲國家命官，創設公署，分置秘書參謀副官等八大處，渙汗大號，曇花一現，即奉令結束，黯然回長中國大學院如故。卅八年共軍進佔北國後，何誤以爲仍係朝代遷嬗，靜極思動，急迅組黨，擬與共黨朋分政權，而不知其燕雀處堂，禍將不測也。噫！

·馬五先生·

談明代教坊

猬士

明代妓女，蓋始原於教坊司，而戶籍之分列，要亦有關。朱元璋之代元也：其元時官屬，悉歸治理，乃有醫、匠、站、富、織、廚、丐、兵、馬、船、牧、女力、灶、樂等戶籍，其最者爲儒籍，非三世教職莫充也。故金陵有十八家之賤戶，而頓、脫、沙、馬、異代爲妓。

教坊司者：據皇明世法錄（卷二十二，樂律。）「己巳秋九月，高皇帝克金陵，即立典樂官，其明年，置雅樂，以供郊社之祭。元年，置太常司，其屬有協律、司樂等官職雅樂。六月，命自今朝賀，不用女樂，秋七月，上御戟門，召學生朱升及范權領樂舞生入見試雅樂，閱試之。……十一月，置教坊司掌宴會大樂，設大使副使各一人，和聲郎二人，後改爲奉鑾一人，左右韶舞各一人，左右司樂各一人，以樂工爲之。」據此，則明初教坊司之制，僅爲掌奉樂律之官，初非專爲妓女而設也。嘉靖中，（壬戌四十一年七月，）張嶅（學齋）作教坊司題名碑記，其追述國初之制，則知奉鑾韶舞之下，有俳長、色長、教師之設。其樂，即有歌弦之色，而所隸爲禮部；並立御樂庫，列官屬二十一色房，其設官則，碑中題名有：「介俳長張營、呂熙、尹叢，司樂色王鑾，左司樂朱君瀝，右司樂朱君琇，左司樂馬君楫等。」（卷教坊京址，初在南京西華門外，（洪武元年二月建置。）明都北遷，至嘉靖間，始移於東花園之右，舊院樂戶，明初即統於敎坊司。（上）

中國之友（五五）

毛以亨

赫德傳（三五）

赫德死於一九一〇年「月，時在英倫，他是打算於是年再回中國的，事實上他不回來了。關於其繼任人問題英政府曾提議對 BREDON，而以郵局改隸於新設之郵傳部，HIPPISLEY 可照爲中國政府所任命。他生前曾請代理總稅務司轉告中國政府，提出五人，由中國政府選任五人爲 AGLEN、BROWN、HIPPISLEY、HOBSON、OLIOER。中國政府則預測赫德之遺囑而任命安格聯 AGLEN 於一九一〇年三月廿三日通知海關當局。

二十七、結論

我們在少年時代，看到清室之貪污無效能，而海關則人才濟濟，做事認眞，而且廉潔，大家都有一種幻想，以爲把中國政治向海關郵政局看齊就好了。繼之以起的，爲鹽務亦如海關制度辦理，而司法界，財軍界，鐵務局亦請了許多洋顧問，仿佛沒有洋顧問什麼都不能辦的樣子。因之產生仰賴外人的自卑感，皆是受了赫德多年把持海關的惡果。甚至袁世凱要做皇帝，亦非請有賀長雄古德諾做文章不可，仿佛做文章爲中國作主張都非外國人不可了，其尤盛者，仰賴外人起家的人，一朝躋致高位，無需外人干涉的時候，惶惶然如失慈母之庇護，非請幾位洋顧問來張張胆不可，其彼謂買辦政治有由來矣！梁任公之譏古德諾曰「吾晴不藍，吾髮不黃」，吾言自不如洋人之被重視，吾嚮之日，今猶昔也。一直到現在止，吾仍彈其舊調曰今猶昔也！嗚呼吾國民其三思之！

搜索枯腸以明赫德對中國人之好處，第一他不使中國亡國，先平太平之亂，再影響美國發出門戶開放宣言。然而這與其說爲中國人打算，不如說爲英美人自身打算，佔領中國需要陸軍，偏偏英美都非陸軍國，倘使瓜分中國的話，偏以鄰的俄國以後的日本可以得到大便宜。瓜分中國英美所得決不比其多，英國是第一位在中國擁有大陸之登陸者，決不甘心的。牠要保持中國完整，保持給牠自己，不許他國插足，赫德是中國的財政總顧問，而且影響其外交與新政，其權力不比今日尼赫魯國務部之與英人爲小。中國變爲英國商品最大市場，而分與各國以優惠，使中國人呻吟於協定關稅之下，工業抬不起頭來，永遠做次殖民地。這種重重鐵鏈，還待國共合作後始收得關稅自主。然而中國人已竭得無辦法，逼得走上共產主義之老路了。試問英國人如不採保護關稅而老在協定關稅壓力之下，能有今日麼？美國離英獨立，導火線不是關稅麼？

我參加越戰（三）

L·HART 著　第啓 譯

種族大集團

我們起先還以恐懼的心情，期待正式操課的到來，但結果軍國中的基本步兵教練，竟還不如美國海軍陸戰隊中那樣的嚴格，當然在訓練及所謂自動服從上，也比不上許多英國訓練的部隊。

這一羣新兵是一如外國軍團的國際傳統，成份異常複雜的。就拿我那一個房間來說，談到種族和語言，實在是一幅很美妙的圖畫，我們年青的隊長，就是一位德國國防軍的軍官。在全班的二十位夥伴中，有十三個是德國或奧國人，其中有一個是頗有政治頭腦的原籍荷蘭的德國人，還有一位處事公平而令人尊敬的下士，是半個德國和半個法國人。此外還有三個法國人，其中包括一個身材高大的退伍憲兵，和一位因爲和納粹合作而喪失公民權利的矮小醫生在內。其餘的弟兄是：一個我們稱爲「埃斯戶柯」的芬蘭水手，一個義大利的泥水匠，一個自稱在戰前任過伍長的保加利亞人，是中等年紀，非常狡猾的傢伙，還有一個就是出生在英國的我自己。

△外國軍團中的俄籍軍官▽

複雜的身世

我們之中並沒有種族間的衝突，這與其說是大家具有國際合作的理想，毋寧說是個人不同的遭遇打破國家的界限所致。譬如，在我們同一房間中，數量上最多的德國人，他們就代表着許多種不同的德國人生活。其中一個是冒險從東德共黨警察中逃亡的鬥士，一個是破了產的木器店主，一個是藥妻出走的廚子，一個是不容於家中而出來亡命的青年。

中華民國僑務委員會頒發登記證台教新字第一零二號

自由人

THE FREEMAN

（半週刊每星期三六出版）

（第二〇〇期）

每份港幣壹毫

督印人：李光華

社址

香港高士打道六六號

電話：二〇八四八

GLOUCESTER RD.

HONG KONG

TEL: 20848

承印者：東南印務出版社

地址：高士打道六十四號

台灣特派員辦事處

台北市館前街五十號

台灣總經銷處

台北中華路新號五九四之一

台灣郵政劃撥儲金帳

九二五二號

論「制度」的魔力

・徐道鄰・

一種制度的成功，必須具備其應有的環境條件，否則，勉強去施行一種制度，結果此制度不但不能發生作用，反會把原來具有適當條件和環境的制度拖垮。在行政措施上，我們應該盡量排除制度意識，努力於謀求一種「成規」無形的產生，使優良的「制度」，跟着到來。

談起制度二字，我們眞不愧是老前輩。周禮的眞假姑不論，至少天子一位，公一位，君十卿祿，卿祿三大夫，周室的爵祿之制，孟老夫子是背誦如流的。至於朝廷和鄉里間考核賓嘉進退升降之儀，左傳史記上所記載的更是歷歷如繪。而那時候的希臘羅馬，從這方面講，還完全停留在「野人」的階段呢。可是現在的中國，談起制度來，却有點慚愧之至。即就政權機關，治權機關，總統制，內閣制這些大問題講，大家都還沒有明確和一致的看法。在同一個時候中央和縣市機構，依據的是憲法，然省級機構的依據，却是訓政時期的組織法，而其實際上的組織，且與此組織法亦不相符合。如關稅制度，一年之中，先後變更了五次。結果一個搞了兩千多年制度的國家，現在要到一個立國不到三百年的國家去請專家學者，來研究和改良它的行政制度了。

制度對人民的影響

政治上的制度，如同國體，政權，主權等等，問題雖大，而其直接影響於人民者尚小。行政上的制度，雖是零星瑣碎，然其直接影響於人民者，廣泛而切身。我們廿年來一直在裏面翻觔斗者，也正是這些行政制度：如同地方機構之二級制或三級制，專員之兼縣或不兼縣，新縣制和舊縣制之一再改變，財政收支系統，「獨立」的會計制度，「超然」的人事制度，各色各樣的考核，設計和檢討制度。有了一套制度，就成立一批機構，公佈一套法規。制度又常隨人變，於是隨著每一個重要人事的更替，馬上又另成立一批機構，又另制定一套法規。於是機關的牌子愈多，裏面辦事的人愈少；法規的種類愈繁，辦事的人愈莫明其妙，而老百姓愈苦矣。

我們過去的行政，在制度的嘗試上，勇氣雖多，而在制度的運用上，成功甚少。這裏面最主要的原因，是大家對於行政制度本身的性質，不甚了然。大家不知道，凡所謂制度，都是許多辦法中之一種，它並不是惟一的辦法，更絕對不一定是最好的辦法。（惟一或最好的辦法，就不成爲其制度了。）行人靠左邊可以走，靠右邊也可以走，議會制有成功的，總統制也有成功的，根本談不上任何優劣之分。此其一。凡是制度，就是對許多個別（Singular）的事情，用同一方法來處理，就是說，用一種固定條文呆板的遵守，來代替對待件事情靈活的考量，也就是說，制度是使理智機械化，是凍結理智的一種工具。然在一種複雜微妙的環境中，我們第一需要的是理智。此其二。凡是一種優良制度的成立，必定是一種有機性的自然生長（Growth），而不是一種機械性的生硬裝置（Montage）。在它產生的時期，必定是一個或一羣聰明才智之士想出來的高明辦法，以其適合當時的環境，十分有效，而其繼起之人，更具有充分的明識和雅量，所以能隨其成規，守而弗替。如是一代又一代，成了傳統的習慣。我們看看各國的政治史，許多制度，都是靠一兩個有名人物來奠定，而更沒有一個不是十分具有歷史性的。（羅馬的婚姻和買賣制度，中國的御史，考試，六部，內閣各種官制的形成，皆充份的說明這一點。）此其三。

認識不清與運用狂

我們因爲對於制度本身的性質認識不清楚，所以最容易犯的一種錯誤，是對於制度的作用，希望太高，以爲實施某一種制度，就一定可以得到某一種成績，制度施用的範圍愈廣，得到的成績愈弘；而沒有考慮到，一種制度的成功，必須具備其應有的環境和條件；在沒有這些環境和條件的場合，勉強去施行一種制度，結果此制度不但不能發生作用，而且反要把原來具有適當條件和環境的制度拖垮。我們過去太急和太猛的施行會計制度和人事制度，因之未能獲得預期的效果，和各種地方基層組織之一直未能走上軌道，犯的都是同樣的毛病。

我們在推行制度上的第二個錯誤，是運用狂，一種制度化的運用狂。任何一個問題得到了解決，或是任何一種措施收到了效果，我們馬上就把它定成制度，馬上就擬訂條文，推行各處，垂之久遠。我們有所謂「先請病假後請事假辦法」，所謂「人員處分辦法」，所謂「傷兵過境保甲墊付醫藥費向縣府報銷辦法」等等。久而久之，彷彿本身就成了一種政績，因而成爲一時風氣。記得我有一次參觀某一行政機關，看見廁所牆上懸著「×××廁所使用規則」，內容有六七條，最後一條是：「本規則如有未盡事宜，得隨時修改之」。他們問我有何意見。我說，這個規則，似乎還可以補充一條，就是「本規則如無未盡事宜，得不修改之」。法令被這樣運用，焉得不多如牛毛？法令多如牛毛，又焉得不失掉一切作用？（實則「法令如毛」，和「法如具文」兩句話，常常是一物的兩面作用。）

心理作用的統制慾

我們在運用制度時，還有一種心理作用，就是我們在這時常常是在被一種統制慾所支配。我們要知道，凡是一個制度的採用，事實上就是一種控制和支配的實施：在這個制度中具有權力的人，不是在說，我預備怎麼樣來想法子解決你的問題，而是在說，你必須這樣和這樣而不許那樣去作。（上級機關之對下級機關，機關之對人民，都是這一種方式。）這種統制支配的觀念，在許多行政法令和措施中，隨時可以看見。例如某機關對於出入境的申請，規定補繳證件，必須於若干日內提出，否則過時一概不予處理。於是憲法所保障的人民基本權利，就這樣輕輕地被斬削了一大半。（我不解他們爲什麼不規定申請人必須身長幾尺幾寸以上，或年齡必須在幾十歲以下，如此豈不又可以多拒絕了若干人？）某一市政府擬具了一種內部處理公文的分層負責辦法，剛要施行，而上級機關不予允許。某一縣政府籌妥了一筆款項，預備救濟征屬，而其上級也予以批駁。我們學了多少年公法的，實在研究不出來這些措施的法律根據在那裏。是不是以前在課本上讀到的所謂「違法的法律行爲」，和「不合法的法律」，所指的就是這一類的情形呢？還有一點，凡是這一類發洩統制慾的措施，在其本人的感覺，却無不以爲是一種勇於負責的表現，愈是其措施不合法律，他們愈覺得他們負責的有理。所以抽象的說來，「制度」是一種統制慾的錯覺，「負責」是一種違法行爲的錯覺。

建立優良制度的要點

綜合以上論斷，我們可以得到一個結論。就是在行政上的措施，我們要盡量的排除制度意識。我們要努力於：（一）明瞭事實，（二）注重試驗，（三）累積經驗，（四）經常檢討。這樣子經過一個時期，自然會有一種「成規」無形的產生，而優良的「制度」，不久跟著就會來，並不賴任何法令條文先來加以規定的。這個建議，說起來卑之無甚高論，可是任何高深的學問和技術，包涵原子彈的製造在內，沒有不是走這條道路才得到成功的。

雷德福的亞洲戰略

陸薇譯

雷德福海軍上將最近曾向艾森豪提出關於亞洲戰爭的廣泛看法，其中韓戰自佔據主要地位，但也祇是整個問題中的一部份。

雷德福身爲太平洋武裝部隊司令，兼太平洋艦隊司令，他必須負起保衛這地區的全部責任。這地位，括有好幾個戰鬥前綫，如越南和印度東翼的馬來亞；台灣，印尼，和中國大陸本身；此外，日本，菲律賓，和太平洋中各島也都必須由他保障。

他是注重實際的戰略家，曾經常訪問這區域的大部份地盤，從事實地視察，與各地領袖商討，擬訂計劃，及加緊準備，以應付任何意外事端。因此，他的意見，在西方民主國家對抗共產黨去控制這一廣大地區的鬥爭中，是頗權威性的全面觀念，對於艾森豪新政府對遠東地區的戰略，自有重大影響。

他的亞洲戰略，可在他向「美國新聞及世界報道」雜誌記者發表的答問式談話中，略窺其梗概，下面便是這篇訪問記的節錄：

問：美國正忙於在韓國阻遏共黨侵略，要是東南亞其他地區發生意外事件，我們是不是能有足夠的軍力，保護美國在該區的利益？

答：這要看所謂「保護」的意義如何而定；不過在我的意見，阻止亞洲共產主義蔓延的最佳方法，是打擊中共得寸進尺的野心。

海軍封鎖的效力

問：在這方面，海軍的效力如何？

答：在理論上嚴格說來，如接到命令，我們是有能力封鎖中共大陸的。

問：封鎖中共，在經濟觀念上是否有效？

答：我認爲可以有效。它雖然不能產生即刻的效力，使中共不致於進侵這地區的其他若干國家，但它具有遠期的效力。我且認爲我們能採取行動，運用海軍的空中力量直接對付中共。

問：中共援助越共的供應品，是不是多數由船隻運輸？

答：不，實際上幾乎全部供應品都由陸路自中共區運入越南。

問：封鎖中共區，是不是能將北部完全與外隔絕？

答：照我所說的封鎖中共，將使中共無法從歐洲和東南亞獲得物資。

問：現在是不是還有不少物資運入中共區？

答：海運船隻仍有不少常常駛往中共區。

問：它們是祇到上海和廣州嗎？

答：到中共大陸各個港口的都有。

問：那麼，在你看來，有效的封鎖，將能阻止來自世界其他地區的物資運入中共港口嗎？

答：是的。

實行封鎖的能力

問：要是我們必須實行封鎖，我們是不是有此能力？

答：我以爲我們能夠做到封鎖。

問：我們是不是有足夠的艦隻，可截斷和繼續對付中共區的入口海上交通？

答：是的，這些交通，大多有正常的路綫，打開地圖，我們可以看到，駛往中共區的船隻，大多數是來自南中國海。由偵察機探測這些船隻的行蹤，我們便能在它們駛近時予以截留。

問：那麼，今日的海軍封鎖，其效力可以超過歷史上以前任何時期？

答：我以爲如此。

問：中共是不是十分仰賴對外貿易？

答：我感到中共對於若干物資，例如石油和石油產品，還有若干化學品和藥物，均仰給於外國。

（下接第二版）

半週展望

・雷嘯岑・

自己冷戰一番

美國務卿杜爾斯就職後，發表了一篇外交政策性的演說，呼籲團結西歐，主張兼顧亞洲，並提醒大家，凡不能自求多福，盡其在我，爲民主世界共同安危而努力奮鬥的國家，均難得到美國人民的熱心援助。

隨着杜氏演說而起的反應，在民主陣營中，表示一片自己冷戰之聲。首先是英外相艾登聲明英國決不願參加歐洲任何政治組織，如歐洲聯邦和歐洲軍之類，且謂英國仍願支持印度調解韓戰的建議案。這番話表現兩點作用：一是邱翁此行訪晤艾森豪時，隨未取得對方任何承諾，不免敗興，因而亦對美國當局的新政提示歧見；二是怕韓戰擴大，乃藉印度調解方案作盾牌，以示英國的集團力量。其次爲法國朱安元帥的談話，將西歐所受蘇俄威脅的責任，盡歸之於美國，而其結論乃在要求美國大量以物資應援越南！這些重歐輕亞主義者，平日竭力反對美國援助亞洲其他國家，惟對自己在亞洲有權益的地區，却唯恐美國不大力應援了。

這種自己冷戰的表演，我以爲不如錫蘭政府之乾脆。美國不給美元和美援於我，我就以戰略物資供應共區，表示親共。像一面反共，一面又藉反共手段來求達私圖的作風，實在教人惶惑不安。尤其那套視亞洲人類爲犧牲品的人種優越感，更足以間接助長俄共勢力之蔓延。

沒有遠見的政治家，結果是誤人誤己的！

日本人也要着慌了！

杜爾斯說蘇俄的武力就在日本後門前，相距不過幾海浬之遙，這是世人週知的事實，不待杜氏提出，日本人難道就不知道嗎？然日本輿論界却認爲將「嚇倒」日本人民，因爲這樣即非再軍備以自衛不可了。日本自己不力求獨立自衛，焉有復興之望？想藉世界兩極化鬥爭的機會，置身事外，左右逢源，以期到時候坐收漁人之利，可能嗎？

日本人千萬不好學西方人那種自私自利的模樣，他們對日本始終是有戒心的。日本唯有以誠懇坦白的心情與作法，先使亞洲各國對日本的疑懼心理消除掉，這才是復興的基本因素。願日本比較先進的現代科學技能，只與亞洲人精誠團結，爲自由而攜手奮鬥，日本豈但不愁無復之日，將來實至名歸，且不難居於領導地位。

目前是日本艱苦奮鬥的時機，取巧不得，圖僥不得，更用不着慌張。我國革命導師孫中山先生所提倡的亞細亞主義，至少在五十年內，我們亞洲人應該相信它有實行的必要哩！

日本政局的前瞻

吉田茂領導的自由黨，近日又因農林大臣廣川弘禪對吉田任用黨的幹事長問題，掀起了離異運動。廣川原爲吉田的核心幹部，過去對付鳩山一郎的一切辦法，大部皆由廣川主謀的多。現在這人亦表示「叛」迹了，自由黨內部將無團結可能，吉田內閣即有風雨飄搖之象。

解散議會之舉，非萬不得已時，大概不會實現的。原因是各個政黨皆痛感競選資金之缺乏，如果沒有國際援助，誰也不敢自信有勝算。自由黨一分裂，縱使再舉行大選，亦決無一黨能夠得到絕大多數的議席。

看形勢，吉田現內閣於必要時，將有改組可能，即仍由吉田居首相之位，而改爲聯合政府，把改進黨和社會黨右翼一併拉入內閣來。這樣，即可避免解散議會了。

日本的政治環境現在極度緊張中，再辦一次大選，非三五個月不成功，而其結果又絕對無法產生一個能夠安定大局的多數黨來控制議會，紛紛擾擾，徒稽時日，誤政事而已。這一點，各黨派人士都心照不宣，你知我知。同時，吉田茂在美國方面的信賴，又較其他各黨領袖爲優，只要吉田有辦法維繫其政權，美國是樂於支持的。

解决韓戰的抉擇

·黃鵬譯·

韓境的聯合國將領，除少數英聯邦國家的以外，大多希望艾森豪總統對菲列特將軍授以在春季或初夏發動攻勢的權力。菲列特將軍曾表示，他希望即刻發動這攻勢。他的論點是，在冬季，韓戰僵局對共軍的利益，甚至超過夏季。因爲共軍缺乏冬季作戰的裝備，他們的服裝與供應設備都不足，一旦他們被逐出壕塹以後，他們的效率即會渙散。

攻勢目標之爭

上月，菲列特首對艾森豪面述這個看法，而艾克在韓會晤的人，似乎全體支持菲列特的主張，他們所不同意的，祇是聯軍攻勢的目標應如何。有的主張停留於所謂蜂腰區，其他的人則要求把共軍逐出韓國全境，不過除少數之外，他們都贊成揮戈北征。

聯軍主張進攻的指揮官，並沒有忽視這攻勢可能引起的傷亡犧牲。菲列特將軍相信，要攻到蜂腰區，他並不需要額外軍力，而祇需要新成立的南韓軍開赴戰場就够了。但有些人如認爲他另外還需要三個至四個師。土耳其軍的司令阿加准將說，要攻至鴨綠江，將至少需要增加十個師。他是絕對贊成攻達鴨綠江的。

其理由是：共軍的實力，實際上遠超多數美國人的揣測。現在北韓境內的中共軍，約有二十個師，每師有戰鬥部隊三萬至三萬六千人，此外還有北韓軍三個師，一軍分佈前綫，一軍在後支持，另一軍在訓練中。其他中共及北韓的附屬性部隊，約又有數十萬人。

在若干地區，共軍的佈防深度，達二十哩之廣。聯軍如突破共軍防綫，即將犧牲數千人，如要粉碎共軍防力，則將犧牲數萬人。

空中攻勢問題

共軍的彈藥，最近頗有缺乏的現象，聯軍方面的樂觀者認爲，這是由於空襲破壞了他們的供應之故。不過，共軍或可能是正將其彈藥儲囤起來，以備應付聯軍的未來攻勢。

聯軍的空軍，已使北韓的白晝運輸陷於癱瘓，不過他們在夜間仍能活動。有幾夜，聯軍飛機曾發現共軍車輛七百輛在公路行駛。至於南行的牛車，則更繁多。共軍的火車也保持其活動，它們在白天躲在隧道洞穴，夜中即行出現，空軍雖以破壞路軌與橋樑阻撓它們，但共軍的巨大勞工隊，每在一二日內即能將破壞處修復。

空襲所遭遇的困難日益增多，主要是因爲共軍的空防效率正逐漸提高。共軍的雷達網頗爲優良，且正再予改善。共軍的高射砲也準確異常。

在這種情形之下，聯軍司令官都認爲如僅在地面進攻共軍的防綫，並不能得到成功。所以他們都主張必須在空中予以配合，或同時發動二三次傘兵攻勢。

兩棲登陸攻勢

在許多方面，理想的兩棲登陸地點，將是元山之北或其南。不過元山本身，現已防衛周密，砲台四佈。這樣的攻勢將能切斷共軍的交通綫。菲列特深信這行動能截獲共軍數十萬人，像麥帥在仁川登陸後對付韓共那樣使中共遭受嚴重打擊。

部份聯軍指揮官認爲如中共軍受到重大挫敗，共方大致會接受聯軍的條件而同意停火，菲列特與第七艦隊司令克拉開都持這種看法。不過聯軍最高統帥克拉克將軍却並不如此樂觀，多數聯軍指揮官也有同樣感覺。

多數方面的意見，是認爲不論聯軍的攻勢向北攻到何處，共軍並不會就此放棄戰爭。聯軍如願付出必要代價，到達蜂腰區是可能的，不過當他們停頓時，一個新的僵局又將產生了。他們縱使願付出更大代價而攻至鴨綠江，同樣也可能再會形成一個僵局。

攻擊中共腹地問題

關於這問題，理由甚爲簡單，中共軍的五分之四，仍在中國大陸，聯軍迄今無法加以對付。中共軍的所有主要基地，其情形也如此。要眞正打擊中共，將必須把戰爭展開到中共區，但沒有一個人贊成這麼做。艾森豪在韓視察時，也會明白表示，他無意擴大韓戰。英聯邦國家的官員說，在目前的情況下，聯軍所能做到的，祇是韓戰的僵局而已，那麼在蜂腰區或鴨綠江畔的僵局與三八綫上的僵局比較起來，又會增加多少利益呢？他們和美國不同，對於韓戰之無止境的前瞻，並不十分顧慮。

如要發動攻勢，額外軍力從什麼地方來也頗成問題。有些美議員所提出的輕易辦法，事實上不合實際。日人固無意派兵赴韓，而即使出兵，李承晚也會說過，他將調回抗共之兵，轉過頭來對抗日人。對於台灣的中國軍參加韓戰，李承晚也不表歡迎。他所要求的，是美國儘速把南韓軍擴爲二十個師。他堅持到這地步後，南韓將不需要外國軍協助，即能把共軍驅出韓國。不過，裝備南韓軍，武器目前已感不足，彈藥也已實行配給。在另一方面，北大西洋公約的盟軍已缺乏武器，美國再要裝備這許多南韓軍，武器與彈藥將從那裏來呢？

不過美國却有另一個論點，發動攻勢即使不能達到全面勝利，但至少可以確切地說明，究竟是誰戰勝了韓戰。在聯軍旗幟飄揚平壤之時，共黨宣傳家無法再說他們已把西方擊敗了吧。到達蜂腰區將使聯軍損失四五萬人，但能使聯軍撤退幾個師，而由南韓軍獨力防守這條綫了。如聯軍的政策，是將共軍逐出韓國，即使再犧牲五萬人左右，且另外形成一個僵局，至少南北韓將歸統一了。

雖然和艾森豪交談的聯軍指揮官，都不主張把韓戰擴大到中共區，但海軍將領却要求對中共區實行封鎖。克拉開將軍認爲，中共的作戰物資，百分之三十是來自海上，如實行封鎖，中共在這方面必將受到嚴重打擊。

運用原子彈問題

許多人久已有此疑問，爲什麼不在韓投下原子彈，迫使中共求和呢？艾森豪勢將從美國對於韓戰早感困惑的羣衆中，再聽到這個問題。

實際上，美國的領袖，很久以前已擬定在韓運用原子武器的計劃，祇要接到命令，即可實行。不過他們並沒有提出運用的建議。他們深信，韓境並無值得使用原子彈的目標。

現在，即使原子武器被用於對付韓境共軍，也將祇有防禦性的價值，而非進攻性的。去年的尼華達州試驗，已證明原子彈對於分散於普通壕塹中的共軍，幷不十分有效。共軍目前佈置縱廣，而韓國的崎嶇地形，也將使原子爆炸的效力僅限於一個山谷。

若干國防官員認爲，如果能迫使共軍集中軍力於平地，則原子轟擊當能發揮其作用，因此，他們已考慮到以原子武器協助兩棲登陸，不過所運用的原子彈將不是一個兩個，而是二十至三十個，以轟炸海灘上的共軍防禦工事，以及摧毀共軍準備反攻的集中點。原子彈支持下雙棲登陸所引起的打擊，極可能造成中共軍的集體投降。

不過，在韓運用原子彈也可能引起極惡劣的後果。國防部官員表示，如果美國在韓正式投下原子彈，而證明其效果不好，則美國以原子武器儲囤力量作爲冷戰中一項主要阻力的價值，無疑將蒙受極大的不利影響，因此，反而增加了第三次世界大戰的危險。（譯自一月二十六日「新聞週刊」）

上接第一版

電德福的亞洲戰略

問：如果阻止歐洲的輸出，是不是將迫使中共自蘇聯獲取更多的物資？

答：是的，不過我們必須記著，蘇聯充其量祗能由西伯利亞鐵道運輸供給中共的物資，而其本身也並不充裕，即使他們能多向中共售與和供給物資，其數量也不值我們顧慮。

中共不是眞正敵人

問：我們在中共貿易上所摧毀的任何東西，俄人是不是必須設法予以補救？

答：是的。

問：我們在中共區附近所摧毀的東西，是不是俄人也必須予以遞補？

答：是的，不過，中共大陸的交通體系，除海運外，貫通南北的鐵道設備和效率均甚低，其他部份則更差，公路交通實際上幾等於零。

問：你並不認爲中共是這地區我們眞正的敵人？

答：不，當然不是。

問：它不是已建起相當實力了嗎？

答：這事實或許正確，但中共之成爲我們的敵人，並不是在於它的實力，而是因爲它的行動都遵照莫斯科的命令。

問：那些自歐洲載貨往中共的船隻，是不是屬於西方國家的？

答：它們多數屬於蘇俄附庸國，爲波蘭、捷克等國所有，或向這些國家登記。

問：這些貨物是從那裏來的？

答：這問題牽涉甚廣。其中若干貨物，原先是美國的，運入歐洲後再轉手運往中共。顯然現在有不少人，他們祗知謀利，而不顧自由世界的安全。他們有辦法把這些物資走私到中共區去。

問：你以爲這種走私是不是規模很大？

答：我不知道，不過數量相當大，我們的輸出條例已大量減少了其數量。現在多數私貨已不是來自美國，而來自歐洲和其他地方。

中共潛艇的威脅

問：如實行封鎖，你是不是需要更多艦隻？

答：這又要視封鎖的方式與規模而定。如果僅係從事阻截工作，我們已有能力可截留大多數巨大商船；不過如要迫近中共區而監視其海岸區的活動，我們將需要更多艦隻和實力。總之，我們如在該處從事封鎖行動，我們即必須加強太平洋區海軍。

問：還有，中共是不是可能獲得其他共產國家的潛艇，用以威脅我們的海軍活動？

答：我們必須準備這種意外。

問：那麼，這就要牽涉到你需要那幾種艦隻，和其數量了？

答：如中共擁有潛艇，這問題即會發生。

問：你是不是認爲我們在太平洋區的海軍實力，還沒有用到許多我們可以運用的方面？

答：是的。

問：太平洋的海軍實力對於亞洲局勢將是一個決定性因素？

答：它可能是決定性因素。

（譯自「美國新聞及世界報道」）

國外通訊

中共圖謀東南亞日亟 積極準備侵略

加强宣傳攻勢企圖爭取民心（下）

「事實報」是蘇俄「眞理報」的翻版，完全是國際共黨的御用宣傳品，登載的全篇爲「馬克斯研究會」的代表作，發行較差。除了這三張報紙以外，其他的都是專門性的報紙，如代表軍中的，婦女、兒童、農民、學生、甚至對天主教徒的；因爲他們極力避免替共黨作黨八股的宣傳，而完全爲迎合讀者興趣，一年中很少看得見有幾篇文章是越盟總書記黃國越或是越盟聯合會主席孫德勝以及胡志明與越盟「內閣」副總理范文同執筆者，即使偶然看到，也難發現出他的內容是黨派的宣傳。這種在報紙的外型上看來係共產黨的宣傳品，基本上的論調與大衆的觀點並沒有脫節。

爭取讀者掩飾其面目 「宣傳部」一全面控制

在共產黨的立場上說起來，越盟的宣傳並沒有成功，但是他們的手上却擁有龐大的讀者羣數字，一百五十種不同的報刊中，其中還有二份是法文的，一份英文，另一種德文，除了前者係給予外國使節代表們看的以外，德文報給法國軍中的摩洛哥兵看的，這四張報紙的銷數很慘，每次的發行數不超過二百份。從越盟的宣傳方式上看，他們顯然是目的在爭取讀者，從讀者羣中建立一個不墮的「向心」力，要改變一般人對越盟觀念，不認爲他是莫斯科的走狗，或是史達林的工具。但許多越南人的心中，對越盟的報刊只當它是一種宣傳品或是一份普通的刊物，並沒有任何較好的反應，至多把這些報紙刊物當作了排遣空閒的消閒品。但無形中由於這一批長期訂戶替它建立了一個發行基礎。掌握這許多報刊的統治者是越盟的「宣傳部」長陳文交（亦名何南），他同時又是「蘇越友好協會」的執行委員，他的前任係河內的一個醫生，政治意識比較和緩；他就不同了，此一南圻的「政治人才」，一九三〇年五月以前在法國讀書，返越後會去俄學習一年，一九三三至一九四〇年間，因反法作亂，被法方監禁了兩次，第二次出獄後組織「青年衛鋒隊」，造成了變河區（西貢）慘案，死傷百餘人；一九四五年八月，陳文交就任「人民革命軍總司令兼政治委員」，當法軍重進西貢以後，他就在當年秋季北上河內，此後一度曾去南圻，迨北返之後，組織「南圻抗敵委員會」。一九四五年五月，新德里舉行的泛亞洲會議及以後曼谷舉行的一次，都由陳文交代表胡志明出席的。幷留於泰國，公開作共黨活動。在一九四七年鑾披汶主持泰國政府後，才離開泰國，返越後掌握「宣傳部」，以後曾被多次派往緬甸和泰國。

紙張印刷均極拙劣 自由區賴人力傳遞

陳文交接管了「宣傳部」之後，宣布兩大決策：一、報紙「中央」化（完全受「宣傳部」管理）；二、印刷「國有」化；把所有之印刷所全部控制，在未經「宣傳部」允許，不准隨便印出一行字來，除了軍事消息以及越盟的重要文告，由武元甲主持的「越南通訊社」分發與交由越盟電台廣播之外，其他各種報刊，事先均未加以檢查。印刷機大多數係由中共區運入，向法國購買的現在因無法配購修整損壞的零件已經廢棄，越南的估僅少數。紙張也是由中共接濟，這種紙質是毛邊紙、灰報紙，連史紙較多，沒有一張是用白報紙印出來的。關於這種報刊的發行方式，大致利用各個交通站派送，除了越盟控制區可以利用火車、卡車、帆船之外，在自由區裏完全賴交通員的人力傳遞得一站的交通員每人負重約三十公斤，其中百分之七十是報刊和宣傳品，百分之十二爲傳遞的命令，其餘的均係普通的信件，幷不付郵。但是儘管它的傳遞遲緩和印刷條件不够，也不管它的紙張如何拙劣，低微的代價與迎合人們心理，即使不發生任何影響，至少是保大政府的一大勁敵。

（勁草元月十八日寄自西貢）

天下小事

主子奴才背道而馳

捷克新近發行一種紀念「維也納和平大會」的郵票，但這種郵票却引起許多人的驚愕，原來那張郵票上繪有幾隻手舉着一面蘇聯國旗和幾面附庸國的國旗，不知是偶然的忽略，還是有意的行動，那張郵票上可以很清楚地看出蘇聯國旗的方向是和其他附庸國國旗的方向相反的。這是不是意味着蘇聯和他的附庸國正在同床異夢或是背道而馳呢？

蘇俄引誘日本上鈎

蘇聯駐日代表正祕密地告知日本漁業界人士說，莫斯科對日漁船在庫頁島東北的堪察加半島海外捕魚一事，幷不反對。熟悉內幕的人士認爲這是蘇聯故意放出來的釣餌，企圖藉此使日本上鈎，與蘇俄和中共恢復大規模的貿易。

飛機公司製造潛艇

美國海軍部正向一家飛機公司「費卡德引擎及飛機製造公司」定造新型僅重二十五噸的蚊式潛艇，這種小潛艇取名爲X－一式。海軍部爲甚麼要向飛機公司定造潛艇？目前還是祕密。據若干專家推測，這種潛艇上可能安裝新式的定向飛彈，或由海底直接射入，或由深海中遙向陸上發射。

杜魯門月入百餘元

美國前總統杜魯門在陸軍官階中，是一位後備上校軍官，自一月二十日他步出白宮起，今後他每月仍能拿到一百一十二元五角六分的退休上校薪餉。但他的副官享利．瓦格漢，則是一位退休的少將，自他隨杜魯門離職後，他每月所能得到的退休薪俸，却將近七百五十元，幾爲杜魯門的七倍。（按：美國離職總統是沒有退休金的）（孟衡）

學習「先進經驗」一籌莫展 中共工業作垂死掙扎

中共爲了現有工業基礎及其生產量，斷不足適應侵略戰爭大量消耗的需要，正顯得非常焦躁；因而一面於提出所謂「大規模的基本建設」的口號以後，一面又普遍發出了所謂「學習蘇聯先進經驗」的指示，藉圖擴大戰爭工業的基礎，增進軍需物資的生產；但由於先天的條件不足，後天的斲喪過甚，再加上一切「唯蘇」的盲目「改革」，不僅無補於事，反有如揠苗助長，愈弄愈糟！乃使此一掙扎，徒見一片混亂，聲嘶力竭而已！

一切盲目唯蘇 無異削足適履

因爲，單就目前正在大力進行的所謂「學習蘇聯先進經驗」而言，即無異於削足適履的蠢事。誰都知道：科學與技術的本身並無絲毫政治意味，然而中共中央卻盲目地發出指示，說「對蘇聯的東西必須無保留的全部接受。」說「必須通過中蘇友好月打下學習蘇聯先進經驗的基礎，不但在政治文化等方面要一切倒向蘇聯，而且在科學技術上也無條件的倒向蘇聯。」他們硬將事實上爲現代最進步的美、德兩國的工業科學技術，指斥爲「資產階級的陳舊經驗」，不顧實際利弊，予以一筆抹煞。而後將蘇聯的一些生產手段，奉之爲「先進經驗」而強逼工人胡亂採用。而事實上：所謂「蘇聯的先進經驗」因大多不及美、德的所謂「陳舊經驗」有效，且亦大多不能適用於大陸現有的工業設備及其他生產條件上；這種盲目採用的結果，便有如削足適履，履雖套進，足卻殘爛了！

技術勝於宣傳 工人普遍懷疑

怎麼殘爛？從最近北平人民日報及重慶新華日報中可以看到他們自己的招認：如重慶的「國營一○二廠」在生產鋼鐵材料及機件時，由於盲目的試驗或採用「蘇聯先進經驗」，搞毀了不少設備，造成了大量次品、廢品。該廠在半年中因爲生次品、廢品以及從裝出後退回的損失，竟共達僞幣六百餘億元之多！如二一五二七廠盲目採用「蘇聯的先進經驗」從事「高速切削法」及「電花磨刀」等，在未開始時就胡亂地訂出了大批產品，而結果，不僅到期不能交貨，且還造成了大批次貨，可用的竟不及原有生產比例的一半，又如該廠在用「先進經驗」車絲時，以爲愈速愈光，結果是愈速愈糟，才知道技術的最高度原來不能超過每分鐘二百公尺的，但已造成很多次貨了。諸如此例，在各廠的行政領導幹部上都怕出事故，造次品、誤生產而所謂「先進經驗」的「推廣」大爲長縮不前了。至於一般技術工人，更是普遍懷疑：有的工人說：「美德的跟蘇聯的都不一定可靠，應該根據我們自己的經驗做。」有的工人說：「鍋鑪刀我們用過十幾年，只能車硬活，甚麼高速削法硬是幹不通。」有的工人說：「蘇聯先進經驗原來不是可以給我們學來用的，而是只好擺擺我們的。」有的工人則在學習高速磨床時摸着發熱的布司說：「啊！這就是蘇聯先進經驗的高速磨床麼？」總之：所謂「蘇聯先進經驗」大多只能當作政治的宣傳資料，而經不起技術的實際考驗，一考驗，便使工人所受到的宣傳印象都連根動搖了！

生產效率大降 實施監督制度

顯然，現在從中共各地工業部門檢討時隱約揭露的情狀看，他們的工業生產效率已大爲降低。這種降低的遠因，是在工人工作情緒的普遍退潮，而所以造成他們工作情緒退潮者，一是中共對工人階級謊言已日漸拆穿，甜言蜜語經不起長期殘酷奴役的對證，對中共失去信心，對工作私生活失去希望；二是中共實行「八級工資」制後，照中共自己承認，工人的工資「差不多都降了」（見新華日報）即連在竭力獎勵之列的一般技術工人而言，也大多減少了百分之二十，其降低的近因，則就在盲目採用「蘇聯先進經驗」的這一問題上，因爲它無論在時間、精力、材料、設備、產品方面，都受到了慘重的損害！可以說這種「先進經驗」眞正能適用而小有成就的乃是絕無僅有，反而大多擾亂了中共原有的生產秩序，破壞了中共原有的生產效能。因而，中共已決定先從各「國營」工廠礦場實施一個「技術監督制度」，在各廠礦添設了「技術監督科」，內分化學分析、物理檢驗、技術監督、綜合判定等四個室。但此種監督，事實上自不限於技術，而連帶監督了工人的生產效率。因而也引起了工人的普遍不滿：一般工人不約而同的發出怨言，說：「做了幾十年工人，現在工人做了主人，倒反受監督！」有的甚至自嘲地說：「眞是土木匠做枷，自做自戕！」至於所謂監督幹部、如科長；主任，監督員等，大多原是從各廠的行政方面或生產部門派員調兼的，技術並不高人一等，而怪喜吹毛求疵，因此還造成了監督部門和生產部門有組織的公開的對立，互相鬥氣，結果乃使此一制度，也無濟於事。

總之心勞日絀 徒見聲嘶力竭

總之，現在中共的工業生產，已由許多因素，特別是近來盲目採用「蘇聯先進經驗」的結果，造成了不可估計的損害！而一些頭痛醫頭，腳痛醫腳的忙亂措置，也更加重了病害的程度！這正適於說明了是中共一切「唯蘇」主義之下的悲哀之一；他們一切都要「倒」向蘇聯，已在工業部門首先明顯地自食其果了！

當然，中共爲了適應戰爭的迫切需要，一定是要在生產方面拚命掙扎的；然而這種掙扎，徵象已呈眼前，可說是心勞日絀，徒見聲嘶力竭而已！（沈著）

蘇聯魔掌控制大陸領空 ——遍設航綫張起空中鐵幕

自從毛澤東宣佈「一面倒」的政策，蘇聯併吞中國的計劃始終進行得一點也不懈怠，第一步就是先把中國的領土緊緊的和他連接起來，這幾年中國境內修築了許多的鐵路和公路，路線的決定，一概都是嚴密的配合着這一計劃的，最近已經延展到了航空上面來了！組織成了一個「中蘇民用航空股份公司」，開闢三條航綫，第一條航綫是從北平往東北，經過瀋陽、哈爾濱，直達蘇聯遠東邊境的赤塔；第二條航綫是從北平往北，經過張家口——外蒙古的烏蘭巴托，直達蘇聯境內的伊爾庫次克；第三條航綫從北平往西，經過蘭州，迪化，直達蘇聯境內的阿拉木圖。

空中形成弧形包圍

這三條航綫，從東北到西北，蘇聯對中國空中已形成一個弧形的包圍，不過這三條航綫都是以北平爲起點，對於西南東南仍然有鞭長莫及之感，爲了要加緊控制嚴密航空網，必要時使蘇聯的傘兵可以在中國境內任何一個區域降落，於是在國內又再開闢五條航空綫，第一條是北平經過武漢到重慶，這是用以控制川、康的；第二條是從重慶經過武漢到上海，這是用以控制長江流域的；第三條是從重慶到昆明，這是用以控制滇、貴的；第四條是從昆明經過南寧到廣州，這是用以控制西南的；第五條是從廣州到湛江，這是用以控制粵省腹地的；這樣的航空網建立起來以後，從莫斯科不論到中國的任何一個地區，都縮短了很大的距離，減少了很多的時間消耗，舉例來說，從北平到迪化如果沒有飛機可以乘坐的話，就得坐火車先到西安，再到蘭州，又從蘭州坐汽車，穿過河西走廊，走戈壁，翻天山，需時要超過一個月，坐飛機只要兩天就行了！

「民用」公司專供御用

這些航綫雖然是由掛有「民用」兩個字的招牌的公司來管理，這公司根本是沒有一文錢的民股的，任何人也知道，現在的中國大陸還能有一個人買得起航空公司的股票？航綫開闢以後，究竟如何利用的，這就不是普通腦筋所能想像得到的了！根據中共御用機關的報導，說是爲人民思想建設和文化、教育事業作了許多工作，第一筆賬，就是把「毛澤東選集」第一集的紙版運到漢口，再就是把史太林的「偉大」著作「蘇聯社會主義經濟問題」從莫斯科運到北平，使北平能夠很快的譯成中文，印發到全國，再次就是在短短的幾天之內，在北平能夠看到莫斯科出版的雜紙，還有就是把「難忘的一九一九年」、「金星英雄」、「頓巴斯礦工」、「明朗的夏天」、「大馬戲團」之類的彩色影片，從蘇聯運到北平，豐功偉績，止乎此矣！中共向來專門作的是「建設人民思想」的工作，從來也沒有想到人民的肚皮也是需要建設建設！（珊瑚）

中共的農奴計劃

據本報最近大陸綜合消息：現在中共爲企圖徹底奴役農民，嚴密控制農業生產起見，已決定大量發展所謂「國營農場」，並已普遍先行舉辦所謂「互助合作訓練班」，在大量訓練農村幹部，以使用此種幹部，先行普及「生產互助」的基層控制組織，而後通過此種組織，形成集體農場而落入「國營」的圈套，以達成徹底奴役和嚴密控制的兩大目的。

生產互助爲名 先作基層控制

查中共的所謂「生產互助組」，原是一種奴役農民，控制農業生產的基層組織，它以「生產互助」爲幌子，去誘使農民參加，而後用組織權力和少數積極份子的「壓力」使農民就範，以剝奪其生產和生活的自由意志與權利。但此種組織之出現，自始即不爲農民大衆所信任，十九皆存觀望之心。由是，中共乃利用農村的所謂「積極份子」帶頭提倡，並將不參加此種組織的農民，冠以「單幹戶」的稱號，從而予以「封建」、「落後」、「自私」乃至「反動」等一連串「解放」術語的攻擊、侮蔑！然而此等壓力所生的效果，仍不數理想要求甚遠；尤以在決定了普遍擴展「國營農場」的陰謀以後，已認定此種組織爲由所謂「個別生產」到所謂「集體生產」的必經之途。乃決定由原來的「勸導」參加，改作了強制參加；規定每一戶籍組即爲一「生產合作互助組」，而後再由若干「互助組」組成一「農業生產合作社」，最後，便由此種基層的控制推進到集體大農場的「國營」陷阱！

大量訓練幹部 迫切適應需要

惟隨着此一決定而來的，便是大量幹部的缺如。因而中共已令飭各大行政區普遍進行了所謂「互助合作骨幹份子」的訓練工作。差不多每一個縣都設立了「互助合作訓練班」，以訓練大量幹部適應迫切需要。

所謂迫切需要，還須分兩方面加以說明：其一固然是需要訓練大量幹部去普遍建立「互助組」，而加以「領導」運用；而其二則因爲現有一班幹部和農民中都存有對「社會主義」的所謂「錯覺」需要予以訓練「糾正」。例如據中共華東局的批判指斥：說一般幹部和農民對農村經濟發展方向認識模糊而且歪曲；有的認爲社會主義就是「吃大鍋飯」；有的雇工，致力於商業活動，走資本主義路綫；有的埋頭生產，不問政治，聽天由命；有的互助組不執行「等價交換」。工資過低，削減婦女工資等；有的互助組長在領導組里工作時，包辦代替，獨斷獨行，云云。這，尤其是一般農民，經中共三年來的壓搾剝削而又加上中共甜言蜜語的宣傳「教育」之後，對蘇聯社會主義的「遠景」根本已無法想像，如上月二十五日上海解放日報披露，悲觀的人，有了錢就買棺材！樂觀的，則有了錢吃光算數！因爲覺得一切都不是自己的，便索性等共產黨來給他們進入如他們所宣傳過的社會主義社會。而他們腦筋中天眞地存在的社會，據說就是「樓上樓下，電燈電話，洋犂洋耙」！因此，現在中共不僅要訓練大量幹部，去普遍建立互助組，還須先行糾正了幹部的此種錯覺，而後再由幹部去糾正農民的此種錯覺，方能使廣大農民有一個「正確」的生產和生活的觀念」。

驅入國營農場 農民盡成農奴

這過「正確」的生產和生活的觀念，就是中共要將所有農民納入大規模「國營」農場而使他們完全變成農奴的必要條件，而造成此一條件的就是依靠前述這種「生產互助」的基本組織及其「有效的宣傳教育」。

至於何以農民一納入共產黨的所謂「國營農場」便會變成農奴呢？理由很簡單，事實也很明顯；我們固無須拿蘇聯集體農場的現狀來比照；也無須拿中共一切「國營」的公司、廠、礦、鹽場的酷役情形來概括；即就中共中央東北局第一副書記林楓在東北「國營農場會議」席上所作的一篇「總結報告」中看，便已可見一斑：該報告在提到農場的管理問題時說：「國營農場的規模和形式上來講，它具有工廠性的效率，軍隊般的紀律性及組織性。」該報告在提到農場的政治任務時又說：「國營農場必須建立有高度威信的，強有力的政治工作，一切農場的幹部必須具有高的政治警覺和責任感。農場政治工作的基本任務，就是要不斷的教育農民，領導農民、提高他們的階級覺悟及紀律，提高他們的組織性，提高他們的勞動積極性，爲完成與超過國家的生產計劃而鬥爭！」因而，現在在這種農場裏，已規定副場長爲政治工作的專門領導負責人，已成立了工會（農場工人）、青年團、婦女會都要設支部和支部的專職幹部，要求統一於黨的領導。由此以觀，便可知農民在所謂「國營農場」以後，從事怎樣一種生產，過着怎樣一種生活，變成了怎樣一種身份了！

孕婦互助流產

現在大陸農村中，在中國共產黨的「偉大領導」下已普遍組織了「農業生產互助組」，將男女老少的農民一律納入了組織，實施「互助」。「互助」的目的是爲了「愛國增產」，但結果卻使許多參加互助的孕婦宣告流產！

據最近四川消息，說四川平武縣近來連續發生孕婦因被互助組繼迫或挑撥過度勞動而造成流產的事例多起。說主因是在互助組提倡「男女平等」，要女組員担負與男組員一樣重的勞力；其次是男女組員鬥氣挑戰競賽，孕婦首先不支而墮，結果造成流產。如該縣榮塘鄉一個互助組的女組員魏中英，懷孕已有四月，爲了比賽挑糞，勞動過度而流產！如該縣平通鄉修溝時，互助組的男女組員展開挑戰，當時有一巨石，女組員李定慧受不了挑撥，不顧懷孕四月，拚命擡抬，用力過度，腹部當場發痛，次日臥倒在床！但男組員還抨擊她貪懶，她受不了氣，再撑起來勞動，結果便當場暈倒而流產！此外，另有回龍村婦女李宋貴，中裴村婦女杜張氏等多人也同樣情形流了產！

人民寸步難行

大概由於共產黨的眼中看人民，幾乎個個都有「反動」嫌疑的緣故，故而可說鬼影幢幢，步步設防；結果，眞使大陸的人民爲之寸步難行！

如據新華日報披露：重慶磁器口大河溝工賑第三大隊有個煤礦工人喻廷文，最近送他「愛人」回娘家暫住，待到達，她娘家所在地長壽縣稱花鄉第四村時，因村長不在家，便向組長申報了臨時戶口，並告訴村長的老婆，要她轉告村長。詎至夜間，該村的武裝隊十餘人前往檢查，不由喻廷文分說，當將他和他的「愛人」及他「愛人」的姐姐，姐丈等四人綁走，分別關在四個谷倉裏，一關竟關了五日夜，才准他一人先寫坦白書，再放他去找證明，等他弄到證明，其餘三人已關了七天，關得面無人色了！

這終算是「人民」底天下，人民卻寸步難行！

可怕的太太

為方

自由談

英國有一位在離婚法庭服務多年的老法官阿姆斯朗，根據數十年之經驗，警告男子不要跟四種女人結婚，即惡的，醜的，好玩的，聖人式的四大類英雌是也。

照這位老法官批判，聖人式的婦女一切都是不可思議的，非一般芸芸衆生的「罪漢」所能與之共處者，避之則吉。所謂聖人式的「果得死」，一定具有非禮勿言，勿視，勿聽的莊嚴蕭穆相，在她們心目中，男人的一言一行都是罪惡，應該受種懲罰，當然不會產生愉快的家庭生活。世界上凡抱獨身主義或厭世出家的婦女，都是聖人式的人物佔多數。

既是聖人式的英雌，即有糾正和教訓男人的習慣與能耐，又可稱爲「聖之惡者也」！如美國名總統林肯的夫人，一見丈夫回來，不是指責他的領結打得怪相，就說他那醜形腳步使她瞧着即難過，以致林肯每逢週末，寧願悄然赴郊區小旅舍渡其孤獨的一宵，也不願回家來聽「聖論廢訓」。俄國大文豪托爾斯泰之棄家逃亡，客死異域，亦是受不了聖人式的太座大威咫尺之尊嚴恐怖而然的！

所以，愚蠢的，好玩的太座，多少還有法予應付；光是惡的，也可以勉強將順下去。惟有「聖之惡者」，卻教人不可嚮邇，誰若有此姻緣，那他前世必是犯了像吳起「殺妻求將」那種滔天大罪的報應！

維辛斯基夢審史達林

·木嬰譯·

蘇聯外交部長維辛斯基先生，當他正在讀着剛從莫斯科的外交郵包寄來的他將在聯大發佈的大一個演說原文，忽然覺得一陣疲倦欲睡，當他正讀到：「現在，先生們，我想向你們引一段我們偉大的可愛的領袖史達林在一九五一年二月裏一段劃時代的言辭：……」一節，他竟入了夢鄉，打着鼾，像許多蘇聯官員一樣。

在夢中，維辛斯基覺得他自己是在那老的熟悉的蘇維埃法庭上面，他自己仍舊還是担任檢察官職務，他正在審訊着那主要的被告，下面是他們的對話：

維辛斯基：被告，你叫什麼名字？

被告：我叫約瑟夫·維薩爾里昂諾維·史達林。

維辛斯基：你——以前做何職業？

史達林：我一向都担任蘇維埃社會主義聯邦共和國的部長會議主席。（按即相當於他國首相或總理）

維辛斯基：所有你那些惡毒的罪名，你認罪嗎？

史達林：檢察官同志，我認罪，我承認我全部的罪惡陰謀和偏差。

維辛斯基：你是眞的生在喬治亞嗎？

史達林：是的，不錯，我生長在喬治亞。

維辛斯基：關於譯？那，你知道些什麼凡

史達林：我深深知道薩凡那，她是我和那可惡的美國食人者和戰爭販子杜爾斯之間的中介人，經她的手，我收得所有的金錢，用於反對蘇聯人民及其敬愛的領袖：聰明仁愛的馬倫柯夫同志。

維辛斯基：被告莫洛托夫已經供認你是祕密的猶太人組織份子之一，是否確實？

史達林：確實的，我是一個祕密的猶太主義復國者，直接接受猶太復國長老的命令，遵從他的命令，我把大量的猶太主義者放在政府中的種種重要地位，例如：葛羅米柯，馬立克，布丹尼，伏羅希洛夫等，以破壞政府機構和我們共產主義祖國的可驚的進步。

維辛斯基：史達林被告，你能指出你在海外的猶太復國者的同謀者嗎？

史達林：是的，檢察官同志，我的主要同謀者是班古利昂（按係以色列總理），羅斯福和杜魯門。

維辛斯基：還有什麼人？

史達林：還於猶太復國主義將軍艾森豪，蘇聯的最惡敵人邱吉爾，美國猶太主義法西斯艾奧遜，和美國間諜網領袖傑凱。

維辛斯基：是說傑克·班尼嗎？

史達林：是的，我是指的傑克班尼，他正指導着蘇聯和各人民共和國中的一切間諜工作，他給了我三十五元美金，要我破壞我們國家，並傾覆其政府。

維辛斯基：傑克·班尼給你的錢，你怎麼用掉的呢？

史達林：我全部都用於破壞最近的一次五年計劃。

維辛斯基：你與捷克已被處決的賣國賊史蘭斯基與克里曼蒂斯，和羅馬尼亞待決的賣國賊安娜·鮑克爾有什麼關係呢？

史達林：那些瘋狗，都是經過了我，在捷克和羅馬尼亞政府中取得最高地位。

維辛斯基：你的意思是要告訴我，史達林被告，你蓄意破壞蘇聯對於具有主權各國不干涉的神聖原則，而強迫那些人民民主國政府容納你們這批傀儡嗎？

史達林：是的，檢察官同志，我懇求你判我有罪，請你處決我，槍決或絞斃。

維辛斯基：史達林被告，判案的事不是我所能主張。在我們光榮的國家中，人民法庭決不受任何干涉。如果人民法庭願意接受你所承認的罪狀，一定對你做適當考慮，把你槍決，如果人民法庭不願接受你的認罪，你即將被絞斃，人民法庭是公平而正直的：……

講到這些話，維辛斯基忽然醒了，他猛力揪揪他的鬍鬚，以證明他不再是做夢，便繼續去讀史達林那劃時代的演說。（譯自「新領袖」週刊）

談明代教坊

狷士

院碣有規條碑，略云：「入教坊准爲官妓，另報丁口賦稅。凡報名脫籍，過三代准其捐考。官妓穢皂冠，身穿皂褙子，不准穿華麗衣服。官妓之夫，綠巾綠帶，足穿帶毛猪皮靴。平時作業，亂准穿甲之匠人，出行路側，至路被攆，勿論老病，不准乘輿馬，跨一木，令二人肩之行。凡文武官，不准入舊院，祗許商賈人等出入。」又張鬆書碑有：「嘉靖間，六坊人口，逃亡消之，十少六七，役使煩擾，殆無虛日。」蓋教坊司例有供應，野優篇戲：「禮部到任升轉，公讌出教坊司，南禮部堂司俱樂，教坊值茶，無論私寓遊宴，日日皆然。」是以教坊至嘉靖以後，日有浸衰，萬曆間，已頹敗不堪，據金陵瑣事：「教坊司，每於歲首五日內或四人或五六人，往富貴人家送春，敲樂一套，主人皆有以賞之。」張碑立於嘉靖，中經毀損，萬曆間，（辛亥仲春）左司樂衛修，右司樂顧春操，林樂，李繼芳，重立之。後經徐卓夫於原址尋得，轉贈南京古物保存所。碑高約四尺八寸，寬三尺六寸，上額篆書碑額並記，下題名，僅存其眉矣。按國初事迹，有云：「明太祖設富樂院于乾道橋，以大火，復移武定橋，又以各處將官妓飲生事，盡起妓女，赴京入院。白下瑣言，廿照謂：「今猶呼爲院門口者」是也。明初，既設十六樓，（或謂十四樓）以外官妓，而款四方賓客，儼然與承唐世教坊之風氣，酒樓徵妓，幾如宋南渡時之放佚。又考富樂院最初之管理人，爲禮房王迪，此人熟知音樂，又能作樂府，故太祖命之掌院也。章學誠婦學謂：「前朝虐政，凡縉紳籍沒及妻女，以致詩禮之家，多淪北里。」三風十愆記色荒亦謂：「明滅元，凡蒙古部落子孫流竄中國者，令所編入戶籍，其在京者，謂之「樂戶」，在州邑，謂之「丐戶」，丐戶者，俗稱：「惰民」。又曰「貧子」。散於紹興、奉化間。徐渭作會稽丐戶論，「傳其爲宋時楊延昭部將軍焦光瓚家丁，以叛宋降金被斥」。史無可考，惟明王士信廣繹志曰：「墮民」，是元時勳戚，國初降下之，使不與齊民列，其說殆可信也。（中）

新·世·說·補·遺

無腿名醫周倫

抗戰時，以留德內科醫師蜚聲寰宇之醫學博士周倫，聞其病逝大陸兩年矣。其人其事，迴異尋常，亦近代畸士也。

周係江蘇無錫縣人，青年遊學德意志，治醫道，其未婚妻亦同時留柏林肄業。周氏先天性具有極濃厚之神經質，遇事敏感過度。一日，其居停宅樓失竊，主客驚詫議論，主人謂外賊固應提防，內賊亦須注意。周係卜居樓上者，聞言立感主人對彼有懷疑心理，大爲激動，相予辯白，適其未婚妻亦在座，即謂：主人之言，原就一般情理而論，君不必有所誤會也。周更憤然曰：然則汝亦疑我作賊耶？休矣，吾不復能忍此奇恥大辱也！女急解嚮勸慰，終不省。

越日，周約未婚妻出遊，復言及失竊事，謂非自殺不足以明心見性，且囑女同死。女以其發於一時憤慨情緒，善詞安慰之，攜手漫步，亂以他語，冀紓其鬱結不平之念。詎周矢志自殺，行至鐵道旁，覷快車疾馳而來，堅執女手，大聲謂：「我們一道死」！即牽女縱身投入車軌中，駛車人見狀大駭，急停機，然周之兩腿，自腹下股際已被軋斷，昏臥流血，不省人事。女以在周身後，且本無求死之心，當時不免掙扎，故負傷極輕微也。站長電召救傷車至，載兩人赴醫院急救。女稍敷藥即回寓所休養，周則兩腿鋸去，住院長期治療。柏林報紙詳紀其事，社會人士歎爲奇特新聞焉。

時有一德國少女亦臥病同一醫院內，讀報悉周自殺顛末，以周爲血性男子，頓生仰慕之情，不時購鮮花囑護士轉致慰問。周於萬念俱灰之殘廢生活中，得此紅顏知己，感激良深，欣枕修書道謝，女亦復書致其拳拳之意，並告以家在柏林郊區鄉墺，盼將來出院後能卜良晤。迨周傷愈離院時，女已先還鄉，乃按址通信，彼此論及嫁娶事。周一面與其本國未婚妻解約，訂期於德籍少女之鄉居定婚，屆時蹣跚趨與女謀面，蓋兩人直至定婚之日始相見也。

周學成，挈德女回國，服務青島，患難夫妻，家庭間融融如也。然造物弄人，常多缺憾，不數年，德女竟以肺疾玉殞！周傷感之餘，既需恃醫營生，而兩足殘毀，非有內助不足以任事，復與一女護士結褵，旋移滬懸壺。大陸變色後，周歸無錫，於兩年前遽致疾死。

·馬五先生·

赫德傳（三六）

第二問題海關誠然是廉潔的，通同佣也不要，李鴻章漏稅運米北上，與買軍火取回佣，德璀琳兼在開灤礦務局支薪都爲他看不起。然而此種廉潔措施，未能影響於中國官場者亦自有故。因爲中國官吏薪水太小，全靠陋規過活而視回佣與經商俱爲陋規之故，所以民國後高其薪給，以爲養廉之資。赫德年俸八千鎊，洋稅務司年俸三千五百鎊，超過了當時英國第一流大學教授薪水十倍至二十倍。赫德藉此高薪水的位置，以拉攏法德俄諸國稅務，而培養其本人在國際政治上的潛勢力。洋大人的尊嚴得以維持，這是英國政府在殖民地所必須維持的第一原則。而尤難使人同意者，爲海關賴全國人的租稅償還，而在中國領土內，培養出一個無領土的國際共和國，而赫德爲其終身的獨裁者，這便是畸形的中國海關制度。

赫德到了晚年已不復爲有火氣的英國人，而和易平實變爲中國的老官僚了。在英國社會已成爲不能相容的怪物，而爲慈禧預備立憲的顧問，亦是中華民族的公敵了。

中國之友（五六）

毛以亨

李提摩太傳（一）

Dr. Timothy Richard

一、總述

我於一九一九年一月隨梁任公在倫敦，任公除訪問其國之政要外，亟亟往視李提摩太。時其年已七十三歲，並已定船票，惜以歐亞交通恢復，盼回中國，於是年四月謝世。他是戊戌政變時代，協助康梁最力的人，曾任山西大學校長，住在中國共有四十餘年。一八七〇年來中國傳教。山西大飢，他組織救災團，曾勸當道混合人道主義於泰西政制之中。以後即盡瘁於教育，其講題皆爲經濟與科學。拳亂起時，適在天津倖而得免，他主張山西被殺教士，不索賠償，而由政府出資創立山西大學，以後美國之退還庚子賠償以辦清華大學爲師其遺意。曾在上海辦報與維新派結合，他認爲中國將來的領袖，必爲受過新教育的人。

方其一八七五年在青州傳教時，生活與當地居民相同，故能深入民間。其所賃之屋年租僅六鎊，早餐祗制錢十文，午餐在市上用饍，不過二十文，晚餐爲一百二十文，除兩盎斯米酒外，亦僅小雞與湯，茶及麵包耳。他生於一八四五年，以浸禮會牧師資格於一八六九年動身，一八七〇年到上海，即赴烟台遊歷遍山東全境，以及關外之東三省。一八七六年在山東放賑，一八七七至一八七八年在山西放賑。嗣後即歷訪名公鉅卿，凡左宗棠，吳大澂，張之洞，李鴻章，翁同龢，榮祿等，無不見到。見則與討論當世之務，自教育計劃，翻譯工作，政治改革靡不備陳。且曾上奏摺，一八九八年且被召見。其影響於中國政治較之赫德爲能深入民間，亦能直接生效。他於一九〇二年任山西大學校長，一九〇五年回國一次，一九〇六年，組中國救亡會於上海，一九一六年回英，一九一九年卒。

我參加越戰（四）

L. HART著　第啓譯

還有一個是能說流利英語的柏林人，他常常說些故事，並模倣納粹領袖及美國官員和他們太太的行動，來引得我們發笑。

大部份時間，我們都分成小組訓練，在森林中作野外行軍，在門丘山練習蛙跳，用法語高唱着德國軍歌。並常常停下來向閱在我們身旁的阿拉伯人購買牛排或糖果，營中的命令和口令都要從正式的法文譯成爲德文，偶而譯成義大利文。有時候，他們爲了我的便利，還特別譯成爲英文，我爲了答謝這種好意起見，也常常義務教授法國軍官的英文，作爲對他們的酬報。

一支雜牌軍

在訓練的時候，我們有些人穿着法國大兵的上衣，上面縫着雜色的鈕扣，再配上法兵的褲子，其他的人則穿的是英兵作戰的衣服，兩個月的教練期間，上面發給我們每人一些美國的粗棉布，還有一包雜七雜八據說是戰前美國某軍校的舊服裝。在担任哨兵或是偶而奉派巡邏勤務的時候，我們緊着綠色的領帶，配帶紅色的肩章，還有一根藍色的腰帶。這根腰帶在平時另有別的用途，我們每人的床上，都有一個衣架，上面擺好各人的服裝，這根藍腰帶便是用來捆紮那些衣服的。後來我們離開西的貝阿比斯的時候，每一件上面發下來的東西（包括牙刷在內）通通都收了回去，除了一身之外，別無長物，據說這樣行起軍來，比較輕便。

雜會樣的食物

當我們在西的貝阿比斯受訓期間，雖然那裏的酒肆設計得是那樣美麗動人，但我們所吃的，只是我們份內粗糙的食物。雖然那裏的游泳池是那麼華麗巨大，但我們老是在那隻冷水桶裏盥洗，並洗濯我們的衣服。

中華民國僑務委員會頒發登記證台馭新字第一零二號

自由人

THE FREEMAN

（半週刊每星期三六出版）

（第二〇一一期）

每份港幣壹毫

督印人：李光華

社址

香港高士打道六六號

電話：二〇八四八

GLOUCESTER RD.
HONG KONG
TEL: 20848

承印者：東南印務出版社

地址：高士打道六十四號

台灣特派員辦事處

台北市館前街五十號

台灣總經銷處

台北中華路新號五九四之一

台灣郵政劃撥儲金帳

九二五二號

國家永遠需要批評

陶百川

人類是有獸性的，是有佔有慾的，是會走錯路的，祇有大家來批評，公開的批評，不斷的批評，人類方能抑制獸性，減低佔有慾，少走錯路，把國家和社會搞得更好一點。

今年元旦，前國民參政會在台同人，舉行聯歡茶會。「白頭宮女話天寶當年」，大家都覺得「盛會難再」。胡適之先生因而提議要有十五位到二十位參政員替參政會寫內幕或外傳，使參政會的精神格外能有深遠的影響。

一個回憶，感念批評

參政會有什麼精神可以發生深遠的影響呢？有人會指出團結，有人會指出民主，有人會指出戰鬥，而我則以為是批評的精神。

參政會成立於抗戰第二年，勝利以後才因國民大會的召開而結束，前後共有八年之久。參加參政會的，有地區的代表和各黨各派的負責人。那時訓政尚未結束，抗戰正在進行，而因軍事第一，安全第一，政治固不民主，自由也無保障。共產黨復利用抗戰，擴張地盤。失敗主義者則脫離抗戰，投向敵人。國勢阽危，甚於今日。參政會運用批評的武器，大聲疾呼，向政府爭取民主，向各黨各派呼籲團結，向社會各界號召戰鬥，一時產生了偉大的力量，使團結因而加強，民主因而促進，局勢因而穩定。所以批評縱使不是甚麼萬應仙丹，但的確可說是「有意想不到的效力」。

美國鋼鐵大王「卡尼基自傳」中記錄一個座右銘：「不能論理，是為愚蠢；不肯論理，是為頑固；不敢論理，是為奴隸」。當年參政會假使不能批評（論理），則參政員祗是一堆愚蠢低能的飯桶，假使不敢批評，則參政員祗是一羣仰人鼻息的奴才，那末參政會便不可能有那樣輝煌的成績，而對國家也就不可能有甚麼貢獻了。但是政府假使沒有聽取批評的雅量，藉口軍事第一，過分強調安全，剛愎自用，箝制輿論，則參政會也必愛莫能助。所以批評要能發生效力，不獨須有健全的諍議，同時也須有賢明的當局。

一個文獻，仁人之言

左傳載「子產不毀鄉校」一文，這在古今中外主張言論自由批評自由的文獻中，我以為是最好的一篇，值得我們重讀一過。

原來鄭國人民常在鄉校批評當局的得失。然明勸子產把鄉校毀掉。子產說：「你這話是甚麼道理呢？人民朝晚沒有工作的時候遊於鄉校，批評政治的好壞。他們認為是好的，我就照做；他們認為是壞的，我就照改。這是我的老師呀！為甚麼要把它毀掉呢？我只聽說忠心行善可以減少怨尤，可是從來沒有聽說作威可以防止怨尤的。恐怖政治未始不能防怨於一時，但是防民之口難於防川，平時不讓河水有一出路，潰決時傷人必多，那時我就不能挽救了。所以不如讓它有一出路，不如讓我聽了他們的批評，好作為治病的藥石。」子產這番話，可做從政人員的座右銘。可惜沒有多少從政人員能有這樣的智慧和風度呢！

批評自由，中外所重

孔子聽了很欽佩，說：「從這番話來看，有人說子產是個不仁的人，我才不相信呢！」

其實，不僅子產，凡是公忠體國的人，甚至真正能為他自己或子孫做高明打算的專制帝王，都認為批評是必要的。因為人誰無過，職位愈大的人，他的過失的影響也必更大而更惡劣。為了減少過失，防止再犯，聰明的帝王因而建立御史制度，鼓勵御史犯顏直諫，而宋太祖且有「不殺諫官」的遺訓。所以時代進化到二十世紀，假如還有人反對批評國事，反對言論自由，那就未免太愚蠢，太近視，太不為國家作遠大的打算了。

不僅民主國家，甚至集權國家，也有批評制度，也鼓勵人民討論國事。不過他們的辦法不同於民主國家的。他們的叫做「自我批評」。有時批評起來，比較民主國家更苛刻，更澈底。而且不僅在黨內，就連黨或政府所辦的報紙，也常常反映人民的意見，對時政有所批評。（但是高級人員和高級政策是不許批評的。這是獨裁和民主的分別。）他們也認為批評是一種政治教育，是維持政權的一種手段。他們的智慧既不下於子產，他們自能了解批評的妙用。

現在還有人以為批評會損害政權嗎？請放心吧！批評是有益於既得政權的。古今中外的歷史，便是最好的保證。

舉一個淺近的例子。蔣總統在今年元旦文告中，要大家「求新」「求速」「求實」「求簡」。他心目中一定以為大家還不夠新，不夠速、不夠實、不夠簡。但是何人不夠新？何處不夠新？何事不夠新？如不加以批評，便不容易發現；即令發現，也被惰性拖住，往往不肯自動革新。祇有通過公開的批評，一次不夠則二次，二次不夠則三次，然後方能發現病之所在而好對症下藥。因此我很懷疑：假使沒有大規模的批評運動，或檢查運動，檢討運動，蔣總統的「四求」號召，怎樣能夠在政府機關或社會各界中發生反應，產生效果？

祇有胡適有自由麼？

讀者至此，也許要想知道台灣對於言論自由的尺度以及對於一般批評的反響。我忝為監察委員，有關監察方面的情況，知道的較多，試以監察院提出的許多糾彈案為例來說明，那些都是所謂「合法的批評」和「合法的反對」，若干高級官吏看了往往不高興，憤恨之情，有時竟形於辭色。但他們祇是背地漫駡一場而已，幸而還沒有鬧出大笑話！報紙過份謹慎，往往略而不登。指導監督新聞事業的當局，肩膀不夠硬，但其作風卻還夠開明。若干侵犯人民自由的舉動，多是少數執行人員的錯誤；他們有的太為國家的安全着想，以致執行過當。但多半不是高級人員所授意。所以照目前的趨勢來看，祇要高級人員能夠保持理智，遵守憲法，而民意代表又能恪守職責，不讓政府違法失職，則台灣言論自由的權利，當不致僅限於胡適之先生一人！

但是，人類是有獸性的，以杜魯門先生的民主風度，尚且要想打掉一個批評他女兒歌喉的新聞記者的鼻子。人類是有佔有慾的，這就是孟德斯鳩所謂「有權者必濫權」。人類是會走錯路的，所謂「To err is human」。祇有大家來批評，公開的批評，不斷的批評，人類方能抑制獸性，減低佔有慾，少走錯路，把國家和社會搞得更好一些，所以說：「國家永遠需要批評」。

泰勒將軍接長第八軍後 韓局將有什麼變化？

非列特將軍曾親向艾森豪提議發動攻勢，但艾氏決定更調非列特而任命泰勒接替，並不表示聯軍將不發動攻勢。事實上，國防部過去常令一位高級軍官先參與擬訂某項作戰計劃，然後再派他去執行。適在此時，柯林斯赴韓視察，顯然也有重大意義，以慣例而論，在策劃任何重大作戰計劃前，聯合參謀部每派其要員親往韓境，實地商討。

泰氏了解中國蘇俄

艾森豪總統最近宣佈更換第八軍軍長的聲明中，曾說非列特將軍的去職，唯一的原因是「時間的限制」，也就是非列特已到退役的期限。他雖將非列特譽為「可能是資格最適當的作戰軍官」，但軍方的時間表是不可更動的。

六十歲的非列特，曾被稱作「步兵的步兵」，有「大膽婿」的渾號。接替他的，是五十一歲的老練傘兵泰勒，深諳日文，能說能寫，且了解中國，和蘇俄，戰前他曾在北平任助理武官，戰後柏林未遭俄人封鎖前，曾任駐柏林美軍司令。這位三星中將雖然沉默寡言，但在陸軍部担任負責作戰與行政的副參謀長任內，卻曾有輝煌的表現。

泰勒將接替非列特的消息，是陸軍方面保留得最不周密的祕密；他於去年九月即已被提名接長第八軍，因為按照一九四七年官員人事法案，非列特須如期退役，除非陸軍部要求特別延長，而獲得總統的批准，但這種情形卻幷無先例。

不過軍方時間表的正常進展，卻因艾森豪在競選總統期間運用非列特的信件一事而遭拖延，這封信現已成為著名文件，它指責國防部幷未授權擴建南韓軍。

國防部不欲顯得是對非列特實行報復，所以對於他的職位問題並未有所行動，以待艾森豪視察韓國後再作決定；但這次訪問並未將這問題加以澄清，甚至布萊德雷將軍也不得不承認不知道艾森豪和非列特私下談了些什麼。

時間就這樣匆匆逝去，但如果非列特如期在一月三十一日退役，他便必須在一月一日前即回國，俾使陸軍醫生有適當時間對他作一連串檢驗。因此，國防部於十二月中將此情形通知了艾森豪。但艾森豪拒絕在一月二十日正式就職以前負起任何責任，對非列特的問題，也就沒有加以決定，而祇提議將他的任務作短期的延長。

國防部隨即將他的役期展延到三月三十一日。

在艾森豪就職不到四十八小時後，代理國防長詹遜便偕同陸軍參謀長柯林斯前赴白宮，對艾森豪表示，如決定更換非列特，他們希望他的退役能及時實行，使他能有時間帶着他刻在漢城的太太，作長途旅行取道希臘而返國，他們祇有在總統命令之下才能改變退休條例。

艾克對泰氏的贊揚

艾森豪批准了非列特的回國，並熱烈地認可泰勒補其「遺缺」的任命。艾森豪在「歐洲十字軍」一書中，曾對泰勒備加贊揚，關於一九四三年義大利投降前泰勒潛入德軍密防下的羅馬的英勇事蹟，艾森豪曾這樣的記述：「他所冒的危險，超過了我在戰時要求其他任何間諜或密使担負的。他肩負異常艱鉅的責任，並以精確的判斷力來執行它們，每一分鐘他都有被發覺死亡的巨大危險。」

春秋之間 將有行動

泰勒任命發佈後，曾面謁艾森豪，這是他們三年來的第一次晤面，隨後他即飛往東京先與克拉克會談「未來任務」，再赴韓「探求非列特的觀念」，而準備「正式接任」。他曾說：「非列特將留下一些很大的戰靴，由我去穿上。」

至於第八軍的易長對於韓戰戰略將有什麼影響，這當然是一個軍事祕密。不過從過去的跡象看來，或許能略窺一二。非列特曾向艾森豪提出的要求之一是，如果聯軍最高當局決定發動攻勢的話，他希望獲准領導這攻勢，不過並無跡象可表示艾森豪同情這個要求。因此，泰勒的接任，也並不意味着韓境聯軍不致於發動攻勢。陸軍部素來自傲能在任何時期使既定計劃順利執行而不會因故中止，即使在派出一位新的司令官之後也能立刻發動攻勢。事實上，國防部每每讓一位高級官員先協助擬訂某種作戰計劃：然後再派他去將這計劃付諸實行。對未來戰爭活動最可靠的揣測，大致可列為這二點：一、南韓軍的擴建將加速進行；二、某種新的軍事行動正在計劃中，將在春秋之間發動。同時，陸軍參謀長柯林斯最近赴韓之行，雖然官方聲明祇是他在韓戰以來的第七次例行視察，但顯然具有重大意義。因為依照過去的慣例，對於任何重大作戰計劃，聯合參謀部是常派一二位部內首長赴韓實地討論的。（黃鵬譯自二月二日「新聞週刊」）

寒週展望

·雷嘯岑·

遠東的光明信號

艾森豪總統向國會宣佈：他已命令第七艦隊不再阻止自由中國對中共地區的任何軍事行動，解除所謂台灣中立化措置；同時聲請國會把雅爾達密約予以廢棄。這是美國對俄帝採取突擊政策的先聲，也是對遠東實行積極政策的信號。

當年杜魯門總統之宣佈台灣中立化，目的原在防止共黨在遠東妄弄烽火，困擾民主陣營，結果却替共黨保障了安全，為韓戰增加了敵人的力量，變成弄巧反拙的結果，實非始料所及。所以他對艾克這項明智的措施，只好表示「無話可說」了！最使世人贊佩的地方，是艾總統同時宣告廢棄雅爾達密約。這一着，不但表示美國今後的外交政策絕對唾棄賣友徇私行為，并且對日本人給予很大鼓勵，使他們堅定信心，為自由而奮鬥，將來自有代價的！因此，又可使亞洲一切反共非共的民族國家相信美國是道義朋友，把一切潛在着的疑懼心情，依這種明確的保證而澈底澄清了！

艾克在競選時即強調主動的外交政策，要歐亞併重，共和黨重視遠東，是其傳統的政治思想。我們可以肯定地指出：在共和黨人物主持白宮的一天，不特自由中國沒有被出賣之虞，即其他遠東以及全亞洲的國家，也不會為美國所漠視。

中共於艾克當選總統之後，會以「求雨的進龍王廟，求子的進觀音祠」這類油腔滑調相調侃，現在瞧着艾克的作法，究竟是「求」到了甚麼？瞎子吞湯丸，心裏總該有數了吧！

更有不可忽視的一點

解除「台灣中立化」以後，第七艦隊幷不一定要退出台灣海峽，甚麼理由呢？理由很正大，即台灣海峽的防衛綫，是早已劃在美國派駐太平洋方面的遠東艦隊總司令雷德福將軍的防務範圍以內，這也是杜魯門總統所公開聲明的。因此之故，世人紛紛臆度中共或許乘機進攻台灣之說，即是多餘的了！中共除非遵奉俄共命令，決計與美國的海權一拼，不惜掀起大戰，否則它是不敢輕舉妄動的。相反地，它今後却要時時提防沿海地區之受到國軍攻擊，備多力分，顧此失彼，形成寢饋難安的苦境。國軍今天可以進攻廈門汕頭，明天可以突擊舟山羣島，後天也可以襲擊海南島，或者南澳島，萬山羣島，天馬行空，隨意所之。廣州共幹葉劍英近日大呼「寸土必守」，是的，我們希望共軍「寸土必守」，非如此，即不足以困死他們，凌遲他們，教他們受到寸磔的報應！這就是所謂以低廉的代價獲致最高的成果，之賞給俄帝一支不輕不重的悶棍！

蔣廷黻何嘗洩氣

蔣廷黻代表在紐約發表言論，說台灣中立化政策停止後，國軍暫能從事突擊的軍事行動，目前尚談不到大舉反攻。共黨宣傳當然引為自慰而大事譏嘲，我們不必管它，至於非共人士亦指蔣氏為洩氣，那就太欠考慮了。

就一般軍事說，國軍幾時可以實行反攻？從何處着手？這是軍事機密，誰也不能洩漏的。國軍究竟具有何種實力，其準備怎樣？美國人比我們更清楚，決非「車大砲」所能濟事。目前西歐國家相當擔心，有人深恐美國就會捲入對中國大陸的「內戰」漩渦中，多所異議。蔣代表聲明自由中國可憑本身的力量，從事突擊共區，幷不需要友邦直接參預軍事行動，乃所以間執那些重歐輕亞者的悠悠之口，何嘗是洩氣語呢？誰能相信蔣氏的常識竟不如我們這般置身局外的新聞記者麼？

中國問題的總解決如果能認為必須與自由世界問題聯帶解決的話，我們即不能對解除台灣中立化之初步現象，太過興奮，而一心以為鴻鵠之將至。我們應以誠實刻苦的精神與作法，盡其在我，以迎接未來的光明時代！

蘇俄究竟有沒有原子彈？

李秋生

準備回到獨立城去「酣睡竟日」的杜魯門，在故里住下不到一週，便又不甘寂寞，對記者們大談蘇俄原子彈有無問題。杜魯門已經恢復了公民身份，他有權自由發表個人的意見，即使他認爲蘇俄連「莫洛托夫麵包籃」都製不出也無所謂。但是他那談話，不知是一時思考未周，還是七年的辛勞未盡恢復，自己先和他在位時的表示互相矛盾。

原子彈與原子爆炸

第一，他於一月二十七日對記者說他曾經做過不是一次，而是兩次關於蘇俄原子爆炸的聲明；據一般所知，也並非兩次，而是三次：首次是一九四九年九月二十三日，第二次是一九五一年十月三日，第三次是十月二十二日。第二，首次公報是他自己以書面公報發交記者，第二、三次都是由白宮已故新聞祕書羅特公佈；第一第三兩次，都說是原子爆炸，第二次則明明是說：「蘇俄已爆炸另一顆原子彈」。既說是「另一顆」，那麼，可見第一次也該是原子彈。而現在杜氏卻表示不相信蘇聯已能製成原子彈。奇怪的是第三次卻又恢復了「原子爆炸」的本來稱謂。那是否杜魯門根本不同意「原子彈」的說法，而又不便公開指正，就不是外人所能得悉了。

有人說：對於蘇俄的一切，只有或多或少的無知，這種說法自然也可應用到外界對於蘇俄原子彈有無的揣測。即就西方國家而論：有關原子武器的事一向都嚴密，不使外洩，像美國最近在恩尼威哈克島所舉行的原子爆炸究竟有沒有正式氫彈在內？共舉行過幾次試驗？英國在澳洲西北近岸芝特貝羅島所試爆的原子彈與美國製品有何不同？至今世人仍只能憑測去臆斷，無法獲悉其眞實情形。至於防範備極森嚴的鐵幕內部有關原子能的眞實情報，自然更難獲致，因此就發生許多不同的意見。

蘇俄已試爆氫彈？

最悲觀的看法認爲蘇俄早已試爆過氫彈，例如主編英國情報文摘的德古西西；最樂觀的看法認爲至今尚未能製成原子彈，杜魯門就是一例。後一種說法，主要根據不外認爲蘇聯工業和技術落後，即使有了原子彈的藍圖，依舊還製造不出。這種看法實在太低估了敵人。蘇聯科學家也許太缺乏創造力或想像力，抄襲模倣本領卻很高，像噴射式飛機和雷達都是顯明的例。據一般所知，遠自一九四五年，蘇俄已經利用間諜，竭力盜取西方各國的原子祕密，更做有梅氏福克斯與彭帝柯伏諸科學家之助，可能美英關於早期原子彈與其製造的技術，對於蘇俄已毫無祕密可言。一本史密斯博士的軍用原子能報告，固然語焉不詳，有關製彈的機密部分尤其缺略（例如原書第十二章），但在專家手中，那卻是一個最可貴的指導，至少可以不必像美英在初期在黑暗中摸索，費卻許多冤枉力氣。如果說有了這些條件還製造不出原子彈，那麼蘇俄也就一定造不出MIG十五式戰鬥機。

原子能委會主席狄安在杜氏發表意見之後，立即發布聲明駁斥，並列舉事實說明（一月三十日華盛頓合衆社電）。艾森豪在二月一日國情咨文中也說：「吾人擁有不爭的證據，證明蘇俄擁有原子武器。」他們何以會那樣肯定？是因美國擁有準確探測蘇俄原子爆炸的方法。當杜魯門在任時期，他也曾答覆過記者詢問，斷然表示：蘇俄如做原子爆炸，決逃不過美方的探測。

探測試爆的方法

此種探測體系是在大戰結束後不久建立的，負責者是陸海空三軍參謀本部，聯合研究發展局，原子能委員會和中央情報局共同負責。主要分爲四個部門：

一、因爲原子爆炸的力量足使地殼發生震動，於是就建立一連串的地震儀站，用以測定在世界任何地方所發生的此種震動。

二、原子爆炸要產生具有放射性微粒的雲霧，一直昇到同溫層，再隨着高空的風飄蕩，圍繞着地面旋轉。此等放射雲霧存在，可用蓋格氏探測儀測知。因而建立了另一連串的備有蓋格氏儀運用的探測站。

三、這是最重要的，由高飛的飛機或備有特殊儀器的氣球可以取得放射性雲的空中標本。把此等放射性微粒付之冶金分析，其結果即可說明該項爆炸的性質。

最後，照上面所獲致的所有資料都送交有適當訓練的科學家去做正確解釋。此一從所獲資料加以解釋並做出結論的工作，是由原子能委員會的科學顧問委員會負責的，該會負責人奧本海默博士，戰時主持洛杉漠原子彈工廠的物理學家，原子彈製造的權威；委員包括有著名義籍原子科學家佛爾米教授，十年前第一個完成核子鏈鎖反應的人；康南特博士，著名化學家，哈佛大學校長，最近被任爲駐西德高級專員；席堡格博士，加州大學化學教授，一九五一年諾貝爾化學獎金的得獎者等人，可說是集美國原子科學權威於一堂。

斷定蘇俄試驗原子彈

例如蘇俄在一九四九年九月那次爆炸，所有這些機構都在順利的工作着，他們的功效，業經於一九四八年四五月間美在恩尼威吐克的原子試驗中經過了考驗。結果地震儀指示出爆炸的地點，蓋格儀測出了放射性雲的存在，空中標本立時取到而加以分析。當時五角大廈還希望那也許是一座原子堆的失事爆炸，而不是原子武器試驗。但是空中放射雲標本的分析結果，卻決定了一切，證明那是一具與長崎鈽彈相同的原子彈。在最後準備起草提交杜魯門總統報告時，由聯合參謀本部與原子能顧問委員會召開聯席會議，全體都一致同意那結論，一位起草人寫出下列一句結論：

「有九百九十九對一的機會，斷定那是試放一具原子彈，如果說那不是原子彈，則我和我的同事們都想不出那會是什麼。」

以後那又由高級情報獲得了證明。然而這些事實，在杜魯門從總統變爲公民這一剎那間卻被忘懷了，而對此懷疑起來。

西方必能保持優勢

蘇聯如沒有製成原子彈，自然是世界人類之幸；果眞做成了，便該正視現實而講求對策，徒做埋首沙中的駝鳥是無濟於事的。從那三次之後，就沒有繼續爆炸的事實測出，美國科學家認爲那不是蘇聯根本不再做試驗，便是在深入地下數百呎的地帶去舉行試爆，以致一切探測方法都告失效。實際上俄人製造武器習性，是認定一種標本型式去大量製造，而不在性能上做多方改進的考慮，可能對於原子彈也是同一做法。而在質量雙方，則西方國家的原子武器都遠爲領先，蘇俄絕對望塵莫及。即使蘇俄擁有了原子彈，並不足以改變國際間主要的均衡形勢。

自由中國近貌

台灣通訊

毛邦初引渡三條件

關於毛邦初引渡回國受審事，前因中國與墨西哥間，未締有引渡條約，致交涉頗爲費力。茲聞墨西哥政府方面已可允予引渡，但須照墨西哥引渡法辦理。按該法規定引渡須引渡國家履行三項條件：（一）受審後不得判處死刑。（二）須由普通司法機關管轄，不得交由軍法審判。（三）須三級三審，多予被告人以辯白機會。此乃爲墨西哥引渡法一般規定，並非專指毛案而言也。

陽明山管理局閩又將易長

台灣行政區域，自三十九年四月實施地方自治時起，劃定爲五十六縣，北十一個單位。至四十年春季，台灣省政府頒佈了戡亂時期設置陽明山管理局辦法，及陽明山管理局與台北縣政府職掌劃分辦法。劃原屬台北縣之北投士林兩鎮，另行成立陽明山管理局。並於辦法中明定係爲戡亂時期加強治安及保護風景區設立，一俟戡亂終了，即行裁撤。其民意機關仍爲台北縣議會，不另行獨立，警察只設所，不設局。第一任管理局長爲前奉化縣溪口鎮武嶺學校教務主任施季言。四十一年秋季，施調任省立台北師範學校校長，改以前上海市社會局副局長陳保泰接充。頃聞陳又將另有高就，繼任者以前杭州市市長周象賢呼聲爲最高云。

西螺大橋通車典禮

貫通台灣南北公路之西螺大橋，已於一月二十八日舉行通車典禮。當時盛況空前，各報迭有紀載。記者頃詢諸參與典禮返台北某君，據謂此次舉行典禮時，因到場民衆達八萬人，警察人員乃持槍，上刺刀，橫阻民衆於路旁，俾高級官長得以步行至橋中剪綵。是日到外賓甚多，頗覺用如此方法維持秩序，或可不必。及至典禮完畢，長官外賓來賓等均赴溪州糖廠午飯，特自台北聘來廚師，於花園中開西餐數十席，盛況空前。而大橋亦開始准許人民通行。民衆扶老攜幼，爭先試登此渴望多年之大橋。警察人員事先未計及此，且皆以保護長官爲要責，而疏於橋上秩序之維持，致人山人海，擠成一堆，以長達二千公尺之橋面，竟至寸步難移者達一小時以上。某君謂凡此皆可爲今後與民同樂時之前車云。

立法院又將開會

第一屆立法院第十會期甫於一月二十日休會，第十一會期又將於二月一日開始報到。第十會期延期二十天，係爲趕速通過實施耕者有其田條例，俾得於農民春耕前即可施行。耕者有其田條例爲我國立法上之創舉，而通過之迅速，亦爲前所未有。蓋行政院於去年十一月二十九日始送達草案，在立法院尚不及兩個月時間。回顧有關人民言論自由之出版法，在立法院中經過四年又四個月，方始完成立法程序。又如有關地方自治基本的省縣自治通則草案，自三十七年即開始討論，迄今尚有兩條未經過二讀。以此例彼，足見立委諸公對於政府政策，實能權衡緩急，力謀配合。第十一會期開始後，因重要案件均已先後通過，正式開議之日，或將延至夏曆新年之後。但立委任期，自去年五月，總統命令延長一年，至第十一會期中又將屆滿，大陸省份無法辦理選舉之情形依然如故，爲求立法權不致中斷，勢非再行延長不可。而國民大會代表聯誼會，亦已推定人員，與政府洽商，希望在本年六月前舉行臨時大會。

兩個文化學會

自讀經問題發生後，台省即先後成立兩個學術團體。一爲中國文化學會，主持者多前輩軍人，如趙恒惕、何成濬、姚琮、秦德純等，或久參戎幕，或迭膺疆寄。擬出版中國文化雜誌，徵啓中書明只登文言文。一爲中國藝文學會，主持者多前輩文人，如雲南之胡商彝，江蘇之陳含光，廣東之張爲悔等。刊物名稱定爲江漢雜誌。兩會會員中雷同者不少，但主持人間則頗有相互競爭之意。當胡適之先生在台之日，兩會均曾以衞道爲己任，欲對胡有所批判。然迄胡行，兩會刊物均尚未出版。批判遂未能公諸於世。胡氏赴台南時，過孔家廟，以時間匆促未登大成殿展拜，或以此爲胡氏打倒孔家店之證據。而其實打孔家店一語，係出自四川吳虞，將綫裝書拋下毛廁二千年，乃今日自由中國共同崇敬之元老吳稚暉所主張，均與胡氏不相干也。

新·書·評·介

「史達林叔叔」

春田譯

這本美國出版的關於史達林的新書，作者斯伐尼茲是他的表姪，曾在蘇聯政府担任要職，以饒有興趣的筆調，對這獨裁者，鈎劃了一個側面的輪廓。

當作者斯伐尼茲在小時候告訴他母親，長大後希望像「蘇蘇叔叔」一樣時，他母親摑了他一個耳光。這時，「蘇蘇叔叔，住在高加索的山區」大部份時間是化在搶劫和暗殺帝俄的軍人和警察。他的故鄉狄地．利洛，喬治亞民族主義的溫床，這使「蘇蘇叔叔」在鄉人中成爲最受擁護的人物，但是當作者的母親想起蘇蘇怎樣被送到一所正教修道院接受護士訓練，後來又怎樣逃出來，完全背棄宗教而和他變人公開同居，她又給了他一個耳光，說：「這是給你的蘇蘇叔叔的。」

從這時起，世界開始知道這位「蘇蘇叔叔」另一個名字約瑟·史達林，但對他這個人仍然並無認識。現年五十七歲的斯伐尼茲此書，便是以有關史達林的家庭故事和他本身的追憶塡補這個空隙。現在他居住於法國。在他留在蘇聯的長時期中，他曾以經濟學者身份，協助編纂蘇聯百科全書，後來又在財政部担任要職。據他說，這時期內，他能隨時跑去見史達林。但到一九四五年他駐在維也納時，卻因爲要和一位匈牙利籍天主教徒結婚而和史達林決裂，脫離了蘇聯，逃入西方。

這本書，並不是他以政治難民身份來寫的，他偏重饒有興趣的事實，側面鈎出一個史達林的輪廓。他筆下的史達林愛好巴爾扎克的小說，土耳其咖啡，時時引吭高歌，特別喜歡橘黃色，甚至他所用的水筒也漆上這顏色。在脾氣好的時候，他也會尖刻地取笑他的「同志」，但祗有伏洛希羅夫被反唇相譏。他雖然喜歡對他僚屬質詢關於馬克思和黨史的問題，卻不信任知識份子。有一次他和一位知識份子談到他在高加索的葡萄園，他說：「這葡萄園是以我的血汗灌溉起來的。你們不會懂得，你們這些知識份子！我天生是個農夫……也是園丁和釀酒者。我和你們是在競賽，這也是管理國家的最佳競賽。」

實際上，史達林也是個保守份子。他和他第一個太太在教堂裏結婚，是爲了討他母親的歡心。當他的友人感到他嚴教他兒子伐西里過於嚴苛，他曾反駁說：「我是他的父親，他應該在喬治亞的習俗中長大的，我縱容他，像我們的多數大官一樣。」

他也堅守愛國的傳統，在他莫斯科郊外的巨廈中，一個房間的壁上砌着一塊粉紅色大理石，上面刻着：「亞歷山大一世在愛國戰爭中擊敗拿破侖大軍後曾在這房間跳舞」。他的第二個太太曾想把它取下，史達林却說：「我是個喬治亞人，所以我對一切俄國歷史上的遺物都應十分尊敬。」

在作者目光中，史達林在一九三七至三八年的大清黨，不過是一種對於黨員的精神的整肅，他說：「法國革命的崩潰，是因爲其領袖精神上的腐化，他們時時被一羣無聊婦女所包圍。」

作者說，自一九三六年以後，史達林的健康一直不好，在波茨坦會議時會發生心臟病，他還患氣喘和失眠。大概從這時起，國務便大部份交給莫洛托夫和馬倫柯夫處理了，不過對莫洛托夫，他却並無信心，這也許是後來馬倫柯夫的地位激烈增高的原因。（節譯「時代周刊」）

天下小事

艾克就職的小插曲

一月二十日，白宮中幾乎演出一個尷尬的場面。事因是依照美國的傳統，新總統艾森豪應當至白宮訪卸任總統杜魯門，再由杜魯門陪往國會大廈正式宣誓就職。而當艾森豪座車駛抵白宮內樓梯下面的時候，杜魯門正坐在樓梯上玻璃門的後面，杜魯門原打算等艾森豪上樓相見後，再伴同他坐車出發，但也許是兩人因訪韓問題而有介蒂的關係，艾森豪坐車抵達後，仍坐在車內不動。最後，還是杜魯門讓步，由他的妻女陪同起身步下樓梯，這時候艾森豪也走出車來迎接，兩人握手一笑，才消除這一尷尬的局面。

蘇聯專家遭遇不同

前美國駐蘇大使及美國的蘇聯問題專家肯南，將不會出任高級外交職務，現在幾已成爲定論。由於肯南與國務卿杜爾斯關係冷淡的結果，肯南可能辭去他目前仍領的駐蘇大使職位。但自最近他在賓夕法尼亞州發表演說，抨擊艾森豪總統的解放鐵幕政策後，這椿事又已烟消雲散。

和肯南在美國齊名，現任國務卿顧問的蘇聯問題專家波倫，則頗得美國共和黨新政府的賞識，前一度盛傳他已被內定繼任駐比大使，但現在更傳他有繼肯南出任駐蘇大使的可能了。

瓊斯訪伊另有內幕

美國城市服務公司董事長瓊斯去秋曾以「私人資格」訪問伊朗，當時他訪伊的性質，意義與使命如何，外間迄無所悉，但美國前任內長卓普曼最近將公開解釋瓊斯訪伊的祕密。據悉：卓普曼將透露瓊斯曾接獲伊朗總理穆薩德的特別邀請，瓊斯本人對接納與否無主見，但美國高級官員，包括杜魯門總統，副國務卿布魯斯及中央情報局長史密斯將軍在內，都勸他前往一行。

捷共推行「無情」戀愛

共產黨式的戀愛，現在已不是以感情而是以效率爲基礎，已不是建築在魅惑力上而是建築在實力和體力上了。這是捷克布拉格電台所規定的，布拉格捷共電台上週廣播時，形容捷克集體農場中的生活說：「我們可以說，今天人民的戀愛，並不在乎他或她有一對誘人的藍眼睛，而是因爲他（她）是一個最良好的工人，一個有工作能力的女孩子才能時常受人垂愛的，這是人民所應該學習的戀愛方式」。

利用戲劇奴化人民
中共擴大控制各劇團

中共奴化人民，無孔不入，戲劇為重要文化工作之一，自不放過，最近偽政務院文化部於繼「全國戲曲觀摩演出大會」及偽政務院的「關於戲曲改革工作的指示」之後，已發出了「關於整頓和加強全國劇團工作的指示」。此一指示，以毛澤東在「全國戲曲觀摩演出大會」上所講的「百花齊放，推陳出新」的兩句話為「最高綱領」，玄玄虛虛的大做其奴化人民的文章！

加強公營劇團組織

首先是加強「國營劇團」的組織。偽文化部在該指示中劈頭就說：「國營劇團是人民戲劇事業的主要力量，應在劇目思想內容上，表演技術上和劇團的經營管理上，力求改進和提高。務使戲劇藝術更密切地配合建國的方針，教育人民，改造人民。」接着，該指示中提出了已往的檢討，主要的是說過去這些「國營劇團由於沒有固定的上演劇目，加以臨時性的晚會演出及其他社會活動過多，不能經常在劇場演出，以致脫離了羣衆，也脫離了戲劇技術的正常發展！」因而，他們決定今後的「國營話劇團」和「國營歌劇團」等組織，必須改變其已往「文工團綜合性宣傳隊」的性質，而改變為專業化的劇團。根據此一方針，發出了三點指示：

其一、說要建立一個正常的劇目上演制度，每一劇團必須訂定每半個年度的演出計劃，所有演出的劇本必須預先經過嚴厲的審查，說務須保持「思想」和「技術」的質量，並盡其全力的搬演蘇聯的富有「教育」意義的劇本。

其二、說「國營戲曲團」每年至少應有六個月在劇場公演；話劇團和歌劇團則至少每年應有四個月在劇場公演。此外，說「國營劇團」每年應有兩三個月的時間到工廠、農村、或部隊巡迴演出。

其三、說「國營劇團」應採取企業經營的方針，求其自給；並將各地劇場盡量收歸「國有」，撥交此種劇團管理使用。

嚴格管制私營劇團

其次是嚴格私營劇團的管制。該指示中規定：凡屬私營的職業劇團，必須向當地縣級以上的「人民政府」文化主管部門辦理申請登記。報請省「市」「人民政府」的文化主管機關核准。並由各省市訂定具體的（即嚴格的）領導、管制的計劃，報請偽文化部核准施行。此種計劃的原則，據該指示中指示，要切實地派遣幹部掌握各私營劇團的一切演出和經營，並且要「堅決地、極其慎重地、有步驟地、進行民主改革。」消極所謂「民主改革」的目的，從該指示中可以看出，乃為逐漸將私營劇團，改為「私營公助劇團」，逐漸的一切剝奪私營劇團的一切權利，而將私營劇團分區配屬於「國營劇團」，將他們完全變成奴化人民的宣傳工具。

訓練改造壓制伶人

在赤色極權之下的人民，任何人已不再倖存自由，任何人也都被當作了政治的工具，素稱最無政治意味及最自由的伶人也不例外。現在在中共利用戲劇奴化人民而加緊一切劇團控制的決定之下，當然也要加緊所有伶人的訓練改造，殘酷壓制！現偽文化部已決定分兩種方式實施此一陰謀：一方面是規定由各大行政區的「戲曲研究院」舉辦各種定期的演員訓練班，分期抽調所有「國營」及私營劇團的演員施予三個月至半年不等的嚴格的政治「改造」，並予以嚴格的思想攷試。一方面是由各偽政府派駐在各劇團的政治幹部加強各劇團的經常的所謂政治學習。顯然的，在中共的強制改造底下，勢將繼續有更多的伶人遭受到可悲的命運！因而現在大陸一般伶人，也正在極度的惶急恐懼之中！

亂改劇本面目全非

隨着加緊控制劇團及演員的同時，當然以篡改劇本為奴化人民的主要手段。現偽文化部已命令各大行政區及所謂「有條件的省市」的文化主管部門會同文藝團體大力組織文藝作家創作所謂「表現現代生活」的各種宣傳劇本和組織文藝作家會同演員積極的篡改各地正流行的各種舊有劇本。並儘速的從新審查所有的新舊劇本，其嚴格的程度，竟非經偽中央文化部審查核准，便不能再行上演。而中共對於所有劇本的篡改，皆一切以他們歪曲的政治宣傳觀點為標準，結果大多已改得面目全非，其中尤其是平劇方面，大多已改得使觀衆不知所云。如一般人所熟知的水滸傳中的各劇，已利用攻擊「舊社會」黑暗及階級仇恨的心理硬將梁山好漢改作了「正統」的「人民革命」。如四郎探母，已不演回令，而將楊四郎「槍斃」！如明末遺恨闖王進京時的一段說白，幾跟中共渡江時的「約法八章」差不多，諸如此類，不勝枚舉；宣傳是宣傳了，但據他們自己承認，觀衆的印象却很模糊！

觀衆日少枉費心計

總之，中共為了利用戲劇奴化人民，已將過去被大小共官視為金絲鳥般私自欣賞的「國營劇團」改向民間活動；已將各私營劇團加以嚴格的管制利用；已將所有伶人加以強制改造；已將所有劇本盲目篡改；但由於現在大陸一般人民生活的艱苦；情緒的悲愁；再加上各種劇情的過份歪曲而普遍損害了原有的戲劇藝術等等的原因，已使戲劇的觀衆日形減少！不論低廉收費或完全免費，都難挽回戲劇的頹勢！戲劇的對象既已日見減少，則中共的利用戲劇奴化人民的這一企圖，看來亦不免是枉費心計！

（沈著）

蘇聯文化侵略如火如荼
祖國文化摧毀無餘

所謂中蘇友好月

中共為了要表現十足的「一面倒」的賣國精神，從去年十一月七日起至十二月六日止，舉行了一個「中蘇友好月」，想在這短短的時間內，向每個人民灌輸一幀史太林的肖像，一幅鍍金的蘇聯幽靈，由蘇聯派出三百多人組成所謂文化使團，包括「蘇聯文化工作者代表團」，「蘇軍紅旗歌舞團」，「蘇聯藝術工作團」，「蘇聯電影藝術工作者代表團」等團體參加活動，先到北平，然後再分別訪問天津、上海、杭州、武漢、長沙、廣州、重慶、成都、西安、蘭州、瀋陽、長春等地，凡屬大一點的城市差不多都被他們走遍，活動的節目，無非是宣傳一切科學上的發明都是屬於蘇聯，如何「先進」！如何「偉大」，一切科學上的，文學上的，以及戲劇電影、音樂、舞蹈都只有蘇聯的好，也只有蘇聯才有；根據不很縝密的統計，這些團體在這一個月之中總共參加了六十九次的座談會，作了三十七次的專題報告，據說在各地的正式演出共有五十多次，每次的聽衆都是人山人海，萬人空巷，不如此熱烈，就不足以表現你的覺悟程度與服從組織的決心，從某種意義上講，這一演出，自然能夠得到很大的收穫，最重要的是使一般人認識學習蘇聯的必要，由麻痺而進入遺忘，使你根本不知道自己的民族還有五千年獨立可貴的歷史文化！

加緊向「老大哥」學習

蘇聯處心積慮想併吞中國，當然不自今日始，封建強佔的強盜行為，在歷史上已屢見不鮮，公然的表面化來作文化侵略，是中共攫得了政權以後，才有機會悍然行之的，北平傀儡政權登場的第一天，蘇聯就派了所謂名作家法捷耶夫，率領「蘇聯文化藝術科學工作者代表團」來到北平，接連又愛倫凳、聞奎爾、科熱夫尼科夫等的訪問，有哲學博士頭銜的尤金，生物學博士努爾金，史學博士吉謝烈夫，經濟學碩士馬卡洛娃，包德列夫，蘇聯科學院哲學研究所副所長車斯諾柯夫，莫斯科大學法學系副主任柯斯凱洛夫等人都曾來中國講過學，表面上講得冠冕堂皇，說是交換研究心得，討論學術問題，實際除了宣揚馬、恩、列、史那一套，比科學上的惠實，是得不到一絲一毫的，比方說，蘇聯免不了也供給了中共一些工業上需要的機械，他為運使用機械的人一併供應了的，不僅不讓中國人明瞭製造這種機械的原理，就是使用的方法也祕而不宣，俄國人可以儘量推銷到中國來吃飯，中國人只准到韓國戰場去「志願」！在統治者那樣殘酷而嚴密的箝制思想之下，任何人也喪失了自由研究的機會，那裏還有什麼心得？又有誰敢提出真正可供討論的「落後」問題？所以以郭沫若為首，矛盾、丁玲、蕭三、馮雪峯等人湊數的中國作家赴蘇訪問團，最多也只能說出一個「加緊向老大哥學習」，再也講不出什麼「交換」「討論」了！（上）

（丹心）

中共加緊壓迫少數民族

中共邊疆的各少數民族，隨着「中華人民共和國」的「開國」也帶來了無窮盡的災難！在中共一貫的想把中華民族變成大鼻子的奴隸的堅決志願之下，全國同胞既是難免遭到亡國滅種的慘禍，邊疆的少數民族也自不能例外逃出這一厄運！由於地理與歷史的條件不同，奴役邊疆民族較之奴役本部的同胞好像要來得複雜一些，因之中共對於這一課題也另設計了一套獨特的手法，表面上看似乎很平凡，實質上則非常毒辣，有計劃的，很技巧的循序漸進，一步緊似一步，宣撫、施惠、控制便構成了實施這一計劃的三部曲。

訪問團表現有聲有色

首先要知道，中共的民族政策所標榜的也是「民族平等」，這是載在所謂新政協的共同綱領裏面了的，其目的據說是要「加強和鞏固民族大家庭的友好合作」，為了完成這一任務，第一是要糾正在民間關係上所存在的殘餘的錯誤思想，大民族主義和狹隘的民族主義都是要不得的，與不尊重少數兄弟民族風俗、習慣，都是犯了大民族主義的傾向，為了要糾正這一錯誤的傾向，不能不對各民族都要得到一個具體的瞭解，由這種邏輯演繹出來的結論，於是邊疆訪問團便有名了！三年以來，先後有四個訪問團分別到了西北、西南、內蒙、東北各地，這些訪問團的任務，就是三部曲裏第一部起首的那個「宣」字，這是中共的看家本領，演來或許也會有聲有色，因之也能引誘一部份的少數民族組織各種各樣的團體跑到北平觀光，內心是否真被煽惑動了還不得而知，在那像螞蟻般的「解放軍」已經壓境的情況下，連被請去觀光都拒絕，無疑的是犯了「狹隘的民族主義」了！

「宣」的同時又進行一種「撫」，把那部「共同綱報」也搬了出來，允許各民族人民都能以聚居區域為基礎實行區域自治，去年八月公布了一套「中華人民共和國民族區域自治實施綱要」，從此全國便建立了各級「民族自治區」約一百卅個，說得最動聽的就是各民族都能按照本民族大多數人民及與人民有聯繫的領袖人物的志願管理本民族的內部事務，這叫做「少數兄弟民族當家作主的權利」，不過有一點，當家也好，作主也好，一概要擺在「中央人民政府」統一領導之下，路儘可由你自己走，只是鼻子上要鬥上一根草繩！

宣傳之外又施小惠

這樣狡猾的宣撫工作不能說作得不到家，可是沒有糖衣的毒藥還要顧慮到不肯一口吞下，於是在宣撫之外，又再來一個第二部施行小惠，對邊疆的民族施惠，是很輕而易舉的，因為他們太落後了！交通的不發達，生產技術的不進步，使他們長期的陷在普遍的窮困之下，一切的一切幾乎都還是停留在中古時代，生活水準自當沒有法子提高；這些地帶不是崇山峻嶺，便是沙漠不毛，一樣的氣候都非常惡劣，加以人民又迷信神道，鄙棄醫術，有了這種種原因，邊疆一帶便成了鼠疫、瘧疾蔓延的淵藪，西藏的多夫制，蒙古的雜交，都足以使花柳病菌得到很好的繁殖機會，在邊疆的民族中，死亡率是高得非常驚人的！貧、愚、弱三個字就是邊疆萎縮的癥結，也是容易接受小惠的緣由；中共針對着這三大弱點，第一步就是來上一[illegible]

「幫助」深入無微不至

[illegible]

合作社濫發票券

中共普遍設立的農村合作社已完全像網羅般的控制了整個農村市場，但這就使統制收購農村物資時的人命幣大有應接不暇之勢！幸好共產黨有的是「辦法」，一個最方便的靈變措施，由各合作社濫發一些本票，便將農村物資大量的刮了攏來！據最近上海解放日報內披露：說最近僅射陽、南通等地為收購棉花一事便由這種合作社發出了很多本票。而且這種本票簡便之至；只要扯上一張毛邊紙，寫上一個價值數目，蓋上一棵大印，便可當鈔票通用。如射陽縣的東南合作社，三龍合作社，大橋合作社和南通縣的五接橋合作社等，在收購棉花時所發行的「兌貨券」或「本票」或「流通券」就共達十餘億元之多；其票面分一萬、二萬、五萬、十萬、乃至一百萬不等，形形色色，蔚為大觀！這種票券現在大多已紛紛向各稅收機關「回籠」但當兌解「人民銀行」時，即引起了激烈的爭執，說已嚴重地損害了「國家幣制」的「威信」，正在設法制止云云。

辦喪事如上戰場

[illegible]

鐵幕叢談

[illegible]

談官癮

自由談

尚方

馬克斯指宗教思想是人類生活中的鴉片烟，意思是說它可以引人入迷，逗人上癮，結果必然中毒！

宗教思想對人類是否有此大患，很成問題，說來不免話長。但，官僚思想之足以引人入迷成癖，終至毒害社會民生，禍烈於鴉片，却爲千眞萬確而又人人顯見的事實。

凡屬官僚主義的政治人物，沒有不是具有濃厚官癮的。他可以少吃飯，少穿衣，忍饑耐寒，安之若素，然不可以一日無官，無官即一身難過，魂夢不安，有如吸食鴉片烟的人，一天不吸則涕淚橫流，委頓欲死，因爲有癮之故。許多官兒們，生活原很優裕，并不一定「恃祿以養」的。可是，非有一官半職在身，即覺魂飛魄喪，皇皇如也。越是做過大官的，癮兒就越大，爲甚麼有這種官癮呢？

第一：官僚主義者一定是讀書不通之輩，別人把官位看成是人生過程中的一個符號，他却認爲是驕其妻妾鄉黨的殊榮，當然視官如命，寖成深癖。第二：官僚主義者得勢之時，一定作威作福，罔知廉恥，而世人又多對他阿諛逢迎，很少有面斥其非者。這就好像吸慣了鴉片烟的人，癮兒祗有愈見深沉，決難降低了。

要掃除官僚思想，只有大家把作官視爲無足羨慕的勾當，不但不去逢迎他，而且隨時指摘他的卑行醜態，批評他的失職無能，養成社會上重民輕官的習氣，個個供奉着「德先生」(Democracy)那就行了！

雙雙榮歸

・山禾・

「師司令員」兼「抗美援朝志願軍」的戰鬥英雄」羅軍傑要衣錦榮歸啦；金雞雅塘鎮上的老百姓都在「人民」的幹部們領導下爲歡迎這個把「光榮」帶給雅塘鎮的人傑而起着忙頭！李鎮長還興冲冲的特地鄭重其事的召開了一次鎮「人民代表大會」，來和他們反復地討論着如何盛大歡迎羅司令員的節目。

說起這位羅司令員軍傑，如果不經過李鎮長的介紹。大家都已茫茫然想不起雅塘鎮上竟還有這麼一個榮宗耀祖，澤及桑梓的「爭氣子孫」。經過了他的介紹，差不多年齡的人這纔都想起來原來他就是十多年前忽然失了踪的有名小偷羅阿狗。那時候他還只十八九歲，雖是身強體壯的一個小夥子，却不務正業的專以偷竊爲生。眞是眼快、手快、脚快，只要人家一眼不見，他便會將人家剛從身上脫下來的衣服都一下子給牽了就走。有時候即使失了手，，他又是個硬着頭皮打不死的無賴傢伙，那時候的老鄉長弄得沒辦法，發願要感化他而將他收作了長工，並將一個丫頭嫁給他，幫他成了家，想拿恩惠和家庭去約束他的墮性。但這傢伙天生就是一個不安於正常生活的人，不久便忽然失了踪，十多年來沒有消息，成了地方上一個小小的謎。他的老婆却在守着活寡。現在總知道他那時的忽然失踪，原來是被共產黨看中了選了去參加了胡公勉所領導的溫州大暴動，暴動失敗後便跟他們竄到了瑞金，此後就因爲憑他的眼快、手快、脚快建下了不少「戰功」，殺了很多人，便一級一級的升到了師司令員，「阿狗」這不雅的名字也早已改過了。最近在北韓戰場「英勇」地爲打「美國鬼子」將一師兵打剩了一團。乃給他得了個「戰鬥英雄」的諡號；而後將他的殘部調回浙江整編補充，他於是衣錦榮歸！現在眞不可同日而語啦！

「哆嗟哆！鏘令鏘！」當羅司令員快要踏進雅塘鎮的時候，雅塘鎮的南柵頭便哄起了一陣熱鬧！鎮長啦！幹部啦，代表啦，小學生啦，秧歌隊啦，腰鼓隊啦，以及看熱鬧的老頭子啦，老太婆啦，大姑娘啦，小夥子啦，小孩子啦，擠滿了一個口子和一條街，敲鼓的敲鼓；打鑼的打鑼；扭秧歌的扭秧歌；打腰鼓的打腰鼓；眞是一片「喜氣洋洋」！當羅司令員踏進雅塘鎮的時候，鞠躬的鞠躬，拍手的拍手。

鎮「人民政府」的廳廂廂已擺下了酒筵，以爲羅司令員和他的軍官們接風洗塵。鎮「人民政府」附近的空坪和民家也已擺下了熱氣騰騰的大魚大肉，爲羅司令員麾下的「戰鬥員」們「慰勞致敬」！久已不知肉味了的老百姓們則吞着口液沫依然在看熱鬧！，不久，夜幕已漸漸地升起，府前府後，府左府右便一片燈燭輝煌！敬酒的敬酒，猜拳的猜拳，喧囂幾已震動了半片天；羅司令員和他的愛人是好不風光！看熱鬧的老百姓則都捧着肚子，吞着涎沫，纔着眉頭，漸漸地散去！經過一個黃昏的騷擾，一場盛大的「迎羅」大會終算宣告「勝利結束」；鎮「人民政府」作了羅司令員的臨時寢宮，雅塘鎮上恢復了夜的靜寂。

「拍拍！拍拍！」但到午夜，鎮「人民政府」裏而忽然響起了一陣稀疏的槍聲！老百姓蒙住被頭不敢管閒事，「解放軍」則立刻引起了騷動，[illegible]想想鎮政府內外明明[illegible]有第一營的一營[illegible]不可能有「反動」「搗亂」，以爲是哨兵走了火？[illegible]是，都不是；當第二營和第三營營長帶了一批兵來查問情由的時候，鎮政府內外依舊是一片漆黑，一片靜寂，靜寂得連哨兵都不見一個了！所能見的，却已只有一個橫在大門內的營指導員的屍體，及躺在床上滿身抖了血彩的羅司令員和他的愛人！他們已眞眞確確的宣告雙雙榮歸——歸天去了！明白這，兩位營長纔已出了怎麼回事！但第一營一反已反得無影無踪，除了亂地鬧起一陣空槍示威，便只好急得團團轉！眞可惜！從此雅塘鎮上的「殊榮」，盛况只是迅告幻滅！那麼曇花一現！老百姓們也像做了一個夢，但在暗暗地會心微笑！

談明代教坊

猾士

建文之難，成祖於忠烈之妻，多發入教坊，如鐵鉉妻楊氏，勞大妻張氏，卓敬女楊奴等；或枉死，或冤辱，殘忍刻毒，無以復加。其尤甚者，又如方正學先生十族既滅，妻拏亦隸教坊。正學塚，在花雨台下，以雙梅樹爲記。其女年年登台望祭，迨其塲入梅都尉家而祭絕。李道父爲郎中，落其籍，嫁商人，湯若士後訪其墓，購地祀之。林云儀，其先林某，殉節建文，籍其女入教坊司，今苗裔衰微，淪於執巾司僕之流。（以上見玉光劍氣集及宦史）明之教坊，其毒燄所燔，及於忠烈妻孥，使義夫節婦，澤蔭不得昭於後，而優秀士女，雖爲國用，乃徒供文人墨客之遊弔，可哀也已。

明代妓女，多能親操柔翰，雅擅文墨，其故：蓋搢紳縉沒之家，書香猶未泯絕，而南都士氣溫文，傾彥臨集，流韻遺風，薰陶有漸，樂戶多親生女，延師課讀，視爲應然，以此，素習滋深，節概斯重，嘐嘐子評婦人集云：（宜興陳維崧著）「婦人集中人物，其出身樂籍，如臨淮老妓，身易鉢錙，持匕首，間關千里，出入賊壘，有勇士風。寇白門娶言不繁，折衝樽俎之才，其散財結客，喜與名士游，則又長於交際處；若在孔門，惟端木氏足與之頡頏，一月得萬金，不減端木氏之貨殖；片言脫籍，何讓端木氏之退齊師？世無孔子，不遇四科之列，殊爲可惜。顧橫波輕財好客，有名士風，黃梨洲在黃英人座上；與次尾，馮爵仲出一紙欲拘橫波，梨洲引燭燒之，因有句云：「一紙風波投絳燭，祇因曾與共登高。」一識之緣，即護持之如不及，梨洲成已成物，大學問，大胸襟，於此可見；橫波之爲士夫所重，亦於此可見。柳如是風流跌宕，晚以節顯。……之數十者，同是章台人物，竟是李香君氣節嶙峋，而玉京深隸矣。元禮一流人物，作配侯生，誰曰不宜。」不僅此也，如闢闢書扇，漫頭蕩婦之名，貞美自全，早訂良人之約，湘蘭逸韻，筆孅風枝，凝秋明雋，舌饒苦諫。（邢浭秋爲馬士英姿，曾勸馬授史閣部以櫃，見板橋雜記補。）此皆淑氣所鍾，轉䠞特筆者也。（下）

新・世・說・補・遺

集訓趣聞

集若干思想習性胥已定型之中年以上人士，濟濟一堂，從事短期訓練，此其功用，除技術方面自有可觀者外，對思想學術上影響如何，蓋難言之。然藉茲場合，可使一般社會人渣與政治垃圾，顯露形相，無復遁迹狀世之機，如本篇所紀傳聞情事，則亦有其意外收穫也。

某甲，出身陸軍軍校第一期，久歷戎行，積資貴爲集團軍總司令。大陸遭赤潮淹沒後，某隨政府至台灣服務，仍參贊軍機如故。卅九年海南島撤守之役，原係統帥部預定計畫，當時某奉命赴海南協理退軍事宜。某思海南棄守，共軍必將犯台，維時美國務院正聲言台灣旦夕將陷入共軍之手，明令撤僑。某認大勢已去，信心動搖，乃於赴瓊途中，設法雇漁艇潛逃香港。迨美海軍第七艦隊協防台灣海峽後，某又藉人事關係入台活動，初悄然卜居鄉壤，蓋自忖愆德，不便如當年之招搖過市也。繼而挽有力者保送受訓，欲藉此一番洗鍊，脫去舊污，重復昔日生涯。同堂受訓者三百人，例須分隊編組，某曾任集團軍總司令，資歷特最，被推任大隊長。大隊長者，中堅幹部也，開學前，必偕班主任晉謁訓練學院院長，面聆訓示，院長瞥見某，即謂：「啊！你也來了？」某固具有醜媳婦畏見翁姑之卑怯心情，聞語驚駭莫名，深慮東窗事發，禍且不測。次日正式開學，院長涖場主持，某以大隊長，依軍禮須先馳至台前報告人數。詎餘悸縈懷，心慌意亂，竟將全班實到人數二九七名，誤報爲二四七人，班主任大詫，急予糾正其誤，某更慚悚，越日，以突患心臟病，自請退學開去。

某乙，曾任大陸北地某市警察局長，原爲椎魯武夫，避難在台，貴緣得入訓練班，自幸忝居時代驕子之列，它日不患無位，然不知其患所以立也。凡受訓者，皆有詳細資歷表可稽，某在警察局長任內，曾因案被逮治服刑等情，亦紀錄其中。受訓完畢時，院長約學員個別談話，當以和藹詞色詢某曰：「閱君資歷紀錄，過去曾罹吏議，果何故耶？」某恐坐是失歡，不敢實告，答言：「哦，這事年深月久，不復記憶了。」院長覺其失態，乃謂：「君今行年幾何耶？」蓋明知其資歷表註現年四十九歲，而故作此問，意在誘誠其對答無狀，非成人所應爾也。殊某愚騃不省，欲示謙抑，有若尋常社交然，竟對曰：「這你不必問，我的年齡總比你大！」院長詫其語無倫次，有乖份際，莊容教導之。某情急，立謂：「院長你很忙，我不打攪了！」言罷鞠躬趨出矣。此類儒夫妄人，設非藉受訓而省識其眞面目，致令魚目混珠，他日又乘機竊負國家名位，豈不誤盡天下蒼生耶？

馬五先生

中國之友（五七）

毛以亨

李提摩太傳（二）

傳教師之有成就于中國而蜚聲以歸者，有ROBCERT、MORRISON、LEGGE、CHALMERS、EDKINS、GRIFFITH JOHN、DAVID HILL、HUDSON、TAYLOR、MARTIN、ALLEN、NEVIUS、MATEER、WILLIAMSON、FABER諸人是亦多矣，然未有如李提摩太之上至公卿下逮走卒之無人不知無人不曉。其故在一般傳教士皆不躬自加入中國社會，不與中國人過相同的生活，作同一立場來思想。不是高高在上，自僻于神仙境界，即冷眼旁觀，裝出瞧不起中國人的樣子，這是自外于中國，而在中國社會祇有李提摩太能偉大得起來。

2.到中國前（一八四五——一八七〇年）。

所謂偉大人物者不一定出生于高山，亦不一定出生于城市，不一定[illegible]族，亦不一定是成功者。成功之帝王，歷代各國，其數何啻千百，然有人能歷舉其名不爽毫釐否？而其所以偉大，供吾人之欣賞，久歷星霜，記憶猶新者，則爲其堅貞之質與松柏之性，所謂知其不可而爲之者近是。李提摩太者，生于威爾斯之山地，爲純血統的威爾斯人，故具有威爾斯人之英雄與靈魂。他富于理想而重實行，熱誠而能自制，虔奉宗教而心胸擴大，自尊而能取悅于人。他生於一八四五年，在CAERMARTHENSHIRE之一小村，村名FFALDY BRENIN，其家爲TANYRESGAIR農場。四英里外有千七百年前羅馬人所經營之金鑛在焉。

其先世業農及冶鐵，生活簡單而平實，故身心均極健全。他兄弟姊妹九人，而居其季，其父母在兄弟姊妹中，都是序列最幼，誰謂季氏功業不較仲多哉！威爾斯人在百年前常有姓而無名，李提摩太在中國時，滿清欲榮封其三代，據其所開則父亦名李提摩太，祖父名李會祖名大維約翰。其父兼任浸禮會兩個小教堂的書記。其母族係附近支持該教堂之農民，據REU、KILSBY GONE所述爲柔婉多姿世罕其匹之賢妻良母云。

李氏自述其童年時事曰：「我少時工作于農場忽肩骨脫節，離五英里外就醫。入門以路不平，跌了一交，衆以我病將加劇，不料跌得適將肩骨接合，遂無醫而自愈。」「我兩眉之間有一創疤作T字形或即爲我名提摩太TIMOTHY之所自來。創疤由來，一次爲四歲耕田，墜過石而馬馳不止乃覆而傷額，又一次爲八歲時爲我以文法書打馬而被其踢到田溝去而傷鼻。」

他在教會所支持的家中農場之小學讀書，一直到十四歲，中間在農場工作一年。他立志升學，父曾不願，而母與兄皆贊其成，乃告其父謂祇要一年學費，年後即可資助家庭。乃于十五歲在離二十英里之處入學，一年後即實踐諸言，日間教小學，晚間教鑛工讀書。他有此積蓄始再讀書，遇低班教員請假時輒爲之代課。後在SWAMSEA師範學校，多季則回家代其兄約瑟之農場工作，俾乃兄得以進補習學校。

我參加越戰（五）

L・HART 著　節啓 譯

至於我們的食物，那也是集法、義、德、土著食品特性的大成，變成了一種非驢非馬的雜會，有時候，伙食好到極點，和法國的上等膳食比起來，也毫無愧色。但有時却一落千丈，簡直連非洲牲口的飼料也不如。我們的早餐，通常是一杯咖啡，一塊巧克力或是凍魚做成的三明治。許多食物都是軍團經營的農場自行生產的，再用騾車分送至各兵營。

在我們受訓期間，那些下士們顯然在管理我們的權力上有很多伸縮的餘地，我們很容易突然挨一記耳光，甚至在檢閱的時候，也常常如此，依照外國軍隊的傳統，凡違反紀律的新兵，應該把頭髮剃光，此外，還有許多特別的刑罰。

△我們的分列式▽

兩樁麻煩

至於我，在非洲曾遇到兩件極不愉快的事情，一次是我不愼遺失了一件極陳舊的襯衣，這件襯衣在發給我以前，已可說得上是千瘡百洞了，但當局對這件事懲罰的嚴厲却不由得我不大感驚異，他們說，我遺失這件公家的襯衫，應該處以八天的禁閉，同時還要罰款一千法郎。

中華民國僑務委員會頒發登記證台教新字第一零二號

自由人

THE FREEMAN

（半週刊逢星期三六出版）

（第二〇二期）

每份港幣壹毫

督印人：李光華

社址：香港高士打道六十六號

電話：二〇八四八

GLOUCESTER RD. HONG KONG

TEL: 20848

承印者：東南印務出版社

地址：高士打道六十四號

台灣特派員辦事處：台北市館前街五十號

台灣總經銷處：台北中華路新號五九四之一

台灣郵政劃撥儲金帳號九二五五號

論「耕者有其田」與土地問題

·樓桐孫·

人是不能離開土地而生存的。台灣這幾年來，在總統堅定領導及當局慘淡經營之下，確已百廢俱舉，有顯著進步。當這「中立化」已告解除的前夕，我政府以雷霆萬鈞之力，毅然決然來解決幾千年來未能妥善解決的土地問題，確是千載一時稍縱即逝的良機，而其中機括，尤以實施技術和執行人才最關重要，願提出幾句話以與從事地政諸君子相勗勉。

生存的必要條件

人是不能離開土地而生存的。儘管早已有人在空中結婚；有人在空中「生」；也有人在空中「死」：但總還沒有人能夠在空中「存」。也儘管美國「紐約市海登行星旅行社」已「計劃好了」他們的第一艘飛往月球的飛船，將定於一九七五年五月三十日出發，而天但勇敢的美國男女老幼，或「為了要在火星裏設立汽車分行」，或「為了要於二〇〇二年在金星裏舉行他們的金婚紀念」，紛紛寫信向該旅行社登記票位的已達二萬四千人之多，但依我們看來，即或這二萬四千位星際旅行家眞的能夠於一九七五年五月結隊動程，並且到達了他們的目的地，至多也祇能算是「試航」而決非像當年他們的祖先——一百多個清教徒由英國向新大陸的「移墾」。所以在可預見的未來時期內，土地對於我們人類，畢竟還是必要的，絕對不可少的生存條件。

尤其我們「中華民族是第一個生在地上的民族；古代中國人的思想眼光，從未超過現實的地上生活，而夢想什麼未來的天國」（見中國論第三卷第十二三四期合刊常燕生著「中國民族怎樣生存到現在？」一文）。佩的，自從「古者包犧氏之王天下也，……作結繩而為網罟，以佃以漁，……神農氏作，斲木為耜，揉木為耒，耒耨之利，以教天下」（易繫辭），一直到今天的自由中國台灣，我們仍然還是「以農立國」，靠「地」，也就是靠「天」為生的。

「耕者有其田」

這在原子能時代，實在是太落後了！

這雖怪在百多年前，萬古惡魔馬克思便要用唯物辯證法來建立他的階級鬥爭的革命謬說！

這雖怪久處封建極權下的近代西洋人振臂疾呼，前仆後繼的爭他們的自由，平等和「耕者有其田」，形成各種長時期的繁複而艱鉅「土地改革運動」！

這雖怪在二十年前，朱毛匪幫們靈機一動，良心一橫，便一口咬定中國土地制度也是一種「封建性」的制度，因而僞裝着「土地改革者」的姿態來恐嚇農民，破壞農村秩序和社會倫理而終於攫竊了大陸的政權！自共匪們爭得江山之後，在短短的二三年間，已頒布過五個「土地法」，和幾次的「農村階級劃分辦法」，硬把中國社會一刀一刀，一層層的橫剖成無數的所謂「階級」，使驅良老百姓冤冤相報，互相仇視，以遂其「鬥爭屠殺」「大欲」！「前車覆，後車鑑，」今天台灣「耕者有其田」之毅然決然的實施，其中一部份的「生殖質」（Germplasm），或者就是因為意味到這種慘痛教訓，不知不覺的傳襲而來的。

我國土地制度的變遷

夷考我國土地制度的變遷，觀於詩經（周頌篇）所說：「貽我來牟，帝命率育，無此疆爾界」，似乎原是「公有公用」的。大概後來因種種原因，農產品不敷食用，為鼓勵「耕者」熱心努力於土地的改良，乃規定讓他們長期使用，除提供一部份勞力或產品作為公用外，其餘收穫，概歸「耕者」自有，而土地則仍屬於公家。相傳夏商周三代的井田制度，將一方里的土地，劃為九區，中為公田，以外八區為私田，分授八家，按年齡（未成年，壯年，六十歲老年）分別授田或還田。八家共營公田，謂之「助法」。三年一換主，即猶今之所謂「再分配」。井田之外，大家還聚居的地方，另有一個叫做「邑」，每邑都有兩個老年人做領袖，叫做「父老」和「里正」。易所謂「改邑不改井，……往來井井」，……以勞民勸相」，大概就是指的這種情形。這辦法如果確曾存在，應該是中國土地制度的黃金時期。這可說是「公有私用」時期。傳說魯宣公「初稅畝」，似乎是井田制崩壞的開始。到了商鞅用秦，為了富國強兵，獎勵生產，廢井田，開阡陌，任人自有自營，不加限制，這是中國土地入於私有的一大轉變。於是，久而久之，豪強兼併，土地集中，到了漢武帝時，使已形成董仲舒所謂「富者田連阡陌，貧者無立錐之地」的嚴重現象！

這種現象，在當時顯已有「積重難返」之勢。以漢武之英明，未敢貿然加以改革。後來王莽篡漢，以革命手段，不顧一切的實行改革田制，下令「更名天下田曰王田，……敢有非井田聖制，無法惑衆者，投諸四裔！」

王莽何以失敗？

然而王莽之如此決心，終於很快的遭遇失敗，這究竟是何道理呢？當然，這在政治，經濟，社會各方面，都是有很多原因的。但依王船山先生的看法，根本上還是怪王莽自己「不知治道」。茲摘錄船山遺書研究易經謙卦象詞而發揮的一段話於左：

「地中有山者，謂於地之中而有山也。山者，地之高者，非地之外別有山也。……人見山之餘於地，而不知山外乃地之不足，可增而不可損也。裒，聚也。施者，惠民之事。……多者，裒聚之而益多；寡者益之使不乏。固不厚高而薄下，抑不損高以補下，如稱其本然而無容私焉。……君子施惠於民，務大德不市小恩，……不知治道者，徇疲惰之貧民而澆側富民，以快其妒忌，醜亂之道也。……雖有不齊，亦物情之固然也。不然，則為王莽之限田，徒亂而已矣」。（見周易內傳卷二第八葉。）

船山先生一代大儒，深有得於聖學，而細繹上述說法，頗有合於 國父「齊頭」「齊腳」的平等理論，似亦未可厚非。但究因時代關係，不明近代社會經濟的道理，致使王莽受他這般深刻的抨擊，不免有「對人」的成份在內。是以後來荀悅祖述董子限民名田之遺旨，深惜光武不能乘「中興之後，……更制張本」。而自後歷代政家，如晉武帝的「占田」，北魏的「桑田」，唐朝的「口分田」與「永業田」，宋朝的「公田」與「民田」，王安石的「方田」，以至趙天麟上元世祖疏所建議的「限田」，「凡限外之田，有佃戶者，就令佃戶為主。凡未嘗墾闢者，令無田之民占而闢之。凡全免第一年租稅，次年減半，第三年依例科徵。凡占田不可過限。凡無田之民，不欲占田者聽。凡以後有富民買田，亦不可過限也。」世祖納趙氏之議，於至元三年下令全國限田。兩漢以來政家學者的理想，反藉異族統一中國之局而一度見諸實行，也可說是歷史的異數！

「有田同耕有飯同吃」

明，清兩代，對土地制度，都沒有什麼大更張。太平天國曾頒過一種「天朝田畝制度」，要使大家「有田同耕，有飯同食，有衣同穿，有錢同使，無處不均勻，無人不飽暖」，可謂徹底已極，難怪國父稱它為共產主義，而被後來英國戈登所破壞（均見建國月刊第三十三，四期合刊，邵元冲著「太平天國的土地制度」一文）。

這次中華民國政府於一月二十六日公布「實施耕者有其田條例」，並經行政院於一月二十九日以院令指定台灣省為施行區域，都凡五章三十五條，基本原則，在推行 國父「平均地權」的遺教，而態度溫和，對地主與佃農雙方利益及將來自耕農（新地主）之負擔，顧慮亦頗周詳，相當近似元世祖的限田法。關於地主被徵收耕地地價的補償，以實物土地債券七成，及公營事業股票三成搭發（第十五條）；上項實物土地債券，交由省政府發行，年息百分之四，本利合計，分十年均等償付，持券人得免印花稅及利息所得稅（第十六條）；承領的耕地，如因不可抗力或重大災歉，其未繳地價，得報請減免或緩繳（第二十五、六條）。因之，又分別制定「台灣省實物土地債券條例」和「公營事業移轉民營條例」，於一月二十六日同時公布。此外，尙須擬訂「此條例施行細則」，然後耕者有其田條例方能見諸「實施」。實施程序，大體將分征收，審核，公告，放領，地價補償，並收繳及頒發所有權狀六個步驟：——全部預定自三月間開始至六月底完成。前此所已辦的「三七五減租」，可說是「公地放領」和「實施耕者有其田」的實際準備；而政府業已握有的「地籍總歸戶」（共有五萬七千幅）和地籍測量，即以作為實施的根據。

各方一片歡呼聲

自耕者有其田條例經立法院通過，總統公布的先後，台灣全省各地佃農和地主，以及地方黨政機關，一片歡迎擁護的呼聲，充滿報紙的大部份的篇幅。陳誠院長對地政人員講習班訓話，並聲明：「假定有少數不明大體的人，[illegible]，有阻撓推行，執法以繩，決不[illegible]」……政府當局對於此次土地改革的重大決心，也足見一斑。正如桃園縣長所說：「我們中國的土地問題，數千年來所不能解決的，今天在我們這一代中國人之手中解決……」這實在是我們民族的幸運，國家上下，實在具有決心，非全[illegible]不可！

因為這事實是太艱鉅，太繁複了！「實物土地債券」發行以後，將如何流通？對財政經濟有何影響？各省營事業，如何合營為「公營事業」，「台肥」，「台紙」，「工礦」，「農林」的兩單位，「水泥」三單位，移轉民營，將如何估價？如何估價標準，將如何求其公正確實？公營事業部份，因社會經濟情況，和農民生活狀況，如何營運，資金的籌措，都有賴於農會等若干運銷，將不免遭遇困難，如何予以救助？這是一個問題。最後，條例亦有「政府為保護土地生產，應指定專款，增加農民低利貸款」（第廿三條）和「政府獎助承領耕地人以合作方式為現代化之經營」（第二十四條）的明智規定，但何時將以「合作」方式實現？「基金」將從何來？「合作」和「現代化」又將如何適應立法上及技術上的要求？我們步驟上也將如何建立，為防微杜漸，以期耕者得有其「田」條例百分之百正確的實施，尙望各級主管當局及執行機構，全力以赴！百尺竿頭，正如楊廳長所說：「事實上只許成功，不許失敗。假如不幸失敗了，我們不只成為農民的罪人，而且是歷史上的罪人！」（二月一日對地政人員講習班訓話）

技術與執行問題

在台灣這幾年來，在總統堅定領導及當局慘淡經營之下，確已百廢俱舉。當這「中立化」已告解除的前夕，我政府以雷霆萬鈞之力，毅然決然來解決幾千年來未決的土地問題，確是千載一時稍縱即逝的良機，而其中機括，尤以實施技術和執行人才最關重要。技術方面，已有相當準備；惟執行人員，多係從新訓練，將來是否能夠個個都忠誠服務，與農民打成一片，大公無私，如楊廳長所期望的（見前），尙有待於此後事實的證明。謹引荀子君道篇的幾句話以與從事地政諸君相勗勉而作本文的結語：

「有治人，無治法。……法不能獨立，……得其人則存，失其人則亡。法者，治之端也；君子者，法之原也。故有君子，則法雖省，足以徧矣；無君子，則法雖具，失先後之施，不能應事之變，足以亂矣！」

半週展望

·左舜生·

問題的表面與裏面

自艾森豪總統的國情咨文發表以後，整個國際局勢便已豁然開朗。儘管各方面的反應有種種不同，但對過去的蹉跎，錯誤有了一個大大的修正，要屬毫無疑義。

可是，話雖如此，凡一問題都有表裏兩面：今後台灣對大陸的進攻已經有了相對的自由，確能給予中共多少的顧慮，這只是問題的表面；但台灣在今後的半年乃至一年，如果得不到美國加強加速的援助，依然不會採取大規模的行動，這才是問題的裏面。

如進一步把雅爾達協定正式廢止，在目前關係自由中國者尙輕，所給予日本的影響，乃特別重大；吉田首相根據這一動向，乃強調南庫頁島與千島群島的收復，這並不足以表現吉田是如何勇敢，乃正是象徵日蘇關係尙不如世人所想像那樣緊張。我在一年前，曾假定蘇聯可能自動放棄南庫頁與千島，以買得日本對蘇的無上好感，同時鼓勵日本再武裝的決心，進一步更以龐大的經濟利益對日實施誘惑，便更可能提高日共在日本的活動，同時造成日本的幻覺，使她對美依存的信心發生動搖。可是蘇聯沒有這樣做，自處於被動，而把主動讓給了艾森豪，這可以說是斯大林的愚昧，同時也證明了我對斯大林的估價太高。

就到現在，蘇聯對付日本也還是有餘武力以外的最好辦法，可是已經落後，同時也依然為斯大林的智慧所不及，毛澤東周恩來之類更無論矣。

假定使得蘇聯非發動武力去對付日本不可，毫無疑義這便是大戰在亞洲的爆發，同時也就是蘇聯與中共失敗的喪鐘！如此一來，斯大林不只對不起他的「祖國」，實際也應該革除他這一個領導共產國際的領袖資格！

我要在這裏警告日本：截至今天為止，在亞洲爆發大戰的唯一可能，便是蘇聯的進攻日本，而決不是台灣的反攻大陸。日本是原子彈使用的『發祥地』，同時也可能是一次原子彈氫彈以及一切原子武器大量使用的『歸宿地』！假定日本在今天還要三心二意，還要對蘇聯去存幻想，還要對中共去勾勾搭搭，她便大有可能得到一次最後的懲罰！上一次的懲罰是很輕微的，也實在是很寬大的，假定她自己再招來一次懲罰，則可能陷日本於萬劫不復！老實說，我愛日本，決不後於任何一個日本人，因此我不能不以一百二十分的誠意勸告日本：今後日本惟一的出路，便是靠緊美國，以誠心誠意對待亞洲的一切國家，尤其是自由中國。今後日本最妥當的做法，便是不顧目前的小利小害，而以加倍的努力去發揮自己之所長。我更要反覆的對日本人說：今天一切單純恨你們的人都不是可怕的，只有使得一切眞正愛你們的人不得不轉而恨你們，那才眞正是可怕的！日本的男男女女，都懂得戀愛的道理，我這一番話，還不是明白如畫嗎？

英美間真會發生不能妥協的歧見嗎？

不會的！英國人不單只在小問題上懂得現實，在大問題上更懂得現實。

英美之無法分家，也猶之乎中共無法與蘇聯分家是一樣。就當前的世界大勢來說，英國如果能夠加強對歐洲的責任心，以減輕美國的負担，（當然不是說美國要退出歐洲）這正是美國所求之不得的。大勢所趨，今後對歐洲以外的問題，美國應該多尊重英國的意見；對歐洲的問題，英國應該多尊重美國的意見；（也當然不是說英國要退出亞洲）如此分工合作，一切一切便自然不難迎刃而解了。

蔣總統的聲明

美總統的國情咨文發表以後，蔣總統便立即有一個重要的聲明，表示中國決不需要美國地面部隊在中國大陸作戰之意，言簡意賅，筋搖脈動，不失身分，不失立場，內足加強國人復國的信心與責任，外足以引起美國人民的同情，眞是近年來蔣先生最重要的文件之一，其所以引起各方良好的反應，乃是十分自然的。

台灣海峽戰雲稀淡

從台灣到三八綫

伶修

艾森豪威爾總統進入白宮以後，他沒有忘記競選時的諾言，他曾答允選民與沐血作戰的美國大兵們，必能竭盡智力，解除韓戰的僵持之局，果然，執政甫及兩週，他即行下達解除台灣中立的命令，其演說裏面說：「……不能再事要求美國海軍為中共負担防衛責任，而讓中共轉移兵力赴韓殺害吾人以及吾人盟國軍隊……」由於此點，故曰「解除台灣中立地位」一案，就事實來說，身為自由中國的軍民，固可因束縛之解除而歡欣鼓舞，然就整個戰略之目的和手段來說，可以解釋成艾克總統的亞洲戰略的一部份，假如說得再具體一點，亞洲的整個反共戰爭是不可分的，波濤洶湧的台灣海峽與山嶺亘綿的三八綫也是不可分的。杜魯門「中立決定」既然束縛了國軍對中共大陸的出擊，而今以一紙命令斬斷了這根鎖鍊，韓戰與無形中獲得三個反應：第一、如艾克總統所說，中共將不能移精調銳，集中全力以經營韓戰；第二、本年度國軍雖無全面反攻，然漫長之三千五百哩海岸綫，中共不得不因此設防，兵分而力寡，三野部隊之六十五萬人，不獨不能轉移使用於北韓的侵略之戰，事實上且將分割四野乃至一二野的兵力，配屬於處處空虛之海岸防禦。第三、解除台灣中立的一案，從軍事的本質看去，他是爭取戰爭主動的先聲，是一項雷霆萬鈞的冷戰，也是一個熱戰的訊號，最大的價值乃在於艾克總統認清了亞洲反共戰爭的焦點，他將自由中國、南韓乃至越南日本的共黨侵略看成了一件事，而且，他將台灣的海陸空軍適用在最適當的地方。

全面反攻之醞釀

命令頒發以後，國際間反應紛紛，除了敵對的自由中國以及中共兩面不說，餘者多懷疑慮，以為此項措施，利少害多，更多的人且躭心山雨欲來，一紙命令使波濤洶湧的台灣海峽戰雲瀰漫。本文之作，不在評論此種措施的政治得失，僅由軍事一點，盱衡全局，觀察中立解除以後的台灣海峽，是否就此瀕入多事之秋？

先就自由中國而言，蔣總統於本月三日宣稱：「自由中國今後之反共復國行動，為自由世界反共黨侵略之一環，但自由中國並不要求友邦以地面部隊協助作戰。」這段聲明令人意味到全面反攻，尚須一個時期的醞釀，而全面乃至局部出擊的軍事行動，亦可隱約的聽出需要海空援助的呼籲。

誠如過去與現在的事實所說：去年今日，太平洋艦隊司令雷德福上將與美海長金波爾先後視察遠東，他們同樣到過台灣，讚意自由中國軍事方面的進步；可是也同樣坦白地指出，台灣是時尚無全面反攻大陸的力量；時隔一年，軍事設施，自有躍進，但這距離亦可於雷德福上將最近的談話裏聽出來，這許多高級將領保證台灣國軍暫時將不致有冒莽舉動，這應該解釋成三點：第一：全面反共的時機尚未成熟，這一段醞釀期間，不會就得太久，此一時期，整個自由中國陸海空軍的建設，將以反攻為中心而作突飛猛進的整建。第二：目前不作全面反攻的理由，海空軍之尚難負担全部任務，其原因之一，主要的乃在配合整個亞洲反攻戰略，使自由中國在反共戰爭中盡其「一環」的力量。第三：醞釀全面反攻既非珍惜兵力，更非拖延時間，由於台灣最近加強浙閩滇三省省政機構，以及對大陸游擊武力之號召兩點看，本年春末夏初，由東南海岸乃至邊陲的雲南，必有很多的反共戰爭，是星之火，或不燎原，但是整個戰勢，已經朝全面反攻之點邁進一步了。

攻台有心無力

次言中共，台灣中立地位解除以後，至今只聞周恩來的叫囂，雖曰「美國擴大戰爭」，迄無應付戰爭之決心與行動。但憂天之人，以為中共挾陸軍五百萬，民兵逾千萬，海軍有五個艦隊，空軍機數，已達二千五百架，以此巨數兵力，不難跨海而東，台灣從此多事，戰爭是否由中共動手呢？

關於此點，吾人之答案為「否」，解釋此一「否」字的理由有三：

第一：攻台必須以海軍為主，空軍掩護而作登陸之行動。但是中共海軍為其最弱之一環，彼等共分五個艦隊，擁有大小艦艇九百五十餘艘，總噸數約十二萬餘噸，其艦類分級，五千噸以上者一艘，千噸以上者五艘，八百至五百噸者七十七艘，餘約三二百噸，僅能担任近海防禦及江防。這許多艦艇，分配於五個艦隊，不能用之全部攻台，駐華東地區者係第三第五兩艦隊（共有艦艇五百六十八艘，另機帆船八百餘艘），其第五艦隊全力担任江防，駐中南地區者為第四艦隊（艦艇一百五十六艘）即使此兩個「地區」的紅色海軍合併使用，亦難負荷掩護輸送之責。

第二：台灣中立地位雖已解除，但第七艦隊仍負巡弋之責，第七艦隊為太平洋艦隊之一部份，且在韓負有作戰任務，由於此點，即為第七艦隊之安全與太平洋艦隊不可分，台灣海峽的防禦與韓戰不可分，單以第七艦隊言之，除韓海部份外，尚有大小艦艇二百餘艘（包括主力艦三艘，巡洋艦五艘，航空母艦八艘）一次可以出動飛機五六百架，加上琉球的二十轟炸兵團，與呂宋的十三航空兵團。此無敵海軍與嚴密的空防鐵翅，因其兩個「不可分」的理由，中共的原始海軍，決不敢貿然攻台。

第三：如蔣總統三日之聲明所稱，如艾克總統之戰略觀點，所看到的台灣既為反共戰爭之一環，自由集團亦必珍視這一環。反共戰爭是整個的，如同侵略戰爭也是整個的一樣，這一點中共看得最明白，中共既無法將侵韓的精銳轉移到台灣海峽，我們亦無決心再闢戰場，冒險將中共作孤注一擲，基於這三個理由，愚以為除了國軍的局部反攻之外，中共最近決無大舉侵台之戰。

反攻力量在敵後

台灣通訊

自艾森豪於其致送國會咨文中，宣佈解除台灣中立，自由中國朝野人士無不興奮。然亦有人認為宜一則以喜一則以懼，蓋照目前國軍力量，尚不能即行發動大規模反攻攻勢，以慰大陸同胞殷切期望。惟亦有人認為此後反攻工作，決非如過去戰爭，以我一人對匪一人，以我一槍對匪一槍，乃係以仁義之師對暴虐之衆，以精神道義力量號召敵後人民，必可以一當十。凡今日關入大陸鐵幕之四億餘衆，日後皆為我反攻之力量，古人謂仁者無敵，即此意也。但欲能獲得敵後力量，以為我用，則自由中國朝野人士，必須先能團結一致，無私無我，能為民衆表率。蔣總統自去年元旦號召總動員，軍事方面早已着手訓練動員幹部，行政方面尚未開始。反攻大業，非僅限於軍事，行政方面必將力謀配合，方可完成雪恥復國的使命，與反共抗俄的目標也。

新留學辦法尚未奉核定

自由中國原有留學辦法，過於放任，致引起各界指摘。自三十八年以來，凡高中畢業者，只須提出美國大學入學許可證件，即可免試放洋。大學專科畢業者更不論矣。近兩年暑假中，各校學生赴軍中服務，揮汗如雨，而另一批家境較佳者則不但不赴軍中，且紛紛出國，甚為社會所不平。最近監察院查得四十一年暑假台灣大學畢業生，本應赴鳳山集中軍訓，其中有以疾病為理由請求延期受訓者，竟取得出國護照赴美，業已向行政院提出糾舉。茲聞教育部於上年九月即已將重訂留學辦法，呈送行政院，迄今尚未奉核定。新辦法內容，為非大學專科畢業經過教育部留學考試成績及格者，概不得出國，如係最近大專學校畢業生，考試及格後，尚須先受集中軍訓，方可放洋云。

出版界將編倫理教科書

台灣出版界，近已編印四書五部讀本，或原書照印，或略為編纂，尚不能應今日士子之實際需要。茲又將編印倫理教科書，內容以春秋禮記等為本。中共近正強迫商務中華兩大書店將昔有紙型全數焚燬，以期達到其消滅我國文化之目的。自由中國智識界則正努力發揚我國固有文化，適為一顯明之對比。

行政院整理剩餘物資

政府在大陸時期所接受美援物資，或價購進口物資，有已運抵國境者，有尚在美國或沖繩島等處者，有又由內地海岸撤移至台灣者。前經中央信托局及中國銀行派員清理，發生浪費貪污等情事，經審計部調查明確，提出糾舉。茲行政院以反攻在即，各項物資亟待重行整理，以備應用。業經指定專人，積極辦理。其中有關交通器材部份，並由交通部設計委員會參加。日後整理結果，必可對反攻工作有所幫助也。

中共陳兵滇緬邊境

緬甸面臨兩面作戰

國外通訊

英國在緬甸宣布英緬防衛條約期滿以後不再續訂並不正式表示反對，而僅稱繼續談判新約；雖然這個五年協定距今尚有一年期滿，緬甸顯欲極力擺脫英國的羈絆。但國內不安的情況，事實上不易使它邁向完全獨立之順境。

【本報仰光通訊】根據英緬條約，英國可以在緬甸境內於必要時駐兵協防，現時緬境雖然沒有英軍，但緬甸政府軍卻由英國的軍事代表團負責整訓的。中共對緬甸所以不敢明目張膽入侵的原因，顯然對英緬防衛協定有點疑懼，但是，這一個五年條約的期限，到一九五四年一月三日就要期滿了，期滿之後，雙方如果同意，仍可展延五年；緬總理德欽汝於今年獨立紀念前夕，便正式宣布期滿後不再繼續簽訂。德欽汝此種態度，一般認為中共給予他的壓力太重，而企圖以此緩和國內的反抗情緒，在另一方面，這一次社會主義者集會中，他追逐着一個希望，此一希望，無疑是打算於今後藉此國際機構擺脫西方與共產集團間任何偏向而徐圖重溫「中立」舊夢。但是，倫敦消息傳來，英緬條約，期滿仍將續訂，此予德欽汝之幻想「中立」，無疑是一大打擊；而紅白旗兩把赤色利刃，已插進了他的心臟，儘管他從「唯物」、「唯心」理論中選擇了第三條——社會主義道路，既反歐美資本主義，又反對共產獨裁侵略；緬甸畢竟是接受美英援助的國家，怎經得起現實的考驗。這一個動盪的佛國，現已臨到破碎支離的地步；而具有民族主義濃厚色彩的喀倫族軍，以緬甸政府本身的脆弱，以及自身實力之不足抵抗來自滇境的中共軍入侵，據稱已和國軍李彌部會合，在泰緬邊境建立基地，在喀畢鎖附近已與政府軍展開激戰。據緬政府軍方宣稱，該方面自經一九四八年九月成一個獨立國以來，政府軍屢遭慘重打擊。現時喀倫族軍於擊潰政府之後，自緬甸重要之海港毛奇之外圍出擊，緬軍正向毛淡棉空軍增援。一般相信喀倫族軍這一次進攻的主要目標，旨在擴張他的勢力，而非竭其全力以傾覆德欽汝政府。

喀倫族軍向李彌乞援

中共與緬共締結協定

李彌部自經回到景棟以北之後，雖然一度與緬軍發生衝突，但緬軍對喀倫族軍與李部顯然不能兩面作戰。因此便專心對付於喀倫族軍。該軍之目標顯然與李彌部不同，後者僅係流亡性質，並無奪取政權之意向，且喀倫族軍佔有仰光西北之毛奇已經三年，此一鎢鑛地區完全由該軍控制，亦為維繫該軍生命的一大資源，此一鑛區所產之鎢，佔全世界總產量百分之十，往昔由英國開採，三年前英人被該軍逐出而加佔據，自本月十二日該軍向外圍出擊之時，事先曾向國軍李彌部以無綫電乞援。據緬軍方所公布該電之大意，謂「大敵（指政府軍）臨至吾境，並已開始行動，請速派國軍來援」。從電文中看去，這次的戰爭主動不在喀倫族軍，而係政府軍發動的攻勢。一周以後，緬軍雖然空中、河道兩面增援，李彌之協援部隊亦同時趕至，結果除了政府軍受到重大殺傷之外，並無任何進展。另一方面，中共已與紅白旗緬共締訂協定，並且根據該協定的規定，設立一個「共同作戰局」，該局之下，設一「地方委員會」，控制緬共的軍政，軍事方面緬共受該局統一調度指揮，政治上完全由中共操縱。政府軍為了打擊共黨此一企圖，二十一日於仰光之南十六哩處向共軍進剿，據說該等共軍已被逐出三十個濱河鄉村。

戰後的緬甸元氣未復

共黨獲得發展的溫床

從歷史上看，英國人征緬甸尚且經過了六十年的悠長時間；至今依然保持着這一民族的光榮傳統，如果共黨要征服緬甸，顯非易事。這一個自二次大戰結束後的獨立國家，卻又面臨一個新的侵略，更由於此種弱點，緬甸政府的脆弱，無形中又帶來了民族主義反抗政府的潛能，因此，戰後的緬甸，元氣未復，使此一亞洲小邦，被共產主義看作了發展的溫床；在地形上，更認為是進侵東南亞的必經路綫。當蘇俄掩有中國大陸之後，迫使德欽汝政府承認北平中共偽府，締訂貿易協定，開放滇緬公路，使海外的戰略物資，從此輸出緬甸運入共區。而另一方面，使蘇俄豢養的紅旗、白旗緬共，潛伏於緬境經常獲得中共的接濟；緬甸的地位形成了中共獲得禁運物資的轉口站了。事後德欽汝雖然屢遭國會若干議員的指責，也認為違反了聯合國的禁令，但格於當面的形勢，緬甸政府終未曾採取關閉滇緬路行動！

英美援助下建設國防

社會主義路綫走不通

緬甸政府的積弱，始於一九四七年。當時獨立後臨時政府第一屆內閣親英總理昂山及其若干閣員於閣議中被殺；一九四八年德欽汝執政以來，國際形勢的鉅遽演變，尤其承認了中共之後，外力的高壓，內部的紛擾，政局日趨動盪，在最近的兩年中，政治暗流洶湧起伏，德欽汝曾經兩度表示消極。然而，這在西方國家看來，無疑是僅次於中國、韓國、越南的一大危險。因此，英美極力地替緬甸打氣，美國對緬甸的經援逐步增加，這是很明顯地說明了德欽汝當年從共產主義的「唯物史觀」與緬甸佛教之「唯心史觀」兩個理論中所選擇到的第三條——社會主義路綫已經失敗，不由得不使德欽汝再鼓起勇氣來和共產主義決鬥了。雖然，英國對緬甸貸與大量武器，擴充駐緬軍事代表團員額，替緬甸訓練新軍，建設他的國防；去年美國又贈與十艘砲艇，并且還說今後將除了原有經援的規定的定量以外，充分給予軍事援助。而德欽汝卻還不能廓清曖昧的外交立場，但事實上已反映出他確已放棄了「中立」觀念，走到自由世界的光明面來。可是，環伺於周圍的赤氛，將怎樣消除呢？

中共謀統一指揮緬共

武裝部隊已調集邊境

德欽汝的外交立場曖昧并非無因，環伺他周遭的三股力量，使他感到現實的處境，要尋求適當的辦法來解決，這三股力量是：一、德欽丹敦領導的白旗共產黨，是著名的托洛斯基派；二、宇頗帕所領導的紅旗共產黨；他們崛起於日據時期，均直接受命於莫斯科，而間接受中共接濟；六年來的坐大，確實擁有相當強大的勢力，要不是一一三、喀倫族國防自衛團這一支右傾武裝勃起，或是國際共黨認為掠緬的時機尚未成熟，緬甸政府早已倒戈於赤魔手中了。就中共對緬共最近的措施來看，侵緬的部署，尚在準備期間；亦無疑是緬甸的新兵以及李彌與喀倫族軍，這一支突起的異軍感到疑懼。據德欽汝向國會報告說：「中共派人支援緬共，并決定各派系統一組織，現時正在形成中。這已是鐵一般的事實，如果他們各個派系一經聯合，以緬甸這樣高山密林的地形，最適合於他們的游擊，實援，使政府討伐，感到困難。」但中共的正式部隊已經進駐緬境了。緬國防部長宇蘇公開指稱：「緬甸人民已開始歸向政府這一邊，吾人對於處理叛亂問題，與其採取軍事掃蕩，不如用政治手段去解決。國民教育實有加強必要，鄉村中的戰鬥雖然目前并未減少，而共黨之正規部隊，已匿居山中。」此點足以證實中共於緬北設置「統一指揮部」改編共軍的傳說係確鑿的事實。就整個實際情況而言，緬人雖不願意再有長期作戰的日子來臨，但他們對於反侵略戰爭卻并不畏懼。而共產主義的政治滲透未成熟，妄圖以軍事勢力擁有緬甸，僅就最近各地寺院對緬共展開激烈攻擊一事來看，絕非可能，且緬人崇信佛教，一九四八年以來，生活水準雖然大為降低，既不被赤色感染，自是不易受共產思想所蠱惑的了。（史密靈一月二十三日寄）

國軍反攻大陸指日可待
中共加強華南軍事部署

·丹心·

艾森豪總統宣佈解除台灣中立化後，國軍反攻，已指日可待，關於中共在華南沿海積極佈防，準備頑抗的消息，前此雖曾經各報報道，但所談不是範圍太嫌狹隘，便是內容失之空疏，很少看見一個完整而有系統的詳盡報導，不能使人得到具體的瞭解；筆者最近會見一個舊識，他是甫由漢口設法逃亡來港的共幹，曾在共軍的高級機關任職，對於華中、華南各省共軍的部署，都能瞭如指掌，茲摘錄其談話要點如后：

新成立砲兵獨立旅

「華南沿海軍區」近爲加強海岸防守力量，新成立了一個「砲兵獨立旅」，下轄四個砲兵團，分駐華南沿海各砲台，「砲兵第一團團長」林銘，「政委」黃克明，「教練員」田木井村（日籍砲長），駐守潮汕區，惠來神泉港，揭陽砲台，達濠、澄海、拓林、南澳之媽嶼島等地；「砲兵第二團團長」黃運澤，駐珠江口虎門、沙角、太平、威遠、大小虎、萬頃沙、上下橫襠、黃松崗一帶；「砲兵第三團團長」鄔志熊，駐防外伶仃、大鵬灣、大亞灣；「砲兵第四團團長」何仲平，駐廣州市郊，正在整理之中；這些砲兵團的配備，並不完全相同，大抵每連編制上都有俄製海岸砲六門，另外每團還有野砲連、海岸砲連、高射砲連、戰砲連等，已經裝備完成的連，有大卡車十五輛至二十輛，沒有裝備完成的連，仍然還是用騾馬挽拖的，據說，這些落後的交通工具之所以沒有完全改善，是由於俄人接濟的遲緩，也可解釋爲是由於俄人的窮乏，逆料在短暫的時期內，是沒有法子改觀的！

潘陽訓練特種部隊

共軍防守華南沿海的重點，差不多完全在珠江口一帶，原來在潘陽訓練的一些特種部隊，新近才完成開到了粵、桂各地來增防，陸續的都已經抵達南寧的有兩個大隊，已抵榆林的一個大隊，另外還有一個大隊就駐防在大亞灣、南澳頭等港口，這個大隊裝備，都是最新式的武器，純粹由蘇俄派來的人員指揮，並且已在虎門、亞媽廟、三間店、蘇西沿海，設置得有俄式火箭砲五、六門，高射砲三、四門，高射機關槍八挺；爲了保護上述的這些砲兵陣地，原來停泊在榆林港的「果敢」號和「前鋒」號兩艘砲艦，也開到了珠江口，在萬山群島以迄唐家灣一帶巡邏，江口還有外由蘇俄的一艘六百噸的驅逐艦率領登陸艇八十四艘也來到了黃埔港，這些登陸艇都是青島或營口最近才裝造成的；另外偽海軍部又撥到蘇俄的潛艇廿艘，在大萬山島建立了一個海軍補給站，這是共軍在華南沿海海軍和砲兵佈署的情形。

兩廣駐軍近亦補充

至於在兩廣內陸駐紮的共軍，他也能夠言之鑿鑿，廣虎、廣深兩綫及中山、新會一帶，最近共軍又有增加，計有「四野獨立第二砲兵團」，「三野」的「第三砲兵師」的「第二團」獨立，「十三兵團」的「第一獨立師」之約四千多人，另有「華南」之「四直屬團」，及原駐穗郊之一部「四十四軍」三千餘人，一三一、一三四師」「軍」全部也調到了粵九路的大小沙頭及沙河一帶；最值得注意的：便是深圳的鄉村裏，駐有一個「國際志願軍海外第二指揮部」（第一指揮部在南寧），下轄三個指揮所，「總指揮員」鄔華，副吳克華；「第一指揮所」設在珠江口，指揮員陳烈；在惠陽縣屬的澳頭港，「第二指揮所」設在大亞灣，指揮員溫竟成；「第三指揮所」設在粵東惠來的神泉港，指揮員王國興；這些指揮所的指揮員都是駐防各該地的共軍軍長或師長兼充。其次就是廣西方面的情形：「四十一軍」的「一二一師」沿來賓鐵路至南寧一段護路；「一二二師」沿扶南崇善站、寧明、憑祥至鎮南關護路，「四十二軍」軍部駐南寧，所轄的「一二四師」師部駐小董，部隊則在邕欽公路沿綫一帶護路；「一二五師」師部駐橫縣，正和十萬大山的游擊隊健兒在那裏拚命角逐；「一二六師」則完全駐在永淳；「四十三軍」駐龍津，所轄的「一二九師」駐靜西，「一二八師」駐大保，「一二七師」駐田東汽車站，此外，還有陳明仁「二十一兵團」的「五十二軍」，「軍長」彭杰如，「政委」王斌寬駐明江，「一六七師」「一六六師」駐上金，「玉龍一帶」「一六八師」駐思陵一帶，足見共軍對來自越南的反攻，也是防範得很是嚴密的！

中共準備應付反攻
潮汕大量遷界移民
師襲滿清故技不惜殘民以逞

粵東潮汕地區，沿海犬牙參差，交通利便，出洋謀生最早，華僑特多，物庶民殷，風俗醇樸，有海濱鄒魯之稱。因地域與台灣僅一衣帶水之隔，爲反攻大陸最理想之登陸地點，中共爲未雨綢繆，自本年一月起，紛在潮汕沿海各地，東迄黃岡、南澳、經拓林、非洲、東隴、南北港，外沙、媽嶼、達濠、海門、靖海、神泉等處安裝高射砲，構築三合土砲壘，挖掘戰壕，設防空洞，在其只顧目的，不擇手段之下，并有遷界移民一舉，無辜哀鴻，慘受蕩析流離之苦，回憶二百八十二年前，清朝順治皇帝，演出遷界移民慘劇，事與今日相類，茲老述之。

鄭張北伐功敗垂成

南明永曆十三年（一六五九）即順治十六年七月，台灣延平郡王鄭成功，舟山遺臣張煌言合兵北伐，由崇明口入長江，先是清廷畏鄭之强也，先在鎮江瓜舟江面，用巨木築長壩，截斷江流，廣三丈，覆以泥，可馳馬，左右木柵，有穴可射，砲石盤繞，是孔江心，用圍尺大索，牽接木壩兩端，以扼海舟，凡費錢百萬，壩始成，即稱爲有名的「滾江龍」封鎖綫，然鄭氏遣善泅水者入江砍斷，舟師二千三百艘，一湧登陸，銳不可當，大破清兵，會師金陵，張煌言則別師下蕪湖、太平、寧國、徽、和、池諸郡，當塗、繁昌等二十四縣相繼俱降，即杭州、九江義憤之士，亦有繼起而響應之者，聲勢煊赫，爲漢族排虜一段有名的北伐史，（見夏琳海紀輯要書）惜乎！鄭、張因兵單糧少而引退，功敗垂成，至今引爲遺憾！

堅壁清野遷界移民

方崇禎初亡，胡虜異種入主中國，而順治冲齡踐祚，未少國疑，孤雛新立，滿人分權，鼇拜叛告，而憚鄭太甚，剿之既不可已，撫之又不可，於是堅壁清野，遷界移民之議遂決，順治十八年（一六六一）詔禁人民不得出海，東自山東之通雲港，經江蘇，浙江、福建、迄廣東之防城止，沿海五省之民，各遷入內地三十里至五十里，先劃一界，以繩直之，其中多有一宅而半棄者，有一室而中斷者，界以深溝，別爲內外，稍踰跬步，死即隨之，遂至沿海數千里無人煙。

他省各地，紀載不見詳細，惟根據廣東通誌邊防篇載潮汕區之事特詳云：「海陽遷去龍溪、上莆、東莆、南桂、四都、秋溪、江東、水南三都之半。潮陽遷去直浦、竹山、招收、沙浦、隆井五都、峽山、附廓、舉練三都之半、揭陽遷去地美一都，桃山半都，饒平遷去龍眼、宣化、信寧三都，澄海遷去上外、中外、下外、蓬洲、鱷浦、鮀江、六都、四都、各築墩台八十有四，立有標幟示不能出界」，至今潮州尚有「識字掠無蛋蜞」一句俗諺：「識字者不出界，緣識字者不致逾越，不識字者大有所獲故也。」

師襲故技殘民以逞

邇來潮汕中共之措遷移民，用大卡車多輛，迫沿海之民上車運往興梅粵北各山區，命令一下，即日當行，攜妻負子，盡室以行，只准帶隨身行李，每車常載六七十人，小孩則置之坐椅下，擁擠不堪，沿途則露宿風餐，飢無食，寒無衣，病無藥，多有不願輕去其鄉，半途跳車跳水自盡，或於未起解時，自忖截上征途，離家既遠，關山無極，望桑梓兮無期，終滅絕于異域，故舉家服毒，不勝枚舉，新近有婦女自潮汕來海隅，如上述後，不勝悲感涕零！偽善相師者多，未聞爲惡亦相師，中共受俄奴唆使，殘民以逞之事，不一而足，遷界移民之事，乃師滿虜故技，在昔時，尚有溫情主義，移入內民之民，尚有同情而加以庇護者，今則時殊事異，大陸山河淪陷，深中赤氛流毒，父子夫婦尚迫其「鬥爭」「清算」，何況外來陌生之人，語言不通，操業迥異，要其推屋讓食，協助生產，情勢有所不能，抑亦中共政令有所不許，在現在，不只爲潮汕區被移之民悲，當爲全國沿海若干萬被移之民悲！（敏帶）

蘇聯文化侵略如火如茶
祖國文化摧毀無餘（下）

俄國書籍滿天飛

文化侵略狂潮中一樁最可怕的事實，就是俄國書籍滿天飛！根據偽中央人民政府出版總署的指供：這幾年來出版的蘇聯書籍的中譯本共有三千一百三十一種，「人民出版社」從一九四九年二月到一九五二年九月止，所出版的蘇聯書籍的中譯本就有一千二百十六萬六千一百多冊，其中列寧、史太林的著作佔了二百七十二萬二千五百冊，這數字很夠龐大了！內還有其他出版社和俄文的原本都沒有計算在內，這些出版物之中，大抵都是文學方面偏勵情感的作品，蘇聯的文學書籍已經譯成了中文的有六百六十五種，高爾基一個人的作品譯成中文的，就達一百五十種之多，歷年來得過史太林獎金的文學作品，差不多全有中文譯本印行，試想能夠獲得史太林獎金的文學作品，將會是什麼內容！其餘，綏拉菲莫維奇的「鐵流」，奧斯特洛夫斯基的「鋼鐵是怎樣鍊成的」，西蒙諾夫的「日日夜夜」，富曼諾夫的「夏伯陽」，華西列夫斯卡的「虹」之類的書籍，流行得最廣泛，或者翻有通俗的節印本，或者畫成了連環圖。他們的目的是要使中華民族下一代，根本不知道自己是黃帝的子孫，除了黃帝、李自成、張獻忠、洪秀全、要把張…、岳飛、文天祥、史可法、一腳從歷史上踢去，只准中國青年以保爾、柯察金、丹娘、馬特洛索夫作爲學習的對象，這夠多麼慘！

電影、戲劇、音樂感人最深，是文化侵略最好的工具，現在的中國大陸，除了蘇聯的電影，再也看不見其他的外國片子，已是人人知道的事實，中共竊據大陸以後，蘇聯的影片在中國上映的已經有二百多部，其中譯成華語的有一百四十多部，這不能把他看作生意經，他是想收到文化侵略的更大效果！從中共的免費驅迫人民看那些毫無藝術價值、娛樂興趣，而只有宣傳意味的「橋」、「中國人民的勝利」、「解放了的中國」、「錦繡河山」、「中華女兒」、「光芒萬丈」、「無形的戰綫」等等一類索然無味的影片，就可以明白是另有用心的。此外，還有一些更滑稽的：譬如，「美國人民的呼聲」，「前進！美國的人民」，是虛託一個故事說明資本主義的必然沒落而趨於崩潰。並且強調美國人沒有俄國人生活得好；「曙光照耀着莫斯科」、「俄羅斯問題」、「莫斯科性格」，都是開出好大數額的支票，說是共產主義的社會必然有如何如何光輝的遠景，這等於說若干年後人人都可以得到一個像美國電影中那樣的「月宮寶盒」！你說有人信沒有？

青蛙亂叫的聲音

文化侵略的毒患，就是要把被侵略民族的文化完全消滅，一切風俗習慣、語言文字，以及起居飲食的方式都要澈底使之改變，因之「一面倒」的神經樞紐——「中蘇友好協會」不斷在國內舉辦各種各樣介紹蘇聯的展覽會，名目繁多，規模比較大點的有：蘇聯建設圖片展覽會，史太林七十壽辰展覽會，列寧生平事業展覽會，蘇聯宣傳畫和諷刺畫等；至於各地的「中蘇友好協會分會」自己舉辦的小型蘇聯圖片展覽會，幾乎是繼續不斷的在學校、工廠、街頭展出，要把俄國人的一舉一動都深深的印入每個中國人的腦海，所以有些前進狂的青年連大身子的硬體走路都拚命模仿，以表現他什麼事都在跟「老大哥」學習。最痛心的，莫如走到大陸上任何一個城市，不論大街小巷都可聽得一片好像青蛙鬧叫的聲音，原來是學習俄語已形成了怒潮，不知道的人以爲中國字沒有什麼關係，不曉得講幾句俄語就似乎不能與那身「解裝」配合，小孩子在咿咿學語的時候就要先教他講句把「黑拉少」，青年大學中白髮蒼蒼的老教授也和青年學生一樣埋頭學習俄文，試想這樣下去，再過二三十年，地圖上是不是還有中國？

共幹驕橫顢頇又一實例
山東蒼山拔棉四百餘畝

最近山東省蒼山縣發生了一樁曠古未有的既滑稽而又悲慘的奇聞；緣由是該縣農民種植棉花「違悖」了該縣「人民政府」的指導，在該縣「縣長」張作臣震怒之下，便下令動員幹部民兵拔掉了棉樹四百餘畝，迫使農民無辜遭受了慘重的損失！

農民種棉也無自由

詳細事實是這樣的：中共於前年開始提倡推廣種植五愛斯字棉（農民稱大棉）後，各地幹部照例要不顧一切的「大力執行」此一「任務」，山東蒼山縣自不例外。但農民種植此種棉花的結果，大多歉收，而且有些合作社不肯收購，收購的價格也比普通棉（農民稱小棉）還爲低賤，因而去年再號召種五愛斯棉時，農民便不敢再種。然而蒼山縣「人民政府」一切以命令強迫規定農民非一律種植五愛斯棉不可，並警告：「無理由地提出，如果種了不准種小棉，將來還要拔掉」。在這種情況下，農民便採取了許多的應付的態度，將有籽的小棉種仍混在五愛斯棉花中合種；有的在地頭上種上兩行五愛斯棉，在地中心種小棉，有的在地中間掩飾上五愛斯棉，仍然還種小棉的，很顯然，農民們種植自由都被剝奪了，則不講理的了，收穫，爲了生活自不免想偷偷地取巧的。

縣長下令強迫拔除

然而在共黨治下，這種「取巧」，決不被寬恕而有所允許。當棉苗長大後，偽縣長張作臣，即表示「言出法隨」，爲派員四出檢查，結果竟然會被發覺，該縣長以農民膽敢陽奉陰違，大爲震怒！乃即連續召開了五次區鄉幹部會議，再三指示各幹部，說「早強迫拔棉好，比晚強迫拔棉好」，隨即大張撻伐地發動了拔棉運動，當時大多數幹部在喚拔棉的時候，棉花已結了桃，農民哭哭啼啼的哀求說：「棉花已結了桃，可惜啊！」拔不下，命令既不敢，幹部不分皂白的如狼似虎，一律拔掉棉！於是各區鄉便由幹部帶領民兵小學生，甚至有「青年團員」，拿着鐮刀及鋤頭到處檢查，遍地拔起，一下子就拔掉了四百七十餘畝，該縣幾已的棉花拔掉了一半之多！全部…

正當此一「拔棉運動」進行的時候，農民們當然也不甘心，有些到中共的縣裏去哭訴，或委會跑到縣委會去比較，有些到鄉幹部哀求，也向區委縣委反映，忍也有些區委縣委的在拔棉「任務」引起了「思想不通」而向縣委請示，然而縣委非但不加制止，而反在縣委書記徐迅的主持下發出了「繼續澈清理棉田」的通知，並指示了大種小棉的棉戶的損失補償由個人負責，「一夫」的奇怪辦法。於是各區鄉長在支部的支持下便加勁地到各鄉去督導拔棉法。如十四區區長傅忠洋到武當坦鄉，「棉花長」報告說：「棉花已結桃，拔不下」時，他向大家訓斥：「當了幾年的，他們也捨不得尾巴！」如十區區長周幹事向他報告說：「今年鄉幹部群大家種了太多小棉，可惜了」，他便拔斬釘截鐵地說：「一百畝地也要拔，一畝下十畝也」，當又一村幹部向他報告說：「這是大小棉花就如果拔了，種的有限啦！」周勝一時起割掉，「你村的大棉也不要了！」所有小棉都可憐花！蒼山縣的棉花，就在縣的縣委書記支持、命令，區長的督導下，全體幹部、團員、學生、民兵總動員，結果，當然毀掉了許多！農民要紛紛向縣長請求，「府」作主，可是縣政府非但不給他們「作主」，反還抗「拔棉」，他們的被訓斥一頓，不客氣的還判上一個月的，大地造成了「大冤獄！這次事件的發生，也是由於冤獄而使人民的生活陷於絕境了。（山禾）

看美式民主
為方

自由談

上月廿五日，韓境美軍在鐵原地區的T骨山，發動了一次戰術測驗性的攻勢。事前曾邀請各盟軍將領和戰地記者們到場參觀，幷分發詳細節目單，以便大家屆時能夠明瞭實戰內容，蓋相信此役必有精采結果也。詎料進攻竟不利，死傷了六十多人！

國內的國會議員們聞訊大譁，指斥前綫指揮官乃以美國子弟作「娛樂嘉賓」的犧牲品，要進行調查，追究責任。陸軍參謀長柯林斯急忙飛赴韓境查詢經過，回到議會的軍事小組委員會作證，担保絕對不是爲着使來賓賞心悅目的兒戲動作，議員們也就無話可說了。

這件事若是發生在平日沒有民主政治修養的國家，其後果不外幾點：軍事當局打着「事關軍事機密」的官腔，大駡議員們信口開河，好管閑事；前綫指揮官更老羞成怒，指議員們搖惑軍心，沮喪士氣，要他們負侮辱軍人的責任；議員們也只好三緘其口，不敢再說甚麼；陸軍參謀長更不屑到議會作證，我行我素，看你們其奈我何？

只有在美國這樣眞正的民主國家，人民確是主權者，人民代表有話就要講，講錯了，請公僕說明事實，沒有甚麼；講得對的，公僕即非接受不可。大家都遵守理性範圍，不逞意氣，不打官腔，這就是民主的軌範。

談民主而不許人民有言論自由，批評庶政得失，那就叫作「挂羊頭，賣狗肉」，笑話！

仇孝英雄
黃汎

隨着「解放軍」的到來，失蹤了十二年的葉小安，現在是「衣錦還鄉」了，這使他的父母眞是如獲珍寶般高興得眼淚都掉了下來。

『阿安，出門這多年，連一點消息都沒有，我們惦念死了。阿安，你爲什麼偷偷地離開了家，連封信都沒有呢？你這孩子也眞不懂事，你知道你爹娘是多麼想念你，多麼傷心啊！』葉小安的母親，遽然看見十多年不見面的兒子回來了，激動得顫顫抖抖地說着，雙手不住在葉小安的新「列寧裝」反領上摸索，渾身上下看個不停，淚珠不禁簌簌落了下來。『……長大得簡直連你媽都認不得了呢，你的伯伯嬸嬸常常說起你的，待會兒也該去看看他們。』

『嗯！』葉小安毫不介意的只是哼了一聲，隨手將背包卸下，抹了一把臉，就蹺自往床上一躺，陰沉的臉像整日密佈着陰霾的黃梅天，睨視了他父母一眼，就再也不出聲，任他母親兀自嘮叨着。

『你也眞是，阿安很遠的路回來，也夠累的了，讓他躺會兒，別只管嚕嚕囌囌的問長問短，我們出去，讓他休息會兒吧，有話慢慢談也不遲的。』葉小安的父親只當他疲倦了，就拉着老妻輕輕掩上房門，退了出去。

從那一天起，鎭上的人都知道葉小安是做了「共產官」回來了，而且據鎭上「有識之士」的觀察，照葉小安的那副派頭，講話的神氣十足，少不得是相當於「金板板」的人物，這一說法，姑無論是否事實，但在這個兵慌馬亂的年頭，誰不想巴結巴結「新貴」，留個萬一的餘地，如今見到葉小安「榮歸桑梓」，大家自然都恭維備至，敬奉唯恐不週了，而對葉小安的父母也自是分外恭敬的，縱或「老太爺」的稱呼是「封建社會」過了時的，要不得的稱呼，一般人也仍然『老太爺！』『老太爺！』的不絕於耳。葉小安的父母雖然這幾日來，爲他兒子的性情改變得冷酷可怕；對他兩老全無一點感情，而感到傷心，然而每看到左鄰右舍的一股諂媚情形，下意識裏就又似乎微微感到了一點「子貴」的快慰，而且認爲：『兒子做了官，自然總應該要有官架子的』呢。

葉小安「榮歸」後不久，「上級」就將他派在本地「縣人民政府」裏工作，使他可以更便於「爲人民服務」，因此他在家住了不到五天，就又匆匆赴任去了，而從此又是音訊杳然，如隔天壤般的毫無聞問。他父母有時想念到這個獨養的兒子，常常托人在縣裏試打聽打聽或帶個口信，但以「官衙深似海」，也始終未得要領。

這一天，葉小安卻突然回到家裏來了，一進門就問他父親：

『你以前在縣參議會裏做事的許多證件呢？交給我帶回縣裏去，有用場。』

他父親心裏想：大約是他兒子要給他開脫以前曾在「反動政府」服務的罪名了，究竟是自己兒子當了官，處處有照顧呢，就連忙將以前的工作證件，一股腦兒從皮箱角落裏檢出來，交給了他。

『還有田契呢？』

『阿安，你要那做什麼用呀？』他父親忍不住地問。

『你別管，我自有用。』

他父親見他一本正經地沉着臉，就不敢再追問，將一疊田契都拿給了他，過後，正想借此機會談談家常瑣事時，他卻一回身走了，連他母親顛顛簸簸趕將出來，想看兒子一眼，也未能得晤。只見黃塵蔽天，葉小安早已乘騎飛馳而去。

這樣又過了一個多月。

葉小安第三次回到家中的時候，正是農家晚飯後不久，有許多人家且已就寢。驀然，鐵騎錚錚，街上急馳過去一羣人馬，不一會葉小安家中忽然傳出了他母親搶天呼地的哭號聲，接着只見他父親被五花大綁，像牽了一匹老驢似的拉了出來，葉小安自己也在身後押着，他老父嘴裏還不住的喊着：『阿安，饒了我吧！饒了我吧！』大衆驚異地跑出門來，相顧愕然，誰也摸不着頭路，不知道這是怎麼一回事？有幾個鄉人正想探聽一點消息時，卻見如狼似虎的「解放軍」衝了出來，就都忙不迭的掩上門，各各縮回到屋裏去。

葉小安的父親就這樣當晚被他自己兒子押解到縣裏，而且當晚就由葉小安主持了一個「公審地主惡霸葉德鄰」——他的父親——的準備會議。

『葉同志的「大義滅親」精神，值得同志們學習！』

『葉同志的帶頭作用，使熱烈的「反封建仇孝運動」得能順利推展下去，眞是我們共產黨人的模範！』

『葉同志的「仇孝」精神，只有我們「布爾什維克」黨人，才能有這股勇氣！』

會議廳上是一片歌頌讚揚聲，而我們這位「葉同志」當然是更加趾高氣揚，傲然不可一世了。

如果說在「新社會」裏仍舊有什麼是承襲「舊社會意識」而未予汰除的話，恐怕就只有「大義滅親」的風氣，是僅僅不被認爲「反動思想」的了，而且凡是「滅親」「大義」，就都一律算作「最最前進」，最最了不起的「英雄」事蹟，而被「人民政府」大事宣揚讚頌的。因此，葉小安鬥爭父親的「公審大會」就鬨動全縣，盡人皆知，而當葉小安「痛切陳詞」指控了他父親的罪狀後，羣衆都一致認爲「罪證確鑿」——有文件又有田契，犯的是思想罪與擁有土地罪。——當場就判處決，這件事「反映」到「上級」去，認爲葉小安的「反封建」精神「洵足矜式」，而第三天就頒下一張「獎狀」下來：

『小安同志！你的「反封建」的「大義滅親」的「英勇」行爲」，十足發揮了新社會」的「仇孝運動」精神，表露了「布爾什維克」黨人的「優良傳統品質」，為將這個運動向最高「楷模」——「仇孝英雄」——「，願你珍視你自己的「優異成就」，并率領羣衆爲擴大這運動作出大的開展努力！』

汪精衛遇刺始末（上）

汪精衛於民國廿四年初秋，在南京丁家橋國民黨中央黨部攝影場地遇刺得救不死，槍彈嵌藏背部未取出，晚年終以此制命，客死異域，冥冥中若有數存焉。本案兇犯係挂名「華僑通訊社」記者，其謀殺對象原非汪，而爲蔣先生。是日迭經佈置接近，終不得逞，最後乃以一彈襲汪，藉向主使者報命，眞所謂莫之致而致者矣。

刺客受命入京圖謀暗算蔣先生，以通訊社名義作掩護，逾年矣。主使人以其「師老無功」，嚴加督責，謂若再事因循，即予停給費用。適民黨召開中央委員全體會議，故事：正式揭幕前，全體委員先謁總理陵，回至黨部舉行大會儀式後，全體攝影。是晨謁陵時，刺客已胸綴大會來賓特別出入證，進出陵園無阻，會歷近蔣先生身旁，然惧怯不敢妄動。蔣先生以謁陵秩序欠佳，微不耐，迨至黨部攝影之際，復見人衆雜遝，場面嘈然，傳語同人，因處理急要事不克參列鏡頭，可勿候，衆人三次邀請，仍卻之。汪以攝影細故，蔣先生既無暇，不妨聽便。當執事者囑照相師測光時，刺客尚高聲謂：「蔣先生還未到，請等等」。彼以爲蔣終必至，而於大衆正襟危坐，專心取影之頃刻間，最好舉槍瞄準對象，發而中的也。刺客知其所欲殺者終不可得，爲對主使者立功計，遂算及汪。槍聲起，汪應聲倒地，衆懼駭狂奔，獨張溥泉張學良二人以其歷練網球腕力，猛擊刺客右手，速持槍飛落地下，溥泉乃緊抱其身，因就擒焉。陳調元隨從副官恐兇犯猶有逃脫之虞，急對其股際由上向下，鎗擊一彈。是時秩序大亂，爲部警衛人士深慮刺客非一人，必有餘黨潛在，亦向空發鎗示威，卜卜之聲不絕，中央黨部職員奇譎詐，不悉釀何變故。蔣先生在樓上常委辦公室內，聞聲迎問「甚麼事？」旋見工友曳汪登樓，血濺四肢，陳璧君竟懷疑蔣之堅拒攝影爲預知有變，而不囑汪避開，當蔣出詢究竟時，憤然謂：「蔣先生你作的好事，你看精衛被人殺死了！」當時汪猶能言，蓋所受彈爲白朗林式，並未傷及要害也。蔣先生急命送汪赴醫院急救，知兇犯在獲，亦囑併予醫治其傷，以便澈究兇犯內幕。詎刺客越日即殞死，衆驚訝，經醫師檢驗全身內外，發現係事前預吞大量鴉片煙所致。蓋刺客自忖事發後決無法逃脫，亦必無倖理，故先服毒品，然他物即刻破作，唯有鴉片煙服後若干小時內，尚能活動自如，從容就死也。至所謂華僑通訊社，於事發後派警往搜查，入門闃無人，僅有印油機一架而已。半年後，曾於江蘇邵伯縣弋獲同謀犯兩人，以汪不主深究，且囑勿對外發佈詳情，故未爲社會所注視也。

新·世·說·補·遺

馬五先生

中國之友（五八）
毛以亨

李提摩太傳（三）

他十八歲即任 CONWIL ELVE 日小學校長，該校學童立即增至一百二十人。據他自述：「十二歲的兒童總是喜歡吵架，抑止得愈甚，則鬧得愈凶。有一次下課後擇一最頑皮者問其何以如此吵鬧？他答沒有一個人對他有好意，祇有一位還好。即告以我相信，你如下決心不論他人如何待你，你總以善意對待人，則你必如那個孩子一樣，人人都是你的朋友。你要答應我，試辦一星期，而且要守祕密，祇有你我和上帝知道。……從此這位孩子性質就完全變好了。」我想他以後到中國來勸中國人的就是這一套。

他於早年受洗，爲浸禮會教徒，受洗時突然有到外國去傳教的幻想。一八六五年入 PEMBROKE THIRE之H AVRFORDWERT 神學院，他要求以現代語代希臘拉丁，除歐洲史外，增加世界史大綱，以科學代替玄學與神學，學校當局竟悉從其意，他在該校獲得希伯萊獎金。一八六八年他決心到中國傳教，時 GUINNEIS 夫人已於二年前在中國成立內地會，李氏要求參加內地會，俾獲得到中國的機會，一般人則勸其仍到浸禮會申請。他傳教目標，在中國北部，理由是中國爲文明國家而不信耶教，中國人信教以後，將助我們散播福音于落後民族。而北方爲政治中心且氣候適于歐人，希望北人信教後自己將教義傳至南方。教會時以中國北方尚無新教據點，要求兩年內不可結婚，因不便攜眷深入內地。他不允，並說「我也許十日內結婚，也許遲至十年後，」結果他是九年後結婚的。

一八六九年春，浸禮會已決定派他去中國，遂於是年十一月十七日乘藍烟囪—ACHILLES 號首程物浦出發，時蘇彝士運河曾於船行日已經開放，然大船尙不能通，祇有仍繞好望角以行。於一八七〇年二月十二日始到上海。經香港時，曾任港西主教之 G. MONLE 送給漢字部首二百十四字，他在船上即已熟讀。抵滬後住聖經翻譯麥都思先生家中，直至廿四日動身北行。廿七日到烟台，先在之教士 LANGHTOR 歡迎之。時霍亂盛行，其他四位西教士均死于疫，祇剩他一個人繼續工作了，時年爲廿五歲。

三、山東與關外

中西人士之靈魂，實不相同，然亦有橋樑可通。李提摩太的傳教方法爲訓練若干中國牧師，使之傳教，因爲中國人自己較爲懂得中國人。已死的教師們留下一位有神學研究的秦君供其閱覽，得其助力不少。是年十二月愛丁堡大學畢業的醫生 BROWN 亦由英浸禮會派其前往相助。

我參加越戰（六）
L. HART 著　範啓譯

我聽了後，憤憤不平地說，「如果你們認爲這件襯衣和這檔事是這樣的嚴重，那麼我請美國的家人寄來幾件新襯衣來賠給你們好了」。幸好負責處理這件事的軍官還有幽默的情趣，他懂得我所講話的意義，笑一笑，揮手要我離去。

一場虛驚

第二次事情比第一次更討厭更麻煩，那是在我們受訓完畢的時候，我因爲私務的羈絆和命中注定的不幸，竟和大夥兒隊伍脫節。在他們啓程坐船東調以前，我仍未能獲允歸隊隨行。於是我不顧一切逃出兵營，決定設法步行趕到他們候輪出發的軍營。但剛走到郊外一所鄉村的時候，我就被幾個阿剌伯人捉住，他們逼令我把手高高地舉在頭上，後面還有一個法國警察用槍抵着我的背部，把我押解到附近的警察署裏。幸好法國人對這些事是不大看重的，即使一個着制服的逃兵普通也只是拘禁一些時候，一直到證明無罪的時候就交回原部隊了事。所以我也照例被交到一間軍事監獄，開始接受最輕微的懲罰，那裏面屋小人多，在熱帶沙漠中更感到悶燥。我被關進去後，獄吏就給我一把鈍斧，指定我担任劈柴的工作，這樣一直到午夜時分，才得到休息，第二天清晨四點鐘又把我帶出獄房恢復劈柴工作，但這樣的獄中生活並不是當局所刻板規定的，這只是在有柴待劈的時候才會如此，而且我被解到獄中的時候，那裏還沒有太多的囚犯，因此工作不免有過分忙碌的地方。第三天，我就爲獄方所釋放，那裏面有一位[illegible]下士，知道我一度担任過新聞記者，在我臨行時，還請我喝了杯酒。

從亞蘭到西貢

一星期後，我在亞蘭登上一艘小型的自由輪，那艘輪上約摸裝了五六百名外國軍團和阿剌伯的士兵。此後在航程中，不論駛到那一個港口，我們都不允登陸吸一些異地的空氣，或是瀏覽當地的風景。

△灌製肉腸，也是工作之一▽

自由人

中華民國僑務委員會登記證台教新字第一零二號

THE FREEMAN

（半週刊每星期三六出版）

（第二〇三期）

每份港幣壹毫

督印人：李光華

社址：香港高士打道六六號

電話：二〇八四八

GLOUCESTER RD. HONG KONG TEL: 20848

承印者：東南印務出版社

地址：高士打道六十四號

台灣特派員辦事處 台北市館前街五十號

台灣總經銷處 台北中華路新號五九四之一

台灣郵政劃撥儲金帳號 九二五二號

反攻準備的要點

整個時局只能緩緩的發展，任何方面想快也快不來，因為未來的一次大大決鬥，不僅可能有若干的國家又要發生重大的變化，更可能是全體人類的一大浩劫，大家不顧掉以輕心，必須澄心靜慮作制勝條件的充分準備，這是勢所必至而理有固然的。

・左舜生・

台灣反攻大陸，儘管影響可及於全局，行動總還是局部的行動，但中國的命運將由這一戰來決定，卻是了無疑義，因此，我也同樣希望不要掉以輕心，而必須大家澄心靜慮的加以思索。

很顯然，反攻大陸決不只是一個軍事條件，最多軍事不過是主要的條件之一，此外則有政治的，經濟的，思想文化的，外援的運用與配合，收拾大陸的方針與逐漸實施的先後緩急，還有一點更重要的，則爲人才的儲備與爭取。

政治條件

最近兩年，美國的文武大員，前往台灣觀光的確實不少，他們對於台灣的軍事與生產事業乃至地方的一般情況，大抵多讚美之辭，即小有批評，也大抵偏於善意而決無惡意，惟有對於政治則保持沈默，這個態度與馬歇爾來中國的時候迥然不同；艾克登台伊始，也曾表示美國對一切盟邦的政制選擇，絕無強其必與美國從同之意；這一種姿態，決不是表示美國對一切盟邦的政制即已完全滿意，而只是表示多爲盟邦保『自我努力』的餘地，而不願越俎代庖，實際美國也無能爲力。日本人自命對亞洲情況的瞭解，遠在美國之上，這一點我們也相對的承認。本月六日，合衆社把東京『讀賣新聞』一篇有關台灣政治的社論要旨，以電訊報導於世界各方，其主旨在說明『自由中國的反攻大陸，必須有克服中共的政治理想』。他們並且說：『國民黨過去的失敗，不盡由於軍事，實由其腐敗政策而使中國人民厭倦。』『今後假要反攻，『使鄉準備一足以號召中國人心的政治機構。』這篇文章是在日本的報紙上發表而通過一家美國通訊社以傳播出來的。香港有兩種可以進入台灣的報紙，對這個消息均略而未登，我想台灣當地的報紙，當然更不會有機會登載。『良藥苦口利於病，忠言逆耳利於行』，據我看，這個問題始終是當前的基本問題之一，而且是反攻成敗的一個主要關鍵，我們只能勝，不能敗，因此我不能不期待當局對消僞問題有一次明白朗爽的表示，而且不能徒托空言！

經濟條件

經濟條件的健全，不只在準備期間有此需要，在反攻的過程中乃更有此迫切的需要，這個道理大家都明白，用不着我們多說，但有一點也必須申述的，即外援雖不可少，然不能專靠外援，自身也必得想辦法，以良好的政治條件，以取得海內外人民的一致支持，便也是充實經濟條件的辦法之一。

思想文化與人才儲備

關於思想文化與人才的儲備與爭取，我知道這是台灣早已着眼的一端，但我們十分模糊，看不出已經得着怎樣的要領。今天的西德，原有若干的大學，仍在繼續工作，且在加強工作，而在柏林的自由區域，依然把一個規模宏大的大學建立了起來，在萬分艱難的情況之下，德國人自籌了美金百萬，美國也立即助以一百萬，現在美國若干的基金委員會，也準備予以進一步的援助。台灣僅有的一個大學，在這三年中沒有把學生擴充到一萬人，教授的網羅，似乎也沒有甚麽最大的努力，比之西德，這實在是太可惜的。如何教育下一代的青年，當自然是國家百年的大計，可是在這個急待有大宗人才以資應用的目前，在時間上實在有些來不及，如何把三十到五十的成材，加以調配與運用，這確實是目前的當務之急。以我所知道，流亡海外的兩萬知識分子，其中即大有人在，而且有不少有用的國民黨員，拔十得一，即不難選得必千人以應急需，可是這樣一個工作，似乎還沒有看見政府好好的來做一做。老實說，今後誰能統一大陸，安定大陸，只是決於人才爭取的多少，『得人者興，失人者崩』，這個道理是十分明白淺顯的。

建國方針與技術、

關於收拾大陸的方針以及實施的先後緩急，倘所謂茲事體大，我不知道這幾年台灣的準備怎樣？海外一部分的有志者，我知道也在一點一滴的做，但要做得像個樣子，必須有大宗的經費，集中大批的人才，而且需要很長的時間，很顯然靠少數私人是無能爲力的，儘管能做一點也比完全不做來得好。可是這件事關係於復國的前途實在太大，因爲復國決不只是還原，而是要實行建國，是要把過去四十幾年來一切耗費在消極方面的力量，大部轉移用到積極方面來，要對一切同情我們的人們，表現我們眞有建設的能力，這眞是談何容易！可是不做又成嗎？

外援的爭取與配合

說到外援的爭取與配合，我是自來不愁的。只要把我上面的四點都能盡其在我，一切表現出最善的努力，外援是自然會來的。所謂『得道多助，失道寡助，』很簡單，就是問我們自己提不提得出辦法，而能加以力行？從台叫好毫不相干，自我陶醉更大可不必，一切一切都非經得起別人的考驗不可，都非見諸事實而確有實效不可。時間到了，不要猶移，更不要孟浪；要膽大如斗，更要心細如髮！

廢棄雅爾達密約 應集體制裁侵略者

・卓繆・

雅爾達協定早被俄破壞

艾森豪於本月二日下令美第七艦隊停止「保護」中共，并通告蘇俄，「美政府不願爲過去任何祕密協議所約束，而任讓自由民族遭受奴役」之同時，於國情咨文中特別啓示，彼將於稍遲要求國會採取一項決議，解除各項「祕密諒解」，一般相信此語所指，殆係攻擊已往美國政府在雅爾達及波茨坦所給予蘇俄之讓步。我們從歷史上看來，美國已往對外政策，沒有比艾森豪此次果斷的行動更爲重要的。雖然去年一月二十二日杜勒斯在參院外交委員會受質詢有關對日和約是否涉及雅爾達密約及波茨坦協定批准之時；杜勒斯答覆參議員愚利時明白指出：「恰恰相反；這是一個表示明白的廢止雅爾達的初步正式行動，這是一個承認我們有完全自由，不受雅爾達拘束的初步正式行動。因爲，這早已被俄國破壞了。」這補足說明，此後并未向蘇俄提出照會，而事實上蘇俄早已破壞該項協定，久已無復存在。艾氏稍遲要求國會採取一項決議，解除各項「祕密諒解」，只是一個補辦的手續。

遠東一切禍患起於俄帝

當人們於獲悉美國這一明快決斷時，無不欽佩艾氏的睿智卓識，而湧現出自由世界的光明前途。但是，祗要稍知遠東近代政治史的，亦無不知遠東之一切禍患皆由俄羅斯帝國主義而起。一九〇五年九月英美支持日本擊敗俄國，締訂樸資茅斯條約，規定日本從帝俄手中取得中國之關東地、庫頁島南部、南滿鐵路瓜分，以及採礦權、旅順和大連租借。由於英國與日本結盟，美國政策曖昧；而後蘇俄與日本勾結，日本紀帝俄侵略遠東。美英於四十年之後與蘇俄訂盟。一九四五年二月十一日，竟因爭取蘇俄不必要的出兵伐日，於俄境克里米亞半島之雅爾達會議中，羅斯福、邱吉爾在史達林要挾之下，成立「祕密諒解」，這是中華民族萬世不忘的奇恥大辱。人們當永遠記得的「雅爾達協定」內容：「美英蘇三強領袖，業已議定蘇聯於德國投降後之二三個月及歐洲戰爭結束時，將協助盟國對日宣戰，其條件爲：（一）外蒙古（蒙古人民共和國）之現狀應加以保存。（二）蘇聯應恢復以前俄羅斯帝國之權利，此權利因一九〇四年日本之詭詐攻擊而破壞：甲、南庫頁島及其毗連之各島，應歸還蘇聯；乙、大連商港國際化，蘇聯在該港之優越權利應獲保障，旅順仍恢復爲蘇聯所租用之海軍基地；丙、中東鐵路以及通往大連之南滿鐵路應由中蘇雙方共組之公司聯合經營，蘇聯之優越權利應獲保障，中國對滿洲應保持全部主權。（三）千島羣島劃與蘇聯。惟上述關於外蒙古、旅順、大連及中東、南滿鐵路諸點，必須徵得中國將主席之同意；羅斯福總統將依據史達林元帥之意見，採取措施，以獲得將主席之同意，三強領袖業已議定蘇聯之要求於日本擊敗後必予實現，蘇聯則準備與中國國民政府締結中蘇友好同盟條約，俾以其武裝部隊協助中國解放中國所受日本之束縛。」此後，羅斯福物故，邱吉爾於大選中失敗，事實上只是通知我政府照辦而已。但是，中國政府爲了顧全中美關係，雖當時未曾獲悉該約之內容，基於厭求和平之傳統觀念，乃有一九四五年「中蘇友好條約」，規定：一、中蘇共同使用旅順港；二、中蘇合營中國長春鐵路；三、闢大連爲自由港；四、於業經驅逐敵人之區域恢復中華民國國民政府之行政機構，派遣職官及中國軍隊。與「雅爾達協定」迥然有別。且蘇俄保證予中國國民政府以援助，並不干涉中國內政。如所周知，由於蘇俄曲解與破壞此一密約和條約，更由於俄帝之背棄信義，將資其第五縱隊—中共，擁有我東北九省，扣留日本軍事設備，拒絕我政府接管東北而遂其席捲大陸，威脅全亞之陰謀。

雅爾達密約種下戰後禍根

七年來俄帝之禍患遠東，以及整個世界之緊張局勢，幾無不肇由雅爾達而來。一九五〇年六月於今造成之韓戰僵局，以使美國十餘萬青年子弟的流血，乃至殆將導致不堪設想之災禍。現時艾森豪考慮解除各項「祕密諒解」之步驟，自是迫切之急務。但我們對於蘇俄驅使中共擁有大陸，一半綜由於中國八年艱苦而致抵抗另一侵略的力量消弱。然而中華民族之空前浩劫，大半早由雅爾達決定。中國政府播遷台灣，三年來軍事、政治的高度發展，經濟上已達到自給自足之地步，尤其是六十萬國軍，與牽制中共之百萬游擊隊，已成爲亞洲一強大無比之反共力量。今天我們固無須存有不必要的顧慮，祗望於美國給予我國以物質和精神上之援助，則反共抗俄必勝。光復大陸建國必成。

美國援華自經一九五〇年七月恢復之後，軍經援助雖然源源而來，但距離原定計劃，依然尙遠，今後艾森豪於撤除所謂「中立」台灣實際「保護」中共侵略的政策之後。援華政策殆將更爲積極，前者固屬基於「亞洲人應團亞洲事件」的一大目標，就中美傳統友誼而言，後者亦爲道義上應取之明確態度。援助中國無異挽救亞洲陷於共產帝國主義侵略威脅下之重大危機。中國之災禍已使全亞感受威脅，沒有中國，自亦沒有亞洲。今天我們不僅希望於廢棄雅爾達密約迅速採取行動，即聯合國憲章尤必待自由國家全力維護，把蘇俄逐出聯合國去，而共同制裁這一個醜惡的侵略者！

半週展望

・雷嘯岑・

尼赫魯又有事做了

毛澤東近在所謂「人民政協」會議中，說共方願意韓戰立即停止，所有問題都留後解決云云，這是一種緩兵之計的空話，也是告訴美國鐵拳的哀鳴。如果韓戰眞是馬馬虎虎地先停止，以後再來爭論一切問題，絕對是凶多吉少。但共產集團的和平攻勢已先奏效，英美意見必更紛歧，艾克的遠東新政策亦將黯然無光了。聯大不久即復會，尼赫魯日來又在向中共探詢對韓戰的和平意旨了。將來印度代表在聯大配合俄共代表的和平攻勢，再加上英國的附和，必定要表演一番，壓迫美國讓步的。美國是否願意中緩兵之計，固不可知，然尼赫魯卻又有出鋒頭的機會了。試看英工黨的反美親共份子貝凡，已在赴印度途中，兩個不學無術的冒牌社會主義者，當然要乘機唱一曲雙簧的。我們原不必重視尼赫魯的媚共言行，卻不能不留神西方國家對毛澤東這一「和平」暗箭的反應！

封鎖問題只是準備中

封鎖中共海上交通問題，近日在美國辯論甚烈。素來不主張與中共全面衝突的聯合參謀會議主席布萊德雷，也在參議院作證說封鎖可行了。在目前，這些動態都是主動的冷戰攻勢，意在迫使中共低頭言和，至少在韓境共軍未作大規模進攻以前，封鎖問題還是準備階段，不會實施的。再看美軍新任第八軍長泰勒所發美軍決不自動進攻的論調，即可理解其中的若干脈絡。我們應知西方民主陣營對臨戰的戰略目的，不在打倒中共，而在嚇住中共，即非勢不兩立，而是互不侵犯。要打倒中共，還須靠我們自己的力量！

反攻問題怎樣？

美國方面激烈辯論着封鎖的利害，我們各界亦大談其反攻問題，這是應有文章。可是，我希望政府當局對反攻問題要抱定一個原則：即說的不一定做，做的卻不必說。尤其一些不負軍事責任的文員，最好對外少發反攻之類的談話，言多必失，不可不慎。近日馬紀壯海軍總司令在美國所談大陸游擊隊情形，即與主管當局所說的不相符合。

團結先於反攻

大家與其浪費心思於不在其位的軍事反攻事項，到不如爲着反攻而鼓吹團結問題。反攻的人力必須靠自己，事前即非團結全國反共的力量不可。過去共產黨在大陸猖獗，多半得力於它那「統戰部」的政治瓦解戰術，也就是爭取人心的團結運動。我們今後要反攻大陸，不把團結問題搞好，一定是事倍功半，毫無疑問。此中利害得失，昭然可見，人人皆能知之，亦能言之，問題只在如何行動？要促成團結運動的實踐化，大家如能以「哀軍」的心情作出發點，先爲不可勝的打算，自易成功。若稍有驕矜之念，那就不是團結，而是完結！將一切有志復興的自由中國人，今日都應該各盡所能，直接間接地爲團結運動而努力！

澳外長的正義之聲

澳洲外長史賓德對美國宣佈解除台灣中立化問題，說這是別人有權自由處理的私事，旁人用不着過問。對的，宣佈台灣中立化的是美國總統，巡邏台灣海峽的是美國海軍，幹嗎美國總統不能自由改變其政策呢？澳政府當局素來抱着堅定的反共宗旨，不折不扣，這因爲他們生活在太平洋岸，接近共禍區域，見聞比較西方的白人更爲確切，爲着自身生活前途，自然有此正義感。他們並非故意地與英倫立異，是認定反共乃求生之路。因而凡屬別人對反共有益的行爲，都得贊成，表示自由不可分的必然性。我們希望太平洋一切非共國家，都向澳洲看齊！

美國戰略與美國軍援

冷穆

魏德邁將軍的四項建議，可以象徵美國時下較爲積極的亞洲戰略，與麥帥等所倡導的，實大同小異。其中部份勢將爲艾森豪及國防部所接納，因爲這建議的立場，並未脫離美人民與國會的要求，只是在有限度的擴大戰爭下，用美援支持亞洲反共戰爭而已。

由魏德邁說起

前美駐華軍司令魏德邁中將（已退役）本月五日發表談話，認爲艾克總統的新外交政策，很有糾正前總統杜魯門的「愚蠢錯誤」的希望。他相信可以不致甘冒全球性戰爭危險而進一步採取對付共產中國的措施，其軍事性的建議如下：

（一）聯軍無限制地轟擊中國大陸，並對中國全部海岸實施一項經濟性封鎖。

（二）中國國軍得美空、海軍及地面支持，實行反攻大陸。

（三）戰地司令官如認有其必要，實行在韓戰場使用原子武器。

（四）訓練日本和其他亞洲軍隊，以作在中國及韓戰進攻之用。

他於其他的談話中，承認這一串行動含有若干冒險性質，可是認爲要獲得勝利，必須通過某些冒險的橋樑，方能抵達彼岸，據其所「算計」者有三：（一）以上所列，均屬有限性的「算過來的冒險」，何爲「有限」？因爲（二）他算到「蘇聯如果現時發動全面戰爭，則必將失敗」。（三）認爲只要消極解除台灣的中立性，並不以爲有「很大重要性」。

近代軍事，首重計算，此孫子兵法中所謂「知己知彼，百戰百勝」是也，以上數項，無一非「麥帥戰略」之精華，二易寒暑，依然成爲亞洲反共戰略的最高原則，既然魏德邁所「算」計者，都是麥克阿瑟元帥早已算過了的，爲何麥帥因此被黜，而魏德邁却能舊調重彈？此非美國政治上的人事恩怨，而係國際姑息暗流的影響所致，麥帥不幸，其英明遠見的韜略，因綏靖主義而埋沒，兩年之後再度抬頭，還不是綏靖主義者的讓步，而係共產集團的圖窮匕見。自由集團與極權集團既然勢不兩立，而反共的戰略只有一個——以西方的物力資助東方的人力，爭取時間，團結反共，綏靖主義者既然看到了地圖後面的匕首，便不得不作亡羊補牢之舉，因而「麥帥戰略」重被估價。

建議以外的價值

關於魏德邁將軍的四項建議，可以象徵爲美國時下較爲積極的亞洲戰略，其原則與麥克阿瑟所倡導者，及「美國新聞與世界報導」雜誌所刊登的「二十六點計劃」之亞洲部份，實大同而小異。處於爭取主動與爭取時間二點說，魏氏的建議原無可非議，而且敢於保證　其大部將爲艾克總統與五角大廈所採納（使用原子武器一點可能性較小）因爲此一建議之立場，並未脫離美國人民與國會的要求，只是在有限度的擴大戰爭下，用美國的金元去支持亞洲的反共戰爭而已。

問題而在魏德邁將軍末後所說的一點，他說單是解除台灣中立，並無若何重大性，這句話的解釋，認爲台灣中立地位之解除，只是消極地斬斷了國軍對反攻大陸的束縛，如要積極反攻，達到間接牽制中共兵力援韓的目的，必須還要予以大量援助。這些援助，與其說是援助自由中國，不如說援助美國本身，因爲中美同爲反共集團之一環，如果今日台灣即作大舉的沿海登陸，韓境作戰的美國官兵，所得的利益，較自由中國軍民所得者爲大。

再者，解除台灣中立只是亞洲反共戰略的一部份，也是整個行動中的第一步，第一步之後必須繼之以充實軍援的第二步，這項措施方能見其效果與價值。更繼之而有封鎖大陸，協助出擊，組織亞洲軍隊等壯舉，整個亞洲人民始能達到軍事家的目的。只有第一步而缺少第二步，自由中國現有軍力，實難予中共以致命的打擊，只有台灣反共的一部份，而忘了其他部份的促現，亞洲的紅禍將永遠存在，這個見地，並非魏德邁所發現者，而係眞理之眞理。

自由武力之謎

單以自由中國反攻大陸一案而言，很多人對台灣現有軍隊實力發生懷疑，認爲數量之比，約爲十一，而且中共繼續獲得蘇俄之軍援（兩年以內，米格機達一千五百架，坦克逾千輛，海岸砲及重野砲共千二百門）以此有限兵力，如欲渡海而西，豈非如孤注一擲？關於台灣軍力問題，最近（本月六日）合衆社有一報導，報道中言及孫立人將軍指揮下之第一綫戰鬥部隊，共有二十萬人，後備部隊約十五萬人，治安警憲及保安隊約二萬五千人，另有接受軍訓四月之備役五萬名，至於空軍方面，已有五千名受過各種訓練之駕駛員，其他空勤人員共爲四萬五千名。海軍方面數量較少，其新血爲最近訓練之陸戰旅。至於所有武器，據合衆社與本港另一週刊所刊載者：陸海空三軍之中，僅陸軍一項的裝備大有改進，但仍嫌自動武器及重野砲兵火力不足，空軍機種中，也只有一些P五十一與B十七，缺少噴射式機羣，據我們所獲悉者，最近將擁有雷霆式轟炸機與F八十四一個隊的建設，如果以之掩護艦隊出擊，與掃蕩佔領一個灘頭陣地的話，這一點噴氣式的機數，實不足以配合協同作戰的要求。至於海軍，自從太平洋艦隊成立，並無戰鬥性艦艇撥贈，僅有少數坦克登陸艇與人員登陸艇若干，吾人不可諱言，以國軍現在之×萬×千噸現有艦艇之敵第三、五兩艦隊，雖堪與駐防華東區之作戰，但是吾人目前之戰鬥任務，以掩護運輸出擊第一，協助封鎖次之，現有這點艦艇，實難達到上述兩個使命。

軍援隨人而來

正在魏德邁將軍發表談話次日，美國國防部軍援局長奧蘭德斯少將蒞台，此與自由中國馬紀壯中將之訪美互成呼應。這一回奧蘭德斯局長帶來了各部的高級幕僚，我們相信國軍的裝備缺陷由此得到補救，而海空軍的充實尤刻不容緩，最後吾人亦有一具體的數字與標準要求美國盟友者，基於登陸作戰的學理，海軍必有十萬人以上的輸送船隻及其掩護艦隊，空軍必有五個大隊以上噴氣式的戰術空軍，而陸軍中的砲兵火力與各型坦克，尚待充實。這一筆數字也許還大，但是吾人深信唯有加快加多軍援的速度與數量，才是縮短與減少亞洲紅禍的捷徑。

台灣通訊

自由中國各界欣聞佳訊　積極討論反攻準備

自艾森豪宣佈解除台灣中立化以後，蔣總統接着發表聲明，譽爲美國最明智之舉。同時台灣各界人士最關切者，爲中立化解除後，美第七艦隊是否仍留駐台灣海峽。茲從種種跡象證明，美艦隊現方眞正對台灣協防。因其過去任務爲間隔台灣與大陸間的彼此攻擊，所謂協防，只係我方用語，美國以往固從未有此語也。日來自由中國人士已紛紛討論反攻大陸前我方應有的準備。舉行座談會者有之，以書面徵集各方意見者有之。惟實際負責的政府人士，絕少發表主張。綜合各方面意見，咸認爲反攻大陸，必不能純倚恃軍事力量，必須人人動員，方能完成反攻使命。而反攻之初，所最迫切問題，莫如匪僞貨幣應否承認予以兌換，收復淪區如何安撫流亡救濟善後，對匪區人民青年兒童如何用教育方法肅清思想毒素等等。尤其鑒於抗戰勝利後由軍事機關彙辦接收之教訓，對「接」與「管」的工作，必須分開。凡此幾已成爲各方一致之見解。

教育人員待遇將調整

台灣公教人員待遇，自上年暑間，由台灣省政府財政廳廳長任顯羣於全省財政會議時，宣稱即可調整，迄今半年餘，尚未兌現。其後立法院審查通過四十二年度國家總預算時，又附帶建議調整。因以政府當局已將此事列爲今年重要工作，現正積極籌措財源，先增加教育人員待遇，次及於一般公務人員。教育人員之所以優先調整，或與胡適之回國一行有關。蓋胡氏友人多在教育界服務，其清苦情形爲胡氏所目見，或曾向當局有所建議也。

電影加價案聞已打銷

台灣電影觀衆最多，星期假日各電影院固多滿座，即在平日下午二時及四時兩場，亦往往客滿，亦可見閒散者多，與其他娛樂方法之缺少。前聞電費加價，台灣影業公司所屬各電影院會有加價擬議，茲聞已爲中央所駁斥，認爲不應無故增加觀衆負担。茲夏曆新年將至，台灣除米價稍漲外，其餘物價均甚爲持平。政府對理髮沐浴等業新年臨時漲價陋習，已予革除。並一面積極提倡年節節約。但據某經濟學家計算，或謂如此將取締年節浪費，對稅收並無多大影響云。

紗布管制將有改變

台灣因氣候及土壤關係，不宜種植棉花，因以衣食住行四大民生需要，惟衣一項不能自給。以往在日據時代，台灣未有紗布工廠，人民所需布料咸自日本運來。近年在美援供應及政府扶植下，紗布業異常繁榮。中央信托局辦理配紗，辦法欠善，所予廠商利潤過高，曾由審計部提出糾正，并建議取消現行管制，使紗布自由進口。政府立即可以省加關稅及防衛捐若干億元收入，人民亦可有便宜布匹可穿，茲聞當局方面亦認爲紗布政策，應以維護工業發展爲旨趣，不宜祇顧到資本家的利益，囑主管部門提出具體改進辦法，則現行管制政策或將有所改變矣。

天下小事

布萊德雷的繼任人選

艾森豪就任美總統後，他第一件事就是打電話給他的老朋友，聯合參謀部主席布萊德雷將軍，他在電話中很親熱地稱呼「布萊德」（布萊德雷的乳名），但後者却必恭必敬的回答說「總統先生」。布萊德雷將軍的任期，到了今年夏天就要期滿，誰是最適當的繼任人選呢？這是艾森豪所面對的一個難題，依照輪換制度，下一任的聯合參謀部主席應該由海軍將領担任，但空軍方面也亟求取得此一職位。

歐洲統帥逐鹿有人

歐洲盟軍統帥李治威將軍雖然一再否認將提出辭呈，但目下逐鹿這一職位的人依然很多。現任歐洲盟軍總部參謀長格蘭塞將軍原是艾森豪辭去歐洲統帥競選總統時，原推薦格蘭塞繼任他的遺缺。熟悉內幕的人士認爲艾森豪就職後，格蘭塞另有高就的傳聞雖然很多，但格蘭塞本人眞正心願，還是在李治威將軍離任後的歐洲盟軍最高統帥一職。

魯斯夫人使義內幕

美國生活、時代、幸福三大雜誌發行人亨利．魯斯的夫人，日前已被宣佈爲美新任駐義大使。魯斯夫人使義，並不是國務卿杜爾斯的主意，而只是艾森豪履行他親向魯斯夫人所作諾言的結果，原來魯斯夫人和義國朝野的感情一向都很融洽，艾森豪競選總統時，她更鼎力贊助，使義事在美國大選時就已內定。

塞班島上的神秘

太平洋中關島附近的塞班島與迪里安島都是上次大戰中的B一二十九轟炸機的基地，但最近該兩島的神祕氣氛却日益增加，自今年元旦，由海軍接管島上的管理權後，不論是記者或旅客，都一概謝絕訪問。據權威方面揣測，島上可能儲有原子武器。因此在二次大戰末期，塞班島與迪里安島上也曾採取過類似的安全措施，稍後，日本的廣島和長崎即相繼受到原子彈的轟炸，而據事後透露，那兩顆原子彈却是在迪里安島上裝配並載上轟炸機的。

第一夫人熱心社交

像任何搬家的太太們一樣，美國的第一夫人在搬進白宮新居的時候，第一個星期中的工作實在忙碌得驚人。直到一切上了正軌後，才獲得喘息的機會。但艾克夫人的日常工作，却也是極爲繁重的，平均每一天擁入白宮的信件，至少在一千封以上，還有許多崇拜總統夫婦的美國人，所寄來的禮品，爲了處理這些郵件和禮物，艾克夫人正計劃組織一個小型機構，由她的祕書麥克卡蘭小姐主持，工作人員約共八人之譜。在個性與興趣上說，美國新舊任第一夫人大體上是相同的，但杜魯門夫人比較內傾，不喜歡參加社交宴會，而由目前種種跡象上看，艾克夫人却遠爲活躍，她準備以總統夫人的身份，積極參加華府的社交活動。（孟衡）

艾克怎樣達成對台決策

·周明譯·

艾森豪向國會提出的第一篇國情咨文，其中直接對整個世界影響最大的，就是關於台灣海峽內部份。他之決定解除台灣海峽中立化，而使中國國軍得到對大陸盡力發動突襲，曾引起英國、西歐、和亞洲部份地區的震驚和叫囂，但也有許多人士採取保留性態度。相反地，在美國，人民却大多數歡迎此一決定，認爲至少是對形成僵局的韓戰注入若干新因素的企圖。這一行動，受國會共和黨一致讚揚，民主黨反對之聲也甚微弱，對麥克阿瑟將軍來說，這是實行其以書面向艾森豪提出的爭取韓戰勝利計劃之基本步驟。

杜爾斯預先向議員解釋

這個決策，雖然是艾森豪在向國會宣讀咨文時才披露，但在本月五日，杜爾斯已向四位參議員（塔虎脫、約翰遜、惠利、喬治）及四位衆議員（馬丁、麥柯馬克、戈登、等加以解釋，次日傳到駐國會的新聞記者耳中，當日下午，美聯社記者首先揭露這一消息，於是各報及通訊社競相報道，而傳遍了全世界。

實際上，這個行動，在去年底艾森豪視察韓境時即已決定。在韓期間，他曾和美國軍事代表團團長蔡斯少將會談。艾森豪的確切決定，大致形成於乘巡洋艦「海倫娜」號自關島赴夏威夷的途中。在艦上，他曾和杜爾斯對解除台中立問題將對世界其他各國引起的影響，作冗長的討論。此外，艾森豪也曾和雷德福將軍保持接觸，後者的意見顯然具有重大作用，他久已力主不僅撤銷進攻的限制，且對中共區實行海軍封鎖。艾森豪正式宣佈其對台決策前，雷德福又曾赴華府會談。

未來的軍事行動

事前，美國並沒有和參加韓戰的其他盟國進行磋商。杜魯門一九五〇年六月二十七日派第七艦隊中立台灣的命令，代表美國的單方面行動，因此艾森豪解除中立的命令，也是同樣情形，即使將來在中共一旦進攻台灣時艾森豪下令第七艦隊予以干涉，也將是美國的單方行動。所以，其他若干國家對這新決策的反對，原是在意料之中，而這種反對呼聲中，還夾雜着不安的震驚，除恐韓戰可能因此擴大，甚至增加第三次大戰爆發的危險。

國務院拒絕表示對中國有提供此種援助的意向，聯合參謀部對此問題，也沒有準備周密的研究報告。該部大致會反對協助中國作大規模的反攻。事實上，聯合參謀部是在艾森豪就職以後，方始獲知他目前所採取的有限度行動。對此，他們并未表示反對。

這行動的主要重要性，還在於心理方面。它表示美國現已不再就此被牽涉於所謂「中國內戰」。這是導向實行「亞洲人處理亞洲問題」理論的一個步驟。它勢將摧毀中共的信心，以爲美國不會採取任何行動，使所以形成韓戰今日情況條件有所改變。

支持中國大舉反攻？

現在，還沒有得到解答的重大問題，是美國對於日後中國國軍向大陸的進攻，是不是將給予「後勤」的支持？要是沒有美國軍艦担任運輸工作，和美國飛機掩護登陸，中國軍將祇能發動一個空襲性的行動。在相當時期，中國軍也僅將從事這樣的步驟，而不願在沒有美國援助之下，冒較大的危險。

不過，艾森豪對台灣的決定，并不預示最近將來產生任何規模巨大的軍事行動。第七艦隊的基地是在日本，它的大部份艦隻正在韓國海面担任作戰任務。祇有二三艘驅逐艦與若干其他軍艦及巡邏飛機構成第七十二特遣混合艦隊，巡弋於台灣海峽。現在，這些軍艦大致將予撤退，不過，倘若中共軍威脅台灣，則第七艦隊在數小時之內即能趕來作強有力的干涉。

到目前爲止，台灣的解除中立，似不會在美國和英國或其他盟國間引起任何重大裂痕。但美國如眞確實大規模協助中國進攻大陸，則可能使西方陣營大爲分裂，而勢將促使印度在東西衝突間保持絕對的中立態度。（譯自二月九日新聞週刊）

草寇行徑·不堪攻驗 中共小學教育一團糟

也許有人會懷疑：像中共這樣一個善於玩弄政治把戲而特別善於利用無知兒童的「政權」，竟會對小學教育弄得一團糟？但如果看一看本文的分析報道，也許便能對中共統治下的小學教育現狀得到輪廓底瞭解而冰釋了這個疑問。

任務組織繁複 學校秩序紊亂

中共小學教育之所以會一團糟，問題首先還在太偏重兒童的利用。致使學校的組織及任務非常繁複；學校的授課與秩序非常紊亂，根本已使學校不成爲學校，而成了中共小流氓特務的養成所及社會特務活動的「羣衆」徵調站。此種情形，大致可分數點說明於后：

一、以學校的組織而論：除學校的教學及行政組織之外，另有一與學校教學及行政組織在實際權力上衝突的學生自治會組織，此一組織爲學校中年齡較長而入了青年團的學生所掌握，以青年團員小組爲領導的重心而直接受當地青年團支部所操縱利用。同時，各學校中尚有一「少年兒童隊」的組織，此一組織，亦爲青年團所操縱利用，爲中共在小學中的主要政治運用工具。其目的，在施予基本的特務訓練，參加社會特務活動，并有計劃有步驟的從兒童隊隊員到青年團員而到共產黨黨員，作一列系的黨化教育，使成爲中共未來的死硬的幹部。

二、以學生的任務而論：在各地青年團的支部利用之下，幾乎在社會每一個活動中，都須利用小學學生參加；如聽壁、釘梢、調查、巡邏、宣傳、慰勞、歡迎、歡送、慶祝、公審、公債、獻機、獻砲、五反、五查、捕鼠、捕蠅等等；一無例外。如最近山東蒼山縣的拔棉慘劇，就會動員了小學生帶着鋤頭鐮刀到處亂幹！諸如此類，中共對兒童們的「領導」，根本在「領導」他們做赤色小流氓，那還談得到正當的「教育」？

三、在這種情形下學校的正常授課時間當然大爲減少，而所上的功課，也完全側重在兒童奴化思想的灌輸，連一些基本的知識都在加以歪曲。因而兒童們不但受不到智、德、體的正當訓練，反使他們接受了整套歪曲的影響，此種影響表現於品行上的幼稚惡劣與青年團盲目利用相配合，整個學校的秩序及教學工作那有不亂之理？

四、中共的小學「教育」正在推行所謂「五年制」，僞教育部固有一套「計劃」，青年團也以「輔導」爲名而參預小學教育，因而常有青年團干涉學校行政的衝突發生，這是政治重於教育而擾亂教育的必然現象。僅就前面這三個主要因素加上這點現象，便夠亂上加亂了！

教師待遇奇薄 工作情緒低落

其次是教師的待遇奇薄，工作情緒極低，也是中共小學教育失敗的主因之一。現在中共小學教師待遇係以「工資分」計算，不論城市鄉村，大致每月每人的薪給都在七十個與一百個之間。如果以各地的工資分牌價平均計算，大約每個工資分僅值僞幣二千元左右，每人所得最多也很少超過僞幣二十萬元。可是在鄉村中的教師，由於按照糧食公價折發實物而再出售，其所損失的差價，還等於要打上一個七折之多！如光明日報所載以陝西南鄭縣爲例：規定小教的待遇一律爲八〇分，折發實物時，糧食公司的牌價高於市價，所得實物便減少，再行出售，所得便只有工資分牌價的七折了。又如有些地區，小教斷糧，係由人民繳納，或質地不佳，或斤數不足，或教師出資自運，於是原可得小麥四六五斤的人，經付出運費及損耗，便只有三三七斤，因而原來八〇分工資可得一八六二四〇元的人，便只得一二一五〇〇元了。如此，照現在大陸一般的生活指數而言，僅勉供一人最低限度的生活所需。由是，便使一般小教的工作情緒大爲低落。結果，自更使中共的小學教育，敗壞不堪！

教師工作繁重 內外不暇兼顧

再次，現在一般小學的教師人數既太少，而中共規定小學教師所必須參加的社會活動也太多。如光明日報所載以南鄭縣的鹽雲菴小學爲例：該校有四個單式五級，一九二名學生，就只有三個教師，每一教師每天在校內的工作時間爲十小時半：計早上學習一小時半；上課七小時；課外指導一小時；批改作業一小時；每人每週共爲六十三小時。除校內工作外，還須經常參加當地鄉政府的各項中心工作，以去年下學期而論：就參加了夏收夏選評比工作一星期；協助農業工作站抽黑麥穗一星期；捕蝗虫九千只；協助調查農貸四天；參加鄉幹會議六次；參加防疫工作一星期；參加捕鼠工作一星期；擔任民校輔導工作每週四小時；每週辦黑板報二次；每週到完全小學學習二次；此外，還被規定必須經常全鄉十三個讀報小組指導讀報，幾乎每天要到夜間十二點後方得休息，以致一般教師都患有嚴重的眼疾！據此，也便可知這些教師所能致力於學校教務的時間和精力，究能予學生以多少教益？

教師大力改造 私塾卻仍存在

此外，現在大陸的小學教師除中共新派的所謂積極份子以外，大部份仍在繼續不斷地被命令學習改造之中。學習的方式，除利用假期分區大規模內集訓，及經常抽調訓練外，并規定普通小學教師每週到完全小學學習二次，每週到區政府學習二次，每週舉行全鄉小教會報學習一次，都由中共的黨區委派人監督，指導，並考查。然而雖然中共一面對於小學教師的學習改造如此嚴格，一面卻依然還有許多教大學、中庸、三字經、百家姓，太上感應篇等書的私塾存在，即以南鄭縣一縣而論，就尚存有此種私塾二十八所之多！這與中共在所有小學中所實施的「超時代」（歪曲的前進）的「教育」及盲目的改造等等；實形成了一個強烈的對照！從這種對照裏，也可見中共對於小學教育的混亂，盲幹，失敗到了什麼程度。

總之，中共的只求目的，不計後果的一貫作風，曾使他們在許多部門犯了嚴重的病態，他們的小學教育，亦復如此，豈有不一團糟之理？（沈著）

僞華東交通部長 黃逸峯被鬥記（一）

本報前曾一再分析報導，自中共突然攫據大陸，樹立僞政權以後，即立刻加深了黨內權勢傾軋的程度，且與時俱進，日益尖銳！此種傾軋在中共上層的表面上，雖一由於蘇聯特務控制的嚴密，二由於自由世界自衛力量的刺激而尚能掩蔽一時，暗中鬥爭；但其影響於中下層幹部的黨史觀念，門戶之見，及個人英雄主義的權力思想而表現於壓制、暗鬥的情形，則無時不有所暴露。最近華東方面所揭開的以華東區交通部部長黃逸峯爲首的有組織的爲個人權勢而引起明爭暗鬥的情形，就是一個較大的典型例子。此種明爭暗鬥的情形，決非局部的偶然現象，乃可斷言。乃特就其傾軋鬥爭的前後經過內幕，作一客觀而詳細的報導，俾供讀者作爲進一步瞭解中共黨內權勢傾軋程度底的參考之用。

一、黃逸峯的地位和能力

說起黃逸峯在中共黨內的資格，堪稱歷史悠久，在延安時期，即爲「邊區政府」交通機關的高級黨委，中共佔得上海後，他便被調任了僞華東區的交通部部長。此一地位，在華東區而言，乃是一級行政幹部；同時還兼任了「華東行政委員會」的委員，華東交通專科學校的校長，華東交通部黨組的書記等職，地位實不小。說起他的手腕和能力，也不算平凡：第一，他能利用職權，樹立私人集團；第二，他能運用兩面手法，排除異己；第三，他能控制部屬，應付「三反」；第四，他能操縱大部份幹部的心理而利用矛盾；第五，他能與異己份子、檢查組、黨報，同時三面作戰，堅持到相當時間。雖然，他最後被譚震林一壓而終告失敗，但如不以成敗論「英雄」，則黃逸峯在中共的一般高級幹部中，可算得上是佼佼者流了。

二、黃逸峯的集團組織

由於黃逸峯個人權力意志的強盛，再加上歷來中共一貫集權統治的薰陶，自不免存有一手包天的企圖，因而他便在中共自上而下的多邊控制的環境中，建立了私人勢力的集團，他這集團裏的主要人物是：僞華東交通部祕書處處長方奕生，人事處處人事科副科長將震虹，人事處處長兼黨總支書記白長洲，祕書處處 副處長張啓宗，交通專科學校副校長兼該校黨總支書記王振揚，華東公路局局長兼交通部黨組組員程飛白等一班掌權的高級幹部，這些幹部大多握有黨部組織的實權，作了黃逸峯權勢鬥爭的基本實力。但既有黃逸峯的集團力量，自亦同時必有反對力量在，反對力量的主要人物是前任華東公路局局長裴味農，前交通部祕書處副處長張威，交通部廠務主任兼該部黨總支部的黨代表李學民，交通部工程建築公司副主任兼該公司黨支部黨代表李利民，及交通專科學校的高級職員印建強、周邁等人。

人民反共軍活躍在川湘

十二年基礎

提起瞿伯陔這位綠林怪傑，在川湘邊區的聲威，是與湘貴邊境的苗區反共英雄龍雲飛父子互相輝映的；倔強的個性，和鮮的面孔，內方外圓的手段，是深得當地人民愛戴，也是建立這塊基地遺在後一壟而不被摧毀的唯一原因。

早十二年前，劇據湘西的一些軍閥如陳渠珍等，天高皇帝遠，胡作非爲，平民在蹂躪下發出呻吟，目覩現實，使他不滿，挺而走險，一洩胸中不平之氣，使他打下了這塊基地的礎石。三十四年，共匪蓄着顛覆政府的野心，即於勝利後的十月，即派王定烈李人林兩股匪徒約三千人，竄擾到川湘邊境，企圖拉攏瞿氏，不僅被拒絕，因而予王李兩匪以嚴重打擊，使牠們狼狽鼠竄，無法立足。深，但富於愛國衛民的自動發揚，爲政府後來導入正軌的原因。

共匪竄到了長江北岸，瞿受政府號召，率湘川健兒，駐防長江南岸湘鄂邊境的松滋宜都一帶，匪軍懾其聲威，不敢侵犯其防綫；自江陰要塞淪入匪手後，局勢大變，程逆潛陰謀叛變，撤去瞿之武漢行營直屬第一縱隊司令職，迫瞿回師湘境，終以叛逆當道，悒鬱不伸，病死於其十二年來經營的根據地——川湘邊區的八面山。

天險的八面山

八面山轄於湘西龍山縣屬，形勢天險，橫闊六十華里，直徑幾及百里，山頂平敞，阡陌相連，原住有居民二百餘戶，糧食豐稔之年，雖四五千人不虞供給匱乏，本屬領貫湘鄂的武陵山脈的支脈，與川東巫山山脈啣接，崇山峻嶺，危崖絕壑，蜿蜒於川湘習曲地帶；四川的秀山、酉陽，湖北的鶴峯、來鳳、恩施，湖南的桑植、永綏、保靖、永順，都屬其山前山後活動的區域，是游擊隊伍長成的溫床，有金城湯池的鞏固，加上瞿氏平日最得人心，部屬的紀律嚴明，都構成了至今立於不敗之地的有利條件。

與匪結下血海冤仇

自從瞿氏死後，姪子波平，繼續領導，由政府編爲新十師師長。卅八年的秋天，共匪欲竄川康而深憂三峽的天險，策動中湘西入川，匪酋劉伯承、鄧小平率領號稱廿萬的殘暴，分由川湘公路綫沿秀山、永綏一帶進犯，一路即匪「五十一軍」，配合「綏遠一支隊」，由龍山山道奇襲，匪軍經過八面山附近時，意外地遭瞿部的伏擊，死傷逾萬人，潰敗之慘，是共匪進湘鄂以後的第一次，與匪結下了血海冤仇。共匪受此教訓後，啣恨刺骨，誓欲血洗龍山。但形勢比人強，使匪部不敢再犯龍山，停兵在桑、永一帶，俟劉鄧大股匪已侵入四川腹地後，返竄湘西，在包圍殲衆寡懸殊的大壓力下，山城告破；瞿部仍安全退入八面山，龍山開始大屠殺，第一次爲二千五百餘人，嗣後三十五十，月有所聞，尤其是萬民崗（匪中伏地區）全鄉二千七百戶，未被殺人者，僅三戶人家，可謂慘矣。瞿部蟄伏山區後，瞿波平又不幸於是役被俘去屠殺，其繼起領導人，即現在聲震湘川邊境的彭永清，前仆後繼，此消彼長，湘西人頁倒不下去！

自由之花 苗長怒放

據最近（四十一年十二月到港）來自四川秀山可邁鄉的與××稱：彭永清自從繼續伏在山區後，因山區裏，除了食鹽一項缺乏之外，其他如米油肉食蔬菜等，皆可自給，緊縮了部隊的編制，（原有約三千人），減小目標，把守險要隘道，以防侵擾；共匪的精銳部隊，完全抽調上前方及防禦沿海地區，剩下的是一些蹩腳的「公安部隊」，在淪陷後三年當中，曾鼓動十數次環攻，但莫能損傷其絲毫，每一次都是蜂湧而來，獸散而去，迭次的傷亡狼狽，使匪也感到辣手和頭痛。一度策動掃數追遷附近五十里以內的居人，企圖孤立這座山區，堅壁清野，使游擊健兒們餓斃山中，但因山內供應不乏，山區曲徑通幽，地形複雜，終亦不生效用。結果，計窮力絀，唯有讓他們潛生滋長在這塊肥腴土壤裏發出自由的鮮花。

苗民實行自拔自救

去（四十一）年八月以來，共匪深惡湘西民性的強悍而難于馴服就範，改用分化對立政策，利用「仇」、「恨」的挑撥，使其互相仇殺，繼組織一個「湘西苗區自治政府」；這樣一來，使創痛已深的漢苗兩族人民，更痛定思痛，反而提高了警覺，在共匪種種欺騙和壓搾之下，紛紛的闡謀自拔自救的對策。首先是湘貴川三省連壤的苗區苗民，由鳳凰（湘）的總兵營鄉、鴨堡寨鄉（貴銅仁界），永綏的衛城、麻栗、古洞（川湘公路）等鄉，先後逃亡川東秀山的石堤鄉，把一個退役已久的（土著其母爲苗人）錢漢傑擁了出來。錢係川軍潘文華的舊部，抗日期間，服務川湘邊區清剿指揮部傅仲芳處，平日得苗胞及當地人民的愛護，亦不亞於龍雲飛父子之在苗區，他能在半苗半漢的山地，遍地豺狼的今天，安然匿居，也就全賴當地人民的掩護。

錢漢傑自去年九月間東山再起後，川湘邊境的局面，陡爲之變，共匪們肉顫心驚，手忙脚亂了；而人民的耳目，卻爲之一新，截至目前，錢氏已擁有人槍約八百餘衆，由秀山的石堤鄉，進展到酉陽的可邁等七個鄉鎮，地跨兩縣，縱橫七十餘里的山區，都是他們的天下；當地的匪區鄉政府以及農會等，早已被其摧毀，所有的共幹除予殺掉一部份外，完全絕跡，根據地建立在可達渝，勢力日見澎漲。

燎原的星火

自錢漢傑的新興的反共武裝，崛起在川邊後；五寨的賈維新，又乘機發動當地民兵，策其反正，龍山縣屬的坡脚、隆頭、五寨三鄉在同一時間響應襲擊，匪區鄉長師文郁、胡見、龍玉凡等被俘，俘殺共幹十餘人，僅第七區匪區長葉顯道逃脫，此是去年十月間事。賈得手後，遂與八面山彭永清取得聯絡，以作聲援，恐匪政府企圖報復，施以壓力，先作了準備。

彭永清深悉各方面的局勢發展，預料時機快將成熟，興奮已極。一方面鼓勵部屬，再作殲敵血恨之準備；一方面迅即派人向錢漢傑、賈維新兩部，取得密切聯繫，約爲互作犄角之勢，共圖發展，俟於反攻號角吹奏之際，決爲國軍先驅，一舉而殲滅醜類，以瀉人民在三年中的含血仇恨。

自瞿賈錢三部共約五千人的川湘人民反共救國軍，匯成了一股巨大洪流後，川湘的人民，鼓舞了悲壯的心情，蘊藏三年的仇恨，伺機待發，「野火燒不盡，春風吹又生。」冬天過去了，春天快要降臨，誰謂星星之火，不可以燎原啊！（魯魚）

自由談

控訴原子彈？

為方

日本大坂市的律師公會副會長岡本尚一，最近發起一項簽名運動，說要「依法」控訴在廣島投擲原子彈的美國人！

這位熟讀律書的「岡本樣」，如果不是想在政治上出鋒頭，先教美國人知道他的大名，有如咱們中國的政治人物一樣，以走「國際路綫」為升官發財或搞「第三勢力」的捷徑，就是害着相當深沉的神經病者。

兩國交戰即是無理可講，無法可據的慘劇，成則為正義行動，敗則無話可說。岡本的妙想奇策，等於若干年前美國哲學家杜威一般人，聯合世界學者審判托洛斯基被史大林派人暗殺那回事，結果是徒然給世人作談笑資料而已。

投擲原子彈的唯一決定者是美國總統，這與日本軍閥向外發動侵略戰爭是奉行天皇勅令相同。戰勝國既未把日本天皇列為特級戰犯，追究其責任，日本人有甚麼資格和理由來控訴別人呢？

岡本尚一在發動此項簽名運動時，知否日軍當年在中國南京的大屠殺行為？記不記得日本空軍對重慶實行七晝夜疲勞轟炸，一個大隧道內即死了幾萬人那件慘事？中國人現在且不究既往了，日本人何必作此「鴨屎臭」的表示？

日本民族性素有褊小自大的毛病，這位「岡本樣」即是典型的代表人物，可憐亦復可笑！

立功

夏雲飛

開平縣的游擊隊近來愈鬧愈厲害了，日前在光天化日之下，居然闖進赤坎，搗毀了人民銀行，這以來上級如何肯答應，只若了駐守在赤坎的縣大隊李中隊長，為這事受了好多次的批評，馬上可能連官都要丟了。李中隊長在縣裏開過會回來，將本隊幹部召集在一起，首先「傳達」了在城內受批評的經過，然後又說：「大家事先不肯防備，任游擊隊自來自往，及至一聽到槍聲，根本就顧不得抵抗，馬上各自逃生，這樣當然愈來愈不得了，今天我們要澈底檢討一下，若是不想出應付辦法，恐怕將來連性命都會丟掉。」

王中隊副是個山東大漢，平時做事就較別人都莽撞，自認膽量最大，可是在前天游擊隊攻進赤坎時，他連槍都藏起來，硬逼老百姓脫一套便衣給他，穿上便衣就跑了，游擊隊走過還不敢回來，躲在鄉間派老百姓探聽消息，直到最後消息確實了，才慢慢地回來。可是開會時，他還強調自己的機智，認為換了別人一定被游擊隊活捉去。李中隊長是恨透了他，但是上級派下來的，又無法更動，而且自己的秘密他都知道，若是惹了他，向上報告一下，可真吃不了，只好隱忍下來，因此討厭他也討厭到極點。現在李中隊長話剛說完，王中隊副站起來搶着說：「沒有關係，再來同他幹就是了，老子就是愛打仗，三天沒有仗打，吃肉都沒有肉味……」他還津津有味的向下說，大家都在掩着口笑，李中隊長縐着眉說：「算了，說那有什麼用，還是趕緊商議個辦法才是，現在『車大炮』比誰都有種，遇到情況卻跑的比任何人都快」。王中隊副臉紅紅的坐下，嘴裏還嘀的說：「跑的快也是本領，毛主席在江西若不是跑的快，早完蛋了，還有今天嗎」？這時常指導員也站起來說：「我看還是要從組訓民衆入手，實行連坐法，若有一個村子上發現了游擊隊，整個村子上都殺光」。李中隊長搖搖頭苦笑一下：「這個法子也不是沒有用過，結果還不是為淵驅魚，把年輕小伙子都趕去當游擊隊」。這個辦法不成，那個辦法又不能用，怎麼辦呢？會場上反而沉寂起來，停了一時，排長劉成亮喊一聲隊長，接着說：「我們現在要討論的是眞打算消滅游擊隊呢？還是只求應付過去上面的差使就算了」。隊長看了他一眼：「你這話是什麼意思」？「若是眞要消滅游擊隊我實在沒有本領，其實就把毛主席請來，也不見得眞能想到辦法，假若是為了應付公事，我到可以想個主意」。劉排長歪着頭胸有成竹的說。李隊長曉得這個小子混名「鬼火亮」，好主意沒有，壞的法子到是確有幾套，當時非常高興的問：「只說應付公事吧！你有什麼辦法」！「天機不可洩漏，反正我不騙你就是了」。說到這裏，會也無事可議，李隊長宣佈散會。出了會場，王隊副在罵：「小子有什麼辦法，總不會比咱老子有種。見了游擊隊也嚇的跟龜孫一樣」。劉排長只是冷笑。

又過了幾天，一個月黑風高的晚上，李隊長正打算回「公館」休息，突然劉排長來了，他兩個低聲商議了一會，李隊長招呼通訊員去通知幹部開緊急會議，不多時間大家都到了，李隊長宣佈：「根據報告，游擊隊混進來一批，潛伏在河邊上一帶的矮屋裏，現在派王中隊副來領劉排長前往搜索，只要有面生可疑的人，一律格殺無論」。這個命令把山東大漢嚇得魂飛天外，連說：「隊長，這……這……這……怎麼可以」。「為什麼不可以」？李隊長也擺出長官的架子。老王繼續的哀求說：「隊長，你可憐我一下吧！我死了沒有關係，還有十八歲的愛人怎麼辦呢」？一句話說的哄堂大笑，劉排長過來說：「你放心好了，隊副，一切有我哩」！王中隊副看得實在推辭不掉，只好說：「兄弟，我的命交給你了。」

他們這一排人就這樣出發了，到了河邊上，劉排長指着一間草屋說：「據報告，游擊隊就藏在那裏，請隊副來領着去搜索」。王隊副搖搖頭說：「我在這裏，你帶着弟兄們去好了」。劉排長笑了一下，並未推辭，領着一排人將草屋包圍了，首先喊「繳槍」，沒人理會，又喊「立功受獎，脅從不問」，還是沒有人答應。於是機槍開始向矮屋射掃，手溜彈也往裏扔，「戰鬥」經過一小時還多，劉排長下令停止射擊，自己帶着頭進去搜索，進了門一看橫七竪八躺了一地，也有幾枝破槍，還有手溜彈都放在傍邊，大家映着火亮一看，怎麼都是碼頭上的苦力呢？還有幾個們都認識，這些人怎麼會是游擊隊，要說不是的，確實人贓俱在，只好各人都放心裏，這時劉排長一方面檢地下的東西，同時派人去請示隊副，不大時，去的通訊員回來報告：「王隊長陣亡了」。當時全排的「戰士」都楞了一下，他在後方怎麼會陣亡呢！根本未見游擊隊打槍。劉排長卻胸有成竹的點點頭，帶着「繳獲」游擊隊的武器，回來又派人抬着王隊副的屍體，一道凱旋了。

第二天當地區政府貼出了捷報：「昨晚游擊隊突襲本鎮，被我方迎頭痛擊，不支退去，共遺下屍體八具，步槍四支，手溜彈十二枚，我方王中隊副因作戰勇敢，奮不顧身，作壯烈犧牲……」過了幾天，省城內的報紙也登出來，李中隊長，劉排長都受到嘉獎，還替王中隊副開了一次盛大的追悼會，只苦了眞正的老百姓，好幾家走失了人口，連屍也不敢去認，只是關起門來哭。

新·世·說·補·遺

汪精衛遇刺始末（下）

變作後，兇手孫鳳鳴忽暴卒，即澈查孫所領得之特別來賓出入證究係何人經手給予者？與考核冊，乃中宣部一職員所領發，詢問之，而該員竟與孫素無來往。緣孫以「晨光通信社」（前記誤為華僑通信社，茲據讀者指正也。）記者身份，周旋黨部宣傳員司間已年餘，人事極熟悉。先日，孫向主管機構領出入證時，適在正午，執事者謂即退公，囑午後再來，孫請交由在場服務之任何人保存，以便臨時領取，旋交該員轉發焉。

汪素擅詞令，是日大會推定汪致開幕詞，衆皆屏息凝聽，殊講演蕪雜少精采，迥異平時，且精神恍惚，若有心事然，衆人頗感失望，而不料其為召禍之朕兆也。孫犯被擊傷倒臥在地，汪派人物胥如陳璧君之懷疑此中必有內部政治鬥爭內案在，監守孫犯不去。宣傳部副部長方某行經孫犯旁，憤然躍足踢其身，汪派人物即大譁曰：「你想消滅人證嗎？」可知當時黨人間的爾詐我虞之心情矣！

當汪遇刺之際，鎗聲頻起，會衆駭汗狂奔，地面周圍所植萬年青，皆圍有鐵絲，衆維絆顚仆，鞋帽狼藉地下，不及顧也。有某中委，逃入廁所中，恐復遇兇徒，急將其標識中委證章擲入廁內。另有某中委，則蟠伏卡車輪下，良久始起出曰：「沒有事了嗎？」熊態可掬。

午後，有工友入廁所灑掃，瞥見纖物閃閃，中委證章一枚，急拾出，途報祕書處，祕書長葉楚傖囑檢視背面所鐫號碼，核對底冊，知為某某所遺，搖首匿笑而已。然風聲捷如影響，轉瞬間已傳播全黨部，議論紛紛，資為笑柄，某恐損及前程，急擬簽呈致常委會，對事變深表憤懣，大表忠勇氣慨，有「吾輩青年，義憤塡膺」之句，激昂慷慨，力主嚴懲兇犯，緝究同謀。葉祕書長以祕書處疏於防範，致此意外變故，職責所在，內疚毋已，正擬草投劾呈文，向常委會自請處分，見某遞來簽呈，擲諸地下曰：「還要來上甚麼簽呈喲，眞笑話！」

汪入中央醫院療傷，不久即痊可出院。刺客孫鳳鳴雖因預服鴉片，被捕未幾而自斃，然據其簡略供詞，實受所謂「福建人民政府」份子某某之命，陰謀不利於蔣先生者，汪派人物自陳璧君以下，疑團已釋，不復鼓噪矣。汪乃不主深究，故爾後根據孫犯口供所緝獲之同謀犯兩人，亦未聞正式鞫訊，公佈罪狀也。

馬五先生

中國之友（五九）

毛以亨

李提摩太傳（四）

李氏旅行山東半島至一百五十英里之遙，歸來給烟台浸禮會一份報告書。謂基督教而欲風行于中國，必須使其不復為外國的宗教，而與外國的政治商業，尤其與外人之有高貴態度者絕緣。結論為主張成立自給自治宣傳的教會。一八七一年他與Robert Lilly（蘇格蘭聖經會中人）旅行四次，有一次至東三省直抵韓國邊界。先以帆船至牛莊，坐火車至瀋陽，再北即遇馬賊，告以來此贈送聖經，彼等謂亦不過欲看看洋鬼子意當不在搶劫，遇到官吏盤查，則出准其賣書之上諭，到鴨綠江與鳳凰城，適有土匪六百人，以劉某為首據城作亂。

傳教習慣為牧師每日在市上講道，大約仿中國人在茶館說書，但來者並非聽道，祇是要看看洋人。李提摩太以為用這種方法是失敗的，他要試用耶穌在巴勒斯坦的傳道方法。與多方訪問，並常去趕廟會，且移住離烟台廿英里之寧海縣住居，但房東為官所捕，數其租屋與洋人之罪，李氏欲將其保出未果，遂離此他往。他在萊陽（烟台南八十英里）遇到劉某，有易經道德經聖經三書置于桌上。問以何者最好？則答以三者均從天上來，故皆好，為李氏述易經太極兩儀之理。李氏對此的反應，為決作理化演講，並做些實驗，欲以科學的宇宙觀給中國人，使其代替原來的神祕宇宙觀。

一八七三年始到濟南，與長老會Presbyterian Mission之Lilly M'Intyre二先生俱。時值三年舉行一次的鄉試，杭州鄉試時曾鬧過仇外運動，然而他不顧一切住下去，鄉試過了，餘二人都回烟台，李氏一人竟留在濟南過冬，仇外之事亦未發生，李氏為一中國人受洗于大明湖，並初次見到中國回人。

時已有兩位美籍傳教師先在，一為McIvaine後來變為漢學家，有[illegible]書；一為Crossett學得中世紀精神，以苦行感動中國人，[illegible]伍，比人後來要到蒙古去傳[illegible]上海到天津的船上。

李氏欲學耶穌之以行醫[illegible]認為中國人體格好，而死多由于傳染病，多而醫藥尚未[illegible]有神可拜，任其傳染以得天花[illegible]北方麻子特多，而女子面麻[illegible]所棄，不幸為尤甚。他發現[illegible]信他教者亦多好人，所以不[illegible]教徒的偏見，而有公衆廣大[illegible]此而遭其教友的不信任，[illegible]教的忠誠與勇氣。補證之法[illegible]從北京教會中習得，從此一[illegible]彼一手臂。曾由北京雇兩個[illegible]許多種症的孩子回潍縣[illegible]此潍縣的人民，為此「教士」設神主牌於家。是時Dr. Brow[illegible]四位學生翻譯醫書，後來李[illegible]們到各處旅行，沿途為人醫[illegible]處者如歸市，客棧主人為之[illegible]欲收受其租金。惟Brown[illegible]約西關任大學教授，該處教[illegible]四年四月，仍祇剩李氏一人[illegible]

我參加越戰（七）

L. HART著　第啟譯

我們經常都被關在貨輪裏面，據說這樣做是在阻止我們跳海逃亡或是自殺。但雖然如此，船駛經蘇彝士運河時，還是有一個人逃跑了，後來抵達可倫坡時，又有五個人失蹤。其中一個為荷蘭人，曾經問過我說：「英國人會把我捉回交給法國人嗎？」「不會的，英國人收容所有的難民」，我滿懷希望地回答。但不久後當局公佈捉回五個逃兵的通告，立刻打斷了我們其餘人的逃亡的打算，隨後我曾在西貢新兵撥補營的監獄中見到過他們，屆時我也在那裏被撥到第一外籍騎兵團中服役，和我一道撥補過去的，還有一個德國人，一個波蘭人，一個匈牙利人，一個法國人，一個義大利人，以及一個一度打過游擊的俄國人，他這次回到越南，已是第二次再上戰場。

往日的幻夢

離開西貢後，我們立刻調往西部靈荒之區的一個潮濕的地方，在那裏建有許多簡陋的碉堡，外面圍着竹籬，哨兵就伏在碉堡裏，警戒着附近的橋樑和公路，而在那些公路上，偶爾有一些載軍的車輛和漂亮的客車跟在速快的軍車後面駛行。

在我們的團本部裏，豪雨中正半懸着無數的越南和法國國旗，用來哀悼前一日在大街上被暗殺的一位將軍。晚間，當我們寄宿在一所軍方徵用的[illegible]河對岸森林中經常傳來手榴彈的爆炸聲和步槍彈的嘯聲。黎明時分，教堂傳來的緩慢的鐘聲把我們的勇氣和熱情都敲散了。對於戰爭，我首先獲得的，是令人悲觀的印象。我有點心灰意懶，第二天，我參加了一支兩棲部隊。

在馬賽和非洲的那一段時光，對於我，就好像是一個幻夢，這一個美麗的幻夢現正在慢慢地消失，代之而起的，已是睡夢中的惡魔。

沒有假期

我立刻發現外國軍團和越南的士兵已受到一種恐懼、猜疑和貪污的惡劣空氣所籠罩。對於這些事情的原因，我們知道得很少。我們也從未接到官方對這些問題的正式解答，我們來往的信件，就如同當地的報紙一樣，要受到當局檢查。我們軍團中，有一位德國籍的士兵，因為有人看到走進西貢美國新聞處，後來即有一位保安官向他警告說：「如果再看見你到那個地方去，事情可就麻煩了」。我們一離開某一個地方，幾乎就沒有請假出外一遊的機會，如果幾個月或幾年沒有調動，很可能就要在那裏一直住下去，或許一年兩年之久，我們所知道的，只是這一個絕望戰爭的醜惡背景。

中華民國僑務委員會頒發登記證台僑新字第一零二號

自由人

THE FREEMAN

（半週刊每星期三六出版）

（第二〇四期）

每份港幣壹毫

督印人：李光華

社址：香港高士打道六六號

電話：二〇八四八

GLOUCESTER RD. HONG KONG TEL: 20848

承印者：東南印務出版社

地址：高士打道六十四號

台灣特派員辦事處　台北市館前街五十號

台灣總經銷處　台北中華路新號五九四之一

台灣郵政劃撥儲金帳號　九二五二號

論管轄與統治

管轄和統治，怎麼樣去區分？這是公法與私法的分野綫表現得最清楚的地方。這個問題，不是可以呆板的抱着幾項條文，機械式的啃出一個圓滿答案來的。

·徐道鄰·

管轄權的行使

一個國家裏，上級官廳與下級官廳之間，長官與部屬之間，官廳與人民之間，天然的有一種管轄權存在：所以縣市政府每年度的工作計劃，必定要先經過省政府的審核和批准；方在研究一件漁業案子的參事，部長可以命令他改去處理一樁鑛業糾紛；我們要想開汽車，必定先要到主管機關去考取駕駛執照；這些都是管轄權行使的例子。

但是：一個地方政府，經過民意機關的支持，舉辦一件社會福利事業，而其上級機關加以禁止；審核訴願案子的參事，認爲甲方違法應予駁回，而部長先生偏不同意而要求他變更意見。圖書館主任採用了深綠色的裝置和油漆，而局長先生不喜歡，命令他一律改漆古銅色。（後來不久，却又命令再改回深綠色！）一個辦理出入境審核的機構，規定人民補繳證件，必須於若干日內提出，否則一律不予處理；一個管理外匯的機構，沒有規定的條款，沒有具體的說明，同樣的案情，同樣的條件，可以准甲而不准乙，可以准甲所請的一成而准乙所請的十成，今天准的明天可以不准，今天不准的明天可以准，任何申請的人，沒有任何方法可以預測其結果如何（也許有的人有這種方法？），所以字面上是「依法辦理」，事實上完全是「各憑運氣」。這些例子，在他們主管的人認爲是『管轄權』的行使，但是若以法律眼光觀之，實則祇是一種違法悖理，發洩個人統治慾的衝動而已。

管轄和統治，怎麼樣去區分？這是公法和私法的分野綫表現得最清楚的地方：這個問題，不是可以呆板的抱着幾項條文，機械式的啃出一個圓滿的答案來的。並且機關對機關的管轄，長官對部屬的管轄，和機關對人民的管轄，三者之間，又各有不同，我們必須分別論之。

管轄和統治之別

概括的說來，管轄和統治的分別，可以說：管轄（Administration）是執行法定職權（CmPetency）的行爲，統治（Domination）是實現個人意志（Personal Will）的動作。在行政制度上，每個機關，必有其上級和下級的隸屬關係（Subordination），但在事實和理論上，這並不是說，長官和部屬就代表了一種高一級和次一級的智慧和學問。現在的風氣，上級機關處理下級機關的公事，很少從職權上的權限觀念出發，而多半是以個人的喜怒好惡用事，好像學校裏國文教員改學生的作文一樣，要怎樣改就怎樣改，而沒有任何範圍，這是由於大家對於管轄和統治的觀念，認識不清之故。

上級機關對於下級機關的管轄，照我們現行法令的文字講，就是所謂『指揮』和『監督』。監督是注意下級機關是否違法失職，以便糾正其錯誤，更勵其人事，問題比較簡單。但是『指揮』的範圍就不同了。哪些事情可以指揮，哪些不可指揮呢？還是無事不可指揮？這是個問題，在法令條文中是沒有答案的。但從公法理論方面，我們却不難探討出幾項重要原則：

上級與下級

一、上級機關對於下級機關的指揮，第一個範圍，是應當以『配合性』（Coordination）爲主要的目標。機關之設置，一定要有上級下級，而一定要使上級可以指揮下級的理由，就是因爲同時還有許多個其他的下級，而必須經過上級合理的指揮，調度，這許多下級，才能在個別進行其工作時，同時更增進了它們全體的共同利益。一個省份之內，甲縣要興建水利，乙縣要整飭衛生，丙縣要徹底清鄉，三件事大家同時舉辦，則費力小而成功大，先後個別辦理，則費力多而效果靠不住。縣府的工作計劃一定要先送省府審核，就是爲的要達到這個『配合』的目的。因之上級對於下級的指揮，如若陷於一件事一件事的零星吩咐，就未免失掉了意義。譬如省政府不應當命令縣政府，到某一個地方去設立一座學校，或在某一條道路上去添架一道橋樑（軍事時期的緊急要求，或專款委託的事項，自當別論），因爲這樣不是『指揮』，而是變成『代理』了。

業務與事務

二、上級的指揮，應當以『業』務爲限，而不應當涉及『事』務。譬如教育廳可以選擇學校校長，可以審核學校課程標準，但是不應當干涉到學校的建築，傢具，汽車和三輪車。依據監督者的地位，考核某校長的財務措施是否得當，其生活是儉樸或奢侈，對他作師表的資格有無影響，這不但是廳長的權限，也是他的義務。至於房屋器材之應否修建，圖書儀器之如何添置，這是屬於校長的職權，而不是屬於廳長的職權了。記得有一個市政府，曾經擬具了一套內部處理公文的分層負責辦法，而其上級機關竟不准其施行，這樣的指揮，便是行政上一個大大的笑話（實則更是一個悲劇）。

目的與方法

三、上級指揮下級的內容，應當祇是『目的』而不是『方法』。譬如省政府命令縣政府舉辦戶口登記，則身份證的格式形狀，顏色大小，縣府應當可以自由決定。縣政府命令警察局整飭清潔，則採用獎勵或懲罰，勸導或強迫的方式，是警局自己的責任。當然身份證之設計有好有壞，促進清潔的方法，有適當有不適當，但這都是上級用以考核下級能力之所依據，而不是上級要代替下級負責決定的事情。現在的風氣，上級十分樂於控制，下級非常勇於卸責，因之事事『請示』，時時『請示』，這個不但不合乎公法的原理，同時也違背了組織的原理，自然不會產生什麼好的效果。

長官和部屬的關係

談到行政機關中長官與部屬的關係，有兩個重要分別，必須先弄清楚。部屬中有是幕僚的（STAFF），有不是幕僚的。省主席下的縣長，縣長下的局長，是統屬的部屬，不是幕僚的部屬。長官對於這些非幕僚的部屬，祇能適用上面所講上級機關指揮下級機關的管轄，此其一。同是幕僚的部屬，中間又有業務幕僚和事業幕僚之分。司長，參事，廳長，是部長主席的業務幕僚，秘書，書記，總務，是他們的事務幕僚。二者之間，大有不同，此其二。

對於事務上的僚屬，長官指揮的範圍比較大。因爲他們在理論上是他們的助手，是在代替他個人作事，他當然可以要求他們服從他的意志；寫信用散文或選體，請客用西菜或中菜，全由他一言爲定。但是對於業務上的僚屬，長官指揮的範圍就比較小了。因爲他們是各別的依法執行他們自己範圍以內的職掌。參事簽註的意見，部長可以不採用，但是不能要求他變更意見。司長廳長提出的計劃，部長主席可以反對而在會議上予以推翻，但是不能要求他們把計劃撤回。因爲這是不同的職權在分別發揮（EXERCISE）其效力，而不是某一人把某一人的意志厭倒（OVERWHELM）。

官廳與人民間的管轄

到了官廳與人民間的管轄，則其範圍更是窄而又窄，其權力更小而愈小。其管轄的作用，到了理想的階段，應該像一坐自動機（AUTOMATON）一樣：投進三角錢，跳出一包糖，投進五角錢，送出一盤肉，多投多出，不投不出。因爲每個機關的職權，法令上都應該有明文規定，而每件事情處理的標準，各機關都應該有詳細的說明，明顯的布告，而把特殊的，例外的，可以適用自由考量的範圍，緊縮到極小極小的程度。任何人的要求，凡合乎標準的，不得不准，凡不合標準的，而無從批駁，不得不駁，而無從「特」准。這樣才是合法，不然就算違法。而各官廳之制定法規，更應當明瞭政府與人民間的基本關係，應當知道政府機關是爲了人民而存在（『管衆人之事』），不是人民爲了政府機關而存在；上級機關是爲了下級機關而存在（求配合），不是下級機關爲了上級機關而存在。如其所定法規，不合乎這個原則的，則其所犯的違法程度，更遠甚於上者。因爲上者不過是一個處分違了法，而這個乃是整個的制度違了法。

如若一個機關，處理人民事件，其自由考量的範圍，遠超過了法律規定的限制，如上述的審核外滙的例子，這就是一種私人僭越（USURP）政府的權力。一個機關，要求人民作一件不一定能作到的事情，才能維持他們的權利，如同上述的審核出入境的例子，這就是官廳剝削了人民憲法上所保障的權利。這兩件事，也或者可以說都是小節，因爲受害的人可能不太多（？）可是二者同樣的都是超出了官廳管轄的範圍，而進入了私人統治的境域，我們也未嘗不應當以大事觀之也。

大戰會爆發嗎？

迪華譯

就目前每一種跡象來看，眞正而流血的大戰，在一九五三年裏都不致於發生，但「冷戰」却將繼續下去，而且雙方的情勢也將更趨於緊張。

雖然史達林在去年聖誕節前夕發出和平的試探，但韓戰仍無眞正結束的希望，共方已明白表示，他們需要先遣返所有戰俘，然後才同意休戰。

聯軍與共方所舉行的談判，原是希望導致休戰的，但現在美國軍事指揮官都明白了，這不過是共方的一種陰謀，一種保全實力免被聯軍全部消滅的手段。

今天的共軍已經重新部署，並已大爲增強。目前韓戰場上的共軍正在拖延時間，以建立他們的實力，他們希望將來能隨時派出噴炸機隊，來增加韓國聯軍的問題。

艾森豪將軍目下正在考慮中的作戰新方案，是在減低美軍的傷亡，增加聯軍的壓力，提起共軍決戰的興趣。但並沒有保證戰爭將會在一九五三年結束。

蘇俄將繼續冷戰

預料「熱」的世界大戰在今年內將不致有所發展，無論世界上那一個角落，都沒有俄國人打算出動他自己的軍隊，以直接的方法來試圖征服世界的跡象。

但冷戰却將繼續爲俄國的基本策略。「熱戰」固然可能因爲事件，甚或陰謀的觸導，而在世界不同地區中爆發，但如果美國觀察家的判斷是正確的，則在目前的階段，熱戰仍不致牽涉蘇俄的軍隊。俄國將利用共黨附庸國家及業已建立的共黨第五縱隊，來攫取共黨設計人認爲可以輕易奪取，而不致有何危險的政權。

共黨型的第三次大戰仍將繼續爲今年的戰爭方式，在這種戰爭中，俄國人只以第五縱隊、宣傳、破壞、滲入、政治武器等作戰，而不出動他自己的部隊。截到今天止，這一種戰爭已使俄國控制了六億人民及地球上一大部份的地面。這是俄國人所從事的收獲很大而極少敗北的戰爭。他們顯然仍希望在一九五三年中，推行他們這種作戰的方式。

越南是關鍵所在

一九五三年世界上危險的區域乃是蘇俄新蠢蠢欲動的地區。

越南的戰爭，其劇烈性僅次於韓國，是世界上主要的熱戰地區。共黨部隊在這裏已獲取了若干利益，掌握整個亞洲的關鍵。如果越南淪陷，泰國和緬甸就會受到眞正的危險，印度的側翼也要蒙受威脅，由於這種結果，在一九五三年中，美國要被迫加強援助法國的方法努力，來作爲保全越南免陷共方手中。

馬來亞與越南也息息相關，英軍正在那裏和共方游擊隊進行着一種無休止的小型熱戰。如果越南陷入共手，則共方將獲得若干進展，而馬來亞將蒙受極大的壓力，並可能像一顆熟透的梅子一樣落入共黨的口袋。結果，印尼也將受到最嚴重的威脅。上面所談到的，這些地區都是最富庶的區域，而它們是亞洲的「米倉」，也是許多美國所需原料的供應地。

印度現在是一個中立地區，但正逐漸爲共黨的行動所軟化，中印度總理尼赫似正受到某些不一定忠貞和缺乏定心而與中共及蘇俄有聯繫的份子所包圍，但在第三次大戰的危機日漸迫切之際，印度將採取這種中立的途徑否，仍有若干疑問，不過，如果越南淪陷，印度所受的壓力一定是極大的，並可能迫它投入蘇俄的懷抱。

至於各回教國家，包括中東和北非在內，在今年中的危險性，較次於上述的地區。但在這一不安的地區中，嚴重的共黨糾紛可能挑起危機。譬如在這地區的中東頂端的伊朗，老早就應該爆發的，若干美國外交代表認爲，它的經濟自殺，再加上目前伊朗政府的反西方運動，使它成爲共黨地下份子活動的理想地方，他們正準備採取第五縱隊活動，實力相當強大，這種形勢，除非立刻停止，否則便是俄國在一九五三年中的另一次勝利。

如果共黨在伊朗獲勝，那麼在伊朗及蘇俄鄰近的伊拉克，共黨特務業已在伊拉克煽動並製造騷亂，不斷增加壓力與不安。

中東也到處不安

在整個中東區的緊張關係有增無已。阿剌伯人與猶太人間可能爆發爲以色列的某種「聖戰」。這一種情勢正受到俄國人的鼓勵，俄國在厲行新的反猶運動，其目的之一，乃在討好阿剌伯國家。

美國援助以色列的舉措正被形容爲反阿剌伯的行動，俄國則被稱爲親阿剌伯的，他們希望在回教國家中獲得一強大的立足點。

在法屬北非，美國人正在那裏建築五大空軍基地。而現在共黨煽動份子却在煽動公開的反西方叛亂。他們正鼓勵突尼西亞與摩洛哥的民族主義份子與法國統治者破裂，破壞西方的重要基地網，如果共黨煽動成功，在本年中，這一地區的冷戰可能迅速地轉成熱戰。

在非洲的其他地方，潛在的危險也正在發展中。埃及方面，共黨又再度鼓動開羅的暴民。蘇彝士運河的控制可能受到威脅。在肯雅，蘇俄訓練的土著正在煽動壯著組織作反英的行動，南非的種族衝突仍在增加中，可能促成共黨的又一種勝利。

甚至在美國盟國正在組織和建立應付蘇俄任何進攻實力的西歐地區，也浮現了若干麻煩。當地的防衛行動緩慢不前，防衛預算受到削減，服役期限也加以減縮，軍火生產也正在減退。關於組織一支西歐聯軍計劃已延宕，大家都在空談，而未見採取行動，原已延宕的組織西德軍的擬議，現在已面臨更延宕的危險，共黨正再度掙扎，期成爲一支重要的政治力量。

但事實上，俄國附庸國內却受到眞正的困難，生活水準的低落和糧食的日感缺乏正引起東歐人極度不安，整肅已成爲家常便飯，同時，在中國大陸，由種種跡象顯示中共的介入韓戰正逐漸失去了民心，它們在大陸上的種種措施，也正引起人民的仇視和怨恨。

美國掌握了主動

但關於本年中，美蘇間多方面的戰爭，問題本身並不在蘇俄下一步將在那裏動手，而在艾森豪新政府對改變美國政策，將採取何種基本步驟。

如果美國採取攻勢行動，俄國在冷戰中的勝利可能立刻終止。

但反之，如果美國的新政策仍是更多的「圍堵」，比以前更猶疑躊躇，更坐待共黨的發動，它在勝利，則一九五三年可能有更多的韓國，更多的西藏，更多的捷克出現。

大局將會怎樣，惟時間可以說明，但有一點却可以確定的，那就是：在各處採取攻勢的共黨，在目前的階段中，正獲得第三次世界大戰，除非美國以積極的行動加以阻止，否則在一九五三年底，蘇俄將會獲得更多的勝利。（譯自「美國新聞與世界報導」）

菲律賓停火談判終止 對共黨展開總攻擊

陶彬

菲律賓政府已拒絕了「民抗軍」延長停火期限的要求，季里諾總統下令動員一萬五千名武裝部隊展開全面性的掃蕩攻勢；馬格西塞已提出於六月以前結束剿共軍事的諾言。但是，另一個政爭的暗影已湧現於眼前；人們正憂心於兩黨鬥爭的結果，歷史上將會增加悲慘的一頁。

國外通訊

美國總統艾森豪宣布撤銷台灣「中立化」政策之後，突出於南太平洋上的菲律賓，也直覺得它的形勢更爲重要。季里諾總統對於應付未來之重大危機，正寄望於美國國務卿杜爾斯的訪菲，能夠現實多年來追逐着的太平洋聯盟；甚多的政府官員，對五月間爲太平洋聯盟「架橋」的一次會議，認爲美國不會反對，除非美國另有更爲妥當的安排。因此，軍事當局於二月三日停火談判期滿之後，參謀長杜克少將堅決拒絕「民抗軍」延長到三月三十一日的要求；季里諾斷然下令動員一萬五千名政府軍對菲共民抗全面性的掃蕩攻勢。並且提出了三項責令「民抗軍」投降條件，以結束拖延七年的菲律賓戰事，這不容更改的投降條件：一、被控犯有罪行的民抗軍須提交民事法庭審訊；二、總統將考慮特赦此等犯罪者；三、投降之民抗軍必須放棄其武器。而國防部亦下令進行全國性的搜查，雖然表面上看起來，菲律賓的共黨已受到了慘重的打擊，但他的核心依然尚未摧毀，馬格西塞曾經提出諾言，他堅決地要求軍民合作，在今年六月底以前結束剿共軍事，人們迴想已往的情形，依然還存有懷疑。

優渥待遇給予投誠共黨

在菲律賓廣泛的大衆心目中，馬格西塞無疑是一位傑出的人才，這一位四十五歲的國防部長，不獨取信於人民，菲律賓的共產黨，對他也有親切的好感。因此，他從事一項投誠及斷然放棄恐怖與暴力共產主義的菲共感化計劃的努力：（一）服刑中的菲共獲得職業上的技術訓練；（二）馬格西塞從國會獲得一筆撥款，貸與受感化的菲共黨員；這些過去反對政府的恐怖分子，他們在馬格西塞指導下已成爲大街上的路人和最受共黨憎恨的小資產階級；（三）根據就業計劃，替投誠的共黨分子安置適當的職業；（四）依照農村復興計劃，將土地贈與投誠的菲共，並且把他們移植到農場。這四個計劃，雖然與現政府的作風不能配合，却已逐步地實施。馬格西塞不獨對於菲共投誠以後的優渥待遇，即大部份農民亦能普遍地享受到這種恩惠。

政府官吏顢頇貪污枉法

一九五二年在北部民達那俄發展的土地移植計劃，受到了當地政府阻撓，地方官依然保持着古代封建的劣習，自私的心理不易爲缺乏開發能力所打破，使一百五十萬貧困的農民，僅安置了三百家，這種予馬氏於精神上之打擊，無形中給予馬氏對政府詛咒「顢頇無能與貪污枉法」得到有力的支持。

核心內閣不納馬格西塞

國家英雄竟無用武之地

馬格西塞是自由黨黨員，他和一般人民以及反對黨一樣地對現狀不滿的，雖然他已向國人保證六月底以前肅清菲共，但他經常想着：「爲了地主與高利貸者的利益而殺死菲共，究竟能繼續多久」而感到苦惱；他所以沒法介入季里諾的「核心內閣」，也由於季里諾「核心內閣」和他的政見不能一致；並且還遭遇到歧視甚至有人意圖將他殺掉，終於被季里諾總統的力量壓制下來；季里諾對他的腐化政權也幷非不想改革只是他的官員們的劣根性已養成了習慣，儘管政府一再剴切告誡撲滅貪污，而貪污之風氣依然熾烈。然而，季里諾對馬格西塞幷不是不加信任，而且還把他看成了是一個「國家英雄」，可是，馬氏不能見容於總統的寵信，逐漸地喪失了國防部該有的權力。馬格西塞無疑在政府中已陷於孤立，國防部長手中也沒有一支兵，他的力量雖然建築於廣泛的大衆身上，這些人民而且可以支持他十一月的大選中摘取總統的寶位。季里諾的「核心內閣」已經對下屆總統選擧作了甚多的安排，他們正考慮宣佈戒嚴法，將政治上的反對者以勾通共黨的罪名加以逮捕拘禁。在這種情勢之下，菲律賓要實施民主選擧與保證馬格西塞的安全，同樣使人感到渺茫。

最高法院褫奪總統特權

擁有大部地方（政權）勢力的反對黨國民黨，對政府的施政從未感到滿意過，尤其對於總統戰時的特權，更認爲是一種扼殺民主嫩苗的工具。他們曾經好幾次向總統特權挑戰，終遭敗北；而於二日最高法院以九對一票宣布「季里諾總統之戰時緊急權力無效」纔得了勝利。予季里諾總統無疑是一大打擊。

戰時傀儡仍圖重振聲威

四日那天，季氏特別的邀請美國駐菲大使施普魯恩斯和馬格西塞及參謀長杜克少將，在總統遊艇上會談，討論的課題是美國解除台灣「中立」化政策之後一般形勢，和研商菲島今後剿匪步驟。雖然這種措施是例行的安全策劃，站在反對黨立場看來，依然是隔靴抓癢。他們認爲社會問題沒有方法解決，官吏們的惡習不改，儘管對共黨採取嚴峻的態度，絕不是根絕共產勢力的基本辦法。總統的緊急權力取消之後，在國民黨的議員們看來，給予十一月大選掃除了許多障礙。國民黨的候選人羅里爾表面上雖然否認他想參加總統競選，但他驅逐季里諾的主張幷不放棄。他今年六十一歲，除了黨對他極力支持之外，一般人民對他終有點懷疑，因爲在日人統治時代曾經做過十八個月的傀儡總統，但他却解作「奉了麥帥的命令」。事實上是否如此，誰也沒有出來支持他這種理由。他出身耶魯大學，國民黨中可算得上是個幹練的人才。國民黨的民族思想，却具有睦鄰的觀念，阻遏了「菲化法案」的排外擧措，使國際間建立良好友誼，執政的自由黨呢？誰勝誰負，現時尚難斷言。（二月五日自馬尼剌寄）

胡著「俄帝侵華史綱」讀感

新書評介

鄭學稼

友人胡秋原先生近刊「俄帝侵華史綱」上下兩册，讀後，覺其內容淵博，幷有若干新見解。在對俄問題著作缺乏的目前，該書將是一部有價值的著作。筆者所說「有價值」，是指它對「抗俄」的貢獻而言。

近五十年來，愛國族的知識分子，必然要研究日、俄的歷史。研究日本史較易，因爲，日人已有許多著作可供參考。研究俄國史頗難，研究俄帝侵華史更難，因爲，後者關涉由匈奴至沙俄吞併中亞止的所有遊牧民族的歷史。中國人在今日能詳述那些民族歷史者，恐怕不多。

由於篇幅的限制，胡先生的著作，只是一個綱領式的敍述。這對於初學者，恐有不便之處，但其責任不能由胡先生負之。過去，我們高揭「抗日」大旗，國中並無一本詳細的日本史；今日力行抗俄，國中亦無一本詳細的俄國史。對於俄羅斯人究竟幹了何等事？吞滅了中亞及西伯利亞若干民族？那些民族與我中華民族之關係如何？均無詳明著作，眞是中華民族之恥！

對俄失敗昧於知彼

這是筆者一氣讀完胡著後的第一個感想，同時又是他的共鳴者。因爲，他曾感概地說：「對俄失敗之最大者，首則昧於知彼。俄爲何國，洪鈞以後，罕有深入研究。而關於蒙疆史地，左宗棠以前，研究者甚多，此後竟視爲甌脫，而不知國命所在，不在東南魚米之鄉，實在西北金山玉液之地……社會之不重學，學者之不深其所學，乃國難最深沉之原因；此我願爲國人痛切一言者也。」筆者所不同意的，只是胡先生責「學者之不深其所學」一語。因爲，自抗戰軍興至今，每一讀書人輾轉於生活皮鞭之下，焉能「深其所學」？又在以耳代目的標語口號時代，誰能知「學者」之學？

早在抗戰結束時，筆者即放下已歷十五年之久的日本史的寫作，研究俄國史。由於這一興趣，纔探討蒙、疆及中亞史，且因而研究元史兩年。賴日本人的譯著，明白亞洲各遊牧民族史，作系統的筆記約三十萬言，另爲勝利出版社譯「成吉思汗傳」。後來感到那一工作非個人的才力物力所能勝任，不能將筆記擴大成書，改而研究近代俄國史，尤其是布爾什維克史。這一工作也不容易，因爲材料的封鎖，找覓艱難，時常掃興。筆者深信，民間學人有同一處境者必多。可見並非國中無人，乃受客觀環境所限制的拘束罷了！

無歷史教育不知俄可怕

筆者對胡著的第二個讀感，是它的寫作體裁，對初學者不便，因爲它不是完全按年代而展開內容。希望再版時附一年表，則可填補缺點。

對於胡著的上卷，讀後有這感想：它應該擴大另寫幾本書，因爲那是「數典忘祖」者的需要。中國人如沒有那一歷史的教育，即不知俄人之可怕，更難了解胡先生所說「必須在西伯利亞設立一個新遠東共和國」之深意。筆者早有這意見（那是在抗戰初期發表的）：中華民族獨立後，時勢到來，應向俄人攤牌，即恢復尼布楚條約前的北方疆界。俄人在「亞洲屬於亞洲人」原則下，回返西方。西伯利亞建立民主共和國，中亞各民族獨立。已故李建芳教授亦有這同一的意見。他的「近百年史」講義，因在抗戰期中述及未來中俄對立局勢之不可免，被禁出版。這些事，說明中國學者雖對自己民族遠大前途的估計，也無法自由向國人宣佈，而必須把學術的研討，局限於特設的小天地中。

在胡先生的著作中，我見到兩點小錯：第一、「上卷」一二六頁「微德之坦白」節，說微氏『後來失勢了，跑到美國寫「回憶錄」。』依此敍述，似乎胡先生並未閱「回憶錄」原文，他所用的材料，是十年前王光祈的節譯本「李鴻章遊俄記事」。依原書的微德伯爵夫人序，「回憶錄」早已寫好，恐怕死後被沙皇沒收，（沙皇沒收大臣的回憶錄，該書曾提及早有先例）特以別人名義存於巴黎等地。一九一五年二月，微氏逝世，沙皇尼古拉二世先派人搜查他的書齋，並運走有關資料。後來，另遣侍從向伯爵夫人索「回憶錄」，以存在國外無法繳呈。最後，俄駐法大使特派人搜查她的在巴黎卑亞里茲別莊，幸有先見之明的她，已將其改存他處了。

第二、下卷二一五頁，『馬林是荷蘭左派社會主義者，眞名斯尼菲立，後加入共產國際，派到荷印組織荷印共產主義的民族運動，利用跨黨辦法，打入「回教聯盟」之中，頗有成就。』事實上，斯尼菲立先以荷社會民主黨員到爪哇活動，後因指揮回教聯盟中的左派（今印尼共魁亞利民，即其領袖之一），被荷印政府驅逐出境，才參加第三國際。以後，他未到過荷印。

最後，筆者連帶補充一點，胡著中說到「八國聯軍」之役，如能引用聯軍統帥瓦德西的日記，說及俄人在北京的動作，預言中俄對立的不可免，和中國如有一個英雄出來統一國家，必與俄一戰等資料，則更爲精彩了。

自由中國近貌

台灣通訊

教育部修訂課程標準

現行中等學校課程標準，尚係民國三十七年在南京頒行。自政府遷台，恢復三民主義課程，加强反共抗俄勞動生產教育，迭頒有補充要點多項。聞教育部爲適應國策需要，特將國文，歷史，地理，公民四科課程標準，約請專家及富有教學經驗人士，重予修訂。茲修正標準業已先後脫稿，不日即可公布。屆時各書局當依據新頒標準，重新編輯教科用書。預計今年暑假後，各校皆可採用新書教學。台省各書局中現尚印存有教科用書較多者將於寒假中以對折傾銷，以免日後作廢。台北各省立中學校長，日內正分別與各書局接洽，如能藉此減輕學生若干種用書費用上之負担，亦一善事也。

公共汽車改爲男女車掌並用

台省公路局省境內公共汽車及台北市市區內公共汽車車掌，向均用女性担任。去年暑期，台省公路局因應各界人士要求，派員會同台北市政府，整頓市區公共汽車，限期六個月，整頓完竣。茲已限期屆滿，仍交回台北市自辦。在整頓期中，頗多建樹，此爲市區乘客所一致讚譽者。整頓成績中有一要項，即將一部份車掌改用男性。省公路局長途汽車不久亦繼之改用。現此事已引起全省婦女界之抗議，認爲侵奪女性職業機會。公路局方面則認爲長途行車，女性體力有時不能勝任。至市區內亦因女性對老幼旅客，不能扶持，且沿途不須呼喚站名，通知乘客下車。至乘客擁擠時，更難應付。現改用之初，男性新車掌，約當女性十分之一，而一般乘客印象，則認爲男車掌服務精神確較優勝。原有女車掌亦起與競賽，工作態度較前大有進步。惟公路局方面又規定女性凡已結婚者，即須解職。此次政工幹部學校招生，亦限定女性只收未婚者，此係國防部所規定，各軍事機關學校錄用女性時，均須受未婚之限制。此對於婦女工作，估計多數之台灣社會，自屬一新問題也。

立法院將增强效率

立法院第十一會期，已於二月十一日開始報到，第一次大會則定十七日擧行，屆時將由行政院院長先作施政報告，幷答覆質詢。立法院組織法及議事規則均甫於上會期末由院會修正。其特點在表決方法中，特加點名表決一項，即對某案之贊成或反對者，須點查姓名。惟採用點名表決方法之前，須先由主席付採用與否之表決，出席委員中，多數人如不贊成採用，主席不得用之。立法院之議事，一如他國國會然，重心在各審查委員會。依照規定，每一立委可參加兩個委員會，每一委員會之召集人，以參加人數多寡決定，以每三十人有一召集人爲原則。如經濟外交等委員會，參加者恆達數百人，召集人亦有九人之多，院會時幾與大會相彷彿。另如民刑商法等委員會，參加者只得十餘人，對於法律案件，往往不及迅速審查。如陸海空軍刑事訴訟法迄今尚未能提出審查報告，即爲一例。茲聞有人建議改爲每一立法委員只能參加一個委員會，每一委員會參加人數，力求平均，召集人則不超過三人，俾議事效率，得以增强。惟如採用此項建議，勢須先修改立法院組織法，組織法修改未久，如何予修改，仍有待於立法諸公之自行裁決也。

天下小事

艾克如何草擬咨文

本月二日，美國艾森豪總統向國會發表的首次國情咨文，不僅耗費艾氏無數的心血，事實上，幾乎每一個高級共和黨員也都貢獻了他們的意見。艾森豪由韓國視察歸來，在海倫娜號巡洋艦上開會時，就已開始了草擬咨文的工作，在艾氏正式就職總統前，所有受命而未就職的閣員，曾作長時間的集會研討咨文草案，在艾氏就職後，又會詳細檢討過兩次，據說，預算局長陶奇所提供的意見最多。後來，艾氏感染流行性感冒，但他仍取消一切約會，扶病完成最後的潤色工作。

財政部長紅極一時

據華府靈通人士說，財政部長亨弗萊正逐漸成爲內閣中最强有力的人物，有好幾位部長和次長，對於他們部內的問題，都要往訪亨弗萊詢問意見。艾森豪總統對某些部的重要決定，都是請亨弗萊轉告那些部長的。

總統嫌遊行行列太長

艾森豪就職總統，那天華府熱鬧非凡，光是遊行行列，整整費了五小時，才全部在檢閱台前走過，事後有人問艾氏的意見。艾森豪說，如果站在參加者、參觀者和總統的立場，行列未免太長了一點，他認爲有兩小時的行列在華府遊行，就很夠了。

匈共領袖岌岌可危

匈牙利共黨領袖拉柯希最近接到一封匿名信，內中特別提到他的猶太出身和血統，許多觀察家認爲這就是拉柯希要遭整肅的先聲，他的地位和生命實在保不長了。同時自美國大選以後，匈牙利的火車站上、牆上和行人道上，到處都可見到艾森豪的名字，民心如何，由此也可見到一般了。（孟衡）

無力控制漫長海岸綫

沿海共軍採重點防禦

在這山雨欲來風滿樓的反攻前夕，從種種方面都可以證明，中共已經漸漸的走上了悲哀的邊緣，單就中國沿海漫長的海岸綫來說，究竟應該如何防守，已經成了共軍首腦策劃中的一大難題。

共軍防力捉襟見肘

北起中韓交界的鴨綠江口以迄中越接壤的紅河口，總長度達到七千餘里，要想在這遙遠的一條曲折蜿蜒的海岸綫上，步步設防，使之固若金湯，作到沒有被突破的危險，以中共的力量來衡量，那是不可能的！中共用盡方法誘致人民參軍，擁有的部隊雖不算少，可是只能驅迫他們作人海戰的砲灰，送死則有餘，防禦則不足，原因是防守比衝鋒陷陣更需要物質條件來支持，衝鋒陷陣可以憑血肉之軀拚個你死我活，防守就非要在設備上講求不爲功了！在今天這樣機感的火力之下，血肉之軀是構築鋼牆鐵壁不起來的！這也許是鑄定中共必然失敗的癥結，從共軍最近在沿海的一些措施來觀察，不僅說明了這一推斷並無錯誤，而且看出了共軍防禦力量的捉襟見肘！

從中共最近在沿海的軍事佈署來看，他所採的是重點防禦的戰略，把重心擺在南海和渤海，黃海和東海魯、蘇、浙、閩四省的海岸則比較空虛，粵省各港口配備兵力的情形，本報上期已有詳盡的報導；東海，黃海方面始終停留在策劃的階段，根本還談不上具體的設防，閩、浙的各軍要港口雖然集結得有「三野」的部隊七八十萬之衆，那是「人民」用來哄騙他的子民，聲言不顧一切必將達到「解放台灣」的目的，並沒有什麼防禦價值可言，現在台灣的中立已經解除，也沒有看見有一艘機帆向東開去，色厲內在，不問可知。

大批俄人開到上海

不過就共軍近來在東海方面的動態來說，關於這一地區的設防似乎已漸趨積極，據日前由滬來港的商人談及，兩個星期以前，有一千五百左右的蘇聯技術人員，編成三個大隊開到了上海，住在百老滙大廈，休息了幾天，便紛紛出發前往沿海各港口，他們的任務，大概是建築防禦工事和測繪海空軍基地；其次就是正規野戰部隊概行集中到上海、寧波、溫州、福州、廈門，幾個重要港口，其餘次要的地區，則調內陸各縣的民兵到沿海來增防；還有一件深堪注意的事，就是强迫沿海漁民參加軍訓，黃海區規定六十萬人，東海區規定八十萬人，由當地的組織上負責足額，準備訓練完成隨時可以參加戰鬥，代他們替死！

至於渤海方面共軍佈署的情形，則比較完備得多，先述旅順港，這裏本來是我國北部最優良的不凍港，到現在爲止，還完全是被蘇聯控制着的，所以一切設備大體上都能趕上時代，要塞砲最大的口徑爲三十三公分，最小的爲十四公分，砲台計有黃金山，老虎尾、王家埠、蒲甸等四座，防禦野戰砲陣地共有二百六十餘處，有軍炮兩個團，野戰砲一個團長川駐守，從大連灣到旅順口建築得有完全由鋼筋水泥造成的地下交通壕，裏面水電設備俱全；綠交通壕的兩側，建築有地面的油庫十二座，地下的油庫八座，地下的軍械庫十六座，都在鐵道的東南側，地面的軍械庫則在大連市西南的近海處，這些地帶都是由俄國兵嚴密封鎖起來的，中國人根本不能接近港口。

沿海碼頭大舉興建

目前這裏正在大舉興建碼頭，已建成的有十個，在興建中的有五個，碼頭的標準，是要達到能够停泊任何巨型的兵艦，因爲水的深度已經够上了合乎需要，通常總是在四十至六十公尺之間，所以蘇聯對於這個地方非常重視，除了作爲海軍基地，同時還經營成爲一個造船工業的重心，蘇聯在這裏設有三個規模很大的造船所，一個在老鐵山南面四公里處，一個在老鐵山的西北角，另一個在大連灣的東郊。此外秦皇島和山海關也各有比較小型的造船所一處，這兩處都是共軍正在積極設防的地方，秦皇島設有高射砲十二門，山海關也有高射砲四門，軍械庫四座建在秦皇島的北鐵路北側兩公里的地方，糧庫則分別設在秦皇島市內和山海關的火車站，經常存儲有大批的糧食，隨時可以補給渤海區的軍糈；不虞匱乏，因爲「大力支前」的法寶始終把持在「人民」的手裏，除了甘心「反動」以外，是沒有人會不甘心「支前」的！

蘇俄潛艇沿海巡邏

渤海灣這一地帶本是「華北兵團」聶榮臻的轄區，自從把聶榮臻擴編成了「第五野戰軍」，更使他躊躇滿志，所以一切的佈署與設施，都不是失寵的「三野」所可同日而語，堅强與脆弱也迥然有別，在這一地區，北起深縣，經唐山、塘沽，直[illegible]河口的[illegible]門關，沿海的機槍陣地，砲兵陣地共有五百六十多處，都是用鋼筋水泥造成的，唐山到塘沽築有三道交通壕，深約三公尺，寬一公尺；「華北軍區」所屬的「第一艦隊」，擁有船隻的總噸數約三千噸左右，這些船隻一半是由商船改造而成，一半是日[illegible]遺留下來的[illegible]的一部，該艦隊在漢沽設有木船修造廠，兩年來已完成機動帆船三百多艘，長山和廟島兩個小島已建設成了「海軍陸戰隊」的訓練基地；訓練完成了的還只有二百餘人，現在駐紮在塘沽，渤海沿海的漁民，也和東海一樣，已經嚴密的編組了，正在參加軍訓，訓練完畢的已有八萬多人，隨時可以應召參戰；海面巡邏的任務，則由蘇聯派來的八艘潛艇負責，經常在渤海中的小島附近出現，足見共軍在渤海方面的戒備已經相當嚴密，這是由[illegible]從南韓毀來的[illegible]雨！（丹心）

偽華東交通部長

黃逸峯被鬥記（二）

三、三反時期已有暗潮

黃逸峯集團和他的反對勢力在「三反」時期即已發生傾軋，但因未公然揭開，便成了此次大門爭遠因底暗潮。

「三反」運動進行時，黃逸峯不曾遵照中共華東局的指示先從黨內實施領導檢查的步驟，而直接召開了「坦白大會」，從來「華東軍政委員會」召開了該會直屬機關黨代表會議，李學民和李利民便以饒漱石和曾山在會上所作的「指示」爲盾牌而向會上對交通部的「三反」運動及黃逸峯作風都提出了批評，待率領交通部全體黨代表的代表團團長白長洲回部向黃逸峯報告以後，黃當即呵斥兩李：「沒有通過支部，沒有通過黨組，怎麼可以在黨代表會上發表意見，你們這種代表是代表誰的？」接着，黃逸峯便在幹部的所謂「重點檢查」的機會中，找着李學良於抗戰時期曾在浙西當過偽軍的漏洞，評定李利民功臣自居的作風惡劣爲理由，撤除了他們的黨代表資格，幷免除了他們的本職，逐出了交通部範圍。同在此時，公路局方面，在局長裴味農的策動下，借着黨組會議的機會對交通部及黃逸峯作了一陣不明顯的攻擊批評，結果該局長亦即被黃逸峯用權力壓調走。這些被黃逸峯用權力壓制下去的人當不會甘心，但他們却懾於黨內層層壓制的威力，也就不得不忍受而將此一傾軋姑且隱了下去。

四、事件從薛承鳳揭開

但中共中央最近遵從聯共馬倫科夫「批評與自我批評」的聖論而發出了所謂「接受人民來信」及「加强黨報揭發批評」的指示之後，裴味農，李學良等便乘機捲土重來，他們活動交通部範圍內的人員作自我的揭發以圖打擊黃逸峯，終於在交通專科學校中找到了揭發鬥爭的替身。

這個替身是年青衝動的學生薛承鳳，他於去年七月間向中共的華東區機關報解放日報投了一篇冠冕堂皇的以擁護「毛主席」「反官僚主義」爲詞的信稿，批評了交通專科學校內的混亂現象及學校當局的官僚主義作風。這當然立刻激怒了黃逸峯，便在學校有組織的佈置之下一面向黨報聲明解釋，一面便以「有組織有計劃的破壞學校秩序及惡意誹謗、造謠生事」的罪名予薛承鳳以「坦白」「鬥爭」等的打擊、壓制。但接着，李學民，李利民等便一面再向黨報提出黃逸峯不民主（指中共式的歪曲而玄虛的民主）的一貫壓制幹部的控訴；一面即予薛承鳳以支持而發出呼籲，以全力擴大薛承鳳問題的事態。同時，並通過他們各人在華東局內的私人力量的支持，向中共華東局的所謂「紀律檢查委員會」投送了檢舉報告，檢舉了黃逸峯一連串的所謂「壓制民主」及「壓制批評」的詳細事例。於是，便在偽華東行政委員會副主席兼中共華東局第三書記譚震林的決定下，派出了一個「檢查組」去交通專科學校去展開了檢查。

生猪進貢俄帝

——中共的「愛國售猪」運動

中共鼓勵朝野養猪不自去年始。但去年春耕稍前，「政務院」發佈「關於一九五二年農業生產的決定」，要求「各級政府應製定猪的增殖切實計劃」，「領導迅速做到家家養猪，修圈積肥」，從此一證寰遍，就眞達到浩浩蕩蕩了。那些統治者們的「機關生產」，乘機混水撈魚，有詞可藉，不消說得；對於民間，各級共幹雞毛令箭，索性硬性規定每戶口必一定數量，爭取達到「一丁一猪」。假如大陸四億人除二千五百萬被屠殺和二千五百萬「必須完全脫離生產」的共幹，那其餘三億五千萬人就要有三億五千萬頭猪，數字是够壯觀的。

吃肉勿吃皮

中國過去年產猪隻佔世界總產量五分之一，華南是一生猪大出口，其中猪鬃又佔世界產銷總量百分之七十五，這筆外滙中共懂得爭取。另外，主意一出到猪皮製革，據說一九五○年可剝猪皮五千萬張即可買蘇製戰鬥機三千五百架。前年中共爲此大叫「吃肉勿吃猪皮」，整張除下來賣給「國營公司」。此際雖尚不見一九五二年猪隻統計的結果，但因去年數倍於增殖，五千萬張，即至少買得蘇製戰鬥機萬架以上，怎又不是如意算盤？果眞如此，「無產階級」們多少還能吃到死猪肉。這一來大家奉命行事，倒也疑信參半。雖則「一丁一猪」的目標甚至對於有勞動力的農家也會覺得太高，但人家總是好意？如果眞又能順順利利地賣出幾張印鈔機下紙票換回日常必須的生活資料，無疑更爲城鄉經濟日趨崩潰下的主要收入，那怕光是眼睜睜看統治者們屠門大嚼，也是與高彩烈之事。

猪玀遊公園

最得意的當然是那班猪玀，「新婚姻法」下沒有「怨女曠夫」了，子孫們大量繁殖。食飽酣睡之餘，就搖頭擺尾，到處閒遊一通。鄉村固一任橫衝直撞，城市裏依然招搖而過。中國大陸民間居屋普遍不敷，白天房裏裝不下去，只有晚上人畜共處；但其他養猪既是「任務」，毛澤東利益便該服從。「人民的財產」以次給「別說「小資產階級」撐腰，見了共幹們退避三舍，也得悚然起敬。於是猪們益發肆無忌憚。像上海還不失爲國際一大都市，但環繞上海週圍，如龍華、長寧、大場、楊樹浦……各區，只有少數被特准的戶，不養猪，而越是工廠、工會、部隊、學校的地方，猪隻越常成批出現。甚至中心區如跑馬地——那已落成了的「上海人民公園」，也會時有不知從何處來的幾條慢條斯理的猪，把鋪平好了的草皮踐踏壞，後來以有人推想大約它們行道遊得興起，順便也遊遊「人民公園」。人民警察尚來不了干涉，誰還去阻止它們呢？

爲了上海畢竟觀瞻所繫也減少交通失事」，八月間「市公安局」纔公佈幾條單行辦法：（一）市區內飼養猪隻，應圈關固定畜舍，不得散放戶外。（二）無此種設備可能者，經報核認可後，准將所畜猪隻出賣，以後市區內如再發現外放之猪，由公安機關沒收，並視情節輕重，給予該猪主人以教育，罰款或禁閉。（三）郊區居民飼養猪隻，須儘量設置聯合畜舍，非先向該管公安派出所申請領牌，不得外放。（四）郊區外放之猪，應有專人照料，不得任其遺溺地上，以維城市清潔。自然共幹們又是言出法隨，此後上海市區遊行的猪隻不再見到；但那些戶頭要爲它派出一名「衛生員」，那份驕傲還不少有？共幹看重的是「國家的財富」，人力也不在乎。

俄人的口福

中共指定廣東、廣西、湖南、江西爲供銷華南地區出口猪主要產地，僅港九每月的需要五萬頭，以及每年六十萬頭的數量，加以各地駐軍公食肉的數量，該地必須[illegible]民間猪隻出口。廣州無「自由」猪隻出口，各地有「國營土產公司」、「猪業公司」統制，下屬重重剝削，財務緊張的地區任務一下，被指定的數量即刻成爲交通便利鄉村農民一定的大災殃。

另外中共現在北銷的猪，是華東、中南、西北各省（東北已成「官民合營」）大事搜購，江浙所產的鮮肉、金華火腿、蘇州特製的[illegible]肉，以及[illegible]北的火腿，都稱名貴，中共就管它叫「推銷品種」，前年起，中共叫「愛國售猪」；另以秋間又有企圖，去年同以「愛國售猪」號召安徽、福建、河南、山東、河北、山西、陝西……都以「國營」經濟「下至鄉村共幹，「勸員大力收購」，「愛國」價錢比一般好些，一般算起來不够本。首先被限額辦法，時指定的大宗，沒有沿鐵路綫地區也得完成任務，大批列車只見一列一列的大批猪，也活不到死。後根據事實上中共很可憐的大陸人們，還以爲只是個別地區發生的現象。不敢在報上提到一字。當然更有全盤的統計，只是透露出一件材料：華東區便是一該區去年三至七月達上旬又六百噸，鮮猪一年「下半年」「正是中共大命令」家家養猪，看來在全成熟的時候，組織運蘇出口大陸的鮮猪數量必然大數百倍擴大，「老大哥」才眞正大吃新鮮猪肉了。

鐵幕叢談

現在的大陸，由於「人民」付託給了作爲「人民公僕」底共幹們以「服務人民」的大權以後，大概是這些「公僕」們深感「隆恩」，便對「人民」加意「負責」，特別「服務」以致事無不管，管無不力，但結果，人民却遭了殃；動輒是人命歸天！

通姦被逼跳河

如最近重慶新華日報披露：岳池縣紅興鄉一村有個黃張氏與賀新岳發生了通姦行爲，被該村居民小組長劉震山碰見，他就將她二人抓到村上去坦白，黃張氏想不通，便要賀新岳一路去尋死，小組長知道後便駡她不要臉，她受不了，便終於獨自一人跑去跳河自殺了！事後，鄉長楊仁秀還不准任何人提起此事，否則就要以「造謠生事」論罪！雖然，中共一向曾爲「前進」而大力提倡淫風，但像這個例子，倘在幾百年前，除非親屬追究，也不至被官府逼死，可知共幹的權力，眞可爲所欲爲！

發瘋便是特務

又如該縣高吉鄉四村有個居民楊一山，因生活艱苦，神經失常，胡亂地跑到江興鄉三村，當他走到一口井旁時，剛被村幹董世成碰見，立刻喝問他幹什麼？他因已有五天沒有飯吃，一時餓得答不上話，董世成便懷疑他是來井邊放毒的特務，當即派了兩名武裝，將他綁到鄉政府，當土改工作組組長陳治濤對他審問時，他仍不開口，董便認定他硬是特務，給了他一記狠命的耳光，當即暈厥而死了！

夫妻打架逼死

又如紅興鄉八村貧農劉德義與妻子鄉仕貞打架，他妻子報告到鄉政府，鄉幹李方學即派了兩名武裝將他綁到鄉政府，不問青紅皂白，立刻關了再說，到第二天再叫他寫坦白書，但寫了多次都說不行，也就在晚上逃了出來，幾天後，却在九村墨斗溪河中發現了他的屍體！

教師放假被鬥

此外，雖未死人，但共幹侵犯人權的事也異常隨便。如三村小學教師吳世斌因照例放了假，但不曾去鄉政府搞中心工作，當被鄉長楊仁秀等召集了全鄉幹部將他推出鬥爭，吳不服氣，楊便說他「有政治問題」，將他們到半夜三點鐘才結束，幷將他關入黑倉，一關關了八日八夜，才被區長放出來。

（王心）

自由談

「當伊唤价事！」

為方

今日是農曆癸巳年的正月初一，香港社會各界多休息樂春，報紙也大多暫停刊，本報卻按照定期出版。這不是有心立異，而是覺得沒有停止爲讀者服務的必要。

在農業經濟生活的農村中，農曆新年是有意義的。農民終年胼手胝足，一到臘月下旬，諸事已告段落，大家專心準備過年。新歲來臨，男女老幼皆欣欣然迎春樂歲，親戚故舊相互拜年施禮，情摯意誠，即貧僱農也都穿上一件整潔衣裳，悠然自得，龍燈獅子花鼓等民間游藝，到處喧闐。寂靜的農村裏，從初一到元宵的半月中，熱鬧異常，眞是萬民同樂的氣象。

在工商業都市中，過了新曆年之後，再過舊曆年，有錢的恣意酒食徵逐，爲聲色狗馬之樂而狂事消耗，貧苦人縮瑟街頭屋簷下，鳩形鵠立，顯示着一幅人間不平的漫畫，此外毫無意義。親友相見，匆匆忙忙一聲「恭喜」，滿目虛僞形色，眞覺相見怎如不見，多情實是無情，以視農村中人之誠懇親切，恍若隔世了。政治場中人更無謂，新曆年以團拜虛應故事，訓話一場，舊曆年唯乘機向顯貴權威之家送禮賀歲，別無作用，然表面還得裝出不過舊曆年的新人物模樣哩！

我們想到大陸農民的痛苦情狀，更不忍爲農曆年而有所歡樂，一切如常，「當伊唤价事」！

總經理的派對

・羊辛・

提起這位總經理，來頭可不小，他的老子就是鼎鼎大名「人民中委」「僑領」某先生。總經理子隨父貴，在他老子手創的銀行裏獨當一面，雖然他這家銀行，在香港的銀行中倒算過來是第一家。

總經理財多身弱，四肢好像有點發育不全，又矮又小，身連衣服算在內，怕不會超過一百磅，有人說他過橋須用繩子縛住，以防一陣西北風括起，把他括進雲端裏去，這當然是挖苦的話，不過那幾天香港打大風，總經理不敢渡海，卻是眞的。

總經理的思想，一向是跟他的老子看齊的，老子怎麼說，他也怎麼說，老子做了「人民中委」，總經理當然也滿口史達林毛主席，對於掛五星旗表示前進之類，絕不落人後，思想好像搞得很通似的。不過有一碟，就是愛好洋化，尤其喜歡開舞會。

每逢週末，他就忙着發通知，要銀行裏的女職員全體參加，同時吩咐她們去呼朋喚類，務必把個舞會弄得熱鬧非凡，釵光鬢影，環肥燕瘦，方始愜意。

有人跟他說：「總經理，共產黨不是要打倒資本主義的麼？這種舞會不正是資本主義社會的玩意兒？總經理顯然還沒有扔掉包袱！」

「嘿嘿，這個，這個，」總經理答：「這是一種高尚的交際，把它當做室內運動看也可以，并不是什麼應該打倒的玩意兒，你瞧，毛主席周總理不是時常開舞會的麼？國內那裏不風行？」

「這樣說來，既然是高尚的運動，爲什麼要女賓參加？爲什麼不男人對男人地大跳特跳？又爲什麼參加的女賓要年輕而漂亮呢？叫街邊的賣菜婦跟你跳跳你怎麼樣？」

「嘿！你眞是——」總經理大搖其頭：「你眞是頭腦頑固！專從壞處着想！現在是新潮流，你根本還搞不清楚！」

這種「新潮流」，雖然有這麼多的「搞不清楚」，但搞得一清二楚的却也大不乏人，譬如銀行裏的女職員陳小姐，她可就十分跟得上潮流，道：「人家外國人發明的東西，那有一樣是壞的？參加派對的都有資格有地位的紳士，這乃是一種最高尚的交際。」於是每逢週末，她就興奮得飯都吃不下，趕早跑去參加，回來後還津津有味地說上兩三個鐘頭，例如總經理今晚喝了三杯酒，跟她跳了五跳，還有那個什麼小姐連四步頭都不會跳，十分大鄉里等等。把個陳小姐興奮得瘦了好幾磅。

如是日復一日，幾個月後，陳小姐忽然很少來上班。有一天，銀行內的職員正在工作之際，忽然聽得總經理室裏揚起一陣吵鬧聲，仔細一聽，竟是陳小姐的聲音，只聽得她帶哭地嚷：

「你這沒良心的，你把我弄成這個樣子了，你叫我那裏去？我不管，我不管，你得給我想法子！」

原來陳小姐跳舞竟跳出幾個月的身孕來！

正在難分難解之際，不想總經理太太突然地闖進來，聞悉之下，大爲光火，以老虎趕羊羣之勢把陳小姐連罵帶趕地趕了出去，一面回轉身來，拉住總經理的耳朶，一拉就拉出了總經理室，要把他拉回家去算賬。

「唉，唉，唉，……」

總經理半歪着身子，被緊緊拉住的耳朶痛得他只有哼。他像一隻即將被拉進屠場的羊，跳跳蹌蹌地跟着走，太太的力氣太大了，總經理的兩隻脚彷彿不時騰起了地面好幾寸。

美國帝制運動的趣劇

・承安・

美國原來是沒有皇帝的，當然談不上復辟兩個字：不過美國智識界之一部，有一個時期曾發起一種「創立帝制，恭戴羅斯福總統即皇帝位」的運動，發起者並非籌安會六君子之流而是大名鼎鼎的耶魯大學學生之一部，當時分途向各大學徵求贊助人，單就耶魯大學論，參加這項運動的，就有逾三百人，並在布林斯頓大學及紐約哥比亞大學設立支部。傳聞哈佛大學及賓夕凡尼亞大學也曾有設立支部之可能。

當然，耶魯大學是「帝政運動」的總部。他們曾發表一種文告，大意說「羅斯福總統競選時獲得空前大勝利，足徵全美民意之所在。總統已成爲司法及行政兩部領袖，因爲最近人人注目的「司法制度改革案」是總統提出的，美國國民力求行政機構之簡單，如能擁戴總統爲皇帝，從民主政治演進到帝政，更有趨於簡單之可能，新君登基之始當改元曰「佛蘭克林一世」。」（按佛蘭克林係羅氏之名）其踐祚之期，當於司法制度改革案實現之日，但我們心目中的皇帝並非一個特權階級者」。該項運動並無任何思想背景，在外國人看起來簡直是一種笑談，但參加該項運動的却當作一件正經的事體。

現在讓我們再談一談關於羅斯福夫人的軼事。在總統夫人周圍的女僕、書記、汽車夫、鏢師等人常向上帝祈禱着，「謝謝您請讓我們這位太太疲倦點吧！」從這裏，可以想像到總統夫人從來沒有疲倦的時候，當一九二一年羅斯福染患足疾之前，她並未參加過政治活動，就從那年起，她開始成爲丈夫的耳目及手足了。當然一個人生了病，精神上不免頹喪點，她却鼓勵着她的丈夫說道：「身體的缺點不是弱點，或許反成爲一個優點，你的足疾使你不能四處勤求民隱，反之却是一個好機會讓你具有冷靜的頭腦對國家大事多多研究一下，至於跑腿的事情我可以替你幹。」果然，羅斯福就任總統之後，其第一次任期開始十五個月，夫人所經的路程（無論汽車，火車，飛機）共達五萬餘哩，總統深知民間疾苦者是從太太方面得來的，起初這個打破向例的舉動頗惹起一部人士的反對，認爲好管閒事，後來看見她的閒事管得不錯時，把反對的心理，變爲敬重的心理，她的舉止不平凡，却保持着平凡的私人生活，這就是說，她絲毫不搭「美國第一位太太」的架子，而以一個平民自居，她雖然在外活動，而對於家庭瑣務却並未放棄責任。

中國之友（六十）

李提摩太傳（五）

毛以亨

李氏在烟台見到李鴻章，當他來此交涉簽約時，並由教會之中國醫生爲其隨從醫病。他于一八七五年一月帶一位十四歲水手之子爲學生移住青州府。此處距烟台二百五十里，有居民四萬人。他們住在客棧而不租屋，以免引起外人入居內地的糾紛。先無人與之來往，至改爲中國裝，戴假辮後，始有人請其喝茶。他被稱爲醫生，因爲曾以樟腦精治癒霍亂，以奎寧治癒瘧疾，他向人聲明彼非醫生，亦屬無效。他得到中國人之助，租到三大間花園廳房，月租四元；飲食悉如中國人，晚飯則赴飯舘，亦僅日費伙食制錢百餘文。

他在青州所以能安居，全賴其醫藥救濟工作，曾有武員擾之，而縣府道均加以保護。他辦孤兒院，該武員曾控其拐帶人口，卒爲道台所斥，而未鬧成第二個天津教案。他遂得在該處安心讀書，除已念的 Legge 翻譯之四書外，再讀完近思錄與金剛經，每日習一小時，讀完後且抄寫下來。他蓋欲以中國人舊觀念與昔日中國人在佛經上所用的舊名詞，而避免耶教所用的新名，來與中國人討論宗教問題。此點實與利瑪竇相同，他們欲以中國人所公認的眞理訴諸其良心，而不願以外來威脅，與爲中國人所未承認的眞理來制服他們。李提摩太將 J. Taylor: Holy Living 首數章，合 F. Sales: Devout Life 譯成中文，合成一書稱其書爲救世南針。

青州爲回教徒的中心，有回教學院，並有兩派不同的回教禮拜堂，其附近，尚有許多禮拜堂，皆有回教士在彼念經。他曾拜訪回教神學院，與其院長討論阿剌伯、埃及、歐洲、及其從歐經非到中國之路。院長很小心的作回教徒信仰的演講，提出若干奇蹟作證，再講耶穌與其門徒，而認回教地位爲最高。他提出宗教譜系，以亞當爲首，分出若干家族與先知，而最上則畫一蘋果以代表先知。講畢，李提摩太始辭出；並謝其招待與演講，且言下次再見，亦未提出任何相反意見。此爲其劃時代工作的開始，他不如其同時教士之認爲遇到魔鬼，他認爲遇到勁敵了。他對基督教所能提出的證明，對回教徒爲無用；他能提出一位先知，回教徒亦能提出另一與相對抗的先知；他能提一預言，回教徒亦能提另一預言；他能提一奇蹟，而回教徒則可提一百個奇蹟，他于是研究回教，思以回教成說說中國回教徒，而貫注基督眞理，于其中，這就李提摩太所用的新方法。

有十數位學生回拜他，第二次祈禱時，李氏得其院長的允許，演說爲基督教答辯，而學生大歡迎。從此院長就不許學生們與李氏來往，以免其對回教信仰之動搖。李氏欲繼續與回教領袖接觸，至是，始不可能，其時祇有一位長老，尚與保持友誼，然在辯論教義時，該長老輒引回教權威之說作證明。李氏反對其方法，謂那些學者曾爲當時最有知識的人，但其知識已爲現代人所超過了。他本人所旅行的地方，與各民族之生活習慣風俗和思想以及其若干宗教制度，那些學者都不知道。長老說那些學者，以上帝精神來寫作，故不會錯。李氏答以他亦是上帝精神之領導下而寫作者，祇是上帝精神，纔令叫他來中國，而其來則在回教長老們以後。

貪污之漸

當國民政府奠都金陵之初期，黨政軍各方人士，無論公私生活，皆自動表現其廉幹之革命氣質，有所不爲。陳果夫以中央黨部組織部長，乘火車往來滬寧，常坐三等，乃弟立夫時任革命軍總部機要科長，某次赴滬乘二等車，唯恐被兄調悉，諱莫如深。國府警衛團長某，黃埔一期生也，以在滬採購馬鞍報銷微失實，立解職去。其他文武大員，莫不儉樸自安，尤以胡展堂先生之清風亮節，足資矜式。南京市長某，曾以大洋二十四元爲其新婦購絲襪乙雙，胡即於紀念週會中指摘申誡之，政風肅然。直至民國十九年間，流風餘韻，猶未衰歇，有鐵道部長某，每日由上海運飲水及麵包至京寓，輿論譁斥，不稍寬假。中樞諸顯貴私宅中，傢俱陳飾多簡素，門前更少衛兵站崗之醜狀。曾擴情在京置一新宅，即受糾彈檢討，旋奉命出售免物議。凡此善良風習，根本固爲革命朝氣猶存，人皆自愛，而言論自由，社會制裁之民主力量，亦有足多者。

自民國二十一年以後，驕奢淫逸之風漸起，至抗戰軍興，始因物價波動，幣值低落，公務人員俸入不足以養廉，貪污性習已萌，繼因「統制經濟」與「管制物價」等措施，貪污之門頓啓。孔祥熙以行政院長，公開談話，贊許公務人員營商，謂「公務員不做點生意，教他們喝西北風！」如是，貪勢大成，而以前綫軍人尤甚。某戰區司令長官及其部屬專打敗仗，然其驚世駭俗之貪婪腐化情狀，中外咸知，而宋子文公然掠奪人民黃金儲蓄四億，實爲貪污政治之結晶表演也。王耀武自湘中率軍東下，附帶船舶蔽江，盡載食米出境貴糶牟利，迨主魯政時，轄境聊城縣，竟爲不肖軍人出售軍火於共黨之交易中心地。政府還都後，財部鹽務總局長某，藉公家材料人工，建造精美宅第一所，再援當時規例，斥公帑黃金大條數十根，頂入該宅，作該總局長公邸，此誠亙絕古今之貪污方法，至矣盡矣，蔑以加矣，然政府熟視無睹也。此時之貪官污吏，皆昔日之廉幹黨人，誰實爲之，孰令致之，豈非紀綱自隳，輿論湮滅之故耶？

二十餘年來，數經要職，而始終清白自守，皭然泥而不滓者，就余所知，唯吾友段書貽（錫朋）可勵澆俗耳。戰後還都，段病居金陵城北傅厚崗附近，余往視疾，覩其小褲間補綴纍纍，不禁憮然。書貽在生，每聞人攻訐國民黨貪污之言，輒憤然作色曰：「國民黨人也有不貪污的！」然書貽之苦行僧生活，又何補於國家之敗壞哉？衆醉獨醒，宜其以貧以病以死也，悲夫！

新・世・說・補・遺

馬五先生

我參加越戰

（八）

L. HART 著　第啓 譯

複雜的共軍

自一九四六年以來，法國兵、阿剌伯兵、塞內加爾（法屬西非洲）的土著兵、亞洲兵和我們的外國軍團，即已和受所謂越盟政府指揮的共黨叛軍作戰，這些共軍的組成份子也非常複雜，其中包括中共的志願軍、前日本佔領軍和外國軍團的逃兵等等，但法軍方面一些地方上的部隊，他們的作戰是兩方面的；一方面他們向地方上的財主收取保護費；一方面他們的官員還和敵人進行交易，甚至軍火彈藥也在他們的交易之列，更據不斷的謠言說，作這種非法生意的，也有法國官員在內。在這一個戰場上，有時候一個部隊會整個的倒戈相向，無論在金錢和生命方面，法國都已慘遭巨大的損失，更還有一大批法國人公開地反對這一個戰爭，其言論與主張就和我們在運兵船上和馬賽的碼頭上，所聽到共黨海員所發的議論一樣。雖然有很多人在談到法國在戰爭中所獲得的「光榮」，但當地仍盛傳雙方可能隨時談和與妥協的謠言。雖然雙方都作過使人震驚的暴行，但戰俘仍經常受到良好的優待，甚至作大規模的交換。

觸目驚心

外國軍團在越南作戰的時候，有一個時期，官兵多到兩萬人，他們在最劇烈戰爭中，擔任最危險的衝鋒任務，所以，在比例上說，他們的傷亡也最爲慘重。在我們宿舍裏的一角，安設有類似祭壇的一種東西，上面刻有外國軍團每年陣亡官兵的姓名，一九五一……一九五〇……一九四九……一九四八……每一個年度的下面，總排有密密的名字，看起來令人觸目驚心。

作戰的哲學

每一個外國軍團的士兵，在他們簽訂五年合約期間，總要有兩年要在越南戰場上度過，許多志願兵調到北非休息數月後，又請求調回越南，因爲在越南作戰的時候，所拿的軍餉要比在北非爲多，而且軍風紀也沒有那裏的嚴格。越南的戰爭對於這些人雖然是艱苦而殘忍的，但眞的，這也是一種生活，好多人根本就不注意他們是死了還是活着。

中華民國僑務委員會頒發登記證台數新字第一零二號

自由人

THE FREEMAN
（半週刊每星期三六出版）
（第二〇五期）
每份港幣壹毫
督印人：李光漢
社址
香港高士打道六六號
電話：二〇八四八
GLOUCESTER RD.
HONG KONG
TEL: 20848
承印者：東南印務出版社
通址：高士打道六十四號
台灣特派員辦事處
台北市館前街五十號
台灣總經銷處
台北中華路新號五九四之一
台灣郵政劃撥儲金帳
九二五二號

趕快糾正『反共八股』

——應從消極與積極的兩方面注意——

左舜生

中共是一個有組織而相當複雜的集體，有強而多方面的外援，更有一套似是而非的理論，而天下最足以搖惑人心的一種說法，就是他們能做到一個「似是而非」！因爲如此，那我們在今天反共，想要運用一種簡單的方法，那是斷然無效的。

方法不一決心則同

中國自有共產黨以來，便有人開始反共，有的反了三十年，有的反了二十年；有的人始而不反，繼而還是反；有的人原來就反，但終於又不反或不敢反。自從中共整個控制了中國大陸以後，共產黨在本質上所具有的猙獰面目，便已完全揭開，在最近這四年以來，他們在大陸上亂打，亂殺，亂抓，亂搶，亂姦淫，凶狠澈底，曾爲空前，奉來自北方的胡人如神明，使中國善良的老百姓不得齒於人類，於是中國人才大澈大悟，知道大家非一致起來，打殺這一羣瘋狗不可。現在留在大陸以外的中國人，反共的佔百分之九十九，留在大陸以內的，也佔百分之九十以上。因爲環境關係，在大陸以外的人，可以直率的以語言，以文字，以行動把他們反共的情緒坦白的表現出來；（也有不能完全表示的，因爲他們對大陸的親屬還有顧慮之故。）留在大陸以內的，便大抵只能中心藏之，以等待一個時期的到來；（也有公然見諸行動的，如各地的遊擊部隊，起義部隊，以及各處農村集合若干人對共幹實施報復之類。）反共的方法與方式雖有不同，其爲堅決反共，則了無二致。

需要眞憑實據的理論

可是，話雖如此，共產黨的倒是倒定了的，但他們的早倒或遲倒，并不會一定因爲我們的反共人數加多陣容加強而成正比例的。原因很簡單：他們是一個有組織而相當複雜的集體，與自來中國歷史上的土匪流寇不同；他們有強而多方面的外援，儘管賣國賣得十分澈底，與自來引進外國的那些賣國賊也仍有差別；他們自然也是「打天下」，「做皇帝」，但他們究竟有一套似是而非的理論，而天下最足以搖惑人心的一種說法，就在他們能做到一個『似是而非』！因爲如此，我們在今天反共，想要運用一種簡單的方法，甚至就從共產黨的本身竊取一些皮毛，以爲即以其人之道，可以還治其人之身，那是斷然無效的；自然我們也需要外援，但假定我們眼巴巴的只望靠外援來想辦法，一切失其自主，而又不肯盡其在我，這也是要不得的；能戰勝思想的只有思想，能打擊一種理論而有效的，也只有一種更好的，更妥當的，提得出眞憑實據的理論。這是就一般的反共情形來說，在這一篇文字裏，我却只想就反共宣傳的這一點來談談。

反共八股要不得

最近這三四年來，所有一切的反共宣傳刊物，我接觸過的至少不會少於十之六七，老實說：我已經有些厭倦，我非要求有更好的東西出現不可，本來在過去的三十年，國民黨有國民黨的一套八股，共產黨有共產黨的一套八股，乃至於青年黨也有青年黨的一套八股，這些八股已經十分令人不耐，不幸我們的反共到了今天，這樣一個重要關頭，我們乃看見這一大套的『反共八股』，又在這裏濫竽充數！如果不澈底加以糾正，這不僅不會有損於共產黨的毫末，甚至於還會要發生極不好的後果。

要怎樣才能加強這個宣傳陣容，確能使共產黨受到無情的打擊呢？大別之可分爲消極與積極的兩方面來說：

消極方面

就消極的方面講：一切淺薄的，雜湊的，道聽塗說人云亦云的東西，應該絕對停止。站不住的理論，空洞迂遠的說法，不可靠的消息，絕對辦不到的辦法或計劃，乃至文字也不大通順的這種刊物，也以少印爲是。反共問題，既是一個世界性的問題，我們用力的範圍太狹小，世界當識的介紹不充分，把一個一個的局部問題孤立起來看；而不能指出它的聯帶關係，也還是要不得。大家的反共目標本來是一致的，但又不肯合作，一定要人自爲政的來一個小組織，宣傳的方針與材料，不能通過一個或三兩個有力的研究機構，而只憑少數人在那裏師心自用、閉門造車，隨時發揮一點零星感想，甚至還自矜以爲獨得之祕，這又何能與有組織的共產黨爲敵？我決不忍說這三四年來的反共宣傳工作做得絕無成績，但我們一定要指出那些階段的做法，實在是太不夠了。

積極方面

就積極的方面講：我們必須有一個反共宣傳的總司令部，這個司令部的性質是集中學術性的，以打倒中共爲目標的，而不是包括世界各色人等的；又必須要有各種各類的搜集材料，高級的，深入的各色小冊子，書籍，和定期的刊物，要有確實的，可能宣傳的廣泛和必要時的國際方面與合作，反共宣傳至於少數人須在一個大的研究機構裏，師心自用，而只有一個能力通的機構，以致有一個統一的司令部負責，包括一切用材料的，都要與這個司令部協調，保持彼此的聯繫，才能調用，一個辦宣傳的司令部，不是只希望它負起名義的機構，而是使它對於一切反共的小組織和個人的任務和責任。我們的意思更不是要拿這個司令部作命令性質的，而只是朋友性質的，然而必要時，應予以扶持，予以方便，共宣傳的要求，必要時要統一思想的機關，假定今天還有人要作統一思想的迷夢，這種人便不僅不能反共，而且他還會成爲共宣傳陣綫的罪人！因爲我們的敵人正以罪大惡極，便爲他們要統一思想，如果要以一種統一思想去對付共產黨，最高限度也只能做到旗鼓相當，要打倒共產黨便是不可能的。

遙念港九難胞

央俊升

自從香港政府停止供給調景嶺難民的伙食以來，這些難胞們的生活已陷於絕境。我們遙念香港的難胞們，掙扎於飢餓綫上，自然感覺有無限的同情，也不得不大聲疾呼，爲難胞們的生活呼籲。

救濟難胞人人有責

這些難胞，近幾年來，流落在海外種種困苦情形，實非言語及文字所可形容的，他們多能遵着「餓死事小，失節事大」的古訓，有所不爲。這種精神，可算是我中華民族在反共抗俄的大時代中所表現的一種奇跡。

說到救濟這些難胞，實在是人人都有責任。首先有責任的自然是自由中國的政府和人民。雖說我政府以及民間，已經盡了一部分救濟的責任，但其所用的力量，似乎還不夠。這些難胞們久已一再請求進入國土，他們有權可以進入的國土，然因各種緊急權宜措施，處至今大多未能入境，誠然是爲國家大局着想，未可厚非。但對這些飄零海外的同胞，自由中國的每一個人都該引爲內疚，他們爲了國家前途，比我們作了較大的犧牲。在過去有香港政府的救濟，他們還可苟安一時，現在救濟斷絕，我以爲我們便不能不對於難胞再作考慮了。我們對於這問題，總應該在不妨害安全的範圍以內，儘量放寬，使忠貞之士，都有投入自由中國懷抱的機會，這是救濟難胞的根本辦法。

節衣縮食盡力救濟

我們自由中國的人民，對於這些難胞們，也有大責任。這些難胞實在是爲了我們在受苦難。我們在此地呼吸自由空氣，獲有生活的安全，我們要想他們的情形如何？譬如一個大戶，爲盜賊所佔，一家的弟兄們各自被迫離開老家，有些弟兄艱苦經營，希望重振家聲，固然不得不一小部份弟兄，飄零異鄉，又不能人人都去，以致有些弟兄們周濟，勉強度活。現在鄰人不再周濟了，受鄰人周濟的這些弟兄們，我們能坐視不救麼？當然只有大家節衣縮食，以求共存。以餘錢救濟自由中國寄人籬下的弟兄們，看法，因此我們大家都有周濟他們的責任。香港的難胞，便該有以八百萬人口的大八百萬的百萬人吧！在台灣約有八百萬人口，這區區的三萬難胞，其次，也有救濟港澳僑胞的責任。港九和澳門都是華僑的城市，現時在香港的外人管理之下，實爲中國人的城市，這三處幾近二百五十萬人，百分之九十以上都是中國人。現在這些難胞們都在眼前，這團體已經開始實行，這種難能的六民族精神，在華商團體計劃中爲我的，也足以鼓舞的難胞，還當以後，財力，家資，懷抱的邁進，一百二十萬同胞，再其次，全世界的一千萬的僑胞，也有救濟這些難胞的責任。散在各地的華僑，向來是著稱的，如能撙節一點生活費用，雖勞，便勵勤生營，大家……

聯國救濟應一視同仁

最後我想到聯合國組織下的國際難民救濟委員會。這個委員會，我對於它，很爲生疏的。在中國大陸失陷以後，所救濟的只是少數白種難民。我最初組織當大多數的中國人民，幾乎所以對於它的漠視大多是白人的，去年我國代表抗議這組織忽視中國難民的時候，我才知道這個難民救濟委員會，是聯合國下面的一個機構，原來中國難民也該在救濟之列，而這個會並不是國際白種難民委員會的組織，我的認識族歧視的正確，以後不勝憤慨，自然對於國際作爲的行爲！不說現在這個名符其實的國際組織補過的機會了。如要它符合聯合國憲章的精神，於港九中國難民負起救濟的責任，那便要我國派在這個國際組織的代表人，把持自私之現狀，一步一步的在這個國際組織爭取，打破白種人，還要進一步對……

▲巴爾幹聯防擊中狄托的驕橫▼

可救濟在港澳的少數難胞，和在香港的大陸救濟總會，廣爲號召，必能在全世界廣大的華僑中發生有利的響應。深望現在台灣的華商救濟總會……

我們對雅爾達密約怎樣？

美國國會正在研討廢棄雅爾達密約問題，塔虎脫參議員聲明在適當時間必予通過。受這項秘密外交的禍害最大者，就是中華民國。美國是當年結成這一密約的關係人，現在急起解鈴，了此時此事，我政府自應有所表示，據說外交部現正研究中。我們認爲必須在瞬將復會之聯合國大會以前，把方針確定下來，公告世人，再配合美國方面對於這問題的一切行動，構成既定的國策，實屬必要。

英國對密約的態度

英國外相艾登表示，英政府沒有參預廢約事項的義務。這意思就是表明英國有其獨立的外交政策，不應俯仰由人。我們很體諒英國近年來所受伊埃片面廢約行爲的困苦心情，不得不持此態度。可是，雅爾達密約原係美英兩政治領袖以越組代庖的強權外交方式，自動簽出的一項不可告人之事，與一般當事國雙方同意的條約有別。美國既然「知過必改」，英國又何必「文過飾非」呢？今日廢約如說沒有參預的義務，然則當年英國參預訂約又有甚麼天賦的權利嗎？

半週展望

·雷嘯岑·

北海道上空美俄機衝突

俄機兩架日前侵入日本北部領空，被美機追擊，一架受傷，並未還擊即離去了。日外相岡崎勝男認爲這不是戰爭行爲，對的，當不是戰爭行爲，但極有戰爭意味！

經此一場小衝突後，俄帝對日本的冷戰更將激化，其用意只在撤日本人害怕戰爭和厭惡戰爭的心理，因而激發反美情緒，使日本的再軍備工作，受到阻礙。北海道一帶從此形勢緊張，如果日本人沉不住氣，眞要以「東方的瑞士」自居，以後這類驚險鏡頭還有更多的演出哩！

日本人想淸楚了沒有？你們的未來前途是無法「中立」的！

由第三勢力到第三區域

尼赫魯最近對人說，他將放棄「國際第三勢力」這一「駭人聽聞」的名詞，改用「第三區域」來號召不願參加美俄兩大集團鬥爭的國家，以期保持和平。

其實，「勢力」也罷，「區域」也罷，在人類具有殲滅縮地之技能的原子時代，根本就沒有「第三者」存在的餘地。二次大戰時，印度比較今日似乎更是「第三者」的模樣，然日本高加索以配合希特勒的征俄行動，要從印度洋岸會師「皇軍」爲着即非進佔印度不可。將來俄帝的其爪牙——中共——要分由中尼泊爾和西藏以入印度洋，打擊美英的海權，進而經營中東時的「第三區域」和平秩序，正是俄帝睡手可得的贜物啦！所幻想的「第三區域」

杜爾斯讀「壞書」

上次邱吉爾赴紐約訪晤艾克時，新任美國國務卿杜爾斯曾將列寧著作中所說的如何進行世界革命，如何從亞洲以征服歐洲等言論，主張劃出，請邱翁看看。

現在他對廣播聽衆說，一個眞正「讀書」的一句格言，藉此可以列寧的主義是一種作爲的政治家，必須有充分的學識，尤其知彼」，政治家，不懂得一個政客」。他認爲「讀壞書也有益，現在他正讀着史大林所寫的兩本「壞書」小冊子。他認爲史大林的智慧一，當時，即能讀書，還能「坐位」「宰相須用讀書人」，艾森豪是軍人出身，相信讀書的經驗，政治家，必須有充分的學問，安當的經驗，是從書中得來的。杜爾斯一向主張「書卷氣」的作風，我國尚未就任讀書的治國平天下，且以讀「壞書」之益，雄才大略，豈只在政治領袖的作風，不需要「學富五車」，多知多識的人，艾森豪似已把握到這點祕訣了，這是自由世界的幸福的意見？書人！

越南形勢堪慮

冷穆

兩大紅員蒞越

兵法說：「出其不意，攻其不備。」世人正矚目於台灣問題與韓戰之時，蘇俄卻在積極經營越戰，列寧的「世界革命」戰術說，戰爭像細菌一樣底，在最靡爛之處滋潤，事實上卻是蚊子與老鼠一樣，它們在黑暗的處所活躍，乘人不常時進行他們打洞搬糧的工作。

紐約郵報駐歐洲記者佛瑞亭最近報導了這樣一項消息，他說蘇俄駐遠東統帥馬林諾夫斯基元帥，和蘇俄外交人民委員會主管遠東事的副委員長蒲西金，最近先後訪問越南以後，越南問題，將因此而有一個新的面目。報導中特別強調蒲西金的地位。蒲氏先後駐在內蒙、華北、西藏和華南，並曾担任遠東與莫斯科間的情報工作。第二次世界大戰以後，繼伏羅希洛夫元帥為蘇俄駐匈牙利總督，嗣後繼任駐東德大使，一九五二年的春天，被任命為主管遠東事務的人民外交委員會的副委員長，以蘇俄一般性質說，他是遠東附庸國家的政策制定者，與黨政方面的監視人，某些時候，他又是代表克里姆林宮傳達命令與負責執行的人物。蒲西金此次在中國大陸和越南之出現，啓行於馬林諾夫斯基之後，而在艾森豪威爾總統訪韓之前（十二月二日），直到十二月底他才離開越南，前後六個星期內，據佛瑞亭的觀察是：（一）因為蒲西金與馬林諾夫斯基兩人地位的重要，預料蘇俄整個的遠東政策，將有調整，而以越南為甚。（二）適應新局面的越盟戰略，因此而將有改變。（三）胡志明過於軟弱，缺乏戰鬥性，越盟政體勢將改組。

越戰三個特質

越南戰局，以和平之失守而呈惡性嚴重，此去年二三月間事也。一年以來，幸奈法越聯軍三次掃蕩，此種局部反攻，半賴近代築城據守，半賴優勢火力為攻，故能倖守河內，紅河三角區之米倉得以確保，淺見者以為這是越南局面的轉好，知強弱之勢已因此互易。什種樂觀觀察，實為時過早，構成這種錯誤觀念的原因，或係着重一城一地之得失，以為法軍之穩定，即係越盟之衰退。或係偏重局部，以為星星之火，勢難燎原。有者甚或以胡志明部隊裝備之落伍，訓練之窳敗，與所佔地區之貧瘠作為判斷根據，以其落後之游竄武力，決難與近代化的法軍抗衡，殊不知俄共圖越，潛謀已久，朝鮮為東侵的跳板，越南係南進的門戶，二者在軍略地理上的價值，正復相同，何況中共對越盟的軍援，日見積極，其未大舉者，決非因為敵面（法越聯軍）的強大，而係求謀韓戰的配合，與本身實力的尚未成熟所致。綜觀本年大小百數十種書刊報章，其能指出越南戰局的基本嚴重者，僅有本報一一三、一一四期兩文（四月二日「越盟軍在試探中」與四月五日「法軍必須大舉反攻」）這兩篇文章一語道破越戰的幾個特質，他說：（一）越戰與韓戰性質相同，它是俄共在東北亞與東南亞經營指導的兩個戰場。（二）以地理的重要言，越局並不下於韓局，以民主集團的實力言，越局劣於韓局，因為越南民族問題複雜，缺少日本一類的補給基地，是時美國不欲以實力（武器部隊）參越。（三）去春發動的攻勢，證實越盟已加整編，其武力已向正規化的途徑擴大。

這三個特質，迄今沒有改變，而且正逐漸強化發展中，我們讀了佛瑞亭的報導，更足證實這項分析的正確。目下，我人綜合若干來自各地的情報，以解釋並加強佛瑞亭的報導的重要性。

前途依然黯淡

一、俄帝之亞洲戰略，產生於所謂「世界革命」計劃中，而胡志明叛軍之成長，與越南暴亂的形成，決非基於主觀條件的成熟，而係俄帝客觀要求的扶植。溯自艾森豪威爾當選總統以後，史大林明知亞洲的反共局面，必因艾氏的當選，而有轉守為攻的大變化，為了適應這種變化，無論就攻守的兩面說，越盟軍均有加強必要。報載布萊特雷將軍的祕密報告，遠東紅軍精銳集中，係其戰術上以攻為守的裝模作態，越南係其亞洲戰場之一翼，蒲西金之巡禍越南，更足以說明越韓兩戰場之一體性與連續性。

二、最近法軍以航母一艘，驅逐艦兩艘，輸送掩護兩個團的兵力，登陸汕源，向內陸挺進，以肅清齋米區附近的越盟軍。此一行動迄今已獲成功，但其成功僅屬防禦的一面，尤其甚只能做到如下兩點：（一）法軍之優勢游弋軍可作兩棲登陸。（二）能夠加強紅河齋米區的守衛力量而已。蓋這次登陸作戰，法軍遭遇最大的越盟部隊為兩個團，越盟部隊的潛匿并非象徵其敗退，據報載者。自從和平戰役之春季攻勢以後，胡志明所部團級而擴為師級裝備的八個師，其受創最重的三一六、三一八師現已補充完成。而且，中共援越的各種力量（軍事設備，武器物資，人力技術）正在日益加強，越局一旦惡化，他們即有正面援越的可能。

（三）中共滲入越盟，由來已久，由莊田發組之「越南縱隊」，早於六年前劃歸「二野」之戰鬥序列，因其援助愈多，控制的力量也就因此加強，其情形正與蘇俄之控制中共相同。故莊田、長征二人之取胡志明而握有實權，已經不是怪事，反之，胡志明之失勢，不能視為越盟內部的變亂，而係中共俄共加強控制之一例，蒲西金南巡以後，越南一旦有事，新的傀儡必將代胡志明而起，而更向中俄二共作「一面倒」。

越局雖然不可樂觀，然而終歸有為，軍事評論家鮑爾溫的估計，去年底可訓練土著軍十五萬人以代法軍，保大的建軍計劃亦已暫獲批准，美援爭取之外，英法亦在會談東南亞的防共問題，同時發動，或未過晚。然而我們終感美中不足者，若干領導國家，既不能衷心團結，從全面反共利益上合作，更不能予亞洲民族以極大的平等幅度，以政治平等上去啓發反共潛力，這是反共戰爭中的大問題，也是越南戰局的隱憂所在。

遠東的前途

史巴兹將軍著　陸薇譯

艾森豪最近關於台灣的命令，實際上使台灣中國國軍得以對中國大陸發動攻擊，它在軍事方面的重要性，並不十分巨大，而更重要的，是作為一種政治與心理的打擊，而且其實際意義更尤甚於驟看起來它所顯示的。

顯然，這個行動的本身，並不能結束韓戰，或使中國大陸從赤色統治者之手解放出來。台灣的國軍，由於缺乏對大陸發動全國反攻所必要的空軍和海軍，在最近將來，它至多祇能繼續和加強其突擊隊目前所進行的突擊。

海空軍需要擴充

日後，自由中國如能獲得新式飛機，其空軍也有了運用和保養它們的教訓，而它的海軍得到可以使用的軍隊的補充，則它或可能開闢一個意義重大的新戰場。不過這情形還不可能立即實現。

不過，在這時期內，自由中國的存在，即形成對毛澤東政權的重大威脅，就這一點，它對聯合國在遠東的目標，已有無以衡量的價值了。最新的報道曾指出，中國大陸普遍發生不滿現象，若干游擊隊組織也日益壯強。自由中國得到行動的充份自由與美國增加援助之後，它能成為抵抗中共的力量的匯集區，以供應與接濟中國大陸上反共戰鬥組織的基地，以及中國大陸與外面友好世界的接觸點。

韓戰形勢轉好

由於遠東局勢中這一新的因素已獲得承認，聯合國軍的政治與軍事態勢，將發生改變而趨於好轉。遠東的三個戰爭，韓戰、越戰、和馬來戰爭，其軍事領導，甚多人力，以及一切物資，都是由西方供應的。但這個對抗克里姆林宮征服亞洲的新的先鋒，卻將充份由亞洲人領導及由亞洲人供應其人力，祇是武器將由西方供給而已。

這是異常重要的，因為他可以反擊共產黨的宣傳路線，所謂西方正懷着了惡企圖而侵略東方。再者，它也將提供一個區域的人力來源，站到自由世界的一邊。

到目前為止，克里姆林宮能夠保留他的戰鬥人力，同時使他的戰鬥機械能在實際戰鬥中經過徹底的考驗。由於有此利益，史達林無疑會認為韓戰對他的利益實在太大而不願放棄。

他的空軍人員，從東北的安全「禁區」中出發活動，已在對抗聯合國飛行人員中得到珍貴的教訓，後者現在是世界上最佳的飛行員。目前敵人空軍活動的區域，當其飛機被擊落後，聯軍無法把它們尋獲，因此我們可以推想，蘇俄飛行人員一定在韓境意圖使用。而蘇聯的戰術專家，也能在韓學習到不少防空辦法。

以上種種，都不需要蘇聯付出任何代價，除了對韓境共軍供以物資，機械和若干飛行人員之外。空襲沒有擊襲蘇聯士兵，也沒有摧毀蘇聯城市。蘇俄中共的港口能保持開放，其鐵道交通也不受襲擊。

遠東局勢的新訊號

這種情勢如讓它無限的繼續，將是浪費我們的資源而聽任我們的潛在敵人去策劃到什麼時候採取行動最好，以便把我們擊敗。我們對抗亞洲大陸共黨的努力，將由於共軍能運用無盡的亞洲人力而逐漸枯竭。我們的戰略將因此陷於不可能的境地。

所以，第七艦隊的中立任務被取消，乃為一種新鮮的信號，表示美國已採取初步行動，使亞洲的一切反共民族都來參與爭取其本身自由的戰鬥。這是唯一我們能提供遠東僵局滿意解決辦法的途徑。我們相信，如果這政策以堅定的方式來執行，亞洲的赤潮必能被制止，然後再被扭轉。（譯自二月十六日「新聞周刊」）

國外通訊

馬來人新希望湧現　獨立建國困難打破

一度冷落了的馬來亞獨立問題，最近復又甚囂塵上，馬來亞立國的希望，已在人們的眼前湧現，各族的領袖都為着將來參加獨立政府的佔一席位作打算，獨立黨和華僑社團已擬具擴大機能計劃，英國人也想組織政黨了。

如果馬來亞的獨立國真的有一天在這個東南亞洲半島上屹立起來的話，那末英國駐東南亞高級專員麥唐納和已故英國聯邦欽差大臣葛尼爵士將是馬來亞獨立國唯一的有力大功臣，巫族領袖拿督翁無疑是獨立國內的母體了。許多人對於馬來亞獨立國能否在這個動亂的亞洲建立，自從一九五一年十月二十六日邱吉爾柄政以來，一直非常懷疑，尤其是過去一年間，獨立黨的發展既沒有顯著的成就，即馬來亞獨立問題，亦很少被人提及。是不是受了保守黨政府的壓力，至今並未發現有關此事的可靠確訊。然而，一九四八年七月當局宣布緊急狀態之後，事實上英國對於馬來亞前途，就臨到忍讓共匪斬割抑是任由人民自己去決定其前途的重大抉擇了。一九五一年九月獨立黨的正式宣布成立，當時工黨政府無疑已選擇了後者的途徑。這一點，馬來各族認為工黨政府的殖民地政策，多少有幾分開明之處。但在另一方面看來，國際共黨在二十世紀六十年代的侵略勢力擴張，無不朝着次殖民地帶殖民地目標進攻。

英國已獲得了慘痛教訓

儘管英國的外交立場並不是處於反共這一方面，反抗共產主義侵略的行動在韓國戰場上已有充分的積極表現；尤其是在馬來亞領導各族堅決地清剿恐怖匪徒，四年半的過程中已付出了重大的代價，英國政府仍不失為自由世界反共的一員，當民族主義的獨立運動在各殖民地鼓起了熱烈的浪潮之時，惑於「利益至上」腦筋的。英國顯然感到悶脹了，然而他們的思想上，卻已起了變化，認為要從共黨手裏爭取利益絕不如取自新生的獨立國家那末便易。過去工黨承認北平偽政權的唯一理想是寄託於大陸上的英商仍能保持正常的利益，誰知竟在兩年後連同百年前的基礎也被中共摧毀了，這種由於錯誤的外交政策所帶來慘痛的教訓，多數英僑認為是史無前例的奇恥大辱；雖然邱吉爾的保守黨現在並沒有馬上撤銷承認中共的意向，在若干明瞭國際形勢的英國人看來，只是一個時間問題，而且他們對於馬來亞的獨立更具極大的信心，似乎誰都認為三年之後，馬來亞半島上將會產生一個嶄新的獨立國家，因此，一九五三年便湧現出一個新的希望，各族的領袖們正為獨立政府作奠基的安排，他們準備於新政府中佔一個席位。

獨立運動進入奠基階段

一九五三年新年過後不久，馬來亞重又鼓起獨立運動的浪濤，拿督翁的獨立黨本年首次集會中，英國駐東南亞高級專員麥唐納坦然揭示英國促成馬來亞建立獨立國的保證之後，使以巫族為基礎的獨立黨對建國的信心更為堅強，並且積極的鞏固黨的機構，發展黨的中心力量，就整個人口的數字上看，華（僑）巫（馬來土著）兩族佔百分之八十以上，由於兩族的緊密合作，在未來馬來亞獨立國的政府中無疑是佔有最重要的權位，尤其是二十二萬擁有整個商業社會的華人為該黨的唯一力量，馬華公會會長陳禎祿是華族中備受擁戴之人物，五年來對馬來亞之貢獻，以及華人的福利並使華人於此殖民地中抬起頭來，一般咸認為是中華民族的光榮。最近許多華人對美國高等法院大法官在美國「展望」雜誌撰文所表示對馬來亞的「觀感」大為不滿，陳氏特發表一駁斥聲明，指譴陶格拉斯那篇文章是侮辱華僑。並謂華人通常使用幾個名字，絕不能指為是「欺騙手段」；「華人將奪取馬來亞」一節更為不當；陳氏說明一九三七年估計華僑投資馬來亞總額僅為二億元，而英國的投資卻高達四十五億之多，而且大多數華人均係貧苦者，然而華人貢獻於當地社會福利事業卻超過任何國籍人士之熱心限度。

塞住青年回大陸漏卮

現在各方面對於獨立國的奠基活動，已日形顯著，歐族若干英人也已決定籌備組織政黨，因為將來的馬來亞獨立國並沒有種族劃分，而它的唯一目標是：「一個國家，一個人民，及一個政府」，凡是已有馬來亞公民身份的都是馬來亞獨立國的國民一分子。因此，華僑領袖對於過去中共在星馬誘騙許多中學學生去大陸一事認為是予未來立國建國過程中最大之障礙，並以星洲僑領陳六使創議設置馬華大學為一建國之正確途徑，而且塞住了中共誘騙青年潛回大陸的漏卮，陳禎祿對馬華大學極力贊助，而各方面的輿論也同樣的支持它；英人主持的馬來亞大學雖然反對，而且願意於馬大特設華文學系，終於敵不過華人的反對力量，照目前的趨勢看來，馬華大學可望於今年六月間開始籌建。該校將來可容四十萬華僑子弟就學，苟不設立此一華人大學，馬大顯然不能容納如此眾多之學生，他們將無機會受高等教育。陳六使認為本國的教育在大陸上已受到中共惡力的摧殘，這一位曾一度表示向中共「超靠攏」的星洲首富，現在，對陳嘉庚的投共叛國，直斥為認賊作父，據說這倒不一定是為了中共把他的益和橡膠廠縱火焚燬，純係人心思漢與對中共的暴行大為憤激，於是陳氏毅然以毀家，興學的堅決信心而從事發揚國粹文化。在另一方面看來，為了建立馬來亞未來立國之基礎，也是為了積極，反共抗俄，星馬輿論界支持陳六使創辦馬華大學的唯一理由，特別認為今後可以杜絕青年潛回大陸和被共匪利用，他們贊成馬華大學迅速成立；更為了培植民主自由馬來亞獨立國的人才起見，英國當局應伸出提攜之手，對馬華與馬來亞大學應一視同仁相輔進！（司徒森甫二月五日自星加坡寄）

天下小事

傘兵將領担任要職

美國陸軍高級將領中，出身傘兵而担任要職的，現在已日漸增多，這是一件很少人注意，但意義卻甚深長的事情。因為這對美國未來的軍事計劃，影響相當重大。歐洲盟軍統帥部最高統帥李治威將軍還經常穿着傘兵的制服，這是為大家所熟知的。其實刻在韓國的第八軍新任軍長泰勒中將，也是傘兵出身，坐鎮華府的兩位陸軍副參謀長萊里則中將和麥克亞里費中將也都是傘兵名將。

韓戰彈藥消耗驚人

韓戰雖然只打了兩年多，而且戰場也只局限於一百五十五哩的前線，但消耗彈藥的數量卻是至足驚人的。截到現在為止，美陸軍在韓戰場使用的大砲及迫擊砲彈的數量，已比二次大戰期間他們在歐洲所消耗的總和還多。

蘇俄試驗神祕潛艇

據可靠的消息報導，蘇俄已在波蘭的琴尼亞港，進行某種神祕的潛艇實驗，試驗的性質如何，外間尚難獲悉，不過，俄海軍最近在波羅的海內積極活動，卻是事實，半個月前，挪威北部海岸三哩外尚駛來波蘭漁船九艘，並在當地下錨，船上的水手一律穿着制服，而且，其中還赫然有俄海軍軍官在內。

東京又盛傳麥帥訪日

東京盛傳「老兵」麥克阿瑟將在今春訪問遠東，他第一個歇腳站將是日本。據說麥帥東來的任務之一，是附帶視察雷明頓蘭德公司遠東各地分支公司的業務。麥帥東行之說醞釀傳聞已久，不知道這一次東京所傳的消息是否有實現的可能。

美共首要紛易新人

由於美共首腦最近紛紛入獄，一般黨員因領導無人，致脫黨者日增，黨方為維繫向心力起見，決定另補新人，再事掙扎。但現下美共黨員中，有聲望有能力之人根本已絕無僅有。因此在他們內定的名單中；出長組織部者，是一度曾在華府任小公務員的威克遜，接管教育部者，是紐約城一位被學校開除的教員葛德威。其他各部負責人，也都是不見經傳的腳色。（孟衡）

中共怪事層出不窮

強迫人民寄信訂報　郵電浪費空前嚴重

只求目的，不擇手段，為中共由來已久的一貫作風；此種作風用之於三年多來的極權統治，已在各部門造成了致命的偏差錯誤，遭受各項不可估計的損失。最近中共郵電部門在一次初步檢查之中，亦發現了此種嚴重的偏差和損失，而且極為荒唐怪誕，令人啼笑皆非！

做事不擇手段　郵電部門亦然

據本報大陸通訊：與本月四日北平人民日報的社論及本月五日上海解放日報披露的消息相參證，得悉中共郵電部門在接受了偽政務院授予的「增產節約」及「統一報紙發行及推銷」的指示與任務之後，一如其他部門，未加體會，研究，計劃，即行自上而下的逐級強迫命令大力展開郵電的營利業務及報紙雜誌的盲目推銷、強訂；結果，一面又當然是「超額完成任務」，一面也就與其他部門同樣的造成了嚴重的錯誤與損失！尤其使大陸人民普遍都加重了不必要的消耗和無謂的負担，所以造成此種後果者，在他們實行「增產節約」時，並不從業務的精簡、迅速、確實、改造等方面着眼，而盲目的只在收入方面打算，乃將服務社會的郵電業務，完全當作了營業，加上一貫的濫用權威，便到處發生了強迫人民寄信，買郵票等等的怪事！而在統一發行並推銷報紙時，並不在報紙的迅速投送及普遍推廣的方法上用心，而盲目的只在量的無限制發行及收入的增加上着手，乃將此一所謂「特種業務」當作了郵電機關的主要企業經營，亦加上一貫的濫用威權，便發生了到處強迫人民無分老幼文盲各訂一份的怪事！

為了增加生產　大做郵電生意

他們的郵電生意怎麼做法？據上海解放日報檢討承認：在信件部份：當人民有信寄投某人時，郵局規定要「投一證一」，收信人不論有事無事，必須寫回一信，當人民往購郵票投寄平信時，郵局職員奉命「說服」寄信人必須將平信改寄單掛號，否則便不賣郵票，而且還要找他的麻煩，當人民往寄單掛號信或匯款，或投寄包裹時，郵局便「說服」他必須改寄雙掛號或填寫收件回執。在推銷郵票部份，有的地方規定郵務員挨戶兜售；有的地方由郵務人員當鈔票用出去；有的地方則強要農民在收成時儲購郵票。如湖南湘鄉郵局推售郵票時要魚塘鄉一個農民儲購郵票九十六萬偽幣之多，用上幾十年也用不了！在電話電報部份：各地的電訊局展開了一個所謂「電話電報改類運動」；強迫打普通電話的人改打加急電話；強迫打普通電報的人改打加急電報，否則，他們就給予百般刁難牽延。在這種完全以增加收入為原則的作風之下，據說同時連中共各機關部隊的軍政電報電話，因收費較低而都被各電訊局視為贅累，儘慢擱發，曾造成許多貽誤公務、軍機的事例。說很重要的松江省的航空氣象電報，都在這種情形之下被電訊局延誤了。

發展特種業務　強迫訂閱報紙

至於報紙生意的做法，據北平人民日報的檢討承認：各地郵局乾脆地實行強迫攤派，曾硬性規定每一個工作人員每天除推銷郵票外，必須推銷三份報紙。如果完不了攤派的任務，便被扣薪水。有些職工自己完不成任務，便只好將分攤下來的報刊交家屬去大街上擺地攤賣報刊，有些職工連家屬去賣都賣不了時便只好自己掏錢買下來。有些職工為了必須完成額外的攤派的任務，便只好加班加點，延長工作時間。如河北昌黎郵局局長召集鄉郵務員分派發展報刊的任務時，有個郵務員李寶堂說：「我發展不了」，局長便要鬥他的思想，他就只得接受下來。在這種情形之下：報刊當然會大力推銷出去，但幾乎無分老幼文盲，也不論是否一家之內，每人都被硬訂一份，浪費怪誕得可觀。如上海郵局的職工要一個六十多歲的老人訂了一份中國少年報。南京郵局在一個七百一十八人的小學裏就推銷了七百二十份中國少年報。如大雅針織廠漂染車間只有一百六十三個職工，就被硬訂了四百四十一份報紙。如關西西關子屯蠶廣生互助組在十幾個組員中有七個組員並不識字，就被硬訂了三份黑龍江報，三份農民報和六份中蘇友好報。尤其有些郵局，更硬性的規定當地人民，必須人訂一份。規定每一個小學生訂一份雜誌，一份報紙。如太原郵局竟規定剛在識字的小學生每人訂一份深奧的「學習」雜誌和一份「新觀察」雜誌，或一份「華北人民」報紙。有些郵局為了多推銷報紙，更居然批評不訂報紙的人是「政治不開展」「思想有問題」！如桂林郵局局長也公然說：「廣西日報是廣西省委的報紙，誰不訂，就是誰在反對省委。」因而，現在大陸的人民，幾乎每天都有幾個郵務人員來推訂報紙，不訂既不成，便只好硬着頭皮負担，也因而，現在大陸有些人民已稱報費為報捐了！

浪費情形嚴重　人民首先遭殃

有如前述：在整個社會的經濟觀點說，這是一個可怕的浪費，大量的報紙雜誌在中共雖向人民收回了成本還加營利，而這些物質和人力卻完全在爐子裏焚燬，即以上海中國少年報而論，就每期發行消耗了七十餘份之多！在中共而言，雖然又壓搾了人民一大血汗，卻又浪費了不少金錢和人力。至於在人民而言，更等於這是中共苛捐雜稅的又一名目的負担，最遭殃的當然還在人民！

總之，如果就整個情形看，我們可以進一步知道現在大陸的人民已被中共壓迫到了什麼程度？也可以知道中共在一貫的只求目的不擇手段的作風之下已普遍腐蝕、錯誤、自戕到了什麼程度？更可知道共幹們的盲目，幼稚，荒唐到了什麼程度？這，卻是極權統治的必然現象，不敗似無天理的。（沈著）

偽華東交通部長　黃逸峯被鬥記（三）

五、與檢查組展開鬥法

檢查組由組長邱偉率領到交通專科學校後，偽紀律檢查委員會即通知黃逸峯派人參加備詢，黃逸峯當即派了他的親信幹部曾任該校校長辦公室祕書兼青年團總分支書記現任偽交通部人事科副科長們蔣震虹（女）參加，他曾對她面授機宜，說要「注意檢查組的態度，不要擴大是非。」又指示她要那幾個與薛承鳳有意見的學生跟檢查組談話。另一面自己裝作不知，故意跑去華東局向組織部副部長兼華東一級機關黨委會第二書記胡立教提出質問，說「檢查組到學校檢查和檢查什麼事我不知道，我是校長，我也可以向組織上反映情況。」以抗拒偽紀律檢查委員會的派遣，一面對在他領導下的幹部放出空氣，說「學校根本沒有問題，根本檢查不出什麼結果的。」以安定幹部的畏懼心理，一面又派人普遍放出空氣，說「檢查組是帶有『張順有事件』『紀凱夫事件』的帳子到學校來找典型的。」又說『檢查組組長邱偉是不是黨員，是什麼資格都很模糊，是不合黨的手續的』。以挑撥檢查組與學校幹部學生之間的關係，削弱檢查組的威信來孤立檢查組的調查活動。

六、大員全部出動

檢查組到學校的第一個節目，是召集該校的黨政負責人開會，黃逸峯當即加派親信大員偽交通部人事處處長兼黨總支書記白長洲到該校出席會議，佈置所謂「統一認識」。所謂「統一認識」，就是在統一全校幹部與學生的態度和意見，以對抗檢查組的檢查。會後，並對各個別的主要幹部學生說：「檢查並不怕，要堅持，無中生有，擴大不能統一。」又說：「三反中，聯運公司某某人也搞得很厲害，結果大家都統一堅持就不會搞得倒山。」尤其屬於黃派的該校幹部邱建強從蘇州招生回來，白長洲特地去威脅並暗示他說：「有沒有組織觀念及紀律觀念在這次誤會事件中乃是一個考驗。」但邱建強並不買賬，即會同另一反黃派幹部周邁，向檢查組反映了學校混亂狀況，反映了薛承鳳的被壓制情形，更攻擊黃逸峯的許多專斷，及所謂「官僚主義」的作風。並將白長洲的這句含糊的話柄報告檢查組，使檢查組作為「反黨」的話柄。接着，檢查組向偽紀律檢查委員會報告，即由該會召開了所謂「擴大調查會議」。黃逸峯乃調派所有與此事有關的親信大員如偽交通專科學校副校長兼總支書記王振南、偽華東交通部總支秘書處處長方奕生、副處長張啟宗等都出席「擴大調查會議」。佈置他們在會前搜集了有關薛承鳳及邱建強與周邁的所謂「搗亂秩序、破壞組織」的材料，他們的計劃含混以擴大調查會議的目標，以鬥爭邱建強和周邁所謂「內奸份子」的目的。

死人！浪費！「生產競賽」的成果

——看中共的一篇自供狀

去年匪偽在海外的報紙，向他海外的「人民」大肆地宣傳「祖國工業如何競賽」？間爾又刊出一些關於「競賽」的「挑戰書」。把海外「人民」逗得昏陶陶地幻起一幅遠景，誰知道就這二年，不爭氣的「生產競賽」打啞了紅色宣傳家們的嘴巴。本來新「沙皇」的「大斯拉夫主義」，就是一套建立新奴工制度的主義，是把一切建立在「人民」頭上的主義，什麼「翻身」，「當家」都是一些假偽的謊言，他們這一段一段的口不相信，你們來看完供吧！

西南區死亡大增

去年九月十三日重慶匪偽「新華日報」列出；中共西南工業部副部長萬里在煤礦保安會議席上供認：「半年來所屬各廠礦，還相當普遍地存在着忽視保安工作的錯誤，傷亡事故在不斷地增加，並且有些單位，已經到了不可容忍的地步，根據本部所屬四十七個礦廠，一九五二年一月至六月，傷亡事故的統計；共發生傷亡事故事件三千二百四十五次，其中重大事故有十四次，其餘是一般工傷，共傷亡三千三百三十七人，休工日數，達三萬四千八百零七個工日，財產損失達七億多，因病死亡者還沒有統計在內，與去年同期比較，雖然傷亡率平均減少百分之廿九，但死亡數卻相對地增加了百分之五六，二五，而今年上半年的傷亡率又在逐月增加着，二月份比一月份增加百分之二十八，三月份沒有增減，四月份比二月份減少百分之三，五月份比四月份增加百分之七，六月份又比五月份增加至百分之十九。這一情況說明了各企業的傷亡事故嚴重的存在，說明了我們始終沒有作有效的制止。」根據他這一段口供，我們清晰地看見「生產競賽」的工人如何疲憊的死去！不過這只是西南，我們再看上海吧！

淮北問題嚴重

去年十二月十日，中共華東局「人民監察委員會」處理淮北鹽場工傷事故等通報上說：「淮北鹽場有成績，但也存在着許多問題，首先在安全方面，解放以來，工傷事故，年年急劇增加，人數，一九五一年工傷人數二百九十一人，而今年一至八月中，工傷人數達三百四十五人，去年以來，工傷事故中已查明死亡者十二人，殘廢者四人，吐血者二百二十一人，女工小產者六十五人，以上嚴重事故的發生，主要是由於過份的加強工人勞動強度，致工人在生產勞動荷負太重，如担鹽時，每挑鹽重一百六十斤至兩百斤，工作時間太長（一般在十小時以上，旺產時每天十五六小時），致工人疲勞已極，有的在吃飯時睡着了，有的在担鹽時暈倒了！有的女工累得哭。」（見解放日報）

又，本年元月廿五日，上海「解放日報」刊出：「國營淮北鹽場，自去年十一月廿一日，安全衛生大檢查結束後，工傷事故，仍不斷地發生，到目前為止，兩個月祇灌東，灌西兩場，即連續發生事故三十五件，其中小產者三人，吐血者三人，閃腰，墜傷共二十九人。」

懷孕女工半數流產

上海「解放日報」又列出中共山東省「人民政府」去年八月十五日所公佈的檢查礦工安全的結果：「據本府勞動局的初步統計，一九五二年一月至六月份，全省工礦企業職工傷亡共計四千三百九十二人，平均每月傷亡七百三十二人，至於職工疾病現象，更普遍嚴重，如青島市一月至五月份，十八個工廠中合計職工四萬一千七百人，初復診人數達三萬一千零零八人；而青島新華紗廠在七月初旬的三天中，患急性腸胃炎的人，有二百十六個之多；又如張店新華藥廠，因為加班加點等原因，在一月至六月份中，九個懷孕的女工，竟有五個流產。」

這只是他們「生產競賽」中，部份所傷亡的數字，整個大陸的傷亡數，當然不止此數，不過，我們可以拿西南，山東兩處的數字，作普遍比例。在這「生產競賽」的死亡率裏，將估計整個大陸人口一萬分之十五了！

人死了不算，要而生產的「成品」，該是中共最大的「收獲」纔對。偏又有一連串像夢幻似地事故產生。把「收獲」來的「成品」都變成了廢物，「生產競賽」的成果，大部份都是浪費！

本年一月廿六日上海「解放日報」刊載中共國營上海第六棉織廠增產壞紗的消息：「該廠去年的棉紗生產任務，到十一月份為止，祇完成百分之九〇・一（折合數），這一情況經華東紡織管理局領導人指出後，廠黨委書記兼廠長飽復即匆忙地召開動員大會，佈置突擊生產，從去年十二月五日起，就把細紗車的速度加快，細紗的斷頭率就大大地增加，最多達到每千錠四百根左右，平均斷頭數也在二百五十根以上，斷頭率的增高，就降低了棉紗品質，並造成了大量浪費！特別是壞紗激增。十二月的壞紗總數，超過十一月兩百袋。」

匪偽「國營第十二棉紡織廠」也發生同類事件，把皮帶油敲碎，灑花皮帶和皮帶中間，想藉此把車子加快，增加產量，結果，車子雖然快了，毛頭，毛腳也就增加多了！

諸如是類的「生產競賽」及其成果，都是死人和浪費，塞住中共宣傳的奴才們的嘴巴！（春暉）

血統交流

從「中蘇友好」的程度早已經「文化交流」、「思想交流」等等而進入到「血統交流」的地步。但過去只有「祖國」和「史太林父親」或「莫洛托夫叔叔」是有缺陷的，現在有了「親愛的卓姬媽媽」及「親愛的奧列格母親」才填補了這個缺陷！「卓姬媽媽」和「奧列格母親」都是現在蘇聯專門鼓勵青年「衝鋒陷陣做「戰鬥英雄」」或「戰鬥模範」的「和平作家」」有了她倆，才使「祖」「父」」有了「媽媽」或「母親」，中蘇的血統關係乃能完全交流！

槍桿和腰桿

上月九日武漢長江日報所載：說湖北蘄春縣楓樹林鄉有個七十五歲了的田老婆婆在經過了「抗美援朝」「土地改革」等羣衆運動後，已深深體會到自己成了國家的主人，因而竭力贊助積極組織基幹民兵隊，特地送她的孫兒「志願」入隊，以大力鎮壓「反革命」，並且說：「組織基幹民兵隊伍，是一個管制壞人的好辦法，槍桿拿到我們自己手裏，腰桿就硬了！」「有了槍桿，就會硬了腰桿」，這真是共產仁兄們在大力提倡「和平運動」之下的一句至理名言了！（秉文）

自由談

逛書店受罪

高方

自民國初期到十六年為止，中國的軍人政客官僚們，好發通電論政，阿貓阿狗，都以能藉機發表通電，刊諸報端為出鋒頭的捷徑。十六年以後，風氣稍變，黨政軍各界的阿貓阿狗，好請書記寫些所謂「政見」的文字，先刊報端，然後災梨禍棗，印成書册，美其名曰某某言論集，遍贈親友，甚至居然在坊間出售，不自覺其肉麻。二十年來，這類「大著」贈送到我手中，隨手即扔作字紙簏或糞坑中去的，不知凡幾！

最近偶逛書肆，見有宋慶齡的「大著」一厚册，名曰「為新中國奮鬥」，登時不禁毛骨悚然。怎麼，宋慶齡也有著作出版？夾着一點好奇心理，翻看一下其中到底說些甚麼玩意。誰知不看猶可，一看活該自找罪受，為之作嘔三天，想起來又是好笑，又是氣。她除卻「向共產黨致敬」這類大作，且扯住「孫中山遺教」抵死不放外，竟有一篇「儒教與現代中國」的洋洋大文，據其自註，是刊在一九三七年四月紐約「亞細亞」雜志上的。她大談其老子與孔子的學說，主張「必須把每本教科書中的儒教思想肅清」。我的天老爺！宋慶齡究竟認識幾個中國字？她何嘗知道老子叫甚麼名兒？是男的，還是女的呢？雇用一些「控鶴軒」中的阿飛式文氓，瞎寫一陣，不知所云的先去騙洋人，再來欺中國人，胆大無恥，真是今古奇觀啊！

天下最無恥的人，就是最好出鋒頭的人。過去那些發通電印言論集的阿貓阿狗，多少還認得一些中國字，像宋氏這樣不要臉的出版物，可謂無恥之尤者矣！

過年

山禾

愁苦的日子真好像過得格外慢似的；但一挨却已挨到了第三個年頭，又要過年了。

銅匠阿根自從「工人當了家」以後，已「忙」得沒有「功夫」填飽肚子了。成天的挑着那副「滑滑！慘慘！」的銅匠担子兜着大街小巷，不知怎的？雖說「工人當了家」而已使老百姓家家戶戶窮得一律平等，難道竟連修舊補破的生意經都這樣少了？這真使天天跑得要命而求不得一飽的銅匠想不通這個竅兒！

但既要過年了，不管他平時吃不吃得飽飯，總想弄點酒肉來吃吃，當然已買不起論斤兒的，也終得買它幾兩來意思意思。只是袋無隔宿之銀，銅匠阿根照例挑起那副銅担子一清早便「滑滑！慘慘！」地出門兜生意了。他將夜間弄點酒肉來謝歲過年的最後一點希望寄託在這一年中的最後一天的生意上。

然而他跑了個大半天依舊難得接上一次生活，小爐子里的炭倒慢慢地慢慢地燒掉了快兩斤，心里着實可惜！可是吃飽了飯沒處消化的「人民警察」却還髣髴在故意跟他找麻煩似的：他將担子停在橋塊之下，「人民警察」便跑來干涉他說他有礙市容觀瞻；他將担子停在巷頭巷尾，「人民警察」便跑來干涉說他阻礙了交通；他停在人家的後門頭做起生活來呢，「人民警察」更跑來干涉說他破壞了城市清潔。餓餓的煎熬，生意的清淡的焦慮，希望的渺茫，再加上受這些的「人民警察」的一肚子鳥氣，實在使銅匠阿根有點難於忍受！

天黑了，銅匠阿根一共接到了四次修破銅壺的生活，點一點人命幣，總共三千五百元正，只得悻悻然挑着担子「滑滑！慘慘！」地回去，丟了担子就跑小菜場。

但三千五百元買了一斤米，一斤青菜，二兩油，便已如數合訖，根本連酒和肉的氣味都嗅不到一點點，一股無名火正在他的肚子裏燃燒！

「阿根！買了肉過年啦？」當他正拾着這些可詛咒的東西頹喪地回去的時候，他的鄰居王老太一看見他便劈頭問着他正好使他傷心的話。

「肉？哼！想吃肉除非等老頭兒回來了！」他狠狠地說出了心底的話。

「老頭兒？那個老頭兒？」王老太弄得莫名其妙。

「噯噯……老……老天爺吧！」阿根說老頭兒，原是指蔣總統，因為自從共產黨來而稱蔣總統已犯了罪大可殺的諱以後，老百姓嘴中已替蔣總統改了這個名詞，阿根沒想到步門不出的王老太不懂這個稱呼，待她一問，他知道已說出了一句極危險的話，因此他立刻支支唔唔而又含糊地回答她說是「老天爺」。

這句話原是現在大陸一般人民的隱晦的心聲，在阿根則原是氣憤之中不留意而衝出口的氣話，然而禍從口出，已經闖下了殺身之禍，剛被巷口走過的一個便衣警察聽到了！

但共產黨懲罰人民的法門兒真巧妙奇特得很，他們知道銅匠阿根想吃肉，便去拿兩斤肉來在半夜裏偷偷地掛在阿根的門鈕上。

阿根第二天大清早起來開門發現了這一大塊肉，又是奇怪又是歡喜，他提了這塊肉向左右鄰舍問了一陣，沒人承認，他就正中下懷的煮了，算是新年里補吃到了肉，倒也高興！

然而肉剛下肚，一個便衣警察便帶了兩個武裝警察來找他了；他們並沒跟他說什麼話，只叫他向鄰居去借了一部長梯子來，叫他佈在他自己屋子的西北角上，而後叫他爬上去，叫他一直爬到頂尖，剛剛面向東南，而後纔對他說：

「你想吃肉，我們人民政府馬上可以請你吃，但你却說除非老頭兒回來纔能吃肉，那末，就請你一直向東南望，望到你「一反動派」回來為止！」說罷，便揚長而去！

「人民警察」的命令誰敢不從？阿根只眼看他們走了仍不敢下來，可是時間站得一久，可憐！頭一陣昏，便倒着身子掉了下來，變成了泥漿；渾身是血，宣告喪生！他的血真好像為共產黨賀新年而掛了彩！

（註：這故事於去年除夕出於杭州。）

略談杜甫（712—770）（一）

舜生

因為想好好的把杜詩溫習一遍，現在就杜甫的一生來作一次初步的檢查。

孟子說：『頌其詩，讀其書，不知其人可乎？是以論其世也』。像杜甫這樣一個偉大的詩人，假如我們對他所處的時代和他一生的經歷，不有相當的了解，便想進而去欣賞他的作品，這當然是不可能的。

杜甫字子美，本籍襄陽人，曾祖依藝作河南的鞏令，因徙居鞏縣，因此杜甫的出生地乃在河南的鞏縣。依藝生審言，初唐有名的詩人；審言生閑，便是子美的父親，終奉天令（陝西乾縣）。

子美生於唐睿宗先天元年壬子（712），卒代宗大曆五年庚戌（770），歷玄宗，肅宗，代宗三代，得年五十有九。他的母親崔氏，出於清河崔氏，但在子美的幼年便已死了，因此我們在子美的詩中只看見他提到他的舅父和表弟們，絕沒有看見提到他的母親。

子美在唐肅宗的至德二年（757），曾任過短時期的左拾遺，（官不大，但可接近皇帝）所以有不少的人稱他為『杜拾遺』。肅宗的廣德二年（764），嚴武表他為節度參謀檢校工部員外郎，因此大家又稱他為『杜工部』。在長安南五十里，為古杜伯國，漢宣帝葬此，因稱杜陵。（見漢書地理志杜陵注）杜陵東南十餘里，又有一陵較小，為許后所葬，謂之少陵。子美曾在這附近住過，因此他自稱『杜陵布衣』，『少陵野老』。約後於杜甫九十年，我們又有一位天才詩人杜牧，因此大家又稱杜甫為『老杜』，而以杜牧為『小杜』。這些都是讀杜集的時候，所應當首先知道的。

李白和杜甫，都是有生夙慧的人，李白自己說：『五歲誦六甲，十歲觀百家』；李白又說：『十五觀奇書，作賦凌相如』；這與杜甫自述：『往昔十四五，出遊翰墨場，斯文崔魏徒，以我似班揚；七齡思即壯，開口詠鳳凰，九齡書大字，有作成一囊』，可以看出他們自小便都是自命不凡的。本來，一個偉大詩人的成就，假如他們不是具得有過人的天才，確實是一件不可能的事哩。

李杜所處的時代相同，兩人的遭遇相似之點也不少，但究竟因為他們的所學不同，因此影響到他們的人生態度，也就有了很大的差別。我們讀李白的詩，總覺得他有一種『飛揚跋扈』的氣概，浪漫的色彩甚濃；杜甫則一生謹慎小心，好像終日都是愁眉苦臉。因此論到能使人胸次開廓，似乎杜不如李；能使人情感深厚，又似乎李不如杜。我們要超脫時代而不為時代所苦，宜於讀李；要理解時代，因而激發自己的同情，則宜於讀杜；在今天，則確實兩者都有需要。至於他們兩位作品的優劣，實在是『見智見仁』，要自己去領悟，強為軒輊，似乎是大可不必的。

新・世・說・補・遺

馬五先生

選舉經歷談

民國肇建以來，國家迭有選舉曠典。民初之國會省會議員大選，為複選制，人民固不知選舉為何事，即地方豪右權紳，亦視選政為無足輕重，一任少數具有時代常識與政治慾望之智識份子，為所欲為而已。洎後各種選事，則操之於地方文武大吏手中，選甲舉乙，唯官意是從，無所謂民意之可言，然糾紛亦較少也。三十七年依憲法而普選之全國各民意代表，其事甚盛，其情亦迥異往時，中國現代政黨政治之價值，亦從此顯露無餘矣。

政黨提名候選人，按區域比例分配名額，原屬憲政常軌，無可訾議者。然執政大黨即不能發揮紀律，部勒黨員，不特對本黨提名一事，抗不奉命，即在同一主義與領袖下之黨員，其相互仇視鬥爭情狀，且遠較對他黨尤激烈，實創古今萬國政黨政治之惡例。在野各黨則以社會基礎薄弱之故，提名候選人固多落第，且有以甲地出生之人，分配於遼遠之乙地競選者，更成選政笑柄也。

各省大選次序，法定先選國民大會代表，繼選立法委員。當國代選舉及半時，政府以提名人多告失敗，急頒佈大選補充條例，規定凡非提名而膺選者，胥無效。各省大吏乃皇皇然嚴令地方官，對立委非按提名人選出，將予處分。時余亦在鄉邑參預選政，見邑令與黨部書記長奉選舉區監督召，馳往會議，親具甘結，負責使提名人當選。吾邑令猶恐有失，而約城鄉名紳三數人坐縣府品茗作證，旁僱司書若干人代替選民投票焉。然各省尚有不少提名候選人落第者，蓋地方文武大吏亦多違令徇私也。

選事完畢後，得意與失意者麕集首都，互爭出席。政府如實行補充條例，一律使提名人當選，固屬於法有據。否則一律以得票最多者膺選，而更符憲政通則。詎兩皆不取，既因未能執行法令，又因友黨提名落選者必須出席，而不得不勸令該地當選人退讓。如是，喧嘩爭持，醜態百出，實為民國以來所罕有之怪象也。

然覘國者於茲事知數事：執政黨紀律蕩然，弱點畢現，一也；政黨政治之運用，離憲政軌道甚，二也；現階段之中國實況，仍以複選制為比較安善，三也。

中國之友（六一）

毛以亨

李提摩太傳（六）

道教祇是求豐收與求子，拜神者攜其禮物而書其姓名于黃紙二份，一則焚之，一則榜告與誓詞，此為拜物教之遺，而為無教者的羔羊。李氏又採用佛經道藏語句來宣傳耶教，而確定其第一原則，即為祇拜一神。他第一位信徒為一位織綢者，再為其妻與另一位女人，在青州城外河中受洗。且向和尚借一更衣室，和尚亦允之，其對佛道無禁忌無隔閡如此。在一八七六年除上述三人外，他又為十五位受洗。

四、山東賑災

一八七六至一八七八，華北共有三年旱災，山西南部，赤野千里，為尤甚，而山東之災情亦不輕。各縣縣官率其人民至各廟宇跪下求雨，習以為常，李則告各鄉謂如欲祈雨，不能祈泥菩薩必須祈上帝，並以此張貼于城門。

至五月九日，搶案在青州府已有十九宗，往往由十二歲左右小童為之，婦女則勸百姓就食于富戶，亦莫之能阻。在嚴刑峻法之下，一般人祇好食樹葉，因以中毒者不少。山東當局謀急賑，則向東三省江蘇糴糧，而半糶于民。鄉民為飢所驅，欲擁一領袖造反，其人不願，則殺其全家，且有願擁李氏為首者，李氏當然拒之。一地主，有地五百畝，欲以每畝二元半售出而無受者，遂全家服毒自盡。

私人施捨亦感困難，有一米店願盡捨其所有，至一閧而進者數千人，一女童為衆踐踏身亡，其斷肢折骨者尤衆。李賑濟之法，乃使飢民坐下，逐一挨次分配之，直至罄其所有而止，故未鬧事。他赴濟南，巡撫丁寶楨，擬開路礦以工代賑，卒未果行。烟台教會陸續有捐款到來，隨到隨交知縣發放。李氏得到捐款，則自己發放，但放時必先調查，給最窮者以票，而使其翌日到約定地點來領。惟屆日即無票者亦來，人數超過原定三倍，放與不放均感困難。乃自行離去，無票者自然不走，等着，其助手乃就地發放。等到預料發完時，李氏始告無票者，待繼續捐款，始能放給彼等，衆亦認為合理而終散去，未與鬧事，其諸如此類之努力與機智，實書不勝書。

李氏在青辦孤兒院，函請基督教聯會之J. Thomas請其登報募捐，謂得四元即可養活孤兒三個月。時烟台之外人團體捐了五百，中國人中，捐了二百。一八七六年多，災情格外嚴重，某村居民本有四十人，祇剩十人，糧價漲了三四倍。埋葬死人，先尚能掘二大洞，一為女人，一為男子之穴，以後則死尸盈地委諸鳥獸了。夫賣其妻視為當然，賣不出後情願奉送，以冀倖免餓死。待翌年飢荒過去，當地政府，下令宣佈當年之人口土地買賣全為無效。時各省皆已發動捐款，而以在江蘇所捐為多，因青州府知縣為江蘇人之故。計災情最重之縣在山東僅有七縣，而由李氏與江蘇派來放賑委員，分區負責發放。李氏曾建議設立學校，教育孤兒，未蒙當地政府採納，倫敦浸禮會對山東此次賑災捐了五百鎊，係李氏與其同事Gomes所請。

我參加越戰（九）

L. HART 著 第啓 譯

譬如睡在我旁邊的，是一個年青的法國人，他不論在日中或是夜間都很少清醒，成日喝得半醉，喃喃自語，怨天尤人，但其他的人，特別是那些久經戰陣的德國老戰士，他們自己有一套作戰的哲學，「常常讓人家走前」，在我第一次出發前往「叢林搜索」以前，一位德國軍士教訓我說：「叢林裏是隨時有埋伏和陷阱的」。

進入沼澤

在南圻的湄公河三角洲上，躺着一塊廣大的低濕的原野，在那裏，大量的軍火和食糧可以很容易地隱藏或輸運，我去年抵達這一地區邊緣的時候，正逢到雨季，整個區域是一片森林和野草，還有無數的溪流，構成了沼濕的無人地帶。軍方特別集中了大批水陸兩用的車輛供法軍使用，這種車子是設計用來在沙、泥、雪及水上駛行的，法軍稱之為「蟹」，執勤的時候，就乘着這種車子在沼澤上馳騁。駕駛這些車子的，是外國軍團和亞洲兵，通常還和法海軍的登陸艇及法空軍的偵察轟炸機配合着使用。

滿車白蘭地

八月間，我被配置在這種綽號「蟹」的兩棲車輛上，担任機槍手，和我同車的伙伴，還有三個歐洲人。在一天匆忙的準備中，我們把法、美、英三國的大砲和彈藥以及無數瓶的白蘭地、葡萄酒與當地土製的米酒塞滿一車子，於晚間駛離我們的兵營，而後和其他十輛車子，依次開到一艘登陸艇上，當我們慢慢沿河上駛的時候，砲艇則在我們船的前後巡邏保護。

開始出動

黎明時分，我們抵達文龍的附近，文龍在湄公河三角洲上，也算是一個大城市，我們奉命駛離登陸艇，與其他部隊會合，在三角洲的其他地方，還有三個兩棲作戰中隊正自各個基地向某一地點集中，而後再向西經過某一不知名的地方作扇形推進。這一個特別的活動共進行五天五夜之久。

我們的任務是肅清可能為越盟軍扼守或是無人據守的地帶，激怒越盟軍出而應戰，可能的時候將他們俘虜，不可能的時候，則將他們射殺，並摧毀我們所能發現的任何補給倉庫，我們的旨趣不在奪取領土或據點。我們並沒有經常的軍事目標，

中華民國僑務委員會領發登記證台敎新字第一零二號

自由人

THE FREEMAN

（小週刊每星期三六出版）

（第二〇六期）

每份港幣壹毫

督印人：李光華

社址

香港高士打道六十六號

電話：二〇八四八

GLOUCESTER RD.
HONG KONG
TEL: 20848

承印者：東南印務出版社

地址：高士打道六十四號

台灣特派員辦事處
台北市館前街五十號

台灣總經銷處
台北中華路新號五九四之一
台灣郵政劃撥儲金帳號
九二五[illegible]號

美國的新政策是巨棒？抑是太極拳？

・雷嘯岑・

艾森豪威爾一登台，即以履行解決韓戰的諾言爲首務，宣佈對亞洲的各項新政策。如是，亞洲人歡愉，鐵幕內的人民更興奮；然以民主陣營主幹國家自居的英法，却惶駭莫名，有若大禍臨門；同時，美國民主黨代表人物史蒂文生亦說，美政府不應採取「巨棒政策」來反共，以免喪失盟邦之合作，實際就是替英法張目。美國名義上是民主世界的領導者，實際成了一個隨時被人脅持敲詐的闊少爺，除却出錢出力，流汗流血以外，毫無領導的權能可言，這情形決不能持久的。局勢一定要變，問題祇看變的方法是用巨棒呢？抑是打太極拳？

變的基本因素

艾克被國內的絕大多數人民擁進白宮，是時勢造英雄的結果。即是說，美國人民相信他在與共產極權世界的鬥爭中，比民主黨人有辦法，有魄力。假使他在三四年之內，還是沿襲民主黨政府的舊作風，對俄帝的冷戰與對民主陣營的領導，處處被動遷就，受制於人，那不但他個人的政治生命永告完結，共和黨也從此再難有復起的希望了，此其一。就解決韓戰來說，杜魯門標榜着「光榮的和平」條件，所以對遣俘問題堅持不讓步，艾克自然不能從事於「恥辱的和平」。史大林如果願意給艾克以「光榮的和平」來結束韓戰，這份人情他早就應該給予杜魯門了，何至拖到今天呢？因此，不管英國政府怎樣替尼赫魯打氣撐腰，怎樣脅迫美國不要實行使韓戰擴大的新政策，要想憑口舌之爭，希望俄共集團知難而退，依印度建議案結束韓戰，那是癡人說夢之談，絕對不可能的。韓戰既不能結束，美國就永遠陷在史大林所掘的陷阱中，坐視資源長期消耗，青年子弟慢性流血，這豈是艾克和全國人民所能忍受的嗎？

變的姿勢與實質

艾森豪所宣佈的新政策，如廢棄雅爾達密約，解除台灣中立狀態，封鎖中共海岸等等，實際只是一種冷戰的主動姿勢，美國人心裏何嘗不明白呢！可是，英法政府着慌了，他們素來認爲美國人有「衝動」「欠穩健」的氣質，表面理由是怕因此引起大戰，內心只在迫使美國莫變動民主黨政府的重歐政策。在英法的意念中，固然是堅決反共的，但自身毫無把握，唯一希望，是要美國一面以軍力集結西歐，替他們守住大門，一面以大批物資金錢，給他們培養國力，讓他們社會上個個家給人足，肥肥胖胖，連假牙齒都給配好，然後大力建軍，不惜與俄帝一戰。至於亞洲方面，只要能保持其既得利益，像東亞地區的中、韓、日本這些人民，即令被俄共長期控制奴役，乃至於死亡殆盡，在他們是不關痛癢的。最好是等他們肥壯之後，協同美國將俄帝打倒後，再用「八國聯軍」的方式，把亞洲地區逐一收復，分而治之，恢復百年前的殖民地勢力範圍，白人至上，商業第一！

美國人的思想并不如此，他的傳統國策決不能放棄亞洲，在領導民主世界的職責上也不能置亞洲於不顧。「生活雜誌」發行人亨利．魯斯最近在「生活」上發表論文，肯定地指出「中國、朝鮮和日本的未來發展，決定了亞洲的命運……從地理政治上說，東南亞并不十分重要。亞洲的命運大半握在北平、瀋陽、漢城和東京這些地區」。這原是美國人一般的共同觀念，艾克的新政策即是針對這種現實形勢而來的。但，美國爲着全球性的戰略需要，爲着維護西方文化，保持民主世界的工業潛能，即使沒有人種差別的下意識，也不能忽視歐洲，尤其不能不以英法爲盟邦，因之遇事不得不遷就，而英法亦就可以遇事唱反調，礙手礙腳，使美國顧忌多端了。

於此，我們便可理解杜爾斯從歐洲一回來，何以美國對亞洲的新政策即演化爲「雷聲大，雨點小」的姿態，連塔斯社的論調也改變了？何以艾克要有「越南的局勢比韓戰更重要」的聲明？很顯然，美國新政策的實踐性，是不會採取巨棒政策，而必然改用太極拳！

太極拳如何打法？

聯大快要復會了，韓戰是通過聯合國來從事的，美國對韓戰無論有甚麼新對策，都得在聯大嘗試討論，希望博得民主國家的同意，最要緊是在安頓英法。所以，艾克、杜爾斯都說越南、馬來亞的局勢很重要，美國必盡力赴援，不教法國在越南再增加軍事上的負担；同時又積極策動東南亞軍事統一指揮的五國聯防會議。這些都是給英法的定心丸，使他們放心既得利益不會有喪失之虞，即我政府當局聲明反攻大陸的軍事行動，必先取得美國同意之說，也是配合美國太極拳的作用吧！對中共海岸封鎖一節，亦將通過聯合國的辯論而變爲「全面禁運」。本來封鎖和禁運之目的是一樣的，只要民主世界各大國眞正能夠禁運的話，其他唯利是圖的資敵行爲，如錫蘭芬蘭之類的商船，自由中國的海權必能予以制裁，大家如果配合得宜，則不採軍事動作的封鎖政策，也可以獲致相同的效果。

美國第二步作法，必係加緊訓練裝備南韓軍，達到十五個新師的原定計劃，以期接替第一綫若干美軍的任務，讓他們屯駐日本作預備軍。同時則加強對台灣的軍事援助，使其有自由反攻的充分實力，一面再促進日本的建軍工作。只要越南、馬來亞以及香港等地區保證無虞，英法亦不會不像現在對解除台灣中立化而居然向美國提出抗議的笑話發生了。就現在情勢以求解決韓戰，除台灣實行反攻的「內戰」手段外，絕無第二法門。所謂亞洲志願兵團云云，漫說不易構成，縱使可能，而中韓兩國也不能隨便同意的。日本的再軍備更不是爲着解決韓戰，而是爲着未來的全面鬥爭，並且，日本非事前索得她所認爲滿意的代價，必不肯隨便賣力的。

安定英法，暫不採取轟炸中國東北和海軍全面實行對共區封鎖等巨棒政策。在亞洲分區加強反共力量，通過聯合國實施進一步的禁運方法，以軍援經援使台灣的反攻實力日益充沛。這些就是美國對亞洲新政策可能實踐的一段步驟，是打的太極拳。因此，世界兩極化的僵持形勢，至少還要延續一年以上，而我們大舉反攻大陸的行動，自然不會太快。在這階段中，我們除却軍事準備外，政治上如何設法跟軍事配合，尤爲當務之急。

共黨對中南美洲的陰謀

・迪華譯・

美國現正發現他們在「冷戰」中，面對着新的戰綫，史達林的戰術正在全拉丁美洲逐漸的揭露，共產黨不僅在危地馬拉公開地攫取權力，而且他們正在鼓勵巴西，玻利維亞，智利，以及幾乎任何地區的糾紛。各國中泛濫着共黨的宣傳，這是共黨企圖侵入美國鄰近的老玩意。

共黨滲入各地

據來自危地馬拉城，拉巴斯，里約熱內盧及聖地牙哥的消息說，正在世界其他地方搗亂的共黨，現在正鼓勵此一西半球的新糾紛。

位於中美洲的危地馬拉共和國，已成爲共黨滲入美洲組織的核心，共黨的宣傳和特務，正從危地馬拉向拉丁美洲各地進襲。

在危地馬拉，拉丁美洲的共黨已擁有他們最堅固的立足點，共黨組織在全國政治中，已攫取了眞正的權力，自本週末選舉舉行後，共黨領袖及其同路人還有取得更多權力的希望。當地的共黨已可公開的工作，使他們的候選人當選，並可無須多費唇舌，而設法推行他們的政策。

自中美以至南美，不論任何地方，共產黨都在積極活躍，但在大部份地區，他們仍未取得控制的地位，也不能全部公開地活動。大部地區，現在他們仍被列爲非法的政黨。但他們的謀劃却正逐漸明了，許多美國外交官員均在私下懷疑，史達林是否正在企圖使美國牽入較韓國與伊朗更爲接近本土地區的糾紛中。

由共黨鼓動並扶持的反美運動，正幾乎在每一個地區展開，共黨陣綫組織在各地舉行「和平大會」、工會和青年團體。

共黨的宣傳更以排山倒海的陣容出現，由布加勒斯特共黨國際情報局用西班牙文印成的共黨雜誌，現正由拉丁美洲各地的報販向途人銷售，共黨黨報也正用最廉的價格，或甚至乾脆用蘇聯贈送的方法，在拉丁美洲廣泛發行，莫斯科電台也在用西班牙語及葡萄牙語向當地展開共黨的宣傳。

巴西共黨武裝

在巴西，據悉共黨正滲入武裝部隊，其他的共黨份子則滲入國家主義組織，特別是用來阻止美國資本開發巴西石油資源的機構，更是他們滲入的目標。而且共產黨業已聯同其他團體，阻止美巴防衛同盟的通過。在巴西原始森林內部，據說現有一支革命的「陸軍」正在編組中。

玻利維亞方面，最近曾發生過左翼革命，現在他們的政府已有了若干共黨的傾向。當地的共黨正支持政府沒收所有重要的錫礦。托洛斯基派的工人革命黨正掌握着工會，在玻利維亞工聯大會中，也具有舉足輕重的地位。最近數日來，若干人企圖驅逐政府中左翼份子的努力也被政府禁止了。

智利共黨仍活躍

在哥倫比亞，共黨正分裂爲幾個互相敵對的小團體，在工聯中，也正受到非共運動的打擊。但他們仍是危險的份子，因爲他們正大肆活動，企圖參入正在該國落後區域所進行的非共叛亂。

智利是一九四八年就宣佈共黨爲非法的，但他們已毀[illegible]共黨份子仍潛伏在各地，而且正逐漸在活躍中。在智利新總統伊邦兹主政下，共黨尤多出而公開活動的機會。

在重要的運河區附近，巴拿馬國中，也有若干共黨的騷亂發生，巴拿馬共黨也像其他地方一樣，集中力量於反美運動，指責當地的一切病態和罪惡，全由「美國帝國主義」所造成，然而他們仇恨美國的運動却得不到民衆的響應和共鳴。

但危地馬拉却是共黨活動最烈的中心，在那裏，美國的商務利益可能立刻受到直接的影響，由於共黨及其同路人在政府中擁有龐大的勢力，所以危地馬拉最大的私人投資者，美國水菓公司可能喪失他們龐大的地產。

只要你聽一聽官方電台的廣播，或是閱讀官方的報紙，你就知道當地在幹些什麼了，兩者都在不斷的盡量的抨擊美國，反之，蘇俄和她的附庸國家，則很讚譽爲取和平與眞正民主的戰士，但除了電台與報章外，共黨的活動還不止此。

由共黨操縱的「全國和平委員會」正在積極活動中。全國「和平大會」也已定期舉行。在中共所召集的北平「和平大會」中，危地馬拉曾派了三個代表參加，在維也納所舉行的一次大會中，危地馬拉的代表更多，至十一人。

再說，在高原地區的咖啡園中和森林中，許多無知識的印第安人都深信，唯有共產黨人到來，他們才會獲得土地、教育、健康與和平。

和美國聯邦安全局相仿的危地馬拉社會安全局已落於共黨手中，同時共黨的勢力也深入各學校。

一般人認爲危地馬拉總統阿本兹・高兹曼並不是一個共產黨，他的內閣中，也沒有公然的共黨閣員，但阿本兹却深深的感謝共黨，因爲共黨所促成的聯合政府才使他得於一九五〇年登上總統的寶座。

（譯自「美國新聞與世界報導」）

加強對大陸的封鎖

台北十八日電，中國政府發言人，已面告路透社記者，稱中國海軍將截留任何駛往中國大陸海口的船舶。

美國以海軍封鎖加強對中共的禁運，據杜爾斯說，也正在國務院審愼研究中。

這件事從各方面的經濟利害上看，自然是相當複雜；可是從反共的立場來看，許多國家既已參加聯合國，一致在韓國對中共作戰，一面又把一船一船的物資運到中國大陸去資敵，這不僅對不起此肩作戰的盟友，實在也太對不起自己的青年子弟。

可是話得說回頭，今天還不是一個講理的時代，同時也還沒有到達一個顧及公利公害的時代，換言之，大家總還是把自己的利益看成第一，甚至就於自己也有一些小害，總也還得顧到自己的大利；即令將來仍不免有一些大害，但眼前的小利也依然不能拋棄。只要這樣一個觀念無法變更，我相信史達林的手法總還大有運用之餘地。

台灣有決心要貫澈這一封鎖政策，這是很對的，即令可能引起若干不快事件，如果因此而能造成一個擴大台灣海軍的機會，也就還是很值得的。

一大篇騙人的數字

中共居然公布了一個一九五三年的預算，其收入支出的數字，各龐大到一百億美金！在他們自己，當然以這套戲法相當巧妙，可是只要大家對蘇聯這一類的把戲有相當了解，即可以把它一眼看穿。

大凡一個澈底的極權國家，橫豎收入的是我，支出的也是我，高興大就可以大，高興小就可以小，一切可以調度自如；例如修築一座飛機場，或建築一條邊區的鐵道，你說這是國防經費固然可以，你說這是國民經濟建設，又有什麼不可以呢？

我們大致可以知道：即令一切條件良好，（即使有天災，也沒有人禍）中國全體國民的總收益，也還不會超過美金一百五十億，於此說國家的收入支出可以到達美金一百億，這除掉變戲法以外，又還有什麼可能呢？

本週展望

・左舜生・

快不來

我們已經屢次提到，整個時局的轉變，只能是慢慢地來，誰想快也快不了。

艾克就職已一月，單據他對國會的咨文，究竟他準備採取一種怎樣的步驟，此時便連微兆也還看不出。一個月的時間固然很短，但四十七個月的時間又何嘗是太長呢。

在港九、在台北，一樣有若干神經過敏的人，總以爲大局的好轉已經迫在眉睫了，實際那裏會有這回事呢？

我說這個話，決不是洩氣，意思，我所要指出的，只是未來的世變造端宏大，關係錯綜複雜，假令我們願作萬全的打算，好好的來研究，積極的來改進，我們有的還是時間，一會兒高興，一會兒又悲觀，這是大可不必的。

在港九一帶，我知道有不少熱心急於打回大陸的人，這雖然是人情之常，但却爲事實所不許，也許再住三年也並不是不可能，大家總還得努力的掙扎，求得一個相當時期的安身立命之道。

預備性質的戰爭

據說美蘇小規模的空戰，已經在北海道的天空發生，這是稀奇的，以後這種事可能變成家常便飯。

古今中外的歷史告訴我們，决沒有兩方以上積極備戰而戰爭可以永遠不爆發的。有了槍，有了砲，就得放；有了原子彈，就得丟；只要到了一方認爲於我最有利的時候，戰火便會燃燒起來的。

截至現在爲止，兩方共同的認識，便是還沒有到達一個『於我最有利的時候！』所以大家只好隱忍待時。

在一次大戰以前，有若干次預備性質的小戰，這是現代戰爭的一個頗爲新鮮的現象。今年這一年，至少總還是會在這種預備性質的戰爭中拖過去。

英埃談判與中東聯防

英埃陷於僵局歷年餘的爭執，由本月十二日簽署蘇丹協定而解決了前半部；後半部的談判，不僅是英軍撤出蘇彝士運河區問題，尤對於中東聯防有決定性的作用。這是舉世矚目的一件大事。

·卓孚·

一九五一年埃及宣布廢止（一九三六年）英埃條約及兼併蘇丹造成伊斯米里亞歷史性的悲劇之後，兩國舉行談判，尋求政治方式以解決這一大糾爭，兩年來一直在捭闔縱橫的狀態中。直到現在，由於埃及政局劇變因而讓步，卒於本月十二日雙方幾對蘇丹地位達成協議，簽署了蘇丹協定，可說是初步結束了兩國共管達五十三年的蘇丹獲得了自立的前途。依據協定的規定，蘇丹將設置一個「國際」委員會，由蘇丹人三名，埃、英、美、印人各一名組成，而以印度代表爲該委員會之主席，於三年自治期間，作爲蘇丹總督的一個諮詢機構，監督選出之蘇丹議會將在三年過渡期間內決定自治的時日；英埃兩國在蘇丹之駐軍在蘇丹獲得自治之前（或由一個立憲議會之決定，或由民族自決）將次撤出；惟蘇丹政府各部門中，將多容納蘇丹人任職，俾蘇丹之行政逐步「蘇丹化」。此種安排，現時正由埃及外長法斯與美、英、印三國駐埃大使會商。無論從任何角度去看，埃及對蘇丹的讓步，確是具有「委曲求全」之苦心，就埃及已往之態度而言，設非納吉培柄政，仍將堅持兼併蘇丹。英埃談判必無如此迅速獲得結果。然而納吉培作此讓步，其眞正之意圖，幷非因爲他是曾經留英的一點淵源，而係基於民族主義的一項概念，不得不允許蘇丹人自己去抉擇它的前途。

蘇丹將永遠不屬英國

英國同意放棄蘇丹，係寄望於蘇彝士運河區撤兵問題迅速獲得解決，故不惜出諸曲突徙斷以結束蘇丹這一部分談判。實際上英國仍擁有蘇丹，這是可以從上星期英國外相艾登在下院發表的聲明中看得出來，艾登說是「蘇丹之選擇獨立，本身幷不杜絕其加入爲英國聯邦之一員。」埃及總理納吉培立起强烈反應，他隨即向蘇丹人民發表廣播演說：「使蘇丹加入英國聯邦任何企圖，將使英埃兩國於二月十二日簽訂蘇丹協定宣告失效。」幷於同時說明蘇丹協定中規定的兩項抉擇途徑：「與埃及合併抑或完全獨立。」這種明爲告誡蘇丹人民，無異向英國作最後的警告：蘇丹不是眞正獨立，只有與埃及合併，英國絕對沒擁有蘇丹可能。但英國至今仍不羈對蘇丹的懷念，係自恃蘇丹南部的百萬人口是具有英國的傾向，而希冀重入英國懷抱，却忽略了尙有八分之七的人口是願意附從於埃及者。然則英國的理想主義已到處碰壁，三十二年前後的英國，强弱已截然不同；一九二二年以前埃及尙被英國列爲「保護」國之一，當時英國的聲威，固不僅一個尼羅河流域而遍及亞、非兩洲。現時英國外交上受到的挫敗，自非限於「落葉歸根」，而係歷史的懲罰。

英軍可望撤離運河區

英軍撤離運河區的談判，可望於埃及與美、英、印三國大使對於設置蘇丹「國際」委員會磋商結束開始，納吉培對於英國撤兵問題，認爲雙方業已消除歧見，談判本身已有完全協議，未來的談判，祗限於細則各點，及實施撤兵的期間。大體上說，英國幾已沒有理由拒絕撤兵。原先英國堅持不撤兵的原因，自恃可望以中東聯防作爲終止撤兵的掩護，故於一年前向埃國提出中東聯防的建議；此一建議中，係規定由一位英國將領出任聯防的指揮官，幷且將其聯防範圍擴大，而括有蘇彝士運河，以使運河區的五萬英國駐軍，予以事實上之保持；可是，埃及以及其他阿盟六國均同加反對，雖然反對的理由幷不是屬於撤兵問題，純係阿盟不願任由西方領導建立中東聯防，但納吉培却堅決反對於英軍撤出運河區以前談判擬議中的中東聯防。因此，英國迫於情勢，原則上同意於埃及的撤兵要求。然而英軍駐於運河區始於收買運河股權以後，只是沒有現在如此衆多之數字。首次大戰以後，英國在埃駐有重兵，迨至一九二二年埃及宣布獨立以後，反英之情緒囂張，拒絕英國駐兵埃及。至一九三六年八月英埃談判結果，締訂條約，俾英軍撤離埃及，但並無連同運河區之英軍包括在內，因此，其他地區的英軍撤退，實際上却在運河區增兵，此一微妙問題，不久當可終結。

中東聯防短時難實現

一九五一年埃及片面廢棄（一九三六年）條約，係埃及民族主義抬頭的初步行動，這一紙條約，雖然是英國「善意」照顧獨立後埃及，但它的本質却無異一張「賣身」契據，根據條約規定，英國有權使用亞歷山大與塞德港的基地，埃及如遇戰事英國軍隊在埃及有自由調動之權。現在這些問題固然談不到了，如果遜王法魯克過去無此行動，在納吉培柄政之後，無疑亦將採取的。納氏現時正以民族主義英雄的姿態來號召埃及人民，而且保證於三年自治的過程中使被束縛於專制，大地主之下的貧苦人民解放，而岡於三年之後正式廢除王朝改爲共和「新憲」，以使其成爲尼羅河流域一大統治者。這一位「鐵腕將軍」業已本月十日正式宣布一項「憲法」，在三年過渡期間暫行保留君主立憲政制，而實際上由於此一「憲法」規定：（一）三年過渡時期總理綜攬全權統治全國；（二）有任命與解除內閣部長之權力；（三）內閣之採用行政權力，設立由閣員與納吉培領導及包括其本人在內之十三人軍事政變組織而組成之國會以處理立法。攝政王慕密恩之地位無疑是一個傀儡，其今後之正常事務，僅限於爲該政變之首領簽發所頒布之命令。納吉培今後的一舉一動，將無不取決於埃及的繁榮衰頹，儘管英埃談判復得協議，對中東聯防前途，仍有一個遙遠的距離，因爲這一個問題，自非埃及本身可以全部決定，阿盟是否擬於最短期間開會，或是願意討論中東聯防，現時並無理由可以安持。

「中蘇友好條約」應予廢除

台灣通訊

自艾森豪宣佈解除台灣中立化，其次一步驟如何，爲舉世所矚目。艾氏近方對廢除雅爾達協定事與美國國會及英國商洽，此事有關民主集團國家反共抗俄前途，甚爲巨大。雅爾達會議對中國最大之傷害，厥爲迫使中國與蘇聯簽訂中蘇條約，破壞中國統一，犧牲中國權益，致令中國甫將百餘年來之不平等條約廢除，又重陷於新不平等條約束縛之中。中國當時爲順應盟邦意見，勉强接受，以致共禍猖獗，大陸沉淪。茲雅爾達協定之廢除問題，或將受英國之牽制，一時未能實現。但中蘇條約只爲兩國間所簽訂，蘇聯既早已背棄原約，幷與中共僞政權另簽協定，我國自無再予遵守之理由。況反共抗俄，已著爲國策，中蘇條約，自宜宣告廢除，以振全國人心而正世界視聽。惟當時簽訂之後，曾經過立法院批准，現如予以廢除，是否亦須經過立法院決議，自爲一問題，自當遵循憲法所規定之精神，按照國際慣例辦理也。

積極整理行政法規

我國過去法令，曾有多如牛毛之譏。尤其抗戰初期及復員前後，頒行尤多。或由於時勢轉移，或由於政治興革，或由於制度變遷，陸續制訂，其中尤不免抵觸，重複，顧此失彼。自中央政府移駐台灣，有鑒於法令之數量雖多，但是否符合國策，適應時宜，便利人民，合乎社會情況，殊應全部加以澈底與有系統的檢討。檢討主旨則爲：適合事實，提高效能；切合民情，便利人民；配合國策，適應時代；提高政府威信，加强法規效力。計自三十九年下半年開始辦理，迄至四十一年年底，已廢止一千六百餘種。其中以屬於國防部主管者爲最多，內政與財政部門次之。現尙有三千五百餘種，仍在繼續檢討存廢中。內有七百餘種亟待合併修正，工作倍爲繁重。同時在立法院方面，一年以前，即由委員仲肇湘等多人提出應予廢止法規將近百種，皆係曾經立法程序者，迭經各有關委員會審查，先後提報大會。本月十七日立法院第十一會期第一次大會，爲陰曆新年後首次集會，即通過廢止有關經濟部份法規五十四種。頗具有與民更始之意義。日後反攻大陸，百廢待舉，一般輿論，均希望政府能效漢高祖入關先例，約法三章，切勿再蹈過去法如牛毛之覆轍，不獨使人民無所適從，即政府機關從業人員，亦疑難叢生，無所措手足也。

台省臨時議會復會

台灣省臨時議會自上月休會，茲已於陰曆年後復會。上次會議中，通過停征契稅及將屠宰稅豬隻平均納稅重量自每隻九十公斤降爲七十五公斤，致影響鄉鎮及市縣財政收入，年達六千萬元之巨。各縣市長及各縣市議會正副議長接獲此項消息後，認爲動搖各縣市施政基本，不但一切建設計劃，均將因無款難以進行，即公教人員待遇亦將無法增高。遂集合來省請願，幷與省臨時議會議員舉行聯席會議，請求提出覆議。查契稅一項，台省議會迭次主張停征，在更上一次會議中，勉强通過續征至四十一年年底止。茲台省爲實施耕者有其田，已將地籍總歸戶辦竣。欲再續徵契稅，恐難獲根據。至豬隻平均重量事實上難達九十公斤，因此有人主張以爲顧及稅收計，只提高稅率，而不可任意增高豬重。省臨時議會復會後，對於此兩大稅法，必將再行討論，期獲解決途徑。於此有一事可資注意者，即台省各縣市長及縣市議會議員均由人民直接選舉產生，省臨時議會議員則由各縣市議會間接選舉產生。今省臨時議會欲減輕人民負担，而縣市長及縣市議會則表示反對。究竟誰爲民意之眞正代表，値得玩味。今直接選舉產生者較之間接選舉產生者更能配合行政方面之措施，實係當時竭力主張間接選舉之政府人員所未及料也。

狄托訪英的風波

我們對於南斯拉夫的問題，常感到微妙。即如最近英國有一部份人反對狄托訪英，而另一部份人讚主張歡迎他來英。狄托統治下的南斯拉夫在抗俄大前提下雖値得爭取，但狄托主義是絕對不能和自由主義和諧並存。即在南斯拉夫本國而言，亦已潛伏了矛盾，反狄托的力量終有一天會爆發。

艾登爭取狄托

英外相艾登很注重南斯拉夫在共同反抗蘇聯侵略的地位和價値。在最近三個月，蘇聯對其東歐附庸最起嫌忌心的，是捷克與匈牙利。捷克人民大多數想脫離鐵幕，從清黨可以窺見。而匈牙利人民也想到奧匈帝國時代，他們很想組織成一個所謂「多瑙河自由民主國聯邦」。昔日奧匈之組織皆係抵抗沙俄向西擴張之阻力。奧、匈、捷一旦與南斯拉夫聯合，則蘇聯之東歐屏障便瓦解。

月前奧國外交部長克洛普和南斯夫的狄托在布里安尼島會談，蘇聯方面說是英國外相艾登所導演。在九月艾登訪南斯拉夫和奧國時，據說除拉攏南奧兩國加緊合作以及南與希土達成聯防，以增强大西洋公約組織力量外，更謀拉攏一兩個蘇聯控制下的國家，作一鬆弛的經濟聯繫。

英國的外交最講現實，它不管你是什麼主義，它要維繫地中海安全和貿易的發展。但提到多瑙河的國家聯繫，當然是蘇聯所憎惡的。回憶在一九四三年，莫斯科對於多瑙河聯邦的建議，已感到憤怒。艾登對南斯拉夫的親睦是有其韜略的。狄托亦感到南國所處地位之險要，若無西方之支持，則甚危殆。

英教會激烈反對

狄托原已答應在本年三月訪英。但英國一部份人尤其是教會，極端反對他來。布爾格萊德（南國首都）方面認爲此種杯葛一定是梵蒂岡方面的鼓動，最近狄托政府和教皇斷絕外交關係。直接的原因是梵蒂岡方面要將狄托的死對頭斯蒂平納克主教升爲紅衣大主教。斯蒂平納克被狄托囚諸獄中凡五年。狄托認爲梵蒂岡此一措施是對他本人的侮辱，便和梵蒂岡斷絕外交關係。

對「狄托主義」的涵義，難於劃出明朗的界說。但它無疑地是以共產主義爲基礎，與自由主義不相容的。它是唯物主義而不能容忍宗教信仰自由。它堅持推行集體農場。人民無經濟生活的自由。一九五二年二月二十二日的南國政府機關報「鬥爭報」宣佈稱：僅僅在肥沃的約伏第安區的九千個自由農戶，已被强迫組成五百個集體農場。農民所得的印象是，他們沒有享受到他們勞苦的成果，而是官僚政治的工具。

南民族酷愛自由

克羅特斯族、塞伯斯族、馬其頓族、蒙坦尼格林族的歷史，是一串的爲自由之鬥爭。他們現在希望脫離狄托的獨裁統治。唯有能令他們深信有此希望，他們才能確實和土耳其與希臘共同反抗史太林帝國主義。

因而英國教會方面反對狄托訪英之聲紛起。屬羅馬天主教的英國軍官華夫，曾在二次大戰和狄托打游擊，他稱狄托做「不名譽的賓客。」格拉斯哥的羅馬天主教大主教金串爾稱狄托做「現代的尼羅王」（尼羅是虐待殘殺基督教徒的羅馬皇）。

狄托聽聞許多反對他赴英的呼聲，自然大爲發怒。他曾在柏爾卡．司密特里夫斯迦演說，向西方說：「你們想得南斯拉夫作盟友否？它有西歐最强大的陸軍。若不想和我們做盟友，我們將另有結果。」至於怎樣結果呢？他並沒有說明。

領導自由主義微風？

「經濟學人」報曾說：「狄托說只要英國有一半的人明白表示願他取消訪英，那麼他便放棄訪英計劃。狄托這樣說是有把握的。事實上，英國人對於這個毅然反對史太林以及在大戰中和德國作戰的人，很有好奇心，以覩其風采爲快。」

自然，共產黨獨裁者正式拜訪英國，以狄托爲第一人了。

艾登外相亦表示狄托不會遭遇無禮的待遇。「經濟學人」報說得有意味。它道：「若狄托元帥來領略英國自由主義的微風，這風不會突轉猛烈，把他吹倒的。但若英國羅馬天主教徒看到他們自己和共產黨徒一同示威遊行反對狄托，則局面未免尷尬得可憐了。」（涵之譯）

天下小事

艾克塔虎脫友誼日篤

美總統艾森豪時常表示他有與參議員塔虎脫和衷共濟的必要。最近他還派了一名副官告訴塔虎脫，不要聽信某專欄作家報導艾克曾發表不滿塔氏言論的謠言。前不久，艾森豪邀請共和黨參議員至白宮聚會時，艾塔兩氏曾把臂在花園漫遊，後來步進走廊，在行經前總統老塔虎脫像片前的時候，塔虎脫停步說，這是瑞典名油畫家佐恩所精心繪製的。艾克當即微笑着回答，他一定要人特別標明出來，使瞻仰的人都能知道。兩人親切合作的精神，溢於言表。

俄在藏設原子基地

中共對西藏的經營不遺餘力，特別是蘇俄的插足其間，更使得印度和巴基斯坦惴惴不安，據當地人士報告說，爲了戰略上的理由，俄國正準備將他們的若干原子設施搬入西藏。也由此證明俄帝亟圖南侵的野心，更昭然若揭。

美發明新防空武器

預料美陸軍當局，將在今春宣佈他們已發明了專門對付飛機的定向飛彈。這種飛彈，定名爲尼基（NIKI），據說對擊落來襲的敵機，幾乎有百分之百的把握。據權威人士暗示，這種「尼基」已在製造中，將是戰後以來最重要的秘密武器之一，將來面世後，整個的轟炸防衛制度，可能有最劇烈的改變。

丹麥基地威脅蘇俄

丹麥容許北大西洋公約部隊使用丹麥基地的計劃，使俄國人又怒又驚。據悉，幕後的原因乃是：丹麥的波荷爾姆島，也是將允許西方國家部隊使用的基地之一，但當地距波羅的海南岸俄國最秘密設施的基地太近，將來西方在此設防後，那些俄國最重要基地的價値即將全部喪失，時刻有被西方海空軍摧毀的危險。

鐵幕人民切盼解放

據來自鐵幕後的難民報告，艾森豪當選美國總統後，各蘇俄附庸國人民恢復自由的希望大增，他們現已把艾克當作解放和自由的象徵。大家都竊竊談論着戰爭。上月艾森豪就職後，一般人都互傳解放戰爭已爲期不遠。特別是保加利亞，談論的人更興高采烈。難民們說，一旦西方部隊攻入保加利亞，保人將羣起支持響應，而且甚至在不久的將來，他們還可能繼狄托之後，與克里姆林宮決裂。（孟衡）

中共「抗美援朝」搜刮無度　盲搞生產合作慘敗

我們早就說過：中共爲了目前的「抗美援朝」和瘋狂的備戰，一切無不在竭澤而漁；而且也無不只求目的而罔顧後果。即就農村搜刮而言，中共早就喊出了「愛國增產」的口號，以圖增加農業生產而適應戰爭消耗的大量需要。而「增產」及搜刮的加緊進行，則於去年在僞農業部的指示下以全面發展農業生產互助組及合作社的組織爲奴役農民、控制生產的手段（見本報二〇〇期）。但由於各地共幹照例在「超任務」觀念下不擇手段地盲目發展的結果，眞有如殺鷄取卵，愈弄愈糟，反而嚴重地損害了原有的農業生產效率；也使此等組織的效用，遭到了殘酷的考驗，宣告慘敗！

盲目發展合作　生產弊端百出

盲目發展合作組織的慘敗情形，已首先在西南區方面提出「檢討」，怎麼慘敗呢？據上月二十一日重慶新華日報所揭露，就已承認四川一省的合作組織已垮了百分之四十八之多！

該報曾以四川省資中縣一縣爲例，加以統計檢討：說該縣於去年十月底前已發展了三十二個所謂農業生產合作社，其中有二十五個從臨時性互助組的基礎上建立起來的，有四個是從常年性互助組的基礎上建立起來的，有三個是從季節性互助組的基礎上建立起來的，最長的歷史都不到一年，組員社員們的互助合作經驗既很不夠，一般區鄉幹部、組長、農村黨團員對於互助組合作運動的方針，政策，步驟和具體作法也一無所知，一垮就垮了十五個之多！其中不僅問題很多，而且產生了許多不良後果：在這些社中，有的粗暴地否認了社員一切私有財產，規定牲畜、農具、車輛、房屋、乃至碾、磨、被、布都一律充公。因此，社員自己既不再添置耕牛農具，合作社又不會添置耕牛農具，乃嚴重地影響了生產情緒和效率。同時，牲畜歸公後，社員愛護不夠，死亡也多。該縣江花鄉沈斌成的農業生產合作社的五頭牛二十三頭豬竟死了三頭牛二十條豬！有的則實行了絕對的平均主義，把中農多餘的土地（土改時超過分配額的）一律歸公，而大部份合作社又不懂農業生產合作社的分配原則，有的祗把全部收穫扣除公糧及工資按人口平均分配；有的扣除公糧後按土地股分配；因此，有的人佔了便宜，有的人則吃了大虧，也影響了多數農民的生產情緒。如該縣龍鳧鄉牛發溍農業生產合作社在耕作時，大家互相推諉都不肯先下地，多出力，以致紅薯地長滿了荒草沒有人管。如鳳鳳鄉銀紹廷農業生產合作社在種稻時，還比一般單幹戶少薅兩次秧子，而且很多田里發生了嚴重的蟲害也無人過問。如充溪鄉李子春農業生產合作社在去年下半年平均每畝田要多浪費四十餘工之多。又據統計：去年該縣各合作社的收穫一般的都比原來互助組的單幹農民要減少了百分之七至百分之十五之間。而比之單幹農民，則一般的更要少收百分之卅至六十之間。且說各縣合作社的生產情形大致相似，要各縣迅加檢討改正。可見此種合作組織已打破中共原有的企圖，而宣告失敗。亦因此，現在大陸一般尚未納入此種組織的農民，已有藉口而對中共強迫入社的措舉普遍作拖延、敷衍的消極抵抗。

強迫農民互助　妨礙農民生產

另一方面，中共在強迫農民普遍組織作爲合作社組織基礎的互助組時，亦同樣的損害了生產，而且嚴重地妨礙了所謂「單幹」農民的生產。

同據中共在檢討中承認：大多農村幹部在盲目發展生產合作互助組時，以控制貸款（此種貸款雖曾掌握了農民產品，而農民因已無力生產，又不得不貸款週轉）、控制生產工具爲要挾，強迫農民參加互助組。凡不參加互助組的單幹農民，便不給貸款，不借農具，甚至不准雇工，不准車水，不准租牛，因此便嚴重地妨礙了這些單幹農民的生產力，根本就違反了中共「愛國增產」以加多搜刮底目的。當然，在這種強迫的情形之下，一般農民自不得不低頭就範，勉強參加互助組。但在此種情形下湊合起來的互助組，很本就談不到互助；工作是互相推諉，收成是互相爭執，再加上這些組織完全爲少數鄉村共幹所包辦霸持，據說連「等價交換」的原則都沒做到，相反的却造成了許多土豪惡霸，因而結果不但未能「增產」，也不但造成了下級共幹的貪風，而且反損害了整個農村的生產效能。

所謂前途教育　普遍遭受曲解

此外，中共曾以「社會主義」的幌子甜言蜜語的去誘惑農民納入組織，拚命生產，進行此一誘惑的宣傳，謂之「農村前途教育」。但執行此一「前途教育」的共幹部，不僅根本不瞭解什麼叫「社會主義」？而且也大多不懂得中共中央此一宣傳玩藝兒的奧義。說來說去，對這兩方面都謬曲解而造成了許多滑稽的現象：有的以爲只要「土地一入股，牛羊一齊攏」便算是「社會主義」而大搞合作社。有的以爲貧農合攏來，中農壓下去，扯平了，就是「社會主義」而大力鬥爭中農，排擠中農。有的以爲組織有了合作社，消滅了單幹戶便是「社會主義」，而不顧一切的去強迫農民組織合作社！如資中縣長的紅花鄉一共只五千多人口，一下子就組織了一〇一個互助組，再組成十個合作社，而一垮却就垮了六個之多！至於有些農民在受了此種「前途教育」之後，大多以爲一切歸公，便是「社會主義」，而將可用的用了再說，可吃的吃了再說，於是本來可維持一月半月生活的人家，三天兩天便告斷了炊，弄得啼笑皆非！

總之，中共這種一味盲搞的結果一定是失敗的。不過我們對此必須避免一種「中共一切皆將自敗」的錯覺而存在僥倖的心理。本報所以常作此種專題報導者，旨在向一般欲瞭解中共各項措施者提供參考資料而已。（沈著）

「公費醫療」與「公營醫療」

「土包子打出江山」，大陸人民一切由它予取予求，倒不僅在生病的醫藥治療上，享受免費供給。到了去年六月，中共「政務院」宣佈七月一日起擴大「公費醫療」制度範圍，從過去限於「供給制」幹部，分佈到「中央」到縣級「各機關、各民主黨派、各人民團體、及所屬各事業單位」工作人員，後一組織涉及的人數極爲龐大，舉凡「工會」、「工商聯」、「婦聯」、「文聯」……都屬於中共的外圍爪牙，——即都屬於所謂「國家工作人員」，這幾大家都分一杯羹。

住院發生爭奪戰

上述各類享受「公費醫療」待遇的如廣州市共達九百六十四個單位，人數六萬餘；武漢爲「中南大行政區」所在地，達二千三百零六個單位，人數十八萬餘；上海職業團體多過機關，達一千四百六十個單位，人數十一萬餘。「專區」及「縣」城市，麻雀雖小，五臟俱全，如北江樂昌縣全市不到五萬人口，但享受待遇的達二百八十個單位，人數五千餘，超過比例十分之一。而「革命殘廢軍人」就不在內。換句話說，大陸四億人口每不到十八人中要負擔一個人從病到死的費用，這實際上不止四千萬「國家工作人員」加上與日俱增的傷兵，又一名目「騎在人民頭上」的人。

但中共「政務院」尚有保留。門診、住院眼前只限於「中央」、大行政區、省三級，「專區」、「縣」，及「各民主黨派，各人民團體」發給醫藥費，比較前者自又「美中不足」。爲此原因，大小共幹對於住院演出爭奪戰。

護士調進公館

原來共幹住院早視爲一享受。「中央」也好，地方也好，上級層交的一定「任務」還得它們喘不來氣，除非一死了結，稱病住院是逃避工作的最佳處所。過去地方幹部無條件佔進地方醫院；新制頒發之後，省級以上共幹湧出蓋地方，正是「奉令行事」，於是一湧把地方共幹擠出，爭出床位；再則它們一佔數月，賴佔不走，根本把地方幹部住院機會，長久剝奪。至此地方共幹心有未甘，有的來個「反賴佔」，橫蠻地把醫務方範圍以內；有的故意減少原有病床，把護士調進自己公館。更不會設法擴充。

事實上公立醫院已成藏垢納污之所，「土包子」住的頭等病房，偎暖思淫慾，女護士爲調戲對象；有的索性帶進女人幽會，房門關緊，誰去干涉。而「粥少僧多」，從早到晚只夠應付及料理它們，小市民那輪得到。

廣州市享受此待遇的六萬餘人中，合於上述門診住院條件者，據統計有二萬人，約佔三分之一。地方當局聰明，除省「人民醫院」三個門診部外，另爲特約醫療所四十處，前者特別劃出的不足的病床，也向特約的醫療所輸送，這是去年九月起的事。所謂「特約醫療所」，自即指私營醫生及醫院。照「政務院」辦法。應加強對私營醫業的「聯合」，言外有物，呼之欲出，乘機要把私營醫業吞滅的。

私醫皆成奴隸

第一步去年八月開始，各地推動與私營醫業訂「保健合同」，分担一定工作。按更早曾有「私醫聯合診所」等出現，現成利用，「保健合同」變成新的賣身契約。爲中共新官僚的「公費醫療」服務。數月來一切就緒，十二月便又喊出「公營醫療」，又名「醫業公營」，要將私醫及診所統納入公立醫院範圍內，私人不准開業，有關財物全歸公有。聞廣州市已定本月起施行；大陸各地全面完成之期亦當不遠。

就單方面說：行見大陸一切醫生，醫院——醫療設備盡歸紅色新官僚所有，因爲只有它們享受「公費醫療」。然此猶係中共的手段。迫使一切技術勞力皆爲侵略備戰服務，才是它的目的。「公營醫療」之後，私醫皆爲中共的奴隸，自此行動沒有自主了。（初）

偽華東交通部長　黃逸峯被鬥記（四）

七、轉移鬥爭目標

所謂「擴大調查會議」一開始，黃逸峯首先避重就輕地報告了一篇僞交通專科學校的工作成績，附帶提到薛承鳳攻擊學校的混亂秩序時，則數了薛承鳳一大堆有組織的破壞罪行，也連帶指斥了印建強和周邁的，有組織的「製造是非」的罪狀，而將檢查組的調查報告隻字不提的含混了過去，最後只批評了一句檢查組的檢查目的是找張顯有或紀凱夫底典型的話便結束了他報告。接着，在他佈置下出席會議的僞交通部及僞交通專科學校的各重要幹部便紛紛發言，目標都集中向同時與準備反映黃逸峯的印建強和周邁兩人猛力抨擊，有的說印周兩人想升官不遂而找亂子出氣的；有的說印周兩人是有計劃地破壞學校的組織的；有的說印周兩人故意弄玩組織底紀律的；最後白長洲更聲色俱厲地指斥印周兩人是利用檢查組鬧個人成見的。總之，你一言，我一語，幾已將原來爲鬥爭黃逸峯而召開的「擴大調查會議」一時變成了鬥爭印建強和周邁的鬥爭會議，使主持會議的華東局高級黃包也瞪目結舌，不知所對！而黃逸峯更乘機以威脅的口吻向會議警告，說「現在這樣無理取鬧，連學校也不向我們負責同志反映情況了，最近學校擴宿舍都不先向我們商量，很多人擠在一個高樓上，如果樓板塌下來，已不是『人民來信』的問題，而是『人命關天』的問題了！」結果，這個「擴大調查會議」就這樣不了了之了。

八、撕毀不利文件

但壓制反映，擱置人民來信（此事本報曾有專文分析報導，請參看本報一九三期）是馬林可夫剛下過糾正的「聖旨」的，也是剛被中共中央大張旗鼓地「檢討」過的。黃逸峯因爲在薛承鳳向解放日報反映學校的混亂情況之後，曾召開學校的黨團會議，發動師生員工集體指斥投稿人薛承鳳爲破壞份子而向解放日報投稿更正過的。而他在這個會議上的發言紀錄乃是一種「壓制反映」的，所謂「違反黨的命令」的不利的痕跡，於是，他乃於開了「擴大調查會議」之後，即命蔣震虹撕毀了這個文件裏面的不利的兩頁。後來檢查組檢查到這份文件時，蔣震虹險乎受到華東局的處分，終被黃逸峯一頓安慰過去，事後並鼓勵蔣震虹說：「僅僅是少掉了兩頁材料組織上就想處分你，這是懲罰主義的態度，但我們不怕！」

九、緩和黨報攻勢

然而不管黃逸峯在中共黨內有他的歷史、功績、地位、而對於黨報的根據馬林可夫和中共中央的聖旨，加意宣染所謂反對「壓制批評」而攻擊到黃逸峯的地方，他是不能不怕的。黃逸峯乃又密令蔣震虹化了名向解放日報詢問：「如某機關因一讀者投稿批評與事實不符，職工集體簽名要求更正，是否叫做違反黨報？」該報的答復當然說不算違反黨報。於是黃逸峯又召開了學校的幹部學生聯席會議，巧妙地引述了中共中央「關於在報紙刊物上展開批評與自我批評的決定」，又發動全體師生向解放日報投送了三個文件；一是薛承鳳的歷史情況，強調薛承鳳有組織有計劃的破壞行爲；一是少數學生受薛承鳳影響不遵守學校紀律而損壞學校秩序的情況；一是檢查組在該校檢查經過的情況。此外，並利用該報駐校通訊員高德樹也向該報反映少數學生受薛承鳳影響而不守紀律的情形，以此改變該報對黃逸峯的先入意見而緩和該報對黃的攻勢。

天津失業問題嚴重

【天津通訊】「人民」政府口口聲聲說處處爲大家的福利打算，可是說是一件事，作出來看則是另外一件事。天津市的情形，也逃不出這種原則，從前吃白米飯、麵粉的人家，早都只好改吃了雜糧窩窩頭；吃雜糧的人家，大部份已經老早逼着跟中共「參軍」「生產」去了，剩下的那些人其慘狀是非語言可以形容其萬一的：吃飯吃不上，在西北風颯颯地刮着的歲寒嚴冬氣候裏，倒斃街頭的凍餒餓殍，不但在小巷裏常常發現，大街上都常也有了陳屍。

往年，只要西北風一刮起，總有不少善團開設施粥廠、暖廠，讓窮苦無依的人們喝一點稀粥，有一個棲身的地方，才不致于徬徨街頭遭凜風吹、霜打、雪凍，而最後來一個「倒斃」街頭。共黨來後，情形就一變，現在的情形更加大大的不同了。

天津市的人民政府勞動就業委員會的成立，據中共說是着眼在介紹職業，讓人人有飯吃！然而，天津市上「凍殍」加多的實情，又做何解釋？

「勞動就業」的介紹工作是有嚴格限制的。雖然美其名稱：轉業訓練、以工代賑、組織生產自救、單純救濟、還鄉生產、……等，這些巧立的名目下所「解決問題」了的人數只有一萬人左右，與天津市失業人數相比簡直是杯水車薪。其他如勞動介紹所介紹的萬餘人，勞動局建築工人調配處調配作爲建築小工的六千多人，他們工作極其辛苦，衣服又穿得單薄，凍病的人還要不斷遭到「幹部」們的譏笑。所以，這種機構的設立除了安插一批「共幹」與安插一部份和中共有些淵源的人外，對於眞正老百姓的民生問題是毫無補益的。善良的百姓是無份的。

此外，天津四鄉，因土改結果而被鬥爭、清算、掃地出門……的人們，當然都流落到天津，他們是沒有資格「勞動就業」的，中共治下，就是有親戚友朋也不能去依靠，何況大家都早叫中共搞窮了，誰也顧不了誰。最後的去路只有倒斃街頭成餓殍了。

中共政府的毒辣就在它對這種現象，都想盡花樣誘惑予他人加以利用，以今年與去年對照，今年的失業情形比去年嚴重得多，顯然是成了有意製造「失業」，而就地又不解決這問題，于是勞逼利誘「失業人員」去從事「國家經濟建設」——要吃飯，自請充軍發配戍邊好了！

本報各版　歡迎投稿

好一個「隨便」

自由談

為方

艾森豪威爾高據總統位置之後，人們對他的稱呼頗費斟酌。過去大家都稱他為「將軍」，理所當然；迨他解除軍役後，改稱「先生」；現在已貴為「總統」了。人們不知如何稱呼他纔算合適，乃問艾氏：「將軍，先生，總統，這三項名稱那樣最妥當？」艾氏答道：「隨便吧！」

好一個隨便！我們不要認為這是無關宏旨的細微末節，這其間，乃具有極高貴的民主精神。請回頭看看號稱實行民主憲政的中華民國罷，一般官場中人的失態稱呼，是何景象？對於一個縣政府的科長，就得稱之為「科座」了，等而上之的官，不用說，總以越封建肉麻的稱呼為恭敬得體，受之者渾身飄飄然，而不自覺其鄙陋。根本把公職地位和個人人格混為一談，小官在大官面前，人格即七折八扣了。老百姓對官呢，壓根兒就沒有人格似的，高呼「大人」「老爺」，至今不免。我敢打賭，今日許多口含民主的達官貴人們，如果有人民叫他一聲「大人」「老爺」，他若不處之泰然，表示其會心的微笑，那才是怪事哩！

大家的觀念上都充滿着封建意識，把官位視為蔭妻封子的無上尊榮。試問在這種傳統的生活習慣中，從那裏去找出民主政治的踪影來？唯有像艾森豪這樣作風，隨便人們稱呼他甚麼，滿不在乎，決不擺元首架子，硬要凌駕億萬人民之上。這纔顯示着真正的民主精神，深中於人心，也更表現其偉大的人格。可惜這道理在中國政治場中很少人能夠了解，奈之何哉！

幽默小說　抬轎英雄

漢生

毛澤東從莫斯科朝拜完了，回到北平。想起了曾握過史太林的手，曾侍候過史太林簽條約，更跟過屁股後面拍過照，混身舒泰極了！從前陳紹禹李富春們，張嘴便鄙視老毛沒有到過莫斯科，沒有啃過黑麵包，沒進過克里姆林宮，大不了祇是綠山的英雄，「土包子」配領導革命嗎？

這一回老毛居然做過克里姆林宮的貴賓，據說也在抽水馬桶裏洗過臉，總算是祖宗在天有靈，出盡了這口鳥氣，終生與有榮焉！

承史太林同志寵幸有加，把十六卡車的禮物賞臉全數收下，那該怎樣串表一番敬意，纔能聊表寸心呢？

在天安門羣衆大會中報告朝拜經過之後，毛澤東的情緒非常衝動，說溜了嘴，不由的便把心事坦白出來。

播音器裏一提到要向偉大的史太林表示敬意，離開城樓三百多碼的廣場裏，四角便轟的一聲霹靂，嚇得毛澤身趕緊縮在箭垜子後面，頭毛像刺蝟似的扎開來，看清楚了，原來不是外人，全是穿解放裝的幹部在歡呼！

羣衆說話可不易傳上城樓，於是毛澤東決定第二天分別接見有意見的幹部。

第一個的意見：以為應該通令全國「人民」「國民」，一律早午晚要高舉雙手，大呼「史太林萬歲」三聲！

毛澤東搖搖頭，這種精神的致敬，是唯心的，跟唯物的思想配合不來。再說，史太林老遠的聽不見，也不懂，喊的白喊，他也不領情，豈不是瞎子打燈籠？

第二個提議：故宮裏古物大概還有臟，可以挑選一批貢獻貢獻。

毛澤東又搖頭了，嘴裏不說，心裏自己明白，故宮裏的好東西，早就送完了，連整個中國都送過了，還有什麼東西。

一連許多人的提議，都不對勁，這次大力巴結，可不容易！

挨到晚上，又來了四個老幹部，他們的意見倒別緻得妙：

「向史老倌兒致敬的辦法，最好派我們四個弟兄做代表到莫斯科一趟」！

毛澤東聽了，莫明其妙，楞住雙眼，一邊倒的頭髮根兒直豎。

「還有，我們得帶一頂金頂綠呢大轎，前後掛上金繡龍鳳，他奶奶的纔夠威風！」

「帶轎子做末啥？」毛澤東連三五牌香烟都扔了。「你們又還夠子資格做代表？」

「啥！轎子送給史太林同志坐，我們四個人穿上號褂，整天扛着轎子跑，一來咱們中華人民政府可以大出風頭。二來，表示敬意。三來，也好讓史太林的老屁股整天舒服！」

毛澤東低頭摸摸光溜溜的下巴，細想了一回：

「你們四個，可惜體格太瘦了，可曉得咱們雖然個子不高，可有一百八十七磅呀？」

四個人一齊拍拍胸膛說：「別看我們外表不濟，不過是這十年來缺乏營養纔這麼瘦，力量可有的！」

「你們抬過轎子？」

「喝！你眞是貴人多忘，你忘了二萬五千里長征路過貴州四川交界的大草原，一百二十幾個抬担架的，日夜扛着你兩口子的，那回事兒了？那批扛担架的都累死了，就死賸了咱們四個！」

「你們還是担架英雄！可是，你們的出身……」

「咱們都是正經種田的，從小就扛慣了豬，從鄉裏扛三四百斤大豬走幾十里地都不在乎，像毛主席您啦這個胖豬似的身段，那簡直不當東西……」

「後來怎麼不種田了？」毛澤東趕緊岔開。

「紅軍經過咱們的家鄉，豬羊光了，田也毀了，祇有逃到縣城裏抬滑杆混飯吃，沒有人坐滑杆，咱們也抬棺材……」

毛澤東笑了，可笑得不大自然，剛想問下去，那四個老幹部又接着說：

「你老人家一萬個放心好了！咱們不斷的學習，抬豬有經驗，抬棺材也有經驗，抬你老人家更有經驗，這回代表咱們全國去抬史太林同志，管保不會出皮漏，……放心，你老人家放心！」

新世說補遺

過度緊張之害

民國廿三年春，國軍在江西大舉剿匪，軍事最高統帥設行營於南昌城百花洲上，坐鎮督導。時贛垣部隊絡繹，去住無常，行營通令整飭軍風紀甚嚴，凡衣正式軍服，佩短劍出入街市者，不得有抱持小孩，或啖食品，或銜香烟等情事，違則究問。蔣公經常駐節行營內，每晨七時左右，必循例散步百花洲附近數刻。

某晨蹀躞通路間，迎面一佩上校襟章，全副軍裝之軍人，懷抱女孩彳亍而來，蔣公訝其不守風紀，停步詢所屬部隊番號及長官姓名。該軍官固不知所遇者乃為最高統帥，慢未施禮，泰然答辭，隨侍人員急喝之曰：「還不趕快敬禮，這是委員長！」該軍官聞語惶駭欲絕，罔知所措，竟擲女孩一旁，雙膝跪地請罪。蔣公大怒，命帶交行營軍法處論究。次日紀念週會，蔣公對衆宣告此事，謂：「該軍官雖屬有忝風紀，原非嚴重罪行，因不識余而未敬禮，更無大過，乃竟下跪求饒，實為軍人恥辱。彼之軍帽上所綴國徽，乃代表國家之標誌。設使中國軍人皆如該軍官之怯懦無恥，臨陣作戰，稍有不利，即可向敵人下跪投降，尚何軍人精神可言乎？余之逮治該軍官，不在其違犯風紀，有失典禮，而係懲其毫無軍人節操也」。旋判處徒刑二年，以昭烱戒。

抗戰初期，中樞簡派某軍人為駐外陸軍武官，出國前，例須晉謁軍事委員長報告行期，兼乞訓示，蔣公於溫語勉勵後，離座送客。某徐步退行至門前，一聲「敬禮」，過度緊張，而地板又光滑，某腳跟未穩定，舉手復用力太甚，全身乃砰然仰翻，倒臥地下，侍衛者急為扶出，某面色瞬如槁木死灰矣。

某去後，蔣公於其簽呈上批註：「此人出國，一定倒霉」。事為軍部所聞，即解某職，另簡他人承之焉。

馬五先生

略談杜甫（二）

舜生

因為把杜甫的一生在我腦子裏描繪一個輪廓，乃引起了我一種感想，這個感想儘管還沒有成熟，但在大體上是不會錯到那裏去的。據我想，中國的讀書人，在過去好像是以做官為惟一的出路，一直到最近的五六十年，才開始在這裏起變化，而且這種變化還是變得很慢，不要說一般研究文哲或社會科學的人還沒有完全脫出從前那條歷史的老路，乃至研究一種應用科學或自然科學的人，也還是多少不能自外。在清朝末年，一個從外國學牙醫的回來，只能做一個縣長，就到了民國的四十年代，一個搞地質的人，似乎也還以做到一任行政院長為榮。儘管近年的風氣是在這裏變，可是研究學問或從事藝術的人想要離開政治的圈子獨立生活，依然還是很難很難。最近胡適之先生在台灣演說，好像曾提到他從前辦雜誌做文章不拿稿費的話，我自己確也曾以這種辦法為相當高尚，而不大以目前這種按稿計值的辦法為然。現在仔細一想，覺得這個意思不對：無論你講學也罷，賣稿也罷，假定是以你最善的努力去換得一碗飯吃，便沒有什麼不妥，更沒有什麼不高尚，惟有把所有的讀書人一律趕到政治一方面去求生存，這才是一個最要不得的現象，而且會把政治永遠弄得不上軌道，文化的各方面，也不會得着健全的而均衡的發展。

中國的偉大詩人像陶潛，李白，杜甫之類，以今天的眼光看來，他們都是應該在社會上各有其崇高的地位的，可是非所論於舊日的時代，（就在今天，一個純粹的詩人，又何嘗活得下去？）假如你眞不願『為五斗米折腰』，你就得去討飯，陶潛有一首『乞食』詩便這樣說：

『飢來驅我去，不知竟何之？行行至斯里，叩門拙言辭。主人解余意，遺贈豈虛來？談諧終日夕，觴至輒傾杯。情欣新知歡，言詠遂賦詩。感子漂母惠，愧我非韓才，銜戢知何謝，冥報以相貽。』

吃了別人一頓，乃至發願以『冥報』相貽，其心情是何等的慘痛！李白在少年時代是闊過的，入中年以後，也偶然得意過，但也還是靠做官，到他晚年客死當塗，其情況也就很慘了。杜甫當年和青年時代的情況，我們知道得很少，但因為他的父親杜閑做過郾城尉，武康尉，兗州司馬，因此當他離開洛陽未到長安以前在齊趙吳越一帶漫遊的一段，似乎生活還可以過得去，例如他在『登兗州城樓』那首五律所說：『東郡趨庭日，南樓縱目初』的時候，也就要算我們這位詩人相當舒適的時候了。他後來回憶少年時代的一段生活，居然有：『放蕩齊趙間，裘馬頗清狂，快意八九年，西歸到咸陽。』（壯遊詩）這樣的句子，在他的一生中總算十分難得。

萬竹樓隨筆

中國之友（六二）

毛以亨

李提摩太傳（七）

五、山西賑災

他在山東住了七年，以聖經教人識字，使五六十歲的老太婆都有讀經的興趣了。後來以無給制叫中國人自己去教自己，分設了二十個禮拜堂，有教徒一四〇人，就學者千人以上。這種花本少而效果大的方法，以此在中國傳教，實為李氏所創。

一八七七，山西大飢，李氏以上海華洋義賑會之邀，赴晉參加賑災工作，他極願前往，因為藉可深入內地傳教了。時同事為Jones及中國人Ching君，其人為太平餘孽，在其手受洗者二千人。知識水準，亦與西教士等，乃以青州教務請彼二人担任，而僅攜一當差長工隨行。以十一月抵太原，其地離海拔三千英尺，故殊冷，此行僅攜銀二千兩，與李鴻章所發之護照一。但見沿途死亡枕藉，而犬狼噬之不已，同行者驚懼之餘，至欲回去，李亦聽之，後以受到山西人的責備，仍復返事李。

他訪曾國荃未晤，其祕書告彼，曾殊不願其來此。謂飢饉時期，災民必怨政府，而外人藉小惠以要結民心，易起變亂。曾國藩亦同此見解，李問巡撫如何處置此二千兩捐款時，則告以天主教正辦一孤兒院可交該教會。李與天主教條件未談妥，乃再報告曾，曾延不答覆，李乃赴機荒災情最重之晉南視察。在一四〇里處，見一跪下舉行喪禮之人，立不起來了，在二七〇里處見有人走得東歪西倒如酒醉狀，經風一吹，倒下後亦立不起來了。鴉鵲狐鼠全肥，而尸首則身輕如燕，野犬將其隨處移動亦易為力。至四五〇里處，始見一壯年男子，負母以行，而其無力若八九十歲老人，向李行乞，此為旅行四日，首次遇到向其求乞者。其地人民所食為以石磨成粉，雜以糟糠，名觀音粉，售制錢二三文一斤，實則泥漿耳，食後必因傷胃迸結而亡，然猶冀能多延一二日之籌命。每家均有遺在室中未葬之尸，即未死者亦偃臥於炕上，有已舉一腿而另一腿始終爬不起者。至五三〇里處，城外路兩邊有兩大堆死屍，經雨雪的凍結，恍若鹽豬肉之堆疊，一邊為男屍，一邊為女屍，即女屍亦裸，蓋其衣已為生者剝去易糧。至六百里處，全日僅見七位男子，蓋婦女多已售出，而行人均帶自衛武器，但城外被梟首之人頭，則各縣多多少少的懸掛着。各地都無燃料，因牲口皆被吃掉，大家乃實行易子而食。總計其死亡之百分比，至少死了百分之五十，甚至有百分之二十者。旅行十四日始返太原。

困難在運輸，晉南距天津八百英里，道路又壞，七個騾子祇能馱重半噸，而駱駝又常阻塞着路，乃決定日間行車為騾，夜間行駱駝。幸天寒而黃河結冰，此為三十年來所未有，大車遂能在冰上行走。據李氏稱，此次災情，遍及北中國，死者至少有二千萬。李氏回後即起草報告書，專人由天津攜往上海。時倫敦教會已派Turner & James到山西傳教，以患病于李氏到前二日離太原。倫敦會在漢口的主教Rev. A. Forter亦到山西視察，乃決定回國呼籲，過駐華公使威妥瑪，請其在英募捐，適李氏致滬之報告亦轉到倫敦，乃始有根據。

我參加越戰（十）

L. HART著　第啓譯

到處是水蛇

我們離開登陸艇，駛入沼澤地帶，開始緊張而費力的工作的第一天，天氣晴雨不定，有時降下傾盆的大雨，有時炎陽高照，頓時又變成熱帶的氣候。我們所用的水陸兩用車，上面是用帆布作頂的，所以忽而全車像一隻汚溝，忽而又似一隻大火爐。每隔十分鐘，我們就要跳出車子，置身在高及頭頂的草澤中，扯除糾纏在車上的雜草，或是把車子推過縱橫在地上無數的暗溝，在這些沼澤中，滿佈着水蛭和水蛇，稍不留心，就有被噬的危險。

看不見越盟軍

要搜尋越盟軍，這是非常不容易的事情，他們有遍佈各地的間諜，還有為他們作情報的居民，在我們可以向他們開火以前，他們早已接到警告，聞風先遁。我們僅偶而聽到越盟軍發射迫擊砲和機槍的聲音。我們每天總要出動十二次以上，在村落和孤處在一角的獨屋中搜索，在那些「綏靖地區」中，我們圍捕那些高聲尖叫的豬羅，射殺四處奔竄的小牛，並攜走我們所認為有價值的物品，然後縱一把火，把房屋和東西燒光。

蚊子成羣來襲

我們看不見越盟軍，我們只看見許多被遺棄的婦孺蹲在屋前的汚泥上，或是藏身在草中的小艇裏，我常常懷疑當我們離去後，會有甚麼事情發生。

夜間，我們在潮濕的曠地上或是草叢裏紮營，由於整日移動巡邏的關係，每晚總要換一處新營地，當我們奉派在營地放哨的時候，蚊子成羣的進襲，使我們感到這比越盟軍為可怕。

在我們這次出巡的最後一天，大家奉命潛伏待命，我們所乘的「鱷」車半浮在原始的沼澤中，就像一隻龐大的怪物，那時法空軍則在猛襲據守在森林堡壘中的敵軍，以汽油彈焚燒他們的工事，戰役結束後，第二天早晨我們即巡返美荻基地。

中華民國僑務委員會頒發登記證台教新字第一零二號

自由人

THE FREEMAN
（半週刊星期三六出版）
（第二〇七期）
每份港幣壹毫
督印人：李光漢
社址：香港高士打道六六號
電話：二〇八四八
GLOUCESTER RD. HONG KONG
TEL: 20848
承印者：東南印務出版社
地址：高士打道六十四號
台灣特派員辦事處　台北市館前街五十號
台灣總經銷處　台北中華路新號五九四之一
台灣郵政劃撥儲金帳號　九二五二號

論歐洲之前途

·胡秋原·

歐洲人自私而不開明，他們對今日的憂患缺乏深刻的反省，他們祇看見歐洲而不看見世界。在歐洲，他們不願「主權」稍打折扣；對亞洲民族的政治要求，也不願主動的予以滿足。今日的歐洲問題，是不能專在歐洲求解決，而必須在世界規模中求解決的。歐洲人一天不放棄「歐洲中心主義」，便不會有真正的復興。

歐洲之新趨勢

我曾在「歐洲論」一文中，說到目前歐洲之衰落，尤其是文化上思想上之「老境」。在上月本刊中，友人程滄波先生提出陪權，有所指教。他說近二三年的歐洲，與我所說的情形已不相同。馬歇爾計劃以來，在美援之下，近二三年的歐洲，在物質上在精神上，正醞釀一種新態度，即是「新自由主義」。此即英國工黨，法國畢奈，義大利格斯柏里，以及西德愛德諾等所代表的趨勢。他們正以勞資合作，保衛民主，抵抗共產主義。程先生對政治科學，對歐美政治思潮，素有精深研究。他所說的，都是事實。去年末，美國外交政策協會的狄安夫人（V.DEAN）遊歐歸來，也在「哈普斯雜誌」上，說到歐洲新的政治氣候。她指出歐洲積極的調子有三大「高音」：一是國內的「新自由主義」；二是以美國援助及加強自身努力，建立抗俄自衛力；三是歐洲對於自己能以大陸的聯合行動，以及解決剩下的殖民地關係問題的能力之自信心。這也確是可喜的趨勢。雖然如此，這與我的診斷，並不衝突。

歐洲時代過去了

我覺今日歐洲衰落，正是想到他的盛時。在人類文化史上，儘管埃及人，巴比倫人，希臘人，羅馬人，希伯來人，中國人，波斯人，印度人，都有偉大貢獻，但航海以來近代歐洲人之成就，是後來居上的。自哥白尼以太陽為中心之後，歐洲漸成為世界之中心。義大利，西班牙，荷蘭，法蘭西，英吉利，德意志接踵而起，於是有「西方文化」這名詞出現。歐洲人才智煥發，輻射其光，熱和力量，風靡世界。在漫畫上，歐洲常以「小姐」姿態出現。這「歐洲小姐」，自十五至十九世紀，儘是風華絕代。風頭之健，是過去文明古國都不及的。他們曾濫用其財富與權力；然在文學，哲學，科學，尤其是工業與民主政治上，在人權立法上，也有卓越的貢獻。歐洲人在精神上，曾表現領導世界之能力。不幸歐洲之上昇，逐漸以亞洲之下降為犧牲。由於歐洲之壓迫亞洲，逐漸使歐亞先後墮落。這合了聖經上的一句話：「壓迫他人，賢者變為愚者」。

到了二十世紀，世界上以兩大巨人對立：一個是新大陸之美國，一個是歐亞大陸（EURASIA）之蘇俄。今日之歐洲，只能靠過去遺產與美援保持生存。他只能作一個輔助力，不復能成為一個主導力。且不僅在可預見之將來，甚至於永遠，歐洲也不可能再恢復昔日之光榮或權勢。我所謂歐洲已經衰落者，不僅指此而言。更重要的，是歐洲人失去其創造力，失去在精神上在道德上以新的觀念啓發世界之能力。一個民族可以一無所有，仍能以精神征服世界的；如羅馬時代之猶太人。但今日歐洲人也沒有在憂患中形成新的智慧。

歐洲之衰非亞洲之福

亞洲之不幸，過去受了歐洲富強之壓迫，今日又受歐洲衰落之拖累。今日歐洲之衰，不是亞洲人可以幸災樂禍的。俄帝所以能侵略亞洲而無顧忌，即是乘歐洲已衰之後，亞洲尚未復興之前，而美國實力尚未在歐亞充分建立起來之時。不論今日歐洲人是否了解，今日歐亞是休戚相關的。如亞洲人只記得歐洲只怨而不求歐亞共之大合作，那無非表示亞洲人之憂患，尚無已時。

歐洲新自由主義是不夠的

因此，我是關切並熱望歐洲能夠復興的。但是，我不能過份樂觀。其理由有三：第一，一個社會之衰落，不是一朝一夕之故；同樣，一個社會之復興，尤其是文化之復興，決不是三年五年之事。物質狀況之復興是容易的；但精神之復興，卻非容易之事。個人與國家一樣，只能以德服人的。過去歐洲之領導世界，以及今日美國之領導世界，不僅是靠船砲，也還有其他的道義和精神。不能對世界用心，不能對世界盡力，使之配影響世界。誠然，馬歇爾計劃，大西洋公約，互助安全計劃，挽救了歐洲之混亂，並改善了歐洲人的物質生活；還能保持歐洲之安定；[illegible]且有自衛之餘力與決心；但這不過站住而已，不過自存而已；還有一段路程到文化之復興。第二，歐洲之團結，兩年以來，[illegible]鋼鐵聯營，也有顯著的進步，但在這一方面的情形，還是[illegible]歐洲軍公約[illegible]就是證明。[illegible]大西洋公約[illegible]最近之英法政策[illegible]甚至於艾森豪[illegible]悲觀。但實在是近視，我也不悲觀歐洲前途。但歐洲有其必經之路，這道路是十分拖拖拉拉，ZIGZAG的。

第三，所謂「新自由主義」，是歐洲人覺悟之開始，但這還不足以解決歐洲人的問題。如滄波先生所說，這代表社會主義者與保守主義者雙方的中間路線。但今日歐洲人需要解決的問題，是保守主義者社會主義者前所未有的問題，都缺乏解決這一問題之理想。因此，一[illegible]歐洲人所謂新自由主義者，在國內實行勞資合作，[illegible]美國援助[illegible]殖民地[illegible]歐洲[illegible]界規模中求解決的。歐洲人一天不放棄「歐洲中心主義」，[illegible]（下轉第二版）

▲建立歐洲軍前途多難▼

艾森豪在遠東的目標

E. K. Lindley著　黃霸譯

艾森豪的遠東政策，雖然仍在初步的形成階段，不過它的目的，已甚顯明，其中之一，是使美國和其他西方國家被牽制在那裏的軍隊，至少能夠部份撤出。他希望用以達成這個目的的方法，乃是建立亞洲反共國家的軍力，南韓、越南、自由中國，還有日本與菲律賓的。

擴建自由亞洲軍力

當正由亞洲的軍事實力逐步擴建起來的時候，美國和其他西方國家，特別是法國，將能減少在遠東保持實力平衡所需要的軍力。並使美國能以更多的軍力形成一支「中央機動後備軍。」這個步驟，至少在理論上是如此。

西方要使其被牽制於遠東的部隊，至少能部份退出，最迅速和最確切的途徑，當然是韓國達成休戰，和越南戰爭成功地結束。這二點，將能消除西方最若痛的負擔，即士兵的傷亡。

但是，韓國和越南的戰爭，能不需要增加軍力而結束嗎？聯合國或美國對中共區海岸綫實施封鎖，轟炸中共區運輸中心，轟炸東北，在韓發動新的攻勢等等辦法，其中任何一種，都需要西方運用額外的軍力，而且，更需要在實際運用的軍力以外，再調用更多軍隊後備。因為在西方實施上述步驟以後，共軍可能採取報復行動，例如進攻香港或台灣，西方對此必須加以防備，同時，蘇聯的干預或在其他地區作反擊活動，引起新事端的可能性，西方也不能予以忽視。

美軍方贊成在亞增兵

美國軍方，許多人贊成以某種方式運用額外軍力，不過，他們之中卻沒有一個人能保證其結果能結束遠東的戰爭而不致引起另一次大戰。任何一種運用額外軍力的新的步驟，可能祗會造成無限期地牽涉更多西方軍力的結果。

因此，由於美國政府所要求的步驟恰巧和上述的結果相反，即撤退西方的軍力，使之擺脫被牽制的情況，所以對於任何要求在遠東運用更多西方軍隊的步驟，逆料將予極其謹慎的考慮和估計。美政府希望，在自由亞洲的軍力擴建以後，莫斯科能比較有意於結束戰爭。這個希望所憑藉的理論，乃是莫斯科及世界共產主義在遠東戰爭中所得到的利益，是能牽制西方的軍力，特別是美國的；在另一方面，蘇聯卻不需要出動其本身的軍隊。

蘇俄利益的減少

如果這理論證明確準，莫斯科也認清自由亞洲人的武裝正積極有力的進行，最後將使西方軍力得以撤退以後，會感到它本身不可能從遠東戰爭中攫取多少利益，因而贊成和西方在遠東達成和平或休戰，不過，即使這種情況可能出現，但自由亞洲軍力的成長，至少還需要一段極長的時期，才能在遠東的海空戰鬥中負起比較重大的任務。而海軍和空軍，卻是形成流動後備軍力所最需要的，在這方面，西方用於遠東的小數地面部隊，比較起來，倒並不十分重要。正如史巴麥將軍一再強調的，蘇聯在韓戰中的主要利益之一，是能有機會使它的空軍實習如何對抗美國的空軍。

解放中共區的目標

一個遠東的徹底而明確的戰略，在未決定其目標是不是「解放」中國大陸以前，實際上無法設計。如果其答案是肯定的，即美國的目標在於解放中共區，則韓國的休戰，將是錯誤方向上的一步。到目前為止，艾森豪還沒有答覆這個主要問題。中共和蘇俄，以及若干美國的盟國，可能感到艾森豪若干聲明與行動，表示其答案是正面的。如果這答案最後竟是否定的，則自由中國必會感到遭受背棄。照目前的情形看來，艾森豪的答案大致是：「目前暫不解放中共區，但將來則說不定。」不過，無論如何，自由亞洲軍之擴建是必要的，不管他們將被實際用於目前的遠東戰爭，或對蘇俄形成一種阻力。（譯自二月二十三日新聞週刊）

一週展望

雷嘯岑

聯大復會了

七屆聯大復會的前夕，美總統特別聲明，保證以全力支持聯合國。這是表示美國在領導民主國家的一切動作中，依然要尊重聯合國憲章的意思。

本屆大會的主要課題，當然以韓戰問題居首，其次為東南亞的越南戰事，以及台灣解除中立狀態問題等等，都不免要辯論一番的。此外，如北非的民族自決要求，上次大會已拒絕討論；西歐的歐洲軍與鋼鐵聯營計劃，中東的廢約糾紛與聯防計劃，本質上，都關係整個民主世界的安危，應該可通過聯大會議來求解決的。然而，這些問題都直接牽涉到一二大國的現實利害，他們固不願聽受別人的意見。大國只能「役人而不役於人」，這即是聯合國不能發揮憲章光朵的病根。

因此，本屆大會將成為專門討論亞洲問題的場面。幾個大國代表，以裁判官的形氣，慷他人之慨，坐而論道，說是說非；俄共集團代表則以「訟棍」咀臉，咆哮公庭，瞎鬧一陣。真正的主人——亞洲當事國家的代表，卻退居旁聽地位，縱有正確主張，亦未必為「裁判官」所採納。

本屆大會的成果，除卻積存盈尺的辯論紀錄外，恐怕不會有其他的奇蹟出現吧！

布萊德雷的大戰觀

美國三軍聯合參謀會議主席布萊德雷演說，指美國現在並未參入世界大戰中，認為提倡此者是「狡猾、虛偽的口號」。他提示聽眾道：如果美國已在世界大戰中，我們還能夠在此集會講演嗎？

若以彼此正式宣戰，大家競揮原子彈，到處砲火連天，殺人盈野，那纔算是大戰的純軍事觀點來看韓戰情形，布將軍的話很對。倘以克勞維茨的總體戰理論來衡量韓戰，將軍之言即[illegible]突。杜魯門總統於韓戰發生後，即宣佈美國進入緊急狀態，那也是「狡猾、虛偽的口號」嗎？軍人不干預政治是對的，不懂政治卻會發生笑話啊！

泰晤士報斥貝凡思想

倫敦泰晤士報日前發表社論，指斥工黨左派份子貝凡的兩大錯誤思想：一是認為世界上若干愛好和平的國家如果形成「第三勢力」，即可遏止大戰，至少可免遭受戰禍。該報指這種思想是不知道政治地理的關係；二是主張各國超然立於美俄兩大集團體系之外，以便保持其行動之自由。該報譏貝凡根本未明瞭共產黨的性質是怎麼回事！

這篇評論，是近來英國朝野上下充滿着反對美國新政策氣氛中的一劑清涼劑。它對全球性的反共邏輯，可說搔着了癢處。貝凡這流人物，素來缺乏社會科學的修養，外表穿着一件社會主義的緋紅袍，播首弄姿，實際卻是「百事皆有說詞，而百事皆不知其所解」。泰晤士報的箴言，他未必聽得懂啦！

另一個阿Q式的社會主義者

前任英國工黨政府陸軍部長史特拉齊，近日亦對中國問題大發高論，他要求英政府正式告訴美國：英國軍隊決不願參預推翻中共政權的戰爭，否則亞洲人將與俄共集團結成鐵腕（？）成為白種人的死敵！談社會主義而以人權觀念為出發點，已算是奇談了。英軍既不願與中共作戰，工黨政府當年為甚麼又派兵赴朝鮮去打中共的「志願軍」呢？

中國人並不希望外國的地面部隊來替我們打倒中共，更憎惡外國人妄事干涉我們討伐國賊的「內戰」問題。我們有充分的理由告訴史特拉齊先生：俄式共產主義政權如果能在中國永遠存在着，他們眼中所見到的工黨式社會主義政權，是「英帝」，決不會引為同志的；中共政權如其消滅了，中國人民痛定思痛，對於毫無同情心的阿Q式社會主義者，亦將敬而遠之，不敢領教！

喀倫族與李彌部合作
中共對緬續施壓力

史密雲

緬甸的喀倫族軍與李彌部合作後，緬共中共已結成一體，德欽汝政府陷入了孤立與困惑狀態，悔不該盲目地承認了中共和迫使喀倫族另樹一幟。中共對他的壓力日增，客觀形勢與內在的危機不容再有驅逐李彌之想；李彌的勢力確已日見強大，設反共抗俄學校，開闢廣寬的機場。緬人自恃李彌在緬至少可以減少赤色恐怖對他們威脅。於是，德欽汝只有等待國際局勢朝着緬甸有利的一方面發展，而沒有主動安排局勢的對策。

國外通訊

隨着艾森豪就職之後，美國遠東政策積極改變，正以解放陷於鐵幕中的全人類三分之一人口行動以替代已往消極的反侵略政策。這種情勢對於自由中國反共抗俄決策無疑是一大鼓勵，尤其是內陸及邊境的反共武裝，今後在物質上可望獲得接濟，精神上得有憑藉。李彌亦不能例外，他這一支嚮背僅有五千而裝備純劣的軍力，於大陸變色之時退據中、泰、緬三國邊境之大其力山（緬境景棟的北部），迫緬甸承認中共之時，北平提出驅逐李彌所部爲外交關係的交換條件，德欽汝一時昧於道義，竟向尼泊爾借兵伐李，且在戰敗之時復不惜以卑劣手段對景棟獵僑橫加迫害以取悅於中共。李彌格於情勢，以及無辜的華僑「代罪」，迫得放棄了大其力山的優勢基地，把部撤入滇境，策劃直接展開反共抗俄戰爭。至民國四十年六月間，李部已蔓成一支不可輕侮之力量，對中共大舉出擊，予共黨於掩有大陸之後遭遇首次重大打擊，使中共政權攫取緬甸之時間表失效。而李彌在滇境之新築基地更爲堅強與穩固了，過同原先感到物質補給的困難也隨着這一個戰役之後打破；後此經常對共軍襲擊與堵截中共給予緬共的軍火以及其他軍事必須物資，已成爲用之不盡取之不竭的源泉。外傳李彌獲自台灣援濟，迄今並無充分的確證可以支持。

反共抗俄大學培養基政

年餘以來，李彌於極端的艱困中逐漸有了規模，而他的反共抗俄大學，經常培養的政治幹部，現已結束了四期，產生了五千多的幹部，這些幹部大多已分發到滇省各縣去負實下層的行政工作。中共在表面上雖然還控制着滇南，就實際的情況去看，祇不過點綫而已，李彌的政治潛力却已全面滲透了。儘管共黨以「五反」手段對人民作極殘酷的迫害，滇人不僅不慑服於淫威之下，反而對李彌增加了向心力。

因此，反共抗俄大學非但未被共特滲入，而受訓學員的人數每期均能增加，且均不避艱險來自各方。中共雖然曾經打算對李彌作毀滅性的打擊，無如雲南共黨武力不足，而且士兵的待遇低劣，爲政權上下充滿官僚作風，張襲逸雖然是一個統治頭目，但他的「命令」沒有送予出門，各個縣單位既不易統一指揮，鄉村方面的設施自然更不易着手去做。且在已往的「三反」中，共黨內部的傾軋更爲尖銳，並且彼此均極力排斥異己。此種因素於無形中構成了李彌在滇南立足生根的優越條件。更有一個矛盾的感覺已在滇共間普遍存在，即李彌常年在其現有的基地保持着這一個限度，對他們未必一定是不利。故年來滇共對李並無戰鬥，此說自是無可置疑之處。

擊退湄公河沿線中共軍

今年一月二十五日以來，湄公河與馬江曾經兩次發生戰事，據說是滇境李部爲了擴大基地，和關樂小型飛機場，因此對中共四十四師進擊，將湄公河沿綫的七百餘共軍全部擊潰，北方傷亡約有百餘。此爲緬甸自衛軍（喀倫族軍）與李部合作後的對中共首次攻擊。緬政府認爲李部與喀軍正力圖奪取泰國邊境景棟以北的溫沙，故已向該一方面增兵。然而中共對緬甸現時仍以政治、軍事壓力迫使緬甸驅逐李彌，政治方面而以恐嚇手段，揚言緬甸如果無法將李彌與喀倫族軍消滅，或加以驅逐，則中共將協助緬方採取行動，此說無疑是中共大舉侵緬的要挾；軍事方面，與緬共締訂協定，設立一個由中共主持的「中緬共同防衛局」，正謀在中共指揮之下，利用緬共的人力從事擾亂緬共的據點區域與對李彌進行消耗戰爭，間接削弱緬共的人力。因此，緬甸政府已表面上不得不對中共稍加敷衍，向東北部增兵對另一部分游擊隊進攻，此部分游擊隊係當地華人以及來自滇境的與政府久失連絡的地方隊伍，彼等亦以反共抗俄爲號召，只是其實力沒有李彌之強大，自本（二）月十六日起，連續對緬甸政府軍反擊結果，緬軍傷亡三十名以上，流彈並擊斃了義籍傳教士一名。

李彌部隊堵塞滇緬公路

李彌部在緬滇邊境已控制了五百哩地區。十三日那天於臘戍以北一百十二哩處遭緬甸政府軍重大打擊後，轉向滇緬公路移動。楊大豪中尉所部，於茅思鎮附近與中共軍旅長羅成紫部遭遇發生激戰。（該羅成紫以前爲緬甸之逃軍，曾在雲南保山中共「革命學校」受訓），羅成紫終爲李彌所擊潰，並將中共佔領之九谷鎮得利，這一個原係緬甸邊境的貿易中心及關卡的前哨地，經國軍掌握之後，對由緬輸往中共區的海外物資以及由中共接濟緬甸共黨的軍火輸駁受到了截斷的威脅。現時該地之青天白日滿地紅旗與畹町城上之紅旗遙遙相對。另一部李彌之勁旅約一千之衆，與喀倫族軍一部在彈邦東面邊境的一大據點猛勞加以佔領，附近之防軍及擺族僑均已事先撤距該鎮十八哩處；此等國軍之服從極爲鮮明，紀律亦佳，且配有新裝備，現已在該鎮設防。此外，尚有一部分國軍已在喀倫族軍的支持──業已進入緬南的錫鑛及盛產錫砂地區。李彌的實際力量，在滇在緬之確數，至今無人能够作一精確之估計，惟若干軍事權威估計，至少早已逾越往昔五千人之譜，原有數字十倍以上，是一支富有神秘性的反共武裝，人們對他經常所獲得的軍火供應曾有甚多的臆測，有的說是奪自中共，有的說是台灣的空投，也有人指爲係由泰國運入；實際上第一個可能性最大，第二個并無支持它的充分證據，第三個可能性未爲泰國所同意，因爲泰國正在積極的採取反共措施，北部邊境已經封鎖，中共原先利用泰國通滇緬公路運輸的物資轉口站現在已被堵塞。李彌顯然今後在緬境不易堵截了中共之戰略物資，一般認爲自由中國可望於不久之後予李部以物質上接濟。（二月二十日寄自仰光）

黃八妹大陳歸來

台灣通訊

雙槍黃八妹於去秋赴浙海前哨大陳島，擔任婦聯分會主任委員，組訓民衆，聯繫軍眷，慰勞傷患，鼓勵士氣，辛勤卓著。最近共所屬會員兩人，在一小島上，以一架機關鎗抗拒共軍登陸，擊沉船隻，生擒共軍十餘名，更爲各方所稱道。黃氏最近自大陳乘直升飛機回台北，爲改善前方將士生活募款。婦女立法委員立即響應，於二月二十日立法院大會中提出動議，當即通過每一女委員捐贈榻榻米一疊，以供游擊健兒睡眠之用。據黃氏對記者談，上下大陳兩島，原只有居民一萬四千餘人，多恃捕魚爲生。自大陸淪陷，舟山撤退，遂成爲台灣前衛，海上游擊力量根據地。士氣之高，民心之堅，均足爲自由中國復興之最大保證。黃氏謂中共禁止人民出海，封鎖鐵幕，至爲嚴密，故浙江沿海縣份居民雖多思投向大陳，而來歸殊不易。中共並在舟山沈家門一帶，專搜查國軍遺留家屬，予以訓練，派遣至大陳從事情報工作。因其丈夫在大陳方面有職務，可易於入境也。但我方對於防諜工作，亦極爲注意，曾有軍眷在沈家門被迫受訓後遣來，限其兩個月內有確實成績可以報告，三個月仍行回去。逾期不歸，即將其在沈家門之三子殺之。中共之狠毒，於此可見。黃氏在抗戰期間，與乃夫謝友勝，在浙西淪陷區，與敵人周旋無虛日，直至勝利爲止，未嘗離其崗位。中共渡江，乃夫殺身成仁。黃氏隨同浙省府撤退，舊部雖多散沒，其報國之誠益爲奮發。聞黃氏不日即返大陳前綫云。

重建大陸地方政權

政治登陸當先於軍事登陸，爲政府必然的措施。政治登陸自當注重基層組織，故其第一課題厥爲如何重建大陸地方政權。蔣總統曾有指示，謂：「關於基層組織問題，我有一點意見，要提供大家參考。就是在反攻之時，最初佔領一個地方，其秩序尙未恢復的時候，我以爲地方基層組織，不必急於改爲保甲編制。就是暫照匪區原有組織，只要有益於我們反攻的便利，那就暫維現狀，亦無不可。不過這是一時的權宜之計」。凡中央政府對反攻時各項措施已決定之政策，宜運用政治登陸重建政權機會，透入大陸各地，造成民間潮流，藉以溶解中共統治，擴張反共氣勢。至重建大陸地方政權要點，一般意見以爲當注重二事：（一）由中央預先決定重建原則，凡戰地軍政機關，游擊部隊，大陸反共民衆，中共反正起義人員，或其部隊，均可依據以建立基層政治單位。（二）大陸地方政權重建後，應立即廢除中共一切箝制人民，奴役人民，剝削人民各種暴政，並依據憲治及戰地法令之規定，保障人民權利。中央有關方面，聞已在起草重建政權各項有關方案矣。

倡導政治新風氣

自由中國在反攻大陸前夕各方面益爲振奮。行政院所屬各部會紛紛舉行業務檢討會議。行政院本身亦將於下月初旬舉行檢討，俟獲有成果，再由陳院長到立法院作施政報告。因此立法院第十一會期原定二月十七日請陳院長到院報告事，已因此改期。各機關業務檢討會中，均以蔣總統本年元旦日告全國軍民書中所揭櫫之「新闢速實」四字爲檢討目標。果能以此爲政治上的新風氣，亦可予大陸人民以新的號召也。

上接第一版

──論歐洲之前途──
湯比的歐美聯盟之說

但歐洲人中也有聰明的人。英國著名史家湯比在去年末的「觀察」雜誌上寫了一篇「歷史的第二步」。他主張永久辦法是歐洲與美國西方社會「合併」，以與蘇俄平分世界。這將與公元初期的羅馬與安息二通一樣，並存二百五十年。這位歷史家已設想過去之「求神」，大有進步。但他死抱住一個「西方文化」的觀念──我在別處說過，這是不適合的觀念。他不知道人類文化是必然趨於大同的。他主張將大西洋聯盟擴大，至於聯合國，讓由成爲一個「說說」好了。這不僅想將亞洲遺棄於蘇俄，而且是想將聯合國的歷史知識抹掉。但他的論據是不可靠的。當竟不知道或忘記了當時還有遼東的中國威力及於中亞。否則，羅馬安息之均勢，十年都不能維持的。

歐洲復興必於世界大聯盟中求之

在我看來，歐洲之復興是可能的。但這道路不是新自由主義，也不是歐美之合併。

第一，歐洲必須首先自行團結。首先，擴大煤鐵聯營計劃，使歐洲成爲一大經濟集團。同時，擴大歐洲議會的權力，使歐洲能形成一個多少聯邦式體制。不待說，歐洲軍公約修正也好，不修正也好，應該迅速使其成功。

第二，歐洲之團結，同時必然應與美國及亞非二洲合作，才能完成，由歐亞美非經濟之調整到軍事政治之合作與同盟，都應以最大決心，求其實現。應該有一個大聯盟。但不是「西方社會聯盟」（UNAION OF OUR WESTERN COMMUNITY），而是「我們自由世界聯盟」（UNION OF OUR FREE WORLD）。這聯盟不在聯合國之外，而應在聯合國之中。

第三，只有這樣一大聯盟，才可以融解，壓滑，乃至於解放俄羅斯集團。必須將俄羅斯的鐵幕取消，使全世界都門戶開放。那時候，在古代羅馬──安息──中華的「絲道」（SILK ROAD）上，建設一條大鐵道。這條鐵道，一面經過三B路，聯貫柏林，土耳其和巴格達；一面經過三C路綫，連絡加爾各答，開羅和開普敦；一面經過三A路綫，聯絡亞細亞，非利加，才有歐洲的復興，也有亞洲非洲之復興。同時也是全球的大復興。今天的問題是世界問題，歐洲的復興，只在世界復興中才能實現。謂歐洲今日有希望的因素，是事實；然而歐洲文化之復興，則尙爲遙遠。一個社會由盛而衰之後，不能在憂患中振興出更高的立場。歐洲人是不會[illegible]界」。「歐洲的復興」才會有歐洲的前途[illegible]古老歐洲人。這是我看了湯比先生大作之後先要闡明的意見。再作一補

美機炸俄僅需五小時

美空軍已在或正在格陵蘭、阿拉斯拉、英格蘭、摩洛哥和的黎波里建設進襲蘇俄的前進基地，構築這些基地的費用相當龐大，以致引起若干國會議員的指責。但空軍方面說：如果沒有這些前進基地，一旦局勢緊急或大戰爆發時，美轟炸機要進攻蘇俄，至少須飛經三十五小時的航程，但有了前進基地後，在五小時內即可以辦到。不過，許多人還不知道，從北非基地出動的美國B—47型噴射轟炸機，如果要襲擊蘇俄任何重要的目標，都非中途加油不可。

俘虜營中共特活躍

美國反間諜人員頃已偵悉，拘留在南韓各地的共俘已在數週前接獲共方的秘密訓令，要他們停止大規模的示威暴動，而專門襲擊單身的衛兵。自後，兩處俘虜營中的共俘即曾進襲美衛兵三人，並將其中一名擊斃。據說，這一個命令是共方負責游擊活動的將官名吕某者在平壤發出來的。迄今爲止，美軍當局還不能切斷北韓與俘虜營的聯絡。

俄特務頭子地位不穩

不要太相信外傳蘇俄特務頭子貝利亞即將垮台的消息。莫斯科報章抨擊保密制度對貝利亞頗有影響固然是真的。但依據通常的慣例，俄國巨頭在遭遇公開攻擊以前，即早已神秘失踪，而貝利亞却在報上抨擊發表後，還主持過兩次重要集會。不過，大家對蘇俄最高主席團的委員之一卡岡諾維支却要注意，因爲卡岡諾維支是蘇俄最高階層中唯一的猶太人，克里姆林宮瘋狂的反猶運動目前雖還沒有侵到他的身上，但專家們預料遲早有一天他會遭到史達林的毒手的。

納粹滲入東德陸軍

英國情報人員已證實，證明納粹份子已滲入東德的陸軍。據熟悉內情的人士說，納粹份子已在兩個訓練學校和四個政府機構中，建立了秘密組織，暗中積極活動。同時，東德第一次大規模軍事演習，名爲「守望萊茵河」，已秘密定在今年夏間舉行，這一次演習節目，是在東德的西部邊界，來一次三路突入進軍。

李治威與茹盎失和

刻在日韓訪問的法國陸軍總監茹盎元帥，也是歐洲盟軍總帥部所屬中歐區司令部的司令官，但他和歐洲最高統帥李治威將軍的感情却不甚融洽，據說，盟軍總部人士傳出的消息說：幾個月來，李治威將軍和茹盎元帥就不會和顏悅色地談過一句話。（孟衡）

天下小事

莫斯科的投機

在莫斯科要成爲一個資本家雖然極爲困難，但並不是不可能。最近蘇俄的「康榮蘇斯報」就揭露了一個這樣的故事，有一個叫德爾蒂夫的人，在外表，他是一個研究實驗主管實驗室工具研究所行政處長，但在幕後，他却從事有獎債券的投機，這些債券，政府經常舉行開獎。他在未開獎以前，用盡種種辦法探知得獎者的姓名，然後和他們連絡，以高價將他們的債券買進。這樣，他總進了三百萬盧布（依官價合七十五萬美元），而太太享受，曾帶着他第五個太太暢遊黑海的避暑勝地。這案子經揭發後，他被判勞役十年，其非法獲得的財產則被沒收。（明譯自新聞週刊）

黨團活動扼殺高等教育
中共大學生無書可讀

中共於地下倡亂時期，即以利用大學學生為製造社會動亂的主要對象而派出大批職業學生潛伏各校，秘密煽惑，乘機鼓動。迨其掩有大陸之後，即正式以黨團組織為控制學校一切活動的威權機構。但一切唯黨的結果：各校的黨團活動便漫無節制，煩雜無度；乃使各大學行政、教學、以及師生的生活等等，都弄得一片混亂，不堪收拾！最近華東區方面，已首先由黃逸峯事件及偽華東交通專科學校的混亂情形而觸引到其他各大專學校的普遍反映，乃發現各大專學校大多皆同有此種現象存在，而且極為嚴重！

任務學習矛盾　讀書變成鬼混

首先是學生的學習和黨團的任務完全矛盾：一面偽中央政務院規定各校行政部門領導學生以學習為學生的主要任務；一面中共中央黨團又規定學生的政治教育為一切活動的重心。但黨團的威權既操縱了學校的一切，則一切黨團活動便剝奪了學生正式學業的時間。據本月十三日上海解放日報對復旦大學、華東師範大學等校的批判，就說現在各校每天正式授課時間平均不到七小時，而開會等漫無限制的活動卻平均每天都在八小時以上，至於睡眠的時間，則去了吃飯大小便外，每天規定便只有七小時了。像這樣：休息的時間既不足，自修和課外調劑的時間也完全被剝奪。則學生所受的課當然無法消化，學業的成績自然難得及格了。於是，這些學生迫不得不犧牲自己的睡眠時間來開夜車補課，於是，便正如一個學生所說：「下課忙開會，晚間開夜車，上課打瞌睡」了！又如一個學生所說：「睡熟時好像朦朦朧朧地在開會，上課時也好像昏昏沉沉地在開會」。這當然已不像讀書，而是變成鬼混了。其次，中共中央黨團還於去年發佈了一個各大專學校「加強紀律、保證學習」的指示，目的原要各校黨團組織加強功課學習的領導以補救一般學生學業成績太差之弊，但指示一下，各校又為此事而大開其會，大會、小會、保證會、總結會，鬧得一團糟，不但不會加強學習，反而更剝奪了學生學習的時間，影響了學生學業成績。

會議重重疊疊　學生忙得吐血

他們的黨團活動究竟活動些什麼呢？——可以說百分之九十就是活動在開會。會議究竟怎樣多呢？同據該報在各篇反映文字中指出：各校都有黨委會、團委會、黨組會、團組會、小組會、組長會、自治會、報告會、體驗會、總結會、評議會、檢討會、黨報會、保證會、黨團支會、經驗交流會、時事座談會、中蘇友好協會、準備會、慶祝會、紀念會、動員大會、全體大會、學習會……等等多得不可勝計。據說：只要一下課，一吃了飯，便到處在狂喊亂叫，齊開會，於是窗沿上，台階上，廁所裏，便到處亂丟着課本、碗、饅頭！課室裏，禮堂裏，飯廳裏，操場裏，井裏，便到處是擠着一羣羣，一堆堆的人；有的坐着，有的蹲着，也有的躺着，立着，都在開會。白天開會，晚間開會，下課休息的五分鐘也要開會，[illegible]大小便的時間都沒有了。他們想開什麼會就開什麼會，想什麼時候開會便什麼時候開會，你有你的會，他有他的會，往任要有些學生同時出席好幾個會，你爭我奪，弄得這些學生們好不為難！凡屬黨團任務固然要開會，即連添買一本書的小事也要開會。為了「對祖國三年多來各方面偉大成就的體驗」，各校差不多一開就開了三五次大會，十餘次小會，要學生幾次東複地作着體驗報告書，於是就逼成這些學生不得不對這個「[illegible]」開了不下三五十次。至於學習史毛及馬林可夫等的指示，不用說，更是大張旗鼓，全體動員。據說單就學習馬林可夫的報告，及聽「赴朝慰問」的傳達報告，各校就一連重複地搞了四五次之多。此外，還有些與學校無關的社會活動，也被黨團組織硬加到學校去！如此的結果：不僅這些學生的學業成績很差，而且根本睡眠不足，體力損耗，無法支持，於是，夜盲的夜盲，病倒的病倒，吐血的吐血，弄得七顛八倒！

組織壓制一切　師生有苦難說

同時由於這些黨團活動的過多過亂，加上各校黨團組織的權勢凌人，便弄得各校的教師學生都有苦難說！學生不必說，即就教師而論，只要這些大權獨攬的黨團委書記一頂「政治學習」的大帽子一壓，這些教師便不得不參加各種有關的活動。因而教師們也一樣的忙得透不過氣來。論功課，各校的教師每週少者三小時，多者亦不超過十小時，並不算多，但也每天都拖着疲乏的身體在深夜準備次日的講材，要到半夜纔能入睡。他們都說：「想抓點時間做點研究工作，總是抓不着，天天像在捉迷藏！」都說緊張得想大小便都感到困難！他們為什麼會這樣忙呢？一是校內會議多，二是本身兼職多，三是被規定參加的社會活動多。單就什麼學習，什麼報告，他們都要重複地出去聽上三五次之多！至於學生們，除了開會忙外，還要參加黨團的事務工作。開一次大會，就要忙着連夜佈置會場，搞橫幅，寫大標語。參加一次社會活動，就要忙着連夜準備宣傳，排劇本，製旗幟。誰打瞌睡，誰就被黨委指斥為「沒有組織精神」，誰不放棄功課而參加服務，誰就被指斥為「個人利益重於革命利益」，他們根本不管師生們的健康和學業，而只顧黨團的任務。於是，教師們固然有苦難說，學生們更是只有暗中垂淚！功課不及格，急得要哭！身體拖垮了，苦得要哭！有些愛清潔的學生，忙得沒功夫洗澡，洗衣服，恨得要哭！

此外，由於各校一片忙亂的結果，連中共於去年推行的採用俄式教材及所謂教學改革（見本報一九八期）也不能不認准已經失敗了，因為教師們根本沒有功夫去研究俄式教學方法及俄式教材的運用，只是生硬的搬用，弄得不倫不類，加上俄文的學習也因忙亂而無法進展，[illegible]

黨團任務之多寡，成一反比。說，他們現在一般學生都欠了兩筆大債，一筆睡眠債，益欠益疲倦！一筆就是功課債，益欠益多！[illegible]學生在一次習題中，竟只能交上三四題。總之，我們從他們的反映中，已可以初步看到中共大學教育的輪廓，也可以看到黨團組織的猖狂情形。如果從中共的立場說，這是中共自食其果了。（沈著）

偽華東交通部長
黃逸峯被鬥記（五）

十、反黃派擂鼓而攻

但黃逸峯雖盡力在含混鬥爭目標，緩和黨報攻勢，而鬥爭的情勢依然在急劇惡化，反黃派分頭活動，擂鼓而攻！

首先，前偽華東公路局局長裴味農和前偽交通部秘書處副處長張威遇秩進見了譚震林，向譚告了黃逸峯壓制幹部和所謂「反黨」的口頭狀。接着，李學民和李利民同時在上海解放日報刊出了「揭發黃逸峯壓制批評打擊幹部的惡行」的控訴文。李學民為「抓住我的某些缺點，加以誇大，造成打擊的條件」叫屈一番以後，便以黃逸峯曾要各企業單位撥補經費給公路、內務、運輸三局及任用工程師張啓宗為秘書處副處長這兩點為職務上罪行；而以黃逸峯在偽中央交通部通過偽中央人事部向華東交通部抽調卅名技術人員大發脾氣時大罵「中交部是王八蛋」這句話為「反黨」的罪行。李利民為他自己被撤免其代表華東工程建築公司的職務的叫屈一番以後，即以黃的曾撤除裴味農和張威的職務及包庇秘書長方弈生亂搞男女關係「侵佔部屬之妻」這兩點為攻黃的主要罪行，最後並反映出他們黨組內部的情況，說在黃逸峯領導下所召開的黨組會議，沒一次不吵架散場，再接着，與周選有關係的偽華東交通專科學校的青年團總分支組織幹事花蔚文揭發了黃逸峯唆使蔣震虹撕毀兩頁青年團員大會發言紀錄的事。曾為黃逸峯的學生祇畢業後在華東聯運公司工作的張以謙則揭發了黃逸峯如何佈置幹部學生壓制鬥爭薛承鳳的詳細內幕。至此，反黃派的反黃鬥爭似已獲得有組織的有力支持而日漸擴大起來，不堪收拾了。

十一、紀檢會無可奈何

於是，偽華東局紀律檢查委員會副書記胡立教即召黃個別談話，要他審情度勢，遷就攻勢，稍稍承認一些錯誤，作一[illegible]檢討，以緩和黨的面子，並一一予反駁，尤其對李學民反映他曾以「中交部是王八蛋」為「反黨」罪行之一這句話有極氣忿的答辯，他說：「中交部無人主持，一團糟，大家都不滿是事實，我不過衝動點吧了。」後來胡立教要他讀一讀最近馬倫可夫的「指示」及中共中央關於接受人民來信以及批評與檢討的命令加以威嚇後，他更激忿地答復他：「你今天是來審判我，還是來教育我？」乃不歡而散。胡立教無奈，乃向譚震林請示，譚要胡再召黃談話，說事件既已揭開，黨不能不有所交代，只要他肯承認一部份錯誤，給予極輕的黨紀處分，公佈一下，教育一下黨幹就行。黃卻仍表示不能接受，倒也弄得紀檢會一時無可奈何。

「人民政治」在廈大

廈門通訊

中共「教育廳」在本校舉辦一個教師訓練班，又調整了校內的組織系統，並成立了政治輔導處；及馬列主義研究室。這一連串的運動本來都是家常的便飯，然而在枝節上發生及產生不少的「不良的教導」及不「服從領導」的故事，因而在組織上與同學間發生出「不如意」的事件很多。這裏爲了通訊文字上不很方便，祇能報導一個簡單的輪廓。

學期沒有始終

正是學期要開始的當兒，然而，「學期開始」，這祇是形式和詞令而已，因爲現在我們已沒假期與上課之分，除在形式上及對外的新聞詞令而外，其實假期中的工作並沒有比學期內輕鬆，這是外人所難得知道的。所謂學期開始的來臨「人民」以編好一冊本學「改治革命」劇本交給校中組織導演，以前讀書的只學生，現在可不同，教授，院系主任，助教，講師，通通列與我們同等待遇，權威教授同樣要大上課向人民學習。以下是敘述本校的政治近況：

教師的思想改造

教師訓練班，也就是對教師們的思想改造，但他們自吹說是要放寬教師們的眼界，與人民當前的任務密切結合起來，改革教學，掃除思想障礙，所謂放寬教師的眼界是爲了便於接受蘇聯的科學知識和先進的經驗，教師必須訂出學習俄文的計劃。所謂與人民當前任務密切結合起來，是多培養建設性的人材，及彙課來解決師資不足的困難。教師訓練班是九月十五日開訓，預定至十一月十五日結束，但實際上早在十一月初就紛亂了，十五那天祇是做一個形式上的結訓典禮，到會者除組織的內賓外，外賓只有二個，一個是辭不掉，也逃不了的土木工程系主任，一個是教務長，參訓的教授們，因爲沒有規矩聽訓，嚴重的暫時送往勞動改造，輕的編入思想改造班，說起來眞可笑，根據三年大陸的人民政權，自始至今時刻在鬧思想問題，一直改造不了落後的思想。

兩面兼顧疲於奔命

情形的發生是這樣，教授們在訓練期間，一邊要顧全在訓練中的生活準確方式及功課，一邊要顧全原有的講堂課，另一方面又要自動簽名願意兼任其他課堂的講解，然而這些並不是給教授們發思導火線的最大原因，問題是發生在訓練班中組織上硬性的指定各院系的教師的教學課材刪改得很利害，而插入許多與系中根本不相符合的功課去叫教授上課，這點當然身爲一個專門科學的教授而被極權的支配下，去教所不懂不是所學的教條功課，反而把自己一生專心所研究的科學拋頭不顧，學非所用本來就是學者痛心的一件事，何況又要硬硼硼的去代另一個教條腦袋指手腳劃的去說那達心論，因此教師們在課堂，較耐心的是馬馬虎虎，敷衍了事，火急的就時有怨言向同學申訴。誰不知道學生中的職業學生是夠可怕的，因而教授們的輕重遭遇就是憑他們在課堂中對同學們說的話由職業學生傳達上去而判決。起初事情祇發生在少數的教師身上，但大部份的教師看情形不對更加不滿，因不滿而提出公開指責的現在都在勞動改造中，因不滿而加慴縮的那是思想不穩，患了思想症，現在在思想改造班中，上大課上大操，六十三歲的何適教授也不能免。

調整校內組織系統

關於調整校中的組織系統，然而照說是在思想改造的基礎上，進行了組織系統的調整，詳情免說我們圈外人是無法知道，即使同學的團員也不清楚，因爲反正要聽清祇是至上的組織，黨的命令，並不是在乎中間領導者的生熟面孔，所以關於調整組織這點沒有發生風波。然而爲什麼教育廳會想起要來調整我們校中的組織呢？比較明朗的，給我們外界同學能用直覺去體會得到的，相信總不免是爲了膳食舞弊，接受私賄准同學離校停學（在共區學校讀書，不能隨便離校停學），最顯明的是沒有把彭炎（南安的團軍限的兒子鬥爭下來），據說鄭書記接受彭炎的「禮金」不下二億元。

政治運動專人推動

政治輔導處，張健、李山中、李鐵，這三位是上面新派下來負責輔導的指導員，現在還剛來不久，外表上看來到也和氣，但久了就要變的，這是一般的常情。

有輔導處沒輔導處本來是一樣，輔導處的設立，其作用是幫助書記部的政治「運動」而已，鞏固下階層的政治意識，較嚴密的監視同學的思想問題，總之，每個同學的生活狀態都是政治輔導處關心輔導的中心對象。

「爲了便於接受蘇聯的科學知識和先進經驗，爲了許多同學和教師不斷的要求介紹蘇聯的先進教學和先進理論知識，學校答應同學和教師們的請求舉辦一個馬列主義研究室」。這是十月份下旬校中的宣傳中心，這個新聞佔滿了足足半個月全校的黑板報，市裏搖旗吶喊的尾巴報紙的本市新聞，也拚命鼓吹這個消息，這個由我們五百六十四個同學教師中十月份下旬起到明年六月底止抽出飯食費百分二十來辦馬列主義研究室的消息。但誰敢說一字不呢？因爲一切都是「人民」賜予的。（虞南寄於廈門）

一塊手帕　兩條人命

說起共產黨幹「服務人民」的權力實在大得嚇人！照共產黨的話說，是常用「鬥爭敵人」的方法對待人民！而且很「文明」；在處理人民糾紛時，常用打屁股，打耳光或打手板去處罰人民。但有時候一打竟會打出人命來！

據上月二十日新華日報揭露消息，說四川涪陵縣梓里鄉農會主任陳子冀有天到周海堂居民小組去開會把一塊包頭帕失落了，就順便叫武裝委員周錫昌和小組長周海堂查一下。但周錫昌並未調查，便指定是該村貧農周王氏的十一歲大的女兒王少女偷的。當即叫了王少女來開坦白大會叫她坦白，王少女實在沒有偷，當然不承認，周錫昌便叫「你們在場的兒童動手打她。」兒童們不願打她，他就威脅兒童說：「你們不打她，我就要打你們！」又經周錫昌等在旁威脅，自然便被六個兒童按在地上輪流打了三十幾板，王少女怕再打，就勉強胡亂地承認偷了手帕，並隨便說了聲放在家中抽屜裏。其時已在半夜，周錫堂等便叫婦女組長彭素芬一同押了王少女到她家去搜查，可是並不見手帕，然後對她說：他們將她的母親周王氏用繩子綁起來吊在屋簷上，並用活籐條打，限你三天內交出手帕，否則，弄你到村公所鬥爭，用活籐條打你，看你受得了！」周王氏無奈，已有身孕而被吊受傷，當即就喊腹痛，強答允，但那些幹部們卻還罵她裝死，因此她就抱了她的四歲的男孩子，一直跑到烏江裏去跳江自殺了！結果！但幹部看着並不拉她，更不救她，就這麼為了農會主任的一塊手帕，兩條人命就完了！（笑之）

想起巴黎晚報停刊問題

尚方

自由談

法共宣傳器「巴黎晚報」，由兩年前的五十餘萬份銷數，跌至最近的十萬份，因而自動「收檔」，說是「受着馬歇爾計劃宣傳之壓力」所使然。

這項關門大吉的理由，倒不是造謠的。以說謊詐騙爲生存條件的共黨報紙，終敵不過擺在人類眼前的鐵一般事實。「人民的眼睛是雪亮的」，在不是鐵幕生活的社會中，硬要教人相信說謊是眞理，一定徒勞無功！

最近三四年來，我在這「民主櫥窗」裏，曾以最大的忍耐力，剋制個人的政治成見，儘量心平氣和地閱讀本港和在大陸發行的共報，一來測驗我自己政治觀點的「偏差」程度究竟怎樣？二來也想觀察一下共產黨人的宣傳法門究竟有無可資「學習」之處？結果大失所望，由起初的每字必讀漸變爲只看標題閱覽，最後連標題也看不下去了。反正是那麼一套內容，可以事前替它擬定版面詞句，準是錯不了。俄國的人與事樣樣十全十美，月亮也格外光明；共產黨人決無錯誤，一切人類都得跟着他們走；其他世界的事物都是萬惡的，造謠的，甚至連消息亦不載，要刊載，則將通信社的電訊詞句歪曲割裂，欺騙讀者，還要裝模作樣地加上一些說明，如艾克以壓倒的多數票當選爲美國總統，他們硬說並非大多數！這樣的宣傳器，焉能在民主社會中生存發展呢？

因此，我們即可深切理解共產黨人之憎恨民主自由生活，眞是「良有以也，豈徒然哉」！

體驗（上）

黃汎

張寓平先前寫得一手「風月月」的好文字，可說眞是風靡一時，青年男女有誰不知道他的大名呢：大陸「解放」後，時代是變了，這類「卿卿我我」，「喝幾杯白乾，叉幾圈麻將，管他娘！」的大作，看來已是「英雄無用武之地」了的，他正百無聊賴，打算姑且回家吃老米飯的時候，卻忽然從「北京」御賜下來一頂「前進作家」的帽子，欽命晉京「爲人民服務」。這一來，柳暗花明路迴峯轉，眞使他「受寵」得連自己都有點不相信了，起先他還有點猶豫，但聽說褻瀆得「連女人屁股都摸得摸」的作家，居然也已奉召入「京」，於是他的南下初衷也臨時改轍，壯着胆子決定北上了。

張寓平到了「北京」，自然免不了一番「改造」，除了「學習」得一套「工人當家」「農民翻身」黨八股的調調兒，以及有時須得搖搖筆桿附和着什麼「親愛的爹，親愛的爸爸！」的肉麻當有趣的文章外，麻將牌在「解放區」已成爲了冠冕堂皇的「國粹藝術」，是仍然可以叉幾圈的，所以日常無事，就整天摸摸十三張，消遣辰光，生活得挺舒服，總算「毛主席」是特別照顧到「文藝工作者」的。

這末，張寓平又拉了女妖丁淋，「鴛鴦蝴蝶」章眞水以及曾被「東方高爾基」魯迅譽爲「有爲青年」的爬金，來參作方城之戲，紅中白板，然是開心。席間爬金忽然想起，日間部務會議的決定，乘着搓牌的空閒，朝着張寓平問道：

『老兄，這次部裏派我們到工廠裏去「體驗」工人生活，你預備採什麼工作方式呢？』

『還不是那一套，搜集點工人生活資料，依據「體驗」所得，寫點工人翻身的報導就是了。』張寓平不假思索淡然的答說，雙手則不停的搓牌。

『不那麼簡單吧！「解放」後的工人生活與「舊社會」的工人生活，應該是有基本上的差別的，如果從形式上「體驗」，必定落入了舊文學的巢臼，不能表揚出工人當家後的新氣象，新作風，新的工作方式，新的……』爬金滔滔不絕的說。

『好了！好了！二位是打牌，還是談公事，快點好不好，還有四圈牌啦！天都快要黑了。』章眞水不耐煩的打斷了他們的話題。

『我看這種工作，丁大姐剛去過蘇聯，可以指點我們一些蘇聯的先進經驗。』張寓平並不理會章眞水的催促，仍是漫條斯理的齊着牌。

『打牌吧！明天我可以送點蘇聯的報導文學資料給二位參考參考，會打牌，不談那些。』丁淋一本正經的說。

於是乒乒乓乓大家又陷入了戰陣，牌聲從房裏直傳到街上。宿舍門口一個担任警衛的「人民警察」，無聊的背着手在夕陽裏踱來踱去。

略談杜甫（三）

舜生

唐朝以詩賦取士，一般有志於功名的人，當然對於詩賦一道十分的講究。杜甫生長於一個讀書的家庭，而且是一個以宦爲業的家庭，因此他到了開元二十三年（735），其時正是他的二十四歲，他自己覺得已經是『賦料揚雄敵，詩看子建親』了，於是他到當時的東都洛陽，去應了第一次的進士考試。

這次的考試雖然是失敗，但他的年紀還很青，氣還很盛，並不因此而怎樣懊喪，依然繼續他的漫遊生活。大致從開元二十五年，到天寶元年，（737—746）他的行踪，總在山東河南一帶，也隨時回到他所住的洛陽。

在這一段期間，於杜甫的一生有一件重大的事，便是他和李白（701—762）的見面。李白本來大於杜甫十一歲，在天寶元年，（742）他便已到了長安，而且毫不費力的便已取得了一個『供奉翰林』的位置。可是李白得意的時間並不太長，到第三年便已自翰林放歸，從此遊於河南山東一帶者，也歷數年之久。天寶三年，杜甫在東都——大致李杜的見面便在洛陽或另在河南境內的某一地點。杜甫贈李白的第一首詩是這樣的：

『二年客東都，所歷厭機巧，野人對腥羶，蔬食常不飽。豈無青精飯，使我顏色好？苦乏大藥資，山林跡如掃。李侯金閨彥，脫身事幽討，亦有梁宋遊，方期拾瑤草。』

在杜甫集子裏面涉及李白以及若干專爲李白而作的詩，共有一十五首，我們知道在天寶三年以後，到天寶五年杜去長安以前，他們有若干的時候同在一塊兒遊，一塊兒喝酒，一同去訪朋友，至於在一塊兒談詩文，當然更不在話下。杜有一首『與李十二白同尋范十隱居』的詩是這樣說：『李侯有佳句，往往似陰鏗，余亦東蒙客，憐君如弟兄。醉眠秋共被，攜手日同行，……』

我們從這裏可看出他們兩位的交情，是何等的深厚。李白爲人灑灑落落，對杜甫自然也很好，可是比起杜甫那些『懷李白』，『憶李白』，『夢李白』的眞摯之感，我們不能不承認老杜實在是千古的多情種子之一。

此外我還有一種臆見：我總覺得杜甫在未見李白以前，他的作品帶得有傳統或因襲的臭味很重，自與李白發生交往以後，實在使得他在詩體上得到一大解放。自然，時代和杜甫的身世也是使得他的詩在形式上與內容上發生變化的原因，但我總覺他受了李白的影響不小。這個話我決不敢自以爲是，不過我把杜甫初期的作品和他後來的一些名篇鉅製一比較，確實有這一種直覺而已。

萬竹樓隨筆

國共和談軼聞

新・世・說・補・遺

馬五先生

民國卅七年冬間，共軍因傅作義投降而佔有燕薊，中原徐淮會戰，國軍復敗績，一時和談之聲大作，南京中樞亦掀起和戰兩派爭議，谷正綱與張治中於黨部會議中幾至搏鬥。張旋出席行政院會議，主和甚力，爲衆議所斥，無詞以對，乃詭稱：「我是奉命這樣做的！」蓋師平日挾天子以令諸侯之一般奸吏慣技，思有以間執異己者之口也。時邵力子與治中共謀，爲共作倀，原形畢露，其他文武大吏，亦多失敗主義者，對張邵所倡和議，口雖不從咏，其心實深喜之。同時，美國政府對我突表示冷淡，軍事顧問團長巴大維拂袖赴東京不復返，大使司徒雷登滑居首都，銳意製造「第三勢力」。內外形勢胥呈暗淡景象，和談頓成一面倒之趨向矣。蔣總統爲安定大局，振作人心計，乃召集在京文武高級將吏廿餘人徵詢和戰意見，除張治中邵力子以及執政黨大員皆預識外，青年民社兩友黨領袖亦應邀出席。張治中仍主和，縷述國軍不能再戰諸弱點，其辭婉而諷，其情若赤忱爲政府綢繆之孤臣孽子然。邵力子則坦率請接納共黨條件罷兵，由副總統出面維持危局。蔣公笑謂：「這樣豈不是我們向共產黨投降嗎？」邵答：「打人家不過，就只好投降，還有甚麼客氣！」蔣公聆邵此言，不覺緊握兩拳，頻頻揉擦桌面，正色語邵曰：「邵先生你該知道，當年總理在南京讓位於袁世凱那幕史事，即多半是受黨內同志所慫恿而然的！」邵夷然無作覆。然在座若干素以擁護領袖而拜將封侯之特級大員，亦無起而排斥張邵謬論，剖析和戰利害者，甚至有人誘嗾友黨出席者發抒贊成蔣總統暫時引退，以利和局之說。據聞谷正綱未預斯會，否則或有武劇演出，亦未可知也。事後余從局中人就詢經過，得悉前情，乃於霄夜倉皇去京赴滬，未幾，而蔣總統宣告引退，而張治中邵力子和談代表團北上覲和矣。

當李代總統渙汗大號，派定和談代表之際，內有某人者被共方指爲C．C．份子，拒不納，而某即在滬上各報刊載談話，力辯冤誣，若喪考妣。余與某固有同貨之誼，曾投書嗤其多此一辯，謂共黨欲加之罪，辯復何益耶？

中國之友（六四）

毛以亨

李提摩太傳（八）

李氏乃催曾國荃，謂欲在災情最重之區散賑，曾乃派知縣和其隨員與李協商會同放賑辦法。太原二萬人中，煎小米粥，每人日給一罐，而在鄉村，則每人每日發給制錢三文。曾氏以嚴厲手段應付危局，下令遇搶刦則縣官村長均有權將其就地正法，不須得其批准，而負責賑災之官吏，如有舞弊亦殺無赦。此類案件，辦了數起，殺一儆百，地方治安，賴以維持。

李氏提出移民就食東三省與建築鐵路以工代賑各辦法，曾氏交各司道會議，僉以造鐵路雖好，然洋人可乘機深入，則不如不造。

一八八七年三月，開凍後第一條輪船到津，山西賑災人員悉來爲 HILL D. OF THE WESLEYAN MISSION, A. WHITING, OF THE AMERICAN PRESBYTERIAN MISSION, J. T URNER, OF THE CHINA INLAND諸人，帶來上海之華洋義賑會之款三萬兩，其中一人放賑時染病死于太原。倫敦之坎特伯勒主教及倫敦市長亦開始募捐，陸續將款項匯至上海，由上海以元寶裝運北來，由李鴻章派軍隊由津護送至太原交彼，此一武弁會稱李氏爲「鬼子大人」。平陽府之災情較太原府爲尤重，洪洞縣本有二十五萬人，祇剩了十萬人，而牲口則有一個三百二十人的村莊中祇有三頭了。舊教新教教堂都依當地習俗來祈雨，雨果普降於全省，是年，李氏結婚，其夫人旋在山西孤兒院授課，而新來女教士亦有四人在太原，後又繼續多賑四個月，此次賑款共二十萬兩，係在英國募得爲多，其餘在上海與華北募集，而盛宣懷之捐款獨多。後在平陽府有一紀念碑，書「聖上神明故遣人來助」云云。

六、山西傳教

李氏先搜集天主教及俄國教堂關于基督教義的書，發現其中不少可寶貴的典籍，在新教之中文出版物當中，覺其大有用處。新教之中文書籍有 DR FABER 的西洋文化，WILLIAMSON 的自然神學，MARTIN 的基督證據，及中國信徒所撰的良心實義。李氏又主張成立新教聯合會，然當時以無款未辦，其事須待至一九〇七年始實現。

HILL 謂他重讀新約，發現有一爲中國人所歡迎的福音，即爲上帝之城的福音，在地上可以得到公正與和平，以及人類之善言。他們之到中國來，不是爲懲罰他們，而是爲救他們，不是來毀壞而是來充實他們，而是使他們愉快的，正與李氏結論相同。

時教士所攻擊者，爲中國人之崇拜偶像與祖宗，不獎勵其誠敬之處，而斥爲犯罪，殊爲未見其可。有一傳教士告李謂中國教徒結婚焚其祖先的神主牌位，自詡爲乃彼使之信教的結果。李問以彼要否毀其父母的照片，其人語塞，於是入教中國人之祖先牌位，因得不毀。李氏發現郭子儀曾爲景教徒，唐時洛陽之外國人士來傳教者不下三千人，而回教徒尚不在此數之內。種種理由，遂使李氏與HILL二人，決心在山西傳教，擬先行撰出若干關于教義的書，然後于舉人試（三年一次）時分派。關于撰基督教書籍，赫德曾設海關獎金，一八七九年得獎者爲一徐某，其人隨在上海受洗，並到平陽主持教堂。

英國皇冠的寶石

——安承——

英國皇冠上不止嵌有價値連城的金剛鑽，還有世界上最著名的紅寶石陪襯着，列位別小覷了紅寶石：最上等紅寶石是鴿血色，其價格超過金剛鑽、藍寶石、及一切奇珍異寶，究竟它貴重到那樣程度，誰也說不出所以然來，因爲紅寶石不像金剛鑽價格之具有統制性，一個完全無缺的紅寶石比之一個完全無缺的金剛鑽値錢得多，一個無疵的鴿血色紅寶石假定有十一克拉重量，世界上尚未發現有這樣的寶石，如果發現之後，至少可値一百萬美金，還須別一條件，便是物主甘願出讓，才可成立。十三年前，英國皇室選定了產自印度克什米爾的一顆藍寶石做定婚戒指，於是克什米爾的藍寶石成了時尚的裝飾品，風行全世界。英國皇冠上嵌在正中的大寶石是世界首屈一指的「黑王子寶石」，有鷄蛋般大小，從前英王亨利第五躍馬橫戈於阿金考特戰場時曾經嵌過一次，實際上，這是尖晶玉之一種，具有歷史上價値，所以値到五十五萬美金，尖晶玉還是次等的寶石，但與紅寶石相差得極有限，因是尖晶玉的緣故，鑑定家估計「黑王子寶石」是後來緬甸附近小山中所發現的：那是一個小小村落（有土人三萬五千及白人十二名），在瓦城東北角約有九十哩之遙，森林地帶，（上）

我參加越戰（十一）

L. HART著　第啓譯

上帝在天上

在外國軍團中，我從未參加過正式的軍事行動，雖然在這次巡邏行動完畢三星期後，我曾在自方的誤會下，飽受過一次槍林彈雨的危險。

在那天早晨，我們出動的地方離我們前次搜索的地區並沒有多遠，我們高個子的中尉坐在一輛車子上指揮一切，當我們行列中某輛車子陷在沼澤的污泥中或是被樹枝纏結而無法動彈的時候，他總是像發狂一樣，高呼着「前進」！「我的上帝，「前進」！

那天，天還是和平常一樣，淅瀝淅瀝的下着雨，我們奉命跳下車鏟除纏附在車上的野草和樹根，就在中尉厲聲呼着「我的上帝，前進」的時候，我身旁的一個德籍伙伴却幽默地答着：「呃，上帝？上帝在天上」。不禁引起大家的狂笑，在緊張和困苦當中，這不失爲一帖有效的興奮劑。

一陣機關槍

後來，隊中的軍士們又下令我們之中的亞洲輔助兵用鐵嘴鋤和鐵鍬修平險峻的河岸，好讓陷在河中的車輛能駛回陸上，但他們厲時的斥叱，事實上只有一個字「馬倫」是我們大家聽懂的。「馬倫」一字翻譯過來，意思是「蠢材，快些！」

我們之中的兩個人跳進泛濫的河流，在急流中游泳掙扎，幫助我們負載過重的車子前進，實際上，這輛車子載重得有點過於離奇，以致司機也無力單獨駕駛。但突然間，森林中射過來幾排機槍子彈，激得河中的水花四濺，我把頭埋在一灘匯連後面的水中，彷彿躲過一條大水蛇的注意。由情形看起來，我們幾乎是中了敵人的埋伏了，但事實上却是我們在森林中潛行搜索的阿剌伯兵，誤會了我們是敵兵而開槍射擊，情形判明後，槍聲立刻停止，我們才從污濁的河中爬到岸上，我們仍舊回到基地，而沒有見到一個敵兵。

中華民國僑務委員會頒發登記證台僑新字第一零二號

自由人

THE FREEMAN
（半週刊每星期三六出版）
（第二〇八期）
每份港幣壹毫
督印人：李光華
社址
香港高士打道六六號
電話：二〇八四八
GLOUCESTER RD.
HONG KONG
TEL: 20848
承印者：東南印務出版社
地址：高士打道六十四號
台灣特派員辦事處
台北市館前街五十號
台灣總經銷處
台北中華路新號五九四之一
台灣郵政劃撥儲金帳
九二五二號

安全與自由的平衡

·陶百川·

安全和自由，好比一對『歡喜寃家』，——說他們是寃家，因爲安全會傷害自由，而自由也會傷害安全；說他們是『歡喜』的寃家，因爲安全靠自由來維持，而自由也靠安全來保護。『不是寃家不聚首』，所以世上多怨耦，幸而這對怨耦在本質上是『歡喜』的，所以相處如得當，尙可望其相生相成，而不一定是相尅相消。

但是怎樣可使他們相處得當而相生相成呢？換言之，怎樣可以減少他們怨寃的情緒，增加歡喜的氣氛呢？這是許多政治思想家所曾絞腦汁而苦無解決辦法的歷史課題。

安全措施威脅着自由！

原來安全是人類生存的要件。人類爲維持生存，必須保有充足的食物衣着和房屋，因而必須保有土地和資源。假使有人來搶奪他所賴以生存的事物，在個人與個人之間尙可訴諸法律，靠國家的權力來保護，若在國家與國家之間，則在政治方法窮盡的時候，自惟有訴之於戰爭。於是爲求戰爭的勝利，國家必須戒嚴，必須總動員，而人民的自由於是就受合法的限制或損害。

例如人民本有言論出版著作集會結社的自由，但在戒嚴或國家總動員時期，這些自由俱受限制。（參看戒嚴法或國家總動員法，下同）。

又如人民本有居住遷徙信仰宗教祕密通訊的自由，但在戒嚴或國家總動員時期，政府也得加以干涉。

又如人民的工作權本受憲法的保護，但在戒嚴或國家總動員時期，政府除徵兵外，得使人民從事於協助國家總動員業務，並對從業人員的就職退職受雇解雇，加以限制。

又如人民的財產權本受憲法的保護，但在戒嚴或國家總動員時期，政府對總動員物資的生產販賣或輸入者，得令其儲存該項物資的一定數量，非經呈准主管機關，不得自由處分，必要時並得徵購或徵用其一部或全部。該項物資的生產販賣使用儲藏遷移或轉讓，政府也得加以管理或禁止。而所謂總動員物資者，其範圍之廣，幾於無所不包。

總之，照戒嚴法和國家總動員法的規定，在戒嚴或國家總動員時期，憲法所賦予或保障的自由和權利，幾乎無一不受着威脅。但是這些規定，都是爲着保障人民和國家的安全，政府必須執行，人民也得忍受。因爲自由固受安全措施的威脅，但若沒有適當的安全措施，自由所受的威脅必更大。在今天弱肉强食的世界上，國家假使沒有合理而充分的安全，自由絕對沒有生存的餘地。所以二者不可得兼的時候，應捨自由而取安全。

安全可背棄自由麼？

但這祗是就安全這方面設想而已，若就自由那方面設想，自然另有一番大道理。因爲安全固很重要，但若因而過份侵犯人民的自由，或不必要的損害人民的法益，人民也會反對那些安全的措施。安全固可貴，自由也同樣可貴，『不自由，毋寧死』，這不是一種空論，也不是迂腐之見。我們可以舉出千千萬萬個有力的證據，下面所說的便是一個著名的事實：

在林肯解放黑奴之前，美國一位法官審問一位逃走而被捕回的黑奴：『你所以要逃亡，是因爲你的主人待你不好麼？』『哦，不是。我的主人是個好人。』『他要你做過份辛勞的工作麼？』『不，我平生從未過份辛勞。』『你吃得不飽麼？』『主人讓我大嚼。』『你穿得不暖麼？』『我的衣服並不壞。』『住處不舒服麼？』『對於我那精美的房間，我現在還有點戀戀不捨。』於是法官覺得太奇異了。他很不解似的說：『你的主人很好，工作不過勞，衣食住都很滿意，我不了解你爲什麼要逃！』

那位黑奴也覺得很奇異，因爲聰明的法官，怎麼竟不了解黑奴逃亡的原因。他說：『法官大人！似我的職役，現在還沒有人接替，你既以爲好，不妨前去試做！』這位黑奴未始不知道在他主人家中是很安全的，他也知道逃亡是很不安全的，但是爲了自由，他終於冒險逃亡。在安全與自由之間，他『選擇了自由』。然而這個淺明的道理，却不是大人先生所能了解的。

因爲大人先生不了解這個道理，近百年來才有不斷的民族革命和民權革命。其中多少了解一點的，結果就比較好一點。現在的集權國家，妄想以特務統治來鞏固他們的寶座，大家已可預見其結果的悲慘。所以眞正的安全，不能背棄人民的自由。而且不獨不能背棄而已，安全本身任務的完成，有時且需自由的幫助。以言論自由爲例，通過言論自由，下情可以上達，民隱可以宣洩，官吏因有清議的督促而奮勉，庶政因經輿論的批評和督勵而推行盡利，政府和社會因了解國內外各種情勢而產生健全的判斷。所以言論自由，即在戒嚴或國家總動員時期，對於國家的安全，也是利多於弊。至於藉言論自由來做反宣傳，那是間諜的勾當，國家自可繩之以法，但不能因此否定合法的言論自由的價值。

這不是什麼不負責任的高調。試看近代開明公忠的政治家，何嘗過份害怕了自由！所以英美各國，即在戰時，也維持民主的常規——議會政治，『文官至尊』（CIVILIAN SUPREMACY或CIVILIAN CONTROL OF THE MILITARY），言論自由。這在淺見的人一定以爲是英美制度的弱點，殊不知這正是它的優點。議會政治，文官至尊，言論自由，這些似與安全背道而馳，但近百餘年來的歷史却已證明了它們與安全合而爲一。

二者應怎樣互相照顧？

如上所述，可知：（一）安全是重要的，而自由也是重要的。（二）『自由！自由！天下多少罪惡假汝名以行！』（羅蘭夫人語）而天下多少罪惡，也假借了安全的名義在做。（三）從本質上看，安全和自由，不僅是歡喜寃家，而且是患難夫妻，他們相互間應該舉案齊眉，相敬如賓；因爲合則兩利，分則兩敗。

但是二者怎樣才能和合而不背離呢？我們得借用政治學上那個老法寶——『制和衡』（CHECK AND BALANCE），來試作根本的解決。原來安全應受自由的限制，自由也應受安全的限制，二者應各有適當的界限，不可侵越；而這個適當的界限，應以平衡爲標準。在戰時，特別在接戰地域，自由固應以安全爲前提，但在平時，安全便應以自由爲依歸；而在今天的台灣，戰事雖隨時可以爆發，然安全已有相當的保障，自由便不可再加忽視，二者便應該保持平衡。

第二，安全和自由是否平衡，事實上應由誰來決定呢？總統和行政院長自當首加注意，隨時根據法律和需要，加以調節。立法院要訂立合於制衡原理的法律，監察院要糾察軍公人員是否違法失職而加以糾彈，司法院要依據憲法第一百七十一條解釋法律或命令是否牴觸憲法而決定其有效與否。在這一點上，文官比武官負有較多的責任。這也是上文所述『文官至尊』的一端。

第三，依照國家總動員法的規定，政府在本法實施後，可以加於人民生活和自由的干涉，共有二十三種之多。但在每種行爲之前，都祇有『於必要時』的限制；例如第五條規定：『本法實施後，政府於必要時，得對國家總動員物資徵購或徵用其一部或全部』。有了這個『於必要時』的限制，政府的行爲便受了相當的拘束。因此，對於政府某一行爲，例如徵用物資，上級機關假使認爲不必要，或經監察院認爲不必要而提案糾彈並經司法院加以懲戒，則該違法徵用物資的公務員便『應負刑事及民事責任；被害人民就其所受損害，並得依法律向國家請求賠償』。（憲法第二十四條）而且照『妨害國家總動員懲罰暫行條例』第十三條規定：『公務員假借職權，利用國家總動員之機會發佈命令，致人受損害者，處三年以上十年以下有期徒刑。犯前項之罪，其情節重大者，處死刑或無期徒刑。』所以政府如能厲行法治，人民及其代表如能監督政府守法盡職，則國家總動員法和戒嚴法所加於人民自由或權利的威脅，也並不怎樣的可怕。

此外，在原則上可做或可注意的事情，自尙不僅上述三項，而實際上有害於人民自由而無益於國家安全的措施，也有一部份似應加以檢討，但都不是本文的任務，恕不贅陳。

史大林編導的黨獄之一

——一九三〇年的產業黨案——

鄭學稼

（上）

自三十年代迄，史大林曾編導幾次悲劇。——大審判。每次審判，除了供詞矛盾離奇和僞證外，至今還缺乏歷史文獻說明其眞相。最近各衛星國演出的整肅醜劇，過去已有成例，而且以史大林的三十年代大審判爲藍本，也無疑問。在那些大審判中，已有一齣，似已得到眞實的反證，證明它是史大林的大手筆。那就是所謂推翻布爾什維克統治之「產業黨」案件。

維辛斯基的驚人公佈

一九三〇年十一月二十五日，莫斯科工農最高法院審判長維辛斯基，突然公佈一個驚動世人的消息，即英、法政府指揮以拉姆辛（LEONID RAMZIN）教授爲首的「產業黨」陰謀。它的「內情」據說如此：爲傾覆布爾什維克的統治，法國要人，白利安經過巴黎的「商工委員會」，勾結拉姆辛和拉里契夫（V.A. LARICHEV）們。拉氏等所負任務，是破壞俄國工業，便於英法參謀部計劃進攻蘇俄。法國陸軍參謀本部，爲着那陰謀，特設「特別干涉委員會」，由耶寧（JANIN）將軍主持，該委員會與「商工委員會」間的聯絡員，即爲理查（RICHARD）上校。按照「計劃」，法國不供給部隊，只派教官及飛船，實際派遣軍隊的是羅馬尼亞和波蘭，加上在國外祕密訓練的白俄軍。在英國，熱心那陰謀的人，是蔣塔丁（HENRI DETERDING）爵士等的石油業家和保守黨的邱吉爾。但到後來，英國變爲消極，法國却積極指揮。預定的干涉期，本定一九二八年，後改爲一九三〇年。但到一九二九年，「產業黨」以時機尙未成熟提議改爲一九三一年。

「產業黨」的主要工作，依維辛斯基的話，是使國家浪費資金，及草擬使各企業部門發生矛盾的經濟計劃。此外，該黨設有「軍事中央部」，努力減低俄國國防力量。所有「產業黨」的費用，都由法國駐莫斯科代表供給，年約百萬盧布。干涉的最後目的，是羅馬尼亞合併比沙拉比亞及奧德薩附近，修改愛沙尼亞和拉塔維亞兩國境界，對波蘭佔據烏克蘭右岸及白俄羅一部，芬蘭則合併加勒利亞共和國，對法國的酬勞爲償還十月革命前債務、賠償損失、讓與利權等。

「產業黨」的罪名

「產業黨」活動的成績，是減少電力及燃料的供應，紡織業生產的低落，和提供國家的祕密。依維辛斯基們的報告，每宗事都有「證據」。

「產業黨」的首領拉姆辛，是俄國著名科學家，歷任國家計劃委員會的燃料部長、熱力工業研究所所長，著作百五十餘種，已譯爲外國語者達三十種。一九二七年，他曾爲工業中央部員，一月收入一千五百盧布，住上等公寓。和他一起被起訴的，有加里尼柯夫（P.I. KALINIKOV）、查爾諾夫斯基（CHARNOVSKY）、費多托夫（FEDOTOV）各教授，及拉里契夫等工程師。所有干涉計劃，都在拉姆辛于一九二八年初遊歷巴黎時決定。無需說，全部「陰謀」都是由犯人自動「坦白」的！

聯大復會以後

聯大復會以後，許多人推測，以爲又有一場熱烈的爭辯，但照這幾天的情況，却剛剛與預測者相反，這是無怪其然的：一切是非，早已說得明明白白；一切事實，也早已弄得清清楚楚；今天大家要看的是積極的行動，決不要聽無謂的空談。說到開會，共產黨都是專家，只要大家願意和他們去胡扯胡鬧，在他們看來，這已經算是他們的一種勝利。因爲他們明白：只要你還願意坐下來和他們攀談，這已足以證明你還沒有決心和他們硬幹，除掉硬幹以外，蘇聯是一切無所顧慮的。聯大演變到今天，已經只有兩條路可走：一是毅然決定把這個侵略者提出會場；一是不聲不響的長期休會。就遠東一隅而論，什麼韓國問題，越南問題，這早已不是空談所能解決得了的問題了。

半週展望

·左舜生·

事實明白了又怎樣？

美國新任出席聯大的代表洛奇，前天在會場發表演說，列舉十項事實，證明蘇聯是製造韓戰支持韓戰的罪魁禍首，這十項事實的內容是這樣的：

一，韓戰本由蘇聯發動，並繼續予以支持；二，已被消滅的北韓軍，係由蘇聯命令中共參戰始得復活；三，在過去一年，蘇聯對中韓共軍源源裝備，使他們能作有效的戰鬥；四，中共軍原只有輕配備，現在則已有重配備；五，從韓國海岸所撈獲的大批水雷，證明係蘇聯獨家製造；六，共軍所用飛機，一律係蘇聯供給；七，蘇製二八式新機，亦已證明在北韓上空出現；八，共方空軍除繼續遭受大批損失外，現仍擁有飛機二千五百架，而且半數是噴射機，當然一律都係蘇聯供給；九，據專家估計，蘇聯前後供給中韓共軍的飛機，已超出四千四百架以上；十，北韓所用的高射砲，大部有雷達控制，亦係蘇聯製品。

不錯，這些都係事實，洛奇先生把這些事實歸納起來再說一遍當然也很好，實際就不說大家也都知道。過去杜魯門先生以『警察行動』與『有限戰爭』八個大字，以致養癰貽患到今天，現在的艾森豪總統當然一一都已明白了，可是明白了又怎樣呢？

艾史會晤有用嗎？

邱吉爾首相，曾表示願與史達林談談；史達林也曾表示未嘗不可；前天艾森豪總統聲明在三種條件之下，願在到達莫斯科的中途，與史達林元帥見面。我想，不只艾森豪有三個條件，史達林也可能有三個條件：一，請美總統與英首相枉駕莫斯科，法國參加則可不必；二，由美英代表一切民主國家，承認上次大戰後的一切既成事實；三，蘇聯決不發動戰爭，但別人要打，蘇聯却不負責。假如蘇聯的條件輕鬆到這一步，我不知道美總統與英首相是否欣然命駕？

我自然不希望艾史晤面之說只是一種『趣談』，但尤其不希望向史達林去作『和平請願』會變成未來歷史上的一大『笑話』！

再武裝與再投降

最近因爲中共表示願意遣回留在中國大陸的日本俘虜，於是一般對中共存着幻想的日本人，乃大肆活動，實際已有不少的日本代表早已到達北平，而且商討得有相當的結論。除了接回這一大批的日俘以外，日本代表之去北平，還有不有其他的使命，則我們不得而知，但日本人沒有放棄和中共大做生意的念頭，而且事實上也早已在做，這却無法否認。

蘇聯的飛機隨時侵入日本的領空，甚至飛到東京上空偵察，這大抵都是事實；而且只要五顆原子彈便可把日本結果，這也並非是不可能；我們不了解日本當局乃至日本人民面對這種事實，究竟準備怎樣？

日本今天已經是一個獨立國家，美國並無永遠爲日本守門的義務；我們也早說過，史達林對於日本的再起，絕對不能放鬆，今後不是東風壓倒西風，便是西風壓倒東風；換言之，假如日本沒有決心準備以武裝自衛，便只有出於再投降之一途。現在已經是日本選擇於再武裝與再投降的嚴重關頭了。

台灣通訊

「中蘇友好條約」，業由立法院第十一會期第一次祕密會議決議予以廢止。此案係由行政院函請立法院審議，而非由立法院所主動。其實中蘇條約早應廢止，立法院本亦自動提案約。行政院原案係根據外交部提議，只爲宣告無效。但經立法院討論後，決議改爲「予以廢止」，以表現我國之積極與主動態度。查中蘇條約自簽訂以來，蘇俄即從未遵守，我國亦迭次將蘇俄違約事實公布於世界。直至民國四十一年二月，第六屆聯合國大會，始通過決議案，判定蘇俄自日本投降以來，在其對中國之關係上，未能履行民國三十四年八月十四日簽訂的中蘇友好條約。外交部原建議用宣告無效方式，或係爲避免國際誤會，以爲我國採取片面廢約行動，但聲明並不堅持用無效方式。立院改爲廢止，殊合輿情。此次通過廢約，有數點值得一提：（一）當民國三十四年立法院勉強批准中蘇條約時，曾經反覆辯論，費去時間甚多。委員陳茹玄等反對到底，終不投同意票。此次廢約，卻絕無任何異議。（二）通常立法院對議案件，必先由會交付審查，然後再提交大會討論。此次廢約，未經此項手續，蓋衆意僉同，不需要此項程序也。（三）中蘇條約係由於雅爾達協定而來，我國廢約只爲廢除一切奴役性密約的一個環節，尚希望因此促使美國徹底廢除一切危害自由人類諸密約的政策。故立法院在討論廢約，對於國際關係方面措詞皆十分審愼。

外蒙當年公民投票情形應公佈

中蘇條約之廢除，可使我國民對俄帝猙獰面目，與其侵略欺騙之本質，更認識清楚。尤其東北外蒙人士更爲興奮。當年依據中蘇條約辦理外蒙古公民投票，乃俄帝導演之傀儡戲劇。其時我國政府派往外蒙觀察投票代表雷法章氏現在台灣，雷氏返渝復命，凡其所見及之俄帝與外蒙僞政權強姦民意包辦投票情形，即已詳呈中樞。但因環境關係，未能對外公佈。茲中蘇條約既已廢除，雷氏報告似可公諸世界，以正觀聽也。

教育部公布公民課程新標準

教育部於日昨公佈中等學校公民課程新標準，一反昔日標準的社會科學大綱體裁，完全從做人做事方面着眼。講習綱要分爲（一）公民的認識，（二）公民的德性，（三）公民的修養，（四）公民的生活，（五）公民的責任，（六）公民的知能六節。特別注重反共抗俄民主自由之基本認識，與勞動生產之技能，實爲一大進步。

日來美國新聞處正在台北市婦聯會舉行美國兒童教育展覽會，其總目的在如何幫助兒童生活和學習，並備有中英文說明書。篇首引用一九五〇年白宮兒童及青年會議向兒童保證的話：「我們承認你們做人的價值，我們協助你們加強你們的才智」「我們替你們準備了一切機會，以發展你們對上帝的信賴。」「我們鼓勵你們永遠追求眞理」。又說：「在民主社會中，個人都具有自由。因此每個人可以自由作創造性的思想，設計及研究多種事物。也就由於有這種自由，教育的變革才能產生」。展覽會中的列品雖不多，但這幾句話將對於自由中國教育前途發生影響，且可與大陸上中共施行之奴化教育作一明顯對比也。

三十五年前的老問題

自由中國論壇，近發生一老題目的新論爭，即文言與白話文問題是。此問題於五四運動時即已發生，至今已三十五年。不圖古調近又重彈。二月十九日新生報每日專欄 [illegible]

艾森豪夫婦初進白宮

一個新的總統和一個新的第一夫人遷進白宮了，這是一個舉世矚目的頭條新聞。正如每一個人所預料，白宮已經有了一番煥發的新氣象。

典型之婦‧果敢領袖

每一個人都有他自己的特殊品性和生活方式，艾克和媽咪自然也不會例外。媽咪（這是艾克夫人的名字）是一個和藹可親，精神飽滿，標準的內向型的家庭主婦；而艾克則是個精力充沛，辦事爽快，天性樂觀，有決斷，有魄力的領導人員。在平時，艾克也歡喜徵詢同僚們的意見，可是在最後抉擇的當兒，他永遠是「老板」。這樣的一對夫婦就是今日白宮的新主人。

凡是與艾克夫人交談過的，一定會覺得媽咪是一位容易令人親近的「第一夫人」，她天生有一種高貴的風度，待人卻又是那麼和藹可親。在家裏，她是艾克總統的賢內助，在社交方面，她的大家風範，從容不迫的神情，懇摯的態度，都是今日美國公民所樂於稱道的。她很喜歡朋友，也樂於和他們在一起，可是她由衷地討厭那些虛僞的繁文縟節，和那些死板板的正式宴會。

每一個人都知道，當艾克在歐洲任大西洋盟軍統帥的時候，他是一個自信十分堅強，有果斷，有頭腦的叱咤風雲人物。但是，回到美國以後，在競選初期，由於環境殊異，他竟然露出舉棋不定，猶豫不決的神情。不過，一切已經過去了，他又再度成爲「老板」！——這是一個他所熟悉的角色。

思想敏捷‧着重實際

在競選的過程當中，艾克的作風一直是坦率的，公開的，友善的。他祇知道對直朝着目標前進。他實行分工合作的集體工作方式，但是，他永遠是集體的領導者。

艾克最顯著的特性是思想敏捷，清晰，重實際，不尚空談。敏捷，確實，也是他對屬下的要求。他討厭長篇大套的理論，而着重事實。通常，他頗能接受別人的忠告，祇要這些忠告是他所信任的人貢獻出來的。

每一個和他共過事的人都知道，他是有超特的樂天派精神。在他的心目中，最後的勝利永遠是非他莫屬。對朋友和下屬都很友善，而且容易令人親近。和他一起工作不會有什麼不舒適的感覺。在事情做錯了的時候，他也會拍着檯子對你大罵一頓，不過這樣的機會並不多。在他氣極了的時候，他愛把一句話的最後一個字大聲地用字母拼出來。那個時候最好的應付辦法是從速迴避。

國會的參議員們都已久聞艾克是以善能說服對方見稱的。他可以滔滔不絕地反覆申述自己的意見，直至對方無條件投降爲止。對於軍人來說，此法頗見功效。不過，政治家與軍人當中是頗有一段距離的。現在的艾克也懂得傾聽對方的意見，雖然他早已決定了應該怎麼做。

智識豐富‧善於用人

所有來白宮拜訪總統的賓客都會發現艾克的理解力非常敏銳。他可以很快地瞭解對方的論點。他會很留心地傾聽對方陳述一己的意見，所以拜訪者通常多是滿意而歸，因爲至少他們已經獲得了一個積極機會。

也許是工作太繁忙了罷，艾克很少閱讀份量比較重的書籍。當他充任哥倫比亞大學校長的時候，有人批評他是哥倫比亞惟一的一個「從來沒有看過一本書」的校長。這個自然是過甚其辭的惡意中傷。他對多方面智識的豐富常使對方大吃一驚。對冶金學，小麥，運輸都有很精湛的研究。

他不大喜歡閱讀長篇累牘的文件。他的助手們都知道他看見超過一頁的文件就頭痛。他認爲假使一個人不能在一頁紙的限度之內寫出自己的意見，他一定在思想精鍊方面沒有下過苦功。據媽咪說是他對辦事人員們最低限度的要求。

在用人方面，艾克有着超人的能力。他在一般事務方面，通常祇是指出方針，而由屬下們自行作決。不過當他發現辦事人員對工作本身礙難勝任的時候，也會馬上採取斷然處置。辦事遲緩，能力不夠的人永遠不會得到他的諒解的。

決心戒烟‧從不失眠

通常他每天辦公九到十小時。下班以後，還要把重要的文件帶到家裏去研究。但是他的豁達天性使得他能夠確保「工作時間工作，休息時間休息」的好習慣。每夜，在熄燈後，他可以馬上安然入睡。任何重大的難題都不會使他徹夜焦慮，甚或失眠。

假使有機會的話，他喜歡去打一盤高爾夫。在戶外運動方面，他喜愛釣魚和打獵。他從前喜歡打橋牌，那是一個消磨時間最好的遊戲，可惜總統的繁冗公務已經使得他沒有機會一顯身手了。媽咪很喜歡打「坎拿斯塔」。

因爲在幾年前生過一場重病的緣故，艾克迄今戒絕香烟和一切有刺激性的東西。他之能把烟戒掉，也是一樁奇蹟，因爲那時候他的烟癮已經達到日吸三包的程度。他很少喝酒，祇在就餐前，偶而喝上一小杯。

艾克夫婦都喜愛標準的美國食品，譬如烤牛肉，炸雞，烘豆等。艾克喜歡喝咖啡，媽咪卻對它沒有什麼興趣。有時候，艾克頗愛自己烹調食物，而且成績也頗不差。媽咪卻不愛自己動手，似乎也從來沒有學過。

媽咪是艾森豪夫人的眞名字，並不是綽號，她很漂亮，中等身材，黑頭髮，嗓音很甜。她的風度、儀表、態度，已經成了今日美國社交的模倣對象。

時間並沒有減低了艾克對他夫人的熱愛。他是那樣的衛護她，體貼她，以至外界傳出了艾克夫人支配丈夫的行動的謠言。媽咪對此頗感傷心，也相當的憤怒。

在白宮裏面，艾克夫人的活動範圍，祇限於她自己的起居室。一切有關政治方面的事務，她從不干預。她認爲這是艾克自己的事情。她的責任是使她的丈夫下班回來以後，能夠有一個溫暖舒適的家，有一個與外界迥然不同的環境。通常他們祇是約幾個要好的朋友一起進晚餐，餐後，艾克或許會自由自在地畫上幾筆在他自己認爲是傑作的風景人物，或是扭開電視欣賞一番。在白宮裏，電影是隨時有得看的，艾克喜歡看的是西部武俠打鬥片。

總之，白宮裏是一番與以前迥然不同的新氣象。

（安可譯自美國新聞與世界報導）

▲艾森豪夫婦▼

美國軍力仍待增強

關於美國目前的軍力如何，下面是一個頗爲正確的看法。據美國防部官員私下透露，如果美國武裝他們歐洲的盟國，爲南韓建立一支二十個師的部隊，裝備台灣的中國國軍，並在越南有效的支持法國，那麼美國本身就會僅剩下一支「十天的陸軍」，意思就是說在大規模戰爭中，美國的陸軍只有作戰十天的實力。但依照正常的軍事計劃，一個國家至少要保留作戰一年的力量。

鹿地亘計騙美特務

東京美國大使館和遠東美軍司令克拉克將軍已向華盛頓當局報告，力指中央情報局對鹿地亘案處理不當。原來一年多以前，鹿地亘曾說服美國中央情報局駐東京機構將他監禁，以保護他免受共黨的報復，但去年十二月間美方將他釋放後，他竟大肆宣傳，說是被美國強迫拘禁，這一件事遂成爲蘇俄在遠東宣傳的良好藉口，而且更糟的是，鹿地亘還因此探悉了美國祕密特務的名單，因此中央情報局東京辦事處的改組，也成爲勢所必然的了。

蘇俄又一宣傳武器

轟動一時的蘇俄九醫生間諜案，據悉不久即將在莫斯科開審，聽說在開審時，美英兩國的駐蘇大使館都將受到株連，俄政府正計劃控告其中若干醫生與美英使館互有聯絡，他們將利用這件事作爲在冷戰中的有力宣傳武器。

俄共扣押法共領袖

法共領袖陶雷士的行蹤之謎，現在總算有了一些答案，前些時曾傳他定期返法或已經回到法國，但事實上目前他仍留在蘇俄，而且恐怕已沒有生還法國的希望了。據祕密情報人員所獲的文件顯示，俄國可能要控告他在戰時的某一時期，曾爲納粹的「格殺打撲」祕密工作，而據熟悉內情的法國人士說，陶雷士是確曾一度和德國的祕密警察合作過的，所以陶雷士在俄國施行腦部手術後，雖已復原，但俄共卻始終不肯把他就此放走。

捷克防軍集體逃亡

捷克愛國人士反抗極權爭取自由的行動越來越多，雖然捷共當局極力管制新聞，不許外露，但有許多重要行動的經過，仍爲盟國的特務人員探悉無遺。前不久，捷克邊防軍二十一人曾計劃在齊萊納鎮附近集體逃亡，投奔盟國，但不幸他們之中有一人臨時膽怯，反轉向當局告密，遂牽累大家集體被捕。（孟衡）

克己忍讓獲得成功 美勞工部長杜爾金（上）

‧黃韞泉‧

△杜爾金▽

自艾克當選美國總統之後，爲了解決共和黨人的工作問題，可謂煞費苦心。那時各方面都伸出求職的手，要他一一的予以安插。在共和黨人的心目中，最好是讓他們一手包辦，舉凡重要位置都讓共和黨人來，因此在艾氏任命杜爾金爲內閣勞工部長時，竟引起軒然大波。

塔虎脫率先反對

塔虎脫一馬當先領頭反對，他所持的理由是杜氏爲民主黨人，他以爲佔重要地位的勞工部長，當然應該由共和黨人來幹。再者，杜氏在競選時，曾支持史提文生，推測杜氏顯不可能與艾森豪合作，而有損新政府的聲譽。所以他堅持反對的意見，而共和黨人也有一部份隨聲附和。可是艾氏終能以國家爲重力排衆議，完成了他對杜氏的任命。這當然是艾氏的有膽有識，同時也可以看出杜爾金的重要。

杜爾金面見艾森豪

杜爾金現年五十八歲，以一個鉛管工人及裝水管工人起家，今天能位列部長，主管美國的勞工事業與勞工福利，當然 [illegible]

加入芝加哥鉛管工人工會，後來升爲水管工人聯合會的首腦 [illegible] ……他貌不驚人，是內閣中唯一的民主黨人……（取材自美國新聞與世界報導二月七日刊）[illegible]

共幹腐敗現象愈益惡化
中共將大舉實行整風

最近從偽華東交通部部長黃逸峯事件及偽中央郵電部事件揭開了中共各級機關的「檢查風」以後，已普遍發現了中共各級黨政機關嚴重的官僚主義的強迫命令、層層壓制、虛偽顢頇、上下蒙蔽，及強幹、蠻幹、亂幹等等的「違法亂紀」現象。此等現象，已證明了中共各級幹部及一般黨員的普遍腐敗的事實。因而，從中共中央最近就此事所表現的種種迹象看，勢將展開一個可能比「三反」更爲嚴酷的而大規模的「整風」運動。

中共中央的信號

此種迹象底最明顯部份，首先是中共中央組織部副部長安子文在上月七日中共中央直屬機關幹部學習會上以「爲消除黨組織內的消極的和不健康的現象而鬥爭」爲題的報告中及在本月七日偽政協全國委員會第四次會議上代表中共中央的一篇報告中已兩次發出信號。他在該等報告中承認了許多腐敗的現象後，就說：「在一九五三年內，首先要從檢查工作，教育幹部，並在報紙上展開批評與自我批評入手，與整黨工作及其他中心工作密切結合，徹底揭發官僚主義、命令主義、和違法亂紀的現象展開尖銳的鬥爭！」又說：「必須準備在今年進行一項以反對官僚主義、命令主義、反對違法亂紀爲重點的整風運動。」其次：本月十一日北平人民日報（中共中央機關報）以「肅清強迫命令作風」爲題發表了一篇長達五千言的社論。該社論以山東省蒼山縣長張作臣事件，郵電部事件及黃逸峯事件（均見最近各期本報）爲例，指斥了一般強迫命令，層層壓制和包庇的現象以後，即主張：「應結合今年的整黨建黨工作，在各地的縣和專區以上的黨政領導機關自上而下地普遍檢查一次官僚主義、命令主義、違法亂紀的情況，並予以嚴厲的處置。」再次：本月十三日中共河北省委書記林鐵在北平人民日報發表了一篇以「堅決反對官僚主義認眞整頓黨的中下層組織」爲題的檢討報告。該報告中除以省委的實際體驗承認了一般確實普遍存在的嚴重腐敗情形外，而以「將動搖黨基」爲詞，大聲疾呼地提出了大規模「整風」的主張。據此，中共將發動一次大規模的「整風運動」，似無疑義。

三反並未成功

講到「整風」，似乎不能不提到他們前年曾雷厲風行地展開過的「三反運動」，現在已暴露了他們在「三反運動」中並未成功的內容。因爲「三反運動」是以「反官僚」「反貪污」「反浪費」爲目標，而結果，貪污浪費的現象固然依舊存在，而「官僚主義」的作風，更是日見嚴重。我們從黃逸峯事例裏，就可知「三反」進行時，一般機關大多都在「諱疾忌醫」及「粉飾太平」的觀念下互相包庇着。黃逸峯就曾說過「只要大家能統一認識，團結堅持，就沒能反倒誰」。即使有些人東窗事發而無法掩蓋時，只要利用了中共自己的「武器」痛心疾首地，避重就輕地「坦白」一番以後，便被認爲能「坦白」，能「知過必改」，就是好幹部，而錯誤地當作了「黨底教育的成功」。再加上中共自上而下的各級領導幹部大多都有「功臣」思想，爲保人自保，也樂願予以寬縱，從輕發落。就不免只反了一個表面而沒反到實際。這一點，此次安子文在偽政協的報告中提到「三反運動」時，也不否認「三反」並未完全成功，而且承認在運動進行時即犯了偏差。他在說到「三反」的成就部份時，就只能提出一個「反貪污」（說參加三反的幹部共三百八十三萬六千多人，貪污在一千萬元以上的有十五萬多人，餘皆貪污在一千萬元以下的。）的數字，而未能提出反倒了多少屬於「官僚主義」及浪費的幹部的人數。尤其「三反」時期，根本還不曾反到區以下的地方幹部，因爲若干地區在「三反」反到區以下時，發生了秩序混亂，工作停頓的現象，乃即中途停止鬥爭，而改用調查、訓練的方式以糾正地方幹部的官僚主義及貪污浪費現象。但結果，「三反」結束以後，地方幹部迄未加以調查訓練。而地方幹部因直接接觸羣衆，腐敗情形，尤爲普遍而嚴重，且日積月累，與時俱進！到現在，可以說中共上上下下的新病舊患已經交相潰爛。爲了掙扎，自然勢必來一次忍痛開刀，但病輕時的「三反」無法醫治，今後是否能「整風」有效，似可預卜一二。

腐敗的基本原因及主要現象

中共的各級幹部和機關，上自中央部會，下至鄉村人員，爲什麼會普遍腐敗？我們從中共各篇檢查報告中看，先可以找出它的一些基本原因及主要現象：

基本原因：一是自上而下的盲目任務觀念；高級機關只知設出任務而沒有縝密週到的計劃與指示；中級機關只知支配任務、催促任務而沒有隨時的指導和糾正，命令一轉，便等待數字邀功，萬事大吉；下級機關只知「交代任務」，盲目亂搞，不計一切；於是便弊病百出，錯誤重重！二是各級幹部的功臣觀念和個人英雄主義思想異常濃厚，再加上源於「一切唯黨」的組織的寵縱，便一切但大妄爲，都想一手包天，層層壓制。三是太平思想、享受慾及時而興，日甚一日；於是貪污、營私、乃至強姦婦女等事，便層出不窮！

主要現象：有閉門造車的命令主義作風；有顢頇蠻橫的官僚主義作風；有欺迫羣衆的草寇行徑；有許下不許上的軍閥手段；有報喜不報憂的層層蒙蔽；有濫用職權亂戴帽子的打擊報復；有只講關係不講才、德的濫用幹部；有貪污舞弊，玩法違紀，奢侈淫樂等等的頹唐墮落的醜行！（上）（沈著）

共軍在瓊島設海空基地
訓練傘兵一千四百餘人

共軍目前正在華南沿海加緊佈署，以備頑強抵抗國軍的反攻，迭經本報詳細報導，據悉，共軍除了在粵、桂南省設防，同時還銳意經營海南島，因爲海南島孤懸海外，既可憑險扼守，又可和大陸遙相呼應，是海、空軍最適當的基地，現在共軍在海南島的海軍基地是設在榆林港，空軍基地設在海口，同時在瓊山還訓練一批傘兵，玆分述如次：

蘇聯的剩餘殘品

榆林港停泊的艦隻（大抵都是潛水艇），番號是「中國人民海軍潛艇第二隊」，隊長名叫尹飛，山東膠縣人，直接隸屬偽中央人民海軍部，共轄潛艇九艘，五百噸的三艘，八百噸的四艘，一千噸的兩艘，完全是二次大戰以後蘇聯剩餘下來的殘品，從裝備與效能上講，都非常落後，裝甲只有一英吋至一英吋半厚，時速也不過十四哩至十八哩，潛水時間十至十二小時，夜間則經常浮在水面，內部的裝置也比較簡陋，艇的前後各裝有魚雷放射器二具，二十五咪的機砲一門或二門，空氣調節扇八至十四個，其餘雷達，潛深測量儀，氧氣箱，氣候測量儀也都有裝置；目下這些潛艇，除了供訓練之用外，最主要的活動，就是載運特務人員偷渡到台灣、馬來亞、婆羅洲、菲律賓等地做間諜工作。

俄製噴射飛機

海口的機場，是前年（四十一年）十一月改建完成的，有主跑道與輔跑道各一條，主跑道長約一千四百公尺，寬三十公尺；輔跑道長約八百公尺，寬三十公尺，按這種長度和寬度而論，就是主跑道也只夠升降中型的轟炸機，所以規模並不算大，共軍在這裏設了一個空軍站，站長名叫黎鮮輝，福建閩侯人，站裏服務的地勤人員有八十多個，其中有四個俄籍的技師，空勤人員則隨飛機的來去而增減，通常大概在一百二十人左右；另有高射砲一個連，駐紮在機場周圍，負責保衛機場，其餘的設備有雷達、電台、定向燈、指揮塔，夜間着路的設備也可以敷用；經常停在這個機場的飛機，現在有MIG15式噴射[illegible]翼，長三十四呎，三個車輪的降落裝置，在主翼後有一防止偏流板，機尾稍向後作九十度高傾，機上配有卅七粍口徑機關砲一門，四十粍火器連續發射器二門，分裝在接近機身的機翼之下，另有二十粍機關砲四門，裝在機身尾部的左右兩面；這種飛機有一個大大的特點，就是自動可以摧毀主要零件，機紐裝置在升降機的左側，必要時把主要的零件自行摧毀，以保持科學上的祕密，這種飛機的速度也相當高，時速可達六百五十哩，最高速度可以以四分鐘的時間上昇三萬八千呎，開始作戰。

可悲的知識青年

中共在海南島訓練的傘兵番號是「傘兵第六總隊」，總隊長名叫韋卓雄，共轄傘兵九個連，約一千四百餘人，這個傘兵總隊設在瓊山縣城西南十華里的蒼嶺村，此地原來都是農家的民房，共有七百多戶，一般都非常貧苦，因在海南島的山地關係，土地瘠瘦，人民日常的生活根本是在飢餓的邊緣挣扎，更談不上什麼地主富戶，可是共黨爲了看中了這蒼嶺村適合訓練傘兵，就不管這些，這七百多戶衣不能蔽體，食不能果腹的貧苦農民，在去年的春天，忽然家家都變成了「地主」，在一個有計劃有組織的鬥爭會上，由隣村的農民發動向他們清算，結果家家掃地出門，於是「傘兵第六總隊」便在這一殘酷的導演之下，名正言順的取得了最合理想的訓練地點，從中共的一貫作風來講，這種傷天害理的事，本不足爲奇，只是一般妄想翻身的人，還在迷夢裏做他們的不完的夢，眞是何等的可悲！共軍自從佔據了這裏民房，已經在這裏築成了一條公路直達海口機場，加強了傘兵隊和飛機場的連繫；有時練習降落，都是在海口機場舉行；從這個傘兵大隊訓練的情形來說：大體上是先注意練習步兵野外戰鬥教練，然後再用練習機，滑翔機在島上各種不同的地形上——如高山、森林、平地、起伏地、海邊、城市等等，練習降落技術，以及着陸後的攻防動作；這個傘兵總隊九個連的裝備差不多完全一致，每連有改造的日式輕機槍十二挺，火箭筒六具，俄式衝鋒槍四十餘挺，改造的日式馬槍三十餘支，俄式卡賓槍二十餘支，每人配有蛋形的手榴彈四枚，這是裝備方面的大概情形；至於這些傘兵的來源，排連長以下的人員，差不多完全來自陸軍步兵部隊，其中也有一部份「志願參軍」知識青年，大約要佔全數之半，所以這批傘兵的素質也並不算低，可嘆的是這批天眞的熱血青年，竟然盲目的在不知不覺之中爲獨裁者所蒙蔽，行將在不久的將來，替他們化作砲灰，這是能夠倖運的呼吸得到自由空氣的人不禁爲之悲痛不置的！（丹心）

偽華東交通部長
黃逸峯被鬥記（六）

十二、譚震林親自出馬

但這一來卻就激怒了譚震林，他立即親自率同胡立教及紀檢會前派赴交通專科學校的檢查組到該校召開了「紀律檢討會議」，鼓勵該校幹部學生盡量反映該校的情況及黃逸峯的所謂壓制批評，打擊幹部罪行。這一下反黃派的當然乘機加緊進攻，罵得黃逸峯體無完膚！該會結束後，譚即到紀檢會召開了擴大檢查會議，在會上綜合了所有攻黃的資料，提出處分的決議，移送華東局核辦。接着，譚即在華東局召開了該局的擴大會議，經過了一些例行的討論後，即提出了紀檢會關於處分黃逸峯的移案，在譚震林一手擺佈下，便通過了對黃的處分決定。

十三、黃逸峰終告慘敗

黃逸峯終於在譚震林一擊之下宣告慘敗：第一步是一面將他概括爲一個「反黨」的罪名，在譚震林主張下由中共華東局報請中共中央撤免了他的偽交通部黨組書記的職務，並開除了他的黨籍。一面將他概括爲一個「官僚主義」的罪名，也在譚震林的主張下由偽華東行政委員會報請政務院撤免了他的偽華東交通部長的本職及其有關的一切兼職。第二步是中共華東局下令撤銷了原由黃逸峯所領導的偽華東交通部的黨組（理由是說該黨組各幹部不僅一直支持了黃逸峯的「歪曲領導」，而且一直幫助黃逸峯互相包庇、與黨對抗。）另行成立了臨時黨組，並予黃逸峯以監視、看管。第三步是由華東局授意下以「華東一級機關黨委會」的名義，在偽華東交通專科學校大禮堂內召開了偽華東交通部的總支黨員大會，出席該部黨團員、幹部、代表共一千五百餘人，在「黨委會」第二書記胡立教，第三書記吳寬堅及偽中央交通部副部長張策等的支持下將黃逸峯推上了主席台當衆「坦白」，「鬥爭」。這種「坦白」，「鬥爭」底猖狂殘酷、無恥是公式似地可想而知的，尤其黃逸峯已被中共當作了「教育黨員」的「事例」在處理，自然要鬥得它有聲有色，鬥得他體無完膚。但奇怪的，還不在反黃派的乘機報復。而在擁黃派的衆叛親離：如王振南、白長洲、方奕生、蔣震虹等，都以「錯誤」之後，便有如[illegible]了一句「接受了黨的教育改[illegible]」的也向黃逸峯大肆抨擊，連黃逸峯先前跟他們講過的無關緊要的話，都被拿以宣佈而成了攻擊的話柄和罪狀。至此，黃逸峯自不得不低頭屈服，[illegible]「坦白」，但「坦白」沒有「限度」，眞是慾壑難填，當然無法叫人滿意，於是，再叫他作一項書面「坦白」。然而究竟是否「坦白」可了，以及最後究竟如何下場，到目前爲止，尚無結果。而且此事正在方興未艾之中！

鐵幕叢談

人老珠黃不值錢

中共爲了「照顧」年老工人的身體健康起見，在「勞動保險條例」中開了一張年老工人可以告老退休的「待遇」的空頭支票，這下子就給各「國」營工廠以開除那些討厭底年老力衰的老闆們（共產黨說工人是人民民主共和國的主人）的機會：最近「國」營上海捲菸草公司就一下子開除了四百多個年老的工人。雖然事先也曾有人表示有點不忍，但該廠的行政部門及黨組部門卻說是爲了「革命利益」不應可憐這幾百個工人，因而命令下去就說「只許成功，不准嚕囌」！以致命令一下，便準備了幾條小火輪將這些老人吹吹打打的「歡送」上船，結果，便號啕的號啕；跳河的跳河；懸樑的懸樑；被逼死了幾個人之後，這事情總暫且擱了下來。這情形，工人的確已「當了家」，只是不能老，一老，就人老珠黃不值錢！可悲得很了！（見上海解放日報）

調虎離山享艷福

據上海解放日報透露：江蘇丹徒縣高資區均益鄉有個第五村村長名叫郭道壽的，說他過去就是個無惡不作的小流氓，「解放」後當了村長，更加仗勢欺人，連續強姦了族弟郭道恒的妻子魏阿銀和郭道席的妻子蔡小玉子而無事之後，益加胆大包天；最近他利用村長的職權命令農民郭仁德及郭仁興去看守鐵路後，便強姦了他們的妻子郭桂英和朱順娣，而且一連強姦了多次。後來雖被人告到了「人民法院」，但該院院長認爲是「人民內部的事」而不予受理，太平無事。像這樣，「人民村長」眞硬是要得，只要這麼小小使職權，來一個調虎離山之計，便享盡了艷福！

歐洲的前途如何

為方

自由談

本報最近發表了兩篇討論歐洲前途的文字，正反兩面各有看法，也各有論據。程滄波先生說歐洲現正萌發一種「新自由主義」，如英國工黨思想是也，將來必有前途；胡秋原先生說「歐洲小姐」的文化精神變遷了，她已成了老態龍鍾的老太婆，一時很難返老還童，除非她能革面洗心，另行創造新生命。

我直覺地觀察現階段歐洲的英法各國所作所爲，却是同意胡先生的說法。以英國爲主腦的歐洲列強，在文化基礎和工業潛能上，應該可以復興的。但她們犯着兩種不可救藥的癥疾：一是歐洲至上的小宇宙觀；二是「役人而不役於人」的民族優越感。她們不但是瞧不起亞洲人非洲人，即對美洲人亦同樣的妄自尊大，動則指美國人不穩重，太欠經驗，要美國人對處理世界問題時，遇事先得向她們請教請教。這好像一個過了氣的大佬官，家道既已中落，子弟又多失敗，却對人隨時擺出「世代簪纓」的前輩架步，老氣橫秋，自以爲是。個人倚老賣老，決無事業發達之可言，國家民族亦然。要說文化老資格的話，中國人，埃及人，乃至於印度人，不比歐洲民族更老嗎？

至於英國工黨式的「新自由主義」，我更不敢相信其能爲歐洲復興的元素。據他們所表現出來的言行，外面穿上一件民主社會主義的緋紅色新袍，裏面却滿身着舊帝國主義的敗絮破襖。

歐洲人今後似不容易恢復過去領導世界的地位了。她們只有以共存共榮的世界觀來求生存，倘可保持其「世家子弟」的身份，否則祗好拿着金飯碗，嘗受王孫泣路隅的淒涼生活啦！

體驗（下）

黃汎

張寓平被派到一家公私合營的××鋼鐵廠，開始「體驗生活」。依照上級的指示：第一步須先從工人的個別訪問着手。他找到了一個有十五年廠齡的老工人，作爲「典型」訪問的開始。

『你覺得工人翻了身後，有什麼感想？』張寓平裝出一副笑臉，和顏悅色十足的儒雅文士風度，想從那個工人蒼老的臉上，找尋出一點顯著的「進步」跡象。

那個老工人呢喃了半嚮，才吞吞吐吐的說：『……先生，解放後什麼都好，就是我們的工作增加得太重了，……而我們的工錢却比以前減少了許多，我一家七口……』

張寓平起先聚精會神聽着，正想「體驗」一點寶貴的工人生活經驗，但發覺這個工人的答話顯然有了「偏差」，生恐惹出事來，連忙阻住說：

『不！不！不是問你那些，我的意思是……』他思慮了一嚮。『你們的生活，自「解放」後有什麼顯著的「進步」呢！』

『那個……』這位老工人楞住了，茫然不知所答。

『好，不要緊，慢慢的想想，待會兒再告訴我不遲。』張寓平見訪問不是對象，就託辭結束了談話，另外再去找了個當年工人。

當他正與那個工人開始談話時，不知怎麼，廠裏立刻有「這種傳說：『「毛主席」派代表來訪問，是要加薪了呢。』又有的說：『這次滿要實施八小時工作制了。』於是一傳十，十傳百，全廠的工人都紛紛自動圍攏來張寓平的談話屋子外面。

『我們要求合理的增加工資！』

『我們要求立刻實施 八小時 工作制！』

『請代表先生給我們講話！』

屋外的廣場，嘈雜成一片，張寓平萬萬料想不到事態的發展竟會臨時變了質，心裏不免發慌，但仍不得不站出去說幾句，好在他是「學習」過「羣衆路綫」的。這就是 運用的 好機會了。

『工人同志們！黨爲了號召今年國家經濟狀況的甚不好轉，作爲領導階級的你們，必須克服困難，提高政治認識，爲響應黨的偉大號召而努力。……

作爲無產階級革命先鋒的你們，必須付出更大的血汗代價，咬緊牙關……』張寓平鼓足了勇氣，他那嫻熟的新文學詞令，不覺滾珠般的應口而出，如果寫在紙面上，該又是一篇夠精彩的「進步文學」了。

『這是怎麼一回事？』有人不禁疑惑起來。

『工人同志們……』張寓平仍舊起勁的說着。

『伊來篤話啥西？』蘇州阿囡也說話了。

『不要賣膏藥！』不知是誰在大聲呼叫。

這時，羣衆開始騷動，張寓平眼見情勢不妙，連忙收了口，正待找條出路溜之大吉時，頭上不知着了一塊什麼硬砌砌的東西，嗡的一聲，眼前漆黑，身子不自覺蹲了下去，隱約間只聽到警笛聲、士兵鎮壓叱罵聲、救護車聲……。

張寓平被抬進了醫院，頭上給石塊打穿了一個洞，包紮得像個「羞哥」。他的麻將搭子女妖丁淋及章瘋水爬金聽到了這個消息都趕來醫院慰問：

『好好了吧！怎麼搞得這麼嚴重的呢？』

『謝謝你們，沒有什麼，僅僅是吃了一記「生活」！』張寓平躺在床上，微睜兩眼，有氣無力的答謝着。腦海裏却[illegible]似的浮泛起幾個大字：『體驗「生活」！』

英國皇冠的寶石（中）

承安

摩村是世界聞名的地方，這由於該村會發現鴿血色紅寶石，而此物是全世界從未出現的，紅寶石英人呼爲「魯比」，中國人通常譯作紅寶石，可是它有各種不同的顏色。如白色、水紅色、藍色、紫色、混合色等，以鴿血色最爲名貴，緬甸人指爲「兎血色」，是各人眼光不同之處，當緬官廳對於紅寶石的礦權和緬甸各地一樣的統制着，除開英人外絕對禁止採取，對於機器及工人數也有嚴格限制，開採時應先領取特種執照，並抽取百分之十繳納政府。

歐洲的礦主們除非腦後長一雙眼睛才可以防止工人偷取寶石的弊病。一九二六年緬甸倒閉了一家最大的寶石礦公司，該公司曾以最笨重木枷把工人的頭部枷住，藉以防止他們把寶石吞下肚去，工人吞寶石的方法須有一星期訓練，把寶石往上一拋，迅捷地口用接住，這眞是一種很巧妙的技術。

在南非洲金剛鑽礦場，於晚間散工時，把工人鎖起來，里里外外搜索一遍。緬甸仿照同樣辦法，然而礦主仍苦於防不勝防，便把每個工人都攤上一點股份，假使發現一顆大寶石。股東聚在一塊兒商定售價，工人既取得股東資格，便可以互相監視，這是別開生面的辦法。

工人平均每天可得八安拉，約合美金一角八分。這雖然少到極點，却可供給他們一家的飯食，每年還有餘錢買一套新衣，還可不時地喝酒解悶，每天還可抽點鴉片烟，有時還可抹抹牌，從七月到十二月是緬甸的雨季節，作工時水可齊腰，他們皆不皺眉，廖村每年雨量約有一百五十七英吋，那個時候，以股東所乘苦力的這一羣每天所得低於九安拉，他們皆不叫苦，他們所最怕最懶的事是違反了迷信習慣，在礦區內工作時不許食肉，同樣不許飲酒、廖村礦工們常常提起往日的事情：約摸十年之前，他們我到一塊其大無比的水晶，在熱烈歡呼之下，大家不由得舉杯慶祝。好了，當晚土塊崩坍下來，把水晶埋在裏面，一直到現在，這塊大水晶尚未發現出來。還有一種禁忌，懷孕女人不許走入礦區，四眼人（面孔上生一對眼睛肚皮裏懷着一對眼睛）是惡運之母，這種迷信是中國內地所常有的，淨有一件，礦窟裏絕對禁止說「猴子」這個字，假使有人說出來，定有非常可怕的災害。

略談杜甫（四）

・舜生・

從玄宗的天寶五年（746），一直到肅宗的乾元元年（758），前後歷十二年之久，杜甫的生活與活動，實以長安爲中心。中間雖然也偶然回到東都，到天寶十四年以後，他又曾赴奉先，往白水，往鄜州，並謁肅宗於鳳翔，但一直到他出任華州司功以前，他全部的精神總是繫於長安的。

杜甫之到長安，所追求的無非想在當時的政府中，找得一個位置。

『讀書破萬卷，下筆如有神，賦料揚雄敵，詩看子建親，』（奉贈韋左丞丈）

這是他所自信的本領；

『致君堯舜上，再使風俗淳，』（贈韋左丞丈）

這是他的目標；

『窮年憂黎元，歎息腸內熱，』（詠懷）

這是他一貫的態度；

『朝扣富兒門，暮隨肥馬塵，殘杯與冷炙，到處潛悲辛，』（贈韋左丞丈）

『饑臥動即向一旬，敝衣何啻聯百結，君不見空牆日色晚，此老無聲淚垂血！』（投簡咸華二縣諸子）

這是他實實在在所得的結果。

原來到了這個時候，唐代統治的權威，已走向下坡；李隆基這位老先生，到了晚年乃變得大墮落而特墮落；他所寵信的，不外李林甫楊國忠這類的小人，他所追求的也不出一種本能的享受，而楊氏姊妹，乃尤爲煊赫一時。我們的詩人，不度德，不量力，更不懂得現實，既不能師李白之遠走高飛，又不能效高適岑參之暫甘小就，而一定要『葵藿傾太陽，物性固難奪』的向長安這個臭水缸裏跳，其一碰釘子，再碰釘子，以至於弄得狼狽不堪，平心而論，也實在是自取之也。

一直到天寶十年（751），因爲玄宗祭祀玄元皇帝，太廟和天地，杜甫乃獻了三大禮賦，這一次居然爲玄宗所賞識，召試文章，把他『送隸有司，參列選序。』可是一等再等，又等了四年，一直到天寶十四年（755），才給了他一個『河西尉』，等是縣衙門裏一個屬員，他覺得太無聊，畢竟辭謝了；再改，也不過改了一名『右衛率府冑曹參軍』，其職務是看守兵器，管理門禁鎖鑰，他雖勉強接受了，但對於我們的詩人，實際仍是一種侮辱。

杜甫的家屬從洛陽搬到長安，大致是天寶十年以後的事，在長安住過一個時期，因爲他實在負担不了，才不得已把他們送往奉先。杜甫的夫人姓楊，其時的奉先令也姓楊，可能是他的親戚，而他的舅父崔頊，又任着白水尉，白水正是奉先的鄰縣，他覺得那裏有親戚可依，總比較在長安好，所以他才採了這樣一個辦法。

中國之友（六五）

毛以亨

李提摩太傳（九）

一八八〇年中俄有衝突的可能，而曾國荃奉命開拔，其兵沿途潰散，李氏草一小册子，鼓吹和平。一八八〇年赴北平，分送其書于各衙門，九月見李鴻章，擬回山西後，開始向上流社會傳教。

李氏在山西遇浸禮會與內地會，及美國新來的教會在太原成立聯合組織，劃區分任其事，惟一度曾與內地會破裂。李夫人譯了使徒行者列傳十卷由高大林君助之，一八九〇年在上海出版。

山西是年大豐收，然又穀賤傷農了，人工少而貴，致使穀種食爛在地上不收割。李氏乃想到鐵路問題，後又想到飛機的發明上去。但悉爲中國政府所不喜，因爲政府排外心太甚了，房屋是不許租給教會的，生怕人民被教會勾結了去。太平之亂以教義，淸廷對傳教頗如驚弓之鳥，祗是根據條約不得不允而已。中國人對外來宗教一向是歡迎的，而現在竭力固拒了，果誰尸其咎呢？

七、向士大夫宣傳

李氏鑑于山西之飢，認識上帝在自然界的偉大作用，欲使用自然律爲人類服務，故主以西洋文化濟中國文化之窮。西洋科學的發明，實不下于奇蹟，因決心對上層階級，開講演會，並主張築鐵路開礦產，以救荒而濟貧。他認爲全國通達洋務之官吏無啻數百，大可賴其日後拯救中國。而其基本觀念，則係利用在自然界上帝的力量，如現代語我們之所謂克服與制勝自然，李氏畢生在中國之努力皆在此。

在一八八〇至一八八四年間，他共花了一千磅買書籍儀器，把一位親戚給他的遺產都用光了。書籍之關于宗教者有新舊教各派的神學代表作，宗教的比較研究，教會史傳記。並有整套的SACRED BOOK OF THE EAST與BUDDHIST TRIPITAKA。此外則爲關于天文，電學，化學地質，生物，工程，[illegible]，醫藥各書，以及世界各國歷史與亞洲各地文學。辭書有兩種，一爲大英百科辭典，一爲CHAMBERS辭典。儀器則爲望遠鏡，顯微鏡，三稜鏡，手搖發電機，WIMSHURST MACHINE，INDUCTION COIL，VARIOUS GALVANIC BATTERIES，GALVANOMETER，GEISSLER TUBES，VOLTMETER，ELECTROMETER，POCKET SEXTANT，POCKET ANEROIDS。並有鎂養汽燈，酒精，澳非美三洲動物標本，天文標本，照相器材。而自己則節省到僅僅吃飯，房租每年爲九磅，屋則寬敞共有三院爲房十間，睡的是火坑，他完全同化於中國人的生活了。

他參考這些書籍之後乃在太原開演講會，聽者皆爲士人與官吏。所講題目如下：

一、哥白尼所發現的天文奇蹟。

二、化學奇蹟。

三、力學奇蹟，縫衣機與脚踏車等

四、蒸汽機奇蹟，如火車輪船工廠等。

五、電學奇蹟，變成光與力。

六、光學奇蹟，幻燈與照相。

七、醫學與解剖奇蹟。

我參加越戰（二十）

L. HART著　第啓譯

戰地晚景

僅僅在晚間，當夜幕隨着暑熱的消失降臨後，我們才有時得到短暫而不安全的休息。若干荒蕪的茅屋變成臨時的營地。當歐洲人在修理他們的卡車和擦拭槍砲的時候，那些亞洲兵則在燒烤我們日間所捕得來的雞和小豬，並爬上樹梢採摘椰子，事後，在營火的餘燼旁邊，歐洲人有時高唱着雄壯的軍歌，有時低哼着淒涼的家鄉小曲。

我是二次大戰時身經百戰的老兵，但我們在環斯平原搜索的第一個晚上，當我被孤獨留在車旁塹壕上的時候，我也禁不住哭了。這並不時由於恐懼或是身體上的困苦而使得我如此，對這些我是受慣了的死亡。我之痛哭失聲完全是發自一種精神上的緊張甚至是在以往的大西洋之戰，那些更絕望的時日中，也不曾感到過的。

不幸的司機

我也被原始的慘無人道的戰爭所征服了，在這種戰爭中，機關槍比人命更有價值。我非常憎恨有時我會被召作無謂的冒險，他們爲了要節省彈藥，竟把我們的生命看得一文不值，尤其有一次我們在出勤作戰時，車上的引擎突告損壞，我們不幸的司機竟被處罰一筆巨額的罰金，之後還要監禁，總連我對這一個戰爭感到厭惡。但我們同隊的戰友，那些亞洲人、東人、德國人却對這些事滿不在乎。「這不是你們英國和美國人作戰的方式」，他們告訴我，聳聳肩，表示無可奈何的樣子。

△一望無際的沼澤地帶

中華民國僑務委員會頒發登記證台字第一號

自由人

THE FREEMAN
（半週刊每星期三六出版）
（第二〇九期）
每份港幣壹毫
督印人：李光華
社址：香港高士打道六六號
電話：二〇八四八
GLOUCESTER RD. HONG KONG
TEL: 20848
承印者：東南印務出版社
地址：高士打道六十四號
台灣特派員辦事處：台北市館前街五十號
台灣總經銷處：台北市中華路新號五九四之一
台灣郵政劃撥儲金帳號九二五二號

英國代表團訪美任務的檢討

·祁樂·

二月廿七日從英國啓碇的瑪麗皇后輪預定今天抵美。艾登和財相布特勒及其所率同的強大英國代表團，卽將與杜爾斯和亨佛利等美方代表會晤，討論美國和英國聯邦與歐洲及其殖民地區的長期經濟合作計劃。合衆社（倫敦廿日電）說：「這次訪美將遭逢英美關係的十字路口」，因爲「成敗如何，將確定英國與艾森豪新政府的關係」。實則這次會談的關係，其重大性是遠爲超過上述的評價。

就牽涉的區域說，艾登固將代表英國觀點，但因去年十二月聯邦經濟會議的決議也要在這次會談中和美國討究，其範圍便已非僅止是英倫本身的事，而擴大爲泛及英國、加拿大、澳洲、紐西蘭、印度、巴基斯坦、錫蘭、南非、及南羅得西亞等全部聯邦地區了；且艾登和布特勒都曾代表英倫政府向歐洲經濟合作組織不止一次的保證過，英國所欲與美國商討的世界經濟長期計劃，必隨時通知歐洲經合各國幷彼此充分討論；故謂此次會談範圍及其決議影響之廣泛，將關涉到半個世界的經濟安危，絕非誇大。其重要性實非僅謂爲英美關係之十字路口所能表達。再就現階段自由世界經濟情勢所處的緊急狀態說，這次英美會談的結果若能得到甚本協議的話，今後自由世界經濟情勢的好轉，將不僅使自由世界獲得經濟的穩定，且必將因經濟上的互相依存和長期合作而使各國間的分歧減少到最低限度，爲對極權世界敵防戰鬥之團結奠立鞏固的基礎。反之，則因經濟趨勢之更爲暗淡，亦必將使現有的分歧爭論更爲嚴重和擴大，終且癱瘓和損耗了自由世界的戰意及戰力。故就其成敗之性質說，這次會談固關涉反極權任務成敗之前途。我們對它的關切，絕非爲其「可能決定他（艾登）是否有希望出任英國首相」等私人出處之事。

問題的癥結所在

雖然我們由衷地企盼着這次會談能够有所成就；但依會談前所表現的種種迹象來推斷，很多使人不勝杞憂之處。就艾登——布特勒這方面說：他們依照聯邦經濟會議的決議和歐洲經濟合作組織的希望所擬的多項建議，其內容可以概括爲（一）要美國多買（二）要美國少賣（三）要美國多出錢這三大類別。其可能成功性之令人懷疑，已可概見了。事實上，歐洲方面的建議幾乎可以說，其中百分之八十是必需的；但就原則上來講，它的根據則不能謂爲十分公允。這是使得我們難於預行估計「華盛頓」對此究將如何還價？」的所在。

從歷史上看，自第一次世界大戰末期到休戰，美國是在並不自覺中和非常迅速的，飛躍而成爲債權國。到一九一四年美國人見外國的債款還超過了外國人欠美國的債款三千億美金；但一九一四—二二年間，除了美國輸入的商品服務及黃金值二百八千億美元外，各外國尙總欠美國約一萬九千億美元，本來在這種情形下，通常的辦法必是出超國家採行低關稅政策。因爲要保證債務國的償付能力，債權國必須要以擴大市場的方法，刺激國外生產、調整世界物價、及洽當分配作爲支付工具的黃金之存儲。但美國人在有意和無意之中，習慣於最初動機本屬善良的孤立主義；他們對於本國也需要依賴於世界之堅實的繁榮，以保持其經濟的進步和安全等道理，多年以來一提的在似懂似不懂之間；美國的政治家也迄未能改正美國人民對於本國關稅與對外貿易所持的保守的傳統觀念；結果仍長期的堅持着「凡美國所能生產的，均應設得足以抑制外國貨品競爭的保護稅則」。

以美國那樣資源豐富的國家，又在兩次大戰之後，他採行這種政策的結果，必然不能避免一種矛盾情勢，即一面藉着技術進步和效率增加，大大的擴展了輸出；別一方面再以高度保護關稅嚴格限制輸入：世界市場自不可能擔負對美國的這種長期償付的。事實上，歐洲南美和遠東國家久已無力以商品服務和黃金來抵償美國給他們的輸出貨價」，美國只得放寬貸款的條件，分別給予美元借款，好使他們能以付償美國的貨價。但這種貸款或援助，在短期中固可予世界經濟以一時的調整，而長期的結果，則是對世界經濟秩序或爲一種擾亂壓力；最後將使債務國及債權國自身統統的難於適應其所處的新環境或新勢態。布特勒曾感慨的說：美國這一世界巨人呵！它不但能使海中的船隻動搖，也能使船隻穩定。現在，艾登同也走到巨人面前要求穩定船隻了。

會談成功的可能性

艾森豪新政府本身的處境，也並非如何從容的，這更增加了我們判斷的困難。就其政府同僚和共和黨內部說，亦都是具有兩重性格和對立觀點者。一方面是保守的保護主義，國內第一主義，孤立主義；其基本趨向是着重於保護國內企業的利益，對內則削減少歲出，解除管制，實行減稅，放寬經營自由；對外則保護關稅，削減援助，必要時不惜推行某種程度的「袖手」政策。另一方面呢？則新政府在反共政策上是積極的，露骨的，在認識上是明瞭強化自由世界軍事力量和其基礎的經濟力量之必要的。艾森豪本身即曾要求國會「修正我們的關稅條例，刪除足以妨礙有利貿易的手續方面的規定。（簡化海關手續正是艾登這次建議之一）我并且建議國會立即進行研討互惠貿易協定法案，而制定適當的法令予以延長。」他的政府將要「採取各種適當的行動，鼓勵美國私人資本投向海外（這是艾登建議中的又一項），作爲我國外交政策的一個重要而明確的目標。」「從世界其他國家獲取更多我國本身不足的重要原料（這又是英國和西歐的一項要求），而以我們可以供應的物資作公平的交換。」因爲他認定「有益而公平的世界貿易是重要的。」（均見國情咨文）。

（下轉第二版）

△西歐遙眺克里姆林宮牆前史達林，對身旁的美國說：「他在作和平的招手呢！」▽

史大林編導的黨獄之一

——一九三〇年的產業黨案——

（下）

鄭學稼

所有供詞都是僞造

審判至十二月七日結束，維辛斯基公告：拉姆辛、拉里契夫、費多托夫、加里尼柯夫、查爾諾夫斯基五人處死刑，別的處徒刑十年。八日，突然改五人的死刑爲十年徒刑，判十年徒刑者減爲八年。理由，是各被告既然「坦白」，可以寬恕。

如果「產業黨」事件，確如拉姆辛們的「坦白」，依蘇俄的許多例子，拉氏罕能出頭的。可是，他却於一九四三年七月八日得史大林獎金十五萬盧布及「列寧章」。這證明所有的供詞，都是僞造的。何以要舉行大審判？目的是向人民宣傳：當時的經濟危機，非布黨的過失，是由於西歐帝國主義的破壞。何以要把「法帝」列爲主凶？因爲當時的法國，是積極的反俄。邱吉爾所以一度被指爲「黨凶」，因保守黨曾反對英俄合作。拉姆辛們，大概奉命「坦白」，所以，名爲徒刑十年，實仍參加經建工作。否則，他於一九四〇年末出獄，不會再三年即有取得「列寧章」及「史大林獎金」之功也。

拉姆辛的審判，給以後許多大案件以啓示。但有一點不同：別的大審判要犯，均爲老布黨及軍事領袖，並均被秘密槍決。當日倖存的拉狄客，雖曾暗中爲史大林的「眞理報」寫社論，但依歐美蘇俄通的報導，當希特勒攻俄時，也被槍決了。

三十年代蘇俄的大審判，給我的刺激是極大的。在那醜劇排演前，我對於史大林的統治還是有條件的批判；我不相信，他的政敵們——尤其托洛茨基——對他的攻擊，沒有夾雜私怨。到不斷公審劇演出後，我從季諾維也夫、卡米尼夫、布哈林們的生史，斷定史大林已走了另一條歷史的道路。這一斷定，使我重新估計馬克思主義，尤其是自封爲馬克思主義正統派的列寧主義。我從馬克思學說的肯定出發，走到否定它的路；對列寧主義本無好感的我，輕易地發現它的黑暗的一面，即史大林主義。我又由史大林主義認識中華民族的危機，和中共之充當史大林的走狗。總一句話：在抗日前夜，我的思想已與馬克思主義完全對立了。過去，我曾自稱爲「馬克思主義者」，到了三十年代末，我變爲堅決地否定馬克思主義的人。我之有這一思想的轉變，徹底的轉變，應歸功於史大林所導演的布爾什維克大悲劇。

史大林的忠實走狗

因爲三十年代的大審判，與我的思想有那麼密切的關係，所以，我對每次紅色審判劇都感興趣。我爲它曾寫過兩本書，即「蘇聯黨爭」和「蘇聯黨獄」。三十年代末，中共給我以「托派」的頭銜，算是那兩書的報酬。忠實的史大林主義者中共，把反對它的人，冠以「托派」之名，是忠於它的職責，但在反共陣營中的一些人，當和我作思想的論爭時，也拾用中共工廠的武器。最妙的，和我一起被毛澤東的機關報——「新華日報」誣爲「托匪漢奸」的人，在理論的論爭中，居然也說我是「托派」。這一行爲之政治道德的水準，我不忍去說，也不必說，因爲整整二十五年，我未過政黨的生活。那些人是否知道「托洛茨基主義」，我十分懷疑。所謂托洛茨基主義，是馬克思主義之一派，它含有列寧主義的成份，雖然它有獨樹一幟的「不斷革命論」，而反馬克思主義的我，對於中國歷史發展的見解，却是「不斷革命論」可應用於中國的堅決否定者。

話再說轉回來。我對史大林所導演之三十年代的紅色悲劇的興趣，使我搜集各次（有的在三十年代前）悲劇的資料。我除了設每一悲劇的演出，都有維辛斯基參加，還明白維以的歷史，這位孟塞維克，在十月革命前後，曾反對過列寧。到布爾什維克鞏固政權後，他馬上以法律教授的身份，混入布黨。列寧逝世，聰明的他，在兩個對立陣營中，選擇最少馬克思主義成份的一方，忠於史大林。由於史大林的勝利，他提高政治的地位，最後，充當史大林特工組織之一領袖。知道他憎惡老布爾什維克的史大林，就派他扮演屠殺老布爾什維克的劊子手，他也不留情地流老布爾什維克的血。如有一天，民主世界能把他送上似「紐倫堡法庭」的法庭，他的供詞，一定是歷史上最珍貴的資料。

半週展望

·雷嘯岑·

英美經濟協商

艾登、布特勒（財相）一行經濟代表團，今天到達美國，主要任務是爲着協商經濟問題。

英國這幾年來對美國領導世界政策所表示的歧見，完全是基於經濟關係。英國並不反對擴軍，工黨政府時代即已秘密製造原子彈了！（所以我最鄙視貝凡之流的左傾非戰論調）但，英國本身和其英鎊集團的地區，經濟確有危機，美元缺乏，輸出減少，人民生活無從改善，唯一可以依助應援的只有美國。在經濟危機沒有相當的解決辦法以前，英國最怕發生戰爭。所以，對於美國的韓戰政策，以及遠東政策，歐洲軍計畫等等，處處表示異議，爲的是要避免大戰的突發。

美國的想法又不同。幫助盟邦的經濟復興雖是可以的，但盟邦也應贊助美國領導自由世界的大政方針，尤其先要盟邦盡到自力更生的最大能耐，像工黨政府時代英國人民配假牙齒亦要美國出錢的作法，却未便同意。近日美國共和黨領袖塔虎脫強烈地反對美國接濟英國在西歐的軍事防務，即是這種觀念。

英國爲復蘇經濟，安定內部，以防掀起大戰，不能不拖住美國的腿，教她莫急性地踏大步；美國爲要解除韓戰的困擾，適應人民要求，不能不別出心裁，爭取主動，即冒險大戰亦在所不惜。這就是英美在反共抗俄步驟上的歧見所在，而其癥結亦只是經濟問題。

杜爾斯已聲明過，這次英美的經濟協商，不會有任何具體的承諾，只在原則上尋求協議而已。對的，我們亦希望兩國在原則上能達成協議，使英鎊集團的經濟困難逐漸消弭後，兩國的政治歧見自然會澄清的。不過，英方應注意一點技術：即過去對美國常用那種玩撲克牌的「梟司」方法，最好是少出爲佳，因爲共和黨執政時代，和民主黨人頗不相同了！

緬甸向聯大控訴我游擊隊

近來緬甸軍隊出動飛機坦克，進攻滇緬邊區的中國游擊隊，理由是怕中共藉口進兵緬境，危害其所謂「中立」地位。飛機坦克又不中用，乃向聯合國控訴，並且牽及泰國。

記得上屆聯大開會時，曾有人提出建議，主張由聯大指派調查團赴緬甸實地調查那兒的中國游擊隊是何實情？然緬政府表示拒絕，說邊境的中國散兵游勇，容易肅清，如今却又要向聯大控訴了。

告訴緬人：中國游擊隊縱然遍佈了你們全國，亦不會妨害緬甸的獨立自由生存的。留着你們的控訴文書罷，以便將來你們的「友邦」——中共——軍隊侵犯「中立」時，再向聯大控訴求救好了。這一情形，在不久的將來即可看到呀！

莫薩德坐在爐火之上

伊朗首都近日發生動亂，參加示威的軍民迭有死傷。陸軍參謀長免職，軍官被撤去職位者六十餘人。內閣總理莫薩德一度逃入國會避難，旋即大刀闊斧的制裁軍人，說他們是親近伊王的。莫氏挾着一般狂熱的民族主義者和共產黨人（杜德黨）作後盾，爲石油糾紛與伊王鬧翻，因而引起軍民間的大騷動。任何政治人物，凡想利用共產黨人的力量來鞏固政權者，結果是百分之百的等於飲鴆止渴，自尋死路。莫薩德玩火自焚，固無所謂，伊朗如果爲俄共勢力所籠罩，那就是自由世界的一大災害。自由世界目前只能設法替伊朗救火，其他縱横捭闔的外交勾當，都是扇火工作，無補大局的。

日本發生政潮

吉田茂首相因在議會「失言」，已招來議員們通過的懲戒案。看形勢，這「失言」風潮如不能調解平息，就只有解散議會之一途了。

去年日本大選後，吉田再度組閣時，我曾經預測吉田政府的壽命不會超過今春。照當前的日本政治動態，「失言」風潮縱可平息，吉田政府也不會長久支持下去的！

伊朗動亂醞釀中東危局

·卓繆·

幾經變亂的波斯王國，十九世紀以來動亂頻仍，二次大戰後；外處於英美蘇之間，內在民族陣綫與伊斯蘭教兩派鬥爭之中。二年前石油國有化法案宣布之後，民族派獲得了勝利，但沒有餘力向困窘的經濟搏鬥，於是伊斯蘭教的領袖却應運崛起；穆薩德總理不得不增強他權力以維繫其政治生命，而且將伊王的權力也剝奪了，在這種情勢之下，使國王巴勒維想起了疇昔老王的遭遇而打算出走，竟因此而促成了穆薩德和加夏尼兩派激爭，德黑蘭重又湧現出恐怖的暗影。

俄帝念念不忘

伊朗介於三洲兩洋之間，就地略形勢上看，無疑佔極重要的一環，在現時東西冷戰之中，却是最脆弱的地帶。然而，十九世紀以來，由於蘊藏石油形成了英美蘇交爭角逐的目標，使這一歷史悠久的古老王國支離破碎。一九零七年先是英俄南北劃分，十年後重入波斯人之掌握，禮查崛起，而於一九二五年自立為王，致力於民族復興和經濟發展。此一中立國由於禮查同情「軸心」，於二次大戰中為英美佔領，被迫退位，一九四四年死於南非之約翰尼斯堡之後，即由其子即位，此時巴勒維才二十四歲，但波斯事實上已成為英美俄南北均分之局；迨大戰結束之六月後，英美俄協議於一九四五年十二月撤兵，但俄帝堅不撤離，且提出以伊朗之北部阿塞爾拜然省「自治」之要求，作為撤兵條件，並迫使締訂「蘇波條約」，成立「蘇波公司」，將北部的油田交由該「公司」開採，蘇俄佔股本百分之五十一，並以二十五年為期。第二年，伊朗政府以監督選舉為名，藉武力將阿塞爾拜然收回，「自治」傀儡政權卒被全部肅清。到了一九四七年蘇俄提出北部油田問題，但根據一九四四年憲法，油權讓與外國必須經由國會認可，在投票結果予以取消，但同意於五年內由本國（伊朗）或中立專家認定確有油礦可採，再與蘇俄商量。然則蘇俄並非眞正意圖開採伊朗北部的油礦，與欲「恢復」一九零七年帝俄迫使波斯締訂「俄波條約」之「權利」，因此種權利於一九一七年蘇俄十月革命成功以後宣布廢棄。然而俄帝迄仍念念不忘。

國王與穆薩德衝突

一九五一年三月二十日伊朗宣布石油國有化之後，阿巴丹風聲緊，莫斯科的官報公然聲言「若英軍在阿巴丹登陸，蘇聯可依據條約，可以出兵伊朗，有權將任何侵略勢力逐出伊朗」。以此可見蘇俄謀取伊朗，處心積慮益為明顯。迨穆薩德取胡辛阿拉之總理權位之後，對英之態度更為嚴峻。但伊朗之經濟情況，已緊隨着同年五月一日徹底執行石油國有化之後就逆轉了。年輕的伊朗王和穆薩德之間之衝突，亦接踵而至。直到現在，伊朗的經濟困窘局勢更為惡劣，他們間曾為了解決當面的經濟危機，舉行過好幾次會議，伊王總想以親美的態度來說服這一個年老的總理，却始終沒有結果。而穆薩德却不從基本上尋求打破伊朗經濟之危機，反認為宮庭之經費過多浪擲，而要求將巴勒維得自故王的七百二十二萬鎊財產歸於政府。因此，國王與總理之爭執更形尖銳，但巴維勒畢竟不若乃父一樣的「鐵腕人物」，更想到其故王之遭遇與面臨之危局不得不向人民宣布出走的意向，誰知由此復造成了加夏尼與穆薩德兩相火併的局面。雖然伊王暫時不會離國，但整個伊朗已處於嚴重的杌隉狀態。

回教極端派領袖

加夏尼是中東具有潛勢力的人物，他自稱手中有百萬受他指揮的伊斯蘭教徒，而其中甚且還有一批不顧自己生命甘心聽任驅使的亡命之徒；一九五一年三月六日伊朗的親英總理賴茲瑪拉被殺，就是他們的「傑作」。故穆薩德逼走了胡辛阿拉而出任總理之後，一再要求國王賦予特權，實際上是對加夏尼具有戒懼。伊王於穆薩德柄政兩月之後去美留醫經年，穆薩德大權在握，對宮庭也加干涉了。因此巴勒維返國後與總理的衝突也就日益尖銳。去年七月十六日伊王准許因拒絕穆薩德兼任軍部長以提出辭職，另派蘇丹那繼任三天後，德黑蘭因而發生流血暴動便引咎辭職。在暴動中竟有人高呼「打倒伊朗王」，「我們要成立共和國」。在當時甚多人認為這是共產黨雜於擁穆薩德的示威行列中故意作出的反政府行動，實際是杜德黨在兩派鬥爭中沒法獲取活動機會，才於穆薩德辭職後企圖乘機搗亂。結果，暴動中死了幾人，受傷的也不少，穆薩德奪回重掌政權的勝利，幾天之後埃及政變消息傳到了伊朗，敏感的人想到巴勒維和法魯克關係，也就耽心王位的動搖，此時，王妹瑪絲羅芙公主和她的兒女相偕出國去日內瓦作「無限期的海外居留」，而宮內部長阿拉向穆薩德提出「改組」宮庭的保證。不久，加夏尼當選了下院議長，這一現年六十九歲的殺人魔王，予穆薩德無疑是一個有力的打擊。

王權幾全被剝奪

雖然加夏尼是一個表面上親美的反英人物，實際上是一個同情於共黨的左翼分子，他曾經在維也納的「和平宣言」上簽過名，在「民族陣綫」派看來，顯然是一個「危險分子」。因此穆薩德再番要求國王增加他的權力好讓他有權解散國會；修改憲法；任命政府官員；而國王之權力已全被剝奪了。到了十二月間，穆薩德與宮庭的關係臨到了極嚴重階段，據說當時穆薩德要求立即將太后驅逐出境，指她鼓勵反對黨；但反對黨的議員們向伊王提出取消穆薩德「非法統治」要求。但均無結果。直到現在，伊王與總理間之爭執非但並無協調可能，反而瀕於決裂的地步。於是，上月二十八日他們舉行了一次冗長的會議之後，伊王迫得宣布離國去伊拉克作「無限期」之旅行。由王弟高林親王（三十歲）、宮內部長阿拉和總理穆薩德共同組織的攝政委員會處理國政。當巴勒維作此項決定向人民廣播之時，羣衆即起反感。這予加夏尼無疑是一個機會，他策動羣衆示威，於是，許多人高呼「不願國王離去」和「我們為王効死」。情緒是非常激昂的，穆薩德看到這種不利的形勢，除了命令他的「民族陣綫」派作反示威之外，自己躲到國會樓上去了。唯恐不亂的共黨也乘機而起搗亂，政府在混亂的局面中堅決採取嚴峻的手段，將括有退休的五十五人現役者五人）陸軍軍官加以逮捕，而穆薩德復將參謀長巴哈瑪斯撤職，現在這一個局勢顯然還是穆薩德佔了上風，今後如何演變，除非伊王勇敢地起而領導政府，似乎沒有更好的辦法，但是，伊王却並沒有這種勇氣支持他。但這種動亂的趨勢，大足醞釀整個中東的危局，美國建議的「英伊談判」，正臨到了新的考驗。

克己忍讓獲得成功 美勞工部長杜爾金（下）

·黃韞泉·

杜氏的私生活也非常刻苦，他每天早上準五時三十分起來，從不間斷。並且是一個虔誠的羅馬正教教徒，起床以後先作彌撒再進早餐。他深深懂得凡事預則立的道理，每天上班他總到得最早。他並且能不合流俗，盡量作克己的功夫，他既不吸烟又不酗酒，却不反對別人有這樣的嗜好，這在今天美國的世俗社會中，實在是不可多得。他很能了解東方忍讓的哲學，所以凡事他都讓人三分，據說杜爾金最恨不守約。如果他趕某一班火車，他總是先半個鐘頭到達車站。他同人家約好會時間，如果他竟然遲到，他一定感到非常難受。但別人遲到時，他却能很耐心的在那裏等，而且當別人趕到的時候，他總以笑臉相迎。他從不會用嚴肅或不耐煩的態度去改正別人。他說這是個人自己的問題。他對任何人都十分客氣，但對自己則非常苛刻。

杜爾金的治家與待人

在家庭方面，他也是最細心而最愛乾淨的人。他哥倫比亞郊區瑪倫蘭灣的住宅，裏裏外外都弄得十分整潔。凡是能上了臘的，也都像他上了臘，凡是能夠擦光的東西，也都擦得可照人。室內一切佈置也極有規律，沒有一樣零亂的東西，顯得既整潔又優美。杜氏對於衣著特別注重樸素，仍然保持他工人的典型。如果有人以問題問他，他總是知無不言，言無不盡，不過他却很少自動的向人宣傳。他非常懂得世故，因此極獲得他人的喜愛。他身體結實，有兩肩很厚，顯出他有任重致遠的才能。不但不愛好賭博，就是炎熱的假期他也會善加利用。他常在暑假時季駕車到美國和加拿大的各城市去旅行，並沿途拜訪當地的工會領袖及當地的工聯會。在旅途上他盡量帶着他的家人，等他到了一個城市，他就整天的溜出去，參加當地工聯組織的會議，或是去發表演說，然後才開始另外一個城市去。

許多年以來他就發下宏願，決定以自己的力量賑濟一批窮困的人。他不僅為他們籌集款項，舉凡一切救濟的物品，都是他親自設計或購置，有時候為了救濟一些貧窮孩子，他還請他的夫人和兒媳來作顧問。為他救濟的人購買雜物，是杜爾金生平最感愉快的事情。他施恩並不望報，甚至連一聲謝謝都不要。他常常委託各地的牧師替他調查窮苦的人，有的如果經濟能夠自立，不需他再救濟的時候，那他就再救濟別的窮人。

杜爾金對自己的却非常苛刻。他生長的地方許多是些工廠，隔其間的房屋也有不少空地和鐵路。當然可不是甚麼高等區域，至今他並不嫌棄與忘記，他還常常是走過那些街道，並和他所有認識的人，攀談。他幼時家境很苦，一家十口全仗他在一家煉膠廠作火伕的父親，每日兩美元的工資來維持。他是他父親的長子，他雖然很喜愛讀書，環境不許可，所以從十五歲起，白天就不得不在屠宰場去搬運肉類維持生活，只有利用夜裏讀一點書。可是他非常知足，因此他認為他在一般窮苦孩子中，他過的生活算是很幸福的了。他結婚已三十一年，有子三人，兩個大的仍在替人家裝管水，最小的十九歲，將來準備進神學院。

深厚的歷史與經驗

這次艾森豪對他的任命，不僅他人驚得奇怪，就連他自己也感到驚異。他說這經過的事情都是出乎意料的。當一九二一年在芝加哥被選為當地工會的代表時，每個人都驟然生怪。一九三三年賀納爾州長任命杜爾金作依利諾州的勞工處長時，工人們都說杜爾金就是那典型的社會勞工。他對勞工運動有深厚的經驗與歷史。他十七歲時就由他父親一個朋友介紹，參加當地裝鉛管工人的工作。起初他不過是個助手，可是他却能團結所有的工人，並且把工會弄得有聲有色。因此一九二一年他被選為當地工會代表，而在一九三三年就被推選為依利諾州勞工處長的候選人。當時他表示謙讓，希望由年高德劭又有光榮成就的人去幹。但經各方一致推崇，他終於接受了州長賀氏的任命。在州勞工處長任期中，他協助賀氏解決了不少勞工困難問題，也為勞工爭取了應得的地位，並且修改了和訂立了若干對勞工有利的法令。他為了工人的利益，不惜以去就力爭，所以他獲得了工人的愛戴。這是艾森豪所以必需要借重他的原因。不過他在得艾氏的意思後，會同他的夫人研究接受任命的適當問題，經過他夫人的考慮，才正式接受了艾氏的任命。（取材自美國柯里爾雜誌）

英國代表團訪美任務的檢討

上接第一版

而且，美國在世界經濟地位上，多年來進退失據的困惑處境，在現實教訓之下，就社會一般而論，亦非全無轉變。世界政治情勢也迫得美國社會逐漸認識（雖然是緩慢的腳步）美國經濟的發展和美國社會的前途，實不能自外於世界情勢的穩定。這種覺悟的動力，在過去多由於納粹德國之橫行，在現在則源於克里姆林之擴張侵略。這可以舉一具體事實為例：據美聯社二月廿日華盛頓電訊：由農工商界非官方重要人士組成的共同安全署之民意委員會，即將向白宮建議，美國應採取撤消保護關稅的步驟，使每年得以增加約值十億美元的輸入貨品。該會主張，應該設法促成友好國家賺到更多的美元，俾其得以集體的減少美元荒的壓迫。諸如此類的來自朝野各方的表示，又使我們認為：雖則從廣泛的美國社會的傳統說，這次英美會談前途是有不少的荊棘；但成功的希望，却也依然存在。

雙方必須理解的眞理

本文目的不在於預測會議之具體結論，事實上這次會談亦將止於原則的協議，而不會產生細密的方案，但眞正重要的是，認清楚：今天的經濟趨勢是，要麼走向共同繁榮，要麼走向共同破產！巨人若不在來得及穩定船隻的時候使它穩定，到頭來亦將會與顛覆的船隻一樣沈淪的。更重要的是今天的政治情勢，自由世界的成員應該深刻覺醒：任何一個孤舟，即或是巨人，也不可能以單獨的力量克服得了洶湧的海濤！任何做短期的現實利害打算，都將在長期間自食惡果。杜爾斯說：「我們的公開敵人，目前已經控制了世界三分之一的人民」，「拿他們的八億人口和我國的一億五千萬人口相比，就表示如果我們單獨和他們對抗，他們在人力上要佔七對一的優勢」，「要從事一場對方佔七對一人力優勢的戰爭，實在不是一件愉快的事」（均見廣播演說），實則反共前綫在亞洲，反共成敗決於亞洲誰屬，自由世界如果掌握亞洲資源，則七比一的劣勢將不僅人口，缺少原料的歐洲和缺少米倉的亞洲，是說不到可以攻防布爾塞維克的。因此，世界輿論應為會談雙方指明：如果你們因為站在英國和美國的立場，或為債權國與債務國的利益而爭論不決的時候，請你們不要忘記共同需要下的共同利益，更要記住以共同利益來補償個別犧牲這些眞理罷！

在同一原則下，我們願向會談者提醒：最後也是最重要的一點：有效的搶救世界經濟危機的計劃，離不開開發落後地區，擴展世界貿易的方案，尤不能僅僅依靠大西洋兩岸的貨品交換，任何未計及增加落後地區購買力的擴張貿易方案，對實際需要都是無力的；故亞洲非洲在任何長期的經濟計劃中，都必佔有重要地位。我們要以東方輿論的立場聲明：亞洲人民願意對自由世界經濟之發展有所貢獻，但必需開發者與被開發地區的關係，不再是舊有殖民性質的！

台灣半周

政府朝令夕改 主席願意道歉

台省自去年冬季起，新開設彈球遊樂場多家，狀如昔日之桌上高爾夫，特直立於壁間。其上繪有全國地圖並列有重要都市地名。遊客以每元換取鐵彈五枚（即自行車車輪中所用之彈珠），投入一小孔門，而後用手拔機力彈，此彈子即在盤中滾走，如嵌入某都市孔內，即得賠彈子三顆至五顆不等。遊客積有若干顆，可用以換取糖果罐頭玩具或信紙等，但不能換回現款。惟彈珠走入都市孔內之機會極少，大多數落空。開設此項遊樂場者資本甚輕，只須雇用一二人管理出納，舊時即由家人相幫，開支極省，獲利則優，娛樂者衆，尤其新春時期，兒童所得壓歲錢，均消耗於此，故頗為豐厚。台灣省政府因其類似賭博，決予禁止，已開設者，勒令停業。遊樂場方面則提出抗辯，其理由有二：（一）此項彈球機曾由經濟部認為係屬發明品，畀以專利權五年。（實則在日治時代即已風行，現不過在上面加以若干反共抗俄標語而已。乃經濟部許以專利權，可見官僚政治之腐敗也）。（二）開設遊樂場曾經獲得政府許可，領有許可證。如是，省府為顧念開設人員損失計，延限至二月底停業。蓋二月底適為夏曆元宵節，乃台省民間之大拜拜日，可以做一筆大生意也。日前台省臨時議會中，曾有人向省主席吳國楨提出詢問，指政府不應朝令夕改，使人民蒙受損失。吳氏承認許可於前，禁止於後，確屬錯誤，願意道歉，但政府命令決不能收回。社會上對於吳氏之勇於認錯精神，雖表欣佩，但政府初何以未詳加察核，即許其專利，並准予開設，其中行政上有無責任，主辦人員有無徇情勾結情事，則不免人言嘖嘖也。

跳舞亦開亦禁 官民同感為難

吳氏在答覆省議會質詢時，曾提及禁止跳舞事。吳氏謂所禁止者只為營業性及雇用舞女之舞場，但隨即聲明某等地區又為例外，蓋台北禁而基隆不禁，市內禁而市外之北投不禁也。憶抗戰勝利後，吳氏適任上海市長，行政院因一二人之提議，通過禁舞令，令吳執行。上海各舞場舞女千餘人向社會局請願大鬧，集會。今日舊劇又將重演乎？吳氏在省議會中謂：夫婦在家中跳舞，從未聞有警察登門干涉者。實則政府對於跳舞之禁否，既缺乏一定原則，而警察人員執行時，亦無所適從。所謂家庭派對與地下舞廳，其定義亦難以分清。內政部曾約集若干有關人士，舉行座談會數次，討論舞禁之開放否，均未獲得結論，致造成今日禁者自禁跳者自跳之現象，與過去大陸上之政風固無殊也。

總統關懷髮式 指示男女有別

蔣總統近曾指示男女剪髮應有區別，其原則為男者像男，女者像女。台省同胞沿襲日據時代之舊，男多剃平頂，女多燙髮。近年大陸同胞移來者衆，所謂海派、港風相繼傳來，服裝奇異，舉止輕佻，台省同胞初則驚奇，繼則艷羨，終日不免羣趨模倣，因以有人說台省不怕颶風，但怕海風與港風。

共幹腐敗現象愈益惡化
中共將大舉實行整風

這裏，我們且根據中共自己的檢討及我們所有的資料歸納起來列舉一些共幹們錯誤腐敗的典型例子：

命令重於一切 錯誤糊塗百出

命令主義作風的普遍而嚴重，中共已自己承認：說許多部門中的許多領導幹部，大多只坐在機關裏寫決議，寫指示（即命令）發任務，高高在上，發號施令，根本不瞭解中下層的實情況；老是只知向下面分派任務，催索任務，而不知交代「政策」及完成任務的辦法和工作作風；甚至根本不管下級是否能行，便將任務推下去就算。因此，中級幹部，便只知「等因此令」地轉達任務，「迅速完成」地催促任務；下級幹部自然便只有盲目蠻幹，不顧一切地去執行任務。於是，便如本報歷來所報導的：一個「愛國增產」的指示，便到處竭澤而漁，挖肉補瘡，反而破壞了生產的根基！一個「失業登記」的指示，便到處發生了轉業，逃荒的騷動！一個「加強工業生產及建設」的指示，便到處亂造廠房，亂買機器，到處強迫工人作超時間超體力的勞動，以致損耗了無數的人民骨血，逼殺了無數工人的生命！一個「防諜保安」的指示，便到處「拉着黃牛就是馬」，虐殺或冤殺了無數無辜人民底生命，到處弄得陰風慘慘，鬼影幢幢！一個「實施新婚姻法」的指示，便到處發生亂倫，強姦，及盲目干涉婚姻，強逼婚姻，而虐殺逼殺了無數青年男女（死者女多於男）；一個「司法整肅」的指示，便到處亂翻案子，矯枉過正，去了舊的偏差，來了新的偏差，六神無主，一片混亂！一個「學習蘇聯先進」經驗的指示，便到處削足適履，「改革」不成，徒傷了根本；一個「統一報紙雜誌發行」的決定，便到處硬銷報紙，不僅浪費可觀，而且笑話百出！一個「加強學校政治教育」的指示，便使所有學校在黨團操縱之下一片忙亂，幾乎完全摧毀了各校的教學工作！至於他如「治蝗」，「抗旱打井」，「掃盲」，「改良棉種」，等等，幾乎無一不啼笑皆非！就像山東蒼山縣，爲了民衆不信任「改良棉種」便被縣長下令動員拔棉四百餘畝！天津區爲了抗旱打井動員民衆停頓其他一切工作一也打了七萬個井眼，就有五萬多個無用！爲了掃盲，損害了許多工業的生產工作，卻依舊一字不識，此種情形，正如中共河北省委書記林鐵所承認！是各級領導機關只發命令而不瞭解下面情況的官僚主義，命令主義，主觀主義所造成。

一頂政治帽子 便可層層壓制

中共一切唯黨的層層特務控制，必然產生層層強迫壓制的現象。強迫壓制的武器就是一頂政治帽子，這種帽子主要是「任務」「反動」，「落伍」等等幾個大字，便可隨心所欲地壓下去叫人就範。上級壓制下級就是在黨組織的權勢及這種帽子之下叫人懾於淫威。中共的幹部，誰都知道這種權勢底可怕層層忍受着的。但是層層相轢，下級便壓制羣衆，而且更是「胥出於壓」！爲了「任務」，固然「名正言順」地向民衆強迫、命令、無所不爲！即爲個人的享受，也可藉詞橫行，一頂政治帽子一壓，誰敢不低頭聽受宰割？正如共酋安子文和林鐵所指出，這些下級幹部就是仗着此種權勢和帽子在打罵羣衆，亂捕亂殺，逼死羣衆，強姦婦女，包庇貪污，無所不爲的！

因功寵縱幹部 無不胆大妄爲

中共自己承認：這種「違法亂紀」（中共根本無法無紀）的罪行，即以下級幹部最爲普遍而嚴重！他們承認：這種罪行，並不是各級領導幹部一無所知而聽其存在，而是被故意寵縱着的。安子文曾指出，大多領導幹部明明知道下級幹部有這種罪行，而不加制止，甚至已被受害者控告時還予以包庇壓制。爲什麼？據說是基於「宗派主義」的觀點，怕對於這些有功的幹部加以處分，傷害了以後的積極性，都說這是「小事情」而故予放任。於是，像河北易縣台底村牛老運那樣，一家人包辦了村政府，殺人、強姦、敲搾，無惡不作，只因能完成「任務」，台底村便被評作了「模範村」，他便被推許爲「模範村長」。諸如此例，那還有不更胆大妄爲之理？這眞如人民日報的社論所承認指出！幹部們任意扣押、綑縛、鬥爭羣衆，或戴綠帽子游街，侮辱羣衆，或以罰勞役等等方式處罰羣衆，欺迫羣衆，乃至逼死羣衆的事，在動員羣衆打井防旱，預防霜凍，舉辦牲畜保險，發放生產貸款，推銷化學肥料等農業生產工作中，乃至在動員羣衆打防疫針，推廣速成識字等等的任何一種工作中，幾乎無一不普遍地犯有這種嚴重的惡行！

祇報喜不報憂 上下層層蒙蔽

但共幹們不僅僅對這種惡行在寵縱而蒙蔽着，幾乎對任何問題、工作、缺點、都在層層蒙蔽之中，他們的原則是：「報喜不報憂」。安子文曾指出：「特別嚴重的，也是對黨危害最大的現象，是各級領導機關只肯向上虛報工作的成績，而不肯反映任何缺點」。對此，幹部們的辯護說是工作太多，任務太重，下不去，便只好靠簽署界和辦文件來實行領導；便只好向下級要材料，要報告、要數字、要總結，和忙於召開大大小小的會議來交代任務。這種要數字的作風，由上而下，由下而上，明明在層層蒙蔽，而心照不宣。於是像河北高陽縣只有四百個互助組，卻一報就報了二千四百個之多。雖然，中共曾訂有一個檢查制度，並設有各級檢查機構，但檢查人員本身既同樣犯有官僚主義毛病，而各級領導幹部也大多「隱惡揚善」地故意作有計劃的對抗。有時即使掩蓋不住了，只要似是而非地「坦白」一下無關緊要的缺點，便被認爲已有「改正」的表現混過去。事實上則貪污腐敗的，驕橫顢頇的，兇霸道的等等現象，依舊在滋長、蔓延。例如重慶水泥廠那樣，剛發表了一篇安全檢查，而已作如何如何糾正了的洋洋大文後，就在第二天發生了傷亡工人九十八人的事，第三天，就起了一場大火，幾乎全部付之一炬！

重才不重德 用人但求親

中共的用人問題，安子文已承認犯有嚴重的弱點：存在着「資格論」，「重才不重德」及「任人唯親」的偏向。先說「重才不重德」，他們的許多高級領導幹部有幾句妙語：「德才兼備的幹部是沒有的，兩個幹部在一塊，一個有才，一個有德，湊起來就行了。」「我胆子大，敢用人，歷史政治是過去的事，現在不會反革命了。」「有才無德搞行政，有德無才搞黨羣」。再說「資格論」及「任人唯親」在他們的上中下三層領導幹部的任用，一向唯黨的歷史資格問，固屬很「親」；而各級領導及一般下級幹部的任用，則大多唯親、師生、血親等關係是問，自然也很「親」了。

腐敗動搖根基 整風勢在必行

中共各級幹部的腐敗情形，是不勝枚舉，以限於篇幅，不得不僅舉其首要者報導之，舉一反三，讀者當可想見其餘。當然，像這樣普遍而嚴重的腐敗情形，安子文不得不承認「已嚴重地腐蝕了黨的組織，瓦解了黨的戰鬥力，破壞了黨的集中統一！」已到了「不能再姑息容忍」的地步！因而要各地黨委、黨報、黨的檢查委員會，展開一個「鬥爭」的準備，大規模的「整風」運動，已劍張弩拔，勢在必行了。至其將如何進行及結果如何，且拭目以待吧。

（下）

・沈著・

僞華東交通部長 黃逸峯被鬥記（七）

十四、「同志」大打落水狗

黃逸峯既被開除黨籍、撤免本兼各職，並推出當衆「坦白」「鬥爭」，當然已成階下之囚，任人宰割，無所抵抗了。於是，在中共一個「教育黨員、羣衆」的「政治藝術」的要弄之下，便到處出現了大打其落水狗的人！首先是僞華東交通部臨時黨組及其所屬各獨立單位的黨總支組織召開了「黃逸峯事件學習檢討大會」，喊出了「打倒反黨份子黃逸峯」底口號。接着是僞華東交通專科學校召開了黨團全體大會，發出了「擁護華東局清洗黃逸峯出黨」的口號。再接着，反黃派固然極盡其乘機攻擊之能事以打黃逸峯的落水狗加以報復；即連先前那些作爲黃逸峯「親信同志」的王振南、白長洲、方奕生、蔣震虹等等，也紛紛發表了書面檢討文，喊出了「擁護華東局鬥爭壞人壞事」口號。

十五、一犬吠影羣犬吠聲

又接着，幾乎全大陸的黨報及省市級的黨團政等機關都羣起攻擊，以假惺惺作態展開所謂「檢查」與「檢討」，都將黃逸峯當作了罪魁的典型例子；眞可說是一犬吠影，羣犬吠聲：一面，中共中央組織部部長安子文召開了中央一級機關幹部學習會議對黃逸峯大肆指斥，並在僞政協第四次會議席上以黃逸峯爲典型例子提出了檢討報告。一面僞教育部、青年團及青年報發出了「黃逸峯事件」爲例的「鬥爭壞人壞事」的號召。一面，幾乎全大陸各地的黨報都撰文抨擊了黃逸峯的「罪行」，並連帶以此爲例，揭發了許多類似的事件。又一面，現在浙江、福建、安徽等省的中共省委已首先發動了以「黃逸峯事件」爲例的檢討鬥爭，紛紛暴露了一向掩蓋着的官僚主義、命令主義、強迫壓制、互相傾軋，以及貪污腐化等等的現象。因而，幾乎到處都響起了一片猖猖之聲！

十六、黃逸峯事件的總結

現在，黃逸峯事件的本身雖還不會結束，而且因此而引起的波濤正在洶湧之中，但我們對於黃逸峯事件的報導，至此，似已可予以總結。

一、我們從此次黃逸峯事件看似乎並未看到黃逸峯本身有什麼了不起的罪孽：學校的混亂現象是一般性的；（見本報二〇七期三版大陸通訊）經費的拉東補西可說是權宜措置；罵僞中央交通部是王八蛋，可見僞中央交通部的工作秩序還不及黃逸峯的僞華東交通部，說他壓制批評抵抗黨的檢查，實在是中共自己寵縱的結果；至於層層壓制、權勢傾軋，可說是中共一切唯黨的層層特務控制的必然現象。我們從客觀的立場看，黃逸峯事件根本就沒有一個基於眞理的是非，而只是中共自己的是非。黃逸峯所以失敗，是敗在激怒了上級；損害了黨的「面子」；觸犯了馬倫可夫的聖旨。

二、但從黃逸峯事件及其事後中共各地的檢查看：可知中共機關學校的混亂現象及官僚主義等等作風均極普遍。而其黨的組織的層層壓制的弊害及一般高級幹部的因功居思想而驕橫跋扈的程度，以及他們黨內權勢傾軋的程度，都極嚴重。

三、關於觸發黃逸峯鬥爭的幹部與幹部之間的壓制、傾軋、利用、等情形，我們從最近大陸各地報紙因黃逸峯事件引起的檢查承認看，的確已不僅是黃逸峯部份的偶然現象，或局部現象。黃逸峯不過是作了揭開此一現象的首要事例，順便被中共上層當作了根本錯誤的自我掩飾的藉口及再來一次「整風」的開頭刀的工具吧了。（完）

欲問鐵幕情形 且看猪玀政治

鐵幕國家的統計，沒有一件不是虛僞的，若非誇大，則係短小，這是共黨宣傳政策的基本手法，原無足怪。但是最近中共的報紙卻公佈了一個統計，由於共黨幹部的官僚主義作風，與乎盲目的「超額完成任務」觀念所致，去年秋季一季，單是上海一地，餓死病死的猪子共達五萬四千頭，據其統計，每頭以人民幣伍拾萬元作價，總值達二百七十億元，如果伍千元面額的人民幣平壘，可以高過國際飯店十倍。這一回的統計是正確的，猪畜遭災，已經是去年多天的舊聞，之所以至今始將統計公佈者，原因乃在猪命究非人命，犧牲於「抗朝」「土改」「鎮壓」中的人命，已經不只百千倍於五萬四千這數目了，爲了表現鐵幕政治之勵精圖治，數千萬的人命一筆勾銷，而五萬四千頭猪仔卻要大加檢討，非如此，不足以充份的表現共黨作風也。

肉食階級

本來國內的猪肉階級分成四等，第一等是「老大哥」，猪鬃換取外匯，猪肉經過冷藏，由西伯利亞鐵道裝到俄國進貢。第二等是中級幹部，大喫大喝，將他們喫得肥腸肥腦。第三等是「人民解放軍」，他們也是消耗猪仔的肉食階級，至於可憐的「人民」，已經到了食無肉的日子，惟有逢年過節，他們的肚腸始可油潤一下，以喫食猪肉點綴共黨經濟的日益繁榮。至於主持猪肉購運者，百業「同營」的原則之下，這一宗買賣屬於「華東土產公司」。且說去年七月，「猪腦」們忽然想到中秋節和他們的國慶節快要到了，爲了保證市上可以大量購到猪肉，因而發動一個「突擊收購運動」，抽調大部「猪幹」，組成四個小組，分赴江西、山東、河南、蘇北四地收購，幹部出發時，土產公司的副經理何壽良，特別規定兩項目標，即「降低規格，超額完成」，而且告訴他們關於猪仔的收購，「愈快愈好，越多越妙。」

望肉興嘆

共黨雖然統治大陸三年，各方面的進步卻是仍然有限的，這個猪政機關的幹部，其常識恰恰和猪一樣，第一他們忘了人民生活水準，已經一年不如一年，第二不知道夏末秋初，正是猪仔發生丹毒的時候，而他們對於「突擊任務，超額完成」這一套八股，卻是機械般的熟的。於是盲目收購，瘋狂「競賽」之下，二十天以內（九月二十五日至十月半）上海到猪十一萬八千頭，「國慶節」那天，人民根本沒有興趣，肉食者寡，於是中秋節不能不減價鼓勵，但是袋裏沒有人民幣，望肉興嘆，這一天只是較平時多銷出一半而已，因而問題隨之而起。這十一萬八千頭猪當中，本有七十頭丹毒猪，猪幹們一心超額完成，也以「服從任務」爲理由，「武裝護衛」，逃避了檢疫站的耳目，偷偷運到了上海，加上天氣炎熱，猪疫普及流行，半數以上的猪仔都被傳染了，也有不少老百姓喫了疫猪肉，這等事共幹們自然嚴守祕密。

單說這些猪仔到了上海，因爲銷路遲滯，殺既不行，養餵無地，綜計庫存者三四萬頭，積存在蘇北轉運站不能啓運者二萬頭，到了上海無處安身者三四萬頭，「猪業運銷部」雖然連夜興工，趕了三千頭猪的草棚，連同原有倉庫外，還有六七千頭無法獲得食宿的流浪的猪，這些猪仔只有僱了六十隻大木船，裝了牠們停在黃浦江。猪瘟發生，死亡率甚大，每天約達四、五百頭，這一來慌了最高猪腦首長，「衛生局」的檢疫站趕辦猪疫訓練班，草草訓練兩批初級獸醫，藥品缺乏，也算用掉十箱血清，一百瓶盤尼西林，回春乏術，瘟疫擴大，死猪一天天增加，「衛生局」的官員喊出了「爲猪服務」的口號，吳淞區的「人民政府」，每天動員了幾十上百個老百姓，去猪棚裏捉蒼蠅，捨本而治末，死亡數字越來越大，終至小半賣掉，大半死掉爲止。

三幕插曲

猪禍未了，插曲卻多，此時浙江河南的猪隻仍是源源而來，調查原因，河南新到者屬於執行「華北土產交流會議」的決定，浙江者屬於內部調撥。「華東土產公司」既然疲於猪命，也就顧不得公文官僚化了，一律拒絕收受，原車裝回浙江河南，猪公猪母，固然旅行了一次，可是一百斤變了八十斤。此是插曲之一。猪禍發生，責難紛加，猪幹們爲了推卸責任，要求「華東保險公司」賠償，保險公司也是官營，自然一派官話，他們說屬於「管理不善，責任應由自負，」猪幹說：「既要自負，何必保險？」這場官司至今日未了，此係插曲之二。第三，此一事件不大不小，爲了塞住人民的嘴，和遮掩「雪亮的眼睛」，不能不向責難的人民有所交待，如是猪案未了，餘臭猶存，上海的共幹們，這幾天正在大寫猪文章。

這是舊事新寫，鐵幕內人民賤於猪命，原已不值重視，所以補作報導者，由此可以瞭解這羣人之無能，不能治猪，焉能治人？筆者不禁爲五萬四千頭屈死的猪玀惋惜。（冷穆）

自由談

猢猻與駱駝

為方

印度有人主張把猢猻組織成隊，教它去推拉小車，從事勞動，實行「爲人民服務」。據說，猴子不會有共產主義思想，利用它來拉車，對社會不致貽害云。

印度朋友的高見頗成問題，因爲猴兒乃下等動物中之最具智慧者。所以，共產仁兄的聖經——社會發展史，一口咬定人是猴子變成的。如此說來，猴子與「人民」是二位一體的生物，教它去拉車勞動，正符合「社會發展史」的原則，根本就是共產主義的思想來源，怎能說沒有顧慮呢？

喜馬拉雅山麓有的是駱駝，它那種任重致遠的力量，比猿猴高強百倍。在歷史上，它曾經參預過向外開闢拓土的大役，亂驅戈壁沙漠，與胡馬爭功，替人類建立了不少的績業。它的本性和能力，實在視馬牛更覺可貴。

至於猴子，天性好搗亂，爲善不足，作惡有餘，它那點智慧，適足以濟其奸，是山林動物羣中的小政客，日常跳跳蹦蹦，變詐多端。但，一遇着猴戲班主人揚出皮鞭，或者宰殺一個小鷄時，却又嚇得魂不附體，馴伏着羔羊了。駝駱呢，它隨時昂首闊步，穩練沉着，不矜不伐，盡其在我，頗有臨難不懼，成功不居的大英雄氣概。

在山林動物中，我最愛駱駝而憎惡猢猻；在萬物之靈的人羣中，我最崇敬賦有駱駝性的無名英雄，而極鄙視猴兒式的小政客人物！

英國皇冠的寶石（下）

承安

他們最崇拜一種土教，盛行於緬甸及暹羅一帶，該教並非佛教之一部，教長穿黃色道袍，時常有人跑去叩求他，全緬共有二十八個公開的教長，摩村就占了五個，其中有一個是女的，住在大樹上，離着村子不遠，她是管理礦區的教長，礦工們不時地跑去祀奉她，或獻鮮花，或陳列一把飯，在樹下羅拜着，像是敬禮神人的一樣，緬甸每年平均有四次地震，據礦工們說，這是一條睡在地底下的大龍，它的頭在毛淡棉（緬甸南部），尾巴在瓦城（緬甸北部），它老人家睡得不耐煩，翻翻身軀的時候，馬上便發生地震的災禍了。另有一事，說起來怪好笑，他們却矢口不移的奉爲信條，他們從不在森林內拾取灰色的落葉，據說葉子拾在手裏，馬上變成新鑄的銀幣，把銀幣裝入荷包裏，欣欣然走回家中時，樹葉一變再變，變成昂首吐舌的毒蛇。

從緬甸找出來的一顆最大最出名的紅寶石名叫「和平寶石」，售價三十萬盧比，折合美金十萬元，是一九一八年休戰日所發現的。礦工指爲神賜之物，因爲慘酷的戰爭已經過去，所以神靈賞給這顆寶石留作紀念。

緬甸賣寶石的規矩簡直像一幕滑稽喜劇，在一個星期之內，有一天是不許討價的，但是這一天只占一星期之七分之一，歐洲人無從辨識出來。如果不是這一天，虛價討得海闊天空，使買主的舌頭不易收縮回口腔之內。當寶石發現時，許多股東聚商一個價格，但他們決不把價格標明出來。讓商人向他們出價，出價與他們肚裏的數目相符合時才可成交付款。在緬甸有百多個珠寶經紀商把珠寶轉賣給歐洲人，從中取得回扣，這種買賣方式也許全世界找不出相同的地方來：開始並不擺出貨樣，他們腦海中浮着若干幻想，誰買得起這顆寶石？這次能賺多少錢？還得入微入隱時然後才陳列出來，當客人看中了貨色而他們知道買賣上門時，雙方要有最大的忍耐性：緬甸人是很有禮貌的，不像歐洲一樣，可以直截了當提出談判，首先有許多發話，說長道短，你好？你媽好？你全家都好？你是誰呀？經過這番寒喧語之後，便是一套新花樣：請茶、請香煙、請喝茶，好茶，左一杯，右一杯，直把茶喝得不留餘滴，然後才拐彎抹角地把買賣說上口頭。假使旁邊有人觀察着，雙方都不能開口，只互相把右手隱藏着，歐洲人的袖子套在緬甸人大袖子之內，遮蓋得一絲不透，然後用大姆指撫來撫去，這是討價還價的暗記，並非騷擾作耍子的動作。如此還價一般，這許要經過數星期之久，在雙方極端忍耐之下，才能成交解決。他們爲什麼暗中摸索呢？用意是——！不讓旁人知道寶石的眞價格，他們最怕讓強盜搶了去。同時歐洲也得當心點，暹羅及印度等處都有出賣黑市的寶石市場，須認明採自註冊的礦區才可以伸手去買。

除開翡翠及金剛鑽之外，什麼珍珠、寶石、尖晶玉、緬甸一切都有，它們同藍寶石、紅寶石，只是色澤的不同，都同堅實之紅玉，是一顆的東西。藍寶石英文名叫「色梵翡」，中國人通常叫做藍寶石，它的顏色也不一定是藍的。有綠色，黃色，白色，及灰色，等其最珍貴之一種是透着晴天空的藍色。

老沈的苦悶

——寫字樓中見聞——

·老宋·

老沈是我們寫字間中的特出人才，他在未來到此地之前，據他自己表示，曾經在國內某大企業公司中做過課長，可惜爲時不久，赤禍狂流冲到了廣州，公司商然被冲垮了，他因此也失業，潦倒不堪，如果不是共產黨對付人民的手段太惡毒，使一般稍有血性的人無法忍受，他是怎樣也捨不得拋下年青妻子與稚小的子女，離開了從未離開過的家鄉的。他沒有長得像朱先生的英俊，個子矮而肥，有如小說上描寫的五短身材，渾身發圓，好像個皮球，尤其當他走起路時，極似一個皮球在地上滾來滾去，因此他的外號即叫「皮球」；他的身材雖是生得矮些，但他的嗓子與講話時的聲調，却是驚人的，尖而長，有如裝在警車上手搖警報器，刺耳欲聾，假如請他去快活谷對數萬羣衆發表一篇演講，麥克風對他所起作用是很小的。上帝既界了他這生理特有的部份，不用它眞是暴殄天物，所以他也天生喜歡說話，一他有機會，即滔滔不絕，如潮水之湧塌，如萬馬奔騰，一發不可收拾。因此，同事們除非不得已向他請教，平時不敢與他說話的。

有了這個原因，老沈是感到苦悶的，寂寞的，一個人整天除了吃飯之外不用嘴子吧，且不是一件痛苦的事？何況說又有一副天生的好嗓子，不去利用是怪可惜的。

老沈在這種情形之下，既找不到人攀談，人家更不會向他找話題，要想解除在不景氣籠罩下的香港，一般寫字間中沒事可做的無聊，他是煞費思量的，每天的幾份報紙，自國家大事的第一版看起，一直到最末一版的所謂報屁股，甚至每則廣告全部看完，也無法消磨漫長的一天；出去坐坐咖啡室看看人來人往，又怕經理查問，到了年終吃無情雞。日常時久，老是在寫字間中悶坐是難受的。最近他大概是勵了腦筋，結果，開始收集郵票了。這玩意兒既風雅又時行，也可養成儲蓄的美德，并且是撈好一種消遣的方法，一舉數得，何樂而不爲？

人總是喜歡好奇的，同事們每當見到老沈手中拿着一個放大鏡，仔仔細細地在欣賞他的郵票，有時又自言自語地發出幾聲讚美的「嘖」「嘖」聲時，不免抬頭向他瞧上一眼。

一天，老沈接到他的太太從廣州的來信，信封上貼了一枚有如戰前香港所習見的「仙」鼎大小的郵票的，比平常的所用的大上兩三倍，顏色鮮艷，的確是好看，上面所繪的圖案，是有一面大旗，旗的上面有着幾只鴿子，據說這是表示「和平」的。

當他見到了這枚稀見的郵票之後，馬上拉開抽屜，取出他專爲集郵所購傢俬，他細心的將這枚郵票從信上揭了下來，拿了放大鏡照了又照，愛不釋手；而將他太太的來信，置之一旁，不值一顧了。

過了不久，突然間發出一聲巨響，同時又見許多小紙方塊在房中飛揚，並接連聽到「丟丟」之聲，這發自老沈的坐位。這一下可驚動了整個寫字間中的同事了，大家立刻起了一陣騷動，齊向老沈的方向擁去。祇見老沈手裏一張他太太的來信，倒在地上，一臉怒容，口中仍連續發出不斷的「丟丟」聲，他的四周狼籍着他化上一番心血、金錢所蒐集來的郵票。

好心的小李是從不放過能夠表現「見義勇爲」的精神的，見到「皮球」倒在地下爬不起來，馬上一躍身手，把「皮球」從地下扶起，雖則是出用力太大，漲得滿臉通紅，但他做到了「日行一善」的童子軍教條，感到很快慰的。

「皮球」摔倒地上是挺危險的，腦充血這毛病可不是好玩的事，幸而見到老沈被扶起後，沒有什麼，大家放了一條心，但是對「皮球」爲什麼會倒地的原因仍是關心的。

七嘴八舌，大家向老沈追問原因。從老沈下面的談話中知道原來是這末一回事：

老沈說：「丟那媽！共產黨講乜×『和平』，我嘅老婆係廣州本來係平平安安嘅，而家共產黨要佢實行乜×『新婚姻法』，話我地嘅婚姻係唔啱，丟佢嘅『新婚姻法』，同我提出離婚，限我一個月內答覆佢，如果唔係，佢就嫁俾『區政府』嘅幹部做『愛人』喎！好有陰功嘅！」

從此，老沈再也不搜集郵票了，整天鼓起面腮，較前更苦悶，更寂寞了。

略談杜甫（五）

·舜生·

有人把杜甫的詩分作三個時期：第一期是天寶十四年（755）安祿山造反以前，其時杜甫住在長安歷十年以上，他的年齡由三十幾到四十幾，正是人生大可有爲的一個時期，而他也抱着濟世之心甚切，但不幸玄宗昏瞶於上，李林甫及楊氏兄專擅於下，同時對外還要黷武窮兵，弄得民不堪命，我們這位詩人對政治的抱負是一籌莫展，但他目擊當時這種景象，却增加了他不少的詩料，如大家所熟悉的『麗人行』，『兵車行』，這類的名篇，便都是這一時期的作品。第二期是天寶之亂以後，杜甫乃開始了他的流亡生活，且曾一度陷在賊中，他既飽嘗了這種亂離的慘痛，又親身親聞了當時人民那種流離顛沛的情形，於是他以悲天憫人的心情，產生了不少長歌當哭的鉅製，例如『哀江頭』，『哀王孫』，『新安吏』，『潼關吏』，『石壕吏』，『新婚別』，『垂老別』，『無家別』，……乃至『北征』那樣的傑構，而我個人所特別愛好的，尤其在他『紀行』那類的雜詩。第三期是乾元二年（759）他到達四川以後，其時他的年齡已快到五十，總算在成都有了一個安定的住所，時局也在逐漸好轉中，雖說依然還是窮困，但究竟多得了幾個朋友的照顧，於是他的心情也安定了許多，像少年時期那種好談天下大事的氣概已不復存在，作品如『美陂』，『夜歸』，『茅屋爲秋風所破歌』，……及其他若干有名的五律七律，也就大體上趨於平淡的一路了。

現在我只想舉出『麗人行』，（天寶十三年作）『自京赴奉先縣詠懷』，（十四年作）和『北征』（至德二年作）這三首作爲例子來談一談。

『麗人行』是顯然諷刺楊氏姊妹和楊國忠的一首詩。杜甫所寫的詩在當時雖不一定出版，可是依然有人在口頭傳誦，在他『奉贈韋左丞丈二十二韻』這首詩裏，他便說這位韋老先生『每於百寮上，猥誦佳句新，』可見得他的詩便在當時的官場也是很流行的。可是老杜並沒有因此得罪，這足以證明就在一千多年前那種君主專制時代，中國人也還是有言論自由的。

在『詠懷』這一首裏有這樣的句子：

『……彤庭所分帛，本自寒女出，鞭撻其夫家，聚斂貢城闕。聖人筐篚恩，實欲邦國活，臣如忽至理，君豈棄此物？多士盈朝廷，仁者宜戰慄，況聞內金盤，盡在衛霍室，中堂舞神仙，煙霧散玉質，煖客貂鼠裘，悲管逐清瑟，勸客駝蹄羹，霜橙壓香橘，朱門酒肉臭，路有凍死骨，榮枯咫尺異，惆悵難再述：……』

這不但是明明白白責備當時的統治階級把人民的東西搜括得來，過這種窮奢極慾的生活，而使得多數的人民簡直無法生活下去嗎？然而我們的詩人還是這樣大胆的寫下來了，也並沒有人去加以干涉！

萬竹樓隨筆

中國之友（六六）

毛以亨

李提摩太傳（十）

彗星見於一八八一年六月，乃講彗星，每月必演講一次，如是者共三年。官民均喜聽講，有一次滿人與漢人爭一新戲院而打架，知府勸撫台將戲台給他講學。他們最喜歡實驗，化學電學實驗尤爲驚奇，認是最好的魔術，但關於理論，則祇有少數知識分子來聽。官吏之中首受影響者爲知府王某，係河南人，補缺武府後，立即辦學，而以科學教人。

八、結識張之洞諸人

陝甘總督左宗棠平定新疆後晉京，路過山西，巡撫迎之於距太原百里地方，李氏亦被勸亦往參加。他攜世界史圖表前往贈之。左氏辭退來晤的官員後，專與暢談，深夜始散。先談世界史圖表，繼言彼在甘肅設一機器毛織廠，並及山西賑災，旋談佛教，他則談基督教與孔子精神相同。此絕非敷衍之語，因爲彼來他任兩江總督時，始容許教會購地設立教會學校與醫院。南京之教會奠基實奠定於左。

一八八二年張之洞撫晉欲興孔教，備辦樂器，悉如曲阜孔廟，但奏得不好，時李夫人已成中國音樂一書，乃勸張氏將樂器音譜，交其夫人改良調整。時山西佛教亦祇有新疆形色，習五十日即得畢業爲僧，一八八〇年七月他遊五台山，寺院甚衆，僧侶數千，有和尚喇嘛二種。喇嘛黃教紅教皆有，他往見大喇嘛，贈以世界地圖，而注出中文地名於其上。喇嘛大喜，因對地圖極有興趣始肯相與約，則允其參觀佛事。翌日前往，則見其廟門一〇八級台階上已擠滿人，廟中有人攜鞭待之，持鞭打出一條可走之道，始能到廟中。寺則中國蒙古官吏各一人，已在座。此一盛典以鼓聲開始，繼之喇嘛和以極低之聲，突然戴假面具者出而舞蹈，其狀類於虎豹及鷹隼，類於埃及神話之所顯現。僧衆分列左右，左方合十唱念時右方跪下，當右方起而唱念時則左方又跪下，而最可取者，乃其祕譜悅耳，他曾抄之以用於耶教之祈禱，殊受人歡迎。

忽然以仇外著名的張之洞，查出檔案上有李氏上曾國荃書，所言爲築鐵路採礦與辦工商業諸事，閱之之後，大爲興奮。立即派三位大員到李處，勸其勿再傳教，改爲中國服務。李氏告以彼曾知其大意，然此等技術之事，須請專家來辦。彼等謂張亦知之，但欲李氏總其成，李謂以傳教爲較高尚的事業，彼不能辭高而就卑。後張氏請其測量太原附近地勢以免大水時灌入城內，并問以可用之開礦機器需款幾何？皆答覆之，而測量數則以托DR.S CHOFIELD爲之。張氏升任兩湖總督，要李去幫忙，李以仇外空氣甚濃辭焉。然其在鄂設漢陽鐵廠，築京漢鐵路，設學校，興工業，皆李氏所勸其在山西者也。從此張氏排外之思想，乃一變爲接受西化之人，吾人祇知張氏任御史時，乃以頑固排外著稱的，而以一任督撫，便有根本的改變？要知李氏此一千磅書籍儀器，是能促醒張氏改變的。

我參加越戰（三十）

L. HART著　第啓譯

困難的開始

在三角洲中，一個戰役或攻勢的結束，就意味着軍營中日常事務比較艱難的開始。我們的水陸兩用車輛需要檢查修理，在當地徵募的新兵急需訓練，軍營中還必須時常提防越盟軍的伏襲。甚至利用俘虜的勞動力，在最原始的設備之下，我們要維持軍營內外的事務，還很困難。

在軍營內面，當地的輔助隊和他們的家眷擠在帆布營幕中生活，在他們的對面也有若干外國軍團的士兵和他們非合法的妻子以及混血的兒女在忙碌著家務，這些混血兒在及齡的時候可能要被送進軍校，準備充當越南陸軍低級幹部的。

遍佈情報員

營中的空氣濕熱而帶有猜疑，外國軍團的官兵不信任在大門口崗位上担任衛兵的越南輔助隊，而不斷担憂我們不足的武器和彈藥會要失蹤。甚至住在營外一幢房子裏的五個軍官似乎也彼此間互不信任，在我離開外國軍團的那一天，我的直屬長官就被當局祕密逮捕。在我們軍營中，也像越南其他軍營一樣，當局指派了許多情報人員潛伏在各單位中，注意他們同僚的談話與活動，當然，這些情報員大多數是由法國人充當的。

自由人

中華民國僑務委員會頒發登記證台教新字第一零二號

THE FREEMAN

（半週刊每星期三六出版）

（第二一〇期）

每份港幣壹毫

督印人：李光華

社址：香港高士打道六六號

電話：二〇八四八

GLOUCESTER RD. HONG KONG TEL: 20848

承印者：東南印務出版社

地址：高士打道六十四號

台灣特派員辦事處：台北市館前街五十號

台灣總經銷處：台北中華路新號五九四之一

台灣郵政劃撥儲金帳號：九二五二號

本報啟事：

今日爲本報創刊兩週年紀念增發特刊半張　不另取費敬希　讀者注意

讀蔣總統「三一」文告書後

左舜生

最近讀到蔣總統復行視事三週年紀念日的一篇文告，文長八九千字，就台灣三年來的一切措施及其進步概況，均有所說明，同時並指出若干尚待努力之點，作爲本年度一切施政的準則，內容翔實，是什麼便說什麼，既沒有誇張，也沒有隱諱，使我們這些久離台灣的人，能對台灣三年來的情形，得以大致明瞭，從這一點上看，我想一定能使大家感到相當的滿意。可是港九一部份的輿論，仍有微嫌不足的，這大致是由於對台灣期待過分殷切的一種心理出發，其動機是純粹善意，頗值得珍視。我們姑舉『星島日報』三月一日的一篇社論來談談，同時也想藉此表示個人的一點意見。

反攻的政治準備

『星島日報』本年二月二十一日曾有一篇社論，標題爲『反攻大陸應昭示新政綱』，他們並且指出：『經三年之改造，當有新事實，新綱領以見人。爲鼓勵國人負責計，爲今後前途計，實爲爭取多助計，應及早有所表白矣！我人且屏息以待之！』及至他們讀過蔣總統這篇文告以後，他們却說：『今日爲蔣總統復行視事三週年紀念日，沿例必有文告昭示國人，故昨日吾人便滿懷熱望，以爲吾人上述之預期，即可實現。及今晨觀蔣總統文告之全文，則感覺吾人上述之期待仍然在期待中，國人內心之焦急，尚未獲解也。』

我分析三月一日他們這篇社論的主旨，仍認爲『國民政府在反攻大陸之前，還完成反攻之政治準備，早日昭示新政綱。』據我看，與該報抱着同一樣心情的人，就港九一地而論，實不在少數，其動機不難了解，其要求也很正當，可是討論却還是值得討論的。

提出政綱與實行

老實說，以今天台灣的當局，如果要集合若干對時局有相當研究的人，就國內國際當前形勢作一番檢討，因而發表一篇堂皇動人的『新政綱』，實在是輕而易舉的。可是發表一篇政綱是一件事，如何實行却又是一件事。就我所知道，今天反攻大陸究竟應具備何種條件始能實現？反攻大陸以後，如何始能作三五年的持久戰？這從經濟與軍事的觀點上看，已經大成問題；至於到大陸後的一切政治設施，自然更是千頭萬緒，非針對現實擬具詳細的計劃與施行步驟，實將無從着手。我敢斷言，截至現在爲止，台灣對於這樣一種準備，實際所差尚遠，而且不配合國際的行動與支援，簡直可以說無法進行。至於有不少的人隨時都在宣傳一切反攻的準備都已完成，這不過是不懂得艱難的青年人隨便說說而已，在蔣總統的正式文告中，我們雖可看出他確實具有反攻的決心，但他却並沒有說到反攻準備已經完成的話，這一點倒實說是蔣總統一貫的謹慎態度，他決沒有把目前還做不到的話，提前說出來去勉强安慰一般焦急渴望的老百姓。不到確實有把握的時候，不說確有把握的話，這樣一種態度，是很對的。

不過話得說回頭，就蔣總統這篇文告的內容而論，是不是沒有可以斟酌之處呢？這却是不然的。

第一個印象，我覺得這篇文告說得過於詳細一點，容易使大家忽視了它的重要所在。

第二個印象，我覺得有許多話，最好是留給行政院和台灣省當局去說，以盡其的身份與職權，確實還有其大者遠者應該注意，而且以蔣總統今天的地位和精力，也似乎不應該把精神過於分散，反而使得對於若干的大問題，沒有餘力去作充分的考慮。

應該抓住的四大要點

以我個人的淺見，覺得今天的蔣總統，應該抓住幾個特別的要點，至於其他種種，則所謂『籩豆之事，則有司存』，縱不管，或少管一點，也沒有多大的妨礙。我所謂特別的要點究竟是什麼呢？

實行民主政治

第一，是今後政治趨向的總方針，我們很懂得，要台灣在今天就實行徹底的民主政治，自然在事實上還有不少的困難，但是趨向總必得是這個趨向。在個別的特殊事項有時不能與民主原則完全相合，這是可以諒解的；在一般的舉措上如果與這個總趨向背道而馳，那却是要不得，這是我們希望蔣總統最要把握的第一點。

理解國際勢態

第二，抗俄復國這一大業的完成，其關鍵可以說大部分在於國際，今後對於國際情況的充分理解與外交陣容的特別加強，實在是當前的一要着。以目前的外交陣容而論，除掉外交部的葉部長，出席聯合國的蔣代表，以及一二小國的使領（如駐埃及之類）而外，其餘的大多數，實在是不大符合人民的期待。老實說，我們今天決不需要若干擺樣子的外交官到外國去撐場面，我們是要求他們有所作爲，要他們能提出詳盡透闢的報告，以供政府的參考。這一點，我也覺得值得蔣總統加以注意的。

認清大陸實況

第三，對大陸實際情況的認識，這是我們在一切反共行動中所最不宜忽視的。我們不要過度怕共黨的宣傳，我們正要從他們那種虛偽的宣傳中去了解他們今天的實況！老實說，中共本來只是一個『兒皇帝』，而其本身決不足道，而確實需要認眞去對付的，是他們的主子。中國自來的外患，從東西南三面侵入者，均比較的輕微，最可怕的，乃是從中國北方侵入的這種外寇！今天的蘇俄，雖已無入主中國之名，確已有入主中國之實，我們只看她在精神上與物質上竭全力予中共以支持，加派出若干萬的人員對中共加以嚴密的監視，我們便知道這個中國大陸，確已非中國人所有。我們所謂反攻，決不只是從中共手中去爭回政權，而是要從俄帝的手中去奪回我們的主權與領土，從中國北方侵入的這一大部『胡人』們，其強有力的，前此的『胡寇』，是我們的敵人，今天的俄帝，也是我們最後的敵人，中共是倒不了的！今後我們的宣傳方針，與一般研究應該合而爲一，千萬不可專做那些毫無內容的反共八股！

人才與文化

第四，則在培育人才與保全和發揚文化。就目前中國艱難的環境說，今天人才是不許不夠用的，拿出來應用只是理想，實際上是不得已的，好的教育自然有待於百年大計，好的青年們已太遲了，但時間上我們尚有待於檢討，也確實有些來不及。我們所期待於蔣總統的，就是要從台灣、海外的三十、四十、五十歲的中年人中，勉勵虛心體察人才，他們一當國家大用，『不以一眚掩大德』，『毋求備於一人』，我相信總之一定還有若干的可用之才是可以發見的。這是我們復國工作的一個基本，假定我們得不到大批的新人才，則一切的希望，便會落空！說到文化，根本不必分什麼中國文化與外國文化，在文化上只要是有益於我們的，都是我們所需要的，這便是一種偉大的抱負，用宏來提倡，與狹小的『胸襟』，決不是關起門來的，『只知道兩個眼睛』『兩個鼻子』！我們要求台灣大學要改組，教育部要切實整頓，中央研究院是學術機關，這些都不能只爲了國家的客尾，爲了民族的生存，復活，我們實在精神上不能不說不得了。

都是一種「四點」之一，舉其實際甚高的一切，只要不能切實做去，也就可以得其概要的。

加强爭取人心的政治戰

・陳伯莊・

從前在江西剿共時，已有「三分軍事，七成政治」的口號，在四萬萬人民陷入共產魔掌的今日，政治作戰，自比從前更加重要。

以政治作戰，來（一）堅定在政府治下人民反共意志，（二）消除大陸人民對政府的成見，（三）一新海外華僑和自由世界的觀聽：這是以攻心爲本，攻心爲先，攻心爲上的戰略。

彼以暴，我以仁，彼以專制，我以民主，彼以毀滅自由，我以保障人權，樣樣拿實行的鐵證，拿實行的大信，昭示世界。在和共產黨作殊死戰的過程中，積極的實施民主，一方面固爲實現民主的大道，而同時在另一面，亦即爲以攻心爲本爲先爲上的戰略。

做得不夠

這種種攻心的工作，政府做得夠沒有呢？也許當局認爲已經做得很夠了。但在政治戰略上，在爭取擁護，改變觀聽上，有下列兩件事實證明其還不夠。

（一）倫敦泰晤士報二月二日的社論，論到解除台灣中立問題，竟指我政府是被中國人認爲「反動」的流亡政權。

（二）上月有一位知識青年，來自馬來亞大學。問其華僑知識青年的心理如何，他坦白地說：半數以上，傾向「新中國」，十分之一二傾向自由世界，但自由中國則被遺忘了。

政府自遷台之後，這樣的認眞苦幹，勵精圖治，已經三年，爲什麼還不能消除內外人士的成見，引起同情呢？因在抗戰的時候，共產黨和共同路人發動一種最狠毒的毒計，詆譭政府貪污腐敗，不民主，以離間中外人心。他們的作戰太毒太巧，政府的應戰却太執拗而笨拙，遂演成今日的悲劇。中立的泰晤士報，未必祇是媚欺騙，馬來亞大學的知識青年，未必祇是少年狂妄，信口開河。探本窮源，還是共產黨當年狠毒宣傳種下來的惡印像，很深蒂固的成見依然在中外人士的觀念中作祟。

技術尚差

更使人憤慨太息的，還有兩事。史太林明明是中共的主子，而印度人偏偏把秋歐王朝看成亞洲民族獨立運動的自主政權。他們治淮，不含有增加作戰糧食的用意嗎？他們完成成渝鐵路，不含有控制民衆乃至代他們的主子控制中國的用意嗎？而許許多多的青年，却祇把他們看成爲替國家做事的新政權。爲甚麼這樣瞎了眼睛，還不是共產黨當年狠毒宣傳留下來的惡印像，很深蒂固的成見依然在一般人的觀念中作祟！

政府的政治作戰，太不夠積極。三年來政府的廉潔有爲，事實顯然。但宣傳的技巧實在太不夠。政府提心吊膽的防共，顧慮太多，對於民主措施，太過於不敢放膽做去，對於限制人權的非常措施，太過於沾滯而不活用。這是旁觀者的看法。

逆耳之言

俗語說：當局者迷，旁觀者清。這兩句話原不盡然的。當局者所知道的比旁觀者多得太多。只是當局者不能不有當局者的情緒，對於事事物物的反應，便不免受這情緒所支配，而其判斷便會被這情緒所固所蔽。旁觀者儘管一知半解，但因其所處的境地不同，他可以不受當局者的情緒所支配，便很容易看出當局者所不及見之處。因爲當局者易有所迷，所以要靜察方能致遠。因爲旁觀者易有所清，所以要集思方能廣益。

假如這段膚淺的話，被政府中人視爲逆耳之言，有所不快，那這段話便算是有代價了。有所不快，是顯當地帶有情緒的反應，便可能有所迷了。

政治人物最大的不幸何在呢？在於有勢召諛，有權拒異。從「位不期驕」而漸成「俱曰予聖」，是政治人物的大不幸。醫治之道，惟有民主。人情沒有不討厭反對的，所以容忍是政治的智慧。人情沒有不自以爲是的，所以虛心是修養的智慧。

本週展望

・雷嘯岑・

兩重喜訊

今日爲本報創刊兩週年紀念日，我們心理上自然覺得喜慰，而世界自由人類的魔星史大林，據莫斯科的正式公報，也是昨天離開人世的，這象徵全世界的自由人，今後將見否去泰來，前途無量，我們實有「雙喜臨門」之感！我們不是政治家，不必作違心之論，說甚麼聽到史大林先生病危而感覺難過的話，自欺欺人。史大林以「無產階級專政」和「世界革命」的謬說，摧毀自由人權，爲害世界，我們既是自由人，當然不必替他難過，人情大抵皆然，假惺惺幹嗎？

不過，史大林個人雖已完結，他那套爲害世界的思想和計劃及其專政獨裁的黨政體制與暴力，依然存在着。自由人類如不堅定意志，努力奮鬥，誤以爲李自成一旦喪命九宮山，其黨羽馬上就會解體，或者幻想因史大林之死，而兩個世界可能和平併存，那就是人類惰性的發展，自貽伊戚，不可救藥！

史大林以一個喬治亞窮鄉僻壤的補鞋匠人家出身的子弟，幼年只在神學院受過短期教育，足迹未出國門，智識不夠公民水準，居然繼承列寧遺業，專政數十年，奴役着世界人類之大半，使全球的政治家和英雄豪傑們，都惴惴不安，隨時得看他的顏色，就其個人而論，可謂前無古人的世界怪傑，拿破崙不過小巫而已！

但，就其成功的史績看，他完全是得力於無人性無理性的僻大性與陰毒手段，謀害長官，殘殺同志，處死家人妻孥，無所不爲。凡屬人類最狠毒殘忍的作風，他算是「集大成」地發揮到了最高峯，因而構成現代共產黨人的普遍本質。他藉此成了功（？）人類普通心理，對成功的歷史教訓常常迷戀着，而對失敗的歷史教訓則易疏忽掉。史大林個人的一時成功，使全世界人類大遭禍害，同時也就奠定了共產黨人永遠不會成功的基礎！此中利害得失之理，昭然可稽的。

因此之故，我們爲爭取天賦自由人權而反共抗俄，就應該深切省察這種道理，千萬不可爲着一時的或個人的成功，隨便效法共產黨人的所作所爲，而美其名曰「以毒攻毒」，縱使毒蛇能被蜈蚣之毒所攻而斃命，然蜈蚣之毒還是潛在着，且更厲害，將來又要爲其他的毒所攻哩！

自由生活只是平淡無奇地尊重人格，珍重理性，寬容互助，推己及人，它有如布帛菽粟，使人類生命向上發展，社會生計合理進步。所以，我們雖然激烈地反共，但在言論文字上，決不「學習」共產黨人的口吻，指對方爲「匪幫」，共產黨不是使用惡劣名詞可以咒倒它。祇有憑民主自由的理論與實際行動來使世人增進反共思想，加強其信仰的力量，才能够達成勝利。這些話，就是我們今天躬逢兩重喜訊的感想，也是「自由人」所豎立的思想路標。

世界進化的幅度波動

七年前，領導自由世界的美國總統羅斯福突患腦充血逝世後，自由人類的生活前途，即逐漸走下坡路，所謂「冷戰」把戲，熱烈演出，弄得人心惶惶，神經極度緊張。史大林睥睨當世，目無餘子；慢慢地從冷戰進到溫戰，使美國不能不宣佈「進入緊急狀態」，而他却發出會心的微笑，說美國政治人物犯着歇斯特里症候！

現在史大林亦以腦充血而撒手人間了，世界進化的波浪，當然要發生新景色，其影響所及，將使自由世界從下坡路迴轉，走到上坡去。歷史之神似乎編好了一幕劇本，讓世人分別表演，各顯身手。從今以後，該是輪到蘇聯走下坡路的日子來臨了吧！他們第一道下坡路就是韓戰。前天維辛斯基在聯大演說，即已充分表露着色厲內荏的心情了。打下去罷，危險之至；要依「蘇聯建議」來結束它罷，更不可能；自己認輸，悄悄收兵罷？俄共集團就會解體。史大林的生死，眞繫着「天下之安危」，且拭目以觀其後！

史太林之死與中共軍事

·冷穆·

史太林突患腦溢血，延至前晚不治死亡。有許多人寄予樂觀，以爲此一元兇一旦撒手西去，對於自由大業將是一個福音。更有人幻想因爲史魔之死，期望共產中國將有一個轉變。假如毛澤東變了狄托，一切化干戈爲玉帛，風雨滿樓的遠東局面，將有柳暗花明的新氣象。

我們誠然相信，史太林是反動侵略戰爭的元戎，他這禍首之死，對於赤俄國內以及國際局勢，將有極大影響。我們更可假定，面臨暴政的十五個不同民族的小國，和七十多個弱小民族之間，可能因爲暴君之卒將有變化，而且這種離心的政治翻身，都是走着狄托的老路的，但是我們說一句，東歐以及亞洲的其他附庸國家，可能因此產生二三狄托，但毛澤東決不會變，因而風雨欲來的遠東情勢也不致大變。

我的看法是從軍事上着眼的，茲從軍事上解釋這個理論。

毛澤東依附飛機大砲

第一、毛澤東政權雖然依附史太林，一如其他的傀儡元首。但他「一面倒」的調門唱得最高，竟能後來居上。第二號史太林死了，不但有第三號繼起的史太林，而且毛澤東所依附者，並非史太林的肉體，而爲史太林的飛機大砲。第一個暴君死去，繼承者仍舊能夠從軍事上要求上繼續控制，使得毛澤東不敢不悚然就範。

我們試看中共的軍事發展，以及其建軍監國，便能知一梗概。誰也知道，毛澤東之能南面稱王，他有兩個法寶，一個係似是而非的馬列主義，得以麻醉人心，另一個則是蘇俄的軍事援助，才能席捲大陸。直到大陸得手，方始知道沒有近代化的軍事基礎，永難鞏固他的政治夢想。當時，史太林正以共存共亡的理論說服他，一面拿飛機坦克作誘惑，一面將「世界革命」的枷鎖，輕輕地套在他的頭上。軍事上對蘇俄的要求愈多，毛澤東的泥脚也就陷得愈深，欲能不能，已經「一面倒」了的毛澤東，其如何能站起來，自拔而爲東方的狄托呢？

我們在毛澤東的軍事建設中去檢查：他的二百一十個陸軍師，不只是滿佈了蘇俄顧問，由野戰軍而兵團，而軍師以至於戰鬥單位的團。其特種兵團的武器技術，且全部仰給於蘇俄，沒有武器則不足談戰力，缺少技術則武器難發揮其性能；蘇俄基本上操縱這兩點，等於抓住了毛澤東的命根。中共號稱擁有五個野戰軍，他的一野以少數用在新疆，大部已經歸入蘇俄中亞戰區的戰鬥序列。「四野」「五野」以聶榮臻爲主的華北兵團）則在完成俄化的過程中，「俄化」愈甚，其自主的力量愈弱。僅存的「二野」「三野」，一部用於侵越，一部面臨自由中國的強大反攻。手上無兵，毛澤東無力作狄托的夢想。

中共的海空軍

先言海軍，中共原有的海軍甚爲脆弱，因而他的「擴充計劃」中，包括請求增加艦船至十五萬噸，（五千噸主力艦五艘，一千噸以上戰鬥艦十五艘）請求十萬海軍人員的訓練，且曾請求於一九五三年以前，完成組訓六個陸戰隊師。請求潛艇聯防以及造船技術的協助。這一串請求中，至今只拿到八十四艘舊艦，潛艇之事，尚屬渺茫，而那已經編組了的五個陸戰隊師，他們手上拿的只是教練槍和一些兵器模型，這許多待補的自動武器與火箭砲，蘇俄仍舊吝而不予，將來，恐是第二個史太林要求毛魔永遠倒下去的鞭子。

說到空軍，中共曾有第四空軍國的雄大野心（美蘇英），他的建設計劃乃「第一空軍主義」，包括A.十五個大隊的九千架各式飛機，（五五制，共七十五個中隊，三百七十五個分隊），十五分之十的戰鬥機，十五分之四的戰術轟炸機，十五分之一的偵察連絡機）B，相當上數的戰鬥兵員與地勤人員的訓練。C，全國都市防空及雷達設備。D傘兵師十二個空運師二十八個的編成裝備。E，各種基地設備。F，各種器材和飛行儀表的供給。G，其他。但自一九五〇年十二月十四日訂定「中蘇航空協定」以來。中共空軍雖似如飛躍進，但是僅係其表面，熟諳軍事者始知其沒有獲得獨立的發展。兩年以來的發展趨勢，有如下述：（一）新型的米格機的迅速增加，只是爲了韓戰，乃至保衛蘇俄遠東兵團的外圍領空，并非劉亞樓（僞空軍首長）所能操縱自如。（二）空軍基地網的建立，純粹立於蘇俄國防利益觀點之上，而揚棄了中國大陸的地理因素。（三）新式一點的機種，仍由俄人或東歐附庸國機師駕駛。（四）軍令，訓練大權操於俄顧問之手，乃至重要儀表仍由他們自己保管。（五）傘兵師等於徒手部隊，裝備極差。（六）全部器材燃料補充乃至修理保養，仍得操在俄人手上。一言以概之，即使這枝空軍訓練成功，其軍事着眼係蘇俄的而非中共的。因而，我們求出一個公式，這公式是「武力俄化等於戰力加強」——「戰力加強必須俄化」，結論：「俄化之後等於全面倒，也等於無力自主。」一個無力自主之人，他怎能變成狄托？

中共武力的分佈

第二、以目下的軍事現勢言。毛澤東的武力，三分之一放在東北亞，六分之一放在侵越，其餘的二分之一，用於「鎮懾」和防止反攻。北韓的三分之一的精銳，不但被聯軍拖住了後腿，馬林諾夫斯基且虎視眈眈的一旁監視，侵越的「二野」（大部）則無甚作爲，反攻大陸的序幕隨時可揭，而被鎮懾的中國大衆，正在等候再解放再翻身，無一機會。四面楚歌，無一非敵，今日的毛澤東，已經成了過河卒子。爲了維持政權，不得不求武力龐大，既要充實武力，更不能不繼續仰蘇俄之鼻息，仰求愈多，被控制的成份更大。史太林死與不死，對於毛澤東的命運是不變的，一批軍火一條鎖鍊，毛澤東將來正如史太林，只是死而後已。

史太林的繼承人——馬倫可夫

最近蘇聯爲太醫生案牽涉到的日丹諾夫，在未突然死亡以前，曾被各方認爲，無疑是史太林的儲君和寵兒，自從他死後，世界各地即普遍在猜測着史太林將選擇什麼人來繼承他。不過，他們所能得到的情報，卻稀少得可憐。

聯共大會中地位突增

直到最近的聯共大會，史太林賜與馬倫可夫的責任，才使西方略見比較確切的端倪，他顯然已屬意於這個又肥又矮的俄共青年人物。馬倫可夫得到向聯共大會發表重要演說的榮譽，不過在蘇俄許多老資格共產黨徒間，這種榮譽，無疑引起或多或少的羨妒，因而爲史太林死後的爭權播下了種子。

聯共大會閉幕後不久，蘇俄的報章刊物，以及其他宣傳工具，即展開活動，努力提高馬倫可夫的聲譽，希望他的名字能在國內和各附庸國間爲人民所熟悉，並得到他們的尊敬與信任，且不談會不會受他們所喜愛。

不過，在這時期內，蘇聯當局曾特別謹慎，使馬倫可夫的名字，不致遮掩過史太林的，而也沒有跡象表示，偉大的史太林已沒有再負起全面指揮，或其權力已告旁落。

馬倫可夫目前已十分顯明，大致將成爲蘇聯廣大人民的統治者，因而對世界前途產生一種決定性的影響，他究竟是怎樣的一個人？

出席華沙會議

蘇聯羣衆對他所知道的，現在還不多，大致和史太林早期任列寧助手時的情形相差無幾。縱使蘇聯的宣傳技巧高明而有力，但關於馬倫可夫的傳奇性故事，還需要大規模的創造和播揚，才能在蘇俄與共產附庸國的人民間，對他產生深切的印象。

據美記者斯諾說，當他在莫斯科任記者時，馬倫可夫極少公開露面。他從未同任何外國記者發表談話，也從沒有參加過克里姆林宮以外的少數正式外交宴會。

他那矮小會給他許多利益，至少在史太林心目中如此。史太林素來不喜歡有高過他的人經常在他周圍。而馬倫可夫又是他最密切的助手。

五年前日丹諾夫死後不久，由於他與史太林的這種關係，即被認爲，可能是史太林的繼承人之一，不過關係他的身世，祇有極少資料流傳鐵幕之外。

他除在一九四七年十月赴華沙出席共產國際情報局成立會議之外，大致從沒有出國一步，當然更沒有到過鐵幕之外，而對外面的世界有任何實際的認識。

地位與勢力

他參加華沙會議，是跟隨日丹諾夫。這也是西方世界第一次確實注意到蘇聯的這個新人物。他的地位，以及在幕後所施展的勢力，約和列寧時代的史太林相似。

他屬於布爾什維克的第二代，生於烏拉山區，父母大致已死。他之得到史太林的賞識，是由於史太林所信任的卡加諾維奇的推薦。他進入克里姆林宮，成爲史太林的私人祕書時，還是個青年。

這次機會，使他地位日增，也愈益獲得史太林的信心，不久便掌管「克里姆林宮的祕密案卷」，因而取得實際大權。對於史太林腦中的思想，他也許比任何蘇聯大官都知道得更清楚。戰時，史太林曾對他賜與特別許可，由他在公文上代史太林簽名，由此可見史太林對他的寵愛信賴。

他冷酷而飲苛，現在已是蘇聯共黨的首腦。對於日丹諾夫的黨羽，他大力整肅，不是殘酷屠殺，便是驅入西伯利亞集中營，至今可說已一個不剩。

如同機器人

凡在有馬倫可夫參與的場合中和史太林談話的外國人，都說馬倫可夫如同一個陰影，眼光銳利冷靜，而容嚴肅刻板，絕無表情，與機器人無異。

蘇聯官方，曾把他稱作「蘇維埃精神的建立者」，他曾表現不顧一切推動巨大的建設事業的才能。蘇聯如要再實行另一個龐大五年計劃，他顯然是一個確當的主持者，能在人民間激起新的動力。

至於他對蘇聯與非共世界關係上的目標，到現在還無人能予估計。他過去對西方的言論是激烈的，不過他雖然會對西方民主國家大肆抨擊，其基本路綫仍是共產黨的陳腔濫調，並未滲入任何獨特的新因素。

但無論如何，由這個與西方世界從未有過接觸的人來繼承史太林的地位，在任何方面都是一樁值得憂慮的事。在這方面，他對西方的一切完全無知，正與他手下許多蘇俄大員相同。（明）

美國的海軍實力

前美海軍作戰部長鄧菲爾著　陸薇譯

在第二次大戰後最初幾年內，海軍武器即已經過重大的革命。這種轉變的程度，可舉一例以明之，今日一架艦載噴射戰鬥機所能對敵人集中點造成的破壞，已超過太平洋戰爭中海軍實力發展到最高時期一中隊艦載轟炸機的能力。

不容沾沾自喜

對於這一點，尚有一個明確的例證可能釋得更清楚一些。今日的新式「女妖」（Banshee）型海軍噴射式戰鬥機，能載運的原子彈，其威力與投於廣島者相等。而在一九四五年，美國最佳的海軍轟炸機，其速度僅及「女妖」機的一半，所能載運的炸彈，最高爲三千磅，另加八支五吋的火箭。彈載彈量的十八倍，使第三次大戰中一個轟炸機中隊所產生的破壞力量，但仍不如一枚原子彈。

不過，海軍的這種威力，仍不足令我們沾沾自喜。我們雖然進步，敵人也同樣的在進步，他們已和我們一起走進了噴射與原子時代。MIG十五型機的性能，已證明共黨也得到製造噴射機的祕訣，而正如舉世所共知，他們也已有了原子彈。

原子航空母艦

要使噴射機得以適當運用，我們需要噴射機航空母艦。今日我們實際擁有的最好和最大的航空母艦是三艘四萬五千噸「中途」號級的。它們於一九四三年開始設計，建成時已不及參加第二次大戰。戰時我們最好的航空母艦，是「埃薩克斯」級的（二萬七千噸），其中九艘，現仍實際使用，但由於高速飛機的發展，這一型的軍艦已嫌陳舊，不能再用作第一綫的進攻航空母艦。

我們要在二年後再能擁有第一架實力充份，噴射機航空母艦，這是「福萊斯德」號，已於一九五二年七月安置龍骨，將具有排水量六萬噸，將具有現代海軍飛機所必需的飛行長甲板、實力、以及儲藏量。

在可以預見的將來，這型航空母艦，將爲海軍的最佳軍艦，與主要的攻武器，他型軍艦將以它的中心而建造，作輔助補充之需。透過艦上所帶的飛機，海軍將火力射程半徑，將自二十哩擴展到六百哩。核子分裂，除得與我們原子彈之外，也提供了一個推動艦隻的新方法。原子推動的航空母艦，其實現之日，已爲期不遠。上事實，政府業已下令進行發展適當原子發動機的工作，海軍且已計劃將若干艘「福萊斯特」級的航空母艦運用原子能推動。（譯者按：負實製造「福萊斯特」級航空母艦的「紐港紐斯造船公司」，最近暗示即將與海軍當局訂約製造一艘原子推動的航艦）

這種軍艦與現在燃油式者比較起來，其航程將遠較巨大，而對供應綫的依賴性則小。它們除消除關於補充燃料的憂慮之外，還可消除燃油所引起的濃煙與熱氣流，這二樣東西，是飛行員降落於今日航空母艦甲板時的重要障礙。

第一艘原子軍艦，是「鸚鵡螺」號潛艇，現在正於康涅狄克州戈登市製造中，第二艘的建造，也已簽訂合約。它們的水面下速度，將超過每小時二十海哩，甚至達三十海哩。它能無限期地航行於水面下，且不需要任何其他潛艇必需而易爲敵人察覺的呼吸管。

確保海外供應綫

於考慮海軍的前途如何時，我們必須研究它所負的任務。海軍首長奉派的責任，是控制海面，當然包括海面之下以及海面上空的範圍。

美國已不再能自足自給，我們本身天然資源的大量運用與消耗，以及我們在工業與國防上對新物資需要的日增，使我們必須依賴國外的來源。

要是比屬剛果的鈾礦，或馬來亞與玻利維亞的錫礦落入不友好者之手，或通往這些國家的海道被截斷，其後果實不堪設想，勢將引起我們生死存亡之戰。（上）

天下小事

雷德福將調升新職

誰出任美國聯合參謀部下任主席，目下美海空軍方面已在開始競逐中，雙方都設求推選自方的將領出任。據權威方面人士說，現任太平洋艦隊總司令雷德福海軍上將可能在艾森豪總統的推介下，取得此一職位。雷德福上將和空軍方面的關係一向處得很不好，最近更因爲謂在B—36式機失事的原因而更爲尖銳化。據悉，如果雷德福上將出長聯合參謀部的消息果實，若干空軍高級首腦可能提出辭職。

美軍空運將用新機

據可靠的消息靈通人士說：美陸軍空運大批步兵和重兵器作戰的夢想，現在已快要實現。空軍部刻在製造一種新式的飛機，這種飛機可能載運輕坦克及其他重裝備在很小的跑地上，甚至可以在比較平坦的稻田裏降落。將一個步兵師和他們的輕重武器運到戰地上，只須幾百架這一類型的飛機。

俄造新機圖炸美國

美空軍部已獲悉一個令人担心的報告，據說蘇俄已造成十二架新式飛機的模型，這些新型飛機是四引擎螺旋槳推進式轟炸機，時速五百哩，在四萬呎高空能續航八千哩以上。如果這種飛機將來建造成功，可以輕易轟炸美國後，再飛返俄國基地。

英軍將撤出運河區

報上雖沒有大字登載過英軍撤出蘇彝士運河的消息，但實際上英國業已將若干部隊調出運河區。這件事反映倫敦逐漸希望在中東防衛上和埃總理納奎勃將軍合作，兩年來運河區的英駐軍都嚴禁離開兵營一步，但短期內他們將獲允遍遊埃及各風景名勝，但須改易便服。觀察家們都說：這是英軍準備大舉撤出運河區的前奏。

鐵幕之後怪事迭出

鐵幕內最近曾發生許多神祕的破壞事件，共報惟恐動搖人心，都一字不提。上月初蘇克森一家蘇官方主持的煤礦，礦穴突然倒塌，活埋礦工八十餘人。匈牙利和奧國交界處的索普隆，有一間蘇聯「文化館」，也在數週前崩塌，距完工還不到數日之久。同時有一艘芬蘭貨船「岱洪尼亞」號裝載大批化學品，機件和無線電設備，自保加利亞開往中共途中，忽起怪火，全部貨物付之一炬。（孟衡）

大陸婚姻悲劇叢生

中共定本月為婚姻法月
正在勞師動衆火上添油

自中共於前年推行「新婚姻法」以來，既以「法律」本身的基本觀點乖謬及「法律」含義的曚混不清；復以一般幹部的幼稚無能，胡作妄為，自不免弊病百出，悲劇叢生，本報前曾迭有報道。目前此種情形，業已日甚一日，不堪收拾；醜事之多，死人之衆，眞是罄竹難書，以致怨忿之氣，已充塞民間，情形極為嚴重！現中共為急來求醫，因而已由偽政務院發出指示，規定本月份為所謂「婚姻法月」，飭各地以縣為單位，展開大規模的宣傳、檢查、並訓練幹部，以圖挽救，乃又勞師動衆，顯現一片忙亂之狀！

法律不倫不類　共幹胡作妄為

共幹們在推行「新婚姻法」時為什麼會錯誤百出，悲劇叢生？及怎樣錯誤？怎樣製造悲劇？似首該說明：關於前者，據大陸各地報紙所揭露的事件看，是由於「新婚姻法」根本是一個不倫不類，模稜兩可的東西，它沒有給共幹們以一個清晰的法理的依據，而只給予一個赤色政治觀點的「男女平等」的原則，這便適足予幼稚顢頇的共幹們以「隨心所欲」的和「各行其是」的權柄。乃造成了許多荒唐怪誕的醜事及家破人亡的悲劇！關於後者，據中共各地的檢討及揭露的消息看，是在一般幹部對「新婚姻法」各有所見：有的認為婚姻法是「婦女法」，是壓迫男人的法律而加以陽奉陰違地反對；有的認為婚姻法是「離婚法」而到處強迫男女離婚逼人致死；有的認為婚姻法是必須男有室、女有歸而到處強迫寡婦閨女出嫁逼人致死；有的認為讓人離婚有傷陰德硬不准人家離婚而至逼人怨忿自殺；有的認為「官還印、虎還山，婚道人家離不了男子漢」，認為婚姻法提高了婦女地位乃是「陰盛陽衰」而反去大力壓迫婦女，他們除了虐待自己妻子以外，還慫恿別人去欺迫婦女；有些年齡較老的幹部，則認為「我們老了，今後不離婚，也不結婚，婚姻法與我無關」而漠不關心外，還普遍地迴避著婚姻糾紛的處理，因而便有不少糾紛因被貽誤而至於鬧出了人命！其中最奇怪的，是大多幹部認為婚姻法就是「離婚法」，就是要「天下大亂」而故意在鼓勵離婚，他們因而在向羣衆宣傳「新婚姻法」時竟說：「我們是為打離婚的人來撐腰的，誰要離婚，趕快準備條件」，於是，像安徽蕭縣那樣，竟還發動了一個「離婚競賽運動」，要各鄉展開離婚的挑戰競賽，其怪誕荒謬的程度，實令人咋舌！

被迫致死男女　多得駭人聽聞

諸如前述種種非常混亂的「見地」而付之行動時，便造成了無數青年男女被虐殺和逼殺的許多悲慘！這種悲劇，大多當然是由共幹在民間製造，也有一部份是從共幹們自己的家庭演出，死者當然以婦女佔極大多數！這種因「新婚姻法」而死人的悲劇，據各地報紙不完整的統計：中南區在一九五一年九月份以前因婚姻法而被殺及自殺的婦女達一萬多人。湖南省卅二個縣中在一九五二年上半年被殺及自殺的婦女就有八百多人。廣東省五十六個縣在去年一月到十月被殺及自殺的婦女共有七百六十六人。四川省酉陽、城口等僅九個縣在去年上半年因婚姻問題而被殺及自殺的男女就有三百三十六人之多。浙江省十七個縣在去年一月到七月因婚姻問題而被殺及自殺的男女就有七百三十人之多。而且這種死人的現象都在有增無減的累進之中！據揭露：如福建省在一九五〇年下半年到次年底一年半中，平均每月因此而死的男女是五十人，一九五二年就平均每月增至八十八人之多！如安徽省濉溪縣在一九五二年三月以前平均每月死五人，到四月份，僅在濉溪區便一星期死了六人！臨渙區便在一天中就死了四人！如浙江永嘉縣在一九五二年一、二兩月內每月死四人、三四兩月便每月增至十二人，五六兩月則竟增至二十二人之多！又據華東區委員魏明報告，該區在一九五二年所受的民事案件中有百分之七十以上是婚姻糾紛，共達廿六萬件以上，牽涉的人在一百萬以上，死了的達三千五百人以上！綜合各地的估計，大陸青年男女因婚姻法而致死的人數，當已不下十五萬人之多！

為了急來求醫　正在勞師動衆

此種情形，當然會普遍引起民間的怨忿，中共自不能不加以「檢討」「糾正」，以幹部們的「偏差」來文飾他們的基本錯誤。因而在早兩月時，偽政務院就已發佈了一個「貫徹新婚姻法」的指示，飭各機關訓練幹部，調派專員，準備行動。上月間並發佈了一個「貫徹新婚姻法」的補充指示、規定一九五三年三月為「貫徹婚姻法月」，飭各大行政區及省市設立專責機構，發動一個所謂「貫徹婚姻法」的「羣衆運動」。據悉此一「運動」，各地均已如期準備完成，業於本月一日起同時紛紛展開。華北區的「貫徹婚姻法運動委員會」係由張磐石主持；東北係李卓然主持；中南係李先念主持；西南係王維舟主持；西北係馬錫五主持；北平、天津、上海、係分別由吳德、張友漁、潘漢年所主持。各省市委員會則大多由各省市副主席、市長所主持。縣為「運動」的單位，都已成立「辦公室」，均由各縣縣長兼任主任，大力展開宣傳，檢查各項活動。其情形，與「中蘇友好月」中的瘋狂忙亂似無分軒輊；什麼農村利用、業餘利用，電影放映隊、宣傳隊、宣傳組、宣傳員等等，已全部出動；什麼「模範夫婦」的劇本，正在到處出演；什麼「兩春」及「兒女親事」的電影中，正在到處放映；什麼宣傳「新家庭」等等的幻燈圖中亦正在到處放映；什麼標語、傳單、連環畫等正在張貼。據說華東一區，已出動了四千多個農村劇團，印製了三百萬份「新婚姻法」圖解，其他各區亦大致相同。總之凡屬戲劇、電影、幻燈、廣播、標語、電影片、歌曲、小調、山歌、俚語、鼓詞等等只要可供利用為宣傳的玩意兒殆已一概搬用，絕無遺漏，其耗費之鉅，勞民之衆、堪稱「盛況空前」，「偉大」之至！然而據說運動剛一開始，也有部份幹部憎厭這個「老套頭」而不很起勁。至於如此勞師動衆的結果，是否有效，卻車可鑼，似小敢代為「樂闕」，看來火上添油，還是民命堪憂吧。（沈）

洞庭波濤・麓山黯澹
游擊隊聲勢震撼三湘
記湖南大庸慈利游擊健兒殲共活動（上）

【長沙通訊】「戰死沙場是善終」，湖南人確具有這種慷慨成仁，從容就義的勇氣；「無湘不成軍」，「楚雖三戶，亡秦必楚」，昭著歷史的光榮，存留在人間的讚美，這是血和汗的結晶，決不是偶然和倖致的收穫。

反抗殘暴，不屈不撓

毛魔雖是湖南的孽種，「秧歌王朝」一些分茅裂土的賊子，雖大半是湖南三千萬人口中的害羣之馬，但是，對於湖南人仍然懷有怵惕之心，三年來無止境的集體大屠殺，幾次「除夕大掃除」，湖南一羣義不帝秦的英勇戰士，堅忍不拔的志氣，並不因之而稍餒，反抗殘暴的行動，亦未因此而遏阻；相反地，人民反共的游擊隊伍，正如火如荼，雨後春筍般的展開在三湘各地，使匪酋們頭痛醫頭，腳痛醫腳，手足無措，賊於應付，眼見得大勢已去，困守愁城，相對唏噓而已！

自鐵騮逝去，封雪的嶽山，逐漸解凍，潛伏在山區裏的游擊健兒，趁着國軍行將反攻，匪幫們忙於沿海佈防之際，已紛紛出動，在湘境四面八方燒起了戰火，平江的麻浮山，湘鄉的楊家灘，幾度的捕殺共幹，燒燬糧倉，封掠糧船，予匪以嚴重的打擊，消息的傳來，長沙的市民，一夕數驚，雖迫處於「偶語者棄市」的暴政下，但街頭巷尾，竊竊私語者，仍大半是討論游擊隊的情形。

民船駛來，共匪驚惶

目前的長沙市，雖商場蕭條冷落，而一些無辜可生的平民，和在鄉間被共幹們藉口掠奪了財產的農戶，無法生活，而擠在這個日見荒涼的都市，人口的複雜，為昔日所罕見，內中有「人心未死常思漢」的義士，有中毒已深的莠民，值此惡運將臨的今日，一則以喜，一則以懼，各懷鬼胎，深感到歧路的徬徨。因人心的動搖，秩序上也就更亂雜無章了；搜查行人到處展開，夜間的突擊檢查，更是匪「公安局」經常工作，人口較多之商號或住戶，尤惹匪幹們注意，一夜查三至五次者，成為家常便飯，市民不堪其苛擾，憎惡愈深，仇視亦愈厲，崩潰的朕兆，早已暴露無遺了。

元月七日，突從第四行政區的濱湖經安鄉漢壽駛來一批民船，並由小火輪拖帶，儎來的並不是貨物，完全為匪部受傷官兵，因此，更引起市民的恐慌。匪區的消息封鎖，有如銅牆鐵壁的難於流通，這是匪幫們的拿手傑作，當時無從探訪得眞實情形；不過，匪政府人員的慌亂跡象，偽保安師部隊的調動頻繁，長常公路軍用車輛的往來趣密，在這些蛛絲馬跡上面，早已看出湘西方面一定出了大亂子，這個亂子，毫無疑義地又是游擊隊做出來的。（秦）

拆穿中共「償還存款」
資產階級再遭厄運

偽生平為惡作歹殺人越貨的盜匪，當他到了垂暮的時候，為了在心靈上求得解脫，往往會去信神拜佛，作出種種懺悔的行動，或是他已廁身名流之林，拿出些錢來作為善款，沽名釣譽一番，藉以掩飾他過去的罪行的。這正如同中共最近要辦理償還私人存款一樣，它已感到作孽太多，離死不遠，企圖假此辦法來換取些已經失落了的民心，希望人民對它寬宥，讓它再苟延一時。何況它的目的尚不在此。它進一步正是它再「清算」資產階級的時候！

所謂「償還存款辦法」

中共偽政務院於上月二十日公布了一項「關於解放前未清償存款給付辦法」，主要內容為：

「凡在全國銀錢業，包括前中央銀行、中國農民銀行、中央信託局、中央合作金庫、各省、市、縣銀行；前中國銀行、交通銀行、郵滙局、私營銀行、錢莊、信託公司、外商銀行、萬國儲蓄會，所有尚未清償的『解放』前存款，都依規定給付。

「所謂『解放』前時期，是指政府未從大陸撤退時期，並按各個時期金融變化情況，劃分為三個階段：民國二十六年十二月三十一日以前為第一階段；二十七年一月一日至三十七年八月止為第二階段；三十七年八月十九日至大陸淪陷前止為第三階段。

「依據這辦法規定，第一、二階段定期存款（包括定期儲蓄存款），依所附各該償還標準表及第一、二階段存款償還金額計算表折算給付；活期存款（包括活期儲蓄存款），按同表折算償還金額後八折給付。第三階段定期存款（包括定期儲蓄存款）、活期存款（包括活期儲蓄存款），均按各地『解放』時中共『軍事管制委員會』規定的，政府發行之貨幣兌換『人民幣』的第一次牌價折算之。給付均以本金為限，不計利息。

「給付辦法是：凡存款金額在法幣一百元以下者，一律給付現金。凡存款金額在法幣二百元以上一千元以下者，除二百元部份給付現金外，其超過部份，給付『人民銀行』六個月定期定額儲蓄存單，作為儲蓄存款，照章付息。凡存款金額在法幣一千元以上者，除一千元以內部份，按第二項辦理外，其超過部份，給付『人民銀行』一年期定期定額儲蓄存單，作為儲蓄存款，照章付息。私營銀行、錢莊、外商銀行得提供保證領用『人民銀行』定期定額儲蓄存單，依照上項規定辦理給付。

「在香港及國外存入法幣存款可在廣州辦理登記，在廣州給付。『解放』前未解僑滙適用辦法中所列定期存款標準辦理清償。

「凡日人銀行及漢奸政府偽銀行之存款一律不予清償。

「政府前在大陸通過各行局會所發行之『節約建國儲金』、『節約建國儲蓄券』、『特種有獎儲蓄券』、『美金節約建國儲蓄券』、『鄉鎮公益儲蓄券』等，屬於公債性質，一律不予清償。

「登記時間在辦法公布後之日起三個月為期。

「辦法實施後，存戶過一年期限不取，由銀錢業列表移轉『人民銀行』彙解『國庫』。

「凡摺據不全者，如不能覓具妥保及所在地管理契據機關之證明者，一律不予登記。

「規定民國二十六年時期一個銀元可給付『人民幣』一萬二千五百元。以後償還標準是：銀元一百元乘各年政府所發行貨幣下降折扣。」

私人儲蓄為數無幾

從中共所公布的辦法中，我們可以知道，它對政府前在大陸所發行的債券，中共是不清償的。這即是說它的辦法不是替政府還償，僅僅是清理人民存在私營銀行中的存款。因為據一般人所習知，私人存在國家銀行的存款，是極少的，如中央銀行根本不接受私人存款，小戶的儲蓄，經過戰時幾年的貨幣貶值，戰前存款，大都已提清，戰後是沒有人再法儲蓄的，所以中共雖然將國家銀行的存款亦列入償還的辦法中，這不過是說得好聽而已，實際上是沒有什麼要清償的。

私營銀行中，在戰前雖是吸收了一部份的儲蓄存款，但經過幾年來的運用，私人銀行的財產是祇有增加，沒有減少的，現在由中共出面來辦理清付，在私人銀行方面說，這是應該的，它們沒有不清付的理由，何況現在一切操縱在中共手裏，中共為了要騙取一部份祇顧近利的存戶歡心，要它們付出些不知已增加了若干倍的財產中的一小部份，了清了一筆債戶，是再好也沒有的事。

銀元比值相差太遠

再說戰前的一枚銀元的比值，是不祇值中共所定的『人民幣』一萬二千五百元，相信是相差太遠的，即以中共的「人民日報」於二月二十一日的短評中說：「國民黨統治區的物價上漲了一百二十多萬倍。」來作標準，中共現在不過以百分之一的比值來計算，而且還有折算標準的八折付給，人民實際所得是打了一極大的折扣了。

由上面的情形中，我們可以指出，中共在拗收了鉅大的國家財富，與把握了私人銀行的全部財產之後，拿出九牛一毛的沒有價值的偽幣，來換取已經失落了的民心，這正如同一個偽惡作歹殺人越貨的盜匪，覺得作孽太多，離死不遠，為了希望人民對它寬宥，拿出些孽錢來作為善款，大事表揚一番，藉以掩飾它的罪行，是同樣卑鄙心理，不值一談的。

以上所說，都是極淺明，為一般人所了解的，是不值我們加以分析的，現在再說它除了企圖麻醉一下在它控制下的人民，是它的一貫目的之外，中共此一辦法的公布，還有極惡毒的用心的：

大家都知道中共的暴政，是要打倒一切階級存在，所謂「人民翻身」，大家沒飯吃，對於所謂小資產階級的人，它是決不讓他再存在的，現在它突然要清償未「解放」前的存款，說是對在政府統治期間，因為戰時的惡性通貨膨脹，物價漲了一百二十多萬倍，將我國中、小資產者的存款被損失一空，據統計，受害者達一百多萬戶，現在辦理清償，可以有一千多萬人獲得救濟，豈不是與它主子所實行的主義相違反？讓這一千多萬人可以因為它的清償而來「補助生、老、病、死和子女教養的費用」，又不是與中共所標榜的要「勞動生產」的人民自食其力的目標，自打嘴巴嗎？

所以，由此我說中共此一辦法的公布，人民不但受不到實益，反而因此將得到「清算」的厄運，因為當你以為可以得到一筆清償去辦理登記的時候，正是告訴它你過去是有存款的資產階級，中共會讓你獲得這筆「救濟」生活下去，才是怪事呢！（木易驥）

看別人·想自己

為方

自由談

艾森豪威爾夫婦最近在華府以外的一個教堂裏做禮拜出來，有婦人焉，抱着小孩，從人羣中走到艾氏面前道：「總統先生，你能抱着我的小孩拍一張照片嗎？」艾答：「可以，但請快一點。」那婦人把孩子遞給「總統先生」雙手抱住，拍照之後，艾克交還小孩於其母，微笑而去。

這一幕喜劇多麼輕鬆美麗！又多麼偉大崇高！這種官民和洽親切的民主精神表現，就是美國在國際間能够後來居上，取得領導地位的根源。所謂「美國生活方式」，固然不見得樣樣都好，但其尊重人性與理性，官吏對人民不以特權階級自居的民主生活，却爲人類所欣慕。

當抗戰勝利之際，我在重慶作新聞記者，曾發過一次冒天下之大不韙的狂論，想請美國人代管中國庶政二十年，把我們那些根深蒂固的封建官僚，貪污低能各種劣性根剷除掉，滲入一些美國的民主生活方式，相習成風，庶幾使中華民國的稱號，名副其實，了無愧怍。這種憤激之談，當然大受朋友斥責，指爲「大逆不道」的思想！

見着艾森豪威爾的作風，又回看我們一般大言不慚，口稱民主不歇的大人先生們的實際生活動態，我對中國的民主政治，有生之日，亦不敢再存奢望了。只看將來我的曾孫一輩人，能否嘗到一點眞正的民主氣味？

竹幕故事紀實·喜新厭舊

·沙汀·

辦公室裏的黎明，情緒被這幾天「上級」所交下來的文件困擾，他煩悶地翻閱堆積在面前的卷宗，每一件，每一案，白紙黑字上全是一些有關於「新婚姻法貫徹執行運動檢查月」的實行方案，和鼓勵羣衆的技巧。他無聊地，一聲一聲地看了一次，整個卷宗中搜索不出一點，使他可以避免檢查在後；他的婚姻問題所遭到檢討和犯罪的處分，以及其他同志在黨的「決定」下所受的厄難。

關於男女問題：任何人都有「喜新厭舊」的心理。但在道德倡揚的社會裏，這種心理可能在道德和法理的管制下不容易普遍的產生。可是在中共的「新道德觀念」裏卻普遍的蔓延。原因是有承先，必有啓後。同志們效尤了毛主席，要解決這個問題；除非使用「打破沙鍋法」。不然，休想「貫徹」「檢查」，一切運動在雷厲風行下，其結果還是馬馬虎虎的結束。繼卷時，搬出毛澤東同志的「矛盾統一律」，保管你受不會「批評」和「檢討」。

這辦法不是身爲法院院長的黎明沒有想到，而是他想得太多，把這辦法忘記了。

他吸燃一根香烟，口吐着纜纜地白色烟霧，想從烟霧似地思潮裏，找出一綫解決他自己問題的辦法，忽然勤務員走到他的身邊：「報告院長，黨委請你。」

提起黨委，我該補敍一下，他是「長征」的「功臣」。姓劉名永標，有廿一年的黨齡。在翻大雪山的時期，就蒙毛主席的「垂寵」，他的「愛人」也是黨的「照顧」下決定的。因之他的「革命情緒」一直在黨的培植原則下，完成游擊時期，與「解放戰爭」，在大江南北的爭奪戰中建立有「殊功」。現在他在K市當了黨委。

當市黨委不比從前當草寇，老母豬也是貂蟬的時代，那種被人安排的「愛人」，現在看起來，既不溫柔，又不窈窕的粗線條，再來同操掌幾十萬「人民」之尊的市黨委，走在一起，坐在一起，而且睡還要在一起，是多麼僨事的事情，於是，他在榮任K市市黨委時，看中一個由交際花而充任「革命幹部」的女同志蕭湘，就利用「照顧幹部」的情緒」，以高壓手段要K市人民法院判決他的離婚，和蛇樣的女人睡在一起。

「他來找我幹什麼呢？」黎明心裏想：「也該不是他爲了貫徹新婚姻法的問題，牽連着他自己和蕭湘這女人的問題呢？假若是……」他的靈機一動，「可能我的問題也可從他那裏得到解決。」他默默地想着走出辦公室。

劉永標很生氣地在會客室裏踱着方步，黎明低垂着頭呆呆地站立着，客廳裏面的氣氛浮呈着嚴肅而冷酷，石灰地面上滑響着劉黨委「咯，咯」地皮鞋聲，勤務員送了茶後悄悄地退出去。

「你能把我的問題，混在你的問題裏一起談嗎？」劉黨委生氣的說。

「可是，黨委，我曾幫過你的忙呀！」

黎明畏顯顯地說：

「放屁！咱問毛主席『長征』，出生入死十幾年，今天的天下是咱出力打下來，再找一個『愛人』，就犧牲一個女人，倒算什麼大不了的事。可是，你，只進延安的紅人，算什麼鳥？敢同咱比。」他端着茶喝一口，又狠狠地叫着：「快去，快去給咱補填一份離婚判決書來。」

黎明想不到劉黨委會給他這一副難堪的面孔，只說藉他需要補發一份離婚判決書時，也要求他在檢查時對自己的婚姻問題馬虎一點，最好是隻字不提，誰知道他竟反面無情，又强勢力在這裏坐要一份離婚判決書。

黎明走出客廳時，很想不給這份判決書給他，要被「檢討」「檢討」，大家都做「檢討」，免得他氣勢凌人地欺負人，但他又回想到他是市黨委，是K市的負責人，「檢討」起來可能官官相衛，大不了一紙申斥，自己呢？身爲法院院長，執法犯法，不但丟官，而且還要判有期徒刑，想到這裏不禁一個寒噤，抽一口氣，「唉！填給他吧，讓他口下留情就「够了！」

他在這一轉念之下，填發一份離婚判決書給他。

第二天市的報K紙上列布：「劉永標黨委宣布：貫徹新婚姻法實行檢查幹部喜新厭舊的心理。」黎明也被劉黨委派人監視着他的行爲。

新·世·說·補·遺

伍大雷與王教堂

第一次世界大戰後某年，美國會在華府召集國際會議，商討裁軍等問題，我國出席代表有伍朝樞徐謙等。朝樞隨帶祕書伍大光，體軀肥碩無比，夜臥時鼾聲奇響，通宵若獅子吼，雖隔室亦覺而驚心動魄焉。

諸使節同行放洋之際，皆乘頭等艙位，朝樞攜婦，夫婦共住一房，徐謙與大光均單身，對榻同室，徐竟夕爲大光之夢中吼聲所驚擾，不能成寐。晨餐時，徐莊容語朝樞曰：「你這位祕書的名字可改叫伍大雷！」旋述其夜間受擾狀。朝樞殊以爲疚，乃正色謂大光曰：「君之鼾聲，定係仰臥所致，因呼吸順暢，即易發抒體氣也。若側身安眠，必異是，今夕曷試爲之」。大光以長官面授機宜，不可不從也。次晨四人聚餐，徐欣然宣稱：「梯雲，你的辦法眞不錯，昨晚我已能合睫了」。大光急對曰：「季老，（徐號季龍）我昨宵却做了一夜的鰥魚呢！」蓋體重逾二百磅之人，側臥即感沉重之低氣壓，喘喘然如臥囚籠，無從安息也。

大光爲求共同安全起見，遂於午夜各乘客就寢後，抱衾與裯，潛入大艙閒長「梭發」爲臥榻，四顧無人，宜若可告無罪矣。詎其如雷之夢聲，又驚動鄰室西洋乘客，羣起斥逐之。彼無奈，改挈一布椅至上層甲板間，學南郭子綦之引几而臥，酣夢聲與海濤聲齊鳴，他人自不復詫愕。然甲板水手每於夜深三四時分就寢，黎明即起而冲洗甲板，大光僅能安睡三四小時而已，痛楚不堪名狀，且不爲同舟各中西行人所諒恕，飽受怨詈，冤哉！

當戰後第一次巴黎和會時，孫中山先生以非常總統，開府粵南，會派非常國會參議院議長王正廷代表革命政府前往出席。治閉會後，王竟不回粵覆命，拜受北洋政府總統徐世昌命令，出任青島接收督辦，南中輿論譁然。章太炎聞而藉王氏名號作一聯語曰：

正廷竟邀僞廷命，
儒堂原自教堂來！

事狀治切不移，語意揶揄有致，雖千金懸之國門，亦未能更易一字，允稱近代巧對也。

馬五先生

略談杜甫（六）

·舜生·

高竹樓隨筆

至於『北征』這一首，自來研究杜詩的人，莫不一致推爲是老杜的代表作，我也決無異辭；但從前總是泛泛的讀過，從來沒有好好的去加以咀嚼。現在我把這首詩分成五段來看，便覺得是層次井然，有敍事，有敍景，有議論，把時代的艱難，和個人所遭遇的痛苦，莫不表現得明明白白，杜詩之所以得稱爲『詩史』，這一篇當然便是一個最好的證據。

從一開始『皇帝二載秋，閏八月初吉』，一直到『乾坤含瘡痍，憂虞何時畢』，算是第一段。便是敍述他何以離開當時肅宗所駐的行在鳳翔，把他的身分，他的心情，以及對當時政局的看法，已經作了一個概括的提示。

從『靡靡踰阡陌，人煙眇蕭瑟』，一直到『遂令半秦民，殘害爲異物』，算是第二段。他敍述道途所見的種種，覺得自然還是那樣的美麗，而人民經過兵燹之後，却陷於這樣的慘境，俯仰天地，不由得不憂從中來，從他的文辭之美，更可看出詩人的憂思之切。

第三段從『況我墮胡塵，及歸盡華髮』起，到『新婦且慰意，生理焉得說』止，是寫他回到家裏那種悲喜交集的心情，和孩子們看見爸爸回來那種手舞足蹈的景象。杜甫之所以被稱爲『詩聖』，『情聖』，乃至『寫生聖手』，我們讀到了這種地方，還能提出什麼異議呢？可惜中國還沒有什麼了不起的油畫家，假如有的話，只要他能把這篇『北征』作爲題材，繪成若干鉅幅，我可保證他與老杜一樣的名垂千古！

第四段從『至尊尚蒙塵，幾日休練卒』起，到『胡命其能久，皇綱未宜絕』止，對於當時時局的好轉，我們的詩人雖表示了他高度的信心，但對於借助回紇，他却依然抱着非常的憂慮。杜甫之所以成爲一個愛國詩人，我們從他這種嚴華夷之防的態度，也可看得非常的清楚。

從『憶昨狼狽初，事與古先別』，一直到最後『煌煌太宗業，樹立甚宏達』爲止，這是他在追溯既往，但並沒有把匡復之功完全歸之於李光弼郭子儀，而認誅楊國忠與楊太眞的陳玄禮才眞是了不起的人物。『桓桓陳將軍，仗鉞奮忠烈，微爾人盡非，於今國猶活』，當時肅宗初立，玄宗仍在，像這樣一種露骨的批判，我們的詩人眞可算得是毫無顧忌的暢所欲言了。

在一篇牽涉到各方面的詩歌，寫得這樣周到，這樣生動，這樣有力，這樣大膽，我在古今的詩人中，實在舉不出第二樣的例子來。這一千多年來中國[illegible]落，可以說到今天已達了極點，[illegible]這類的東西，根本就不懂得詩是[illegible]事，但也居然濫竊了一個『詩人』[illegible]們且看他對於他的『親愛的鋼』[illegible]去，又將表示一種怎樣渺洄交流的[illegible]

我參加越戰（四十）

L. HART著　第啓譯

就地槍決

在越南，許多事情都是不可思議的，這也就是本年初我爲什麼離開越南和脫離外國軍團的基本原因。

雖然在非洲受訓的時候，我曾表示過希望獲得與我海軍和民政經驗有關的工作，但我所分發的，却是既不適合我的能力，也是我未受過訓練的單位。我懷疑當局或者不明瞭我何以要來越南的原因。在法國官兵間，他們對英美對越戰的態度，普遍存在着怨恨。

在任何軍隊中對任何士兵都可能發生極平常的誤會，特別是熱帶的氣候，誤會尤多而且頻，有一天，我終於被指控不服從命令，一位西班牙籍的指揮官把我召到辦公室，他高聲斥責着我說：「這不是英國也不是美國的陸軍，你必須入獄」。我感到我正受到不正當的待遇，我也怒氣冲天，向他高聲喊道：「如果你把我監禁，你和法國當局都不能逃避責任」。

申請退役

我們仍在互相高聲對駡的時候，他突然站起來把我推出辦公室，房外的幾個人立刻把我捉住。我想我一定會被就地槍決了。我不但高聲斥駡指揮官，而且向整個外國軍團的傳統挑戰。但事實上，我並未被法方槍決，甚至未受到絲毫懲罰。我只被送到西貢總部，飭令在一張正式請求退役的申請書上簽字，基地司令官親自向我說：「你實在誤會了，我們並不是像你所想像那樣的」。隨後，他側着頭思慮了許久：「無論如何，我認爲外國軍團是不適合英國或美國人的」。我點點頭，在申請書上簽了字。

中國之友（六七）

毛以亨

李提摩太傳（十一）

他在山西時，和天主教堂始終保持友好關係。人民反對天主教堂上的彫刻，謂夜間能走動而爲害於地方，他代其否認，並提出證據取書上所繪的畫像與教堂刻像核對相符，中國人纔知這是一種固定的制度，不可不有，且不能增減的，官民始行釋然。有一位主教請其改信舊教，他說「你們祇見到一面的理由」他則教會各宗派之標準神學俱備，乃止。

九、到北京交涉教案

他于一八八四年回到山東，暫時照料青州府的浸教堂，待本國續派人來始回山西。他在濟南府患病甚重，幸而全愈，到青州後，知縣壓促其搬家，尤感拂意，蓋醇親王主張仇教，已取恭親王而代之，各地排教空氣均已展開。李氏乃被派充山東浸禮會代表之一，赴京報告英使，俾恢復傳教自由。當時各省之情形如下：

一、李鴻章爲反基督教之書作序。

二、左宗棠不許教士住在西安。

三、張之洞聽耶穌受難故事，謂如耳邊風。後任兩廣總督，命府縣對教案不理。

四、山東巡撫亦不理教案。

五、湖北德安府放題「攻乎異端」生員因拆教會房屋。

六、德州不許外國教士前往。

李等到京時，英使巴夏禮巳赴韓國，換約。在此等待期間，李氏與內地會諸人成立新教聯盟會，希圖集中力量，以應付困難，形式上每年作一星期之共同祈禱。後見赫德，時赫德之改革中國意見共七端：一、延攬人才；二、開鑛；三、整理水道；四、鐵道；五、郵政；六、國立銀行；七、海軍。而李氏則對之提出下列計劃：

一、派王公大臣，如曾左李等出洋考察。

二、派著名學者出洋考察教育制度。

三、派聰明而有信仰者考察各國宗教。

四、派人考察實業。

五、派人考察交通。

六、在北京設立專局，須備以上報告于各省。

以後新政設施，恐怕不復爲赫德的路綫，而爲李提摩太的路綫，出洋考察，已經通行得感到太多了。其無成績是沒有做好，並非李氏計劃本身有毛病。李氏見英使巴夏禮後，請其要求清廷須佈通令，保護教堂教士，時他帶一小册子，爲「各國信教自由實例」，散發于公卿間。最後中英協商好，由李氏起草通令交與英使，英使以交清廷，清廷即依以照發。英使以交涉勝利，殊感愉快，乃藉女皇生辰請客，被請者無一缺席。英使至是，始與中國人有社交來往。李氏回山西後，乃開始主張在各省要有區辦學，至少要有十處以上，每處得數百人，給以三年以上之西方教育。並主張設譯書局，一面宣傳教義，一面開通民智，以鼓勵中外人士之會意與互諒。至應付教案則成立基督教聯合會，共選代表三人，隨時與官廳交涉。然此等龐大計劃，不在尋常傳教範圍之內，欲其推行，非向英宣傳一番不能成功，此或爲其回國之主要原因。

本報二周年紀念特刊

「自由人」的兩大任務

雷嘯岑

本報創刊到今天，恰爲兩週年。兩年的時間很短，但就本報情形說來，意義卻是相當深長的。

但求耕芸　不問收穫

我們創辦「自由人」的動機有兩點：第一，我們自來是崇尚自由主義的一群書生，當神州陸沉，人民陷入極權暴政生活之後，避地海隅，良知未泯。一方面鑑於反共救國是一場文化思想鬥爭的眞理，必須在文化上建立一條普遍而堅強的防綫，培養反攻能力，而以民主自由思想爲武器；一方面認爲中國問題是世界問題之一節目，要達成反共抗俄的願望，一切思想和作爲，即不能自外於自由世界的「眞理運動」那種範疇。我們要做自由人，所以堅決地否定極權奴役；我們要求全球人類都成爲自由人，所以要跟自由世界站在一條戰綫上。軍旅之事，既屬未嘗學問，政治業務，亦復不感興趣，只有繼續書生的本能，從事一些文化工作，盡其應有的職責，在談笑風生之中，以嘗試心情，粗約創刊本報，規模既小，計劃亦疏，但求耕芸，不問收穫。所以，我們的作法是闡揚自由主義的思想，言論爲主，而不暇顧慮於爭取銷路，迎合一般社會大衆的口味，在盈虧得失的生意眼上打算盤。祗要有人願意看這半張週刊，不管是十個八個，或者千萬個，我們的心血便不算白費了。我們都是些「不事生產」的窮書生，過慣了朝不謀夕的窮生活，祇精神的寄托比物質享受更覺可貴，孔祥熙宋子文之流便使然紙醉金迷地安居美國，他們精神上未必比我們在香港辦「自由人」更快樂。他們只是呆在外國坐享別人的自由幸福，我們卻要創造自己和全民族的自由新生命。爲着追求這一精神的樂園，不惜冒險犯難，忘家忘身，一時的窮困，算得了甚麼？說到反共復國，我們的努力更屬必要。共產黨不是紙糊的燈籠，喊口號，貼標語，光講「擁護」「打倒」的反共八股，或光靠飛機大砲，那是絕對反不了它的！它有一套猾詞蠱惑人類的魔道，激發人類劣根性的邪說，唯有以民主自由思想這一殺手鐧，纔能夠破除它的妖法。除此以外，誰能拿出一套更有實效，更爲大多數人民所樂從的辦法來嗎？如有，我們創刊「自由人」就算多事；如無，我們的奮鬥終將取得勝利！

開誠布公　促進團結

第二，我們既以民主自由思想作反共的唯一武器，當然主張所有反共抗俄的中國人，乃至於全世界的自由人，都得聯合起來，團結力量，共同奮鬥，而其方法是先從本身做起。所以，本報創立人的政治立場，即爲多元的，各黨各派，無黨無派，老的少的，新的舊的人物都有。但有一個「共同綱領」，即反共抗俄，尊崇民主自由思想是也。在這共同綱領之下，各人在本刊發表言論，必署眞姓名，外來投稿的作家，也無例外。並各人的言論主張，並不代表本報同人的公意，愛說甚麼，就說甚麼，是是非非，讓讀者去批判好了。創刊迄今，這共同綱領並未發生有甚麼「未盡事宜」，必須改修之處，同人之間亦互信互諒，毫無扞格，有時爲着某種問題的看法不同，辯論起來固不免面紅耳赤，辯完了依然嘻嘻哈哈，誰也不存一點芥蒂。我常常這麼想：假使憑着「自由人」這種精神去開國是會議，搞聯合政府，決無不能團結的人，也沒有不能成功的事。最主要的訣竅，就是誰也不想把「自由人」據爲己有，或者要以「自由人」的領袖自居。今天你來主持，明天我來主持，後天他來主持，只要不違背共同綱領，大家都是O.K.的。因此，我們相信自由中國政治上的大團結，絕對可能，其不可能者，僞也，私也，去私與僞，大團結之局面，可坐而致也。我們已經試驗了兩年，也呼籲了兩年，敢負責地奉告自由中國朝野人士：團結反共力量乃必要而可能的，不要怠忽，不必害怕。「自由人」的全體作者，一定本其所信，盡其所能，爲促進大團結而努力不懈！

無黨無派　歡迎師友

兩年來的世界形勢，民主自由潛能日益顯著，其光芒亦與原子能的輻射性互相輝映，閃耀全球，自由中國的國際環境和反共實力也日見優越了。這證明自由生活是人類所愛好的，反面即爲極權奴役暴政之必歸消滅。「自由人」在世界反極權主義的大鬥爭場合中，其實際效用固微末不足道，但就我們個人對文化工作的意義上說，也算是盡到了自己應有的責任。今後自然孜孜汲汲，爲闡揚自由思想和實現民主政治而奮勇前進，希望社會上同情我們這種想法與辦法的人，多多對我們打氣，指導。「自由人」是沒有黨派成見的，更無人想藉此搞甚麼「勢力」，除卻共產黨和其同路人，誰都可以作我們的文化師友！

自由中國積極準備聲中前哨的戰士

兩年和兩年

王雲五

自由人創刊迄本年三月七日恰滿兩年。這兩年間，除自由中國在軍事上、建設上均有不少的進步外，其關係政治前途尤重大者，則莫如本年實施之土地改革方案。其在世界上，則兩年前之今日，民主國家雖因韓戰之發生已漸知注重亞洲之反共，然其對於遠東之衛安與韓戰之局部化觀念仍存，於是自一九五一年六月二十三日蘇聯出席聯合國代表馬立克提出韓戰停火建議後，迄於今日，停戰會議時斷時續，拖延將及兩年，迄未獲得解決，殆爲世界戰史中關於停戰交涉所僅見。然而此兩年間世界上有利反共抗俄之重大事件可得而言者，則東方之對日和約、西方之對西德和平契約，均不顧蘇聯之阻撓而先後成立，使自由陣營中增加兩個有力分子。歐洲煤鋼合營計劃與歐洲聯軍組織之實現，加強了西歐的合作與防衛。最近簽訂之巴爾幹聯防公約，使土、希、南三國發生了共同安全防衛與促進貿易的約束，因附有歡迎他國加入之規定，行見此一區域之抗俄力量，可更加強。一九五一年十月，英國保守黨接替勞工黨而執政，結果雖使許多人對邱吉爾反共抗俄之期望幻滅，然退一步想，假使勞工黨之左傾分子如貝凡等得勢，則自由陣營中定然更插入一道深刻的裂痕。一九五三年一月，美國共和黨總統艾森豪就職，美國之對外政策一新，其在二月二日提出的國情咨文，尤有顯著的表現。然在另一方面，則中東問題仍相持不下；伊朗油田之爭，徒爲蘇聯鋪平侵略之路，而乘機攫取占世界百分之八的油產，以補其作戰所需石油之不足。埃及蘇彝士地區撤兵與蘇丹之爭，埃人要求同時解決，未嘗不含有藉一種手段而達其他目的之意，英國則堅持分別解決，以致雙方僵持。近數月間，那吉亞執政，反共態度加強，最近對蘇丹問題已有協議，於是運河的防衛問題或不難迎刃而解。此外，如印度之徘徊於兩陣營之間，不時爲虎作倀；阿剌伯國家目光短淺，祇知反猶，難免不因此而受史太林的玩弄，最近尤爲可慮。假如我們把過去兩年間自由陣營的損益結一個清賬，則在反共抗俄的意義下，大致算得是益多損少，也可說是頗有盈餘，縱然盈餘的數量還不夠充分。

現在我且展望一下今後兩年的局勢。

我們不用諱言，美國爲自由陣營的領導力。美國的對外政策，定然會給予自由陣營很大的影響。就美國新政府最近公開的兩項對外措施，即解除台灣中立化與擯絕曲解而藉以征服自由世界的國際協定的解釋或使用；一則對於我國的反攻大陸，二則對於被蘇俄奴役人民之激起反抗，都有重大意義。反攻大陸原爲我政府遷台以來積極準備而未嘗片刻忘懷之事，在過去兩三年間，正如在今日一般，大舉反攻尙有待於友邦的援助，然封鎖大陸、破壞其沿海工事，固未嘗不可收削弱共匪武力之效。徒以杜魯門總統的中立化台灣政策，致共匪的物資得以源源輸入，養成其坐大之局。今則自由中國的實力加強，赤色大陸的防禦卻亦同樣加強，我方因海峽中立化的撤消，固可隨時實施反攻，然而反攻是祇許成功不許失敗的，故事前之準備不能不更週密，軍援之充實有待於美國之大量供應。同時，反攻與其相關各種措施之配合，尤須比照現實情況加緊作精密的重新計劃；反攻最有利的地點之選擇，既須易攻，也須克服後易守，更須有容易進展的可能性，如能適當利用，變凍結的力量爲活躍的力量，尙可以較小的冒險收較大的實效。因爲這一次的反攻，如果不是配合第三次大戰的話，我們雖亦確有最後成功的把握，但其間斷難免經歷一道艱苦遼闊的程途。惟能在事前作最審慎的計劃，始能於事後收最可靠的功效。至於對付蘇俄之違反濫用條約與諒解一事，除我國之廢止中蘇條約已作毫無條件的宣布外，美國之對於雅爾達及波茨坦等協定，僅擯絕其曲解濫用，而未嘗採取廢止的措施，不免有許多人認爲不徹底。然而美國此舉仍不免多少遷就事實。舉其大者，一則藉此獲得兩黨更密切的外交合作；二則此一舉措仍側重於冷戰，藉以激發被蘇俄奴役之各國起而自決與抗俄；三則恐已併入蘇俄之庫頁島南部及千島羣島與奧國及柏林之現在地位將因雅爾達與波茨坦協定之廢止而失其根據，可能立時釀成現實的糾紛。在被英國拖住兩脚和新政府就職伊始一切尙待準備的美國，自不能盡如世人之所期望。但是車輪已經轉動。當然是愈推愈快的。

我於今年開耶，曾寫有一九五三年一文，認爲軍人之主政，對於戰爭的審慎定較文人有過之無不及，除確有非戰不可與必勝機會外，定不肯輕啓戰端；但因原子彈時代，誰先下手，大可以少勝多，故在蘇俄的原子彈儲量足以大規模破壞美國之時，不論美國的儲量多於蘇俄若干倍，如果第三次大戰眞不可避免的話，那就任何一方面都不得不爭取主動，以免一舉首便吃了大虧，或竟至被擊攤瘓。但是民主國家的對外作戰，必先爭取本國人民的擁護。此項工作，通過一個新政府的穩定過渡，至少需要相當時日。又戰爭之發動如出自蘇俄，則一年之中，無日無時，均無不可；但如出自西方國家的主動，則由於蘇俄的氣候關係，不能不發生於上半年，於是一經渡過了上半年，便須另延一年。西方國家夙主和平，現處局勢依然無不畏戰與避戰，在和平希望沒有斷絕之時，必不輕率言戰，縱然有上述先下手爲強之理由，自必愼之又愼。至於蘇俄原抱不戰而征服世界的企圖，現雖時移世易，亦必萬分審愼，非認爲失此時機將永不能達其目的，甚或將陷其自國於危亡，也必不輕易啓釁；故今年的第三次大戰發生的可能機會似尙未成熟。假使第三次大戰終不能避免，則其爆發之時，最速當在明年。因此，今年除成爲冷戰最烈之一年外，尤爲兩陣營各自極力加強準備之一年。

在過去數年間，由於歐洲第一的原則，自由陣營之構成實以歐洲爲主。其在亞洲，除因對日和約的原因及後果，先後成立美菲、美澳紐及美日聯防公約外，他如整個太平洋之聯盟，迄未爲美國所贊助。即至今日，美國雖已深知亞洲安全的重要，卻無對此聯盟有絲毫提倡的迹象。就我們今日看起來，太平洋聯盟在理想上固有其必要，在事實上仍不免有種種的困難。太平洋區域所以異於大西洋者，一即太平洋國家已承認中共者有緬甸、印尼等國，二則受已承認中共之英國直接控制之地區有馬來亞及香港，而受英國間接影響之國家則有澳洲與紐西蘭；實際仍居殖民地地位而受法國操縱之國家爲越南；介於緬、越、馬來之間，雖積極反共，而力薄畏禍者爲暹羅。以上諸國，除已承認中共或受英國直接控制者自不敢參加反共性質之太平洋聯盟外，其他或距離中共較遠，認爲尙不致受其威脅；或因拓殖之國別有用意；或則力薄勢危，不敢惹禍。於是能自由反共之國家祇有自由中國、韓國、菲列濱與日本。聯盟本是志同道合之事，此四國在事實上在理論上皆對共產黨處於不兩立之地位，縱然日本還未充分表面化。而且此四國之反共武力亦皆受美國之支援，其國土亦幾乎聯成一氣。假使四國能成立一個聯防公約，則以彼此之反共事實與理想爲其精神，以美國沖繩島之軍事基地爲其中心，以美國的軍援爲其骨幹，以四國潛在之物資人力與技能爲其血脈，其定能構成一道堅強之遠東反共防綫，自無疑義。較諸同床異夢，即令能勉強湊合之太平洋聯盟，其堅強與實效殆不可並論。而且此一聯盟若能實現，則對共黨武力之外延，除南向尙有越緬之缺口外，已無異建成一道堅固之圍牆。越緬二國鑑於危機之日迫與聯盟之日強，遲早必將樂於加入，特別是越南更可能率先加入，暹羅亦必景從；於是風聲所被，整個太平洋之聯盟可能因此四國聯盟之收效而自動實現。此一四國聯盟固當由四國衷誠合作，尤須賴美國的加強支持。美國近來主張以亞洲人防衛亞洲之政策，惟有透過此四國聯盟始能實現。但其一經實現則較諸大西洋公約歐聯防軍，尙需以美國陸軍參加者，將見此善於彼，而美國對此遠東聯防的負担亦較其對歐洲爲輕微。現當美國新政府全盤考慮其對外政策之時，此實最値得注意之一事也。

此一四國聯盟若能於短期內迅予成立，並得美國的積極支援，則仿照大西洋公約的聯防原則，一面分担責任，一面按日程功，距今兩年之內，敢信其所構成之力量，定能收穫大效。彼時如全面戰爭可以幸免，則遠東的共黨勢力自必隨聯盟武力之加強而削弱，殆於此時以全面大戰業已發生，則遠東反共之力已大增強，美國東顧之憂，亦必減少。

時間之消逝甚速，無計劃而聽其自然消逝，則愈久而局勢愈惡劣；有計劃而適時利用，則一年可以小成，二三年可以大成。我們在清算過去之兩年，不免遐想計慮到未來之兩年也。

（四十二年三月二日寫於台北）

青春活力，鋼鐵意志

當自由中國正熱烈的慶祝蔣總統復行視事一週年紀念後的第五天，接着就是這張小小的週刊「自由人」誕世第三年的生日。

這決不是偶合。

這是人類一個眞正的轉捩點！

本月一日，中華民國監察院于院長在紀念會上曾經很鄭重的指出：「三年來的自由中國，由於蔣總統忍辱負重，明恥教戰的卓越領導，和舉國軍民一致的努力，在台灣，在自由中國的每一個角落裏，都充滿了青春的活力，鋼鐵般的意志，和蓬蓬勃勃的戰鬥精神，不僅燃起了中華民族復興的火炬，而且描畫出三民主義新中國的建國藍圖。……堅定了他們（遠東遭受匪共威脅的人士）重建安全自由的信心，……因此，中華民族的反共復國戰，正是爲全人類共同安全自由，闢堵匪共侵略工作的一環，更是爲全人類共同安全自由，解放匪共奴役下的各地人民工作的一環」。我們「自由人」同人和廣大的讀者，竊不自量，亦願於「自由人」第三年的誕辰，引用于院長這幾句話來共相慰勉！

這張小小的半月刊既以「自由人」命名，當然是以愛護自由，發揚自由精神引爲己任的。原來，羅馬法上所稱「自由人」（Ingennus），就是對於「奴隸」（Servus），「奴隸之子」（Verna）以及不予殺戮而備保存其生命的Servare等由於戰爭所獲的俘虜和俘虜的後嗣而言。

自由與團結

・樓桐孫・

共同努力，誓死奮鬥

我們反共抗俄，不用說，就是要保持人性的尊嚴和人的價值，絕對不願做匪共的奴隸，所以大家堅貞不貳的集合在自由中國的大纛下共同努力，與賣國賊作生死的奮鬥。不但如此，我們以台灣爲基地，即將大舉反攻，進一步，進十，百，千，萬步去「解放」各人正在大陸鐵幕裏被匪共奴役屠戮的父母妻子兄弟姊妹和全國四億五千萬陷在水深火熱，岌岌不可終日的善良同胞。這是神聖的歷史任務！這是需要大家絕對同心協力，團集一致的艱鉅工作！

這任務，這工作，千頭萬緒，都得從頭做起，一切章制計劃，正在政府積極準備或研究訓練之中，專待反攻號角一響，要我們拿聖潔奔騰的情緒和血汗去實現，去完成。這自然需要多方面的努力和無上的勇敢。

我們有這力量！

我們更有這勇氣！

堅決團結，確保勝利

唯有勇敢與實力，方能實現我們所寶愛的自由。艾森豪總統國情咨文裏不是說嗎？「自由的希望，其本身有賴於我們的實力……最重要的要在精神方面。因爲其他一切都有賴於情神力量」。而精神力量，生於團結。因此，我們又竊望於實行大的反攻之前，自由中國海內外二千萬黃帝子孫，必須先有大的團結。自由中國六年來經歷「舉世各國從無如此惡劣之遭遇」，（日本東京新聞二月八日社論中語）而終已轉危爲安，光復中華，勝算在握。我們今天更有什麼不可克服的故障足以妨礙團結呢？古語說：「勇者不懼」。杜威說：「在強權世界中，惟勇者有自由。我們如果不準備爲自由而戰，當然要失去自由」。我們反攻，我們當然是爲自由抗戰。

自由是要爭取的。

我們要向匪共爲自己爭取自由！爲全國同胞爭取自由！爲全人類爭取自由！

我們勇於爲自由而戰！

我們更應勇於爲自由而團結！

與徐復觀先生論儒學與國父思想

・曾子友・

拜讀元月二十二日賜教，敬佩高明，尤其是提出「中國智識份子對『學』之概念，不甚了了」和「對整個文化之態度是：文化不僅指科學與民主，而科學與民主實爲當務之急」等論點，正與鄙見不謀而合。惟謂「中山先生爲一社會思想家，而非哲學家」，因此，鄙見頗以今日思想上之混亂，就是源於一般人強把儒學與中山先生思想，徒作「擬似之談，有百害而無一利」。茲本書所云「服膺儒家思想及三民主義，已二十餘年，迄今不變」的同樣立場，略抒管見。

儒學與中山先生的思想，是否有關聯的問題，似不在如戴季陶所謂三民主義的哲學基礎，從智仁勇的「仁」中產生出來；却在於儒家思想中的「學」，與三民主義的思想方法論，或說是其所以構成三民主義思想的「最高原理」，有其「一貫之道」。什麼是「學」？來書未及明言，我以爲眞正的「學」，正有如亞里斯多德所謂研究事物究竟原因的「物理後學」，但亞氏祇求「最初因」；而儒家則追尋「窮理盡性以至於命」（易說卦）的「性命原理」。至於以性命原理（或稱「時中法」）爲科學方法論，而研究闡發「實在」的一部份現象的學問，即爲分科的「科學」。因此，道德倫理就是人文科學，其他自然科學，社會科學等等，同是屬於「多聞而識之，知之次也」的學問，縱如論語所載，十九雖爲道德倫理的要語，惟子貢對孔子的一貫之學，因其尙在疑似之間，才有「夫子之文章，可得而聞也；夫子之言性與天道，不可得而聞也」的讚嘆。

「性與天道」也即是「性命原理」，這是儒家的宇宙論，也是人生論，易繫辭：「參伍以變，錯綜其數，通其變，遂成天地之文；極其數，遂定天下之象」，所以性命原理是統貫天（哲學）地（科學）人（人生）的最高原理，而且是「理，數一致」的，這與西洋的哲學與科學之矛盾的對立，而源於「理」「數」脫節的文化系統，迥然有別。若自中國文化本質言，無論科學與民主，我們祇能借鑑於西方，但恐非「必先從於西方」所能「免於枉費氣力」的。竊爲三民主義的思路，確已洞燭這個甚因，權能的政治理論的創發，最緣於性命交互作用的原理，孟子的堯舜禪讓論和養浩然之氣論，都是應用性命交互作用原理的，而中山先生雖闡論的對象不同，其所應用的原理則一。況且這個性命交互作用原理，在現代科學上即爲「場的理論」，和嘗謂「儒家思想具有最新科學化的眞理」，自辭尚非附會，但此非短文所能詳明。

中國文化的發展歷程，是自宇宙論至周公轉進人生論，孔子復自人生論進而統貫宇宙論，易繫與中庸後半部言之特詳，這是迄今仍較西洋文化更深進的精華，時人多未能悟斯奧義。老莊闡論「歸藏」的宇宙論，所以特重「歸根復命」，而主「任自然」；儒家闡揚「周易」的人生論，所以特重「性」而主「循自然」。因爲「命」是被動，「性」是主動，必須循自然，才能「達於自成」（至誠）。易繫說：「一陰一陽之謂道，從之者善也，成之者性也」所以孟子的性善說，即爲貫通天人的作用原理。孔子的「仁」，就是自人生論的主動之循自然而達於自成的境界，所以中庸的盡性論，由盡己性人性，物性以至參天地之化育。宋儒發揮了心靈境界的自成，却忽略了改造事物境界而達於自成之性命原理的作用。

梁漱溟曾謂孔子窒息了民主，扼殺了科學，這是把宋儒的各責，竟用以厚誣孔子，殊非的論。孟子說：「天下之言性者，則故而已矣……天之高也，星辰之遠也，苟求其故，千歲之日至，可坐而致也」。這不是孟子顯明地把「性」的作用原理，運用於天文學的明證嗎？所以我以爲今天談儒學，必須溯原於先秦儒家的「學」，宋儒闡論道德倫理的貢獻，固有其客觀的價值，而且在道喪倫亡的今天，更足以顯示它的時代意義。但是，倘以道德哲學就是儒家的唯一最高學問，甚至謂儒學除此以外，別無所謂如西洋的宇宙論和科學方法論，那是對於子貢之所謂分辨的「文章」和「性與天道」的區別，尙沒有體會出來，何能承發儒家的眞精神呢？

因爲儒家眞正的「學」，就是「性命原理」，孔子自稱爲「一貫之道」，所以凡能掌握與運用這一貫之道的，無論闡發道德倫理，或中論政治學，甚至縱談理論科學，均蘊藏有哲學的至理。依此準繩，則中山先生雖沒有哲學專著，惟其闡述政治社會思想所運用的哲學原理，正是遙承先秦儒家的性命原理，根據現代材料（即政治社會現象）而發展的學說，因而中山先生可說是現代中國的純正哲學家。我年來倡言「中國文化自覺運動」，就是提倡我所了解之儒家思想精神及中山先生所啓發的文化自覺路線而發展的。

弟浪跡海隅，心存故國，寫作縱爲稻粱謀，但絕不背其所守。近著「民主政治之質的新發展」，即本中山先生貫通儒學精神的思想爲基礎，因而批判近代個人主義無機性的民主制，否定集體主義機械性的僞民主，而倡導「發揚主體生機性的眞民主」。曾寄贈就教，竟遭凍結，此惟有如來書「一向權威」的事實，才所云「口號思想」，心能解得個中原因了。

杯弓蛇影

知難行易

陳克文

一、時代背景

中山先生之倡爲知難行易的學說，是有其時代需要，和政治目的的。

民國前後，一般主張改革人士，即以中山先生爲中心的革命黨人亦難例外。因爲改革運動，歷經挫折，心裏不免畏難苟安。又因對於改革目的認識不清，缺乏政治理想。遂發生兩種有礙於改革的錯誤心理。其一，以爲破壞工作不能與建設工作，同時並行。維新也好，革命也好，都祇是負推倒舊制度的破壞責任，建國事業應留待將來。又一，則破壞之後，因爲要鞏固新政權，憚於改革，處處遷就事實，凡事敷衍妥協。將改革目的，和革命理想，置之度外，認爲這是高調空談。梁啟超自由書有一段話，很可代表時候的一般心理，他說：『法國大革命之始，星羅棋布，風馳電擊，只能破壞法國，不能成就法國，而成就之者，乃當時無名之拿破崙。意者中國之拿破崙，今猶未出世聰？吾願愛國之士，其勿以中國再造之業，望諸今日有名之維新黨：……今日有名之維新黨，其勿自尊大，亦勿自暴棄，惟盡其責任以爲將來出世之拿破崙前驅先導；法國之能成就，非拿破崙獨力成之也，有成就之前驅也……故吾願今日有自命維新黨者，勿遽求爲歐洲十九世紀之人物，而先求爲歐洲十八世紀之人物，吾亟其將有瘳。』

梁氏的話，雖爲維新黨而發，其實當時改革運動人物大多數無不存此態度。所謂前驅先導，所謂「八世紀人物，均以爲破壞與建設不能同時並進。所謂成就，所謂十九世紀人物，即將改革目的與新理想之實現，留待將來。這種『留待將來』的心理，和清末九年立憲的心理，初無本質上的差別。

二、心理狀態

在這種不健全的心理狀態下，改革運動只成爲破壞運動，只成爲歷史上朝代更迭的循環。結果新的改革力量，漸漸成爲舊勢力的俘虜又轉爲被改革的目標。此中山先生臨死的時候，所以憂慮革命黨將爲反革命所軟化也。

中山先生認爲這種心理的產生，由於參加改革運動的人對於改革的目的和政治理想缺乏眞正的認識。只知對舊制度，舊勢力，抱推倒破壞的熱誠是不足的。對建設和改革缺乏信心和勇氣，便不免多所恐懼猶疑。惟不知，故不信，惟不信，故恐懼。惟恐懼故遷就事實，凡事妥協，期待將來。朱熹說，『知之愈明，則行之愈篤。』一切改革運動的心理障礙，都是出於無知，此中山先生所以倡知難行易的學說也。他要革命黨人，知到破壞與建設必須同時進行，不能期待來年，不能以遷就環境，和與舊勢力妥協，求政權的苟安。革命黨人對於政治目的和革新理想的懵昧無知，缺乏一往直前的勇氣，實爲革命挫折，新政策失敗的大原因。

三、期望與懷疑

知難行易的學說出世後，對於改革運動到底發生了甚麼影響？我們如果就北伐成功後，直至抗戰前夕，這一期間的改革歷史言。可以說，影響並不甚大。支配這一期間改革心理的，仍爲傳統的期待心理，妥協心理。譬如地方自治，土地改革，憲政實施，全在猶移，討論，遷延，期待之中。遂使大好的十年光陰，忽忽過去。革命初成，期待政權鞏固，故有六年訓政之議，後再延長。剿匪期間，期待統一，雖有七分政治三分軍事之論，實際軍事之外，一切都談不到。爲甚麼這期間，會有五院制的笨重政治組織？無他，遷就人事，斷存現狀。故把『政府有『能』』的理想摒之度外。爲甚麼會有黨外無黨，黨內無派，這樣違背民主原則的理論？無他，應付當前環境，集中權力，貫徹剿匪，不得不與自由民主之義，背道而馳。因此，到了抗戰，期待的心理更強。所謂一面抗戰一面建國的主張，只成爲一時的宣傳口號。顧慮環境，遷就事實，完全因爲對改革的理想缺乏信心與勇氣，誤認戡亂與抗戰期間不能作重大改革，一切新政策的實施，都抱着期待與疑慮態度。留待戡亂既畢，的抗戰既勝之後。廿年的改革時機，又這樣的輕輕錯過了！

四、今日局面

今日自由中國的形勢，比之剿匪抗戰，更爲艱危。需要理想的指導，需要根本的改革，需要民主自由的政策，需要坐言起行的精神。然而我們最近讀到蔣總統去年行政成績檢討的文告，其中有如下的話：

『關於政治風氣的培養，還沒有做到對下服務，對上負責的要求。尤其陽奉陰違，敷衍塞責的惡習，不肯澈底改革，總是消極的，被動的。』

即此數語，已可概見今日的自由中國，在政治上還是充過去那種期待苟安，顧慮遊疑的心理。缺乏理想的指導，缺乏更新的勇氣。彷彿大家都在說，『等回到大陸，我們便可以實行新的理想和新的政策了。目前是艱難期間，談不到眞正的民主自由。我們要應付危急，不得不遷就事實。等[illegible]回到大陸便要不同了。』這還不是剿匪抗戰時期的心理？這心理使我們的戡亂失敗，使我們的抗戰勝利變成大陸淪亡。過去的慘痛教訓，還不能使我們憬然覺悟，還要蹉跎徘徊，以待來年，這眞不能不說是知之維艱了。須知當年的失敗，是『軍事北伐，政治南伐。』今日反共抗俄的局面，決不會只有軍事反攻沒有政治反攻，而能獲得最後勝利的。政治反攻不能等待回到大陸之後，民主自由的理想是不應受環境和事實限制的。環境愈困難，阻力愈強大，我們貫澈理想的精神愈積極，才能衝破重圍，達到最後勝利。知之愈明，則行之愈篤。眞正的改革運動，決不應爲環境事實所限。今日的自由中國應該以實行尊重人民自由——尤其言論自由——簡化行政制度，擴大政府基礎等，爲目前立即實行的政治改革，這樣才能造成政治反攻的偉大不可抵抗的形勢。然沒有政治改革，沒有民主自由的眞精神，決不足以言政治反攻。

中華民國僑務委員會頒發登記證台教新字第一〇二號

自由人

THE FREEMAN

（半週刊每星期三六出版）

（第二一一期）

每份港幣壹毫

督印人：李光華

社址：香港高士打道六六號

電話：二〇八四八

GLOUCESTER RD. HONG KONG TEL: 20848

承印者：東南印務出版社

地址：高士打道六十四號

台灣特派員辦事處：台北市館前街五十號

台灣總經銷處：台北中華路新號五九四之一

台灣郵政劃撥儲金帳號九二五二號

蘇俄今後的動向

·雷嘯岑·

史大林死去之後，他留給馬倫可夫這羣新貴們的課題，不外三項：如何安定內部及控制附庸國家，怎樣對付民主陣營是也。

安定內部問題

史大林去年秋召開聯共第十九次大會，爲的就是安排後事，他在這次大會中，曾經出席說話。消後，他一直過着養病生活，居住克里姆林宮的時間不多。依照一般統治人物的作法，以及共產極權國家的獨裁者照例有措置，他不會沒有政治遺囑的，而克里姆林宮新政權之急速建立，如非本着史大林的遺囑而然，嘗不致那麼簡要吧！

一試看新政權的文武大員，把幾個「碩果僅存」的老布爾希維克份子，平日在史大林面前會而不親，專吃資格飯的伏羅希洛夫，布加甯等人亦拾出來了。另外又將遠戍在敖德薩的朱可夫召回莫斯科，位列權要。很顯然，這三個老資格軍人的被捧出，乃具有安定軍心的作用。現任陸軍總參謀長柔柯洛夫斯基，雖然貴爲元帥，但他是由黨方培植出來的寵兒，過去沒有甚麼戰功可言，對軍人方面，不能發生實際的控制力量。貝里亞以特務頭子兼主內務部，是在鎮定民心，同時又有安定軍心的輔助效能，因爲特務在軍中，素來就是代表黨的「監軍」任務的。馬倫可夫之榮任總理，自然可以安定黨心，不成問題。這樣的人事佈署，如果不是史大林在遺囑中有所指示，恐怕不會在他死去廿四小時之內，就那麼順利和諧地正式出現呵！馬倫可夫對內最沒有自信心的控制對象，就是軍隊。所以，他特別利用黨和最高蘇維埃機構的名義，對陸軍發佈文告，教大家繼續效忠於「史大林遺教」，這是表示他在「國有大喪，新君初立」時的戒愼，恐懼心理。

有了這種人事佈署，加上大家共懷危亡的心情，蘇俄內部之暫告安定，那是必然的。雖說這些新提高的地位，依法尚待最高蘇維埃會議批准，那只是形式而已。不過，任何一個獨裁專政國家的繼承人，必然是一代不如一代的。馬倫可夫之沐猴而冠，目前由於史大林的遺囑關係，又在外患重重威脅狀態之下，自可相安，如一旦對外發生大事，或者兩個世界眞正和平共處時，內部一定就要起問題的。只有現階段這種冷戰的激烈，總有限度的情勢，是替馬倫可夫政權製造安定因素的特效劑。西方國家若干政治觀察家的種種推測與期待，都是不切實際的惰性發展之談，實驗究求神的卑怯意識，不值一哂的。

控制附庸國家問題

馬倫可夫對外最沒有自信心的控制對象，就是各國鐵幕內的附庸國家。所以，他對中共即特別聲明「加強對中國人民的友誼」這類論調。當然，中共是附庸裏中最大的一個，蘇俄對它的控制時間，也沒有[illegible]長久。同時，史大林在戰後所用以代替第三國際來控制世界共產政權的「共產國際情報局」，一因狄托之叛變而聲威大減，二因那是區域性的組織，沒有整個的國際性能，專靠史大林個人的領導力，使它發生作用。史大林一死，重心喪失了，今後只能藉共產主義思想和列史遺教來維繫各個附庸國的向心力，情形自不相同。但我們卻不能相信西方人士的臆說，認爲毛澤東一定會與蘇俄分裂。這是失敗主義者希望敵人暴病而亡，禱告敵軍發瘟疫倒斃的半吊子心理！凡屬政治人物，都具有英雄思想的，毛澤東當然不會例外，正因爲這一點，他就絕對不致於輕易跟蘇俄鬧翻。何以故呢？中共今後在蘇俄集團中，身價已經增高，馬倫可夫須殷人過事，不得不另眼相看了。中共成了鐵幕附庸國裏的「老大哥」，他還有克里姆林宮的「長子」地位，它對極權世界的發言權，正如現時民主世界中的大英聯邦帝國。中共除非受着外力的重大打擊，而臨生死存亡的絕境，它斡要捨棄僅次於蘇俄的國際地位，而投靠民主世界，降低身份呢？不錯，民主世界可以向毛澤東保證承認他永據中國。然蘇俄一天存在，他就無法起此妄念，非不爲也，是不能也。

在中國東北的幾十萬俄軍，能夠控制毛澤東造反嗎？能夠讓毛澤東手中的工業設備和資源，能夠讓毛澤東收回嗎？中共內部那麼容易轉變嗎？因此，毛澤東近日所發佈對蘇俄效忠的宣言，是眞話，決非外交詞令！

中共既無問題，其他附庸國一時更不會有問題。捷克本有步南斯拉夫後塵的資格與可能，然史大林去世前夕，已嚴加整肅，總統葛德華至今還留莫斯科不得歸。況且捷克又在東德包圍監視之下，它與南國的地略優勢迥然不同，不可能作突變的。其他小國雖然偶有騷動，那是癬疥之疾，不足爲患。波、捷、匈、羅、東德這些地方沒有變，東歐鐵幕內就不會發生甚麼意外之事。

蘇俄趁這次各附庸國主腦人物雲集莫斯科的機會，一定要搞出一套加強控制的辦法來，乃意中事。中共在這場合中，一定會表演「帶頭作用」，也是必然的結論。只要蘇俄能有相當的領導方法，衛星國暫時即決無戲劇性的變化希望。

對付民主世界問題

莫洛托夫之由後台出現到前台，主持蘇俄外交，無疑地是要執行史大林遺教——加強冷戰，持續和平攻勢，避免大戰。馬倫可夫登台後的第一次演說，亦是這套陳腔。維辛斯基之改任聯合國永久代表，照樣是加緊和平攻勢，隨時代表蘇俄跟民主國家要價還價，玩弄冷戰法術。西方國家的政治家認爲蘇俄新貴們將對外冒險，以期穩定內部的說法，我是不敢苟同的。有伏羅希洛夫那般老軍人主持軍事，又有莫洛托夫這位自二次大戰以來即綜持蘇俄外交的史大林親信繼長外交，他們百分之百是要奉行史大林之教，以不戰而屈人之國爲最高指導原則的。史大林在生時且不敢，也不必冒此大險，馬倫可夫這羣人怎會輕舉妄動呢？今後的蘇俄對外政策，最主要是在設法加強對附庸國的控制，因爲這對冷戰的成敗關係太大，更對蘇俄本身的生存利害至深啊！

對付民主世界的方法，只有抱着史大林的遺教，「以不變應萬變」。但求內部安定，他們必然堅持和平攻勢，跟民主國家再冷戰十年，也無所謂，反正蘇俄在這大冷戰小溫戰之中，有得無失，何樂而不爲呢？

結語

民主世界若要遏制蘇俄向外擴張，或者想教蘇俄從此走下坡路，唯一有效的策略，即是採取主動的攻勢。譬如：在西方以強硬態度要求統一東西德，簽訂對德與奧的正式和約；在東方要求依照聯合國建議，結束韓戰，統一南北韓。尤其對韓戰，如共方存心拖延，應該增加軍事壓力，絲毫不予妥協。只有這樣作法，纔可以引起蘇俄內部的暗潮，纔可使附庸國家對俄帝的信心動搖，而西方國家對俄帝中共所理想的各種現象，纔有出現之可能。若僅以美元英鎊和聯合國席位等釣餌來誘中共入殼，想藉此弄垮俄帝，那是「隔靴搔癢」的村婦心理，徒爲共黨所竊笑，絲毫無補於大局，而且是有害的。

狄托統治下的南斯拉夫

·丁匡華·

狄托的「政治觀」

南斯拉夫脫離俄共控制後，近年來在其鐵腕總理狄托統治之下，揭櫫反俄，勵精圖治，已十足表現其戰鬥特色，最近制訂新憲，厲行新政，狄托並膺選爲其首任總統，益傾向西方，與希土締結巴爾幹聯防，在國際上風雲際會，實是具有舉足輕重的重要地位。狄托並已於日前啓程赴英，與邱相艾登會談，在史達林甫死去之今日，此次訪問，意義自更爲重大。

狄托治下的南斯拉夫，在新憲未頒佈前，是採取「集權」制的，他是南共中央委員會主席政治局首席委員、南共黨書記處總書記，也是南斯拉夫聯邦的國家元首；他的權勢正如史達林未死前統治蘇聯一樣。政府部門的首長，也是由政治局委員分別兼任，比如狄托是部長會議總理，政治局第二委員卡德爾治即爲部長會議第一副總理兼外交部長，委員朱拉斯爲國務部長，委員關科維支爲內政部長等是。

自一九四八年狄托銳意治理南斯拉夫以來，南國的政治經濟已有顯著的進步。在內政上，狄托把司法制度獨立，雖然特務管制甚嚴，但人民在各種嚴厲的社會改革中，尚有多少生活和就業的自由。在農業方面，以農爲主的南國，由於做效蘇聯的失敗，已取消集體農場制，正盡量節存餘糧，以與西方國家交換工業設備。工業建設是南國數年來刻苦努力的主要部門，南國曾在美國進出口銀行得到五千五百萬美元的借款，在英國方面得到二千二百萬英鎊的借款，又在西德方面得到六千五百萬美元的物資，這些借款雖不能治療南國所缺乏的機械，但也能勉強可滿足南國工業上的需要。

新憲法的政治形式

狄托爲了配合西方國家及鼓舞南國人民抵抗蘇俄侵略，對於內政，自須從新加以改革，這種意向，早在去年十一月南共大會舉行時則已決定，當時並經設立一「修憲委員會」由南副總理兼外長卡德爾治（南共第二號領袖）主持修憲工作。經過兩月的集議，到一九五三年一月十四日才正式實施，新憲法在六五八議員一致贊成下已順利通過，他的特點，據公佈宣佈如下：（一）廢棄蘇聯形式的中央集權主義，（二）南國社會主義政府將發揚光大，並認定人民有合法發言權。（三）南國議會過去無權之四十人主席團，將接管內閣之職權，並由法令規定治理全國，直至五月重新建立之議會舉行選舉爲止。（四）新議會爲兩院制，一院由全民選出稱爲「人民議會」，另一院由工礦、農業勞工生產者選出，稱爲「出產者議會」，兩院俱有同等之權利。（五）南國仍爲一黨國家。新憲法通過之後，隨即選舉，狄托元帥當以六五七票（出席議員六五八人僅一人投反對票）被選爲南國聯邦首任總統。由此更接近西方。

南國的軍隊

南國的軍隊，多半由共產黨游擊隊改編的，這游擊隊的實力，起初甚爲薄弱，一九四三年時，只有五萬人，配有四萬枝步槍，七百架輕重機關槍，五十門臼砲，百餘門山砲，分編爲八師及一混成旅，每師約五千至七千人。一九四六年以後已大有增加，估計有十五師到二十五師之間，這些軍隊中有十師至十五師由S.K.O.J.（共產黨青年團）編成，被視爲精銳，他與O.Z.N.A.（政治警察）同爲鎮壓國內反動之龐大潛力。S.K.O.J.部隊共約十五萬人，而O.Z.N.A.部隊因其總司令BANKOVIC將軍之加強擴展，亦已增至十萬。

由於東西冷戰的影響，南斯拉夫爲應付一旦或然事件發生，故對軍隊大大擴充，一九五一年軍費佔全國收入總額百分之二十，一九五二年佔百分之二十三，這一比率之高，不僅非任何歐洲大西洋公約國家所能及，即在整軍之聲高唱入雲的美國亦感遜色；按美國政府宣佈之預算，在一九五二——一九五三年間的軍費支出僅爲全國收入總數的百分之十八而已。目前南國的武裝部隊已在四十五萬以上，可能已經有六十五萬人，據統計已逾七十萬，共編爲三十三師，若以上項情形證明，也許這數字，不會相差太遠的。

狄托的隱憂

狄托剛剛站起來了，但來自外在的威脅，不無時時感到隱憂，蘇俄覬覦南斯拉夫已非一朝，他積極武裝東歐各附庸國家，已把三年前美英蘇三國簽訂的和平協約撕毀無遺；依照和約規定保加利亞和匈牙利的國防武裝部隊均不得超過六萬五千，而現在保加利亞已擁兵二十五萬，匈牙利也有十八萬，他如羅馬尼亞，已由按定的十三萬八千擴至三十五萬，阿爾巴尼亞也擴至八萬，這些國家的軍隊，都由蘇聯裝備和訓練，甚至如阿爾巴尼亞的軍隊一樣，由蘇聯軍官在史達林命令之下實際指揮。此外還有蘇軍廿五萬長駐在這一地區，以兵對兵，各共黨附庸國家與南國相比將爲七比四，且他們還有齋比南國優越若干倍的武器配備，看情形相差是很懸殊。針對這種形勢，狄托最近與希土兩國成立了友好條約，實際上等於聯防同盟。

今天狄托所恃的是什麼呢？一是南國人民仇俄的堅定而統一的意志；戰端一開，在一千七百萬人民中動員一百萬戰鬥人員，自非不大太難。一是地利，南國山脈綿延爲堅強的天然防城，等到進行山地戰時，前有大山屏障，後有亞德里亞海，蘇軍雖擁有武器優勢也是難以得逞，且此一帶山地擁有南國大部資源如鍊鋼廠，礦廠，綿羊和森林，狄托自可據以作持久之抗戰。問題祗是要看蘇聯的攻勢，但西方國家，不再抽手旁觀，使南國偏於孤立，這種趨勢，現在已愈征顯明，艾登訪問南國後，美使亦與南國頻頻往來，且已撥交第一批美援噴射機，這次狄托之訪英，更使南國與西方國家的攜手趨於表面化了。

如何解決韓戰？

——斐列特和布萊德雷的意見（上）

·迪華譯·

斐列特回到華府後，立即受到朝野上下的熱烈歡迎，那一個星期也就成了著名的「斐列特週」。爲了崇敬這位在韓戰地指揮作戰的第八軍軍長，艾森豪總統特於三月三日正午在白宮設宴款待，奉邀作陪的，有負責美國軍事安全的高級首要逾二十人，其中包括海陸空三軍部長，各聯合參謀首長，國會軍事委員會兩黨領袖和馬歇爾將軍等，盛會散後，至少有五個國會委員會邀請這位退休的四星上將，在公開場合或秘密會議中，提供他對處置韓戰的意見。

乘「傑克遜將軍」號甫抵舊金山的時候，他就已明白表示過，他希望避免如麥帥一九五一年被黜後繼之而來的那種政治上的喧囂，斐列特說：他將以「極謙遜」的態度來試圖告訴各議員以他們所需要知道的事情。在舊金山市長羅賓遜致[illegible]以後，這位現年六十一歲的將軍會對記者[illegible]第八軍軍長時[illegible]評論會引起一[illegible]軒然大波，[illegible]「你[illegible]」[illegible]斐列特[illegible]回答說：「一定是的」，他繼加以解釋：「一個戰地司令官的任務是執行命令……他必須使部下保持充分的準備和旺盛的鬥志，他的部屬必須具有大膽的信心，但又不能流爲過分自信；……否則只有承認失敗。但事實上，這樣的準備是要失敗的，指揮官也是很，換一換指揮官也是對的」。

斐列特的四項途徑

但斐列特在國會[illegible]久已爲國防部所熟知[illegible]他曾表示過在[illegible]中的四種[illegible]最感興趣，其[illegible]但他和聯合參謀首長們有頗大的距離。斐列特所最感興趣的四種軍事途徑如下：

一、[illegible]進至鴨綠江[illegible]

二、攻至韓國的蜂腰地帶。斐列特表示他[illegible]海陸空聯合攻勢，採取這樣攻勢[illegible]在這種攻勢中[illegible]可能要死亡一萬多人，另有[illegible]參謀部今天認爲[illegible]損失太大了。[illegible]斐列特則表示這種損失是值得的，[illegible]在蜂腰一帶地區南韓單獨[illegible]防守。[illegible]美軍而[illegible]師[illegible]韓國[illegible]朝鮮[illegible]

蘇俄中共交相煎迫之下 緬甸局勢日趨危殆

國外通訊

史寅雲

緬甸的危機正在一天天加重，蘇俄中共的壓力交相煎迫，使德欽汝打不出主意了。仰光城內的大火雖然已經撲滅，而東北角上的戰事却已蔓延；這一場莫名其妙的仗，究竟是替中共出力？抑是掩護緬共擴張？而係有意和中華民族爲敵呢？

當中共、緬共締訂密約成立了「共同作戰局」之後，在東南亞整個局勢日形緊張聲中，仰光於本月一日的二十四小時中連續發生兩大驚人事件。先是城區市中心同時發生兩處大火，其一爲商業繁盛區域；另一則爲人口衆多的竹店區，雖然僅有兩處起火，損失約達三百萬盾（緬幣），括有一家極華麗之電影院，以及木屋四千零十間，儘付一炬，無家可歸之平民達三萬人以上。事後警方於被捕者口供中獲悉起火原因，係共黨的陰謀，據縱火犯供言，當時企圖在城內十二個地方同時放火，只是當地的居民發覺及時，另外十處的放火計劃沒有成功。而這一次放火之主要目的非僅藉縱火挫折人民意志，尤圖將仰光全城繁榮毀於一旦，以造成緬甸政府之嚴重的經濟危機以及更嚴重的社會問題。但此種問題現已造成危殆之局。

東方的斯德哥爾摩

其次是俄國駐緬大使館一等祕書安尼堅（二十六歲）及醫生巴比索（三十三歲）駕汽車於夤夜直駛仰光港東岸緬甸電力公司附近之緬軍軍事設施區域。當該奧斯刁小轎車闖入禁區之時，哨兵曾經三次喝令停車，力阻前進，但安尼堅不僅不予理會，反而開足速率直駛，迨該車距最後之崗哨約二十碼處，該守望之哨兵情急以手提機槍向該車掃射，安尼堅腹部中彈受傷，巴比索頭部、面部、手臂均先後着彈，傷勢尤重。出事後被送往中央醫院施救，一面通知俄國大使館派人照料，一名務特把守於病房門口，拒絕任何人入內。據說車上尚有機要文件之皮包一隻，警方目送俄國特務們攜返。這件事情發生之後，使人連想起俄國大使館在仰光所担當的任務是什麼了。當人們想起了一九五一年十一月間斯德哥爾摩由安德生間諜案揭發了一個驚人的國際間諜機關（係由俄國駐瑞大使館一等祕書維諾哥洛多夫主持）時，誰都以爲仰光已自一九四九年中共竊據大陸之後使成爲「東方的斯德哥爾摩」了；更由於此一事件所意識到的緬甸內在危機，已經十分嚴重。

機槍手的唯一靶子

仰光的俄國大使館人員，一向不把緬甸人放在眼中的，使館的特務及其所組織的第五縱隊，在市區穿梭橫行，無論是公私機構或是娛樂場所，都有這些特殊人物的蹤跡，而掛有使節牌子的汽車，更是飛駛過市，任何車輛以及行人，只有迅速奔避。緬甸政府對這些具有國際外交特權的特殊人物，也祗有眼開眼閉，不敢驚動的。這一次的安尼堅及其醫生巴比索被哨兵所狙擊的事件，誰是感到十分意外。這自然也有甚多原因的：那一天晚上，在大火之後，警方對於各處軍事設施就不得不嚴加戒備，雖然這種戒備平時也是有的，這一天却特別嚴緊。當那一架小型奧斯刁從海岸大道轉彎而來的時候，已爲瞭望哨發覺，以電光指示這輛汽車勿入禁區，車上的人却並不理會；到了哨兵第三次發令勸阻之時，前面的一個崗哨已被闖過了；那一名負有保衛電力公司的哨兵就情急了，他認爲這一架汽車之來，是不會懷有善意的，不是窺探軍事祕密，將會蓄意毀滅電廠。因此就高聲大叫「不停車開槍了。」在他一槍朝空中放出之後，汽車還是急駛。於是，這架奧斯刁就成爲機槍手的唯一靶子了。

喀軍已成民族象徵

喀倫族軍在許多緬甸人的心目中，無疑是一支具有民族象徵的部隊，這一支部隊的存在與否，一如緬甸民族存亡絕續之一大關鍵。中國游擊隊的目標和喀倫族軍現時的目標，并無不同之處，在此患難之中，自有互助策應的必要，故中國游擊隊於接受喀軍的呼籲之後，就兼程赴援，誰知因此使導致中共對德欽汝政府增加了又一次的壓力。北平向緬甸提出了「緊急的警告」，要求緬甸對中國反共武裝迅速採取行動，否則滇南的中共軍就要開入緬北了。另一方面，中共復利用在仰光潛力，策動國會中的親共議員向政府建議：如果政府沒有力量「對付緬北國軍」，彼等將號召人民組織「志願軍」以協同政府行動。這一項建議雖未經德欽汝接受，但他却已下令國防部長宇瀛肯揮陸空軍向緬北邊外的中國游擊隊展開聯合攻勢了。在初期攻擊中緬甸政府軍佔了優勢，以使李部（老番號）一九三，一六一，三六八，三零七，六一八零等五個師爲中國游擊隊受了打擊，但該等中國游擊隊係因極力避免與緬軍作戰，而負創向滇緬路推進，對中共佔據未定界之據點進攻，於另一方面復將湄公河沿岸之中共軍肅清，並逐出了盤據於滇緬貿易重心九谷的中共軍加以控制。這種游擊隊確是名副其實的反共軍，詎竟不見容於緬甸政府，緬軍的陸空聯合攻勢，正向東北展開，戰區的面積擴大。而中緬共黨的混合部隊也正在乘機擴張，德欽汝雖然中了中共一石二鳥之計，似乎還未發覺。現在市區的緊張狀態未除，宵禁繼續執行，軍事設施的周圍五十里內居民，當局已下令拆遷。到處充滿戰時景象。（三月四日寄自仰光）

台灣物價穩定

台灣通訊

台省新春以前，米價曾有波動，經台省糧食局及時拋售糧米，並由司法機關將囤糧大戶檢舉法辦數宗，近已趨平穩。惟輸入物品如西藥，食品，及衣料等，稍有上漲，但非民生必需用品，與一般人民生活，無甚影響。台省近年以來，物價穩定，過去大陸上早晚市價不同之印象，已爲民衆所忘却，其所以能獲得穩定效果者，基礎有四：（一）財政方面，能嚴格限制不必要之支出，同時整頓公營事業，以公賣捐稅，以培養稅源。（二）金融方面，能限制發行，銀行不得自由對各級公庫貸款，其對工商業之貸款，均須用存款轉貸。因以利息壓低，生產成本減少。（三）生產方面，增加水利及電力建設，同時改良品質，競爭產量，在國際市場上，打開銷路。（四）貿易方面，能使過剩產品大量輸出，以交換必需品輸入。如去年曾以台糖精級砂糖一萬一千噸出口，交換埃及棉花三百萬磅進口，不但對台糖業及紡織業，裨益甚巨。即於台灣整個經濟，亦至有貢獻。

人民堅定信仰新幣

新春以後，台灣銀行新台幣回籠者，達四億元，足見人民對新台幣信仰之堅定。此後台灣省經濟自立四年計劃開始實施，生產當更爲增加，國民所得亦即隨之提高，則物價自必更趨於穩定。惟生產增加以後，必需多謀國際市場，方可以獲得外滙與再生產資本。台省近來生產增加最多者爲糧食，去年已達一百六十萬噸，今年至少可再增加十萬噸。去年輸出十六萬噸，今年在供應軍糈民食與準備反攻用糧之餘，自仍可有所輸出。一面提倡食糧節約，俾可有更多餘糧，向國外換取肥料等品。又如香蕉，以往只輸往日本，且受其一年只許輸往四十萬簍之限制。此後可擴銷菲律濱，檀香山。多季所產之筍橘蕃茄等，亦可作爲外銷品。茶葉香茅油等，去年外銷情形未達理想，今年必可打開銷路。與台灣最近者爲琉球，琉球即缺乏食米水菓茶葉食糖等等。其他南洋各地，亦均極歡迎台省產品。惟擴展外銷市場計，政府似宜鼓勵商人拓展，並予以種種便利，中央信托局或公營貿易機構，恐難以完全勝任。華僑回國投資，固宜投資於工業方面，但亦有一部份華僑，向係經營商業者，似不妨准其在商業方面投資。如顧慮其輸入者未必爲台灣必需品，或輸出者獲利過多，則政府本可用法令限制之也。況自對日和約簽訂之後，日本航業界在世界航綫中減價競爭，台省航業之黃金時代已成過去。准許商人拓展新的國際貿易市場，亦可有助於航業之復甦。

配給制與公賣制

近來西藥等之漲價，關係由於外滙供應方面未能充分。其實台省所有外滙原甚充裕，但因對申請者准駁之間有時未及一一說明理由，致引起商人間之誤解。故此後欲穩定進口貨之價格，宜就美援到達數量與市場供應情形，凡省內之民生必需品而確屬生產不足者，依事實需要，正常供給外滙，以免因核准百分比或有高低，反造成投資者之暴利。其他不需要進口者，則事先宣佈不供給外滙，使商人無從取巧。另有關事亦與物價穩定有關者，即配給制度與公賣制度。近年台省公教人員待遇雖屬菲薄，而尚能維持生活者，完全得力於配給制度。大小官員既皆有官舍或宿舍分配居住，復每月按照眷屬人口數，免費供給食米，食鹽，食油，煤斤，由各地合作社承辦，按時送到各人家中。除食油配給數量不足，事實上需要外，其餘三種必需品均可足用。此次糧價上漲，糧食局即舉辦一般住戶配售米，每五日一次，極生效力。此後如能由政府機構及公營事業機關，將所掌握之物資，多循商業方式，向人民配售。人民既非必需購買，自保有與市場上比較品質價格之權利，而無購買必要者，亦不致增加支出。但在配價方面，政府宜事先審度情勢。如所掌握物資並不豐富，配價只可較市場稍低，不可相差過遠，以免爲奸商所套購。如極豐富，則宜於多減低配價，以直接穩定市場價格，如此次之配米，即爲一例。

其次爲專賣制度，亦可有助於物價之穩定。台省專賣事業，現只限於菸酒兩類，且財政之目的爲多，經濟之目的爲少。觀乎以往洋菸洋酒之時有走私入口，造成猖獗黑市，遂由專賣局自行進口，予以專賣，迄今市場上尚有「剩餘洋菸」「剩餘洋酒」出售，不但私貨斂跡，且爭購洋菸洋酒者反日見其少。除菸酒外，台省雖因緝私甚嚴，而走私者仍衆。報紙上時有台北關高雄關拍賣走私船隻及貨品之廣告。立法院徇政府之請，於一般性的緝私條例之外，又制定懲治走私條例一種，亦可見走私情形之不必諱言。此後如能對於常有大宗走私之貨品，亦由專賣機關做照洋菸洋酒前例，予以專賣，則走私案件必可大爲減少。蓋其所以能大宗走私，必爲民間所需要之物品，銷路上確有把握也。

美國的海軍實力（下）

前美海軍作戰部長鄧菲爾著　陸微譯

蘇俄潛艇實力

假使敵人立意奪取我們的海面控制權時，他們將如何行動呢？除了航空母艦之外，蘇聯正在加緊建立海面艦隊，其實力容或不及我們，但是她主要的力量是在潛水艦隊方面。如衆所週知，蘇聯的海軍政策是以潛艇艦隊控制海洋，德國在第二次世界大戰時開始使用的U型潛艇，蘇聯現已擁有三百艘之多，甚或不止此數，約爲德國於發動大戰時擁有潛艇總數的五倍或六倍。

同時，我們相信蘇聯現正利用德國的科學家和技術人員，全力建造改進的史諾克爾式潛艇。他們甚至可能在陸地視程之外，由潛水艇甲板上施放定向原子飛彈，用以襲擊我們的港口。

爲了應付敵人的潛艇艦隊，特別是在公海上遭遇的時候，我們需要附有雷達設備的遠程偵察機。這即是說，祇有這樣我們纔能夠在數百哩的距離以外，偵悉航行在海上的潛艇的行踪，同時在較短的距離之內，查出史諾克爾式潛艇的所在。

對抗潛艇新利器

自然，海軍最新的對抗潛艇電子設備，現在仍然是一個祕密。可能提出的特殊器械，包括是MAD（磁力空中探測器）。它可以繫在飛機或直昇飛機等下面，懸在空中，指出任何較大體積的金屬物的所在。其次是音波探測器。這是一種潛水測音器，可由飛機放入水中。再就是自動音波探測器。當我們已確知遭遇到敵人潛艇的時候，可把它投擲到水中，它將自動用無綫電報告海面下的潛艇所在。

在對抗潛艇的戰爭中，我們仍然需要遠程偵察機，小型航空母艦，艦載飛機，和抗潛艇的潛水艇，和佈雷艦。除此之外，具有高火力的驅逐艦與轟炸機也是不可缺少的配備，用以對抗船塢。

在可以預見的將來，航空母艦特種混合艦隊將仍然是海軍的主要進攻部隊。在理論上，這樣的部隊，最好由二組或二組以上的混合艦隊，每一艦隊具有四艘空母艦，一艘戰艦，三艘巡洋艦，廿四艘驅逐艦。但是在作戰的時候，數目方面應該視需要而加以調整。不過，以目前而論，由正在執行任務的十二艘「埃薩克斯」級與「中途」級航空母艦當中，想抽調組合成一隊特務艦隊是相當困難的。

美航空母艦威力

我們的空母已經足夠分配於蘇聯週界四周執行任務。他們幾乎可以在百分之七十的海洋上的任何一點，對六百哩以外的目標投擲原子彈。而且，據目前的情勢看起來，進展到一千哩也是指日可待的事情。

正在建設的「福萊斯德」號噴射機航空母艦將是全世界最大的一艘軍艦。它具有堅鋼製的飛行長甲板，可以巨型戰鬥機，以及降陸速度高達每小時一百哩的噴射機運用。同時在飛行燃料，炸彈以及原子彈的儲備方面，更是已達到盡善盡美的程度。如所週知的，噴射機每小時所需的燃料是第二次大戰中一個戰鬥機中隊所需總數的一半，但是由於「福萊斯德」的建立，我們已經不再具有關於補充燃料的憂慮。同時艦上裝備有四具協助戰鬥機起飛「彈弩」，一個巨大的飛機庫，庫頂之高足以容納任何巨型飛機，像這樣的航空母艦，我們最少應該每年建造一艘，兩艘自然更佳。

對於防禦炸彈，魚雷等設備來說，「福萊斯德」號空母更達到了前所未有的程度。自然，每一艘軍艦都有被炸沉的可能性，像是任何一樣陸面目標，尤其是原子時代的今日。但是，迄今爲止，任何國家的軍艦都還沒有由於高空轟炸而被炸沉的紀錄。由於船隻的移動性和分散性，已經降低高空轟炸的命中率，何況我們的新航空母艦上更配備得有雷達探測器，高射砲，截擊戰鬥機，和定向飛彈等最新武器。

除了控制海面，爲地面部隊輸送糧食，軍服，燃料等功用之外，更是支持海軍和陸戰部隊作戰的主要力量。同時，在截斷敵人補給綫一點來說，更是極重要。

今日美國海軍的力量比共軍發動韓戰時候大了許多。自韓戰發生以來，美國海軍已有五百餘艘的艦艇復役，巡洋艦已加裝定向飛彈發射設備，爲六艘高速攻擊潛艇業已造成，其他的潛艇都已加裝定向飛彈發射設備，其兵員特殊設備的實力，也較前增加約爲一倍。海軍本身的人數約八十萬人，海軍陸戰隊約爲廿萬人。總之，海軍的實力仍然在不斷地增進。

天下小事

克拉克傳將調新職

據權威方面消息說，現任遠東美軍司令克拉克四星上將可能在短期內晉升至五星元帥，他並將繼柯林斯將軍出任陸軍參謀長。克拉克自接任李治威的遺缺以來，由於他卓越的能力，聲望已大爲增加。據說，克拉克升級調職的決定業已由白宮通知克氏本人，只是目前嚴守祕密，等待適當的時候公佈而已。

杜魯門籌建圖書館

杜魯門總統退休後，他的主要計劃之一，是成立一間杜魯門紀念圖書館，由他捐出一塊地皮，並請外間援助建館和購書的經費，他擬請外界捐助的款額，預定兩百萬美元。這一計劃推動以來，進展相當順利，截到目前爲止，已收到的捐款共計四十萬元，其中勞工方面捐獻的，佔了二十五萬元，計產業職工大會十五萬元，美國鋼鐵工人協會十萬元。

蘇俄曾有祕密建議

雖然由於史達林之死，這已變成一條過時的新聞，但站在新聞的立場，仍不失其重要性，而且，史達林的死，或許對它的存在價值，也不致有多大的影響。

在史達林去世前，美國銷路甚廣的「新聞週刊」曾自高級權威方面獲得一條極重要的消息。內中說克里姆林宮已提出最具有決定性的建議和美國接洽，據說俄國建議艾森豪和史達林在柏林或維也納會晤，他們願意結束韓戰，並自德奧撤退駐軍。但交換條件是美國不能重整德國的軍備，換一句話說，也就是要西方放棄歐洲軍計劃。

中共軍入侵尼泊爾

中共的巡邏隊正經常自西藏侵入尼泊爾王國蹂躪，這件事已引起印度政府的深切焦慮，因爲印度曾保證維持尼泊爾的安全與完整，對於中共的刼掠行爲自不能坐視不理。同時，中共顯正沿尼泊爾、錫金和不丹邊境的喜馬拉雅山區一帶，建設一連串的軍事設施，使得尼赫魯坐立不安，尤如芒刺在背。（孟衡）

中共醜事又一例
銀行被竊小嘍囉遭殃
毒刑拷打逼供造成冤獄

關於中共各級幹部的腐敗情形及其原因，本報近期已作較詳的分析報導。自中共中央因而發出「普遍深入檢查」和「嚴厲處置」的信號以後，各地久被壓制而掩蓋着的種種荒唐醜惡事件已日有揭露；其中以重慶新華日報所揭露的關於「人民銀行」湖南安鄉支行因失竊鉅款而在行長朱冠軍盛怒之下嚴刑拷打禁錮十餘無辜幹部造成一大冤獄的事，堪爲中共領導幹部顢頇及殘暴的一大典型例子。

疏忽造成失竊　十餘幹部遭殃

事件的發生，還要追溯到去年的四月間，「人民銀行」安鄉支行的庫房門鈕，突於去年四月十二日被人毀壞，次日被管理員章光艾等發現，當晚即由章與助理部書楊文思在樓上守候通宵，並無動靜。十四日下午，該行行長朱冠軍由營業所歸來得悉此事，即行召開全行黨團員會議，當有若干人提議輪流守夜，以防失竊，並進行偵查，以明疑竇。但朱冠軍既不信任部屬，又別無防範措置，終於在十六日夜間爲人所乘，打開庫房，從容竊去萬元票面之「人民幣」四大包，計四千萬元，且遲至次日午間方被發覺。

其顢頇荒唐的保衛，本已可觀。但還不僅乎此，當朱冠軍得悉被竊之後，即行盲目的展開警戒，搜查，一無所獲時，竟惱羞妄爲，即胡指所有事先主張或贊成輪流守夜的職員都有「問題」，立刻再開黨團會議，當場宣佈李芷全、蔡德文、陳玉現、徐梅慶、黃梅、翁忠魁、夏雨時、唐世香、陳蛙材、于天健、趙明、張光第、許其殷、許德鑾、洪楊清等十五人爲竊盜疑犯，不管一無證據或綫索，便採用了一貫的「鬥爭」方式：一關，二罰，三打，四關，不問清紅皂白，便將這十幾個可憐的小嘍囉打得遍體鱗傷，死去活來！

毒刑「十五種」令人不寒而慄

他們被施用的刑罰計有跪桌子、跪碗底、反綑雙手、緊綑四肢、扁担打屁股、粗皮帶抽屁股、粗皮帶抽嘴巴、手掌打嘴巴、鞋底抽嘴巴，倒吊打屁股、竹枝抽背肩、扁担踩槓子（兩端）、木棍擊踝骨、疲勞拷訊等十五種之多！他們先用罰跪桌上，雙手用繩反綁；繼則罰跪碗底（即膝蓋骨跪在菜碗翻轉來的帶上，據說凡受此刑的人，只須雙膝一下，便兩淚直流，痛不可忍！）；挺直身子；再則正式使用嚴刑拷打：用扁担打屁股、或雙手反綁吊懸在屋樑上，再以一人斜拉雙腳，綑以繩子，用刑者站在桌上，輪流用扁担猛打或猛砍！後來且發展到用扁担踩槓子：一種是命受刑者跪在桌上，以扁担橫擱於腳骨上，兩頭各站一人，壓得骨頭格格作響，痛不可忍！一種是命受刑者仰臥桌上，以扁担橫擱於脛骨上，並將扁担有節的一面貼骨，亦兩頭各站一人，甚至還要跳上幾跳，其痛苦難受的情形，據說還比「上老虎櫈」的老法厲害得多！除此以外，有時還將受刑者按在地上，由一力大者緊揭其髮，以一膝用力壓住其頭顱或胸膛，猛力用皮帶到處抽打，且事先命令被打者絕對不准掙扎！據說凡受刑的人，無不面色慘白，汗下如雨，濕透棉衣！此種毒刑逼供，係在「行長」朱冠軍一手監督指揮之下所連續進行，其殘酷兇暴的情形，實令人不寒而慄！其中當黃梅因被吊打忍受不住痛哭而哭求一槍結束其性命時，這位「行長」不但無動於中，且還要給他戴上一頂「破壞會場」的帽子，要「追查」他的「思想根源」！

行長殘酷顢頇　同志挾嫌報復

中共對任何人的「鬥爭」本來就無理可喻，「同志」也不例外，不鬥則已，一鬥便有口難說。於是，平時「同志」間有嫌隙的人便乘亂報復；當曾任股長的陳玉現被拷問時，便被股內的「同志」乘機報復，他們除親自流狠命地毒打他外，並叫全行氣力最大能挑兩百斤以上者的人來用力打他，「行長」且極爲讚許，即對那些「大力士」說：「如不打他，便即打你！」以致被命打人者，無不盡其全力，據說，扁担打去，呼呼風叫。陳玉現曾被這樣連續打了三小時，打得半死不活，據說這些無辜受嫌被毒刑拷打的人，無不幾次暈厥，大部份已重傷成病，但並無結果，便被「行長」用手銬腳鐐銬了關了起來；有的甚至還被經常反綁了雙手拴住了屋柱關進了暗室，一關竟關了七個月之久，造成了一大冤獄！要到去年十一月間由附近的居民組長爆發了竊盜犯（姓張，附近的居民）以後，方被釋放，方「證明」他們是受了無妄之災！

威權逼人生畏　沉冤歷久莫申

但「行長」握當該行黨支書記的威權，「行長」曾向各被鬥幹部下過警告，並另行開了一個「檢討會」，進行了一個「肅清冤枉思想」的討論和「教育」。當該行有人請假離行時，該「行長」必給予「不准亂說，不得違反組織紀律」的警告。以致誰也不敢再提「冤枉被打」的事，誰都不得不當做「被打已成往事」而「啞吧吃黃蓮，有苦難說」！

可是機會終於來了。中共中央發出了「整」的信號以後，被打者之一的于天健首先乘請假的機會到長沙向中共中南局投書哭訴，接着，當中南「監察委員會」派人到該行檢查時，便紛紛乘機發起哭訴！他們除了訴說「行長」如何殘酷、糊塗、專橫，及「同志」之間的如何「挾嫌欺迫」以外，都對這種「以對付敵人及一般犯人的殘忍手段對付自己同志的事，紛紛叫屈！由此以觀，我們也便可知中共對付無辜人民的「鬥爭」是如何殘酷惡毒了！同時以他們的領導幹部的作風而論，以一個銀行行長尚且如此，則其他黨政軍特務等部門的情形，更可想而知了！（著）

洞庭波濤、麓山黯澹
游擊隊聲勢震撼三湘（中）

佳訊暗傳　匪酋喪胆

「防民之口，甚如防川」，儘管你把鐵壁做籓帳幔，仍然遮不住的是人民雪亮的眼睛，何況這是一件震撼三湘的大事，附近的人民曾經親眼看見這轟轟烈烈的事實，當然一傳十，十傳百，不上三天，這消息也就如奔騰澎湃的洪流，很快的散佈在市區裏面，匪酋們爲之膽寒，人心爲之振奮。

這件震撼湘省匪酋的事實，是這樣發生於湘西的：

大庸和慈利兩縣，都是湘西門戶的軍鎮，平時是爲人所不大注意的縣份。抗戰期間，政府遷都重慶，僅剩下東南半壁，但是，當時屏障滇黔川邊境的堡壘，全賴湘西這塊山岳地帶，作了湘西穩箭碑的重鎮，就是常德、澧縣、大庸、慈利等幾個縣份，日軍曾一度侵犯到慈利，結果，也就到此止步了。

大庸屬第八行政區，慈利屬第四行政區，雖隸屬的區域有別，因爲大庸原名永定衛，是屬慈利轄區，遜清雍正年間，才改制爲縣，兩縣人民的各種關係，至今仍保留着親密，唇齒相倚，決沒有秦越肥瘠的歧視之處。兩縣境內，羣山萬壑，險關奇隘，到處皆是，爲土司盤踞之所，以明朱洪武之英勇跋扈，三次征伐土司，終無結果而去，其民性之強悍，是有其歷史性的存在，於此可見一斑。

化整爲零　潛伏蓄養

散佈在大庸慈利兩縣境內的游擊隊伍，完全是宋希濂將軍遺留下的，當國軍黃鼎新謝淑周兩個師在慈庸境內潰敗後，宋在恩施（湖北），命令組織敵後游擊，派金益吾担任湘鄂川邊區人民反共救國軍的指揮，部隊的組成，是以兩縣黨團員原有的自衛武力爲骨幹，共編有建仁、建義、建智、建信、建勇五個支及獨立大隊三個，不幸金益吾於宋將軍失敗後，潛回漢陽被俘殺，這幾個支隊，共約五千餘人，散佈在庸沅邊境的崇山，庸永邊境的中山和麻崆山，庸桑邊境的豬石頭、七年寨一帶；慈利的五雷山（慈桃邊境），廖城（湘鄂邊區）一帶，完全是張沼與（前慈利縣長殉職）、朱際凱（暫一師師長俘殺）遺下的種籽。淪陷後，與匪大小戰鬥不下數百次，前仆後繼，此消彼長，並沒有完全倒下去，被共匪的暴力所瓦解；但是，以往的負責領導者，早已成仁就義，死亡大半了。自四十年秋後，他們迫于環境，完全化整爲零的蟄伏了，僅在慈利三官寺一由薩茅界（慈庸邊境）的健兒們施瞿澤等一度出擊，並擊斃匪酋袁任遠的胞兄袁獺皮蛇外，此後，就很少見他們的作爲，明知犧牲無益，亦只好銷聲歛跡，蓄精養銳。

匪軍慌亂　窮於應付

自從湘黔滇邊區的苗民，吹奏了正義的反共號角；同時，共匪爲了應付韓戰，不僅比較精銳的匪部抽調一空，甚至連共匪自誇的——湖南八個保安師的部隊，也抽去了大半，並且還都是來自鄉間強迫征抽的壯丁，一些尚未及齡的兒童，這種捉襟見肘、窮態畢露的現象，他們雖困處在山區，當然是早有所聞了，時機快將成熟，他們又怎肯放過。

目前，以五雷山爲根據地的鄒××，是一位轉業軍官，曾在一九八師作過中級幹部，那時候一九八師長王育瑛（在台），在湘西担任剿匪任務時，他建有殊功，勝利後，雖轉了業，終不容於共匪而深入山區。前任五雷山游擊區負責的戴文哲，於去年上春死去，他才負起這個重任；大庸的羅×，是繼秦惠（金益吾部支隊長）、羅××（暫四師團長逃港）而領導崇山區的游擊健兒，羅爲軍校十五期學生，在八三師劉戡部工作甚久，也是在「解放」後回家鄉的；這次的事件，是先由鄒××向羅×取得連絡後，於去年十二月二十五日晚同時採取行動的；使匪徒們顧此失彼，艱於應付，遂得大功告成。

共區肺癆蔓延日見嚴重
十八中竟有四人患肺病

近來大陸各地肺癆蔓延的情形，實已到了駭人聽聞的地方，且尚在不斷蔓延之中！據上海衛生局的調查估計，承認若干地區及單位中平均十八人之中已有四人患有肺病！

肺病患者工人最多

關於大陸肺病何以嚴重的原因，本報曾於一九九期引述最近大陸來人所分析的話有所說明。目前從大陸各地肺病流行的情形看，原因仍不外乎勞役過度，營養太差，心境太苦，及不得適當的隔離和治療所致。

據大陸各地的消息比較，皆以工人患肺病者爲最多。大陸各地工廠，礦場，農場，及一切企業單位中，除了層出不窮的工人，工亡以外，經常患病而非告假不可的工人，大致總在各該單位的總人數百分之二十之間，其中大部份即屬於第三期的肺病患者。而一般初期肺病患者，因未被視爲非休息不可而在照常工作，尚未在病假人數之內，此種初期肺病患者，照各單位的統計，大致都在各單位總人數的百分之三十五至四十五之間。現在大陸工人的死亡率已空前慘重，而其死因，除因工暴亡以外，即爲肺癆所害！

一般統計數字驚人

除了工人，便要算農民、學生，一般人民及中共機關中的雜役人員，據統計，在程度比較輕的地區和單位中，大致有百分之十五左右的肺病患者，在程度較懸劣的地區和單位中，則一爲各工廠礦場，便有百分之四十以上的人患有肺病，而患者大多爲年在三十以下的青年人。男子患者約估百分之八十弱，女子患者約估百分之二十強。如以「人民銀行」上海分行爲例：據上海解放日報的調查統計，說該行三年來死於肺病的職工已有八十六人，其中一九五〇年死二十人，一九五一年死二十七人，一九五二年死三十九人，在逐年累增之中！又說去年全年的病假人員，共有七千二百餘之多，其中有百分之三十係因肺病不支而請兩個月以上的長假者，且多半是雜勤人員。又說據最近工會舉辦X光透視的初步結果，在透視的八千人之中，已有一千八百餘人確定患有肺病。其中尤以蓬萊區辦事處最爲嚴重，患有輕重不同程度肺病的人，佔該處總人數的百分之四十二之多！

原因何在也有推託

但他們說到肺病何以會這樣嚴重的原因時，並不肯在勞役過度、營養太差等方面加以檢討，反幸災樂禍的利用這種可悲的現象做他們的宣傳工作，說這又是「國民黨反動派留下來的病毒」！也有的說是「將各廠老弱工人包下來的緣故」。眞是天曉得！

算起來，現在大陸的肺病患者，當以中共的各級幹部們爲最少。倘以目前大陸中共的肺病情形來說明中共是「工人階級的政權」那句話，倒恰恰很夠諷刺！（沈）

大陸西南地區
旱災虫災嚴重

四川、雲南及貴州部份地區，自去年入冬以來，因雨水稀少，灌溉無方，已造成嚴重旱災，大部小春作物，業已乾黃枯死；同時並發生普遍的虫害，到處蛀蝕麥苗，災況至爲嚴重，農民一片恐慌！

冬耕損失慘重

冬旱最嚴重的地區要算四川內綦江縣一帶，該地區的耕地，幾已有百分之七十宣告龜裂，大部麥苗已枯黃而死。次之在四川的青神、安縣等縣一帶，水田乾涸者，已達百分之五十，該地區麥苗大部份已乾黃，部份已枯萎而死。再次之，四川的彰明縣一帶，平均每縣已有百分之三十的耕田非常乾涸，亦即平均每縣已有百分之三十的麥苗業已枯死。該地區損失最慘重的要算梓潼縣的演武鄉一帶，平均每鄉已有五千畝左右的麥地宣告龜裂，而使麥苗全部枯死。雲南全省及貴州西南地區亦普遍缺之雨水，保山地區最爲嚴重，大部麥苗亦已乾黃或枯死。且此種旱荒情形，由冬而春，持續已久，迄今尚未解危，據估計該等地區內，旱荒而被枯死的麥苗，平均當在全部小春作物的總額百分之三十至百分之四十之間，損失異常慘重，致該地農民極爲恐慌！查此次該地區所以造成如此程度的損失，一半固屬天時，一半是屬人爲；因爲該地區一般鄉村共幹，太不重視小春作物，當旱象呈現而農民紛紛設法灌溉保苗時，即被共幹視爲「浪費人力」而加以阻止，並遣之作其他「生產」勞役，及至旱荒已成，便挽救無方。

虫害至爲猖獗

至於虫害情形，亦甚猖獗，而且普遍，被蛀蝕了的麥苗，據初步估計，目前爲止，已不下於全部的百分之十，麥苗的虫害種類，主要的是金針虫、土狗、麥蚜、及紅蜘蛛等數種。首先發生的是在四川的簡陽、瀘縣等，未幾，在四川全省，及貴州西南，雲南地區均迅速蔓延，情形甚爲嚴重，頗有荒勢，此與旱災有關係。據中共西南區農林部承認，此種嚴重的虫害及旱災，不僅已毀了小春作物，且已影響了大春禾稻的收成及栽插。

其損失及影響既如此重大，則急來抱佛脚，一片忙亂，是中共的一貫作風。現在該等地區，已在西南區農林部主持下，發動了一個「抗旱抗虫保苗運動」，要農民到處汲取堰塘和埝中儘有的一點水，灌入麥田，但時既晚，杯水更無濟於事，反而勞民傷財，全歸徒勞無功。

誰在痛哭「史爺爺」？

志方

自由談

史大林死了，世界上當然有人喜歡，也有人痛哭，這是人情之常，算不了甚麼。馬路上一個小癟三倒斃了，行人見着，也不免要說一聲「作孽哉」！何況史氏是在世界上擁有不少黨徒的混世魔王？聞其死而欣欣然有喜色的，不必說它，至於痛哭流涕如喪考妣者，除却維辛斯基之流，在聯大會場中，在海輪輪顯上，對衆表示啜泣之外，似乎「好少理」。別的地方我不敢斷定，香港這塊自由天地裏，除了三幾個共記秋猷斑的豐驛外，大家確係抱着廣東話「理渠死人」的態度，充其量，只是具有在馬路上看「大出喪」行列的心情而已。

然而，痛哭失聲的「孤哀子」，未免感到太寂寞了，如是乎，在報紙上使用半日自己寫「讀者投書」的技倆，自思自歎地說道：「每一個香港的青年，他就一直是熱愛着史大林的」，「不少青年禁不住流淚啜泣，心情沉重」。可惜的是：香港前幾天雖然陰雨，而史大林死訊正式公佈的第二天，在跑馬場看賽馬，在各個球場打波的青年人，照樣的林林總總，嘻嘻哈哈，而我自己家裏的兩個高初中「學生哥」，就嚷着要去看娛樂戲院的「情欲春戀」電影片；還損失了我的五元港紙哩！

爲着「史爺爺」暴死而悲痛哭失聲的，儘管大哭特哭，哭其所當哭，沒有人來干涉的，却不好造謠厚誣別人，徒自彰其醜態！

生產英雄

·黃汎·

修車廠裏，機器的響聲日像一口破鑼般的敲個不停，間或夾雜一陣陣滋滋的電桿聲，這兩種不悅耳的噪聲，不但噪得耳朶失去了聽覺，而且連嘴吧也幾乎失了說話的效用。蒸鬱的氣壓，熬得工人們汗流浹背，穢氣冲天。牆壁上寫着斗大的紅字，發出咄咄逼人的光芒，寫着：『將「斯達漢諾夫運動」，發展到最高潮！』

在廠隅，二個工人，佝僂着身軀在工作，他們是同屬於修軸部的；一個叫詹士清，另一個叫許景雲，彼此聚精會神默默地作着，彷彿牆壁上的那十四個字時時刻刻在命令着他們：『賣力！再賣力！』他們臉上都塗滿了烏煤，像兩個活動的泥人。汗水直從烏黑的額角上淌了下來。這時，廠裏的精靈鬼小劉，躡手躡足的走近到他們的身旁。小劉的消息是最靈通的，往往說都是他最先打聽得到的。許景雲看他鬼鬼祟祟的走近來，就問道：

『有什麼好消息報告嗎？』

小劉四下望望無人，輕聲說道：

『恭喜你們！「黨代表」已將你們的工作情形報告上去了呢！聽說……』小劉一壁說着一面向他們扮了個鬼臉，許景雲疑惑的望着他的臉，見他那故弄玄虛的神情，更加狐疑起來，氣急的問道：

『小鬼！說呀！說得爽點！不要撩人心眼，怪難受的。』

『眞要我告訴你們嗎？先說拿什麼請客。』小劉仍賣關竅的閃惑其詞，但見許景雲果眞發急了，就簡捷的說：『你們，要做「生產英雄」了，要請客的呢。』

『啊！你說什麼？』許景雲怕自己耳朶沒有聽清楚，斜伸着頸子，大聲的問。

『裝什麼糊塗，你又不是聾子。』小劉走近了一步，一把扯着許景雲的耳根，將話聲往他耳裏直灌：『你們明天就要當選「生產英雄」了，快請客，聽清楚沒有？』

『誰說的？別弱玩笑！』許景雲更加扭妮不安的瞧着小劉嬉皮笑臉的面孔，正想盤問底細時，却見小劉又扮了個鬼臉匆匆走了。他半信半疑的呆立着，一時正說不出是驚？是喜？他以前只是在報紙上看到什麼「英雄」呀「英雄」呀！「勞模」呀！同「毛主席」站在一起拍照，到處遊山玩水，住「療養院」，進「文化宮」，多麼榮耀！多麼幸運！這回幸運之神難道眞的降臨到他們的頭上了麼？他想：精靈鬼小劉的消息向來是挺可靠的，絕不致哄騙他們，何況他們近來的「工作情緒」自己想想也眞算不錯，如果不當選「英雄」，那才是「組織」上的「偏差」呢！許景雲愈想小劉的話眞確，愈想愈興奮，他忍不住撲嗤一聲的笑了出來。

『喂喂！怎麼啦？你們搗什麼鬼，怎麼好端端自言自語的笑了起來呢。』詹士清看許景雲那股憨態，也不知小劉告訴他點什麼，使他着了魔似的瘋瘋癲癲，自儍笑不已。連忙跑了過去想問過究竟時，但見「小組長」走了過來，就碰了許景雲一下，使個眼色，二人連忙的跑回到工作崗位，仍舊默默地埋頭工作着。

修車廠裏的機器，仍是像破鑼般的敲個不停，牆壁上的紅紅字，則傲然的發射出紅光，監視着他們的活動。

精靈鬼小劉的話果眞不錯，就在那天的第二天，詹士清，許景雲二人都被當選爲修車廠的「生產英雄」了。他們身上滿綴紅花，像兩具出殯隊伍的活菩薩，捧到東，抬到西，到處遊行，到處接受獻花，接受歡呼，照像，演說……而最後則被浩浩蕩蕩送去了「北京」觀見「人民領袖」「毛主席」，「毛主席」很親切的稱譽他們二人爲「修車廠的兒子」。——這一稱譽使他們飄飄蕩蕩足足歡欣了好一段時期。

當這兩個「修車廠的兒子」意興闌珊的被再送回到廠裏的時候，整個廠的「工人同志們」都去車站歡迎他們，隨後又開了個「歡迎生產英雄勝利歸來羣衆大會」，由「黨代表」作了一個冗長的歡迎詞，並且當衆提出了下半年的「生產」任務，特別指定他們二人接受新的「超生產」的「帶頭」任務：

『……黨將這個「斯達漢諾夫運動」的最高榮譽給了你們，爲的是要你們永遠作爲羣衆的勞動模範，永遠起着「帶頭作用」……現在黨將加倍的「超生產」任務交付給你們……你們必須放棄庸俗的「本位主義」……必須……』

『喂！老兄，你聽清楚沒有？他怎麼說？』許景雲輕輕的碰着詹士清的臂膀問道。

『怎麼說，生產，超生產，加倍工作，再加倍工作，當了「英雄」可就等於作了神仙，你能挑一百斤叫你挑一千斤，你仍然得挑。』詹士清自從當了「生產英雄」出遊一周後，滿心期望回到廠裏能增加點待遇，落個「名利雙收」，如今一跨進廠門，却是什麼生產呀！超生產呀！加倍！再加倍！肩膀上先一壓上了一大堆任務，不禁感慨萬狀，憤憤不已。

而許景雲則瘋頭瘋腦立在台上，看見精靈鬼小劉又在台下同他扮鬼臉。

陳炯明一大恨事

新·世·說·補·遺

陳炯明未叛黨以前，原爲民黨高級軍事幹部中之傑出人物，孫總理倚畀至殷。當年陳氏領粵軍屯漳州廈門時，今總統蔣公常奉總理命，入閩晤陳就商軍事。陳氏平居自視頗高，睥睨當世，然獨對此英年之「蔣參謀」特示敬重，優禮有加，故兩人友誼迥異一般同志也。

迨陳氏率師回粵，驅走督軍莫榮新，旋揮戈戡定廣西全省，孫公就任非常總統於廣州後，炯明身兼粵軍總司令，陸軍部長，內政部長，廣東省長四要職，威權煊赫，無與比倫。洎稍受吳佩孚煽誘，滑生異志，對孫公北伐革命事業，多所掣肘，黨人側目，輿情大譁。蔣公基於舊日友誼，慮陳熾入歧途，會密草長函致陳勸說，并爲之借箸籌策，盼陳以省長職位讓胡展堂，以內政部長讓古應芬或其他時賢，而專任陸軍部長與粵軍總司令。謂若是，則可融洽同志情感，消弭無謂嫌隙，且於孫公前，亦有人隨時說項，不致形成孤立扞格之勢，如革命成功，何患無位耶？函屬機密，必須託妥人面交親啓，以防外洩，乃囑陳之同里親信陳覺民轉遞焉。

詎陳覺民斯時正與葉舉（炯明部將）擬擁葉繼任省長，已爲民政廳長密謀，深恐「陳老總」納蔣公議，密謀將成泡影，竟將原函竊閱後，隱匿不交，相激相盪，炯明拂袖退居惠州城，致產生葉舉等砲轟總統府之叛變行爲，而炯明乃成罪魁，萬劫不復，終至孑然一身，流亡海隅，困頓以死。

國府定鼎南京，革命軍統一全國後，一日，陳覺民語炯明曰：「公與蔣先生素具深交，何妨派人進京，試通款曲耶？」陳答：「彼已成功矣，未必惓念故交，且亦無適當之人可使也。」覺民謂：「我可去而，且保證必受禮遇。」陳詫詢：「君何所恃而云然耶？」覺民從懷中取出蔣公當年託交之密函以示曰：「我就憑此資格！」陳氏展函閱竟，勃然變色大怒，起而掌摑覺民，繼足踢之曰：「我一生就害在你這混帳東西手上」！立逐出，禁再相見，滿腔憤恨悔吝之情，不可名狀。陳氏親信馬育航曾以此幕喜劇經過面告吾友陳君，余聞而筆記之，今舉以告讀者，亦近代政海祕乘，可發人猛省也。

馬五先生

中國之友（六八）

毛以亨

李提摩太傳（十二）

九、回英開會

一八八四年秋，李氏攜其夫人及子女四人返國。到天津時本欲任居舟中以待赴滬船期，怡和買辦F. COUSINS邀住其家，彼此係在烟台認識者。至滬後遇到GOUES正偕來自英國，有若干傳教教士，李氏悉告以其在中國的經驗。

時中國排教之風頗盛，李氏乃應漢口教士D. HILL之邀，赴南京見兩江總督曾國荃以圖緩和。以李氏在山西放賑與曾氏建立交誼，然晤曾後，知傳教自由，前途荊棘甚多。在南京遇佛學流通所楊君，（是否楊仁山待考）其人中國學問甚好，曾任曾紀澤之隨員，在英館任事，與英法之東方學者MAX MULLERGULIER爲友，李氏繼續研究佛學多爲彼所指導。李問楊氏何以彼以儒者而改信佛教？楊告以儒者對人生若干重大問題多避不答覆，而佛學則悉與解答了。並言彼所以改信佛教，全出大乘起信論之啓示，李氏即購之，並買了其他許多佛經。李氏告HILL謂大乘起信論，名雖佛經，而實爲基督思想，HILL則謂他已把自己思想攙入起信論中去了，實則HILL亦大讚其起信論不已的。

于一八八五年初，乘AJAX船返英浸禮會開大會，由李氏等三人發言。他始覺到在中國十二年，英文已生疏，演講須由草宣讀了。他們都主張此後基督教的着重點，不僅救另一世界人類痛苦，且要救此一世之人類苦難，此一方針的轉變，李氏是主張最力的。GOUES亦同英，主張多派教士往中國，因中國爲非基督徒中最有文化的國家，尤主在將主管的山東一區多派教士，李氏則以山西教務亦極發達，不宜較山東派人爲少。

李氏印發「十五年在中國傳教」小冊子，結論爲如何將中國變爲基督教國家。他的方法，想藉教育來完成，其道爲在各省省會遍設神學院，而先在沿海各省開始。李氏提案，以經費無着爲委員會所否決。但今日基督教而能通行于中國，乃是依李氏辦學原計劃得來的。他認爲中國領袖階級爲官僚與士人，其數最少，僅爲十萬人，倘能使此十萬人變成基督徒，則其餘上流社會亦將隨之而爲基督徒了。其另一小冊爲「對中國人的一視同仁」，主張如下：

一，傳教士除懂中文外，並須瞭解中國宗教。

二，大量用中國人爲傳教師，中國人須自己來感化的。

三，在各基督會設學校，培植大量中國傳教士。除神學外，須教以西洋大學所授之普通科目。

但他的計劃，李未能在大會通過，他想憑自己力量來實行其主張，乃習電氣工程于SOUTH KENSINGTON。且赴柏林訪問其教育部長，暨言欲在中國辦教育，部長慨然道：「你把中國人教好了，使我們歐洲人怎樣？」

文人可哀嗎？

·健軍·

記得上月在星島晚報看到丁秀先生在他底未央記裏談「稿費」一文，他慨嘆靠稿費過活的不易，他勸他初領到稿費，滿心喜悅的女兒，還是放下筆桿去學習一種生存的技能，免得鑽進這個賣文爲生的狹籠裏去，在一口形將涸竭的井裏打漩，這的確是靈魂工作者的沈痛心聲，尤其是在此時此地在文化圈子裏打轉的人們的悲痛寫照。我們平心靜氣地想下，在今天所謂香港文化圈子裏，除了幾個成名的作家，和那些編輯先生們底蝦兵蟹將，或是那些自彈自唱的英雄豪傑們，可以「自我陶醉」，「行己之道」外，有幾個不是忍氣吞聲，受客觀的條件所左右，屈服在稿費的淫威之下，這實在是人間最荒唐的悲劇，因爲它的代價是一個人底心靈，人格，意志的總出賣！

契柯夫曾說過：「沒有憑依的文化工作者，絕不會產生出劃時代的作品」，如果我們肯拋開主見的去想一想，這句話是含有眞理在的，他所說的這種憑依可能是指定適宜的環境而言，因爲一個生活安閒，心平氣和的業餘作家的作品，有時要比一般憤世偏激，乖戾潦倒的職業作家來得深白豐潤，詞正意賅，當然古今中外不少成功作家是從貧困艱窶中掙扎出來的，但他們也是有一種憑依啊！那就是他們那不折不撓的思想，卓勵奮發的意志，和謹守眞理的毅力！但這終是極少數中不平凡中的不平凡的人啊！普通的文人那個不犯眼高手低，言行不一的毛病，一邊喊破嗓子高喊反共，一邊却向左派人士暗送秋波，或以超然態度自居的「大牌」作家，不是比比皆是？個人可以有許多筆名，但却不能有許多思想，也就是說人可以欺人，而不可以欺己，爲了芝麻大的名利，去搖筆大寫其翻雲覆雨的欺世文章，固屬無恥已極，而因此出賣了自己底靈魂，則是一件値得發人深省的事了。

我參加越戰（五十）

L. HART著　第啓譯

回到馬賽

當我還在候船離越的時候，一天，我在西貢大街上邂逅了我那位前任指揮官，雖然我們之間曾有過齟齬和爭執，但我欽佩他的信心和勇氣，所以我連忙跑上去和他交談，我說：「我能夠在你的領導之下服務，那是一種榮譽。」他微笑着回答說：「要習慣外國軍團的生活，不是一蹴可成的」。

不久，我被送上一艘駛往非洲的運兵船，這一次的航行比我們來越南時還慢，而且沿途很少有令人愉快的事件發生，只是有一次，船經過西西里島與義大利間美西納海峽的時候，一對義國的伙伴從船上躍入海中安全游到對陸，我們其餘的人都不禁爲他們歡呼。同時船上的食物異常粗劣，迫得有一天，我們要將全部配發的口糧收在一起傾入海裏，如果不是甲板上的軍官好言勸慰我們的話，我們更可能將幾個船上的職員丟到海裏去。在聖誕節那天，我們每人只得到一方吋的朱古力，作爲慶賀佳節的點綴品。

船抵馬賽時，我和一個義大利籍的弟兄同被解下船，再用汽車載往聖尼古拉斯堡，當局告訴我說：「國防部長已下令立即將你解役」。他們把護照交還我，我慢慢踱出聖尼古拉斯堡，也從此離開了外國軍團。

軍團的魔力

我在那裏逗留達一年之久的外國軍團，決不是好萊塢某張影片中所描寫的那種羅曼蒂克的部隊，它是什麼呢？職前外國軍團中一位軍官說得好，「它不是苦工的監獄，也不是寂寞的寺院」。它在某些地方不如一支現代化的陸軍，在某些地方，又比新式的陸軍多一點點。它雖然充滿着污穢與殘忍，但對各國和各種膚色的男人，仍有着一種奇怪的魔力。我還記得在越南作戰的時候，一個比利時軍曹說的話：他說：「外國軍團是美麗的」。（完）

中華民國僑務委員會頒發登記證台僑新字第一零二二號

自由人

THE FREEMAN

（半週刊每星期三六出版）

（第二一二期）

每份港幣壹毫

督印人：李光譚

社址

香港高士打道六六號

電話：二〇八四八

GLOUCESTER RD.

HONG KONG

TEL: 20848

承印者：東南印務出版社

地址：高士打道六十四號

台灣特派員辦事處

台北市館前街五十號

台灣總經銷處

台北中華路新號五九四之一

台灣郵政劃撥儲金帳號

九二五二號

馬倫可夫代得了史大林嗎？

·左舜生·

『大丈夫不能流芳百世，亦當遺臭萬年，』一切獨裁者的目的大抵也在『流芳』，但結果則終於『遺臭』。史大林在近代的獨裁者中，總算居然是得到『壽終正寢』的一個，但臭卻是臭定了。

史大林曾經批評過希特勒，說他不懂得『適可而止』，史大林最大的一個長處，便是在遭遇到真正困難的時候懂得咬緊牙關來忍耐，真正需要別人幫助的時候，也居然能以笑臉迎人。他所以能贏得第二次大戰的勝利，一直到他死以前第三次大戰還終於沒有正式爆發，其原因大致就在於此。

今後的蘇聯只有一天天走向下坡，其理由不難了解：凡獨裁者決不能容許同時有『勝己者』的存在，屠殺異黨的豎者才者不稀奇，即同黨亦非澈底的加以肅清不可。袁世凱畢竟只是一個不成器的小獨裁者，他雖然懂得殺吳祿貞，殺宋教仁，殺黃遠庸，殺趙秉鈞，殺鄭汝成，殺應桂馨，……但他卻沒有殺梁啓超，殺蔡鍔，殺陳宦，殺湯薌銘，……所以皇帝倒底做不成，而結果還是一氣而死。

我們只要看史大林一生所殺異己者之多，便不難承認他是近代一個集獨裁的大成者，我們就說二十八年的史大林政權，一半是建築在一個能殺人的基礎上，總也不會太違於事實吧！今後的蘇聯會怎樣呢？馬倫可夫不過是史大林溫室中培養出來的一個人物，『三個臭皮匠』，決不能構成一個諸葛亮，即令貝利亞莫洛托夫可能與馬相忍共事，但要保持史大林這樣一個全盛時代，終於是不可能。我們不要過分相信組織，尤其不要相信個人的主義，蘇聯在過去的三十四年，人的因素還是居於第一。

毛澤東往何處去？

根據這幾天國際市場的行情來看，毛澤東的價錢似乎是高了一些，因為『史爺爺』死了，毛沒有親自前往崩喪，因而引起若干神經過敏者的揣測：或者說毛實在是被韓戰拖着了，大有藉此脫身之意；或者說馬倫可夫資望不夠，毛根本看他不起；或者說因史大林之死，中共內部的民族派將要抬頭；再加上蘇聯也確實有點心虛，把『偉大的中國人民』，喊得一片價響，大有非把他切實抓緊不可之意；於是乎烘雲托月，居然把毛澤東烘托成了一個舉足輕重的人物。

本來，今天的國際情況，原也沒有什麼信義可言，蘇聯更不是一個配談信義的國度。假定毛澤東真有一點本領的話，就拆一次『大濫污』，也未嘗沒有可能，可是毛澤東究竟非其人也，而實際的情況也在所不許。毛澤東眼看見大陸上大多數人民對蘇聯充分不滿，民族精神確實在那裏暗長潛滋，當然也不能不暗暗着急；以他自己而論，原也帶有幾分英雄思想，並不一定甘居人下，一位爸爸剛剛死了，即刻又要他去拜它第二位爸爸，確實也令他難堪；可是你叫他有什麼辦法呢？中共內部既有一個澈底的國際派，隨時可以取他而代之；蘇聯的特務，更是到處密佈，使得他一動也不敢動；蘇聯駐北平的大使，本來潘友新已經比羅申強，現在更換了一位庫滋湼索夫，當然比潘友新更強；像這樣居然還有人希望毛澤東能夠自求解放，毛澤東還不等於癡人說夢？原來毛澤東所走的路：老早就是一條死路，進一步倒向蘇聯，民主國家便只有把他作為對手，遲早必得向他頭上開刀；他要背棄蘇聯，馬倫可夫確有可能在幾小時之內把他置之死地。不論他向那一面搖擺，總得要死，死法之間還可以選擇；這兩種死法，究竟靠緊蘇聯還是可以稍緩須臾，所以說到歸根結蒂，他總得還是承認這一位繼父老子了事。可是話得說回頭，如果在蘇聯的了解之下，他也並不是不可能作出種種姿態拿一部分的民主國家來開心的；尼赫魯們總還得以小心為是。

△最近法方自澳獲得軍援越南協議，雷諾並表示將向日購取軍火，以積極建立越南新軍，在他們羽毛未豐前，越南的防務仍大部份由法軍負責，但在法軍中，本國籍士兵仍屬少數，甚多是外國人，圖中的三名士兵，便屬於這『外國人軍團』。

緬甸徘徊十字路口

三大危機潛伏

·馨·

仰光城內最近發生兩處大火，一為商業繁盛區域，另一則是人口衆多地段。事後當局於獲捕縱火犯的口供中揭穿了一大祕密：證明了共黨第五縱隊企圖毀滅此一緬甸首都繁榮陰謀，而遏止了共黨打算在十二個地方全面放火的禍患。雖然僅有兩處得逞，損失卻已高達三百萬盾（緬幣）了！此事恰當於緬甸政府揚言對中國游擊隊向聯合國提出控訴之時；也是在俄國駐緬大使館一等祕書安尼堅及醫生巴比索負夜奔入緬軍禁區不理喝阻為守望哨兵開槍擊傷之後。這三件事情中我們可以斷言：緬甸已潛伏了三大危險！

第一、共黨為甚麼要毀滅仰光？這是很明顯的：中共在表面上現在還不敢明目張胆利用武力進侵緬甸，而實際上已被反共游擊隊遏斷了前進的目標；因此，企圖以政治陰謀瓦解緬甸政府的力量，縱火係共黨恐怖伎倆之一，毀滅了仰光的建築物之後，無疑會促成緬甸政府臨到一個嚴重的社會問題，以及經濟上的重大打擊，誰也都知道仰光是軍事、經濟和商業的重心。這次共黨的陰謀不能算失敗，也不能算是完全成功。作為緬甸政府的首腦部總理德欽汝該及時警惕了？可是他在行動上並無此種意向。

第二、中國游擊隊並無開罪於緬甸政府及其國民之處，這是無論何時何地所發表之有關中國游擊隊活動的消息中均可獲得證明的。而緬甸政府在中國游擊隊於大其力山（景棟北部中泰緬邊境）建立基地之時並無反對表示；迨中共提出『緬甸必須驅逐大其力游擊隊』要求，作為『中緬』訂『交』的『條件』之後，德欽汝妄想苟安，不惜肩荷外債向尼泊爾借兵千名向大其力山進攻，迫使該地游擊隊退入滇境；復還怒景棟華僑，誣指與游擊隊溝通聲氣，恣意燒殺擄掠，將百餘年來血汗砌成的華僑商業社會恣力摧毀，老弱婦孺流離失所，三百餘名青年男女均罹長期冤獄，含辛茹苦，絕無怨色；豈知緬甸不為已甚，至今。此等孤立無援有苦無從訴告的僑胞，於去年十二月德欽汝政府復以『驅逐出境』命令將曾鳳美等十八名有資產、地位而能影響整個仰光商業的華僑迫赴原籍去忍受中共慘酷鬥爭。此種情形凡是有人性主公理之人士無有不側目與切齒痛恨的，可是華僑們均能公忠體國，默然忍受。

中共對緬陰謀

前年七月間中國游擊隊於滇南崛起，消息遍傳世界，而中共、蘇俄亦大為震慄，對緬甸政府之壓力續增，妄圖利用緬甸在國際間之關係對中國政府提出控訴；另一方面，對緬共加緊控制；德欽汝於今年一月向國會報告中特別提示：『中共派入支援緬共，並決定將紅白旗各派系統一組織，現時正形成中，這已是鐵一般的事實，如果他們各個派系一經聯合，以緬甸邊緣，高山密林的地形，最適合於他們的游擊竄擾，使緬甸政府討伐感到困難。』但不久以後，緬國防部長宇蘇又提供了一件情報，說中共緬共已經締訂一項協定，根據協定規定：設立一個『共同作戰局』機構，而這個機構之下，成立一個『地方委員會』，完全控制了緬共的軍政，軍事上緬共受中共掌握的『共同作戰局』統一指揮調度，政治上也是由中共派遣的『地方委員會』負責人完全操縱的。中共此種安排，不僅力圖攫取緬甸，且有夾擊中國之反共游擊隊之勢。而緬甸另一支具有自由緬甸象徵的喀倫族軍顯然不甘緬甸淪入共黨手中的，但該軍亦為中共侵緬的一大障礙；故中共不僅要求緬甸政府驅逐反共游擊隊，而且還要消滅緬甸民族嫩苗——喀倫族軍。

提出指控二項原因

緬甸政府軍對喀倫族軍於一月十二日進攻之時，緬軍方於無綫電中獲悉喀軍發電向中國游擊隊乞援。從這一方面看來，最近緬甸政府指控中國游擊隊入境，大概不出如下兩種原因：（一）力阻中共侵緬的積極企圖；（二）赴援喀倫族軍，以保持這一支具有民族性的力量。誰也絕難默認中國游擊隊對緬甸政府含有不禮貌行動之成份。再說，中國游擊隊現時所控制的五百哩地帶，究竟是屬於中華民國的土地，抑是括有緬境尚滋疑問，據中共所說反共武裝的擴張係中共所控制的區域；而上月十三日緬北的中國游擊隊遭緬軍慘重打擊之後，已將盤據九谷的中共軍擊潰控制了九谷，與喉町城上之中共遙遙對峙。如果對緬甸政府所說這些地方是屬於緬境的，為何早先就已落入中共之手？清末以來中緬兩國之界綫並未正式勘定。緬甸指控中國游擊隊入境之說，自是無的放矢，而係迫於中共壓力使然，至為明顯。

緬甸政府面臨抉擇

第三、俄國駐緬大使館一等祕書安尼堅偕同殆係作為掩護之醫生巴比索負夜侵入緬軍禁區，為何不遵哨兵喝令停車，殊堪玩味。迴想一九五一年十一月間瑞京斯德哥爾摩由安德生之間諜案而觸發了蘇俄駐瑞大使館一等祕書維諾哥諾多夫領導的國際間諜機構之驚人事件去看，今天我們對緬俄及中共間之『友好』行為不無替緬甸之整個命運耽心！無論客觀環境以及主觀條件，德欽汝絕無理由對中國游擊隊存有敵視態度的；尤不應對俄共之窺伺存有戒懼，而妄想以取悅的手段對華僑以及反共游擊隊橫加迫害。我們以為：這是德欽汝及時抉擇的一個機會，否則殆至噬臍莫及了。

本週展望

·雷嘯岑·

西歐天空的火花

西歐天空近日來火花迸發，美機在德捷邊境被捷機擊落，英機在德奧邊境被俄機擊落。情勢似乎很嚴重，美國議員們主張『以機砲代替照會！』這可能是偶發事件，因為在東西歐星羅棋佈的各國邊境走廊上，彼此戒備森嚴，空中的疆界尤其容易引起爭端。也可能是俄共集團故意作此示威姿態，表示他們並不因『史大林大帝』之死而衰弱不振，藉以興奮東歐各個附庸國家的人心。無論屬於那種可能情況，結果總是：『四綫無戰事』！

狄托訪英的意義

狄托已將行抵英倫，表面上是報聘上月艾登訪問南國的國際禮儀。英國保守黨政府在二次大戰時，即已與狄托結下了深切的友誼，南希土三國同盟之出現，英國間接亦與有力焉。巴爾幹半島是英國所不能忘情的，有機會一定要積極利用，未雨綢繆。狄托乘史大林暴斃的機會，提前訪英，還在對俄帝的冷戰戰術上固有效用，然狄托的內心是在創造他自己的『巴爾幹領袖』地位。他必然跟英國暗中有所協約——對巴爾幹方面未來發展的政治協約。同時，南國的外長亦到了華府訪問，目的則在爭取更多的軍經援助。時勢造英雄，狄托乃成了民主世界的驕子！

美國向日本大量訂購軍火

美國近向日本訂購價值七百四十餘萬美元的反坦克砲軍需品，限期明年一月完全交貨。日本今後將負着『自由亞洲的兵工廠』任務，這對日本經濟前途，不無裨益。雖然對國民經濟不能藉此得到實際的解決，但在日本對外貿易出路艱難的現階段，軍需工業之繁榮，也是一種滋補品，而日本的建軍工作，也可在無形中得着若干便利。希望日本善盡其自由亞洲兵工廠的責任，好自為之。

『美國無意獲得亞洲』！

俄國代表在聯大發言，指美國因為『喪失了亞洲的控制權力，所以要想擴大韓戰』云云。美代表洛奇即席答覆葛羅米柯道：『美國無意獲得亞洲，只希望亞洲人民得到獨立自由的生活』。憑這雙方所表現的論戰情形，俄共們就被壓在下風，抬不起頭來。美國從來對亞洲就沒有侵略擴張的事實，洛奇的話自然理直氣壯，贏得滿場喝采鼓掌，煩勞主席敲動『秩序槌』，請大家維持秩序！

加強對韓戰的軍事壓力

美國國會議員周以德等若干人，主張趁機會結束韓戰，以軍事壓力擊滅中共『志願軍』。他們認為這樣纔是引起俄帝集團內部分裂的有效政策，一點不錯。共產黨人除對實力低頭而外，甚麼利害關係都不能搖憾他們的意志。英國人為着本身的安全，總把聯合國席位和承認共產政權作命題菓，希望共黨發昏入殼，真是笑話一大堆哩！卅年前的蘇俄孤立政權，全球國家始而派兵去打它，繼而相約不承認它的革命政府，結果大家還是要爭着跟它復交。今天的俄共集團勢力已奄有世界之半，它還稀罕你『承認』與否麼？至於聯合國，它自始即視為演說場所，更不值一顧了。世界上最淺薄的外交詞令，以這一類為首屈一指。

史蒂文生鼓吹亞洲聯盟

美國民主黨要人史蒂文生在東京演說，鼓吹亞洲聯盟，其言其人，都比杜魯門來得漂亮有致，像個政治家的風度。民主黨人才凋落，史氏和艾契遜兩人，算是佼佼者，我希望他這次遠東之行，能夠把民主黨的聲譽挽回一些。

艾森豪加强冷戰

艾森豪總統就職後，他不僅調整人事，更易戰地指揮官，來加强熱戰的力量，同時，在冷戰方面，他更積極佈署，草擬計劃，以爭取冷戰的勝利。對於兩者的重要性，他並無分軒輊。他在競選的時候，曾經說過，他認為心理戰是一個無須傷亡而獲取勝利的機會，是一個贏得競爭而確能維護和平的途徑。但關於心理作戰的努力，必須統一而調協。負責主持者，也應該是一位具有特殊才能的人士。因此，就任後他一面及時擬定計劃，一面表示美國的冷戰努力需要重加檢討，加强和注以新的活力。

在人事方面，他的一番調動，已使得各方面的負責者都是彼此互有最直接關係的人物，這或許是偶然的事情，也可能是艾森豪有意如此的結果。

四位一體

國務院和中央情報局是必須密切合作的，而兩機構的首長卻是福斯特．杜爾斯和愛倫．杜爾斯兄弟。而且，原任中央情報局局長史密斯將軍已調任副國務卿，史密斯不僅和國防部間有密切的聯繫，而且和艾森豪也有很深的淵源。這樣的人事佈置，已使國務院、中央情報局、國防部和總統，結為堅强的一體。

不但此，艾森豪為了加强冷戰的運用，還成立一個委員會，並任命威廉．傑克遜為委員會主席。這一委員會將在短期內，就未來心理戰、宣傳和情報的活動提供建議。本來，主持冷戰的設計，以及研究其他機構，如國務院、中央情報局等所執行的計劃，都是由心理戰略局負責的。但心理戰略局中的大部分官員，因為都是專家，終日忙於其他的事務，所以共和黨新政府認為心理戰略局的任務並不能說是成功。

傑克遜所主持的委員會，其工作是些什麼呢？檢討整個冷戰的局勢和成就是其一；決定宣傳所需集中的首要目標是其二；使不論由美國之音或其他方式所進行的宣傳與上述目標相調和是其三。

此外，宣傳戰的主要目的之一，必須是盡可能支持現時鐵幕後面顯然不安的情緒，使他們內部的力量分崩離析，並絕不放過使克里姆林宮發生內憂的機會。此一傑克遜委員會即將開始檢討和設計的工作，并定於六月三十日完成它的任務。隨後，心理戰略局可能撤銷，其職權改由一個新機構來接管。

國防的第一線

傑克遜是要對情報方面，提出建議的，但對於情報工作，這位紐約的大商人却也不是一位門外漢。在第二次世界大戰的時候，他是狄佛斯將軍的首席戰略情報官。後來，又在布萊德雷將軍麾下，任情報處副處長。戰後，傑克遜加入一家紐約投資公司。但到了一九四八年，他又奉召至華府担任檢討中央情報局工作委員會的委員，那時，愛倫．杜爾斯也是委員之一，一九五〇年及五一年，傑克遜改任中央情報局副局長，後來才由愛倫．杜爾斯接任他的職務。

作為中央情報局的局長，愛倫．杜爾斯必須尋求所有美國計劃所遭遇之問題的答案，這個問題是：蘇俄究竟有多强？此外，他和他的部屬還必須對俄國的動向作最精確的估計。在原子時代中，中央情報局被稱作國家的第一道防線，它是防範另一個珍珠港的第一個堡壘。

在平時有系統的搜集情報，和組織間諜網都是中央情報局份內的工作。在將近七年中，中央情報局雖已度過了許多困難，但其大部份的情報都是來自國務院、國防部和其他與外國有接觸的機構。

因此，過去中央情報局與國防部及國務院的爭執是免不了的，大家的合作愈來愈勉強，但作為當時局長的史密斯將軍，已算解決了大多數的困難，現在中央情報局經常接獲大量的情報，都是局內選佈世界各地的祕密特務所供給的。

△愛倫．杜爾斯▽

△傑克遜▽

中心目標

從這些片斷和零碎的情報中，中央情報局要將其綜合起來，而對許多地方，特別是蘇俄及其附庸國的局勢作出正確的估計。他們所搜求的情報是多方面的，舉凡社會、政治、經濟及軍事均為覓取的對象。自然，這是一種很繁重的工作，因為它們最後作出的估計，是高級會議所憑以討論的資料。

然而這些情報的估計，却經常受到若干外界的批評，尤其是軍事方面的情報，更多為抨擊的對象。有些人說，對於蘇俄實力的估計，失於過分誇大，而應力求絕對的正確，這是愛倫．杜爾斯就任後，所應立即解決的一個難題。

檢討過去冷戰方面的成效，就知道艾森豪總統更調人事的中心目標，是在求取團結，統一步驟，然後再共力執行擬定的計劃。這一番調整，雖然只涉及人事上的更動，但可能就是在對蘇「冷戰」中轉捩的關鍵。（第啓）

中共今後的命運
——從蘇俄更調駐中共大使說起

．京齡．

各國派駐外使節，大都例先徵詢駐在國政府之同意然後正式公佈；中共為俄帝附庸國，不同意也得同意，故無須有此手續。史達林棄世後馬倫可夫登台僅五六日，即發表任命其外交副部長庫茲涅佐夫接替潘友新為駐中共大使，任命的發表能便速捷；此足證蘇俄對中共無須取得同意與不同意也。

更調的重大意義

蘇俄為什麼急急更調駐中共大使？這是一個有極深長意義存在的。原駐中共大使潘友新雖然也負有監視中共各級首領，和指揮佈置特務工作等同樣的任務；但權力才幹等似不夠適應蘇俄現在對中共的新意向了；所以有更調地位更高才幹更大的副外交部長庫茲涅佐夫來充任。我們祇要看同時的另一個電訊，（台北十一日中央社電，蘇俄駐中共軍事顧問團團長克里夫揚返莫斯科後不再來平，一般預料克里夫揚辭職後，將由庫茲涅佐夫兼攝。又訊據北平軍事透露消息，蘇俄駐中共軍事顧問團人員增加一倍之議已成定局，四月份起即可實現。」這不是很明白表示給庫茲涅佐夫統一權力指揮便利的措施嗎？再又運用以控制和監督的人員似不充足，所以增派一倍的軍事顧問團人員給他充分指揮運用。

狄托夢想可幻滅了

史達林死後，西方民主國家再作產生東方狄托的夢想；而克里姆林宮的新君馬倫可夫對中共也實在不放心的；所以很快就決定調派他認為可以加強及澈底控制中共的人物庫茲涅佐夫接替駐中共大使。庫茲涅佐夫過去是蘇俄工聯會中央委員會主席，及担任過世界工聯會主席；一向是攪組織和國際特工另一面的指導者，他對組織的運用和特務工作的指揮佈制的經驗是極豐富的；蘇俄這次選派他為駐中共大使，在跡象上來觀察，實際不止於目前控制中共，他的使命是為永遠澈底的控制中共的佈置。以蘇俄的革命經驗，必須經過無數次的清黨鬥爭，使份子「一色清」傾向。中共竊據大陸以後，份子仍然非常複什，即中共黨員裏面，亦不少仍含有民族意識極濃厚的份子；在蘇俄的目的，此種份子必須清除或改造的。務使將來要一色清服俄帝為祖國的傾向。最近對捷克的清黨鬥爭，便可以看得很明白了。所以庫茲涅佐夫此次派駐中共，是負了改造中共（清黨）澈底控制中共的重大使命！明瞭聯共黨史的人，是看得到它這一着棋的。毛澤東是個相當聰明的傢伙，他對蘇俄這一着不管願不願意，是毫無力量反抗的。祇有更加俯首帖耳，任人佈擺。這命運已註定了中共跟隨着蘇俄共黨覆亡為止，將永遠成為俄帝的臣民！

現在還做着東方產生狄托夢想的民主國家，對蘇俄這次任命庫茲涅佐夫為駐中共新大使這項手段，應該有所警覺了吧！

如何解決韓戰？（下）
——斐列特和布萊德雷的意見

．迪華譯．

三、擴建南韓陸軍　南韓陸軍已新獲批准建軍十四師人，但斐列特的目標則是協助南韓陸軍由十四師人擴增至二十師人，這剛好比去秋的十個師在數量上增加一倍。但由於南韓人才有限和經濟困難的關係，國防部已決定目前南韓建軍的目標最多為十六師人，現在要建軍二十個師似無可能。

四、使用原子彈　斐列特已告知過國防部，他贊成在韓國投下兩顆原子彈，使敵人的心理上大受影響。但聯合參謀部主席布萊德雷將軍則認為沒有使用原子彈的必要，因為北韓并無可以使用原子彈的適當目標。

一位政府官員在本週保證說：「斐列特可自由說出他所要說的話，除了有關軍事祕密的檢查而外，他不會受到任何限制。」

布帥的四點戰略

至於布萊德雷將軍本週在佛羅里達州演說時，也曾根據他「私人的意見和嚴格的軍事觀點」，扼要列出四個可能的戰略，他說：

一、我們可能「退出韓國」。但此舉將使得我們的「犧牲似乎白費」，使我們的盟國「失去信心」，「損害聯合國的權威」。並使得共產主義氾濫全亞洲。

二，我們可能「繼續現時的壓力。」此舉將使我們的傷亡減至極小，而却可能使共軍蒙受慘重的傷亡。

三，我們可以採取「逐漸加強的軍事步驟」，希望中共軍「對戰爭厭倦，最後終於退出戰爭」。但此種措施可能需要「國際上的高級決定」。

四，我們可能採取各種軍事步驟，以使韓戰「一戰而決定」，甚至我們因此可能被牽入「對中共的全面戰爭中」。但此種較為廣大的戰爭可能「把我們的軍事主力膠着」在西歐一帶，並引起第三次世界大戰。

依照布萊德雷的意見，使中共軍厭倦或將中共軍徹底擊敗的可能步驟，可能包括斐列特所考慮的四項途徑在內。這些步驟並可能牽涉到轟炸東北的空軍基地，交通中心和軍事工廠；加强對中共的經濟制裁；切斷戰略物資的繼續流入共區；以及封鎖中國大陸。但奇怪的是，布萊德雷並未提到一個經常有人強調的辦法——由中國國軍反攻大陸。

布萊德雷小心說明他與聯合參謀首長們何以不願為他們提供建議的原因。因為他們只是在解釋各種可能性，並推測中共與他們蘇俄盟國所可能採取的反措施。而並非制定國家的政策。布萊德雷堅決認為，無論在遠東採取任何新行動，必需先由聯合國，特別是美國擬定一項長期的外交政策。（譯自三月九日「新聞週刊」）

對抗共黨侵略的新屏藩

美國的非政治性私人組織「經濟發展協會」政策研究委員會」，最近發表一篇關於國家政策的聲明，題為：「論美國安全的威脅」，其中對於共黨威脅與對抗赤潮的分析，具有深入淺出的論述，原文甚長，茲摘譯其中要點如后：（按：經濟發展委員會，是美國的著名教育家與商人組成，其目的，在於藉客觀的研究，向政府提供有關製訂政策的意見，由於並無政治偏見及不求謀利，其研究報告，可代表美國部份人民的意向。）

三項主要問題

這個聲明所論及的問題，可列為下述三組：

一、美國安全與整個自由世界的安全，其外來威脅的性質與嚴重程度如何？

二、我們外交與軍事政策的一般目標與當前目的，應該是甚麼？

三、我們在國內及國外可以及應該運用什麼途徑（在政治、經濟、軍事及心理等方面），以對抗這種威脅和達成這些目標？

本文的目的，不在設法解決這些困難問題，而在於提出應該對它們如何考慮。

我們的安全所以遭受威脅，是由於戰後蘇俄的擴張以及非共世界許多地區的情況未獲解決；這些地區的問題，對共產勢力的進一步擴張，形成了誘惑因素與機會。

共產主義教條，已清晰提出蘇聯政策的終極目標，即國際共產主義的勝利。它協助解釋了蘇聯政府對其他國家不可消除的敵意，並揭露了蘇聯戰略與戰術的原則。

蘇聯政策的侵略性

這已足夠證明蘇聯政策的侵略性與擴張性，不過至少在目前，蘇聯仍在謹慎避免對美全面戰爭。這表示蘇聯將在大戰以外運用一切方面，以消弱、擾亂、分化，及破壞自由國家。

不過，這種對蘇聯意向的估計可能錯誤：大戰仍有突然爆發的可能。在今日這分裂的世界中，有許多主要危險可引起大戰，對此，我們必須有所準備，

據一九五〇年的估計，蘇聯和美國的生產量比較約如下述：煤：百分之五十二；石油：百分之十四；鋼鐵：百分之二十九；銅：百分之三十一；電力：百分之二十五；汽車：百分之五。再者，農業產量與農村生產能力的低弱亦是蘇聯經濟的弱點。不過，蘇聯的工業能力雖較自由世界為小，且需要復興戰時的破壞，其經濟仍能維持十分龐大的軍隊，及高度的軍火產量，同時並能產生原子彈。

共產集團的軍力

蘇聯的軍事努力，着重於地面軍力與戰術性空軍，它顯然已使共黨及歐亞大部份地區獲得相當軍力優勢。但這不一定能決定三項大戰的結果。在全面戰爭中，我們可以賴藉我們佔絕大優勢的經濟潛力與破壞蘇俄工業及其荏弱交通體系的能力。

（陸微譯）

（上）

天下小事

捷克整肅禍及孤孀

據熟悉內幕的人士報導：前捷克總統愛德華．賓尼斯的未亡人已被捷共祕密逮捕，並將由布拉格政權提出審判，賓尼斯原是共黨竊取政權時的捷克總統，勤政愛民，反共甚力，深蒙上下擁戴，雖然已經物故，但至今猶為大多數捷人懷念的對象。捷共為打擊他的聲譽起見，乃不惜出以卑劣的手段，以他的未亡人作為犧牲的替身。

愛特諾爾後繼有人

西德總理愛特諾爾今年已達七十七歲的高齡，因此，他的基督民主黨為防備萬一起見，曾在最近舉行祕密投票，選定黨的繼任人。據悉：選舉的結果，已以壓倒的多數推選現任財長舒赫佛，在愛特諾爾遇有不測的時候，繼掌黨的大統。舒赫佛在德國的政壇上素以强硬著稱，在盟國與西德談判波恩和平契約的時候，他就是西德一方最倔強的人物。

美國空防上的漏洞

美國在佈置雷達網上，幾已耗費了三億美元，但美國專家仍認為敵機可能不會遭遇重大的困難，而悄悄越過加拿大偷入美國轟炸。據說，在破壞雷達和尋覓雷達弱點的技術上，蘇俄已可和美國競一日之短長。

原子試驗影響家畜

美國新墨西哥州亞拉摩哥多附近，和其他研究及試驗定向飛彈與原子彈的祕密中心，最近發生了若干奇異的事情。據當地的農人和牧牛人說，他們的家畜都害了怪病，而且在行動上，有很多古怪的地方。這是否為原子試驗空氣感染或奇異變態所造成的結果，似乎還沒有人確實知道。

海軍電話簿的秘密

雖然像「隕星」「海燕」等最新式定向飛彈，均被列為美國最高度的軍事機密，但美海軍部官員竟不慎把它們的名字列在海軍部新電話簿上。這件事被當局發覺後，負責官員都受了一頓很嚴厲的教訓，同時，國防部官員最近發現美國飛機輪胎的產品竟集中儲藏在一塊比較小的地方，只要兩顆原子彈，就會全部化為烏有。（孟衡）

死了史大林　苦了廣州人

魔王殭斃猶在殘民

——記穗市赤色嘍囉吊喪經過

史魔眞是一代人妖，在他死後，猶如百足之虫，死而不殭，還在爲害人類。廣州這幾天又是攪得烏烟瘴氣，鬧得雞犬不寧，家家戶戶在共幹的脅迫下，要爲「史大林爺爺」戴孝誌哀；赤色嘍囉們這次由大叫大喊一變爲哭喪着臉，泣涕橫流，勝過考妣雙亡，悲痛欲絕。同時，共首們又在大聲疾呼，要遵照史大林遺志，赤化全世界，大陸人民今後將更不堪設想了！

妖由人興　陰魂不散

「妖由人興」這句話，確是有道理的。史大林的暴斃，並不因他死了，大陸人民可以喘一口氣，以後少了一個魔鬼，人類少受災害，相反的，中共在他還活着時，已經把他當作偶像，崇拜備至，現在他死了，正可奉若神明，朝夕膜拜，將史魔生前的一套，當作聖經地來愚民了！

中共這種意識，可以從史大林暴斃的消息發表後，廣州共幹怎樣來大舉吊喪宣傳、强迫人民要爲史魔披蔴戴孝中見到。

報喪送訊　烏烟瘴氣

史大林暴斃的消息，廣州是六日的早晨傳出的。在人們還在好夢方酣的時候，靜寂中的街頭突然人聲嘈雜，一批批的「區、街坊政府」的幹部們，哭喪着臉，到家家戶戶打門報喪，說「全世界勞動人民的偉大領袖、中國人民最敬愛的朋友和導師、親愛的史大林主席」的心臟停止跳動了。」要每戶人家、商店一律懸掛污星半旗，爲史魔致哀，並且監視每家立刻掛出；共幹們與中、小學生，在中午的時候，每人的左臂上都掛上了一塊黑布，說是爲史魔服喪；各機關、團體、工廠、學校中，更是一派緊張，東一個小組會，西一個籌備會，成立「治喪籌備」似的組織，忙着佈置中共中央所規定的全國各大城市關於莫斯科殯葬史魔的同日舉行追悼大會。整個廣州市頓時攪得烏烟瘴氣，鬧得雞犬不寧，好像天快要塌下來似的。

史魔一死　人心惶惶

七日，八日這兩天更是滿城風雨，鬧得天翻地覆。穗共的各機關與團體等，都張貼了大幅穗共書記、「市長」何偉於六日下午的廣播：「全市同胞們，同志們！（略）史大林同志已於莫斯科時間三月五日下午九時五十分，也就是中國時間六日上午二時五十分逝世。史大林逝世後，在這一個嚴重的困難的日子裏，我們全廣州市人民要和全國人民一道，以最大的堅定性，更加緊密地團結一致，並和蘇聯人民更加緊密地團結一致，站穩自己的工作崗位，努力工作，加緊生產，提高警惕性，爲保衛祖國的安全、保衛世界和平而奮鬥！各個機關、部隊、學校等單位的首長，你們應向你們全體工作人員報告這一個不幸的消息，並就地停止工作五分鐘，以哀悼我們偉大的史大林同志！」如此布告，使全市人民心理感到緊張，以爲史大林一死，天下從此大亂，確是不得了了，弄得人心惶惶。

各界人士　奉命弔唁

各娛樂場所平日已因生意不好，搖搖欲墜，這次更是遭殃，奉命自七日至九日停止營業三天致哀。

其他各界情形，尤其忙亂，工人、學生、婦人居民都接到了通知，要他們代表個個單位，去蘇聯領事館弔唁。從七日的早晨九時半至晚上七時，蘇聯領事館眞是熱鬧，門前擺了幾條長龍，都是等待着進去向史大林遺像「肅立默哀」的人羣。有些共幹們即在領事館的門前，號啕大哭，如喪考妣，表演得泣涕橫流，有聲有色，並邊哭邊說，大唱其千篇一律的從訃告上學來的一套，要人民提高警惕，保衛和平，當心陰謀，悲哭號叫，眞是慘不忍聽，令四周瞧熱鬧的人羣大搖其頭。

欽定時間　爲魔王哀

共黨的南方日報和廣州日報在這兩天中，都以三個版的篇幅來刊登唁電與史魔逝世經過，第一版上還圖了黑邊，刊登了大幅的史魔遺像，唯恐人民不認識這殺人魔王；並且登載了帶有命令式的由中共中央三個機構聯名的通告，要各界人民，在莫斯科方面所御定的九日下午五時，史魔舉行葬禮的時間，規定各大中小城市及由收音機得到通知鄉村地和市鎮，在此時，當地一切工礦、企業、部隊、機關、學校、人民團體的人員和街巷里弄居民以及正在進行中的人馬車船等，均應停止活動五分鐘，並就地肅立默哀，所有當地廠礦、火車、輪船汽笛齊鳴，以示哀悼。是時，廣州全市將分別在十一個區舉行追悼會，全市人民必須參加。

公開追悼　大家號啕

九日這一天，是穗市被共黨統治以來最熱鬧，也是人民最痛快的一天了。因爲人民在這幾年中，受盡赤色走狗的欺詐、壓迫的苦頭，內心的憤懣悲痛是難以形容，也無從發洩的，正好趁此共黨爲他們舉行公祭史魔追悼機會，盡情地痛哭一番，發洩一下積壓多時的怨氣。

在九日的下午五時，全市確是浸沉於悲哀的氣氛中，陰風慘慘。據共黨的機關報發表，有四十萬市民，分別在十一個地方同時舉行追悼會。

越秀山麓　哭聲遍野

總會場設在越秀山，奉命參加的羣衆隊伍，從下午一時起就陸續進入會場，到下午四時，整個越秀山會場已擠滿了代表各界單位的人羣，共有四萬七千六百餘人。穗市的共酋全部到齊，並有俄派駐廣州領事賀布候、附庸國家匈牙利展覽會籌備會設計師丁爾哈特、電話機專家勁克等一大羣。

會場的主席台佈置，可眞莊嚴穆肅，深紅色的帷幔正中懸掛四周鑲着黑紅邊的史魔遺像，兇神惡煞，兩旁垂着黑邊，上面是黑色橫幅上寫着追悼史魔大會的白字。所謂各界送的花圈是應有之事，佈滿四周。

四時四十分，首先由僞市長何偉裝着嘶啞的聲音宣布開會，「在哀樂聲中，會場靜得一點聲音都沒有，可以聽到羣衆的飲泣聲。」（見十日香港某尾巴報）

五時正，全市一片哀鳴，汽笛大作，大會默哀五分鐘，整個會場充滿着沉痛悲哀的氣氛，眞是「越秀山谷，一遍哀叫」，樂聲飄處，迴旋繚繞，「羣衆是抱着無限悲痛發出了哭聲，令人心酸！」

默哀完畢後，接着是穗共酋和俄國領事向史魔遺像獻花致哀，並由中共中央華南分局第四書記陶鑄首先講話，他除了講述了史魔生平的事蹟外，並大聲疾呼地要大家爲了悼念史大林，要緊密地團結在一起，遵循着史大林的遺訓，解放全世界，爲偉大祖國（不知誰的祖國）建設，爲爭取「抗美援朝」的勝利，爲保衛世界和平事業奮鬥到底。之後，又是所謂民主黨派、共黨走狗李章達等，將陶鑄所說的重述一遍外，他們要大家化悲痛爲力量，爲生產努力工作，勿爲「美帝」所乘。要人民向史魔所指方向——死亡，努力前進！發出了哀鳴！

最後，追悼會在國際歌聲中結束了。從此，中共因史魔的暴亡，失去了憑藉，只有加緊剝削人民，今後大陸人民將更不堪設想了！（羊毛）

洞庭波濤．麓山黯澹

游擊隊聲勢震撼三湘（下）

奇襲共軍　焚燬糧倉

他們深切的了解，匪政府目前最注重的是糧食，經乾油礦的大陸人民，搾無可搾，取無可取，惟有糧食，是換取蘇俄軍火唯一的財源；一到秋收後，民間糧食，早已顆粒無存，完全被匪政府控制儲倉，待時運出。慈利的溪漁鄉——勵稼村，長岩鄉——岩泊渡，廣陵鄉——茶陵河，通津鄉——杉木橋；大庸的西教鄉——數字埡，大崇鄉——大悲寨，西庸鄉——夏莊坪，東平鄉——貨家舖，北固鄉——王家灘，都設有匪區征糧分處，也是儲存糧食的所在地。兩縣被匪政府搜刮存倉的食糧，約在卅餘萬担左右，尚有部份稻谷，係由桑植、永順轉運儲倉者。於廿三日晚上，即已由羅部一個支隊趙××，率人槍百餘，由七年寨出發，經芭茅、羅水的山徑，佔據了數字埡匪四區區政府背後的高杜山，踞高臨下，脅迫匪區政府的武裝匪幹及民兵，倉皇遁逃，從容將糧倉四所，付之一炬，計焚稻谷約四千五百餘担，導火線就從此開始；僞大庸縣長希光華聞訊後，即派僞民兵大隊長田奇學率隊馳援。時趙部得手後，早已越西鄉包谷山、張家界而轉入慈境，與廣茅界的游擊隊合作，適廣茅界游擊領袖施××，亦已奉到鄉×的命令，又得到趙×的協助，遂星夜出發，越過合花寺，穿柳子泉而進入杉木橋匪糧倉地區，先將匪鄉政府包圍繳械，匪鄉長杜修甚以下被俘者七名，死十一名，糧倉被焚，於成功後，退入根據地。匪慈利縣長丁銳銘聞訊，驚恐異常，派副縣長領匪部，前往駐「剿」，僞縣府主秘杜修津，聞其弟修甚被俘，怎肯甘休，慫恿丁縣長傾巢而出，縣城空虛；鄉×聆悉，知良機不可或失，派隊四出，溪漁、長宜、廣陵各鄉糧倉，在廿五日黑夜，同遭焚燬，僞丁縣長電令馳救，已來不及了，顧此失彼，陷于窘境。

任務完成　安返基地

羅×在崇山基地，探悉田匪已率公安隊及民兵去西教救援，遂密派少數游擊隊伍，分三路出發，先後達到西庸、北固、天崇、東平各鄉。焚燬其倉廒；預料田匪得悉，必率部回救，遂派游擊健兒八百餘人，潛伏於官尹鄉的茅溪埡，廿六日的黃昏時候，大雨如注，山道泥濘，田匪于接得僞縣長希光華的電話後，果然經此回竄，號角一聲，萬彈齊發，田匪措手不及，指揮失靈，發僞於羊腸鳥道的山間，展佈不開，路途滑濕，匪兵不死於槍彈，即葬身於岩壑，田匪負重傷，幾被生擒，僥倖突出重圍，部衆死傷已大半，遺屍二百餘具，傷者尚不在其列。羅×得手後，安然返回基地。

經此鉅創後，兩匪縣長，再也不敢隱諱，只好據呈經過，乞援上級，匪八區司令員陳××，四區僞專員孫雲炎，除令飭將傷者送長沙醫院救治外，死者就地埋葬，並調僞保安第二師前往「清剿」。

「清剿」的風聲，雖已傳遍庸慈兩縣境內，羅鄉兩部胸有成竹，早已準備就緒，英勇的游擊健兒，決不因此而屈服。惟截至目前止，僞保安師雖傳聞已達到常德，但「只聽樓梯響，未見人下樓」。兩縣境仍風平浪靜地只餘下一些被燒燬的倉庫谷灰而已。

中共鐵道系統混亂

盲搞計劃損失浩大

·沈著·

據最近中共中央機關報——人民日報在經過了調查統計後所提出的報導批判說：「中央人民政府鐵道部領導方面由於不調查了解貨源及貨流情況，不研究國家經濟恢復和發展的規律，盲目編製脫離實際的一九五二年運輸計劃，以致大部份管理局、運輸分局與車站不顧運輸的質量和國家的運輸計劃性，單純追求數量，不擇手段地招攬貨源，濫裝車數，造成了鐵路運輸中嚴重的混亂現象，遭致了慘重的損失！」云云。

上層低能顢頇　計劃根本亂訂

從中共自己的報導批判看，中共中央的「政務官」及那些「鐵道專家」們根本就低能顢頇得很。他們只有閉門造車的本位主義的好大喜功的盲目任務觀念，而不懂得鐵道運輸部門在整個「國家」社會中的通盤調節作用，不懂得縱觀整個經濟狀況而抓住運輸任務的重心。這種錯誤，可說是由來已久，直到目前方才發覺。如該部在一九五〇年及一九五一年兩個年度訂頒運輸計劃時，即以盲目的片面的任務觀點爲依據，標出了各地區鐵道系統的運輸總量，而各地區照例同在一個盲目任務觀點之下，不問性質，不計利弊的只以盲目的運輸數量完成了，甚至超額完成了規定的「任務」。於是一錯再錯，他們在一九五二年擬訂「全國鐵路運輸計劃」時，照樣只標出目標，一個目標而不顧運輸總量是否能夠配合整個經濟情況，並且將「經濟計劃」；將一九五二年貨運計算噸公里指標提高比一九五一年百分之三十八點三，將換算噸公里指標提高比一九五一年百分之二十二點一之多。

數字迷了心竅　到處亂拉生意

在這種領導思想的影響之下，大部份（管理局、運輸分局及車站）爲了只求達成數字，便不免迷了心竅，把整個鐵道業務當作了生意經，到處盲目招攬貨源、凑裝車數的偏向，放棄了對提高「國家」運輸計劃性」的努力，以致鐵路運輸的「計劃性」每況愈下。據統計：一九五一年計劃運輸佔鐵路總運輸量百分之七十三點五，於一九五二年即降爲百分之六十六點五。而且運輸質量最低劣，損耗了許多不必要的浪費。

這種招攬貨源的工作係以「兜生意」的方式全力進行的。說許多單位只要有貨可運，不管有無運輸價值，不管運輸路線是否合理，不管是否屬於自己的業務範圍，一概無條件的拉着就運。如石頭、沙子等可以不多運，各地都有，就地取材，無需遠地購運，但他們爲了湊裝車數，完成「運輸任務」，便派遣大批幹部到各地推銷石子、沙子。衡陽分局曾派人到南昌推銷沙子。錦州分局爲了給河沙找銷路，曾三下秦皇島，兩去天津，甚至還派人常駐天津。倘遇貨主嫌沙質不佳，還特地發動職工和民衆勞動服務，忙着篩沙子。如天津管理局爲了湊裝車數，竟把煤運到不用煤的西直口站。如武昌分局招攬到一個運紅薯的貨主，沒有麻袋裝運，特替他趕製麻袋裝運，以湊運輸數字。有些分局如徐州、鄭州等分局爲了招攬的貨源，車站太遠，不惜勞民傷財，爲之鋪路搭橋。除此以外，又說各地在招攬工作還有許多花樣：如只要某人有貨，路局便幫他找主顧；某人想買什麼，路局便幫他找貨主，這叫做「代購代銷」，目的就在使有貨可運，便交了任務。

邀功你爭我奪　秩序一片混亂

又說這種招攬的錯誤三年來不僅未受到及時批判，且被許多高級領導幹部當作「先進經驗」在大力推廣，錯誤乃愈發得更加嚴重。如上海、南京、天津、鄭州、濟南、廣州、齊齊哈爾等幾乎全「國」百分之八十以上的路局局長都親自領導招攬生意，把它列爲完成運輸任務的主要關鍵。許多局、站都是黨、行政、工會、青年團一齊動員參加招攬，據調查：說全「國」經常有一萬千七百餘職工組成的一千八百零七個「招攬小組」專於運輸生意，甚至許多局的「愛國公約」上硬性規定每一職工每週招攬一個貨主，眞可說是無所不用其極！

由於這種不擇手段地招攬生意，而且互相競爭爲功而互相爭奪生意，還發生爲爭功而互相鬥爭的情形：如上海局與南京局和濟南局之間，常爲招攬生意而劇烈爭奪。上海鐵路管理局和華東海運管理局爲搶生意而互相控告，並互相降低運雜費及貨物等級相競爭。如由江西水路運往北方的木材應由浦口站改成鐵路轉運，南京站就搶着運了。如安東分局原計劃在海城站託運的蔭葉被通遼堡站到離站八十里之遠的鄉村去搶着運了。此外，漢口與武昌、重慶與成都等局之間也因此而發生惡劣的爭突。也因此而在各貨源較多的地方，常有來自各地鐵道部門的幹部爭拉着運輸生意，且只求目的而不擇以降低運雜費的謊去欺騙貨主。所以如此，就是只爲了達成推銷運輸數字任務。

運輸效率大降　全部損失慘重

此種結果，自勢必反而破壞了原有的運輸效率，其主要現象約可括爲三種：

一、是形成主義，許多局在貨源不足時，爲湊裝車數，不惜將原有載重量減低，例如本來十個車廂可裝了的貨物硬將它裝成十五廂乃至二十廂，以壯觀瞻。或本來一次車可到的貨物在中間多轉一次，以增加運輸數字上的紀錄。這是一大損失！

二、在招攬而來的貨源充足時，爲了還就下次生意，不惜將「國家計劃運輸」的重要物資積壓下來，而儘先裝運那些招攬來的貨物。嚴重地損害了「計劃運輸」的效率。

三、爲了偏重生產（賺運費）及招攬生意，而忽略了各要產地的計劃輸送，將各產地原規定應用的車輛盲目調用，使許多亟待運輸的物資未能及時運走。當然，在這樣情形之下，當然破壞了他們的「國家計劃運輸」，降低了正常的運輸效率，無故浪費了無數的人力財力；而且是一片混亂！

自由談

反常的女子心理

為方

有一位「世界小姐」名叫頤錦拉（不是中國貨品）女士者，最近在菲律賓首都舉行盛大的記者招待會，她不談別的問題，只發表她的擇夫三大條件，除身材高大和不飲酒外，最重要的一項即爲「其貌不揚」；理由是：免被其他婦女所追逐爭取。有人問她對六二高齡的鰥夫菲總統季里諾先生觀感如何？她說：「他很漂亮」！

大概季總統身材岸偉和不飲酒的兩大條件是具備了的，糟糕的就是「很漂亮」。因而他雖然爲着接見這位「世姐」懇談，以致延誤了上辦公室的時間，亦似乎未能博得美人的芳心傾慕。

我懷疑這位「世姐」曾經在情場屢戰屢北，失意多多，這纔使她在心理上發生對男人們不正常的反應，要跟「其貌不揚」之人相親相愛。審美原是人類的普遍天性，尤其男女兩性之結合，初次相見時，彼此只能以儀容爲「悅己」標準，迨接觸頻繁後，方可滲入才德的因素，增益戀愛進度。我不相信男女任何一方，見着像莊子「德充符」篇中所述那類五官不全，形骸醜陋的人，會引起由衷的愛悅，眞是別具慧眼，賞識於牝牡驪黃之外？

世界上凡屬失敗多而成功少的人，不管男女，都是犯着遇事先爲自己利害打算太精的毛病。倡獨身主義的「累得死」，多半是這樣原因，三年造反，一事無成的「秀才」們，更是害着這類不治之症！

·幽默故事·

哭喪隊

沙汀

秧歌王朝自接獲史太林逝世的訃告，就動員大批油漆工人，把王朝的朱紅大門油刷成棺材式的黑色門楣，表示爲「史太林爺爺」逝世丁憂，毛王府首先舉哀，於是，毛府之下的周府，劉府，朱府，郭府，以及在北京城內的內官外官，大小衙門，府第。都相繼地排起當大事的白紙燈籠。又在是日召集一批忠臣賢孫開會，並決定推派一批賢孫子們去莫斯科京里姬林「聖」宮去哭喪。由紹興師爺周恩來領率，隨行的郭沫若，蔡暢，李富春，羅瑞卿，葉季壯，伍修權一行十餘人，浩浩蕩蕩地像一列赴蘇表演的秧歌隊。

正是，一朝天子駕崩，全國臣民悲慟，混世史魔斃命，狐娟羣奸舉哀。閒言少敍，話說中共哭喪隊的隊員羅瑞卿，他是「人民公安部」的部長，他那間「人民公安部」，往日門口只站兩名守衛，自史魔生病就增派兩名。四名警察每人手提一根手提機槍，雄赳赳，氣昂昂地站在門前，又如臨大敵一般地戒備着。據說這是他作賊心虛，怕北京城內潛伏的「反革命」份子一時聽見史太林將要「瓜得」的消息；興奮得一古腦衝進他這特務總機關裏來，那時他縱不喪生，腦袋上也難免不被炸一個窟窿。還算好，一直到三月六日下午莫斯科廣播出史太林畢命的消息，他那間公安部門口仍然是靜悄悄地，雖然有成千隻在電線上晚噪的烏鴉，還是逐不走夜幕罩下來的死寂。」

「嘟，嘟」，一輛黑色鋼皮汽車駛至門前，守衛的靜肅地立正，鋼皮車屁股冒出一股濃烟。「嘟，嘟」，像溜烟似地駛了進出。

這是羅瑞卿接了訃告後，在毛府開了會回來。

不到一刻鐘，從門裏走出來幾個人，肥瘦高矮不一，但每人手上都提一隻黑色大皮包，像是採購人員的打扮，急匆匆地走着，又一面嘰嘰咕咕地交談：「喂！咱們部長爲什麼要咱們購買這樣多的黑油漆，只是漆部裏各單位的車子和黑牌，那能用得上這樣多？並且還限令咱們今夜購齊，喂！老丁，你是咱們部長跟前的紅人，你該知道這是怎麼一回事。」

一個矮矮的胖胖抓一抓頭說：「聽說明天開始動工，油漆咱們部門外的牆壁呀！」

「原來的紅顏色不是很好看嗎？」內中一個瘦子望着公安部的大廈說：「漆黑的像就會死人的靈堂啦！」

「哼，別瞎說。」

幾個人一路走，一路說笑，走過這條街，分道而去。

×　×　×

第二天一羣油漆工人，忙碌着油刷公安部的門牆。守衛的警察，在每隔兩小時換一次班，每次換班下去的警察，都要悵悵地看一看正在塗刷的牆壁。

下午四點鐘，換班下去的警察，站在牆壁跟前，看見油漆工人像劃大字一樣地在塗刷時，他們婉惜竊竊私談着：「老馮，咱們部長爲什麼叫這些人把好好的牆壁塗刷成黝黑。」

「聽說是死了人啦。」

「誰死啦！可是咱們部長的老爹」？

「不是，是咱們人民的領袖。……」

「領袖？是毛主席？」

「別胡扯，是咱們史太林爺爺。」

「呃！是他，難怪咱們今天星期六的加菜，事務員把咱們喝喫的豬肉也給換成豆腐啦！」

四個警察正在談話，遠遠傳來「重重慘，重重慘」的秧歌鼓聲。四人同聲嘆道：奶奶，這麼勁，是死人呢？還是討媳婦。」

一隊宣傳「新婚姻法」的宣傳隊，打着腰鼓沿途扭着秧歌，扭到公安部門前，腰鼓更特別的起勁。

在共產黨的國度裏，正是這樣；他們心裏想做一件事，另一件事未結束之前，他們仍會繼續着表現，他們的澈底，絕不中途止，也因此演出許多相映成趣的故事。

羅瑞卿正在二層樓的辦公室裏躊躇着，他想：「明天就要坐飛機同周恩來一道到莫斯科去哭喪去了！這行人能哭的，只有蔡暢，這個老女人，往往把感情放在哭死人的勁頭上，再有就是那四川特產的郭沫若，這傢伙能說能做，到時一把鼻涕，一把眼淚，硬是做得出來，他的哭喪本領說不定會把新主子們逗得哭之哀哀，連外邦使節看了，也要稱讚他是賢孝子孫，那時，我羅瑞卿該去表演什麼呢？如不表演，新主子而前不好交待，到將來毛澤東一命嗚呼，劉少奇相繼接位，我這中國的貝里亞第二，就會失寵而被處死。若是硬裝上場表演，自己的本能使他不能像郭沫若那樣逼眞。」

「重重慘，重重重慘。」秧歌鑼鼓在公安部門外喧天地敲打。他煩燥地推開身後的窗子，從窗眺望門外一羣秧歌隊，他看見秧歌隊裏扮老太婆的同志，不是很像舊社會裏送喪的老太婆，一步三點頭的幸酸相麼？他似有所悟地；「好，就這樣去同郭沫若比較一番吧！」

×　×　×

飛機場的跑道旁，蹲着一大羣送哭喪隊出國的送行人，鐮刀斧頭牌的飛機，引擎上羅旋槳旋動着，羅瑞卿牽着郭沫若的衣襟說：「若老，這次我不能讓你一人專美了。」郭沫若驚怔地朝羅瑞卿一望，羅把刼搜來的舊社會老婦人所著的衣衫，向郭沫若一抖，呲着一口黃牙，得意地微笑：「蔡暢那個老太婆也沒有這個啦！」說完，口裏唸着：「重重慘，重重重慘，重重慘！」

萬竹樓隨筆

略談杜甫（七）

·舜生·

杜甫以至德二年（757）自賊中竄歸鳳翔，拜左拾遺，因疏救房琯，幾乎得罪；卒於是年八月，放還鄜州，省妻子，這便是我前面舉的那篇『北征』之所由作。是年九月，收復長安，老杜在家住了兩月，便又趕回鳳翔，隨着肅宗一陣還京，仍舊做了半年以上的拾遺；到第二年的六月（乾元元年758）便出爲華州司功。到華州後除曾一度回到洛陽以外，他便永遠沒有再到長安了。乾元二年（759）春，他由洛陽回華州，這個時候，依然還是一個飄搖不定的局面，他在路上目覩不少的慘象，於是他寫了『新安吏』，『石壕吏』，『潼關吏』，『新婚別』，『垂老別』，『無家別』這六首有名的傑作。其所描繪當日老百姓的遭遇，雖然還趕不上今天『抗美援朝』的十一，但也就足够表現人世的慘痛了。

他回到華州約半年，正遇着關輔大饑，不得已棄官西去，客秦州；十月，往同谷縣；住同谷不一月，便自隴右入川。

『賢有不黔突，聖有不煖席，況我飢愚人，焉能尚安宅？始來茲山中，（指同谷）休駕喜地僻，奈何迫物累，一歲四行役！……』（發同谷縣）

所謂『一歲四行役』者，便是說明他在乾元二年這一年中，春天由洛陽回華州，秋自華州客秦州，多自秦赴同谷，又自同谷入川而言。我在前面曾提到我最歡喜老杜紀行一類的詩，這個時候，他的年齡已經四十八，未老先衰，復爲饑寒所困，逼得他不能不是這樣東奔西走，白居易所謂『天意君須會，人間要好詩，』大概詩人的大不幸，乃正是我們後代這些讀詩者的大幸了。下面我就姑舉幾個例子來供大家欣賞吧。

『……靡靡踰阡陌，人煙眇蕭瑟，所遇多被傷，呻吟更流血，回首鳳翔縣，旌旗晚明滅。前登寒山重，屢得飲馬窟，邠郊入地底；涇水中蕩潏，猛虎立我前，蒼崖吼時裂。菊垂今秋花，石戴古車轍，青雲動高興，幽事亦可悅。山果多瑣細，羅生雜橡栗，或紅如丹砂，或黑如點漆，雨露之所濡，甘苦齊結實，緬想桃源內，益歎身世拙。坡陀望鄜時，巖谷互出沒，我行已水濱，我僕猶木末，鴟鳥鳴黃桑，野鼠拱亂穴。夜深經戰場，寒月照白骨，潼關百萬師，往者散何卒，遂令半秦民，殘害爲異物。……』

這便是『北征』篇中的一段，詩人的心情是那樣抑鬱，環境是那樣悽若，而風景卻是這樣優美，去鳳翔愈遠，去鄜州愈近，曲曲寫來，無一景不明，無一筆不暢，如以不高明的散文出之，眞不知要費幾許筆墨也。

談美國娛樂

雪夫

最近有一位朋友從美國回來，問俗之意。談起美國的娛樂，寫在下面：

近十年來美國的游藝界先就含有歌舞性的分晰一下約有下述六種：（一）含有文學及歷史意義的戲劇，是一種化裝表演，古香古色，有唱有做，且對白大半用古文，音樂師穿禮服，觀衆亦穿禮服，顯得娛樂不忘禮貌，票價每座需美金十餘元，祇有文學家、紳士及富商是牠們長期的主顧。我國留學生因財力關係不大問津。但初到時也得參觀一二次以示入境問俗之意。（二）故事戲曲，把書籍上比較動人的故事編成舞台劇，注重唱做，不大注重說白、取材不十分嚴格。地點裝飾和觀衆身份都比較整點，是低級紳士消遣的地方。（三）文明戲，對話特別多，取材於小說有時兼演時事，編劇家耗費若干心血以待觀衆評價，如不能引起觀衆興趣，則編者時受後台主人的白眼，但也有由此成名[illegible]（四）[illegible]唱，也是一種古裝劇，[illegible]（上）

中國之友（六九）

毛以亨

李提摩太傳（十三）

十、重到中國

一八八六年秋，李氏夫婦偕攜幼女二人趁法郵OXUS回中國。在船上遇到十八位天主教男女修道士，及七位新教牧師。但到太原後爲同事所攻擊，詆之於本國教會謂其神學錯誤，李氏乃離開太原到天津，時曾撫已公開排教。李氏于十月十八到津，在北洋船政局任翻譯，年俸六百磅。浸禮會英國本部欲李氏去山東傳教，李氏以許其在濟南能設立學校爲條件。他適撰近代教育一小冊子，包括七個國家，分贈京津名公鉅卿。

他建議李鴻章，興辦學校，每年經費先籌百萬兩，期以二十年完成，謂此乃一本萬利之事業。鴻章謂二十年太長等不及，且百萬兩亦不易籌。又問基督教究于國家有何利？李夫人則教日使館三人的英文，一即公使之子，進步偬快，因助其讀聖經，故三人咸願受洗，公使贊成之。時曾紀澤出使英法八年方歸，總理衙門任職，欲其幼子繼續習英文，請李夫人教之。李之識曾在一八八八年住居北京時代，時曾主張興築京津鐵路，醇親王請其對倫敦修鐵路後，馬車夫生活所受之影響作一報告。曾以問其醫生DR DUDGEON與EDKINS，他們均不能答，卒由李氏以此等材料供給曾，遂成相識。曾氏子女英文都說得好，亦甚歡迎外人，曾氏自己，亦認爲救中國非先辦教育不可，但他不欲提倡，以免他人議其醉心歐化。他是李氏眞知己，而眞正瞭解西洋文化者，不幸于一八九〇年病卒。

時使館中人成立東方學會，以日使爲會長，會員常宣讀其論文，李氏論文爲「佛教對中國之影響。」乃往雍和宮晤大喇嘛，並贈以叫人蠱鈴，大喇嘛告以彼教已在低潮時代。李氏認大乘佛教與基督教同時產生故有共同之精神，而與原始佛教有別。李氏曾往日本考察，更深信非辦學不能推動傳教事業，而會本部以捐款指定傳教不能移作興學之用爲理由仍堅拒之。李氏以不能遂行其志願至欲與浸禮會斷絕關係，而GOUES勸止之，並請其回山東主持教務，願自居其下。

十一、重到山東

一八八九年六月李氏重到山東，參加賑災工作，竟染到疫症。山東牧師均贊成李氏辦學計劃，並擬設在濟南，英[illegible]師十二人皆簽字，而李氏以右臂瘋癱，當在青州養病，且尚未得本國教會批准，故未往濟南籌備。旋借其久病之夫人赴烟台養病，後回天津總本國教會答覆。全體教士皆贊成之辦學一事，衆皆認爲必無問題，不料英國委員會仍不與批准，這是二十年內所無的先例了。

一八九〇年五月基督教聯合會在上海開會，此爲第二次在中國的新教聯合大會。李氏欣然參加，並作「基督教與中國政府之關係」的報告。他提一警告，謂大家正站在火山口上，預言仇教運動必爆發，因主張上書清廷告以基督教之眞正使命以圖緩和。是年夏長江一帶，鬧教之舉傳遍，李氏曾往晤兩湖總督張之洞，張欲置身事外，故無効果。回天津後晤李鴻章，勸其阻止仇教運動，他亦不願干涉。

優越感

健軍

優越感是一種心理自列（PSYCHOLOGICAL CLASSIFICATION）的向上反映，人人皆有，貴如王公大人固然有『朕即眞理』之感，賤如牛馬走卒亦有『本牛馬走非彼牛馬走』之負，白種人固然以爲祇有他們才是上帝的兒子，黑種人亦未必就承認他們的臉蛋黑過鍋底，趙老太爺固然覺得自己是個太爺，阿Q也並不覺得他自己就是阿Q，優越感之深植入吾人細胞之內，槪可見矣。

優越感雖與人生同生並亡，但卻是時隱時現的，有時它重如泰山，有時卻輕如鴻毛，有時狂若暴洪，有時卻柔似薰風，譬如：老爺未碰到窮辮之前，他就是老爺，既遇窮辮之後，他便變爲舅舅，不幸遇上局座，他便成爲地地道道的差人了。再如文豪們平時愛張牙舞爪，儼以教授自居，遇到『正牌』教授，便退居助教了，如果碰到少有名氣的教授老爺們，便不惜千方百計，搖尾乞憐地去拉門生的關係了。優越感之時大時小，猶如天之晴陰，月之圓缺，恆視空間、時間、氣圍而定，殊難下以定語也。

優越感是一種頗難捉摸的東西，固無標準可言也，西洋人固然可以稱中國人爲病夫，但我們猶可反贈他們一頂『鬼子』的雅號，他們雖然可以指阿Q頭的癩疤笑他，但殊不知阿Q之所以引以自豪的就是那點東西，美國人固然可以挾氫氣彈，金以驕元世界，然而印度洋那邊的赤腳大仙，猶可以披白麻，搖着紡車，跟山姆大叔鬥氣，所以優越感之標準也混惑矣，有時在謙卑中已蘊優越，而有時在優越中反覺自拙，這也就是它難捉摸的地方。

心理學的測驗告訴我們：優越感常是反方向的表露（COUNTER-DIRECTION EXPRESSION），就如同：越是稟性慳吝的人，越愛在慈善上玩花樣，越不漂亮的女人，越覺得自己是天仙，越寫非驢非馬的『詩人』，越愛唱濫調一樣……優越感的可靠性就是這麼多！

以上獻給有優越感和無優越感的朋友們！

中華民國僑務委員會頒發登記證台教新字第一零二號

自由人

THE FREEMAN

（半週刊每星期三六出版）

（第二一三期）

每份港幣壹毫

督印人：李光華

社址

香港高士打道六六號

電話：二〇八四八

GLOUCESTER RD.
HONG KONG
TEL: 20848

承印者：東南印務出版社

地址：高士打道六十四號

台灣特派員辦事處
台北市館前街五十號

台灣總經銷處
台北中華路新號五九四之一
台灣郵政劃撥儲金帳
九二五二號

南洋大學的前途

·陳克文·

新加坡僑領陳六使等，最近倡議用華僑自己的力量，創辦一間最高學府。並已定名為南洋大學。據報章消息，這間大學將以英國各著名大學為理想藍本，內分文理工商四學院。籌備工作已積極展開，僑胞贊助，更覺空前熱烈。這自然是南洋一帶一千多萬華僑中一件空前大事，影響之大，是不待說的。

兩大暗礁

但是這一間最高學府，能否因僑胞的熱情和努力，便能夠很順利的建立起來，現在還是不無疑問。第一，英國殖民地政府似乎並不十分願意有這樣的一間大學出現，他們祇希望在他們現時已有的大學，增設中文部，並不希望有一間由華僑力量創辦的獨立大學。其次，便是馬來人，也不贊成華僑創辦大學。最近的報章消息說，巫民國體開會，曾有決議，認為大學成立，不免增加民族間的感情衝突。這兩點都是南洋大學的大暗礁。如果無法排除，前途是不容樂觀的。殖民地政府現在正要取得華僑的合作，以貫徹消滅共產主義暴亂的政策，英國政府對於殖民政策也逐漸在改變中。第一項暗礁，也許不至於成為無可克服的困難。祇要僑領善為因應，僑胞團結努力。我們相信，稍假時日，不難逐漸改變英人的固執與阻撓的心理。

馬來人的種族偏見

說到馬來人的感情作用，便不簡單。在英國殖民政策之下，華僑和馬來人的地位，雖然同一不利。但一部份馬來人對華僑不免存着種族偏見。一個馬來人組織的領袖說：『……中國人是強盜，……並不是商人，……即使是富有的中國人，總是時常想念他們的先人骸骨的。他們的先人安葬於中國國內』。又說『我們希望英國人留在這裏，指導我們，使我們進步，能夠統治這國家，不是中國人統治這國家』。這一派人可說是思想落後，甘於做殖民政策工具的。他們之反對華僑倡辦大學自在意中。馬來人的青年知識分子，態度便不同了。他們認為馬來人與中國人之間的種族仇視，是英國人挑撥出來的。中國人和他們之間，可以和平共處，互相有利。不過二者之間，生活習慣不同，宗教信仰不同，經濟利益也有許多不相一致的地方。因此一般來說，民族感情上始終存在着許多隔膜，實在無庸否認。這種隔膜，加上第三者從中挑撥利用，很可能成為南洋大學前途的絕大障礙。南洋大學的名稱，在前本有馬華大學之議。是否因為馬來二字不免存着種族分歧的暗示，所以棄而不用。若然，則倡議者，早已注意及此。改用今名，實為明智。籌備會議中，據報載，有人倡言：『辦我們自己的事，不必多所顧慮。』這態度若對殖民地政府說，未嘗不是快人快語。不則論在馬來人聽來，不免要生疑慮心理的。總之，要大學的基礎鞏固，減少設立的障礙，取得馬來人的了解和合作，是不容忽視的。

適應時代與實際需求

一般人心目中，以為華僑創辦大學，惟一目的在於保持祖國固有文化，使華僑子弟決解升學困難，得深造機會，而不至於墮入中共赤化青年思想的圈套。這在目前當然不失為辦學的重要任務，亦即所謂『辦我們自己的事』。不過就長遠說，這實不足明示最高學府的全部重大意義，更不足使佔馬來亞大多數的馬來人免除疑忌阻撓的心理。筆者以前曾撰文述印尼華僑教育現狀，（見自由中國雜誌）印尼政府對教育雖採開明的自由政策，惟對於以保存固有文化為目的之華僑教育，認為不足以造成適合時勢之良好公民。故南洋大學如僅以保持祖國固有文化為目的，不足以適應時代和當地的實際需要，顯而易見。歐洲各國，對於殖民地的高等教育，並非完全漠視，英之於印度，馬來亞，荷之於東印度，無不設立大學。惟此等大學，志在造就技術人材，着重自然科學。即對於社會科學，亦惟以傳播其本國文明，維持殖民政策之推行為主。故時至今日，印度，印尼，緬甸諸國，先後獨立。雖於法律制度上，頗受英荷思想的影響，而對於英荷的仇視態度始終不減。彼等所設大學，可謂極盡保持祖國文化之能事矣，時間又多在百數十年以上，其結果如此。我散布南洋一帶的僑胞數目雖在千萬左右，但並無殖民政策之保護。印尼、暹羅、緬甸，現時均為獨立國。馬來亞之成為獨立國，為期似亦不遠。此時創辦大學，如僅以保持祖國固有文化為目的，其不發生誤會，招致困難，實屬不易。殖民政府所辦高等教育，在殖民地人民心目中，只是文化侵略的工具。華僑創辦大學，其真正目的安在乎？是否上述馬來領袖所說，中國人將統治馬來亞呢？此為最易引起馬來人疑慮之點。

遠大目的和理想

華僑移殖海外，幾世紀來，惟以其勤勞刻苦的精神，為當地經濟開發最大的貢獻，與歐洲殖民侵略之性質絕異。華僑之所以念念不忘其父母墳墓所在的故鄉，固為中國文化思想之一部，亦為殖民地統治之下，政治形勢所使然。中國文化並無侵略的性質與歷史。故今日創辦大學，自亦與殖民政府過去的高等教育迥異其趣。此點不止要馬來人能夠了解，也要倡辦的僑領和僑胞了解。

南洋大學雖倡辦於新加坡，其影響力所及當不僅為馬來半島。越南，暹羅，乃至緬甸，印尼，這些華僑集中地區，均將為其精神力量所支配。這些地區，因過去曾為英法荷美諸國的殖民地，文化上已受基督教的文明，前此則受印度文明的影響至大，歷史亦最長，故回教和佛教的勢力，根基最厚。華僑人數既達一千萬左右，移殖歷史又遠在歐洲殖民之前，故中國文化力量之大，自亦不可輕視。今日而言南洋文化，既不能忽視中國文化，亦不可忽視基督教，回教和佛教的文化。殖民政府高等教育的最大失敗在於祇知基督教文明，南洋大學如果只知有中國文化，則亦將遭遇同一命運。殖民政府可以挾持政治力量一意推行其教育政策，華僑人數雖眾，決無此便利，以推行中國文化的教育政策。南洋大學的最大任務，應該使中國文化在南洋佔有其應有的地位，更滙合其他文化，融會而貫通之，以產生南洋的新文化。南洋大學的任務，應該是各種不同文化的大熔爐，應該是南洋文化的新生。能夠懸此為最高目的，才能夠免除馬來人的疑慮，而不至發生阻撓的力量。亦惟懸此最高目的，然後中國文化才能夠在南洋佔有其應有的地位。中國文化雖然有其優美的精神，如不能吸收其他文化的特點，如不能適應時代與地區的生活，則不惟抱殘守闕，自然歸於淘汰。抑亦無補於已脫離或即將脫離殖民地位的南洋各國，新時代中的僑胞命運。故以解決僑胞青年升學問題，應付中共赤化思想，保存中國固有文化為目的，而創辦最高學府的，祇能夠視為一時的，次要的任務。吾人必須具有更遠大更長久的眼光和理想，才能使南洋大學奠定百年不拔的基礎。

史達林死訊的傳播

——西方記者怎樣爭先報導——

第啟譯

本月三日，許多美國報紙的編輯都在搜索枯腸，考慮以那件新聞作為首頁的頭條標題，那似乎是毫無重要新聞的一個星期，沉悶的消息殊難引起讀者的興趣。譬如說，波斯頓的讀者可以看到的六張日報，就有六個不同的題目，環球報以「嬰孩市場」的故事作為他們最重要的新聞，郵報的頭條消息是蘇俄承認以軍火售與中共，美國人報用大字標題調查共黨份子的新聞，紀錄報所選擇的是當地的一宗謀殺案，旅人報則對紐約市外兩百哩的一宗火警特別發生興趣，先鋒報刊載的是伊朗的油爭。但在東方標準時間午前零點十五分，由於莫斯科電台廣播一條震動全球的新聞，整個的局勢，世界都起了變化，這條消息是：史達林病況危殆。

合衆社搶了先

倫敦合衆社電台首先收到莫斯科的公報，他們在星期三日東方標準時間午前零點二十分，發出這一條重要的消息，幾分鐘之內，其他幾家美國大通訊社，如美聯社和國際新聞社也紛紛自倫敦向國內發出這一項報導。在莫斯科方面，美聯社記者艾第．吉爾摩是自由國家駐俄京的六記者之一，他用電話向倫敦和巴黎報告實地的見聞，十二點三十七分，他首次獲與倫敦通話。美國大多數的晨報都及時搶到了這條消息，用頭條標題刊載俄國獨裁者已入彌留狀態的電訊。但因史達林的病勢在四十八小時內，無多大的變化，所以以後的幾次報紙在內容上也無嚴重變更，只是字面上有些改動而已，如紐約時報星期二的標題是「史達林在彌留狀態中」，星期四是「史達林在沉沒中」。紐約先驅報也只在標題間稍有改變，先是「史達林病況更為惡化」，以後是「史達林病況愈趨嚴重」。那時候，有些報紙登出長篇大幅的特別記載，推測史達林之死對於世界政治所將發生的影響，有些報紙則訪問當地俄國僑民，採訪他們的意見，有一個俄國革命時則已逃亡海外的俄人，在接見記者時所發表的談話，意義深長，而有趣，他說：「就我而論，史達林在三十五年前就已死掉了。」

俄使館職員如喪考妣

華盛頓時代先鋒報為了要搶登最新的消息，特別留下一版來等待最後的新聞，他們也較其他各報更早派出記者到俄使館探訪消息。但在記者抵達的時候，只見一個涕淚滂沱的使館職員告訴「沒有評論」，雖然如此，但以後還陸續有許多記者趕到俄使館，敲敲大門，因此，那一晚俄使館前盡是一片「沒有評論」聲。

在洛杉磯方面，短小而精悍的鏡報企圖取直接的消息，他們的編輯和發行人賓克萊特別在星期三和莫斯科通了一次電話，接話的是賓克萊的老友，現在莫斯科美國大使館任代辦的比姆，賓克萊的第一個問題是：「有什麼新的消息嗎？」比姆回答後也問賓克萊：「洛杉磯天氣怎樣？」比姆所能告訴賓萊克的，只是「羅紫闊和克里姆林宮」的寥寥數語，克里夫蘭新報企圖叫通，隨後又叫通莫斯科美史館，但他們所得到的全部新聞，只是：「他們說莫斯科的天氣很冷。」星期四晚，各報所接到的，只是莫斯科一發表的三次病情公報，還有許多推測的消息，一切都顯得很沉悶。

克里姆林宮的喪鐘

但在東方標準時間午後八點零八分的時候，巴黎法新社的電務員突然聽到俄國電台所轉播的克里姆林宮喪鐘的聲音。乃立刻向分佈各地的分社拍出「史達林逝世」的電訊。於是，這一方面的採訪告一段落，對死亡情形的記載立即開始。午後八點十一分，紐約的法新社和美聯社的電務員，同時將史達林逝世的消息傳來美國。於是美國報紙滿篇都是史達林的小傳和各方面揣測的記載。有關第一頁史達林去世的新聞，分刊在二、四、五、六、七、八、三十及三十一各版上。紐約時報是唯一派有正式記者駐於莫斯科的美國報紙，他們在一天中，以七頁的篇幅刊載有關史達林逝世的新聞。

對於如何處理史達林逝世的新聞，只有俄國的報紙才沒有任何煩惱，因為俄共已經由電台訓令各報怎樣處理了，他們規定第一頁圍以黑邊，在右邊以三欄地位刊出史達林的軍裝遺照。但紐約每日工人報卻未能遵照這一條訓令，他們把遺照刊在第一頁的左邊，而且史達林所着的，只是便服，巴黎人道報所犯的錯誤，也和每日工人報相似，但他們更以六欄的地位，刊載史達林的遺照，他們並以擴音機來高聲叫囂史達林去世的新聞，直到憲兵聞聲干涉才停止。（譯自十六日新聞週刊）

半週展望

·左舜生·

吉田能硬到底嗎？

吉田在上次組閣時，我們即有這樣一種逆料：假定他不顧，或不能成立一合理的聯立內閣，他這次的內閣生命，即無法維持長久，醞釀復醞釀，乃卒有此次的不信任案發生。本來，吉田之所以能造成一長期秉政的形勢，其原因在外；其所以日趨削弱，而卒演成當前的現狀，則原因在內。自然，在今天而要主持一個國家的大政，國際的支援，確實是少不了的，可是假定自身沒有確然可以自立之道，國際的形勢即再有利，也終於無法維持。日本在過去的七年，其政局隨時都有一種國際力量在那裏左右，但同時亦有一必須擺脫國際而求得卓然有以自立的狀況；這種情形，尤其在與各民主國家訂立和平條約儼然成為一獨立國家以後，表現得更為迫切。自由黨外的黨，與自由黨內的派，隨時都有一種不利吉田的醞釀，一有機會，必然乘機爆發，我們不能完全解釋為一種權利之爭，換言之，吉田內閣之繼續存在，於日本國家的利害，亦確實有其必須考慮之處。即以建軍一事而論，在吉田自以為他的態度是很穩健而且是頗為巧妙的，可是在當前的國際形勢，無論就任何方面去着眼，都無法使這條吉田路線繼續的走下去。換言之，你不想過度的去刺激甲，同時即不免開罪於乙；你能博得丙的同情，同時亦無法博得乙的滿意；自處於小媳婦的地位，而想以一種圓滑的態度，周旋於兩姑三姑之間，其陷於今天這樣一種狼狽的形勢，這是勢有必至，理有固然的。

在上次吉田組閣中，我曾為渠策劃，最好是擇可合作者儘量合作，而成立一合乎多數國民期待的聯立內閣，這是就吉田自身所具備的強點與弱點不得已而必須擇取的一種辦法；即為日本打算，也只有此一途。

我承認，就到現在，吉田還是具備得有相當雄厚的本錢，質言之，即在這次的大選，他也還有可能獲得較大的多數，可是假定他不能向聯立一途邁進，又不能使他的政策趨於明朗，即令能再有吉田內閣出現，亦終必陷於飄搖不定，百事無一可為；果不幸到了這樣一種境界，其貽害於自由黨者尚輕，貽害於日本這個國家者，實在太大！假定吉田不徒然在竊位以自娛，對國家還有相當的責任感，這實在是他一個應該好好考慮的時候了。

馬倫可夫高叫和平！

馬倫可夫十五日在他們的第四次最高蘇維埃會議中，發表了一篇演說，除改組政府的案子照例請求該會議予以通過而外，乃特別針對國際現狀，高叫和平。他的話似乎比過去史達林所說得更為具體：他不僅強調了可與資本主義的國家和平相處，他還表示可以遵守國際間所訂的一切條約，甚至於他還特別提出美國，說也可以彼此相安無事。

這些話在我們一個自由中國的人聽來，真是要笑掉牙齒！蘇聯也還懂得所謂遵守條約嗎？過去蘇聯和中華民國所簽定的條約也不算太少，並且還明明白白在條文上表示過只承認國民政府，可是後來怎樣呢？

不過，蘇聯在當前的情形之下，他們還需要暫時的和平卻不一定是假的：他們所有一切對內對外的問題，確有在暫時都求得一個安定局面的必要。毛羽未豐滿著，不可以高飛，馬倫可夫這個初生之犢，他似乎並不是不明向他自身所有的弱點，看他對內的一切布置，總還是在一個力求安定的原則之下，在那裏執行；甚至就對衛星國家的偶發事件，（例如捷克總統之死）也在那裏竭力彌縫，惟恐暴露了蘇聯的破綻；然則他現在還要高叫和平，甚至不惜向美國眉來眼去，其心情是不難了解的。

假定在三月半年之後，他們的內部可以相安無事，一切衛星國家也無顯著的問題發生，你看他還會買美國的帳嗎？又是民主國家一個上當的機會來了，我們注意美國的態度怎樣吧！

新俄帝的新冷戰

・冷穆・

史太林死後，自由集團的政治家們，將新希望寄託於蘇俄在東歐的附庸國，和躊躇滿志的毛澤東。希望自第二三個狄托產生，進以緩和全局。不幸馬倫科夫所答復的，卻是英美軍機在西歐接連被擊落，因而局勢趨緊，不管是蘇俄的防禦或挑釁，不管是馬倫科夫執政的加強或係其夜行中的一聲口哨。新局勢已經走到「新階段」，這階段是冷戰發展至於熱戰的邊緣，寒流驟遇熱風，衝激而令世人體味到了戰火的氣息。因此之故，政治家們被迫而對馬倫科夫執政後的蘇俄，重新予以認識和估價。在戰爭的準備上，選擇冷或熱的任何一途。

新名詞的錯覺

提到「冷戰」這個名詞，這是二次大戰以後的產物，在戰爭學理的意義上，其本質與內容和總體戰是一樣的，它是集外交、政治、文化、經濟的多面配合，以求惟一的軍事目的之達到。但是運用在史太林的手裏，由二次大戰末期以後，因其變幻多端，詭祕莫測，或而以進作退，或而聲東擊西，或而明爭暗鬥，或而滲透深入，以其技巧之萬花繚亂，使西方學者們摸不清他的眞企圖，無以正名，遂而呼之為「冷戰」。「冷戰」內名詞成立以後，一切錯覺和錯誤隨之而生。有人以為冷戰係戰爭行為之外的一種，將冷戰和熱戰孤立起來。有人以為冷戰只是政治上的討價還價，故而幻想由政治上作局部犧牲以求大戰爭的倖免。更有人存着「冷戰不停，大禍不止」的見解，希望由停息冷戰中去尋找解決熱戰的出路。冷戰已近十年，今天的馬倫科夫且能青出於藍，作變本加厲的表演，而西方認識的短視，錯誤如昔，令人能不惋惜浩嘆！

冷戰的技術論

然而何為「冷戰」呢？其作用與內容如何呢？

冷戰的本質：第一，它是包括在整個戰爭之內的，可以說是戰爭的一部份，也可以說是熱戰的準備手段之一。第二，它掩護戰爭的眞面目及其企圖。如所週知，蘇俄以「和平運動」遮掩備戰的工作，瓦解敵方的團結及戰意，並爭取中立者的盲目同情。第三，它是戰爭技巧之一種，甚至是接近藝術的一種戰略發揮。此種綜合藝術的多面變化，能夠獲到時間與空間兩者的利益。空間一面，在聲東擊西之一法，冷戰常常乘人不備、施用於虛弱、矛盾之點，而獲取既得利益。在時間上，它以料外、拖延乃至置身事外的方式，加多熱戰的準備時間。準備時間的愈長，敵方的力量逐漸削弱，自己卻能立於主動地位，從容佈置三者之和，等到優劣之勢相距已遠，乃為「不戰而屈人之兵」，亦即列寧的戰略指導裏面所說的，利用資本帝國主義之間的矛盾，與其國內的鬥爭，以削弱他們的戰力。

由史太林乃至今天的馬倫科夫，都是這戰略的繼承人，此一克里姆林宮的新獨裁者，既不能一手遮天撕破戰幕，為了加強他的統治地位，故而我們相信：蘇俄的多頭政治暫時可以求得一段妥協，東西兩面亦少狄托式的戲劇變化，而冷戰則一定加強，始能反映新首領的強硬姿態。由此引證，關於西歐軍機擊落事件，我們亦可以看成冷戰之一種，是馬倫科夫的宣傳（對外），鋼鐵（對內）各半的無言文告。

冷戰之四原則

一八九八年美國國務卿約翰赫JOHN HOY說過：「凡知中國之政治經濟者，可先知五十年的世界大勢。」這句話可以改成：「凡欲求得戰爭勝利者，必先瞭解蘇俄之冷戰，和取得冷戰的勝利。」假定我們前一段所說的沒有錯誤，則一般人以往對於冷戰之錯覺與新解成為此次戰爭中的一種罪惡，除了重新認識以外，我們還要求有一個全新的戰略，這戰略是針對蘇俄而冷熱兼具的。

如前所說，冷戰不但是戰爭的一部份，而且掩護熱戰、對熱戰，成為熱戰的先頭部隊。因此之故，我人希望以反共為中心的環球戰略，其中冷戰和熱戰兩者必須是統一的和配合的。第二，熱戰既係冷戰的繼續，我們便得以眞正的戰爭實力，支持冷戰，如此，冷戰始能發揮其威力。第三，除了以熱戰消弭冷戰之外，我們尚須以冷戰對抗冷戰，使得俄帝的冷戰戰略，無補於將來的實戰。

第四，凡是戰爭，必須爭取主動，主動乃能機先，始能先發制人之利。冷戰亦不例外，故其內容必須是全面的與主動的。

杜爾斯的「圍堵戰略」是全面冷戰的象徵，他的「重點打擊」亦能符合主動攻勢的意義。至於艾克總統更懂得冷戰，因而我們對今後的戰爭局勢，更多勝利的信心。可是說得最對的還是下了台的艾契遜先生，他於去年十二月中旬召開的北大西洋公約國理事會會議，警告西歐各國，他說「必須當作蘇俄明日即將發動熱戰那樣去進行。」而且明顯地指出：「凡是希望冷戰能夠長遠拖延下去，而忽略西歐防務的建設者，將是很愚蠢的事！」這幾句話可以擴大於亞洲而至全世界。只有充實戰力與打擊冷戰，才是消弭戰爭與戰勝蘇俄的基本方法。俄帝的冷戰目的有二。一為錯亂視聽，於混亂矛盾中取利，一為拖延時間，期於軍備競賽上取勝，我們以全面冷戰對付之，則他處之此路不通，以龐大無比的熱戰實力對付之，其則戰略的幻想永遠難望實現。

對抗共黨侵略的新屏藩

蘇聯在和平時期能保持巨大軍力及促使其東歐附庸同盟國，與中共亦如此的能力，已使莫斯科獲得一項重要政治武器，用以恐嚇其非共鄰國。

不過，蘇聯及共產集團的軍事與政治實力，每易受到誇大。在遠期目標上，共產世界的政治弱點，可能是意義最為重大。

在我們軍事準備達到充份的條件下，我們可以對今後數年內我們安全的軍事威脅獲得三個結論：

軍事威脅的結論

一、蘇聯似不致捨棄逐步緩進的戰略而審慎擇取全面戰爭，以達致其世界蘇維埃帝國的目標。

二、但大戰的重要危機，仍暗藏於目前的世界情況中。

三、如大戰在今後數年內爆發，我們將有戰勝的能力。

如我們和各盟國建立足夠的軍事防務，美國安全的主要威脅，可能是：在美國及其盟國未採適當行動的情況下，許多非共國家，由於其經濟落弱與政治不安，將逐一為共黨侵佔，而在自由世界內引起間歇性的危機，因此，破壞自由世界的精神與政治穩定，以及使美國陷於孤立。這種惡化情況，除非由積極而成功的政策加以制止，勢將成為全面戰爭最嚴重的危險，或使蘇聯的實力日益擴大，在其歐亞附庸國的協助下，能成功地進攻西半球。

因此，我們安全的威脅，是持續性和長期的，對抗這種威脅的政策，便必須具有遠期目標，不能以二三年為其階段。

外交與軍事政策目標

美國外交與軍事政策的目標是公正穩定的和平。由於美國的巨大實力，發展世界新秩序以代替舊秩序的責任，大部份已落到美國人身上。祇有自由國家調和它們的行動，並在考慮其本身外交、內政、經濟政策時顧及其他國家的利益，非共世界的主要問題才能克服。

美國積極外交政策的最迫切問題，可以為西歐：組織大西洋、中東、與東南亞集團，及處理各該地區的經濟政治問題。

大西洋西岸的國家，現已愈益明瞭，大西洋集團軍經問題解決，需要各會員國的經濟更大的團結，和對軍事事項方面，把各國的主權作更大的集合。對歐洲國家來說，為克服它們的政治、經濟與軍事上的弱點起見，某種形式的政治同盟已成必要。

亞洲的問題，不能迅速獲得解決。如沒有繼續的政軍支持，技術援助，及大規模的外國投資，其進步將極難獲致，這一方面，需要大西洋集團，特別是美國的援助。

自由世界的重任

美國防禦性軍事政策的任務，是建立及保持足夠的軍事實力，美國及其盟國必須做到三點：

一、使蘇聯不敢故意掀起大戰，或採取行動迫使我們引起大戰。

二、能保衛戰略性的主要地區，且儲備可能保障世界的其他部份，以阻遏共黨的破壞及各種地方性的侵略。

三、如大戰不可避免，則能夠戰勝。

為達成這兩項目標，美國需要實行相互配合的政策：一是必須提出明確的保證，美國在必要時以戰鬥來保衛戰略性重要地區；二是建立巨大的實力，能以戰略轟炸破壞蘇聯的工業能力，並能保衛美國工業的實力，儘可能減少遭受蘇聯轟炸的危險；三是我們必須建立及保持美國與歐亞盟國的適當軍力，俾能在未來戰爭的初期因守歐亞非的必要基地，但不能過於龐大，以致在蘇聯心目中構成一種巨大的侵略威脅；四是我們必須擴大和轉變工業能力及有訓練勞工，並從事其他必要的工作，以建立一個廣大的美國及其盟國的「動員基礎」。最後一點是我們必須從事必要的研究與發展工作，在技術競爭上勝過蘇聯，並在軍事計劃上作適當的改變與準備，以發展各種新武器。

美國人民的負担

關於美國的軍事計劃與援外計劃的規模與組織，我們常聽到二項問題：一、安全計劃的實行，能藉效率的改進而減少其費用嗎？二、美國的經濟是不是能負担這安全計劃？對於第一個問題，我們的答案是：我們認為安全計劃的預算費用，能在執行時增進其效率而實際減低。第二個問題的答案是，如果目前計劃中的支出規模，對我們的安全是屬必要，我們的國家經濟是能夠負担的。不過，最重要的問題，乃是美國人民是不是願意接納安全努力所造成的經濟後果。

現在，美國人民願意接受歷史所以賦與他們的領導地位，和隨之而來的經濟、政治、與道義上的責任嗎？這是最後的問題。我們深信美國人民將以堅固忍耐的精神來從事建立公正持久和平的責任。

陸薇譯（下）

天下小事

俄共幕後的新人物

如果蘇俄發生爭權的鬥爭，大家應注意赫魯什且夫其人，無論在主席團或是俄共中央委員會書記處中，赫魯什且夫已漸漸據有重要的地位。像馬倫科夫和史達林一樣，他是不大引人注意，而專心在幕後活動的，據悉，他現已掌握了共黨的人事，這是史達林和馬倫科夫所曾佔據過的要津。主管情報方面相信有一天他可能成為蘇俄的最高領袖。

共黨附庸發生動搖

史達林去世後，各附庸國共產政權已紛紛發生動搖，目前的傀儡政府中，大部份都是只服從史達林個人者，據悉：在匈牙利、捷克、波蘭和保加利亞各國中，反馬倫科夫的一派已在積極活動。馬倫科夫能否鎮壓這些活動，據西方觀察家看實在毫無把握。

蘇聯擁有定向飛彈

據倫敦所獲的情報說：俄國最大的戰鬥艦目前正在俄國北部可亞爾干日港實行改裝，並安設了特殊裝備，可以發射V－2式的定向飛彈。因此，英國的軍方認為蘇俄大概已擁有定向飛彈，英國並已將情報轉告華府。

美空軍主張進襲東北

據可靠的報告說，美國F－86式軍刀式噴射戰鬥機為了要追逐威脅美轟炸機的俄製MIG－15式機，曾經越過鴨綠江飛入東北境內。空軍方面認為在必要時，是應允駕駛員深入東北追擊共機的，但禁入東北仍為美當局所懸的禁例，因此，據說駕駛員僅「偶然」越過鴨綠江，探探共方的虛實而已。

俄共派人指導罷工

據通常可靠的消息說：舒曼計劃六會員國的共黨領袖，最近曾在巴黎與一個俄國的煤鐵專家舉行秘密會議，擬定破壞西歐工業集團的計劃。預料不久以後，就會有一連串共黨領導的罷工事件發生。（孟衡）

政院檢討財經得失

台灣通訊

行政院日來正舉行檢討會議，陳誠院長在開幕時致詞，強調所檢討者注重政策之得失，至一般業務，則由各院部會分別自行檢討。檢討會現正進行至財政經濟金融等部份，三月十四日台北報紙會提出意見，認為以往財政政策仍不免殺雞取卵，未能直接培養稅源，間接培養財源。入春以來，台灣銀行對於外滙管理政策，益見加強。據台行紀錄統計，去年一月至九月，進口結滙，折合為美金九千萬元，其中以一、五、九月三個月為最少，八月份為最多。同期出口結滙為美金九千四百萬元，以一月七月為最少，三月及四月份為最多。兩者相較，並未有入超現象。至一般人有作為入超計算者，乃係由於將美援進口物資併入之故。如某方面所發表去年台灣全年進出口統計，進口共值新台幣十七億六千八百餘萬元，而出口只為十四億餘元，相差三億，即係包括美援進口物資數字在內。

糖業增產問題

台灣外滙存底頗豐，蓋出口物資甚多，且多為國際市場所需要，而以糖類輸出為大宗，四十年一至九月份糖類輸出達美金六千萬元，佔出口總數三分之二。台灣糖業在日據時代，曾有全盛時期，每年平均產量在一百公噸以上。除供應本國需要外，並銷售我國大陸及南洋各地。自日本發動侵略戰爭，台灣糖業即大受挫折。光復以後，經過政府整理，逐漸恢復。去年台省南部發生風災，初慮蔗田曾蒙受巨大損害。及後始知所損甚微，因以去年糖產仍達八十萬公噸。惟台糖雖多，并非世界最大產區。世界產糖最多國家係南美州古巴，年來復大量增產。遂削價在國際市場競銷。去年古巴粗砂糖價格，自每噸美金一〇四・七二元跌至八九・二九元。現古巴尚積存糖一百五十萬公噸以上，故最近國際市場糖價仍難看好，台糖現在主要行銷市場為日本，次為泰國，香港，埃及，西德，黎巴嫩等。惟古巴印尼等產糖國家亦用全力向以上各地推銷。如日本本需食糖八十萬公噸至一百萬公噸，戰後糖市即由古巴糖與台糖所分佔。台灣距日本較近，運費甚少，但仍有半額為古巴糖奪去，乃因台糖價格稍高之故。台灣自民國三十八年起，即實施增產糧食政策，而將台糖產量遞減。當時亦曾為若干人士所指摘，但就今日情形而論，增米減糖，確具遠見。糧食增產後，不僅供給軍糈及民食有餘，去年一至九月份，亦尚有出口，獲得美金一千五百萬元。以距台灣最近之菲列濱及琉球兩地而言，米價即較台灣高出甚多。今年開始實施台灣經濟自立四年計劃，對於糖業方面，只作改良品種，防除病害等設施，並未作增加產量打算，即係顧慮國際糖價如不提高，則農民種蔗情緒必將降低也。

外滙審核未夠周密

台灣外滙收入，既多得之於糖類輸出，因以如何設法使台糖獲得市場，遂為台省之主要課題。為從速獲得外滙計，宜於減價出售，即一般商業上所謂削價傾銷是也。但從蔗農利益及政府預算所列收入不致蒙受重大影響各點設想，廉價傾銷似須考慮。此即為政策問題，當於此次檢討會議中詳加研討。從另一方面而言，無論台糖是否削價，以便急於脫手，其所取得之外滙，自應善為支配，勿使浪費。台灣有數種現象，足以反映現行外滙審核制度并未臻於嚴密：（一）進出口商行特多，凡具有新台幣五萬元者，均可申請開設，此准之權屬於台灣省建設廳。如非因外滙方面有利可圖，台北一地，即不致有數百家貿易行家出現。（二）台灣銀行所發之結滙證，在市場上可以買賣抵押，無形中予投機商人以獲利機會。（三）去年如拳王喬路易來台表演，即准其照官價結滙美金九千元，類此浪費之事亦甚多。雖外滙審核有關機密，但准否應有標準，不能由少數私人關係，任意為之。（四）台灣銀行辦理優利存款，已得人民信仰。存息自每月四分八厘逐漸下降至二分二厘，存戶反而日有增加，最高時存款總數曾達五億餘元。但近來優利存款提取者多，存入者少，其原因係進出口商用黑市利息吸收。如非外滙方面利益加大，何致有此種現象？聞已有人建議重行提高存款利息，以防堵存戶提款。惟如台銀利息提高，黑存利息亦必上升，仍難收到效果，或竟使物價上漲，影響民生。

進口貨上漲

台省進口貨品，近日忽告上漲，以西藥及罐頭食品為甚。但去年一至九月份西藥進口結滙達美金五百二十餘萬元，美援藥品尚不在內，決無上漲理由。牛奶及其製品，亦達美金一百六十萬元，以台省同胞生活之儉約，此數已不算少。然竟有人謂經營西藥等業者去年曾有一時期因物價下跌受損不少，如台北市中西藥房均先後倒閉，現雖回漲數成，尚不足以彌補云云。此顯然為大陸時代興風作浪之奸商慣吏口吻，彼輩最愁台灣物價穩定，無從官商勾結，操縱漁利。如何加強商業管理，改進外滙制度，以安民生，實為急待檢討之財經重大政策也。

中共公文政治盛行

文書滿天飛舞　互相鬼混

據上海解放日報最近根據中共中央的指示而公然刊出的調查報導稱：一般高級領導機關亂發「總結」，「提綱」及統計表格的現象非常嚴重！這些空洞浪費的文書不僅很多很長，而且由高級領導機關直接分發的和逐級分發的常有重複，以致廢紙虛文滿天飛舞，使下級機關成天窮於應付；不是動員演寫，浪費人力，便是捏造虛構，敷衍了事！這說明中共的公文政治，業已普遍盛行；業已嚴重地損害了他們的「行政風氣」和「行政效率」！

總結提綱統計　都為粉飾門面

中共的高級機關（中央部會、大區行政委員會或省市「人民政府」）每在發佈一個任務時，按例要發下此一任務的總結報告及工作提綱的指示。照例要發下許多調查統計的表格，立意，原在掌握任務，檢查執行情況，瞭解實施效果，但一多，一濫，一重複，久而久之，便變成了大同小異，千篇一律的教條和公式，勢必令人生厭而至於頑皮不靈！再加上各級共幹的顢頇，低能，幼稚，和只重數字與任務表面的官僚主義及形式主義作風的盛行，便使這些文書都變成了粉飾門面的東西。例如據江蘇啓東縣一個「民政科長」的反映：去年下半年關於召開代表會議的總結和提綱，該縣就先後收到了前蘇北行署（現已合併恢復原江蘇省）五次，內務部二次，專署一次，共八次之多都是大同小異，但僅僅略加虛飾變更和撰寫，據說就先後耗費了二十多天的時間，動員了十多個文書工作人員。又例如該縣於去年下半年為了「治蝗」工作，便先後收到幾個不同的上級機關的統計表格十二次之多，統來統去，無非都是些動員了多少羣衆，捕殺了多少蝗虫的事。此種統計，縣政府當然弄不清，便須問鄉政府，但實在鄉政府也弄不清，便只有虛構造報。有時候這種統計上面要得急如星火，來不及等鄉政府造報，便只有由縣政府造報了事，不僅談不到準確性，而且往往乘機可以虛張誇大以表飾功績。

統計名目繁多　一級幹部最苦

關於這種無謂的文書之中，要算統計表格最多，其統計的名目，眞是芝麻綠荳，多得不可勝計，而逐級下發，要算鄉村幹部弄得最苦：據該報揭露：現在鄉村農村財產及生產進度的統計最為繁雜，據山東省莒南縣何家店鄉將軍山前村的一個文書員王月吉統計：該村在一年中收到的各項生產進度統計表就有三百餘份之多。他們說：「反正莊稼們幹什麼，就得統計什麼」，「各村里有幾顆樹？什麼樹？值多少錢？村子裏有幾隻狗？雌狗？雄狗？大狗？小狗？居民各有多少及共有多少隻雞、鴨、豬、牛、馬等，以及牠們的性別，大小等等，固然都要統計；即捕鼠多少？滅蠅多少？捕蝗多少？乃至撲蚊多少？捉虱多少？亦要統計。只要一舉一動，幾乎無一能「免予統計」！而且據說這些統計有的是半月一報，有的要反覆統計，有的限期相當急迫：最緩的一兩天就要；稍急的今天發明天要；最急的當天發當天就要。據說由於表格多，內容繁複，時間太促，就造成許多不良的後果，妨礙了日常的重要工作，模糊了幹部的責任觀念與效率精神！而這些鄉村幹部為了填報統計，常常忙得團團轉透不過氣來，差不多每個幹部的公文包中塞滿了各式各樣的統計表，除了開會忙，便是統計忙。有的利用開會時間在搞統計，有的通宵夜裏都在趕搞統計！

辦理等因奉此　已有先進經驗

中共的這種總結、提綱、統計既如此之多，乃使此種文書事務變成了基層機構的一大「專門工作」，特在縣「人民政府」設置了「統計室」，鄉「人民政府」設置了「統計小組」，以專司其事。但起初對這些文件別說窮全部統計人員的才智精力應付不了，即動員其他人員臨時「突擊」處理，也無法如限交代。尤其有些統計，常被上級一聲下來便立等，坐催，急如星火；如江蘇松江縣工商科為出席蘇州專署會議或出席華東會議時，立刻向各「國營公司」要材料及統計數字，限期只兩小時，範圍要一個年度，內容是全縣的粳米、籼米、元米、麵粉、黃荳、鹽荳等所有五谷雜糧的購銷數字，還要劃分零售與批發，當然一時無法統計，既然催得火急，便不得不亂造一下，於是久而久之，一般的下級幹部便通了一「竅」，關於總結、提綱，只要將它編成公式，按其性質，略變數字，照抄一送，即可了事；關於各項統計，則一律付之「估計」，隨心所欲，一填即成，可說既迅速，又便當。這種作風，不僅非常盛行，而且還被稱之為「先進經驗」在私相推廣。因而，現在中共一般縣鄉級幹部中有很多妙語：有的說：「看看老底子，填填新冊子，得知不得知，管他娘老子」！有的說：「收成統計最好辦，好的兩百八，差的兩百六，反正是七大估計，八大可能。」有的更苦笑着大唱其調兒：「表格多來滿天飛，沒有辦法去統計，放在袋了忘了記，不多幾天已作廢，倘遇上級急來令，估計估計報上去！」

中共數字之謎　至此乃告大白

據上述這種情形，現在據解放日報批判，說是一般中下級機關都有，極為普遍，而且說一般高級領導機關並不是不知道這種情形，實在是只重形式以表功的官僚主義在彼此心照不宣，上下鬼混！

中共素來是很講究「數字藝術」而長於宣傳的集團，過去我們看他們常常宣佈的許多不可思議的統計數字雖明知他們在說鬼話，却不知其鬼話從何講起，現在看看他們做總結、提綱，統計的情形，乃已眞相大白！這一面雖說明他們的「公文政治」已極盛行，一面也可以給我們一個啓示，凡事過猶不及，雖在恰到好處。（沈著）

中共地方財經部門各自為政

金庫報解條例在河北行不開

本位主義

河北省是紅朝的京畿區，中共中央機構林立的地方，中央的實權也遠勝於地方政府，但河北省偽財政廳副廳長周政新在中共「財政部」派員檢查該省的財政時說：「河北省是有地方乇義本位主義的。」我們依據他這一句話，再分析河北省與中共政權的關係，推測中共在行政上所劃分的區局，以及省縣之財經部門，不難看出鞭長莫及的中共財政部，在收繳賦稅時的掣肘和困難，同時也看出中共地方與中央之間行政上有一股不協調的暗流。

嚴重反財政制度

北平「人民日報」二月七日載：「河北省財政廳嚴重違反財政制度」的消息內稱：「河北省人民政府財政廳大量積壓和挪用中央收入之款項，並且不認眞執行中央金庫條例施行細則，嚴重地違反了財政制度，河北省財政廳曾積壓農業稅款一千八百一十四億餘元，其中挪用達九百一十億元。一九五○年該廳徵收農業稅（棉花變款）七百七十四億餘元，從一九五一年十一月開始全部存入中國人民銀行河北省分行，並取得兩個月的全部利息。出售棉花時，該廳向中國花紗布公司索取利息一百五十六億餘元。該廳未向中央財政部報告，即作為地方財政收入，一九五一年夏徵代金稅款七十二億餘元，該廳積壓與挪用七個月，秋徵代金稅款九百六十八億餘元，其中有三百二十餘億元積壓六至七個月，四百五十餘億元積壓三個月，一百六十餘億元積壓兩個月，他們並以六十四億餘元存入銀行生息。」

積壓稅款

「一九五二年一至十月份的工商稅款，該廳在每月月初月末都要積壓一部。根據去年十月份的統計，月初積壓工商稅款一天至七天，月末積壓十六天至五十天不等。中央於一九五一年五月間公佈了修訂中央金庫條例施行細則，通令全國各地於七月一日開始執行。但河北省財政廳與分金庫擅自確定：除工商稅外，其餘收入仍按該省一九五一年規定的臨時報解辦法執行，理由是：『下級報財政廳稅款名目雜亂，本廳要進行分類，這是對中央款負責。』其辦法是：省財政廳，糧食局及專賣公司等系統收入的上解款，由分金庫先以暫收科目記賬，待省級收入部門辦理換解手續後始能上解。」

「但，中共中央財政部曾於一九五一年十月十六日指示河北省財政廳，按修訂的中央金庫條例施行細則執行，中央總金庫也於十月二十四日將中央財政部之指示轉給河北省分金庫，而河北省財政廳仍置之不理。」

各自為政

以上述的消息，我們再參考他們頒布的「中央金庫條例施行細則」，來研究他們財政部門各自為政的情形，其細則第八條規定：「各級（省，縣）庫之收款報告，均須於當日填送，上級庫於收到當日，即行彙總報解，不得積壓。」其第九條又規定：「為及時集中庫款，各支庫應將所轄經收處，及本身收入庫款，當日信匯上級分庫；各分庫當日彙總匯解總金庫。」當然，中央與地方之間的公文傳遞，可能有時日的拖延，但在偽政權自稱「效率第一」的，行政系統組織嚴密，執行政策的迅速作風下，公然在這京畿區裏發生這種積壓，挪用鉅款，一至十個月之多的財政部門，能不是一種罕聞的事嗎？

中共自統治大陸，在軍事上，行政上，除了中央統一政令而外，大部份都劃着分區治理的形態，財政部門固然集權於中央的「統一支配」，但，分區治理的形態，不能說不影響中央和地方之間財政分裂，我們再根據周政新對中共中央的辯駁來證明，就可以知道他們財政上各自為政的梗概了！周政新說：「中央不及時撥款補助地方經費，也助長了地方上本位主義產生。」從這個縫孔中，我們又可以看見中共中央的財政窮困，和行政效率上的自誤了！（眷暉）

共軍組自殺艦隊

・丹心・

在蘇聯不斷的製造未來的大戰的過程中，中共對於擴充軍備，並沒有絲毫懈怠，最近中共所轄的各兵種，都在那裏拚湊，補苴，求其加強，因為物質條件的缺乏，在編組與裝備的時候，一律都是本着一個最高原則——以人物來彌縫物力的不足，於是海軍方面便出現了一批自殺性的艦隊。

蘇聯的顧問團

在中共尚未竊據大陸以前，原已整個成立了一枝規模極小的海軍，但因缺乏組織系統和領導，根本談不到有什麼作戰能力。一九五○年三月，中共開始籌劃建立「人民海軍」，成立一個「中國人民解放軍海軍總司令部」，直接隸屬於「人民革命軍事委員會」，由蘇聯派來的顧問作技術上的輔導，戰略、戰術也一併由他們指導。這個顧問團共有四十五人。「人民解放海軍總司令部」的主要負責人：司令員是蕭勁光，副王宏坤，代政委劉道生，參謀長羅舜初，參謀處長李迅生，保衛處長江子為，政治部主任馬寅丙，副費解，後勤司令章海山，副龍戳天，警衛團司令員梁炳坤，通訊營長謝彪，這是中共海軍首腦部門組織的大概情形。

海軍的發展

一九五○年九月中共通飭各地造船廠趕建小型船隻總噸在五萬噸，這是中共立意建設海軍的開端，翌年，元月二十二日開始分撥材料，分配由四處開工，江南造船廠攤造八千噸，是五百噸的砲艇十六艘，大連造船廠攤造三萬四千噸，計八百噸砲艇五艘，五百噸小砲艇三十五艘，二百噸的內河遊弋艇二十五艘，三百噸的小砲艇廿五艘，黃埔造船廠攤造三千五百噸，完全是五十噸的機帆船，營口造船廠攤造四千五百噸，都是五十噸、八十噸、至一百噸的機帆船或登陸用的小艇，是拿來作海軍陸戰隊訓練的時候用的；以上的這些船隻在一九五一年的六月全部竣工；除了這些新造的船隻以外，中共擁有的舊船大概不出兩個來源，一是修復原日被俘、擊沉（包括日艦）、以及投降的船隻，這種船隻的總噸位大約在二萬二千噸左右；再就是蘇聯的贈艦與或租借，一九五○年五月間，中共在大連接收蘇聯移交的船艇共四十艘，另有潛水艇十二艘並不包括在內，一九五一年二月，又在大連接收二十七艘，兩次的總噸位達四萬三千多噸；以噸位來區分中共現在擁有的艦隻，大概是：七千五百噸的巡洋艦一艘，一千噸以上的十艘，七百噸上下的十二艘，八百噸的砲艇九艘，五百噸左右的十七艘，三百噸左右的六十四艘，一百噸至二百噸的五十二艘，以上的總噸位大約是六萬三千四百噸，新造的船隻並沒有計算在內；如果以艦艇的性能來分，則是：巡洋艦一艘，驅逐艦二十七艘，砲艦四十六艘，改裝的砲艇五十九艘，二百噸以下的登陸艇八十八艘，各式輔助艇五十五艘，其餘的都是小型的登陸艇或砲艇了。

中國人的劫運

中共現在分別編組成功了的總共有六個艦隊，以「紅海」、「黃海」、「南海」、「北海」、「渤海」等為番號代字，他的海軍建設的方針，是採取以海岸攻擊防禦為要旨，建設的標準是力求速度高、火力強、不求大噸位及厚裝甲，因為後者必須要有物質條件來支持才可以作得到，這是中共做夢也不能妄想的，於是只好退而求其次，運用鼠竊狗竊自殺犧牲的突擊戰術，以血肉之軀來和艦艇的炮火搏鬥，這是基於中共一貫的「人海戰」的原理產生出來的，所以中共目前已經組成了的艦隊，都是具有「輕」且「銳」的自殺性的特點，他知道到了圖窮匕現的時候，陣地戰的攻防都沒有他施展的餘地，只好來一個「拚」，以求同歸於盡，這並不是中共的強點，而是中國人民的劫運。

鐵幕叢談

儲蓄也要死人

雖然現在大陸的人民已窮得朝不保夕，但中共為了「照顧」人民，特要各地「人民銀行」展開一個「人民儲蓄運動」。可是共產黨彷彿天生就是「白虎星」，不「動」則已，一「動」，便非死人不可，儲蓄也無法例外！

據重慶新華日報透露：許多地區的「人民銀行」都有強迫羣衆儲蓄而至於逼死人命的事發生！例如像合江縣大橋區邵樑，銀行幹部要生活極為艱難的農民李庭雲儲蓄，李不允，他便給他硬派上十萬元，逼他付款，他無奈，不得不將留着的種谷及勉維一月生活的米都賣了，結果便斷了炊，夫妻為此吵架，他妻子一氣便懸樑而死，他一恨乃跳河而亡！

過橋須付過橋錢

河北省順義縣城東有條「潮白河」，河上原來沒有橋，交通很不方便，縣「人民政府」為「照顧」人民，特發動羣衆作勞動服務，架了一座橋起來，照理，這該算得上是「德政」，詎知醉翁之意不在酒，「人民政府」[illegible]錢。他們在橋西派兵站了雙崗，設了售票處，票價是單人三百元，挑担的四百元，驢、馬、牛、車各五百元，無錢休想過橋！稱為「政府」而要收過橋錢，堪稱千古奇聞！

工人安全傷亡多

幾年來在中共「解放」下的「工人弟兄」們因「愛國生產」而傷亡的人數實在多得可觀了！當然，各處的傷亡事件已揭穿，對這些「人民民主專政」的「四大人民階級」之首的工人們，為了自圓其說，自不能不有所「交代」的。於是，總算大張旗鼓地有了一個「安全檢查」，於是各地各廠礦等機構，便都洋洋洒洒地發表了「坦白檢討」及「徹底改進」的大文。但「徹底改進」以後的工人們的安全「待遇」，依舊還是到處死人！其例太多，此處無法列舉，總而言之一句話：工人「安全」—「傷亡」多！

本報各版　歡迎投稿

史大林的「夫人」該出頭了

高方

自由談

史大林的家庭情況如何？卅年來，我們在報紙上很少看到這類報導資料。只知道他有個兒子在空軍服務，亦從來未聞其在政治上拋頭露面，多所招搖。據說：史大林曾經結過三次婚，最末一任的夫人，即是俄共顯要卡崗諾維奇的妹妹。但在史大林有生之年，世人知道她姓名的似乎亦極少極少，可見「史皇帝」平日是不許妻兒濫搞政治活動的！

「史皇」晏駕之後，若依據咱們中國的「唯死辯證法」（藉死人出鋒頭，又可名之為「出賣死人頭」！）「史夫人」似該際會風雲，以政治家的姿態出現了！理由安在呢？你瞧：當孫中山先生在世時，那位「孫夫人」宋氏，不特絕口不談政治，連新聞記者亦不接見的。民國十三年十二月她隨夫在日本神戶，我以上海新聞報駐日通訊記者兼東京國民黨人代表資格請見她，即承婉卻過。孫先生一去世，她登時突變為博學鴻詞的前進政治家，講演著作，鬧個不休，現且貴為俠歌濟吟班的「副主席」了。廖仲愷在生時，何香凝除繪畫之外，對政治「好少理」。李德全一直到馮玉祥喪生黑海為止，從來不談國事。廖馮一旦「瓜得」，她們都搖身一變而成為政治要人。此皆夫死則妻貴之「唯死」辯證邏輯也！

史太太今後如果不發迹，不被一般政痞黨棍捧上政治舞台，形成裙帶勢力，那就證明俄共們的政治技術太蹩腳，還向中共學習看齊纔對。

邵胖子

·竹幕內真實故事·

示且

如以看相算卜者的說法，邵如玉應該是列入非富即貴的一類的，因為他是相書上所謂屬於「南人北相」型的人，不但身材魁梧，生得方頭大耳，腰粗肚肥，比山東老鄉還要高大，而他的出生地是以「師爺」出名的紹興，與邵力子是同村同宗，道道地地是南方人。他的出外做事，也是靠了與邵的一份關係而實現的，

可是，他一生卻始終沒有發達過，一直在所謂清水衙門的銓敍處當一名科員的起碼委任官兒。平時奉公守法，按時上班，從不早退，也還這點好處，他苦熬了多年才銓敍到一份上了級的委官。

好在他沒有多大的抱負，只要能夠平平安安的過下去，公務員的待遇雖少，若生活是沒有問題的，所以他到心安理得做他的事。並且他對於浙江省府的所在地——杭州，有着特別的好感，山明水秀的西子湖，確是使人留戀的。何況他的太太又是杭州人，與老老格好的，他已有了終老斯鄉的打算了。

不過，他雖是容易自滿，安於本份，奉公守法，是他的好地方；但也有他的壞毛病，也因了壞毛病而使他不能「發達」的原因。第一，他與邵力子同樣生成一付如小孩的嗓子，即相書所說的「童音」，講起話來伊伊吁吁，聲調特高，歡喜背後批評張三李四的過錯，撥弄是非，今天說老王如何如何，明天又說小趙怎樣怎樣，惹事生非；另一毛病即是犯了「十個胖子九個富，祇怕胖子沒屁股」美中不足的生相，坐不安位，歡喜串門子，跑人家，夠弱三家說李四的太太出身不好，在李四家說張三的兒子不長進；並且常常在人家面前提起他與邵力子的這份關係，相信他本家一旦做到方面大員，抓住了正印的時候，他也會飛黃騰達的，別小看他現在是一個小科員。可惜邵力子也太不爭氣，除了做過一陣子宣傳部長與參政會的秘書長外，沒有正正式式的當過政府官員過，連帶使邵如玉也有懷才不遇之嘆了。

三十八年中共佔據了大陸，杭州於五月間落入魔手，浙江省府未隨政府撤退人員，大家都感到岌岌可危，不知將遭到怎樣的命運。只有邵如玉一人暗自高興，滿以為這下子可以翻身了，至少他比一般同事有着優越的憑藉，單是以邵力子那股靠攏的勁兒，毛澤東是會給他大官兒做的，邵力子如果做了「人民」官，他邵胖子還會不能靠「人民」吃飯嗎？再說共產黨倘使清算起政府人員來，他可以抬出邵力子的招牌來，共黨是會給他三分情面的。正當邵如玉在向中共的軍政會報到登記後，就在家中靜候佳音時候，一天，戴八角帽的歪了舌頭講北方話共幹登門造訪了，說是要了解邵胖子的情況。

邵胖子聽說要了解他的情況，正是深合孤意，他就操蕭紹與官話，向共幹滔滔不絕地將他與邵力子的關係，說得一清二白，自小時候如何由他父母帶了他去見邵力子介紹生意起，一直到他對這位「民主人士」如何五體投地為止，足足說了三個鐘頭。

這位共幹聽了邵胖子的坦白後，認為很滿意，表示在他報告上級以後，不久可以有通知給他。

過了三天，一個勤務員送來了份通知，要邵如玉於接到通知後三日內前往軍政會。

次日，邵胖子滿懷希望，興緻沖沖地到達了軍政會，經過了傳達登記的一番手續，由一個勤務員將他帶到了一間門口掛着「談話室」黑底白字招牌的房中，裏面已經坐了三個幹部，右面這個即是到過他家中的南腔北調的人，以手示意要他坐在面對他們三人的小凳上。

為首向他講話的是坐在右面的這人，說：「邵如玉，日前的坦白，上級認為還不夠，沒有將他過去如何對待人民的事說出來，並且認為他一定有很多為害人民的事隱瞞着，要他再坦白一番。」

因為按照共幹們的想法，認為邵胖子必是一個養尊處優，營養豐富，平時不知吸吮了多少民脂民膏的，否則，他怎麼會生得腦滿腸肥，白白胖胖呢？可能他即憑了與邵力子的關係，作過對不起人民的事的。正是一個清算的好對象。

邵胖子聽了共幹的話後，很覺意外，除了絕口否認他有對不起人民的事外，並說可以請邵力子替他作證。那知道坐在中間的這個共幹，沒有等到他講完，即破口大罵，指着他說：「你這個反動份子，到今天你在人民面前竟敢拿邵力子來壓我們，可見你過去是如何的狗仗人勢了！不給你吃苦頭，是不知人民的厲害的。」回頭即要左面的共幹將邵如玉送勞動營改造。

從此，邵如玉在勞動營做着他從未勞動過的苦役，挑水掘地，一天廿四小時有十四小時是作着工，還有上大課，開小組會，睡覺吃飯的事在共幹們認為是對他的一種恩惠。

經過兩年的改造，邵胖子終算出頭了，放了出來，但是他已什麼都沒有了，老婆兒子不知去了何處，嘗盡千辛萬苦，他逃到了香港。

我有一天在街頭遇到他時，假如不是他先招呼我，我是怎樣也不認識他的，因為他已瘦得不成人形，骨瘦如柴，乾枯的臉上，掛上兩行眼淚的，他向我說出了他的經過。

略談杜甫（八）

·舜生·

杜甫由秦州赴同谷，再由同谷赴成都，各有紀行詩十二首，他在經濟萬分艱難的情況之下，不得已攜帶家小，作此長途旅行，心理上雖不無鬱鬱，但究竟還有一種詩人的浪漫情緒，因此他把所遭遇的困苦，一切發之於詩，雖是那樣的陰沈，卻仍是那樣的瑰麗。

『……日色隱孤戍，烏啼滿城頭，中宵驅車去，飲馬寒塘流。磊落星月高，蒼茫雲霧浮，大哉乾坤內，吾道長悠悠。』（發秦州）

這是描寫他從秦州出發時的那種情景和心境，態度畢竟是很雍容的。

『……山深苦多風，落日童稚飢，悄然村墟迴，煙火何由追？……』（赤谷）

『……徑摩穹蒼蟠，石與厚地裂，脩纖無垠竹，嵌空太始雪，威遲哀壑底，徒旅慘不悅，水寒長冰橫，我馬骨正折。……』（鐵堂峽）

『行邁日悄悄，山谷勢多端，雲門轉絕岸，積阻霾天寒，寒硤不可度，我實衣裳單。況當仲冬交，泝沿增波瀾，野人尋煙語，行子傍水餐，此生免荷殳，未敢辭路難。』（寒硤）

『……神傷山行深，愁破崖寺古，嬋娟碧蘚淨，蕭摵寒籜聚。洄洄山根水，冉冉松上雨，洩雲蒙清晨，初日翳復吐。……』（法鏡寺）

『……岡巒相經亙，雲水氣參錯。林迴硤角來，天窄壁面削，磎西五里石，奮怒向我落。……』（青陽峽）

『細泉兼輕水，沮洳棧道濕，不辭辛苦行，迫此短景急。石門雲雪隘，古鎮峯巒集，旌竿暮慘澹，風水白刃澀。胡馬屯成皋，防虞此何及？嗟爾遠戍人，山寒夜中泣！』（龍門鎮）

『連峯積長陰，白日遞隱見，颼颼林響交，慘慘石狀變；山分積草嶺，路異明水縣，旅泊吾道窮，衰年歲時倦。……』（積草嶺）

『朝行青泥上，暮在青泥中，泥濘非一時，版築勞人工。不畏道途遠，乃將汨沒同，白馬為鐵驪，小兒成老翁！哀猿透卻墜，死鹿力所窮，寄語北來人，後來莫匆匆。』（泥功山）

他所走秦州到同谷的一段，我不知道自來的詩人還有人走過沒有？經他這樣一寫，乃如一幅一幅的畫圖，逐一展陳在我們的面前，到今猶不難閉目凝想他當日所遭遇的那種苦況；可是我們的詩人呢？他還是一則曰：『此生免荷殳，未敢辭路難，』再則曰：『嗟爾遠戍人，山寒夜中泣，』忘了自己的痛苦，去想像別人的痛苦，真所謂『溫柔敦厚』之至了。

蒼竹樓隨筆

談美國娛樂（中）

雪夫

（五）雜耍，常附設於電影院內，有技術的，刀劍拳棍，節目很多，也有單獨表演的，輕歌曼舞，靈巧和和馬戲相彷彿的。外國鄉下老和閒散的太太們是他們心目中的天使。（六）最下等的是中國人呼為「大腿館」等的，這是一種脫衣舞，有跳舞也有唱歌，管樂拉得起勁，場子里空氣比較緊張，場子裏有一種帶歪帽子沒有領結的白相人兜攬下等生意，這種地方座價僅數角，上等人掩鼻而過。

提起大腿館，去年曾發生一件小風潮：因為音樂師拉得太起勁了，使嘹亮的樂音一陣陣吹進，到鬢髮皆白的牧師們的耳裏，他們安寢在床上，越想越睡不着，樂聲越洋洋盈耳，祈禱上帝沒有用，警告不中用，於是紐約市長辦公室就來了許多氣沖牛斗的老牧師們。

「市長，你是負責維持治安的，請你不要使我們再過這恐怖之夜吧！感謝你如同感謝我們上帝。」他們氣咻咻向市長提出要求。老練的市長知道法律並無取締大腿館的一條，可是當着這許多年高德劭的牧師們又不好意思不答應，剎那間他得了個主意。當牧師們離開他的辦公室，他立刻傳見許多大腿館舞女們的家長說，「什麼事不好幹，何必要你們的女兒做這下賤生活」？「是的，市長，我們一定依從市長命令，不再讓她們再繼續這下賤生活了，但是有一件——給我們麵包吃！」市長擦了一鼻子灰，惱羞成怒，居然以擾亂夜航安寧為名，封閉了許多著名大腿館。但是經過他們依據法理請願後，大腿館依然復活，而且音樂師們拉得更起勁，好像給老牧師們開了個嘲笑。畢竟西方是自由世界，市長也無如之何，老牧師們也無如之何。

中國之友（七〇）

毛以亨

李提摩太傳（十四）

李鴻章與官紳合辦天津時報，由李氏為主編人。他所撰論說，皆為鼓吹改革者，並附一週刊，將各國人口、鐵路、電報、商業，製成圖表，作一比較，以示中國為最落後的國家。促成智識分子面對事實，而起改革，宮廷督撫均閱此報，張之洞且來電定購。時俄皇儲由西伯利亞鐵路通車典禮而至遠東，擬來北京，朝野震恐，李氏乃撰歐洲元首互相訪問之例，以袪其惑。

一八九〇年倫敦浸禮會派代表二人到中國視察，一為DR R. GLOVER，一為REV. W. MORRIS。他們發現山東區無人不喜歡李氏，乃告以教會確需要彼，故請其自己考慮，教會對彼是歡迎的。是年五月DR WILLIAMSON病歿上海，其人為DIFFUSION OF CHRISTIAN AND GENERAL KNOWLEDGE發起人，該會要求李氏繼任。時其所辦之報刊以虧本而不能維持，而上海較天津易流通，宣傳易于生效，所以他自己亦願意担任這事。惟該會所有捐款均用以印書，辦事人員薪水無從出，須浸禮會給以薪水始能前往，而浸禮會卒允之，期以三年為限。李氏遂于一八九一年十月到上海就祕書職，該會改稱THE CHRISTIAN LITERATURE SOCIETY OF CHINA簡稱為C.L.S.。至以李氏在中國已二十年，流浪的傳教師生活告終，而開始渡其經常的創造生活。

十二、在上海担任的工作

中國聖書會于一八八四年成立于GLASCOW，一八八七年始在上海設有分會。後由DIFFUSION OF CHRISTIAN AND GENERAL KNOWLEDGE接辦，繼承其財產，簡稱為SDK。創辦人WILLIAMSON係李氏在烟台老友，其目的以基督真理，用中文，中國人觀點，及中國人思想方法合用，冀以影響中國之上層階級。一八八九年發行萬國公報月刊，主編人為DR. Y.T. ALLEN，又編中國青年，主編人為D.S. MURRAY。一八九〇年，以經費支絀，將印刷所賣給漢口之蘇格蘭聖經會，是年八月WILLIAMSON卒。

該會會長為赫德，從一八八八年起至一九一一年死時止，副會長為滙豐經理C.S. ADDIS，直至一九〇九其離開中國時止。李氏專任文學工作，而萬國報主編為DR ALLEN，兼職滬江中學校長，僅能費其一部分時間于此。有一德籍教士名FABER者，為一富于幽默的學者，他後來脫離，于一八九九年死于青島。他著文化一書，將中國文化與基督文化相比較，在香港出版。SDK得其同意為之再版。PAULKRANG于一八九三年任FABER助理，于一八九五至一八九七年代理李氏為該會祕書。DR E.T. WILLIAMS于一八九五至一八九八年在南京FOREIGN CHRISTIAN MISSION服務，主編MISSIONARY REVIEW，其夫人頗助之。

發表慾

健軍

前月在一個偶然的機會裏，與一位朋友閒談起寫稿子的問題，我問他近來是否常寫文章？（因為我知道他是一位文化工作者，）他答說不。我覺得很奇怪，以他在文化界的關係，寫點文章是不愁沒有機會發表的，同時，我知道他底環境也是很清苦的，文章而自己能刊露人家的篇幅裏，找點稿費之助，我覺得這在勇於發表，熱於發表，狂於發表的香港文化圈子裏是一個反常的怪現象，於是我又奇怪地問他，是否對寫作沒有興趣了，而他底回答卻又是反面，他說他不僅沒有放棄寫作，而且還在這方面變本加厲地苦幹着，最後他告訴我，他在寫一些不求發表的文章——文章寫好了，在能發表的情形之下而不發表，尤其是在這小小的天地，此時此地，使我百思不解，祗好以『文怪』名之——好的文章不肯發表（很少）固然是文化界的損失，而在女人身上摸索真理的文章，在亂刊亂登又是否是文化界的造化呢？這個問題很深，我不想下斷語，不過我總想發表文章如同其他天才表演（TATENT DISPLAY）一樣，同是屬於人性慾望之一，是無可厚非的，但也就因為它是慾望，我們才應當加以克制，成熟的作品，可以傳諸眾人，美的人生境界，使之容易臻於真、善、美的東西，自己最好還是加以鍛錬，或予以揚棄！免得貽人害己，我常佩服左舜生先生的著作態度，他曾說過他每於文成之後，常自己詳加校閱，再交給夫人和他底朋友看過後再行發表，像這樣治學嚴肅的態度，才稱得起對人對己的負責，文豪如托爾斯泰，他還力主多看少寫，上月在星島的燈下剪影錄裏，看到一條『下筆的條件』的箴言，它說除非一個人對某種事情有真知卓見，而在非要動筆的情形之下，不要落筆，像這種克己的態度，才是為學的法式，今日的『文豪』和『作家』們那個不是勇於成文，而怯於毀文，寫到這裏，這就是亂世文章的悲哀！我不禁自心底深處對這位能寫文章而不求發表的朋友泛起一番敬意。

中華民國僑務委員會頒發登記證台數新字第一零二一號

自由人

THE FREEMAN
（半週刊每星期三六出版）
（第二一四期）
每份港幣壹毫
督印人：李光華
社址
香港高士打道六六號
電話：二〇八四八
GLOUCESTER RD.
HONG KONG
TEL: 20848
承印者：東南印務出版社
地址：高士打道六十四號
台灣特派員辦事處
台北市館前街五十號
台灣總經銷處
台北中華路新號五九四之一
台灣郵政劃撥儲金帳
九二五二號

從日本政局想到我們的國民大會

左舜生

日本議會對吉田內閣通過了不信任案，吉田不承認他自己有錯，毅然把議會解散，訴諸全國民意，再來一次選舉；假如選舉的結果，吉田的自由黨依然在衆院獲得多數，他當然可以照常組閣，否則便只好讓給別人。議會有權不信任政府，政府也有權解散議會，這在日本六十幾年的憲政史上，只是一種家常便飯的行為，換言之，亦即一種憲政軌道上的普通行為，絲毫值不得驚異。

學習民主的過程

可是，話雖如此，日本其所以得着這一點民主基礎——即人民有不信任政府之權，也還是經過長期的奮鬥，同時因為過去的憲法上，依於歷史的演進，使他們的軍閥擁有一種特權，以致使得一個絕對合乎民意的政府，到底無法成立，即成立亦無法久存，而釀成一種軍閥獨霸的局面。這便是七年前日本遭受一次慘敗的基本原因。這些事實，到現在為止，還是很新鮮的留存在我們的記憶。

日本在美國的管制之下，經過了六年，可以說他們已在進一步的學習民主，自從實行這部新憲法以後，總算是兢兢業業，不敢稍有踰越，甚至要正式的重建武裝，重光葵等也主張非修改憲法不可。本來，日本的新憲，確實是不許再有武裝的，既要重建，當然非將憲法修改不可，就憲談憲，毋寧說重光等這種態度是很對的。

下屆內閣的局面

就另一方面看，吉田這一次的挫敗，從某一意義上說，實在是由於他之昧於國際大勢所使然。上次選舉的結果，自由黨在衆院並不是絕對的多數，而黨內且有問題，同時日本急待處理的大事，例如修改憲法，重建軍備，以及形成一舉國一致的外交政策等等，以日本現有政黨分野的情勢而論，至少也非聯合兩黨以上成立一聯立內閣不可，吉田不此之圖，還是一本過去的態度，逕情直往，其引起這次的不信任案，寧非事理之當然？

我們現在不妨姑作一種預言：此次選舉結果，無論是否仍由吉田以首班資格繼續組閣，或由鳩山重光合作組閣，日本今後一次的內閣，無疑的總是聯立的，不是聯立，則無論由任何人來獨當一面，日本的政局還是無法安定得下來，一切對內對外的重大政策，也無法確立得起來，這是一定的。而且這次的聯立內閣一旦成立，還可能延續到一個較長的時間，假定在一兩年內，整個世界或亞洲無一局部不幸發生其他的變化，日本除掉以一聯立內閣的姿態去努力應付以外，也更無其他的善策。

以上是就日本目前情勢所有的一種看法。

召開國大問題

聽說台灣有在本年內召集國民大會之說，以時考之，大概是勢在必行。假定依據某種解釋，即令國大代表能出席的去法定人數甚遠，但，只要除去附共，死亡以及行蹤不明的等等不算，則事實上的法定人數是不難達到的。不過話雖如此，假定選舉總統的法定人數可以夠，是不是修改憲法的法定人數也可以夠？一旦法定人數夠了，則國民大會便是中華民國的最高權力機關，斷不能由任何人出來說：這次的國民大會只能辦理選舉，決不能修改憲法，因為確實沒有任何人能具有這種權力。自然，我也懂得，依於黨派的運用，也還是可以做到只辦選舉，不改憲法的。我個人平日的立場：只要這部憲法一天沒有動，我便主張絕對的遵守，可是行了這幾年的結果，根據現行的這部憲法，中國乃決無實現民主的可能，因為它雖沒有明明規定政府可以不信任人民，但人民卻沒有絲毫的權力可以選擇他們認為可以滿意的政府。凡立法院監察院可能行使的職權，也只能例今天這樣為止，決不能有尺寸的前進一步。換言之，即令在人民心目中，認為中國未來的事變，絕不可知；政府所負的責任，空前重大；可是人民希望實現他們一個較近理想的政府，乃於法無據。假定政府確實賢明，自然是如天之福；如其不賢，則人民除安命樂天以外，也別無其他可以改弦更張之道！中國人要求實行憲政，總算也有了五十年的歷史，但不幸所得的結果，不過如是如是，天下事之可悲，寧有更甚於此者？

因為看見日本的政局又在動盪之中，因而聯想到我們未來的國民大會，在這裏所提到的，只是一個發端，以後我們還非密切注意這個問題不可。

△最近在河內區向黑河出擊的法軍▽

義大利新法西斯組織

·飛鴻·

西德新納粹份子的活躍，自英當局大舉逮捕其七名主要首領以後，已暫告隱沒，這七人，被控企圖恢復納粹式政權，審訊即將開始。但在義大利，新納粹活動，卻還沒有遭受嚴峻的壓制，在上一次地方選舉中，義法西斯黨曾獲得出乎意外之勝利，這種趨勢嚴重的威脅到基督教民主黨政府，加斯貝里總理不得不考慮予以制止，目前義國現政府的政策，雖然反共是付出最大代價，可是也難不顧法西斯黨的還魂。法西斯主義所以抬頭，還是與社會貧困，失業問題有關，在二次大戰剛結束時，任何一個義大利人民，都諱言與法西斯政府有關，有的縱然因事實具在無法否認，也再三聲明當時是迫於環境是如何的不得已。

對付共黨的極端意向

可是在今天他們已經轉變了，幾乎衆口一辭的都在憧憬着墨索里尼時代生活的幸福，而對目前的局勢失望，尤其是蓬勃的共產黨活動，也開始感覺到憂慮，潛意識中好像認為只有法西斯黨的快刀斬亂麻手段，才能對治了這個民族的痼疾——共產黨。這些都是促使新法西斯黨抬頭的原因。

最早出現的法西斯政黨，是以琪亞尼尼為首的平民黨，他們的政治主張是提倡組織行政國家，由專家統治，排擠政客，黨員都是戰時和法西斯有關的人民，當反法西斯黨提出攻擊時，他們的理論是完全為了國家利益而工作，不管何人執政，對政治都不發生直接興趣。這種溫和作風，當然引起內部極端份子的不滿，於是他們脫離了平民黨而促成義大利運動與民族的民主社會運動，這是完全承襲墨索里尼政策的，雖然其也有不同的見解，但究竟是大同小異的。

墨索里尼陰魂未散

極端派的領袖是派脫里西，他們對時局看法是極端偏狹與自私的，他們認為上次大戰的負責人是羅斯福，德義之所以發動戰爭，完全是凡爾賽和約帶來的後果，指策動投降的義王利奧波得三世及巴多格里奧與首相是賣國賊，他們依然崇拜墨索里尼，認為他有不可抗拒的魔力，能使義大利人民團結在一起，對於墨索里尼的政策路如職團的理論，認為也是「放之四海而皆準」的真理，其次如恢復舊日的威信和部份殖民地如的里雅斯特，白里加和坦達。但是他們也有不贊成墨索里尼的政策部份，如領袖政策及箝制新聞自由，這是一個道地承襲墨索里尼政策的一羣人物。不過他們如同一九一九年一樣，很巧妙的隱蔽起來真面目，因為若公開主張獨裁制度，當然是干犯刑法，超出政府的容忍之外。

黨員四萬餘人

這一個政府黨的核心為四萬左右法西斯份子所組成，他們多數是在勝利後度過監獄生活，由於大赦及自相矛盾的立法或法庭的有意寬容而被釋放出來的，許多被判死刑的法西斯黨人，往往一夜之間被釋放出來，可担任原有職務而補領薪水，另外，也因為失業和生活的困難，一般善良的人也紛紛加入這個組織，他們相信派脫里西所開出的支票，那是一個美麗的遠景，最低限度可以回復到墨索里尼的時代。

義大利的法西斯組織除去公開的政黨外，尚有許多祕密組織，有些完全是地方性的，有些在多數城市中有中央機構與辦事處，在後一類組織中，革命行動棒喝團是最重要的一個，這是在一九四六年十月二十八日即墨索里尼進軍羅馬奪取政權的二十四週年紀念日所組成。祕密出版的革命報刊出一個宣言說：「為了使一直從事於保衛墨索里尼原則而奮鬥之各祕密團體重新集中力量的最高利益起見，我們今天組成了革命行動棒喝團。」為了籌募基金，「革命行動棒喝團」正在暗中與當地的民主法西斯黨合作，民主法西斯黨曾因偷走墨索里尼屍首而在國際間名聞一時。它的機關報是「法西斯鬥爭」，義大利許多有錢的工業家仍希望恢復法西斯的君主政體，他們是該黨主要經濟援助者，去年六月間，警察曾逮捕了幾位「棒喝團」的團員，次日祕密報紙「墨索里尼」卻公開宣告，「最高當局已能控制局勢」，強調組織方面毫未受到打擊。

受西班牙組織資助

與「革命行動棒喝團」有密切關係的，是另一個叫做墨索里尼行動團的組織，據說這個團的經費，一半是由西班牙長槍會贊助的，團員也多是參加過西哥牙內戰的份子，僅僅一個米蘭城就有十六個法西斯性的團體。許多保皇黨領袖與法西斯將軍都誇耀他們的成就，已能掌握一部巨大的力量，必要時可以開始作戰。與「革命行動棒喝團」反墨索里尼行動團有密切關係的「反共救國軍」，據說能召集二千武裝人員，另外還有一個規模龐大的「反共愛國者團結同盟」，本身還掌握有一間祕密的軍火工廠，他們揚言可從美國獲得幫助，這些組織彼此之間都有橫的連系，行動時是可以統一的。其中有一個領袖說：在美蘇衝突中，他們的計劃是：「（一）法西斯主義將保衛美軍的後方，解散共產黨以防止共產黨的怠工（二）美國將給還我白里加，坦達和的里雅斯特，及殖民而全力支持義大利社會主義運動。」

義大利的警察局政治部，對這種事情知道的很清楚，但是始終未曾怎樣注意，在過去加斯貝里的看法是一俟社會安定，人民生計得到滿足，這種組織就會自動消滅，另外也不願為此得罪許多支持法西斯主義的工業家，因為他們同基督教民主黨都有密切的關係，這種組織若在美國或者不易滋長，但在義大利卻就不同了，目前的地方選舉，已露端倪，加斯貝里將採何種手段對付，他又能採取何種手段呢？就很難說了。

一週展望

·雷嘯岑·

克拉克應看看香港台灣

韓境聯軍統帥克拉克到越南訪察當地軍事情況，這顯示着亞洲反共的軍略日趨集體化了。美英法澳紐五政府早已舉行軍事聯防會議，克帥訪越，大概是執行聯防協議的初步計劃。所謂「亞洲軍」之組織，自由中國，南韓，日本這三個國家必須負主要任務，而泰國，菲律賓和越南，自亦在戰鬥序列之中，香港即是「亞洲軍」的重要據點。無論從軍略觀點着想，或從心理作戰的戰術方面着想，克帥此行，如不順便到香港台灣看看，那就祇是表示為着對越南軍援的單純作用，其意義是有限的！

工黨亦歡迎狄托

狄托在英倫受到政府當局的盛大歡迎，這是國際間應有禮儀，不足為異，可詫異的是議會裏那羣工黨議員們。他們平日裝着「民主社會主義者」的面具，攻訐極權政治，說某國政府是專制獨裁，某國政府又是法西斯的反動政權，嘵嘵讕咋，儼然有价事。但對狄托卻表示不勝歡慰榮幸的心情，無話可說。大概在這羣「社會主義先生」的心目中，認為狄托是世界上最「民主」的政治領袖，因為他是掛着「社會主義」的招牌！毛澤東也是掛的「社會主義」招牌，所以，前兩天艾德里和貝凡二人在議會裏，一個詰問艾登為何不請中共到聯合國充任常任理事？一個要求撤銷對中共區加強禁運的法令。

只要是口稱「社會主義」，且與英國利益不妨礙的話，即使其暴政超過秦始皇帝，人民被奴役屠殺到無噍類，在工黨人物看來，都是最「民主」的政權。這就是自命「民主社會主義者」的臉譜！

史蒂文生訪問台灣

美國民主黨要人史蒂文生已由南韓到達台灣。他自稱這次是以「失業者」的身份來亞洲各地遊歷，考察當地各種情況。

民主黨要人們，過去對台灣的地理價值一向是重視的，對台灣的政治和軍事價值，卻言人人殊，不免有「早晚時價不同」之純主觀的估計，因而產生了所謂「等待與觀望」政策。史蒂文生是民主黨頗有學識與才智的一位領導人物，這次到台灣實地訪問，身歷其境，目擊一切，當能瞭解其真象，去蔽解惑。

我們盼望史氏能在台灣多留幾天，對自由中國的實況有深刻觀察，好將台灣各方面的成就，跟亞洲其他各國比較一下，看看與一般人所想像的事實，究竟有無距離？

駐新疆共軍調防華南

近日消息，中共已機調駐在新疆的部隊移防華南各地，這是可信的事。共軍原有精銳，已在韓戰中消耗殆盡，只剩下屯戍西北邊區的王震所領人馬，算是「老本錢」，尚有作戰經驗，其他的新兵和「公安部隊」，儘管多至幾百萬人，都是不頂事的。台灣尚未實行反攻，韓戰依然不進不退地在休息中，民主陣營只不過使用一點冷戰攻勢，中共即已心慌意亂，要動用僅餘的「老本錢」了。若一旦台灣大舉反攻，聯軍在韓境亦加強軍事壓力，它能支持得了嗎？

史大林豈能像農民？

俄國駐法大使近日正式奉命向法共總部提出抗議，指「法國文學報」所刊出的史大林畫像好似是農民一樣，認為對「全世界勞工階級的偉大領袖」有失敬意！

農民在共黨人的心目中，是保守而且反動的階級，終歸要消滅的！豈但史大林的形象不能像農民，所有一切大小共幹，即使他是地主，土劣，軍閥，官僚，或者是書香子弟，地痞流氓出身的，也要隨時以「工人」姿態出現，纔算是「革命英雄」哩！

共產黨人的「唯物辯證哲學」就是這麼一套，則此亦可理解他們的「土改」政策，是革命？還是坑人？

馬來聯邦撤銷通緝賞格
匪首行踪撲朔迷離

國外通訊

馬來亞的剿匪軍事已而臨決定性的階級，聯邦軍警的掃蕩和搜索工作並不因此稍呈鬆弛。當局於三月一日起撤銷了懸紅購緝的賞格後，人們對馬共首領陳平是否已經自首或是已逃往北平成為一大疑問；李明是一個很平凡而未獲充分教育的未婚女人，並不如匈牙利所指的匪首，辟麗碧丹雖已改判終身監禁，華僑們仍認為是不公平的。

馬來亞的緊急狀態存在與否，對馬來亞之獨立建國具有決定性的影響。現有充分的徵象反映出這一個動員全民的緊急剿匪措施已有迅將結束的可能。

剿匪臨決定性階段

二月份的剿匪，可謂最平靜的一月，雖然也曾接觸達九十六次之多，但僅及去年同時期五分之一；而被消除之匪徒共為一百零七名，其中死五十五，投降三十六，傷者十五，被俘者一人；保安隊死亡一人，特警傷三人，軍士傷一人，平民死八人，失踪二人。此為一九四八年剿匪開始以來傷亡最少的一個月份，五年來的被殲共匪數字，已達三千九百十二名；殉職之官軍與特警一千一百五十九人；平民被匪殺害的竟達二千一百八十四人。從數字上看去，馬來亞的恐怖匪徒固如一九四八年當局宣布僅有五千名的話，現時可說已經沒有了，然而從許多迹象看來，馬共匪徒依然還沒有徹底根絕的可能，因為投降、被俘與殲滅的數字事實上早已超過五千。雖然目前僅存於馬泰以及馬越邊境的匪徒究竟尚有多少無從統計，一般相信已不若已往之多。顯然已面臨決定性的階段，但當局的掃蕩和搜捕工作，並不因此鬆弛。

謎一般馬共匪首陳平

儘管在許多被捕及投降的恐怖匪徒是受共黨指揮的，在他們口供中很少供出他們的首領是誰，事實上他們確實是並不曉得，這是馬共組織特殊，層級負責的緣故。民間也很少有人傳說。英國聯邦欽差大臣鄧普勒說：「無論從新聞紙上，或是恐怖匪徒中很少發現到馬共黨魁的名字，陳平這傢伙確是太神祕了。」這一個現年三十二歲在星馬擁有甚多的恐怖分子的匪首，一九五一年曾經被當局下令通緝，懸賞八萬元叻幣來購買他的頭顱，不久以後從八萬元增加到二十五萬元。但是，陳平依然藏匿於森林中指揮着他的黨徒作戰，和在星馬製造堆積如山的恐怖案件。到了上月終，聯邦政府突然下令於三月一日撤銷對陳平的通緝有效期間。這究竟是說陳平是被捕了呢抑是已經自首，當局既沒有明確說明，亦不作正面答復，鄧普勒說：「倘若宣布了陳平的下落，就無異告訴了亂人說，我已經知道你們在那裏了。」於是就有人猜疑到陳平可能已向當局自首，如果是逃往北平的話，懸紅的賞格決不會突然撤銷的。聯邦的緊急新聞官說：陳平最後之一次被人發現係在一九五零年於彭亨州南部的文德甲地區鐵道附近森林。（司徒）

政院檢討會結束

台灣通訊

行政院檢討會議已閉幕，蔣總統曾於閉幕日到會致詞，陳誠院長亦有極詳盡切實之結論。我國多年以來之行政問題，與其說是政策問題，毋寧說是行政技術問題。政策當本於主義及國情需要，為人人所熟知，但如缺乏行政技術，則任何優良主義與完美政策，均將落空。蔣總統最近曾再三再求行政人員注意技術：一為與共匪鬥爭的技術，一為治理政務的技術。台灣年來的進步，在政策領導的正確；而不足者，即為執行技術的落伍。

檢討後要有獎懲

行政院此次檢討會議的內容，未見公布。但就陳誠院長的講詞中，可以看出確曾發見了若干問題並有決心謀取問題的解決。民間的輿論則希望於檢討之後，所發見的利弊得失，能明確的指出其責任之所在。有關於政策部份的，如果決策錯了，決策的人應該負責引咎。如果決策沒有錯，執行的人錯了，則執行的人應該受到應有的處分。

外交陣容要加强

就自由中國今日的情形看，內政的進步顯然勝過於外交。但作為反共抗俄集團的一份子，則國際的關係似不能不更為注意。一般人以「求其在我自力更生」等話自勉，但這只可以作為自勉，決不可因此就輕忽了外交方面的工作。一年以來，各國在自由中國的外交陣容大為加強，幷且有日益增盛的趨勢。但我們在國外的外交陣容如何，似值得加以檢討。如居於歐洲重要地位的法國，迄今還沒有正式的使節。許多國家，或者是一人兼了兩三國的大使，或者也都付闕如。自由中國很重視華僑的力量，但若干地區的領事館都沒有恢復，或者予以充實。沒有使領館的設立，華僑的利益由誰保護？華僑的力量何能集中？再者，今日的外交觀念已經與以前不同，並非專會講交際應酬的人就可以使於四方，關於外交官的人選似乎也應該有一種新的考慮標準。

團結問題不宜緩

在對內方面，團結問題也不宜再緩了。這個問題的現況，不是政策問題，而也是技術問題。七全大會的宣言與政治綱領中都已表明了中央對於團結的誠意，但時忽半年，卻還沒有進一步的行動。誠然，在今日講團結，與抗戰時候不同。抗戰時候尚在訓政時期，只要國民黨一黨表示願意還政於民，就可使各方的力量集中起來。還政於民本是國民黨的宿志，只有時間遲早的問題，並無應否的問題。今日則已步入了憲政時期。有全國一致奉行永矢咸遵的憲法；中央政府係依據憲法而產生，任何人不能在憲法之外有所希冀。惟為了團結一切反共的力量，並不是不可以在憲法之下，覓取方案。如果國民黨真覺到各方面的人太多，儘可先分業邀請，舉行座談會，如工商、文化，教育，新聞，等等各界人士，及過去曾在軍政方面負責着有優良聲譽的人，可以先後會談。最後再舉行綜合談話，共同制定反共建國綱領。中立化已解除了多日，反攻的號角隨時可以響起來。團結問題應當是最高行政當局所急求實現的一件大事了。

暗殺首領在星越獄

【星加坡特訊】一個細雨迷濛的夜晚，警方出動全班人馬，實行環島搜查，結果那個犯案累累的黃福官已消失無蹤，而懸賞二千元的賞格，雖然有很多人希望拿到手，卻非常渺茫。

平時拉車

黃福官的另一個名字叫黃鐵鋒，他今年廿七歲，在抗日戰爭中，投身共黨參加過戰爭。這一個福州人在戰後一直被共黨利用，作暗殺的勾當，身高五尺七寸，面孔瘦削像骷髏。一九五一年間，警方查出了他的底細，是共黨派在星洲組織祕密暗殺團體的領袖，以為這是一個了不起的人物，誰也不知道他平日拉人力車作掩護的。去年六月十一日那一天，他打算把一輛行走市區的巴士放一把火燒掉，卻沒有成功，剛巧有一輛巡邏車駛經亞伯街把他逮捕了。這也是一個巧合，人們說是「天網恢恢，疏而不漏。」

犯案累累

黃福官被捕之後，他並不否認過去市區所作所為的恐怖事件以及政治性的謀殺，沒有一件不是他所做的，有的是直接由他自己動手，有的指揮他的黨徒所為，那山積的案件，每一件都承認了，原先這一個重要的殺人兇手是被拘禁於樟宜監獄，到了上月間他的肺病一天一天嚴重，就移拘到中央醫院監獄去，使他能夠在獄中醫治。而那一個中央醫院的監獄設備是非常周密的，而且監獄也不能算疏，窗子上的鐵柵也很粗，有十二尺長，窗外的圍牆也有四丈多高，這種設施除了外來的力量之外，內部絕對不會發生變化的。可是，四日那天夜晚光景，大約七時至九時，黃福官竟越獄逃走了。消息傳出，誰都非常驚異。警方在出事之後，曾經出動全體警探作了一次環島性的搜查，可是，這一個犯案累累的暗殺黨魁，已失去蹤跡了，現在正擴大搜查範圍，並且懸紅二千元叻幣賞格，凡是任何人將他拿獲，決以現金賞給。

美收藏中國壁畫底層
發現名貴觀音像

美國堪薩斯城納爾遜藝術陳列館中，藏有許多十二世紀中國古代的名貴壁畫，這些壁畫上所繪的，都是滿身寶物，身着法服的古代神像，但是有一天陳列館管理員羅斯首先注意到其中一幅有些神祕的地方，畫像上有一條裂縫，縫裏面透出鮮艷的藍色，羅斯看後，心中雖然很感詫異，但也沒有再事深究，把那幅破了的壁畫交還物主，事情過後也就忘記了。

去年，那幅壞畫的主人決定把它捐給納爾遜陳列館，羅斯看到藍色的裂縫後，又勾起他的一段心事，於是他請准當局對這幅名畫作一次精細的實驗，他把這幅有八百年歷史的古畫割下一塊詳細檢視，竟發現在藍色的下面，還有一層紅色的油彩，這件事令他興奮得不得了，他小心地把上層揭去，下面露出來的，竟是一幀更名貴的古畫。

納爾遜陳列館上星期首次公開展覽羅斯耐心研究的結果，原來羅斯揭去那幅十二世紀的古畫後，發現下面是一幅十世紀繪成的觀音畫像，這張畫中的觀音着朱紅、棕紅、綠和藍色所繪成。大概是八百年以前，中國華北寺院中的和尚，因為對原畫不滿，因而修飾，一人塗上另一層泥土，再另請藝術家繪上一幅神像。專家們說：這幅畫的價值，遠非原來所可比擬的，幾乎到了無法估計的地步。羅斯的偶然發現，不料竟使納爾遜陳列館增加了驚人的財富。（由之譯）

史達林怎樣死的

第啟譯

興奮神經系

史達林的私人醫生們早知道他們的病人患了動脈硬化和高血壓症，這種病除了勸他不要過份操勞和避免過度興奮外，別無其他更好方法。最近發明的幾種新藥，也只能對若干病人產生臨時救急的效用。

像這種病，通常是會隨時釀成溢血症的，他腦中的動脈已不再能承受其高壓，湧入腦中的血液，就像破裂的車胎隨時會爆裂一樣，等到血液流入腦中灰白質四周的細胞中後，灰白質立則失去它的機能，隨後溢出的血也開始凝結。

史達林的右臂和左腿都已麻痺，這表示他的左腦已發生毛病。其他漸漸喪失知覺前不久，他已不能講話，為他會診的醫生一開始就知道病況非常危急，他們無須用精巧的器械，就可探得出史達林的呼吸很不正常，脈搏高達一百二十次，血壓也到高得嚇人的地步，更使醫生們惴惴不安的是，史達林的心臟正開始衰弱。

他們用盡歷史上一切的診例來為史達林治病，當他的呼吸更困難的時候，他們為他施用氧氣面罩，在他昏迷且不能進食以後，他們即為他注射葡萄糖針，為了預防再生肺炎，他們還為史達林注射盤尼西林，他們並注射咖啡精來刺激他的神經系統。後來，又用美國醫生們所認為落伍的方法，注射樟腦精來加強他的心臟。

絕望的掙扎

他們還經常用電動測心器來檢驗史達林日趨衰弱的心臟，當然檢查的結果都是令人心焦的，白血球數目在迅速的增加，這是肺部發炎的徵象。第三天，電動測心器更顯出了心臟肌肉已開始腐爛，但數夜未眠的醫生們仍在絕望掙扎。

他們曾兩度用水蛭吸血的老辦法，來減低史達林的血壓，這件事頗引起西方國家醫生的驚異，他們認為現在有一種刺穿靜脈的新法，比使用水蛭更簡易而且好多了。但俄國醫生們也許有他們不得已的苦衷，因為至少用水蛭吸血的辦法不會害事的，這樣反而使大多數舊式的俄人相信，他們使用一切方法，來挽救史達林的生命。

鋸開腦蓋

後來，所有的辦法都無效，史達林的心臟愈跳愈速，每分鐘高達一百二十次，他的半邊腦已經死亡，到了心臟停止的時候，其他的一半也隨着死亡，一位獨裁者就這樣了結了他的一生。

史達林雖死，但醫生們的責任還沒有完了，他們必須證明已經和已施行正確的療治，於是首先鋸開史達林的腦蓋，發現「大腦左半部的灰白質上，有一大塊凝固的血塊，因此毀滅了腦的重要部分，腦的動脈已極硬化。」隨後復解剖心臟，發現心臟左下方已極擴大，胸肌和胃部等內臟也有出血的痕跡。至此，為他治病的醫生們乃正式宣告，他們已施行了一切正確的治療方法，也無法拯救這位獨裁者的生命。（譯自時代週刊）

天下小事

托派慶賀獨裁者去世

史達林去世後的第一天晚上，巴黎有一羣過去擁護托洛斯基的俄國人，特別選定一家法共黨徒經常出入的飯館，大開慶祝晚會，他們相互乾杯，高聲預祝馬倫科夫即將步入死亡的命運，附近座上的法共，正因史達林的逝世如喪考妣，且受這種刺激，更加惱羞成怒，當時雙方劍拔弩張，大有拚過你死我活之勢，還幸飯店老闆機警，及時請來大批警察，否則這家飯館在大家拳足之下，一定是毫無倖理的。

義共預祝史魔早死

史達林死後，各地共黨嘍囉表錯情的大有人在，紐約每日工人報和巴黎人道報搞錯克里姆林宮的訓令，把史達林便裝遺照刊在第一頁的右邊，固早已膾炙人口，其實比這些事情更嚴重的，還多的是。譬如義共米蘭支黨部在接到史達林病危的消息後，即匆匆舉行追悼會，追悼會完畢十二小時後，克里姆林宮才發表史達林去世的聲明，這件事在俄共高級首要看起來，實在嚴重極了，因為這那裏是甚麼追悼會，直是預祝史達林早死的催命符罷了。據說，馬倫科夫繼任總理後，已下令義共澈查，那些拍錯馬屁的米蘭共黨支部的高級職員，十九會全遭整肅。

匈共首要存款國外

匈牙利共黨不穩的消息，可以由下面一件事獲得證實，雖然匈共政權隱瞞過這件事，但因為牽涉到其他國家的機構，終不免有祕密外露的一天。據悉：匈共最高當局正在調查匈經濟部長華瓦在瑞士、丹吉爾及烏拉圭銀行存款。華瓦顯然感到他的地位將不長久，所以已在國外祕密存款數年，準備一日失去克里姆林宮寵愛的時候，能作流亡海外的費用。

俄代表團長獨出心裁

即使在領帶一件事上，也可看到共黨內部的混亂和不統一，史達林死後，各地共黨多服喪來表示他們內心中的哀悼，但米蘭共黨所繫的，是一種全紅色上有一黑直條的領帶。而在瑞士的日內瓦方面，在當地出席聯合國經濟會議的蘇俄及各附庸國家代表團，他們都配着黑色的領帶，只有俄代表團長阿魯泰尼與衆不同，獨自繫了一條灰色的，不知道是自作主張還是奉令行事。（孟衡）

閩浙沿海人心緊張 軍運頻繁物價大漲

【浙東訊】自最近一連串國際形勢的突變和台灣反攻空氣大漲之後，中共在閩浙沿海之防務，顯已有所調整，此一迹象，係見於近來浙贛鐵路軍運極繁，自滬入贛，及由贛駛之火車，近來曾加班專運軍隊，顯係調防及增防之措施，著入贛之軍隊，係由上饒轉南平開赴福建沿海各地者。至浙江方面，近亦有大批武裝由吳興一綫向寧波、鎮海、象山、溫嶺一帶移動。由此而國軍業已在溫州或舟山登陸之謠傳時有傳播，人心極見緊張，由人心緊張所見之迹象，則爲近來滬杭各地之物價普遍上漲，其中以糧食、油、鹽等及若干主要日用品漲價極爲明顯：如中白粳每石原價二十一萬元已漲至二十三萬餘元，龍頭細布每尺原價二千六百元已漲至二千八百元，生油每斤原價四千五百元已漲至四千八百餘元，此外如煤球、柴、炭、火油、肥皂、食鹽等皆有上漲情形。且目前該等地區糧荒亦極嚴重，嚴重之原因則以大批糧食被中共指定撥付錫關之故，蓋裝運錫關之糧米，大部係由上海出口。

天津又一批無辜醫生 驅送北韓充炮灰 臨行致詞神色黯然

【天津訊】中共自侵韓以來，因前綫疾病及傷亡慘重，曾一再抽征醫務人員赴韓「參軍服務」，以應急需。近來韓戰地面情形雖較沉寂，但連遭盟軍空軍轟炸，傷亡仍極衆，醫務人員仍感不敷甚鉅，乃又令飭各大都市發動醫生「參軍」，現天津地區已征得醫生二十名，以「中國人民抗美援朝總會衛生工作委員會國際醫防服務隊」名義編成兩隊，首先驅送北韓前綫服務。出發前，雖曾予以獻禮、獻旗、獻花、獻詞等一連串魔術性的儀式「隆重歡送」，但終掩不住被征者內心的恐懼和悲哀！彼等於臨行與家屬道別時，大多泣不成聲，神色黯然！當彼等之領隊向歡送者致答詞時，曾一再頻頻然以「克服困難」，不「鬧情緒」爲詞，足見彼等之情緒，固極成問題，蓋無人不知被驅赴北韓，乃被充作炮灰，九死一生也。

澄海一農民 刀砍七共幹

【廣州訊】廣東澄海縣辟城鄉有一農民名杜益章者，世居該地，代代務農爲生，素極安份守己，惟平時勤儉所得，略置薄產。該地「解放」以後，即被評爲「中農」。土改期間，乃遭鬥爭；無故被沒收田產，掃地出門！乃舉家散亡，各自求乞爲生。奈共幹欺人太甚，常予監視，拘禁、或驅逐等凌虐。該杜益章忍無可忍，終於上月十日向村中偷得柴刀一柄，一俟天黑，即衝進農會，當將共幹七人砍至重傷，待該鄉「保安隊」聞訊趕到時，猶持刀猛鬭，即當場被亂槍擊斃。

淫風泛濫・生活艱難 大陸墮胎溺嬰事件層出不窮

【本報訊】目前大陸各地的溺嬰現象異常嚴重，溺嬰的主要原因，一由於中共提倡淫風後，一般曠男怨女縱慾苟合者極衆，私生子女大批產生，而無人願負責扶養，乃紛紛溺嬰了事。二由於大陸人民之生活已大多陷於絕境，無力扶養子女，乃不惜將親生子女忍心溺斃！惟由於重男輕女之傳統觀念，故溺斃者以女嬰爲多。目前大陸各地溺嬰之多，即以安徽四川兩省部份地區爲例：據中共新華社最近合肥電，皖川兩地公佈的初步調查統計，說安徽部份縣市僅在去年下半年半年之中，就總共溺斃了嬰兒二千七百九十餘人之多！四川省東部部份地區，則於去年十至十二月三個月中總共溺斃了嬰兒三千一百餘人之多！又據該社調查報導稱：凡屬私生嬰兒，幾有百分之九十以上皆被於產下時即遭溺斃，約佔各該地區溺嬰總數的半數。關於婚生嬰兒之被溺斃者，則女性約佔百分之八十七左右，此說明大陸人民生活之艱難及重男輕女之觀念均極明顯。如合肥市和平橋有一李姓婦女於大陸淪陷後共產三個女嬰，竟全被溺斃。又安徽肥西縣雙塘村農民郭三之妻，於大陸淪陷後產下一男一女，亦全被溺斃！又因甚於同一原因，據說現在大陸各地的孕婦墮胎現象亦極普遍嚴重！因而目前中共中央已訓令各地「人民政府」加強新婚姻法關於非婚生子女同等合法問題的宣傳，及男女平等與保嬰育嬰的宣傳。

放假反比平時忙 大陸小學教師苦

據上月二十一日上海解放日報披露消息：大陸一般地區的小學教師在寒假期間，不能毫無休息，反比平時更忙。彼等皆被當地「人民政府」命令不得離校，在二十三天寒假期中，大部份時間被分派了「任務」：上午八時至十時要學習政治和業務；十時至十二時要替成績較差的學生補課；下午二時到五時要排演歌劇，宣傳「新婚姻法」；七時至十時要討論教學計劃。此外，還要輔導民校；幫助學生搞劇團；到民衆識字班上課。尤其是鄉村中的小學教師，幾全爲鄉村「政府」的長期勤務員，隨時被命令強迫担任鄉村的「中心任務」，甚至隨時被差遣担負雜務。此外，現在大陸的一般小學教員除學校本職以外，皆被當地「政府」硬性規定擔任社會的「服務」職務兩個至四個以上。既要搞學校內教學學習，領導學生的課外活動；還要參加社會的政治學習，担負社會的政治活動，協助當地「行政機關」的瑣碎事務，負責主持街道里弄居民的「政治教育」及各項宣傳工作，幾乎連星期日都不得休息。此種情形，在平時已極忙亂，若逢假期，尤爲忙亂！

台籍走狗 擺尾狂吠

據新華社北平上月二十八日發出的電訊稱：「台灣民主自治同盟」該日於北平舉行所謂「二二八」起義六週年紀念儀式，統括所有在中共豢養下的台籍走狗，約只一百二十餘頭。在該一儀式上，走狗頭子謝雪紅及「駐京辦事處主任」林雲都曾發表演詞，除了惡罵「美帝」及自由中國外，曾公開認承五年前的「二・二八」不幸流血事件，乃是該「同盟」在中共指使下所一手製造，他們稱「二・二八」爲失敗了的「人民革命」。由此已可知他們利用台灣同胞的流血以遂其赤化陰謀的用心，是如何殘忍、狠毒、無恥了！

共幹專打假報告 竟被封模範鄉長

中共爲了要他的幹部們樂於賣命或拚命工作，便定出了什麼「模範」、「模範」什麼，或「基點」什麼、「重點」什麼之流的美名去加以蠱惑或引騙，愈到下層的，便愈靠這種魔術似的愚民政策在推動工作。但除了一些個人的什麼「模範」之類的確要看一點表現外，至於那些標有「模範」或「基點」之類的團體機關或地區，乃全憑假造報告的表面成績來評定這種「獎勵」的。如浙江省慈谿縣在「治螟」時期，有「新橋」和「鑄山」兩個鄉向縣「人民政府」報上去說「已掘毀全鄉稻根百分之九十五以上，基本上已肅清了螟虫，治螟工作宣告勝利結束」，乃都榮獲了「基點鄉」的封號。可是現在新三反的信號一發出，便被一個名叫張仙球的通訊員揭穿了，原來這兩個掘毀稻根的工作，做了百分之四十都還不到，僅僅是一張假報告便做了萬靈寶！又如慈谿縣的下余鄉，鄉長周福根爲了表現「建設地方」的功績，要在毫無必要的地方造一座「解放橋」，當時當地的農民認爲有害水利而紛紛反對，他就發了一個「誰敢反對誰就是反動」的命令大大的一壓，並立即打了一張如何有利於「交通」及「水利」的報告給縣「人民政府」，由縣批准人民銀行貸款了四百萬款子，立刻發動了全鄉七個村的農民以勞動服務大力造橋，於是他便獲得了「模範鄉長」的封號。可是天不佑人，該橋造了不到兩個月，就被洪水冲塌了，而且還連帶的敗壞了堤塘，使兩千多田畝的農作物冲得一無所有，這幾個農民們哭哭啼啼揭穿了這個瞞上欺下的把戲！像這樣的例子現在被揭穿的已很多，但僅僅這兩個例子，也够說明他們的「模範」什麼的封號，原來大多是靠打假報告得來的。

廣州成了女人世界 大力宣傳「婚姻法」

廣州這幾天來，熱鬧，女人特別活躍，原因是：中共規定三月是「新婚姻法宣傳月」，雖然婚姻是男女雙方的事，但在穗共指使下，女人是特別起勁，開會啦，講演啦，演劇啦，遍得各處街頭上亦可見到「夫妻之間」「竈娘回家」「三姊妹」「歌唱婚姻法」等街頭劇的表演。

另一件事，是穗共要召開「廣州各界人代會」，「選」出了一百一十九名女代表，說是包括來自全市各個角落、不同階層、不同工作的婦女：如農人出身的「鄉長」，粵劇女藝人，家庭婦女，水上人家婦女代表啦，形形色色，老少均有，都將出席會議，爲「人民政權」負起重大責任呢！（木易）

中共官僚主義嚴重 召開二次監察會議圖挽救

【本報訊】僞政務院人民監察委員會鑒於各級共幹官僚主義、命令主義及違法亂紀現象的普遍嚴重業已加深了一般人民的惡感，並腐蝕了本身的統治機能，乃特於上月十九日起至二十六日止召開了爲時一週之久的所謂「第二次全國監察工作會議」。出席會議的有各大「行政區」、各「自治區」、各省市監察委員會的負責人及僞中央各部會監察室負責人等一百卅五人，列席卅二人。會議由該委員會主任譚平山主持，朱德、鄧小平均出席「指示」，最後由該委員會副主任劉景範作會議總結，並發佈了「總結報告」，決定展開一全面性的「檢查」工作。

據劉景範報告說承：中共過去的「監察工作」曾存在着嚴重的缺點，主要的是未能及時瞭解情況、結合中心工作，打擊各種偏向；未能充分利用典型案件，廣泛進行宣傳并教育幹部與廣大羣衆；在處理控訴案件中，監察機構本身的拖延，遲緩，及敷衍的官僚主義作風也極嚴重；尤其各級「人民政府」對監察工作不够重視，甚至予以忌視而阻延了各級監察機構的切實建立，阻礙了監察工作的積極推行。

該會議中又曾檢討認承：說三反的進行就犯了偏差，只注重反貪污，而忽略了反官僚及反浪費，以致三反以後各部門各地區幹部的官僚主義、命令主義、及各種違法亂紀，官幹失職的現象依然嚴重地存在，而且日益惡化。故決定今後要向各部門，特別是經濟部門的違背國家建設計劃、核算制度、保安制度及違背政策法令的無政府現象作鬥爭；要向貪污、浪費，洩露國家機密等現象鬥爭云云。

共幹糊塗 燒山廿里

據最近上海解放日報披露消息：安徽滁縣皇甫區突於上月十二日上午十時許發生大規模燒山事件，當時正值大風，火勢兇猛，迅速自該區石店代表區向西北蔓延，直燒到該區常山鄉小韓代表區。燃燒面積東西長達二十里，南面從石灰劉大山向北燒到芝蔴窪，寬廣達八餘里，共約燒了二萬五千多畝，燒去樹苗總共十二萬多株，焚毀房屋四十餘間。火勢蔓延後，雖曾「動員」民衆，奮力撲救，但以火勢過猛，無法撲滅，竟燒了三天之久，直至燒盡，方自熄滅。事件發生後，該縣「人民政府」農建科即用電話向皇甫區「人民政府」查詢，該區區長余華祝只報告「燒山的情況」，並不提起燒山的原因，並將燒去的十二萬多株樹只報了兩萬多株，企圖減輕責任。後來，那些山戶揭發了燒山的原因：原來當地中共「國營」的皇甫林場，爲了「自給自養」，企圖砍伐樹木出售，但因荆棘遍多，不利砍伐，乃下令放火燒山，原擬燒去荆棘，以便大量伐木，竟不知道荆棘固能燒除，樹木也同歸於盡的道理！其荒唐糊塗，竟至於此，眞是駭人聽聞！

人民教師火氣大 毒打頑皮小學生

「政治教育」是現在中共施予各級學生的基本課題。但這對於那些天眞頑皮的小學生很傷腦筋，不得不使那些小學教師們大動肝火！

例如上海解放日報透露：蘇南吳縣甪直鎮小學教師吳世明在上政治歷史課時，有個名叫錢以昭的五年級學生因拿着刀片在課桌上玩，吳某勃然大怒，便將他狠命拖出坐位，拉進辦公室，叉住了他的喉嚨，攔頭攔面的給以一頓毒打，打得頭破血流！打後，在辦公室內的許多「老師」對他說：「打你，就是要你服從，現在再關照你，你回家時只能說跌了一交跌傷的，如果不服從，還要打死你！」他爲「服從」兩字所嚇，回家時當謊話照說不誤，但因這一打已傷及淋巴腺，病倒了，終於被父母盤問出來，他父母當然要向學校論理，但教師們却說：「打他就是在訓練他的服從精神，服從是很好的政治道德！」據此，我們不能不佩服人民教師有辦法了。

中共擴大蘭州市區

【西北電訊】蘭州自被中共劃爲所謂「工業區」以後，將瀕海工廠，各省可以移動的工廠，均拆遷至西北、西南內陸地區，且新建立生產，備於一旦沿海各地遭受國軍突擊時，不受影響。因此，中共擬具了一個「蘭州市擴大市區計劃」，經過僞政務院批准後，業經付諸實施，將皋蘭縣西固區、安寧區、阿干鎮等二十九個鄉劃歸市區，同時已將原有的九個區和新劃歸的地區，合併爲八大區，重新劃分，以便進行進一步的控制。（馬冀）

史魔死訊傳到 滬共嘍囉慌亂

早報成午報 黑邊寬半吋

史魔暴斃，中共是以比「國喪」還要隆重的禮儀來報喪、追悼的，由此可知史魔在這些嘍囉的意識上，佔有多大的份量，單以上海一地來說，我們可以見到它們對史魔之死，是怎樣的膽戰心驚，如喪考妣，與及上海一般市民的感想：

△七日這天，上海的早報出版得特別晚，於中午十二時半過後，才送到市上。

△各報的封面，除了刊有與它報頭同樣長度的史魔遺像外，四周還加了一道約有半寸寬的粗黑邊；報道史魔死訊的新聞文字，是用香港各報作標題的四號字排的；另外即是中共中央的報喪電文與命令，都用五號字排成，充滿了整整的四版一大張；之外，一無所有了。

△市上一般的商店、工廠、學校、團體等及民居，都半掛了汚星旗，那是「人民警察」的功勞；他如學生、共幹、及凡與共黨有關的工人等，左臂上都掛有黑紗，爲史魔戴孝。

△市民對於史魔之死的感想，那眞是各說各是，人人不同，有樂觀的也有悲觀的，樂觀的認爲它死後，世界將從此太平；悲觀的感到大戰將無法避免；但他們都有同一觀念，即是：史魔一死，世上少了一個能够發生作用的人，世局必有轉變無疑。

△最可以表現出上海兩個不同的世界，那是：一些凡是在中共所直接控制下的幹部、工人、學生，平時受毒太深，對史魔之死，除了外表裝腔作勢，哭喪着臉，表示哀痛，而內心確是沉重的，感到大禍即將臨頭，不知如何是好；而一般市民則不是很感輕鬆，喘了一口氣，大家高談闊論，說得興高彩烈，希望世界再來一次改變，改變得好一點！（羊毛）

自由談

新舊詩孰優？

爲方

偶然在一張南洋的報紙上，看到一段談新舊詩的文字，認爲新詩舊詩的優劣得失之爭，即使寫爛了批評家的手腕，也沒法得到定論。曾舉出當年徐志摩乘飛機喪命於山東境撞山慘劇後，胡適之所寫的一首新詩爲例，胡詩以「依舊月明時」爲題：

依舊是月明時，
依舊是空山夜；
我踏月獨自歸來，
這淒寂如何能解？
翠微山上的一陣松濤，
驚破了空山的寂靜；
山風吹亂了窗上的松痕，
吹不散我心頭的人影！

有一位舊詩人邵瑞彭（浙人，國會議員，曾以舉發曹錕賄選總統案有聲於時）根據胡詩的意境，改寫成舊詩一首：

依舊月明時，依舊空山夜，
踏月獨歸來，凄寂如何解？
松濤喧翠微，驚破空山寂，
山風亂窗痕，心上影難滅！

我對新舊詩都是門外漢，但讀這兩首詩時的情感，是以對胡詩最見激動，它有豐富的情操和性靈，能夠引起讀者內心深處的低徊纏綿之思。邵作受着詩律約束，不免呆滯，顯出了雕琢的痕迹，「松濤喧翠微」句，尤覺勉強，較胡詩遜色多矣。新詩若寫得好，實視舊詩更令人發生美感，因爲它抒情自如，不會以詞害意。但如「一個麻雀鳥子在樹上吸新鮮空氣」這類新詩，那就教人不勝悚恐要命之至了！這是我對這兩首新舊詩的讀後感，不知閱者以爲何如？

丁字山

亞泰

東風並沒有解除韓國的寒凍，羅山正封着白皚皚的冰雪，舊式的裝備，破爛的棉衣，抵不住奇寒，蜷伏一團；縮瑟而寒酸的可憐相，把往日那些傲然的氣概，已消散得無影無踪了。一隊裝甲車和坦克，在原野地露陳列着，髹漆了一層自天而降的白色僞裝；僅有那不屈服的大砲，還若斷若續地向前方發着轟轟的哀鳴，表示着快要凝固和結束的戰爭。「中國人民志願軍」，在這個時候，正想拚命的掙扎，向聯軍剛奪去的山頭陣地——丁字山，作最後一次「人海的反撲」，洩兩日前慘敗的憤氣。春之神，在雪地冰天裏監視着它們蠕動。

在一個崎嶇的雪坎裏，一堆一堆地戰士們，俯伏着靜聽訓示；裝束得活像北極熊的司令員，反覆向他們解釋這座山頭的重要性，我們應該拿起血和肉，拚取敵人的頭顱，「美帝」是個「紙老虎」，是經不起打擊的。訓話以後，舉行一次「新宗教」式的宣誓：

「我們不畏敵人砲火，我們是「布爾什維克」大無畏的戰士，我們一定用血肉來光榮完成這次任務，驅逐「紙老虎」下海，滾回去！同志們，堅定意志，不要猶豫。」

宣誓已畢，大家都在宣誓的遺囑紙上，先後打了一個指模；每個人的心裏，都魂魄地感到不安，默念着：「這次，一定完蛋了。」想起了過去的家，甜甜蜜蜜的幻景，浮現在每個人的腦子裏，若醉若痴，暗中抽泣。

戰爭的序幕，在深夜十二時展開了；老天故意與「人民志願軍」爲難，甘心做着「反動派」的幫兇，雨雪霏霏，在新春間仍是下着不停。影響了臨出發時的戰車，也鬧起「情緒」來了，輪胎大半都發生了故障，修理的機械士，雖是寒意侵襲，也忙得滿頭是汗。化了大半晚的時間，迫使他們只好延到三點鐘纔開始行動。

「他媽媽的×，紙老虎！咱們衝過去吧！」司令員發出瘋狂似的咆哮，想鼓起他們的戰鬥意志。

像在竹竿威脅下的鴨羣，波浪式的向前蜂湧，戰士們，被馬列教條麻木了，早就是些沒靈魂的軀殼，盲目的衝鋒，不曉得這是無意識的死亡；戰車隨在後面，看看要越過混亂隊伍的前列，衝進那鐵絲網的障礙。轟隆，轟隆；聯軍的砲火，雨點般的打過來，陣地裏的機關槍，也織成交叉的火網；軍刀式的戰鬥機，掩護着B二九式的轟炸機，從鴨綠江畔掠過來，翱翔天空，傾出一批燦油彈，頓時着地起火，漫山遍野的雪泥，也阻止不了熊熊火焰，火海圍攻「人海」軍」，飲彈倒地的「志願軍」，橫七直八，在血泊中變成了焦屍，僥倖避免砲彈的一羣，也逃不了火舌捲來的災厄；戰士們的意志，隨着傷亡過大而冷到冰點，忍不住一陣愴神，大家都悽慘地落下幾點無意識的傷心淚。

在這個時候，兩黑影，疾鳥般向遙遠一座樹林裏消逝了；晨光雖露着曦微，砲火也逐漸疏落，戰場上一片岑寂，反在等待融化的雪坳裏，——共軍前哨陣地，有零碎的聲音：……。似地越過兩個黑影，幽靈，惶悚在山麓的雪岩穴裏；天色早已迷惘了，一陣雪，一片太白，也不知在什麼時候，東方一個山頭停止了。好像有點曦透了出來，虎口拾得餘生的人，疲乏與飢餓的感覺一齊都有了。摸着布質的乾糧袋，黃水生還剩餘有三個青稞做成的稃粑，李鳴已經丟得淨光，四個分食了一個，頭上將息，偎依在穴中石筍，波倦到了兩點，擾得兩眼，仍起伏思潮，靜默着相顧，作悲哀的共鳴。

「老躲在這裏，是解決不了我們的問題。」黃水生終於衝破沉寂，發出了問話。

李鳴有氣無力的答道：「只有向聯軍投降，才是生路。」

「什麼地方，才找得着聯軍，會不會准我們投降，也是問題囉？」黃感到失望。

「聯軍才是真正的寬大，許多同志向聯軍投降，都受到優待，我們再繞過這山頭，到了，那裏就是聯軍陣地，再說吧！」李勉強站起來催促着。

經過一段平原，越過山巒，終於發現了一個健壯的農夫，奇人老了，招呼他倆輕輕地走進茅屋，「你們是向聯軍投誠的嗎？」黃水生機警，迅速的拔出了僅有的一步手槍，退後一步，向老人凝視：「你是什麼人？」

老人從容鎮靜地說：「同志，你們說話，這是聯軍的範圍，若要投降，我可保證你們通消息，一點不會出亂子。」

「真的嗎？」黃李兩人齊聲發問。

「誰騙你們，這不會開玩笑的。」老人現出和悅的笑容。

黃李兩人感激得熱淚盈眶，圍住了老人，要求他指向自由新生之路。他答允他們今晚就可以獲自由時，他們高興得鼓舞起來，把老人高高地舉起，當作了自由的神像。

略談杜甫（九）

·舜生·

杜甫住在同谷不到一個月光景，乃起程入川。他在同谷的這一期間，生活依然無着：

「……歲拾橡栗隨狙公，天寒日暮山谷裏，……」

「……黃精無苗山雪盛，短衣數挽不掩脛，此時與子（指他手中那把鑱黃精的長鑱）空歸來，男呻女吟四壁靜。……」（乾元中寓居同谷縣作歌七首）

窮到靠採集一點野生的橡栗黃精來果腹且不可得，其艱苦情況，以我們今天這些流亡人士和他去比一比，豈不仍有天淵之別？然而他是中國第一個偉大的詩人，其對我們民族一種精神上的貢獻，眞是無可比擬，假如我們在這種小不如意的情況之下，不能堅其固窮之節，動輒還要怨天尤人，對着我們的詩人，寧不愧死！

他在『同谷七歌』的最後一首說：

『男兒生不成名身已老，三年饑走荒山道，長安卿相多少年，富貴應須致身早，山中儒生舊相識，但話宿昔傷懷抱。嗚呼七歌兮悄終曲，仰視黃天白日速！』

注意：老杜窮到這樣一種境地，他却只說到『仰視黃天白日速』爲止，以我們的近代詩人黃仲則處此，他便不能不叫出：『茫茫來日愁如海，寄語羲和快着鞭』了，這種地方也正可看出杜老先生的修養爲如何啊！

據老杜自己說，他從同谷赴成都，在『乾元二年的十二月一日』，正是一個天寒地凍的季節，所以他走到隔同谷二十里的『木皮嶺』便說：

『……季冬攜童稚，辛苦赴蜀門，南登木皮嶺，艱險不易論，汗流被我體，祁寒爲之暄！……』

繼此以往，他所經過的『白沙渡』，『水會渡』，『飛仙閣』，『五盤』，『龍門閣』，『石櫃閣』，『桔柏渡』，『劍門』，均一一有詩，以描繪途中所歷的艱苦，一直到經過了『鹿頭山』，隔成都只有一百五十里了，才漸入佳境，所以他說：

『鹿頭何亭亭，是日慰飢渴，連山西南斷，俯見千里豁。遊子出京華，劍門不可越，及茲險阻盡，始喜原野闊。……』

及至到達成都，他的心境更是豁然開朗，其地去長安二千三百七十九里，去東都洛陽三千二百八十六里，他回顧這樣一段艱難的旅程，居然攜妻帶子到了這樣一個暫可小休的所在，安得不心花怒發？我們再來欣賞他初到成都的好詩吧！

『翳翳桑榆日，照我征衣裳，我行山川異，忽在天一方。但逢新人民，未卜見故鄉，大江東流去，遊子日月長。曾城塡華屋，季冬樹木蒼，喧然名都會，吹簫間笙簧。信美無與適，側身望川梁，鳥雀夜各歸，中原杳茫茫。初月出不高，衆星尚爭光，自古有羈旅，我何苦悲傷？』

萬竹樓隨筆

結婚

·健軍·

南蠻先生最近在他底扯東拉西集裏談到「春意」一節，大意是說在這春的季節裏，猫叫雀跳，萬般皆春，我們人也應該拋却寒冬的孤寂，去追求春情蕩漾中的溫暖！使我不禁連想到結婚這個問題，結婚大概是件美事吧，不然怎麼會在這物質環境困苦艱難，而獨身主義高唱入雲的今日，報上的徵婚、結婚的啓事却仍是觸目皆是呢，再說這裏邊郎才女貌的青春伉儷固佔多數，而年近古稀，不甘寂寞的老驚們却也前仆後繼地擁進這春意盎溢的行列裏來！這種現象不僅使人感到春的魅力，同時也令人覺到春的可愛。不管我們是結過婚的過來人，或是尚未提名的候選者，碰到這種場合，常是喜形于色；加以祝福的，因爲這對于結婚的人來說固然是一種本性流露的喜悅，而對于我們旁觀者來說，也是一種『樂人之樂』的善情，道學如孔老夫子，對于結婚尚欣勉有加，聖潔如耶穌也喝過人家的喜酒，如果我們不是聖人式的男人，或是聖人式的女人，那麼對于自己的終身大事總該抱着一種鞠躬盡粹的精神去竭力以赴；對于別人的婚嫁，也應該抱一種穿針引線的態度，去加以挽手才是，君子成人之美，這是聖人的遺訓，而有什麼更美過結婚呢？朋友之中，有不少是夫唱婦隨的佳偶，和茹若含辛躍躍欲試的小伙子，但也絕不是說沒有挑着獨身主義的大纛，而私下裏偷偷摸摸的老處男和老處女們（而且很多），對于前者，我們本于本性祇有羨慕，祇有鼓勵，對於後者，我們似乎不敢領教，無論他們底理論怎麼高深，如何科學，我們總覺得他們這樣不僅對自己的本性是一種虐待，而對這煦麗和悅的春天是一種諷刺，法國人說結婚是愛情的黃昏，但不結婚難道是愛情的黎明嗎？我欲無言。

中國之友（七五）

李提摩太傳（十五）

毛以亨

李氏于一八九一年報告其工作計劃，謂以前外人對中國之貢獻爲救荒，現在則設法促進其開明。「我們不能遍設學校于全國各處，我們亦不能與所有官吏、士人接觸。所應接觸者爲高官，學者，教員，少數士人與其家屬，估計已接觸者共有四萬四千另三十六人。」

其方法如下：

一、有系統的論文，如萬國公報之類。

二、叢書與小册子以表顯泰西之進步。

三、中國人論文最好者須予獎勵。

四、創立演講會，博物院，閱覽室藉昇以誘知。

五、出版物須分配至有考場的城市。

六、與中國人合作，鼓勵其成立學會。

七、在考場附近，多貼廣告，以表明本會目的。

李氏出了七十個題目，請其友人爲之撰稿。駐滬英總領事爲撰「法律」一文，海關中人亦多代爲撰稿。一八九二年北京會試，「四大問題」一書爲該會所撰，而以分贈應試舉子，而李氏以前所撰「基督教在歷史上的證據」一書，已風行十八省了。

一八九二年 DR ALLEN 回國，萬國公報改由李氏主編，且教會報亦由其兼任編輯，他並將 MACKEZEIE 的十九世紀史譯成電文。一八九三年爲慈禧六十萬壽，將 FABER 的文化一書，以及其他各書在各恩科考場分送，共送出六萬份。時在北京天津瀋陽西安南京烟台均設有教會藏書庫，以使隨地分送各書。而山東與台灣且多方來信定萬國公報，足見宣傳無遠弗屆了。張之洞捐款一千兩，招商局局長亦認捐，以後買了一百部十九世紀史，以分贈北京親貴。有山東道台聶某亦有捐款，一九〇二年續捐一千兩，其後升任浙江撫巡，於一九〇五年勸浙江士人定買其所出版的書籍，共值銀一千六百兩。此即曾國藩之壻，其妻乃崇德老人，於一九一四年爲基督教徒。乃子聶雲台爲上海青年會之領袖，曾經營紗廠云。

其時最重要的著作爲泰西新史，共三大卷，爲上古中古史，張之洞爲此捐銀四千兩。中國士子亦非買此書不可，因爲預備考試時「古學」一場的西洋史問答，要備用的。

對社會改革則 LITTLE 夫人的天足會運動，李夫人亦贊助之，曾上書慈禧要求下一上諭勸婦女勿纏足，在當時亦極收效的。

談美國娛樂

雪夫

現在再說點關於美國電影的玩意兒。電影製片在美國幾乎成了大工業，好萊塢是全世界第一個製片場，爭妍鬥勝的派拉蒙、米高梅、雷電華各大影片公司，雇用若干專門人才，搜集全世界各種新舊小說，絞盡腦汁，精心編製，以求一片之成功。除直接的編劇者、導演、男女明星及攝影師外，還有許多爲好萊塢電影界而設的商業。近世界儘管不景氣，電影界儘管仍是黃金的，國內的公司銀行之娛樂而且是金的老闆之囊橐者仍不在少數，而花旗好萊塢成了全世界影業龍門，且歐洲新進明星假使不上那兒跑一兩趟，不算了不得的大角兒。

男女明星的起居住，比白宮的起居更受報界重視，有一種專門訪員以釘梢爲其日常工作，明星身上發生極平常的事，也當做極重要材料。比方說，某女明星喜愛吃香蕉，我們可在大報紙上大字中發現這種紀載。大概美國報紙和明星彼此利用，明星無報紙爲之吹捧不易成名，報紙非多載明星消息不易推廣銷路。

抓住美國觀衆心理是影業最要條件。現在美國觀衆心理傾向風騷派或潑辣派，而貞靜幽嫻一流不合一般人脾胃。女明星半出身於小家碧玉，經過若干時期訓練，黃毛丫頭會變成絕代佳人，其享用之豪奢得自普天下人傾倒，尤以女星的婚姻問題不待說，全美婦女界幾把離婚看得平常，傳染病。她們大概數次的丈夫多半是富翁，女方所得贍養金亦愈離愈富。

比之前幾年製造「金剛」一片是最大的一個怪物「大猩猩」，比人高過許多倍，能叫能動，另外還製造了許多前生物的歷史，以博覽會陳列於芝加哥，至今花旗老闆還是本錢的結隊之探險，或向非洲探取風景若干片，人力財力簡直不算一回事，假使認爲不滿意時，把已經用掉的好幾十萬成本丟到西洋大海去也算不了一回事。

至於一片製成，放映次序最先是在紐約頂大的戲院，售價至美金數元，以後再以全國城鎮之大小，作爲運往之先後，全國大城鎮大戲院放映完畢，再折回紐約二三等戲院映畢，如此周而復始，全國戲院放映完畢，再運往外國開映，各戲院票價標準，最名貴的影片，假使你要花最低的價錢請你看，那麼祇有『後天下之樂而樂』了。然而闊人們是喜觀新的，或許他們要顧全身份不能跨入第二流電影院。

最低票價是美金一二角，和大戲院的價格不相上下，無色的電影在美國已將減絕，只有偏僻街巷幾家極舊的電影還可找到。（下）

中華民國僑務委員會頒發登記證台敎新字第一零二號

自由人

THE FREEMAN
（半週刊每星期三六出版）
（第二一五期）
每份港幣壹毫
督印人：李光羣
社址
香港高士打道六六號
電話：二〇八四八
GLOUCESTER RD.
HONG KONG
TEL: 20848
承印者：東南印務出版社
地址：高士打道六十四號
台灣特派員辦事處
台北市館前街五十號
台灣總經銷處
台北中華路新號五九四之一
台灣郵政劃撥儲金帳
九二五二號

應該盡力發展的一件事

在反共復國的準備階段，就國家未來前途設想，應形成波瀾壯闊百川滙海的政治局面，大展鴻圖。就他日收拾舊河山的善後問題而論，應積極儲備各種人才，不虞匱乏。為實現這兩項要求，決非枝枝節節的偏頗措施所能濟事，根本須從文教方面厚植基礎，培養潛能。因此之故，我希望自由中國政府把現在的台灣大學儘量擴充改進，使其能夠担負如當年「北京大學」那種時代使命。

雷嘯岑

台大必須擴充的事實

台大是在過去日本的殖民地政策下生長起來的，先天上即缺乏現代化最高學府的完備性，一切規模設備，自台灣光復迄今，尚不免因陋就簡，未能作大量的改革。中央政府移台後，台省人口驟增二三百萬，然台大的容量並未隨着人口比例而增加。不特此也，海外千千萬萬的華僑子弟，視鐵幕大陸為陷阱，都想投奔自由中國政府所在地的台灣，領受自由教育的薰陶，滿足其求知慾。然台灣的最高學府只此一家，私人又不許興學，其他各種專科學校或因草創移設，或以規模狹小，更不能容納多數應該升學的青年。因而台省現時每年畢業高中的八千名學生，至少有四千名失去升學之路，海外華僑子弟要入台灣讀書，尤其困難了。政府為着反共的文化鬥爭，為着復國的儲才計劃，更為着充實政治上的號召力量，既不許私人興學，自應竭盡能力，恪遵職責，減少人民失學的困苦。既容許外國教會來台灣辦大學，而自己現成的台大，亦不能予以擴張改進，這似乎暮氣沈沈，不是自力更生的復興景象。再從政治觀點看，今日大家都歸求全國反共力量大團結，但其本質是消極的，其作用是暫時的，因為大家意識上的團結對象，多是社會各方面的成熟分子，政治場中的活動人物。要形成積極而久遠的團結力量，必須藉文化思想的功用，纔可以獲致偉大的成果，而其方策即莫如興學，更莫如興大學。憑藉大學的環境，不但可以集結下一代的人才，也可以網羅這一代的積學異能之士，為國宣勞。這比甚麼擴大政府機構，邀約各黨派人士協商會議那套辦法，來得自然而切實，廣泛而有力，並且絲毫不現痕迹，在日常平淡無奇的生活中，即創造了團結救國的機能，也替國家民族盡到了百年樹人的大計。

固然，辦大學不是一件簡單事情，在今日的台灣，尤其不容易，首先，沒有大量的財力就不行，其次，沒有足夠的人力亦徒勞。我以為一個國家因舉辦其他的國內事業而向外國或國際團體求助，總不免多所顧忌，也不見得一定成功。若為着興學育才，交流文化，而向國際間乞援合作，不特毫無愧怍，而且十九可告成功的。只看自己有沒有辦法，是不是實事求是的幹？今天我們為要擴充台大某一種學術基礎，充實其設備，若向美國和其他友邦的公私團體乞援合作，如福特基金委員會，洛克斐勒基金管委會，乃至於聯合國的文教機構等等，相信其反應必較向友邦政府請求軍援經援更為良好，結果更為圓滿。最近，馬來亞華僑擬集資創辦「南洋大學」，因與當地政府現行法令抵觸，困難重重。我們卻使僅有的一所國立大學無法收容自己的失學子弟，而讓外國的教會來設學「代教」，這不能不說是令人感覺迷惘的事！世人多對國營公營事業表示失望，認為凡屬國營公營的業務，即無發展改進之可言，難道教育也無例外，不成麼？

擴充的規模與辦法

台大如果擴充，至少比現在的規模擴大到一倍以上，使台省現有每年在高中畢業的學生，不致有失學恐慌。我們雖不談憲法規定人民有要求受教育的權利那類高調，即專為反共復國的需要計，擴充國立大學，作育全國英材，也是當務之急。我們萬不能將培養未來建國幹部的責任，寄託於那些短期訓練的政治傳習所身上，那是對於已經成熟之知識份子的一種補助教育，與大學功用不可同語。辦大學決非以一時的政治目的為出發，而是以包羅萬有的百年大計為目標。它必須為學術氣味很濃厚，思想研究很自由的「學園」，它必須不受現實政治作用的影響，以鍛鍊未來的建國幹部。共產黨藉「教育不能脫離現實生活」的說詞，把大學生當作勞工看待，不是教他們去參加「土改」，就是去輔助征糧，不然，即出去宣傳「三反五反」，「反美援朝」，「中蘇友好」，再有少許時間，就要參加整天鬧不完的「小組會」，「檢討會」，「鬥爭會」，決無讀書餘暇。我們即須讓青年們有安心讀書，自由研究學問的環境，才是反共救國之道。

台大擴充後，必然的作法，自應與國際友邦交換教授，使文化暢行交流，形成一個符合現代化標準的最高學府。對國內的學者們，祇要他學有專長，而又是具有反共思想的，不問其對現實政治的主張如何，也不管其有無政治黨派色彩，更不必研究他過去在政治上的恩怨是非，都應特設講座，分別羅致，形成大氣磅礡的文化動力。學校既非政府，講學不同作官，以學人身份，為青年說教，任何一個有學問的人，都是樂於從事的。假使台大果能構成這樣的一個學術園地，聚千萬智識青年於一堂，得中外聞名的學者教授們，循循善誘，誨人不倦。這不但是波瀾壯闊的興國氣象，即對團結反共力量，振作全國人心，消弭政治歧見，在無形之中，亦可得到意想不及的效用，而在國際觀感上，更足以提高自由中國的聲譽和地位了。

我不是「北大」的學生，但我絕對承認「北大」在近代中國的進化過程中，盡到了啓蒙運動的時代任務，而其來源，即[illegible]「北大」當年既具有全國唯一最高學府的規模，又始終保持着學術自由的風氣。就自由中國現況說，台大應該可以繼承當年「北大」的衣鉢，為國家民族前途，發抒遠大之功用。但以現有的規模與作法，卻不足以語此。所以希望政府當局認清文教與國家安危的深切關係，放大眼光，拿出魄力，想盡方法，把台大積極擴充起來。這件事的效用，決不比練數十萬現代化的軍隊為輕微，雖然費力卻必多，如果沒有一些人孜孜汲汲，埋頭苦幹，而且不致遭受政治上的無謂阻礙干擾，那就不必談！

東德工農集體逃亡

陸薇譯

德國人為了逃命而蜂湧脫離東德的規模，已轉成擺脫共產主義的集體逃亡。這種逃亡，又證明了雖然共產黨主子把他們的制度描繪成塵世最接近天堂的途徑，但人民卻甘願棄家出亡。

蘇俄管區官員已加強邊境管制，但德人逃入西柏林的數字，每月達三萬四千人，這比率且在日益增長。

為什麼呢？主要是恐懼。西區詢問機構所處理的案件中，不知多少東德難民提出同樣的逃亡理由，害怕被捕，害怕懲罰，或共產黨統治下的日子愈益難過。

巧婦難做無米之炊

商人所陳述的故事，大都是他們的供應被蘇聯官員切斷，但定貨卻要依照合同交出，否則即被加上破壞罪名論處。東德政府計劃上的錯誤，造成了生產上的失敗，但其責任卻歸咎於不屬共黨的工廠經理，農民寧願拋棄他們世代相傳的土地，不願冒險無法依照規定繳納收成。他們所面臨的抉擇，祇有參加國營集體農場或下獄，因此他們情願逃到西方接受無從預知的命運。

青年勞工被開除後，也祇有參軍或逃亡兩條路可走。逃亡的勞工數以千計，他們多數因為反對生產限額或產物品質低劣而與警察發生麻煩。蘇俄發動的排猶狂潮，使猶太人更紛紛西逃。

不過，現在已有若干證據可證明共產黨逼成這種大規模的逃亡，乃是一種政策。不滿的人脫離他們的鄉園後，便能消除激起人民普遍憤怒的因素。由於大批德人被驅往蘇俄的奴役營，人民的廣泛反共情緒必然極易發生。同時，成千成萬的難民湧入西柏林也能造成許多問題。

搾取民財新方法

難民們的陳述，已顯露共黨在東德搾取行動的若干新方法。在過去，遭受整肅的人，祇是突然失蹤。通常是在深夜被捕，就此一去無蹤，事先不會得到任何警告。但現在卻不同了，許多人都可以事先獲知警告的跡象，表示他們的被捕已近在目前，這是共產黨故意要他們趕緊逃走。

這裏是幾個例證：

一個村長說：「我曾設法保護農民，反對把他們的生產限額定得太高，但我被捕了，交由一個調查委會審問，我雖然獲釋，但知道隨時隨地仍有被捕可能，因此我趕快逃走。」

一個糕餅師說：「我的事業被有系統的摧毀了，當然無法按照合同向官辦商店交的貨，更無力繳納他們所定的罰金。幾天來，我又接到麵粉廠的通知，我的麵粉供應已被斷絕。我還有什麼辦法呢？於是我要我妻子立刻先走，數天後我就跟着逃出來。」

一個商人說：「我怎能不走？我的事業全遭毀滅，一切獨立的生產者遲早會全部消滅的。」

倖免送入集中營

凡逃出東德的人，沒有一個不認為他們幸虧走得快，否則將即刻被送進共黨集中營。他們曾聽說共黨牢獄裏的刑罰和待遇，甚至還較納粹時期為暴虐。他們都祇帶出了隨身衣物，事業，田地和其他財產都被留下，使共黨又得到一筆巨大收穫。

不論他們的理由如何，東德的集體逃亡是一種確實而可驚的現象。西方專家認為，這反映了莫斯科對東德已加強壓力，使之完全蘇維埃化，而也反映共產制度潰壞的先聲。嚴重的經濟危機已普遍發生於東德各地。計劃中的工業發展已告脫節。民用物資的生產在激劇降低。從糧食到機器，在整個東德沒有一樣不感缺乏。同時，貿易也減少，出口貨堆積如山，無法出售。共產黨對這問題的答案是加緊搾取。

東德各階層的人民。農場改成集體制度，但結果生產量卻大降。成千成萬逃往西方，不願在原屬他們的土地上專替共黨主子耕種。

目前尚為私營的批發貿易，正迅速被共產政權攫取。其通常辦法，是先警告店主，他和警察發生麻煩，然後等他逃亡後把他的產業全部沒收。地產的私有，將在明年初完全消滅，大部份是採取同樣的沒收方法。

逼走了有用的人

難民的談話，表明東德的生活情況，從一九四八年到一九五二年雖略見改善，但此後已告惡化。國營商店中的物價，約二三倍於西柏林。一個東德勞工，約需一個月的工資三分之一，纔能買一雙鞋子；一件新襯衫需一個月薪的百分之十二。由於農民的逃亡，糧食情況無疑將更加惡劣，許多土地將沒有人去開墾，俄管區的蘇聯軍隊已擴增，其大量儲糧，因此東德自波蘭獲得的糧食供應便激烈減少了。

政府商店雖堆滿貨物，但因品質低劣，無法銷售，這種情形下，消耗品的供應也告減少了。

出口貨的堆積，是因為蘇聯附庸國本身經濟困難，不得不減少向東德購買的數量。東德工廠生產的打字機，計算機等貨品，在世界市場上找不到買主。

整個東德，一切效率都在下降，運輸體系混亂不堪，煤產量雖在蘇俄壓力下提高到戰前水準，但品質惡劣。

俄管區的主子在這樣嚴重的經濟危機中，乃不得不找尋替罪羊，結果是妄加罪名，逼走了熟練的農民和技術人員，商人及工業家，而在這時候，東德卻正需要這些人使東德脫離經濟崩潰的邊緣。（節譯「美國新聞及世界報導」）

半週展望

•左舜生•

和平真有可能嗎？

自馬倫科夫繼史達林掌握蘇聯大權以後，莫斯科便不斷放出種種的和平空氣，假定蘇聯在目前仍沒有發動大戰的必要，他們的這種和平願望也可能是真的。

維辛斯基回到聯合國以後，也許有一具體的和平方案提出，其內容可能包括下面的各點：

一、凡蘇聯在二次大戰後所既得的種種，絲毫不能動搖。

二、美國承認中共，並歡迎中共加入聯合國。

三、蘇聯和日本依據舊金山和約，訂立雙邊和約，由日本永遠放棄南庫頁島，千島羣島。

四、美國重申雅爾達協定繼續有效。

五、美國停止對西歐和日本建軍的督促與援助，並撤退在歐的駐軍。

六、假定美國對上舉各點在原則上可以同意，蘇聯即可命令中共與北韓結束韓戰。

七、美國停止援越。

八、韓戰停止，越南亦即不難如法泡製。

九、在韓越兩方的戰爭停止之後，自然也可商量全面的裁軍問題。

凡此等等，自然都是蘇聯可有的如意算盤，所成問題的便是艾森豪威爾能不能，願不願向馬倫科夫遞上這樣一封降表？假如可能而且願意，則美國必須繼續出賣自由中國，必須甘心承認美國十幾萬青年在韓戰場所流的血都是白流，不僅放棄朝鮮，而且更放棄日本，同時也就是放棄整個的亞洲，美國同時退出歐洲，即是說美國依然返回到門羅時代！如果說艾森豪威爾不能這樣做，也不願這樣做，則他的對案我們也不難想像：即解放所有蘇聯的衛星國家，包括中華民國在內，無條件的停止韓戰越戰，蘇聯依然關起門來，去建設他們一國的社會主義！

今天的形勢已確實尖銳化到了這樣的兩極端，其間何止十萬八千里，居然還有人一聽到這樣的和平唱片，便欣然色喜，奔走相告，這一班搞國際政治的人們，不現實到了這樣的程度，這真不能不說是二十世紀六十年代的一大奇蹟！

中共遣還日俘

二次大戰後留在中國大陸的三萬名日俘，已正式得着中共的同意，開始遣送回國。最近由秦皇島和上海開出的兩艘日輪，載有此項俘虜近四千名，已於昨日（廿三）抵達日本的舞鶴港，此後當陸續有所遣送。

我們對這件事的看法，是這樣的：我們站在日本國家的立場，當然不能聽他們幾萬的人民自生自滅的留在海外，他們要求遣回，在原則上是很對的。我們所應注意的，乃是中共這次交涉遣回，為什麼居然這樣慷慨！中共在這幾年中，究竟對這些日俘做過些什麼工夫？他們在大陸所過的生活，怎樣我們不大清楚，但中共在此時居然把他們遣回，其用意是不難明白的：

一、中共確實想對日本賣一點好感，尤其在民主國家和日本先後定立了和平條約以後為然。

二、他們很想把日本和台灣的關係，加以沖淡。

三、日本果真重建武裝，這在中共不能不認為腹心之患，能夠以和緩日本，自然是有益無損。

四、日本人未能忘情於大陸的貿易，這是中共所了解的，在民主國家對日本大陸加強禁運以後，中共當然也想多開關一些輸出入的途徑。

五、在此時配合蘇聯的和平攻勢，如此一做，當然也像煞有介事的樣子。

六、在此一大批日俘中，至少有一小部分是受過中共嚴格訓練的，而且可能有少數已經是共產黨，把這羣人滲透到日本的各方面去，自然可以發生種種的作用。

我們知道：共產黨不打沒有把握的仗，而且決不採取毫無意義的行動，在此時送還日俘，確實是有若干的妙用的，日本人當心一點吧！

英伊油爭前途黯澹

張志莘

義大利法庭裁決英伊石油公司敗訴之後，英伊油爭重又陷入了僵局。穆薩德在國有化法案成立兩周年紀念日向全國發表廣播演說，乾脆的拒絕了英美建議，惟暗示談判仍可繼續。然而伊朗的政局依然在動盪中，英國認爲西方可以不向伊朗購買石油，但伊朗則係非出售石油難以挽救其經濟危機。如果此種局勢再遷延不決，則經濟困窘更爲嚴重，不難爲共黨所乘。

英國是伊朗排斥的對象。已往的兩年間，伊朗經濟的窘迫，赤色的威脅和政局的動盪交相煎迫之下，對英國的態度并沒有若何讓步之處。英國對於伊朗的打算，以爲這一個貧窮的國家總受不住經濟上的壓力，在歉然退出了這鉅大的資源利益之時，一方面拒絕支付油稅，油稅是伊朗政府財政上的主要收入；另一方面封鎖海港，禁止伊朗的存油外運。因此，伊朗在一九五二年五月一日宣布接收英伊石油公司及其油區之後，既不能運出，又無法煉油，又追索不到油稅。在這種情況之下，伊朗并不甘心屈服於英國所加與之壓力，穆薩德總理復爲了鞏固他在政爭中的地位與權力，堅持不妥協與讓步，因此不獨於石油爭執中將任何妥協方案擱置，一直拖延到一九五二年十月二十日，伊朗政府採取了斷然的行動，藉口「英國製造困難，旨在破壞伊朗之秩序與安全」宣布與英國斷絕邦交。使石油爭執的糾絆一刀斬斷。英伊關係演變到這樣的地步，儘管是由於政治局勢的影響，美國不能不耽心於伊朗與英決絕之後，蘇俄乘機攫取，而力勸英國忍耐，仍闖尋求合理解決油爭。

英國無法阻售石油

今年來，美國爲了調處油爭，更由於伊朗政局的動盪，油爭的懸案急待迅速解決。當英國外相與美國務卿杜爾斯於本月初會晤之時，杜氏認爲英國提出的四點建議，是「公平和合理」的，而極力支持英所採取之此種立場。英國建議：一、伊朗將可保持對它的石油工業管制和它的石油國有化政策；二、英伊石油公司在伊朗收歸國有的財產的賠償送交海牙國際法庭處理與重建伊朗經濟的政策，是可以充分一致的；三、伊朗有充分機會以競爭性的市場價格在世界市場上出售其石油；四、在伊朗石油尚未售出之前隨時給予它足夠的款項，以解決它的迫切財政問題；將來可以伊朗石油償付該項貸款。但伊朗卻大爲反對，穆薩德力責英國之建議爲晦澀，並未說明其賠償之意義。於是予以拒絕。然而當時伊朗對於石油的推銷以及經濟上的困難已經另有安排，那就是第一批以五千噸的石油售與羅馬蘇波爾公司，被英國前英伊石油公司控訴於義大利法庭，靜候法庭的裁判。因前此伊朗與義商蘇波爾公司訂有五年合同，以伊朗石油換取義大利之工業與化學用品。第一批的石油由「瑪利拉」號於二月十四日運抵羅馬之時，即被「英伊石油公司」代表人向義大利法庭提出控訴。迨威尼斯法庭裁決拒絕該公司申請索還其在伊朗資源以及扣押「瑪利拉」號所裝載之五千噸石油之時，德黑蘭沾沾自喜，且不惜以低於國際市場油價之半數給與蘇波爾公司的六個月爲期之特權，第二批的石油現已在阿巴丹繼續上船了。

伊朗極力恢復產油

三月廿日國有化法案成立兩周年紀念日，穆薩德發表廣播演說，他拒絕了美國同意的英國之建議，而認爲對義大利貶價售油是他在兩年來的經濟困窘中開闢了一條大道。而相信他的政府今後可以大量出售石油，以使阿巴丹的煉油廠恢復其往昔的盛產之水準。英伊間談判的希望目前雖未完全幻滅，成就的成分畢竟是太少了。他還說希望英國領袖有所覺悟，並調整其政策，以適合世界局勢。更力言：伊朗人以尊重的態度注視着英國人民。然而，伊朗目前的政治局勢依然在動盪之中，這一年邁之總理於半月之前與年輕的君主巴勒維一度衝突而造成了德黑蘭混亂局面，不久雖告恢復，但穆薩德之態度卻更爲傲慢了。伊朗的年初以立春爲準，循例總理於新年覲見國王賀年，今年卻是例外，許多人對於此事均大爲疑惑。穆薩德不向國王賀年之違反傳統，以及較早時所發布之聲明，除非他被殺或被不信任之投票將其擊敗，彼將永不放棄其職位。穆氏對於他所要求陸軍部長之職位解釋爲，「一類似埃及之大政變已在計劃中。」於是他爲了防止此等事件和「維護王位」，將集中於德黑蘭之軍隊予以分散，作爲遏止變亂的一項緊急措施，而徹底消滅醞釀作變的力量。

英埃談判陷僵局

·卓繆·

蘇丹的地位意外地迅速的成協議之後，誰也覺得關於蘇彝士運河區五萬英軍撤退的懸案，可望於短期中解決的。可是，由於埃及指責英國對蘇丹實施「老殖民地方法」，蘇丹選舉發生糾紛，英埃談判重起波折，美國的調停更感困難了。在艾森豪就任美國總統之後，中東國家尤其是埃及總理納吉培認爲可以一反杜魯門執政時之短視態度，而爭取阿剌伯國家之友好。但美國新政府迄今對於中東國家之政策，並無較爲明確的表示，更由於最近蘇丹之選舉發生糾紛，埃及對於未來撤兵問題之談判已有戒懼。當二月十二日蘇丹協定簽署之後，根據規定成立一個由英、埃、印及蘇丹籍人組成的一個委員會，以監督蘇丹選舉國會之第一次大選，由該國會自由決定蘇丹之將來政府形式。現時除了英埃印度與美國代表已經聘定，在選擇蘇丹政黨中三名代表問題時爲英國之偏見受阻。當上月間蘇丹正在進行選舉之時，若干英人對蘇丹的官員施行恫嚇，並將一部分傾向埃及的蘇丹人予以逮捕下獄，使國際委員會無法如期成立；蘇丹之首次大選卒告延擱。這是英國耽心於蘇丹之國會一經成立，在埃及極力支持之下，蘇丹人對它的未來地位即可迅速決定，固無異將英國在蘇丹之勢力剷除，因爲未來之蘇丹政府可以在其自治期間拒絕英國駐軍，而協約之規定英埃軍必須撤離蘇丹。因此英國在此過渡期間爭取同情於英國之蘇丹族人蘇丹的政黨在推選三名委員時同時產生五名，蘇丹總督將得票最多之三名圈定，卒爲埃及所反對，並指爲不合法定程序。迄今爲止，此種意圖已告幻滅，而另一新的問題已經發生，英埃間已劃了新的裂痕，雖然英國已派遣外次勞合飛赴卡吐姆尋求解決延擱中之蘇丹選舉對策，但是目前尚難確定此一事件能獲迅速解決。納吉培已經發表過一次聲明，此後有關蘇丹問題之交涉，將不再經由駐埃英國大使館依循外交路綫去向倫敦進行，而直接逕與蘇丹總督辦理。但納氏對於與蘇丹間之通常簽發護照慣例亦已取消，他的理由是蘇丹總督羅拔侯威爵士無讓向埃及要求前往蘇丹應備具護照。顯然[illegible]目前的態度一天比一天強硬。蘇丹問題似乎除了根據協定之外，無變通辦法。關於運河區的撤兵問題，英國向埃及提出此建議內容，雖然各方傳說不一，大致是：一、英軍自蘇彝士運河區之撤退，配合中東聯防體系之逐步組織；二、遇戰爭發生或受戰爭威脅時，英軍可調返運河區；三、英空軍與埃及空軍均得利用運河區之空軍基地；四、英國對埃及軍隊供應裝備，并爲彼等在英國受訓提供便利。美國在英埃談判間的努力，目前已無徵象可以證明已促成接近的地步，但由於蘇丹的選舉擱淺，以使撤兵問題無形受阻，納吉培則步步緊逼，警言英國若拒絕立即撤退蘇彝士運河區駐軍，埃及將採取武力以謀解決。這樣的趨勢，除非英軍無條件撤退，運河區無疑殆將流血了。

吳稚暉九十大慶

台灣通訊

國民黨元老吳稚暉氏，今年壽登九十。吳氏生辰原爲夏曆二月二十八日，但若干年來，吳氏輒以「偸來人生」爲理由，未允公布其生日。當其中年時代，曾有一次以國曆四月下旬某日爲生辰，由親友爲之祝賀，吳氏自稱之爲第二生日。此後亦有由他人代爲擇定一日爲之祝壽者，年年日期不同。吳即稱之爲第三生日。今值九秩大慶，在台友好已爲擇定於國曆三月二十五日慶祝。屆時當有一番熱鬧。吳自去秋移住台灣大學附屬醫院，迄今尚在診治休養之中。所患病症爲小便不通，時常需要施用輕微手術。但飲食睡眠均如常人，且有時可由人扶持在醫院走廊中小坐。醫院房屋係西式建築，高敞而多陽光，較之其中山北路私宅完全爲日本式之矮屋者，實更宜於病體。吳爲最篤信科學之人，早年曾主張將綫裝書扔下毛廁三千年。又最善幽默，其所翻印之「何典」一書，曾風行一時。以言對國家之貢獻，則爲主張清除共黨之堅決，與早知汪精衛之必叛，口誅筆伐不稍寬假。民國十六年之清黨，吳氏爲最早倡議之人。當時中央所根據執行，即吳氏以中央監察委員身份所提出之彈劾共黨陰謀叛國書也。北伐成功以後，汪精衛與馮玉祥等在北平舉行所謂擴大會議反叛中央，興兵作亂。吳氏迭次爲文予以聲討。汪等不能辯，乃用「蒼顏老賊皓首匹夫」等語詈吳，吳謂汪之叛亂必不止於此，日後非賣國不可。抗戰期中，汪之言果驗。前國府主席林子超氏逝世時，中樞曾有請吳繼任之議，爲吳所力辭。故吳氏雖主張扔掉綫裝書，而其恬淡胸懷，乃完全受中國儒家文化的影響也。

林語堂並未來台

上週董顯光自日本返國述職，台灣盛傳林語堂同機而來。及董氏下機，歡迎者遍覓林不得。後始知同機名單中有Y T林，機場中有人預見名單，推想其爲語堂也。年來我國旅外作家，如蘇雪林已返國，陳通伯胡適之曾回台，惟久未得林語堂消息，各方面不無關懷。林所主辦之天下雜誌，台北亦有銷售，惟內容並不合於台省讀者需要，發行情形未臻理想。上次胡適之回國時，曾謂林在美國以製售中文打字機爲業，售價甚昂。聯合國祕書處招考中文打字人員時，指定須用林氏之打字機，林對應考人試用一次，亦收費甚多。故林氏生活，實爲一般恃寫作爲生者所不及。

吳國楨病假一月

台省府主席吳國楨因喉病請假一個月，已赴台中日月潭休養。吳氏去年亦曾因病留寓日月潭台灣電力公司招待所，今年仍住原處。府務由祕書長浦薛鳳代行。台灣省政府現有委員二十三人，超出省政府組織法所規定者一倍，但浦氏雖自魏道明氏主台政起，即任祕書長，卻並非委員。因此省府會議由民政廳長楊肇嘉代理主持。吳氏在休養期間，曾宣布不接見任何賓客。但美國霍華德氏以新聞記者資格訪台，日內將赴日月潭訪吳，遠道嘉賓，自可例外接待。年來吳氏於每日清晨到公前，口述自傳一段，由其英文打字員繕寫，聞不久即可成書，交由美國某公司出版云。

話劇界日趨蓬勃

抗戰時期，重慶話劇界曾十分蓬勃。但其時演員，或已附匪，或已退休。迄今仍能在自由中國繼續努力者，爲數不多。台灣因電影院特多，外片進口方便，以致話劇不易興盛。最缺乏者尚非演員問題，而係劇本問題。其內容必須適合各種條件，不能純作爲娛樂性者，編導者常感拘束太大，下筆爲難。閱農教電影公司本年擬拍製小說片六種，亦因劇本難以選定，尚難開動。日來各話劇團體紛紛以試編劇本，在各地上演，對於推行國語，甚多幫助。台省同胞，亦逐漸對之發生興趣，誠爲一大喜事。惟此等劇團，多爲愛好文藝者與流亡男女青年自行組織，環境甚爲艱困，政府方面如能稍加扶持，則當年重慶劇運蓬勃情況，實不難重見於今日之自由中國也。

天下小事

肯南不為政府重視

美國前駐蘇大使肯南自應俄政府之請被召回國後，他在艾森豪政府中，似也成了一位不受歡迎的人物，肯南本是著名圍堵政策的策劃人，但艾森豪政府卻認爲他的政策適足以保障蘇俄在冷戰中取得主動。和民主黨執政時代吃香的情形比起來，肯南目前在華府已成了一個無關輕重的人物，甚至最近美政府召開會議討論史達林去世及其影響的時候，國務卿杜爾斯也沒有邀請這位蘇俄問題專家參加，如果在新任駐蘇大使波倫獲參院正式批准後九十天內，肯南還未獲另委新職，則依照外交人員的服務條例，他將自外交界中告退。

史魔喪禮情形冷落

莫斯科報章所載史達林遺體公開陳列時，吊唁者「大擺長龍」的新聞，可以說全是胡說。據華府所獲的可靠情報，前往吊喪的民衆決沒有如許之衆，而且大家也多是帶着熱鬧的心情，而很少有哀感的面容。雖然俄共曾多方設法，發動大批羣衆參加，但顯然沒有成功。

美編組「外國人軍團」

美國正計劃編組他們的第一個「外國人軍團」，而不讓法國人專美。據說，這一外國軍團係由鐵幕國家的難民所組成，兵力相當於美國的一個步兵師，一俟籌得必需的基金和裝備後，即將立刻進行編隊和訓練。依照美軍方現定的計劃，這一支「外國人軍團」將在歐洲駐防。

俄建定向飛彈基地

據西方情報人員探悉：蘇俄已在芬蘭蘇拉區新建成一處定向飛彈基地。蘇拉在芬蘭最北端，靠近北極圈，位於蘇俄軍鎮摩爾曼斯克的西南，這地方原屬芬蘭所有，是在蘇芬戰爭時被紅軍強佔過去的。蘇俄在北極區的主要空軍基地就設在這裏。

瑪麗太后不用電話

年高八十五歲，瑪麗太后患了十九天的胃病後，最近已漸康復，在瑪麗太后病勢沉重的時候，溫莎公爵特遠自國外趕返英倫探視。當時公爵告訴記者說：在國外所得的，只是太后病況的間接消息，他本人極不放心，但他又不能用電話和太后直接通話，原因是「我的母親一生中從未用過電話，這是她的特癖之一，她害怕使用電話，至於爲什麼原故，我也不知道」。（孟衡）

東德特務收買盜賊大肆綁架

林斯案一要犯被捕

上星期的某天晚上，西柏林警察接獲線人密告，知道有一個竊賊已潛入某舊貨商人的住宅中偸竊，他們立即出動，分別在住宅附近埋伏，果然輕易拘捕了那個竊犯。不過，他們所捕獲的，還不僅是一個普通的盜賊而已，在西柏林警官的眼中，那個名叫克洛布羅契的供詞極爲重要，他們認爲這是「戰爭以來西柏林最重要的捕人事件」。

克洛布羅契今年還只二十二歲，是一個老練但非常愚蠢的竊賊，他曾四度被捕，三次入獄。以前他也在東柏林犯過案，被關在東柏林的監獄中，但那次的入獄對他卻十分不幸，終於斷送了他的一生。原來他在東柏林獄中時，有一個他僅知名叫保羅的東德祕密警察高級警官曾和他作了一筆交易，保羅說，如果他願意協助綁劫「自由法學家反共調查委員會」第二號重要人物林斯的話，他將可獲得自由，否則，東柏林當局就要判他更長期的徒刑。克洛布羅契在威逼利誘下，答應了這筆交易。

林斯博士是共黨久欲得而甘心的人物，但他本人很機警，在克洛布羅契出動擄劫之前，另一批共黨匪徒曾三度設法綁票，都沒有成功。去年七月八日清晨七時二十分，克洛布羅契率領手下四人前往林斯的住宅前行事，他們首先用一輛東德汽車改裝爲西柏林的營業汽車，停在林斯住宅附近，就在林斯出外工作的時候，站在他門前的克洛布羅契和他借火，就乘林斯找尋打火機的時候，上前把他的兩臂抱住，林斯本人也很力大，他奮力掙扎脫身後，立即奔至營業汽車處求救，克洛布羅契的助手立即把他拖進車內，向東柏林急駛。林斯本人上車後即知道中了圈套，立即拚命掙扎，途中他仍在車上用腳踢開了車門，但立刻腿上被他們打了一槍。駛到東德祕密警察總部中時，保羅和另一個人民警察的少校都在室內等待，自然，這是共黨特務的一大成功，克洛布羅契和他的助手每人獲得六週假期，假期中一切吃玩的費用由共黨代付，此外還分得兩百五十美元的獎金。

克洛布羅契上週在獄中供狀上簽字後，又被送返監獄，但他悔恨交集，神經已有了變態，他曾撕開一隻鐵罐用破鐵割開左腕上的動脈，然後在牆上撞來撞去，一面尖聲呼叫：「救命！我不要死！」但實際上，克洛布羅契是不會死的，充其量他只會因林斯綁票罪被判十五年徒刑。然而林斯怎樣呢？美駐德當局雖然五度提出強硬的抗議，但換來的只是俄方冷淡的反應。俄國手中已有了一位很重要的軍人林斯，但西方手中只有一個愚蠢，悔恨莫及和卑微不足道的罪犯。（迪）

西南地區災荒嚴重 收成無望餓莩載道

【本報訊】目前四川省部份地區，西康省的寶興、漢源一帶，貴州省的畢節一帶，及雲南省的鎮雄一帶，業已發生程度不等之春荒。造成春荒之主因，以該等地區曾於去冬發生冬旱及虫害等災，且處置不當，致影響春季收穫極爲嚴重，幾乎平均有百分之七十以上之田地無所收成，因而當地人民生計，益感艱困。據悉四川省遂寧縣一帶，因去冬棉花歉收，今年春作無收，致平均每戶均缺糧兩月之多；富順縣一帶，則約有百分之四十五的居民已宣告斷炊。宣漢縣一帶，去年因遭風災，苞谷沒有收成，因而據統計目前已有百分之三十五左右的居民宣告斷炊。西康省的寶興、漢源等縣高山地區春荒尤爲嚴重，已有百分之五十五左右的居民無法生活，其他雲南、貴州部份地區因春荒而告缺糧者亦甚衆多；以致該等地區人心極爲惶恐，業有大批居民，扶老攜幼，一無目的地四向逃荒。

據悉：目前該等地區之春耕亦已大受影響，旱荒及虫害尚未完全解除，而飢荒之威勢則復在日益擴大之中，若到青黃不接之時，勢將有百分之八十以上的居民無法苟活。該等地區之飢荒雖如此嚴重，而據中共西南局的指斥，則認承該等地區之共幹，或有者束手無策；或有者漠視無覩，經訓斥後，方提出空洞之「向春荒鬥爭」之口號，但仍無恰當辦法善後。且災勢已成，極難挽救。

穗市工廠不景氣 忙壞了大小嘍囉

唯一法寶貸款收購 堆滿倉庫有苦難申

穗市各公、私營工廠，凡是有關軍用物資的，因爲在韓國前線的大量需要，由共幹日趕夜催之下，倒是忙得不可開交，大家粗製濫造，只要勝貨交出，其他一切不管，讓蘇替赤色匪幫控制下的工商業，打了一支強心針。

可是一般與軍用無關的工廠呢？恰恰與前面所說的相反，日趨沒落，因一般人民的購買力並不如它們所說的提高了，而事實上誰還有除了糊口之外再去添置日用品的力量？於是一些工廠在「工人當家」的情況下，關門不可能，繼續生產的出品沒有銷路，唯一辦法只有向中共抵押貸款，或賣給它們。

中共表面爲了照顧工人的生活，心中雖不願意，但也無法可想，否則，它一貫的手法被拆穿，一發不收拾。因此只有啞子吃黃蓮，由「人民銀行」撥出一千億元僞幣，作爲貸款，對外聲稱是「扶助私商打開淡季銷路」，收購一些如五金製品、牙刷、炭等，連竹簍貨亦列在其中，使共幹們搞得手忙足亂，除堆滿了倉庫，無法找到出路。（木）

貪污腐敗瀰漫

華北整肅特頒規定

【本報北平訊】由於中共黨員，特別是農村黨員之普遍犯有：私自奴役人民勞力，放高利貸剝削人民，利用職權營私舞弊，購買土地房產、貪污、及強迫命令、欺迫人民、逼死人命等等的嚴重罪行，業已加深了人民的怨恨，腐蝕了該黨的組織機能，中共中央華北局乃首先遵照中共中央「整風」的指示，大規模展開所謂「農村整黨」，並特爲此於本月二日發佈兩大規定：其一是關於在農村整黨中處理黨員僱工、放債、營商和出租土地等問題的規定，其二是關於在農村整黨中處理黨員和幹部貪污，浪費與強迫命令等問題的規定。但此兩規定除對黨員的行爲有若干限制外，大多則反爲黨員辯護過錯，並公開承認其部份行爲爲「合法」者。如第一項規定的第一部份，除黨員僱傭多數人爲其生產營利被視作剝削勞力而加以禁止外，其僱傭一二人爲其生產者則被合法允許。第二部份：除黨員投資商被視作有資本主義傾向而加以禁止外，其小本經營，如開雜貨舖等則被允許。第三部份：除黨員今後不准放債外，以往所收的高利則不予追究。第四部份：除能自己勞動之黨員，不准出租田地房屋外，其餘則仍准出租收取租金。第五部份：除黨員爲營利而購買土地房產被禁止外，凡自己耕作或居住之田地房產則仍准購買。如第二項規定的第一部份：凡個人或集體以各種非法手段侵吞竊取國家財物或公有財物以肥私利己者認爲係貪污外，凡佔點公家小便宜，如多領一份糧，多頂幾個工，多報點旅費等等則不算作貪污份子。除姿受「不法份子」財物而包庇被認作受賄外，凡受禮物者則不算受賄。且其已受之賄，不予追究。第二部份：凡對國家或公共財物不需要開支而開支的爲浪費外，其餘則雖不「合法」而認爲「合理」。至於私人爲生活享受而多化點錢財，更不碍爲浪費。第三部份：除黨員幹部不按手續而擅自、扣押、處罰，打罵群衆被認爲「強迫命令」外，其餘凡確爲急於完成任務或爲安全措施而作上述行爲者，則不算作「強迫命令」。

中共修車 越修越壞

近據四川若干交通機構紛紛向西南交通部反映而揭露的新消息稱：該部在渝南的新建的「國營汽車修配廠」對修車工作極度荒唐。謂該廠承修的汽車往往比不修時更壞！例如有些汽車只壞了汽缸，掉了些漆，但經修理後，反而毛病百出，腳刹車一踏即斷，全部螺絲釘都不旋緊，開上三、五里，會掉去一半；前後牙箱油毛氈雖臨新換，卻漏油得多；說尤其不能容忍的噴漆部份，常常還泥巴臨草之類都漆在上面，且未用油灰打底，一震就會掉下來。

福建海澄近貌

昔日繁榮僑鄉 今成蛇鼠之窩

福建海澄城，在海外僑胞的心目中，是一個繁榮、安定、風景美好的故鄉。但是經赤色魔鬼幾年的蹂躪後是怎樣呢？下面是它的寫照：

僑胞們如果回到別後幾年的家鄉，是會不認識它的，昔日的繁榮，熙攘往來景象已不再見；城市的輪廓亦面目全非了。原來的城垣，共黨要關閉在集中營的「人民勞動」，利用他們的人力，是被拆除了，代替它的，是便利軍運而築成的馬路。城隍池呢？也被它們塡成平地，池左邊的河溝被改爲一條陰溝，池旁的原爲便利民衆而設的公廁，亦已拆掉了。這一平地上，修築了一個所謂「人民公園」，經常作赤色嘍囉們聚集的場所，裏面直立了它們用以驅使人民去作砲灰的紀念物——工農兵的塑像。小公園的對面是一座又是以人民作幌子的「人民文化館」；總之，變了，一切變了！

濠下池呢？原是海澄的風景區，現在也塡平了，在塡平地面上正在建築中共爲統制工商業的市場，將來城內的攤販，都將集中到這市場作買賣。

在城東北角的八角樓，這是海澄城的唯一古蹟。可是，由於多年失修，已破敗不堪。在共黨高喊保存古蹟的口號下，現正在向人民捐款重修，要在樓基的周圍再圍上一道高欄，用意何在，無人知道。如果你登上八角樓眺望，原來舊縣政府所在地，已被稱爲「人民體育場」；城郊的沙池也叫做「人民游泳池」了。

僑胞們，總之當你回到故鄉時，它已失去本來面目，所見到的，都是一些戴八角帽的共幹，到處橫行，縣民是在過着不言不語日子！（冀）

中共公安人員濫施權勢 竊盜姦淫胡作亂爲

墓內棺材也被掘出盜賣

最近中共爲了要大規模實施「整風」，已不得不以圖最後掙扎，公開認承他們的一般幹部都嚴重地犯有強迫命令，貪污及任意欺壓民衆的罪行，而這種罪行之最普遍而嚴重的除了鄉村幹部外，就要算他們的公安人員了。因爲中共的根本是一個警察統治的特務政權，人民見了公安人員畏之若虎，這些公安人員便更頤指氣使，作威作福，無所不爲了。這裏，我們可以舉出中共「天津日報」所載一個典型例子：如天津市第八區有個名叫段文的「公安員」，出身原是流氓，在天津淪陷前參加暴動有功，天津淪陷後便被中共派充了該區的「公安員」。他當了「公安員」後，由於中共的寵信，便明目張胆地利用權勢，幹起惡事來！霸佔生產，偷挖盜墓，強姦婦女，吊打民衆，無惡不作。他當了「公安員」的第一步是將自己的房屋租出去，而佔住民衆的房錢，再進一步是將人家養魚的河塘爲已有；再進一步是雇人到處翻掘墳墓，將棺材內的死屍倒出，出賣棺材；又進一步是到處強姦婦女，霸佔民妻，據查被他強姦了的婦女前後共有二十九人之多！其中有兩個婦女曾羞忿自殺！有兩個被姦婦女的丈夫因表示怨忿而被他毒打！他常常手裏拿了槍到處示威，誰要見了他而不恭恭敬敬，他便加以「可疑」兩字任意凌辱，扣押，拷打，甚至有次有一客商，趕牛一羣路經該處，他竟命他留下兩頭，他不允時，竟被他綁了起來，後來這牛商送了他一百萬元才准放走。因而當地人民見了他，像見了閻王一樣，無不避而遠之，尤其是婦女，連白天都不敢在大門，一到晚上七時，更是門戶緊閉，恐慌之至！人民雖對之深惡而痛極之，卻無可奈何，直到最近「整風」揭開，才被密告。但類此情形，現在被揭發者極爲衆多，辦不勝辦，中共已爲之目迷神亂，束手無策！

中共加強搾取僑滙 南安歸僑反抗

開會只有廿人參加

閩南南安縣，爲海外華僑最大出生地之一，據統計，該縣總數人口六十萬中，華僑、僑眷就佔有二十七萬人。因此，中共爲進一步控制華僑起見，除「已在洪瀨、詩山、金淘三個地區設立了「僑聯」組織外，近又強迫歸僑、僑眷召開「全縣歸僑座談會」，要他們正式籌組「南安縣歸國華僑聯誼會」，但是一般歸僑、僑眷已洞悉中共陰謀，是要加緊搾取僑滙，因此不爲所動，結果只有二十人出席，會中雖有縣委、統戰部長齊世和的恫嚇，大家亦不起勁，一點結果也沒有。（田）

大陸自然科學 共幹一手包辦

大陸不論任何團體組織，完全在中共控制之下，已成鐵般事實，即以各種學術研究機構來說，亦由一些賣野人頭的共黨幹部實際負責；它們不但控制了總機構，連各地的分支組織也一手包辦，此可於上月十六日在漢口成立的「中華全國自然科學專門學會聯合會武漢分會」的負責人中得到證明。

該分會據說是以會員學會方式，由三千六百名科學工作者組成，而實際出席會議的，只有指定的籌備委員，與二十六個學會的代表和特邀代表一百三十人。選舉的結果，執行委員爲潘梓年、高元貴、高尚蔭等十七人，范樂成、張天翼等六人爲候補執行委員。

潘梓年、張天翼等是赤色組織中有名的「宣傳專家」，現在也搞起自然科學來了，眞不愧紅色天才。（易）

「人民藝人」末路 程硯秋演歌劇

被中共封爲「中國戲曲研究院副院長」的程硯秋，因爲所演的戲，在共黨的眼光中，都是含有「封建意識」的，批評得一錢不值，因此，已經有一年餘沒有登台，他只有另要花樣了。

上月初，他雖在北平奉命爲「擁軍優屬捐獻」中，演出了兩場，但觀衆對他已不感興趣，他爲了討好共黨，最近排了一個新戲「祝英台」，打算在北平長安劇院演出兩場後，即將離平南下。

「祝英台」據說是集中各地方劇的長處而成，裏面有新腔新舞，關於「化蝶」一場，是用過去「梅妃」中的驚鴻舞翻新試用，配加新樂曲，說是要向「新歌劇」途徑走去。（毛）

所謂意見箱 竟三年未開

中共爲了表示講「人民民主」，所以一級收各地，便在各級「人民政府」的門口掛了「人民意見箱」。當然，既有了意見箱，多少總有幾封意見信投進去的，可是這種意見箱原是擺擺樣子，備而不用的，故大多經年累月，任它風吹雨打，不予理會。別說裏面的信爛了，鎖銹了，且竟連鑰匙都會無影無蹤了！但目前攻擊「官僚主義」的檢舉風一開，這些「政府」老爺們便慌了手腳，乃紛紛得用斧頭劈開了放來！只如最近上海解放日報所載，像江蘇武進縣那樣，那只意見箱一掛就已三年不曾開過一次！這在中共目前的許多現象看，當然還是小事，但很够幽默，諷刺！

黃逸峯事件 餘波未息

正式下令撤職

僞華東交通部部長黃逸峯被鬥後，餘波迄未平息，各地續以此事爲攻擊對象，絡續以官僚主義及反黨等理由，揭發此種類似事件，因而黃逸峯實已在中共新整風運動呼號之下成爲衆矢之的。現據本月十二日北平新華社電：黃逸峯已被僞政務院人民監察委員會正式下令撤免本兼各職。黃逸峯除被中共中央撤除黨委書記，開除黨籍，飭華東局予以看管、反省、坦白、教育外，業由僞監委會公開通報，撤除其僞華東交通部部長兼僞華東交通專科學校校長的行政職務。並以（五三）政人務字第三十九號批覆僞華東行政委員會執行云云。

中共蠶絲製品朝俄

又發動改進繅絲業

廣東順德一帶原是出產蠶絲的地方，由於科學發達，代用品又多又廉，蠶絲幾乎已無銷路，因此過去爲蠶農，大部都已改業，目前養蠶的農家已經極少了。

但是這些蠶絲的製品，在蘇俄毛子的眼光中，是極爲珍貴的，故在大陸從事收購，惟數量不多，不能滿足慾望，乃命令中共大事生產，並改進品質，以便運蘇供應需要。

粵共農林廳奉到命令後，最近乃大事宣傳提高蠶絲產量，從事改進品質，規定今年的蠶絲產量要比去年增加百分之七十，並由該廳派出了大批技術人員出發各地指導，督促蠶農恢復生產。

粵共除了用華東的改良種叫「瀛文」和「華十」的第一代的雜交種，作爲初步改進白繭品種外，並從蘇南、浙江調來兩個繅絲技術小組，從事改進繅絲工作，同時，在順德、中山、南海、新會、西江等產絲區，設辦蠶農技術訓練班，第一期招收的學員約有三百人，分在各地受訓。並且規定桑農的桑田每畝桑葉產量要達到三百四十斤，蠶農每戶要產絲一百八十斤，說是改善他們的生活，其實是將收穫用去朝俄，孝敬主子們享用。（示）

共黨妙藥 體育可治肺病

大陸人民由於勞役過度，營養不良，患有肺病者爲數驚人，並因醫藥缺乏，療養不易。但在中共魔鬼的手下，什麼都可以玩花樣的。最近北平的「華北人民醫院」來了一個蘇俄專家奧斯特洛烏瑪娃，提倡一個「充滿革命氣息」的新治療法——「體育治療法」，可以治好肺病，正由中共大力施行中。（北）

自由談

談「專家」

爲方

最近台灣文壇上發生過一種論戰，那是爲着史大林之死亡而起的。有人說史大林當年是以「扣留」列寧遺囑而開始專政，今日亦以自己的遺囑被人「扣留」而收場；並且說馬倫科夫這新貴之形成，是經過了內部長時間的「打殺」而然的。有人卻根據俄共史事，說列寧遺囑並非被史大林個人所「扣留」，乃經過黨的決議才不予公開發表的。因爲那遺囑中對史大林，托洛茨基，布哈林，加米湼夫，季諾維夫這些黨政首要們都有不滿的批評，所以大家否決了列寧夫人的主張，不予發表，這當然是事實。但認定列寧、史達林遺囑皆是被私人「扣留」的人，即指異己論者爲「不懂蘇俄實情」，論戰因之出現。

我認爲我們對這項問題的一切正反論斷，都不過是一種推測，一種假定，誰也不能以蘇俄的「眞正權威」自命，而指別人不懂得實情。譬如說馬倫科夫，貝利亞等人沐猴而冠的場面，是經過「打殺」而來之說，又是根據那種「實情」資料而云然的呢？所謂某某問題專家，在英美各國亦多半是些推測專家，假設專家罷了，如拉鐵摩爾這位「遠東問題專家」，即其明證，中國的「專家」尤其可疑。抗戰時期以「日本問題專家」自任的那位專家先生，他那頭顱不知給人們作過幾百次的賭注，「某年某月如果日本不投降，請殺我的頭」，而結果等於我在香港買馬票，雖中一次，好不笑煞人也！

論戰是追求眞理的好現象，我只感覺它對大衆有益，然不相信社會科學範疇中的政治問題，眞有甚麼「專家」存在，更不相信今天的中國有「蘇俄問題專家」存在！

一個眞實故事

例外的假期

·示且·

「閉門家中坐，禍從天上來。」是說世上意外的事不是人力所能預先防止的，幸運也是如此。

張國華在本月初一，因爲他所服務銀行，自從向中共「靠攏」以後，由北平總管理處於去年另派了一位經理，據說在延安住窰洞的時候已經積有「功勞」，在「邊區銀行」做過出納員的經理來了之後，除了他的陝北土話外，廣東話國語的程度也不及格，彼此言語不通，很本做不了事，張國華只有自己動手翻箱倒籠，找尋他所要的文件時，因用力過度，右手腕脫了節，扭傷了筋。當時眞是痛澈骨髓，幾乎暈厥，後來經過跌打醫生按摩數藥，痛是止了，但手腕紅腫，不能提筆。行中見他因公受傷，給了他一星期公假在家中療傷。

他在家中經過五天的休養，可用左手生活，到也頗爲舒適，感到這一次的受傷雖是不幸，及當時的痛楚確是難受，而這幾天的假期，是他從二十一歲進入銀行當練習生以來，今天十餘年以來，最痛快的一個假期了；既無因請假而扣除年終獎金的損失，又沒有每逢假日，同事約去打牌跳舞的打擾；最感愉快的，倒是不必參加什麼小組會，工作檢討會等等費時勞神，沒有結果的會議，眞是一個大解脫，身心都愉快異常。

不過，這種假期是可遇而不可求的，並且再過兩天，又要返工，所以張國華對這未來的兩天是很珍視的。

六號早晨，張國華雖不必趕時上班，但照例七時起身，已成習慣。當他盥漱完畢，吃了一頓相當豐富的早餐之後，房中檯鐘已是指着十時了，他正在覺得時間何以過得比平日在寫字間中來得快而奇怪時，突然門鈴響個不停，出乎常情，張國華預感到將有不幸事件發生了。果然，當他開了門見是陝北老鄉氣急敗壞，哭喪着臉進來時，操着延川土話說：「咱們全世界勞動人民的偉大領袖、全世界革命的導師、咱們中國人民最敬愛的朋友、親愛的史大林主席的心臟停止跳動了！咱奉經理之命，請張同志馬上到行裏去！」說完了這幾句話後，他不管對方是否已聽清楚，轉身就走，眞是一個報喪的好手。

張國華驀地接到這個通知，感到啼笑皆非，史達林死了，與他有什麼關係？再說他是在「恩假」期中，行中即使有事，也不一定非他不行，何況是史達林的暴斃，與他根本風馬牛不相關，要他馬上到行裏去做什麼呢？

老張滿肚不高興，是必然的，但爲了是經理的命令，不接受有被炒魷魚的危險，他只有陰陽怪氣的從北角到達了中環的銀行區，走進了他所服務的銀行。

在他還未踏進大門時，首先見到平日在香港難得見到的血腥旗，旗桿的尖端紮有一塊黑布，並且旗也沒有昇起，因爲沒有風，裹在桿子的中間，看上去正像在廟宇中見到的半截蠟燭一樣難看，使老張更加生氣。

到了行裏第一個令他注目的，即是曾經住在窰洞而今是非道地英國名廠出品花呢不穿的西服煌然的經理，反靠雙手，臉上好似剛才哭過，兩眼紅紅地在走來走去，一見張國華進去，他好像一個受盡委屈的兒子見到了親人似的，想哭而未哭出聲的表情招呼老張說：「張同志：史達林主席死了！我們現在先應發一個急電去北京總管理處，請他們代表我們全體同志轉達我們對史達林主席逝世的沉痛哀悼……哀悼……，並且我們得立刻籌備舉行追悼會的事，你馬上給我擬好一份唁電，要說得沉……痛些，並且，另外再給我擬好一篇在追悼會中的報告詞，對於史達林主席生時的功績，尤其是對我們——中國人民的偉大貢獻，要特別强調，擬好了後讓我仔細看一看！」

老張一聽要他提筆撰擬唁電與講詞，使他想起了還未消腫的手，尚不能寫字，正準備舉起右手對經理說話時，這位因一口氣說了許多話尚未喘過氣來的經理接着就說：「張……張同志，我知道你的手還未好，但是，你要知道這是偉大祖國，史達林主席的事，你的手不過扭傷筋，並不是重傷，想當年我在延安的時候，滿身生着楊梅大瘡時，寸步難行，我還捧了一麻袋的『光華代價券』，親自送到南漢宸的公館裏去呢，這有什麼了不起，你還不馬上去寫！」

張國華聽到了這番話，正是感到想笑，但轉念一想，經理的話雖是好笑也好氣，可不能笑着玩的，爲了掩飾他正想笑出來的表情，他很快轉身走到他的寫字桌旁坐下；心中對經理所說「楊梅大瘡」仍忍不住地暗笑。

張國華也眞有一手，雖則他對共黨八股素無興趣，但近幾年來見得太多，他就信筆塗來，不到一小時，同時擬好一通電報與講詞，不好馬上送去，以免經理說他太草率，並且他還得動腦筋怎樣來延續他的假期，否則眞太寃枉了。所以他就把文稿放在一旁，抽了幾支香烟，消磨時間。

一直到中午休息的時間到了，同事們都已出去吃飯時，他才用左手夾住了文稿送到經理面前。

經理將老張的文稿從頭至尾仔仔細細地，搖頭擺腦唸了兩遍，抬起頭來，向老張點點頭，表示滿意。老張也學着經理的表情，哭喪着臉，同時將右手提了起來，向經理開口了：「我的手剛才擬稿時，用力過度，現在很痛，恐怕又傷了筋呢！」

經理見到老張的表情知道不假，說：「張同志，你這次帶着傷，還替人民盡了很大義務，確是很難得的，這樣好了，現在我再給你一個星期的公假，表示人民對你的照顧，你現在回去休息好了。」

如此，老張又得到了例外的假期。其實，他的手早已不痛了，僅僅還沒有消腫而已。

略談杜甫（十）

·舜生·

杜甫到達成都後，（759）生活總算是比較的安定了一點：第一，他在浣花溪之西，百花潭之北，靠近錦江的所在，經營了一座『草堂』，雖說是樸素簡單，和他一個詩人的身分卻還相稱；第二，朋友和親戚也多一些，假如不得着這些人的幫助，便連這座草堂也不見得能夠成功；第三，他還有兩個關係較密的朋友，其一爲高適，其一爲嚴武，也先後到了成都；高適做過彭州刺史，蜀州刺史，也暫代過一時期的成都尹；嚴武則於上元二年（761）正式做了成都尹；這兩個人都對他有些幫助，而且都到草堂去和他喝過酒。

可是這種情形，也並不長久，到第二年（寶應元年762）玄宗死了，肅宗也死了，嚴武被召還京，而成都少尹兼御史徐知道忽然發生叛變，杜甫不得已乃又避地到梓州閬州一帶，一直到廣德二年（764）的春天，嚴武再鎮成都的時候，他也才再度回到他的草堂。

他這次回到成都，居然到嚴武的幕府裏做過一個短時期的事，武還表薦他爲節度參謀檢校工部員外郎，賜緋魚袋，可是到第二年春天他便辭了，仍回草堂，不幸嚴武乃於是年的四月死去，而高適也正是這一年的正月死的。老杜和嚴武的交情，我們只看他們倆的往還和唱的詩，大體總算是不壞的，但舊唐書的杜甫本傳，卻說老杜酒後有對武很不客氣的舉動，甚至還有人說武也曾有一度要殺老杜的意思，嚴武之爲人如何且不去管他，以老杜的性格，且證之於他的作品，大概這些都是莫須有的。現在我把老杜這首『哭嚴僕射歸櫬』的詩，錄在下面：

『素幔隨流水，歸舟返舊京，老親如宿昔，部曲異平生。風送蛟龍匣，天長驃騎營，一哀三峽暮，遺後見君情。』

詩不太好，但足證他們兩人的交情是生死不渝的。

老杜之再回成都，本來是以嚴武再度鎮蜀之故，現在嚴既死了，他更不能不離開四川。於是他乃於是年的五月，拋棄他的草堂南下，自戎州至渝州，再至忠州，在雲安縣住過一個時期，到大曆元年（766）才到夔州，在夔州差不多住了兩年，然後出川入鄂，由鄂入湘，這已經是大曆三年（768）冬天的事了。流寓湖南將及兩年，卒於大曆五年（770）死在耒陽。中國幾個最偉大的文人，屈子沈於汨羅，賈誼終於長沙太傅，杜甫又死在耒陽，湖南之於文人，大概算是一個不祥之地了。

杜甫死的時候才五十九歲，因爲他的生活情形太壞，而且又常常在流離轉徙之中，已經弄得遍身是病，本來隨時都可以死，而好事者卻要造作謠言，說他一夕啗牛肉白酒而卒，還有人說他是淹死的，這大概都是不可信的了。

萬竹樓隨筆

美國政府的金磚

由之

美國檢驗處的六位職員前不久曾在紐約檢查美政府的庫存黃金，這是美國歷史上的創舉，也是美國新舊政府移交工作的一部份。不過這只是一種形式上的表示，因爲在健全的制度下，雖歷經政府的交替，也極少有短缺情形發生的。

除了紐約以外，在諾克斯堡及其他四處金庫中，檢驗處職員也曾分頭執行檢驗存金的工作。其中諾克斯堡的存金最多，約佔美政府存金的一半，因此在當地工作的人員也較多，警衛更比其他地方嚴密。

雖然美國存金共有兩萬三千噸，價值兩百三十億美元，但過去從未詳細檢查過。據悉，這些黃金都鑄成同樣大小的金磚，分存在五大的保險庫中，每一塊金磚重約二十八磅，價值一萬四千美元，一個普通的人，每雙手拿一塊金磚，就有些吃不消了。

檢驗的工作最近已順利完成，而檢查的結果更出人意料的良好，原來在這筆需要一萬輛卡車才能裝載完畢的存金中，只有些微的差誤。

中國之友（七六）

毛以亨

李提摩太傳（十六）

十三、中日甲午戰爭（一八九四年）

中國兵由英輪高升載往韓國，德人漢諾根偕往，日砲艦勒令停航，漢諾根浮水遁去，日本遂宣戰。日人併吞高麗而殺閔妃，進兵東三省，目的地爲北京，慈禧恐與閔妃遭同樣命運而大驚。俄使CASSINI願加以保護，遂讓旅順於俄，並許其延長西伯利亞鐵路而爲中東路，俄法德軍艦遂巡弋渤海，日艦不敢窺天津，而直指威海之中國海軍所在地，陸軍亦止於山海關外。

是年萬國公報以紀載戰事暢銷，發行增加至一倍。李氏撰戰爭原因一文，謂此乃上帝假手各國給滿清室的懲罰。李鴻章電請其赴京，商議戰事，他拒之赴張之洞處。十九世紀一書，暢銷全國，定價二元，而在西安則賣到六元，而翻版之多，幾不可究詰，萬國公報上論文，亦多翻版。八十年來，基督教書籍都無書賈願代發賣，送人亦不要者，至是則轉爲人們所歡迎，此皆甲午一戰有以啓之。

李氏第一次與張之洞的會晤，在南京，爲一八八五年二月五日，時在座者，祇交涉司長梁某，係留美學生。在客廳候半小時，梁某謂張氏甚忙，問李欲作何語，李謂一切須面談，以免轉達錯誤。梁乃談及威海已失，半小時後梁往候張，即延李入，時爲下午一時半。李氏謂立即議和，改革始有希望，否則沒有一件可以提出，亦辦不通，而眞正有效的改革：須有準確的教育爲其基礎。今上帝要求中國改革，並使他國促其改革。張問中國不肯屈服，和議如何能成？李要求張以主和自任，以其任職之八省爲基礎，再擴充至其他各省，他認和平即爲改革的前驅，詞畢乃辭出回滬。

李氏回滬不到一星期，張之洞即電邀其再赴南京，於二月十六日到，梁交涉司通知謂張氏於翌晨八時半召見。李氏即出其請一強國保護中國之計劃，暗指英國。翌日見張，張不同意，謂祇能與強國締十年同盟，而不能暫爲其保護國。李氏回滬於二十八日見赴日欽差張蔭桓，對中國問題提出三點：一、外患，以來自西伯利亞鐵路者爲巨。二、內亂，官吏互猜而貪污，人民窮困。三、人口不增，各國有認爲非洲第二將其瓜分之舉。

桂芬笑儂辨

·婆娑生·

台北中央日報副刊，有一吾先生，寫了一段「歌壇感舊」，述及劉寶全所唱之鼓詞作者，而牽連到汪桂芬與汪笑儂。文字云及，汪桂芬一字笑儂，是票友出身而下海，文學造詣甚深，曾自撰聯語，榜之門首。讀之深感不過五十年時間，而歷史掌故，已有張冠李戴，爲辨正之，蓋有誤紀也。

光緒六年，程玉山長庚歿於京師，程派遂成絕響。時汪桂芬先是程氏弟子，後爲程氏操琴，故能盡得程之腔調。但以所習程戲不多，乃請益於票界名宿周子衡。行腔吐字，大有進境。汪因頭特大，人咸稱汪大頭。其嗓音宏亮而堅挺，在乙字調以上。齊如山謂其天賦實勝於老譚，的是確切。汪拿手好戲，爲文昭關取成都取帥印金水橋等，是一時之雄，爲他伶所不及。支撐程派約廿餘年，後與小叫天譚氏分庭抗禮。汪歿後無傳人，惟王鳳卿私淑之。

汪笑儂爲一榜孝廉，頗精文墨，屢試不售，憤而隱於伶，故自號伶隱，以洩吐胸中塊壘。初至京師，喜聽大頭之戲，竭力摹做，終未能似。某次，在劇園偶唱文昭關，適桂芬在座，聽其所唱，大笑不已，事爲笑儂所知，即輟演發憤自研。遂另闢蹊徑，別創格調，數年後，始以汪笑儂之名，揭牌露演，人多異之。其調採汪派之鏗鏘，取孫派之頓挫，兼而具備。猶如天津蘿蔔，雖不及雅兒梨之甜，亦脆爽可口而嚼。做工似近粗率，然卻甚細膩，別具嫵媚。遂使馬前潑水刀劈三關哭祖廟受禪台黨人碑等，以前未經見之戲，搬上舞台，耳目爲之一新，人多譏其胆大妄爲。唯一經聽過，覺其腔調新穎，純是別出心裁，另有不同。其所唱各劇，類皆經其自行編撰，故唱詞說白，皆雅馴得當，爲他伶所少有。尤其激昂之情緒，迥非其他伶角可比。因此汪在伶史中，得有地位之立足，實具因素。由北而南，在海上樹下了盛大的聲譽，是譚以外之第一人。聞其享名之始，係端陶齋開府兩江，爲母稱壽，特邀汪南來，在金陵與北方名伶同時出演，是夕演刀劈三關，聲震白下，身價從此驟增。汪派學者亦甚多，惟皆僅得皮毛。

中華民國僑務委員會頒發登記證台教新字第一零二號

自由人

THE FREEMAN

（半週刊星期三六出版）

（第二一六期）

每份港幣壹毫

督印人：李光華

社址：香港高士打道六十六號

電話：二〇八四八

GLOUCESTER RD.
HONG KONG
TEL: 20848

承印者：東南印務出版社

地址：高士打道六十四號

台灣特派員辦事處　台北市館前街五十號

台灣總經銷處　台北中華路新號五九四之一

台灣郵政劃撥儲金帳號　九二五二號

克拉克之來與亞洲聯軍

左舜生

當聯合國在韓聯軍統帥克拉克將軍完成其分別訪問菲，越，港，台的時候，久已趨於沉寂的韓戰場，乃突趨活躍。最近聯軍對於老禿山的棄守，從某一意義上看，不能不說是和平空氣瀰漫全世界的時候一聲警鐘！

韓戰的延續，快要到達三年了，聯軍人力的損失，合南韓軍計之，當不少於五十萬，而物質的損失，更何止十倍於共方？可是，假如你向聯軍的最高當局，或逕向美國的總統艾森豪先生提出如下的問題，即：究竟有何種方法贏得韓戰的勝利？或如何實現光榮的和平？我敢擔保，將不會使你得着滿意的回答。

韓戰何以爆發

我們決不是由於主觀，也決不是為自己打算，但我們自韓戰初起，以迄今天，卻有一個一貫的看法：韓戰的發生，係由於中國大陸的淪陷，不就中國大陸想辦法，韓戰決無單獨解決的可能。到了今天，不，實際是早已如此，毛澤東要藉韓戰去加強他的政權，蘇聯要藉韓戰去加強她對中共的控制，假如能有三個類似韓國這樣的戰場，則共產黨對於民主國家的消耗戰，備將產生一種意想不到的作用，但終以蘇聯自己不參加為條件；蘇聯不但不出面參加，而且她的和平調子，還要越唱越高，其目的即在使得一般昧於現實而又心存幻想的人們，完全陷於昏頭昏腦而手足無措，喜懼交集！「射人先射馬，擒賊先擒王」，不正對着蘇聯的頭頂上去開刀，而且惟憑其人力物力，和她所驅使的下屬去決鬥，這在我們這樣一個非軍事內行的常識者來加以判斷，是毫無疑義的要上當的。

亞洲軍能及時組成嗎？

大凡一個策略定了下來，行之既久而又沒有什麼顯著的毛病，要加以改變是不大容易的。杜魯門時代的對蘇策略，大致以「圍堵」兩字足以盡之，如果說偶的不想打大仗，當然「圍堵」也就不失為可行的策略之一。艾森豪和杜爾斯要把「圍堵」修改為「實戰」，這在他們當時競選的宣傳上是有相當作用的；可是艾森豪就職以來，又已兩月以上，實際對杜魯門時代的現狀，並還沒有加以變更，歐洲一如過去的歐洲，亞洲一如過去的亞洲，乃至韓越兩戰場的狀況，以及日本和台灣合作的地位，其所已變更者亦復微乎其微，現在所講亞洲聯軍的一般，則又已甚囂塵上。在原則上，就亞洲可能合作的國家，加以密切的組織，使他們在軍事上能分別負起實際的責任，這當然是很對的；可是亞洲情況的複雜，也未必下於歐洲，歐洲建軍搞了兩年，至今還沒有做到一個理想的境地，我們便能相信亞洲聯軍在短時期內就能實現嗎？就亞洲可能聯結的，這些國家加以分析，其比較具有工業潛力的，僅只一個日本，而日本又是一個成見最多疑慮最多的國家，在組織的初期，她還未見得肯來，如日本不來，則所謂亞洲聯軍者，其對美國的依存性，實在使美國有點望而卻步，假定從計劃到實行，建立一支一百萬到一百五十萬的亞洲聯軍，實際非歷有兩年以上的時間不可，我們又能判斷時局的變化在這兩年間會成一個什麼樣子呢？

計劃與實際行動

據我觀察，一個戰爭體系的樹立，只有進入實戰階段才能迅速的建立得起來，否則考慮復考慮，接洽又接洽，其結果總還是議論多而成功少，恐怕在時間的爭取上乃遠不如共產集團來得那樣敏捷，總之，以今日歐亞兩洲的現狀，儘管天天在一種備戰狀態之中，但一旦真正進入大戰的初期，我看依然非大受打擊不可！我說這種話，決不是「長他人的志氣，滅自己的威風，」但我總覺得避戰的心理不除，備戰的進展便必然很慢，而且可能夜長夢多，這一點乃正是蘇聯所求之不得的。中國舊日的軍事家所說的，所謂「置之死地而後生，置之亡地而後存，」這也就無非是說明要有一種作戰的堅決意志而已！

截至今天為止，我還看不出民主一方面有一種對蘇作戰的決心，甚至連美國也並非例外；到今天蘇聯還能運用一種和平的寶藥，在那裏招搖撞騙，實際都是由民主一方所暴露的弱點使然，而蘇聯乃即抓住這一弱點，一天天在那裏不斷不斷的調兵遣將，我們只要一看一年來蘇聯在遠東，在中國大陸所增加的實力，寧不使人不寒而慄！

總而言之，準備好了再戰，與一面戰一面準備，其利害是相當懸殊的：今天的民主國家一面在準備，一面卻要應付韓國與越南這類的戰爭，而蘇聯卻能嗾使她的爪牙去當前敵，而她自己卻坐下來專心一意的加速準備，不把蘇聯的這一優勢粉碎，而今天一個計劃，明天又一個計劃，這無非令共匪坐大，而使得最後的勝負之數陷於不可知而已！

論俄政府改組

——一個蘇俄問題權威的看法

美專欄作家莫萊在最近的「新聞週刊」撰文論馬倫科夫當權的影響，文中所引述的一位意見，據說是根據對共產世界理論與組織具有深切研究的專家的看法，所提論據，與一般評論稍有不同，茲摘要譯述如后，以供參考。

一九五二年，蘇聯政府即曾改組過一次，使較多新人列入最高階層，而前此處於高位者，則有數人被貶降。這個措施雖然表面上是有利於馬倫科夫，但實際卻相反，可能是針對馬倫科夫而採取的。在數年以前，當時的史達林可能繼承人莫洛托夫也曾被剝奪若干權力。

最近的猶太醫生案，指責日丹諾夫是猶太醫生所謀害，而惡勢力且圖謀害若干高級將領。這個聲明，可能有三項涵義：一、日丹諾夫的政策是正確的；二、蘇聯應回復採取他的政策；三、反對這種改變的軍人應趕緊服從命令。日丹諾夫是純粹共產主義的理論家，一九三九年德俄條約後的推動者，與一九四八年侵略政策的製訂人。

同時史達林並公開表示，他將重新掌握最高全權。在此，我們可以假定，史達林經過長期患病後，企圖重登寶座。因此，他必須反對馬倫科夫而提出一個不同的政策。

馬倫科夫的當權並不構成簡單的承繼。史達林的遺囑並未執行，且迄今不見他的政治遺言發表，顯然有重大意義。

第一個基本改變，是完全取消去年的改組，如馬倫科夫改組政府的發展過程是為史達林認可的話，這情形想必不會發生。

第二個基本改變，是新的改組造成了五人領導階層，而非如前此所揣測由三人形成。

第三個基本改變，是軍人權力提高。史達林一直將軍人保持於他們的「適當地位」，現在，伏羅希洛夫成為主席。布加甯、伏羅希洛夫、朱可夫、伐西利耶夫斯基、及蘇柯洛夫斯基的集團，已在蘇聯政府中擁有前所未見的強大軍人權力。

另一個改變，是政府裏沒有一個真正的共產主義理論家，和蘇聯特別要求全國注視對黨的破壞。這一點是否有特殊意義，目前尚難確知。但這可能與馬倫科夫獲取堅強控制權一事有關。

如果這種解釋尚有其正確性，則我們可能說，蘇聯在史達林之下，已準備發動一個更積極的侵略政策，但他的死使它暫告停止。在內部，這侵略政策或是針對馬倫科夫的。馬倫科夫當權，可能意味着這侵略計劃暫時被放棄，但將來則極可能回到一個侵略政策。蘇聯軍人的力量已大大增強，這可表示黨和祕密警察的權力降低，而蘇聯政府也不再括有擁有堅強理論信仰的人。（汪敏）

淨化我們的倫理觀念

遜周

在今日，要說的話甚多，想說的話更多，儒贊「無礙」自由，且說一說我們的「倫理觀念」，看來也許有人以為這未免是迂腐濫調，可不知傷心人淚有隱痛，盱衡現世，想念來日，在血淚交迸中拈出這一雖近迂腐卻實為必要的文題。

人之所以異於禽獸者，便是有此一倫理觀念，作他的立身處世的繩準，當然這是就好的方面說。其實不合乎人之繩準的「倫理」，也便根本夠不上稱做倫理，做賊做盜，作姦作慝，那既不是有生之倫的做作，自無理路之可率循。我們古聖先哲所垂示下來的一套倫理觀念，因為給那些君人者和帝相王侯歪曲偏向的運用，甚多是留下了「禮」遺棄了「殊」，降而至於今日，因為舶來品的刺激，更甚多是創傷了足合不了轍。

本來，倫理的運用，原是有其地域性和時代性的移易和適應，並不是一成不變放諸四海而皆準俟諸百世而不惑的。亞里士多德的道德觀，也是隨時隨地因人因事而有所不同，可是，有一個基本原則，必得奉為圭臬，那便是「人」「我」之間或者說是「群」「己」之間權益與損害的衡量與夫抉擇或舍棄，還是緊要關頭，絲毫含糊不得，或為聖賢，或為禽獸，就在此一抉擇或舍棄的轉念關頭。

我們讀古史，由那些忠奸賢佞別類紀錄中，讀透「人生」的真意義價值，同時也就格外真切的體辨到所謂「倫理觀念」之為用。人之大患，患在於太過分重視「現實性」的富貴利祿，希聖希賢，效忠效孝，最要的關鍵所在，便是擺脫得此一富貴利祿之現實性的羈絆與否而已。時當今日，我們每一愛好自由希冀民主的人，首先的急要務，便是從「淨化」我們的倫理觀念始。時局的大難，浩劫已瀰漫於大陸之上，你還忍心害性的去鬥謀個人一己的若何嗎？任憑你攢上任何好聽的「哲學」名詞，你能掩蓋匪共黨所表現殘殺慘景的映示嗎？功利主義的人生觀，或者淑世主義的人生觀，都不值得我們去服膺探討。今日的要圖，便是且撲滅了魔火，救出了在魔燄中的人，然後再打算你個人一己的若何，不然，魔火就會燒身，我身就會陷入魔燄，等到魔火着身身陷魔燄，你還有什麼「功利」可談？還有什麼「淑世」可談？如果你現在認為你如此這般的能近利遠害，早夜孳孳不息的有其所獲，在「得意」的「會心」的自我陶醉下，不免欣欣然的自幸自慰，竊以為還能免於「魔」劫是大幸運，唯其如此，或更不免於「自我慶幸」之餘，慫恿於自我慶幸的「忘」其所以，須知，個人的慶幸，必得託賴於大衆的慶幸，方能算是真正的慶幸，最堪嘆息的，是人類的聰明，常會在「自我」與「大衆」的範疇，弄得腦昏心蔽，結果，損人以益我，不料想在人人受損之下，我還可能「獨」享其益嗎？是以故，我們要提出「淨化我們的倫理觀念」口號，我們大衆一條心，也就是單一的一個倫理觀念，犧牲小我，成全大我，大我得成全，小我也就不會犧牲，縱然在成全大我的進程裏，不免有其小我的犧牲，可是這是有意義的有價值的犧牲，聰明的人們，你該何適何從呢？因循苟且在「享樂」中混混噩噩的過度嗎？發奮惕勵在「克難」中轟轟烈烈的硬挺嗎？請你打定你的主意，亦即穩準你的倫理觀念，淨化你的倫理觀念，聖賢禽獸，任君自擇，總而言之，任你天賦聰明英武蓋世，絕無法離羣而獨自生活，是以故，你便得慎重那人我羣己間的利害得失，決不能損人以利我，更不能害羣以利己，不然，火炎崑岡，還不是玉石俱焚？任你是會如何的匠心妙用，有其良田千頃，有其廣廈萬間，試聽聽大陸上的慘呼哀號，你欲自免，你必得先從人我羣己的利害得失，多多的深思重慮——淨化你的倫理觀念。

半週展望

雷嘯岑

維辛斯基回到聯大了

蘇俄代表維辛斯基已回到成功湖上，日內必在聯大會議中高唱和平曲，提出一連串的建議，毫無疑問。

西方民主國家對於史大林死後的蘇俄動態，大概已有相當的認識了吧！馬倫科夫為甚麼要再三覆誦史大林生前所廣播的「和平」台詞？原因很簡單，怕民主陣營乘機硬幹！所以，維辛斯基上月於密閣？史大林死時，即在聯大發出韓戰無條件先行停火的主張，再也不堅持必須依據蘇俄或波蘭建議案的原有意見了。這次由莫斯科再回來，主和的心情必更切，祇看民主國家是不是明知故昧，甘受愚弄？

美國的態度比較鎮靜，英國政府當局亦心裏有數。但為應付國會中那幫幼稚的反對黨，不得不採取「直尺枉尋」的手法，再加以英美間的經濟問題尚未完全協調，不無扞格立異之處，蘇俄正在利用這些因素對英國下若干工夫哩！要和平，就得將一切足以威脅世界和平生活的基本問題先解決，如統一東西德與南北韓是也。光是說韓戰停火，有何意義呢？

工黨的叫囂

然而，英國工黨人物卻是專為結束韓戰而叫囂不已，前任國防大臣的辛維爾，即說台灣自由中國部隊之兩棲作戰訓練是妨礙韓戰的和解，竟要向美國抗議！

工黨人士的和平觀念很顯然：要美國以全力保衛西歐，對世界其他任何地區的反共事項都不必過問，白人至上，歐洲第一，意志集中，力量集中。這樣，即不妨與蘇俄「和平」相處，即是「兩個世界共存共榮」的「和平」生活。因為他們心目中的宇宙觀，所謂自由世界，只是歐洲一隅而已！

北非人民的哀鳴

北非民族解放委員會致電艾森豪總統，哀懇勿在此次美法談判中，出賣北非人民。其言其行，可謂如怨如慕，如泣如訴，直覺震撼動人！

翻開世界史一看，充滿着強凌弱衆暴寡的紀錄，所謂世界列強，都是藉弱小民族的血淚作肥料，以灌溉培養起來的。北非人民的疑懼被出賣，自非神經過敏之談，因為聯大政治委員會過去對北非民族獨立自治問題，竟不願予辯論啦！

很奇怪，西方一切有知識有地位的人物，連同英國的哲學大師羅素也在內，近年來他們一談到中共問題，即謂這是「亞洲人厭惡白人統治之民族主義的發展結果」，必須尊重，否則西方人永遠會被亞洲視為帝國主義者。可是，他們對北非民族獨立運動，卻始終指為「無理的叫囂」，毫無同情表示。更妙是那以「民主社會主義」相標榜的工黨諸公，當他們主政之時，出席聯合國的代表對北非民族獨立要求，竟沒有半點「尊重」的表情。他們似乎認定「共產革命」才是民族主義運動，其他弱小民族的獨立自治要求，都是不值一顧的無理取鬧！

北非人民對美國應該作此呼籲，但我們相信美國決不會出賣他們，因為美國素來是不贊成殖民地政策的。聯合國為着遷就現實，拒絕討論北非民族獨立問題，已使一大羣的弱小國家感到失望，因而對大國滋生不信任的心理。無論北非人民的要求是否合理，根據聯合國憲章精神，辯論一下，有何不可呢？不能公開討論，就是有不可告人之隱，就是蠻不講理的非民主精神，怎能服衆息爭乎？

亞洲聯軍之說

要想搞亞洲普遍的反共聯軍，此刻決不可能，唯有由直接受着共禍而陷於戰火中的國家，如自由中國、南韓、越南等地區，自行連衡以抗暴俄，比較容易實現。只要美國予以支持，問題並不複雜，而事實上美國對此三地區的反共鬥爭，早已置身局中了。

因此，蔣總統最近主張三國聯合作戰，統一指揮的意見，值得美國深深考慮。

菲政治戰熱烈展開

陶彬

菲律賓的兩黨政治戰已經開始，雙方各自向對方挑剔弊病，季里諾仍望聯任下一屆總統，他極力放鬆加於華僑的束縛，將涉嫌共黨的華僑釋放；杜克籲請中菲合作抗共；馬格西塞對往日的長官反抗，企圖爭取大選中的勝利；美國駐菲大使向美僑警告：切勿捲入菲島政爭中的漩渦。

菲律賓的下屆大選距今祇有八個月，執政黨自由黨和反對黨國民黨間的政治鬥爭已臨到白熱化階段。馬格西塞已被一般人認爲是未來最有希望的總統，因此，國民黨領袖羅里爾堅決地放棄了競選總統的主張，而於上月二十六日與馬氏締訂了一次祕密的政治協定，支持馬格西塞出來競選；於是馬氏卒於二十八日向季里諾總統提出辭去國防部長要求。這一位做了五年官職得廉潔聲譽的卸職國防部長，隨即宣布退出自由黨而加入了國民黨。雖然并不是一件令人詫異的事情，至少給予季里諾一個重大的打擊。馬格西塞原係一位忠於政府的剛正人士，由於他經常反對政府的各項措施以及指斥政府貪污無能，使他貢獻於政府的許多改革內政和復興農村的計劃均被季里諾束置高閣。季里諾並不是一位「剛愎自用」的總統，他也經常地想修明政治和充裕農村經濟的，祇是他受制於他的「核心內閣」，沒有像馬氏那樣豐幹的實幹精神，因此他沒有理由來力阻馬氏辭職和脫黨。

自由黨改變排華政策

馬格西塞加入了國民黨之後，兩黨間顯然失去了均勢，而國民黨向來是反對政府排華政策最烈的。因此自由黨政府對旅菲華僑的態度不得不極力設法改善了。第一步是參謀長杜克少將宣佈擬將在拘留中之二百八十三名華僑涉嫌共黨份子予以釋放，另外尚有十二名將儘速設法結束羈押；第二步是被假定的二千三百九十四名有問題的華僑中止進行調查，司法部長兼國防部長卡斯特羅并於同時發布命令，「此後逮捕共黨嫌疑份子：一、必須有確實證據；二、此種證據必須呈請執行當局，並加充分研究之後方可執行，否則不得任意濫捕。」此在大多數國際人士看來，無疑是一件德政，但是，菲律賓的移民局恐怕因此易使中共的特務滲入，向立法當局提出類似「菲化法案」的建議：完全禁止中國籍人民進入菲律賓境五年。但此項禁止如獲國會認可，將便利批准現已在菲就留的臨時華僑旅客，予以永久性居住之權利，并可解決過期居此而又不便解出境之臨時華僑旅客問題。在政府方面，這種措施不僅與中菲的外交關係大爲增進，而予反對黨亦無形中減少甚多藉口，不再向國際間挑撥情感。然而反對黨打擊季里諾的武器，不患無辭，最近對於季里諾總統欠繳「所得稅」爲理由來挑剔其短處。另一方面正發動廣泛的反政府分子要求政府撤銷司法部機構，以淸除季里諾的得力助手司法兼國防部長卡斯特羅。

剿匪軍事難如期結束

早幾天對於撤回援韓菲軍問題國會中引起了一場激辯，伊利薩德外長力言不能違背菲律賓在聯合國所承諾之道德，否則將有損於該國在國際上之尊嚴。季里諾雖然指責馬格西塞爲「美軍發言人」。但是菲律賓大多數人對美國人并沒有不好的印象。然而在美國駐菲大使施普魯恩斯看來，這件不是較爲尋常的事情，於是他對旅菲的美僑在菲兩黨的選舉戰中切勿捲入漩渦，提出警告。杜克少將現時正主持決定自由黨政府命運的剿匪軍事，自從馬格西塞卸任國防部長之後，雖然沒有顯著變化，縮短期限上未必不受影響的，馬格西塞在任之時曾向國民保證於六月之前結束這一軍事上的行動，目前的情勢看來，大選以前是難以終止的了。於是杜克向全體華僑呼籲給與充分合作，協力維護和平與秩序，同時並請出錢出力支持中華民國政府。這些固然是一種政治外交以及爭取華僑的手段，但馬格西塞現在雖不能判定他一定能有擊敗季里諾，可是他自恃具有擁護他的甚多選民，這一位身體剛強現年四十五歲的前任國防部長，他是中國和西班牙的血統，不像一個菲律賓人那樣追求奢侈物質的，馬氏極重視法律，他曾立誓「倘是我父親違法，我一樣要把他送進囚牢，沒有人可以阻止我的。」美國人對他也很樂於親近的，因爲菲律賓的反共，馬格西塞可算是一位典型人物。在軍事上說，馬格西塞的成就是無可否認的事實，不論他今後的出處如何，在目前至少予鄰近的國家有一深刻的印象，也有人譽爲「太平洋的艾森豪」，這倒是實在的。（三月二十三日自馬尼刺寄）

國外通訊

美國的氫彈工廠

［紐約特約航訊］從喬治亞州的奧格斯達驅車北駛南加羅林納州的亞里肯，中途要經過一條叉路，由那個三叉路口到美國最新式最驚人的武器製造工廠，只有十八哩。如果你撥轉車頭駛入這條可容四車並行的公路，你將可發現一路上除了有一條橫跨兩州的薩瓦納河以外，再就是沿着河床蜿蜒不斷的沙丘。在你一路前進的時候，沿途的景物也隨着你的旅程而不斷的變化，首先接觸你眼簾的，是一片空曠的原野，以後又看到一簇小舍構成的村落，隨後又見到一幢白色的教堂，屋頂懸着一座傲然的巨鐘。再前面是一塊樹林，有些人在那裏用鐵鍬，有些人在開動除土器工作，黃色的沙子鏟掉了，地下只留下一片紅土。從這裏又轉入一條新公路，在這條嶄新的公路的後面，坐落着一幢舊式的田莊，再過去是一列排得密密的營幕，前面豎着一塊警告牌：「禁止前進」。

淡黃色的通行證

封鎖着這條公路的，是像關卡上可用的一樣的柵門，在門的那邊，隱藏着自由世界最大的祕密，那是美國的氫彈工廠，正式名稱是美國原子能委員會薩瓦納河工廠。你如果要走進這張神祕的大門，首先必須交驗淡黃色的通行證，但即使走到工廠區的任何角落，也逃不出巡邏者的耳目，機動巡邏隊不斷在廣大的廠區裏流動，那裏的保密制度嚴格極了，大家對俄國竊取原子彈祕密的警覺猶在，在廠內，即使藏有一小塊字紙也是違法的。

當初，爲了執行建廠的計劃，豎偃的松樹林，有近兩百年歷史的棉田，和許多古老的大廈都被連根拔去，生活在那裏百多年的家族也被徙置到較遠的地點，目前矗立在這一片紅黏土上的，是高而奇異的煙囪和巨大的建築物。

要用十五億美元

這是美國正在進行中的最偉大的工業計劃，當其全部完成的時候，將耗十五億美元左右。它所佔的面積跨有南加羅林納州的三個鎮——亞里肯、巴威爾及阿倫德爾，廣達三百一十五方哩，其邊界直抵薩瓦納河的北岸，今後這條河每天要供給氫彈工廠十億加侖的用水。

單是工廠所用的物料，也是出乎想像之外的，它要用厚鋼板八萬五千噸，建築鋼兩萬五千噸，水泥一百二十五萬立方碼，木板七千五百萬方呎，卡車和其他車輛六千三百輛等。此外，爲了聯絡廠內的交通，還要安設電力綫九十五哩，鋪築新公路一百零五哩，鐵路八十哩。

薩瓦納河工廠的任務本來是製造原子彈或氫彈的，但自從去年十一月恩尼威吐克珊瑚礁舉行氫彈試炸後，這所工廠無疑地已以製造氫彈爲它的主要業務。

不用害怕

不久以前，原子能委員會非常謹慎地強調過，在工廠內製造的氫彈偶然發生爆炸是毫無危險的，這是因爲氫彈各部份必需的原料還沒有湊合在一起的原故。當然，這個聲明是當地居民所最歡迎的新聞，因爲據權威方面估計，一顆相當大的氫彈在眞正爆炸的時候，可以把三百方哩內的一切一掃無餘的，而如果眞有這種不幸，對附近的居民自然是一個大災禍。

最初，當地居民對蜂擁而來的建廠職工，是抱着一種仇視態度的，但現在却已由仇視而轉爲友善了，大批的職工不僅無害於地方，而且對當地的繁榮反而極有助力。阿里肯、北奧格斯達、巴威爾、布列威爾及阿倫德爾都由平淡而轉爲絢爛了，特別是喬治亞州的奧格斯達，更一變其本來的平凡面目，聯邦撥出了近兩百萬美元的津貼，協助設立學校和公路，社會服務的範圍也擴大了不少。

附近都繁榮了

薩瓦納河工廠對奧格斯達的影響怎樣？單由下列數字也可窺見其中梗概：一九五〇年當地人口還只一六二，〇一三人，但估計現在却已增至二〇八，〇〇〇人；一九五〇年全年銀行來往賬目僅二五七，三〇一，九二三元，但去年的十一個月中，已多至三四五，八〇五，八二一元；一九五〇年全年所建的屋宇爲一〇，九〇九，三三三元，去年的十一個月中，增至一六，八七二，九五三元。再拿南加羅林納州的小鎮亞里肯爲例，人口方面已由三年前的八千人增至現時的兩萬人；一九五一年的新屋宇只有兩千五百所，但去年中所建的已多至三千所。此外，銀行存款多了六至七倍，還有更多的商店，更多的下水道，一切一切都比以前多得多。

因此，許多人都逐漸感到氫彈工廠的好處了，他們希望由短期的建廠活動轉爲永久的繁榮和興盛，但是，薩瓦納河工廠的建廠工程實際上已快要完工了，在以後的幾個月中，所僱用的員工，將從三萬八千二百二十三人的最高峯逐漸降爲正常的七千一百人，所付出的薪津也要從每年的一億五千萬元最高峯減至一億三千萬美元左右。在不久的將來，臨時性建廠的工作將告一段落，另一更重要的階段即將隨之開始。（孟德三月十二日寄）

無敵飛天鼠

饒第啟譯

美國現在已擁有較前更好的機會，可以防範原子彈的攻擊，因爲他們已發明一種新型而祕密的武器，口徑二．七五吋渾名「無敵飛天鼠」的空中火箭。

這種火箭外表，很像一隻老鼠，它圓柱形的身體細長而呈灰色，就像老鼠的尾巴，圓錐形的彈頭宛如老鼠的鼻子。它的直徑二．七五吋，長約四呎，重約十八磅，只須一種簡單而輕巧的裝置即可發射，所以很便於飛機攜帶。

它的彈頭看起來雖然沒有什麼，但僅僅一顆飛天鼠即足以毀滅現時或在今後數年內發明的任何種轟炸機，它比戰鬥機所能發射的任何種砲彈更具威力，連俄國MIG—15式機的三七公厘砲彈也瞠乎其後。

自然，圓柱形的彈身是它的主要部份，內中裝有一種作爲推動的火藥，雖然這種火藥的正確性質仍爲軍事祕密，但比起第二次大戰時任何種推動用的火藥，在威力上實在强得多。

無敵飛天鼠的速度究竟有多快，射程畢竟有多遠呢？這也是軍事上的祕密。它是設計供高速度噴射戰鬥機使用，以對抗高速度轟炸機的。如果這種火箭由一架時速六百哩的戰鬥機發射，它可以每小時逾兩千哩的速度直奔目標，也就是說每秒鐘的速度約爲兩千九百呎。因爲它是自動推進的，所以更擁有很長的射程。

無敵飛天鼠是美國海軍部軍械局所設計的，早在一九四八年，軍械局即已開始這種祕密武器的設計，直至一九四九年尾才製造第一批火箭供軍方試驗，一九五一年開始大量祕密生產，甚至在今天，無敵飛天鼠還是美國第一種也是唯一的由飛機發射攻擊飛機的火箭，它也是現今生產中最好的一種火箭武器。

雖然在研究無敵飛天鼠時，美國耗用了數千萬美元，但目前美國工業已解決了生產上的困難。事實上，一顆飛天鼠的成本僅爲一襲較好的衣裳。

因此，基於威力與費用的理由，美空軍部決定用火箭來代替機槍和大砲作爲擊落敵方轟炸機的武器，在今後數年內，所有防守北美洲的適於各種氣候並裝有雷達的攔擊機，都將裝置這種渾號無敵飛天鼠的空中火箭。這些飛機是：

一、F—86D軍刀式機，由北美飛機公司製造，時速六百五十哩以上，一九五二年十一月十九日，作全部武裝飛行時，曾創時速六百九十八哩半的世界紀錄。

二、F—89D蠍式機，裝有兩個噴射管，時速約六百哩，這是較早的一種美國最巨型的攔擊機。

三、F—94C星火式機，時速六百哩以上，現分駐於阿拉斯加一帶。

四、CF—100馬克式四型機，加拿大飛機公司製造，也有兩個噴射管，時速約六百五十哩，重量與舊式的C—47型運輸機相若，續航力爲兩千哩，故可在北極區一帶活動，這是英聯邦國家製造的第一種發射火箭的攔擊機。

△軍刀式機在發射空中火箭▽

目前，美國尙無發射火箭的攔擊機駐於海外，因此，無敵飛天鼠也未曾參加實際空戰的試驗。但韓戰如果再長久持續下去，美國可能把比較落後的星火式機調至當地。同時，空軍部已利用F—84雷霆式機，試驗以無敵飛天鼠襲擊地上目標。因此，美國很可能把祕密在韓國進行用飛天鼠攻擊地上目標的試驗，以研究它的眞正威力與毀滅力量究竟到如何程度。但根據軍事制度，自然不會發表公開的聲明，直至試驗結果已獲得充分評價時爲止。（譯自「新聞週刊」）

發射定向飛彈的潛艇

美國新型潛艇「金槍魚」號準備在今春試放海軍部威力最強大的定向飛彈，這種飛彈名叫「戴菊鳥」，據說能裝載原子彈頭飛行五百哩以上，而且能在遙遠的地方控制，命中率不差分毫。海軍部並說：新式發射定向飛彈的巡洋艦波士頓號及坎培拉號將又同時發出一大批的飛彈，使敵機根本無法穿過這種密集的火網進攻美艦隊。

共黨進行「麻醉戰」

共黨在韓國除了進行宣傳戰外，還在從事一種大家所不知道的「麻醉戰」，但這種麻醉戰儘管共軍在大力進行，然而却沒有成功。最近南韓官員曾在一艘自日本開來的小漁船上搜出一百多磅鴉片，那艘漁船駛抵南韓沿岸時，曾用很巧妙的方法企圖將鴉片運入，但還是瞞不過南韓海關的耳目。據南韓官員說，這些鴉片是由中共用走私方法運交日共的，再由日共運往南韓儲藏，並設法售給聯軍士兵。

鐵幕卽將大舉整肅

阿爾巴尼亞總理霍克斯哈是所有共黨附庸國元首中，未被邀參加史達林葬禮的唯一人物，這件事表示克里姆林宮已有淸除霍克斯哈的打算。史達林去世後，馬倫科夫爲了鞏固一己的政權，已擬定大事整肅的計劃，保加利亞最近即將進行最嚴厲的整肅，據說總理賽文柯尤是最危險的份子，在希臘政府追緝下逃往保加利亞的希共總書記查卡里達斯，已被克里姆林宮下令保共扣留，即將與保加利亞首要同被整肅。

歐洲盟軍演習新戰略

北大西洋公約組織最高統帥部最近曾在巴黎郊外舉行演習，演習的目標之一是研究如何始能迫使敵軍作大量集中的方法。據說盟軍的戰略是在大戰發生後，一面利用原子彈摧毀敵人的軍要城市和工業重心，一方面復用原子武器來肅淸敵人的主力，上述的演習就是誘使並強迫敵軍作大規模的集結，以便作爲盟軍原子攻擊的目標。

美陸戰隊改變密碼

去年七月，美國海軍陸戰隊有一架沒有武裝的交通機在韓國海岸外飛行，顯然是負有視察前綫的任務，機上的乘客一位是陸戰隊高級軍官司華費上校，一位是布萊少校，但驟然間，他們的坐機爲共軍砲火擊中，他們跳傘降落，於是連同身旁所攜的祕密作戰計劃和密碼都落於敵人之手，這件事的後果如何，到現在還不知道，但自此以後，海軍陸戰隊的全部通訊密碼却統統改過了。（孟衡）

天下小事

粵共積極調整軍事佈署
提高官兵待遇穩定軍心
鄧華召開高級會議加緊備戰

【本報專訊】粵共積極調整軍事機構職權與佈署，加緊備戰，並自三月份起提高部隊官兵待遇以穩定軍心。

據悉：負責粵省防務之四野副司令員鄧華於上週在法政路粵軍區司令部召集該部政治部陶鑄副主任梁必業，粵軍區副司令員兼穗市警備司令方強，穗城防指揮與有恒中南空軍部駐粵機隊指揮與賀陵，中南海軍部第一副司令員曾伯謙，參謀長向堪賓，作戰處兵務守愚等卅餘人舉行軍事會議，討論粵省五個警備區之職權擴大與調整，佈署等問題，茲探悉其重要決議案如下：（一）駐各該地區內所有地面部隊，包括正規軍，公安師與民兵及陸戰隊，海防部隊，防空部隊，海軍巡防處，與要塞司令部及所有艦艇空軍部隊等統一由各警備區指揮員指揮；（二）調整各區指揮部人事，每區副指揮員由二人增至三人，並改組參謀室爲參謀處，增設正副參謀長各一人，並增設陸海空參謀組；（三）授權各區指揮員有獨立指揮調動作戰權力及決定改善並加強各區間之通訊聯絡。

又訊：粵省軍事機關部隊官兵待遇已自三月份凡過去照實行供給制者已一律改爲薪給制，士兵月支在偽幣廿萬元左右，軍方並揚言當再逐步提高，務期每一士兵均能有贍養五口之家能力，故近日穗市茶樓酒館解放軍特務與一般市民消費力日弱現象，恰成對比。（口）

應付太平洋新形勢
中共增建潛艇基地
俄顧問日技師加速趕工

【本報專訊】中共鑒於海軍力量薄弱無力抵抗台灣海軍在華南沿海之突襲，復爲預防封鎖大陸一旦實施後，應付海上新形勢起見，最近特重加強華南潛艇基地之設施，冀圖增強潛艇實力。中共在南海之潛艇基地係海南島之楡林港，經營已逾兩載，各項設備相當完善，經常有俄製潛艇，數約十艘往來停泊外，現復加緊建築湛江市東北海面之硇洲島爲潛艇基地。

據有關方面透露，中共擬建築硇洲島爲潛艇基地早於去秋即已決定，其初步設施，亦於去冬動工，係由中南海軍部派俄顧問高加達林及馬心奇諾兩人負責建築工程之指揮與監督事宜，最近爲加速趕工，中南海軍部本月初再派高參林鵬元，由漢經穗赴硇洲島，會同俄顧問主持一切，水泥鋼筋鐵板與建築材料，月來正不斷由黃埔經海道運往，聞該基地之海底暗礁即將清鏟竣工，負責建築之技術人員多爲俄人，亦有少數日籍技工。

又據海軍方面人士透露，中共華東海軍部亦擬在廈門鼇鎮潛艇基地以應付金門台灣海軍之威脅。（其）

中共搶修北韓交通綫
大征鐵道員工
西北三百餘人已驅走

【本報北平訊】北韓前線近遭聯軍空軍連續轟炸後，除共軍死傷甚衆，已征調醫務人員一批趕往治療外；因鐵路交通方面受創亦重，已嚴重影響中共軍前綫補給工作，最近偽中央交通部乃據「中國人民抗美援朝總會交通委員會」之請，通令各大行政區配調鐵道技術及運輸工作人員一批，以前往北韓作修復鐵道及加強運輸之用。各大行政區交通處（原稱部）於接獲上項命令後，已紛紛發動征集，或指名抽調。現西北地區已首先以強迫命令抽集三百餘人，於本月一日集中西安，於本月六日照例經過「歡送」儀式後裝上火車，於本月八日過平出關，驅赴北韓。查中共征調交通人員赴北韓，此次已爲第三十六批，可知北韓交通人員之死傷極爲慘重！該等鐵道人員之入韓，實無異驅入虎口，枉然送死。故除出之強迫抽調一途，自無法「志願」征集。

又據本月一日成都新華社消息，該地最近汽車修理工人亦有一批約四十人被抽調驅赴北韓補充汽車兵團。且尚在重慶、成都、昆明各地繼續征調中。

大陸物資荒
中共尋礦忙

由於自由世界禁運政策日益加強步驟中，極權國家已普遍感到物資荒，尤其中共缺乏石油及各種礦物，影響其軍火生產至鉅，因此其近發動大批幹部、專家組成地質勘探隊八隊，在俄顧問領導下，大規模地正在西康、雲南、貴州、四川邊界等山嶺地區進行勘探工作。同時，並在漢口設立「地質學校」，訓練幹部，從事地質研究工作。據悉：該校已於上月十日在漢口開學，係由原武漢工業學校爲基礎，與廣西柳州工業學校冶礦科和陝西省第六工業學校一部份合併而成。現有學生四百多人，分礦山地質、地質勘探兩科，下期將增設測量科。據共方宣布，該校今後將經常保持三千學生，以便供其開發礦藏工作需要。（易）

我國古代文物遭逢浩刦
中共藉「建築」掩飾
普遍進行盜掘古墓
珍貴出土物被進貢主子

大陸各地共幹藉「建築」美名掩飾下，普遍進行盜掘古墓，已成公開事實，因此各地亦不時發現古代文化遺物。本來此種發現，對我國歷史文化研究工作極有價值；惟在共黨一貫曲解歷史之作法下，雖有重要發現，亦爲其祕密收藏，幷有部份珍貴資料，送往俄國，明爲保存進貢，是實，我國古代文物又遭一次浩刦。

據悉：在河南之洛陽、信陽、禹縣，四川之成都，安徽之蕪湖，廣州等地，正在進行所謂基本建設挖掘地基時，不斷發現大量古代墓葬，出土物中有許多重要之古代文化遺物，如：在成都望江樓修造四川大學校舍時，發現有唐墓，出土物中有印板「梵本」。洛陽西北郊區，被掘出古墓葬五百一十個之多，西北車站附近掘出四十六個。其時代大部爲漢代，其中少數爲戰國及秦代者。在信陽城南三里店，在東西長一千二百公尺，南北寬五百公尺之地區上，發現漢墓及新石器時代遺址。治淮區中之禹縣白沙，被掘出遺址三處，漢、魏、六朝墓葬五百多座。蕪湖有十多座古墓，出土物中有漢末到六朝之銅器、陶器、玉器、瓷器（半瓷質）「大泉五百」之古泉以及金質飾物等。廣州西村石頭崗，發現一座木槨漢墓及二十多座古墓。出土物有各種銅器、陶器、漆器、玉器等七八十件，其中有長劍、短劍各兩把，戈三枝，短劍劍鋒仍很鋒利。以上發現，遺址已被摧毀外，出土古物已由中共「文化部社會文化事業管理局」及「中國科學院考古研究所」，派出大批幹部前往收集運平祕密收藏，部份珍貴古物送往俄國保管。（木）

梅蘭芳等各地演唱

「人民藝人」梅蘭芳等，在共黨驅策下，已被分迫分赴各地演出，關於程硯秋近況本報於上期已有報道外，其他伶人情形如下：

此輩伶人中以梅蘭芳最爲倒霉，近六千年紀去年在共黨利用中，出國很久，回國後，於春節在天津登台，繼轉石家莊演出，最近將前往上海，之後，又將作西北之行。據說，他要在一年之中，至少有四個月在台上過其粉墨生涯。其他除吳素秋仍留北平外，李萬春於二月十一日往長春；譚富英、裘盛戎赴漢口；張君秋去了青島。（羊）

粵大學生 前途茫茫
就業自由悉遭剝奪

廣東省高等學校去年度寒假畢業生，現在共黨「統一分配」口號下，已無就業自由可言，全部被強迫受訓後，驅使至各地共黨機構中工作。

粵省教育在中共摧殘下，原有各私立高等學校，早已被封閉或合併淨盡，無法存在。去年度寒假畢業生，包括偽中山大學數學、物理、化學、經濟、會計、貿易、財政、金融、企業管理等系，和俄文、金融、會計等專修科一百六十人；華南工學院土木工程、電機工程、化學工程等系，和土木、建築等專修科二百〇五人，合共三百六十五人，在粵共「高等學校畢業生統一分配工作委員會」的驅使下，於三月十日起至二十一日止，進行短期訓練，對共黨理論再作進一步灌輸後，現已都在「統一分配工作」的命令下，被分派至全國各地共產機構中工作。計派到中共中央部門一百五十人，華北區十七人，東北區二十三人，華東區四十二人，西北區一人，中南區三十三人，西南區一人，廣東省八十八人。其中十人因病，尚未派定工作，其除三百五十五人，已分別於三月廿三、二十四日兩天中，在共黨「歡送」下分赴各地，供其驅策。（田）

甘肅回族設自治區
分化少數民族

赤色嘍囉對少數民族分化工作，進行不遺餘力，最近在甘肅青海邊成立「回族自治區籌備委員會」，說將予該區回族「讓他們自己當家作主」。

中共偽「甘肅省平涼專員公署」於上月七日至十三日七天內，召集西吉、海原、固原、隆德、靜寧等回、漢族之工人農民，伊斯蘭教教主阿訇及各界人士約三百人，舉行座談會，宣布成立「青海地回族自治區籌備會」，推選四十一人組成委員會。該區相當於中共之專區級政組，括有西吉、海原、固原三縣全部地區及隆德、靜寧兩縣一部份，面積二萬三千多平方公里，人口四十九萬多，惟其中回族僅佔百分之四十。（北）

在中共高壓手段下
大陸農民普遍怠耕
贛湘共黨派出幹部監視農民進行春耕

江西、湖南各縣份農民，因不堪共黨壓迫，去年曾不斷發生怠耕情事，以致普遍歉收，影響糧食生產不小，因此，共黨爲貫徹強迫生產政策，在春耕開始前，派出大批幹部，分赴各地進行所謂「檢查春耕準備」工作，監視各地農民春耕。

共黨上饒行政區「專署」於一月即已組織五個檢查組，出發至浮梁、鉛山、弋陽、上饒、樂平等縣，進行「檢查春耕生產準備工作」。萍鄉縣最近由共黨指派有二百五十多個幹部組成之檢查大隊，在「全面巡視，重點檢查」口號下，分往全縣各村鎮監視農民工作。但是，儘管共幹如何嚴厲強迫下，各地農民仍有怠耕情事發生。如鸞城楓林鄉的耕地，發現農民根本不熱心耕作，對冬耕除虫工作馬虎了事；全部紅花草地和另外一千二百多畝田地內沒有拔除或揀光稻根；肥料準備也不充足，即以共黨平時所標榜該鄉的生產旗幟之一——縣農業勞動模範徐洪喜，有二十多畝田，只準備了各種肥料一百五十多担；與實際所需相差甚遠。其他新分得田的農戶，根本沒有農具、耕牛，甚至還沒有種籽和口糧，平日生活已無法維持，更談不到春耕了。由此，可以見到共黨怎樣「大力」進行檢查工作，也是白費，農民仍餘痛猶在，普遍發生怠耕現象。

湖南各縣在共黨同一手法下，現在亦已開始春耕。邵東、衡陽、衡南、南縣等縣因沒有綠肥作物的稻田，共幹強迫農民必須普遍犂耙一遍以上，說可以補救綠肥作物不足。湘西苗族「自治區」永順縣塔臥鄉，在共幹監視下，十分之九以上稻田，據說已經過兩犂兩耙。（共）

粵漢路軍運忙
漢口物價大漲

【本報專訊】最近半月來，漢口市之各項進口貨，如西藥，大小五金，工業原料，各類儀器及攝影器材以及鐘錶等市價一致大起波動日趨上漲，三月份上半月之平均進口貨價已較元月份者高出百分之三十。聞長沙及其他中南區內地各大城市之進口物價同樣莫不勁升。

據悉：進口物價大漲之主因係由於（一）粵漢路軍運繁忙，貨車時告停開，且車卡異常缺乏，積存黃埔鉅量物資，無法內運，（二）封鎖大陸及加強禁運聲中，尤其台灣海軍在台灣海峽嚴密攔截北上赴共區港口船隻，致駛靠港之外籍船隻，上月以來大爲減少，長江綫內運進口貨亦稀，（三）共方僑滙減少，土產出口運輸與內運兩軍影響，銷運更滯，致外滙枯竭，向海外採購力日弱，致供求不能平衡，遂致引起一片漲風。（其）

蒲江「縣長」谷耀五
强姦女幹部
被迫墮胎流血慘死

【本報重慶訊】自中共展開整風鼓勵揭發案件後，四川省蒲江縣近有民間婦女及女共幹數人，先後向該省偽人民法院控告該縣縣長谷耀五強姦，要求懲處。現該等控案業經該院派員實地調查屬實，正在審訊。除該等婦女親控其強姦外，復有一楊姓老嫗控告其曾強姦伊女成孕，墮胎致死，要求伸冤。查谷耀五年三十歲，係山西省崞縣人，十年前參加徐向前匪軍游擊有功，於中共踞得四川後派爲該縣縣長。彼於前年四月間爲征糧，而召集新幹部講話時，當見女幹部楊克英風姿甚美，即心存不軌，乃以「個別談話」爲名，於夜間召楊女至縣長辦公室，先行調戲不遂，乃行強暴，楊女初曾掙扎不從，旋被谷某用手槍脅住，終至被逼姦污。此後復數度以「個別談話」爲名，命楊女入室，楊雖閃躲避，以權勢可畏，終仍就範被姦，且未幾因姦成孕。谷某爲掩飾計，乃命女墮胎，因流血過多，不治而亡！死時，曾慘叫：「谷耀五害死了我！」死後，谷某即嚇楊母，不得聲張，否則不利，楊母因懾於淫威，故吞聲飲泣，竭力隱忍。谷某於姦楊女後，色胆益大，竟連續以同樣方式強姦女幹部六人，並以「視察」名義到民間歇宿，前後共強姦民間婦女共九人之多！無不因畏懼權勢而怒不敢言！此種惡行，該縣雖無人不知，但人民畏禍，幹部官官相衞，故一直在掩蓋之中云云。

天津强迫市民收聽婚姻廣播

【本報天津訊】本月被中共定爲大規模宣傳「貫徹新婚姻法」的所謂「新婚姻法月」，各地正在爲此大張旗鼓，瘋狂宣傳。最近天津市中共當局特爲此舉行所謂「貫徹婚姻法廣播大會」，由該市「貫徹婚姻法運動委員會」主任委員吳德作關于貫徹婚姻法運動的報告，而後由該市「民主婦女聯合會」，該市總工會，該市「民主青年聯合會」等機構作「所謂新婚姻法對比」及「和睦民主家庭的典型」等等的報告。現該市中共當局已發佈命令，飭由各級貫徹婚姻法運動委員會負責領導發動收聽廣播，除部隊，機關，工廠，學校擴大收音設備集中收聽外，即由該會在各廣場或大街裝置擴音器，動員全部幹部四出強迫民衆，趕往各廣場大街聽取廣播。據悉，凡不願聽取廣播者，皆被視爲「反婚姻法」而大遭凌辱，故市民雖厭惡之而怒不敢言云云。

怪話連篇

為方

法新社倫敦廿五日電訊：前任國防大臣的英國工黨議員辛威爾，將於下星期一在議會要求政府向美國抗議，說美國訓練台灣國軍的兩棲作戰戰術，將使國軍登陸進攻中共，因而妨礙韓戰之結束云云。

這眞是古今奇談。台灣練軍，竟勞英國的議員嘵嘵抗議，而且是出於自稱「民主社會主義者」的工黨人士之口，寧非天大的笑話！假使這「抗議」發生在蘇俄的蘇維埃會議中，那是應有文章，毫不足怪。或者中共藉此作「反美」的宣傳材料，更無所謂。英國的「社會主義先生」如辛威爾者，可說是「吹縐一池春水，底事干卿？」乃居然發此怪論，自忘其醜，何其厚顏不怕害臊之甚也！談到妨礙韓戰結束的話，更是牛頭不對馬嘴。韓戰如果不是工黨政府當年爲着美國不肯給錢鑲假牙而故意反美，從中搗亂拉腿，麥克阿瑟的大軍早已把共軍驅出遼東半島，結束多時了。

工黨人物當政時，侈談社會主義，却要進行殖民地戰爭；高唱和平政策，却祕密製造原子彈；恭維中共是民族獨立政策，却贊成法國對北非民族運動的高壓手段。這種阿Q式的「社會主義者」，我們應該向英國人民抗議：爲甚麼選出這類代表來，替素有國際榮譽的英國民族丟醜失格？

人民法官的坦白

漢生

我記起十八歲的時候，一時饞迅來，順手在鄰村抓了一隻公鷄，藏在破小掛子底下，這一頓牙祭想來絕對沒有問題，問題可出在村外的一位大姑娘身上！

大姑娘自然有勵人的地方；一條大油辮子插滿了白蘭花，撒腿褲筒裏，藏着一雙小脚，扭扭揑揑的。走到身邊，一時我不知怎樣搞的，心裏一動，撲上去摟着她就來一個「乖乖」！她一閃大叫起來，公鷄也從我身上掙落地上，最要命的是她一把撈住我的褲帶，又要和她掙纏，又要伸手抓鷄子，莊家們跑來了，我可沒有撤！

不用提了，兩罪齊發，一路上給他們拳打脚踢，拉進了鄉公所，鄉長馬上升堂，瞧他那股子威風，就够嚇人：活像戲台上的包龍圖！我糊糊塗塗的被按在地下，褲子褪下一半，鄉團們按着我，一個掄起那條半截紅，半截黑的水火棍，就在我的屁股上幹了二十板，我挨板子並不是第一次，那一個「無賴」屁股上沒於斑痕？當時，我祇是想，將來有一天咱能發跡，非得弄一個辦案子的官幹幹不可！這事一幌眼三十年了。

此後，我參加了朱德的部隊，當措大飯鍋的伙事兵，幾年後，國民黨一路像趕鴨子似的和我們鬧頑笑，一直趕了幾年，現在我纔知道；原來這樣早晚逃命，就是所謂最得意的二萬五千里「長征」，這麼一來，倒把我們一驚死[illegible]的弟兄趕紅了！怪不得提放曹裏的曹操的那一段流水板唱……斬草除根，永不發芽。斬草不除根，就有了這一點麻煩，他媽的政治眞是一玩不得。

現在我是人民法院的法官了！肥缺不必說，我的話就是「金口玉言」我的意思就是「人民的意思」不過，我自己覺得一套解放規矩還不像三十年前的官兒們那麼一表堂堂，威風凜凜而已。

當了法官，總得懂點兒法律，我聽說有本書叫做什麼六法七法的，我想託人找一本來說說我聽，誰知道同事們說：這本書不許用了！這本書裏，有理的就是有理，犯事的就該有罪，有罪的該坐牢多少年月，都有一定！罰錢的數目不多，咱們人民政府不能照它辦，要照它來處罰，不獨不能發大財，還得要賠本！再說一般老百姓，咱也不能無緣無故的隨便安上罪名，敲他一筆竹槓，要敲也敲不多，索性把它焚燬銷滅！

那麼，現在的法律該怎麼辦呢？思想搞通了，就一切不會再費腦筋。簡單得很：祇要特務送來的人，都算他有罪。如果實在想不出罪名，也不妨多抓幾個他的兒女老婆，逼他們控訴，他們受不了活罪，自然就會認幾件小事出來，那怕你是唐堯虞舜孔夫子，也會有十殺不赦大罪，所以咱們發明了善霸，反動……等等的新罪名。

對於罪犯也簡單之至，除了「槍斃」「勞動」就是「罰錢」數目隨我的便俗語說的：「漫天撒價，落地還錢」，這一班儍瓜還是迷信「留得青山在，那怕沒柴燒」！那句話，祇要拿得出，總不敢不拿。老百姓的錢，送給「人民政府」，「人民法院」，「人民法官」那是天公地道，應該之至！

老百姓們一切婚姻錢債的糾紛也毫無難處，衙門八字開，無錢莫進來！兩面都是財神，都罵一頓，罰上幾十萬，滾你媽的旦，就完事大吉。找你還找不着呢？哼，自己送上門！

土匪小偷的案子，我總不忘我的出身，同志們也總會感懷身世的，大家不約而同，必然同情他們。他們是「老糠」，搾不出油了，那麼，不妨動動被偷被搶的事主們的腦筋，至於怎麼動腦筋，正所謂「八仙過海，各顯奇能」！一言以蔽之，曰：「錢」！

自己的話，就是法律。三十年前的目的也達到了，財也發了，還想些什麼呢？現在我祇想能夠找個不太前進的地方，舒舒服服再活個十來二十年，因爲我明白在這個無所謂「法律」的地方，別人何嘗不能還至把我抓去「槍斃」「勞動」敲敲竹槓呢？

想來想去，我想的又是「報應」兩個字，咳！我的思想又搞不通了！

談內幕新聞

健軍

大概是因爲人們的好奇和愛聽反調的關係吧，越是內幕的，不公開的，半隱半露的，帶點神祕性的東西，越容易抓住人們底興趣和注意力，不僅是在新聞方面是這樣，即在其他日常生活方面亦莫不如此，就如同吃慣了饅頭的北方人每常喜愛吃點米食換換口味，聽慣了張君秋的青衣的，更喜歡去看他反串一下小生，看慣了正言讜論的讀者，總喜歡去涉獵一點內幕方面的報導一樣，說起來這是很自然的事，中國歷朝來就不斷地在所謂正史之外，出現了許多野史，稗史，外史之類的記載，這種東西因爲從另外一個角度去觀察或批評一些舊的社會和人物，立言又不須要那樣嚴肅，所以常使讀者耳目一新，情趣盎然。在外國也是一樣，如美國的皮爾遜，保登，根室等都是以內幕報導起家的，抗戰後期新聞天地社在重慶創立，專門報導內幕新聞，內容結實，風格嶄新，眞作到「天地間皆是新聞」，「新聞中別有天地」的境界了。尤其在勝利初期的那段期間，正值政海波濤洶湧之時，新聞天地因通訊網遍佈全國，常能探隱搜祕，將內幕的剖面，和盤托出，使當時的讀者，恒以先睹爲快，近年來因爲大陸淪陷，消息遭共黨封鎖，所謂新聞不是變爲舊聞，便是報導些與讀者興趣脫節的國外通訊，所以風韻已非昔比！半年來本港報章，爲了要迎合讀者的口味，所以也漸次地趨向此道了。這個內幕，那個回憶，林林總總，層出不窮。以筆者看來，在這萬花競艷的場面裏，尚以馬思先生的特任官見聞錄爲最勝，文筆流暢，程序井然，內容或有出入，但就常識來判斷，百分之八十以上，可說無訛，實爲內幕新聞放一異彩。

內幕新聞因爲立場自由，不爲時間空間所限，所以有時就某一方面，或某幾點來看，反較正史來得可貴，不過有部分作者爲了取寵讀者，和爲洩發私恨，或是受了某方面的津貼，不惜渲染其詞，甚至歪曲事實，將史料加油添醬地加以演義，這就未免太不忠實了，騙了讀者還算小事，撕毀了史實或污衊了他人，那就太不道德了，所以說做什麼事，祇要心地良善，動機純潔，都可貴，都值得稱揚，就是不幸錯了，也容易令人同情！還是那句話，什麼事一爲了錢，就要不得了。

萬竹樓隨筆

略談杜甫（十一）

・舜生・

古今評杜詩者多矣，在舊的詩國裏，說杜甫是一個『集大成者』，大概決不算是過譽。因爲他不僅兼擅各體，而又奄有衆長，宋秦觀說：『……昔蘇武李陵之詩，長於高妙；曹植劉公幹之詩，長於豪逸；陶潛阮籍之詩，長於沖淡；謝靈運鮑照之詩，長於峻潔；徐陵庾信之詩，長於藻麗；於是子美窮高妙之格，極豪逸之氣，包沖淡之趣，兼峻潔之姿，備藻麗之態……』我想對杜集全部涉獵過的人，於這樣一種看法，總應該是可以首肯的。

凡把李杜相提並論的批評者，總覺得老杜的五七言絕句之不如李，也猶乎五七言律詩之李不如杜，這個話自然不無相當理由，實際講起來，就是老杜的絕句，又何可妄加非薄？如『八陣圖』云：『功蓋三分國，名成八陣圖，江流石不轉，遺恨失吞吳！』寥寥二十字，乃夾着一篇大議論，能把武侯的心事曲曲道出，非大手筆何能辦此？

又他在成都摹寫春景的兩首說：『遲日江山麗，春風花草香。泥融飛燕子，沙暖睡鴛鴦。』『江碧鳥逾白，山青花欲燃，今春看又過，何日是歸年？』體物抒情，工秀至於如此，我實在看不出比之李白，有何遜色。

至於我們在小孩子時代便唸過的兩首，如『贈花卿』云：『錦城絲管日紛紛，半入江風半入雲，此曲祇應天上有，人間能得幾回聞？』『江南逢李龜年』云：『岐王宅裏尋常見，崔九堂前幾度聞，正是江南好風景，落花時節又逢君！』前者寓諷刺於頌揚而使人不覺，後者出語輕鬆，乃包涵無限盛衰之感，絕句做到這個樣子，總也算得妙入化工了吧！

老杜五七律之最爲人所傳誦者，大抵都是他的後期作品，尤以入川以後爲然，其例不勝舉。他自己說：『新詩改罷自長吟，』又說：『老去漸於詩律細，』可見一藝之成，無不自苦修苦鍊而來，率爾操觚，而謂盛名可以儌得，至少在藝術這一方面總是沒有這回事的。

話雖如此，像老杜的那些排律，我總覺得過於堆砌，元微之恭維他，說他『鋪陳始終，排比聲韻，大或千言，次猶數百，……則李（白）尚不能歷其藩籬，況堂奧乎？』元遺山的論詩絕句駁他說：『排比鋪張特一途，藩籬如此亦區區，少陵自有連城璧，爭奈微之識碔砆！』我對於二元的杜詩觀，比較的是同情於遺山的。

（本篇完）

（附啓：過兩天我便要去日本旅行，隨筆只好暫停幾期。但旅行中我照例有日記，假如有值得發表的，或許錄一部分來充篇幅也不一定。）

中國之友（七七）

毛以亨

李提摩太傳（十七）

至于救亡之計劃則提下列四點：一、須派親王二人爲代表，願付賠款，而取消其他條件。二、與他國聯盟并促進改革。三、赫德爲清廷總顧問，須每日與清帝見面，其他各省督撫亦須聘一顧問。四、加入仲裁公約，以避免戰爭。

張蔭桓則謂俄國人皆可怕，英國實較可靠。官吏之貪汚，幾至無法糾正，而改革計劃，亦不易提出。他大半同意李氏之言，並謂恭親王不願赴日，御史亂奏，朝廷又不肯認眞去查，徒然使人灰心。他對清廷是失望的，並謂各國亦無眞心願助之者。

三月間李氏三次晤張之洞，請其爲十九世紀一書作序。在輪船上遇李鴻章之子景銘，彼亦願爲作序，因請李鴻章亦作一序。他謂張之洞確無私財，但甚暴戾，對當店鹽商不好常，使無利可圖而失其產。

十四、奏請保護教會

一八九〇年大會，推出七人委員會，起草奏摺，除李氏外，有 ALLEN，ASH MOSE，BLODGET，JOHN，MONLE，WHERRY 諸氏，闡明基督教內容，並要求傳教自由，事未果行。一八九二年蕪湖及沿長江一帶均鬧教，一八九三年漢口附近兩位瑞典教士被殺，而四川福建二省亦皆鬧教則已不限長江一帶了。一八九五年四月，有十一位屬于CMS者被殺而多爲婦女，乃派李氏與在北京之 WHERRY，BLODGET 商量。奏稿大意由李氏起草 ALLEN 讀成後加入簽字者有二十位教會團體代表。

初步與總理衙門接觸時，他于九月十七日晤李鴻章，鴻章留其午餐款談甚洽。告以皇上無權，而當權者都不懂外事，祇他本人讀其十九世紀一書數遍。大家都反對他，張之洞則一戰到底，王公詆西學爲鬼子學，祇讀中國書，而八股實無補實際。清廷不予請西學者以位置，而上海之新聞報則爲京中所鄙夷。再與李氏西文祕書美人 PETHICK 談話知翁同龢握有大權，他認爲往晤恭親王，最好由翁同龢介紹。九月廿三日再晤鴻章，他謂翁無頭腦祇有一半狐疑的心，並勸其留在北京，對一般翰林演講。鴻章謂恭親王是頑石而翁則爲樟皮，他教其晤翁先與寒暄即集全力以攻擊之，並告以責任在彼一身。

黃大仙及其他

・猶士・

新年以來，到黃大仙進香的善男信女十分擠擁，筆者住在黃大仙，於是天天搭車受到了極大的麻煩，尤其是雨天，不得不對於這些迷信同胞，稍加抱怨。

迷信從「希望」中發生出來是怪有意思的問題，我們都知道，大多數善男信女，其目的不在潛修梵行，却是出於發財、治病、養兒、抱孫的動機。每看神殿裏「有求必應」的匾額，我們不由得暗暗好笑。揭穿來說，人類有所求於神而以香燭祭品爲媚神之具，神接受了這批禮物便不惜降以百祥，那麼簡直是「貪」神「汚」佛。那能當得「聰明正直」四個字呢？大概這裏的善男信女想以最少的代價，博得最大的神惠，倘把這筆媚神的消耗用之於辦工廠與興學校，或許可獲得善報吧？

人類迷信而根底是由於孩提時受了神話的影響，而迷信之發展還有一個重要因素：大概東方人都有清談的習慣，而清談資料往往涉及神怪，說得活靈活現，以炫其見聞之廣。假使第一人說親耳聽過啾啾鬼聲，那麼第二人必說他是親眼見過活鬼現形的，他們只顧談得很起勁，一個不肯弱似一個，而一般洗耳恭聽者把他們所談的資料再加烘托，一人傳十，十人傳百，人類都是具有盲從性的，所以「自欺欺人」之談往往變成了民間有力的掌故，還有一種人臨死時口中發出可怖的囈語，身子不住的戰慄，好像受鬼之糾纏，於是鬼魂索命之說得一證明，但這是附會得極可發笑的，一個人得着重病，熱度極高，陷於昏迷狀態，而平日所恐怖的陰影一時奔湊於腦際，自然會有這種情形。

我常常向朋友說，世界上有三種事業是有一半把握的：第一是投機生意，那一半是自殺，這一半是做富翁的把握！第二件是爭勝術，那一半能否取得對方同意自然很成問題，而這一半自己的同意是有絕對把握的；第三件是看相算命，不好便歹，不榮則辱，也有一半說中的把握。

星相家雖有一半的把握，他們還得拿點憑證實據來才可以博得人們的信仰，但憑據不是荷包里信手可以掏出的，而詐術因之發生。試一舉例。美國女相士亞丹姆向一個飯店老板說：「你大禍快臨頭！」接着是飯店起火，老闆驚爲神人，逢人爲之遊揚，安知這位老闆不是和女相士唱雙簧戲，而縱火以神其說？後來亞丹姆嫁了個男士，九年之後，丈夫斷定他二十二分鐘以內必死，她果然在時辰內蹺了辮子，安知不是她的丈夫殺妻以售其技？

本報各版　歡迎投稿

中華民國僑務委員會頒發登記證台僑新字第一零二號

自由人

THE FREEMAN

（半週刊每星期三六出版）

（第二一七期）

每份港幣壹毫

督印人：李光華

社址：香港高士打道六十六號

電話：二〇八四八

GLOUCESTER RD.
HONG KONG
TEL: 20848

承印者：東南印務出版社

地址：高士打道六十四號

台灣特派員辦事處
台北市館前街五十號

台灣總經銷處
台北中華路新號五九四之一

台灣郵政劃撥儲金帳號
九二五二號

馬來亞建國運動

・陳克文・

一五一二年葡萄牙人佔領麻六甲，為歐洲人在東南亞經營殖民地之始。英人經營馬來亞則始於一七八六年安德大佐租得檳榔嶼。四世紀來，南洋一帶遂為歐洲殖民統治的世界。第二次世界大戰後，印度，巴基斯坦，緬甸，印尼先後脫離殖民地獨立。現在歐洲在亞洲的殘餘殖民統治，僅馬來亞，越南，及無關輕重的葡屬帝汶與英屬婆羅洲而已。越南與馬來亞必須爭取自由獨立，以結束四百年來，屈辱亞洲人尊嚴的殖民歷史，自屬無可避免，亦無可抵抗的正義偉大運動。

建國籌備會議

據報載，馬來亞的中國移殖人民團體和馬來人團體，將於四月下旬，在吉隆坡共同舉行馬來亞建國籌備會議。此有關東南亞前途之大運動，殊覺令人興奮，吾人應以極大之誠意與努力祝禱其早日成功的。

東南亞各國，就土地面積及人口言，除英屬婆羅洲及葡屬帝汶外，馬來亞實為最小之一單位。印尼一百九十餘萬方里，人口七千餘萬。暹羅五十餘萬方里，人口一千五百餘萬。越南七十餘萬方里，人口二千三百餘萬。緬甸五十九餘萬方里，人口一千六百餘萬。馬來亞只有土地十三萬二千餘方里，較英屬婆羅洲之十五萬一千餘方里為小；人口五百五十六餘萬，較台灣現有人口尚少。然而馬來亞資源豐富，只樹膠和錫兩項出口，已經為大英帝國內換取美元最多的地區。就出入口貿易總額言，馬來亞足與印尼相拮抗，遠非東南亞其他各國之所能及。因此，馬來亞的自然條件，足以建立一個富庶康樂的現代國家，絕無疑義。

但馬來亞要成為一個自由獨立的國家，其困難不在於人口過少或土地過小，也不在於英國是否願意放棄其殖民地統治者的地位。英國可以讓印度，巴基斯坦，緬甸獨立，自亦不至亦不能阻礙馬來亞的獨立。

獨立的困難

馬來亞獨立的困難在於內部團結之不易，其原因可得而言的，約有數端。第一為人種上的分裂。全人口五百五十餘萬中，百分之五十一以上為中國人，百分之三十八為馬來人。過去因為生活習慣，宗教信仰，教育程度之不同，加以殖民政策從中作祟，兩者之間形成隔膜自屬意中事。其次即為宗教信仰之不統一，馬來人虔信回教，中國人多崇佛教或孔教。回教有其統一性，近年來泛回運動日漸加強，巴基斯坦獨立後，回教的精神領導，更加積極。於是一部份的馬來青年自由主義者，頗有趨向與印尼回教國家聯合的傾向。甚或主張建立純粹的馬來國者。尤為不幸的，則二次大戰後，共產黨陰謀控制馬來亞，利用人種和宗教差異，煽動挑撥，造成分裂，以期從中漁利。這幾年來的恐怖運動，加強內部的分裂和衝突。但共產黨的陰謀，因受韓戰影響，與英人的堅強清剿政策，加以人民覺悟，現在已漸趨沒落，大概不至於過份阻礙馬來亞的獨立運動。

中國移民在馬來亞既佔居人口百分之五十，若就馬來亞精神總樞紐之新加坡言，中國移民更佔百分之七十八以上。中國移民力量之大可以想見。不僅此而已。中國移民在過去數百年，對於南洋經濟生活，貢獻至大，礦業，米廠，航業，銀行，種植，批發商，均多數操於中國移民之手。中國移民不僅為南洋資源的開發者，亦為經濟生活之有力組織階級。今後馬來亞之自由獨立運動，不僅與中國移民有切身利害關係，亦惟有中國移民善於因應時機，加倍努力，促成團結，始能求其眞正實現。

僑胞宗教信仰

現代國家，不相同的宗教信仰，本無不可和平共處之理。只要是民主自由政治，民權平等，不相同宗教絕無互相仇視排擠之必要。印巴兩國純因宗教原因，互相分裂殘殺，陷國家於經濟災難，因集體屠殺而死亡者達百萬人以上。至今談虎色變。馬來亞建國運動自屬以此為殷鑒，萬無重蹈覆轍之理。中國歷史，從無宗教戰爭之紀錄；幾千年來，對於一切外來宗教，均取吸收容忍，和平共處態度。馬來亞的中國移民，自然亦富有此種精神，故雖與馬來人信仰不同，決不至引起宗教仇視，或宗教戰爭，實可斷言。中國移民，最易為人誤會，認為足以防礙新國家之建立的，莫過於重視先人墳墓，念念不忘祖國的精神。故馬來人領袖的極力反對雙重國籍，以為馬來亞公民權，必須有一定居所，並須聲明與其他國家並無聯繫。尤足使馬來人及其他同情馬來亞獨立之外國人憂慮者，則中國移民眷念祖國之心理，易為中共利用，伸張魔掌，使馬來亞陷於赤化。其實中國移民重視先人骸骨，乃一種傳統習俗，與宗教信仰無殊，並無政治意義，不足以妨礙新國家的統一團結。至於眷念祖國，不僅為人類自然心理，亦為長期殖民地統治之下，必然現象。中國移民散居海外的不下一千萬人，在美洲的不礙於美國的統一，在印尼，緬甸，暹羅，菲律賓的，亦不礙於各該國的統一。則馬來亞的中國移民決不至於妨礙馬來亞的統一自屬信而有徵。故憂慮中國移民將以中國利益為重，輕視馬來亞新國家之利益者，實為過慮。新加坡僑領李光珍（譯音）會說過，『中國人離開祖國，常是個人行動，並不是他們政府的代表。中國人懂得他必須適應居留地的生活，在新環境建立家庭，和祖國沒有關連。』大多數中國移民確是如此。共產主義與回教佛教火水不能相容，人所共知。即中國移民的傳統生活習慣亦決不利於共產主義。三年來中共在大陸上，倒行逆施，已給海外華僑以極大的事實教訓。故認為中國人眷念祖國的心理，將供中共利用，引入共產主義於馬來亞的，亦屬葸葸過慮。中共在東南亞最可利用的，為人民生活貧困，與其政治地位之卑屈，及大多華僑在政治經濟上所受之不平等待遇。新國家能否成立，能否統一團結，能否達於富庶興盛，均將以此等問題能否有正確之政策，能否逐步求得解決為斷。東南亞為文盲人數最多，人民生活最苦，文化最為落後的地區。馬來亞新國家運動，必須以少數中國移民領袖與馬來領袖為骨幹，共同負起責任，抱定民主自由的遠大眼光，繼續努力，排除一切困難，消滅一切分裂，才能有完全成功之希望。馬華分則必敗，合則必成。馬來亞新國運動，不僅為中國移民利益，也為馬來人利益。馬華的命運是不分的。舊日的種族觀念必須打破，舊日的政治觀念，宗教觀念一概要加以改造。馬來亞新國家的獨立自由，前途是無限光明的。

美將調整政策

布帥準備軍力報告

最近，美國政府的主要工作，一般說來，似已進入停滯狀態；特別是外交與經濟政策方面的決議，其原因是由於政府在外交政策與國防政策的調整，而這種調整、又需等待國防部「調查事實者」之報告，他們在二月前奉命準備一次關於美國現在及未來軍事能力的聲明。過去杜魯門和艾契遜的外交政策，多數是由聯合參謀長布萊德雷及其軍事專家所供的意見為轉變，但他們到目前為止，還沒有向艾森豪總統提出所需要的估計。本月前，布萊德雷曾發表一篇演說，特別偏重對韓政策何以不改變的理由，而忽視了在韓戰爭取勝利的理由。這種情況，可說是艾森豪在政府執行部門內部所遭遇的典型阻力。國會方面的困難，大部份是由於軍事和民政機構未能反映最高階層的決定，和未能對此些決定採取行動。

就艾森豪在國會中所遭遇的困難而論，他可以運用他的強有力聲望，呼籲人民的支持，使他的政策得以通過，但在他採取這種積極性辦法以前，他仍可能運用其他的辦法，即加強他們的政府，提出有力的政策，這樣，國會自會減少對他的麻煩了。

（節譯「時代」週刊）

蘇俄的第六縱隊（上）

健超譯

鐵幕邊緣的私梟羣

維也納仍舊是歐洲的一大名城，它那兩間大咖啡室，每天上午十一時至午后一時，午后五時至七時三十分，是生意人談買賣的時間，「瑪藤特」和「卡爾登」，這兩間大咖啡室，擠滿了顧客，大鍋的咖啡混合着朱古力，一壺又一壺的賣完無遺。在顧客中，嘈雜的大家在彼此傾談着，從前是談麥子行情，談音樂，談「巴爾幹」的政局，現在可大大的不同了。現在，在瑪藤特和卡爾登談的主題，是如何對付那些在邊界的走私者？和如何偷運鋼、機器、化學原料，任何為蘇俄所需要用以建立軍隊的軍略物資，這里是由西方國家滑進蘇聯的一條孔道。可是在外交關係上，有一個重大的轉變，那是最近艾森豪威爾所給予駐在德國行政官吏的措施，不過那些有組織的走私者，卻仍然運用機智冒着危險把這些物資運進鐵幕。共產黨人覺得需要的物資不足應用時，他們用高價來誘惑許許多多的歐洲掮客，黑市經紀人，騙子和類似騙子的人，這些人在不知不覺有意無意間就組成蘇俄「第六縱隊」。這一小隊的「白蟻」食蝕了西方國家的戰略大屏障，同時也為蘇俄加多了戰略物資。

沒有主義祇為撈錢

在第六縱隊中，眞正的共產黨徒是少之又少的少數，而且他們大多數永遠不會是共產黨的同情者，他們的人生信念，簡單祇是為錢，不拘任何人為了錢，任何事都可做。戰後他們有些人在出售糧食小包給在飢餓中的政治亡命者賺得一筆錢，同時他們自己也就在飢餓中掙扎過，在集中營裏拘禁過，和曾經做過政治亡命者。許多人在幹黑市買賣，一般人所需要的咖啡糖菸捲等的黑市買賣，不過他們覺得那樣的冒險，卻不會使他大發橫財，除非另[illegible]這是一個國際化的城市，任何處所來自西方的人和來自東方的人，都甚便利的公開會晤，第六縱隊毫無煩擾的來到維也納，而且又絕不會受到注意，他們的言行，活像一個生意買賣人，他們在許許多多的高貴社團中活動。無疑的，他們所引為重要的活動目標，是和俄國人接觸，那些躲藏在鐵幕以內的共產黨傢伙，那些人是在祕密警察監視之下的來和第六縱隊接洽，在維也納史太林准許他們接觸所有能給他們所需要的組成一個在西方的走私網，保護着他們的安全。供給着他們的金錢。

咖啡座上的交易

在咖啡室座上，從西方來的私貨和東方來的人成了交易。一間捷克工廠，迫切的需要一千噸鋼，無疑的那是幫助蘇聯製造軍火。一間造船廠所需要鋼板裝備潛艇驅逐艦的甲板。一間鋼廠需要礦石融爐。一間機器工場需大車床來做翻造裝備坦克的零件。一間在東德的鈾鑛需要新型運輸設備。無論若何，第六縱隊正在加速活動，它已遭到預礙，便採用以前在別的地區所做的方式，[illegible]貨物[illegible]冒着險或者利用海關的貨棧，偽眞假假的混進許多的出口貨裏裝上了船，這些船第一個停泊的地方，是瑞士的蘇利希（Zurich），他們在這裏做着歐洲甚多的「合法」貿易，他們在這裏有金融機構的佈置，常常由鐵幕之內發出委託信用書。瑞士原是一個中立國家，他不願開罪於任何方。有一位經濟學家說：瑞士人在現今世界商場上有三大優點：（一）能刻苦耐勞的工作，（二）保有他們的貿易通路；（三）不隨便亂說話。現在的瑞士，既未加入聯盟，也未參與北大西洋公約，第六縱隊選擇蘇利希，這個條件優好的地方，做他們這個冒險企業的金融中心，猶之乎美國的掮客商人選擇紐約或芝加哥。蘇利希和維也納之間的電報和電話，絡繹不絕，還有一些「信差」在蘇利希，維也納的夜快車上往還，他們在傳遞極祕密的而不便信託電綫的發財消息。當然第六縱隊的人，也必須常常去訪問蘇利希，飛機和火車，在這兩個城市間（蘇利希和維也納）是擁擠的時候為多。第六縱隊在維也納得到定單，在蘇利希領取金錢再進行購買需要的「貨物」而且能夠經由任何一條可能通行的航路運到。

半週展望

・雷嘯岑・

共黨贊成志願遣俘了！

韓戰的和解談判，由於俄共集團突然自動的聲明贊成志願遣俘原則，大有恢復可能了。我們如將去年聯大會議時，俄代表維辛斯基堅決否定印度所提調解方案——即不談「志願遣俘」字句，只說交中立國處理的祖共方案——那種氣勢，以及中共周恩來的嚴厲反對情形，和現在這兩個共黨代言人所表示的前倨後恭姿態相比較，無論如何，總有些難以為情的肉麻之感吧！然而，這在共產黨人卻是毫無所謂的。他的力量經得起掙扎之時，桀驁不馴，無理可喻，別人對他表示任何好意也不接受；他若是害怕你的鐵拳打來，難以招架了，跪地告饒，獻媚眼，賠小心，無所不用其極。當年史大林害怕希特勒要揍他的時候，恭維德國「是世界上的和平民族」，卑詞厚禮，乞訂「德蘇互不侵犯協定」，暗中即將駐屯德波接壤的軍隊趕忙後撤，積極備戰。俄共集團這套「能屈能伸」的本事，可說是「家學淵源」的厚黑學啊！

民主陣營是否會受他的麻醉愚弄呢？只要看美國是否沉得氣，不理睬外來的無理壓力，堅持聯合國統一南北韓，建設和平統一的朝鮮國那項煌煌決議？

俄共集團現在是急求喘息苟安的時候，任何卑躬屈膝的姿態，都可以露出來的。自由世界為獲得永久和平，預防後患起見，此時此事，決不能單從韓戰一隅的暫時和平設想，對侵略者輕事妥協，必須統籌全局，為一勞永逸之計，大好機會，稍縱即逝，我們且看艾森豪總統的手腕如何？

亞洲反共措施更須急進

越是韓戰有和解之可能，亞洲方面的反共措施更應積極進行，不可鬆懈。誰也能夠理解的事，以世界革命為最後目標的共產集團，它是不能閉關自守，坐待困斃的。中共擁有數百萬軍隊，更沒法解甲歸田，僅能從事「和平建設」，它如果不向外擴張，就要感到生存的危險。因此，亞洲的反共工作，尤其是軍事佈署，決不能因韓戰有和解希望而有所躊躇。

俄共集團的和平作用

英美飛機都在西歐被俄機攻擊毀落，傷斃了人命。但，馬倫柯夫對美國的抗議，反唇相稽，申申而詈；對英國却表示歉意，雙方舉行空中安全會議，又嗾使中共表示願將被俘在北韓的英國空軍人員交還，處處對英國要好。這些作風，就是教英國感到飄飄然自我陶醉，替俄共集團的和平攻勢張目，對美國施壓力，倡異議。和平攻勢成了功，自然大有所獲，不成功，亦至少可以收離間英美的效用，有得無失。英國願意入彀嗎？問題只在邱吉爾能否說服國會中那批共黨同路人而已。

菲允釋放無辜華僑？

中央社消息：菲律賓代理國防部長卡斯特羅，曾通知在碧瑤之中國大使，菲陸軍部去年十二月被集體逮捕的無辜華僑，將儘速予以釋放云。同時，法新社電訊：倘有被捕華僑，被監禁已達兩年而未審問者！

這是何等令人憤慨的怪事！既知其為無辜，何以拘押五個月亦不釋放？因某種嫌疑而被拘捕的華僑，何以竟監禁兩年之久而不審問？

我們派駐菲律賓的那個大使也者，大概只是住在那風物美麗的碧瑤，自樂其樂，不知有華僑無辜受害這回事，也不知大使的職責是甚麼。假使政府眞有紀綱的話，這類大使不撤懲，尚何說以對人民呢？若干無知無識，或昏庸老朽，毫無作用的廢材，充滿着外交陣營：美國有暮氣沉沉的使節，菲律賓有不管無辜華僑，與見隨時出現於迎候要人來去場合的大使，曼谷有「外國人的中國代辦」，倫敦有請求[illegible]政府居住，抗不回國交代的去職大使。[illegible]一聲！

中共三面威脅下 緬甸能中立嗎？

國外通訊

◎中共對緬的威脅已日形表面化，口頭上的恫嚇，邊境上的軍事調動，海面上的「怪艇」，使宇汝臨到走投無路地步；他不理會美國對他的行動有何反感，逕行宣布退出聯合國集體安全措施。於周恩來返平之後，隨即對中國反共游擊隊誣指侵略向聯合國提出控訴，這一個「退縮」中的國家，傾覆的危機已經潛伏，現在是不是倒轉了回去呢？對美國的援助也斷然的拒絕了。

從上月初中共企圖將仰光焚毀，陰謀敗露以及俄國駐緬使館一等祕書偕一醫生夤夜闖入禁區遭哨兵開槍受傷之事件發生之後，共黨給予緬甸的威脅，已日形表面化。一方面極力由其緬甸「大使」館轉達北平的要求，迫使緬甸政府提出驅逐邊境反共游擊隊的保證，另一方面則以數達三萬之衆的中共武裝部隊陳兵邊境，聲言如果無力負起逐出一萬二千名之中國游擊隊，彼將採取協同驅逐的行動。這是很明顯的反映出中共對緬甸的要求已到攤牌的地步。宇汝爲了緩和這一非常的局勢，授命出席聯合國代表宇衛藉口該國與中國游擊隊在戰爭中消耗無數時間和人力，以致應接不暇，不得不退出聯合國集體措施委員會。實際上緬甸係無意於派遣一支部隊去韓國進行反共戰爭。蘇俄中共對他這種孤詣苦心并不稍加放鬆，奇怪的艦艇已在泰緬邊境海面發現，這種艦艇曾常在馬里特海外路塞爾島停留，以武力脅迫附近漁民報告有關泰緬沿海地帶之軍事防禦情報，雖然緬甸空軍於獲得該等消息之後曾飛往關爵島附近偵察，却也無法阻遏該等艦艇之行動。但緬甸面臨這種陸海兩面包圍壓力之下，對中共的壓力竟無抵抗之策。

落入共黨圈套危機加甚

中共脅持緬甸驅逐中國反共游擊隊的措施原係蘇俄侵略計劃中的一大項目，但是，實際的行動却是中共「外長」周恩來負責進行的。周恩來去莫斯科奔喪之前，對緬甸曾有一個期限，不是將中國游擊隊逐出滇緬邊境即向聯合國設詞對自由中國提出控訴，因此，於周恩來返平之翌日即行採取措施。使若干國際人士對這一個「捲回」自由民主的國家，已墮入了共黨的圈套，其內在的危機已逐漸加甚，是不是打算倒轉回去？當他繼續對美國拒絕於今年六月三十日以後接受美援，世人對緬甸將何去何從，自是一大重要問題。就緬甸僅有的力量看去，不僅有賴於美援支持，且尤不易於「獨善其身」的。儘管它擁有六十餘萬方哩的肥沃土地與豐富的資源，但一千四百餘萬人口中大多數均依賴成性，許多礦藏均未開發，這亦是共黨急圖攫取的主要原因之一。它的獨立雖然已踏上了第六個年頭，由於共黨的滲透，幾已沒有一處地方不動亂，各個重要城市的周邊，無一而非在共黨的魔掌之中。而緬甸的國防六年來的努力仍在幼年時代，戰後的其他一切設施自然更談不上了。

國防脆弱難抗中共入侵

宇汝政府的國防經費，預算中佔了四分之一以上，在五年前獨立之初，限於財政支絀，國防軍僅三千名，後來才由美國給予它以充分的援助，逐漸養成了一支較爲像樣的兵力，迄今爲止，已在美國的支持下，編成了四十一個大隊，一個大隊的人數係由五百至八百名，以步兵爲主體，機砲爲輔。機械化部隊的數字僅佔百分之一。重武器有五十輛的速射砲，裝有十五輛野戰砲裝甲汽車五十輛，美援戰車二十五輛。然而這些過時的武器在緬甸人心目中已經是不輕易完成的國防建設了。假如一個對緬甸關心的人經常在新聞紙上發現到緬甸的空軍向滇邊中國游擊隊濫施轟炸的消息之時，總以爲緬甸已擁有一支強大的空軍了。可是緬甸的空力依然在極幼稚的時代，括有偵察、運輸、轟炸機的總數還不足二十架，海軍更談不到，今年一月間才由荷蘭買了一艘中古式的一千五百噸級之驅逐艦，此外不過幾艘巡海的砲艇。這一點不堪一擊的力量，根本不能抵禦中共的侵略，即維護國內的秩序還感到不够，尤其是軍官的缺乏，亦爲擴軍的障礙。（司徒光三月二十八日寄自仰光）

台灣實行工業化 亟需吸引民間投資

民間有志於工業投資者並不乏人，亦不乏資本，但適當途徑尚待充分開闢。

台灣通訊

蔣總統曾一再宣示，台省今年的兩大工作，一爲實施耕者有其田，一爲使台灣工業化。政府的經濟自立四年計劃係邁到工業化的方案，惟其內容均係由政府自辦之工業，並與美援配合之辦法。至於民間資本，如何自農業方面轉向於工業，須倚恃公營事業之出售。但五大公司即全部出售，尚未能將社會遊資盡引導入工業方面。蓋台灣銀行優利存款最多時即達五億元，此皆係未用於生產途徑之遊資，而五大公司估值尚不及此數，況五大公司股票須分配於地主，以收購其土地，并不能供民間自由購買。台省民間有志於工業投資者，并不乏人，亦不乏資本，所缺乏者乃投資之機會。蓋擁有資金的人要向工業投資，並非易事。其本人既未必有辦理工業的學識經驗，又未必獨力就可以創辦一個工廠。如果與他人合夥去辦，要負法律上的無限責任，如果要參加辦理業已具有基礎的工業，則機會更少。因某項工業既已具有基礎，必不願意使局外人參加，以分得其利潤。至於經營不善，基礎不充的工業，投資者又必爲之却步。所以今日台灣並不缺乏工業資本，乃係沒有使其獲得投資的途徑。現在台省各公私工廠均願意吸收存款而不願意增加資金。因有若干的捐稅都照資本額計算。每月有一百萬營業的公司商號，其登記的資本多在十萬以下，就是爲了這個原因。其每月賴以周轉的資金則爲私人的存款。私人會閩其利息較之台灣銀行的優利存款高出二三分，樂於存放。但此類存款並無保障，債務人一旦倒閉，便要連本犧牲。以往倒閉了的大商號與台北的各合作社不說，最近又倒閉了一家書鋪，就虧負達一百萬元。另一個方式，便是將現款存入台灣銀行，恃優利存款的利息爲生。台灣銀行收入了幾億元的存款，每月負担巨額的利息，再用之向工業投資。因台灣銀行不做通常的工商貸款，如奉命貸給國公營事業機關，又利息甚低，甚至免息。所以還要透過商業銀行，才能貸給工業廠家。加上申請，調查，審核，訂約，對保等手續，與商業銀行的中間費用，工業廠家實可用黑市利息吸收私人存款。萬一倒閉，對於私人存款最多依照破產法辦理，欠了銀行的錢可就不了。這種現象如不設法改正，台灣的工業化實難以獲得民間資金的力量。

日後收復大陸 貨幣政策之爭

台灣財政金融界人士，對於日後收復大陸後的貨幣政策，近日方引起兩種爭論，一爲中共所發人民幣，是否應予收兌；一爲政府日後在收復區所發行之新貨幣，應分區發行抑統一發行。猶憶抗戰期中，中央公布國民公約，中有「不用敵人和漢奸銀行的鈔票」，全國人民，每次集會時必須朗誦。而勝利之後，竟由行政院規定比率予以收兌，當時即曾引起抗戰軍民的不滿，而日後上海市場的紊亂與物價突由下跌而回漲，均與此項政策有關。日人佔領香港時期，亦曾發行僞港幣，香港收復後，港政府未予收兌，聽其自由貶值，初猶作輔幣用，繼則絕跡。香港金融之迄獲安定，此亦爲一重大因素。主張日後對中共僞幣予以收兌者，不外顧到人民損失一語。然整個大陸淪陷，人民生命財產的損失，實屬不可勝計。若得重光天日，手中廢紙，本無價值，不予收兌，實不足以謂爲損失。至收復後貨幣在初期自以分區發行爲宜，一則容易控制數量，二則不致爲敵人所套用。說者謂此將有違於國家統一原則，乃似是而非之言。蓋只須其發行權統一於中央，即可，於貨幣上加蓋某某地區通用字樣，只爲技術問題，并無礙於國家之統一。我國郵票，即常有限某省貼用的先例，可資證明。

蘇俄新黨棍頭目 總書記赫魯契夫

新聞人物

〔三月二十日，莫斯科電〕台宣佈蘇聯新總理馬倫科夫自動辭去共黨中央委員會第一書記，而由很少在報上露面的赫魯契夫，繼其領導由五人組成的書記處。

赫魯契夫和馬倫科夫一樣，同是殘忍冷酷和陰險一型的人物，他歷經傾軋鬥爭始爬到今天的地位。對於馬克思主義的教條，他所懂得的和所提供的貢獻並不怎樣多。

一九五〇年，他力主將小型集體農場合併爲大規模的集體農場，並將零碎的農民集團歸併爲農業市鎮，但受到農民的劇烈反對，至少在那個時候，他被迫放棄了預定的計劃。

但在別方面，赫魯契夫對黨的價值却是頗爲重大的，足以抵消他在其他方面的過失。他是俄共的忠實僕人，是殘忍的負責整飭黨紀的頭目。他利用由農夫出身，及童年在煤礦中工作所鍛鍊的堅強和決心，自最初期擔任黨的職務以來，即已清除不少的不穩份子。

赫魯契夫於五十八年前生於頓尼次河盆地，十八歲即加入共產黨，一九二〇年，協助黨方懸平烏克蘭的騷動，一九三一年奉召至莫斯科任小職員，後來在整肅反史達林派份子的運動中，担任異常活躍的角色，於是一帆風順，四年內晉升至莫斯科黨部書記。

一九三八年，黨方派他返烏克蘭鎮壓當地農民不斷的暴動，大戰期間他組訓游擊隊，史達林格勒被德國圍攻時，他任守軍的政治委員，獲過高級勳章。戰後，赫魯契夫恢復他整肅的專業，在十八個月內，由撤換了烏克蘭黨部中職員的半數，各地方黨部書記被他更換了百分之三十八，各執行委員會主席被他更動了百分之六十四，各工廠牽引機站經理也被撤換了百分之六十七。

他對黨整工作的忠實和努力使他於一九四九年獲任莫斯科區黨部書記的高級職位。去年八月，真理報大肆刊載捧他的文章。在十月聯共大會中，馬倫科夫雖担任主要的角色，但赫魯契夫也奉命發表關於黨紀方面的報告。

西方的蘇俄問題專家相信，赫魯契夫被任爲俄共總書記，並非暗示馬倫科夫失去了控制黨的重要權力。西方專家認爲不僅赫魯契夫是馬倫科夫的親信，而且其他的四個書記在過去也都是馬倫科夫的助手。赫魯契夫的升遷，特別是一九四九年以後，必須先獲得馬倫科夫的贊同。而且馬倫科夫仍爲俄共主席團中重要的一員，仍在決定黨的政策機構中握有權力。因此，新改組的書記處似不致和馬倫科夫立於相對的地位。馬倫科夫仍高高在上，而讓其他的人去處理煩瑣的日常公務。（油譯自「新聞週刊」）

美海軍俘獲俄駕駛員

去年十一月十八日，美國第七十七特種混合艦隊在北韓海外轟擊共軍沿海設備的時候，突然有七架俄國MIG式噴射機自北方飛來進攻美艦，美國豹式噴射機當時將其擊落兩架，重傷兩架，受傷的俄機連同其他三架立即狼狽北逃。當時，有一個俄國駕駛員自起火的飛機中跳傘降落，在海上飄流，被美機駕駛員發現，乃在其上空盤旋監視，並通知母艦派艇援救。據說，這七架俄機是從西伯利亞基地起飛襲擊美艦的，海軍將俄國駕駛員俘獲後，曾詳細的加以盤問，得到不少可靠的情報，但這件事海軍部始終保守祕密，未向外間宣佈，現在這個俄國空軍的情形如何，被拘禁在什麼地點，更是一大祕密。

波人駕俄潛艇起義

西方國家最近幾乎獲得一艘蘇俄最新式的潛艇，如果此舉成功，則將是較波蘭空軍駕MIG式機逃抵丹麥更爲引人注意的事件。因爲MIG式機的裝備和構造固爲西方國家軍方人士所亟欲得知的祕密，但目前在潛艇上佔第一位的蘇俄威力如何，更是居第二三位的美英所渴望得知的事情。原來有一艘波蘭官兵駕駛的俄製新式潛艇最近曾祕密起義，企圖先駕船逃往瑞典，然後駛往英國，但不幸爲其中一人出賣，向波共當局告密，在未行事以前，即被共軍重重包圍，結果軍官被殺，船員全部被捕。

蘇俄加緊東部空防

蘇俄駐美大使館的外交使節仍在向其他外國大使館的代表猛烈抨擊美國，說在堪察加附近被蘇機開火射擊的美國RB—50式氣象測候機，實際上是在偵察俄國的雷達設備和空軍基地。姑不論這件事的實情如何，但至少這件事證明了美國防部認爲蘇俄雷達網和防空實力堅強的估計，因爲美機飛抵當地後，立遭俄國MIG式機升空截擊。

戴高樂左眼將失明

二次大戰時領軍反攻法國，現任法國人民陣進黨的領袖戴高樂將軍，據說目疾嚴重，左眼有失明的危險。目前他雖扶病在法屬非洲殖民地作爲期一個月的視察旅行，以便搜集資料，參加今年內地方選舉，但已在左眼上戴上一塊黑色的眼鏡，至於情形究竟怎樣？爲他診病的眼科醫生却祕不透露。（孟衡）

天下小事

蘇俄海軍的威脅

英國海軍部大臣湯瑪斯最近在下院宣佈，蘇聯的現役海軍現在已居於世界第二位，美國仍執海上霸權的牛耳。湯瑪斯的聲明並指出兩點：一、蘇俄每年所建造的巡洋艦比各北大西洋公約國家所建的總和還多。二、蘇聯艦隊約擁有重巡洋艦二十艘，驅逐艦一百艘，潛艇三百五十艘，再加上一支強大而新式的空軍，一旦大戰爆發，不但可能防守本土，而且有進攻的實力。並可能極有力的支持陸棲作戰，以最新式的水雷、魚雷、原子彈和飛彈破壞盟國的海上交通綫和港口。

湯瑪斯的聲明引起自由世界的極大注意，因爲這是迄今爲止，西方負責官員第一次對俄海軍軍力所發表的最嚴重的聲明。但在美國防部眼中，至少在洋面上，俄海軍對西方海權仍非最重的威脅。根據三月三十日美國新聞週刊所作的統計，美、俄、英三國的現役海軍實力如下：

	美國	蘇俄	英國
主力艦	四	三	一
航艦	一七	○	五
巡洋艦	一九	二○	一一
驅逐艦	二四六	一○○	六二
潛水艇	一○五	三五○	三七

由上表看，美英兩國海軍軍力的總和，除潛艇的數量不如蘇俄之多外，其餘都超過俄國三分之一以至三倍。而且據新聞週刊統計，美英除現役海軍外，還擁有封存的主力艦十五艘，航艦十五艘，巡洋艦六十七艘，驅逐艦護航驅逐艦及砲艦四百四十艘，潛艇七十六艘，而蘇俄的後備艦隊則等於零。

因此，美國防部認爲最大的威脅是在俄國的海底艦隊，也就是說，西方國家目前所擁有的殺潛艇利器——艦隻與飛機，尚不足完全有效地對付俄潛艇的襲擊。湯瑪斯在下院聲明的時候，還坦白的指出，英國現行的建艦計劃主要着重於潛艇戰一方面，可見英美已共同看到危險點的所在，並已共同向這一方面努力了。（第啓）

東北大批朽木進關 造成中共嚴重損失

官員貪污腐敗案情牽涉極廣

【本報北平訊】去年秋季中共發出「基本建設」口號後，北平「中國煤業建築器材公司」即向東北採辦大量木材。其時東北偽林業部適有爲數約八十萬立方公尺之巨的木材發交「東北煤業建築器材公司」處理，北平「中國煤業建築器材公司」即與「東北煤建築器材公司」進行協議，成立訂購合同，共成交第一、二、三、四等木材五十萬立方公尺，由「東北煤建公司」負責加工運入關內，以供應各建築單位及市場需要。該批木材即於去年秋間開始源源進關。詎「東北煤建公司」存心取巧，竟將大批朽木混雜其間，「中國煤建公司」未加認眞驗收，隨到隨即分撥各建築四單位轉運各地應用，直至最近該批木材運畢，方被各地經用後紛紛發覺，其大部份固因已蛀空或已霉爛而無法使用，一部份勉可使用者，亦往往於房屋樑櫟等甫告完工時即不支折斷。不僅造成經濟上嚴重損失，且還無辜造成許多人命的犧牲！因此，現北平「中國煤建公司」除一面已向「東北煤建公司」進行嚴厲交涉外，一面已向「最高人民檢察署」提出控訴，要求追究責任及損失。

查該批木材照合同規定的等級和數量，是一、二兩等材佔百分之二十，三等材佔百分之五十，四等材佔百分之三十；規格是板材佔成材總數百分之四十，長度爲一點五公尺以上。此外，因東北加工能力有限，合同規定可酌撥部份原木進關，但不得超過全部進關木材的百分之三十；其利用率在百分之四十以下者規定不得進關。合同中並規定「東北煤建公司」應負規格質量的保證責任。但至去年底止已運進關的木材共二十四萬三千多立方公尺，中竟有等外材（即未能列入等級之雜材次材）七萬多立方公尺之多冒充了三、四等材交了貨，有霉爛腐朽木材五萬三千多立方公尺之多混雜在各等木材中交了貨？據悉此批等外材及碎木從林區運到哈爾濱、瀋陽等地加工、偽裝、再運進關內，經統計要白白運用三千二百餘個車皮，白白浪費三百四十餘億的運雜等費，損失原已可觀；而此批木材於各建築單位使用時所遭受的各種損失，尤爲可觀！此批朽材，據中共「最高人民檢察署」的調查報告，謂大多已蛀空得兩頭能鑽進一個人去，因而被工人們譏稱爲「望遠鏡」；有些則在卸車時一扔即斷；有些則在搬運時一擺即斷，有些甚至用手一碰便成碎塊或粉末。又查於今年運進關內的木材二十餘萬立方公尺，現皆堆積於北平、保定等地，尚未撥散，正由「最高人民檢察署」派出一「檢查組」進行檢查中。此種「國家性」經濟上的損失，案爲中共所極端重視，將嚴加懲處，殆無疑問。惟此種損失之原因，非僅在東北方面之中共官員的貪污取巧，實北平方面之顢預草率亦有以致之，且悉此事，因牽涉甚廣，故處置必甚困難也。

大陸各地鐵工醫生 又大批驅赴北韓

四百餘人集北平征調續展開

【本報綜合大陸消息】北韓近因連遭聯軍猛力轟炸，共軍死傷及交通損毀極嚴重，而征調大批醫生及鐵路技術員工驅送北韓補充搶救一事，業誌上期本報。現據大陸各地消息：此種人員，已續有大批征集，於本月九日，由各地集中北平，繼續驅送北韓。計「北京鐵路管理局」共抽征路員工一百八十六人，「上海鐵路管理局」及該局所屬「杭州運輸分局」共抽征鐵路員工一百六十餘人；「鄭州鐵路管理局」共抽征鐵路員工八十九人；重慶市「志願援朝衛生工作隊」全部醫生護士十四人；「中國人民抗美援朝總會衛生工作委員會各地醫防服務隊第十九隊」全隊十九人；貴陽市共征集醫生護士十三人，均已先後集中北平，一同乘車出關，趕赴北韓前線。

又訊：此等人員，各地仍續在征調中，似所需人數極衆，以此迹象觀之，恐非僅消極之搶救，或有一新攻勢在醞釀中。

中共控制下 永利化工廠 全部蘇俄化

我國規模最大的民營永利化學公司，經中共刼收後，現在對外雖改稱公私合營，而實際已由中共一手控制，所有資金，人事全由共方所把持，並派有蘇俄顧問專家實際主持工作，原來創辦人侯德榜所培植、聘請之人員，已無權過問。其南京分廠自復工後，製造肥田粉過程，前由美國顧問所設計者，亦改採俄式，製造鈕能媒劑和俗能媒劑成功，生產肥田粉。該廠最近並正加建一硫酸廠，預計可於七月份開工。（田）

郵購貨品 石沉大海

中共中央郵電部前爲大力替人民服務特推行了一個郵購辦法，凡是在中共的統治區域以內，任何甲地的人想買乙地的物件，不論遠近大小，只要按價將貨款及運費滙交購物地郵局，寫明欲購何物，該地郵局便會代買代送。這辦法的確不能說不造福人民。可是這些貨款運費一運出，便往往有如石沉大海，音信全無！過去大家悶着不敢講，認作晦氣，不上第二次當也就罷了。然而最近大陸爲「整風」而檢舉風一開，便紛紛向中共的黨報提出反映，分別查究，却原來是有的郵局在收到滙款後根本沒有代買，有些郵局則已將滙款挪用了，有的郵局則雖代買了來而放在局長家裏自用了！

中共遷怒勞工 卅萬人將被裁

工程計劃脫節

據北平「人民日報」披露消息：謂本年度施工季節雖將到來，但因大部「基本建設」部門建築計劃脫節，建築任務之確定與下達過遲；設計及一切準備工作都趕不上施工的進度；且跨年度工程又大部變更計劃而停止修建；致全「國」數十萬建築工人勢將發生嚴重的停工現象。被停工時間，據云少則兩月，多則四月，不僅「國家」之損失浩大，工人因停工而發生生活之恐慌亦極嚴重！

又據偽中央建築工程部檢討造成此種「窩工」之原因稱：其一是各部門基本建設計劃確定過遲，未能及時下達任務。直到目前，大部份仍未下達。已下達的，也有不少朝令夕改，返工浪費至大。目前已能施工的工程，竟尚只全年的十分之一。其二是該部及各地建築單位在去年多季固定工人時過於盲目，固定工人超過了實際需要，質量亦極有問題。其三是該部及所屬單位內施工組織都缺乏基礎，制度紊亂，設計與施工失調，設計技術人員太少而且水準太低。其四是工程預算及有關城市規劃的審核手續過於迂緩，未能把握時間。因此，據該部統計，該部所屬的工程公司已固定的工人三十四萬人與將固定期報到的預約工約五十萬人中，事實上已有三十萬左右的工人勢必待工停工約兩個月至四個月不等，故公私雙方均極感恐慌。

中共實行新三反 大小嘍囉醜事多

重慶百貨公司損失大

【本報訊】重慶消息：中共繼三反五反之後，又發動所謂「反官僚主義」，「反命令主義」，「反違法亂紀現象」的新三反運動。此一運動展開以來，好似在紅色魔窟中投下一顆炸彈，攪得雞飛狗走，既醜且臭。下面是最近在西南區搬演的一幕精采好戲。

西南區首先蒙受「新三反」的狂炸的，是西南區百貨公司重慶市公司。根據已經暴露的事實，該公司霉壞香烟六萬餘條，變質損壞牙膏，五萬多打，溶化食糖八萬四千餘斤，其他碱麵、玻璃、煉乳、電池等霉損數量亦尚龐大，總計各項損失，達共幣二十五億以上。該公司有經理一人，副經理三人，其中握有實權的，是第一副經理陳瓊，與第二副經理呼增榮，陳呼都是黨齡很高的幹部，前者是幹部，駐勞隊出家的女黨員，後者是剛剛丟下槍桿的老粗，兩人不懂業務，在公司裏擺足官僚架子，作威作福，把不是黨員的經理黃君鶴根本不放在眼裏。在案情未發作以前，公司裏損失如許貨物，陳呼已經知道要出亂子，自作聰明的陳瓊，還極力想把事實眞相攤蔽下去，牙膏紅糖煉奶等，特設廉價部儘量推銷，香煙却拿來拉出兩端煙絲，用碗璜爛過，實壜加工改裝出售，買壜的人看看兩端是好烟，吸起來却吸不動，當時一般上當的人，礙着是「國營」公司，惹不起，誰也不敢吭氣，一旦事情揭穿，大家都拿出打死虎的精神，交相攻擊。共產黨的作風，黨員犯事，只要不是叛黨，大不了暫時開除黨籍，停職反省，何况陳呼不過是副經理名義，這件事雖然還在檢討批判中，一定還是那位有名無實的非黨員經理黃君鶴倒霉了事。（宜之）

潮汕僑眷新災禍 共黨發動追餘滙

清算三年來所收僑滙

【本報訊】中共在各地進行清算鬥爭中，三年來已不斷地提出「購債」「獻機砲」「三反」「追租」「追餘糧」等各種名目，無惡不做，搾取人民財物，以致人民已普遍窮困不堪，在活爲難。尤其共方對於僑眷，認爲大可擇肥而噬，出盡手段，盡量搾取，猙獰面目表露無遺，因此海外僑胞已減少滙款返國接濟，由是影響外滙收入匪淺，目前僑滙收入不及過去十分之一，且七折八扣，僑眷實際收到者所餘無幾，生活尤爲困苦。但共黨並不以此滿足，近且在潮汕各地發動「追餘滙」運動，以遂其壓搾之能事。所謂「追餘滙」，即由共方各級「政府」，命令僑眷將三年來所收到之僑滙數目列出，經共幹調查後，如認爲有自黑市滙入款項，則嚴予懲罰，如發現所收僑滙超出其每月必須生活費開支者，追繳其超出部份。此項運動，正由共方發動幹部大力進行中。已瀕於絕境之僑眷，於是又將遭遇一新災禍。（木）

厦門華僑地產 大部均遭刦奪

濫加罪名沒收充公

【本報訊】厦門市海外華僑所置地產，大部份在共幹所加「華僑地主」罪名下，均遭沒收充公。一般未遭沒收者，亦規定一律重新登記，領取管業權證，原則以無主地產，悉由共方接管沒收。惟中共所規定之登記辦法，極爲嚴格，稍因證件不齊，或上手契證爲前政府官員所有，或共黨認爲係「惡霸地主」所有者，濫加罪名，予以沒收，非但凡前往登記者，不能領到其所發之「管業權證」，且因此等於雙手奉上，證件請其接管。因大部份業主均僑居海外，其房地產權登記手續，多係由業主將契證委託在厦門親友代爲辦理，全部契據一時無法檢齊，雖有當地領事館或華僑社團證明之委託書，亦不能取得共方信任，故在申請登記後，有如石沉大海，遭共方接管，渺無音訊。至於已辦理登記之房地產，經共方審查通過之後，並發給權狀者，其中亦有因原業主帶案件生，海外，由代理人另刻私章代辦登記者，雖由共方發給所有權證，但在辦理完全手續前，仍有一定未經規定，加蓋「××不得典押」、「××不得轉讓」之戳記，在厦門華僑所有之地產，已變成無形中被共方凍結，悉遭接管。（木）

民間藝術「玩意」

和尚上台 吹吹打打

在中共所提「研究和發揚我國古典藝術遺產與民間藝術」口號下，最近北平「文化事業管理處」曾舉辦了一個「京音樂」演奏會和民間藝術會演大會，其中有由智化寺等九個寺廟的[illegible]個和尚演奏。演出節目有：吹奏曲「小華嚴」，法器打擊曲「粉蝶兒」、「出六條」，吹打套曲「垂絲釣」、「靈鷲宮」、「錦堂月」、「醉翁子」、「金字經」、「五聖佛」、「撼動山」等平日做法事的吹吹打打，也搬到台上表演一番，並且將到天津去賣弄，說是提倡民間藝術。（易）

中共勞動模範是怎樣產生的？

中共爲了要哄騙那些幼稚的風頭主義者替他賣命，特地搞了「勞動模範」這個玩藝兒。但這些所謂「勞動模範」是怎樣產生的呢？如果要簡單地說一句話，那末就不外「假報成績」這四個大字。若問何以見得？那末現在我們只要單據北平人民日報的招供，便可證明了。

人民日報是中共中央最高權威的機關報。他們根據各地紛紛的揭發了種種假報成績以騙取「模範」的情事以後，乃不得不加以調查，提出批判。他們首先承認，這種假報成績，騙取模範的情形，雖不是一律的現象，却是很普遍的現象。他們又承認：除了「地方性」的「模範」不說外，即以全「國」性的「模範」而論，如出自撫順機修廠的鑄鐵勞模富光斗，出自鞍山鋼鐵廠的電爐勞模王槐生，出自四川的一九五一年度水稻豐產勞模向長順，出自湖北的植棉豐產模範孫少清，出自福建的一九五二年度雙季間作稻豐產模範林求娣等竟都是假的！而且竟多年來在被當作典型，大肆宣傳，轟動全「國」。

勞模的成績怎麼假法？簡單地說，以林求娣爲例：去年秋收後，福建省「人民政府」將他的田畝面積實際上四畝七分一釐，少報爲三畝六分，實際每畝生產量的稻谷一千五百七十二斤變成了每畝一千七百九十斤之多，於是便佔得了全「國」生產成績的最高紀錄，獲得了該年度的「豐產模範」。

那末各級「人民政府」爲什麼要這樣鬼打架似的自騙騙人呢？說來也很簡單：據說：第一是「錦標主義」；這些什麼主席、專員、縣長之流都認爲能爭到的「模範」越大，可以表示自己的領導成績越好，於是便選擇一個自己管區內的「模範」加以添醬添醋的報了上去，誰報到數字高，誰就拿到了「模範」。第二是「面子主義」，認爲能爭到「大模範」（全國性的）乃是上策，爭不到時，那末「小模範」（區域成績最好的）終不能沒有，而且當然越多越好，於是也就向上虛報成績，多評上幾個「模範」，認爲「挺有面子」！雖然，這種作風，也有些人認爲不大妥當，但他們却認爲「將錯就錯吧，反正是全區的光榮。」又認爲「有了假模範，本地雖失了威信，外地却有風光，也不算壞事。」第三是官僚主義；大行政區，乃至中共的主管部門都並不是不知道這種虛僞的情形，但認爲虛僞者是愛面子，重成績，總比不要面子，不重成績的人好些。戳穿了怕失去「鼓勵」作用，於是便心服不宣！

這就是中共產生「勞動模範」的全部情形。

粵共大興土木盡情享受

【本報粵北訊】近來廣東省清遠、韶關、英德、曲江等十數縣之縣「人民政府」，「縣委會」及各「區政府」等，一時奢侈成風，互相比美，正在大興土木，建造禮堂，以供享樂之用。查此等建築，大多皆耗費在一億僞幣以上，且係任意挪用公款公糧者。

又訊：粵北各縣財政情形，業已極度混亂：如僞造賬簿；與私商僞等合同！假造報銷；假造預算；任意動用公款；偷稅；私提銀行存款；[illegible]結存現款；[illegible]等現象，所在皆有！且悉各縣[illegible]公款[illegible]即藉詞「建設」，未經呈請批准，即擅自化用，實已一如無政府狀態。

不勝榮幸之至

為方

自由談

嘗聞之：中國自海禁大開以來，即常受外患侵略，失土喪權，至今尤烈。中國人以其非侵略主義的傳統文化和積弱關係，處於外來強權刀俎之下，垂二百年矣。我常有一種幻想妄念，中國何年何月能够強大起來，也學習世界「列強」的榜樣，隨時以世界的「大好佬」自居，任意干預地球上任何一角落的事，讓別人亦大呼其「反對中國帝國主義」的口號，以吐悶氣，纔算够本。

誰知怪事年年有，沒有今年多，正當中國被外患侵略到神州陸沉，政府且局促於台灣一隅之地的時候，竟有所謂獨立自主的國家，名叫甚麼「緬甸國」者，向聯合國提出控訴，指中華民國侵略它的領土，證據是中國的雲南邊境，有反共游擊隊活動，妨害了它的「獨立」。同時，「國際政治商人」尼赫魯，也聲明「印度無條件支持緬甸控訴中國侵略案」，自言自語，像煞有介事。

就他們這些言行看來，中華民國現在已獨立強大到威震東南亞，被控於聯合國，指爲「侵略者」了。我不禁踴躍三百曰：有是哉！中國之強盛威力，自生民以來，未嘗有也！應該大浮三白，引爲榮譽。但可惜尚未被指爲「帝國主義者」，未免美中不足耳。

告訴「被侵略」的緬甸人：二次大戰時，你們自稱「願與魔鬼來往」，引鬼上門，結果全國被「皇軍」侵略蹂躪殆遍，中華民國把你們救出來，絲毫無所取求。現在你們的狂疾未瘳，又要與魔鬼結交，以怨報德，而不自知其死所。將來中華民國如果再將你們搭救出來，看你們戴用那種面具，到聯合國去解釋今日那件控訴案？

夜上海

山禾

太陽剛一躦下地平綫，一層烟紗似的暮色便從黃浦江上徐徐升起，漸漸地，由淺而深，由深至黑，向西伸展，夜幕便籠罩了整個素稱「不夜之城」的上海！

但上海的稱之「不夜之城」，那時代已過去了三年多了！

那時候滿路滿街或高聳雲霄的那些五色繽紛一片輝煌霓虹燈，現在已絕無僅有了；所謂絕無，是因爲市民們連吃飯都已成了問題，根本已沒有再用霓虹燈向市民們做廣告的必要；所謂僅有，是西藏中路與跑馬廳之間的活動新聞霓虹燈還照常在閃閃，閃閃地亮着。但那全是一片面對現實的謊言，既沒有人去欣賞，也似顯得暗弱無光了！至於那時候原有萬家燈火，現在實在由於市面過份蕭條，天一剛黑，便告十室九閉，已無異於寂寞荒涼的鄉村，一片漆黑了！現在祇有那些五十味一叢，五十味一叢的路燈，終算給偌大的黑夜的上海，稍稍放了些光亮，但彷彿上海的電力經共產黨「改造」過後，也好像有點異樣了——是那麼有氣無力的，似乎在顫抖抖地掙扎！

「唉！」一聲輕輕的嘆息，從夜幕漸漸籠罩下的外灘公園裏吁發出來！當然，如果是在人家的內廂斗室之中，這種嘆息聲幾乎是家家都有的；然而周維明却喜歡常在薄暮時分到外灘公園去呆跳一陣，而後望着黑夜的來臨，悵悵地吁一口氣！

周維明原是一家祖遺小雜貨店的老板，幸虧範圍小，三反五反時只反去了一半財貨，可說破財消災，終算僥倖不曾吃上「解放」官司。但生意實在太清淡了，關於生活的困難，因還能勉強喝上兩碗粥，不至餓死，倒也知足常樂，置之度外；雖是終日無所事事，實在太閑得慌了，於是便習慣地每天要到外灘公園去溜弔溜弔——溜弔那些已逝去了的繁華！

周維明每在昏暗中離去外灘公園的時候，並不嚮往於店中已煮好了的兩碗薄粥而急急歸去，却常喜盲無目的地到大街小巷去亂兜一轉，幾已看遍了現在上海之夜的每一個角落；現實映在眼里，印在心上，幾使他恍若隔世，搞不清還是一個什麼世界？

當他在外灘公園，或走出公園的黃浦江邊一帶，或再折向外白渡橋沿蘇州河一路走過去時，便都能看到沿江沿河高高地滿佈着的鐵絲網，和那些五步一崗，十步一哨的橫着槍，揮着刺刀的「解放軍」同志，儼像大敵當前一般；加上那些刺刀在陰暗中閃着寒光，顯出之一片悽厲，一片殺氣；不禁會令人毛骨悚然！但據說這是爲「照顧」人民免於跳水自殺而所作的「非常措置」！

如果當他向沿蘇州河折向新閘路再折入西藏中路向南而行的話，那末他便會看到沿途在陰暗的馬路兩旁凄冷冷地顫抖在西風里的那些三輪車夫和黃包車夫的種種可憐相，正和那些掛着什麼會什麼部白底黑字大衙牌底大廈之前的一長排一長排精光雪亮的小汽車形成了一個強烈的對照！這使周維明對於那些什麼「窮人翻身」，什麼「勞動階級專政」等調調兒，有了極明確底理解！

本來，點綴上海之夜底繁華的，主要是靠那些舞場、酒館、茶樓、戲院等底一片輝煌和一片喧囂，以及那些賣消夜底小販們的不斷的叫賣聲和鶯鶯的榜聲的。尤其在西藏中路與南京路相交爲經緯的這頭三里方圓內，更是舞場、酒館、茶樓、戲院等的會萃之區，原是點綴上海之夜底繁華的重心。然而現在那些舞場大多早因「門可羅雀」而先後關了門；只少數幾家大舞廳則已由上海市人民政府接辦改作了專供高級共幹去友好蘇聯老哥的「國際友人招待所」。酒館呢？不用共產黨費氣力，大家窮了，自然有的只有關門大吉，有的則已改了「人民食堂」，作了共幹們的宴樂之所。茶樓呢？不用說，更已十閉九倒。中國、天蟾等舞台戲院現在演出的京戲，已不大有人看得懂，也很少有人看得起，所以營業蕭條，不到十點半便散了場。至於電影，大多是俄國的宣傳片，不是吹牛，便是造謠，人民固無欣賞之雅興，共幹們也看得膩了，觀衆愈弄愈少，當然也只好提早打烊。至於越劇，她們的觀衆原是最有閒的有閒階級們，當然已經打倒，除了袁雪芬入了宮，越劇界則已一落千丈！至於那些小販們，沒有了夜的遊客，「水落船低」，當然也只好及時歸「窩」。所以現在這個「繁華的中心」每天一到黃昏十點鐘左右，便已入於暝黑的死寂之中！即使例外還有一點燈光和聲音，那就是閃靈的路燈和幾個「國際友人招待所」里傳播出來的瘋狂似的[illegible]聲！

周維明總是常常看着這種悲涼的境況來沖淡自己的愁悵，但是更冷清凄涼的地方他就不敢再去，因爲他已有好多次在十點鐘以後到那些冷清的地方去時，被那些正在想打瞌睡而忽然驚醒了的人民警察的拚命的吆喝嚇得心驚肉跳！尤其是有一次當他走到冷街之上時候，偶然抬頭看到那些五反時期殘留下來的標語：「奸商——[illegible]你！」時，實在太使他恐怖了！

因而，周維明每晚便適可而止地歸家；坐上一段空堂堂的電車，從睡眼朦朧的司閘員賣票員那裏引來一點睡意，而後，一到家喝下兩碗薄粥，便鑽進被窩，同在此時，上海之夜也就彷彿跟着他一同陷入了昏黑死寂般的夢境，直到太陽再度從黃浦江上升起！

石友三趣事

「七·七」事變之前，華北平津一帶，由馮玉祥舊部宋哲元軍屯戍之，石友三亦糾合舊日殘卒，駐防天津。民國廿四年某月日，石部突以譁變聞，北平曾緊閉九城，市外砲聲大作。時我國駐德使館參事丁文淵適因公回國述職後，擬取道俄境，邁歐陸遄返柏林，方寓北平旅舍，目擊變態，殊感驚異也。

變端旋平息，宋哲元因舊誼不欲深究責任，斥資囑友三出國游歷，藉弭是非。石變名走德國，以政治關係，先往見當時養疴於德京郊外之胡展堂氏，謂將赴柏林作較長時間之考察，乞胡介一旅德同胞爲之嚮導。胡即作書介其往晤丁參事，函稱有好友石某（未註友三，而書其變名）來柏林考察軍事，希予照拂云云。丁與石晤時，曾告以最近方自國內返任，石就詢國內近況，丁言：「別無他異，唯駐防天津之石友三軍，最近發生譁變情事耳」。石謂「決無此事！」丁固不知來客即爲石友三也，陋然答曰：「余在北平親見四城關閉，又聽到城外砲聲隆隆，報紙亦皆載係石軍叛變行爲，寧有假耶？」石乃坦然語丁：「我就是石友三！」丁以主人地位，頗感窘態；旋謂：「或係軍中一時誤會，事變迅告弭息矣。」石亦爽然，繼續與丁敘談其考察問題焉。

石言：「素聞德國大學教授學問高超，本人此行擬研究化學兵工問題，請介紹一教授，以一月或最多兩月時間，指教本人，盡識其中原理與技能何如？」丁笑謂：「化學兵工爲一極艱深之專門科學，雖十年亦不易學習到家，一二月工夫，尚不足言入門也。」石聞之殊失望，答言：「如此，即請介紹我到一有名之化學工廠作工學習，可乎？」丁又謂：「化學工人皆爲熟練而具有專門技能者，非普通人所可充任也。」石滋不悅，怫然曰：「我石友三給工廠做工，又不要它的工錢，難道還不行嗎？」丁知其爲無識武夫，未可理喻，乃以抱歉口吻語之曰：「余誠低能，不足爲將軍求學問題作嚮導，盼將軍另行物色高明人物，以免遺誤。」一席不歡之談，乃告終止，石氏面帶悻悻之色，不歡而散。中國一般無知軍人之姿態，皆與石氏相伯仲，民國十七年，馮玉祥在南京任行政院副院長，亦按日坐汽車赴金陵大學聽化學課，可謂後先媲美。此所以有「秀才遇到兵，有理說不清」之諺語流傳也，豈勝浩歎！

新·世·說·補·遺

馬五先生

談買書

健軍

買書是一種嗜好，是一種精神方面的嗜好。染上這一種嗜好的人，比染上阿芙蓉的癖還要厲害，還要難戒，還要痛苦！（如果獲取不到的話，）這很簡單，因爲芙蓉癖誠然懸露纏繞，但畢竟還是肉體方面的，而買書這種嗜好却屬于精神方面的，肉體方面的痛苦誠然難熬，但終是短暫的，外部的，可忍受的；而精神方面的痛苦，則常是恆久的，內心的，切惘，難安的，就如同一個犯人，情願被管若干籐鞭，或被罰款若干，而不願被判囹圄一樣，也就像宗教家因滿足靈性方面的冀求，而甘願放棄物質方面的安逸一樣，許多世俗的，就是精神癮之所以大于物質癮，物質癮形成在任何一種精神癮，倒例是不如。物質癮來得那樣容易，那樣迅速，很少人把它視之爲洪水猛獸，以實際上，人如能將精神嗜好視作洪水猛獸的時候，其本身大概已是精神方面的癮君子了。

在北平，上海這些地方買書，算不了一樁事，書局，報攤比比皆是，而且又多是書籍發行或匯集之處，圖書館又那麼多，連公園裏都有！（如北平北海公園裏松坡圖書館等）即使不幸染上了這種嗜好，也不愁治療，實際上，在那種環境裏，也不必治療！就如同在民初遍植鴉片的川康一帶，誰家不晝以夜繼地點着大煙燈呢？如果不這樣人們還笑你家門寒傖呢！但在這個學術商業化的香港，則不同了，書籍當古董賣，而這種古董的本身却又殘缺零亂，但要價却足以嚇倒山人。所以在香港有這種購書癖的道友們，如能手有一部完整的經書子集，那便像握有一罐「延年益壽芙蓉」膏一樣的欣悅雀躍。

不過話又說回來了，香港的書肆儘管荒蕪，但也有不少的嘉木奇葩，祗要有時間去仔細瀏覽搜尋，不難獲得驚奇的發現。

中國之友（七八）

毛以亨

李提摩太傳（十八）

十月二十六，翁氏約見之於總理衙門，旋約在同文館一小室內，有其親信王某在旁。李氏出魏默深之海國圖志示之，謂西教士挖中國人眼睛鍊銀而致富，又一書謂西教士爲婦女照相而攝取其魂魄，凡此皆爲仇教的宣傳。而這些書都有左宗棠王文韶爲之作序，故中國官廳應負仇教之責。此後宜不再有不利教會的宣傳文字，翁謂如要求僅止於此，他可立刻答應。

依鴻章意，他自行修函約晤恭王，十月三十日見之。恭王曾謂外國教士自己不好，致取其辱，李氏則告以他確在各省見到恭王所未見之事，故恭王之言爲不確。他代表各教會要求政府派人調查，如教士犯罪情願受罰，否則必須還以傳教之自由。恭王走後，李鴻藻上前與之招呼，謂「我們之中，無人敢如你一樣的駁他的話。但因爲你有所求，而以如此嚴正方式提出於他之前，他大概也不會憤的，你來此是有益的，再則你的十九世紀一書收到謝謝。」我們如與李石曾談過話，會感到有其父必有其子的。

後來俄使問恭王，讀十九世紀一書否，恭王答道讀過。俄使問以作何感想，恭王答以對中國是有益的。俄使謂必是反對專制而欲建立民主，民主成立後，六百萬滿洲人將向何處去？

記「財神」使英參加英皇加冕

何知

月前閱馬五先生小「大人」干政記，而憶起此「大人」出使情形，未敢隱祕，特公開以享讀者，亦二十年來之目覩怪現狀歟？初，我國以英皇喬治六世加冕典禮，爲表示中英親善起見，特遣派慶賀團之「財神」爲特使，代表政府，前往觀禮，並以現向紅朝屈膝之陳紹寬翁文灝爲副使及秘書長，陣容甚盛，浩浩蕩蕩，隨員何止數十，「財神」每日洗澡，有擦背捏腳癖，故常爲其服役之「僕」廝，亦御蠻服，充隨員矣。

「財神」係先往美，後經法赴英。在法赴英前，曾屢電英通知行期，經數次更改，最後確定，英政府派外交次官賈德幹依時往迎，結果，祗迎到一狀如猴猻之「翁祕座」，「財神」正留戀「花都」，實未啓程也。後「財神」真正駕臨，於機場恭候者，顧維鈞大使暨一班館員而已！英官方無一人。

「財神」抵倫敦後，因隨員衆多，彼方指定之招待所，無法容納，曾派員交涉，未獲結果，時倫敦冠蓋雲集，爭看加冕大典，所有旅館，早被租罄，私人房屋，亦無法賃到，於是我們中華民國之貴賓，迫得在大使館內，睡沙化，打地舖，擠得滿坑滿谷，時日本爲一等強國，派往參加者，共祗六人，德國不過四人耳。

「財神」由英歸國，係乘昌興公司之「日本皇后」號巨輪，途次，渠聞波蘭籍之世界名鋼琴家夫婦某氏，亦同乘此輪，但坐三等艙中，渠囑秘書以「特使」名義去函，請其來頭等艙演奏，不料竟遭拒絕，並獲回書，略謂：「中國戰爭方濃，（中日已發生戰事）既有此閒情逸緻欣賞鄙人演奏，請駕臨三等艙可也」。船泊星架坡，華僑獲悉祖國「特使」經過，尤其一般僑生，以中日戰事已起，愛國情殷，列隊鵠立岸畔歡迎，一再高唱國歌，嚴潑讚漢，當時陰霾四佈，細雨如絲，歡迎人員衣履盡濕而不稍退，而我們之「特使」，尚高臥房中，全不理會，後僑領登輪敦請出見，始勉強步出船欄，面目呆滯，既不登岸致詞慰勉，又不揚巾舉手答禮，官僚架子十足，僑胞咸集失望，國家要員如此，興替可知矣！

春日遊荃灣東普陀

·君左·

春陰繾綣惜遊人，繾綣遊人更惜春。
隔嶺鳥呼如隔海，思親人老並思莼。
微雲出岫寧無意，小雨飄樓或有因。
離亂四年心意苦，即爲一戶亦亡秦。

美國總統的後裔

美國艾森豪總統就職後，爲求政府與國會密切合作起見，規定每週邀請若干位議員共進午餐，藉以私下交換意見，上星期應邀午宴的議員中，有兩位是美國前總統的後裔：一是紐約州民主黨衆議員小羅斯福，這還是故羅斯福總統逝世後他第一次訪問白宮；另一是俄明州共和黨衆議員威廉。哈里遜，他是故總統班加明。哈里遜的孫子。此外，現任國會議員中，還有一位前總統的直系血親，那是著名的俄亥俄州參議員塔虎脫。美國歷任三十三位總統中，後裔現任參議員的，只有他們三人。（由之）

中華民國僑務委員會頒發登記證台數新字第一零二號

自由人

THE FREEMAN

（半週刊每星期三六出版）

第一一八期

每份港幣壹毫

督印人：李光華

社址：香港高士打道六六號

電話：二〇八四八

GLOUCESTER RD. HONG KONG TEL: 20848

承印者：東南印務出版社

地址：香港高士打道六十四號

台灣特派辦事處：台北市館前街五十號

台灣總經銷處：台北市中華路新號五九四之一

台灣郵政劃撥儲金帳號九二五二號

和比戰難

・雷嘯岑・

當一九四九年春間，國共和談高潮之際，胡適之說是「和比戰難」，會被某些人指摘他說的風涼話。前年蘇俄代表馬立克在聯大提出韓戰和談之議，胡氏亦認為不可能有結果，又被某些人譏其「不瞭解時代進步的意義」。現在俄共集團自動建議重開板門店和平談判之路，胡氏的看法如何？未有所聞。然筆者仍相信他那句老話——和比戰難！

基本的因素是那些？

艾森豪執政之初，屢宣對俄帝的鬥爭要爭取主動，不再隨着克里姆林宮的音樂而跳舞了。看他在進入白宮後的幾項措施，如解除台灣中立化政策，如準備實施封鎖共區的海上交通，如杜爾斯游說西歐各國，加速歐洲軍之實現等等，頗有爭取主動，大幹一下的形象。然而，他在理念上跳不出「歐洲第一」的戰略觀點，因而不能無顧外在的影響力，尤以英國方面的反應為最重要。蘇俄很了解這項癥結，對英國特別要好獻媚，譬如聽說英國發生了水災，救濟捐一次就贈給十萬鎊，使邱老相亦受寵若驚，表示深摯的銘感心情。西歐各國除卻西德這一個站在最前線而又不怕事的國家外，沒有一個不是害怕戰爭的。即令是虛張聲勢的裝模作樣的「假戰」動作，他們也就心着所弄假成眞的危險。所以，他們常常說美國人太衝動，欠穩練，就是不贊成美國的主動政策。最好是不戰不和的狀態，讓美援與美元不斷地流向西歐，慢慢地把他們的經濟困難解除，同時又有原子彈作他們的「泰山石敢當」，不愁被侵略。美國在全盤的政戰略關係上，又絕對不能不借重西歐這些工業潛能與戰略基地。這些國家要以被動的守勢自居，你就沒法我行我素。因此之故，封鎖共區乃一變而為加強禁運，歐洲軍英國堅決不參加，法國要修改組織法，比利時、荷蘭、盧森堡要減低北大西洋公約國理事會議所決定的建軍數字和經費，法總理梅耶要加拿大政府向美國進言，不要強迫法國迅速通過歐洲軍組織公約。其次，以美國為首的民主各國政府，由於政制與民情的關係，也不能隨意對外發動戰爭行為，必須挨打受屈到「國人皆曰可戰」，纔可以言戰。俄共集團卻不然，他們隨時可戰可和，不受絲毫牽制。即此一點，先天上民主國家就不容易談主動鬥爭的話。不特此也，俄共集團一舉一動皆唯克里姆林宮的號令是從，他們依照「國際主義的民族主義」的辯證邏輯，個別的國家利益，都統一於俄帝的中心利益之下，對「國家主權」之說并不重視。民主世界卻是相反的，上焉者要爭領導地位，更不願犧牲己國主權的毫髮利益；次焉者外強中乾，由於自卑感與自發心之矛盾衝突，遇事先要表現其保護主權的阿Q精神，一個聯防部隊的指揮人員，也要你爭我奪，抵死不肯相讓。由之，經濟的蟊蠹亦特別森嚴，此疆彼界，誰也不願將就誰，誰也希望制服誰。俄帝乃乘隙進攻，隨時提着通商貿易的金蘋果，顯示於這些「主權迷」的大衆之前，捉弄得大家饞涎欲滴，爭先恐後地要與共區搞貿易協定，談和平友好。還有，史大林一旦死亡，民主世界一國的政治家更認為和平之神已笑立於眼前了，焉用急急建軍為呢？至少也應該等待觀望，靜候着不勞而獲的「狄托份子」從天而降，到處發生，坐看俄帝自行崩潰，不亦快哉！

民主世界充滿着這些缺乏鬥爭性的各種因素，美國如果沒有「以一身當世界之大任」的勇氣（事實上亦不可能有此勇氣）她就無法爭取到對俄帝鬥爭的主動地位，冷戰也罷，熱戰也罷，祇有經常被動，隨機應變之一法。俄共集團既表示要和談，明知其係一種陰謀策略，也不得不贊成，否則民主陣營中的裂痕馬上便要擴大。這項無可救藥的大弱點，被俄帝牢牢地抓住，十拿九穩，玩弄自如。

和不了的難題

板門店的和平談判一定會重開，這次或許可能搞出一項「停火協定」的結果，但絕對談不到戰爭眞正結束的話。就俄帝方面設想：目前由於史大林之死去，內部需要安撫工夫，必須暫時和緩「美帝」的突擊急進政策，以資喘息。它既搞住了民主世界的大弱點，又有利用的工具和機會，和議一發，準能博得意料中的反應。但要談到眞正的永久和平，實現「兩個世界可以和平共存」，那至少除非實現下列各項政治協定：南北韓恢復戰前態勢，仍以卅八綫為界，不然，即如戰後的波蘭樣，名義上統一聯合，事實上是要犧牲那反共的流亡政府，讓韓共擁有支配地位；美日安全互助協定；美澳紐聯防協定一概廢除，日俄與中共和日本單獨的自由締結和約，不受別國干涉；中共外蒙都加入聯合國，台灣讓中共來接收；法美不再干預越盟的「民族獨立運動」；東西德的統一聯合，也與南北韓同樣辦理，再由美英俄法四強來協商對德與的正式和約問題。這樣，它在東西兩方皆取得了「安全地帶」的保障，即可在聯大解決裁軍問題，然後專以冷戰來遂行其「世界革命」計劃，自能立於不敗之地。民主世界的想法恰恰跟它是對立的，最大讓步，或許可以犧牲南韓、台灣，然不能放棄越南、日本和西德，更不必談意大利與伊朗這些地區了。光是犧牲歐洲以外，且與英法這些國家無直接重大利害的地區，自然可以，過此限度卻萬萬不能了。因此，無論雙方在韓戰停火以後的政治協商如何進行，這彼此有所戒備防範的心理，無法消除，即決難得到眞正和平的成果。俄共集團固然心裏有數，韓戰雖停，越戰方酣，中共的幾百萬大軍，隨時藉着人種膚色和文字語言相同的條件，化裝滲入東南亞各地，從事「民族獨立運動」，再不必用「志願軍」的名義了，不特俄共可以置身事外，絕不負責，即中共亦可聲明「中立」，說是從事「五年計劃」的和平建設，無暇過問別國的內政，這在冷戰上又是使西方民主國家永遠處於下風，抬不起頭來。民主國家最大的煞手鐧，就是警告對方，說共方如果在韓戰停止後，又向越南這些地方擴張，即將受到「猛烈的報復」云云。這類虛聲恫嚇，共方早已司空見慣了。他們知道所謂「猛烈的報復」云者，充其量不過是如韓戰之「有限度」溫戰而已，並不可怕。他們看準了民主國家間的一著棋——既不敢主動地掀起大戰，內部的歧見又沒法統一，所謂「報復」，我只此耳！何況它並未公然以「志願軍」向外擴張，民主陣營的「報復」對象和方法，也就大成問題。警告如果有效的話，韓越之戰早就不會發生了。當中共佔據大陸時，美國對中共不是大大地警告它不要再向外發展嗎？當中共軍「志願」援朝時，美國不是曾經向它儘量安慰，說盡了一切好話，許盡了一切大願嗎？這些硬軟兼施，恩威並用的結果怎樣，民主國家難道還不明白嗎？

綜合上述情況，韓戰要想憑談判來獲致眞正結束的和平，果實，眞覺難之又難，談何容易！如果是戰呢？照目前的「有限度」戰法，那很簡單，你不衝過來，我也不打過去，再相持若干歲月，一面組織亞洲人起而為自由而戰，西方軍隊即可撤出，也學習俄帝的手法，自命「中立」。如果能夠加強軍事和經濟的壓力，把中共這一強頭的俄帝貓腳爪弄垮了，那就一了百了，亞洲遍見自由和平的景色，歐洲亦不大感赤禍威脅，對俄帝鬥爭的主動地位，自然落到民主陣營來了。

所以，我說是和比戰難！

蘇俄的第六縱隊（下）

健超譯

大家都有油水

約瑟夫．克利米爾這個出生在德國的人，他是第六縱隊中最活動的份子，在維也納和蘇利希都設有辦事處。他常常在歐洲各國旅行。他每一個月有一千噸鋼輸往捷克首都布拉格，傳說他有一次交付一筆鋼給一個共產黨傢伙。「我看你是得到一筆大油水了」那傢伙這樣的調侃他，他發出哈哈的笑聲，說：「我們全都搞到了油水，你搞到了我的鋼！我搞到了你的錢。」關於克利米爾，在許許多多的人傳說裏，他這個傢伙的賺錢本領夠大，他在一九五二年的一月裏他和一間捷克工廠成交了七百五十噸鋼的交易，在那個時候美國的市價大約是五百五十五美元一噸，他卻賣得九百三十五美元一噸，當然他該將那些鋼送到布拉格交貨。幾天以後他和比利時納森維克斯一個叫做戴萊的人做了一筆交易，也是為捷克買的鋼三百噸，不過那次他是幹了一次失風蝕本的買賣。大約在同一個時候，他又和智利的一間鋼公司洽訂了三百五十噸，儘快的運到瑞士的貝爾尼，他眞是神通廣大，他能夠從澳洲得到鋁和磁鐵，由英國得到鉛。他在智利，墨西哥，加拿大，都有聯名商號，他在英國法國，比利時以及蘇利希，都有很有聲望的人在為他「撐腰」，他的蘇利希商號，在通運公司的寶碧博士的協助下，獲得當地銀行界的支持。

俄輪在等待

他的商業性質實在說來只是一個「運轉」行為，由甲國通過乙國而到達最後目的地的丙國，用盡種種「欺騙」的方法，當然最後的目的是在賺取一筆大大的運轉手續費。

他們沿用走私者利用自由港口的傳統方法，他們不經過「陸」「空」，因為火車飛機，經過國境的必須檢驗護照，檢查行李。他們把一船船的「禁品」藉由比利時的安特衛普荷蘭的鹿特丹，德國的漢堡，漢堡的港口是泊有插上紅旗的俄船在等待着。即如西德，這裏固然是英國美國和法國的佔領區，可是由于它與東德捷克和奧國的接壤地區有八百一十五哩之長，任何禁止的措施，也難完全有效。第六縱隊在西柏林有關聯的商號，數達六百家，還有他們自設的商號，更有許許多多的人在為他們「工作」有一個工程師他在八年中間幫忙第六縱隊運進捷克的私貨數達六十萬美元，其中有值三十萬美元的電氣設備，值十五萬餘美元的鎔煉設備和六萬八千美元的標準車床，這些龐大的東西，也都是由柏林的火車運到漢堡，然後再由這個自由港口的漢堡運進鐵幕。他祇不過「犯案」的少數人之一，第六縱隊對于每個犯案被捕入獄的同夥，一年有兩千三百八十三美元的贈與。

走私途徑多

一九五一年，第六縱隊運進東德的貨物，數達兩億兩千五百萬美元，其中包括高度精良的機器值七百五十萬美元，屬於軍火工業原料值一千五百萬，計為總數在三萬二千五百噸以上的銅、錫、鋁、汞等。一九五二年，這樣違法的貿易，或將三倍於一九五一年！雖說有七千七百五十一名憲兵担任由西德進入鐵幕的邊境，艱苦而辛勤的工作，但是第六縱隊，他們機巧的有如一隻野貓，偷走的道路太多，不能全盡杜塞。何況還有像漢堡那樣的自由港口，那裏又泊有高懸紅旗的俄國船，所有全歐洲的自由港口，也都泊有俄國船。一個在港口管理船隻出入的官員說「俄船船主從未告訴他們船由那裏來？或者船開往那裏去？同時我們也就根本不去問他們」。還有一些得自美援的西德工業設備，眨眨眼竟然變了樣，原來的機器早已不知去向。第六縱隊這干走私者，是各國人都有。他們為俄國人獲得了所需要的戰略物資，他們從西德，從荷蘭，從比利時，從英國，從法國，從斯坎的那維亞國家，從西班牙，從南美，從非洲和加拿大，美國固然是禁運戰略物資的領導國家，但是有些美國商人也不免犯有過失。

這個問題，當然不甚簡單，即如西歐國家，他們也有所需於鐵幕國家的煤、木材和糧食，以貨易貨，可不就是一個大大的漏洞？雖然走私者的第六縱隊，只要加緊搜捕，周密防範，是不難使之消散的。不過，歷史的覆轍，那些貪鐵賺錢而造成珍珠港事件的覆轍，可不正有人在復行着。（摘譯生活雜誌）

蘇俄和平空氣下　西歐整軍困難重重

馬倫可夫躍登蘇俄帝國統治者寶座後，即一再陳出「和平」手段，快如連珠，最近行動，除對韓戰一反往日的堅持態度，同意先談交換傷病戰俘外，復在聯合國提出裁軍案修正建議，似已放棄無條件禁用原子彈及列強裁軍三分之一的要求。從這些和平姿態的表面價值看來，蘇俄似已改變其冷戰戰略，但不論此種改變是否係史達林在死前所決定，或其改變的具體形式如何，但蘇俄的基本政策與目標，則絕未轉移分毫，仍在努力鬆弛西方防禦，以分化西方世界，遂其征服世界的野心。

但蘇聯的目標雖未改變，最近這些和平攻勢無疑影響重大，不難轉移西方世界的注意，在中部歐洲人士的注意，在歐洲方面，這種影響勢必更甚，無怪乎李治威將軍要乘這時候提出軍事不容鬆懈的警告。

西德批准歐洲軍約

歐洲的防禦建設，由於歐洲軍遲遲未獲成立，即使並未陷入停滯狀態，至少其進程已極緩慢。西德總理阿登諾赴美訪問前促使歐洲軍條約與和平契約在議會通過，無疑對其他五個會員國產生一種鼓舞性作用，不過，這行動恰發生於法總理梅耶偕外長皮杜爾等訪美之際，在法國人心目中，認為這是阿登諾最不合時宜的舉動，使他們在外交上陷於困難地位，因而加強了美國向法國要求迅速批准歐洲軍的力量。歐洲軍雖是法國創議，但這二年來的延擱，主要原因還在於法國本身。

艾森豪就職以前，[illegible]

最低需求仍難達成

一年前，大西洋公約組織的將領，定了抵抗蘇聯進攻的最低軍力需求，九十六個師和一萬架飛機，並同意在一九五四年前建成，但其後由於歐洲各國[illegible]無力負擔，[illegible]一九五五年還達到這個計劃，[illegible]

[illegible]現在西歐防禦的最大問題，仍和一九五〇年相同，即歐洲在經濟上如何負担已有的計劃中的武裝部隊的維持費用。這個問題，是艾森豪對於美國所擁有的二個抉擇：一是放棄大西洋公約組織所訂定的歐洲及其他將領太平洋所訂定的[illegible]

艾克採取折衷途徑

目前，艾森豪對西歐整軍似是採取一種折衷辦法，一方面協助歐洲擴展貿易，[illegible]

共黨對韓和平攻勢中 越南戰爭醞釀激變

越盟大軍威脅老撾 劇戰一觸即發

從表面上看來，越南的局勢並沒有什麼重大的變化，但這種萬木無聲待雨來之情勢，可以從克拉克訪越與梅耶爾的代表團訪美之行動中反映出來。更由於蘇俄自從馬倫可夫繼任了共產帝國之統治權後，向西方民主國家發動了一連串的「和平攻勢」，人們當會意識到俄共製造的另一大禍患正在醞釀中，越南顯然是共黨攫取東南亞計畫中的一大目標。

國外通訊

越南的戰事自經越盟軍在那山遭遇重大的挫折之後，已陷入了間歇戰鬥的狀態，後續的兵力仍被武元甲佈置於諒山，雖然是一半由於越盟內部的矛盾，另一方面也是史達林死後等待其新「主人」的指示，以配合其在亞洲侵略計畫中的「新行動」。最近有甚多的迹象顯示蘇俄的新陰謀將在「和平攻勢」掩護之下用恢復韓國和平談判來吸住自由世界之反侵略視綫，以使大多數人重又對絕望中的韓戰僵局注視。但是越盟、中共在越南、緬甸之行動，已難以遮蔽蘇俄積極南侵的企圖，越盟軍正以進攻那山的一部分兵力轉而進侵老撾的北部，這是轉移法越聯軍的目標，然而也可以視作捲土重來的一項謀略，越盟軍在老撾的政治軍事潛力已擴及全部分土地三分之二，對老撾自無揮動大部分軍力入侵的必要。但老撾於三個月之前在百發奔的北部予侵入之越盟武裝以重大之殺傷，在巳往兩次交綏中越盟已受到了挫折。

中共可能偽裝越盟軍

現實的趨勢絕難認為越南的沈僻局面會再有較長的時間可以拖延的，法越軍方估計在今年七月雨季之前越盟將會發動一項大規模攻勢，而甚多的觀察家且不否認中共的偽裝越盟軍已經開始裝備，決不會再像參加侵韓的以「志願軍」的姿態入越，現時比較困難的問題是在越的武裝叛亂共軍數字究有多少無法估計，倘使中共軍已經參入，則這一支侵略軍的確數將更難估計了。比較樂觀的人士認為越盟軍內部的矛盾很深，而且長征與胡志明不睦，大足對於軍事侵略具有相當影響。但此種見解已被熟悉共黨決策者所反對，後者認為共黨內部的矛盾是克里姆林宮統治者的有意安排，絕非罕有之事，儘管內部的鬥爭激烈或是意見分歧，但他們侵略的決策是堅決執行的。因此，越盟內部矛盾是一回事，侵略是另一回事，只要中共將蘇俄的命令轉達下去，越盟絕無懈怠之可能的。克拉克以聯合國軍統帥身份訪問越南，越南局勢的重要性可以獲致明證，雖然克拉克說是此行為了調查美國軍援越南的情形，從他的行動中可以看出克拉克此行對於美國援越戰略物資每月五十噸是否够用，而今後增加越南之五十個營級單位新軍裝備顯然有待美國給予支持的。在蘇俄的積極性的「和平攻勢」中，克拉克無疑不會對越南的嚴重局勢低估，且更會意味到越南之危險可能演變到更甚於韓國的。

終止韓戰加強侵越

法國對越南的負担，在經濟極度困窘中確是不易支持的，因目前的局勢難望於有一個結束的限期，並且擴大的可能已近眼前。這一次梅耶爾總去年法前外長舒曼於巴黎大西洋十四公約國的理事開會之時會建議盟國援越，獲得全面支持後，來其外長皮杜爾訪美，雖然括有法德間之問題，援越實為主要因素。現法駐越聯邦關係部長勒多諾在美繼續商討援越的軍經計劃，原則上已大致無甚問題。但目前的局勢不僅是越南希望美國能夠迅速給予充分援助，尤其能使越南的新軍積極編成與裝備及訓練。如果沒有大量的中共軍參入，越南的局勢顯然不會有急劇的變化。祇是蘇俄之「和平攻勢」一天加甚一天，難非因為韓國的戰事已經陷入泥淖，或是蘇俄耽心於三次大戰的觸發，自有其令人難以捉摸的新陰謀。就目前的情勢看來，韓國戰事已成為浪費而難達到目的之途路，可望於雙方讓步中趨向於休戰的協議。這樣便可以使中共置於北韓的百餘萬兵力搬向另一地帶去進行侵略。假如這一支兵力偽裝成越共或是緬共，則不管越南，緬甸將會被赤流淹沒，即整個東南亞各國所作之反共防禦的努力不難前功盡棄。（張友輝三月二十九日寄自西貢）

世界激烈競爭下 我航業亟待發展

台灣通訊

中國航業本不十分發達，大陸撤退的時候，國營航業的主要機關招商局，曾撤出了一部份的船隻與人員。但因內河航行的船舶，不適用於四面皆海的台灣，因之如長江輪船中的幾隻大船，迄今尚停泊在基隆高雄兩個港口中，作水上飯店之用。民營航業的巨頭如盧作孚竟降匪以死，其餘撤到台灣的，也處境至為艱苦。民國三十九年六月，韓戰發生，世界航運突受刺激，運費直綫上漲，其時台灣各航業公司，亦因而迭創高價。如招商局之從每年虧累突然轉為獲有盈餘，即可證明。但自四十年十一月份起，國際間航運價格即逐步下跌，現復直綫降落，前途至可沮心。

日輪駛台 影響嚴重

再從中日兩國簽訂和約，日本輪船，可以來台裝運貨物，更特別減價招徠，對中國航業的影響甚大。現在中日兩國已有協定，即台灣赴日本的出口貨，須以百分之二十五用日輪裝運，日本運台的進口貨，亦需以百分之二十五交中國航輪裝運。但日輪除運費大量削減之外，且皆係戰後新船，台灣現有國營民營航業，合計只有三十七萬噸，包括老弱殘廢在內，實際具有航運能力者只有二十五萬噸，大部份是三千噸上下的小船，與三四十年前的舊船。日本的航輪所以皆係新輪，乃由於政府的獎助。據熟悉航業情形者言，日本政府於戰後獎勵航業界添置新輪，或在日本自製，或向國外購買。航商只須出資十分之一，其餘十分之九，均由政府貸款，利息極低，許其分二十年償還。舊有輪船或予拆卸，或廢置不再航駛。

世界航運跌價原因

世界航運跌價的原因甚多；如蘇聯鐵幕關閉了世界上許多土地，捲沒了許多人。民主國家對鐵幕國家實施禁運，各國並因國內經濟狀況的艱難，多加強實施保護關稅，限制或禁止若干種非必需品進口，嚴格管理外匯，若干工業落後地區，近年因獲得美援的支助，多能就自產原料自行加工，不需要如以前依賴輸入。因此，美國現在即已有四百二十艘貨輪停航，以免虧蝕。台灣因大陸失陷，而船舶又皆屬陳舊，日後恐亦非停航一部份不可。如能做照日本辦法，由政府獎助，拆去數艘舊輪以改購一艘新輪，自是上策。

內陸交通大進步

至於台灣省內的交通事業，年來確有進步。在民國三十九年的時候，全省的交通事業的預算只有三億餘元，現已達八億餘元，除去鐵路曾加過幾次價外，其他的交通事業都沒有漲過價。但民間的印象則認為尚有應加改進的地方，第一是各交通機關的收入固然增加了，而支出也同時增加甚多，其中仍不免有浪費虛耗。第二是有關大多數人享受的事業，有時價格反而高，只供給少數人享受的事業，價格反而低，這是一種極不平等的現象。若就效率方面說，台灣鐵路每天的運輸能量現為二萬四千噸，但據美國顧問的看法，稍加整頓就可以到達每天三萬噸至四萬噸。又如台灣公路四通八達，鄉村道路尤密如蛛網，但是車輛顯屬不足。一般意見認為政府應放寬卡車進口的限制，盡量供給卡車進口所需要的外匯。這不但對平時運輸上有功用，而在戰時動員的時候，用途尤大。台灣交通事業中的郵政，電報，電話，是年來都有進步的。我們在台北市上看見許多新建的公共電話亭，其中置有電話機，並不派人看守，任何人打了電話之後，自動地在旁邊的小木箱中，投下新台幣五角（合港幣一毫零）。這不但可以便民，並且可以培養公民的道德。郵局在台灣大學門前所設的自助郵亭，也是無人看守的，而成績甚好。這可以看出政府只要不防民如盜賊，人民自然會本諸良心，共同維護政府所辦有利於人民的事業的。

艾森豪的失眠

·汪聰譯·

三月底，美國一百五十家報紙曾一起登出專欄作家阿爾索普兄弟的內幕報導，說艾森豪為了思慮某個重要問題而失眠，這個問題，嚴重得「可能使全國最後陷於毀滅。」艾森豪憂慮的主要難題，是政府應否採納林肯計劃中的建議，這計劃是麻省工程學院應國防部之請而提出的美國空防研究報告。

二百億元建立空防

這個計劃雖被官方列為「祕密」，但阿爾索普却以幾篇通訊，報導關於計劃中所提結論的分析。據說，麻省工程學院的科學家，認為在二年以內，蘇聯將力足對美國發動重大原子襲擊，「可使美國陷於癱瘓，或甚至毀滅……」；目前美國對這種襲擊空防，軟弱幾乎等於沒有。他們又說：要補救這情況，美國必須採納林肯計劃的建議，其中包括以下數點：「在西半球北部邊緣幾乎無法通過的地區，佈置龐大的警報網。這警報網的任何部份必須能自動向防空人員指示來襲的飛機……；設計戰鬥機空軍基地與定向飛機發射站，必須遍設各地，從空防邊界直到美國的工業重心。」這計劃的經費估計，據阿爾索普說，約在一百六十億至二百億美元。

其他記者看到這消息，立刻向有關當局探問，結果發現，阿爾索普所說「林肯計劃」是政府的主要考慮目標一點，與事實並不完全符合。艾森豪自己即對記者稱，他雖看過「林肯計劃」，但並未詳細研究。政府的其他發言人隨即表示，政府所接到的防空計劃甚多，「林肯計劃」祇是其中之一，而且這些計劃都沒有加以積極考慮。

空中防綫決難堅守

事實上，美國即使有二百億元額外款項可用，多數戰略家也不願把這筆錢用於建立周密的警報與防空體系，而主張用來購買更多轟炸機。美國不論化出多少錢，也不能建立完整的對付原子空襲的防空體系，軍方多數人士認為，對抗這種威脅，最佳的辦法是隨時準備猛襲敵人，使他的遭受的損害，遠超於他所對美國造成的。一位空軍軍官說：「地面的馬其諾防綫已够不可靠的了，而在空中，則決沒有任何防綫可以堅守。」

天下小事

皮杜爾想當法總統

據熟悉內幕的人士說，法外長皮杜爾表面上雖支持歐洲防衛集團條約（即歐洲軍條約），但暗中破壞，阻撓其在議會中批准的，也是此人。他們指出皮杜爾最近在羅馬會議中，曾向其他五國外長一再保證，法國對歐洲防衛集團條約所提的附加議定書，並沒有什麼，可以考慮修正，但一返巴黎後，又一改在羅馬的論調。據接近皮杜爾的人說，法總統歐禮和的七年任期即將於本年底期滿，而皮杜爾則希望能繼歐禮和出掌法國大統。為了爭取議會中反對歐洲防衛集團條約的戴高樂派支持，他不得不要出此套手法。

皮杜爾此公，在法國政壇中向以權術機智著稱，去年十二月間，他曾向外放出空氣，說當時的畢奈內閣要在聖誕節左右垮台，果然到了年底，由於他領導的大衆共和黨的爲難，畢奈終被迫總辭，使法國在無政府狀態下，空虛的過了一個新歲。

匈籍院長悲慘下場

任北韓一所共軍野戰醫院擔任院長的某匈籍著名醫生，最近已奉召遄返布達佩斯。這位醫生在公務上非常負責，對傷病共軍也體恤備至，但他仍受到撤職的處分，確實使許多共軍百思不得其解。他回到匈京後，立遭當局扣留，據說，他在任的時候，曾數次報告上級，力指院中傷病官兵的死亡率甚高，完全是醫藥和醫生護士缺乏的原故，而非聯軍飛機轟炸醫院的結果。這些報告觸怒了上級，乃不得不通知匈共將他撤職調回查辦。這位醫生原是猶太人，當然這一下更會要變成整肅的犧牲品了。

阿國人民爭取自由

南斯拉夫狄托元帥最近訪英時，曾面告邱吉爾首相，據他所獲情報，阿爾巴尼亞的霍克斯哈共黨政權，不久後即將垮台，原因是：一、內部的傾軋；二、人民的反抗。狄托說：用不著外來的壓力，阿爾巴尼亞人民會自動走向自由。

美國製造最新吉普

美國海軍陸戰隊新製成一種新型吉普車，比戰時著名的吉普更好更快，它重僅一千五百磅，所以比戰時吉普還玲瓏巧小得多。這種吉普沒有車軸，每一個輪子都可獨立活動，它可以通過深及膝部的污泥，也可行經淺淺的河川，能爬八十七度的斜坡，在平路上，每小時速度可達四十五哩。此外，還有一個特點是，它可以用直升飛機空運，把這種吉普吊在飛機下面，能在最快的時候，運送至任何地方。（孟衡）

原子能治療癌症

在鈾礦中工作的礦工，經常會因放射能而染患癌症，而廣島及長崎原子彈餘生下的日人，也多患血液中毒病，這一些事實說明了未經控制的原子輻射可以引起癌症。但另一方面，現在也有數千死裏逃生的病人可以指證已加控制的原子輻射可能診治這種疾病。在美國每一間大醫院和大學中，幾乎都在使用某些種高級輻射治療的方法，並且還訂有許多大規模研究用放射性元素治療癌症和血液中毒病的計劃。

上星期，世界上第一所特別設計並安裝各種設備，來利用輻射能以研究並治療癌症的醫院且在芝加哥正式揭幕，它叫阿哥尼癌症研究醫院，是原子能委員會撥款四千二百萬美元所建造的。這是芝加哥大學癌症研究中心的一部份，醫學教授傑可遜博士主持。

這所新醫院是一幢八層樓的大廈，其中兩層設於地底，以協助控制放射能，四樓及五樓將用作病室，每一間病房都用八吋厚的水泥牆隔離，以阻止任何放射能的傳播。在病人接受放射性物治療後，四十八小時內禁見賓客。每一層樓也將逐日由專家用放射能檢驗器逐一檢查。醫院中的護士也將佩戴特製的儀器來紀錄她們所遭遇到的放射能的多寡。病人的內衣和被褥也將須詳細檢驗後，始送交洗衣店洗濯。

爲了處理大量放射能的殘餘，醫院的地底室中，還設有十二座巨大的特製儲藏桶，以便將具有危險性的放射性殘餘儲置桶內，直至其變成無害和不活動時爲止。

除了病房和儲藏室外，其他各層樓中，有些安放最新式的療病設備，有些是研究放射能的實驗場所。同時醫院中還有許多最標準的X光機，和一座可發電兩百萬瓦特的發電機。

今年夏天，院中將安設一顆「鈷彈」，這種鈷彈可發射殺癌的光綫。預計明年將添置更多的設備。

醫院中還專有一層樓飼養許多供實驗用的小動物，其中許多是雜種小鼠，用來試驗對放射能的影響。（第啓譯自「新聞週刊」）

大陸去年收成荒歉
橫征暴斂逼死農民
殘民共幹案發後至多記過了事

據最近北平人民日報披露：因去年大陸一般地區秋收均告荒歉，致曾有貧農援例要求減低征率之事，但結果因共幹兇橫成性，反到處發生逼殺人命的慘案！此種慘案已日有揭發，僅蘇北一地而言，據初步統計，已逼殺農民一百九十餘人之多！茲特擇其三種不同典型例子，分載於后：以明眞相。

一、如河北滄縣狼兒口有一年已六十四歲名叫陸松林之獨身老農人因去年秋收只收成稻谷二百五十斤，秋征派他交糧一百十斤，他要求村幹援例輕減，村幹非但不允，反猛摑其頰，并怒斥爲：「你和反革命通聲氣，敢破壞秋征？」陸受辱後即去村外上吊。被人發覺，未予勸慰，反被村政府以重犯押送區「政府」，結果終於吊死在區「政府」中。

二、如浙江省蘭谿縣因歉收而有甚多貧農要求減免，共幹則爲秋征表功，乃特繳設「典型戶」召開農民大會，由該「典型」份子演說：「餓死也不申請減糧」以絕申請之路。結果，誠已無人再敢申請，却因部份農民實在無糧可繳，乃被共幹扣押吊打，終至紛紛自殺，僅游部區一區，即自殺十三人之多！

三、如江蘇睢甯縣金欄鄉農民金澤芬原征額爲四百四十七斤，因荒歉過甚，照規定可減免一百九十六斤，但該鄉共幹將該鄉全部減免額仍以「減免包乾」辦法將大部份少收的征額向農民攤派，該農民竟派有一百九十五斤之多，等於不減，無法繳納，即被鬥爭，終至被逼自殺！

上述情形，近見大陸報載，各地皆甚普遍，可謂各省皆有，而死者尤以貧農及老弱殘疾者居多。惟中共對此事之處罰甚輕，僅記大過一次即告了事，死者則冤沉海底！

中共製造女法官
審案專偏袒女方
男法官不滿形成正面衝突

【本報訊】大陸未淪入鐵幕以前，男女原無甚不平等之處；其奈中共爲利用婦女並破壞原有社會及家庭秩序而大唱其「婦女解放」的濫調，本已使社會男女之間，劇成鴻溝，迨盲目推行所謂「新婚姻法」以後，更使男女之間，平添不少糾紛；或釀成淫風，或造成冤獄，或逼殺人命，眞是雞飛狗叫，天下大亂！先則中共女幹部慫恿婦女提出離婚，繼即男幹部壓迫婦女低頭就範，共幹是各行其是，人民則莫衷一是，結果還是大批無辜婦女遭殃受苦！但中共並不從根本問題上設法糾正，而認爲只要擴大一次婚姻法的宣傳，並在法院審判權中多給女性掌握一點便可解決，乃除一面訂定「婚姻法月」大事宣傳外，一面即出了大批女幹部充任了各地區縣級的「人民法院」院長或審判員之類的職務，其中尤以素稱模範區的東北派充最多。但這些幹部一旦權在手，便把冤來報，凡屬審判婚姻案件，便大多盲目偏袒女方，壓迫男方，由是乃引起了男女幹部之間的正面衝突，形成了男女兩大壁壘！往往因此爭持，造成「法官」與「法官」之間的自相控訴。此種情事，大陸各報時有所見，其例實不勝枚舉。上月份因適爲中共所定之「婚姻法月」，婚姻案件特多，此種爭執亦特多，實已形成中共又一新的偏差，誠堪爲關心社會問題者之注意參考也。

醫院如同地獄
虐待強姦無惡不作

【本報綜合報導】中共各級幹部之瞞上欺下，貪污腐化，強迫命令，胡作妄爲等等的惡行，不僅在衛生部門也不例外，而且尤爲嚴重！其兇惡卑劣的情形，實不禁令人髮指！如以江蘇宿縣專區衛生院爲例，其一是私建統治集團，將公共醫院當作私營商店：如該院院長沈桂鼎爲軍分區調到該院時即帶了全數人馬，以他的親戚朱傳英當了醫院課課長，宋元當了預防保健課課長，以他的妻子尹靜當了庫房主任，從此該院便成了沈桂鼎的天下，終日和他的妻子尹靜在院中戲要作樂，鬼混一起！（人民日報語）而他的那兩位親信幹部便在他操縱下，瞞上欺下，橫行無忌！其二是謊報及貪污：如一九五一年該院實際上只成立六十五個衛生所，誆一報便謊報了八十五個之多，騙取了八十萬斤建設糧。如同年七月間蘇北大災荒而搶救災民時，實際上只搶救了一萬多人，而一報竟謊報了十多萬人，又騙取了一大批急賑糧。其三是虐待病人：不僅是不給病人以及時和應有的醫治，也不僅是不給病人施用應用的藥品，且還尅扣病人的糧食，沒收病人的零用，甚至竟隨意打罵病人？因而有許多病人反被弄成重病，重病的人自然大多有如自投地獄，促成死亡，變作冤魂了！其四最可惡的，竟還有強姦病婦的情事；如北平人民日報所揭露者說，該院就有一部份所謂惡劣份子曾乘病婦呻吟掙扎床第的時候，向她們實施了強暴，予以姦污！聞之不禁爲之髮指目眥！在此種嚴重的惡行，過去雖偶而曾有一二良心未泯的幹部向他們的上級反映，但現大多爲上級所寵縱包庇，亦每使反映者遭到殘酷的反懲訓、報復、打擊！以致此種惡行便一直普遍存在，直至目前中共爲「整風」而展開了檢舉，方被紛紛揭發。但不論今後如何？據此以觀，大陸過去的境況，誠已無法不有「今世何世」之嘆！

治淮雜亂無章
工程廢弛浪費人力物力
中共基本建設的大「供獻」

【本報訊】治淮工程，曾被中共標榜爲今年度「基本建設」中的一大「供獻」，大力宣傳。在實施方面，亦確曾大張旗鼓，特設立「治淮總督指揮部」於河南許昌，惟由於治淮領導幹部之低能顢預，致治淮工程及行政均極混亂，浪費現象至爲嚴重！據最近北平人民日報披露：關於治淮之施工方面：既乏計劃，尤無秩序；有些地段缺乏大量人工，而有些地段有大量工人無工可做，人力之運用，極不調和。同時若干地段有大批器材狼藉損壞，若干地段則缺乏器材可供應用。關於治淮之行政管理方面：除一般幹部的作風虛浮、調度無方及權力傾軋外，最主要的是浪費情形，極爲荒唐：首先是「指揮部」的賬目非常混亂；據說庫存的器材大多根本沒有賬目，有些有賬的也無一符合；說在所有十七個保管器材的單位中，沒有一處是賬料相符的。例如最近該處新建南灣水庫，就有四千餘斤煤油無賬；而賬簿上記有斗車四十八輛時，實際上却只有斗子四十八個。諸如此類，不勝枚舉。其次是無故損耗及浪費的器材，設備等等爲數至鉅。如白沙水庫有五萬多個抬筐在露天拋擲一年之久，無人收拾，已全部霉爛。如從許昌到白沙的公路上沿途均拋有輕便鐵軌及斗車，迄未收拾。如各倉庫所存油料，大多放在露天不加遮蓋，日久筒底霉爛而漏油，直至每筒流去半筒之多，方予急忙設法補漏。如駐馬店存有三百多輛斗車，沒有照顧，斗與架已分開，變成了當地居民的糞坑。如「指揮部」直屬倉庫有大批炸藥在潮濕的屋角放了一年多已成了廢物。如佛子嶺放有大批柏油、斗車及鋼軌，日子一久，已被陷沒土中。如潢濱河二地的斗車被當地做水缸用；枕木則用來舖了路。如淮河上游地區有六千噸水泥，因放置不當已變了質，共幹們不認爲「壞了」，不要緊，「做幾個涵洞就報銷了。」如去年器材處購買了二千五百個石磙，只用了一千個，其餘便放在沙灘被水衝沒了。如該處只需一千六百餘立方公尺的木料，竟化三億元發了三部每日可鋸三十立方公尺的鋸木機，一個多月就完工，三部機器就擱着變了廢鐵。因此，據說損失異常慘重。

中共爲死人忙
飭讀悼史魔文

中共中央現已規定馬林科夫在莫斯科追悼史太林大會上的演說及毛澤東哭史太林的「最偉大的友誼」一文爲中共各級幹部的必讀文件；已飭中央一級及大行政區一級的黨政軍高級幹部首先展開「學習」，而後逐層向下推廣，要所有幹部都加「學習」。因此中共中央直屬機關的黨委總支的幹部，中央的各部，總工會、青年團、婦聯、人民日報，工人日報、馬列學院及大行政區一級機關的黨、團、軍、工、婦等單位已於上月二十八日起開始佈置、研讀、討論、報告，忙得一團糟！至其用意何在，據記者遍觀大陸各報關於史魔死後各有關文件及消息所知，當不外在穩定幹部因史魔死後所引起之恐慌心理。

中共公安人員發虎威
劇團幹部演員遭凌辱

據三月二十九日人民日報的揭露：中共公安人員「威鎮」各地，不僅人民畏之若虎，而他們的所謂「同志」也不免要低頭三分！

如安徽省合肥市「人民政府公安局」的公安人員在合肥市「公營實驗劇團」未改「公營」以前去看戲時，固然可以不買戲票，並要劇場敬煙敬茶，待改「公營」以後，他們也一樣的要享有這種「特權」。但改爲「公營」以後所主持上演的已非原有伶人，而是屬於中共「文化」機關的「劇藝幹部」，是「同志」了，這些「同志」當然若有所恃而不肯奉承，這就觸動了公安人員的虎威，引起了公安人員的不滿和報復。

女演員受摧殘

報復時是女演員首先遭殃！這些公安人員便常常找到女演員所住的地方去查戶口，先則講些不堪入耳的話羞辱她們，繼則甚至藉口檢查在她們身上動手動脚！有時候在街上碰到了她們，甚至還要當街公開的給她們出醜，弄得這些女演員羞恐欲死！報復的第二步是趁着劇場戲票賣完的時候集體去買戲票，劇場當然無以爲應，他們便說：「戲」和「演員同志們」便不得不低頭賠好講歹地照例奉承了這些警察老爺，總算作了個落場勢。

拼了局長不幹

但王「指導員」和這班「演員同志」吃了悶虧自然不甘心，明的不敢碰，暗底裏卻哭訴了「文教廳」，「文教廳」廳長蘇毅然便打了個電話給合肥「市長」丁耀哲請他查辦，這一來可就觸動了「常局長」的肝火，他一不做二不休，立刻下令派了二十幾個武裝警察以檢查「匪諜」爲名，如臨大敵地包圍了劇場，將尚未報妥戶口的劇團人員都抓了起來，剛剛遇「王指導員」也在內，給他們五花大綁的綁到了公安局裏，一見面就對着他大罵：「你小崽子依仗大機關，想來壓我們公安局！這是我管的地方，我馬上吊了你的執照，封了你的院子，看你怎辦？」王當即答稱：「這是人民的劇場，你封了它，是人民的損失！」這一來，局長更火冒三千丈，從椅子上跳了起來，拍子猛力一拍，指着「王指導員」破口大罵：「媽的！竟敢拿人民這頂大帽子來壓我，把他銬起來，關進牢裏去！老子拚了這局長不幹，也要關他媽的！」於是，這位「指導員」便和所有被捕的演員都鋃鐺入了獄，一關就關了兩天！後來終算中共的合肥「市委會」出面「調解」，方將他們放了出來，也就不了了之。不過現在「整風」已揭開了蓋子，看來像這場自相欺迫的事，都不免會翻案重開，好戲都在後頭哩！

二農民遭殃
共幹強姦民婦被殺
被誣指兇手屈打成招

【本報大同訊】最近大陸各地展開「整風」、「檢舉」後，山西省「人民法院」曾依據檢舉翻訊一件冤獄，視作典型例子，大肆宣傳。緣前年三月十八日山西嵐縣西牛塌村有一村幹名王德河者突遭暗殺，縣公安局未加調查，即臆斷曾被死者動員參軍因病請假回村的農民王安吉、熊新法二人爲殺人兇犯，予以拘捕。王、熊二人因確非兇手，自堅不承認，乃而遭電刑拷訊，再三不支暈厥，終至逼打成招，被移送縣「司法科」核辦，該科既未研究，亦未覆審，而經公安局一紙移文，以「反對擴軍，主謀殺死村幹」爲罪，而判了該農民的死刑！後經當地羣衆向臨汾「人民法院」檢舉了眞正的兇犯李相芝，該案乃被該院調集案卷及一干人犯覆審，眞正兇手李相芝一一供認，案情方告大白：原來因村幹王德河（即死者）不僅曾強姦了李相芝的妻子，又不僅會以權勢威逼李相芝及李妻不待聲張，且還繼續予以姦污多次，李相芝逼於淫威，不敢控告，乃於忍無可忍之際出此手段，以洩其忿。據此，王、熊二農民乃得倖免於死，被臨汾分院釋放回家。但詎知剛一返家，竟被聞喜縣「公安局」及「司法科」認爲「太不老實」，太下了他們的「面子」而以「案情複雜」爲詞，又即予以扣押！

津工商業凋萎
共方再耍花槍
月底舉行交流大會
派代表赴各地推銷

【本報訊】天津消息：天津工商各業經中共「三反」運動以後，一般商人大部份均已破產，迄今仍能繼續經營者，爲數亦極有限，但在中共撫綏搾下，千征萬稅，重重剝削，已感謀生不易，同時，一般人民購買力普遍低落，產品滯銷，入不敷出，維持艱難，在此雙重打擊下，尤以春節以來更爲嚴重，因此紛紛向中共申請停業者，更其衆多。然在中共照顧商人美名下，停業根本無法獲准，近乃由天津市「工商業聯合會」共幹向共方邀准，於四月底或五月初，舉行所謂「城鄉物資交流大會」，藉以刺激搖搖欲墜維持之工商業。其提出之口號爲「淡季的春天變成旺季」，同時發起各業組織「貿易代表團」，分赴衡陽、大同、西安、蘭州、重慶等地，展開推銷工作，企圖挽救危機。（北）

赤色電影滿大陸
廣州柳州舉行捷克電影週
強迫人民灌毒素

【本報訊】中共所辦之「中國影片經理公司華南分公司」，將於四月十五日開始在廣州、柳州兩地，舉行「捷克斯洛伐克共和國電影週」，大事宣傳蘇俄附屬國之共產文化。

共黨對大陸人民灌輸赤色毒素思想，無所不用其極，個人生活行動均受其共產教條所限制，即平時作爲娛樂之電影，亦遭其壟斷，作爲控制人民思想教育最大工具，大量放映宣傳其主子之所謂文化藝術，惟因俄國以及其自製影片數量仍不夠遍用，故最近乃由捷克運來大批影片，分在各地放映，藉以強迫人民接受赤化教育。

此事由「中國影片經理公司」所主持，其「華南分公司」定於四月十五日起至四月二十四止，分在穗、柳兩地舉行「捷克電影週」，放映捷克出品：「鋼鐵的城」「黎明的戰鬥」，「卡嘉」，「快樂的戲賽」，「新的戰士站起來」「勝利前的戰鬥」等，愚民麻醉人民思想之電影，強迫人民接受。該公司並定於四月四日在廣州各戲院放映匈牙利出品故事片「安娜．蘇聯」，說是慶祝匈牙利共和國成立八週年紀念，發動人民參觀。（冀）

硬是要得！

自由談　　為方

上次談到緬甸控訴我國「侵略」它的領土案，認爲是一個可引爲榮幸的「不虞之譽」。心裏却惦記我們出席聯大會議的代表，對此無理取鬧的橫逆之來，究將如何應付纔好呢？

前兩天讀了蔣廷黻代表在聯大指導委員會的聲明全文，深爲讚歎其措詞之大方得體，不失中華民族傳統文化的泱泱和平風度。想不到這位好吃辣椒的湖南「蠻子」，竟有那麼沉得住氣的紳士修養，硬是要得！

他聲明中華民國政府對亞洲鄰邦的一貫作風，是要創立睦鄰的友好關係，而非製造惡齊的仇敵關係。所以，他以一九四九年竭力主張緬甸加入聯合國那回事，引爲是個人的權利與光榮，却不把它看作是中國政府的政治外債。這意思就是說：今天雖然受到政治債務人的兇惡反噬，也感覺無傷大雅，滿不在乎。他只諷示債務人一個概念：你是希望中國政府運用其對「雲南反共救國軍」的影響力，把問題作合理的解決呢？還是要想造成「齊惡的仇敵關係」？如屬後者，那就聽從尊便，我們「好少理」；如屬前者，那到聯合國去辯論，結果是廣東話所謂「一個桔」──完全落空，毫無用處。

蔣氏這篇聲明，莊重和諧，據實說理，不知那位坐在聯大議席上「親聆雅教」的緬甸代表，作何感想？

「回國」

黃汎

正當「毛記秧歌班」在「北京」開場的當兒，鴕鳥將軍黃初白徬徨在香港，內心眞有說不出猶豫苦悶的滋味，日常無事就成天與一般「關心國事」的朋友，在告羅士打「擺龍門」，解解悶氣，大家談到往事，誰都有一肚皮牢騷。這天，黃初白尤其感慨萬狀，回想往日在國內「炙手可熱」的情景，如今却是冷冷清清的蟄息孤島，每天除了「辨豈芽」，亦唯有「擺龍門」是發洩情緒的最好場所了。俗語說：「無官一身輕」，一個人能夠逍遙海外享點清福，原可算是中國人的最高理想了，而黃初白則是最不甘寂寞的人，感懷到往事，他的滿肚子牢騷，又如打開啤酒瓶般的湧出口來：『國家弄到今天這步田地，還不是他們那般人爭權呀！奪利呀！鬧派系呀！貪污呀……！』

他這樣的高論朋友們也聽過不止一遍了，似乎一說到「他們」二字，他就特別標榜出自已與衆不同的淸高身份來，也彷彿他帶到香港來還算不明不白的錢，經這麼一說，就吻合「此地無銀三百兩」的「哲理」而愈顯得自已「兩袖清風」的廉潔風範來。因此，他的話匣子一打開，就更滔滔不絕的說個不停。

『說老實話，像我們這般朋友，如果有機會，誰不能給國家做一番事業呢，只可惜遇人不淑，樹倒了，我們這般猢猻就恨有散不開去的苦……』

『老兄，話雖這麼說，但俗語說得好，「識時務者是俊傑」，過去的是過去了，如果能把握時機看風使舵，誰又說不能東山再起呢！』綽號四眼狗的李克安，不等黃初白的話說完，就搶着插嘴說，兩眼不住的朝四座打量，靜候大家的反應。

『是呀！再不說誰沒有家小產業在內地呢！』當過祕書長的瘦皮猴劉海濤也附和着說。

這時大家意趣激昂，隱隱都覺得自己有非參加「革命陣綫」不可的「熱誠」了，於是你一言，我一語，發通電呀！擁護「人民政府」呀！擁護「毛主席」呀！擁護「一面倒」的政策呀！衆議紛紜，僉是「英雄所見略同」，這個「回到祖國懷抱去」的原則，立刻就成了他們全體一致的決議。

而尤其使他們興奮的，是他們那個聲明脫離「反動派」的通電發出後，不久就接到了「北京」「周總理」的復電：『我們竭誠的歡迎一切愛好「民主」的人士，回到祖國的懷抱裏來，爲建設「新中國」而共同奮鬥！幷盼將期先行電告，以便準備迎候。』「周恩來」

『老兄，你看如何，以前大家的踟躕不前，猶豫不決，這樣看來都是多餘的了，眞是「庸人自擾」呢！』鴕鳥將軍意興遄發的拍着瘦皮猴的肩膀說，一面又催促着：『又得勞兄大鋒了啊！先趕快復個電。』

行期決定後，回國的次序也接着排定了下來；鴕鳥將軍、四眼狗、瘦皮猴、三人排在第一批，因爲他們先去可以洽商一切問題：如各人的職位問題啊！保障生命財產安全問題啊！辦理脫離「反動派」手續問題啊！……都是亟待晉「京」後解決的事，勢非鴕鳥將軍先行接洽不可，其餘的人則照各人自願分四批，每三天走一批，分批晉「京」報到。

鴕鳥將軍還不放心各人回國所作的準備，特別擬了一個備忘文件，提示入「京」「同志」應行注意事項：一、利用行前時間，多看點馬恩列斯的「前進」書籍，以免臨時「搞不通思想」；二、行李盡量節儉，說話態度要格外溫文有禮，以表示確有「爲人民服務」的好作風；三、每人必須定製一套「列寧裝」，以備回國接受歡迎時穿着；四、行期及行動絕對保守祕密……。

這一羣人馬，像「盂蘭會」放荷花燈似的，一批一批的從深圳「鬼門關」放了進去。鴕鳥將軍黃初白、四眼狗李克安、瘦皮猴劉海濤踏上了「京穗」直達快車，心裏眞有說不出的高興；不但從此由「舊貴」一變而成了「新貴」，而且回國後一切都有了保障，古話說：「塞翁失馬，安知非福」，紗帽丟了不久，這邊又立刻「新官上任」了，眞是「失之東隅，收之桑榆」，心裏焉得不興奮呢！

十天的行程，箭一般的飛馳過去，這一列從廣州開來的列車，載着鴕鳥將軍他們三個人，在這一天駛進了「秧歌王朝」的「京都」車站，他們的心情都不覺緊張起來，瘦皮猴更不住的向車窗外面探望，車一停，只聽他欣喜的嚷道：『你看，那邊一列武裝兵士大約是來保護我們的吧！』

『是呀！那一定是「周總理」派來迎接我們的。』四眼狗也囁嚅着說。

『不，那是一列儀仗隊呢，來歡迎我們的。』鴕鳥將軍有把握的說，一壁諄諄的囑咐他們二人：『大家把服裝整一整，等一會下車檢閱的時候，你們二人跟在我後面……呃，呃，還有精神最要緊；胸要挺，頭向左看，步伐要平穩……一切學我的模樣。』

當他們三人昂首闊步走下車來，正準備接受「儀仗隊」隆重的「歡迎儀式」的時候，一個武裝共幹跑了近來。

『你們三位就是黃初白、劉海濤、李克安嗎？是不是從香港回國來的？』

『是的，是的。』鴕鳥將軍昂然的答說。

『我們是「周總理」請我們回來的。』瘦皮猴也搶着回答說。

那共幹向身後的武裝士兵做了一個手勢，招呼他們圍攏上來，一邊從袋裏掏出了一件文件交給鴕鳥將軍閱看，上面寫着：

『你們回國來的「愛國熱誠」，非常令人敬佩，不過每個

新·世·說·補·遺

豎子何足成大事

民國十八年冬間，石友三與方振武各領大軍，駐屯津浦沿綫，自金陵對岸浦口至南宿州一帶，遍見兩軍戍旗。時政潮劇化，皆恃軍隊爲爭衡天下之唯一工具，石方二人又爲對政府素有反側性之野心將領，中樞當道以投鼠忌器，優容羈縻不遑。石方亦不時入京周旋，示無他，殆欲暗窺虛實，以期相時異動耳。

是年冬月，中樞偵知石方兩人潛謀不軌，然中央直屬部隊胥遠戍外疆，不易徵調回京，首都實如未設防之空城。乃藉詞邀兩將來京暢敍軍政問題，蓋方振武適爲主皖政也。兩人固有恃無恐，欣然至，中樞接待殷勤，指派文武要員如參謀長錢大鈞，總參議張岳軍，首都警察廳長姚琮等，昕夕陪伴遊樂，狀殊和諧。某夕，石方忽告失蹤，經多方調究，已變裝悄然渡江去，知其將有變故，急電淞滬警備司令熊式輝遣軍入京拱衛，然石方之亂旋作，浦口遍聞鎗聲矣。

蔣公深夜聞變頗憂惶，首都除少數憲兵與警察外，別無一兵一卒，而滬軍最速亦須次日午後方可趕到。設使石方於高資叛變後，即以一團之衆，進軍金陵，全城文武將吏，唯有束手受俘耳。蔣公於夜午三時，先召警廳長姚琮來詢石方離京情形，責其失於覺察。姚謂：是日曾有高級大員數人與兩將相處，故本人未再追隨也。繼蔣公命姚偕往下關巡視情況，首至輪渡碼頭，見江輪均停泊南岸，大江寂靜，僅對岸鎗聲時起；再赴下游偵察，亦無異樣動態；詳詰渡江輪有無被扣北岸者，執事人保證決無其事。如是，蔣公怡然語姚曰：「我們回去睡覺罷！」蓋以石方既與兵作亂，且審悉南京虛實，然不能於事變之前，扣用江輪，迅速載軍進據[illegible]之下，爲所欲爲，而徒使部衆示威於對岸，即知豎子無能，不足爲患矣！

次晨，石方果揮軍北略蘇皖州邑，掠飲公私財物，而滬軍亦銜枚疾至，中樞轉危爲安。乃飛檄外疆戍軍，迎擊叛兵，分進合圍，未及旬日，石方勢窮力蹙，棄軍逃走，一幕極驚險之滑稽武劇，於焉告終。事後，滬軍首長熊式輝以功膺上賞，受寵任，因而植其後日飛黃騰達之根蒂，詎非所謂時勢造英雄之實證歟？

馬五先生

談衣飾

健軍

衣服底功用是雙重性的，除了保暖護身之外，它還可以炫目華外。大致鄉下人重于保暖，都市人偏于華外，這點凡住在香港的，大概都有同感，衣服爲了護身保暖，這點是勿庸置疑的，裸體主義的信徒，固然爲傳統的禮教把他們拒于千里之外，使他們不得不對某幾部份妥加保護外，氣候溫度的不合時，也叫他們感到玉肌凌霜之苦，而不得不放棄他們那種返回自然的抱負，所以說衣服的桎梏，人們在沒有另一種護身方法發明之前，是不易擺脫的。

至于衣服爲了炫外這點，則沒有前者來得那麼絕對，也就因爲沒有那麼絕對，而才演成了一種美的差異，一個身穿千金貂裘的人和一個身披羔羊皮板的人走在一齊，二者在保暖方面也許尚可相提並論，差不太多，但在華外方面的效果，則別如霄壤，難相比擬了，由于這種效果上的懸殊，使人們在心理方面起一個不同的反應，那就是喜和憎，重與輕的感覺了，爲了獲得這種心目中的正面反應，人們有時便在炫外的工夫上，痛下苦功，竭力想在這種心理上的錯覺方面，構成一種奪人的魔力，所以常見一些三教九流的人物，三江五嶽的人馬，衣飾堂皇，鬼混于士林之間，鄭板橋所說的『走卒類士服』大概是對此而發的吧！

我們不反對人去盲目崇拜衣飾，我們祇爲那些受衣物愚弄的人們感到悲哀與可憐！

在這個『先敬羅衣後敬人』的香港，衣飾代表了地位，而地位又代表了『德學』，故此穿着成了一種專門學問了，不要說衣冠陳舊受人側目了，即使你穿的稍爲樸素一點，你就會被人『刮目相視』，說放肆點，香港人生活着就是爲了穿衣！至于『士志于道，而恥惡衣惡食者，未足與議也』這句話在香港人聽來，比鄧寄塵的諧劇廣播還可笑呢！

客談陳獨秀

遯周

與胡適之共同致力「文化革命」的陳獨秀，雖爲倡號共產邪說之一人，但其晚年的不屑與毛賊爲伍，由其「最後的見解」可見一斑。陳胡不祇爲北京大學的同事，且爲同屬安徽人的同鄉，陳籍懷寧縣，在未廢府治時隸安慶府，胡籍績谿縣隸徽州府，安徽省的得名，就是取安慶徽州兩府的第一字合湊而成，友某善戲謔，熟於掌故，謂懷寧原是出產戲子的勝區，有清一代的名伶，籍懷寧者十八九，假戲眞做，于是乎產生了陳獨秀這樣戲劇性的革命人物。徽州是有名的「朝奉」家鄉，朝奉就是大財東（大老板）的別稱，大江南北的典當質押，通國之內的錢墨和日暑，可說是全由徽州人包辦，文氣所鍾，戴東原而後又有胡適之，地靈人傑？還是人傑地靈？由堪輿之術談到相命之學，友固陳獨秀門人，亦即胡適之門人，據談陳面相至怪，不若胡面相有學者氣概，隆鼻闊額，髮高至頭頂，乍一看去，似乎半禿，實則前額深斜，直達半頂。詩人徐志摩于其日記中寫陳獨秀，唯妙唯肖，試爲君等一讀，其言曰：有人上樓，穿臘黃西服，條子絨綫背心，行路甚捷，帽沿下捲，頗似捕房三等偵探，適之起立爲介紹，則陳仲甫也。彼坐我對面，我睇視其貌，髮甚高，幾在頂中，前額似斜坡，尤異者則其鼻梁之峻直，岐如眉脊，綫畫分明，若近代表現派仿非洲藝術所彫銅像，異相也。仲甫即陳獨秀別號。有江湖術士諛陳謂此乃「五嶽朝天」格，貴不可言，陳反問「貴不可言，不就是無可說嗎？無可說者賤相也」，予以銀元一枚。陳爲人豁達豪爽，喜走極端，遇事不喜作模稜兩可論，自視甚高，說者謂由其面相，即可想見其爲人。古語有「以貌取人，失之子羽」，又有「人心不同各如其面」，在我們鄉下有句俗諺「人心看鼻梁」，因此歪鼻梁的人，就成爲可怕的人物，陳獨秀那種「死生以之」的精神，也許是由于他那鼻梁的峻直？友言至此，另一友于忍俊不禁的笑聲中加上一句「歡場中女人所給與對方恩愛的評價，不也有視鼻梁大小而分厚薄吧？」又有友說，鼻在面相中，部位至堪重視，他並且引經據典的說鼻在人體中是最先形成，所以始祖叫做「鼻祖」，更有以恩愛評價觀鼻梁大小爲不經的，他提出大鼻子在大陸之上的罪行惡迹，力主鼻梁的大小不若和鼻梁的正歪相提並論，鼻梁實是持之有故言之成理，彼此議論紛紛各各逞其無礙的辨才，最後還是幸得楊大嫂到來，不便往下再說，才結束這回由迎送胡適之的熱鬧，而我的朋友胡適之而陳獨秀而面相而陳獨秀而鼻梁而鼻梁正歪影響人心論而鼻梁大小恩愛評價論，羣居終日，言不及義，眞個是難矣哉了。

小啓

毛以亭先生傷腿，短期內不能執筆，「中國之友」祇得暫停，尚祈讀者諒察。

由史太林談到美國人的長壽（上）

·狷士·

史太林奴役人類的個性，本來和秦始皇是同一類型，他急切的想長生不老，也和秦始皇沒有兩樣，可是心勞力絀，精神心理上不斷的打擊，越是怕死，死神的降臨不但毫不展期，而且還提前到達了，不由分說的將史魔提進了鬼門關，這也可見死生順乎自然，不可強求，而要弄巧反拙的。

友人梅君近從美國回港，談到美國麥克基佛博士，在俄克拉荷馬州創辦一所老年人的學校。他的學生是將近一千個七十歲以上的老頭兒，據他說：年老而有童心，所以能達到這把年紀，都能「得其所哉」的生活着。

麥克基佛博士本人也有六十八歲，是世界上年輕於全體學生的一個校長，他的學生都有七十歲以上，這還不算奇，而大多數都在百歲以上，却不能不使人驚異，他的外科醫生，相信長壽是「自然之理」，而壽命之短促由於吃得不對或缺乏人生興趣，寂寞與疏忽之所致，學生中最老的名雅命，今春舉行一百十二歲誕辰時，還親自剖分七十五磅重的壽糕，前來祝壽的七百個老年同學，最近他還步行七哩路，眞不愧「老當益壯」。

中華民國僑務委員會頒發登記證台教新字第一零二號

自由人

THE FREEMAN

（半週刊每星期三六出版）

（第二一九期）

每份港幣壹毫

督印人：李光華

社址　香港高士打道六六號

電話：二〇八四八

GLOUCESTER RD.
HONG KONG
TEL: 20848

承印者：東南印務出版社

地址：高士打道六十四號

台灣特派員辦事處　台北市館前街五十號

台灣總經銷處　台北中華路新號五九四之一

台灣郵政劃撥儲金帳號　九二五二號

蘇俄的可變與不可變

陳克文

專制獨裁統治，政策政略均可隨時改變，所不可變者惟個人的權力與地位。今日馬倫可夫翻手為雲，覆手為雨，亦不過師史太林當年宣布新經濟政策之故智，以誅鋤異己，鞏固個人獨裁統治之地位計耳。

蘇俄獨裁統治的新繼承者馬倫可夫，自從在史太林葬禮那天，提出兩種不同主義可以共存的舊調後，直至最近宣佈釋放九名猶太醫生，四星期內，繼續發出一連串的和平攻勢。這到底是新統治者對於國際關係要採取一種新的政策，抑或是暫時的策略轉換？其原因何在？西方國家應該採取甚麼態度？已成為目前注意世界局勢者，紛紛推測的問題。這問題的解答，自可於最近聯合國大會中，關於細菌戰調查的討論，關於裁軍問題的討論，乃至板門店停戰談判的討論，漸得其端緒。惟真正的解答，恐還有待今後若干月內之事實證明。

較史太林尤可怕

然吾人此時亦不妨就蘇俄過去的政情，及共產黨的性格，先作若干推測。

共產黨遵守馬克斯和列寧的教條，以世界革命為最高目標。在世界革命未實現之前，打倒資本主義，征服世界的狂妄企圖，絕對不會放棄。這兩年東西冷戰和半熱戰的結果，西方國家團結整軍，態度堅定。共產集團的侵略，毫無所得。馬倫可夫乘史太林之死，改變策略，採取和平攻勢，以分裂民主自由國家。希望史太林所不能成的，由馬倫可夫一手成立。根據此一觀點，馬倫可夫的攻勢，不只是一時的策略，其陰謀毒辣處，實較史太林更為可怕。

爭取時間安定國內

其次，馬倫可夫在國內外的聲威功績，遠不及史太林。初承大統，必須求國內外局勢得一相當時期之安定，纔能夠鞏固蘇俄的領導地位。大赦命令的頒發，物價的減低，釋放猶太醫生，所以安定國內局勢也。對英示惠，對裁軍會議表示讓步，指示中共接受志願遣俘原則，所以安定國際關係也。根據此一觀點，馬倫可夫的和平攻勢，仍是一種暫時的策略，與根本的外交政策無關。也便是說，仇視西方，征服世界的根本計劃，絕不至有所改變。

和平攻勢既為暫時的策略變更，亦即共產黨平時奉為圭臬的退一步進兩步的策略。在此策略之下，對西方國家的退讓或妥協，自有其一定限度。對於衛星國的控制奴役，亦不至絲毫放鬆。具體言之，在歐洲不會讓東西德統一，不會讓捷克、波蘭、羅馬尼亞等衛星國獨立自由。在遠東不會讓南北韓統一，不會讓毛澤東成為新狄托。在聯合國，不會讓細菌戰得到公正調查，不會讓裁軍會議順利進行。對世界各地共產黨徒的陰謀破壞，不會停止其操縱與供給。總而言之，目前馬倫可夫的和平攻勢，和二次大戰期間，史太林宣佈解散第三國際，史太林和希特勒簽訂盟約，和松岡洋右車站擁抱親臉，是一樣的騙人手法。共產黨人到了轉換策略的時候，是甚麼事都可以做出來的。

美總統艾克，認為蘇俄的和平提議，只能看票面價值，美國務卿杜爾斯認為蘇俄對世界的威脅依然存在。英法的反應，亦極審慎，認為不宜過於樂觀。這都是和上述各項觀點相合的。

因此，杜爾斯認為馬倫可夫的和平表示，是西方國家強硬的政策，與實力增強的結果。艾森豪威爾更高呼弱者無和平，英法論調大體相類。對付蘇俄的政策，必須實力強大，態度堅定，處理審慎，已經是兩三年來西方國家所共同認識的。對史太林要如此，對馬倫可夫更不可不如此。惟有這樣才不至上陰謀百出的共產黨之當，自不待言。

大舉清黨的訊號

不過，吾人對於目前的蘇俄，認為其「可變者為策略，其不可變者為政策」，似尚未足以全部說明馬倫可夫的和平攻勢，與共產黨的政治性格。如吾人假定，目前蘇俄內部一致擁護共產黨的獨裁統治，蘇俄共產黨亦一致服從馬倫可夫的領導，東西蘇俄衛星國家更無一、效忠蘇俄，則所謂純策略改變自無疑問。但目前馬倫可夫的蘇俄果如是乎？梟雄絕代的史太林，列寧死後，尚經過六年殘殺，誅鋤異己，剪滅黨內的反對派托洛斯基。又假新經濟政策美名，以改變共產黨根本反對私有財產的政策，然後造成他個人的新沙皇地位。馬倫可夫何人？豈能於一夕間風雲際會，遂成為黃袍加身的皇帝嗎？共產黨的策略可變，政策亦何嘗不可變？所不可變者惟個人的權力與地位而已。個人專制獨裁的權力與地位，即為共產黨的政策。史太林一生的成功歷史，必須從此加以說明。馬倫可夫為史太林最得意的死黨，一脈相傳，亦必從此而走上其冒險的前途。馬史是否一樣成功，雖有待以後的事實證明。馬氏必追隨史氏足跡，以建立其個人專制獨裁的政治地位，實可斷言。今日馬氏所宣布的和平政策，猶當年史氏所宣布的新經濟政策。其為排除異己，實行屠殺清黨的訊號，可以無疑。惟昔年之托洛斯基，今日究為誰人，莫洛托夫乎？貝利亞乎？抑兼而有之乎？尚待揭曉耳。試看，猶太醫生案，馬倫可夫歸咎於前任保安部長伊那堤夫，伊氏原為新部長貝利亞的下屬。該案揭發，已暴露所謂共產主義成功三十年人間天堂中醜惡腐敗的一角。此種罪惡不僅辱及屍骨未寒的「太陽」史太林，即馬倫可夫亦安能完全逃避責任？苟非為實行排除異己，鞏固個人獨裁地位計，馬氏又安肯悍然揭發呢？當年的托洛斯基，勢力最大，非去托氏，史氏不能成其獨裁。今日貝利亞在蘇俄擁有祕密警察，實力亦稱最強，貝氏不去，馬氏又豈能安枕？西方國家實力增強，態度堅定，使蘇俄無機可投，遭受打擊，僅為蘇俄改變其策略，或政策的一面原因。內部傾軋，馬氏要師史氏故智，以鞏固其個人的專制獨裁地位，又為轉變之另一面原因。

和平時代，民主國家依國內之需要，改變其政策，其方式為執政黨政策的改變，或主政黨的領袖更換。專制獨裁國家，政策或策略可變，惟獨裁者個人的權力與地位不可變。如果要變，則有訴諸流血屠殺，此乃歷史上一切專制獨裁之必然結果。史太林以六年屠殺，犧牲共產黨根本政策，換取近三十年的統治。馬倫可夫豈能以史太林一命，換取江山於一夕間？馬倫可夫今日翻手作雲，覆手作雨，其目的亦不過效當年史太林之所為而已。惟個人專制獨裁的地位未鞏固前，東西對峙之局，似不至更變。此應為西方國家奠定世界和平，解放鐵幕國家的絕好時機。

漫談紀念節

・李槃・

最近看到「自由中國」雜誌第八卷七期夏道平先生所寫「青年節應當改期」一文，心裏除浮起共鳴之感以外，關於一般的紀念節問題，有些意思不妨提出來談談。

一般的紀念節，可大別為國際性的和國內性的兩大類。前者如勞動節，婦女節；後者如孔誕節，商人節，青年節，以及過去的若干國恥紀念日皆屬之。勞動與婦女節的產生，是為着這兩個階級的人士在人類進化過程中，沒有享受跟其他社會各階層人士同等的生存權利，普遍地嘗到被剝削壓迫的不合理生活，曾經有不少的志士仁人和英雄豪傑們，起而奮鬥，纔使這兩個階級人士地位逐漸改進，趨於平等。這現象是世界共通的，所以，這兩個紀念節的意義亦為全人類所共喻，大家認為應當有此一舉，以示不忘。至於國內性的紀念節，那是基於某種個別的特定意義而然，或為着政治目的，或為着教育目的，而十九都與全民的生存利益有關，而且具有時空性。譬如我們過去那些數不盡的國恥紀念日，自抗戰結束後便已失却紀念的意義和作用，而我們的農民節商人節，乃至於青年節，在英美社會中也就不存在。即孔子的紀念節，在中國亦常有被翻臉中斷的時候。

因此，我對於農民節商人節和青年節這些國內性的法定紀念節日，頗感疑惑。這不是「可否」的感情問題，而是「應否」的理性問題。就社會的聯立關係說，舊時的說法，是以士農工商為構成份子，現代人說是農工商學兵。（婦女當然在內）這「兵」之一階級的產生，乃蘇俄共產黨人在十月革命時所發明的，是否合理，大家一想就瞭解，不用詞費。如果將農工商學和婦女這些社會組織體，每一階段都給它制定一個紀念節日，那意義即等於餼羊告朔的虛應故事，作用實等於零。如果取此舍彼，有所偏枯，那又表示這社會的聯立關係太不平衡了。我們已鬧了二十年的農民節，試問中國真正的農民有那個知道這回事？年年此日，只讓一些沉醉於都市生活中，不辨菽麥，不知稼穡艱難的長衫或西服朋友，藉此搞搞職業團體，為爭取政治上的職業代表權利，開會演說一番，寫些不知所云的文字在報上發表而已。商人節呢？情況也差不離，真正的商人對此很少反應，僅有我們這些非商人的新聞記者，到時候寫些應景文章，但其作用還不夠「熱鬧」哩！唯有勞動與婦女節，比較熱鬧，原因是除上述意義外，他們認為現實生活權益尚待努力改進，其自覺性由於現實生活環境的刺激，視其他各界人士特別強烈之故，也就是這一紀念節的存在價值。說到青年節，其對象固不單純。若以舊說之「士」為對象，那是包括一切青年，中年，老年的讀書人，皆在其列；若以「學」為限度，那就只是在學校生活中的學生們，與在軍營之中的「兵」一樣。學生有節日，兵士何嘗不能有呢？

現在我們對於「青年」的解釋，說是包括社會青年在內。既名曰青年，當然以年齡為條件，然則所謂「社會青年」云云，其界說究作何規定乎？過去曾見那位年逾五旬，鬚長盈尺的胡庶華，倒續亦足自命老青年，要報名從軍，要跟着一般青年們在軍營浮圖上跑跑步，汗流浹背，不覺其苦，像這類人，算不算社會青年呢？如說不算，那末，在全社會各階層中具有領導創進地位和能力的中年智識份子，又是屬於那一類的社會成員呢？若說這類人物也算是社會青年，則「青年」二字根本已失却「青年」意義。老年壯年的固曾「青」，少年青年的也會「老」，把原來分屬社會各階層成員的青年，劃分成獨立的一個階級，似有研究之必要。我並非反對青年有組織，我是贊成「青年」二字的解釋以狹義為好，却不贊成「社會青年」之說，更不贊成以三月廿九日為青年節！我們只能教青年走向成功之路，黃花崗七十二烈士的愛國行為固可尊貴，但他們結果是失敗了的，這與現時自由中國政府不宜以鄭成功自許的道理相同。

極不合理的孔誕節（陽曆八月廿七日）經過多少人的指摘考究，已改為十月三日了。其他一切紀念節，或存或廢，或更定其日期，政府似可通通加以審核，重新公佈，垂之永久。附帶的還要提到一個小問題，那即是西方人開頑笑的所謂「愚人節」，我們中國人並沒有那種傳統的不良習慣，為甚麼許多人也要東施效顰，恬不為怪？別人的好習慣好本事不能學，學會這類惡習，所為何來呢？

△日本成長中的空軍▽

半週展望

・雷嘯岑・

中緬邊區的游擊隊問題

滇緬邊區的「雲南反共救國軍」問題，緬政府已鬧到聯合國去了。日前中國外交部長葉公超在立法院聲明：中華民國政府不擬接受美國方面所提出的調解方法，把李彌所統率的一部分游擊隊撤回到台灣來。

這有兩大理由可據：一是緬政府在向聯大提出的控訴文件，指那些游擊隊為「國民黨軍」。既是一個政黨的軍隊，中國政府即沒有任何直接的責任，人民的反共行為，自可置之不問。何況所謂「反共救國軍」這個名辭，在國軍建制上，是不見經傳的，政府更沒有必須處理的義務。二是中緬邊界始終尚未劃分清楚，緬政府既指我們「侵略」它的領土，更不便自認是越境「侵略」，把游擊隊撤出來。

實際的形勢，據說是緬政府害怕他們的反對黨與這批游擊隊聯合，形成反政府的強大力量，有推翻現政權之危險。如果是這麼回事，那緬甸當局之控訴案，就不啻是作繭自縛了。唯一有效的作法，還是如中國政府出席聯大代表蔣廷黻所說的，緬政府只能期望自由中國政府運用其對這支游擊隊的「影響力」，從中疏解，睦鄰相處。瞋目瞪眼，出以控訴的反臉態度，除製造怨毒的仇敵關係外，究何所得呢？

板門店換俘談判

交換傷病俘的板門店談判，已經開始進行，共方且建議依照日內瓦公約，擴大交換這類俘虜。看樣子，好像一團和氣，前途大可樂觀。

光是交換傷病俘問題，大概不會有很大的爭執，因為這並非「休戰談判」，問題很簡單。這一著如果順利完成，繼之而來的，當然就是休戰談判。

在休戰談判的階段中，惱人的問題可多了！要想真正結束韓戰，必須雙方都存和平的誠意與勇氣，而且彼此都得揚棄其「光榮的和平」觀念，才有希望。只是一方面讓步求和，結果是和不來的。

未來的板門店和談是否仍像過去一樣，曠日持久，不歡而散呢？我是悲觀論者，認為成功的可能性並不大。無論如何，距離雙方休戰撤兵，讓韓人自決自治的前途，還很遙遠哪！假使雙方只搞成一項「停火協定」，產生劃地防守，武裝對峙的和平局面，那就跟過去談談打打的形勢，本質上毫無區別，間歇性的和與戰而已。

日本的大選趨勢

緒方竹虎前天說：日本這次大選的結果，除却他們的自由黨仍受人民擁護外，左右派社會黨勢力，亦將大為增加云。自由黨是否有如緒方所說的那樣成就，固不可知，然社會黨議席之增加，似屬可信。日本人民對舊有那些老牌政黨，多具有失望之感了，從這次工商企業界不願意集體贊助自由黨或改進黨競選的表示，即可窺知。左右翼社會黨都標榜反共政策，強調獨立自主，再加上蘇俄和平攻勢的影響，此時此事，對社會黨潛存着許多有利的因素。

社會黨勢力縱使膨脹，但不會一躍而為議會中的多數黨，乃可斷言。緒方暗示自由黨於必要時，可與社會黨組織聯合政府，這要看社會黨左右翼勢力的盈虛消長為何如？因左右翼在思想上沒法合流，很不容易實際政治上攜手合作的。

共產獨裁制時代會告終嗎？

倫敦方面的「蘇聯通」，認為馬倫科夫當政後的一切新措施，是在「予蘇聯人民一嘗西方的民主滋味」，「它可能是表示史大林或百分之百的個人獨裁時代已告終了」。我衷心期望這位「蘇聯通」的預言成為事實，這樣，就是表示俄式共產政權已在世界上宣佈了死刑，詎不懿歟！

可是，再替共產主義者想想，如果放棄獨裁專政的作風，根本就要放棄共產學說，更要放棄「共產黨」這一名稱。要建設共產社會，就需要階級專政獨裁，否則不成其為共產政權了！

台大學教育待發展　經費教授不虞缺乏

台灣通訊

自本刊雷嘯岑先生著文，論述台灣大學應予擴充後，台省教育文化界人士，均深切表示同感。台省現集中全國教授人才，而空暇者佔多數。教育部設有特別編審一百人，以救濟來台之曾任大學教授者，規定須現無任何公職經教育部審查合格者方可應聘。茲早已滿額，而登記候聘者亦尚有人，足見擴充高等教育，教授人才決不缺乏。至於經費方面，私人亦頗有願意捐贈款項者，特台大限於國立之名，不能接受。如放寬此項限制，則經費亦無問題。台省有若干國民學校中，因增加班次，而由家長會捐款辦理者，不乏其例。再則台大現有若干院系，學生人數甚少，稍予從寬錄取，既可救濟不少失學青年，亦可合於經濟原則。茲基督教會在台聯合大學正在積極籌備中，已打破私人不許辦學之例。厚於外人而苛於國人，亦非政府應有政策。各方面咸盼雷先生之文，能引起當局贊許，而為每年擯於大學門外之數千青年，宏其造就也。

中學標準課本　即可廉價供應

我國小學課本，早由國立編譯館統一編印。台灣省對於小學學生課本，並予以免費供應。所謂小學教育乃係義務教育一語，在自由中國業已實行。各學校為補充課教材，復另編補充課本，由學校自行印刷，供應學生。此項補充教材內容，各為關於台灣地方性或與反共抗俄時局有關者。各書局又根據小學課本及補充教材，編印各科作業簿，以供學生課餘作業之用，內容頗為充實，故台灣小學書冊，可謂已甚完全。但中學部份課本，則迄由各書局自編自印，相互競爭。每屆寒暑假期，各學校校長與主科教師，咸為書局廣告與函件所困擾，感覺選擇為難。教育部甫於月前，將中學國文、歷史、地理、公民四課課程標準，予以修改。蓋原標準尚係在大陸時所規定，與今日反共抗俄局勢不合。茲復決定自本年暑期起，將此四課課本，由國立編譯館統一編印。如此則各學校學生標準可趨於整齊，並因係由政府編印，不計利潤，售價可以從低，學生及家長負担因而減輕。至與中學相當之職業學校與師範學校所用國文等課本，亦皆做此辦理。但因初高級中學班次甚多，本年暑假每課恐只能編成第一冊。其餘年級，仍暫用各書局已有教本。一年之後，標準本方可完全出齊。

學校荒將解決　暑假後大增班

台灣近年以人口激增，學生人數隨之增加，原有學校不足以容納，遂發生學校荒之嚴重問題。每年暑假，原為學生休假之時，反成為朝夕奔走競考最忙的時期。

台省國民教育異常普及。凡年滿六歲兒童，概由當地鄉鎮公所分配學校，入校肄業。在若干地區中，學齡兒童就學率，已達百分之九十以上。就學率最差者為漁民子弟，只達半數。蓋漁民隨時須出海工作，生活未能安定之故。小學畢業之後，勢必升入中學或初級職業學校，因畢業時只達十二歲，尚不能單獨就業。如不升學，即成為社會上之游浪少年。年來台灣失學問題之嚴重，即在於自小學升入中學階段。平均每年中學所錄取者，只為是年小學畢業生百分之五十。每年既均有半數小學畢業生無校可升，至次年暑假，又加入入學考試之列，因以中學考生逐年增加，新畢業者更難考取。茲聞台灣省教育廳已內定於今年暑假中，將全省初中初職一年級，增加二百餘班，約可容納一萬五千人，則小學畢業生升學問題，可以獲得解決。並聞中學招生辦法，將改為統一命題，統一報考，統一分發。則各校入學考試標準可以趨於齊一。過去有若干自命辦理較善之中學，於入學考試時所出題目，多超過小學生在校所學程度，未免故意與兒童為難。至統一分發，更可使兒童減少因趕考數校終日奔走之苦。蓋入學考試多在暑期舉行，以台灣氣候言，炎蒸似火，而十二三歲兒童，自晨至夕，揮汗應考。再須連考數校，以為狡兔三窟之計，對於身心健康，未免過份損害也。

義通過選舉改革案後　反共勢力可操左券

共黨內部分裂注定失敗

義大利在本月四日宣佈解散議會，總理喀斯貝里的反共內閣已決定六月七日普選。新選舉法的改革方案自去年十月經政府向議會提出之後，在今年一月二十一日眾院以三百三十九票對二十五票獲得通過，然後於二十三日送交參院，共黨與左派社會黨議員因反對失敗退出會場。然而儘管它們利用搗亂及罷工等手段來進行反對，這一個壓制共黨的法案，終於在上月二十九日獲得參院認可，共黨的最後掙扎顯然已告失敗，內部的分裂也是失敗中的一大主因。

挽救垂危的優勢

一九四八年四月義大利全國普選之時，天主教民主黨以「還我的港自由」為號召，繼由美英法發表共同聲明要求蘇俄立即允義加入聯合國，並促使將的港還與義大利迅速採取行動。美國復於大選中對義大量援助，而喀斯貝里領導的天主教民主黨且以天主教為背景以絕對壓倒之勢獲勝。然而已往的五年中由於國際局勢的急劇演變，義大利內部因新法西斯主義逐漸抬頭，使政府陷於不利的地位。誠然過去的地方選舉中天主教民主黨仍佔有最大的多數，上一次的選舉中政府堅決廢止了向來代表比例制度，而採用了法國所沿用的聯合名單制度，勉強渡過了難關，却已受到了重創；民主黨在所得票數的總數已比總選舉時減少了百分之十二·五，左派勢力反而增加了百分之二·五，加之社會運動（M·S·I·）及極右勢力的君主黨滲入，各佔百分之五，中間路綫被擠掉了。政府對於此種失利，不得不在未來的選舉中設法補救，此項辦法括有：一、選舉區數與一九四八年同樣的凡有人口八萬或超過四萬的選區，即可選出一名議員，但按照人口的增加，議席由五百七十四加至五百九十；二、獲得有效投票過半數的政黨給予議席的增加率；三、這議席增加率由百分之六六（在地方選舉時應用）改為百分之六五。在這次選舉的議席總數五百九十位中聯合多數派可佔三百八十五席（百分之六十五），聯合少數派可佔二百五十席（百分之卅五）；多數派聯合與少數派聯合議席的分配率是依各政黨或聯合政府的得票率多寡按照比例分配，倘使照聯合名單制而尚未能獲得百分之五一·一的政黨或聯合政黨可取消比例制。

共黨已注定失敗

從改革法案的內容看來，喀斯貝里的政府提出該法案的主要原因，乃認為將來的選舉於投票之時祇要得天主教民主黨、社民黨、共和黨、自由黨等四大政黨聯合，必可獲得半數選票。就最近天主教民主黨與社民黨大會的形勢透視，似乎難如預期的理想。前者黨內受「天主教行動派」支持而擬與極右勢力攜手的「保守派」與支持喀斯貝里的「前進派」對立已趨向於尖銳化；後者黨內現已分成四大派系：沙勒亞特（中央右派）、羅威達（中央左派）、史姆尼勒（右派）、柯特紐勒（右派）的意見分歧而沒有統一精神。右派是極端的主張反共的，正在進行與君主黨聯合，而左派則與齊尼的左派社會黨同一步調，反對與政府合作。因此在已往支持喀斯貝里的二百萬選民已被極右派的勢力吸住，現時綜然為督民主黨、社會黨、自由黨、共和黨四大黨聯合過來能否保持其在議會中實力，現時尚難臆測。不過共黨的勢力已由於廣泛的脫黨運動影響日形衰頹，與共黨聯合的齊尼左派社會黨於一月十日在米蘭開會申支持「世界和平運動」與「中立」外交政策，對政府所提之改革法案極力詆毀。現在雖然齊尼聲言將來選舉時是否與共黨聯合，若與社拉亞特所領導的共黨脫離始將會失去工人階級的支持。最近三月來所發動的一連串以罷工暴動來打擊改革法案之行動中，共黨與左派社會黨無疑已臨到決定性的失敗命運。更足反映出義政府對於阻礙新選舉法的種種行動之防止已發揮了充分鎮壓的力量，脫黨運動而共黨已在南部擴展，號稱有二百萬黨員的義共顯然已是動搖，如是則妄想與共黨聯合的左派社會黨在未來大選中綜不致完全失敗，在議會中是難望爭得到優勢的。（卓謬）

蘇俄陸軍參謀長　索柯羅夫斯基

新聞人物

今年二月二十日，正當蘇俄建軍節三十五週年紀念的前三天，俄國最高級官員和莫斯科的外國使節忽然接到一張觀禮的請帖，為首的一句話是：「參謀長索柯羅夫斯基元帥暨夫人邀請……」，至此，大家纔知道索柯羅夫斯基已晉陞陸軍參謀長了，但實際上，他奉史達林的命令，好幾個星期前，就已經走馬上任。

索柯羅夫斯基現年五十五歲，是農家子弟出身，二十歲時，離開學校參加一九一七年十月革命，從那時起、就變成共產黨黨員，一年以後，他正式投入紅軍，不久即升任連長。後來他被送往紅軍軍官學校受訓，但好幾次都因奉調作戰而暫時離開學校，他在學校中的表現很出色，所以俄國內戰最生時，他即被調往土耳其斯坦前線担任師參謀長，第二次大戰發生，他已晉陞為陸軍副參謀長。

他在朱可夫指揮下，負責莫斯科的防務，一九四二年及四三年冬天，調到史達林格勒，隨後又率軍收復威士馬和斯摩稜士克，一九四五年領兵攻入波蘭南部，後來又出任駐德蘇軍總司令朱可夫的助手。

勝利後，朱可夫和當時的盟軍總司令艾森豪威爾將軍相處得很好，這件事引起俄國當局的疑忌，不久後，朱可夫即降為敖德薩的駐軍司令。這個時候，索柯羅夫斯基仍担任柏林蘇軍司令官，起先，他和柏林美軍司令克萊將軍也來往得很親密，兩人時常在一起，並經常宴請對方的家屬。

但這種情形沒有維持多久，索柯羅夫斯基即開始利用他的地位打擊西方國家，兩人的關係日漸惡化，索柯羅夫斯基一反以前的溫和態度，後來他下令封鎖柏林，克萊將軍也以著名的柏林空運來對付。一直到他調離柏林之後，封鎖柏林的措施才停止。

四年前他奉調自柏林回國後，即從少聽到他的消息，很多人以為他初期和克萊將軍的往返密切，以及柏林封鎖的失敗，也許他和朱可夫步入同樣失寵的命運，但事情到今天已經明白了，他並沒有失去史達林的寵愛，史達林臨死以前，還將他擢升為陸軍參謀長，然而他與馬倫科夫的關係怎樣，恐怕還有待以後事實的證明。

對於戰爭的理論，索柯羅夫斯基堅決反對原子戰爭可以決定一切的論調，史達林生前，他阿諛諂媚的功夫做得極好，他說：「近代戰爭的原理，是二次大戰時史達林同志所決定的」，又說「世界上只有一種真理的軍事科學，那便是史達林天才所產生的軍事科學」。

他生得很漂亮，方方的下顎，寬而平的肩膀，體重兩百磅，身高六呎，只是外表雖然很溫和，但骨子裏的刻毒却是甚於蛇蠍的。（孟衡譯自「美國新聞與世界報導」）

華府社交活動小革命

△華盛頓的社交中心蘇爾格夫俱樂部▽

由於美國政府的更迭，華府社交生活也隨着起了小的革命，民主黨將政權移交共和黨，不僅使宴客的名單上大為改變，而且各種盛會也另有一種新的風格。

早睡早起

譬如說，政府各部門冗長的午宴已逐漸減少了，各部門首長與職員上班的時間也提早了，現在已難得有很晚才散的宴會。有人說，艾森豪內閣是一個早睡早起的內閣。

本來在華府，宴會是一件很重要的事情，很多的工作是在雞尾酒會或茶會中完成的。在國會外面活動的人用這種方式來與職員們接觸，外交使節、商人、國會議員與內閣官員來藉此交換意見，終日忙碌的各部門高級官員也可在宴會中乘機鬆弛一下他們緊張的身體和神經。許多任命是在這種場合中促成的，許多意見也是在這種盛會中交換的。

劃一社交步驟

但艾森豪政府就職後，總統和他的內閣已劃一他們對社交的步驟，他們盡量取消官式的宴會，婉辭外界的邀請來節省耗於社交方面的時間，直到目前為止，艾森豪總統夫婦僅在必要時宴請各外交使節和國會議員，並只接受重要而小規模約會的邀請，他已婉辭謝絕幾個大團體的規模龐大的盛會。

副總統尼克遜，眾院議長馬丁，國務卿杜爾斯和其他內閣部長雖曾為各種宴會中的嘉賓，但大多數他們只接受若干老朋友的邀約，而且很早就向主人告別辭去，實在他們有很多重大的事情待做，不容在衣香鬢影的盛會中多事逗留。

但無論如何，儘管各政要日理萬機，於情於理，有限度的請客宴會仍是免不了的，有很多首長如國務卿杜爾斯，財政部長辛弗萊，總統助理亞當姆斯都是在私邸中宴客的，但國防部長威爾遜和共和黨黨要人蘇默斐爾德，却喜歡在酒店中宴請賓客。

最多三百人

威爾遜、蘇默斐爾德和許多住在旅館中的華府政要，大多在特別私人俱樂部和酒店中設宴，而蘇爾格列夫俱樂部却是他們經常光顧的地點，那裏面有很靜穆的房間，同時食物的烹調也很可口動人。

在共和黨新政府執政後，一次最盛大的雞尾酒會也只邀請三百位賓客，每一個人的費用規定為三元至五元美金，也就是說，像三百人的宴會，所費也不過九百至一千五百美元而已。（由之譯）

如此勞工天堂

捷克新任總統柴普托基，在總理任內，對一個執行勞工法的機構大加申斥，並對捷克現在勞工工作時間比較過去資本主義時代為更長一點，提出了一個有趣的解釋，他說：「在資本主義制度下，共產黨人為每天八小時工作而鬥爭，給工人們以多餘時間來研究史達林主義和從事推翻中產階級。但在捷克，資本主義經已推翻了，所以八小時一天的工時是不復需要。現在，不僅工人們的工作時間每天八小時，而且他們的整個活動都已屬於國家！」（文）

西南地區春荒有增無減
饑民四百萬輾轉溝壑
逃荒者徬徨無措殺人充飢慘絕人寰

【本報訊】目前西南地區春荒程度，有增無減，日見慘重！據匪共黨報紙已不得不公開承認，據稱在四川，西康，雲南，貴州各省中，已共有一百八十三個縣份發生了程度大同小異的春荒。據偽西南行政委員會就已得報告材料的七十餘個春荒縣份的統計所宣佈的數字，即已有一百八十餘萬之多的人民宣告斷糧。據估計一百八十餘個春荒縣份的全部斷糧人民，當在四百萬人以上！現該一地區，已到處可見扶老攜幼之逃荒者自較近各鄉湧來。據當地報紙發佈消息：現重慶一地即有數以千計的逃荒饑民徬徨無主地東流西轉。各地饑民已大多以野菜野草及樹皮等物裹腹，因而發生便閉及中毒而致死者甚衆！尤其於四川之遂安、射洪、夾江、蒲江、眉山等縣，及西康之東區、雲南之西北一帶之饑民，竟已普遍發生自殺及殺人以充飢的現象。其悲慘殘忍的情形，實屬曠古罕聞！

該等地區之春荒所以如此嚴重，據當地農民表示，首先實爲去年多季因虫旱等災所造成之歉收及中共不顧一切照常征糧所致；其次則荒象呈現之時，各地中共當局掩飾事態，不予及時補救所致。如四川蓬安縣首先發現已因飢荒而至於死人之事，詎隱瞞兩月之久，過基本之荒情報告竟尙未報出。及至荒象既深，未可再事掩飾，各地中共機關亦祗知蓋荒了事，而不知設法展開急賑。共幹對人民性命之漠不關心，偽西南行政委員會對各縣之指責中，亦有所承認。

又訊：現偽西南行政委員會鑒於嚴重之春荒已動搖整個西南地區的社會秩序，深恐造成意外，除已飭所屬以急來求佛之勢動員救荒外，并通飭各縣迅即加強「治安」，提高警覺，「整飭」秩序，限制飢民流動。

中共鋼鐵、產量大降

【本報訊】據北平偽工業部在刊於報端的通飭各大行政區各省工業管理機構的訓令中揭露：目前大陸各地的鋼鐵工業鋼鐵工業生產情況普遍甚惡劣。據云一般的生產效率均已降低到百分之二十與三十之間。生產效率降低之原因，根據偽重工業鋼鐵局的研討，認爲係由於各鋼鐵工廠缺乏生產計劃，或有生產計劃而執行不當。其最主要錯誤現象，則首先在各部門只知盲目生產而未能密切配合，造成脫節及停工待料現象。其次則在各廠對於馬達、機件，大多未能善爲保養，常有爆炸損壞情事，以致亦影響生產。

福建農民不堪壓迫
展開無言抵抗
肥料缺乏春耕更困難

【本報訊】福建各省因去秋普遍歉收，一面使農民生活不濟，大多被迫動用種谷，致今年春耕之種谷大感不敷；一面使家禽減少影響肥料之存儲，致今年春耕所需之肥料大感缺乏。惟當地中共各地方機關，對農民種谷之缺乏，並不設法補救，而乘機以大量堆存之肥田粉向農民實施強迫購備，稍有不從，即行操家，甚至以「裝窮」、「頑固」等罪名予以鬥爭，乃普遍激起農民公忿。衆，生活既艱，春耕種谷又無着落，眼見春耕無法下手，今後生活，勢必益爲恐慌，乃相激相盪，終使各地農民相率掀起一無言抵抗運動，向中共展開消極抵抗。此種無言抵抗運動，即以人人裝聾作啞爲武器：若遇共幹上門，便只聽而不言；若遇共幹召集開會，便人人裝聾作啞，若無其事。共幹雖因而大爲震怒，惟既人人如此，亦感無可奈何！據悉此一運動，以建甌、南平一帶最爲堅決，

鞍山建屋料貴工劣
未用先塌損耗浩大
共幹低能事例不勝枚舉

【本報訊】最近偽東北行政委員會建築工程處曾爲鞍山鋼鐵公司建造大量職工宿舍的盲目設計，亂用材料，草率施工造成重大損失一事，作爲「基本建設」中之錯誤例子，提出檢討，因而暴露了共幹低能糊塗的又一內幕。

緣鞍山鋼鐵公司於去年多季在中共中央以「基本建設」爲名而擴大軍工業生產的規模以後，職工人數即驟增三十餘萬名之多，乃不得不添造宿舍，以資安頓。該等宿舍之建造，照俄籍顧問及建築工程人員的計劃，原以住用五年爲期，以十萬平方公尺的面積爲限，建造簡易宿舍。但經中共設計人員的盲目設計，首先便違背原則，鞍鋼領導當局雖經審查，亦未加研究，即照設計進行建造，結果：原來總面積限定屋與屋之間九公尺的距離一下子放寬到十四公尺，竟共佔用了一百二十萬平方公尺的土地，浪費了原面積的百分之一千一百之多。卽使道路，電綫，水道等等亦同樣增加了十倍以上的消耗。而且一般材料胡亂造用了可用一二十年之久的材料，亦增加了一大筆無謂的浪費。總計原來以四百億元可以造成的該組宿舍，竟耗用了一千億元之多，尙未能全部完成。且該一設計，將廁所造爲旱廁，與房屋間隔排列，天氣未熱，即已穢氣沖天，而醫務所，合作社，澡室等則設計在全部宿舍的一角，面積既大，距離較遠者，由此端到彼端便要跑幾里路之遙，浪費職工時間亦極可觀。據云尤不能容忍者：爲施工之極度草率：木架竟豎在房屋的煙筒裏，一經住用勢必起火；地樁不打實，房屋未住人便已向下沉陷；牆頭未叠穩，尙未住人便紛紛塌敗！

由此以觀，可見共幹顢頇低能之程度，實爲驚人！亦可見中共浪用人民膏血之情形，何等嚴重！據悉：亦因此之故，目前鞍山之房荒極爲嚴重。鑑該組宿舍大部未曾使用，現正在追究責任並設法改造中。

粵共展開四稅運動到處抄家

【本報廣州訊】中共粵中區高明鶴山等十餘縣近爲急於完成春季征稅任務，特紛紛展開所謂「擁稅」，「護稅」，「清稅」，「補稅」的「四稅運動」。由各縣分派稅額到各區，以區爲單位，定了一個滑稽的競賽辦法：製紅旗若干面，烏龜旗一面，成績最差者，即賞與烏龜旗以羞之；餘即賞以紅旗以獎之。各區於接受配額後，按例逐層向鄉、村分派。各區、鄉、村共幹爲急於完成此一任務，乃紛紛動員四出征稅。惟大多商人農民均無力一次繳納此項稅款，尤以補稅一項，事出意外，更無力繳納！此輩共幹乃竟急中生「智」，紛紛實行抄家，或被沒收食糧，或被搬走貨物，或被牽走耕牛農具，可謂如，已逼得鷄飛狗跳，一片混亂！曾一度造成半罷市狀態。現此種操家完稅醜劇尙在繼續中，凡被操出人農民，無不如喪考妣，哭聲載道！

大陸暴政煎熬下
肺癆病蔓延愈廣
在港搜購愛克斯光片
月達千餘罐趕運供應

【本報訊】大陸人民因生活困苦，營養不足，且因勞役過度，患有肺癆病者日形增加，情勢嚴重；惟本報已迭有報道，共方仍圖極力掩飾，大吹其國內人民生活如何康樂，說得天花亂墜，但百密一疏，紙包包不住火，消息仍不時外露，如大陸人民甚多委託海外親友購寄肺病特效藥，共方在港澳兩地搜購有關肺病療治藥品之事實可以證明。據共報披露，大陸批銷力大，X光非林及照像非林銷路極旺，一家英國廠家已經接到七月份付船訂單。據估計，單是X光非林在最近一個月內內運達千餘罐，足見大陸人民普遍患有肺病，前往醫院檢查照取X光片者，爲數龐大，迫使中共在港大量搜購膠片以應需要。

滬共改變儲蓄辦法
高利引誘吸收民脂

【本報訊】上海消息：上海市民在中共嚴峻控制下，對中共所施暴政，雖未至起反抗階段，但均採取消極態度應付，並因一般市民經已到山窮水盡地步，生活困苦不堪，對共黨所倡一切所謂「愛國運動」，更是當其無价事，不問不聞，儘管共方幹部如何宣傳脅迫，亦均無動於衷，故共黨在滬實行之強迫儲蓄政策，始終無法達到其預定目標，爲此滬共最近改變辦法，企圖以重利方法，引誘市民儲蓄，達到其搜刮人民財富之目的。

偽中國人民銀行上海分行，以其所施行之「有獎儲蓄」，對人民均不能收到預期目的，乃自四月份起重行修訂各項辦法，縮短期限，提高利息，增加中獎機會，圖吸收大批存戶供其利用。其改訂辦法要點如次：（一）存期改爲一年，每一整戶到期給息二萬元。（二）改進搖獎辦法，保證每十萬整戶內必有一個頭獎。（三）取消連環獎。（四）開獎日期提前爲每月五日，兌付獎金和到期還本，提前爲每月十日開始。（五）原有二年期存單一律改爲一年期。（六）獎金方面，改爲一年期後，每十萬整戶獎金共一億一千萬元，其分配爲頭獎一個獎金五百萬元，二獎十個，每個獎金五十萬元，三獎一百個，每個獎金二十萬元，由此辦法之改變，可見共黨心勞日絀矣。（北）

「貿易公司」統購下
大陸土特產品運往蘇俄東歐
換取戰略物資備戰

【本報訊】中共現正利用其在大陸各地所設之「貿易公司」，壓低價格，統一搜購土特產品，如八角、桐油、禽毛等，運往蘇聯及東歐各附庸國家，換取戰略物資。

由於自由世界對中共實施禁運，各國所採輸出管制辦法，愈益嚴厲後，中共雖用盡手段，在海外設立走私機構，利用華南各島嶼作偷轉運站，偷運戰略物資，亦無法滿足其需要；又在大陸各地發動各級幹部，組織所謂勘採隊，企圖發掘礦藏開採外，但此種方法有如「遠水救不到近火」，未能達到目前迫切需要，故命令各地「貿易公司」，強迫收購土產品，大量運往蘇俄各國，換取如鋼鐵、汽油等戰爭物資。即以廣西百色專區貿易公司爲例，去年一年中，投放於搶購土特產的資金就達偽幣三百五十餘億元，可見其搶購情形一般。但中共雖在各地放出大量偽幣，壓價收購人民所有物資，而人民實際所得本來已與貨值相差甚遠，損失不小，然在中共強迫儲蓄政策下，規定人民以售出物品貨款一部存入「人民銀行」，不能隨意動用，因此各地人民在此雙重剝削下，更是苦不堪言。（馬）

中共實行強迫儲蓄不能動用
人民售出物品貨款
雙重剝削損失難計

中共愚民更進一步
專設焚書機構
假託收購造紙原料
搜集文物大量銷燬

【本報訊】中共在俄帝嗾使下所施暴政，猶勝秦皇，已成鐵的事實，即以其「焚書坑儒」之行動，亦較秦始皇所實行者無止厲害十倍，視智識份子如眼中釘，大批屠殺，焚燬我國固有珍本書籍，篡改歷史，無所不用其極，已爲其一貫行動，且正變本加厲大力進行中。最近，據北平消息：中共爲進一步毀滅我國文化，赤化大陸人民思想起見，近由中共中央人民政府文化部及輕工業部，會銜命令各地工業和文化機構，由各大行政區工業部、各省工業廳以及各大紙廠所在地的工業管理部門，分別設立「造紙工業原料聯購處」，統一收購廢舊書籍，由文化機構部門派人參加，表面上對外宣稱是：舉凡遇有有關民族的、革命的、歷史的、科學的、文化的書刊資料，具有保存價值的，須即由該「聯購處」選出按原價收購，以免珍貴文物遭受損失；而實際爲進行其銷燬凡是中共所認爲不利其「革命」進行的圖書雜誌，均由該機構統一收購，予以毀滅作爲造紙原料。現各地共黨機構奉到此一命令後，已先後成立所謂「造紙工業原料聯購處」，主持此一焚書工作。（田）

穗共展覽
史魔事蹟

【本報訊】廣州中共黨徒於三月二十八日起，由「中蘇友好協會」發起在下九路中區文化分館舉行史魔生平事業圖片展覽，展出的圖片有：「史大林早年活動照片」、「史大林油畫像」、「全世界勞動人民的領袖——史大林永垂不朽」、「莫斯科史大林追悼大會情形」、「史大林故鄉格魯吉亞共和國」等，及史魔著作外文版本，發動全市街坊組織，強迫每戶派代表前往參觀，并於參觀後向人民說教。該會並準備繼續巡迴至其他各區展出，大事宣傳。（木）

婚姻法下冤魂日多
東北電工四廠
三女被迫自殺

經中共一再大力宣傳婚姻法後，大陸女子之主動擇偶風氣業已大熾，惟婚姻意志，仍無自由，反將原爲父母所有之同意權操入共幹之手，且每遭橫加阻梗摧殘，致年來大陸青年男女因此自殺者，爲數極衆（死者女人尤多）。此種情形，雖已被中共視爲偏差而已大規模進行宣傳並大量訓練幹部，以圖糾正。惟一般幹部之偏差因年久習深，一時仍難見效，致目前大陸因婚姻受阻或受辱而自殺者，仍日有所聞。

即以東北瀋陽日報所披露之東北哈爾濱電工四廠爲例，在上月廿二日至廿六日五天之內即有一女護士及兩女工因此被逼自殺。自殺者一名馮睿璞，係該廠醫務所護士，係青年團員。曾與同所醫生楊玉樹戀愛，因楊非團員，不僅申請未准結婚，且連遭組織干涉、壓迫，乃至以鬥爭方式公開予以凌辱，乃羞忿厭生，終於自殺！一名儀素文，係該廠女工，亦因遭該廠共幹干涉，侮辱，乃忿而自殺！一名韓麗萍，係化驗室女工，曾與工程員莫宏達戀愛，被該廠總支書記王常業警告，並惡罵她爲「不要臉的婊子」！乃忿而當場抓了紅礬就吞，王視若無睹，毒發後亦不予救治，終告曲死！

南京趕建工事
工人傷亡慘重

【本報訊】南京於入春以來，即以「基本建設」爲名，以爲各要塞警衛工事及各機關大廈大興土木，但因各工地領導幹部，依舊只顧盲目硬趕任務，罔顧工人的健康和安全，致因工成病及因工受傷或慘死的工人極衆。僅南京市建築工程公司一個單位在浦口一地的一千九百五十名工人中，因工成病的就有三百二十餘人之多！因工受傷的更有五百四十餘人之多！當場慘死的也有五十餘人之多！其他各處，如籌市口，三汊河等較大工地，亦大致相似，工人傷亡均重！尤以最近在兩浦、門東、門西、上新河、淳化鎮、湯山，燕子磯一帶翻修道路、涵管、橋樑等，工程益形繁劇、緊張，工人傷亡人數更見激增。其傷亡的具體情形，則有的是挖土傾塌，因壓傷或壓死；有的是因體力不支從高處下墜跌傷或跌死；有的被機器軋死；有的是操勞過度嘔血而死。至於染病者的病象，則類以癆損、肺炎爲多。工人對此種悲慘境遇，雖曾一再要求改善，終每爲中共領導幹部壓拒不理。工人們因逼於威脅，不得不低頭忍受，以自己生命爲生活之賭注，與死亡相掙扎！此種情形，在中共南京當局雖耳聞目見，亦無動於中。中共視人命本如草芥，工人命運，實尤爲悲慘！

「思惟決定存在」！

爲方

自由談

史大林臨死之前所導演的猶太醫生謀害俄共頭目把戲，轟轟烈烈，驚震世界，俄共集團內部，且因此而掀起了大規模的整肅行動。當時自莫斯科以至各附庸國的官方宣傳，一口咬定這是西方帝國主義者有計劃的陰謀，證據確鑿，毫無疑問。

史大林死後不久，俄共忽宣佈那九個醫生無罪，說他們過去的供認，都是由非刑逼迫而來的。同時，又將榮獲列寧獎章的告發人反坐，褫奪其獎章。這項出爾反爾的把戲，姑不問其內幕是否具有政治鬥爭性質，先教世人理解幾點無可爭議的事實：即俄式共產政權下的功罪是非，完全不需要事證，隨便以意爲之，統治者愛怎樣想，就怎樣做，而且慣用非刑逼供的手法，打殺勿論。套用一句共產仁兄的術語，這叫作「思惟決定存在！」「唯物辯證論」乃成了鬼話連篇的胡說八道。所謂列寧獎章也者，俄共們素來視爲神聖的榮譽象徵，經此反覆蹧蹋，已與垃圾箱的廢物同其價值。記得民黨要人李烈鈞在生時，曾將北洋政府大總統黎元洪頒給他那陸軍上將勳二位的勳章，拴在哈吧狗頸上作裝飾品，列寧獎章今後也只有成爲哈吧狗的玩藝了。

最有趣的是香港的共產報紙，悄悄然對此項新聞一字不提。他們大概想起過去宣傳猶太醫生謀害案太過火了，心裏有點難爲情。若然，那還算是殘存着些許羞惡之心的人性，未可厚非！

血濺北屋

·鐵幕新聞故事·

·沈著·

陳運關近來常偷偷地躲在屋角裏咽咽悲泣，淚如泉湧，說不盡的有一肚子苦處，使她覺得天昏地黑，眞的已到了生底盡頭！

嫁不着丈夫眞是一世苦！陳運關自從嫁到了獲嘉縣師莊村的逯清運家裏，就沒有過着一天快活的日子。粗蠻兇惡的丈夫逯清運從沒有一刻會溫馨地把她當妻子看待，即使是同床共枕之時，她也不過只當時作了他的洩慾器而已。她在逯家的身份，實實在在是一個牛馬般終日操勞的奴隸。雖然十多年來她曾小心翼翼、巴巴結結地侍奉翁姑和丈夫，也曾替逯家生下了傳種接代的兒子，却仍不能絲毫改變她被丈夫虐待的惡運！過去，她不得不以爲「前世不修」而向「命運」身上一推，逆來順受的挨了過來。唯一使她還有生存的興趣和勇氣的，就是她的兒子。她從來不會想到要拿離婚來反抗這種虐待。

然而「解放」以後，共產黨的女幹部們川流不息地到村子裏來宣傳「婦女解放」：宣傳新婚姻法，鼓勵「婦女翻身」，並且川流不息的到陳運關家裏來作家庭訪問。她們都衆口一詞的鼓勵她非提出離婚不可，她們都說婦女會一定會替她撐腰包打官司。誰能說像陳運關這樣的人不該離婚呢？陳運關當然爲之心動。

可是「解放」後，陳運關的身還沒有開始「翻」，一向虐待她底丈夫逯清運倒已先做了紅朝小新貴了：逯清貴的兄弟是威勢赫赫的共產黨的「鄉支書記」，兄以弟貴，逯清運也當了村「人民代表會」的「主席」。老百姓都得向他低頭，何況一向作爲他的奴隸的陳運關？因而她的離婚念頭只浮影一掠，便杳然逝去。

但陳運關底被丈夫虐待的情形既因她的丈夫當了「主席」而愈來愈惡劣；共產黨的女幹部們來慫恿她離婚的游說也愈來愈多。她們都叫她不要膽怯，她們都說這是「毛主席」的命令，誰都不敢違背。也是「毛主席」給婦女們的恩惠，應該大胆地接受。

「對！」陳運關心裏這樣想，終於有「拿命運拚一拚的決心：她立即跑到村婦女會去提出了被丈夫虐待的控訴，要求離婚。

「好！讓我考慮考慮，明天答復你。」婦女會主席江彩珍這樣回答她。眞是冤家狹路，詎知這位江「主席」剛是逯清運新軋上的姘頭——不，應該照共產黨的稱呼：同志——她並不一定反對她離婚，只是想先和逯清運「協商協商」。可憐陳運關却就在這兩位「主席」「協商」之後，又遭到了一頓死去活來的毒打！也就在這一打之後，「大不了一死」的念頭油然而生，於是便橫了心向上級去控訴、離婚。

她先到「鄉政府」，剛碰上她的小叔——全鄉權力最大的鄉支書記逯清貴。她沒說上幾句話，便被直截了當的回答了一個「不准」；理由是「妨礙家庭生產」。她接着便到「區政府」，副區長安喜龍都知道她告逯清貴的嫂嫂，便推說了一句：「回村裏去解決」不予受理。

她實在「想不通」，便轉而去找那些慫恿她離婚的女共幹，可是她們只有宣傳的任務，却並不負有眞正替她解決痛苦底責任。這樣，她當然已不敢回去，想想只有一死了之，便啼啼哭哭的想跑到河邊跳河！正當此時，她的小叔逯清貴恰巧帶了兩個民兵尋了來，將她拉拉扯扯的趕回到家裏去。

這時的逯清運已以獨夫當關之勢一臉殺氣的等在門口，陳運關一被拉到門口，便被逯清運狠命一拖一推，推進了他們的北屋，隨手關上了門，拾起了一把柴刀，向陳運關劈去！陳運關雖然曾經想自殺，但要被別人殺害時，霎那間的掙扎是人的本能，她看到逯清運的刀劈過來，一面逃，一面狂呼救命！這時的逯清貴和兩個民兵却正靠着北屋的窗檻在瞪着眼呆看這齣悲劇的演進！他們看到陳運關披頭散髮，狂呼救命，和逯清運在繞着庭柱兜圈子！他們眞是「堅強」得太「偉大」的布爾雪維克化的「革命同志」——見死不救！

「嚓！」陳運關終於在無救的情形下被逯清運隔庭柱一刀飛砍過來砍倒了！不待掙扎，逯清運已跨上一步，拾起刀又亂砍了十七八刀，殷紅的鮮血濺向了北屋一角的粉白牆壁，濺滿了逯清運的一身，又流滿了庭柱近旁的一地！

受盡了虐待和慫恿而想離婚的陳運關就這樣毀滅了！她的薄薄的棺木當天便從北屋裏抬出去埋入了野外的泥土中！但如果人死後眞有所謂幽靈能體察人間的一切的話，那末陳運關躺在棺木中被抬過村子沿途的時候，她依然聽得女幹部們在宣傳「新婚姻法」，宣傳「婦女解放」，鼓勵「婦女翻身」；也依然看得見「鄉支書記」和「村長」之流的紅朝新貴那種生殺予奪，威風凜凜的神情！

（註：本故事出於河南省獲嘉縣，見三月二日人民日報。）

見死不救

據說西班牙國王費烈三世，冬季坐在火旁，因爲熱度太高，差一點就要把他悶死，但在十七世紀的宮廷法令，禁止他起身，同時也禁止侍從進入。有一位波達特侯爵走進來，但他不能把火弄熄，因爲那是綏薩達公爵的職務，他不能越權，於是又走出來。所以費烈仍坐在那裏，終於頭部中了丹毒而死去。

又查理二世的王后，有一次騎馬出去，她的馬直立起來把她摔下，但她有一隻腳套在馬鐙裏，因此被拖出很遠。根據當時皇家禮法，沒有男人敢於接觸她，但在危險萬分時，有兩個鄉下人突然前去救助，一個人拉住了馬，另一個人把她的腳從馬鐙裏放出來。這兩個人事後都逃跑了，但又被國王的差人追上，差人告訴他們王后已經饒恕他們的死罪。

·皇·

新·世·說·補·遺

希特勒攻俄何以失敗

一九四一年六月，希特勒以獅子搏兔之力，進攻蘇俄，預期至多三閱月即可下莫斯科，打通歐亞，完成納粹帝國雄圖，計劃固極周密。然中途竟蹶躓於史大林格勒，終至身死國亡，爲天下笑。世人多歸咎於德軍兩面作戰之失策，詎知其眞正敗因，根據各種可靠史料，乃別有所在也。

希氏原定攻俄時期爲一九四一年三月初，曾先派其納粹黨副領袖赫斯，喬裝逃亡客，攜祕密條件，駕機飛倫敦擬與英政府議和。旋日本政府因德蘇互不侵犯協定締結後，深感處境尷尬，特派外相松岡洋右訪德密商，訂期三月下旬到達柏林，希氏乃將攻俄時間延展至四月初。德外交部長里賓特洛甫，妄而佞者也，斯時獻議其元首，爲表示德國威望，堅定日本信心起見，或遍召東歐巴爾幹一帶已在德軍控制下，或已淪滅德國之各國行政首長，於松岡洋右行抵柏林前夕，齊集德京，藉彰「萬國衣冠拜冕旒」之雄風，使日本目擊德國確已獨霸歐洲，不可一世之景色，希氏可其議。顧南斯拉夫獨不應召，奉其年方四歲之國王號令，抗不屈從。納粹軍即予膺懲，以爲跳梁小醜，旦夕可平也。然結果竟至興兵二十萬，耗時一月餘，始告征服，實出希氏意外，而大舉攻俄之期，又不得不稽遲至五月矣。德軍原定作戰計劃，擬乘蘇俄大軍分駐在波蘭及波羅的海岸三小國與烏克蘭各地時，不知不覺之間，猝行閃擊包抄，實施大殲滅，即可於冬季前長驅直入莫斯科。倘以赫斯飛英尚無確訊，逆料英方必可同意與德國無條件媾和，併力伐俄之提議，故將攻俄時間再延至六月，佇待佳音。在此遲延之際，英政府除嚴密封鎖新聞，禁截赫斯消息外，併將赫斯所供密謀，通知史大林，俄軍急自東歐各地紛向內境撤退，積極備戰，迨德軍發動進攻後，原定大殲滅計劃已成泡影矣。

希特勒立意攻俄之始，曾遍招歐洲各地白俄合作，白俄以其能反共除暴，亦皆願效死力。然希氏狃於其納粹主義之哲理，認波蘭與俄羅斯等斯拉夫民族，胥爲天生受治於人之劣質人種，不足扶植也。德軍所至之地，必以日耳曼民族移殖而統治之，擬盡驅俄人於西伯利亞及東北亞洲地帶。當德俄戰事發生前，希氏即已任命全俄總督，將來再由總督隨時隨地委派分督，曾劃各佔領區域，全俄總督且在柏林正式辦公。白俄聞之大沮喪，以德軍目的並非解放俄人，乃在滅亡俄國也，相率望望然去。旋德軍每攻略一地，對俄人殺戮虐待亦甚烈。史大林藉茲珍貴事實，大力宣傳，激起全俄軍民愛國思潮，一致團結抗戰，而納粹帝國之夢，遂告破滅。

綜此數項因素，希氏敗亡命運早已註定，固不待同盟軍諾曼第登陸而後使之然也。

馬五先生

惡魔和狐鼠

遯周

在我們的意識裏，狐是奸狡的動物，牠和牠的同類「犬」是截然不類，不拘牠倆的形狀如何仲似，犬有忠義，狐却代表奸狡。牠何所施其奸，又何所施其狡？在獸之國，牠够不上猴的智慧，更够不上獅和虎的勇猛，爲什麼牠却能蝠然特異的超出其羣？不幸，牠所獲致的稱號，是普遍的給人以一種厭惡的印象。

鼠，那更是微不足道的么麽之輩，由於牠覓取生存的技巧，是太過於陰險而且險而不給人以既恨且憎。即或由漫畫家筆下渲染些「浪漫帶克」，在銀幕上製造些一笑料，也無非是低級的不够深切欣賞的一套小東西。可是，在有些場景下，此狐，此鼠，又居然玩弄出甚多給人「景仰」的動作，不過那是牠偶然的機遇下，托身在所「憑藉」的巧合下，搬演出一場喜劇來。匪魔正是所憑藉的「馬列史」牢之謂，何所謂「金城湯池」牢不可摧的城社，其實呢，那是經不得情理性的考驗，試看四年來大陸上「得民心」的演變，試看這號稱「民主之窗」香港的輿情和民氣的轉向，眼見匪魔幫行將與牠們那所憑藉的城社同告摧毀了。

在我們的古諺中，有「城狐社鼠」這句話，眞個是洞澈世理，識透物情，其間包羅古今英雄豪傑的評價。君不見「尚書」「宮保」之家的左右鄰舍，竟然用之於死人光榮的銘旌，推而至于一塊踏腳石，也就因爲有英皇加冕時的一踏，陸地成爲史蹟。再推而至於野心逞慾之徒的假藉名器，自我陶醉，更不免仇快親痛的難所言宜。人世間的角逐紛紜，若干的興，同時也就不免若干的城社坍毀，在此一新與一坍毀中，許許多多的狐鼠，在串演一幕幕的喜劇或悲劇，當然也有些機敏的由坍毀的城社走進新興的城社，[illegible]牠倆是無法超脫于城社以外的境界，[illegible]也是可看城社的形態了，「京」「貴」，「帝」社，「城」「山」「城」「鄉」社，[illegible]其乃山乃鄉的卑與賤。狐鼠的本身，是決不能運用任何「機巧」來改變牠的「身價」，是由牠的所憑藉所藉，却可轉移牠的「一身」同看待。帝王家的和尋常百姓家的，怎奈花不常好，月難常圓，金城又何能永固，社也不免廢墟，昨日金城社裏的狐鼠，今朝又悽悽惶惶的在斷殘荒廢中奔跳，奔跳復奔跳，運也就是較更能發揮牠那原來具有的幸運。奸狡另一本能，當然其中有不少是隨着轉入另一金城社，社的殘破荒廢，給淘汰斷滅。克里姆林宮，在史大林死後，「自」告摧毀，從此妖氛廓清，也就是狐鼠絕蹟，城社也就不會有其作用，馬林可夫云乎哉，毛澤東云乎哉，不值得一談了。

由史太林談到美國人的長壽（下）

·狷士·

麥博士辦理老年人學校的念頭遠在三十年前：他担任干薩斯州州立學校哲學教授。偶然興之所至，試辦一班老人班，都是些年逾八十的老人，結果成績尚佳，老年人交換意見發生濃厚興趣，上課下課變成了他們固定的好玩意，使得麥博士驚喜過望，於是想把這個辦法普及全世界，於廿五年前，開辦了這個老人學校。該校沒有捐款，不收學費，其唯一條件，學生須年逾古稀以上，學生有住在本地的，也有來自鄰縣的，學校有教室，有大會禮堂，缺席的很少。麥博士有時向他們講演，但是很多的時候，都是由學生自己演說，自己講故事，或唱歌，自己把各人自己的嗜好及玩意，說出來供諸同學，他們共同的嗜好大概是蒔花、讀小說、繪畫、有的鋸木割草，有的研究音樂，也有製造或修理風琴與樂器，有一位百歲老人酷嗜電影，數年來每逢新片出映，從未間斷一次。有一位九十六歲的自己製歌、度曲，有一位九十一歲的補鞋匠至今還在做他的勾當。還有一個九十六歲的老婆婆替她八十歲的乖兒子管家，這些學生當然都是自食其力的。麥博士認爲老年人並不需要特殊攝生法。所有體力衰弱，骨骼酸痛，神經虛耗，以及種種病症都不一定是年老人所有的，而彎腰，駝背，衰弱現象都有方法避免，只須施以適當的指導，注意，及鼓勵。該校有十個信條：（一）是吃的東西要清淡點，不宜油膩及辛辣刺激之物，每餐多吃小菜及水菓。（二）吃的東西要固定而按時。使之易於消化，那麼排洩也可按時而輕快了。（三）各人應有一種嗜好，可借此促進人生興趣，使身心有所寄托，而最優嗜好莫過於室外輕微運動等。（四）是多晒太陽，多吸新鮮空氣。不論晴雨，要走路或乘車。（五）養成不怕風雨每天讀報習慣，對於政治、國際、游戲各欄儘管接續讀下去，使得你每天都要讀下去，像是很忙的樣子。（六）對於聽講，看戲，參觀遊藝，或閱讀小說，要養成一種嗜好。（七）養成交游習慣，常和別人往來交際，以免孤寂。第八，是不要發牢騷，不許說勞人的壞話或批評他們一切，忌說出「一年不如一年」的感慨，打消復古思想，及追懷往昔的情緒。第九是和教堂裏保持聯絡，追隨他們做些社會上活動事業。第十是養成樂觀習慣。凡事認定一息尚存一切都可以辦到的，即不幸奄然物化，精神亦可長存不死。

現在的美國，大概每十萬人當中有三個是活到百歲的，全國百歲老人共有三千九百六十四位。近年以來，衛生及醫藥事業之進步，使嬰兒死亡率爲之銳減，但不能使老年人延年益壽，却是美中不足之處：因爲在美國，七十歲以上的似乎很多，而百歲以上老人未見比前一個世紀增加，這是麥博士認爲增加壽命有絕大可能性，所以斥私財開辦這所老年人學校。他的老學生大半都是中產以下階級。

實際上，外國活到六七十歲以上，還留得飽滿的精力幹出一番轟轟烈烈的事業來，並不算是奇蹟，可是我們中國人，剛到耳順之年便露着「風中殘燭」的衰態，甚至有五十許壯年人也裝出一副老氣橫秋的樣子而欲優游林下以終餘年，眞不能不爲我們民族的體力捏一把汗！

中華民國僑務委員會僑發登記證台數新字第一零二號

自由人

THE FREEMAN

（半週刊每星期三六出版）

（第二二〇期）

每份港幣壹毫

督印人：李光華

社址：香港高士打道六十六號

電話：二〇八四八

GLOUCESTER RD. HONG KONG TEL: 20848

承印者：東南印務出版社

地址：高士打道六十四號

台灣特派員辦事處：台北市[illegible]街五十號

台灣總經銷處：台北市[illegible]新號五九四之一

台灣郵政劃撥儲金帳號九二五二號

彷徨歧路的緬甸

·陳克文·

緬甸控訴自由中國案，是投機取巧的騎墻政策，這一政策乃追隨印度的所謂中立政策。勢將引火自焚，非至焦頭爛額不止。此舉不足以影響反共游擊隊的活動和發展。緬甸應本過去中緬合作精神與自由中國及民主國家緊密合作，才能保持眞正獨立。

緬甸於一八五二年亡於英國，過了一百年的殖民地生活。二次世界大戰後，始脫離英國而獨立。大戰期間，中緬合作，開闢滇緬公路，其後又有史迪威公路（中印公路）橫過緬境。緬甸獨立加入聯合國，我國曾予以道義上莫大支持。中緬關係之深，友誼之篤，實非平常可比。獨立後，美國對緬甸的經濟援助，更爲此一新興國家能够卓然自立的力量根源所在。緬甸爲大英聯邦之一員，又爲佛教國之一，故就緬甸過去的歷史，目前的國際關係，乃至於未來的發展言。緬甸和自由民主國家的利害關係遠勝於和共產集團國家的關係，這是很顯明的。誰能想得到，她的統治者竟在最近利用滇緬邊境的反共游擊隊問題，自行宣布停止接受美援，向聯合國大會提出控訴自由中國的要求？據報傳她還暗中與中共勾結，打算締結甚麼密約。這種昧於利害，引狼入室，離奇怪誕的幼稚行動，豈是稍具國際常識的政治家所做得出的？

但吾人稍一研究緬甸目前的處境，及其國內實情，便可明瞭此一矛盾現象的產生，亦並非沒有原因的。

統治階級目光短淺

緬甸國土，全境祇有五十九萬七千餘平方公里，比我青海還要小些。人口僅得一千六百餘萬，和我廣西一省差不了許多。在東南亞新興國家中，地位最低，力量亦最弱。北面與我滇省接壤，受中共的威脅甚大。且國內派別分歧，只就互相對峙，常攻殺的武裝團體說，便不下七八種之多。有主張分立建國的，有主張維持統一的。更有受共產主義操縱，企圖赤化全緬的。戰禍相尋，生命破壞，和平統一的局面，始終未能確立。在這種內憂外患，相煎逼的局勢之下，目光短淺的統治階級，因爲求一時的苟安，自然容易爲中共的威脅利誘所動搖，而不暇計及國家的長遠利害。共產黨的拳頭近在眼前，民主國家的援助則遠在大西洋或太平洋的彼岸。統治階級投機取巧，飲鴆止渴的心理，便由此產生。一個緬甸政府高級官員曾經對美國新聞記者說過：

「我有老婆，還有三個孩子。我不敢觸怒共產黨。我們不知道，將來誰能在緬甸得勢，我受苦也經夠了。……美國會爲我們作戰嗎？果然如此。緬甸將陷入可怕的分裂。共產黨將在外面侵略我們，又從裏面搗亂我們，……中共在幾星期內便會佔領我們。……我們能做甚麼呢？我們是小國。戰爭已破壞緬甸，任何足以引起戰爭的政策，我們都不願意接受。在緬甸，你可以看見戰爭的可怖，一個富庶國家，已經爲戰爭破毁。我們不再希望戰爭。……美國和我們相距很遠，中國和我們接壤，二者之內，我們實在難於抉擇。……我們很怕共產主義，政府怕，大多數人民也怕，但在共產主義與另一次戰爭之間，我們寧願要共產主義。……我們願意民主，我們歡迎民族自由。但美國海軍和英國陸軍距離甚遠。我們還是不要過於觸怒共產黨爲佳，誰能知道，他們不會是勝利者？」

缺乏國際問題的眞正理解

這一官員的話，很可以代表目前緬甸統治階級對於國際問題的一般不健全心理。第一，他們缺乏國際問題眞正的理解，對於國家利害，純採一種揣測和投機的心理。在兩大勢力未決勝敗之前，保持騎牆態度，模稜兩可，以爲如此便可以免禍。第二，雖明知民主自由之可貴，但怵於戰禍，和近在眼前的共產黨威脅，便不惜向共產主義表示投降，以討好侵略者換取一時的苟安。第三，英美的力量相隔太遠，遠水救不了近火，好漢不吃眼前虧，凡事不敢觸怒共產黨。緬甸統治階級一切違反正道，只顧目前，不計將來的錯誤幼稚政策，都是由此種不健全的矛盾心理產生出來的。

這樣徘徊歧路，進退失據的政策，也便是所謂中立政策，或者所謂第三勢力政策。這政策的領導者和創造人，便是印度的尼赫魯總理。緬甸的外交政策，是離不開印度的。離開印度，緬甸便沒有外交。所以緬甸一家大報紙說，緬甸不先考慮印度的外交政策，就沒有外交政策。所以有人說，緬甸的外交部長便是尼赫魯。此話雖近刻薄，事實確是如此。上面那一位緬甸高級官員還有如下的一段話。

『我認爲共產黨很不容易來……最重要的，在外交上，我們和印度一致。尼赫魯說，印度決不至爲中共征服。……在這方面，我們必須相信尼赫魯。外交上緬甸和印度採一致行動。生死與共，我們的命運不能與印度分離。』

印度領導緬甸

緬甸原爲印度一州，一九三七年才與印度分離，直轄於英倫殖民部。緬甸一千六百餘萬人口中，印度人佔一百十餘萬，在文化上，宗教上，經濟上，緬印的關係均極密切。緬甸追隨印度，受印度的領導，原係極自然的事。不過因此便抱着安全的錯覺，以爲有印度撐腰，即可避免共產黨的侵略，那眞是駝鳥政策，幼稚得可憐了。不要說，騎牆政策，投機取巧，不足以阻止共產主義淹沒緬甸。假使不是韓戰把共產勢力阻止於三八線以上。現在中共勢力恐怕早已越過喜馬拉雅山，控制整個印度了。尼赫魯可以藉聯合國堅強抵抗蘇俄集團的擴張，高唱第三勢力，標榜中立。緬甸蕞爾小邦，也學尼赫魯玩弄戲法，眞是惹火自焚，不至焦頭爛額不止。

然而，直到目前爲止，緬甸之控訴自由中國，停止接受美援。也不見得已經決心脫離自由民主陣營，甘心降服於共產集團，效中共之一邊倒。試看控訴案最近的發展，據傳緬甸已經表示，只須反共游擊隊有二三千人從緬境撤退，亦即適可而止。可見緬甸這一次的行動，仍不過是不願觸怒共產黨的騎牆態度。此種投機取巧的政策，雖屬不智，民主自由國家也正不必過爲已甚，逼上梁山，使緬甸整個陷入中共的詭計中。

反共游擊隊不至受大影響

緬甸此一行動，是否即對於反共游擊隊發生嚴重打擊呢？事實決不如此。中緬邊境，尚未定界地區，不下七萬七千平方英里，約略與台灣面積相等。此等未定界不只緬甸無權管理，且亦非緬甸能力之所不及。據外電消息，此等地區，反共游擊隊，新近人數大增，多爲回教徒，持有身份證，證上印有『殺共倒俄』字樣。可見游擊隊的發展和活動，是不會受緬甸暫時政策影響的。

我們於此，願正告緬甸當局，共產黨的威脅是不足怕的。共產黨的陰謀詭計，決不能以敷衍苟且的政策來對付。尼赫魯的中立政策，更不是對付共產主義的有效政策。艾森豪威爾說得好，徘徊遲疑，畏葸軟弱，將自趨滅亡。緬甸今日應一本過去中緬合作，抵抗日本侵略的精神，與自由中國及民主自由國家緊密合作，才能够阻止共產主義的洪流，保存緬甸的眞正獨立。

我們應進軍鴨綠江（上）

蒲立德作　易安　王錡合譯

橫亘在朝鮮的花崗石山脈，像一具恐龍的骨架在躺着，龐大的背脊、頸骨、頭顱、腕、腿、等，各式各樣的山巒，向北起伏綿亘，而達於鴨綠江，每座山脊都控制着許多山谷，戰鬪就在這些峯巒之間進行。

共軍無情的大砲，不斷的對南韓軍所駐守的山谷轟擊，山巖震裂，碎石橫飛，祇有聯軍的飛機臨空時，才造成暫時的沉默，可是轟炸機投彈南歸之後，共軍的砲火又繼續發射，粉碎的花崗石已被灼成慘白的顏色，而朝鮮共和國的軍人仍堅守不退，這種與陣地共存亡的愛國精神，就是他們獲致今日命運的原因；如是堅守，南韓軍自不免死傷，但是到了短兵相接時，南韓軍的手榴彈和刺刀，就能收回足够的代價的。

山頭爭奪戰

東方凡爾登之戰（第一次大戰時法德兩軍在凡爾登相持極久爲戰史上最有名的戰役——譯者）就這樣日復一日的在進行，如果共軍攻佔了一座山頭，南韓軍必定反攻奪回來；法國人在一九一六年戰場上所喊的「不准他們過來」口號，如今是朝鮮聯合國軍的格言，他們固然不能「過來」，但我們也沒有「過去」，如是朝鮮戰爭演成了僵局。

我們的政府（指美國）曾一度用殺傷共軍的策略，來壓迫他們接受我們最低條件，這自然是充滿希望的想法，然而共軍與聯軍傷亡的比例，逐月在縮小。紅軍士兵沒有戰鬥時，都在掘戰壕，他們地下的掩蔽處所和指揮部，都在離地二十尺到三十尺以下，交通壕溝也有八尺到十尺深，他們把大砲藏在隧道裏，所以除了他們出擊而外，是難於發揮殺傷的效果；而且共軍現有俄製大砲的數量，已十倍於一九五一年的夏季，（那時他們引誘我們和他們的政府中了他們的和談奸計）所以我們和他們的傷亡比例，到現在已經只有一比三，甚至一比二了，而在我們的傷亡中，則以南韓軍較佔多數。

在這種形勢之下，俄國用的是中國人力，絕不會有缺少的感覺，自然不會命令毛澤東停止屠殺美國人或者南韓人，以節省四億五千萬中國奴隸的性命；所以縱然談判，他們仍會拒絕我們的條件，除非是我們接受一種條件，讓亞洲人覺得是美國的朋友被出賣了。那我們又將如何呢？

遣俘問題

第一，假若我們同意在我們手裏的反共俘虜強制遣還，那我們隨時都可以實現和平的幻想；但是一萬四千多名俘虜，業經證明寧可自殺，也決不願回到他們共產黨的主子那裏去；因爲他們知道，回去之後，在被處死前，還得受一番酷刑的痛苦；假若我們能做出這種違反人性的行爲，那無異是將我們的道德水準，降低到和共產黨的差不多了，則此後所有憤恨共產黨的人們，——不僅亞洲人，當然也包括歐洲人，——都將憚於和我們合作，甚至恥於和我們爲伍了；因此，我們不能放任反共的俘虜，去受刑至死；否則，我們將爲世人所不齒，而喪失了我們的尊嚴。

維持僵局

同時要注意，無論俄國表示什麼承諾，我們都不能得到什麼保證，以保衛朝鮮的和平，因爲他們祇要一朝發現破壞承諾，對於他們有利時，他們就不惜破壞的。

第二，縱然不希企勝利，我們仍在朝鮮繼續戰鬥下去；這就是杜魯門艾契遜所執行的政策，以談判從事戰爭，而不爭取勝利的政策，但是結果，美國人的傷亡，已達到十二萬六千多人，今後要繼續執行這種政策的話，其代價每年大致將要犧牲五萬人。（節譯三月份讀者文摘）

本週展望

·雷嘯岑·

五國聯防會議與香港

美英法澳紐五國的軍事人員，最近在檀香山舉行祕密會議，協商聯防計畫。事後雖然沒有公報發表，但其重要性可以想見，而且有關香港的未來前途，深堪注意。

過去美澳紐三國對太平洋方面的聯防計畫，並未邀約英法參加，英法曾因此提出過抗議。當初不邀約英法參加的原因，大概係基於政治性的考慮，即英法在太平洋區域尚擁有殖民地，而這些殖民地又正有戰事。所以，美國不欲俄共集團藉此作攻訐「美帝」的口實。

現在形勢丕變，俄共集團大倡和平，要求停止韓戰，他們葫蘆裏賣的甚麼藥，尚不可知。然韓戰若停，東南亞方面將見從此多事，却是不可否認的趨勢。如是乎，三國聯防的祕密會議不能不邀約英法參加，變爲五國的集體行動了。

在這次聯防會議中，香港的安全問題一定列入議程，因爲這一據點的作用太大，要保障東南亞的安全，即不能漠視香港！換言之，今後的香港，將在民主陣營強大的海空權威力掩護之下，萬無一失。

記得一九五〇年夏間，有一位由港移家到台灣的老軍事家告訴筆者：「我因生活關係不得不避地到台灣去，實則香港絕對是安全的地區，即令三次大戰發生，香港也是無恙的」。看看現時世界局勢的演化，他這項觀察可說是有遠見啊！

關於台灣問題的謠傳

近日以紐約時報爲首，在西方輿論界掀起了一陣對台灣問題的謠言攻勢，甚麼聯合國托管啦，建立台灣共和國啦，眞是謠言滿天飛，儼然有其事！

在韓戰有停止可能的目前，各式各樣的謠言和幻想，都必然要產生，這是應有現象，不足怪異。美國雖然信誓旦旦，已表明其決心不出賣朋友的決心，但自由世界之中，想以出賣台灣爲孵化「亞洲狄托」臭蛋的陰謀者，亦大有人在。美國如果不顧信誓與未來禍害的話，東方慕尼赫的惡作劇，未嘗無人導演哩！

謠言也能[illegible]，陰謀也能[illegible]，總得研究其實現的可能性。開羅宣言明確地指定台灣歸還中華民國，中華民國政府不請求聯合國「託管」，聯合國有何資格和理由來越俎代庖呢？中國政府不承認，所謂「台灣共和國」，難道聯合國能派遣「聯軍」來[illegible]，更屬妙想天開，不成情理的幻夢。那素號消息靈通正確，以能代表華盛頓官方意見著稱的紐約時報，爲甚麼會提出這類怪話來呢？這是美式新聞記者的作風，不能說他們完全是胡說八道。當一九四九——五〇年之間，杜魯門、馬歇爾這些當政人物，拚命向中共討好的時候，曾經有此想法，希望中共以「土地改良主義者」自居，跟西方國家友好合作。自韓戰發生後，這幻夢早已徹底破滅，一變而爲加強台灣的軍經援助，派艦隊東來協防，根本大澈大悟了。紐約時報的記者當然知道過去有此傳說，而今韓戰可停，涉想今後與俄共們會商政治問題，自然免不掉要談到台灣，乃將此舊話提出來試探一下政府的反應如何，這竟是美式記者的「新聞眼」的玩藝兒。杜魯門政府且不能，也不敢提的事，艾森豪政府會再提嗎？任何人皆能知其爲無稽之談！

壯哉大韓民國！

大韓民國駐美外交官聲稱：韓人決不承認瓜分全韓國爲南北朝，如果西方國家要以此作爲停止韓戰的代價，大韓民國的軍民即單獨與共黨作戰到底，雖亡國滅種，亦在所不顧！壯哉斯言，是何意態雄且傑，吾聞其語，深敬其民，有此勇氣與決心，大韓民國即屹然於世界，永不會再有亡國滅種的危險了！

當強權主義者勾心鬥角，想以弱小民族的血淚來灌溉其自由安全的花果之際，弱小民族只要挺起胸膛，拿出不惜犧牲的精神來，一切邪惡的魔術巫道，自將無所施其技的。

努力罷！大韓民國的弟兄們，我們一定盡其力之所及，以最大的同情心，爲你們作後盾！

堪雅反英暴徒肆虐

馬來式游擊戰爭可能在非出現

堪雅毛毛恐怖活動，已愈來愈近似馬來亞，暴徒領袖，是一個受過共黨訓練的士著青年，目前的戰術，正轉向奪取軍警的槍械，毛毛份子一旦獲得足夠武器，堪雅動亂勢將擴大為另一個馬來戰爭，英人雖已調兵嚴加鎮壓，但恐怖活動却更為激烈，並無緩和跡象。

毛毛領袖判刑

堪雅毛毛組織以恐怖手段反抗白人，恐怖活動正愈益擴大，復活節前，政府曾警告全境白人，說毛毛暴徒準備在復活節期內大舉暴動，呼籲白人保持警惕戒備。堪雅的白人，無論男女，早已隨時隨地攜帶手槍，以防毛毛份子的突襲，聽到這公告後，自更惶懼萬恐。

毛毛份子領袖干雅泰，與其他非洲土人五名，被捕後，經數月的冗長審詢，所犯組織毛毛恐怖團體罪名，被政府確定，於九日判刑苦役七年。政府在這時對此案突然宣判，可能是警誡其餘毛毛暴徒的性質。但毛毛的活動，雖受政府嚴厲鎮壓，却並未有逐漸減弱的具體跡象，相反的似更激烈。

最近，堪雅軍警曾展開大掃蕩，特別是在基庫尤族非人的集中區班嘉尼，他們於拂曉前進入這地區，把六萬基庫尤人全部自茅屋內驅到空地，逐個檢查，結果捕去了二千五百人毛毛嫌疑犯。第二天，軍警又在契卡區逮捕了三千五百人，自毛毛恐怖活動發生以來，這是捕人最多的二次。

大屠殺之夜

這二次集體逮捕目的在於打擊毛毛暴徒計劃中的大屠殺。這類大屠殺，通常發生於夜間，因此堪雅的白人已對它有了一個特定的名字，稱為「長刀的夜」，因為毛毛暴徒的武器，主要是一種長長的刀。官方原以為經過這二次大逮捕後，毛毛活動或可暫時休止，但結果相反，毛毛暴徒竟大肆踐虐，不對白人報復，而報復到協助白人的基庫尤人身上。

英人在堪雅曾由土人會長徵募大批親白人的土人，組織非人自衛團，以對抗毛毛。主持這運動最積極的洛加，是賴星區的酋人，就在這二次大逮捕發生後的幾天，他和自衛團團員正熟睡於他們的茅屋裏時，毛毛暴徒突然大批潛入，首先把各處門戶閘上，然後放火焚燒，自衛團員和其他村民受烈火所炙，自然爭先奪門而出，這時毛毛暴徒便守在門口，拔出利刀，對這些人大施屠殺，在三小時之內，慘殺了三百人之多，婦女也決無倖免。有些婦女，還被毛毛份子強迫親見她的孩子在他面前被害。有一個婦人更眼看他的孩子喉嚨被劊斷，湧出的鮮血被毛毛暴徒痛飲。等到軍警趕到，毛毛份子已早遠逸，全村所見一片廢墟。在餘燼裏掘出的屍體，無不面目模糊，無法辨認。而酋長洛加的屍骨，則已支解，祇剩下一隻脚尚完整。

「俄羅斯將軍」

這是毛毛暴徒最慘酷和猛烈的一次襲擊，堪雅總督巴林聞訊後，大為震怒，下令嚴緝兇手。官方認為，這次大屠殺的主腦，當是一個受過共黨訓練的年青，名叫甚馬西的，他當過教員，曾自稱「俄羅斯將軍」。警方說，他的戰術，是模做馬來亞的共黨游擊隊，他的勢力，由於甚庫尤人被白人自農田中逐出而退入土人保留區，人口過於拼迫，生活更形艱苦，正日益增長，頗受這些基庫尤人擁護。

這次大屠殺次日深夜，奈伐夏附近的一個警察前哨，又被甚馬西屬下的暴徒襲擊，警察三名被殺，監獄中為一百七十三名毛毛嫌犯都被釋放了，暴徒撤退，又搶走了五十支步槍，二十支輕機槍，九千發子彈。

在八個月以前，堪雅政府尚將毛毛活動視為不足重視的「殖民地事件」，但甚馬西所率領的這批恐怖份子，如得到新式武器，極可能迅速成為一支游擊隊，而使毛毛活動擴大為激烈的戰爭。目前甚馬西的目標，似已在於奪取堪雅軍隊的槍械。英人有鑒於此，已空運調來二營正規軍，準備大舉清剿毛毛，今後，堪雅的正規軍力，將達白人五千五百人和非人四千左右。這些部隊將受「馬來亞森林戰」的訓練。但堪雅政府是否單藉軍力可以把毛毛活動摧毀消滅，至少在目前，這還是絕大疑問。

南非競選白熱化

種族隔離政策根深蒂固

亞非民族備受歧視

南非馬蘭政府的種族隔離政策，在目前的競選期間，已成為各黨的主要爭執對象。最近一件事情經過是這樣的，一個黑人進入火車站的白人候車室，因觸犯隔離法而被捕，法官在定罪的判決書中說：「國家建設鐵道，是供一切公民使用的，不管其種族分別如何。隔離是法律的規定，不過這法律的執行，却不應使不同的種族受到不平等的待遇。」這是暗示，南非二百六十萬白人和四倍於此數的亞非人間，隔離繼續存在，不過兩者的待遇需要平等。馬蘭總理對於這裁決在表面上是表示「大為震驚」，不過他的國民黨却暗中大為高興。他們在競選中提出的主要問題，是「對黑人應強硬到什麼程度？」現在這樣的判詞經發表後，國民黨的候選人能使大事宣傳，提出即使以「平等的隔離」為基礎來放鬆隔離政策，對於南非的白人將產生何種不利影響的論調，以爭取選民。在這種情況之下，比較開明的反對黨聯合黨，雖然在口頭上倡言平等，但仍堅持隔離措施。聯合黨領袖史特勞斯最近曾對選民演說道，聯合黨如在四月十五日的選舉中獲勝，也仍然支持「傳統性的隔離政策。」

總之，不論這次選舉的結果如何，南非的隔離政策，無疑將繼續實行，就是所謂「隔離下的種族平等」，恐也難望實現的。

英議員目中的美國

文華譯

英國人對於美國共和黨新政府和美國對英援助採取什麼看法？英國會增兵韓國會撤銷承認中共嗎？這些都是影響英美關係和西方世界團結的重大問題。美國新聞週刊記者最近在英國議會復活節休會前，對六十一位下議員提出這些問題，他們的答案，可代表英國各方面的民意，受採訪的，有三十位保守黨，三十位工黨和一位自由黨，以下是這次訪問的記錄：

問：從英美合作方面看來，共和黨新政府是不是比較前民主黨政府更受英國歡迎？

答：是——九人；否——二十六人；無意見——二十六人。

在表示沒有意見的人中，二十一人說：「現在尚難判斷」，五人感到「並無分別」。

多數方面的意見，可由工黨議員勒利為代表，他說：「英國政治家採取行動所要根據的部份信念（這信念可能是錯誤的），是戰時當我們獨力艱苦支撐的時候，美國反對援英最烈的人，主要是共和黨議員，雖然艾森豪在歐洲聲望甚高，但對於過去，英國人却不易忘懷。」

問：美國援助對於英國，是不是大有裨益？

答：是——五十五人；否——六人。

保守黨議員史密窦坦直補充說：美援是沒有被工黨政府議員濫用，對於英國的助益一定更大得多。

問：美援應繼續嗎？

答：是——三十人；否——三十人；無意見——一人。

在反對的議員中，十三人（十二位保守黨和一位自由黨）說：「我們要以貿易代替援助」。反對者的意見，可以保守黨議員斯本為代表，他說：「在心理和精神上，我們能愈早自力更生愈好。」

問：美國在英保持基地，是不是利於英國的安全？

答：是——四十三人；否——七人；無意見——一人。（反對者大多數是工黨）

代表美空基地所在地英格蘭東部的議員，都對美國在英設基地表示歡迎，認為對英國和歐洲的基地都屬必要，其中一人說：「祇有和平主義的瘋子才反對美國兵在英國，不過這祇是絕對少數。」

問：對於解決韓戰，你在下述三個途徑中認為那一條最好？

一、接受共軍強迫遣俘要求。

答：是——一人；否——六十人。

二、發動全面攻勢，迫使共軍接納美國要求。

答：是——六人（保守黨）；否——五十五人。

三、聯合國軍退出韓國，讓南韓軍單獨抵抗共軍。

答：是——四人（保守黨）；否——五十七人。

所有被受徵詢的人都沒有解決韓國的積極提議。

問：如美國提出要求，你贊成下述二點嗎？

一、聯邦增兵韓國。

答：是——十四人（六位保守黨，八位工黨）；否——四十七人。

二、撤銷承認中共。

答：是——七人（保守黨）；否——五十二人，無意見——二人。

由台灣看

「蘇俄的和平攻勢」

台灣通訊

蘇俄自史太林逝世，馬倫哥夫上台後，對自由世界採取和平攻勢。台灣方面對於蘇俄最近行動，有如下之分析：（一）史太林在日，亦常有和平姿態出現，但史氏所採取爲和平攻勢，現在則只爲和平守勢。因攻勢與守勢之不同，可以證明它在政略上已採取退却步驟。（二）蘇俄對於韓戰遣俘及停戰以舊事重提，并急於與盟軍統帥部恢復談判，當係出於中共的要求。中共自參加韓戰以來，犧牲慘重，毫無所獲。大陸上現在已無長久支持的人力物力，不得不乞取喘息機會。因之，韓戰和談恢復後，中共必無餘力，再在他處燃起烽火。（三）蘇俄之所以採取和平守勢，乃因美國解除台灣中立化之故。艾森豪總統的對亞對歐方針，均有效而積極。而解除台灣中立化一端，已對蘇俄及中共發生巨大作用，使其不得不退縮，這也可見台灣地位在世界局勢中之重要性。（四）蘇俄最近釋放猶太醫生，懲辦拘捕醫生之特務人員，並宣佈不干擾美國廣播，許其人民自由聆聽美國之音。不問其內容究屬如何，均可表現其內部已開始不安。

在自由中國方面，深知國際局勢之內層情形，今日美國既已取得主動，卻無論蘇俄之和平守勢如何，韓戰停否，亦決不妨害其收復大陸的決策。現在蘇俄內部既不安，中共力量又已削弱，國軍反攻的優良時機，更為接近。故在台灣方面，除積極準備軍事工作外，對於其他情況，固隨時關注，却不會搖動其信心。如蘇俄今日之和平攻勢發生於史太林未死之前，或在台灣中立化解除之前，則不能說是對自由中國前途毫無影響。現在時易勢異，主客觀條件不同了。

也許民主國家人士中，尚有不甚了解蘇俄者，或竟爲其和平糖菓所引誘，須知蘇俄一貫作風，向係爲目的不擇手段，甚至在求人之時，任何退却皆所願爲。民國三十二年時，德軍攻俄甚急，蘇俄爲求英美開闢第二戰場，竟宣佈解散第三國際，以祛英美的疑慮，但事實上，所謂解散，只係表面，各國共黨活動，更烈於前。今日蘇俄因內部不安，又急於向美國求和，則所謂各種讓步，較之昔年解散第三國際一事，實微末不足道，民主國家再不宜跟着它的和平小曲而跳舞了。

共產情報局會議內幕

有很多跡象可以看出，在史達林去世的前幾天，馬倫科夫就已接管了蘇俄的政權。下面所說的一件事，更足爲比說的證據。本來，在史達林還親自控制國政的時候，原由馬倫科夫大權獨攬的共產國際情報局，却已瀕於零落，快要奉命解散，但在史達林去世的前一週，國際情報局却突然在羅京布加勒斯特召開一九四九年以來第一次全體正式會議。這一個會議顯然不是史達林的意思，而是奉馬倫科夫的命令召集的。

布加勒斯特會議的內容如何，到現在還是祕密，不過據西方情報人員的揣測，可能是馬倫科夫派專人向與會各代表說明史達林病危的情形，並會商史達林死後，他們作何準備來應付可能的黨內鬥爭。

斐列特將軍的苦悶

美國前任第八軍軍長斐列特將軍對艾森豪總統和他的軍方故舊，如聯合參謀會議主席布萊德雷將軍等而言，已成爲一位不可解的人物。他們不懂他突然對彈藥情形大感牢騷並深信他可能結束韓戰，究是爲了什麼原故。軍方人士認爲唯一可講得過去的解釋是：斐列特對身爲戰地司令官，而未能在退休以前，獲勝凱歸故里，大概是深爲不滿的。

捷克空軍在韓作戰

捷克故總統葛德華的女婿，現任捷國防部長的賽比卡最近曾爲捷空軍八人授勳，授勳原因是爲了去年秋間他們所表現的「英勇作戰事蹟」。但事實上捷克並沒有和什麼國家交戰，因此許多專家認爲韓戰場上的共方空軍中，一定有一些捷克駕駛員在。同時捷克某專門干擾西方廣播的電台，其職員已於最近被捕，因爲他們竟祕密轉播西方國家的廣播，許多抨擊蘇俄的評論，揭發蘇內部黑幕的新聞，他們更轉播得異常出力。

溫莎公爵的寂寞

瑪麗太皇太后逝世後，對於溫莎公爵的未來，又引起紛紛揣測。倫敦每日快報首先以大字標題發表一篇社論，題爲「讓喪禮結束他的流亡生活」，文內說：「這是全國深摯而懇切的希望……他應該在國土上好好安置他的家庭。」但在白金漢宮方面，據悉除非伊利莎伯女皇把溫莎夫人封爲正式的公爵夫人，像她的妯娌一樣，否則這位仍留在紐約的溫莎公爵夫人將拒絕遷居英國。而女皇爲了維護英皇室的信條，却決不能採取這種行動。因此，溫莎公爵又已寂寞地回到紐約。（孟衡）

天下小事

電子學家的預言

今後七年內許多新發明　將增進工業及教育發展

美國著名科學家，電子學發展的先鋒沙諾夫，最近在美國無綫電技術人員協會大會中，以美國無綫電公司董事長身份，發表演說，對無綫電學的未來發展提出預言，而這些預言，照目前的趨勢看來，大有實現的可能。

他說，在今後七年內，無綫電園地將出現這些增進人類福利的重要發明。

一、工業電視機——在工業方面，凡是因爲危險性太高，距離太遠，或情況不適宜，而使人類無法觀察的地方，工業電視攝影機，將能代替人類而担任同樣的觀察工作。

二、教育電視機——在教育方面，學校將能運用電視將講演表現、及實驗情形，傳播到整個學校各個課室或特別班內，藉以節省學生參加集會的時間，和學校舉行集會所需要的地方。

三、家庭電視機——在普通家庭內，將可裝置這種特製小型電視攝影機和收錄放映機，祇要旋動一個電鈕，就可以在收錄機內看到孩子在房中睡覺或在園中玩耍的情況，以及廚房裏所燃煮的東西是否需要前往照料。主婦們甚至在未打開大門以前就可以看到門口的訪客和聽到他的聲音。

四、在大規模電視廣播方面，新的錄音片和錄影帶，將使影片成爲陳舊，而一切化費也可大爲降低。

五、電子學最重要的發展，將是「轉電器」，這是一種沒有真空管的新發明，可代替巨型電子管，且能悠久使用不會失效而需更換。它將發展電子學的用途，使許多不能使用電子管的方面都能採用這種器械。電子工具，勢將進入家庭實用範圍，例如空氣和室溫調節機等，經採取這種電子器械後，將不再需要馬達和壓縮器等另件，也不再有任何噪音。許多電學上的東西，將因此發生大革命。

中共新整肅運動前奏 各地發動大檢查

先查上層逐步深入各級幹部 大小嘍囉命運難料大起恐慌

【本報訊】中共鑒於各級共幹之官僚主義、命令主義、違法亂紀、及各級機關、學校、工廠之浪費、散漫等現象，已普遍嚴重到危害黨政根基的程度，不得不作垂死掙扎，再度展開「整風」，而由毛澤東在僞政協第一屆全國委會第四次會議席上作了「深入下層，密切聯繫群衆，克服官僚主義」的「指示」，及中共中央組織部副部長安子文同在該會議席上的報告中發出了「今年的首要任務在大規模而澈底的展開一個反官僚主義、命令主義及違法亂紀的運動」的口號之後，中共中央各部門即紛紛進行準備，業於上月二十八日宣告準備完成，即由僞中央人民監察署、僞最高人民法院、僞政法委員會、僞勞動部、重工業部、輕工業部、商業部、財政部、郵電部、地質部、水利部、燃料工業部及高等教育部等部門共組織了一百六十餘個「檢查組」，同時出發分赴全大陸各地，正式大規模展開此一新「整風」運動的檢查工作。

率領此等「檢查組」的共幹，多爲「部長」、「副部長」或「司長」級的高級共幹，共有一千二百餘人之多。計「勞動部」共十三組，檢查人員兩百卅餘人，由「部長」李立三、「副部長」毛齊華率領分赴東北、中南各地進行檢查；「郵電部」共六組，檢查人員一百二十餘人，由「部長」朱學範率領分赴各地作重點檢查；重工業部調用了兩百五十餘名高級幹部組成十三組，分由「副部長」、「司長」、「處長」率領赴鞍山、撫順、山東、雲南、重慶等各工業區進行檢查；燃料工業部亦調集兩百五十餘名高級幹部組成十四組，由「副部長」劉瀾波、徐達本及各「司長」、「局長」、「處長」率領分赴東北、新疆、華東、中南、西南等地進行檢查；此外財政、地質、水利、高等教育等各部，均組有檢查組六組至十二組不等，均分由「副部長」等共黨率領分赴各地作全面檢查。據悉此項檢查之期限一般的爲一個月至兩個月。於未出發前，曾對檢查方式及處置原則作縝密之研討。此項檢查之重心爲官僚主義、命令主義及嚴重之浪費現象。至違法亂紀事件，則以區鄉村級所犯爲多，故將於此次高級之檢查過後，再由省縣級向下檢查。綜觀中共此一雷厲風行之措置，必將引起各地幹部的恐慌與混亂。

「個別談話」最可怕

共幹施淫威強姦女教員

小學教員竟須賣酒榨油

中共對于大陸教育，隨時在作無保留地誇張，究竟情形如何？我們只看到過有關大中學的報導，這裏，讓我來揭露一點西南區的小學見聞。

中共西南區各個部門，各個系統，不經過教育行政本位，都直接向各小學校佈置工作，使各地學校形成多頭領導，而尤以農村小學爲最嚴重。西南各省小學，一般都有縣文教科，縣政委會，區政府，鄉政府，村公所，民兵隊，文化館，甚至合作社，工商聯合會，公安局派出所，青年團，工委，婦聯，中蘇友協等十餘單位直接佈置工作，使教師驚天忙亂，無所適從。縣級小學，一般都規定，三、六、九參加幹部會，四、七、十參加居民會，每隔一日參加民兵武裝隊開會。更妙的如四川花縣鄉小學教師，每人每月例須代專賣公司推銷酒一斤，代油脂公司發動農民榨油六千斤（每鄉），並規定須負責完成任務。若干地區，每逢有「政府」規定的中心工作到來，各學校本身工作，即處于半停頓狀態，如四川長壽縣四區鄉小學，由教師六人分担六班課業，在一九五二秋季開學時，即有三人被調走參加秋徵工作，留校三人不但要分担全校教課責任，還被規定每人要包辦一個村的豐產計劃宣傳和協助丈量出地與物資交流會工作。綦江縣橋河鄉小學十週內集體參加宣傳工作二十四次。廣漢縣一九五二年全年中，教師負担的社會活動達二十七種，就誤教學時間二分之一以上。西南區小學教師曾經反映，小學教師有七多，即：兼職多，突擊任務多，開會多，教的學生多，領導上司多，寫的報告多，學習時間多。也有四少，即教導學生課業少，休息時間少，薪俸少，不受檢討的少。

其次西南很多地區的黨員幹部，對小學教師一貫歧視侮辱，如規定地主及所謂反革命份子的兒女不許與黨員幹部結婚。萬源縣公安局甚至正式佈告「教師不得穿着幹部制服」。若干幹部更指使小學教師燒飯，掃地，送信以及端倒洗腳水，而美其名曰測驗勞動觀點。三合縣小學教師響必武，協助擴發土地種田故遲到，被幹部姚恩新指揮武裝隊員管打屁股二十。鄧都縣文教科長用大石壓住某女教師頭頂，強迫交代戀愛問題，彭縣文教科長江洋曾以個別談話爲名，强姦女教師二人。涪陵縣金銀鄉鄉長劉伯海更強姦女教師四人。因之四川小學教師間會流行着一句話「什麼都不怕，就怕個別談話」。從上面略舉的西南區小學見聞，已可以窺見赤區小學教育的一般了。（宜之）

口口聲聲解放婦女

大陸虐待妻子者偏偏以共幹最多

廠長猛踢老妻幾乎送命

自中共喊出「婦女解放」口號，並大力宣傳、推行新婚姻法後，大陸婦女之主動離婚及擇偶等風氣，確已大開，使一般男子，莫不望而生畏，低頭三尺！惟另一方面，中共各級幹部之虐待自己妻子之事，卻是空前衆多而兇殘；僅以重慶一地而論，據上月廿六日重慶新華日報披露的消息，即有實例多起：如重慶一區毀合廠廠長陳榮輝，曾一貫虐待妻子，尤於上月十五日竟無故向其妻陰戶猛踢兩腳，踢至重傷：陰戶紅腫，小腹起泡，已有六月之身孕乃告流產，並有生命之虞！又如該區榮園場村幹劉樹榮，亦曾一貫虐待妻子，婚姻法宣傳愈有勁，他打妻子亦愈狠毒。當三月十四日其妻參加了「新婚姻法學習」而歸家時，他就用扁担向妻子頭上猛打，打到鼎腫！當有些人向他進勸時，他卻說：「人民政府不打好人，要打壞人！」更奇怪的，當第二天他的妻子傷勢還未愈時，竟又打她一頓，並說：「現在不鬥爭，也不檢討，打了再說。」又如北碚市五區共幹張志華，曾用燒紅的火鉗烙燙其妻陳志英的陰部，燙得血肉模糊，死去活來！又如永川縣窮江鄉幹部與少青因妻子開會回家晚了，聽說是學習婚姻法，他便揮拳頭向她猛打，並說：「你要平等，我的拳頭先給你平等一下！」實不一而足。諸如此類例子，不勝一一列舉。雖新華日報亦承認，並非個別之偶然現象，可見大陸婦女若要「解放」，還須先向共幹鬥爭才行。

隊長逃入深山打游擊

無辜鄉民百餘遭慘殺

【本報訊】入春以來，湖南僞「衡陽專區」所屬各縣，飢饉現象，正不斷發展中。據二月廿二日僞「嶽南人民」公開透露，衡陽、衡山、常寧、攸縣、茶陵、郴縣、耒陽、安仁八個縣的農村，都發生糧荒，其中以衡陽爲最普遍最嚴重，農民缺糧者佔全縣人口額百分之六十五，大部份以野草充飢，有的因飼料缺乏，紛紛宰殺牲畜，如成德鄉木潭村在二月間宰去猪隻即達一百一十五頭。中共對這一問題，並沒有具體救濟的辦法，祇是覆調重提命令各區鄉「政府」號召農民「增產節約」，實行「自救」而已。

衡陽原爲餘米之區，農民衣食，向稱富裕，自三十八年秋易手後，由於共匪的橫徵暴斂，生活竟陷於絕境，故不僅一般善良農民深爲痛恨，即過去爲中共利用之「民兵基幹」，亦表示不滿，而回心轉意，棄暗投明。如南泉鄉「民兵分隊長」謝某，率領「民兵」三十八人，於二月廿七日聯絡××游擊隊精幹二十餘人，襲取周公橋何祠糧倉，將其中存糧五百餘石，散給附近農民渡荒，並張貼反飢餓反迫害標語，然後攜械向××山逃去。僞「區政府」據報，立刻派「公安隊」追擊，已不知所終，惟在逃民兵的家屬及取糧男女鄉民一百餘人慘遭逮捕，多數被非刑拷打慘死。

自這一事件發生後，僞「專署」竟誣指爲「殘存地主」及「潛伏國特」所策動，遂決定雙管齊下，一面對「民兵」嚴加管理，一面對民衆加緊屠殺。據三月「嶽南人民」報導：「城鄉「公安人員」，已捕獲「企圖危害人民政權的反動份子」六百四十一人。」並於三月五日，將謝體仁等二十八人，在小西門外演武坪集體槍殺，暴屍三日，不准收殮，以致成羣野狗，垂露血紅的舌頭，在亂屍中跑來跑去，陣陣腥風，誠令人不寒而慄。過去黨政界蔽擁的人物，被清除的固然很多，但有些地位較審的如楊曉麓、戴石渠、盧企雲之流，因還在被利用而得苟安者亦不少，惟本學期開始，各公私立中小學所有蔽擁留用的「教師」，則在僞裝「前進」或「思想腐化」等罪名下，予以全部踢出，一個不留，致造成失業「教師」共達八百八十五人，遭踢出的教師中計有男女四百二十六人，且被迫參軍勞軍，其餘老弱正陷於飢餓之中，行動復受嚴密監視，故自殺失蹤之事，時有所聞。二月十二日，泉溪鄉即發生一宗教師因飢餓無法生存舉家六口服毒自殺之慘劇，死者爲黃麟，年五十八歲，曾執教各小學歷三十年。（九如）

鄉務主任竊鄉貪污

據本月一日重慶新華日報揭露：四川省縣第十三區鄉務主任曾凡勤，在任兩年多，曾數度隱沒小款匯兌之匯款信件，私刻收款人圖章，竊取匯款，前後共達百餘萬元之多。此外，並常將當地寄信人之掛號信，暗中換貼郵票改寄平信。有時甚至撕去郵票，隱沒信件。現因日久被人發覺，乃被提出控告。貪污舞弊而至於如此，實屬罕聞。

大陸民心普遍憂慮

韓戰和談影響反攻

【本報訊】據甫於本月六日自漢口來港之一噴漆工人談：自美國解除台灣海峽中立政策後，國軍反攻大陸風聲，即祕密流播民間，凡一般久受共黨壓迫，生活陷於絕境，亟望國軍光復大陸之人民，均以爲天亮有日，雖不敢發於言詞，卻無不爲之喜形於色，甚感興奮。惟自最近僞政務院總理周恩來換俘聲明，韓戰和談會議有重開可能以後，有似一重陰雲，密佈大陸！凡不堪共黨壓迫，亟望國軍反攻之人民，均深恐如韓戰和談成功，或將延緩整個世界局勢決定性的變化，亦即深懼如韓戰和談成功，或將延緩國軍反攻大陸之時間。蓋目前大陸之人心，除共黨份子及被共黨利用者外，無不對不堪奴役、束縛而渴望改變此一極端痛苦之現狀。易言之，即大陸一般人心，業已普遍思變，其中尤以工、商、農人爲然。此種情形，據云：僅以武漢一地就其所接觸者之表示中，即已甚明確！推及大陸其他各地，亦無不皆然。

四川各地民不聊生

失業者湧入重慶

共幹窮於應付秩序大亂

【本報訊】四川各地於淪陷後數年，失業問題極嚴重。去年冬季雖曾由僞西南軍政委員會舉辦失業登記，將大批之失業人員集體移送蘇北、東北及西北各地從事工業、水利或開墾等勞動，惟由於農村境況蕭條，致失業人員仍不斷湧現，近來四川各地春荒嚴重，生活絕望，乃紛紛通過當地中共機關許可，向重慶謀求工作。據重慶勞動調查處向各縣發出迅即制止之呼籲所稱：近來經涪陵、江北、綦江、銅梁、安岳、合江、廣安、岳池、合川、射洪、[illegible]縣、墊江、長壽、鄰水、遂寧、瀘縣、武勝、蓬溪、璧山、潼南、巴縣、江津、忠縣等二十三縣當地機關許可或介紹，不斷湧至重慶謀求職業的失業人員空前衆多，實爲各縣不負責任之片面措置。不僅已使該處束手無策，窮於應付；且已嚴重影響重慶市區之社會秩序，危害重慶之治安情況。乃緊急要求各縣迅即制止失業人員湧向重慶移動，並要求各該縣迅查明名單，自動召回原地處理。

天高三尺

中共在各地挖墳掘土 湖北大冶發現新鐵礦

【本報訊】中共窮兵黷武，積極備戰，企圖發動其主子赤化全世界之大戰，故對開掘大陸各地礦藏不遺餘力，派出大批地質勘察隊，分赴各地鑽探。據悉：其第四三九勘察隊，於四月三日在湖北大冶鐵山礦區仙林山發現一巨大磁鐵礦新礦井，質量均極優良豐富，現正由俄國專家領導開掘中。（木易）

中共打仗戲子倒楣

組戲劇慰問團驅赴北韓勞軍

【本報訊】據北平消息，「中國人民抗美援朝總會」曾於上月二十八在郭沫若、陳叔通等主持下舉行該會常務委員會擴大會議：決定繼征調醫生及鐵路員工後，再征集平劇、話劇及地方劇等伶人一批，組成「慰問團」赴北韓匪區演出以娛匪軍。據悉該「慰問團」，決定由東北、華北、華東、中南、西北、西南六大「行政區」各組一分團集爲一總團，採取分批集中出發的辦法，規定慰問演出的期限爲兩個月。現各區「抗美援朝分會」及「行政委員會文化部」已奉命會同開始征召各種伶人，惟志願參加此一苦差者爲數極少，故各區僞文化部已指名抽征。

互助合作運動紛紛垮台

農民反抗剝奪利益

【本報訊】中共於去年秋間爲加緊控制農村生產及搜刮，曾由僞政務院農業部訂定辦法，命令所有大陸各地普遍組織農民，建立農業生產互助組及合作社，以便管制、掌握。惟因各地盲目組織結果，問題極多：或甫告建立，即告瓦解，或形式建立，內容空虛，致未能達成預期目的。尤以最近浙江之金華、衢縣、蘭谿、永康、龍游一帶之此等互助組，瓦解極多。如衢縣高家鄉全鄉十七個常年互助組及五十七個季節性互助組竟同時宣告全部垮台！其他上述各地，大多平均也垮了「百分之七十以上」！而其所以紛紛垮台之原因，則據該等地區農民表示，約可歸爲三點：其一是農業生產成果中爲中共所得者多，農民所得者少，使農民視爲畏途，紛紛消極抵制。其二是互助辦法不公平，施勞及分紅不合理，大家都要取巧，互助反比不助壞，自然也勢必要垮台。其三是共幹及一般組長利用職權剝削農民，甚至打罵農民，使農民都怕「互助」，乃變成了牛馬而紛紛乘機抽退，風氣一成，其紛紛垮台之勢乃不可挽矣。

大陸川皖豫諸省 小麥害虫猖獗

藥物缺乏防治賴人力

據北平新華社消息，僞農業部承認目前大陸在四川、安徽、河南等省，已首先發現程度將極嚴重的小麥吸漿虫災害，要求各該地中共機關，迅即設法撲滅，並要求其他各地密切注意，防止蔓延。據云各該省的麥田，業經僞農業部實施檢驗！四川省的每平方尺土內已有小麥吸漿虫達三千三百三十五頭；安徽省每平方尺土內則有一千七百八十九頭；河南省每平方尺土內即有一千六百零五頭。又謂目前各該地區的此種小麥害虫均已紛紛出土上升，勢將釀成災害，務須大力防治，而防治方法，則仍以「人工爲主」，中共物資缺乏，人力有限，自然效能低，遭殃者祇有農民。

可鄙的「中立國」

為方

自由談

印度出席聯大代表梅農，前幾天在成功湖上自言自語，說印度是否願意充任負責收容韓戰俘虜之「中立國」，尚不可知云云。隔兩天，新德里方面也表示意見：假使有關解決韓戰的國家提議要印度担當「中立國」任務，即未便充耳不聞等語。

關係國家並未有人談到這件事，聯大更無討論此事的消息，而印度自己乃露出一副猴急相，濫放空氣，硬想討得這份差使，阿三變成阿Q，何其淺陋之甚也！

凡屬交由中立國處理的戰俘，都是不願意回到原有部隊去的自由士兵，其中必有不少的中國人。這些人都是痛恨共匪政權的戰士，自由中國政府有解救他們的義務，也有過問此事的權利。因此，對於將來負責收容這批戰俘的中立國，即有特別留意之必要。就尼赫魯這幾年來的言行看，印度決不够「中立國」的資格，他雖然死心眼兒的要以「中立國」自封，拚命將白粉往自己臉上塗，希望騙取這項頭銜，我們在聯大的代表應該予以否認。

調停戰爭原是爲的消弭人類災禍，等於從井救人，非爲要譽市惠，別闢報施也。印度年來栖栖皇皇，調解韓戰，目的祇在攫取「中立國」的榮冠，情見乎詞，夫子自道，鄙哉，鄙哉，笑煞人也！

虎威

——真實故事——

山禾

「這是一個人民底世紀；尤其是人民鄉長的世紀！」

山東五蓮縣于溝鄉的鄉長苑克茂常喜歡拿這句不知出於何人之口的「新名言」來炫耀他的威風，襯托他的聲勢！

的確，高高在上的什麼「人民政府」之流幹不了許多；要共慘，還得先從鄉裏面慘起來。因而，苑鄉長也就趁在春風得意之時，逢人便掀一掀八角帽，拍一拍胸脯說：「論起人民政府的功績來，除了毛主席朱總司令這些大好佬以外，就有咱們鄉長的份兒！」

說到苑鄉長的來歷，跟現下一班共慘官兒差不多！流氓出身，落過草，有「功」於「人民革命」，論「功」行賞，當了于溝鄉的鄉長。

說到苑鄉長的功績，也跟其他的「人民鄉長」之流差不多：只要是「人民政府」「要」「任務」，他便能無所不爲，無惡不作的超「任務」完成。所不同的，他似乎更有作爲一個「人民鄉長」的典型資格，因爲一般「人民鄉長」之流也許對於他們的行爲只是知其然而然，而他還知其所以然而然：他知道完成任務的訣巧就在一個「狠」字；他知道「人民政權」的行使，是靠一手執着「肅反」的「丈方寶劍」，一手抓着「反動分子」的大帽子！

也就是一個「狠」字和這兩件法寶構成了苑鄉長的神聖不可侵犯的權力和威勢！他殘殺了無數善良無辜的農民完成了「土改」，也藉以獲得了不少鬥爭底果實；他還殺了數以百計的人民先後完成了「公債」、「勞軍」、「獻機獻砲支前」、等等的「任務」，也藉以獲得了官上加官的「鄉委書記」的榮銜；他拆散了無數夫妻完成了推行新婚姻法的任務，也藉以獲得了很多姦淫婦女的機會！雖然，民怨是沸騰了，但誰都敢怒而不敢言！鄉長有鄉長的虎威，誰要如竟敢觸一觸他的虎鬚，包管他家破人亡！

不識頭的就是該鄉張莊村的一個劉老太婆，一言不慎，觸動虎鬚，就連她自己一共丟了五條性命！她不知輕重的將苑鄉長藏在她家裏的鬥爭果實洩了風聲不去管它，竟還說「鄉長亂禍女人，風水變了！」這就立刻被苑鄉長一把抓到婦女會上予以鬥爭，罪名是「毀謗新婚姻法」，一頓毒打，已經死去活來！但這點「小小的懲罰」，在苑鄉長自然很不過癮；乃隨即將她的丈夫苑德祥，兒子苑芳義加上一頂「企圖參加匪竄道，反動」的大帽子，給統統抓了起來，關進「人民拘留所」！當後，苑鄉長先利用「村民大會」將苑芳義羅織成罪，一紙公文送進了縣公安局的監獄，還特地給他下了一個註解，說他此去是「肉包子打狗，有去無還！」接着，便將劉老太婆和苑德祥兩老夫妻以「反革命家屬」爲名派兵押送回家予以監守管制！

再接着，苑鄉長又親自於當天黃昏到苑芳義家裏將他的妻子加以「懲罰」——予以姦汚！

可是，給共慘黨「改造」了三年多，人民的思想還是搞不「通」：苑芳義的妻子被姦後當夜便懸了樑，宣告喪生！劉老太第二天早晨到媳婦房中看見媳婦吊死了，便也隨手找了根繩子在媳婦房中上吊了！再等一會兒，苑德祥看沒見了老婆和媳婦，便到處叫喊找尋，當他找到媳婦房中看到了兩具半懸在樑上的屍體時，也就扯劉老太身上多下來的繩子的一端套上頭頸，向樑上一環跟蹬，他們一同毀滅了！

這一死，本來可算死得很乾淨了！但孽障大注定孽還沒有作盡：還有兩個冤鬼投了進來。那就是苑芳義後來被公安局判了一年徒刑的緩刑而放了回來，苑鄉長就想斬草除根，而害死他，剛剛碰到他鄉里的民兵邢五來，賈文祥出了放哨持槍走火的事情，他就抓住這個機會逼迫這兩個民兵作了「受苑芳義指使企圖暗殺鄉幹」的供詞，苑芳義固然又被細細綁綁的送還了公安局的監獄；這兩個民兵也因畏罪而先後自殺了！

既然是一個「人民鄉長的世紀」，鄉長的虎威畢竟可畏的！就這樣觸動了一下苑鄉長的虎鬚，只是給他那麼微微一怒，小施手段，這五條性命便輕輕地像塵灰似地被吹走了！

但在共慘黨的天地中死幾個人値得什麼大驚小怪呢？「論起人民政府的功績來……就有咱們鄉長的份兒！」這沾沾自喜的語聲，不依然常從苑鄉長的口中發出來，像魔鬼的符咒般播盪在陰森的黑暗世界麼？至於他那頂八角帽，根本就好像是一個「籠罩乾坤」的大牢籠，在這個牢籠裏面就是一個屬於「人民世紀」中的「人民世界」！

（註：本故事出於山東五蓮縣于溝鄉，見三月廿九日人民日報。現該偽鄉長已在新三反運動中的機會中被鄉民集體控訴，故揭露眞相。）

光榮何價？

遼西泥河子的孟老大娘和她媳婦，日以繼夜，一粒粒地挑選着大豆。大顆而結實的檢一邊，壞的檢在另一邊。

「唉！以前給地主交租，給政府完糧，給日本人出「荷糧」，都沒有這樣麻煩，現在給「人民」的政府交糧可眞「鱉虎」！」孟老大娘一邊檢一邊嘆氣。

「從前那能和今天比，從前我們是奴隸牛馬，交糧的對象都是地主反動派，人民的敵人。今天做了國家的主人，給自己的國家交公糧，當然是要交最好的了。」參加了婦女會的媳婦，想幫助她婆婆「搞通」思想。

「不是聽說這些糧食，都要送到俄國去嗎？」

「可不是嗎？所以說要格外檢好的送去。這樣使老大哥歡喜了，才會多幫助我們飛機大砲，讓我們好打美帝、」

「多幫助些飛機大炮，我的兒子，你的丈夫，死的機會就更多了。」那老太婆說。

「那才可以算光榮犧牲的英雄：……」那媳婦吞吞吐吐地說。

徐淮大戰紀聞（上）

新·世·說·補·遺

馬五先生

民國卅七年冬（一九四八年）國共兩軍大戰於徐淮之間，國軍敗績。經此一役後，神州陸沉之刼運即已註定，其餘淞滬及西北與西南之戰，胥不過插曲尾聲而已。後世史家，必以徐淮戰役爲中華民國隆替嬗變之一大關鍵。維時余于役南京新聞界，常與軍政人員接觸，又不時參預宣傳會報，聽取關係當局之軍情報告。綜合各項見聞所及，對此役成敗因果，足以識其竅要也。

是役共軍主力爲劉伯承部，陳毅新四軍輔之。國軍主力爲黃伯韜邱清泉兩兵團，而以黃維兵團備其後，洎餘李彌孫元良各部，皆偏稗耳。劉伯承固爲黃邱兩軍在中原黃泛區敗兵之將，蓋半年前，劉悉索敝賦，竄擾豫皖間之黃泛區，被黃邱兩軍所擊潰，僅以身免，黃氏曾因功膺受「青天白日」最高榮譽勳章也。迨徐淮大戰初起時，黃兵團由豫皖向徐州外圍進發，行至碾莊，即遇共軍攔擊，乃就地設防應戰。斯時邱兵團在北面蘇魯境，黃維部在皖境內，尚未進至津浦沿綫地帶，共軍得以全力對付黃兵團，截斷其外圍交通綫，困阨其唯一後援所寄托之津浦路，使其陷於孤軍苦戰之守勢防禦地位，進退兩難。時値隆冬，大雪鋪地盈尺，軍需供應唯恃空投，而前綫糧食奇缺，戰地民間籽柚皆空，外圍交通被共軍封鎖破壞，無從接應，前綫官兵飢寒交迫，殺馬爲食，焚木取火。中樞空投食米，匪特不敷週濟，且因氣候惡劣，有時或投落遼遠荒郊，或擲入敵營近地。將士忍飢耐寒，併力應戰月餘，終至全軍盡覆，黃伯韜自戕殉職，壯烈犧牲，戰局乃趨惡化矣。

當黃軍危急之際，中樞一面飛檄邱兵團疾馳南下，拊共軍之背，一面電調皖境戍軍循津浦線北上增援。顧皖境駐軍統帥竟不遵調度，擁兵作壁上觀，而邱兵團亦僅以每日八至十二華里之行軍速度，蟻步南行。據國防部政工局發言人鄧君當時答復宣傳會報出席人士之詰問，謂據邱司令報告，所部盡屬機械化裝備，與輕裝部隊迥異，爲行軍安全計，每至一處，必須將前後左右三里以內各地區搜索完畢，始能前進，且在沍寒大雪中，不可速行也。其然，豈其然歟？曾憶當年李代總統宗仁深以不能自由調遣國軍爲不滿，某外籍記者於重慶以即詢以退居在野之蔣總統是否確有？答曰：「事誠有然，我在位時，亦有同樣情形。」即指皖境戍軍當日抗不奉命馳援黃兵團一事而言也。

名貴的生日禮物

美國第八軍軍長泰勒中將雖然到任不久，但和南韓李承晚總統却已交稱莫逆，兩人常相過從，而且款款深談，顯得異常投契。

前不久，李承晚七八大壽，泰勒特親往道賀，並送上一件名貴的禮物，那是一輛美國最新型的吉普車，上面特別裝置監皮的坐位，深藍色的車頂和兩隻喇叭，此外還附送一塊南韓陸軍總司令的車牌，金碧輝煌，更加奪目。

李承晚接到後，當然很高興，他說：我要乘着這輛吉普視察民隱，安撫部隊，一直坐到鴨綠江邊。（由之）

向輿論申訴

遯周

這個文題，乍看似頗通順，再看便不免顯得晦澀，細看終究要「鷄鼓四脳」的「不通不通」了。

何以故？因爲「輿論」之爲物，絕不是任何「聖手」所能「御製」的定型品，它是此一社會間之政治經濟文化的綜合映示下所反應而成，其所由來者漸，其所由顯者著，於人之不自覺的潛意識中，何者爲順應，何者爲不順應，由個人而影響及於其他，此一個人的所慣所習，漸次在大衆的抉擇與揚棄的歷程進行裏，便成爲此一地域或此一時代的風俗教化，同時也便成爲輿論的好之惡之或譽之毀之的準則。

從而我們還容高喊輿論該若何應若何，便不免祗落得轆雖有聲視却無形了，所以該得反求諸已，由自我的本身做起點，我想在正常的輿論下呼吸自由民主的寶貴氣氛，我本身就得嚴謹整飭的自我檢點一番，我値得是一個喜愛自由崇尚民主的人嗎？我的言行，我的生活表現，在無損於自由，民主嗎？在高唱「克難」的輿論呼號裏，你將何以實踐你的克難？眼見着他人的安富尊榮縱敗度的過分享受，你該如何的來抑制我恐憤與對他妬忌？果能人人能如此瞭然於人我間——正如佛家所訓「無相」和「無人相」那此「輿論」之爲物，嘗不也就「清淨」無有半星兒的「渣滓」了。實在的，輿論之所以受人「重視」（？）就是因爲它還算是超然人我外，誰也不敢說是像算計黃金美鈔那樣的「對付」或者「運用」「輿論」？從而，當今之世，除開那些給賢摺在「極權」的「鐵幕」裏的人們而外，任誰，無間男女，不分貧富，都是直接或間接的可以享受到輿論所給予的益，同時也自會遭受到輿論所給予的制裁，當然這是在各各的「反求諸己」，種瓜得瓜，種豆得豆，明乎此，你該如何的去「運用」「輿論」，你是在讚頌你的所言所行，去竊侍「輿論」的贊美，運用之妙，如斯而已。

是以故，我們說「向輿論申訴」云云者，絕不是說我們能在白紙上寫上黑字而且能持之有故言之成理的聳動聽聞的報導或携述，就算是盡其輿論之事？絕不如此，輿論顧名思義，所謂「輿人之誦」，價是價非的或譽或毀？實在的不是士大夫輩的好惡所能準繩？因此，我之「申訴」的要旨，一則是我得自我的以求諸己，我的言行是否會給予輿論有若何的影響？越是登在高校上的朋友，越得翼翼小心的毋意毋荒。一則是時當今日身在此地的我們，實在需要一種特見的輿論來做導示的方針，說克難，就得有克難的一套，任誰，在「克難輿論」的導示下，正如明鏡燭形，衆目瞻瞻，誰還能在「他人克難唯我獨樂」的顧影生慚嗎？從而，也就不會有「反常」的輿論了，隋楊素以一人之下萬人之上的身分，而有「廣置田宅，不容於清議」的如彼云云，我希望我們一般人對於輿論的觀感，能有所讓「清議」的評價，當然還是應該正本清源的說希望我們的輿論止有如清議的評論，那又何愁匪共之不殲滅，俄帝之不沒落？輿論輿論，顯汝如日之升，如月之恆，如水之平，盜賊休哉，萬壽無疆！

香港的詩

健軍

香港這地方居然會有「詩」，這不能不算是奇聞怪事，而居然有「詩人」（因爲有詩，不一定有「詩人」，正如同有「詩人」不一定有詩一樣，）又居然能有人大印詩集，這似乎應該列入男人變女人的「生猛」新聞裏去。

本來詩就是心聲的吐露，並不限于香港，或某一特定地區，廣泛點說，舉凡有人的地方就有詩，何况是這個「帶淚狂歌我誤卿」、「春風得意鳳來儀」，或「凡有涎痰，與及鼻涕」的詩風橫掃，觸偶處處的香港呢？而「短髮圓而多的小姑娘」又是那麼設起來哼上幾句，就像「喃嘸佬」（和尚）念咒一樣，是毫不足怪的，正相反，正合乎此時此地的風趣。不過「詩人」們往往把玩笑開得過火，忘了肉麻，忘了讀者，可以說忘了自己，自居以白居易相比，自拜了吧，自許居然，不以化也「樂得帽子互相陶醉」，你是詩仙，我是詩聖，「詩人」他是好……誰是詩倫？誰是？

前幾天見到余協中先生寫的「詩人與詩人的修養」一文，他很感慨的說：「今日詩人們很少是爲抒發詩意而寫詩，……」寫詩的目的大半不是爲名即是爲利，這種詩乃是無病呻吟的韻文，近日出版的詩集，不能算少，然大多于出版後，不是被拋入廢紙堆中，便是被送到書架上，這類詩有少數不失爲良好的韻文，但却沒有魔力，讀他如嚼口香糖，愈嚼愈乏味，這是今日詩文的「批語」，所謂「詩血」的人很少，是自然抒發，此地的針對多半是「人工強製」，強製的目的則是名、利，爲了名，便粗製濫造；爲了利，便強吟硬哼；爲了稿費可拿，字紙簍，拉圾堆，管他娘，豈止于說這類詩，如嚼口香糖，越嚼越不是味，又澀又酸，直如吃隔夜豆腐，又如「不口含八卦丹一片」，實在惡心人。某「作家」給某詩人在詩集上寫了這麼幾句話：「一篇好的詩，可以唱出一個時代的心聲，一篇壞的詩，却是病態，無聊的呻吟。」哦，時祗是自然的一篇散文，有些散文，却是最壞的詩，而詩最好是詩的題的，等到底，是不是好的詩，這話說他不好，是散文也不是詩嗎？「詩人」們也許抱負遠大，要于詩書繼世長，在詩史源流上下去辦別宗派，就叫它「香港詩」派吧！我便要……

中華民國僑務委員會頒發登記證台救新字第一零二號

自由人

THE FREEMAN

（半週刊每星期三六出版）

（第二二一期）

每份港幣壹毫

督印人：李光華

社址：香港高士打道六六號

電話：二〇八四八

GLOUCESTER RD. HONG KONG TEL: 20848

承印者：東南印務出版社

地址：高士打道六十四號

台灣特派員辦事處　台北市館前街五十號

台灣總經銷處　台北中華路新號五九四之一

台灣郵政劃撥儲金帳號九二五二號

論馬倫可夫的新政權

何仲明

觀察馬倫可夫的新政權，有好幾點值得我們注意，它與史大林的本意有些不同，而爲一種應付現實局勢的措施。

大權集少數人手中

（一）是根據去年十月的聯共大會決議，十四人的政治局改爲二十五人的主席團，這本是史大林身後的打算，現在卻把二十五人減爲十人。同時過去部長會議的副總理，原爲十二人，多居超級部長的地位，現在減爲五人，兼任部務，且實際上他們並是主席團中的人員。由此變更，我們可見今日蘇俄權力是集中於少數人手中。蓋爲繼承史大林的獨裁，主席團副總理人數過多，在史大林可以一手控制，自無不便，而在馬倫可夫就有專權集中的必要了。

（二）但今日的馬倫可夫政權，卻不是繼承史大林的個人獨裁，而爲一種寡頭聯合專政，不過以馬倫可夫爲其首腦而已。馬倫可夫任總理，貝理亞以副總理兼內政，莫洛托夫以副總理兼外交，布爾加寧以副總理兼國防，卡加諾維夫以副總理兼建設，米可揚以副總理兼貿易。這便是今日蘇俄權力的中心。

貝理亞抬頭

（三）過去在史大林任總理的時代，莫洛托夫的地位僅次於史大林，故當史氏之死，大家以爲繼任總理當屬莫氏。但在馬倫可夫新政權中，莫的地位卻落至第三，屈居於貝理亞之下。貝氏向主持蘇俄的秘密警察，現則將公安與祕密警察兩部合爲內政，貝任部長。這表示貝氏地位的重要，現在是僅次於馬倫可夫。

（四）馬倫可夫原任共產黨第一書記，現在由克魯曉夫（KHRUSHCHEV）代任五人書記處的首腦。自一九四九年起，克氏即入書記處任職，可說爲馬之親信。這是過去史大林由此以取得獨裁政權的地位，也是馬倫可夫由此而獲得史大林信任而有今日的職位，現在卻輕易轉讓於他人了。固然馬爲主席團的主席，祕書處仍舊受其管屬，但其中所含的意義卻可注意。

（五）蘇俄過去，爲防止軍人專政，在政治上軍人並不佔有重要地位，但是這次變動，元老伏羅希洛夫元帥出任最高蘇維埃主席，爲國家的元首，二次大戰的英雄朱可夫出任國防部次長與原任國防部長之瓦雪來夫斯基相同。由今日軍人之出據要職，我們可知其所含的意義決非細小。

上面幾點重要的變動，對未來蘇俄政局具有重大關係，自不待言。但這到底是怎麼一回事呢？因爲鐵幕以內的事情，向來不易爲外人所知，所以我覺得尤有特別提出加以檢討的必要。

史大林信任貝理亞

路易菲煦（LOUIS FISCHER）是當今有名熟悉蘇俄的政論家，他曾宅居蘇俄十四年，許多次與列寧及史大林等要人相見，由他在今年一月出版的「史大林之生與死」（THE LIFE AND DEATH OF STALIN）一書最後一章「史大林之死」當中的預測，對於蘇俄今日的人事，實給與我們以明白的闡譯。

據他的觀察，認爲最得史大林信任的是貝理亞。他是史大林的同鄉喬治亞人，最初在喬治亞主持祕密警察，後來升任高加索特工首領，最後負責全國特工。一九三九年入政治局爲候補局員，一九四五年升爲元帥，次年正式任政治局員。因爲特工是獨裁政治權力的基礎，所以甚得史大林的重視，具有繼承史大林的可能。只是因爲他是史大林的同鄉，史大林爲了顧及大俄羅斯主義，（大俄羅斯人在蘇俄總人口約二億中居一億以上，喬治亞爲少數民族，不過三百萬人），這纔選取了馬倫可夫。馬爲大俄羅斯人，是史大林私人祕書，一九四一年任政治候補局員，一九四六年與貝理亞同時升正式政治局員。馬氏長於組織技能，與貝理亞是史大林的左右手。

據路易菲煦的預測，因爲馬倫可夫年青缺乏資望，所以他縱能繼承史大林，也必是與貝理亞的二頭政權，或者加上莫洛托夫爲三頭政權。但是我們知道凡聯合政權，因爲權力的衝突，必難保持長久，所以馬倫可夫與貝理亞兩人，雖同出史大林的提拔，到底不免於內訌。大家知道今年一月九日醫生謀殺日丹諾夫事件，其目的即對付貝理亞，因爲這是由特工之疏於防範而來。大戰時美國出任駐俄大使的哈里曼，在最近的「新聞週刊」（NEWSWEEK）（三月十六日出版）中即有此言。（四日消息，此九醫生忽又無罪釋放，且取消檢舉有功者的獎章，這是對貝理亞的讓步罷）。

以軍隊壓制特務

因爲貝理亞是實力派，所以馬倫可夫爲謀對抗計，遂只好利用同爲實力派的軍人。同期「新聞週刊」論朱可夫出山的意義，即作此觀測。我們知道祕密警察之與軍隊，本來互相對立。由路易菲煦之言，在二十年代，尚可以利用黨的力量以御特工，但今日則非借重軍隊不可。若貝理亞得勢，那軍隊勢力即須遭受壓迫。在史大林獨裁時代，即因貝理亞負責特工，故軍隊在政治上無地位。由此所述，可知大戰英雄朱可夫的出山，將是未來最可注意的人物。這當中包含馬倫可夫與貝理亞，軍隊與特工勢力互爭的內戰的危機。狄托的談話，關於這點，也曾提到。

至莫洛托夫的失勢，由來已久，依路易菲煦所述，乃是由於與貝理亞的鬥爭。一九四九年，莫被解除外長，而由與特工有關的維辛斯基任外交。據哈里曼所言，莫之失寵於史大林，一因由於對德外交的失敗，認爲德國不致出兵侵略，所以德蘇戰爭時，莫最失勢。二因由於拒絕馬歇爾計劃，致蘇俄被摒於外，當時倘參加其中，而從內部搗亂，必可大收成效。三因發動韓戰，莫氏認爲可以迅即得勝給與自由世界以互大打擊。然結果則反促成西方國家的全力建軍。大概兩人的觀測，都有其理由，今日莫氏之重任外交，恐怕還在利用其過去的資望，他已是一個沒有實力的人物了。

在馬倫可夫與貝理亞的對立中，爲什麼馬反辭去黨書記的地位，說到這點，我們須知因爲黨在今日已失去勢力，不佔重要地位，故馬寧以全力注意於政治[illegible]要失其勢力[illegible]易菲煦的研究，「在二十年代，黨員信仰黨員[illegible]到了三十年代，懷疑黨員[illegible]化。這是因爲二十年代是革命初期，技術人才者[illegible]是時代的人物，對革命心存[illegible]十年代是建設時代[illegible]日增重要[illegible]說「在建設時期[illegible]技術決定一切」，此時黨內一般黨員，大抵都被清除了，對專家派的一向嫌疑[illegible]卻可免去[illegible]正如路易菲煦所言，此時的老黨員，爲過去的政治關係，名字上加上[illegible]，而非黨員的專家，則其業無政治關係，反在名字上有了一個正號。

（下轉第二版）

我們應進軍鴨綠江（中）

蒲立德作　易安王錡合譯

在杜魯門執政時代，我們政府的舉動，就像英法對抗希特勒時代的「僞裝戰爭」一樣，當希特勒的攻擊準備完成時，他就擊潰英法的武裝，同樣的，我們現在等着俄國準備好了來進攻，祇和他的兩個孱弱衛星國來週旋，而這兩個弱者，擺在朝鮮的部隊數量，超過聯合國軍約達二比一的比例，他們雖沒有轟炸機，可是已被支持起來，對抗自由世界全體。

所有的美國人，除了爲蘇聯心理戰所困惑者，誰知道我們不能安於這種不定的局面中，蘇俄除了被阻止外，是不會自動停止前進的，朝鮮這樣無結局的戰爭，美國人的死傷是在逐日增加，而俄國並未折一兵一卒，這便是阻止他們前進的一種罪惡的自我取消的方法。

爭取勝利

第三，假若我們不甘於向俄國的條件投降，我們自然不能希企和平，也不能幻想他們停止殺戮美國的青年，那我們怎樣結束朝鮮的戰爭呢？不用說，我們只有爭取戰爭的勝利了。

什麼是我們的目標呢？很簡單，統一朝鮮，從釜山直到鴨綠江，都置於現在以李承晚總統爲領導的朝鮮共和國管轄之下；反之，假若我們在現狀之下，離開朝鮮，任北方的工業區落在共黨手裏，而我們的朋友只有農業區的南方，則蘇聯仍將隨時可以行動，由特務，而游擊隊，終而再一次進軍，勢必攫取南韓而後已；要知道，抵抗共產黨，不會在中途上獲得勝利的，朝鮮戰爭必須把最後一個共產黨擁過鴨綠江之後，才算獲得全勝。

取勝意志

我們怎樣才能實現這個目標呢？自然，我們毋庸更換我們的統帥，克拉克將軍是美國軍人中出類拔粹的將才；新任戰地司令泰萊將軍的雄才大略，也足以與其前任弗力特將軍媲美；而魏蘭德將軍指揮下的空軍，更已創造了許多輝煌的戰績。在空戰中我們F86型戰鬥機，和俄製MIG15型機的損失比例，是一與十之比；但是在華盛頓的領導方面，卻需要建立起爭取勝利的意志。

杜魯門政府爭取勝利的意志的缺乏，是勝利來臨的主要障礙，在一九五一年的夏季，我們原是能夠擊敗共軍的，這種看法，到今天連英國也相信是實在的。

切斷供應綫

爭取勝利，現在既是艾森豪威爾政府的志願，在前綫的空海陸三方面的力量，也在迅速增長，艾氏確已掌握了勝利的利器，不過我們還得指出，目前所必克服的兩個困難，一個是敵人的強悍，另一個就是我們有些同盟者精神的衰微。

中共軍在前綫上築成了二十到三十英里深的堅強防綫，我們固然可以利用強大的海軍攫擬其周圍的工事，——像麥克阿瑟所指揮的仁川之役——再在敵人的後方登陸，才能收挾擊的效果，若是我們不能先切斷共軍軍火的供應綫，則我們前綫的進攻，所費的代價，必定很高，所以切斷共軍的供應綫，是致勝的第一要着。

共軍軍火，一部份就在緊接朝鮮西北海岸的安東所製造的，我們應該把那些工廠炸成粉碎；至其大部份的軍火，則係來自蘇俄，而必賴中東鐵路爲之運輸，我們雖然不能完全摧毀這條鐵路，但是我們可以轟炸該路沿綫幾個中心點，中共也固然很快就可修復，可是由此，我們可以減少——不是切斷——從蘇聯來的軍火供應。

封鎖中共海岸

此外，對中共供應的船運，我們能力完全阻止的；現在每天都有不少的輪船，在中國口岸起卸各種軍需品，供應中共和北韓，這些船隻中約十分之七是英國的，也有波蘭的輪船，自施[illegible]滿載俄國的軍火和供應品，送到中國。而從前杜魯門先生的命令，是禁止我們的海軍，去干涉那些輸送足以使我們的士兵於死亡的軍火的船隻，同時政府以台灣爲基地的海軍，也能希望去阻止這些船隻的航行，然而[illegible]先生又命令我們的海軍，去制止中國軍做這種行動。

我們握有封鎖全中國海岸的實力，不實行封鎖的理由，自然是由於英國的反對，不過假若英國和我們是易地而處，在朝鮮傷亡的十二萬六千人是英國人而非美國人，我們必將聽聞邱吉爾的嚴勵人的講詞，使人爲之義憤填胸，然後大不列顛的艦隊，勢必浩浩蕩蕩，開向遠東，封鎖中國的海岸，那時，我們又將如何呢？我想我們必然是義無反顧，而共同行動的。

半週展望

陳克文

共黨南侵警訊

韓國戰場交換傷病俘的協定，剛剛簽字，越盟軍大舉進攻寮國的警訊便跟着傳來。越盟軍四萬已越寮境，法軍撤出戰略性據點，寮國當局準備向聯合國提出控訴。據台灣消息，潛入越共佔領區的中共人員已超出三萬人，其中現有少數幹部。共黨國際情報並已發出「三組」字密令，要越緬泰等國共黨，把握和談機會，切實執行四項侵略計劃。自由世界人士正希望從交換病俘進而促成韓國停戰，乃至東西結束冷戰，維持世界和平。這一來，一切和平幻想，將要趨於破滅了。

東南亞各國，久經殖民地生活，民族主義日見滋長，加以生產落後，生活極度貧困，文盲人數多在百分之九十之上。同時，此等區域多爲糧食充裕，礦產物資豐富的地帶。共黨垂涎已久，只因韓戰，以至延緩其侵略時間。韓戰一旦緩和，必然加緊南侵。自來馬來亞及越南的英法軍事當局，一再大聲疾呼，要求[illegible]。惟美國政府如參院外交委員會主席惠利，尚以爲共黨次一行動將爲擴大韓戰，絕非危言聳聽。寮國接連泰國和緬甸，共黨進攻成功，對東南亞的情勢之影響[illegible]。杜爾斯最近在眾院表示，主張增加對越南援助，認爲越南軍事形勢，並不如預料那麼順利。更主張加強台灣軍備，以牽制中共對越南的進攻。白宮如照這政策實行，越南局勢當可不致大惡化。

狐狸尾巴漸漸露出來了

由世界似乎[illegible]馬倫可夫的和平攻勢，爲時不到一個月，已經把尾巴漸漸露出來了。首先，狡猾的狐狸，現在已在聯合國恢復他那猙獰的面目，再提調「強迫遣返」的原則，又極力幫助[illegible]「立即停戰」[illegible]的提案，而無條件的交換所有戰俘的原則[illegible]。這些都是[illegible]，說明馬倫可夫[illegible]。又說他們「看見一篇提到蘇俄轉變的記載」又說「在莫斯科是禁止稱馬倫可夫爲[illegible]政府的首腦」[illegible]也不許說改變，甚至不許稱馬倫可夫爲新政府的首腦，是對外不妨花樣翻新，對內卻是老實人士。和平真相已經顯露，自由世界還不警覺嗎？

美對華政策不變

前兩天，托管台灣，成立台灣共和國的謠言甚囂塵上。好像美國對自由中國的政策要有根本的改變了。據十三日外電，美大使藍欽，向海外表示：任何新的和平攻勢，都不至改變美國對中國政府的政策。國務院遠東司[illegible]，又有新聞[illegible]主張加強對台灣的軍事援助，以便[illegible]大陸。杜勒斯在參院祕密會議報告[illegible]韓國的政策不變而言，他並指出四十三年度[illegible]三月時，當係台灣前途的各種謠言，證明[illegible]。其實，蘇俄和平攻勢真相已暴露，在艾森豪政府的[illegible]美國對華政策實現之前，我們看不出美國對華政策如何可以改變的理由來。

貝利亞重振聲威

馬倫科夫的名字，最近很少在蘇俄報紙提到，貝利亞和莫洛托夫卻已由國內局勢而增加了威望。

△貝利亞▽

貝利亞洗刷污辱

蘇俄新總理馬倫科夫執政後，向國外是發動一連串的和平攻勢，在國內則採取兩項重大的措施，第一是開釋以前被捕的醫生，其二是宣佈減低物價。

對於釋放醫生，西方情報專家的看法，是認爲貝利亞正在鞏固並加強他的實力，他們認爲當時逮捕這些醫生是有意對貝利亞的聲望予以打擊，當局指責「保密機構」失職。未能預先防止醫生陰謀，身爲祕密警察首長的貝利亞當然要負責任，現在貝利亞揭露醫生陰謀案是僞造的，他已把所受的汚辱擦掉了。

暗中劇烈鬥爭

這種有失政府威信的自白，指明這件控訴案是出自捏造，並稱醫生的供詞係出自高壓的逼迫，等於宣佈貝利亞是保護蘇聯公民免受特務和警察迫害的人物。在這一方面，馬倫科夫的名字最近已很少提到，而貝利亞和副總理莫洛托夫已由國內局勢及韓戰的緩和而逐漸增加威望，這種微妙的情形，正引起西方的紛紛揣測。

這種跡象愈使人相信雖然外表上克里姆林宮是一片和諧，但暗地裏史達林幾個繼承人的鬥爭卻非常激烈。因此，釋放醫生和其他旨在緩和蘇俄內部緊張的措施，只是購買俄國大衆平靜的方法，至少等內部爭權的劇烈鬥爭已獲解決時爲止。

減低物價籠絡民心

關於減低物價方面，美國駐蘇大使館一位參贊曾發表下述的意見，他說：「減低物價已有很好的心理上的影響，工人們和他們主持家務的妻子都普遍認爲史達林死後，局勢且已好轉而沒生惡化，關於他們的生活水準，進展雖然很慢，但每年終有些改善。對於我們，我認爲這將是極危險的事情，我們只看到現時的俄國經濟水準和我們比較之下極爲低落的事實，但我們忘記他們不斷改進的情形。」一九五二年四月一日俄政府曾下令普遍減低糧食價格，上週間，俄國新政權又公布減低物價，這已是七年中俄國減低多種消費品價格的第六次。但迄今爲止，俄國工人仍舊與奢侈品絕緣，他們須胼手胝足工作一個多星期，才能買到一雙次等皮鞋，但由他們對下列物品價格的削減，仍可看到他們此種減價運動的趨向，他們減價的物品是：蔬菜及水菓減價百分之五十；茶百分之二十；棉布百分之十四；電動冰箱及洗濯器具百分之二十五；汽油百分之二十；啤麥酒百分之十一；鐵錘及鐮刀各百分之二十。（第啓譯自四月十三日「新聞週刊」）

台糖產量大增

食米加强外銷有人呼籲吃麵

台灣通訊

在國際市場糖價大跌聲中，台灣今年糖產卻大爲增加。自卅八年以來，政府即未積極提倡糖產，今年起實施之經濟自立四年計劃中，亦對於糖產採保留態度，不希望其增加。但以天時適宜，與NCO310甘蔗新品種推廣成功，台省各糖廠壓製砂糖工作，均較以往爲有成效。茲台中，烏日，潭子，埔里，溪湖，彰化，溪州，目閻，虎尾，南投各糖廠均將於日內完成本年春季製糖工作，其中有較去年增產一倍以上者。總計全省產量，必將超過八十萬公噸。生產增加本爲一好現象，尤其台省外滙三分之二需恃售糖收入。但目前銷路爲難，價又普降，多產反成爲難以解決之問題。台省爲希望多獲外滙收入，將設法以食米外銷。中央信託局局長尹仲容近日呼籲各界多吃麵食，藉以節省米食，俾供出口。尹云目前國際市場白米每噸爲美金二百五十元，麵粉每噸售價約爲美金一百五十元。兩者相差美金一百元。台省麥粉出產不多，惟可以向國外輸入。前此亦曾有人提議，謂台省食米多係有機化學肥料培植，多食之對於身體不甚相宜，宜常吃麵食以爲調劑，故尹氏之言，於經濟的意義外，且可兼顧衛生方面之需要也。

公營事業未賣　證券市場緩設

台省因實施耕者有其田，政府需從地主手中收買超過限額之土地，以轉售於農民。除發行土地債券作爲收購資本外，並出售國省合營或省營之五大事業機構。以期化農業資本爲工業資本。茲耕者有其田已開始積極推行，而五大公司因估價問題遷延不決，致尚未能出售。在民間方面，深感於各該公司用人太多，行政支出膨大，如接收改爲民營，勢須在人事上大加整頓，否則必須賠本。公司職工，已因此種風聲深感不安，對於工作效率，不無影響。前此爲配合土地債券之發行與公司股票之出售，曾有創設證券交易市場之議，以期活潑金融，並便於有志於工業者之投資。茲公營事業出售尚未臻具體階段，證券市場自毋庸即行設立。而其中尚有最大癥結之點，即日後設立時，是否可兼做期貨買賣，成爲政府當局間爭論未決之問題。蓋如不做期貨，不易達到調度工業金融之目的，而如准其做期貨買賣，流弊自屬更大。台省近年來所築經安定之市場，將因之隨時引起波動。

——論馬倫可夫的新政權——

上接第一版

黨的變質

史大林這樣爲了排斥可懷疑的老黨員，遂把許多技術人才造成了新幹部。他說「技術無運用之人才不行，現在是幹部決定一切。我們倘能在工農交通軍隊中，有許多良好的幹部，那末我們的國家便可無敵」。因此，黨便改變了性質。在今日，負責黨務的，惟有那些特工官僚了。多數人民把共產主義視爲一種宗教，黨員無異教士，而史大林則爲神明的教皇。蘇維埃制度乃成了表面上是神權統治，而實際爲技術政治的東西。

因爲重視幹部技術人才，於是來了蘇維埃的階級制度。技師與工人，軍官與兵士，彼此之間，身份享受，大有不同。且自實行大學教育收費，工農的子弟便少有受專門教育而任技師的機會。這是一種新的史大林封建主義。今日蘇俄的共產黨已是脫離民衆，而成爲與民衆相對立的統治階級。今後蘇俄內部的問題，一是工農大衆對共黨統治者的反叛，次爲共黨內部官僚特工間的權利鬥爭。關於民衆的鎮壓，與乎黨紀的維持，唯一的力量是特工。史大林說「幹部決定一切」，其實是特工決定一切，這是警察國家的本質。因爲特工是在貝理亞的手中，也就是黨中的實力屬於貝理亞、馬倫可夫出身技師（一九二五年莫斯科高等工業學校畢業），他在黨內的勢力，至多不過一羣官僚與專家，於是便非借軍人不可了。

因爲上面這種形勢，史大林死後的蘇俄內部情形，決不安定，將來難免有破裂的一天。馬倫可夫爲了增加其對內外的聲望，以期媲美史大林，第一步惟有採取收攬人心的政策。這便是最近之宣布大赦令與減低物價令。

至於對外，由史大林在去年聯共大會所決定的政策，希望資本主義國家內部的衝突，能先資本主義對共產主義的衝突而發生，自惟有繼續其和平攻勢。惟在史大林，因能控制全局，他可運用和戰並行的手法，一面宣傳和平，同時並做出強硬的姿態。馬倫可夫新執政權，他就只能加強和平攻勢，藉此緩和國際局勢，而以全力穩定內部。且如最近西歐建軍計劃的急進，與東方韓戰的僵局，亦非採取和平手段，不能得到弛緩。這便是最近許多和平手法的由來。

世界局勢更嚴重

但就東西對立的形勢言，如德國統一問題，奧國和約問題，朝鮮戰爭問題，軍備裁減問題等，都非由蘇俄作重大讓步，難以使時局轉趨安定。然史大林的威望，在必要時，他可以實行退讓，而馬倫可夫卻不能有損害蘇俄國際體面的行動，否則就難免引起內部的反對。所以就馬倫可夫的和平攻勢言，只是一種姿態，目的在緩和時局的緊張，爭取時間，以整頓內部。他到底不能爲了和平而忍受巨大的損失。

所以，對於馬倫可夫目前的和平攻勢，我們不敢樂觀，認爲一不得當，即有爆發而爲戰爭的可能。哈里曼認爲史大林死後，世界局勢的危機將更趨嚴重，實堪注意。

目前一般人對於中共承認自願遣俘的原則，認爲朝鮮停戰大有希望，我們卻不是這樣的看法。過去對於印度提案，蘇俄不待中共的同意，率先在聯合國中加以拒絕，誠然表示史大林欲繼續韓戰以牽制美國的態度。此次周恩來在史大林死後，維辛斯基尚未出席聯合國以前，提出遣俘的建議，我們不妨認爲中共發言權的增大。

由中共提案之與印度調解案，大致相同，也可表示中共確有停止戰事的用意。但蘇俄的政策，決不許單由換俘問題的解決而即停戰，這一點卻是很明白的。中共與蘇俄在實行和平攻勢中彼此政策獲得妥協的地方。金日成與彭德懷的答覆，是向聯軍司令提出的，可以由板門店談判解決。但是遣還戰俘，又何嘗不是軍事問題？周恩來之向聯合國建議，雖由去多通過印度提案而來，然推其用心，顯欲把軍事問題轉化爲政治問題，從板門店而移至聯合國。他們希望由朝鮮停戰，至少獲得中共代表之出席聯合國。由本月一日莫洛托夫支援周恩來建議的聲明，已把這一點明白說出來了。

總而言之，朝鮮停戰問題的讓步，只是蘇俄目前和平攻勢中的一小節目，其意義雖比釋放英法在北韓的平民俘虜，較爲重要，但比之西歐建軍問題，究非主題。故即令中共有意停戰，但由蘇俄的整個世界政策看，卻決非易事。

新聞人物

蘇俄和平攻勢的副產品

聯合國秘書長韓馬修

聯合國新秘書長人選陷入僵局之後，法國一再與英國磋商，終於提出一位瑞典外交家爲候選人，這是一個出人意外的黑馬，他僥倖逃過蘇聯在安理會中的否決，也獲得聯大全體會議的批准，這個遷延五月僵局的打破，也是莫斯科和平攻勢的副產品之一。這位瑞典外交家名叫韓馬修。

家世　韓馬修一九〇五年七月二十九日誕生於瑞典中部的顏哥濱，身高五呎十寸，有一對黑色的眼睛。一六一〇年，祖先抵抗丹麥人侵略有功，獲國王查理士九世封爲貴族，韓馬修排行最幼，他的父親哈加瑪韓馬修，現年九十一歲，是第一次世界大戰時的瑞典總理，他的哥哥曾做過海牙國際法庭的法官。

教育　一九二五年，他畢業於烏普薩拉大學，獲學士位，在校時所攻讀的學科是文學、法文、實用哲學和經濟學。一九三三年復在斯德哥爾摩大學獲博士學位，他曾若攻英法德三國文字，在上星期記者招待會中，已表露了他精於英德法文的天才，他奉公守法，作事負責，同事和朋友都稱他爲「十全十美的國家公僕」。

經歷　他曾在斯德哥爾摩大學任過短時期的講師，後來轉任瑞典銀行秘書，三十一歲時，出任財政部次長，五年後，改調瑞典銀行董事會主席。後來他以財政專家的身份調到外交部服務，他沒有加入任何黨派，也從不自動競選官祿。在戰後歐洲經濟會議中，大多數是由他代表瑞典人出席，他與西方國家合作得很好，但一方面也爲瑞蘇貿易協定辯護，他敏捷的辯論和廣博的學識久已蜚聲國際。

△韓馬修▽

一九五一年，韓馬修升任外交部次長，他曾以外交次長資格率領瑞典代表團出席本屆聯合國大會，他今年還只四十七歲，就已由外次一躍而爲聯合國秘書長。

個性　他有歐洲外交家的傳統氣質——靜穆、幽默、文質彬彬和一個很好的家世，但他自認是經濟「技術人才」。他的興趣似是多方面的，他喜歡詩，哥德、愛略脫和塞凡提斯的著作尤令他忘寢廢食，室內還掛了許多名畫家的作品。他喜歡在瑞典北部作爬山運動，他常常爲了鬆弛緊張的身體和神經，獨個兒出外作一兩天徒步旅行，他的行囊很簡單，除了一本書，幾片麵包和一盒葡萄乾，其餘什麼也沒有。他雖然常在國際講壇上議論風生，但在巴黎開會的時候，仍不免流露他愛靜的個性，他有時跑到巴黎郊外一間偏僻的餐廳中，叫點酒菜一個人慢慢地獨酌。去年秋，他率領瑞典代表團參加聯合國大會，住在紐約公園路美花大廈套房中，當時誰也想不到他就是賴伊的繼任人。

新職　韓馬修當選爲聯合國新任秘書長，自然是由於他是一個傳統中立國家的公民。他的任期五年，每年的薪俸共爲五萬五千美金，一律免稅。他的職務大部份是處理行政，而非擔任政策設計的工作。（迪華譯）

傳史達林死於謀殺

在蘇俄當局正式宣佈史達林病重的前一週，俄國部隊曾有大規模的調動，大批軍隊奉令由各地調至莫斯科區域，這是西方情報人員所獲的最可靠消息。因此若干高級負責方面由此推斷，史達林可能是被謀殺死的，俄政府宣佈他的病狀和死期極可能是捏造出來的謊言。這個推斷雖未爲西方專家所普遍接受，但再參證以猶太醫生案，實可見史達林的死並不平常，將來眞相總有大白的一日。

東德即將大舉整肅

馬倫科夫繼任克里姆林宮主人後，東德共產政府極可能繼捷克之後來一次重要的改組。據說，現任副總理烏布里治是馬倫科夫的親信，將一躍而爲東德的最高頭目。將來多病的皮克總統只是有名無實的元首，而現任總理葛羅德華的勢力正在迅速低降中，不久的將來，他可能就是克里姆林宮聯合烏布里治大舉整肅的對象。

天下小事

皮爾遜不開心

賴伊辭職後，安理會所最先考慮的繼任人選是現任聯大主席加拿大外長皮爾遜，皮爾遜提名被否決後，幾經波折，才輪到現任秘書長韓馬修。

當初提名的時候，皮爾遜本人也躍躍欲動，而大多數國家也認爲他是最理想的人選，但不幸還是失敗了。據說皮爾遜認爲：如果英代表傑布爵士和法代表霍彭諾對他的提名案處理得更技巧一點，他很有當選秘書長的機會。對於這件事，皮爾遜對傑布很不開心，聯大通過韓馬修提名的第二晚，傑布曾邀請皮爾遜晚餐，也爲皮爾遜率直地拒絕了。

共黨附庸加緊備戰

儘管共黨的「和平攻勢」聲勢駭人，但骨子裏蘇俄及各附庸國家仍在加緊備戰工作。據一位可靠人士報導：匈牙利共產政府已在布達佩斯南二十哩建立了一所新原子實驗工廠，有許多匈牙利和蘇俄的科學家在那裏工作。同時，波羅的海上東德呂根島現在已不再是瑞（典）德火車輪渡的終點了，島上正在設置堅強的工事，居民一律遷至對岸的薩斯尼支城內，據說蘇俄正把它建爲定向飛彈基地。

波倫赴任三易座機

如果從迷信的觀點出發，美國新任駐蘇大使波倫真有些出師不利，或謂這預兆着與俄國人打交道，是一件難而又難的事情。他的任命在參院中幾經辯論始獲通過，這是大家共知的事實。後來他攜同夫人子女各一同赴任，星期五晚他們一行乘機啓程後，不到十五個小時，他們又飛回紐約，原因是座機的引擎出了毛病，隨後他們又改乘第二架飛機啓飛，但飛機抵愛爾蘭時，又發覺機器發生故障，直到星期日才改坐第三架飛機安全飛抵巴黎，轉飛莫斯科履新。（論衡）

共幹「抱着法律本子辦事」
虐待工人方法新異
帽子亂加藉故欠薪停工

年來大陸各種工人在中共各工廠及工會等領導幹部爲盲目達成生產任務而故意幾酷兇狠的壓迫奴役之下，除已遭到工亡、工傷、及積勞成疾等等的悲慘命運外，最近又大多遭到了兩種新的壓迫：一爲藉口欠薪，一爲待工停工，結果皆不得不爲苟延生命而啞忍受！此種壓迫，初無理由可言，純爲共幹濫施威權以逼使工人「絕對服從」以遂其意的一種手段，然後發而演變而爲奴役工人與過度勞動以表彰共幹領導生產成績的另一手段，且爲此一手段想出了官冕堂皇的理由。如最近四川永川煤廠及「國」營一〇二鋼鐵廠皆曾對一部份工人欠薪（即工資）兩個月之久，理由是「生產成績不佳，影響廠方收入，無款發放工資。」因而逼使此班工人無法生活。但其壓迫的兇惡程度尚不僅如此；當一部份被欠薪工人因不服此種壓迫而發出怨言時，廠方即以「怕欠薪可請長假」爲詞飭該等工人請假，而當該等工人因而未上工時，即以「破壞生產」的大帽子（在中共爲罪大可殺之事）向他們頭上一戴，立予扣押，就地審刑拷打，除了自認晦氣，終是有冤莫伸！且此種壓迫，共幹皆有恃無恐，謂之「抱着法律本子辦事」。所謂「法律本子」，意即指「破壞生產」，即有權「懲辦」。至於待工停工方面，如最近河南白沙水庫一帶有兩百餘名治淮工人及山東、蘇北一帶部份建築工人，皆曾因不滿領導幹部過度勞動的壓迫，反被這些共幹以「調整工程」爲名，予以待工或停工的壓迫，以剛用生活的威脅，迫使工人就範！由於共幹對工人虐待方式既多而又兇惡，實已使大陸大多工人，陷入極度悲慘之境地！

中共加強備戰基礎
擴建鞍山鋼廠
人力器材嚴重缺乏
大事抽調挖肉補瘡

最近中共爲加強「國營鞍山鋼鐵公司」，所謂大規模的「基本建設」，又採用挖肉補瘡的辦法，由僞重工業部令飭大陸各地鋼鐵廠抽調大批技術人員及工人補充鞍山，並另行會同僞教育部向各地工業專科學校征調大批教授及學生。據新華社鞍山上月二十四日發佈消息，迄目前止，從各地被征集已抵達鞍山的技術人員，已有二千八百五十餘人；工人，三千兩百餘人；工程師一百二十人；大專學校的教授和學生共三千六百人。此外，尚有從遼東、遼西兩省抽調到鞍山担任行政管理及政治工作的中共黨員及團員，亦已有兩千三百餘名之多先後到達鞍山。

同時，中共並飭各鋼鐵工廠抽撥一部份生產設備，裝備鞍鋼。現已有瀋陽、南京、天津、武漢、上海等地共七十五所鋼鐵廠移供部份裝備，且分別與鞍鋼簽訂合同，分別專爲鞍鋼製造該處所需之一切機器零件及建築所用之金屬用品。查中共之所以集中全力擴充鞍山鋼鐵生產基礎，早於上年十二月二十日本報有所分析報導，其主因，實不外受俄人操縱，及利用中東鐵路與旅大海港之便建立大規模軍部基礎。證之若干迹象，益信無疑。

西方嚴施禁運
中共石油奇缺
西北大規模開礦

【本報訊】大陸汽油荒由於自由世界禁運日益嚴厲，非但未能稍減，且愈加嚴重，尤其在國軍反攻大陸時機已形成熟之際，更使中共感到戰爭物資之逼切需要，故其對儲備工作極爲積極；同時對油礦之探尋尤爲緊張，據西安方面消息：中共近在西北大規模進行石油勘探工作即將開始，現已組成之五十二個石油勘探隊，於本月初相繼出發至西北原野工作，另有三十個手搖鑽隊亦將於最近跟隨勘探隊出發，從事勘鑽石油礦。據中共發表之工作計劃中透露：今年西北石油地質勘探工作普查面積將達到六萬多平方公里，過去勘探工作主要地區在酒泉、陝北、民和、潮水（寧夏、甘肅交界地區）等四個盆地進行，僅作了細測與鑽探工作，今年除繼續進行外，將擴大勘探地域，以探尋儲油地質，並向北擴展至綏遠之大青山脈，西至寧夏省之賀蘭山脈。參加此次工作者，將有九十七個野外工作隊，動員一千二百多個地質勘探人員，並有新近俄國運到之科學儀器組成之重力隊、地震隊、地層對比隊配合工作，由此可觀中共對發掘石油礦工作緊張情形之一斑。（馬）

福建農民消極怠耕
耕牛死亡空前衆多

福建大部地區，由於去年秋收荒歉，而中共征糧仍苛酷，致農民紛紛破產，生活大多陷於絕境。生活不繼之結果，乃被逼動用種谷，乃影響今年春耕，乃普遍激起農民之忿恨而展開無言的消極抵抗。此一情況，本報前期業已有所報導。現據來自閩侯、莆田一帶消息，謂此種無言抵抗運動，已轉進爲消極怠耕的具體行動。該等地區農民，鑒於年來辛勤所得，均爲中共所刼奪而被陷於饑餓狀態一節，皆甚激忿，已普遍存有「打碎狗食盆，大家吃不成」及「反正餓死，大家同死」的情緒，乘之種谷又感缺乏，乃大多叉手觀望，聽其自然，致無形間已普遍形成一消極怠耕的運動。此一消極怠耕結果的又一現象，爲近來該等地區之耕牛大批死亡或宰殺。死亡之原因！據悉因大部農民曾被逼報有保險（中共之保險業務亦係強迫性者），既已消極怠耕，反正牛死可得賠償，且可權充生活之資，由是耕牛乃失去保養，終至造成死亡。而宰殺之原因：則因大多抱着「活了一天算一天」的態度而將耕牛宰殺變賣，幷充作食糧。又悉該等地區目前已死亡或被宰的耕牛爲數極爲可觀：即以閩侯一縣爲例，據統計，平均每鄉當在二十頭以上，現此種情況，中共福建省當局雖已請示僞華東行政委員會力謀解決，但迄無妥切辦法決定。即能設法補救，全部人畜勞動力之損失，已極慘重！

恐懼反共份子
穗共檢查戶口

【本報訊】廣州共黨以國際局勢益加不利，國軍反攻爲時不遠，恐懼在此時期，有反共份子滲入市區活動，已定期於六月三十日晨零時起，行全市戶口總檢查，訂有嚴厲辦法，凡是發現有行蹤可疑之市民，即予拘捕，嚴加審訊，以期肅清「反革命」份子，不影響其政權。（易）

共區大中學生忙些什麼？

現在大陸所有的大學，專科及中等學校幾已完全作了中共黨團的天下，一切左傾幼稚病在學校中的盛行，實已嘆爲觀止！因而到處一片忙亂，早已不成其爲讀書，而是在成天團團轉地鬼混！

這些青年學生們究竟成天在忙些什麼？這裏，我們爲節省篇幅，特綜合大陸各地報紙對各地學校提出檢討的內容加以扼要地介紹。

忙於開會

一方面是忙於開會：其會議之多，實堪令人咋舌！據統計：在每一學校中都有黨、團大會委員會、小組會、學習會、報告會、檢討會、總結會、評議會、傳達會、友好會、慶祝會、座談會、紀念會等等，（名目繁雜，不勝枚舉）總共有四十八種會議之多！因而論時間：白天開會，晚間開會，下課開會，休息開會，平時開會，假日也要開會，甚至半夜裏及上課時間都要開會！論空間：禮堂裏開會，教室裏開會，飯廳裏開會，操場裏開會，寢室裏開會，甚至廁所裏也在開會！論內容：爲了政治、學習、批評、檢討、傳達等等固然要開會，即小得爲添買一支筆，一刀紙等等芝麻綠荳的事也要開會！

忙於職務

一方面是忙於職務！就是因爲各學校中的會議及組織太多，於是學生的職務也多得可怕！各該校中的組織除黨團委員會及其各股各組外，其他什麼學習委員會，評議委員會，考核委員會，愛國公約推動委員會等等就有二十二個之多，而且各會都有各會的什麼主席啦、委員啦、股長啦、組織啦、多得不可勝計，因此差不多每一個學生都身兼三五職以上，乃至有多至身兼十餘職者。即以重慶土木建築學校爲例：在一個只有二十一人的班級裏，就有非大家分担不可的大小職務九十八個之多。亦因此，這些學生僅爲這些職務奔波，就已忙得透不過氣來了。

忙於運動

又一方面是忙於運動：誰不參加會議及不參加服務而鑽研功課，誰就是「個人主義」，於是便來一個「反個人主義運動」。誰要爲功課成績好了，誰就是「風頭主義」，於是便要來一個「反風頭主義運動」。誰要如政治活動不夠積極，誰就犯了「不良傾向」於是便要來一個「反不良傾向運動」。誰要如對組長、股長、委員、或主席領導、質問等表示一點不耐煩時，誰就被認爲「不禮貌」或「冒犯領導」而誰就是犯了「無組織無紀律」的行爲，於是便要來一個「反無組織無紀律運動」。諸如此類，亦多得不可勝計。如此胡鬧，那還有不忙之理？

忙於打瞌睡

再一方面是忙於打瞌睡，有如前述，學生們既忙得連半夜裏或上課時間，都常常在開會或搞什麼活動，那末當然，睡眠時間根本就不足了。可是另一方面：加上學校教學和黨團活動根本是兩種相衝突的事情；儘管黨團活動如此猖狂，學校教學方面，還是照樣有上課及小考等等的實施，學生們依舊不得不敷衍功課，黨團活動既這樣忙，大家便不得不以開夜車來補救功課，或應付考試，結果，當然睡眠更感不足了。於是，誰都不免要在白天到處東倒西歪地打起瞌睡來。尤其在上課時間心身一靜，幾乎十九都在朦朧之中！十九都在爲打瞌睡而忙了！

準此，便已可知現在大陸的青年學生們究竟成天在忙些什麼。也可知現在大陸，所謂讀書，究竟是怎麼一回事了。

東北反共份子活躍
共幹日夜嚴防
學校也要站崗

據一批東北學生向北平「人民日報」提出意見，謂東北各地公安機關以「提高警惕，防止反動份子破壞」爲理由而規定各學校學生應輪流日夜站崗一事，深感困惑，要求東北各公安機關重加考慮。他們說每校每夜要犧牲二十幾個學生的睡眠，每日則連同看守宿舍要犧牲十多個學生的功課，加上夜間站崗的學生白天因休息而不能上課，不僅廢了功課，而且壞了身體。他尤其認爲學生的徒手崗站，於實際需要的自衛意義並不有效，故他們要求改由公安機關派警駐守或經常巡邏以代替學生的站崗。由此事觀之，則東北反共志士之活躍，實甚明顯，共幹普遍之恐懼情形，亦甚明顯。

刮龍機會多了一個
粵江開始防汛
共幹眉開眼笑

【本報訊】廣東各地水災，每於夏季發生，爲害至烈，淹沒農田、溺斃牲畜，每年所受損失甚鉅。自陷共後，各江堤圍之補修工作雖未中斷，由共方強迫囚犯及勞動改造營中人犯，並發動沿江人民參加防洪工作，但由於共幹低能，貪污，視人民如牛馬，對補修工作只重表面不切實際，馬虎了事，故每於洪汛時期，各江仍不斷發生災害，崩堤塌圍之情形愈加嚴重，人民生命財產之損失極爲浩大，天災人禍，空前未有。然中共對於防汛工作，每年仍照常進行，作其應景文章。本月初，粵共又成立所謂「廣東省防汛總指揮部」，發動各地人民進行防洪工作，在各地設立防汛指揮部，於沿海及各江增設報汛站，韓江已於本月一日開始工作，其餘各江亦將於本月十六日開始。其「廣東省防汛總指揮部」於一日成立，由僞副主席古大存任總指揮，並於九日發出「關於一九五三年防汛工作指示」，大做時令文章，命令各界迅速建立各級防汛組織，佈置基層工作。各地共幹於奉到此一命令後，無不眉開眼笑，因刮龍機會又多一個，可以一展身手矣。（木）

韓戰前線損失慘重
大陸醫生缺乏
中共舉辦考試
四月起分在各地舉行
挖掘中西醫供其驅策

【本報訊】中共中央衛生部爲應付目前與及國軍發動反攻時之需要，將在各地城市舉行醫藥師考試，挖掘各種醫藥人才，供其利用。

中共自參入韓戰後，損失慘重，武器人員死亡固已驚人，即所謂文工人員傷亡者爲數亦極衆多，其中尤以醫事人員受害最多，極感缺乏，而大陸各地醫生、護士經其不斷抽征送往韓國前線之後，更形缺少，各地醫院診所均已發現醫生荒，情形頗爲嚴重。因此已使中共中央衛生部門大爲緊張，除在各地設立短期訓練機構，訓練大批護士外，近復由衛生部擬定計劃，會合有關機關組織一「全國衛生人員考試委員會」，規定於今年分在大陸各城市舉行醫師、中醫師、牙醫師、藥劑師考試；該委員會由其「中央衛生部副部長」王斌及該部「醫政局局長」黃鼎臣分任正副主任委員，北京大學醫學院、協和醫學院、中醫進修學校等單位負責幹部、教授、大夫等三十多人爲委員。並經決定四月先在天津舉辦考試，然後再在各地進行，以便應付需要。（寰）

中共掘墳
禍及景陵

中共狼虎成性，到處掘毀祖代廬墓，摧殘歷史文物，本報迭有報導。近除漢口、洛陽等地以「基本建設」爲掘毀大量古墓外，復將河北東陵的景陵（清代康熙偏妃的陵墓）加以摧毀。並將景陵的大香殿全部拆毀，將拆下的房木磚瓦建造了僞東陵造林局的廁所。更荒唐的：竟將從該殿拆下的漢白玉石建造了該局的豬欄！這種行徑，雖曾被當地居民加以勸阻，亦告無效。而中共河北省當局除對「浪費」一節略有指斥外，對於毀壞歷史文物一節，並無表示，可見此種破壞觀念，皆極普遍。故今後各地歷史文物，勢將續被摧殘，殊堪嘆惜！

路有餓死骨
庫多霉爛糧

【重慶訊】目前大陸各地，普遍陷入飢荒，西南地區尤爲慘重，業誌前期本報。惟民間雖飢荒如此慘重，而中共各地糧倉之中，則有大批存糧任其霉爛，形成一極殘酷之對照！此種大批存糧霉爛情事，大陸各地時有所聞，已屬平常，實不勝一一加以報導，即就最近重慶市僞糧倉公司第八中心倉庫而言，就有爲數達三百多萬斤之多的米、谷、黃荳等糧食全部霉爛！據悉其中霉爛的上等磧米有兩百四十萬九千四百餘斤，中等磧白五十三萬一千五百餘斤，黃荳五萬六千三百餘斤，稗谷十八萬九千餘斤。又悉此批糧倉之霉爛程度，已至不堪收拾地步，且該地僞糧管當局束手不知所措，至爲荒唐！此事重慶新華日報亦微有披露，謂正在追究責任云云。

自由談

必也正名乎！（一）

高方

孔子作春秋，口誅筆伐亂臣賊子，最講究「名分大義」，除了嚴夷夏之防以外，一字一句，皆特別謹嚴，決不苟且，所謂「一字之褒，榮於華袞；一字之貶，嚴於斧鉞」。這種精神和方法，實為後世宣傳學上不可忽視的寶鑑。講宣傳而不注意於正名定分，愼用詞句，其效力不但微弱，有時且適得其反。近幾年來，有若干為我們所習聞習見，同時連自己也不免隨聲附和的宣傳字句，仔細思量，殊有檢討的必要。

譬如：過去政府在大陸對叛亂竊國的共黨用兵，名曰「勦匪」，視其為篝火狐鳴打家劫舍的土匪，那是對的。現在它已假藉外力，僭立政權，且一面倒向異族，斷送國家民族的權益，這就不僅是「土匪」性質，而是賣國賊的行為了。人民不贊成它，起而反抗，可以說是「反共」，然在政府立場，即應該是「討賊」。所謂「反」，乃具有以下犯上的「造反」意義，至少也是對等抗衡的敵體行徑。因此，政府在公文書上，或在宣傳刊物上，仍沿用「共匪」兩字，似有未妥，而「反共」二字，亦祇能讓一般人民使用，不宜據以為政府表示討賊大義的代名詞。若說「共匪」兩字只是咒恨之意，也可不必，旣是竊國而又有賣國能耐的國賊，即非表面咒恨所可消滅的。所以，這幾年我個人在文字上即不用「共匪」字樣，這與卑怯惶懦的心情無關，覺得今日之中共罪惡，已不是「匪」字所能概括的了！

·一封大陸來信· 體育治療法

·程慕揚·

慕揚：劉友生病了，病得連提筆寫信的氣力也沒有，眞是已到了病入膏肓地步，奄奄一息，將不久於人世。不過，在他還沒有斷氣以前，我也顧不得一切，只有向你求救，請你看在多年老友的情誼上，為他在香港買些「雷米芳」或「PAS」這類特效藥寄來，愈快愈好，救救他罷！雖則在你將藥品寄到時，他可能已得到澈底解放了，但我們總算是盡到了人事，在良心上減少些負担。……至於他怎麼會病到如此田地的？讓我在下面與你細談罷。

這是在北平的朋友來信，他要我為老劉買些肺病特效藥寄去。這種事在我已經不覺奇怪，前些日子已有二位親戚來信向我提出同樣請求，我都一一照辦了；不過，沒想到平日自稱有「龍馬精神」的老劉，幾年不見，竟會病成如此，並且，從朋友的來信中知道老劉的病是因為他們要敬禮「蘇聯老大哥」的先進肺病治療法中，首先遭遇不幸的一個，經過確是耐人尋味的。現在，我將朋友的來信一字不易的抄在下面，讓自由世界的人們知道是怎麼一回事？下面是來信的後半部：

你是知道劉友生平日身體是很好的，他自己也常說他是有龍馬精神，食得，做得，睏得的；可是，這是幾年前的事了！自從大陸解放後，也因為身體好，因此他特別起勁，對於人民政府的一切運動，他是挺熱心的；但是，在這兩三年中間，他所受的打擊眞是一言難盡，恕我不能在信中與你詳談。

他害病的起因是這樣的：因為他身體好，所以上級對他特別看重，交給他的任務比別人多，去過朝鮮，也到了西北、東北等地。當他於去年六月自朝鮮回來後，據他對我說：前綫的一切事物令人太興奮了！在戰地兩月，我沒有好好地睡過一晚，事實上，也無法使我安眠，志願軍的砲火日夜不停地向美軍陣地放，震耳欲聾，神經緊張極了，於是，我病倒了，上級將我調了回來。

此後，他一天天的消瘦，臉孔發紅，有點咳嗽，飯量大減，口中吐出的痰裏面帶有血絲；發覺患了極嚴重的肺結核。我曾經勸他請假好好地休息一下，並去找醫生檢查一番，不要自以為身體好，不當一回事。

正於此時，華北人民醫院來了個蘇聯朋友，他是肺病專家，名字叫「奧斯特洛烏瑪娃」，介紹我們一個極富有革命氣息的「肺結核體育療法」，醫院方面需要一些參加實驗的病人，劉友生被上級保送去了。當時，我很為老劉開心，居然得到這樣一個好機會。

他是去年進入華北人民醫院的，初進去時情形尚好，經過奧斯特洛烏瑪娃的親自檢查，說他的病還是活動性的，不能馬上實行體育療法。在那個時候我曾經去看過他幾次，見他生活得很好，病況雖沒有好轉，但也沒有加劇，住得好，吃得好，早起早睡，生活頗有規律。不過，他告訴我，醫生從來沒有給他服過藥打過針，僅僅由護士每天過來為他量一下熱度，問他大小便的情形；此外，一無所有了。

今年一月開始，他參加體育療治法了，由蘇聯專家領導，按照體育活動時間表，在早上，即使是飛着雪花的日子，他也上操場上跳躍、遊戲。午後的活動節目可就閙了，打籃球、打羽毛球、扭秧歌、跳集體舞，不停地跳躍着，說是對患肺結核的人極有益的。除了體育活動之外，他還讀報、下棋、談天、寫壁報、打克郎球，還有學習俄文等等文化活動。

自此以後，初時他感到肌肉在疼痛，多痰，有時發生頭暈等現象；但據醫生說，這些現象是必然的，並不是表明病況劣化。並且要他克服保守思想，應該用蘇聯的先進經驗與舊的落伍方法鬥爭。他實行了，并且還對我說：我將糾正過去的錯誤觀念，以為患上了肺病應該靜臥不動，現在我已經知道怎樣才能增強對疾病搏鬥的信心，對我是如何重要了！你不必化費時間精神來看我，相信不久我可以回到工作崗位的。

上月初，因為不見他離開醫院回來，我又到醫院看他，他已換了病房，與別的病人隔離了，單獨地住在一間小房中，躺在床上。當我見到他時，他是與我二月前所見到的情況大不相同，完全變了，人是瘦得只剩一把骨頭，顴骨突出發紅，兩眼深凹無神，臉如黃蠟，怕人極了！他向我點點頭，講話的聲也是嘶啞無力，聽不淸楚；我問他的病狀，他好像聽不到我的話似的，我又不敢低下頭去與他說話，心中眞難過極了。雖然是見到了他，而實際上他所說的話我一句也聽不淸，無法了解他的情況，但我直覺地感到：他的病是恐怕不會好了？

後來經過我向護士的探問，據說，友生是實驗體育療法中得到不良效果的一個，蘇聯專家要從他的病歷中去發掘眞理，所以要靜觀他的病狀發展如何？始能決定是否採用其他治療方法。

慕揚：請原諒我，在友生還沒有到藥石罔效的時候，我在前面說他將不久於人世，但由此你可想像到他的病狀是如何的嚴重了！所以我今天大膽的向你寫信請你購買藥物，最好是買些瑞士貨，美國貨我們是不歡迎的，不要搞錯！在收到你的藥後，讓我再到醫院向醫生進行說服工作，請他們用些藥物試試看，結果如何，容再告。祝好！

××上　四月六日

徐淮大戰紀聞（下）

黃兵團既告殲，共軍襲其故智，即以全力進擊邱兵團，而邱亦若戰敗亡。最後再返戈指攻黃維軍，維軍蹈覆轍不爽。此三部兵力，乃國軍精銳所在，裝備優越，實力強大，然竟被劣勢敵人各個擊破，相繼消滅，謂之為國運使然固可，謂之為人謀不臧，亦無不可也。共軍破此精銳三軍之戰法，亦殊可哂。徐淮大戰，除以人海戰術正面進攻外，即於國軍陣地外圍，遍掘縱深壕溝，層層密佈，使機械化部隊艱於移動，兼以大雪紛紛，歸蔽道途，不辨何處有陷阱，何處係平陸，更使國軍活動維艱，永處劃地自困被攻之困境，無從動出擊。

徐淮戰爭劇烈時，中樞所賴以補充前綫之軍需品如械彈及軍糧等，皆仰給於川湘兩地庫存。詎國府武漢之軍政大吏，與生異志，製造政潮，凡由川中運出之械彈米糧，經武漢每遭截留，而長沙綏靖主任兼湘省主席程潛，復公然宣告禁米出境，且停止徵兵徵糧，中央銀行湘分行所庋現金，亦不許提用。事事與中樞對立爭持，即處處為共軍間接助戰也。

大戰方興之始，最高統帥頗以軍糧問題為慮，責成主管機關積極購儲備用。然執事者以責任嚴重，深慮隕越，獻議中樞，謂各地民間存糧充裕，可給資交由前綫部隊就地採買，若訂價接近一般市價，則民間必樂為之糶，軍食無憂，手續又極簡便，且免長途飛輓之勞，善莫大焉。當道不明實際情況，可其議。實則前綫根本無糧可購，徐淮區域亦非魚米之鄉，而共軍復四面騷擾掠奪，人民逃生不遑，那有餘糧出售乎？尚糧款發交部隊經理人員之手，不崇朝即盡數流入上海市場，從事投機業務，為購入黃金美鈔或囤聚物資之再生財手段，軍中枵腹作戰如故也。斯時在上海主持購糧事宜之楊綽庵，即以善製虛誑之儲糧表報，深獲上峯激賞，且擢升財政部政務次長以酬庸，其敗象可知矣。聞前綫軍隊每值飛機赴戰地投糧時，競於地面作標誌以仰接空投品自天而降，有若隋代宮女之計迎羊車然，迨米包落地，相互爭執，囂然內鬨。補給之道若斯，烏足以言戰耶？

新·世·說·補·遺

馬五先生曰：國家之敗，世論皆集矢於官邪與人治之弊，固矣。然若無西安事變，則共禍早已煙消影滅，而徐淮大戰時如非內部迭生反側，阻兵安忍，作賤自戕，賊燄亦不易蔓延全國也。治國史者，於茲二事，豈可忽乎哉！

馬五先生

艾森豪塔虎脫打高爾夫

艾森豪總統和塔虎脫參議員的交誼日篤，不僅遇到重要的公事，他們會促膝長談，而且公餘之暇，也常在一起娛樂。

上星期，艾森豪球癮大發，特邀請塔虎脫前往華盛頓燃樹俱樂部作高爾夫球比賽，塔虎脫是不大精於此道的，但礙於艾森豪的情面，只得勉強應命。

不料，這一個消息竟被記者探知，比賽前的一個鐘頭，俱樂部中就已記者雲集，大家爭睹這一場精彩的球賽，比賽的時候，艾森豪的手法顯得很熟練，但塔虎脫也不甘示弱，兩人力賽結果，艾森豪終以九十四對九十三分佔先，塔虎脫氣喘呼呼，還帶來滿頭大汗。

塔虎脫雖然敗了，但還沒有忘記他的幽默脾氣，他說：他雖然敗了，但其中有一記是好過他的對手的。

（由之）

旅行的需要

·健軍·

我常勸人旅行，因為我自己旅行太少，（雖然我也算是身行萬里路的人了），而我深切地知道旅行對於人性的啓發是如何重要，我常說一個人如果想把人生參悟淸楚，想把事業搞好，或是想把生活過的有意義，那他就得旅行，不論他是個寫作家也好，政治家也好，宗教家或經濟家都好，如果他不旅行，他的事業決不會成功，即使成功，也不是澈底的成功，更不是有色彩的成功！一個作家要想獲得靈感，或是要蕩滌胸襟，寫出驚風雨，泣鬼神的文字來，那他得先離開他那左圖右史的斗室，到外面去瀏覽一番，開開眼界再說。政治家不旅行，他那套玩意兒與環境脫了節，與時代離了譜，所謂「方案」，「條例」也者，就會成了「公事」。說不定還他自己欣賞起來，也會啞然失笑，自嘆其閉門造車的奇才。況且，現在標榜民主政治，自命為親民，愛民的「公僕」大人，說為了人民也可，說為了紗帽也可，如不從廟堂之上走下來，親身到民間去走動一番，總覺有點遺憾。身為經濟學家，如不實地旅行考察，搜集資料，那他那些結論，數字，恐怕就要打問號。至於研究農村經濟的「專家」們，如果他們底報告書上不沾上點土地，農村氣味，那他們的「專論」恐怕是太「神秘」，太「偉大」了。宗教的本質就是『奔走相告，爭傳福音』，耶穌當時如不旅行三年，福音到現在有沒有還成問題，而耶穌本身的聖意也恐怕難臻絕峯，所以說是耶穌見證了福音，而三年的苦行聖化了耶穌，法國哲人紀德在他底地糧裏說過：『奈帶奈諾，別希求在固定的地方去找神』，又說：『每種造物使我們與神遠離，當我們的目光一固定在它身上』。所謂神在我們看來就是圓滿美麗的化證；如果我們是尋找眞理的人，我們更得旅行。

中國人的鄉土觀念雖重，但並不反對旅行，所謂『父母在，不遠遊，游必有方』就說明了這點，旅行與流浪不同，像『路曼曼其修遠兮』……『去故鄉而就遠兮』……或是『迢遞三巴路，羈危萬里身』……這些話，祗是苦於亡命而發的，中國素來就有萬里路勝萬卷書的說法，其實這豈止于勝而已，簡直是難相比擬，達爾文乘小獵犬號環遊寰宇（THE VOYAGE OF BEAGLE）回到英國後，他父親驚訝地說：『這孩子的頭腦整個變了』，其實這有什麼值得驚訝的，在飽受山川靈秀氣息之後，而仍不心明眼亮，大澈大悟的，那才可驚訝呢！

談派遣留學生

·狷士·

日前思豪酒店的自由中國影片展覽裏面，有歡迎派遣歐美留學一張影片，其中人數不少，因此引起一些感想。

關於選派留學外國的學子，筆者稍為有點意見，以前有一位留學法國的女生向人說，「假使法國人遇見了一個程度很好的中國學生，必疑是日本學生，縱然這人極力辯白，他們還是不相信，原因是中國從前有些勤工儉學生不守規則，他們以此為論據。法國人認為凡夠得上留學外國的人都是那一國的優秀份子，優秀份子如此，則其不優秀者可知，因此對於中國學生不論自費或官費都存鄙視之心。」

以前我在上海有一位善操英語的友人無意中遇到了一個美國人，美國人問他，「從前你在美國進的是哪一間學校？」友人老老實實地回答，本人不僅未到過美國，而且在中國大學還是一個未畢業的學生，美國人帶着驚奇的語調說的「怪啊，你的談吐是極不平凡的，尤其英文造句造得極圓活，貴國派遣大批留學生，那裏面有多少人講不出普通話，科學程度一點兒也沒有，在加利佛尼亞和三藩市的中國學生多是如此，何以不派你這樣的人去？」美國是我們的友邦，法國是崇尚平等而種族觀念不甚深刻的國家，我們聽了上述兩件事，簡直是莫大侮辱。就是那些日本學生和美國人談話的朋友也認為受了一次侮辱而并不受寵若驚，雖然他們個人受了外國人的稱讚和好評。

日本派遣留學生負笈遠邦，常有大學教授和工程師在內，大概在國內學術界有了貢獻，有了相當的地位，於是政府把他們送到外國去，優其待遇以深造，所以日本留學生回到本國以後能儘量的模倣歐美的機械文明，把日本變成一個工業國家，我們再檢查我國留學生是怎樣？回國以後獻身工業以及其他專門職業的人們恐怕寥寥無幾，縱令他們所學的是專門科學。他們祗一心一意地想爬上高枝兒，做官越大越好，做事越少越好。留學界祗替我國製造了多少特殊階級和有閑階級，在各種專門事業上，仍感人才的貧乏。

還有一件，就是有天才有大志的貧苦學生可以儲為國用的，政府更少有獎勵提倡的方法，讓他們有出洋求學的機會。

派遣無程度無人格的學生出外求學固然不對，就是派遣已畢業的大學生也不算對，因為剛畢業的大學生不明社會現狀，必須留在國內使他們增加經驗，認清個人的方向和對象。我以為派遣留學生至低限度應從研究院中物色人才，政府不妨嚴限資格，而待遇則不宜過於優待，而舉行我們理想中的考試。假定的留學資格如下：（一）學術界有相當成就者。（二）社會服務頗有成績者。（三）以獻身國家社會為對象，而不以個人成功為對象者。（四）體力強健，志行高潔。（五）回國後能受政府定期的雇用者。

至於公費生所習科目，應由政府規定，將來以便統籌，作為支配人才的用途，以為極準。學生的正當用費不宜過多，減少名額也未嘗不可以的。此外還有一件最重大的事件，即是勒令被派各生每星期或者每月至少寫一次報告，使政府和學生本身的關係如同子弟和父兄的關係一樣。

中華民國僑務委員會頒發登記證台教新字第一〇二二號

自由人

THE FREEMAN
（半週刊每星期三六出版）
（第二二二期）
每份港幣壹毫
督印人：李光羣
社址
香港高士打道六六號
電話：二〇八四八
GLOUCESTER RD.
HONG KONG
TEL: 20848
承印者：東南印務出版社
地址：高士打道六十四號
台灣特派員辦事處
台北市館前街五十號
台灣總經銷處
台北中華路新號五九四之一
台灣郵政劃撥儲金帳號九二五二號

談留學護照

留學護照的發給應該從寬，不應從嚴。海外僑生所受限制應與台灣學生有別。友邦熱心為我們培植青年，我們應與之配合工作。及今不圖，五年十年之後將有後悔。

・陳克文・

一個在香港繼續做了二十多年教員的朋友，因爲得到教會的全部資助和邀請，打算今年暑假期間，前往美國波士頓作一次爲期三四個月的短期講習旅行。今年一月初向僑務委員會請辦出國護照，等到三月十日左右，接到僑務委員會的覆信，說案據教育部回信，留學護照發給辦法正送行政院核辦中，所請應候該項辦法核定後再說。後來又得到教育部方面的指示，說出國留學應先受軍訓，某君如想出國，可於暑假到台受訓。某君這次赴美，祇是短期的講習旅行，算不得留學，不知是否因爲講習二字也算入留學的範圍之內。某君出國是否一定要用留學護照，是否可以發給其他護照，如旅行護照之類，這且不說。因爲某君的事，到想起留學護照的問題來。

爲甚麼要從寬

教育部現在送請行政院核辦的留學護照發給辦法，到底內容如何，無從知悉。過去的留學護照發給辦法，除政府特別考選的學生不計外，和一般學生出國讀書最有關係的，自然是有關領得全部獎學金或半獎學金的辦法。過去這一類請求出國的學生，除了獎學金外，似乎來往旅費及其他費用，還要有確實的保證。此外便是要經過考試，或大學肄業或畢業的成績。總之用費有着和學力不差便可准許出國。新辦法是否加上軍訓或尚有其他限制，不得而知。聽說新辦法制訂的原因，因爲當局不滿意許多官員子弟出國，新辦法是否又根據這一意思，把官員子弟限制出國，我們都無從懸揣。

我現在想說的，是在反共抗俄，政府尚未回到大陸之前，留學護照的發給似乎應該從寬，不應該從嚴。其次便是在海外的學生似乎不能和台灣學生受同樣條件的限制。

爲甚麼說要從寬呢？現在台灣大學和其他高級專門學校，因爲設備限制，擴充又不容易，如果得到獎學金的，在不增加外滙消耗的原則下，多送些學生出國未嘗不是目前補救高等教育不足的一個好方法，還有一個重要意義，便是對於今後中美合作政治上和技術上的影響。一個美國作家麥僑納氏（JAMES. MICHENER），於考察了亞洲十一個國家之後（他也到過台灣），去年出版了一本『亞洲呼聲』，他認爲美國要和亞洲合作，要促進亞洲的自由民主精神和技術的進步，必須大量和亞洲各國交換教授，繼續邀請亞洲各國的青年學生到美國讀書。他的話雖然是就美國的立場來說，反過來，我們也何嘗不要如此。過去和美國長期合作，我們的留美學生數目不算少。但中共竊據大陸後，人數當然大減少。現在不早爲準備，將來回到大陸，恐怕只有一大批懂得專政獨裁，懂得馬列主義，懂得飛機和盤尼西林全是蘇俄老大哥發明的青年來接替我們下一代的工作了。

每年要送幾千學生出國

因此，我認爲今後每年由台灣和海外華僑資送三幾千學生到英美等國，學習自然科學和社會科學，決不會太多的。要送這許多學生，自然不能限制過嚴。我們缺乏外滙，自費或官費遣送，當然人數不能太多。現在美國各大學設立獎學金的不少，專爲中國學生而設的也很多。我認爲凡是取得全部獎學金的，都應該讓他們出去，取得一部獎學金的，如果是海外華僑子弟，也不應該加以限制。（華僑子弟自費留學的，似乎都可以不限制。）至於學力方面，許多人因爲過去有些留學生品類不齊，完全不懂祖國國情，回國後，不懂祖國語文，和洋人無異。其甚焉者，在留學期間，做出許多有辱國體的事情來。故主張要嚴格考試，或大學畢業後服務若干年，才許出國。用意不算錯，但我以爲這祇適用於大陸未淪陷之前。現在情形兩樣了。我以爲祇要有升入大學的學歷和程度，外國語能夠聽讀，可以取到獎學金，便可以讓他們出去。軍訓一層，如果可以免的，最好免除。如果不可免，海外僑生似可例外。爲甚麼呢？沒有親屬在台的僑生，如何可以單獨跑到台灣去受幾個月的軍訓？並且在入境證這樣不容易領取的時候，有意赴台也不是一件容易的事情。因此，我說海外僑生和台灣學生是不應該受同樣的限制。

出國應憑學力和獎學金

學生出國如果只憑學力，和是否能夠取到獎學金，便不應該問其父兄是否官員。非官員的准出國，官員的也應准出國。官員憑藉地位勢力，遣送子弟出國，會造成一種社會不平心理，如果只問學力，便沒有這種顧慮了。如果凡是官員子弟，一律不許出國，便是因噎廢食，並不是眞正解決問題的態度。

與僑民教育有關

因爲美國不承認中共，凡是中國學生赴美必須取得國民政府的護照。如果護照發給過嚴，結果不但阻止赴美學生的機會，同時引起青年的反感。海外僑生，往往因此脫離國籍，利用其他國籍，以求達目的。海外僑生因不願意接受殖民地的高等教育，回台升學，則因名額限制，或語文程度不足，望洋興嘆者，爲數不少。此等學生如能有赴美機會，政府應極力爲之助成，萬不宜以一紙護照之力，阻礙彼等上進之路。此不獨爲彼等個人前途的損失，實爲下一代人材的損失。目前政府方注意僑民教育問題。僑生留美護照應如何利便發給，甚值得研究。希望有關機關早爲決定。美國友人已經很熱心爲我們設法培植青年，如果我們不能了解其意義，不能與之配合工作，五年十年之後，將悔之晚矣。

我們應進軍鴨綠江（下）

蒲立德作　易安王錡合譯

危及香港馬來

其實，坐令中共強大，最後終必危及香港馬來亞新嘉坡以及英國在遠東其他各屬地的，現在朝鮮前綫作戰的一個英國師團，戰鬥精神之英勇，戰術之考驗，充分表現世界第一流軍隊的風格，他們也犧牲了五百多人，這眞是英國現行政策的一個不小的諷嘲。

我們的新政府不會再坐視我們的中國敵人強大起來，同時我們爲了忠誠的對待我們在朝鮮的同胞，我們必得要封鎖中國全部的海岸。

俄國在遠東的衛星國，現已開闢了三個戰場，一在朝鮮，一在越南，還有一處是在中國海岸廈門對面的一些爲中國國民黨軍所控制的島嶼上。

這三處戰場，實際上是一個戰場，在越南的共軍，既爲中共所供給，且係在中國所訓練，假若我們要爭取韓戰的勝利，我們又必得同時援助越南法國和中國政府；假若我們封鎖了中共海岸，則紅軍在這三個戰場上的供應，立刻就會短缺；再假若我們給予法國越南和中國政府足够的裝備和軍火，我們必可使韓戰爲之改觀，同時中共軍必會撤出越南，而中國政府也必可在大陸登陸成功。

組織亞洲軍

今後對於這場戰爭，我們的設計，應該以不再派遣美國步兵到亞洲去爲前提，越南之戰，對於法國人已經證明了越南的士兵，經過嚴格的訓練，予以充分的裝備，再有足够的給養，他們作戰的能耐，是不亞於任何白種軍隊的；韓戰也予世人對朝鮮共和國的士兵，以同樣的證明；而且祗及我們士兵所需要的給養數量五分之一，台灣的士兵也同樣優良，其所需的給養比例，也是很小的。

此外，亞洲的士兵，在本土作戰，較之白種士兵不易感染疾病，他們多數爲解放他們的國家的願望所鼓舞，朝鮮共和國的士兵，對於現在能够担任大半的防綫，去抵抗共產黨，極感興奮；在台灣的中國士兵，更終朝企盼着我們的政府，協助他們打回大陸的老家去。

人心如此，所以這些國家招募訓練士兵班長及尉官等，是相當的容易；不過要訓練軍事專門知識的將校人才，則非短短幾星期或幾個月所能完成，目前南韓越南和中國政府之急需各種戰略戰術以及後勤方面的專門人才，正如需要我們的空軍力量之支持他們一樣，雖然如此，但他們全體從事去解放他們的國家的戰鬥意識，是極堪欽佩的，他們能够而且極願接替我們的士兵，走上前綫。

轟炸中共區

我們爲了爭取韓戰的勝利，而轟炸中國東北的城市鐵路以及中共的其他城市和交通樞紐，會發生什麼後果呢？蘇聯會因此跟我們作戰嗎？

蘇聯是一個領導世界革命，而又穩打穩紮的國家，只有在它認爲有成功的把握時，它才會進攻的，在它沒有充分的洲際作戰的轟炸機（Intercontinental Bombers），能够一下把美國打垮之前，它是不會幹的，俄國人很明白，我們可以把原子彈送到莫斯科和列寧格勒，他們也必會再三考慮我們的氫彈，所能給予蘇聯的損害。

我們曾協助希臘，肅清它國內的共軍，我們也曾幫忙伊朗，驅除共軍離開伊境，還有，對於柏林更曾實行過空中接濟，蘇聯政府雖也因此咆哮不已，然而它並沒任何動作，這很明顯，在他們有勝利把握的時候，我們就是求和，也不可得了，可是，目前他們並沒有這種把握。

認清事實

在國際事件方面，無論一個政府怎樣不願去正視事實，而事實終會逼得你去正視它，我們政府最後必定要向對着這一事實，即凡共產黨所爲的侵略，就是俄國侵略，不問是否有蘇俄的軍隊，飛機，或者船艦直接參加，因爲共黨的一切，都是出自莫斯科的命令，假若我們正視這一事實，而直接警告蘇俄，認識他們對於這些侵略行爲——朝鮮越南以及其他地區——應負其責任，我們或許可因此獲致一個短時期的——雖非眞正的和平，但決沒有射擊的戰爭。

最艱難的，是說服我們在聯合國的朋友們，去認識這種事實，但也不是不可能的，艾森豪威爾應該足以勝任領導自由世界的各國政府，去獲取共同的觀念，就像他昔時領導自由世界各國的軍隊，去獲取勝利一樣。

總之，紅色恐怖籠罩了全球，危險是無法逃避的，克里姆林宮那班處心積慮者，早就聲明過他們是自由人類的敵人，他們現在控制了數量龐大的奴隸人民的力量，我們是在死亡的威脅中，我們既無法離開地球，除了上帝以外，又不願臣服於一個主子，那我們在這惡魔勢力之下，決無一夕之安的；不過，今天我們應該知道，也像我們經常所知道的一樣，「將來」不是屬於畏縮的人們，而是屬於敢於挺起胸膛，循着戰鼓之聲向前戰鬥的人們的！

（節譯自三月份讀者文摘）

華週展望

・雷嘯岑・

艾森豪總統的和平宣言

美總統艾森豪前天發表長篇演說，表示其對蘇俄和平攻勢的態度。他呼籲蘇俄與全世界人士，如果大家誠意謀和，即須採取下列步驟：（一）締結韓戰停火協定；（二）促成韓國統一，舉行自由選舉；（三）結束越南馬來亞戰事；（四）完成奧大利和約；（五）統一德國；（六）東歐各國獨立。

這是一篇和平宣言，很堅定而誠摯地告訴克里姆林宮那羣新貴們：「如要和平，就是這樣！」馬倫科夫之流，聽到這種「海潮音」，一定啼笑皆非，不知如何是好？

當蘇俄和平攻勢發動之際，筆者在本刊曾提出「和比戰難」的看法，認爲蘇俄與自由世界的和平觀點，完全是相反的。因蘇俄在目前，雖有謀和的必要，但基於其安全感的防衞策略，至少要把現時鐵幕擴張所及地帶維繫着，尤其是東德和北韓這兩個地方，它決不能放棄，而維也納這一冷戰的測候站，更需要保持現狀哩！現在艾森豪所提示的和平方案，恰恰跟蘇俄的意念相對立，我們還有幻想「兩個世界可以和平相處」的勇氣嗎？

韓戰交換傷病俘的議定書儘管簽字，板門店的和談儘管續開，乃至於得到「停火協議」，然而眞正和平依舊是在「虛無縹緲之間」，乃可望而不可即。蘇俄既不能接受這些和平條件，艾克又豈能食言而得苟和的？這種基本的矛盾律，無論從任何理念設想，也沒法子破得了的！

中共斷送中國的兒童生命

外電消息：中共奉俄帝命令，將大陸上八歲至十二歲的兒童們，徵募十五萬名送往蘇俄訓練。這項消息的正確性，只看前兩天英國代表傑布在聯大政委會發表的和平建議案，內有要求蘇俄釋回戰時被扣留的希臘兒童一事，即可證明了。

這是俄式共產主義者「人造革命」的拿手傑作，免得再經過「改造思想」那套麻煩手段。從八歲起，就把人的思想依照一定的型態造塑起來，萬無一失。所以，共產黨徒對每個被迫改造思想，寫坦白自傳的人們，也規定要從八歲寫起，他們的計劃是周密的，步調是一致的。

中國兒童的生命，如每年被那羣殘民以逞的賣國賊斷送十五萬名，即是不斷地斷送國家民族的生機。假使讓這羣國賊在大陸上再控制三五載，中華民族的前途豈不危乎殆哉！

憑這項事實，亦即證明在共產政權下何以要經常發生整風運動之所以然。把一切成年以上的人都整肅消滅掉，只剩下一些「不識不知，順帝之則」的機器人，那就是「無階級的」社會新秩序！

蘇俄以原子彈贈送中共？

倫敦有個預言家，很肯定地指出史達林在生時即已決定了移送原子彈一枚於中共，以示「友好」之意。這預言的內涵作用，就是警告自由世界說：「中共已擁有原子彈了，還能跟它作對嗎？趕快妥協爲妙！」

所謂政治預言家，原是跟在馬路上張掛世界要人相片，纘述其生辰八字運行說明揭帖的「哲學半仙」一流人物，十九皆是信口開河的。但「哲學半仙」解說別人的休咎，總是話分兩頭，意存兩可。唯有倫敦這位預言仙家，竟把原子彈的交付日期，保藏地點和情形，說來好像是親眼看着，親手經過的鐵定事實，可謂妙矣！

我不奇怪這項預言，我只替美聯社的電費與紙張可惜，未免太過於暴殄天物了！

伊朗又有騷動

德黑蘭近日又發生騷動，王黨與莫薩德的民族派互爭政治控制權，搏鬥激烈，國會亦開不成會了。

凡是落後民族的獨立運動，都容易演化爲內爭的惡作劇，而忘記自己前後左右正有若干乘人之危的猙獰魔鬼環伺着。伊朗和緬甸的情形，都教人慄慄危懼呵！

台灣省政府改組經過

台灣通訊

醞釀甚久之台灣省政府改組事，已於本月八日行政院臨時會議通過，准原任主席吳國楨辭職，另以俞鴻鈞繼任。此次改組原因，係由於吳之堅請辭職，而吳之辭職理由，則係稱病。外間對吳之眞正辭職原由，多所揣測，惟似均非必須堅決辭去之理由。且有若干理由，三年餘以來，早經存在，并非最近發生者。

素信命相

或謂吳氏素以精幹聰明著稱，抗戰時期，任陪都重慶市長，於適當時期，即行辭去，勝利後任上海市長，在北平渡江前，亦堅決辭去。現在台灣中立化解除，日後反攻大陸軍事行動一旦開始，省政府職責特別繁重，非病軀所能應付，故亦及早先辭。或謂吳氏素信命相之說，其在重慶市長任內，某晚忽覺坐立不安，乃請家人任役字，作拆字之戲。時適夏季，家人見床上懸上一帳，即信口說出帳字。吳謂不好，帳字，乃市長無頭也。越日，果發生大隧道窒息案，死者傳說達萬餘人。幸中樞體念吳氏平時勞績，且隧道工程並非吳經手辦理，除督飭辦理善後外，只予以撤職留任處分。去年吳氏同鄉並為其最親信之台省府主任祕書田永謙病故，吳氏痛失左右臂，哀悼甚深。田亦極信命相之說，生前曾言吳最好今年陰曆年前卸職，如逾時不辭，將有難堪情事發生。吳氏尊翁經明先生為軍人出身，晚年篤信佛法，亦常勸吳早日引退，不必再在政治生涯中為人作嫁。

寫回憶錄

總之，吳氏為有為之人，此次所以堅辭，必有原因。現在既無法探明，姑為存疑。好在吳氏近正寫英文回憶錄，出版後吾人當可於其中得知其堅決辭職之眞理由也。

吳氏辭職，不始自此次。去年赴日月潭養病時，亦曾表示辭意。後經中樞慰留，始行打銷。半年以來，吳氏完成三事：一為台灣經濟自立四年計劃之決定；二為耕者有其田條例實施之開始；三為各縣市第二屆縣市議會議員選舉之辦理完竣。

吳氏上次辭職時，各方面咸信其必能打銷，故對於繼任人選，并無猜測。此次自其於三月八日開始病假赴日月潭養病時起，各方面皆信其必堅辭到底，因以繼任人選，隨即多所猜測。繼任人選之條件，必須在國際上有相當資望，為友邦人士所熟識。因以現在美國之俞大維，與現在曼谷之沈怡首先為各方所傳說。俞去年回國時，亦曾有人傳其將主持台省政，俞即以身體健康情形不適，作為不能担任之理由，現在美生活甚為安寧，且其職務，亦不易另行派員接替。沈在曼谷，距台較近，但其現職係屬於聯合國者，固定回國担任。但其不能立即辭去，如候其辦妥手續，至少恐須一個月。

理財專家

俞沈二氏既均不可能回任，因此各方目光轉而集中於俞鴻鈞嚴家淦二氏。蓋台灣目前問題，徵結所在，仍為財政經濟，二人皆理財專家也。但就二人之現職而論，則俞氏者易於擺脫，且易覓替人，故最後決定俞氏。本月八日下午五時半，中國國民黨中央舉行臨時常會通過，九時半，行政院連夜舉行臨時院會，予以任命。其所以如此急促者，蓋台灣省運日忽發生米荒問題，亟待有人負實主持省政也。吳國楨仍保留原任行政院政務委員，依法，中央官員本不能兼任地方官員，吳氏昔日之兼任，原為例外，但為滿通行政院與省政府間意見計，兼任亦有效用。政務委員原有定額，吳既留任，俞鴻鈞氏乃無缺可任，此後或用准其列席行政院院會方式，以便聯繫。

合省府主席更迭事決定後，吳即自日月潭趕回台北，親辦移交。現交接儀式已於十六日舉行，距吳氏就職之日，適為三年又四個月整。

時患失眠

俞氏近年以來久病氣喘，每日晨起，須先行服藥，方可辦公。如遇有接連二小時以上之會議，亦須預先服藥。上下樓梯，氣喘尤烈。晚間復時病失眠。故俞氏健康情形，並不較因病辭職之吳氏為佳。俞氏現既奉命於危難之際，惟有加強各廳長人選，俾獲贊助。並挽留原任祕書長浦薛鳳氏，以分其勞。浦薛鳳氏自魏道明氏時任省府祕書長起，已歷三任。現仍得蟬聯，實為人事制度立一基礎。浦雖多年在職，迄未補授省府委員，故向為事務官也。

民財教建四廳人選，十五日行政院會議中亦已通過，四廳全部更動，為以前各任所未有。民建兩廳原由台籍人士，今仍為台籍人士。尤其民政，台省既已實施地方自治，今後又將辦理各縣市長改選，自非由台籍人士主持不可。

面臨考驗

財教兩廳原由東南人士担任，今仍為東南人士。惟原均為江蘇籍，今則一江蘇一浙江耳。陳雪屏氏多年，大陸撤退前任國立英士大學校長，率山學生南渡菲島，轉赴澎湖撤至台灣，並一一為之轉學或就業，素為青年所愛戴。今繼陳氏之任，一切必可蕭規曹隨。

徐柏園原任台灣銀行董事長，以與省政府政策不合，而去職。現担任財政廳，料將重新兼主台銀。俞徐本為財政部老同事，兩人之合作甚相，將為台省目前財政問題打開僵局之保證。而米荒問題之能否迅速解決，更為俞氏就職後所首先受到之考驗也。

展望中美合作

從史迪威爾事件檢討幾個缺點

柳英華

國外通訊

紐約德芬艾迪爾閣書公司出版的新書，「酣睡之中」，作者是美國名記者福林氏（JOHN FLYNN），書中詳述美共滲透美國政府及影響國策的情形；令人讀後，不勝感慨太息，而作者對於美政府中國政策上錯誤之分析，尤是針針見血。

福林氏舉出美國政府近年在華政策上鑄成了四大錯誤：（一）主張國共合作，（二）史迪威爾之使華，（三）促成蘇俄對日宣戰，（四）馬帥調停國共戰爭。尤其強調抗戰期中，史迪威爾與蔣總統鬧翻的不幸。在今天反共高潮，日形增漲，中美合作益趨緊密之際，此中情節背景，頗值得我們提出檢討的。

沒有政治頭腦

約瑟史迪威爾（JOSEPH STILWELL），綽號酸約瑟。我們知道他是一個率直，急躁，頑執，不拘形跡的人，而他最大的缺點是沒有政治頭腦，對於一個問題，不肯作多方的觀察及深刻的研討，他在使華期間，於軍事方面的功績自不可抹殺，但結果終為政治野心家們所利用，終成為一個歷史上悲劇中的要角。

當時，史氏的政治顧問是約翰台維斯，也就是後來在美國國務部裏出賣國民政府的三個約翰之一。史台兩人俱與當年在華活動甚力的美籍女記者史沫特萊（現在證明為第三國際的女共諜）私交頗厚，無形中受到她的宣傳毒素，認為中共是「土地改革者」及「民主份子」了。

所謂「中國專家」

史氏左右的政治工作人員，盡是一些似通非通，一知半解的「中國專家」們，在他們慫恿下，史氏在擬訂國軍現代化整訓計劃時，竟向蔣先生提出中共部隊參加訓練，領受美式配備的要求，此點足資證明史氏頭腦之簡單，也自然遭到蔣先生堅強的拒絕。

詎在雙方意見僵持之際，羅斯福總統忽有致蔣先生備忘錄一份，囑史氏親自遞交，內中對中國政府頗多指責，當史氏持函前往黃山，晉謁蔣先生的時候，適美大使赫爾利退出。赫氏特再三囑咐，暫勿遞呈，並曾邀得史氏首肯。殊不料這位性情衝動，涵養欠缺的美國將軍，竟於談話忘形中，雙手奉上。蔣先生自大為不滿，史氏卻得意揚長而去，當晚還寫了一首打油詩，紀誌其事。這種氣燄逼人，目無尊長的態度，決非一個受儒家人格教育薰陶已久的革命老戰士，所能忍受的。所以蔣先生在盛怒之下，即電羅斯福總統請求撤換了。

史氏之被召，表面上是中國政府的勝利，實際上，對中國是極端不利的；因為史氏是馬歇爾的愛將，而馬帥在美國是紅極一時，炙手可熱的人物。艾森豪，艾契遜，布萊德雷等俱是他一手提拔起來的。後來美國對華軍事援助停止，及國務部中國政策上之種種錯誤措施，都受到這次事件的重大影響。

宣傳與聯絡官

這裏，我們必須一提中國對海外的宣傳問題，抗戰勝利前後，中國政府在美宣傳工作之失敗是勿庸諱言的。許多關於中國的錯誤觀念：都是宣傳不力之故，今後應如何加強宣傳，正需要我們作重大的努力。

史迪威爾事件的不幸，政府指派的聯絡官員，多少也應負責的。當時的一些聯絡參謀，祇知道和史氏在開羅青年會一塊打網球吃水餃，學識不足，眼看他對中國政府之感情日趨惡劣，自己卻袖手旁觀，緩和無策。

中國政府與外國人聯絡所起用的人，雖有對中西文化之認識，毫無根底，而對共產黨那套教條及作風，也不去研究。對於中美間了解之促進，不能發生有力的作用。今日中美正加強合作，共圖反共大業，政府當局關於聯絡人員之遴選，亟應慎重其事纔是。（三月二十八日寄自美國明州蒙特市）

中國神鷹的發展（上）

·劉琉·

光明遠景

前些時候，綽號老虎的中國空總王叔銘中將發表聲明，對白宮的艾克總統表示要求一百五十架噴射機，接着，又有數十架F八四機即將抵台的消息，埋頭鍛鍊中的中國空軍，由此又露曙光，它將與海軍同時成長，構成一副立體作戰的圖景。回想祖國空軍，建設已逾二十年，其中有過光輝燦爛之一章，也有悲壯偉大之一章，更有慘淡險黯之一章。目下我們不談空軍戰術的理論，也不作兵力對比的檢討，只是回溯一下此二十年的過程，將有不少滄桑之感。

單說國民政府的建設空軍，早於北伐時代，可是直到杭州筧橋空校成立，才有一點較大的專款。那時以軍政部航空署主其事，署長便是最近訪美的徐培根中將，所聘的教官是義大利人，所用的飛機自然也是義大利貨，不幸一把烈火，南昌機場燒去大半，機群中的雛鷹因此受到大打擊。後來傳說這把火來得神祕，總之，略有端倪的中國空軍受的影響不小。

「紅武士」的故事

談到「紅武士」，這是一個褪了色的故事。遠在第一次世界大戰的初期，德國空軍將法國空軍打得七零八落，法國有個名叫史蒂芬的肺病青年，他不忍目睹祖國的被強敵凌虐，請求投効空軍服役，因為他有肺病，接連兩次都落了選，最後他以自殺要挾，終於達到目的。投戎以後，他常常單機出戰，（那時的空軍尚未進步到成隊作戰）機頭漆成「紅色」，表示他流血晴空的決心，因為他有這份視死如歸的決心，故而所向無敵，造成一人擊落數十架德機的最高紀錄。以後德國空軍看見紅頭飛機便逃避，法國也有假冒史蒂芬的紅頭飛機出現，就此一來，便挽回了空中劣勢。這位史蒂芬榮稱「紅武士」，他不但是法國人崇拜的英雄，也是德國人所敬畏的英雄。劉粹剛，樂以琴烈士（以後都壯烈犧牲了），他們雖然沒有肺病，可是其勇敢與壯烈是值得佩服的。由於他們的英勇和光榮，獲得了兩個代價。第一是定「八一四」為空軍節，藉以紀念他們的戰勛。第二、日本人對我們另眼相看，不只是木更津航空隊一個中隊長的剖腹而死，以後軍事當局，因此而着意於空軍的擴大建設。

史達林死前的預兆

據一位在莫斯科實地研究多年的著名觀察家說：在最近幾年中，史達林備受個人的恐懼所苦惱，幾已到了慢性瘋狂的程度，他生活在暗殺的恐怖中，尤其害怕被猶太醫生謀殺。在臨死前幾個月，他甚至怕離開莫斯科到他的黑海別墅去渡冬。最近一年中，他的行動更反常得厲害，克里姆林宮有一位二級祕書，本是多年來他最親密的朋友，但在去年秋，也突然被他撤職了。

妓院式「文化大廈」

捷克的俄斯特拉發是全國著名的工業區域，那裏的產業工人因為缺乏正當的娛樂，所以每逢放工的時候，大家總是一窩蜂似的湧到城裏去尋求刺激與歡樂，因此，俄斯特拉發秩序的凌亂，也一向到了頂點。最近，捷共為大力阻止工人入城嫖妓，特別在郊外開了一座「文化大廈」，不過這個「文化大廈」只徒有漂亮的名稱，其實不過是變相的妓院而已。同時，索科羅夫煤礦區也有同樣的騷動情形，共黨所籌備的另一「文化大廈」也快要正式揭幕。當工人組織們向共產黨一向誇耀如何注重工人的福利，把「妓女」來當作工人的「文化」，豈不是大打自己的嘴吧。

艾克不坐避彈汽車

美總統艾森豪的座車原是一九四九年林肯式裝有厚甲的轎車，他在華盛頓附近旅行或是出席國會致詞，參加公私酬酢，都是用這輛避彈汽車代步。但現在他忽然還了一部一九五二年CHRYSIER式的普通汽車，這件事使負責保護他的祕密特務至為焦急，他們知道艾森豪是軍人出身，膽子素來很大，但站在他們的立場，萬一有什麼差池，却是他們担當不起的。

杜魯門逍遙夏威夷

天下小事

當艾森豪總統正在處理突如其來的共黨和平攻勢的時候，他的前任杜魯門却在夏威夷安度他的假期。這位美國前總統攜同他的太太和千金正在椰子島享受十餘年來最閒適的時日，他們住在國際俱樂部內，那裏一度是百萬富翁的別墅，戰時作過軍隊的休憩中心，現在是加州油商保萊的產業之一。杜魯門一家享有一個小小的球場，一個游泳池，因為杜魯門的千金瑪格麗特小姐喜歡音樂，房主人還特多加設了一座最名貴的鋼琴。談到他的度假計劃，杜魯門承認「除了吃、睡、玩外，我什麼也不做，而至少有一次，我也隨興之所至，發了一次牢騷」。（孟衡）

前納粹白俄將領阿根廷訓練舊部

白天做工晚上研讀軍事學　他們要做解放蘇俄先鋒軍

世界祕聞

一個星期以前，在阿根廷京城布宜諾斯艾利寂靜的郊外，一位希特勒的舊將在和他的高級軍官舉行參謀會議，同時在京城的其他地方，尚有前德國國防軍特別師（即著名的專門用以對付蘇俄的R特別師）的官兵約兩百人聚在一起研讀軍事學教本。白天，他們是雜貨店的店員，火車司機或是紡織工人，但到了夜間，他們又一變而為徹底服從他們將軍的軍人，這一位將軍現在自稱為阿懋。霍爾姆斯頓。

霍爾姆斯頓和他的部屬可以說是希特勒陸軍中最後一群仍在公開活動的軍人，但他們自認是將來解放俄國陸軍的中堅幹部，他們都是白俄，霍爾姆斯頓於五十五年前生於聖彼得堡附近的西米斯羅基，一九一七年，他初次與紅軍作戰時，尚是沙皇手下一名驍勇善戰的中尉。布爾塞維克黨人攫取政權後，他逃往德國，改名為馮星齊勞，做木材檢驗員維持生活。二次大戰中，納粹把他派往巴爾幹前線，統率一支擁有四千人的反共俄人游擊隊，隊員都是從俘營中志願應召的反共俄人。

國防軍開始投降時，他率領殘餘的部屬逃至中立的里治登斯坦（介於奧國與瑞士之間的一個小國），那時部下星散，有的人流浪街頭，有的人冒險回到俄國去，而里治登斯坦在克里姆林宮的壓力下，也下令他於短期內離境。幸而獲得阿根廷俄籍大主教以協助，由大主教向貝隆總統說項，他及時獲得入境證，才率領最後一批部屬前往布宜諾斯艾利斯。

霍爾姆斯頓逃亡至阿根廷後，開了一家地板塗臘公司來維持他個人及其波籍妻子的生活。上星期，他曾在四樓的房間中，忙於計劃未來對抗紅軍的戰爭。他說：「現在世界上總應該知道外國軍隊決不能征服蘇俄，只有由俄國人組成的國民軍，和共產主義而非與俄國作戰，始有成功的希望。這一支國民軍的幹部每週六都在這一房間中舉行會議，總有一天世界會召集我們解放俄國的」。（第啓譯自「時代」週刊）

中共憂心浙東海防 積極擴大民兵組訓

國軍反攻謠詠紛起民衆驚喜參半

自台灣在沿海各島加強機動實力，反攻空氣日漸瀰漫以後，浙東沿海之共軍防務，時有變更，顯係該地共軍深懼國軍反攻，除已多次增兵防守外，最近復在溫州、台州兩專區內積極擴大民兵之組訓工作，情形極爲緊張。查此批民兵之組訓，據杭州「浙江日報」披露，爲數共有一十四萬餘人，曾於三月二十二日至二十七日一週間，分別在該兩區之各縣或區集中「檢閱」。浙江省「軍區」及該兩「分軍區」皆曾派出高級幹部分往各縣「檢閱」並「訓話」。此一舉動，顯與國軍反攻空氣有絕對重大關係，故曾因此引起該地沿海一帶居民之敏感及謠傳，空氣益形緊張！此批受編訓之民兵頗衆，據悉惟因該一地區之民間反共情緒，久受大陳各島鼓勵，素較一般地區濃烈。故堪信此批民兵將來不僅未必爲中共所用，且終將成爲中共陣綫內之一大隱患！蓋因浙東沿海民兵之乘機反正參加游擊者，已甚多先例。

中共展開整肅 各地加緊檢查

繼續派出大批幹部

中共爲垂死掙扎，發動新整肅運動，選派大批「中共」幹部分赴大陸各地實施大規模檢查一節，業誌前期本報。現據北平新華社本月五日發佈消息，僞政務院各部會又陸續派出大批幹部，組成檢查組分赴各地加強檢查。此次派出檢查人員的，計有僞財經委員會，僞內務部，僞公安部，僞第一機械工業部，僞建築工程部，僞交通部，僞鐵道部，僞農業部，僞林業部，僞文化部及僞出版總署等部門。除第一批機械工業部由副部長陳君毅率領，僞建築工程部由副部長周榮鑫率領，僞鐵道部由副部長趙健民率領，僞交通部由副部長張策率領，僞林業部由部長梁希率領及僞出版總署由副署長陳克寒率領外，其餘各部會皆由司、處長級幹部率領。據云，其檢查之重心，除出版總署純爲檢查出版業務外，各部之幹部皆以檢查各級幹部之官僚主義，命令主義，違法亂紀現象爲主。此外，關於各地區各部門之貪污浪費現象，亦爲檢查之重要目標，此次各僞部會所派出之檢查人員，爲數亦在千人以上，規模相當龐大，情形至爲緊張！

中共訓練土著 消化康藏

強力改造青年思想

【本報訊】中共於佔踞康藏以來，深感康藏地區之少數民族不易壓服，曾大玩「少數民族自治」把戲，以緩和該地少數民族之反感。惟因中共消化該地區之企圖，至爲急切，乃採用「以夷制夷」之老辦法，以宣傳伎倆及少許利益誘騙該地少數民族之男女青年，加入青年團，施予赤化訓練，俾用爲深入統治之工具。據悉此一訓練工作，現已在西康省之西昌市大規模展開。訓練機構分兩大部份，其一爲「康藏人民革命大學」，其一爲「西昌專區民族幹部學校」。前者訓練之主要對象在藏族青年，後者之訓練主要對象則在西康省內之彝、苗、回等族之青年。前者受訓之人數共有兩千八百餘名，後者則爲一千三百餘名。訓練之內容，均以思想改造爲主，職業爲輔。職業之分類，則以師資，財經，民政爲多，農牧，衛生次之。又悉：此批受訓幹部均將於本年底畢結業，派爲康藏兩地之相等於科長，區長，縣長級之幹部云。

大陸私人經濟全盤消滅

工商業厄運

三年來，中共的財經措施，無一而不是藉其騙人的「新民主主義經濟」，以殘酷的共產極權暴政的鐵腕，來搾乾了大陸人民的血，尤其是大陸私營工商業的錢，來逼死了大陸私營工商業界人士的命。

況且，中共在竊據大陸以後，看到大陸人民日夜在恐怖狀態與疑慮的心情下的不安、消沉、悽涼的慘景，乃御用「民主建國會」蠱攏工商業界「前進人士」所主持的「工商業聯合會籌備會」，助桀爲虐，義務宣傳中立，實行「新民主主義經濟」，具有一段相當長的時期，而後才是進入共產主義，有人反問究竟多長多久，有謂十年，又有謂二十年、三十年，傳說紛紜，莫衷一是，而中共則諱莫如深，大陸人民莫不感到撲朔迷離！而今，爲時不過三年，大陸工商經濟，已告全面崩潰！中共的欺人欺世，可謂至極。

從三年來中共財經措施的實際方面來檢討：（一）不是「假公併私」！大陸私營工商企業，已被中共摧殘殆盡，幾存無幾了！中共又何嘗做到公私兼顧？

勞資雙方無利

（二）不是勞資兩利，而是勞資兩方無利，中共共產極權一方有利！大陸私營企業的資方，三年來在中共殘暴的財政金融經濟措施下，已被斷搾、清算、鬥爭、沒收殆盡了，大陸資方，三年來何利可有？就勞方說，三年來在中共殘酷的勞動政策下，爲中共所麻醉，所奴役，操着過度的日夜勞動，甚至三天乃至一週日夜不眠的疲勞工作，不知犧牲了多少勞苦工人的生命！以今日大陸千百萬人失業的空前惡化，勞方三年來又有利可得？

農村破產

（三）不是城鄉互助，而是城鄉破產！大陸農村，三年來在中共的「土改」下，反霸、清算鬥爭，地主成爲死鬼，農民也變成餓莩，每一貧農僱農僅分得的一畝二分田地而已。今日大陸農村富農中農每年所收穫的穀物，尚不足上繳中共公糧，下繳地方附加。大陸農村何來購買力？以助城市工商發展？相反的，大陸城市工商百業，在中共竊據各大城市後的初期，爲中共重稅重捐重獻重罰重罰之下，如秋風掃落葉，一個個倒下來，早成凋敝了！所謂城鄉互助，不是徒托空言，也是欺人欺世。

（四）不是內外交流，而是內外斷流！三年來，中共以共國營貿易公司搜購大陸土特產品，操縱大陸對外貿易，輸入戰略物資，以供其韓戰的消耗，此與大陸人民生計何關？聯合國實施對中共區域禁運以來，中共的內外交流，已受到窒息的斷流！

社會經濟崩潰

因之，中共豈非以發展生產與繁榮經濟的甜言蜜語來欺騙了中國工商業家？中共在經營國營、原料供給、銷售市場、勞動條件、技術設備等等方面，祇是調劑了中共的「國營」經濟的一面，而與私人資本的另一面，祇是藉調劑之名，行消滅之實！三年來，大陸私人經濟已被中共將告消滅了，今日已不再有各種社會經濟成分在「國營」經濟領導之下，分工合作，各得其所的事！今日大陸是社會經濟的崩潰，不過是中共當時所謂促進整個社會經濟的發展的一種誘惑欺騙而已。（金）

大學師生反對思想控制 頑抗政治訓練

華東共魁嚴厲批評 開會急謀加施壓力

【本報訊】僞華東行政委員會文化教育委員會曾於本月二日在上海召集華東區各大學及專科學校之中共領導幹部舉行一重要之「政治教育」會議，作冗長之討論。該會議係由僞華東文教委員會祕書長陳其五所主持，僞中央高等教育部特鄭重其事，派副部長楊秀峯至上海而授「機宜」。據當時上海解放日報披露該會議可以公開之部份稱：該會議中首先曾對各學校「不重視政治工作」及「將建立學校政治輔導工作視爲學校忙亂現象的基本原因」兩點，被陳其五提出嚴厲之批評。楊秀峯相繼指出：「各大專學校政治領導不強，教師政治理論水平不高，是目前高等學校的基本情況。倘不加強學校中黨的組織，不加強馬列主義基本理論的學習，就不能提高師生的政治思想。」又說：「各學校因忙亂現象而歸咎於黨團活動乃是一個嚴重的錯誤。今後學校的政治工作必須更爲加強，政治工作的對象應該師生並重，政治工作的主要內容是組織政治理論學習和加強思想領導，領導的掌握應依靠黨、團和工會等組織。」最後，該會議中曾以批評爲討論：「如何克服目前的大專學校師生政治思想消極散漫的問題」，據悉已決定加緊使用黨團控制，加強政治壓力。因此，堪信學校因黨團操縱而發生的忙亂現象，不僅未能克服，且今後大專學校師生的命運，必將更形悽苦！

粵中山大學開課 一天祇讀半天書

「開會能精神愉快」

【本報訊】廣州消息：僞中山大學一九五二年第二學期，於本月十三日始行開始上課。該校本學期上課時間將採用所謂「五節一貫制」，各科課程上課時間，都排在上午，晚上自修，下午全部時間進行讀報、文娛、體育及舉行各種集會、活動。據共方謂，如此可以保證學生身體健康和精神的愉快。而實際上開會時間多於上課，學生是在上「大課」中浪費時間，無書可讀。（木）

山西數縣森林大火

焚樹數十萬

【本報訊】繼安徽大規模燒山之後，近山西省之垣曲、夏縣、方山、五台、代縣、定襄等縣亦連續發生大規模燒山事件，且所燒之山，均係各該縣之大森林區。據悉夏縣、代縣兩縣之森林間於上月廿二日首先突然發生大火，均連燒三天方告阻住，燒去森林面積共達九千餘畝，焚毀小樹木三萬餘株。繼之方山、定襄等縣之森林亦突然發生大火，火勢猛烈，蔓延尤廣；據統計，該三縣被火面積竟共達三萬餘畝之多，焚毀大小樹木竟共達十四萬五千餘株之多！尤慘者，垣曲亦發生森林大火時，竟於十餘日內連續共燒了八次之多！被燒面積共達一萬餘畝；被燒樹木共達一萬五千多株。綜計各該縣被焚面積共達六萬餘畝，大小樹木共達約二十萬株，損失異常慘重！此次此等森林同時發生大火事件，僞山西省政府曾有所表示，疑係民間有計劃之破壞，故已下令澈查起火原因，將嚴加追究。

又訊：與山西垣曲等縣森林大火同時，安徽霍山縣大代坪區亦曾發生大規模無故燒山事件。計焚面積一千三百餘畝，毀樹一萬一千多株！起火原因亦不明，共方正在澈查中。

實行特務統治 大陸嚴查戶口

僞政務院於本月三日下午舉行「政務會議」時，曾通過了所謂「中央人民政府政務院爲準備普選進行全國人口調查登記的指示」。並發佈了「關於基層選舉工作」及「切實整理戶口」的指示。在年來大陸戶口在中共特務統治之下現已極爲嚴密，而所謂「普選」一事，亦無非表面戲法，實無重辦人口登記、戶口檢查之必要。相信此一舉動，必另有作用。是否爲再一次大規模「肅反」之先兆，不久當可分曉。

「局長」架子大 專做官樣文章

辦公室裏撲克麻將 上下蒙蔽一片混亂

中共幹部的官僚主義作風到處蔓延，衛生機構也不例外，最近北平人民日報據一封匿名信揭露華東衛生局內部的情形稱：該局的工作秩序和空氣是一片混亂而懶散，局內大多數幹部整天閒着沒事做：有的在辦公室拉胡琴，唱京戲；有的團團坐，擺龍門陣，大談女人大腿；有的到鄰室裏關起大門來打撲克，搓麻將，下棋；說該局的政治空氣一塌糊塗！有時僞中央交給了突擊任務，便亂作一團，但發號施令之後，便「萬事大吉」！

又說造成這種現象的主要原因是由於該局局長崔義田非常驕橫、自滿之故。他很強調公文效率，說大區的局是高級領導機關，能發號施令便行，有事要辦得快，沒事儘可玩！他稱讚這種現象爲「融融樂樂」！他喜歡報喜不報憂，而且強調小圈子的組織關係，對上是唯唯諾諾，功德無量，對下是一呼百諾，頤指氣使；講壞話的被趕出去，講好話的給養起來。尤其因他是該局的黨總支書記，開起黨組會議時，除了伊伊呀呀的歌頌，便沒人敢講半個不字！又據該報的調查批判，說在該局此種作風領導下的影響，華東各地的衛生機構大多都有類似的混亂及散漫現象，以及領導幹部的包辦、壓制、頹廢的現象！

中共發展體育運動 鍛練體格未成功 學生先送小性命

女教員踢球當場流產

幼稚、盲目、偏差，似已成中共不治之症。不動則已，一動必弊病百出，而且一定死人纍纍。自毛澤東於去年提出「發展體育運動，增強人民體質」的「訓示」以後，大陸各學校共幹又在一盲目的「任務」觀念之下展開蠻幹。不管學生的營養體力如何，也不管運動的安全設備如何，更不管運動的常識如何，便如火如荼地大搞各項運動。這種蠻幹的結果：在學生的身體方面，誠有如揠苗助長，體格未見練好，倒將身體摧殘了；在運動的安全方面，運動者本身的安全固屬問題，因運動而傷及他人的情事也層出不窮！綜觀大陸各地消息，各地因如此蠻幹體育運動而自傷傷人的例子多得不可勝計。舉其要者，如南京市立師範學校在測驗八百公尺長跑時，係在雨後，跑道上尚有積水，泥濘不堪，以致有很多學生都摔了交，其中有十一人竟摔斷了手足！如四川大足中學的雙槓地面的硬泥，有學生金開大，趙允第等數人從槓上下來時都跌斷了手臂！如上海師範學校，要正在經期的女學生也參加劇烈的體育運動，結果大多女生都患了腹痛症！如嘉興明德中學在做飛機運動時，既無安全設備，事先又不作安全教育，結果有三個學生跌了出來，有的跌傷了腿，有的跌斷了鎖骨，傷勢都很重，後來其中一人還因傷重而斃命！尤其大多學校，沒有規定運動秩序，劃分運動區域，以致運動時往往傷及他人。如陝西咸陽西北工業技術學校在擲標槍時，一天之內竟先後有學生三人均爲標槍刺中，其中二人重傷，一人斃命！如漢口中南工業學校，竟在教室前的小型操場上擲鐵球，將鐵球擲出牆外，擊中行人，重傷頭部，成了殘廢！如上海麥倫中學，在跳高跳遠時，不維持必要的秩序，有兩個學生被跳者撞傷！如西北農學院到處亂踢足球，有四個學生被踢傷了腿或小腹，其中一人傷重而死！但這種事態並未引起應有的警惕，數日後，又有一懷孕的女教員踢球被足球擊中小腹，因傷而當場流產！如江蘇太倉中學內練習手榴彈擲遠，竟同時擲破了兩個學生的頭！此外如杭州師範、福建惠安縣中、濟南一中等校還曾發生多起因學生運動過度而吐血死亡的慘事！至於他如囊腫、踺單槓、定天梯等受傷，乃至摔死的事，各地在在都有，不勝枚舉。僞「鍛練體格」而至於如此慘烈，亦可謂令世聞矣。

必也正名乎！（二）

方

自由談

共產黨人最喜歡製造新名詞，有的通，有的不通。大概通的都是別人已經發明使用過的，如「解放」一詞，當年拿破崙蹂躪歐洲時，即自稱是來「解放」在封建政治壓迫之下的人民，因而使德國的愛國青年如哥德，費希德這般人亦一時信以爲眞，竭誠歡迎，等到萊茵同盟一出現，他們才知道拿氏的所謂「解放」，實爲奴役的代名詞，迷途知返，鼓吹救國。現在共黨也竊取這一名詞，欺騙人民，而有些自命是反共非共的知識份子，動則對人說：「我是解放後纔出來的」。既是被「解放」地區的自由人，你逃出來幹嗎？難道發了瘋，竟要從「光明處」來到海外「魔窟」找飯吃不成！再不然，就是出來替共黨做間諜，二者必居其一。名詞濫用之病，有如此者！但如在大陸上打游擊的英雄們，高標「解放人民軍」，那又是最恰當不過的名詞了！

共產仁兄所用的不通詞句，那可多哩！如「組織上」，「反映上去」，「鬧情緒」……等等，不一而足。但是，許多反共的英雄好漢們，亦專喜拾人牙慧，跟着敵人瞎吆喝，甚麼「一切通過組織」啦，「把你的意見反映上去」啦，充口而出，應有儘有，而這類詞句過去在大陸上又從來就未聽說過的。今日乃學些敵人的賊腔，恬不知恥，甚至於毀一首歌詞，也要套用共產黨人的調調兒，眞是令人喪氣。反共的文化意義糟糕到這步田地，豈不可悲可怕麼？

·幽默小故事·拜契爹

上官柳

北平這幾天又忙着辦一樁喜事。毛二娃契爺死了，毛二娃又要拜契爹了！

毛二娃的爹爲這件事情傷透了腦筋，雖然我們中國習俗，拜契爺是一件平常事情，但是把小孩子過繼給人家時，送過去那一筆禮物，所耗用這筆錢的數目字就可觀了。就是普通的農家，把孩子送過去，也要買一對大蠟，和供神的三牲，契爺身上的衣料鞋襪，敬神過後的一桌酒席。不要一千，也要化上三二百大元。契爺給契仔的，只是兩件不合身的短掛褲，一副如意百家鎖，說兩句消吉平安的話，給孩子取一個招財，進寶的名兒，就算是禳災迪吉了。從此，父母的心裏就希望着孩子無災無難，沒病沒痛平平安安地長大。

在毛二娃生下地來，他的爹就愛他像命根子一樣，但是算命測字都說毛二娃命帶關煞，必須拜兩個比他命還要硬過頭的「貴人」作契爺，不然這小子的一條狗命就很難保全。因之，爾過三朝的毛二娃就過繼給史太林。

提起史太林這人的爲人，好像殯儀館裏的化裝師一樣，在死人身上揩油，在活人面前敲竹槓，他見毛二娃要過繼給他，他就要二娃爹先將東邊的地給他經營，西北的牧場同他合夥。還要毛家奉送他一點糧食，每年逢年過節和必須備禮朝拜，不然，這孩子的生命安全他是不保險的。

二娃的老爹覺得：財產是賺來的，得來容易，化去也應該不要有過多的考慮，反正自己的年歲大了，孩子就是生命，在孩子身上化錢是應該的，中國有一句俗話：「養兒防老」呀！

「二十五孝」算他做到了，一九五〇年的春天，他竭盡財力、物力、面子，把二娃子的生命安全交給史大林。

以宿命論來說，是毛二娃的福薄，照毛二娃的八字推算，是他娃娃的命太硬，過繼不過三年多點，他活生生地把他繼老太爺尅得一命嗚呼。

二娃爹的意思：孩子已有三四歲了，契爺死了也沒有多大關係。依照科學家說：三四歲的孩子，只要肥胖得健康，死神已經在他身邊溜走，他大可以放心大胆地照管二娃子成人，好當老太爺了。可是，最使人駭怕的，史太林死後，戚家那個孩子——二娃子的契弟裏德華突然死了，饒家那個拉科西也走失了，東兩達家的小子皮克也患了重病。毛家這個命根，誰能担保他無災無妄呢？這可着急了毛二娃的老爹爹。

精明能幹的總管周紹興，率領一批家奴到史府去吊孝還沒有回來。毛家裏只剩下一些娘姨和小厮，趕賊都趕不走的一些傢伙，怎麼能趕鬼？

毛二娃的爹在哭天無路之下，恨不得關起大門。幸虧小厮中有一個姓劉名少奇的小子，有點聰明勁。他想起史契爺的繼承人時，就跑去獻計給二娃子的爹。

「史契爺死後，小主人應該再去拜一個契爹。」他對毛二娃爹說。

「嗄！拜誰呢？你想，誰有你史契爺的本事大，不但人怕他，連鬼也怕他啦！今天他還要死。可想死是避免不了的呀。」

「爺爺不要難過，史契爺是年歲大的人，該死是活不了的人，小主人這樣年青，又是你老人家的命根子，萬一有一差二錯，可不是好玩的。」劉少奇聳聳肩諂媚地着說：「奴才聽說史契爺那一套法術已經傳給馬倫可夫伯伯啦！」

「馬倫可夫？」二娃爹驚喜地說：「他，他不是你小主人的契弟嗎？」

「噓……」劉裝着神祕的樣子打着口哨：「爺快莫這樣講；契弟是廣東地方的人罵人的話，今天咱們要去求他，可不要罵他。」

「對的，咱們應該叫他馬倫可夫先生。」

「不對，不對，先生是咱們中國社交上的通稱，要求人家，必須恭維人家，所以我想小主人應該去拜馬倫可夫伯伯，稱馬伯伯做契爹」，

「契爹？不是同契爺一樣地輩份嗎？」

「爺又搞不通了，爹同爺這兩個字在中國文字上是兩輩人啦！郭沫若當年叫史契爺，就是這個道理。」

「可是，馬倫可夫的年紀還小過你小主人？」

「不要緊，有志不在年高，何況他今天繼承了史契爺那一套衣鉢了呢。」

二娃爹聽了默默無聲，爲了憐惜愛子的生命，他沉吟一會點點頭說：「照你的意思，你去通知陳管家辦去吧！」

小厮得了吩咐，急忙把話傳給家奴小子們，毛二娃家裏上上下下忙亂着辦理這一件喜事。

外強中乾的毛府，不得不發行三十億美元的公債。二娃爹也引頸高望着二娃子這次去莫斯科拜新契爹，能得一個漂亮的名兒回來。

電話的新用途

電話本是用來談話的，但在奧國的維也納，談話的慾望只是使用電話許多理由中的一個，一個人可以用電話來詢問體育競賽的分數，打聽證券交易所的行情，查詢餐館的菜單，有時在臨睡以前還可搖一個電話，聽聽五分鐘的睡前故事。總之，那裏電話公司的服務精神太令人滿意了，你無論有什麼需求，或有甚麼疑問，只要一搖電話，對方的答覆必可使你感到滿意。

上星期，維也納電話公司又加了一個新奇的服務節目，凡是需要實習速記的學生，只要撥一下A—17570的電話，那邊就可予你六分鐘的練習機會，他們每分鐘讀出一百個字讓你速記，逐漸增至一百六十個字，而且教材經常改變，每日都不相同。（由之）

談共諜一二事

自民國卅七年入夏後，共黨間諜已大量滲透我政府及社會各方面，迨國軍在關外及平津失敗，各地潛伏份子，紛起活動，形成表面化，毫無忌憚。南京中大職業學生竟闖入行政院會議廳扮演話劇，狂歌「不要你」之俚曲；銓敘部竟翻印公然揭出共黨通告，命令公職人員如何如何，而該部庋藏之考銓名冊，亦忽以失蹤聞。聲勢之下，共諜猖獗若是，然未聞文武當局有所警括清除。此不僅暴露政治本質之腐敗低能，亦證明平日擅竊威柄，大言炎炎之鐘鳴鼎食者流，皆爲銀樣蠟鎗頭也。迨上海大戰末期，共諜活躍情況，尤足令人咋舌！

新·世·說·補·遺

馬五先生

上海國軍之撤退時間，係卅八年端陽節後。當撤守計劃決定之際，軍警行政三方首腦人物，會舉行秘密會議，商討一切應有處置。談及因間諜罪行而被囚禁待訊結之人犯如何發落問題，有人倡議謂：「此輩十九皆共黨地下工作者，法所難宥，棄置不顧，無異爲敵寇保存暴力，盍以俱去，亦多煩擾，不如盡置於理，免貽滋蔓之憂」。在任市長某頗持異議，致無結果。會議夜午方散，市長歸寓未幾，即有共諜以電話致其愛姬曰：「市長今日在會議中爲吾同志保存若干生命，宅心仁厚，深堪感佩。上海解放在即，吾人希望市長夫婦不必離去，決予保護。如市長未便留此，則盼夫人安居滬寓可也」。即此可見其滲透之深，諜網之密，情報之迅確，亦反證我方土崩瓦解之必然趨勢也。

國軍將去之前，某主將曾以現金若干，交付我方留滬工作幹部某，爲今後地下活動經費。詎某已心懷異圖，暗向共方投靠，知市長愛姬得共方青睞，乃借居於其寓所，以期掩蔽。端陽節午間，有人提枇杷一大籃，赴市長宅聲言拜節，逕行登樓，某聞聲出而代主人接待來賓，至梯口，來賓急出手槍將其擊斃，從容退去。市長適外出，愛姬驚駭欲絕，罔知所措。移時，即有電話來告主人曰：「吾人原挽夫人留滬，今府上已發生流血慘劇，實不敢保其無虞，還作他去計爲上」。主人急收拾細軟，遠走海隅。

愛與恨

·健軍·

『愛』和『恨』，如同眞與假，善與惡，黑與白一樣，全是絕對性的反正，在天秤上是永遠不能平衡的法碼，就是說一個人不是『愛』就是『恨』，不是『恨』就是『愛』，或是二者全不存在，即既不『愛』又不『恨』，或不『恨』又不『愛』。所謂又『愛』又『恨』是絕對論證上的矛盾現象，是一種心理上的錯覺而已！就如同說一個物體是黑就不能是白，是白就絕對不能是黑，或是既不黑又不白，但總不能說是又黑又白，又黑又白是有的，不過那是灰色了，與絕對的黑白無關。

『愛』與『恨』，二者全是衝動的情感，是二種相背而馳的力源，所謂『愛之欲其生，惡之欲其死』就說明了這點。『生』與『死』是相背的方面，而『欲』就是力源，因爲『欲其生』則必須竭思殫慮去使其生，『欲其死』則必定竭思殫慮去使其死，這種『竭思殫慮』，『爲計爲謀』，『爲計爲謀』便是力量的表現，以例來說，基督教之所以能膺服人心，就因爲他有一種內在的力量，那就是『愛』。共產黨之所以敢用鐮刀斧頭向自由陣營挑釁，也即因爲它內部有一種潛伏的力量在激蕩着，那就是『恨』。爲了『愛』，張君瑞才以弱質書生，連滾帶爬地去跳花牆，爲了『恨』，朱縻才纔演出殺人放火的那一幕，再如爲了『恨』，李陵甘願身受『胡地玄冰，邊土慘裂』的異域而不歸漢；爲了『愛』，耶穌甘願給棄自己被釘在十字架上。所以說世界上的和平與戰爭，善良與罪惡，歸根結底說來，全是由『愛』和『恨』二字所發出來的結果。

至於說『愛』和『恨』的力量孰大的問題，似乎是一個很有興趣，但實際頗難解答的問題。有人把『愛』比作火，把『恨』比作冰，火能融冰，而冰亦能消火，二者在質、量上如無大變，是頗難分軒輊的。不過；火是熱的，是發光的，是代表陽性的一面，而冰是冷的，沈暗的，代表陰性的一面。在洞陽遠陰的人類看來，『愛』常是代表『正』的，而『正』在人們的意識裏，就有『正氣凜然』『正正之旗』，『邪不侵正』這些意味。

『愛』是忘我的犧牲，『恨』是忘人的攻訐，二者雖然勢同水火，難相併容，但却有孿生兄弟的血緣關係，所謂『愛由恨生，恨從愛起』，彼此迴轉交替，互爲因果。報上常見的『求愛不遂，辣手摧花』，就說明了這種『愛之愈篤，恨之愈深』的道理。蕭伯納老頭子有一句話：『待你底仇敵如同你未來的愛友，待你底愛友如同你未來的仇敵』，這樣，也許會減低『愛』和『恨』的衝擊，不過誰能做到呢？因爲『愛』和『恨』是絕對難容的呀！

人才的成長

·雪夫·

從理論上說起來，在學校裏常得獎品的優秀學生必定是前程無量的，而腦筋遲鈍的小孩子，將來不容易有出息，這種觀察往往發生錯誤；但事實告訴我們，有很多證據使我們知道，在學校裏成績並不優秀的學生將來不一定是一個無能力的人物，掉過頭來說：「小時了了，大未必佳。」還許多證據在文學、科學、軍事、政治、神學上隨意都可以搜集下來：比方哥爾德司密司是十八世紀散文家詩家和戲曲家，但是他在學校時並沒有出色的地方。司哥德是歐洲不可一世的大文豪。有一位著作家批評說：「他少年時生得很笨，笨得和白痴沒有多大區別。」十九世紀大文豪羅司金也說，「在歐洲智識界，司哥德是最偉大而高不可攀的思想家，除開莎士比亞以外；但是他在愛丁堡大學讀書時，大學教授說他是天字第一號的蠢東西。」滑鐵盧一戰把歐洲怪傑拿破侖打得落花流水的惠靈吞，小的時候並不聰明。再講到他的對手拿破侖是一位震古鑠今的人物，年輕時笨得很可發笑。這兩位英雄算是一時瑜亮，同樣的孩童時不受家庭的重視。此外有兩位美國總統，我們也不妨搬過來作爲一種考據：一位是傑克遜，童年時是個遲鈍的孩子；一個是格蘭特，做了兩任總統，是一位大軍事家，美洲南北戰爭時出過大風頭。然而年少時是個性質愚蠢而且多愁善病的孩子。遲鈍的小孩子到了壯年一變，而爲發揚踔厲的人物，這裏頭有什麼理由呢？我們要得這問題的答案，先把人類的能力分爲兩項：一是吸收智識而同時又能保留智識的能力，這是記憶力；另一是腦筋中的創造力，這就是推解力，這兩項力量當然第二項更爲重要。但在少年時第一項最易顯露，因爲少年時用不着也看不出推解力的強弱，試拿記憶力的強弱來判斷智愚不肯。

美國大總統威爾遜在參加某大學舉行畢業典禮時有一段演說，他說：要做一個高尚的學者，不單是把學問硬塞在腦子裏去，同時要從腦子裏擬出一點東西來。威爾遜又有一次在舉行秋季始業的學校中演說：「我纔跨進學校大門的時候，常常存着一種思想，學校裏爲什麼有許多課程呢？還許多課程中有一部份是與自己毫無利益的，徒然耗費了光陰和腦力。然後來我纔覺得這許多課程不一定對於我自身發生直接作用也不一定刻板的把在心頭的，還是一種訓練腦筋必經的一個階段。」幾句話說：比方學文學的學生爲什麼要學與他後來毫無關係的數學呢？這就是因爲數學的功用，很可以養成推解力。

中國人記憶力極強，而推解力則很薄弱，所以中國人的聰明小孩子很多，但成年人很少。在外國的學校裏，一個中國留學生往往會被外國學生莫明其所以然，功課考試時下苦功，所以是常常請求中國的留學生解答他們的難題；但是學生出了校門，在他們的社會和國家裏，做出轟轟烈烈的事業。中國留學生回國後，祇懂得升官發財，有人說，這是被中國的社會環境所同化了；可是留學生是預備回國來改造環境的，反向惡劣的環境豎了降旗，那成什麼話。

我們從這裏得到一個結論：以個人而論，中國人比外國人聰明；以整個的國家而論，外國都是一些刁鑽古怪的國家，中國就笨多了。

還有一個很好的證明，是證明中國人注重記憶力而不注重推解力的：中國人做事提倡守成而不提倡創造，提倡因襲而不以改革見長，所以中國的一切除學得歐西皮毛的衣食起居以外，精神上完全爲頑固守舊勢力所把持的。我們要讀書，需要明辨是非，需要針對現實而發生有力的判斷，假使前代有賢明，相信不必去盲目的崇拜他，而把自己造成一個時代的落伍者。

中國歷史上提倡記憶力的地方特別多，現在舉一個例：清朝的鴻臚寺是一個極得慈禧太后寵信的大官，因爲他把歷年來的檔案，記得牢牢的，有問必答，慈禧把他當作一個掌故專家。民國成立以後，有許多衙門內的職員，地位之穩固並不是得官吏法的保障，無非因爲他們熟悉檔案而已。我們以爲這種人當然也不可少的，不過他們算不得重要的材料，有了設備完全的圖書館，用不着造成一座活圖書館——書獃子。

中華民國僑務委員會頒發登記證台敎新字第一零二號

自由人

THE FREEMAN

（半週刊每星期三六出版）

（第二二三期）

每份港幣壹毫

督印人：李光華

社址：香港高士打道六六號

電話：二〇八四八

GLOUCESTER RD. HONG KONG TEL: 20848

承印者：東南印務出版社

地址：高士打道六十四號

台灣特派員辦事處 台北市館前街五十號

台灣總經銷處 台北中華路新號五九四之一

台灣郵政劃撥儲金帳號 九二五二號

東南亞危局不容忽視

·修衛·

東南亞方面的赤色戰禍，緊跟着蘇俄和平攻勢而擴大了！當法寮軍撤守桑諾亞之後，泰國北部形勢驟然緊張，泰政府下令撤退泰邊境平民的同時，中共新華社發佈消息，指「泰國軍隊參加寮國共同對越盟軍作戰」。這種軍事侵略配合政治宣傳的雙管齊下攻勢，反映出共黨侵略的企圖不僅在掠取越南三邦，尤有乘勢進侵泰緬，建立傀儡政權，進取馬來半島的趨向。

從四月八日法越軍沿河內南部半月形防綫前哨，擊退越共的大規模突入攻勢後，法軍當局逆料共軍將再度進窺紅河三角洲。誰知越共轉而進侵距河內西南一百哩之寮國，這是俄帝新和平煙幕下的一次傑作，也是對西方國家幻想馬倫科夫誠意謀和的一劑清涼散！這越南三邦之一的寮國，只有常備軍一萬三千人，最近議會雖通過動員法案，授權政府，征集年在十八至三十五歲的壯丁入伍，然敵軍業已壓境，此項新軍何時可以組成，尚不可知，何時可以出戰，更屬渺茫的事。

攻的共黨聯合戰綫，實在岌岌乎其難矣！民主陣營不早爲之所，而僅以言詞警告，空談援助，將有噬臍莫及之憂。

東南亞全局岌岌可危

越共侵佔桑諾亞後，聯合國已接到寮國對越共侵略的控訴，是否能如韓戰先例，出兵援越，不特美英無此決心，且因俄共代表否決權之作梗，亦爲勢所不許。本月廿三日大西洋十四公約國在巴黎舉行一年一度的部長會議，由於去年全體理事會議中通過了法國援越建議，可望重新檢討越南局勢。然這些國家中，除了法國，美國對越戰可作實際援助外，其他都不過是口頭說說而已。自從蘇俄發動一連串的新和平攻勢以來，西方民主國家對於目前的緊張局勢，幻想出現奇蹟，等待着蘇俄主動地弛這一緊張狀態，而以韓國交換病傷戰俘順利達成協議，休戰談判繼續舉行爲樂觀的因素。艾森豪總統指說共方若利用韓戰停火而抽調兵力別作侵略的「不可寬恕之罪行」，他們已悍然爲之而不顧了，究竟怎樣對付呢？寮國雖然是多山幾爾小邦，但其安危得失，與柬埔寨、緬甸均有決定性的影響，和越南本身局勢更有連帶關係。目前固難判明侵入寮國之四萬越共軍，是否有無回攻那山的企圖，然桑諾亞已陷入共手，那山外圍的法越聯軍亦已撤退，河內、那山均告孤立了。無論共軍的矛頭指向何方，東南亞整個局勢，已岌岌可危，民主陣營再不以行動來實踐其諾言，則韓戰縱停，而局勢必更壞！

能否挽救危局在一念間

西方民主國家對東南亞的危機，非不充分瞭解，祇是歧見未除，惰性猶重，總以爲俄共集團可以危詞恫嚇，甘言利誘。所以，越南反共戰爭打到了第七個年頭，而民主陣營對這方面始終沒有一定的決策，到今年一月，美國纔給予了一批用於防禦上的戰略物資。

這次越共南侵的意圖，已如上述，而其徵象早在一九五零年韓戰發生後即已顯露了。越盟的胡志明，寮國叛臣梭發羅馮親王，柬奸孫玉明等，在中共祕密策動之下，建立了「印度支那聯合陣綫」。然三年來，民主國家書齋「亞洲狄托」的相思病，漠不關心，諉其潛力擴張，中共乃於今年一月起，又以政治滲透的潛能襲脅緬甸，收買了泰奸乃比里，先後在緬泰成立「影子」傀儡政權，對緬則強迫該國驅逐邊境的中國反共游擊隊及象徵民族性的喀倫族軍，對泰則發動宣傳攻勢。越南三邦倘不獲保，緬泰更難挽救，而馬來半島也將成爲共黨的囊中物。目前千鈞一髮之危局，能否轉危爲安，端賴於民主國家領袖們的一念之間，我們且拭目以觀其後罷！

攻寮志在襲泰

根據共黨一貫的侵略手段，總是避實擊虛，攻其不備的。寮國爲多山之地，不利於大規模作戰，然此次越共侵寮，竟動用數逾四萬以上的兵力，中共又誣指泰國派軍參戰，其目標是在襲取泰國，情節顯然。泰國自衛武力甚微弱，所恃後援，惟有與美國所訂安全互助協定。上月初鑾披汶招待記者的談話中，指出中越共將泰北緬境暹十二板納等地區，劃爲「自由泰國」範圍，成立了僞政府。這次中越共大舉攻寮，顯係早有安排，假使共軍一旦席捲寮國，「自由泰國」的傀儡們，必將聯合中越共，以「內戰」方式侵襲泰國，毫無疑問。法越軍如不能於寮境擊破共軍主力，戰火馬上就要蔓延到泰緬邊區，東南亞這一角落，即化爲第二個遼東半島了。那時，法越軍只有退取守勢，緬甸現在正爲着中國游擊隊問題要跟中共訂立軍事協定，引狼入室，更談不到合作抗共的話。剩下一個心餘力絀的泰國，想抗拒內外夾

馬倫科夫地位低落了？

蘇俄報紙爲什麼對馬倫科夫已幾乎完全絕視？根據所獲得的證據，蘇聯政權，不論由於馬倫科夫本身的命令或其他原因，正故意而激烈地阻止蘇聯報紙提到這位蘇聯名義上的領袖。華盛頓業已產生一種觀念，認爲馬倫科夫的地位已告低落，若干官員且說，馬倫科夫已被「束之高閣」，他們不再把他認作蘇聯「首屈一指的人物」，祇說他是「和其他一些人分擔當權力」。他們所獲得的證據，約有下述幾項：

一、蘇聯報紙於三月十五日馬倫科夫對最高蘇維埃演說時，曾把他大捧特捧，且登出一張拼湊而成的照片，把貝利亞和莫洛托夫從原照中挖除，現出他和史達林及毛澤東站在一起。貝利亞曾把他譽爲「列寧的天才學生和史達林的忠實夥伴」。此後，報紙提到馬倫科夫的詞句，雖並未絕跡，卻異常含糊空洞。

二、美國自莫斯科獲得的報導，已不再常用「馬倫科夫政權」等新聞上的術語，事實上，這些報導提到馬倫科夫的地方，也不過是在四月上半月莫斯科各處宴會中對馬倫科夫的祝頌。最近訪問蘇聯的美國記者曾說，蘇聯已不大看到馬倫科夫的照片，這現象令人驚訝。有一位記者和倫敦通話時，偶提到馬倫科夫，電話即被切斷。但相反地，合衆社駐莫斯科記者卻獲許在他發出的消息裏，提到猶太醫生獲釋事件，是由貝利亞「親自干涉」所致。

三、蘇聯最近爭取民心的消費品減價命令，是以政府和黨當局的名義發佈。而在一九四九年，同樣的減價命令，卻是馬倫科夫和史達林共同簽署，還首次表示馬倫科夫將是史達林的可能繼承者。大赦命令，又是主席團主席伏羅希洛夫簽署的。莫洛托夫的簽名，也出現於幾個關於和平姿態的聲明上，這使他聲望大增。

四、馬倫科夫表面上以自己「請求」爲理由，於三月十四日放棄了史達林到臨死還緊握不放的共黨書記職。如馬倫科夫能自由擴大他的地位，他放棄這個意義重大的職位，實在不合邏輯。

以上種種線索也可能是故佈疑陣。實際情形，可能是克里姆林宮現在正慢慢的採取行動，日後再爲馬倫科夫建起與史達林相同的神像的地位。目前他們正等待着，直到蘇聯人民感到本身的命運，已在新政權下獲得改善的時候再這麼做。不過，蘇聯在目前這階段，卻在大規模加強貝利亞的地位，因此，華盛頓若干專家開始感到，應加注意的蘇聯人物中，貝利亞已更甚於馬倫科夫。（精忠譯自新聞週刊）

史達林死因之謎

一位駐莫斯科西方外交官向本國政府報告「史達林逝世的故事，還沒有完結。」

蘇俄國內所發生的一連串事情，使得西方觀察家相信，由史達林到馬倫科夫，其間權力的交接并不那樣簡單。一位駐在莫斯科的外國大使最近致電本國政府，也對這件事下了一個祕密的判斷，他說：「史達林逝世的故事猶未完結」，這意思便是說：一、以前所傳出的史達林逝世經過，不是實際情形；二、好戲還在後頭，其中另有內幕。同時，還有其他兩國的蘇俄專家，也根據他們在莫斯科公幹時所搜集的證據，分析史達林的死確實並不平常，他們的證據和分析如下：

馬倫科夫貝利亞合流

第一、去年秋天，史達林對於共黨領導階層的表現，已經大爲不滿，所以在十月間第十九屆聯共大會上，對高級幹部的引用私人，缺乏效能和辦事錯誤等等，嚴厲申斥一頓。

第二、史達林於今年正月間下令整肅醫生的時候，原意是想大肆改組政府，當時政府指斥祕密警察犯了疏忽的過失，可見得史達林原想把貝利亞當作第一批犧牲品中的一個。

第三、馬倫科夫探悉史達林的意圖後，深恐這樣毒辣的整肅遲早有一天會臨到他本人頭上，乃祕密通知貝利亞，協力共同應付。

衛隊長突然死亡

第四、二月十五日晚間，也就是史達林去世的前兩週，克里姆林宮內大概發生了一些有歷史性的重要事情。作這一個分析所根據的事實是：二月十七日消息報後頁的最末一欄上，載了一則簡單的訃文：「克里姆林宮衛隊司令官辦公處沉痛地宣佈柯賽金少將於二月十五日不幸身故的死訊，並向死者的家族致弔慰之忱」。而柯賽金少將卻是史達林的衛隊長之一。

第五、隨後史達林不是被貝利亞的祕密警察所謀殺，就是他年老而多病的身體，受不住這樣的刺激，而加重他的病勢的。柯賽金少將被害，對史達林是致命的打擊。

第六、貝利亞由於這件反抗其主子的陰謀案而保全了他自己的生命，也因此成了新政權的主要人物，但如果由他本人——警察首腦——掌握全權，不僅事情過於顯明，而且會引起大衆的不滿，特別是在第十九屆聯共大會中，許多事情都顯示馬倫科夫極像史達林的繼承人後，更會引起國內外的猜疑。

高高在上喪失實權

第七、因此，貝利亞仍推舉馬倫科夫出任總理，但十天後，「在他本人的意思之下」，馬倫科夫將重要的共黨總書記職權移交老黨員赫魯契夫。史達林在世之際，當某些人開始過分出頭的時候，他總是運用如下的方法來操縱應付，他把他們舉得高高的，但絕無實權可言，使他們有名無實，隨時可以被他消滅。現在貝利亞對待馬倫科夫，大概也是使用這一套。

如果這種解釋，或其中大部份是正確的，那麼我們更易於明瞭爲什麼：（一）貝利亞要推翻醫生整肅案，並特別強調是使用「不許可的方法」來製造虛僞口供；（二）俄國報章對史達林的歌頌突然減少；（三）以及蘇俄何以急於要發動和平攻勢了。（鄭啓譯自四月二十日「時代」週刊）

半週展望

·陳克文·

停戰談判重開

如何結束韓戰的談判，已定於本星期六（廿五）在板門店重開。因爲傷病戰俘的交換，現在已經順利進行，全世界對於談判都因此抱着極大希望。但是談判能否產生良好結果，現在似乎還很渺茫。美參院領袖塔虎脫，最近主張，韓戰談判應求一勞永逸的解決整個遠東問題。艾森豪總統上周演說，也說韓戰任何休戰結果，若僅使侵略軍能夠轉向進攻其他地方，則只是一種詭計而已。中共一方面的宣傳卻說，越南和馬來亞的戰事與韓戰無關，不應牽涉。中共一方面想以解決韓戰做解決遠東問題的開始，一方面，卻想藉韓戰休戰，轉移其侵略方向，（越盟擴大侵寮軍事，即其一證）。這如何能使談判產生結果？談判前途，現在還不能抱過大的樂觀。

日本大選的結果

此次日本大選的結果，吉田的自由黨僅得一九九席，未能佔過半數優勢，且較上屆席位減少。各反對黨聯合的力量尚遠超過吉田所能掌握的席位。這意味着，日本今後的政局還是不易安定，在動盪的遠東局勢之下，這結果是令人相當關心的。然而另一方面，據選舉統計的表示，共產黨已落至一席，極端的左翼，以及戰前的老政客，他們的地位已經漸趨沒落了。計四百六十六席中，曾經在以前國會中任過議員的只得九十一名，不及五分之一。新選議員中又有九名婦女議員。這可見日本政治的發展，仍是很穩健的日趨進步。沒有回復獨裁軍國主義和財閥統治傾向。也沒有因戰敗的影響，而走入共產主義的迷途。從長遠看，這次選舉還是可以令人興奮的。

史太林的時代完了

艾總統上週發表世界和平計劃的演說後，國務卿杜爾斯呼出「史太林的時代完了，代之而起的是艾森豪時代」。這口號決不是狂妄誇大的宣傳，是目前世界大勢的扼要說明。史太林在二次大戰即將結束時，做了一次「偷雞」參戰，造成「紅極」一時的赤色帝國。奴役六億左右的世界人民。經過六年冷戰和韓戰的結果，這赤色帝國要隨史太林之死而沒落了。邱吉爾說：「英政府或所有自由世界國家，均將樂於加入他（艾總統）對這些我們全體同意的理想與目標所作的誠摯表示」。艾總統的表示，是所有自由世界全體同意的理想和目標。並不是威嚇挑戰，更不是誇大狂妄。這便是艾森豪時代所以能替代史太林時代而興的原因。艾總統的演說，已經獲得全世界普遍廣大的同情，素來反對英國追隨美國政策的英工黨也表示熱烈讚成，這力量決不是只憑陰謀煽動，惡意宣傳的共黨政策所能動搖的。

中共對蘇簽經濟密約

據台灣所得敵後消息，中共最近與蘇俄簽訂兩項祕密經濟協定。一爲中共向蘇借款至十億盧布，年息百分之三，以農礦產品償還，大量經濟資源供蘇使用，借款僅能按蘇俄價格購貨物。又一爲中共以大米向世界套取橡膠，供蘇使用，以蘇在中國西北開發之石油讓給中共作抵。這兩協定的詳細內容，現在雖還未知。在自由國家積極禁運的政策之下，共產集團內這種經濟措施是很有可能的。並且這種協定的成立，使蘇俄的衛星國不僅在政治上失去獨立，更在經濟上變成附庸。東歐各國便是在這種政策之下，一一關閉於鐵幕之內，動彈不得。蘇俄要加強對中共的控制，這協定的提出，是極自然的。中共飲酖止渴，引頸就戮，出賣國家民族，眞是罪不容誅。

對台灣新省府的期望

台灣省政府改組已經完畢，新主席俞鴻鈞和各廳處負責人均已就職。台灣今日爲國民政府所在地，爲反共抗俄的司令台，省政設施的影響自非普通可比。新省府今後的最大任務，應爲如何實施耕者有其田，如何穩定金融，如何增加生產，如何發展教育諸大端。我們以歡忭的心情，祝新政府的成立。更以期待的心情，看新政府未來的成就。我們不願意自由中國，現在還有「宦海升沉」與老百姓無關痛癢的政府人事更動。有抱負的新政治家，上台時不必說「辭不獲已」的話，下台時也不必說「健康不良」。

台灣托管之謠何來？

華盛頓的記者邀請政府官員共餐，早已成爲慣例，在這種場合，他們互相討論政府問題，但有一種默契，政府官員的談話，不能直接引述。這對於雙方都有利，在記者方面，他們可能知道新聞逐日演變的背景，而對於這些官員，這種討論可佈置新聞的背景，協助記者作更好的報導，最後能增進羣衆對國事的瞭解。參加這種宴會的華盛頓記者，可以自由運用所得到的消息，祇要他們不指出這是某官方或官員人士所提供，而作爲本身的觀察和報導。

廣泛檢討世界問題

在四月六日星期一晚，駐國務院的各報記者約二十人，邀請國務卿杜爾斯和助理國務卿麥克卡特爾和他們共進晚餐。杜爾斯認爲往時的默契必爲各記者照常遵守，於是對最近數年來發生的外交問題，幾乎個個都討論到，從法國對北非阿剌伯民族主義者遭遇的困難，到緬甸政府的抗議中國游擊隊留在其國境內等。

杜爾斯坦白承認，艾森豪政府處理這些問題的行動，在頗大的程度上須視蘇俄的行動而定，他分析克里姆林宮所面臨的抉擇，也檢討了美政府面臨的抉擇。

記者問他，對於韓戰的和平可能，是不是樂觀，他的答覆，指出了和平途徑中的種種困難，他說，南韓政府決不會接受以三八綫爲界的解決辦法。事實上，求取這樣的解決辦法也不會成功，因爲共黨和南韓都將感到極易受對方進攻而時時發生磨擦。

他又說，但在另一方面，沿朝鮮半島蜂腰地帶劃分南北韓的辦法，却或有擬成的可能，這使南韓獲得控制南北韓總人口的百分之八十五，和工業資源，特別是水力發電廠，這是南韓穩定其工業經濟所必需的。

美對華關係

韓國如獲和平，會影響美國對自由中國的關係嗎？一位記者問道。杜爾斯的回答是會的，這主要是因爲韓國和平將使美國遭受幾個盟國的重大壓力，包括英國在內，要求美國也承認中共。那些已承認中共的國家，尤要求美國同意中共參加聯合國。最近數月來，因爲美國士兵在韓被共黨殺，這些國家並沒有怎樣談到這個理論，不過如韓戰獲得和平，它們自會再度積極提起。

杜爾斯追述到一九五〇年間關於將台灣交聯合國托管，最近導致台灣獨立的建議，接着檢討往日贊成和反對這建議的論據，但他強調反對的論據更爲有力。自由中國當然激烈反對這種主張，因爲這將使它放棄反攻大陸的計劃，中共也不會喜歡這提議，因爲它要求控制台灣。而且，美國國會也必會反對。

對於參加這次宴會的多數記者，事實異常顯明，杜爾斯這些談話，不過非常隨便的談到各方面的問題和關於這些問題的種種意見。他們都能深切感到，杜爾斯並不是概述政府的一個新的政策，或甚至一個可能的一策。在今日這極度動盪的世界，隨便什麼事情都可能發生，杜爾斯不過是指出各可能性而已。

美新聞週刊記者李奧納特曾參加這次宴會，據他事後的追述，當時的情形是這樣的：

並未鄭重考慮

韓國蜂腰部份及未來地位的討論，是在提到韓國休戰將發生或可能發生的問題時談及的。杜爾斯所以提到在韓國蜂腰部份劃界的說法，是由一位記者問他：『蜂腰是不是一種可行的休戰綫，是不是一個可能？』杜爾斯曾強調這是一嚴重的問題，依目前的停火綫劃界大致不能獲致持久的和平。在蜂腰部份劃界的說法，不過是一種雙方或許都會同意的可能性。「至於有關台灣的討論，是由於記者提出關於遠東全面解決所涉及的各種問題的質詢而引起。杜爾斯追述到過去若干解決台灣問題的建議，交聯合國托管，是其中之一。杜爾斯且檢討了關於這建議的正反兩方面的意見，但他並沒有表示政府目前在鄭重考慮這建議。關於台灣的討論，是側重於謀求圓滿解決辦法的困難。」

不幸杜爾斯這些談話被參加宴會的紐約時報記者華岡納告訴了沒有參加宴會的另一個該報記者李維羅，後者就根據這消息寫了後來轟動世界的一篇報道。

紐約時報所刊出的這篇報道，竟率直地說：「艾森豪政府將願接受以朝鮮半島蜂腰爲界的韓戰解決辦法」；李維羅且進一步說，將台灣交聯合國托管的計劃，「正由政府考慮中」。

這篇報導造成了一種錯誤印象，至少對於忽忙的讀者，它所傳導的意義，是美國對遠東的一種新政策已在醞釀中。於是引起了世界性的大風暴。除自由中國和南韓提出激烈指斥外，美國國會中的反應也同樣激烈。參議員諾蘭一見這消息，立刻電詢杜爾斯，後者極力否認，接着杜爾斯便請白宮新聞官發表了一個否認聲明。但是這消息却已傳遍世界各地，它所造成的虛妄印象，不是一篇否認聲明所能整個扭轉的了。（小微節譯「新聞週刊」）

星馬嚴防共特滲入

馬來亞的緊急狀態面臨結束聲中，由於蘇俄的「和平攻勢」和越共進攻寮國，東南亞各國無不提高警覺，馬來亞當局正採取兩項緊急措施：一、加強防衛，嚴防中共滲入星馬活動；二、擬訂新移民統治法。前者在全民協助進行，已獲具體成就；後者雖然各方面極力反對，但當局堅持成議，已決定於英女皇加冕前後施行。若干權威人士認爲這是馬來亞獨立聲中一大諷刺。

馬來半島與菲律賓在太平洋島嶼防綫中同佔重要一環，在蘇俄擴大「和平攻勢」「中韓國恢復談判之時，東南亞各國均無不提高警覺。星馬當局認爲韓國一經休戰實現，蘇俄極可能在東南亞發動另一侵略戰爭，馬來亞僅次於越南、緬甸一大目標。因此，除了已經採取的各項防衛設施之外，尤對於防止中共特務滲入一點特別重視，呼籲市民全力協助。據移民廳宣稱：「中共甚幹人員慣當以商賈的身份經香港及印尼等地滲入本邦活動，企圖在星馬等地活動。自從印尼政府承認中共僞政權以來，印尼已成爲中共份子滲入本邦之發源地，移民局除嚴加防範外，目前尚未發現任何有關中共份子滲入本邦之案件。」但星加坡移民局對於往返共區之旅客已嚴加限制，今後凡是回返中共大陸之華僑，以及任何旅客除非攜有事先申請之入境許可證件，移民局均拒絕於星馬登陸；至於其他國籍人士係在星馬簽證許可往香港回程，後作第二次申請之時，將特別重視，如認爲非必要時有理由拒絕簽證。

新移民統治法

移民廳長赫斯諄最近宣佈：擬議中的「新移民統治法」將在女王加冕前後頒佈，以使星馬人民有永久居留之權利，不再沿用過去之回馬簽證，此種法例生效之後：一、凡在馬來亞（星馬兩地）生長之英籍民或聯邦公民；二、過去十年中居住本市七年以上之非在本地生長之英籍民；三、持有新永久居留證之市民；四、凡在星洲歸化並保持有效歸化證英籍民。均將豁免申請回境簽證，但在遇有必要離境之前，必須申請豁免簽證明書；持有永久居留證的，於新法例實施之後在一定期限內掉換新證，並須依照新例宣誓效忠英王之後方准換新「永久居留證」，持有此證可豁免回馬簽證，前往香港、印尼、緬甸、中共區、越南、泰國等作單程旅行；其他地區及任何國家均不適用。但星馬僑團對於當局此舉大爲不滿，咸認此一法例在表面上雖然予人以免回頭證之便利，實際上解除了居留民的國籍保障，而且比強制入英國國籍更爲苛酷，因兩者均須宣誓效忠英王，但持有新永久居留證的，既須宣誓效忠英王，却變爲無國籍之民。人們意味着當局此舉含有兩大作用：（一）限制公民參政；（二）鼓勵入英國籍；因星督曾言：「世界上任何國家不許無國籍之人取得參政權，星加坡爲英國殖民地，欲享受本坡參政權，必須有英國國籍者。」此在馬來亞獨立聲中無疑是一大諷刺。（司徒文四月十四日寄）

台灣鬧米荒

台灣通訊

台省近日忽然發生米荒問題，許多公教人員的四月份配給米，都沒有全數領到。有些機關，則先發給麵粉一袋。因此社會上處處以食米問題爲談話材料。台省本是產米的省份，年來在政府糧食增產的政策下，生產數字年有增加，去年已達一百七十萬噸，論理決無問題。此次米荒情形顯係人民的心理作用，並非眞正缺糧。蓋適當現在青黃不接之際，台灣省生產事業管理委員會負責人中央信托局局長尹仲容，忽發表主張，勸人民多食麵粉，節省米糧，外銷日本等地，以換取外滙。尹氏以一噸米與一噸麵粉比較，謂每噸可賺餘美金一百元。其實一噸麵粉之消耗量，並不及一噸米，此爲家庭主婦所深知，而尹氏所未解者也。同時，中國農村復興委員會主任委員蔣夢麟，又適於此時致書台灣省政府，請倡導人民多食蕃薯。蔣氏繕寫此函之時，米荒情形尚未發生。其動機完全在於希望提高蕃薯價格，使種蕃薯農民不致蝕本。民間因當局一則勸改吃麵粉，再則勸改吃蕃薯，以爲糧食定將不足供應，遂發生漲風抬價現象。

民間儲糧尚足

台省人口有一百萬戶，如每戶儲藏二百石，不得謂爲犯法，就總數言，即甚爲可觀。一般公教人員，素特配米爲食，而無餘資儲米，亦從未感有預儲之必要。一旦配米中斷，遂致發生恐慌。台省糧食局長李連春，素以能吏稱。其所掌握之糧源，除田賦徵實，及用肥料換得者外，多特向大戶收購餘糧而來。自三七五減租以後，大戶手中餘糧，已打有折扣。今年再實施耕者有其田，大戶田地，將紛紛轉歸農民，此後收購餘糧，已缺乏所謂大戶對象。據一般人估計，目前雖在青黃不接時期，民間儲糧仍可足用。只須政府申明改吃麵粉與改吃蕃薯只係私人建議，並非因糧食已感不足。且台糖最近已售出三十五萬噸，外滙頭寸頗爲寬裕，並不需要其即運米出口以換取外滙，則人心即可以轉移。從此一事，亦可見有地位人士，發表意見，總要選擇時機。且在未決定實施之前，更不宜先自行登報章刊布。至於出口問題，台省四面皆海，如用小船走私偸運，數量必不能多。如由輪船裝運，必須遵照法定手續。閱去年一年中，食米出口並不足十萬噸，可謂甚微。此次數字，不妨由政府正式發表，以徵民信。民國三十八年時，台省糧食增產，不足一百三十萬噸，近年雖人口增加，亦未超過一百萬人，而糧食則已增產將近百分之五十，有何問題可言？兪鴻鈞就職後，迭次表示米在台灣不成問題，實有理由也。

收購價格太低

自米荒發生，各方面均在爭取糧源，司法機關檢察官在各縣市紛紛檢舉囤積。就已發表之案件言，囤積案件特別巨大者並不多。李連春氏赴南部取來即將登場之早稻一束，以證明不久即可先見豐收，台北報紙，曾以曹操望梅止渴事以喻李氏。亦有人謂民間並非無糧，但政府原定收購價格太低；故不願脫手，似宜提高糧價，方可誘導人民售出。甚至有人主張用台省金銅礦務局所儲黃金，製成小塊，向人民換購食米，其說自必不可行。台省糧價，在民國三十八年時，每石原只三十元左右，今收購價格已提高至一百三十元。近日黑市固已漲至二百四十元，此乃一時現象，終不能承認其爲合理。民以食爲天，米價一高，百貨皆漲，以往在大陸時，會有此痛苦之經驗。公教人員待遇始終未能增加，即令食米全恃配給，如其餘物品漲價，生活亦將更難以支持，對於工作效率，影響至大。

英女皇首次駕車出遊

上一個星期，在溫莎堡至溫莎御獵園間公路上駕車馳騁的人，於發現某一輛灰色小車中的乘客時，都不禁大吃一驚，原來手執駕駛盤的，是身穿鐵裝圍着花園巾的英女皇伊麗莎白二世。這還是她繼承皇位以來第一次公開駕車出遊，坐在她旁邊的是瑪格麗特公主，愛丁堡公爵則坐在後面。她像其他熟練的司機一樣，每至交通擁擠的交叉路口總是慢慢駛行，直到人車稀少的路段上，才施展她車行如飛的本領。

共軍利用美機殘骸

雖然美國在韓戰中使用的都是第二流的武器，但蘇俄對搜集這些武器的情報，仍然不遺餘力。據報，目下美軍在韓使用的飛機和武器，其中大多數的完整資料，都已爲俄國所獲得。譬如說：聯軍和共方的戰鬥幾乎全在共軍的防地上進行，每逢聯軍飛機被地面或空中砲火擊落的時候，共軍必定小心搜檢殘骸，這樣日積月累，當然可以被他們拼成一架飛機。最近有一架漆着共徽飛襲聯軍的F—80式流星式機，就是這種七拼八湊的製成品。因此，聯軍的情報官員判斷，聯軍各式飛機的性能和構造如何，大概都已爲共方知道了。

俄將撤換義共頭目

義大利共產黨最近遭受許多嚴重的挫折，爲抗議通過選舉改革法案所舉行的大罷工示威，也離預期的效果差得太遠。這些事很引起克里姆林宮的震怒。近來義共領袖陶格里亞蒂已很少出席黨的集會，有人在他的寓所中見到他意態蕭寬。據說：他已獲悉克里姆林宮有將他撤換的打算，而由一向以義共智囊著稱的賽克契亞接任。

共特扮警詐騙難民

波羅的海各共黨附庸國家人民逃往丹麥和瑞典避難的很多，這件事共產黨當然頭痛異常，但苦於沒有適當的防止途徑。他們惟一可能的，是嚴厲處罰難民留在國內的親友藉作報復。因此前不久，蘇聯駐在丹麥和瑞典的特務，都奉令假扮爲當地的警員，乘機和難民們接觸，來暗中套出他們親屬和其他協助他們逃出鐵幕的人的住址。有些難民不知共黨毒辣的手段，稍一大意就不知不覺上了共特的大當。（孟衡）

天下小事

中國神鷹的發展

·劉琉·

神鷹展聲威

「七七」初起，跟着「八一三」事變，八月十四號日本飛機開始襲擊，中國空軍出杭州基地起飛迎戰。如果以飛機的性能說，日本用的是九二式與九四式，我們用的霍克二式與霍克三式。速度他們快，火力他們強，數目他們多，可是神勇空軍激於愛國家愛民族的熱情，無不以一當十，此時激戰迭起，捷報頻傳，對於日本人的打擊與軍民抗戰情緒之鼓舞，爲效實大。這一時期的空軍英雄，劉粹剛，高志航，樂以琴，閻海文，沈崇誨等人，人民對於空中勇士的熱愛，此時至於極度。

這是「中國神鷹」旗開得勝的輝煌期，如果按照飛機的性能和戰鬥經驗說，我們應該不敵日本的木更津航空隊，但是以武士道著名的太陽飛機，每次都鎩羽而歸，而劉粹剛，樂以琴這幾個紀錄最高的英雄，幾乎成爲家喻戶曉的人物。這是以精神戰勝物質的例證，這種理論，也許是唯武器論者所反對的，但是事實俱在，劉、高、樂、沈、閻諸人，都成了中國的「紅武士」，許多外國記者，目見這些「紅武士」的戰績彪炳。

這一輝煌期一直到武漢會戰時代，近年以來，許多航校一二三期的英雄，先後灑血晴空，爲中國空軍爭了光。但其事蹟却也可歌可泣，有最高紀錄的劉粹剛，樂以琴，有不成功即成仁（任務未成自殺）的閻海文，有利用飛機與敵艦共存亡的沈崇誨。直到次年，外援的E十五E十六型助戰，航校五六期的同學成爲這一期的中堅，一直延至撤至重慶，這時期又有新英雄的崛起，如李桂丹，如呂基淳，如高又新，如劉宗武等，他們都有五架以上的紀錄，可是，這些人先後成了仁，碩果僅存的只有一個劉宗武，兩年前他還來過香港呢！

扭轉劣勢

這時成立了航空委員會，最初的主任是錢大鈞，以後才改周至柔。宋美齡，是時担任該會的祕書長，意在提倡的航空建設。可是終以日機性能逐速進步，等到他們的九六式零式出現，而我們的飛機一天天少，質量均劣，不得不退處下風。這一時期以一九四〇年爲最，四川璧山上空，他們曾以一對二十的紀錄，發揮了零式的戰鬥力。有一次，狂妄的日本駕駛員，竟敢在成都鳳凰山機場降落，取下地面的旗走了。然而因其如此，警成了我們的無敵勇士，又表演了更偉大的一幕，某次大批日機，新英雄單機闖入大編隊的火網，由高空向下俯衝射擊，由低空拉昇，向上穿又透過去，終於給他擊落了日本轟炸機一架，因此他獲得一枚青天白日獎章（這是抗日時期的最高榮譽勳獎，得之者祇有幾個戰區司令長官）。（中）

中共利用五一節大搞勞動競賽
擴大驅策工人增產
各地瘋狂展開死亡率勢必激增

【本報訊】北平偽「全國總工會」以「迎接『五一』國際勞動節和第七次全國勞動大會」爲名，已於本月十日向大陸各地在中共嚴密控制下之工會發出通知，再作一次普遍而大規模的所謂「勞動競賽」。衆所週知：年來大陸工人在中共只顧盲目生產任務、不顧工人生命安全的殘酷奴役之下，已遭受了空前悲慘的劫運，成千成萬之工人已在此種奴役之下宣告殘廢或死亡！尤以每在一次「挑戰」、「競賽」之中，必有大批工人犧牲！但中共殘忍成性，分明此班被犧牲工人遺骸未寒，復將利用「五一」節機會，大搞其「勞動競賽運動」。因而大陸工人之將又臨一次劫運而被大加殘害，殆無疑問。

偽總工會於發出此一通知後，東北、華北及西南三區之區總工會，業已首先在各「國營」工礦中展開「競賽」之準備工作。大陸各地所有礦廠的「競賽運動」，也在瘋狂狀態中。

甘青新邊區反共武裝活躍
烏斯滿舊部苦鬥
馬鴻賓圖分化失敗

【本報訊】據甫自蘭州[illegible]假道[illegible]來港[illegible]之人士談，[illegible]、青海、新疆三省邊區之大部份哈薩克族，撒里維吾爾族、維吾爾族、及蒙、藏、回等少數民族之反共情緒仍極高昂、堅決。三年多來雖經中共一面派兵一再分別圍攻，一面施用懷柔政策進行籠絡、驅誘、分化，仍歸無效。此等反共之少數民族已形成十四個軍事性質的部落，活動於新疆之玉樹區及青海與甘肅邊境之祁山溪谷之中。雖乏統一之領導，但因此等部落反共立場相同，常能互相呼應，賴以堅持生存。最近自中共高唱「少數民族自治」之虛偽口號以後，曾派靠攏份子馬鴻賓利用舊日聯絡前往再度進行分化、說服工作。馬鴻賓於奉中共命令後，即先行在蘭州召開了所謂「甘、青、新三省邊境哈薩克族頭人聯誼會」及「西北邊疆各民族團結會」，會分別派人以其私人關係向各部落試行聯絡，並誘彼等排派代表[illegible]會議，[illegible]不土改，不[illegible]，[illegible]爭分部自治[illegible]，惟均[illegible]各部落所[illegible]拒，致仍告失敗。[illegible]云自反共[illegible]烏斯滿前[illegible]寂不敢衆而離開該一地區後，彼之舊部仍絡續集結，約共有三千人，經常活躍於青海的都蘭，郭里鄉，及甘肅之長草灘、馬海、海子等一帶深山之間。此批反共游擊[illegible]均極齊備，[illegible]之[illegible]云云。

共幹不顧衛生
北平車站臭氣沖天
垃圾堆積如山

在聽到中共大力宣傳衛生運動的人，或經看到過[illegible]有些交通碼頭的一表面秩序[illegible]入，也許大相信作中共「首都」所在地[illegible]沖天？但[illegible]日報發[illegible]：「由於[illegible]衛生運動[illegible]及東站不[illegible]未被發動[illegible]展開[illegible]的北平車站竟會不[illegible]這裏我們照抄一段[illegible]北平人[illegible]告北平車輛段[illegible]東站的文字來[illegible]個事實：

該報首先說：「[illegible]的大[illegible]人民首都各[illegible]吞吐口北京東[illegible]北京東站的[illegible]非常惡劣，亟待改善[illegible]不加[illegible]久不掃，廁所垃圾成堆，辦公室裏塵灰很厚，站長們却強調說：『忙於春運，又要學習新婚姻法，還得反官僚主義……實在事情太多，沒時間搞衛生運動！』北京車輛段，領導上強調生產忙，沒有領會『搞好衛生工作，也能提高生產』的眞實意義，衛生情況，遂更爲惡化：圍牆根、糞便甚多，既不清除，也不禁止便溺，糞便乃越積越多，臭氣沖天，令人惡心！站北頭還有百餘噸垃圾也不掩埋，也是臭氣四播！有許多工人因而染上了呼吸系疾病。尤其車站地面潮濕而骯髒，還使許多工人染了風濕病，大大的影響了工作。」云云。以中共言，這當然是小事情，但我們也可以從這些小事情中看出中共各項舉措的忙亂情形來。

進貢水菓爛掉
奴才廳長光火

凡是抗戰期間在四川住過的人，總還可以回味四川特產廣柑的甜美，它不但香甜豐富，就是品質亦足和美國的「花旗橙」比擬。這一名產，經過入川的所謂蘇聯顧問專家嘗試以後，認爲是蘇聯人民的迫切需要品。中共對外貿易部靈機一動，竟將廣東的香蕉，烟台的蘋果，迪化的葡萄，天津的雅梨並四川的廣柑，一起列入對蘇輸出的品類單裏，因之去年四川全省所有的廣柑，統由中共土產公司擇優全部收購，正式當作進貢物品，當時由于運輸工具缺乏，一時未能運出，乃責成土產公司妥爲保管，詎今春取出，預備裝船北運的時候，竟發覺其中百分之八十以上已經霉爛，致引起『商業廳長』王廷弼大光其火，他說：『這批橘柑的損失還三十億人民幣以上，還是小事，影響國際友人的需要和中蘇商約的履行，才深深值得我們深刻檢討』。一片奴才腔調，教人肉麻之至。今年中共農林部已規定四川的橘柑要較一九五二年增產一倍，爲的是補足去年的貢品和履行今年的新約。可憐西南人民，去年還嘗到一二隻揀剩的柑子，今年怕廣柑子皮都吃不到一片了。（宜之）

婚姻法越貫澈
大陸命案越多
夫妻吵架丈夫判刑二年
妻子求赦無效投河慘死

據本月十日偽中央最高人民檢察署以「嚴密防範在貫澈婚姻法運動中發生命案和違法亂紀事件」爲由的通報中披露：中共在指定三月份爲「貫澈婚姻法運動月」而經過大力「貫澈」以後，又已發生了嚴重的偏差，造成了無數不必要的命案。該通報中曾公開認承指出：「由於幹部對中央指示的領導不夠，對運動的目的、性質、方針和具體作法沒有認識，因而在運動中也發生了無數死人及違法亂紀的事件，」僅據河南鄭州專區七個縣的電話報告統計，從今年三月二十二日到本月九日的半個月中，就連續發生了死人事件三十一人（男十、女二十一）其中已死的二十二人，經救活的六人，生命垂危的尚有三人。該通報中又指出造成死人現象的主要原因有二：一、由於一般婦女經大規模婚姻法宣傳後，積極性已普遍提高，甚多婦女要求離婚，而各地幹部大多未能作切當處理，甚至有些幹部仍以重男輕女觀念予婦女以壓制。如河南鞏縣玉皇廟區婦女李秀英因與丈夫感情惡劣，曾兩次到區，兩次到縣要求離婚，均未得解決，結果於本月五日被丈夫用刀砍死！二、有很多基層幹部不明「政策」，亂宣傳，亂找典型，亂追往事，引起緊張恐懼，造成命案。如河南省成皐縣七區婦女李季氏因曾和人通姦，鄉幹提出要追查作爲典型，她即因羞懼而上吊自殺！類似情況，在湖南、河北、上海、廣東、山東、山西、浙江、安徽等省縣，也甚多絡續發生。

此外，該通報中又指出：各地「司法」幹部的亂判案子現象亦極嚴重！最荒唐的如江西省之樂平縣，竟先擬立目標要判足六十個人的屬於婚姻案件的徒刑，而後再去找案子辦，因此便有很多原不應該判罪的人都去找到他判了罪。如該縣有個農民和老婆吵了一架，便被抓來判了兩年徒刑，他老婆帶了孩子哭哭啼啼跑了七十多里路到縣城要求釋放她的丈夫，法院不允，結果她便抱了孩子跳河自殺了！又如該縣有個老婦因多年前媳婦難產死了，被幹部追究她說她「照顧不負責」，判了她三年徒刑，反使當年她媳婦難產下的五歲孫兒丟着無人扶養了！

據此，可知中共的婚姻法越「貫澈」，便死人越多！

滬普遍大減工資
工人情緒低落
領導共幹低能腐敗
人力器材損失嚴重

【本報訊】自中共於去年多發出「基本建設」通令後，偽華東建設工程局，即首先在上海各處爲各機關及廠房大興土木，惟由於各工地領導共幹之低能、糊塗、腐化、及一般工人因工資普遍減低而工作情緒大降，致普遍發生工地浪費及工人怠工等等不良現象，使各工地秩序爲之混亂，資金器材蒙受極大損失。現此種現象尤日見嚴重，幾已不堪收拾。據最近甫自上海來港之耳聞目擊者言，說目前上海工人因每月工資被照每日工會之二十五天半減算，且又無理由說明，乃大多採取消極抵抗辦法，實行遲到、早退、怠工及曠工。據說目前上海工人有一句流行之口頭語謂：「多做少做管他娘，一萬五千不一樣（按：即半文錢的意思）你要少我一隻邊，我就還你賴洋洋！」其消極怠工的情形，已可見一般！至於幹部方面，據說因大多思想麻痺，能力低弱，及好逸惡勞之劣根性，乃使工地行政管理，及施工秩序均極紊亂，有的盜賣器材，有的貪污舞弊，有的敷衍塞職。尤嚴重的，各工地大多有大批材料無人處理，日久霉爛無用，甚至被任意拋入江中或河中，損失極爲可觀。又據說目前上海建築工人要求請願、打架，或工地失火的事件，亦時有所見，秩序至爲混亂，據估計，目前上海建築工人之工作效率，已僅往時之半。

泉州共黨
實行「分家」

【本報訊】中共的怪政策五花八門層出不窮，現在又在泉州實施一種「分家政策」，以地主、「反動」家屬爲目標。其辦法是：將地主等人的家屬全部移徙「分散」，例如本埠的商界聞人陳××一家八口，全部分散，×陳本人押赴東北，妻子留泉州，長子失蹤，次子發配往梅河口充苦工，長女參加志願軍赴韓，二幼子則在托兒所，老母已懸樑自盡。至於其產業，早已「收歸國有」了。（凡）

西南區失業益嚴重
大批農民湧入城市
各地共幹慌亂如臨大敵

【本報訊】重慶消息：據云西南大部地區受極嚴重之春荒影響，失業現象，益見嚴重！該區各地城市，續有大批飢餓農民及失業無業人員紛紛湧入，其中尤以昆明、貴陽、西昌、重慶、成都等各大城市湧入最多。據統計，重慶已湧入一萬二千多人，昆明八千多人，貴陽八千多人，成都六千多人，西昌三千多人。據查此班飢荒農民及失業無業人員中，以貧雇農爲最多，手工業者次之，中共之殘廢軍人及軍屬亦甚衆多。彼等湧入各城市後，即佔住古廟、破屋、碼頭、廊沿，並到處搶漢貨物，強行乞食，甚至佔住旅館、大鬧飯館。實由於飢荒過甚，大多生死無懼，因搶奪貨物而互相爭鬥者有之，因不滿共方暴行而發生衝突者有之，搗毀中共之基層行政機構者亦有之。此種結果：已嚴重地擾亂了各該大城市的社會秩序。因而各該大城市之中共當局均感束手無策，於極度慌張之餘，乃出動大批軍警彈壓，荷槍實彈，刀光劍影，如臨大敵！

又訊：現此種嚴重情形，各地已紛紛向偽西南區行政委員會告急，聞該會除已緊急通令各縣區鄉迅即制止繼續流出外，尚無具體處置辦法。

北平林農學院
學生專做工
始終不上課室

【本報訊】中共教育當局實行高等學校院系調整後，成立的北平林學院，大部份學生從各大學森林系歸併而來，準備中共一旦需要工作幹部，當時即可就地抓差。開春以來，林學院的三百五十餘同學，對林學院課程徒有其名而無其實，始終見不到正式講些森林學理論的教授，整天進苗圃上肥、培養樹秧、……心裏苦悶，逐漸現諸外表。共幹「進步」職業學生將這一趨勢反映到了「上級」後。最近，共方想出了新花樣：本科四年級同學普遍展開了「方格[illegible]查法」實習，并且規定每人隨時都要高唱：「無山不綠，有水皆青，荒山變菓園，沙漠變良田。」四年級的一位劉××同學無意間在拍紙簿上寫成：「無善不處！有誰皆清？菓園成荒山，沙漠無良田。」現共幹職業學生正爲這事展開激烈「鬥爭」中。（鏡）

中共辦學校笑話百出
培養工業人才當兒戲

不管中共曾怎樣大吹法螺，說如何培養了工業人才，如何提高了各種工作的效率，而事實上，由於一般共幹的糊塗無知，所謂培養工業人才，原是一種兒戲，即就淮南工業學校及淮南煤礦工人速成中學的建校工作來說，就弄得一團糟了。

個個生「革命瘡」

像淮南工業學校那樣，原是安徽省偽工業廳和偽教育廳合辦的，但結果你推我阻，各要把戲在跟學生們開玩笑。該校於去年七月間招生，十一月十五日開學，但到開學的時候，各項必要的措置還是一片亂糟糟；沒有教室，用竹樹搭起的草棚代替，甚至草棚也不夠用，所以只能用上「大課」和上下午分班的方法上課；沒有課桌，用木板代替；沒有課本，用講義代替；至於生活健康方面，他們所住的房子是「外面下大雪，室內下小雪！」陰暗潮濕，幾已個個生了「革命瘡」（爛癬疥）而沒有一點任何治療。此外，工教兩廳一直在哄騙學生，哄騙教師，甚至哄騙他的黨報。在開學以前，兩廳的經辦人對學生們說：「每人每月二萬元津貼，書籍由學校供給，房子已蓋好，最近就可開學。」但學生一到校，什麼津貼，書籍，房子根本一無所有。他們又對該校的陶副校長說：「學校一切都已準備妥當，你快去主持開學。」但他到校一看什麼都沒有，連教師都還不會到校，便去問工教兩廳，兩廳的負責人却異口同聲的對他說：「快了，教師們終會來的。」可是到現在，這一個有五百多學生的學校，連職員一起，還只到了十三個「大員」。於是，有些不耐煩的學生便向安徽日報詢問，但兩廳答復該報的只一句話：「工校正在淮南積極建校」，而事實上，却連磚頭也看不到半塊！

走上講台亂扯一起

但不管怎樣，既已有了先生和學生，當然便得草草上起課來；可是這些先生們，有的是從未教過書的黨幹；有的調自其他非教育機關，根本不懂得教書，走上講台，便亂扯一起：如教物理的王啓樹講課時，只會照書本一個字的唸，而且還讀別字。尤其有位教化學的先生阮震，他在講經說法時，竟說：「水加熱生氧和氫」！弄得學生們面面相覷；而後鬨堂大笑！

俄空軍參加韓戰
武漢祭墓充分暴露

據本月七日天津光明日報載說：「武漢市人民政府」、「武漢市協商委員會」，「武漢市中蘇友好協會」，「武漢市抗美援朝分會」及武漢各中共尾巴黨派地方組織等共有代表一百五十餘人，曾於本月五日清明節至爲「抗美援朝」而「光榮犧牲」的蘇聯志願空軍墓前舉行祭掃。此一掃墓禮係由武漢偽副市長宋侃夫所主持。在掃墓禮中，「副市長」會前例發表演說，對蘇聯「志願空軍」之爲「抗美援朝」而「英勇犧牲」，備致頌揚。據此以觀，蘇聯空軍之會祕密參加韓戰，已由中共自己不打自招暴露無遺。

必也正名乎！（二）

爲方

自由談

標語口號的作用，必如「匕首文學」，一針見血，掀起社會大衆之共鳴。構造有若詩鐘，務須匠心獨運，不落恆蹊；措辭必合當前問題，深中人心，引得同情。

現在與其說「打倒共匪」，即不如說「打倒賣國殘民的共產黨」，使人一見即有同感。因爲中共在大陸上已僭竊政權，公然賣國殘民，說它是土匪，別人即覺其擬於不倫，只是咒駡洩憤之意罷了。

現時大陸人民，皆在恐怖飢餓中過着奴役生活，不知命在何時。我們如果向他們發出「反迫害」「反飢餓」的口號標語，一定能觸動他們內心深處的隱痛，增益其反共決心。與其依然用舊有的刻板文句，只教他們「擁護三民主義」，即不如告訴大陸人民：「台灣已實行耕者有其田了」！這使大陸人民聯想到將來自由中國政府回到大陸，也要實施土地改革計劃的，其作用即比擁護甚麼之類，來得深切。

歐美人士因其地理位置，有「遠東」「近東」的名稱，無怪其然。我們中國人却不可跟着他們一鼻孔出氣，也以「遠東」人自命，我們的國土祇能說是「東亞」地區。最近本港工商晚報說「越盟」二字應該改稱它爲「越共」，即係正名之說，那是對的。胡志明的「越盟軍」既已與共黨合流，乞取共援，把民族獨立運動變質爲共產革命運動，當然是地道的共黨樂園了。

正名之義，大矣哉！在今天反共宣傳上，更須特別注意。這類例證不勝枚舉，我不過略發其凡而已。

·鐵幕新聞故事·
瘋漢

玉心

誰要是把「人民政府」眞的當作「政府」，或把他們的宣傳當作諾言。他準是個不折不扣的瘋漢！

安徽壽縣三和區姚皐鄉的所謂「翻身農民」賈新奎就是這樣一個瘋漢——連共產黨也叫他「瘋漢」——他眞瘋得可愛亦復可憐！

「解放」以後，共產黨說「農民翻了身」，而且說得天花撩亂！賈新奎很相信，雖然「解放」所帶來的實實在在是一種災害和苦難；但他信賴「毛主席」，相信眞正好的日子要在後頭。他很樂觀。

不久，開始「土地改革」了。他看到鬥死了不少的親戚朋友，本不懂得道理何在，也不去管它。但「土改」的結果；他這個「翻身農民」的原有七畝四分好田竟換了四畝六分壞田；而當了「農民代表」「民兵班長」的沈宏傑和當了「行政組長」的姚如學却每人分了十二畝好田不去說它，沈宏傑還要將他原屬應劃「中農」成份的擁有二十多畝田地的叔叔虛報爲貧農，保持了原有財產以外，再分給他三畝多好田；姚如學則爲了多分田地而臨時買了個未成年的女孩子報作妻子，又分了六畝好田。至於「鬥爭」的果實，更不用說，賈新奎只分到了兩把爛鋤頭，而沈、姚，等這班紅朝小新貴則分到了好多掛衣服、傢具之類以值錢的東西。這下子自然引起了賈新奎和一般老百姓的不滿。但別人的不滿，終只是不滿而已。只有賈新奎却認爲「毛主席一定不會准許他們這樣做」，他認爲「毛主席」和上頭的一班幹部一定是「清官大老爺」。因，他很勇敢，他決定告狀。

第一狀是他領銜拉了廿七個農民署名告到「鄉政府」。但這自然告不出沈、姚這兩個鄉幹的手掌，官司沒問，他倒已得了一個「瘋漢」的稱號，而且還給戴上了一個「被地主利用」的罪名。幸好他是光蛋一個，天不怕地不怕，倒也奈何他不得，所以沒吃上反官司。

這一狀告不通，廿七個農民當然縮了腿，他也有點洩了氣。但不久，沈宏傑和他老婆虐待母親逼死了老命，乃又鼓起了他的勇氣：第二狀就告到了「區政府」。但「區政府」已得到了「鄉政府」的報告，不僅無條件相信他是個「瘋漢」，而且認爲一個小百姓而竟敢控告鄉幹部，「當然有神經病」，於是，區長對他說：「回去，不要發瘋！我們知道了。」

賈新奎只好沒精打采地回來。「瘋鬼！你敢上區裏告老子？却沒叫你當幹部！」沈宏傑看到他回來，就給他一陣諷刺！

「……」他是寒天喝冷水，點點在心頭！沒話可說。但他終不服氣，我仍相信「毛主席」和那班「上官」終是「青天」。想想反正已難做人，便索性再搜集了一批罪證，第三狀就告到了縣「人民法院」。

「沒有區鄉的介紹信不能告狀！」那知告第三狀的結果，是得到了「人民法院」這樣乾脆拒絕的一句話！

但賈新奎已橫了心，索性「步步高陞」，第四狀就告到了「皖北人民法院大安專區分院」。該「分院」終算受理了，賈新奎滿懷希望，就在破廟裏住起來等着審官司。他想：「上官們到底是青天！」可是一等等了半個月還不見動官司，於是便不耐煩地跑去該「分院」討消息，該「分院」最後却給了他一封信叫他回鄉里去，「區委書記」沈頌江解決。

「瘋漢：爲什麼要亂告？再告就揍你！」那知他從「沈書記」那兒「解決」的官司，却是這麼一句話！

這一來，他倒眞的似乎有點瘋瘋癲癲起來了！鄉里已不敢回去，眞是有家歸不得！他就一路要飯要到南京，向「南京市人民法院」告了第五狀。該院却對他說不屬管轄範圍，給了他一封介紹信叫他回壽縣「人民法院」解決，他就拿了這封介紹信塞進草鞋底里，哭哭笑笑、叫叫唱唱地離開了南京。

他原不曉得有什麼叫最高法院不最高法院，但他從小就聽到過到京里「告皇狀」的那些故事，於是他就瘋瘋癲癲地一路要飯一路走，風餐露宿，披星戴月，竟從南京走到了那個「新皇城」的北平。剛進城，恰好被「人民警察」一把抓住，但還好，他說明了來歷，「託福」被送到了「最高人民法院」。

「最高人民法院」畢竟是「清官」，一問之下，覺得這「芝麻綠豈」似的事情，他竟會一路告到「京里」，認爲他「可能有瘋病」。但終算還有點可憐他，給了他一張免費乘車證，一封信，將他哄回到縣里去「解決」。他知道無望，哭哭啼啼的回到縣里只將信向縣「人民政府」那麼一丟，便挺死回到家里。家里已一無所有！

「瘋漢：你告到南告到北，還是告不出我的手掌！你看，上級偏叫我管制你了！哈哈！」賈新奎正感到沒做人處，沈宏傑好像陰魂不散似的又來了！將上級發下來的管制票向他揚一揚，得意地對他說了一陣，狰獰地笑了笑，走了。

賈新奎一想，告狀告了三年，到過六個衙門，走了七千多路，回頭來還不出被告的手掌，還能再做什麼人？他終於上吊自殺了！

「瘋漢！死了倒清爽」鄉、區、縣的共幹們在他死後都這樣衆口一詞。他死後還是落得一個「瘋漢」的謚號！

楊永泰遇刺別紀（一）
新·世·說·補·遺

馬五先生

民國廿五年十一月下浣，湖北省政府主席楊永泰被刺於漢口市江漢關碼頭，兇手蜀人施某，當場捕獲，交由武昌地方法院訊處死刑，前國民黨中委劉蘆隱亦以教唆殺人罪嫌，被判有期徒刑十二年。主辦此案者，余友魯師曾首席檢察官也。

楊氏處世接物雖著凌厲之聲，然出入每輕車簡從，殊少顯貴氣派，平日好服中山裝。是日因須赴駐漢口日本領事館正式宴會，特改著政府法定之常禮服，藍袍靑褂，以崇國家體制。當渡江之前，楊於私邸換裝時，家人啓其擱置已久之衣箱，爲取袍褂，忽有一鼠躍出，頗以爲怪，蓋不知其如何潛入箱中也。迨楊氏遇刺殞命，有人乃指此爲不祥之兆焉。

省府建設廳素備有渡江專輪於舊名「德國一碼頭」江干，供主席暨各委員廳長不時之需。楊氏攜一便衣從价乘專輪渡江赴宴畢，再至原處回渡武昌，而久候不見專輪蹤影。楊性固卞急，即偕從者轉至江漢關碼頭，擬購票乘普通輪渡。甫至江岸緩步循石梯下行，即有壯夫趨其前，向行人高呼「主席到，請你們讓一讓」！楊殊不謂然，但不悉呼者何許人，只對行人連稱「不必客氣」，而諸人胥已垂手佇避兩旁，讓楊先步。斯時，呼道壯夫忽自懷中出駁殼槍向楊射擊，彈中腹部，楊應聲倒地，呼語從者曰：「我被刺了！」遂不復能言。岸上警察聞聲馳至，急捕刺客，一面扶楊氏登車送入漢口同仁醫院急救，以傷及要害，越三數小時即喪生。綜觀上述情節，刺客實早已佈置周密，以省府專輪所在地不易混迹其間，伺機行事，乃設計使專輪久羈對岸，迫楊氏改乘普通輪渡。然以江干待渡者絡繹途中，不便逞兇，見楊來，急前驅大聲警蹕，使行人趨避道左，則目標單純，彈不虛發，且不致殃及他人也。實施暗殺犯雖爲施某一人，而同謀共事，潛伏江岸者必甚多，楊既入江漢關碼頭，即陷死地，決難倖免矣。慘案突發，楊氏又適死，各方大爲震動，幸兇犯落網，料可窮究主謀，大白眞象。法院漏夜偵訊，據供係受前任貴州省長兼黔軍統帥王家烈部屬旅長職務之樊其書所指使，樊現住貴陽城內某街某號云。湖北綏靖主任何成濬氏急電當時重慶行營主任兼貴州省主席顧祝同氏迅予緝捕樊某。顧適在渝，立以長途電話飭代主席韓德勤嚴密偵查是否有樊某其人住在省垣某街某號，倘不虛，即商同駐軍捕解，渝轉漢訊究。詎樊即夕竟聞風潛逃，不知所去。時余于役貴陽，故得悉其詳情也。

超級火車

戰後以來，義大利對交通建設不遺餘力，他們除建造一艘戰後歐洲最新式的郵船，參加地中海至美國間的航行外，最近復擁有歐洲最新式的火車，兩個星期前，這種名ETR—300式的超級火車已經在米蘭、羅馬及那不勒斯間開始服務。

這種火車的時速高達六十哩，事實上乘客都坐在司機的前面，司機在最後一節，駕駛室中，來操縱全車的進行。因爲超級火車的目的，是爭取遊客爲義國賺取外滙，所以一切都以舒適、新奇，安逸爲他們設計的標的。

全車一共有七節車廂，共有對號座位一百六十個，其中有一列餐車，可容餐客五十六人，一列是酒吧間和出售紀念品的商店，在後面還有一節遊覽車，裏面有三位年青漂亮的女服務員，用四種語言爲遊客介紹沿途的古蹟和景物。每一節車廂都有無綫電，旅客可隨意領取耳機欣賞廣播節目。還有一節車廂不斷放映電影，乘客隨便進出，不受任何時候的限制。爲了使車行時候，安穩而沒有喧囂的聲響，特別安置兩百四十個避震膠椅，使乘客完全沒有震動的感覺。（由之）

台灣劇壇瑣紀

婆婆生

自從大陸淪陷入鐵幕，劇壇的動作，也被匪氛所逼改。凡是忠義節孝的序幕，一概抹殺禁演。而換成奸淫虜掠，獎勵搬上舞台，吾國近百年來精萃之戲劇，也面目全非，遭受浩劫。唯一保存的國粹，也就祗有自由中國——台灣。將來繼繫世道錢救於不墜，有功於國家，也僅是台灣的劇壇。因將其近年的動態，與人物之迭起，爲之瑣紀，以作異日之史乘，是爲由也。

台灣的劇壇，在三十九年以前，相當的沉寂。僅有顧正秋自成劇團。於前稱太平町之永樂戲院演唱，其他各地，可稱爲無。平劇的衰微，也等於搖搖若墜。嗣後舟山退師，海南撤守，一般人的心緒，不免於惶惑，更無情意於聲色之視聽。街巷里閭，不聞絃歌之音。每逢拜拜之期，祗有台灣當地的歌曲，則猶可在每里每鄰播聞。迄四十年夏，韓戰驟起，人民的心理頓改，於是平劇始稍稍有生氣，任何機構，皆有研究平劇，作公餘消遣，而本省同胞，亦相率學唱，才造成今日之普遍。

名票師周長華，以獨得程票腔調之祕，於四十年受廣播公司之聘，每逢二四六之夜，播講鎖麟囊，不辭勞倦，舉一反三。凡一段詞句講完，必從頭唱起，由其夫人盛岫雲女士伴奏，腔調酷似，以存其眞，堪稱夫唱婦隨。於是愛好者，競相學習，引起無數人的興趣。鎖麟囊成了家絃戶誦，全島有不少的聽衆，因其講授而學成。周氏對於平劇復甦，確具一部份勞績，而藉此廣收弟子，生活得有很可觀之進益，眞是實至名歸。在鎖麟囊播完以後，繼續播送碧玉簪，窺其旨趣，大概有將程派各戲，一律播留在寶島。不過心甘投匪，並曾出使之程豔秋，在大陸正竭盡其奴役，亦料不到其腔調如此吃香，爲人所愛，應當愧死。

於民國四十年以前，名票偶爾露演者實微，僅有沈元變一人。沈爲故上海縣知事沈寶昌之千金，曾拜于連泉（筱翠花）爲師。其演劇全學翠花一路，重白口與做工，不甚重唱。且能編劇，曾編養女恨一戲，針對台省風俗陋習，下以貶誅，頗受各方而之贊許，實有功於社會。沈於宗于之外，兼以學荀，故吳寶琡爲勝之。沈更能唱崑曲，每於同期中，偶或一唱，對於三拉（販馬記）釧虎（鐵冠圖）兩劇爲佳。每次演出，其行頭帳幔，均以元字爲標記。凡所授弟子，皆以元字排名。愛女沈元元，其戚夏元屛，爲最著也。某次，在中山堂演四五花洞，堪稱具體而微，頗能悅目。沈近應正聲電台之約，每週播講平劇三次，專述旦角之戲，先講醉酒，近述鴻鸞禧，腔調板眼，至爲清晰，可與長華媲美。

英國的士的傳統

·孟穗·

每一個初到倫敦的旅客，看到那種古老而滑稽的的士（營業汽車）時，都感到忍俊不禁。但別小看了這種歷久不變而老式的汽車，這却是英國人生活觀念與典型反映。這種汽車的設計，目的原在：（一）適合倫敦狹窄的街道；（二）保護一個人獨處的神聖權利；（三）表揚任何人（司機也是一樣）必須保持其個人地位的原則。由倫敦的窄狹街道使人想起英國人濃厚的保守個性，這一部汽車却把英國民族尊重個人權利和保守的性格全部刻劃出來了。

倫敦的營業汽車大多數還是一九二〇年代的型式，它和福特，林肯以及卡笛別克比起來，的確滑稽得令人可笑，它的外形絲毫沒有時代的意味，當然更談不上流綫型的美觀，同時再配上一座喘息的引擎。它的車輻細小的前輪，伸在車子的前面，雖有如蟋蟀的前臂，但在警方規定的地段，却可在寬僅二十五尺的小巷中，作U字形的轉頭，這是汽車所表現的保守性之一。其次，司機與乘客之間，隔着一層厚約半寸的玻璃，這是半世紀來遺下的傳統，可以說明英國人如何在極力尊重個人的權利與地位上用功夫。同時，乘客的車廂，其高可以使人戴上絲質的高禮帽，而能活動自如，和現代化較爲的新車比起來，也可襯出其保守的風格。

但在上一個星期，倫敦人已開始知道他們心愛的營業汽車可能快要步入末日了。據一個國會委員會報告，倫敦現有的營業汽車，僅餘五千四百輛，其中幾有百分之四十，都是十年以上的舊車。而且，車主人一般都要虧本，車每行一哩，就約損失百分之七十八便士，即使提高車費，也將與事實無補，因爲車費加多，而引起顧客減少，同樣的得不償失。目前生產這種營業汽車的，只剩下一家公司，他們所接獲的定車已減爲每週五輛，除非定貨增加，他們已準備停造。

據國會委員會報告說：「在目前的經濟及財政情況下，這種營業汽車普遍不景的趨勢似乎是會繼續下去的，直至倫敦市出現一種效能優越的營業汽車時爲止。」時代一天天進步，幾年之後，英倫的遊客再看不到這種古色古香的汽車時，不知應該是高興？抑或悵惘。

本報各版
歡迎投稿

中華民國僑務委員會頒發登記證台僑新字第一〇二號

自由人

THE FREEMAN

（半週刊星期三六出版）

第二二四期

每份港幣壹毫

督印人：李光雅

社址：香港高士打道六十六號

電話：二〇八四八

GLOUCESTER RD.
HONG KONG
TEL: 20848

承印者：東南印務出版社

地址：高士打道六十四號

台灣特派員辦事處：台北市館前街五十號

台灣總經銷處：台北中華路新號五九四之一

台灣郵政劃撥儲金帳號：九二五二號

艾森豪時代

·陳克文·

艾森豪時代的特性，是與不是取，是自由不是奴役，是公正和平，不是恐懼。這一時代的實現，必須解放鐵幕國家，必須自由世界有更大的努力，更強的團結，和更大的決心，才不至步威爾遜十四項和平計劃的後塵。

四月十六日艾森豪總統發表他對世界和平的歷史性演講，自由世界立即發生普遍熱烈的響應，英首相邱吉爾認爲這是「所有自由世界國家全體同意的理想與目標」。美國務卿杜爾斯則認爲這是「史太林時代的結束，艾森豪時代的開始」。鐵幕國家對於這一篇動人的有力演講，塔斯社雖已有簡單的不同意表示，但眞正的反應如何，至今尚未明瞭。和平宮殿的大門雖已敞開，他們是否願意進來，攜手合作，還是未知之數。

史太林時代的特色

甚麼是史太林時代？二次世界大戰以後，由蘇俄征服世界政策，所造成的動盪不安局面，歐亞兩洲的冷戰和熱戰，瀰佈陰謀詭詐，猜疑恐懼，鐵幕所至，奴役和流血，即隨以俱來。這便是史太林時代的特色。塔斯社說，艾總統演說，把世界不安，歸咎於蘇俄，并未舉出事實來做證明。其實史太林時代的特色，係蘇俄政策的結果，還有待再舉事實來做證明嗎？不止全世界洞若觀火，蘇俄人民乃至蘇俄的統治階級，亦何嘗不心裏有數。

艾森豪時代又是怎樣性質的呢？當然不是『以暴易暴』，更不是叫做史太林的倒下去，換一個叫做艾森豪的來執世界牛耳。史太林固沒有征服世界的本領，難道艾森豪還要和他一樣，走同樣的絕路嗎？

艾森豪時代的特性，剛好和史太林時代相反。艾總統的演說，說的很明白：

自由精神的新表現

「我們所爭取的和平，是以國際間的合宜信賴和合作努力爲基礎的和平，不能藉武器，祇能藉小麥棉花，牛奶和羊毛，肉類，木材和食米而鞏固。這種有關謀致一個公正和平世界的觀念，不是一種新的觀念。……它鼓勵美國人民於一九四七年着手進行歐洲復興計劃。……我國政府願意要求它的人民，與各國協同致力，將從事裁軍而節省下來的錢，很大部份充作全球性的救濟和復興經費。……協助其他人民開發世界上未開發地區。鼓勵有利而公平的國際貿易。協助各國人民獲享生產性的自由之福。……我們願意將我們的力量，奉獻予滿足世人的需要，而非增加世人的恐懼」。這說得夠明白了，艾森豪時代的特性是『與』不是『取』，是『公正』，『和平』，不是『恐懼』，是『自由』不是『奴役』。美國自獨立戰爭以來，以至解放黑奴戰爭，門羅主義，威爾遜的十四項和平計劃，參加第二次世界大戰，一貫的對外對內政策都是如此。所以艾總統說他的觀念不是新觀念。這是美國國際政策的傳統精神。因爲如此，我們可以相信艾總統的演說，並不是美麗的言詞。並不是言不由衷的空頭支票。更重要的，艾總統的演說不是他一個人的意見，是代表一億五千萬人民說的，是代表全體自由國家的理想和目標而說的。這是人類自由進步精神的新表現。這精神在過去的人類歷史，已經有過若干次的表現，但一次表現，都因爲人類的愚昧無知，不久便歸於削弱消沉。然而歷史並不是循環的，故每一次表現必較前一次更爲有力，而漸趨鞏固。

威爾遜和平的失敗

第一次大戰後，以威爾遜總統的十四項和平計劃和國際聯盟的組織而表現。現在經第二次大戰的痛苦，和戰後七年東西冷戰的教訓，又以艾總統的和平演說從新表現出來。如果人類的愚昧，還與撲燈蛾有別，如果歷史的教訓還可使人類懍然於互相殘殺的慘痛。我們相信，艾總統的演說，不止自由世界的人民會一致起來贊助其實行。鐵幕國家的人民，也一定會寄予莫大的同情。共同要求其實現的。十四項和平計劃的失敗，結果便是第二次大戰的慘禍發生，艾總統的演說如果也和十四項計劃同其命運，則第三次大戰的爆發，又豈能幸免？戰爭乎？和平乎？禍福已經到了人類決擇的階段。

史太林時代應該結束了

艾森豪時代應該開始了。然而後者是否眞能替代前者，使人類歷史進入一新頁。現在還有待人類更大的努力。韓戰雖以傷病戰俘的交換，有趨於停戰的可能。然而戰俘交換的結果，又引起若干新糾紛，同時共產集團更利用韓戰緩和的形勢，加強對東南亞的侵略行動。寮國傀儡政府已經宣布成立。東南半島岌岌可危。共產集團施於這一地區的行動，和過去施於韓國者，並無二致。蘇俄內部，喬治亞共和國和高加索兩共和國，正發生類似暴亂的鬥爭運動，史太林死後，馬倫可夫所作的和平表示，祇是一種更換策略的掩眼手法，眞相已逐漸顯現。蘇俄征服世界的政策始終不變，則艾森豪時代又何從實現呢？

必須解放鐵幕

艾總統就職之前，曾表示其國際政策在於解放鐵幕國家，這一次演說未再提及，在我們看來，鐵幕一日存在，艾森豪時代即一日不能實現。鐵幕會自己開放嗎？決無此事。北大西洋防衛計劃即使增強，韓戰即使停止。鐵幕恐怕依然如故。馬倫可夫和平攻勢之下，對於自由世界各國的團結和步驟也不無毫無影響的。因此，自由世界對於艾森豪時代的實現，還需要有更大的努力，更強的團結，和更大的決心，才不至於步威爾遜總統十四項和平計劃的後塵。

莫斯科的西方記者

自由世界非共報紙在莫斯科駐有特派的，已祇有美國的紐約時報一家（西方通訊社則派有五個記者駐在莫斯科，美聯社二個，合衆社，法新社和路透社各一個，路透社的記者，亦替倫敦幾家報紙拍發消息）。紐約時報的記者，常有關於蘇聯的歪曲報導發出，其情形正與最近訪問莫斯科的幾位美國報人相同。它的記者沙烈斯堡雖然祇能發出經過嚴密閱查的報道，但時報卻總是照樣將原文刊出，以爲讀者都有相當水準，必能明瞭他們所讀到的，可能是共黨宣傳。時報除沙烈斯堡的報道外，也另外刊出解釋性的文章和評論，作爲補充。

濫用新聞自由

這種情形，曾引起不少輿論的反對，認爲時報這樣做，難免爲共黨作間接的宣傳。最近一期「新領袖」雜誌，曾刊出其助理編輯赫爾曼的評論，指責沙烈斯堡的「粉紅色文章」，是完全歪曲了蘇聯的實際情況。他說：「讀者讀了沙烈斯堡對蘇聯極權統治下生活的美好光明報道後，必須具有堅定的意志，才能用力想到同一國家，就是其他記者所報導的滿佈集中營和祕密警察的恐怖地方。沙烈斯堡的情形，已驚人地暴露了，美國的新聞自由與責任，如何被蘇聯的官方宣傳路綫所利用。

「紐約時報過去派駐莫斯科的記者，對它從未有過圓滿的結果。如杜朗蒂，便在二十年代和三十年代狂熱的歌頌蘇聯的『試驗』；一九四一年至一九四三年駐莫斯科的時報記者派克，不久便變成了倫敦和紐約共黨『勞工日報』的記者，使許多人大爲震怒。

犧牲代價太大

「多數人士認爲，蘇聯新聞事業和美國新聞事業的分別，是在前者是有組織的和受嚴密控制的，而後者則是自由和民主的。但沙烈斯堡說：『蘇聯對新聞的觀點和西方不同。他們認爲報紙的基本機能，是使讀者獲得消息和教育。蘇聯認爲對讀者作有效和正確的報導，遠較報紙把新聞爭先印出爲重要。』

「沙烈斯堡這樣的報導，自會使蘇聯共黨大爲高興，這是無足驚異的。但主要問題，是在像紐約時報這樣的世界最重要的報紙之一，是不是值得以如此重大的代價，在莫斯科保留一個可以使蘇俄滿意的記者。」

同時，最近訪問莫斯科回美的一批報人，對於他們在訪問期間所發出的歪曲報道，卻提出了一些解釋。

讀者大為驚詑

他們自獲得蘇俄突然許可訪問莫斯科後，他們發覺鐵幕後的報道，無不使讀者大爲驚詫，而更對蘇聯的實際情況感到迷惑。他們看到了莫斯科，漂亮高樓大廈，卻從沒有機會窺見羅畢卡監獄裏的酷刑室，他們見到街頭所謂「愉快」的人民，卻從未接觸挨餓的奴工。他們的報導祇是描述莫斯科的情景如何如何美麗，例如：莫斯科的地下鐵道明亮得令人驚愕，服務的週到和設計的優美都無以倫比；莫斯科的市民，多數穿着很好，兒童在街頭快樂地跳繩玩耍。他們參觀了一所糖菓廠後說：「十月革命朱古力糖菓廠，生產各種各樣的糖果，還自己製造包裝紙和匣子。一個朱古力調配部的專家對我們笑着說：『他非常喜歡現在的工作』。」他們又參觀了一所集體農場，立刻大加讚揚，寫了一篇報導說：「這是蘇聯農業蘇維埃化的典型，裏面的設備，不下於美國的多數巨大農場。」

他們這種態度和所得到的印象，自然在鐵幕外引起許多人士的反感，美國一位同業，不禁惋惜地說，這批報人此次獲准訪問蘇俄，非但不能略見蘇聯的眞實情況，反而爲蘇聯宣傳所利用，墮進了蘇俄的和平詭計。

但他們回到美國之後，卻立刻表示他們並沒有像他們所寫的報導那樣完全被共黨所利用。這訪問團的團長維京發表了一個聲明，認爲他們報導所以這麼寫，莫斯科的西方外交官也要負部份責任，他說，他們的措詞處處必須顧到莫斯科外國人士的重大壓力，這些人不願他們的報道，妨害了目前蘇聯的和平運動。

女奴工

蘇俄雖然答應對於這批美國人發出的消息不加檢查，但維克表示，他們感到蘇俄的檢查人員仍然對他們極爲注意，所以他們必須自行特別留神，這是他們不能隨意寫出本身觀感的另一個理由。

至於他們在蘇聯除了美好的一面以外，究竟還看到了什麼沒有，據一位女報人麥克梵說，他確曾看到幾個婦女被強迫做工，她們旁邊站着幾個衞兵，手裏執着輕機槍監視着她們。而且，她相信她在莫斯科所住的旅館，房間裏裝有偷聽器械。

集中營

另一個報人西蒙說，他們在蘇聯期間，一直沒有機會到一個工人家裏去看看他的實際生活情況。

維克又再度談到蘇聯集中營的問題，他說訪問團會請求實地觀察一個集中營，但蘇聯官員卻說，這都是西方國家的宣傳。最後他說：「我將再正式向蘇俄請求，讓我們再去蘇聯訪問一次，看看我們所聽到的集中營所在地。」（鐵之節譯「時代」及「新聞」週刊）

半週展望

·雷嘯岑·

「決不與共黨作綜合交易」！

美國務卿杜爾斯在巴黎告訴英法各國官員：美國在目前反對舉行所謂四強會議，決不與共黨作綜合交易！其言深中肯綮，其警鐵所勸人。

要實現世界和平，先得使破壞和平秩序的戰爭行爲停止，這是天經地義。目前的問題，是如何制止韓越各地的戰禍，以奠定和平路基。這些局部戰爭的來源，即是俄共集團的侵略政策，他們藉此向自由世界作政治敲詐，東扯西拉，以偏概全，是其一貫的辯證魔術。自由世界如停止局部戰爭，而急不暇擇，跟他們作全面綜合性的政治交易，即是自陷陷阱，無以自拔。

停止局部戰爭是一回事，協商全面和平又是一回事，二者有先後緩急之分，不可混爲一談，美國的決策，足以破滅俄共集團招搖撞騙的伎倆，正確之至！

全面和平的基準

在東方先把韓越戰事停下來，在西方先使奧國的佔領狀態結束，然後才有協商世界永久和平的可能性。所以，杜爾斯說蘇俄如果眞有和平誠意，即應贊成簽訂對奧和約，這是全面和平的基準。

俄共新貴們對艾森豪的反和平攻勢宣言，至今沒有表示，可見他們所玩弄的和平魔術，已露窮象。自由世界揭出一幅和平藍圖，敞開大門，告訴俄共以走向和平的正路。這一決策堅持不變，俄共今後無論在冷熱戰場上，即始終沒法再佔上風了！

法國對緬甸控訴中國侵略的嘴臉

法國出席聯大的代表，在政治委員會中辯論緬甸控訴中國人民反共游擊隊一案時，其言論竟與印度代表一鼻孔出氣，可哂實甚！

東南亞共禍日烈，法國軍隊在越南被越共打得落花流水，向美國慘呼S．O．S，岌岌不可終日。然對於該方面最有效用的反共游擊隊，竟跟緬甸政府立場一樣，表示深惡痛絕，可謂短視自私，不知死活！

東南亞各地是華僑最多的區域，而華僑又大多數是反共的。西方國家要想在東南亞維持其既得地位和利益，不博得當地反共華僑的同情，而欲以取悅共黨的咀臉，乞憐自保，結果是使反共的華僑也因失望憤慨而漸漸地變成敵人，給共黨以煽動的大好機會與口實，其愚昧程度，寧不可驚嗎？

西方民主國家的根本敗徵，就是他們那套根深蒂固，自私自利的民族優越感！

邱吉爾在議會大怒

國際政治舞台上的老名角邱吉爾先生，日前在下院大發脾氣，因爲工黨議員都德指摘他只是追隨美國的政治主張，不能爭取主動地位。邱翁聞之盛怒，說對方的指摘是「虛僞捏造和汚蔑」，是在「說廢話」！

以八十老翁久經世變的首相，再加以英國民族傳統修養的紳士風度，而竟有此一怒，眞是非常現象。

英國對戰後的國際政治，雖不是領導地位，然至少亦具有一半的影響力，這是事實。國際間事事要居於主動地位，這卻非口舌之爭所能得到的，非有實力和氣魄不可。工黨當政時代，一面要美國大力援助其復興，一面又事事要美國以「老弟」自居，唯「老大哥」之馬首是瞻，以致弄得焦頭爛額，內外多事，黯然下台。老謀深算的邱吉爾，實在是工黨的「老大哥」，他當然不甘於「闕安承教」的。

邱翁說：「我沒有調整國際形勢的力量，我只能打擊反對黨，使其一敗塗地！」這亦不是誇大之詞。我們只看保守黨執政十八個月，即能夠對人民實行減稅，就是事實證明了。

在朝在野黨因事大吵大鬧於議會，不足爲病，病在彼此不顧政治主張，專鬧私人意氣，發言又無份際，那就糟糕。我們中國的官員與議員們，對這些地方應該痛下工夫纔好！

波倫探測蘇俄企圖

美新任駐俄大使波倫最近抵莫斯科履任，呈遞國書，及英駐俄大使賈士幹日前自倫敦返任訪莫洛托夫後，莫斯科即傳出美英試探與俄召開四強會議可能性之說，此事雖經英方否認，但英美大使確正與俄方頻頻接觸，探測蘇俄和平攻勢的實際意圖。

四月十一日，美國新任駐蘇大使波倫攜眷抵莫斯科履新，在他抵達的前兩天，曾經突然奉召返國述職的英大使賈士幹也匆匆趕返俄京視事，他們兩人的抵任，象徵着美英兩國應付蘇俄「和平攻勢」的眞正開始。

對於蘇俄戲劇性的行動，華府和倫敦現在都同意這幾乎只是史達林死後他們內在因素所促成的舉動，依據英美現時的看法，俄國發動和平攻勢，全在緩和國內日趨緊張的局勢，他們在國外表示和解姿態，乃在求取一時的平靜而赦免次要罪犯、宣佈減低物價以及推翻醫生陰謀案等等才是他們眞正的主要措施，所以蘇俄的和平攻勢只是他們安定國內運動的一部份，有個時候，西方觀察家認爲蘇俄大赦罪犯等等，乃在取得西方的信任，是配合和平攻勢的附屬行動之一，那是錯誤的想法。

不會有積極的行動

因此，波倫和賈士幹的抵任，對於蘇俄的和平攻勢，不會採取怎樣積極的具體行動，他們將一若蘇聯並未採取新外交政策一樣的工作，他們並未奉令提出任何新的建議，他們到莫斯科僅在「看看」「聽聽」而已，他們會設法與蘇外長莫洛托夫或其助手作經常例行的接觸，他們要試探蘇俄在國外讓步，究可能把國內的民情緩和到何種程度。

除這些特殊的任務外，英美兩大使還有許多例行的問題要與莫洛托夫磋商，諸如英國僑民俄籍妻子的處理問題，通業權利以及美國租借法案的帳目等等。他們可能利用莫斯科對這些問題的讓步程度，來對蘇聯的和平誠意，作更進一步的具體測驗。

冷靜的戰略

這種若即若離的態度，不拒絕蘇俄的和平善意，但從種種角度，利用種種問題來探測蘇俄和平運動的誠意，這是目前西方所採取的「冷和（平）戰略」。

如果蘇俄主動地提出若干新建議，美英兩大使似也會把談判限於俄國提議的特別細節上，而不致涉及其他方面。當然，在某種情形下，美英也可能利用莫斯科的外交路綫，通過兩大使試探某種問題的可能性。觀察家認爲，不論是蘇俄抑或西方國採取主動，所提的建議以德國問題的可能性最多，因爲蘇俄急於要撤退德國境內的外軍（美、英、蘇、法四國的佔領軍），阻止西德重整軍備，而西方也因定於九月間舉行的德國選舉，期限相當迫切，不失爲試探蘇俄誠意的現成材料。

堅持附庸國自由選舉

西方的內定策略是，對德問題必定堅持一九五二年九月照會中所列的條件，而特別着重全德舉行自由選舉一節，即使這些條件已爲蘇俄接納，盟國仍將要求不僅在全德，亦須在所有歐洲附庸國家舉行自由選舉，而後西方始允鄭重考慮撤退德國外軍的建議。

在現時的對蘇問題接洽上，西方國家間已保持劃一的步驟，自從史達林去世時，艾森豪總統發表「上帝拯救俄國人民」的聲明引起部份西方國家的猜疑後，艾森豪總統現已重獲英法兩國的信任，他們現在讚揚艾森豪重申願意至半途會晤蘇俄的聲明的睿智，他們現已願意接受美國的領導。

需要多次的誠意

雖然，英美在遠東及中國問題上，確仍有若干歧見，但蘇俄過去已愚弄西方很多次，以致盟國在這一方面已懂得採取冷靜的戰略，即使蘇俄說盡了甜言蜜語，西方也將要求他們以一連串的讓步行動來具體證明他們的誠意。

最近美國務卿杜爾斯乘出席巴黎北大西洋公約組織理事會會議之便，向法外長皮杜爾及其外次勞合說明美國並無「全面的方案」，而只要求「個別地」解決東西間問題，其目的，也無非在避免再上蘇俄的欺騙圈套，要求蘇俄多次的表示其誠意而已。（第啓譯）

瘋子的和平計劃

·莫知·

東西冷戰日益激烈，「和平計劃」也隨着愈來愈多，除了蘇俄的和平攻勢，艾森豪的和平方案演說之外，聯合國却無時不接到各方送來形形色色的和平計劃。這些所謂和平計劃，稀奇古怪的樣樣都有，簡直使聯合國詢問處的職員窮於應付。其中大多數是「設計人」親自到紐約當聯合國大廈遞送，弄得接待者手忙脚亂。

這些「和平計劃」，有的是奇妙複雜的數字公式，據說按照這公式做去，世界必能不經戰爭，永獲和平。還有一個人竟要求蘇俄向美國付出九十九億九千九百萬九十九萬九千九百九十九元，便能購得世界和平。

這些計劃的名稱，也大多怪異特別，即使懂得多種文字的聯合國職員，亦無法瞭解。有的叫做「聖徒計劃」，還有一個竟定名「亞當計劃」。有一個婦人會跑到聯合國問訊處，堅持要見祕書長，當職員問她要見祕書長的理由時，她說她有一個十分有效的和平計劃要親自向祕書長遞呈，接着她便解釋她的計劃說，世界所以大亂，是因爲人人都沒有文字修養，如果一個國家的政治家都熟讀聖賢名著，天下必然太平，大家都能安居樂業。說着，她又背誦了一大段莎士比亞的名句。

一個老人，特地從加里福尼亞州趕來紐約，對安理會一個官員說，他要見聯合國祕書長，事關緊急，因爲他前一夜突然發現，世界和平，祇有各國統一幣制即能達成，他說，錢是一切變亂之源。他不肯和這職員討論他計劃的細則，深恐洩漏機密。最後他終於拿出一個複雜的方程式，要這職員轉呈給祕書長。

至於那個「聖徒計劃」的製訂人，則對問訊處的人說，他是神叫他來的，一天夜裏，他忽然看到星星形成了一個三角形，一個神像從中下降，向他指示了一個和平計劃，要他快到聯合國去提出，藉以拯救天下生靈。

還有一個青年，他寫信給聯合國說，他有許多「證據」願供給聯合國，它們可以證明，要獲得世界和平，祇須各國實行一位印度哲人的名言：「沒有武裝的人，可以藉友誼解除敵人的武裝」。不過，他有一個附帶條件，聯合國如要得到這些證據，必須給他五千元旅費，使他可以到南非搜集。

聯合國負責聽取這些「和平計劃」的人，是問訊處的海斯夫人。她雖然感到這些人都瘋瘋癲癲，但總是客氣地接待他們，聽了他們的「計劃」之後，再把他們介紹給安理會的官員，讓他們去詳談。她每天從上午九時半工作到六時，對這些人的纏擾，縱不能充耳不聞，不過他却喜歡這份工作，認爲可能是世界上最有趣的。

台灣的「自由米」

俞大維回國說引起揣測

國民代表大會勢必召開

台灣通訊

台灣省政府甫經改組，新陣容相當整齊。俞鴻鈞氏就職以後，對當前的糧荒問題，已經渡過難關。其辦法是取消限價，任令米商照市價出售。現在公教人員的四月份配米，業已補發。民衆配給米搭發麵粉或番薯的辦法也已經停止。說也奇怪，限價取消之後，市面上即到處有米，米價反較最高峯時下降，而人心亦不再恐慌。足見目前糧荒問題，關鍵在於人心，並非無米。現限價取消後之自由米，合省各界名之曰自由米，意謂可以由買賣雙方自由議價，購買數量亦放寬限制也。自由中國本已有各種自由名稱，今又多一自由米矣。

台省府於米荒解除以後，自可從容着手本年亟待解決之各項問題。耕者有其田條例自立法院通過後，即由中央指定台灣省爲實施區域。其時曾有人建議分區實施，但台省面積本不過大，如再分區，反多紛擾，遂決定全省同時辦理。桃園縣有一低級地政人員，因病在鄉間奔走，竟積勞殉職，年方二十餘歲，甚可惋惜。目前尚未完成的要政，爲發行土地債券與出售公營事業五個單位之事。此兩事如不實施，或不能辦好，不但影響耕者有其田的實施，且將使化農業資本爲工業資本之目的亦完全變質。土地債券原擬爲不記名式，茲爲妨止在市面上流通過速，等於增加通貨發行，又有人主張改爲記名式。公營事業機關出售之癥結仍在於估價問題。審計部認爲係國省公產，估價較高。而台省民間則認爲出售之五個單位，近年並無盈餘，且一切設備均應折舊，主張估價應從低，現仍在核議中。

綜合省府改組之後，又有行政院各部局部改組之謠傳，尤其俞大維氏返國，更易爲各方人士猜測之目標。俞氏體力亦已不如以前，迭次表示不願任過於繁劇工作。惟台灣銀行董事長本由俞鴻鈞氏担任，俞出主省政後，乃改推經濟部長張茲闓接替。究竟係爲謀生產建設與金融銀行之配合而然呢？抑係今後張氏將專任台銀董事長，經濟部另由他人主持？此亦爲各方所矚目之點。

行政院各部問題之外，台北政壇爲一般人士所注意之問題，則爲國民大會之召集日期。下月五日，中央或將討論及此。國民大會行將召開之說，傳之已久，且歷次傳有召集日期，茲因實際問題，亟待解決，年內勢須開會。開會問題，一爲可能出席之代表，是否得足法定人數，此點問題並不甚大，容易解決。二爲國大開會後將有何項重要議題，據一般觀察，總統副總統任滿，自應依法改選。此外關於修改憲法一事，雖有人提議，並經提出修正草案之事實困難，遠甚於召開國民大會也。

天下小事

俄機美機大捉迷藏

據說：美駐日空軍當局最近確已發現若干蘇俄新型IL—28式噴射轟炸機在日本領空上飛行，這些俄機顯然當在俄國雷達探測美機未出動巡邏的時候，才飛往日本上空活動，因爲一到美機飛近那些區域的時候，俄機即迅速向北方逸去。

共黨訓練國際間諜

蘇俄的和平攻勢雖然高唱入雲，但他們赤化世界征服全球的野心依然沒有改變。據逃自波蘭鐵幕的難民說，他們目擊共黨正在波蘭訓練大批特務，訓練營的規模十分龐大，戒備異常週密，他們無法探悉內中的詳情，但有時見到北韓、西班牙、希臘、南斯拉夫、越南、葡屬非州及印度等地的「學員」出入，才知道這是共黨的國際間諜訓練所。

美英軍官各有千秋

在巴黎郊外北大西洋公約組織盟軍總部中服務的英美軍官，對於他們份內的工作倒不怎樣頭痛，他們所最感痛苦的是，同事的法國軍官每喜以教訓者的姿態，告訴他們第二次世界大戰應該如何打法，並訓導他們今後的防衛計劃應該怎樣擬訂。每逢到這種尷尬情形的時候，英軍官總是毫不客氣地頂撞一頓，但美軍官儘管內心如何的憤怒，而外表上卻仍禮貌地傾聽法軍官的議論。

杜爾斯內心的煩惱

美國前駐蘇大使肯南的退休，原因固然很多，但參議員麥卡賽對國務卿杜爾斯所施的壓力，也是一個很重要的因素。杜爾斯想到他要與麥卡賽和平解決兩人間對外交政策的歧見，排斥肯南是一個很簡易的辦法。但不料順了哥情失嫂意，肯南的退休竟使國務院職員的「士氣」大爲低落，他們辦事精神和效能的低減是近些年來所少見的，這一方面，是因爲國務院中的老職員對於老同事肯南的離去抱同情與惜別之忱，另一方面是麥卡賽對國務院的抨擊使他們有朝不保夕之感。

彈藥案牽涉杜魯門

美國彈藥缺乏案似乎越鬧越大，牽涉的範圍也較前更廣，由參議員西明頓的指責，顯出前國防部長羅維特，前總統杜魯門也要負大部份責任。原來一九五〇—一五一年多間，正當中共軍參加韓戰之後，當時任全國安全資源局主席的西明頓，曾提出一個充分動員作戰工業的計劃，內中規定關閉所有汽車工業，並將全國置於戰時管制之下，但這時國防部長羅維特也提出了一個較謹慎的部份動員計劃，杜魯門總統一再考慮後，終於拒絕了西明頓的，而接納了羅維特所擬的計劃。西明頓在極端失望之下，乃一怒離開華府，直到他當選參議員，最近辯論彈藥案的時候，才把這一樁內幕向外公佈。（孟衡）

中國神鷹的發展

·劉　琉·

幸而這段時期不長，太平洋事變之前，飛虎陳納德組織志願空軍，繼之而有中美混合空軍，初期以西貢爲基地，後來移到昆明，有名的「飛虎隊」擴大了，（以後改十四航空隊）這時已有P四七的雷霆式與P五一的野馬式，轟炸機也有了B廿四的中型空中堡壘與B廿五的解放式，有了盟軍的助戰，空中劣勢由此告一段落。

精神享受

飛虎隊的飛機恰和史蒂芬一樣，機頭上塗了鮫魚的大嘴，利齒森森，像要吞食那漆有太陽膏藥的日機。至於飛機的兩側，頑皮的美國大兵却畫上裸體女人，每擊落一架，機身上加畫一個，紀錄最高的人，也是「精神享受」最多的人。這是一段插話，由於中美合作，中國空軍又突出那黯淡之期，中四川雙流建立了空中堡壘的機場，黃臉的中國健兒，也學會了駕駛雷霆機，第八大隊的徐煥昇大隊長（現任國防部第一局局長）還駕了飛機去日本散過紙彈。

抗戰勝利以後未久，中共背信，空軍隨整個形勢而不利，這段過程，言之悲痛。總之，中共是一個沒有空軍的草寇，而我們的空軍却並未充份發揮威力，其原因自然很多，這裏不再多談。且說自從一九四五年實施戰略撤退以後，有數的空軍一直蟄伏在台灣海峽之東，其中，只是在一九五〇年的春夏出動轟炸過上海和廣州，等到發現中共有了米格機以後，形勢成「一面倒」，野馬式不再飛馬橫空，雷霆式也不施雷霆之巨威於祖國上空了。

復興階段

美國新聞週刊最近有一篇文章，說到台灣空軍不足以反攻大陸，理由是雖有二百數十架飛機，可是都是二次大戰末期的陳貨，無法與米格機較一日之長短，雖有不少美國受過訓練的飛行員，他們的素質與經驗，都得過「飛虎」的誇獎。可是英雄無用武之器，而且，他們目下每月只有半小時以上的練習時間，望空興嘆，這些壯士們均有髀肉復生之感。

大時代決定了他們的命運，自從本年二月三日，美國宣佈解除台灣中立地位以後，晦暗期的自由空軍，又面臨了復興的一頁。爲了本土制空，乃至爲了掩護轟炸機的出征。台灣現有的雷霆式野馬式不再適用了，必須有比米格十五性能更好的佩刀式噴射機，才能達到上述的兩個要求，這情勢美國是明白的，白宮的艾克總統尤其明白，所以「老虎」訪美以後，佳音隨之而來了。回首前事，依依在目，加之，初期建軍的徐培根中將，與對航空建設最有貢獻的蔣宋美齡，這時都訪美返國，寫到這一段經過，更富其滄桑之感。

光明在望

現任空總的王老虎，他與毛邦初成爲抗戰期的兩個副總司令之一，這次他只要一百五十架佩刀式，也許美國人給的不會達到這個數字。因而有人想到，中共有了一千七百架以上的各式飛機，他的米格機超過一半，即使有一百五十架佩刀式，台灣的數字還是遠不如大陸，這樣的對比之下，豈非台灣空軍仍舊弱於中共！這有四點解釋，第一是F八六優於MIG十五，已經世所公認。第二，台灣空軍有豐富的作戰經驗和技術，第三，可能他們爲了傳統光榮而有優良士氣。第四，戰術空軍的運用，在機動和集中，反之，中共雖有八百架米格機，但是一處不能集中到五十架。第四，空軍的擴充是逐漸的，我們不要忘了以後還有增加，以及類似的飛虎隊的援助。

由此看來，台灣空軍的遠景已見，而且光明在望了。（下）

共黨和平攻勢聲中
中共續徵醫生北調　大軍數萬秘密南移
滇越邊境軍運頻繁戰氛迷漫

【本報訊】最近中共在韓戰方面，雖正在進行和談，而在大陸之軍事佈署方面，則益見緊張。據大陸各地最近數日內之消息，中共續在各大都市征集醫務人員，大批赐送北韓；本月十三日，西安、南昌、漢口、桂林等四地，皆曾征集醫生十五名至二十名不等，組成所謂「志願赴朝醫療隊」，分途集中北平，運渡鴨綠江北。本月十六日，復在杭州、太原、南京等三地征集醫務人員各二十餘人，亦集中北平轉運北韓。本月十七日，上海「中國抗美援朝總會國際醫防第十八隊」及「上海市志願衛生工作者第十四大隊」各三十餘人，亦由滬北調出關。且各地高級共幹於「歡送」席上，大多曾喊出「繼續爭取抗美戰爭最後光榮勝利」等口號，戰爭氣氛仍極濃厚。

同時，據柳州及昆明消息：該兩地均曾於本月十三日至二十一日一週間，有大批共軍過境南調。此等軍隊之番號均極祕密，人數則據目擊估計，過桂林南運者約兩萬人，諒係第四野戰軍由桂抽調至滇、緬、越邊境者。過昆明南運者，約有五萬人，除配有少許機械化部隊外，餘皆屬輕裝。據云，該批軍隊南移之企圖，雖不能判明，惟滇越邊境之緊張氣氛則甚顯著，尤以中共對越盟「解放」寮國之宣傳，甚爲張揚。在韓戰和談正在進行而「和平」幻覺普遍迷濛之時，對中共此種動態，深堪注視。

共幹刮龍有術　盜取信件匯款
上下勾結大規模貪污　收款人查詢敷衍搪塞

據上海解放日報及蘇南新華日報公開暴露：近來各地讀者曾紛紛投函該兩報揭發各地郵政幹部的私拆信件及盜取匯款的情事。據該兩報指出：各地郵政幹部的盜取匯款事件，決非局部或偶然現象，而係普遍而經常發生的惡劣行爲。據說因讀者來信過多，致不便一一列舉指斥，而要各地郵局個別幹部嚴格檢查制止。

惟該兩報曾就其情節較重者提出批判。諸如四川江北縣郵局幹部曾增榮竟於三年內先後連續私劃匯單盜取匯款二十餘次之多！如貴州省畢節縣郵局幹部張恒，竟曾於去年六月至目前約十個月中，連續盜取匯款達九次之多！如貴州省道眞縣郵局幹部龍光斗及四川綦江縣永新鄉郵政代辦所負責人吳德民均曾於去年一年中前後共盜取匯款達八次之多！如浙江龍泉縣郵局幹部趙光彩及浙江吳興南潯郵政分局張斌亦曾於去年一年中共盜取匯款達八次之多！尤其如江蘇省南通縣郵局幹部黃國元，不僅亦經常盜取匯款，且經常將寄信人所寄之掛號信偷寄平信，貪污郵費。據該兩報根據民衆（實際上係該兩報之通訊員）之檢舉，收款人因大多連同信件被盜取匯款者隱沒毀去，故不知有款而未曾追究。其中有部份已知有款匯到於未見匯單信件時雖曾多次向郵局查詢，均爲郵局所搪塞敷衍了事，直至目前因大規模整風檢查之展開而方明眞相。

中共加緊控制西藏
建軍營大廈
作長久佔領企圖

據拉薩消息：所謂「中國人民解放軍駐藏部隊」正在「積極參加拉薩市的大規模建築工程」，此等「建築工程」，係在拉薩河畔及布達拉宮之前的廣場上建造兩座堅固而高大的軍營，並在市區北面的大空坪上建造一座「駐藏代表辦公處」的大廈，一座電影院，和一座「中國人民解放軍西藏軍區幹部學校」的大廈。據說此等建築之總面積共有三萬八千平方公尺。此項所需之木、石等材料，正由駐藏部的「戰士」們及大批藏民在幾百里外的高山上大事砍伐、開鑿中，已有大批幹木及花崗石曳過冰凍的高山沿着飄浮冰塊的拉薩河運到工地。且謂甚多工作者磨爛了衣服，磨穿了鞋底，磨破了手足，爲此等建築而「英勇堅強地奮鬥着」。查中共年來對於西藏的控制、消化、奴役等均進行、可謂已極盡其能事。此次大建堅固的軍營，辦公處所，學校及電影院等房舍，用意至爲顯著：即爲加緊控制西藏，作長久佔領佈置，預防藏民「叛亂」，散佈赤色軍事爪牙，毒化藏民思想，澈底赤化西藏而建立所謂「永久堡壘」也。

泉州共幹　清算泥佛　刮金發財

【本報泉州訊】中共搜刮所得的民脂民膏已將花費殆盡，所以竟異想天開，向泥佛木偶動腦筋，發動淸算泥佛，向聞名全埠的「開元寺」着手，開大會淸算泥偶，然後把如來、彌陀等佛身上的金刮下，同時將信徒放在泥偶身上的珠鍊、珍珠等全部搜去，由若干共幹分贓。最後就把泥偶的頭敲去，手足折斷，再扛出去到市上去遊街半天後拋入河裏去，至於開元寺裏的和尚家部被迫還俗和「勞動改造」了。

共幹低能又一實例
亂造水車千餘部　開掘洋井不出水

【本報訊】陝西遼西兩省水利局在最近盲目製造了大批水車都不能使用，使「國家」財富遭受了鉅大的損失，此項損失，在僞幣「百億元」之多。據北平僞中央水利部灌溉總局在北平報紙爲文指斥稱：自西北財經委員會計劃局長楊效初提出了利用農民軋花機部件、水管、鏈子、鏈輪及水箱等零件作提水工具來汲取井水的辦法以後，陝西水利局未經考慮、試驗，即盲目地製造了九千多套，結果都無法使用，已推銷了的三百多部，也紛紛被農民退回。後來又交僞西北農業部還具工廠設計製造了手搖式與腳踏式的水車一千八百多部，因用力大而出水少，結果也不能使用。此種水車除少數零件尚可移作別用外，其餘已成廢物，共計損失僞幣十五億之多！在遼西水利局方面，即未經調查研究和價值試驗，即根據技術人員的紙面計算，就盲目地製造了九百五十台雙頭洋井（兩個筒手壓抑筒）貸給農民用以澆地，但農民將此種雙頭洋井裝置後，竟大多不能出水，即能出水的，也須用四個人力合作，而且所出之水，一天只能灌溉半畝田地。因而，此批水具，亦被農民紛紛退回，完全成了廢物，估計全部損失，約有僞幣二十五億之多！合計該兩省盲目製造水車的損失竟有僞幣一百億之多！

大陸鄉村三忙八多

據中共最近在他自己的黨報——人民日報上檢討承認，現在中共在大陸鄉村裏的「工作」情形，已經亂得一團糟！怎麼亂法？他們自己說：叫做「三忙八多」。

所謂三忙是：

對上敷衍忙

中共的鄉村幹部由於很多上級機關交下的統計表格，指示、突擊任務，中心工作，各種運動太多，當然都辦不了，却又不得不辦，於是便不得不等因奉此的全力敷衍，僅僅塡報統計表格及造報各種突擊任務與各種運動的所謂「總結報告」，便已忙得團團轉了。

自己無頭忙

中共的鄉村幹部對於上面所交下的許多「工作」，固然爲之目迷五色，不知所措，像沒頭的蒼蠅一樣亂碰亂撞；即對於自己的生活，也是六神無主，近乎熱昏！最主要的就在一班幹部的淫樂貪逸之風大爲瀰漫，幾乎可以說已無幹（幹部）不貪，無幹不淫（即中共所說的「亂搞女人」），無幹不好逸惡勞，無幹不渾渾噩噩！

對下壓逼忙

鄉村幹部們由於上級交下的任務太多，再加上本身的貪圖淫樂，好逸惡勞，便必然發生向下強迫、壓制、奴役的嚴重的官僚主義作風：首先是小學教師、學生、戶籍組長，民兵等被當作了奴役的對象，有如呼牛喚馬，一片忙亂！而後是人民羣衆被視作了壓迫的對象，一面是只求盲目的達成任務，一面是一般的肝火太旺，於是便動輒吊、關、打、罵羣衆，也就忙得一糟糊塗！

組織多，兼職多

所謂八多是：

一、開頭多：不管那一個系統，只要是「上面」來的幹部，都可以向鄉村幹部發號施令。誰都以「政治任務」的帽子一壓，鄉幹們就窮之奉承不暇。

二、組織多：一般的鄉有三十三種組織，四川雲南一帶的鄉村更有四十一種組織之多！

三、兼職多：一般的鄉幹平均兼職都在十個左右，更多的，如四川蓬溪縣地鸝鄉鄉幹楊德漢竟身兼十九職之多！

會議多，宣傳多

四、會議多：所有的鄉幹，幾乎天天有會，據舉例如蓬溪縣的鄉幹們從去年十二月十五日至今年三月十五日三個月中，差不多每個人都出席了八十餘次會議，且歷時七十七天之多！因而，現在大陸一些鄉幹已有「會販子」之稱。

五、文件指示多：現在大陸的鄉鎮機關，除了統計表很多以外，公文也多得可觀，每鄉在每個月中平均都要收到三百件左右的公文，據說其中油印品較多，而且模糊不清，沒辦法，就索性將它擺在抽屜裏「養老」。

六、電文電話多：據統計，每一個鄉政府「平均每天要接到十五個至十八個電文」，至於電話，據說是大多整天不停。

七、推銷的書刊報紙多：據說各種報紙、雜誌、書刊由郵政局統一發行成捆成包的推到鄉里，要鄉里推銷。

八、學習、宣傳的項目多：據說固定學習的項目已不少，臨時規定要學習的項目也層出不窮；至於宣傳，更不必說，「時事」也要宣傳，「運動」要宣傳，「中心任務」要宣傳，根本就不暇應付。

現在這種情形，中共雖已提「檢討」，但要糾正，而不容易，蓋已病入膏肓，問題多着哩！

桂西僮族區春荒嚴重
忿恨壓搾起暴動
中共緊急施小惠圖防巨變

【本報訊】南寧消息：廣西西部之僮族區，由於去秋農村收成荒歉及中共依舊橫征暴斂之結果，當地居民之生活於入冬之後，即陷於困境，大多生活不濟，以致春荒亦極嚴重！據中共之桂林日報經調查後披露稱：該地區僮族居民中約有百分之三十二之多的人目前已宣告斷糧；約有百分之二十的人則將於一兩月後無法舉炊。以致亦已連帶妨礙今年之春耕，情形至爲恐慌！據當地傳開的消息：宜山區的林江等地之僮族居民曾因忿恨中共的殘酷壓搾而一度引起小規模的暴動，以反抗中共的殘暴統治。據云僮族農民於暴動中皆曾用樵刀砍殺土著共幹數人。蓋以往因桂西僮族反共劇烈，中共於無可奈何之下，於去年十一月間改用懷柔政策，以「少數民族自治」爲幌子，利用大批經中共「改造」過的僮族幹部成立「桂西僮族自治區人民政府」，故暴動者以砍殺此輩僮奸爲洩忿手段。據悉：自暴動發生後，僞中南區爲緩和此一民忿，業於最近忍痛撥款僞幣七百九十億，以「農貸」名義，作緊急貸放，以防制巨變。並由僞農業部派出幹部一批，分赴該區各縣指導春耕，飭多種苧蔴、花生、大茴香等物以「增產救荒」云云。

壯丁全數充炮灰
婦女家亡做奴工

隨着中共經濟建設的口號，所有婦女繼「男子參軍，女兒家亡」被迫做奴工去，甚至於在這美麗動聽的口號下，老、弱、殘、幼都不能倖免這場空前人禍。北平各報的消息自稱：紡織工業女工佔百分之六十以上，比大陸未「解放」前約多百分之三十。旅順大連——更變本加厲，婦女要從事笨重工作，如：使用車床、鉋床、修船、翻砂。在鞍山，中共更爲標榜「自奴」，舉出鋼鐵公司高爐爐長吳文愉做「模型」；其他各種工業如紡織有郝建芬……。全國女「勞模」已佔了百分之十二以上。這些「勞模」在威迫、利誘之下不得不在心理上變態成「自虐狂」，博取一時的空洞名義上的麻醉。而一般女工在營養不良，工作疲勞過度，睡眠不足……的情形下，無不面黃飢瘦神經失常。

威迫婦女參加工業建設，主要原因由於壯丁全數充當了戰場上的炮灰，不得不用婦女代替。因而更提出男女同工同酬來「激發」她們，在工廠裏建立了托兒所、婦幼保健站。事實上，中共雖然動員了婦女，用盡了心機，工作效率仍是不大的，經濟建設統計數字只是一篇花賬，自欺欺不了人的玩意兒。（之）

中共向俄學習「瞎知事」
小科員想老婆　上級竟批照發
空白公文盲目判行

中共的官僚主義及公文政治情形，相當嚴重，本報曾迭加報導，現據重慶新華日報在「思想與生活」欄中「改變瞎知事太太的領導方法」一文看，此種情形已日見嚴重而至於令人啼笑皆非的地步！

據該文舉例說：「據查有這麼一件事實：某地某機關一個工作人員在公餘時開玩笑地寫了一份報告，內容是自己年過三旬，尚未娶妻，擬請上級忙助介紹一位對象；但公文首頁內摘由欄內却寫的是『呈請發給器材』。這份報告，居然由該機關經過『核稿』，『判行』，『繕寫』，『蓋印』等幾道手續而發出去了。且該報告發出後，竟層層上轉，經過好幾個中間機關都未發覺是起稿人員開的玩笑，一直轉到了大行政區，方被一個辦稿人員發覺，可是已在批辦欄內蓋上了好幾個中間機關主管的圖章，還批上了好幾個『擬請照發』等字樣；可知這個發文機關及各級中間機關的辦事人員及領導幹部糊塗荒唐到什麼程度了！」

該文又舉一例說：「本月五日本報曾揭露了一個和上述故事有『異曲同工』之妙的事實：西南人民廣播電台編輯主任，平時審閱稿件極爲草率，從不提出意見或批改；播音組送『每日播音情況表』給編輯部審閱時，其中夾了一張空白紙，他也馬馬虎虎，糊裏糊塗地照例在空白紙上簽了字，蓋了章！也可知這位領導幹部草率荒唐到了什麼程度！」因而，該文隨後又說：「對這樣的事情，也許有人不免會啞然失笑吧？其實，這不是什麼可笑的事，相反的，使人感到非常忿怒和痛心！」於是，該文最後搬出了史太林的「遺訓」尤其搬出了俄國諷刺小說「瞎知事」裏的話說：「不要用功學習啊，不要講通事理啊，讓別人去幹這種事情吧，這不是你的事情呀——你的事情就是領導，就是只顧簽署文件！」當然，官僚主義、公文政治，到了這個程度，中共自己也不免要恐懼了。

談找刺激

爲方

自由談

英國哲學大師羅素說：過去的人類災害是自然界，現在的人類災害就是人類自身！這話千眞萬確，無可置疑。

人，這個萬物之靈的動物，大家總是在莫名其妙的矛盾生活中翻跟斗，無論貧富老少，都具有一種共通性，可以名之爲「不安分」。這不安分的所以然，并非窮者希望富有，做了皇帝又想長生不死那種心理作用，而是「找刺激」這項本能作祟。生活舒適的人固然不甘平淡，隨時想找刺激，窮乏勞苦的人，也一樣地不肯安於現狀，要設法找刺激。你需要刺激，我亦要刺激，他更不能例外，如是乎，「話說天下合久必分，分久必合」，亂多而治少，即成了人類生活的定律。追本窮源，不能不以「找刺激」爲罪魁禍首啊！

很顯著的例證，像原子能之發明，假使應用於人類的日常生活中，何等美妙。然偏偏要用來製造原子武器，先拿人類作祭品，以測驗其殺伐威力，自己對自己作劇，不亦怪哉！如果原子能一開始即只用於和平事業，絕對不作殺人利器，我相信原子能的研究發展，決不致那麼進步得快，爲甚麼呢？因爲那樣就太不夠刺激了！等而下之，如吸烟飲酒，大家都認爲是有害無益之事，但個個都樂此不疲。這與明明知道搞政治是卑鄙無聊的勾當，而大家都要拚命爭奪的心情，一般無異。一言以蔽之曰：爲的找刺激！

人類生活的矛盾律與黑暗面，就是從此發源的罷！

讀「亂世哲學」後

·健軍·

有位朋友看了曹聚仁的文章之後，讚嘆地對我說：「曹聚仁這位先生眞不得了，你看他讀多少書，認識多少人，中外古今的聖賢豪傑，彷彿個個都跟他有八拜之交的關係似的」。我默然若答，因爲我也頗有同感，但後來我告訴他說：「你大概還沒有見到他那本亂世哲學吧，你如果看了這本書，你才會了解曹老先生是如何博學。」臨走的時候，我把那本定價一元二毫的書，交給他拿回去欣賞，說不定他會從裏面發現「靈性之光」，以作他處身亂世的指南，過了幾天這位朋友雙手把這本書捧回來了，他搖搖頭說：「太深，看不懂，越看越亂」，我想以他的程度，和用功之勤，再看不懂，這裏面一定有「嘢」。上月在星島晚報綜合版裏，見曹先生以丁秀的名字在他的未央把裏又提到這本書，他說：「在我底一連串的小冊子中，亂世哲學要算代表我的思想體系的一種，……」所謂這一連串小冊子，不知是指那一連串小冊子，如果是指酒店，夜半，樊城新記這一連串一小冊子，那就眞天曉得了，這且不提，好在能代表曹聚仁思想的祇是這本「亂世哲學」，想了解一個人的文章和爲人，最好先去了解他的思想，所謂「發乎心而注于手也」，就是這個道理。我們生在亂世，人人都感到一種栖栖皇皇，不知所從的悵惘，難得有一本出自名手的亂世哲學，指點亂世迷津，抱着一種參閱天書的心情，我特地把房門加了重鎖（雖然未曾戒齋沐浴），來拜讀這本曹學，費了二天的功夫，我好容易把它看完了，下面是我在恢復自覺後（因爲當時確實有飄飄然）的一點感想。

（一）所謂曹聚仁思想：自曹聚仁先生「飛」到香港來之後，曹聚仁的文章便如水銀瀉地，無縫不入。曹聚仁的大名便像四月的柳絮一樣，滿天亂飛。文章一有「名」，「路綫」「思想」便脫穎而出，這是很自然的道理，所以曹先生在香港排陣角穩之後，所謂曹聚仁思想，曹聚仁路綫的大纛，便豎了起來，在這個期間，有不少人曾和曹先生談過思想，論過戰，不過曹先生絕少理會，依然抱緊他那「超然態度」的招牌向前挺進，如果有人要問「曹聚仁思想」究竟是什麼？對不起，我不知道，不客氣說，你就是問他自己，他也不知道，不過在讀完這本曹學名著——亂世哲學——之後，（如果像他自己所說的一樣，這本小冊子是代表他底思想體系），那麼我可以說我對于曹聚仁思想已有梗概的認識，雖然尚不能全然窺其堂奧（實際上是無法窺其堂奧的）。那就是：曹聚仁的思想和他的文字一樣，是雜湊的，引得的，零亂的，也就可以說他自己都無法了解的，駕馭的，和矛盾的，他自己所以對這本書感到滿意，也可以說有點驕傲吧，是因爲在這書的十二章裏，他的確高度地發揮了他那東引西湊的傑作，他自己也曾在第一章裏——且讓我從頭說起——提到思想形成的經過。他說：

從殘存的一些商務本的康德，叔本華，培根，笛卡兒譯本，反復咀嚼，有所會心，手邊帶有尼采蘇魯支語錄，詹姆士論人生思想，配上一部老子，一部路卜洵的灰色馬，胸中便孕育着一個「新生」！

這裏所說的「新生」，大概也就是「曹聚仁思想」吧！所以說他思想的組合就是由這幾本書零碎湊聚而成的，（我說零碎，因爲我胆敢相信他決不會對某一個思想家有全面性的了解，曹聚仁的文字，說實了，就是賣弄引語的文字，也常是自我宣傳的文字）我相信曹先生寫這本書的時候，不僅把手邊的書籍囫圇吞棗的濫引上去，並且把所有能找到的思想語錄的書籍，都一一不漏的搬將出來（看過此書的人，諒均有同感），因爲引的太多，湊的太雜，結果弄的凌亂無章，無法歸納，也就是說，他這本書裏儘是出發點，沒有圓寂處，所以書裏邊『這且擱在一邊不談』隨處可見，而每一個『這且擱在一邊』，就是一個脫節的論證，就是一個解不開的疙瘩，也就是一個無法囫圇的矛盾，他年來在報章所發表的文章也正是說明了這點。

（二）荒唐的地緣性的啓發：照這本書看來，曹聚仁的思想全是因地而產生的，他開頭就說：「我應×××之邀去鉛山鵝湖講學，那晚便宿在理學家勝地」，又說：「有二天微明，獨自踏霜上峯頂山（佛家勝地）」，又說：「那年十二月，我和張天師的龍虎山相對（道教勝地）……×年初夏，我又從建陽（朱熹講學處）……到了臨州（大政治思想家王安石的故鄉……之後到了贛州（周敦頤講學處）……」好像說，他如果不在鵝湖，他那點理學思想，便無從獲得，如果不爬峯頂山，佛教思想，根本就跟他勾搭不上，因爲看見了龍虎山，他也懂得道教了，照他這樣說法，誰也不需要研究理學，要到鵝湖那裏去呼呼一覺，便成了。反之一個人如不去爬一爬峯頂山，那他這一輩子別指望了解佛教了。其實，我們不否認地緣對人有一種獨特的啓示，但像曹聚仁先生說得這樣玄妙，我們實在有礙難相信之處。

（三）令人掩鼻的自謝：假若我們還有資格向曹聚仁先生進一言的話，我們將告訴他我們實在看膩了他這種自我誇大式的文章，說到這點，我們比二年前已經算幸福很多，那時候曹先生的文章大部份是背履歷，在這本冊子裏，曹先生仍插了許多與哲學、思想不相關的自我宣傳，如：「我到了福州，恰巧趕上了福州科學展覽會，開幕時，鄭貞文先生（科學家）叫我說幾句話，我就把鄭樵的科學精神，大加發揮：……」讀到這裏，我們頗替曹先生惋惜，爲什麼當時不把它（講演詞）錄下來的。像是這種自我宣傳的地方，在本書裏不下四五處，其次，假如誰肯化點功夫去把這本書的「我」字統計一下，所佔去的篇幅，他將會大大驚奇。

（四）不負責的一例：在「論生命的究竟」裏，他說：「人生是不可捉摸的，上自生而知之的聖人，下至愚夫愚婦，都不以問號始，問號終，那位孔聖人也只能用「未知生，焉知死」的遁詞來支吾搪塞「這且擱在一邊不提」，再說丁秀（即曹先生）在三月十五日未央記談「亂世哲學」裏却又這樣說：「孔子那句話——即未知生，焉知死——並非遁詞，乃大澈大悟的覺解，」我們眞不知道曹先生自己寫過了的文章，或者成了的說部，自己還看不看第二遍，難道換了筆名就換了思想了嗎？寫書著文除了博得名、利之外，是不是還得向讀者負點小責？本來在一本拉伕式的文章裏，這種現象是不足怪的，不過漏洞不要弄的太大，免得叫讀者看了都覺得難爲其情。

一句話說，就這本小冊子看，也更好說從曹聚仁先生以往所寫的文章來看，他絕不可能產生一篇獨立、完整、忠實的東西來，更別說思想了。如果嚴格地給這本亂世哲學下個批語，應該是：亂則亂了，哲學則談不上，不錯，我身邊有不少名家的箴言雋句，但那祇是片斷擷取，（况且這些名家的思想有不少是相互矛盾的，）更與曹聚仁思想無關，我覺得如果這本書能叫做「亂世漫引」，倒比稱爲「亂世哲學」更恰當些。

楊永泰遇刺別紀（二）

直接主使犯樊其書旣鴻飛冥冥，亡者窆葬，而兇手又鮮其他供證。論者以楊氏生平未涉黔事，因與黔人無隙怨，尤與樊某素不相識，自無深仇大恨可言，料樊某之上，尚有主使者在。亦有以王家烈之解去兵柄與政權，係於民國二十四年冬，因共軍竄黔，王放棄節度，作戰不力，經軍事委員長下令拿辦質驗訊辦，楊氏時任行營秘書長，或坐是而招王氏部屬怨孕恨，乃謀殺之以洩憤。兩說均有自圓之理，然不能得樊犯供述，法院即不便採證社會道聽之詞，據爲定讞也。旋查得當年「西南政務委員會」有所謂「革命行動隊」秘密組織辦法原草案，內容係以暗殺南京方面黨政要人爲目的，草案原稿上，註有劉蘆隱所書「如擬」二字，下蓋私章，乃認定劉氏有教唆殺楊之重大嫌疑，由金陵將其拘送武昌法院訊究後，科以十二年有期徒刑。抗戰軍興，劉氏押送西康省雅安獄，迨復員後，刑期屆滿釋出，仍留雅安，粥書爲生，白髮蕭索，恍若隔世，不復昔日豪情壯志矣！

余迄未見本案判決書之公佈，始終不敢以道路傳聞爲信史。民國三十七年冬臘，忽於南京友人姚味辛兄家偶遇魯師曾君，故人睽別已廿年，一旦重逢，積愫不勝縷敍，然余急以楊案眞象相詢，並舉見聞所及各節爲參證之資。君答以：「詳情非短言可盡，我現寓東方飯店，隨帶本案文件盈篋，希日內過我長談，當以所庋全部文獻奉閱焉」。余喜諾之，而軍情頓急，人心皇皇，政府且已實行南遷，余亦倉皇出京，終不及踐君約，惜哉！

新·世·說·補·遺

楊氏死後，政府明令公葬，優典飾終，當其出喪告窆之日，於武漢舉行盛大追悼會，四方文武大吏，新舊朋儕，聯翩弔祭，備極榮哀。皖省主席劉鎮華撫棺大慟，哭之尤烈，迨歸至任所，竟罹狂疾，或泣或號，如醉如癡，時人爲之駭怪，謂楊主席死而劉主席瘋，豈眞一死一生，乃見交情耶？

馬五先生曰：凡政治暗殺案，每習見於文化落後或蠻貊之貧乏騃野社會中。蓋其士大夫皆一無所有，而生活於其所有從政之外，無他長，道德墮落，行爲卑鄙，患得患失之餘，多藉此攫權營生手段也。英美社會之政爭，烈於吾土吾民，然罕聞暗殺醜行，因其是非得失，最後可求直於民衆之前也。言法治者，尊理性，尚人治者，重私慾。暗殺與人治，實相因而相成，謀國之士，其亦憬悟斯指否？

馬五先生

音樂和平攻勢

李察·華格納是十九世紀德國著名的音樂家，他的作品風行全球，至今歐美各大歌劇院仍不時上演他的歌劇，但蘇俄認爲華格納的作品是含有希特勒與納粹主義的毒素的，久已嚴令禁演，只在二次大戰前，德蘇簽訂互不侵犯條約的時候，才一度解除禁令，上演了一個短時期。

但上一個星期，隨着莫斯科和平攻勢的展開，蘇俄的音樂界也有了一個新轉變，一向在眞理報主持音樂批評的庫波夫竟也發表音樂和平的理論，主張俄國音樂界應採取新的黨的路綫，他說：上演西方最好的歌劇以及蘇俄的戲劇，這是波爾修劇院的責任。而能與俄國狄哈科維斯基及普洛柯夫並肩齊名的，應該是李察·華格納。（由之）

奴役的藍圖（一）

麥柯米克神父著　陸逸譯

作者介紹

傑姆斯·麥柯米克神父（FR. JAMES A. MCCORMICK）神父是天主教瑪林諾會傳教士（MARYKNOLL MISSION），原籍美國，一九三一年首途來華傳教，曾在其所在教區致力糧米，紡織等合作事業，以協助當地人民改善經濟生活，一九五一年正月被捕入獄，六月後，被逐出境，現在美國傳教，本書爲麥神父親身經歷在共黨統治下，人民生活情形的一篇眞實報導。

作者序言

在許多美國人底心目中，共產主義仍舊不過是一個口號——一個用作恫嚇他們，使他們繳納更多的稅款和做更多的犧牲的恐怖口號。但在東方和其他地區，共產主義則代表一種極權高壓的生活方式，一座無牆的監獄，在它裏邊找不到自由，而這座監獄底獄卒握有犯人的生死，飢餓，以及他們思想上的控制權。

我對於這種情形很清楚，因爲我在那邊住過。

美國人應當明瞭在共黨統制下的生活是什麼，這是很重要的，他們應該知道共產黨如何劫奪一個國家，然後他們也許會明白他們爲什麼要作犧牲，他們應該知道共產黨正明目張胆地聲明他們要盡一切可能來摧毀美國，并在世界各弱小，胆怯的國家面前，來汚辱，毀謗美國，這樣，他們才能提高警覺來維護美國在自由世界的領導地位。這樣，他們才能停止詛咒數以億計的中國人民；而將能辨清罪魁是誰——那是克里姆林和北平的魔鬼，是他們計劃，執行了將近世界全人口四分之一的奴役。

第一章　共產黨如何劫奪一個國家

在美國渡過了一段假期之後，於一九四七年我回到中國，那時我立刻爲一種反美情緒所驚奇，在我離開中國的前一年，美國人還被稱爲「中國底救星」，「日本侵略戰爭的解放者」，現在這種感激的口號已蕩然無存。

不久，我便查覺這種反外及反美的情緒，是由於共產黨宣傳所挑起。

當上海的美國僑民告訴我黃包車夫和碼頭工人相信打走日本人是共產黨，而不是美國人的時候，我還不相信，但當好多中國人對我這麼說的時候，我才知道上海的美國人說的是眞的。

雖然中國共產黨根本就沒有同日本人打過一次像樣的仗，但他們都證明了「祕密多宣傳，大聲宣傳，謊話也得變成眞理」。

談談捲煙史（上）

·山禾·

談到捲煙（俗稱香煙），現在是普遍得像糧食一樣不稀奇了。尤其是有煙癖的人，少吃一餐飯似乎還過得去，要他半天沒烟抽，便會坐立不安得像鍋上的螞蟻一樣！但在一百五十年以前，則連「捲烟」這個名詞都還不會產生哩。

捲烟最早的發明，據查是在拿破崙的軍隊中；當拿破崙率軍遠征埃及時，這些官兵們很想嘗嘗他們一向抽慣的大烟斗的滋味，但烟斗少得可憐，於是首先在蘇萊曼、貝伊的砲兵隊中有幾個聰明的大兵觸動了靈機，用一種上等的印度紙將烟絲裹起來抽吸，覺得很不錯，這辦法乃立即流傳開來，就這樣，原始的捲烟便宣告出世了。

接着，這辦法很快的便傳入土耳其，又越過前綫傳入俄國，在他們的上層社會中一時便流行着抽捲烟的風氣。後來這辦法又傳回到法國，因爲價錢便宜而且吸食方便，也就迅即流行。那時法國的政府當局看到大有可爲，乃於一八四三年在巴黎郊外開辦了一家捲烟廠，這可說是世界上最早的一家烟廠。但當時所製的捲烟，約只兩寸長，而有普通雪茄那麼粗，沒有牌子，也沒有包裝。

共黨和平攻勢聲中

中共續徵醫生北調 大軍數萬秘密南移

滇越邊境軍運頻繁戰氛迷漫

【本報訊】最近中共在韓戰方面，雖正在進行和談，而在大陸之軍事佈置方面，則益見緊張。據大陸各地最近數日內之消息，中共續在各大都市征集醫務人員，大批開送北韓；本月十三日，西安、南昌、漢口、桂林等四地，皆曾征集醫生十五名至二十名不等，組成所謂「志願赴朝醫療隊」，分途集中北平，運渡鴨綠江北。本月十六日，復在杭州、太原、南京等三地征集醫務人員各二十餘人，亦集中北平轉運北韓。本月十七日，上海「中國抗美援朝總會國際醫防第十八隊」及「上海市志願衛生工作者第十四大隊」各三十餘人，亦相繼北運出關。且各地高級共幹於「歡送」席上，大多曾喊出「繼續爭取抗美戰爭最後光榮勝利」等口號，戰爭氣氛仍極濃厚。

同時，據柳州及昆明消息：該兩地均曾於本月十三日至二十一日一週間，有大批共軍過境南調。此等軍隊之番號均極祕密，人數則據目擊估計，過桂林南運者約兩萬人，諒係第四野戰軍由桂抽調至滇、緬、越邊境者。過昆明南運者，約有五萬人，除配有少許機械化部隊外，餘皆爲輕裝。據云，該批軍隊南移之企圖，雖不能判明，惟滇越邊境之緊張氣氛則甚顯著，尤以中共對越盟「解放」寮國之宣傳，甚爲囂張。在韓戰和談正在進行而「和平」幻覺普遍迷濛之時，對中共此種動態，深堪注視。

共幹刮龍有術 盜取信件滙款

上下勾結大規模貪污 收款人查詢敷衍搪塞

據上海解放日報及重慶新華日報公開暴露：近來各地讀者曾紛紛投函該兩報揭發各地郵政幹部的私拆信件及盜取滙款的情事。據該兩報指出：各地郵政幹部的盜取滙款事件，決非局部或偶然現象，而係普遍而經常發生的惡劣行爲。據說因讀者來信過多，致不便一一列舉指斥，而要各地郵局領導幹部嚴格檢查制止。

惟該兩報曾就其情節較重者提出批判，諸如四川江北縣郵局幹部曾增榮竟於三年內先後連續私刻圖章盜取滙款二十餘次之多！如貴州省畢節縣郵局幹部張恒，竟曾於去年六月至目前約十個月中，連續盜取滙款達九次之多！如貴州省道眞縣郵局幹部龍光斗及四川綦江縣永新鄉郵政代辦所負責人吳德民均曾於去年一年中先後共盜取滙款達八次之多！如浙江瑞安縣郵局幹部趙光彩及浙江吳興南潯鄉郵政分局張斌亦曾於去年一年中共盜取滙款達八次之多！尤其如江蘇省南通縣郵局幹部黃雋元，不僅亦經常盜取滙款，且經常將寄信人所寄之掛號信偷寄平信，貪汚郵資。據該兩報根據民衆（實際上係該兩報之通訊員）之檢舉，收款人因大多通同信件被盜取滙款者隱沒毀去，故不知有款而未曾追究。其中有部份已知有款滙到於未見滙單信件時雖曾多次向郵局查詢，均爲郵局所搪塞敷衍了事，直至目前因大規模盜風檢查之展開而方明眞相。

中共加緊控制西藏

建軍營大廈

作長久佔領企圖

據拉薩消息：所謂「中國人民解放軍駐藏軍區」正在「積極參加拉薩市的大規模建築工程」，此等「建築工程」，係在拉薩河畔及布達拉宮之前的廣場上建造兩座堅固而高大的軍營，並在市區北面的大空坪上建造一座「駐藏代表辦公處」的大廈，一座電影院，和一座「中國人民解放軍西藏軍區幹部學校」的大廈。據說此等建築之總面積共有三萬八千平方公尺。其所需之木、石等材料，正由駐藏部的「戰士」們及大批藏民在幾百里外的高山上大事砍伐、開鑿中，已有大批幹木及花崗石塊，經過重重的高山沿着冰塊的拉薩河運到工地。且謂甚多工作者磨爛了衣服，磨穿了鞋底，磨破了手足，爲此等建築而「英勇堅強地奮鬥着」。查中共年來對於西藏的控制、消化、奴役等的進行，可謂已極盡其能事。此次大建堅固的軍營，辦公處所，學校及電影院等房舍，用意至爲顯著：即爲加緊控制西藏，作長久佔領佈置，預防藏民「叛亂」，散佈赤色軍事爪牙，毒化藏民思想，澈底赤化西藏而建立所謂「永久堡壘」也。

泉州共幹

清算泥佛 刮金發財

【本報泉州訊】中共搜刮所得的民脂民膏已將花費乾淨，所以竟異想天開，向泥佛木偶動腦筋，竟發動清算泥佛，首先向聞名全埠的「開元寺」着手，開大會清算泥偶，然後把如來、彌陀等佛身上的塗金刮下，同時將信徒放在泥偶身上的珠鍊，珍珠等全部搜去，由若干共幹分贓。最後就把泥偶的頭敲去，手足折斷，再扛出去到市上去遊街半天後拋入河裏去，至於開元寺裏的和尚，全部被迫還俗和「勞動改造」了。

共幹低能又一實例

亂造水車千餘部 開掘洋井不出水

【本報訊】陝西與遼西兩省水利局在最近盲目製造了大批水車都不能使用，使「國家」財富遭受了鉅大的損失，此項損失，在僞幣一百億元之多。據北平僞中央水利部灌溉總局在北平報端撰文指斥稱：自西北財經委員會計劃局局長楊效初提出了利用農民軋花機附屬水管、鏈子、鏈輪及水箱等四種零件作提水工具來汲取井水的辦法以後，陝西水利局未經考慮、試驗、即盲目地製造了九千多套，結果都無法使用，已推銷了的三百多部，也紛紛被農民退回。後來又交僞西北農業部農具工廠設計製造了手搖式與脚踏式的水車一千八百多部，因用力大而出水少，結果也不能使用。此種水車除少數零件尚可移作別用外，其餘已成廢物，共計損失僞幣十五億之多！在遼西水利局方面，即未經調查研究和個別試驗，即憑技術人員的紙面計算，就盲目地製造了九百五十台雙頭洋井（兩個筒，手壓抽水）貸給農民用以澆地，但農民將此種雙頭洋井裝置後，竟大多不能出水，即勉能出水的，也須用四個人力合作，而且所出之水，一天只能灌溉半畝田地。因而，此批水具，亦被農民紛紛退回，完全成了廢物，估計全部損失，約有僞幣二十五億之多！合計該兩省盲目製造水車的損失竟有僞幣一百億之多！

桂西僮族區春荒嚴重

忿恨壓榨起暴動

中共緊急施小惠圖防巨變

【本報訊】南寧消息：廣西西部之僮族區，由於去秋農村收成荒歉及中共依舊橫征暴斂之結果，當地居民之生活於入冬之後，即陷於困境，開春以後，大多生活不濟，以致春荒亦極嚴重！據中共之桂林日報經調查後披露稱：該地區僮族居民中約有百分之三十二之多的人目前已宣告斷糧；約有百分之二十的人則將於一兩月後無法舉炊。以致亦已連帶妨礙今年之春耕，情形至爲恐慌！據當地傳聞的消息，該僮區的武鳴及宜山區的林江等地之僮族居民曾因忿恨中共的殘酷壓榨而一度引出小規模的暴動，以反抗中共的殘暴統治。據云僮族農民於暴動中皆曾用樵刀砍殺土著共幹數人。蓋以往因桂西僮族反共劇烈，中共於無可奈何之下，於去年十一月間改用懷柔政策，以「少數民族自治」爲幌子，利用大批經中共「改造」過的僮族幹部成立「桂西僮族自治區人民政府」，故暴動者以砍殺此輩僮奸爲洩忿手段。據悉：自暴動發生後，僞中南區爲緩和此一民忿，業於最近忍痛撥款僞幣七百九十億，以「農貸」名義，作緊急貸放，以防制巨變。並由僞農業部派出幹部一批，分赴該區各縣指導春耕，並分給若干種籽、花生、大茴香等物以「培育救荒」云云。

壯丁全數充炮灰 婦女家亡做奴工

隨着中共經濟建設的口號，所有婦女繼「男子毀破，女兒家亡」被迫做奴工去，甚至於在這美麗動聽的口號下，老、弱、殘、幼都不能倖免這場空前人禍。

據北平各報的消息自稱：紡織工業女工佔百分之六十以上，比大陸未「解放」前約多百分之三十。旅順大連——更變本加厲，婦女要從事笨重工作如：使用車床、鉋床、修船、篩砂。在鞍山，中共更爲標榜「自奴」舉出鋼鐵公司高爐爐長吳文愉做「模型」；其他各種工業如紡織有郝建秀；橡膠有鼎淑珍；東北機械九廠有王適芬……。全國女「勞模」已佔了百分之十二以上。這些「勞模」在威迫、利誘之下不得不在心理上變態成「自虐狂」，博取一時的空洞名義上的麻醉。而一般女工在營養不良，工作疲勞過度，睡眠不足……的情形下，無不面黃飢瘦神經失常。

威迫婦女參加工業建設，主要原因由於壯丁全數充當了戰場上的炮灰，不得不用婦女代替。因而更提出男女同工同酬來「激發」她們，在工廠裏建立了托兒所，婦幼保健站。事實上，中共雖然動員了婦女，用盡了心機，工作效率仍是不大的，經濟建設統計數字只是一篇花賬，自欺欺不了人的玩意兒。（完）

中共向俄學習「瞎知事」

小科員想老婆 上級竟批照發

空白公文盲目判行

中共的官僚主義及公文政治情形的相當盛行而且嚴重，本報曾迭加報導，現據重慶新華日報在「思想與生活」欄中「改變瞎知事太太的領導方法」一文看，此種情形已日見嚴重而至於令人啼笑皆非的地步！

據該文舉例說：「據查有這麼一件事實：某地某機關一個工作人員在公餘時開玩笑地寫了一份報告，內容是自己年過三旬尚未娶妻，擬請上級忙助介紹一位對象；但公文首頁的摘由欄內却寫的是『呈請發給器材』。這份報告，居然由該機關經過『核稿』，『判行』，『繕寫』，『蓋印』等幾道手續而發出去了。且該報告發出後，竟層層上轉，經過好幾個中間機關都未發覺是起稿人員開的玩笑，一直轉到了大行政區，方被一個辦稿人員發覺，可是已在批辦欄內蓋上了好幾個中間機關主管的閱章，上還批；可知這個發文機關及各級中間機關的辦事人員及領導幹部糊塗荒唐到什麼程度了！」

該文又舉一例說：「本月五日本報曾揭露了一個和上述故事有『異曲同工』之妙的事實：西南人民廣播電台編輯主任，平時審閱稿件極爲草率，從不提出意見或批改；播音組送『每日播音情況表』給編輯部審閱時，其中夾了一張空白紙，他也馬馬虎虎，糊裏糊塗地照例在空白紙上簽了字，蓋了章！也可知這位領導幹部草率荒唐到了什麼程度！」

因而，該文隨後又說：「對這樣的事情，也許有人不免會啞然失笑吧？其實，這不是什麼可笑的事，相反的，使人感到非常忿怒和痛心！」於是，該文最後搬出了史太林的「遺訓」尤其搬出了俄國諷刺小說「瞎知事」裏的話說：「不要用功學習啊，不要講通事理啊，讓別人去幹這種事情吧，這不是你的事情呀——你的事情就是領導，就是只顧簽署文件！」當然，官僚主義、公文政治、到了這個程度，中共自己也不免要恐懼了。

大陸鄉村三忙八多

據中共最近在他自己的黨報——人民日報上檢討承認，現在中共在大陸鄉村裏的「工作」情形，已弄得一團糟！怎麼亂法？他們自己說：叫做「三忙八多」。

所謂三忙是：

對上敷衍忙

中共的鄉村幹部由於很多上級機關交下的統計表格，指示、突擊任務，中心工作，各種運動太多，當然都辦不了，却又不得不辦，於是便不得不等因奉此的全力敷衍，僅僅爲填報統計表格及造報各種突擊任務與各種運動的所謂「總結報告」，便已忙得團團轉了。

自己無頭忙

中共的鄉村幹部對於上面所交下的許多「工作」，固然爲之目迷五色，不知所措，像沒頭的蒼蠅一樣亂碰亂撞；即對於自己的生活，也是六神無主，近乎熱昏！最主要的就在一班幹部的淫樂貪逸之風大爲瀰漫，幾乎可以說已無幹（幹部）不貪，無幹不淫（即中共所說的「亂搞女人」），無幹不好逸惡勞，無幹不渾渾噩噩！

對下壓迫忙

鄉村幹部們由於上級交下的任務太多，再加上本身的貪圖淫樂，好逸惡勞，便必然發生向下强迫、壓制、奴役的嚴重的官僚主義作風：首先是小學教師、學生、戶籍組長，民兵等被當作了奴役的對象，有如呼牛喚馬，一片忙亂！而後是人民群衆被視作了壓迫的對象，一面是只求盲目的達成任務；一面是一般的肝火太旺，於是便動輒吊、關、打、罵群衆，也就忙得一塌糊塗！

組織多，兼職多

所謂八多是：

一、帽頭多：不管那一個系統，只要是「上面」來的幹部，都可以向鄉村幹部發號施令。誰都以「政治任務」的帽子一壓，鄉幹們就爲之奉承不暇。

二、組織多：一般的鄉有三十三種組織，四川雲南一帶的鄉村更有四十一種組織之多！

三、兼職多：一般的鄉幹平均兼職都在十個左右，更多的，如四川蓬溪縣地灘鄉鄉幹楊德漢竟身兼十九職之多！

會議多，宣傳多

四、會議多：所有的鄉幹，幾乎天天有會，據舉例如蓬溪縣的鄉幹們從去年十二月十五日至今年三月十五日三個月中，差不多每個人都出席了八十餘次會議，且歷時七十七天之多！因而，現在大陸一些鄉幹已有「會販子」之稱。

五、文件指示多：現在大陸的鄉鎮機關，除了統計表很多以外，公文也多得可觀，每鄉在每個月中平均都要收到三百件左右的公文，據說其中油印品較多，而且模糊不清，沒辦法，就索性將它擺在抽屜裏「養老」。

六、電文電話多：據統計，每一個「鄉政府」平均每天要接到十五個至十八個電文，至於電話，據說是大多整天不停。

七、推銷的書刊報紙多：據說各種報紙、雜誌、書刊由郵政局統一發行成捆成包的推到鄉里，要鄉里推銷。

八、學習、宣傳的項目多：據說固定學習的項目已不少，臨時規定要學習的項目也層出不窮；至於宣傳，更不必說，「任務」要宣傳，「運動」要宣傳，「時事」也要宣傳，根本就不暇應付。

現在這種情形，中共雖已提「檢討」，但要糾正，卻不容易，蓋已病入膏肓，問題多着咧！

讀「亂世哲學」後

·健軍·

有位朋友看了曹聚仁的文章之後，讚嘆地對我說：「曹聚仁這位先生眞不得了，你看他讀多少書，認識多少人，中外古今的聖賢豪傑，彷彿個個都跟他有八拜之交的關係似的」。我默然未答，因爲我也頗有同感，但後來我告訴他說：「你大概還沒有見到他那本亂世哲學吧，你如果看了這本書，你才會了解曹老先生是如何博學。」臨走的時候，我把那本定價一元二毫的書，交給他拿回去欣賞，說不定他會從裏面發現「靈性之光」，以作他處身亂世的指南，過了幾天這位朋友雙手把這本書捧回來了，他搖搖頭說：「太深，看不懂，越看越亂」，我想以他的程度，和用功之勤再看不懂，這裏面一定有「嘢」。上月在星島晚報綜合版裏，見曹先生以丁秀的名字在他的未央記裏又提到這本書，他說：「在我底一連串的小册子中，亂世哲學要算代表我的思想的一種，……」所謂這一連串小册子，不知是指那一連串小册子，如果是指酒店，夜半，燈城新記試一連串一小册子，那就眞天曉得了，這且不提，好在能代表曹聚仁思想的祇是這本「亂世哲學」，想了解一個人的文章和爲人，最好先去了解他的思想，所謂「發于心而注于手也」，就是這個道理。我們生在亂世，人人都感到一種棲棲皇皇，不知所從的悵惘，難得有一本出自名手的亂世哲學，指點亂世迷津，抱着一種診閱天書的心情，我特地把房門加了重鎖（雖然未曾戒齋沐浴），來拜讀這本曹學，費了二天的功夫，我好容易把它看完了，下面是我在恢復自覺後（因爲當時確實有飄飄然）的一點感想。

（一）所謂曹聚仁思想：自曹聚仁先生「飛」到香港來之後，曹聚仁的文章便如水銀瀉地，無縫不入。曹聚仁的大名便像四月的柳絮一樣，滿天亂飛。文章一有「名」，「路綫」「思想」便脫穎而出，這是很自然的道理，所以曹先生在香港扯陣角豎穩之後，所謂曹聚仁思想，曹聚仁路綫的大纛，便豎了起來，在這個期間，有不少人曾和曹先生談過思想，論過戰，不過曹先生絕少理會，依然抱緊他那「超然態度」的招牌向前挺進，如果有人要問「曹聚仁思想」究竟是什麼？對不起，我不知道，不客氣說，你就是問他自己，他也不知道，不過在讀完這本曹學名著——亂世哲學——之後，（如果像他自己所說的一樣，這本小册子是代表他底思想體系），那麼我可以說我對于曹聚仁思想已有梗概的認識，雖然尚不能全然窺其堂奧（實際上是無法窺其堂奧的）。那就是：曹聚仁的思想和他的文字一樣，是雜湊的，引得的，零亂的，也就可以說他自己都無法了解的，駕馭的，和矛盾的，他自己所以對這本書感到滿意，也可以說有點驕傲吧，是因爲他在這書的十二章裏，他的確高度地發揮了他那東引西湊的傑作，他自己也曾在第一章裏——且讓我從頭說起——提到思想形成的經過。他說：「從殘存的一些商務本的康德，叔本華，培根，笛卡兒譯本，反復咀嚼，有所會心，手邊帶有尼采蘇魯支語錄，詹姆士論人生思想，配上一部老子，一部路卜洵的灰色馬，胸中便孕育着一個「新生」！」這裏所說的「新生」，大概也就是「曹聚仁思想」吧！所以說他思想的組合就是由這幾本書零碎湊聚而成的，（我說零碎，因爲我膽敢相信他決不會對某一個思想家有全面性的了解，）曹聚仁的文字，說實了，就是賣弄引語的文字，也常是自我宣傳的文字）我相信曹先生寫這本書的時候，不僅把手邊的書籍囫圇吞棗的濫引上去，並且把所有能找到的思想語錄的書籍，都一一不漏的搬將出來（看過此書的人，諒均有同感，）因爲引的太多，湊的太雜，結果弄的凌亂無章，無法歸納，也就是說，他這本書裏儘是出發點，沒有圓寂處，所以書裏邊『這且擱在一邊不談』『隨處可見，而每一個『這且擱在一邊』，就是一個脫節的論證，就是一個解不開的疙瘩，也就是一個無法彌補的矛盾，他年來在報章所發表的文章也正是說明了這點。

（二）荒唐的地緣性的啓發：照這本書看來，曹聚仁的思想全是內地而產生的，他開頭就說：「我應××××之邀去鉛山鵝湖講學，那晚便宿在理學家勝地」，……又說：「[illegible]天微明，獨自踏霜上峯頂山（佛家勝地）……」又說：「那年十二月我[illegible]和鷹潭相對的張天師的龍虎山，（道教勝地）……×年初夏我又從建陽（朱熹講學處）……到了臨州（王安石的故鄉）……之後到了贛州（周敦頤講學處）。」好像說他，如果不在鵝湖睡一覺，他那點理學思想便無從獲得，如果不爬峯頂山，佛教思想根本就跟他搭不上勾，因爲看見了龍虎山，他也悟徹了道教。照他這麼說，誰也不需要研究理學，要到鵝湖那裏去呼呼一覺就成了。反之，一個人如不去爬一爬峯頂山，那他別指望了解佛教，我們不否認佛教對人有一種獨特的啓示，但像曹聚仁先生說得這樣玄妙，我們實在有礙難相信之處。

（三）令人掩鼻的自詡：假若我們還有資格向曹聚仁先生進一言的話，我們將告訴他我們實在看膩了他這種自我誇大式的文章，說到這點，我們比二年前已經算幸福很多，那時候曹先生的文章大部份是背履歷，在這本册子裏，曹先生仍加插了許多與哲學、思想毫不相關的自我宣傳，如：「我到了福州，恰巧趕上了福州科學展覽會，開幕時，鄭貞文先生（科學家）叫我說幾句話，我就把鄭樵的科學精神，大加發揮……」讀到這裏，我們頗替曹先生惋惜，爲什麼當時不把它（講演詞）錄下來的。像這種自我宣傳的地方，在本書裏不下四五處，其次，假如誰肯化點功夫去統計一下本書的「我」字，[illegible]

（四）不負責的論生死：在「論生死」裏，他說：「生死究竟是不可捉摸的，上自生而知之的聖人，下至愚夫愚婦，都不以問號始，以問號終，那位孔聖人也只能用『未知生，焉知死』的遁詞來支吾[illegible]」「這且擱在一邊不提」，再說丁秀（即曹先生）在三月十五日未央記談「亂世哲學」裏却又這樣說：「孔子那句話——『未知生，焉知死』——即並非遁詞，乃大澈大悟的覺解，」我們眞不知道曹先生自己寫過了的文章，或者成了的說部，自己還看不看第二遍，難道換了筆名就換了思想了嗎？寫書著文除了博得名、利之外，是不是還得向讀者負點小責？本來在一本拉伕式的文章裏，這種現象是不足怪的，不過漏洞不要弄的太大，免得叫讀者看了都覺得難爲其情。

一句話說，就這本小册子看，也更好說從曹聚仁先生以往所寫的文章來看，他絕不可能產生一篇獨立、完整、忠實的東西來，更別說思想了。如果嚴格地給這本亂世哲學下個批語，總該是：亂世哲學則亂了，哲學則談不上，不錯，旁邊有不少名家的讖言雋句，但那祇是片斷擷取，（況且這些名家的思想有不少是相互矛盾的，）更與曹聚仁思想無關，我覺得如果這本書能叫做「亂世漫引」，倒比稱爲「亂世哲學」更恰當些。

談找刺激

高方

英國哲學大師羅素說：過去的人類災害是自然界，現在的人類災害就是人類自身！這話千眞萬確，無可置疑。

人，這個萬物之靈的動物，大家總是在莫名其妙的矛盾生活中翻跟斗，無論貧富老少，都具有一種共通性，可以名之爲「不安分」。這不安分的所以然，幷非窮者希望富有，做了皇帝又想長生不死那種心理作用，而是「找刺激」這項本能作祟。生活舒適的人固然不甘平淡，隨時想找刺激，窮乏勞苦的人，也一樣地不肯安於現狀，要設法找刺激。你需要刺激，我亦要刺激，他更不能例外，如是乎，「話說天下合久必分，分久必合」，亂多而治少，即成了人類生活的定律。追本窮源，不能不以「找刺激」爲罪魁禍首啊！

很顯著的例證，像原子能之發明，假使應用於人類的日常生活中，何等美妙。然偏偏要用來製造原子武器，先拿人類作祭品，以測驗其殺伐威力，自己對自己惡作劇，不亦怪哉！如果原子能一開始即只用於和平事業，絕對不作殺人利器，我相信原子能的研究發展，決不致那麼進步得快，爲甚麼呢？因爲那樣就太不够刺激了！等而下之，如吸烟飲酒，大家都認爲是有害無益之事，但個個都樂此不疲。這與明明知道搞政治是卑鄙無聊的勾當，而大家都要拚命爭奪的心情，一般無異。一言以蔽之曰：爲的找刺激！

人類生活的矛盾律與黑暗面，就是從此發源的罷！

楊永泰遇刺別紀（二）

直接主使犯樊其書既鴻飛冥冥，弋者莫慕，而兇手又鮮其他供證。論者以楊氏生平未稍黔事，因與黔人無隙怨，尤與樊某素不相識，自無深仇大恨可言，料樊某之上，尚有主使者在。亦有以王家烈之解去兵柄與政權，係於民國二十四年冬，因共軍竄黔，王故違節度，作戰不力，經軍事委員長下令拿辦電飭訊辦，楊氏時任行營祕書長，或坐是而招王氏部屬遷怒孕恨，乃謀殺之以洩憤。兩說均有自圓之理，然不能得兇犯供述，法院即不便採證社會道聽之詞，據爲定讞也。旋查得當年「西南政務委員會」有所謂「革命行動隊」祕密組織辦法原草案，內容係以暗殺南京方面黨政要人爲目的，草案原稿上註有劉蘆隱所書「如擬」二字，下蓋私章，乃認定劉氏有教唆殺楊之重大嫌疑，由金陵將其拘送武昌法院訊究後，科以十二年有期徒刑。抗戰軍興，劉氏押送西康省雅安獄，迨復員後，刑期屆滿釋出，仍留雅安，鬻書爲生，白髮蕭索，恍若隔世，不復昔日豪情壯志矣！

余迄未見本案判決書之公佈，始終不敢以道路傳聞爲信史。民國三十七年冬臘，忽於南京友人姚味莘兄家偶遇魯師曾君，故人睽別已廿年，一旦重逢，積愫不勝縷敘，然余急以楊案眞象相詢，並舉見聞所及各節爲參證之資。君答以：「詳情非短言可盡，我現寓東方飯店，隨帶本案文件盈篋，希日內過我長談，當以所庋全部文獻奉閱焉」。余喜諾之，而軍情頓急，人心皇皇，政府且已實行南遷，余亦倉皇出京；終不及踐君約，惜哉！

楊氏死後，政府明令公葬，優典飾終，當其出殯告窆之日，於武漢舉行盛大追悼會，四方文武大吏，新舊朋儕，聚趨弔祭，備極榮哀。皖省主席劉鎭華撫棺大慟，哭之尤烈，迨歸至任所，竟罹狂疾，或泣或號，如醉如癡，時人爲之駭怪，謂楊主席死而劉主席瘋，豈僅一死一生，乃見交情耶？

新・世・說・補・遺

馬五先生曰：凡政治暗殺案，每習見於文化落後或衰頹之貧乏蠻野社會中。蓋其士大夫皆一無所有，而生活於其所有，從政之外，無他長，道德墮落，行爲卑鄙，患得患失之餘，多藉此以攫權營生手段也。英美社會之政爭，烈於吾土吾民，然罕聞暗殺醜行，因其是非得失，最後可求直於民衆之前也。言法治者，尊理性，尚人治者，重私慾。暗殺與人治，實相因而相成，謀國之士，其亦憬悟斯旨否？

馬五先生

音樂和平攻勢

李察・華格納是十九世紀德國著名的音樂家，他的作品風行全球，至今歐美各大歌劇院仍不時上演他的歌劇，但蘇俄認爲華格納的作品是含有希特勒與納粹主義的毒素的，久已嚴令禁演，只在二次大戰前，德蘇簽訂互不侵犯條約的時候，才一度解除禁令，上演了一個短時期。

但上一個星期，隨着莫斯科和平攻勢的展開，蘇俄的音樂界也有了一個新轉變，一向在眞理報主持音樂批評的庫波夫竟也發表音樂和平的理論，主張俄國音樂界應採取新的黨的路綫，他說：上演西方最好的歌劇以及蘇俄的戲劇，這是波爾修劇院的責任。而能與俄國狄哈科維斯基及普洛柯夫並肩齊名的，應該是李察・華格納。

（由之）

奴役的藍圖（一）

麥柯米克神父著　陸逸譯

作者介紹

傑姆斯・麥柯米克神父（FR. JAMES A. MCCORMICK）神父是天主教瑪林諾會的傳教士（MARYKNOLL MISSION），原籍美國，一九三一年首途來華傳教，曾在其所在教區致力糧米，紡織等合作事業，以協助當地人民改善經濟生活，一九五一年正月被捕入獄，六月後，被逐出境，現在美國傳教，本書爲麥神父親身經歷在共黨統治下，人民生活情形的一篇眞實報導。

作者序言

在許多美國人底心目中，共產主義仍舊不過是一個口號——一個用作恫嚇他們，使他們繳納更多的稅款和做更多的犧牲的恐怖口號。但在東方和其他地區，共產主義則代表一種極權高壓的生活方式，一座無牆的監獄，在它裏邊找不到自由，而這座監獄底獄卒握有犯人的生死，飢餓，以及他們思想上的控制權。

我對於這種情形很清楚，因爲我在那邊住過。

美國人應當明瞭在共黨統制下的生活是什麼，這是很重要的，他們應該知道共產黨如何劫奪一個國家，然後他們也許會明白他們爲什麼要作犧牲，他們應該知道共產黨正明目張胆地聲明他們要盡一切可能來摧毀美國，幷在世界各弱小，胆怯的國家面前，來汚辱，毀謗美國，這樣，他們才能提高警覺來維護美國在自由世界的領導地位。這樣，他們才能停止詛咒數以億計的中國人民；而將能辨清罪魁是誰——那是克里姆林和北平的魔鬼，是他們計劃，執行了將近世界全人口四分之一的奴役。

第一章　共產黨如何劫奪一個國家

在美國渡過了一段假期之後，於一九四七年我回到中國，那時我立刻爲一種反美情緒所驚奇，在我離開中國的前一年，美國人還被稱爲「中國底救星」，「日本侵略戰爭的解放者」，現在這種感激的口號已蕩然無存。

不久，我便查覺這種反外及反美的情緒，是由於共產黨宣傳所挑起。

當上海的美國僑民告訴我黃包車夫和碼頭工人相信打走日本人是共產黨，而不是美國人的時候，我還不相信，但當好多中國人對我這麼說的時候，我才知道上海的美國人說的是眞的。

雖然中國共產黨根本就沒有同日本人打過一次像樣的仗，但他們都證明了「祇要多宣傳，大聲宣傳，謊話也得變成「眞理」。

談談捲煙史（上）

·山禾·

談到捲煙（俗稱香煙），現在是普遍得像糧食一樣不稀奇了。尤其是有煙癖的人，少吃一餐飯似乎還過得去，要他半天沒烟抽，便會坐立不安得像鍋上的螞蟻一樣！但在一百五十年以前，則連「捲烟」這個名詞都還不曾產生哩。

捲烟最早的發明，據說是在拿破崙的軍隊中；當拿破崙率軍遠征埃及時，這些官兵們很想嘗嘗他們一向抽慣的大烟斗的滋味，但烟斗少得可憐，於是首先在蘇萊曼、貝伊的砲兵隊中有幾個聰明的大兵觸動了靈機，用一種上等的印度紙將烟絲裹起來抽吸，覺得很不錯，這辦法乃立即流傳開來，就這樣，原始的捲烟便宣告出世了。

接着，這辦法很快的便傳入土耳其，又越過前綫傳入俄國，在他們的上層社會中一時便流行着抽捲烟的風氣。後來這辦法又傳回到法國，因爲價錢便宜而且吸食方便，也就迅即流行。那時法國的政府當局看到大有可爲，乃於一八四三年在巴黎郊外開辦了一家捲烟廠，這可說是世界上最早的一家烟廠。但當時所製的捲烟，約只兩寸長，而有普通雪茄那麼粗，沒有牌子，也沒有包裝。

中華民國僑務委員會頒發登記證台教新字第一零二號

自由人

THE FREEMAN
（中週刊每星期三六出版）
（第二二五期）
每份港幣壹毫
督印人：李光華
社址
香港高士打道六六號
電話：二〇八四八
GLOUCESTER RD.
HONG KONG
TEL: 20848
承印者：東南印務出版社
地址：高士打道六十四號
台灣特派員辦事處
台北市館前街五十號
台灣總經銷處
台北中華路新號五九四之一
台灣郵政劃撥儲金帳
九二五二號

變相的强迫遣俘建議

·雷嘯岑·

停頓已久的韓戰停火談判，由於共方以交換傷病俘為鈎餌，聯軍又欣然同意再談了。過去和談決裂的唯一癥結，是「志願」與「强迫」遣俘問題，彼此皆堅持着自己的主張不讓步，因而宣告無限期休會。現在共方花樣翻新，玩弄文字魔術，照樣提出强迫性的遣俘建議，看西方國家又將如何應付？

「票面價值」的誘惑

俄共新頭目的和平論調一發出，西方國家即聲言將就其「票面價值」予以衡量，「驅走到半路」去迎接蘇俄的和平之神。中韓共黨深知這「票面價值」的誘惑力，頗有意想不到的效用，也如法泡製，對板門店和談提出新建議，對遣俘問題，根本不提「强迫」或「志願」這些字句，而以舞文弄墨之伎倆，寫出這類的提議：在全部遣俘工作完成後，一個月內，應將拒絕直接遣送之戰俘，交一中立國監護；中立國接收這些不願遣回原有統制地區的戰俘，應以六個月為期，聽由各該戰俘的原籍國，派員往該中立國向其全部戰俘，解釋各項問題，消除其疑慮，中立國對這項派員「解釋」的行動，且須予以便利；經「解釋」後願意回到原籍的戰俘，中立國即給以遣送的便利，不得加以妨礙；如界經過上述「解釋」工夫和六個月的時間後，還有不願遣回原籍的，即交由停戰協定實現後的未來政治會議去商決之。

看這些字句的表面價值，何等公道！又何等自由！反正聯軍在共方的俘虜人數既少，且決無不願遣回者。剩下十分之九以上的中共和附帶極少數的韓共戰俘，在共黨想來，西方國家一定是不關痛癢的，只要表面上維持「志願遣俘」的形式，讓聯軍感到獲得了「光榮的和平」，即可以施展其弄文弄墨的鬼蜮之技的。如是乎，他們就以六個月的工夫，派員向那些不願回去的戰俘們從事利誘威脅的說服工作。再不然，即動員戰俘的家屬親戚前去勸誘，以「殺盡全家」的人質恐怖作用，何愁戰俘們的百鍊鋼不化為繞指柔呢！而且，有了六個月的接觸調查時間，每一戰俘的身世籍貫，以及其階級背境，社會關係，皆已澈底淸楚了，還怕沒有方法威脅迫他回來嗎？假使經過這樣的說服後，尚有死硬份子存在，那一定也是極少數了，再留交未來的政治會議商討，聯軍方面的觀感更已不同，祗要共方隨便藉着一點政治上的小問題，表示讓步，而以遣還這些殘餘戰俘為交換條件，即沒有不如願以償的。二次大戰後，西方盟軍由德軍手中得來的百萬以上之俄共戰俘，都是堅決不願再回俄國的自由人，然盟國為着取悅史大林，享受「和平」生活，竟全部送還蘇俄，聽其屠殺消滅。甚至於在戰時併力反抗極權侵略的波蘭流亡政府，為着遷就俄共，也可以一腳踢開，棄置不顧，讓俄共設法宰割殘害，殷鑑不遠，俄共集團心裏是有數的。所以，它要沿襲故智，拿這套「票面價值」富有誘惑力的新遣俘建議，來試探西方國家的和平意念，看看西方國家是否為享有「兩個世界可以永久併存」的和平幸福，而犧牲這羣有色人種的自由戰士？

還要以印度作中立國

上述方法雖然妙用無窮，但，尚有一大漏洞，即監護戰俘的中立國如果不是平日媚共親共的國家，對於派員向戰俘「解釋疑慮」那類把戲，有不能隨意串演的顧慮。因此，乃不能不反對以瑞士作中立國。儘管瑞士是世界公認的中立國，又未參加聯合國，然她平日並非共諸國家的同路人，尤其不是中共的友好國家，屆時怕其對中共派員對戰俘的「解釋」行為，不能「給以便利」，自非反對不可。

除却瑞士以外，以那一國作中立國為好呢？此中有人早已放出過話來，如聯合國請印度担任中立國職責，即未便「充耳不聞」！中韓共心目中最理想的中立國，自然是蘇俄，過去所謂中立國家對「美帝」在韓施行細菌戰的調查團，就是以俄國為主體的。但，他們知道請蘇俄作監護戰俘的中立國，必不可能，其次即是印度了。印度不特自己想取這份差事，西方國家也曾在聯大接受過印度的調解韓戰的建議案。只要把瑞士反對掉，第二個具有中立國資格的，不用說，除開印度，即再難尋得了。所以，共方不必先提印度，只是反對瑞士，瑞士如不負此責，即西方國家也會同意請印度來屆就的。印度一旦負擔監督戰俘的任務，即可跟共方裏應外合，豈特隨時予共方以「解釋疑慮」的便利，它本身就會自告奮勇，對共方實施强迫俘虜回到原籍的工作，直接間接地大力贊助，以示和平友好之誼哩！

正義公道的考驗

俄共集團的和平誠意，及其對和平所願付給的代價，從這項新和談的建議中，即已一覽無餘，全部瞭然了。去年杜魯門總統曾經昭告世人：「我們決不以聽任自由人類的生命被屠殺，換取韓戰的休戰協定！」我們固然相信美國政府是不會放棄這項正義主張的。但目前若干西方國家，正搶着要走到半路去與共黨握手求和，難免不以這些有色人種的自由戰俘為祭品，期得一時的苟安。我們希望美國的正義精神，巍然不衰，為世界人類寫下一頁光榮的史事，永垂不朽。否則，將來膺受大禍的，決不是中韓兩國的自由人民，而是西方國家自食其果。正義公道的天秤擺在眼前，我們且以韓戰遣俘這項政策，來考驗艾森豪總統領導自由世界的魄力如何？

本報各版
歡迎投稿

△艾森豪總統抽閒玩棒球
重顯年青時代身手▽

艾森豪的强硬新政策

艾森豪和他的顧問，已採取了一個果敢的冷戰新戰略，這是一個澈底的、歷史性的轉變。如這個新政策擴大展開，蘇俄保持主動的時日將成過去。從今日起，美國將決不再等待莫斯科採取一個行動，然後再極力去思考應付辦法。美國將首次運用它本身心理上的優勢，使每一個努力都發揮作用。

韓戰和談迫共黨攤牌

對韓戰，這表示美國的聯軍談判代表將强硬表明，共黨必須開誠佈公進行談判，否則即行閉嘴，美國將竭力減少外交詞令。

不過，這不會立刻產生神奇性的解決辦法，但美國這次不會再在板門店容忍永無止境的談判。

如果發現共黨顯然仍是一味拖延，盟國談判代表將斷然要求談判休止，然後將板門店談判經過，向全世界宣告。

但這並不是表示美國開始在談判中帶着威嚇，而是華盛頓感到目前已到了必須確實談判的時刻，同時認為共產黨也必須這麼做。

在另一方面，艾森豪也暗地警告他的助手們，不要作不合實際的行動，儘為宣傳理由，去揭露蘇俄的和平詭計，他認為這種步驟，反會阻礙冷戰的解決。艾森豪的主要目的，當然是謀求確實的解決辦法，他要等到蘇俄無法以行動來履行其和平言詞的時候，才去揭穿克里姆宮林的陰謀。

到這時候，艾森豪將毫不遲疑地運用他本人的龐大聲譽來强調指出克里姆林宮所說的話和所採行動間的矛盾。他那篇提出美國世界目標的演說，就是朝此方向的一步，以後他可能採取更多這樣的步驟。

艾森豪政策的重點，是從現在起，他要將和戰責任正確地置於它所屬的地方——克里姆林宮。他計劃簡單而有力地說明這方面的實際事實，使任何人，包括共黨附庸國在內，都不會不能瞭解。

壓迫蘇俄處於被動

艾森豪的內在意向，是運用絕不姑息的壓力，迫使蘇俄處於被動，這是冷戰以來的第一次，且繼續使蘇俄一直祗能被動。例如美國將決不讓蘇俄逃過關於韓境的細菌戰指責，而要共黨人自食其果。美國今後將一再要求對這指責進行調查，直到眞相大白於世。

但在最近將來，這政策不致立即產生成果。以裁軍來說，這問題的實際談判，前途仍然異常渺茫，即使蘇俄願意接受裁軍，在開始談判以前，猶有許多相互牽連的其他問題，必須先行解決。

在對付共黨時，華盛頓將祗肯對各項問題逐一加以討論，至少是在談判的初期如此。到這時候，美國將決不接納不夠確切的諾言，而將堅決要求對每一個所討論的問題，都須達成正式、明確、和詳盡的協議，並以共黨的簽署為憑據。

在這種情形之下，對於任何正式裁軍談判，美國將在事先很久便可以知道蘇俄是不是有確實談判的誠意，抑或又是以外交手段來蒙蔽其眞正企圖。美政府已鄭重表明，韓戰縱使達成休戰協議，也不過是一種和平的微弱徵象，決不能保證其他問題會隨之解決。

對西歐放鬆壓力

華盛頓雖加緊試探克里姆林宮的眞意，但對歐洲盟國已鬆弛其壓力。政府這麼做，是非常勉强的，但鑒於歐洲的政治、經濟現實情況，美國目前似已沒有他途可循。

美國配合這決策的行動，是根本改變了對大西洋公約組織的政策，它不再定下最大危險的時期——通常是認為一九五四至五五年——而要各盟國在這時以前匆促完成防禦準備。相反地，大西洋公約組織現已計劃在長時期期間內建立持久的防力。

這計劃具有如下意義：一、不再偏重於在今後一二年間建立隨時可應戰的盟軍；二、更偏重於組訓及改善後備部隊；三、減少美國對歐洲的軍經援助。在最後一點上，華盛頓對歐洲表示，它對盟國的貢獻，將不可避免地繫於這些國家本身的努力而定。（敏之譯自四月二十七日新聞週刊）

半週展望

·陳克文·

小心莫入蘇俄的圈套

蘇俄對於艾森豪的和平呼籲，已於廿五日用眞理報和消息報的社評方式答覆了。在言論上極盡狡辯和推卸責任的能事。其為無意於國際問題的和平解決，已昭然若揭，但尚予西方國家以萬一的希望者，僅為和平之門尚未關閉耳。

美副國務卿史密斯說得好，「蘇俄政策向有許多變動與曲折，蘇俄轉採協調姿態，此次已經是第八次了。」過去七次的轉變，都不可靠。難道這一次會是眞的嗎？西方國家儘管在過去吃過不少蘇俄的虧，這一次切勿再上當。我們看這兩天英國方面的反應和關於邱吉爾爵士態度的傳說，似乎對於蘇俄的惺惺作態，始終存着極濃厚的幻想，我們實在覺得躭心。

現在西方國家，不只不要輕易忘卻過去和蘇俄交手的痛苦經驗。尤其重要的，要能夠更加團結，更加强大，否則蘇俄的正式和平行動是不會來的，而且會一定會墮入蘇俄的陷阱。

板門店黯淡無光

停頓了半年的板門店和平談判，已經於廿六日重開，上星期我們預料這次會議不會有甚麼結果。果然共軍方面關於遣俘的原則，於會議恢復之日，提出六項辦法。變相的推翻了自由遣俘的原則，且否認瑞士為中立國。聯軍代表已經表示「完全不能同意」。

眞理報答覆艾總統演說的社評，正在極力為中共聲援，共產集團的侵略武力，正在積極向寮國推進。目前蘇俄征服世界的策略，是暫時和緩歐洲，積極增强亞洲，已甚顯明。因此共黨對板門店的談判志在掩護東南亞的侵略行動，自然以拖延為最有利。

美報消息，艾森豪已擬定方案，爭取主動，迫共方攤牌。不容共方再事拖延。現在共方拖延政策已經由六項提議完全暴露，不知艾森豪果以何法迫共方攤牌。我們且拭目以俟之。

東南亞形勢日趨惡化

越盟軍乘韓戰和戰未定的局面，大舉侵寮。現在全寮勢將淪陷，法軍亦節節潰敗。杜爾斯在離法返美之前雖表示增加對越南抗共力量的援助。但東南亞到底是情勢複雜，力量最薄弱的地方，蘇俄已公開屢言支持叛軍行動。泰國和緬甸將轉瞬陷於共軍威脅之下。最近訪問中南半島的美太平洋艦隊司令雷德福上將和民主黨魁史蒂文生，均已指出越盟軍的行動，具有國際侵略性意義。在這緊日益嚴重的局面下，留在越南的中國軍隊和緬境的反共游擊隊，大有扭轉形勢的作用。西方國家為甚麼到現在還要採取限制和歧視的態度？眞是令人難於索解的。

分裂英美的中共陰謀

蘇俄集團分裂英美，拆散西方團結的陰謀，自從馬倫可夫發出和平攻勢後，進行益急。現在中共又有派遣大使駐英，爭取英國支持其進入聯合國的消息。艾登外相雖曾表示，他做外相一日，決不採取贊成中共加入聯合國的政策。但在英國的實現外交政策之下，英國對中共貿易又日見增加。英美對中共的政策，本來存有若干距離的。保守黨政府，會不會為中共所乘，准許中共派遣大使，以便其進行分裂的陰謀，實在不無可慮。

日本獨立一周年

本月廿八日為舊金山和約的一周年紀念，亦即日本獨立的一周年紀念。這一年來，日本與非共國家四十九國恢復邦交，國際地位日見增高。日本此次大選，吉田的自由黨雖未能在衆院獲得過半數的優勢，但參院選舉，形勢甚佳，未來新閣，似可穩操勝算。我們希望今後的日本，仍能本其一年來堅定的反共抗俄立場，繼續發展。成為亞洲民主國家最有貢獻的新力量。日本戰後，困難甚多，但必須繼續其反共抗俄的外交，才能得到解決。對中共決不能存任何幻想，也決不能走尼赫魯的中間路綫。

越共火燄燃近邊陲
泰國進入緊急狀態

國外通訊

泰國正面臨三大仇敵，但又屬於同一來源的危險，這種危險却循着三個不同的方式向着泰國逆襲。其中之一是中共製成而在泰北緬境的「自由泰國」；另一是來自馬來半島的恐怖匪徒；還有潛伏於內部的殘共。於是，在越南之侵略火燄蔓延及泰國邊境之時，鑾披汶政府不得不下令將泰北的平民向安全地區撤退，允許寮國的難民渡河經泰境撤往沙望那克。

泰國在共黨心目中，早已成爲一大絆脚石，多難的紛擾中崛起之鑾披汶政府，自從頒布「非泰活動」方案之後，一方面爲了鞏固它的政權，另一方面也是爲了爭取自由世界的地位以及西方民主國家的援助，而成爲中南半島反共最激烈的一個國家。就已往的一連串的搜捕中看來，潛伏於內部的共特組織幾已摧毀殆盡，雖然現時尚難保證已經掃蕩盡淨，殘餘的至少已失却了活動的憑藉，何況搜捕共黨的工作尙在加緊進行。最近被捕的一批涉嫌與共黨有關的分子中，大多數是被查出他們以金錢滙到大陸，這些雖不能硬說他們是與中共或泰共有關，根據「非泰活動」法案，也是非法的。不過，泰國的司法機關認爲這一個法案假如要嚴格的執行，那末構成犯罪的分子太多了。迄今爲止，除了眞正共特之外，大多數的嫌疑分子還沒有依據新法令處理，此種原因，顯然是由於局勢動盪，過分濫用重典反會激起不良的反響。

計劃粉碎傀儡組織

雖然中共於上月間宣佈「自由泰國」的傀儡「影子」組織已在滇省成立，據鑾披汶總理說，中共早已將泰北緬境及十二板納劃爲「自由泰國」的「範圍」了。這一傀儡組織是前總理乃比里領導的，其本人現在仍在北平；附從的如乃珍詩里康、乃鑾汝納、乃鐵烏訕莊等一批人，原係潛伏於政府的主要部門活動，計劃以政變來推翻鑾披汶的政府。今年一月十五日，由於警方搜捕的工作嚴厲，幷在已死的中共派赴泰國的聯絡員符忠的文件中發現了甚多綫索，因此相率逃往緬境，迨警方下令逮捕不獲追緝之時，僅在泰北臨近緬境之北碧發現三輛汽車，顯然他們已逃入緬境。「自由泰國」這一批構成分子過去既不能還其潛力將政府傾覆，現時在中共、越盟的武裝支持下打算利用車里的土著及禪部泰族與東南亞各國的泰族有同族的關係，以「自由泰國」爲號召，誘致「蟻附羶」的局面。因爲這些比較落後的民族，文化水準既低，而生活也很艱苦，比較容易接受共黨蠱惑的。鑾披汶認爲「自由泰國」除非中共、越盟作其武裝後盾，對泰國幷無任何影響，泰國防委員會刻正擬征剿計劃，以謀早日粉碎這一傀儡「影子」組織。另一方面已授權地方政府將湄公河西地區的緬境泰族及泰北的平民，迅速向安全地區撤退，使這一個封鎖區臨時開放，而成爲難民入境的通道，不久以後，相信泰緬越的邊陲殆將成爲泰北的防禦重鎭。

泰馬合力圍剿邊境匪徒

泰國這一次撤退平民的基本原因：一、表示政府對人民愛護的熱忱，也是一個國家應有的舉措；二、防止共黨將彼等裹脅和控制；現時共黨侵越的火燄將燃至泰國邊境之越會，這一寮國的首都勢呈垂危。泰國也已進入了緊急狀態，鑾披汶政府正注視局勢的發展。向安全區撤退之平民，除了泰北之外，其餘由緬寮（按：泰國已表示允許寮國政府官員及居民自越會向泰撤退並供給充分船隻渡湄公河取道泰國撤往西貢西北七百哩之沙望那克及巴色）進入泰境的依照移民法規辦理。就當前之形勢看來，共黨尚無大舉犯泰的積極企圖，雖泰國已成越盟侵寮的次一目標，至少待至今冬雨季過後，纔能有大規模的軍事行動。最近軍方所獲得來自馬來亞的情報中發現到中共及馬共匪徒已侵據了泰馬邊境的三百方哩地區，並以數逾三百名武裝，以頑強方式控制了一條貫通泰馬的鐵路幹綫，自行建立了勢力範圍，而每月以武力勒索行商的「稅款」竟達五千英鎊之鉅。泰國警方現已照會馬來亞當局採取合力圍剿攻勢，目前正勸員相當數目的兵力向殺克拉省之馬沙威地區推進。警察總監乃炮中將於月初訪問吉隆坡檳榔嶼之時，曾向馬來亞當局提出保證：泰國決以充分力量支持泰馬剿滅恐怖份子工作，以節省時間與流血。（華英．四月二十三日自曼谷寄）

第一回合蘇聯無法招架
美須續爭第二回合勝利

台灣通訊

台灣的輿論界，最近盛行「爭取第二回合的勝利」這句話。第二回合是從第一回合來的，什麼叫做第一回合，原來自從史大林逝世，馬倫可夫繼任，台灣的[illegible]就紛紛注視蘇聯此後的動向。一般的意見，都認爲除去發動世界大戰以外，蘇俄所可以用的方法，不外：滲透民主國家的政權，用冷戰的方法，挑撥殖民地與經濟落後地區對民主國家的仇恨，加深民主國家間的矛盾。或者是用半熱戰的方法，崩潰民主國家的經濟。但是這些方法在民主國家的加强團結之下，都發生不了作用。因此史大林在日，可能早已打定了發動世界戰爭的算盤。史氏逝世之後，馬倫可夫新掌政權，他不得不先從鞏固政權加强領導方面入手。他的基本政策當然不會變更，但在目前，則不得不暫行改取和平守勢。這是史大林死後的台灣各界的看法，果然不到二個月的時間，馬氏的和平守勢便一再地表現出來。

台灣各界看馬氏的和平守勢，完全是唯物辯證法正、反、合的法則的運用。正是鬥爭進攻，以威脅他的敵人降服。反是和平退却，以利誘他的敵人鬆懈。在他所謂革命高潮的環境中，用威脅的方法，在他的敵人起而抵抗時，則改用利誘。等到敵人上了當，他又再進攻，馬倫可夫的和平守勢，是蘇俄戲弄民主國家的一種慣用手法，其目的在於分化民主集團的合作力量，並騰出較長的時間，讓他們整理內部。但是蘇聯這一次的運用和平守勢，却與以前的環境大不相同，便是他的對手方已經不再是美國的杜魯門政府，而是艾森豪政府了。他還想和過去一樣，只要和平的呼聲一出，美國便會自己解除武裝，那就完全打錯了算盤。

台灣的看法，認爲蘇聯現在的和平守勢，乃是因爲美國艾森豪政府對俄政策的「第一回合」已經成了功。艾森豪政府所先伸出來的第一拳，就擺給蘇聯看一個有分量的拳頭。其中包括了：（一）贏得韓戰的光榮和平。（二）爭取以後的冷戰的主動地位。（三）解放所有鐵幕以內的被奴役的八億人民。（四）不承認任何允許奴役存在的條約，並不再簽訂任何條約。（五）解除台灣中立化，不妨礙國軍反攻大陸。（六）加緊對中共實施禁運。（七）積極援助越南，幷建立反共的越軍。（八）建立日本與西德的自衛武力。（九）實施大西洋公約國建軍計劃。（十）建立中東防禦體系。艾森豪伸出去的這一拳，表現給蘇聯看的，有決心有計劃的要消滅世界和平的威脅。在世界和平威脅未消滅前，決不中止他自己的軍備的重整，也決不中止民主國家武力的加强。並且更要使蘇聯知道自由中國在太平洋反共戰爭中的地位，絕對予以支援。

艾森豪這一拳，完全處於主動的地位，使蘇聯沒有法子回手。尤其台灣中立化既經解除，中共自然害怕自由中國的反攻。如其再不從速結束韓戰，中共僞政權就要腹背受敵，瀕於滅亡。加上狄托的訪英，土、希、南三國的協商公約，美英會議，美法會議，克拉克的訪越，訪菲，訪台，都可以表示民主國家間的進步與團結。蘇聯對於這第一回合，無法招架，只得改採和平守勢，以期拖延時間。

將這一段時期作爲第一回合，則所謂第二回合，自係指最近將來的局勢。在民主國家方面，仍然要請美國爲首，決定第二回合的計劃。其中的第一件事，是應該由聯合國主動的提出一個世界永久和平的方案。第二件事，是促成民主國家更緊密的團結，完成自由世界的武裝整備，加强的實力，作爲民主陣容的後盾，再與蘇聯伐謀伐交，並迫使其對世界和平方[illegible]作或戰或和的答復。馬倫可夫在第一[illegible]中所表現的和平守勢，仍爲戰爭的延[illegible]的和平，列寧說過：「和平是戰爭中途的休息，退却是爲退一步進兩步的準備」這種道理，美國由於韓戰兩年半的經[illegible]板門店談判的親歷，巨濟島俘虜的暴[illegible]都已經從長期的痛苦過程中，很清楚的認識了。因此，美國決定會擺出第二個回合，就是面對一切問題，一面用軍事跟蹤追，一面用政治迎頭痛擊。步步逼緊節節進攻，餓而不舍，蘇聯就再也不能把和平的幌子，逃避開去。所以目前正是爭取第二回合的勝利的時機，台省輿論界[illegible]話，其來源是如此的。

貝利亞大施威力
喬治亞整肅翻案

喬治亞是黑海畔的蘇俄共和國，介乎阿美尼亞和歐亞交界處土耳其之間，民性悍强，地形多山，於一九二一年併入蘇聯，其民族雖對合併事仍有餘憾，但因有二個子弟史達林和貝利亞成爲蘇聯最强有力的人物而驕傲，最近，貝利亞突然回到他的故鄉喬治亞首都蒂弗利斯（人口五十二萬），再做類似猶太醫生捉放事件的翻案文章。

據共黨報紙透露，在一九五一年秋喬治亞的情況大爲惡化，於是成百成千要共幹遭受整肅，四入監獄，但全國的混亂非但未獲改善，反而更加惡化，蒂弗利斯的報紙，不得不大事揭發所謂「嚴重經濟罪惡」，例如「侵吞社會財產」，「門窗敗壞，爛成碎片」，「蟲鼠充塞」，旅館隨即縮小等等。這些批評，報導了配合喬治亞共幹「徇私舞弊」，「勾結袒護」等情形，且指責喬治亞的共黨領袖，竟不知道馬克思、列寧著經典性著作的名稱，更說不出從不讀報，任何蘇聯作家所著書籍的名稱。這些事件，表明了喬治亞民族顯然主義和反抗大俄羅斯逼迫害的傾向，對付這類事件的懲處，通常自是整肅，於是喬治亞是採取了「史達林方式」（這是蒂弗利斯電台坦直所用的言句）展開了大規模的整肅。喬治亞的各級共黨，許多人都因「小資產階級民族主義思想」而遭撤職，其中包括三個高級官員：巴拉米亞，助特拉夫和拉巴伐，蘇聯政治局中負責喬治亞事務的官員，顯然因此遭受譴責，這負責者就是貝利亞。史達林爲了表示他的不滿，强迫這個警察頭子親自將他本身所委的喬治亞領袖都加整肅。現在史達林既死，貝利亞便對過去實行報復了。他到喬治亞後，便發佈了一個驚人的聲明，說去年喬治亞的整肅案正與克里姆林宮醫生案相同，「破壞了蘇聯法律」的那些犧牲的貝利亞「內的工作人員」，都是「無辜被捏造陷害所損害」，所謂「共黨冒險份子」，據最主要的保安部前喬治亞國家保安部羅克波說，他是「人民的敵人」，懷有敵意，企圖藉此，謀取私利。他用盡手段，企圖激起喬治亞人和俄人間的民族敵對情緒。」他從喬治亞民族主義犯中，挑選茨荷維里和梅傑拉茨這二個人，是史達林在去年喬治亞大整肅後，他們都遭逮捕，才起用的。「將受嚴格懲處」。貝利亞就可隨意照他的方式改組喬治亞了。他即推翻喬治亞憲法，迅逐了主席和他的僚屬，驅逐過去和貝利亞「無辜者」作對和逮捕那些的國家保安部，在一個貝利亞的新黨內兒特岡諾助夫之下和內政部合併了，貝利亞文重用一九三七年被免除總理職時的巴克拉茨主持政府，對巴克拉茨的忠誠已證明，立刻派遣貝利亞人物，三個復職，且將貝利亞譽爲「喬治亞最好的兒子，共產黨和偉大的蘇聯傑出領袖」，而對貝利亞的上司馬倫科夫卻提不上字。（黃鷹譯）

傅朱可夫將御命赴美

共黨和平攻勢的眞面貌現已漸漸被人揭破，但馬倫科夫仍不灰心，企圖作最後掙扎來矇騙西方耳目。據莫斯科可靠消息，蘇俄國防部副部長朱可夫元帥短期內將肩負「和平」使命赴華盛頓一行。朱可夫原任柏林俄軍司令，在二次大戰剛結束後的一個時期，他與當時的盟軍總司令艾森豪將軍關係保持相當好的交誼，艾森豪將軍也曾一兩度公開讚揚朱可夫的才幹。馬倫科夫相信，就憑這些關係，朱可夫應是與美國接洽的最好王牌。據說，朱可夫已奉到馬倫科夫命令，短期內就要摒裝就道。

艾克慰問布萊德雷

艾森豪總統上週曾親往美國聯合參謀部主席官邸拜會布萊德雷元帥，當時不期而遇到馬歇爾元帥，副國務卿史密斯將軍及國防部軍援當局奧唐尼爾少將，賓主五人暢談甚歡，艾森豪之所以要親往訪晤布萊德雷將軍，理由之一，是在公開表示他與布帥的友誼及他對此一聯合參謀主席的尊敬。因爲彈藥缺乏案的牽涉，布萊德雷將軍很受到外間許多不利的批評，他在心灰意懶之餘，頗有即萌退志的打算，因此，艾森豪特以總統之尊，親往致慰之忱。

俄建新西伯利亞鐵路

蘇俄表面上高唱和平，骨子裏備戰日亟，由下面一件事也可得到證明。據某數位最近經過西伯利亞的外國人士證實，蘇俄已開始建築一條橫貫西伯利亞的大鐵路，與舊有的西伯利亞鐵路平行，新鐵路西起烏拉山麓，東迄蒙古北部的葉尼塞河區域。此一新鐵路完工後，不僅蘇俄的歐洲部份與中亞細亞間有兩條大交通動脈，對軍運有莫大的便利，而且新鐵路聯絡了幾個富庶的煤礦區域與工業重心，對蘇俄軍火工業更有無比的助益。

阿炸彈案另有內幕

阿根廷獨裁總統貝隆最近在演說的時候，被人襲以炸彈，因此激起民衆的憤怒，貝隆更乘機指斥這是反對黨所爲，他原本不可一世的聲望至此乃更到了頂點。但據最近所獲的情報，這些炸彈可能是貝隆自己的特務所預先安置的。其目的乃在引起民衆的同情，並使貝隆獲有打擊其政治敵人的藉口。（孟衡）

天下小事

眞理報大轉變
美共勞工日報出醜

聽膩了眞理報對史達林歌頌的蘇俄羣衆，最近突然讀到了一篇新奇的評論。過去，它一直把史達林譽作最偉大的農業家、語言學家、生物學家、政治科學家、和軍事指揮官，但在這篇評論中却一變那些論調而說：「凡是領袖，不論他們有多少經驗，多少具有學問天才，他們決不能代替集體。最重要的原則，是決策必須根據許多人的經驗，必須是集體創作的果實。」「當這個原則被破壞，有些領袖的行爲，便開始像獨裁者，像是祗有他們才樣樣都知道，祗有他們才能說出任何適切和有力的言論，像是他人的工作，祗是支持他的意見。在這種情形之下，便產生了缺乏原則、不切實態度、諂媚、阿諛、嚴酷苛刻等現象的溫床。」

眞理報這樣扼要和正確描繪史達林的統治後，隨即轉過筆鋒，表示這當然不是指史達林。它接着說：「戰時的環境情形，在領導方法中形成若干特殊，在某種程度上，它們是正當的。」但它又說：「不過領袖不能把針對他們的批評言論，視作對他個人的指責。」

眞理報這篇短短的評論，至少表示了二點：一是從事掃除關於史達林的神話；二是另一徵象，表明蘇俄現在並不是由馬倫科夫一人，而是由一個獨裁集團統治着。

這篇評論，對於紐約的共黨「勞工日報」竟引起了一個奇特的影響。自馬倫科夫新政權成立後，「勞工日報」對於黨派路綫一直莫知所從。躊躇了一個時期後，它曾把蘇俄新政權堅定地稱作「馬倫科夫政府」，但最近它却不得不尷尬地把這說法改變過來，免得暴露了奴才嘴臉。在一篇關於和平攻勢的評論中，它竟要求艾森豪會晤「蘇聯的首長們，例如馬倫科夫。」（杜鹿譯自「時代週刊」）

災貧交迫農民消極
大陸春耕一籌莫展
河北旱荒嚴重裂土千餘萬畝

由於大陸各地去年普遍歉收及中共橫征暴斂而造成普遍飢荒的結果，業已使大陸大多農民的生產能力及生產情緒大爲低落，尤在西南各省，十九皆已挨餓，根本已無法耕種；華北各省及閩、贛、桂、粵部份地區的農民，亦已普遍缺乏種谷而消極怠耕，致使大陸目前的春耕工作，幾已全面陷於停滯狀態。農村擾亂，既爲中共的命根所在，自必大起恐慌，乃喊出了「春耕生產是當前農村壓倒一切的中心任務」的口號。並以大行政區爲領導單位，發出春耕生產的指示；召開各省高級主管幹部會議；飭各縣普遍成立「生產辦公室」；派出數以百計的檢查組分赴各地督促春耕。惟據北平人民日報指出：一般地方領導幹部所做的此一「中心工作」，基本上仍然只是「召開會議，逐級佈置，嚴厲命令」的官僚主義作風，口號喊得很響，具體的問題，嚴重的荒象，大多沒有解決。據說僅積肥工作一項，大多地區都只完成了十分之一至十分之三之間；「訂計劃運動」，完全流於形式。

而自然災害，特別是旱災和虫害，都普遍，逐漸嚴重起來，在許多幹部卻對於災情和摘情仍一無認識，務復擬留，不知所措！據悉：目前大陸旱災最嚴重的首推河北，已告龜裂而不能耕種的土地爲數有一千六百餘萬畝之多。次之，山西、黃河地區及綏遠的伊盟地區亦各有約一千萬畝的土地已旱得無法播種。再次之，西南部份地區及湖南、江西部份地區亦有大量耕地因乾旱而無法耕種。至於小麥蚜虫及紅蜘蛛，凡屬植麥地區，皆有蟲害；其中河北、山西、河南、安徽、湖北等省尤爲猖獗。而各地共幹，除只知強迫命令農民大事捕捉外，別無有效方法應付，浪費勞力，甚見低能無措。

又悉：目前大陸春耕工作之無法展開，據北平人民日報指出，尚另有兩大阻礙：其一是一般區鄉幹部由於整黨和反官僚主義、反強迫命令、反違法亂紀的鬥爭的結果，普遍產生了消極退縮情緒，產生了新的偏差：本來是盲目地「逐級追加任務」，現在是盲目地「逐級壓低任務」；普遍存在了拖、推、擱、等等的作風；亦[illegible]的春荒無法解決，春耕無法推進。其二是大部地區在過去的「農業生產合作」中，都犯了急躁冒進的錯誤，尤其是以生產爲名而兇悍奴役農民的結果，已普遍傷害了農民的生產積極性。因此，中共目前面對此一百孔千瘡的農村生產，已深感棘手！雖已全力以赴，成效甚微；由是而推算今年大陸農村的秋收，必將荒歉無疑。

蘇俄和平空談高唱入雲
中共加緊宣傳援韓
擴大誣指聯軍虐俘散佈毒虫
各地「抗美援朝」會紛紛開會

目前蘇俄正加緊進行和平攻勢；但中共則仍在積極備戰，特別是正在擴大進行所謂「繼續加強抗美援朝」的宣傳及行動，除繼在抽征醫生及鐵路員工驅赴北韓並調大批共軍南下滇越外，最近北平新華社復以「美軍虐待俘虜」及「侵朝美軍的飛機又在朝鮮散佈帶菌毒蟲」爲題，大肆攻擊、宣傳。日來新華社一再叫囂，說「美軍殘殺了大批俘虜」，及「美軍虐待大批俘虜使成殘廢」，「美軍對朝鮮和平農村及鐵路綫與海岸一帶又撒下了大批蒼蠅、蜘蛛和白色虫子等帶菌毒虫」，「美軍正在加緊細菌攻勢」等等。同時，上海、武漢、桂林、成都、瀋陽、天津等「抗美援朝分會」都舉行了全體委員會議，紛紛喊出了「繼續加強抗美援朝工作」的口號，並對「虐俘」及「佈毒」展開了大規模的宣傳。

準備應付未來大戰
俄控制新疆命脈
中共賣國斷送空權

據西安新華社揭露消息：「中蘇民用航空公司」已決定在迪化喀什之間開闢一新空運綫。業於本月十八日「中蘇民用航空公司蘭州阿拉木圖綫管理處副處長」馬瑞陪同該「公司」所派之總工程師列明（俄國人）等組成航綫勘察組，由迪化向西進行勘察，將在沿綫選擇機場和設計機場建築工程。據云該一航綫預計可於本年七月前通航，將進一步加強中蘇間之交通云。

喀什爲新疆西部邊境的重鎮，爲該省西部政治、經濟、軍事和文化的中心。自迪化至該處約有三千四百餘里；中間要經過天山及大戈壁灘，形勢至爲險峻。此次蘇聯控制下的「中蘇民用航空公司」決定開闢此一航綫之目的，乃在利用喀什作爲迪化與蘇聯東南邊境的阿拉木圖之間的通絡站。且喀什位在新疆西部邊境，與蘇聯接壤，爲新疆通蘇聯的後門，故可斷言：此一航綫的開闢目的，必以軍事需要爲主，不僅是蘇聯在加緊控制中國大陸的空權，且在積極爲第三次世界大戰而加強準備。

破舊拖拉機
騙大豆高梁

東北是最先運到蘇俄法爾茅式、史太林式拖拉機的地方，可是不管「國營」農場，集體農場，拖拉機一直只做擺設，始終沒有下過地。甚至於中共一再吹噓並做爲示範「教育」的星火、北投……等農場都一直不敢把拖拉機當衆表演它的工作效能。原因非常簡單：那些拖拉機在蘇俄原本早就破壞而不堪應用了，目的無非在借個名騙取東北老百姓的大豆高粱。

可是，日子拖久了，中共總要搬出「障眼法」來搪塞一下，不能光吹不變花樣。於是中共東北局出了新主意：據新華社「放空氣」！東北最近的各報都登出東北馬匹空前增多的消息。新華社、中國新聞社消息在瀋陽都用大標題登出：全區（指東北）將使用新式馬拉農具。並稱：每匹馬所負担的耕地面積由六垧（合十五市畝）二畝七，減到三垧一畝三……，馬可以用來精耕細作了。

其實，東北各地既沒有用拖拉機耕田，用馬的也越來越少了。風吹、雪颳、霜打、日曝下做苦役的全是人。繁殖優良馬種的事實從來未曾見過。（仁）

共幹放高利貸
工人慘受剝削
一級工資猶難活命

中共西南區一九五二年工資改革時，會宣佈實行八級工資制，而以鋼鐵，兵工等重工業廠工資列爲第一級，在中共自吹大陸工人待遇大大改善的今天，拿第一級工資的工人生活，照理應該比其他工人爲更優裕，可是，很遺憾的，成千成萬的舉債度日者，却儘有這些拿一級工資的勞動英雄。在重慶一〇二鋼鐵廠中，工人爲了完成定額，追趕任務，每日工作恒在十二小時以上，但所得工資，大半無法維持一家溫飽，在生活煎逼下，一般都迫得高築債台，負責工人組織和福利的工會共幹，看到有機可乘，竟然在廠裏大放其高利貸。自一九五〇年起，全廠九個車間中，即有六個車間的工會將工人傷亡撫恤金全部拿來放給廠內職工羣衆，每月利息視需要緩急，最低三分（即十萬元取息三千），最高達十分，據不完全統計，放債金額達二千九百二十六萬元，自一九五〇開始至一九五三年一月止，各車間共獲利息一千八百零二萬六千四百元。由于利上加利結果，若干工人全部月入，竟有無法償清利息者，最謬是工會負責人將息金收入，從事個人逸樂揮霍，所謂工人撫恤、福利，一概置之不理。雖然在新的三反中，許多已被檢舉出來，但礙于搞工運者，都有各人的來頭背景，檢舉一批判，對他們並不算一回事。管工人，吃工人，好似是註定的。（宜之）

共黨文教幹部凌虐下
大陸小學教師遭悲慘浩劫
吊打罰跪拘禁求生不能求死不得

大陸小學教師自淪入中共魔掌以後，在中共改造知識份子的一貫殘酷作風，及中共一般文教幹部粗魯兇惡的一貫態度之下，已陷入了空前悲慘的劫運！不僅待遇微薄，生活艱難；「任務」繁亂，操勞無度；而且動輒無故被吊、打、跪、關，比之囚犯牛馬，更爲悲苦！眞是求生不能，求死不得！此種情形，本報曾迭作報導。最近重慶共黨新華日報在縣例「檢討」一文中所揭露者，不僅爲中共自動之招供，且內容尤有典型價值。

領導手段罰跪坦白

該文舉例稱：「如雲南宜良縣文教科長楊波，即專以吊打刑罰小學教師爲唯一的領導手段……。當去年七月該縣舉行小學教師評薪時，楊波首先在該縣匯遠鎮四個小學中展開所謂『重點試驗』。他一開始，便把評薪擱在一邊，而普遍要小學教師交代歷史，要他們個個都認承過去工作上的錯誤。結果普遍都評不下去，他就召集各區教師學委會負責人開會，首先對他們說：『你們的思想太右了，對待知識份子，寧左勿右。不坦白的，頑固的，先拿來評，先整他幾個樑子出來，就像三反時對老虎一樣，鬥他幾個，吊他幾個。眞正不願講的，整個尾巴給他夾着，以後再整。』從這項會議以後，各區便普遍開始用鬥爭、罰跪、吊、打的方式來進行所謂『評薪』了。」

「這時，楊波自已率領了四個科員到處巡迴督導，所到之處，吊、打、罰跪、扣押、雷厲風行！在匯遠鎮上，楊波親自召集了七十多個教師進行鬥爭，先叫教師陳品芳跪着坦白，陳不肯說話，楊波就用『五樑升刑法』來對付他，即把樑子放在桌子上，叫他跪在樑上坦白，倘不坦白，便再加一條樑子，直加到五條樑子，一丈多高，從天剛黑，跪到半夜兩點多鐘。陳品芳終於被迫認承了一陣錯誤。但楊波還不滿意，又指揮人將陳芳品用繩子綁起來吊在樑上，直吊到第二天中午，放下來時，已被吊得半死不動了！當時有四個教師見他可憐，去扶了他一扶，還四個教師又被楊波罰跪了兩個鐘頭。並駡他們爲『投降敵人』！另一教師魏正中因曾爲雲南日報寫稿，也被他們鬥爭。二區教師張端金被吊打後提出辭職，楊波又把他綁起來跪了一晚，並駡他爲『中農思想，反革命思想』，張端金感到走頭無路，便自殺了！但楊波竟還說：『讓他死吧，死了算了』。」

子子孫孫寧做牛馬

「楊波到第三區後，因該區未用吊打辦法評薪，他就駡該區爲『假運動』，要重新搞過。有一個女教師李琴芳一聽到喊着她的名字，便嚇得跪了下來！」

「楊波聽說第四區吊打得不起勁，就駡他們都是『壞份子』，於是，就立刻派了一個『評薪組』到四區，該組一到四區，便如法泡製地大吊大打起來了！」

「據統計：在評薪中被停職反省的教師有十六人，被鬥的有五十五人，被罰跪的有二十三人，被吊的有十四人，被嚇跑的有兩人，被逼殺的有一人！但楊波還認爲不滿，他說：『運動還不夠深入，越深入，改造就越澈底！』」

「這些事情發生後，沒有一個教師不心驚肉跳！有的說：『子子孫孫甯做牛馬，不當教師！』有的女教師說：『我們生來命苦，吃人家飯，該人家管！』」

共幹不顧病人
學生住院活活燒死

據重慶新華日報披露：四川劍閣縣衛生院於本月十四日發生了一樁荒唐透頂曠古罕有的奇聞：據三月九日有一劍閣師範學校的學生名邱樂元者，患傷寒病被送入該衛生院診視，因不能行動，大小便均須在床上由人扶持而解，但該院護理人員都嫌其骯髒，類多藉故走避，不予照顧，本月十四日值日護士爲黃玉清，亦不予照顧，惟於病人呻吟呼凍時，爲免因其死亡而輪到麻煩，乃即取炭火一盆，置病人身旁，然後隨即扣門離去。詎病人稍一側身，棉被即觸及炭火，頓告着火，迨濃烟外冒而被發覺時，病人已渾身燒爛，氣絕多時，慘不忍覩矣！事後，該院爲推諉責任，竟說護士離開病人僅三分鐘，後經其他住院病人紛紛訴苦、檢舉，乃不得不認承錯誤了事。查現在大陸中共官方醫院之虐待病人等等現象，甚爲普遍，惟病人竟被炭盆燒死，則尚屬創聞。

集體奴役婦女
中共召開大會
動員婦女加緊生產

【本報訊】中共於本月十五日在北平懷仁堂召開所謂「第二次全國婦女代表大會」，出席此一「大會」的有大陸六個僞行政區的「婦女代表團」，共軍婦女代表團，僞中央各直屬機關婦女幹部代表團及各工廠農村的所謂婦女勞動模範等共八百九十餘人。由婦聯正副主席蔡暢及許廣平主持，主席團有宋慶齡、鄧穎超、章蘊、何香凝、李德全、史良、丁玲、錢瑛等四十一人。中共中央會派譚漱石爲「代表」出席「指導」。在許廣平致開幕詞後，首先由鄧穎超作了「四年來中國婦女運動的基本總結和今後任務」的報告，相繼即由譚漱石作了「四年來婦女解放事業的檢討」的報告，在該兩報告的結論中都相同地發出「指示」：「大力發動和組織廣大婦女羣衆，充分發揮，利用她們潛在的勞動力量，全力投入工農業生產等工作，是今後婦女運動中的中心任務。」

「又說：」「在都市中，要動員組織女工積極參加『愛國增產節約運動』；在農村中，應該發動并掌握農村勞動婦女積極參加『農業變工增產』，『農業合作互助』等運動，務使所有婦女，都投入一切生產建設。」查現在大陸的所謂「中華全國民主婦女聯合會」，原爲中共控制婦女之組織，四年來在此一組織之下被奴役犧牲的婦女已不可勝計，本報前已詳爲報導。此次中共召開此一「代表大會」，目的就在研討過去奴役的經驗，俾在今後進一步驅迫婦女從事殘酷無度的勞役。證之譚漱石、鄧穎超兩共酋的「指示」，即可深信無疑。

粵增兩縣
加強管制漁民
並設立漁民區

【本報訊】僞廣東省政府爲加強管制沿海、沿江漁民起見，近特增設「雷東」、「珠海」兩縣，並在饒平、陸豐和陽江等縣分別設立六個漁民區（或鎮）。雷東縣位於雷州半島東面，包括原屬湛江市之硇洲等島嶼。珠海縣管轄珠江口外諸島及原屬中山之灣仔等區和原屬東莞縣之萬頃沙區。（冀）

福州共幹大批造屋
強購民產
五千餘人流離失所

【本報訊】福州共幹，近以「基本建設」爲名，在市區擇地大興土木，爲僞省政府各廳局職員宿舍、住宅，及僞福建省總工會，僞福建幹部學校和中共「國營」福建省保險公司等機關大建房舍。此等建築之佔地面積均極廣大，一經其擇定地址，不論其是否原來就有民房及住有人民，即以極低價格向居民強購地基，并即勒令居民搬遷。此等居民雖然不願售讓地基，但在共幹派警強迫執行下，終不得不接受極微的地價；在中共印就之賣契上捺上指紋。此等居民雖會要求共幹予以較寬從容之拆遷時間，亦以在共幹派警強制下被迫於倉卒間「掃地出門」，狼狽之狀，誠與避災逃命無異，情形殊爲慘！又悉：據估計，此次福州被中共迫遷之居民，爲數約有一百八十餘戶，共計男女老少五千七百餘人之多！因之，該地即爆發引起了嚴重的房荒！

日本大選「中」的奇蹟

自由談

爲方

日本這次大選結果，有兩點現象值得注意：一爲號稱「自由之神」的唯一老牌衆議員尾崎行雄落了選；一爲舊時陸軍大將宇垣一成以壓倒的多數票，當選參議院議員。

尾崎是日本明治維新時代的憲政運動者，今年已九十三歲。他連續當選了二十幾屆的衆議員，二次大戰期間，軍人們討厭他的政治思想，百般排斥他，不許其再獲選，在競選之際請他吃官司，上法院，結果還是照樣地獲得勝利。戰後的幾次大選，依然維護席如故，這次卻名落孫山了。八十四歲的宇垣大將，戰前素受軍閥嫉視，他出任外交大臣時，以在內閣會議席上被陸軍大臣打耳光，憤而去職。又曾一拜命組閣，因軍部反對而流產。原因就是一次大戰後，他在陸相任內，積極實行縮軍計劃，裁減軍費之故。這次大選，他竟以全國性五十萬以上的優勢選票當選爲參議員，如果他有政黨背景的話，準能當選爲議長哩！

看這兩位文武老鬥士競選中一失一得的情況，可以窺見自由選舉的眞正民意價值。尾崎一生盡瘁憲政，奮鬥到九十高齡，他的時代任務已告完成，人亦勞止，他可小休，人民讓他怡養天年，是表示愛護之意。宇垣一生轗軻，懷才不遇，人民擁起擁護他走進上議院，是表示安慰之意。此二老的際遇，對日本政治前途，頗有潛在的影響力，未可忽視。

模範夫婦

·鐵幕眞實故事·

·沈著·

誰說「人民政府」不是超時代的「青天大老爺」？

四川大足縣化龍鄉的農民陳其君和他的妻子李應超那對：本來，翻爛了牛鼻子泥頭，根本連做夢也不會有什麼平地一聲雷，忽然從田裏里升到衙門里去做官的痛快念頭；但共產黨一來，畢竟「人民政府」的「賞罰分明」：他倆夫婦在「土改」，「鬥爭」極地表現了一下「革命熱忱」之後，便被評上了「模範夫婦」，陳其君因而當了農會委員，李應超則因而當了婦女會的委員。尤其是婦女會的陳委員太太李應超，更得上級共幹的青睞，立刻被調到區裏去學習。從此，陳其君夫婦已脫去了撈子的破棉襖衫褲，換上了嶄新的「解放裝」。

「其君！我們要感謝毛主席！這是毛主席給我們的恩惠！」李應超整了整八角帽，嬌媚地拉着丈夫的臂膊，顯得歡天喜地，感激涕零！

「對！我們得好好地幹！我送你上區裏去學習；不怕沒有更好的將來！」陳其君的心眼兒裏，更是一片燦爛！

當李應超上區裏去學習的時候，鄉長、鄉支書記等一班共幹都送了行，好不風光！當然羨煞了好多老百姓的眼睛，尤其不久消息傳來，說李應超已「光榮地」當了「新民主主義青年團」的團員，並當了區裏的「減租退押督導員」。曾立刻使化龍鄉展開了一項宣傳，說這是「全鄉的光榮」！婦女會還特地開了一次學習會，說婦女姊妹們大家應該向李應超「看齊」！

從此，陳其君夫婦便成了化龍鄉遠近聞名的紅人，李應超更是紅得發紫的紅人！

但眞可說是李應超的「紅運高照」給惹來了晦氣！她的姿色也大走「紅運」，被赫赫不可一世的山東佬區委書記許成貴感到了興趣，便開始調戲她。她呢？可惜還不會受過「新婚姻法」的學習，所謂「封建的貞操觀念」尙未打破，因而大感羞忿！最後有一次她在許書記辦公室中接洽「公務」而被許書記乘機一把緊緊抱住地亂摸了一陣奶奶之後，竟羞忿已極，頓萌短見，一掙脫飛奔到一個井邊去想跳井自殺，幸好許書記拔步追了上去，到井邊剛好一把拖住。但他並不是爲了救她。他一邊說：「我愛你！」一邊便將她在井邊按倒，褪去「解放褲」，給了她一個強姦！

「我是外來的幹部，是一砲一槍打出來的，不怕事！」他從她身上爬起來時，拉着褲帶，按一按腰間的手槍，對她說。

「咽咽咽……」她蜷縮在井邊啼泣！

「別怕！事情揭穿了，你丈夫也關不到火，領導上只有幫我說話。」他一面蹲倒去拉她，一面問她壯膽慶勞。

「咽咽咽……」她仍縮在井邊只是啼哭！

「優娘兒！我不好嗎？我可以保你入黨、保你工作。」他向她提出了強姦後的代價。

然而她——李督導員的思想仍沒有搞「通」；她回去以後，雖不敢告訴丈夫，卻偷偷地到「大足縣人民法院」告了許書記的口頭狀。可是「人民法院」的「審判員」高善夫和潘傳語是許書記的山東同鄉，抗戰時期的游擊同志，她這張口頭狀被兩位「審判員」傳達給了許書記以後，便告風消雲散！

她倒很勇敢：她仍不甘心，看到「人民法院」沒個下文，便託人寫了報告分別向共產黨川東區委會和江津地委會遞了狀，這纔有了下文。但原來他們的下文卻是不約而同地認爲這是「同志間的小事情」，倒反認爲「李同志」的「思想太落伍」，認爲她將貞操及夫婦間的「小圈子愛情」看得太認眞，勸她「馬馬虎虎」，所以結果，還是等於沒有下文！

但她這麼一告，終於給她丈夫知道了，夫妻沒好氣的吵了一架之後，他便咬牙切齒地再跑到「大足縣人民法院」告狀。這下子狀是告進了，可是吃官司的竟不是被告，而是原告：他在投進狀子的第二天半夜裏忽然被該「人民法院」派了兩個「法警」來將他衣服脫光，繩子綁了，拉拉扯扯的關進了法院的臨時扣留所！他的罪名是——「虐待妻子，破壞新婚姻法」。但說着他也是「幹部」的份上，予以「從輕發落」，判了他一個「扣押教育」。只是如此「從輕發落」有一個先決條件，要他「志願」提出離婚！

然而這位陳委員似乎太有點「不識好歹」，他不認承「虐待」，更不答允離婚。就在這個當兒，許書記乘機向李應超進行了地下談判：說只要她肯提出離婚，並可嫁給他，她的丈夫便可從輕判個有限期的「扣押教育」，要不然，便將判上個「永久扣押教育」！

她終於被逼騙帶着地屈服了！她丈夫總算被判了兩年「扣押教育」。但她只做了許書記半年「臨時愛人」，便被遺棄了！而且當她丈夫被釋放出來的時候，她已被削去了一切職務，經依舊穿了破棉襖包了頭巾在田里翻泥巴了！

於是他們相見之下，不禁抱頭痛哭了一場！不約而同地咒着：「模—範—夫—婦」！（註：本故事見三月十四日重慶新華日報。）

新·世·說·補·遺

死裏逃生記（一）

宿命之說，識者所病。然憑迭經可死之境，嚮必死之勢，憬然罔覺，胥得化險爲夷，而近代詩人林庚白以善言吉凶命理，立意逃生，終罹非命之禍。足徵生死之道，固有不期然而然，莫之致而致者，貪生畏死之念，適自苦耳。順乎自然，隨遇奮勉，渾忘死生禍福，無事強求，生機即盎然可葆也。

一九二三年九月一日正午，日本東京大地震，繼以大火災，死人無算，殺人亦多。地震初起，余方在旅舍席地爲食，砰然一聲，屋瓦搖撼，同寓者急奔戶外，余笑其怯，泰然果腹如故，蓋地震乃日本習有現象也。既而地殼轟轟然作奇響，四壁傾墜，余狂奔跨及大門檻，片瓦逾數斤之日本瓦紛落全身，後腦被擊破，血流如注，然不覺痛楚，拔步前行，而地拆天崩之勢，勃然併臨，不復能立足，乃手挽門前大樹枝，隨地震幅度左右搖曳如盪秋千架上，俯視足下地層，忽而張裂爲深長大壑，忽又翕復爲平地，如是者再。設當時不挽樹枝而臥地，則此身將葬張裂之大壑中，壓成泥餠矣！旅館主婦奔坐較遠高坡中，覩狀，嚇然呼余名，大聲謂「危險」不置，殆恐余鬆手落地也。

地殼震動聲與海嘯聲充滿合鳴，令人驚悸欲狂，旋全市大火，濃烟蔽天，有若昏夜。時日本新任內閣總理山本權兵衛尙未就職，東京市內外交通皆斷絕，自來水與瓦斯管全部寸折如廢鐵，全市成無政府狀態。少數憲警與近衛軍，不足維持秩序，乃由市民義勇隊分段負治安責任。義勇隊或持鐵棍，或執手鎗，三五成羣，巡邏通衢小巷間，隨意擊殺人，無可理喻，亦無可告訴，緣全市大火災發生後，謠諑紛傳，謂韓人與華人乘機放火，且置毒藥於水井中，陰謀毒害日人也。余卜居市外高田馬場之陸軍練兵場附近偏僻區域，即夕偃臥門外曠地，尙未聞此奇謠，次晨往視附近之朝鮮同學朴君，見其正被三數義勇隊追逐，攀登屋頂，義勇隊舉槍擊之墜地死，余詢彼人犯何罪？即有操鐵棍向余擊來者，大呼「撲殺此獠！」余閃避之，操日語厲聲曰：「我非鮮人（日人素稱韓人爲鮮人）爾曹不可妄爲！」但不再作他語，防其識破余爲中國人也。彼等覩余形色未變，且著大學生制服，紐扣亦破舊，遂未繼續暴行。余從容退歸，然已感九死一生之懼。日本著名之無政府主義學者大杉榮夫婦，即於是夜被憲兵隊長甘粕大尉所勒斃，余若爲義勇隊擊殺道旁，殆雞犬之不如也，危乎殆哉！

馬五先生

漫談測字

·狷士·

我國對於一切預言，科學家一概譏爲迷信，但是還我自己的經驗，有許許多多的事，實在不能就拿迷信二字來武斷的說，只有用「神祕」二字來歸納牠，因爲宇宙本來就屬於神祕，我們居於宇宙之中，所有事事物物，當然不少不可思議的，譬如以測字來說，這是占卜的一種，隋代稱破字，宋代稱爲相字，後漢獻帝的時代那時童謠唱的「千里草，何青青，十日卜，不得生」這種離合字形的童謠，或者就是測字的開始。

十年前在蘇州，有一天游觀前，看見二個兵士在一家名范時中的測字攤上拈了一個「棋」字，問范，范說，凡圍棋之子，愈下愈多，象棋之子，愈下愈少，現在你拈的是「棋」字，不是「碁」字，那就是象棋子，不是圍棋子，這樣看來，你家的人口，凋零得很多了，兵士說很對。最近友人李君也很感興趣研究此道，一次有人問他的家人，能由大陸出來否，這次是隨手用鉛筆在報紙上亂點到的「突」字，李君說，是希出，人有希望出來，不過要鑽狗洞，後來果然不差。又有一次某君接到上海家中母病的信，請教李君，點到一個「榮」字，某君很高興，以爲榮是茂盛之兆，李君說，不好不好，你看這字頭兩個火字，就等於一對臘燭，放在橫桌上，不就是影射棺木嗎，令堂恐怕凶多吉少了，不到三天果然電告其母已死。

奴役的藍圖（二）

薩柯米克神父著　陸逸譯

貪官變成新貴

除掉反美之外，這種佈置妥當的宣傳也指向反對政府的方面，看看今天美國的輿論，不禁使我想起一九四七年到一九四八年中國的情形，指斥政府的貪污、鬧派系、無能等口號處處可聞，這種宣傳的結果，使人民對他們的政府失去信仰，許多人都覺得只有共產黨對，他們須要變，但在國民政府最後統治大陸的兩年中，我并未見過一個人親自有過派系傾軋的經驗，別的人，也沒有人具體地提出貪官污吏的名字，這種指斥常是廣泛性的——祇說官僚們搜括人民的錢財。

當然，中國政府免不了有攫取人民的官吏，就像是年來華盛頓方面透露過有某些美國官吏手頭不淸一樣。但因此而污衊整個中國政府全部貪污，則未免太過，正像因少數不肖份子而污衊我們美國政府貪污一樣的不當。

更有甚者，當中共席捲大陸時，在我們那裏有些最怨職害民的官員們，他們的的確確會殘酷地剝削過老百姓，他們才眞是國民政府的蟊賊，但卻作了紅朝的新貴，他們才是國民黨的貪污元兇！他們搗亂的手法眞高明。

在軍隊裏，也是一樣，共產黨的間諜滲透到每一個部門，如果他是一個行伍中的兵士，他便大發怨聲：『爲什麼我們要打共產黨』？『我們爲什麼要去送死』？『我們打內戰有什麼用』？共產黨在打游擊時的口號是：『兵士們！我們是同胞呀，我們彼此不要打仗！』這種口號漆刷在牆壁上，電線杆上，或是掛在樹上，現在張貼在這些地方的標語卻改成：『我必須恨！我必須消滅我們的敵人。』

共特滲入軍隊

對於決心剿匪的兵士，他們便說：『別打了，繳槍吧，你們的司令已經投降了』。有幾次是共產黨收買了指揮官，但大多這種口號祇是爲瓦解軍心。

共產黨的特務很淸楚地知道他們面對的敵軍的人數，裝備，以及他們的性能，和補給，甚至於每一個敵方的兵士所獲的彈藥數字，他們也瞭如指掌，除非他們在數字上佔絕大多數，他們永遠避免和敵人遭遇。當他們集結了大量的軍隊之後，他們便對國軍揚言他們以四比一的優勢等待捕捉。

我們所住的那座城，是由二百個共黨游擊隊攻下來的，他們便是用了這種武力和欺詐，兼施並用的手法打下來的，當時有三百個政府的地方保安團駐紮該地，祇有二人對這枝兵力握有指揮權力，一位是轄屬三個連的少校，和一位地方上的鄉長，當時共產黨知道祇要這兩個人消除，縣城便可垂手而得。

共產黨用錢買通了這位少校，並且答應在解放後給他一個優越的職位，在一個星期六的晚上，這位少校便請鄉長來赴餐，在吃飯的時候他預備好『捉俘』的計劃，一小股共軍便在這時攻打市鎮，他們揚言是二千多人，少校即傳令在這寡衆懸殊的情況下立即投降。

談談捲煙史（下）

·山禾·

再接着，法國所出的這種捲烟便大量地向英、德、義、奧等周圍各國推銷，各國亦即隨之流行。到了一八五六年時，英國有個名叫葛洛亞格的蘇格蘭籍的軍人首先動了腦筋，便退役回家，在他的後園中建立起一座小規模的烟廠，雇了許多女工，並以重價請了一個法國烟匠來擔任指導，開始彷製起來，他最初是照小呂宋烟裏捲的，並將長度增爲二寸又四分之一，將粗度減細到像目前的香烟兩倍那麼粗，又在捲烟內一端裝上一個櫻桃木咀，將它定上一個牌子，叫做「櫻桃木咀」。但不久，他便再度加以改良，改用淡黃色的比較和淡的烟絲及上等的厚白紙裹捲，並將櫻桃木咀改用厚紙皮咀，以減輕成本而增進方便，且以三支爲一組，加以包裝，將它定了個牌子叫做「三甜牌」。

此後，這種捲烟便幾乎到處流行開來，且因此大大增多了嘗烟的人。因而一度會在英國的輿論界引起嘗烟與道德問題的論爭，但論爭歸論爭，捲烟的流行却日廣一日，到後來誰都不得不承認這個抽烟的既成事實。不過捲烟之進步到目前這個形式，却還在一八八六年以後的事，這時英國的捲烟已相當發達，他們終於逐步改進到目前這種長度與粗度，並改進了包裝，增多了烟品的等級。其最佳的品級，幾一時爲英國的貴族階級所包辦。這也說明，雖然捲烟爲法國人所發明，而且最早正式製造，但法國內烟業終不及英國發達，英國目前就是全世界捲烟業最發達的國家。

至於捲烟之傳入中國，還在五口通商之後，英國首先在上海設廠製造，而且發聰明的代辦人譯成「香烟」這個動聽的名詞。

美田納西州兩個聖誕節

美國田納西州州參議員羅柏茲在去夏競選運動中，曾應諾他的兩位年青支持人，如果他當選的話，他們需要甚麼，他都可以答應。這兩位青年，一名比爾，現年十歲，一叫傑克，現年八歲，都是艾森豪遠房堂弟諾爾李的兒子。後來羅柏茲果眞當選，他即根據比爾與傑克的請求，向州參議院提出於六月間慶祝第二次聖誕節的議案，經他力爭之後，提案幸獲州議院通過。於是今年田納西州的孩童們可有兩個愉快的聖誕了。（由之）

中華民國僑務委員會發登記證台僑新字第一零二號

自由人

THE FREEMAN

（半週刊每逢星期三六出版）

（第二二六期）

每份港幣壹毫

督印人：李光澤

社址 香港高士打道六六號

電話：二〇八四八

GLOUCESTER RD.
HONG KONG
TEL: 20848

承印者：東南印務出版社

地址：高士打道六十四號

台灣特派員辦事處 台北市館前街五十號

台灣總經銷處 台北中華路新號五九四之一

台灣郵政劃撥儲金帳號 九二五三號

日本恢復獨立一周年

·陳克文·

日本根本問題糧食不足，人口過剩，亞洲餘糧國家應協助日本解決糧食，日本應以資本技術協助餘糧國家發展資源，經濟互助，而為共同防衛，亞洲才不至赤化。餘糧國家關閉門戶，將為共產主義的犧牲品，火頭已經從越南寮國開始蔓延，馬來亞、印尼、印度、巴基斯坦，均將不保。

去年舊金山和約，使戰敗的日本恢復國際上的獨立地位，到四月廿八日，剛好滿了一周年。在亞洲六個大統治國中，中國大陸已經為中共所竊據，亞洲蘇俄全為共產主義國家。印度，巴基斯坦，印尼，則依違於民主集團和共產集團之間，只有日本完全是民主集團的朋友。盱衡亞洲全局，以及世界和平前途，對於日本獨立後頭一年的發展，實不能不特別予以關懷。

一年來，日本雖已和非共國家四十九國恢復邦交，但仍未能參加聯合國。對亞洲各鄰邦，如菲律賓，澳洲，印尼，南韓，仍有許多懸而未決的問題，互相爭執。換言之，日本的國際關係還是未能恢復正常地位。說到內政，問題更多了。在佔領期間，因為美國幫助，經濟和社會的組織，已大有改變。政治制度亦已面目一新。今日的日本，決非一九三二年的日本可比。軍國主義，封建色彩，無論從那一方面說，都已經逐漸在死亡和消失之中。民主自由的現代精神，已經逐漸滋長，逐漸佔居支配的主要力量。以明治維新以來，從未落選過的九十三歲「國寶」，老英雄尾崎行雄先生，最近大選竟亦名落孫山了。王族貴胄下儕平民，天皇也再不是神了。這都可說明，是日本的進步和光明的一面。

殘破之餘恢復獨立 自由談何容易

但是，另一方面，戰爭的結果，國內工業破壞了，海外市場消失了。失業增加，工潮迭起。如何找尋海外市場，以工業生產，換取原料和糧食，解決吃飯問題，固然是一個最傷腦筋的大問題。還否建軍，以妨止共產黨內外夾擊，維持國家的獨立，也是一件爭論不決的大事。要從一個殘破的國家，恢復建設，爭取獨立自由，千頭萬緒，談何容易？於是黨爭不斷發生，政府飄搖難定。加以共產黨的宣傳滲透，陰謀擾亂，社會不安，也就日加嚴重。這些都是一年來，日本政治家所最感苦惱，同時也是自由世界所焦慮不能放心的。假使日本再有差池，不要說和中國大陸一樣，完全落於鐵幕之內，即使和韓國一樣，給共產黨以分裂的機會，使略武力能夠在日本得到立足之地，整個亞洲便要完全赤化，是絕無疑問的。

根本問題在糧食不足人口日增

要安定日本，無疑必須求政局安定，必須內部團結，必須減少政爭，必須復興工業，必須開闢國外貿易市場。建軍是不可避免的，參加聯合國也是必要的。美國的經濟和技術援助也還是不能缺少的。但是，還有一個更為根本的問題，在考慮解決上述各問題之前不可不知的，即日本是一個自然條件不足以自給自足，而人口又在不斷增加的國家。這根本問題不加注意，其他支節即使一時敷衍過去，問題還是始終存在的。

日本的土地，大部份不適於耕種，在世界上是斜坡土地成份最高的國家。每畝可耕土地，須供養人口四十五人。若在美國每畝供養不及一人。美國平均每四方英里有人口四十九人，日本竟達五百七十七人。日本和中國及印度一樣，都是糧食不足的國家，即使生產正常，供應得宜，也不足以維持全部人口的生存。若果遇到天災或政治的混亂，勢非一部分人餓死不可。

每年人口增加兩百萬

政治安定，國民衛生改良，則人口增加更加迅速，糧食不足的程度更為嚴重。現時日本人口為八千五百萬，每年增加約為二百萬。十年後全國人口將超過一億。二次大戰，因為軍閥的愚昧冒險，但未始不是受這種壓力的影響。戰爭結果，是把日本的侵略勢力從亞洲大陸和東南亞各國驅逐出去了，退回了扶桑三島。然而問題能從此了結嗎？八千五百萬的人口，不止不會減少，而且日見增加。生存問題便愈來愈見嚴重了。近一年來，日本時常想和中共做生意，在反共立場上，這一觀念當然是錯誤的。但也可以顯示日本生存問題的迫切。這一迫切問題，不止日本自己要求解決，自由世界也是責無旁貸的。餓死事小失節事大，或者可以責諸個人，是不能責諸一個大國的。

麥克阿瑟曾經為這一問題，主張讓日本佔領或移殖於未經開發的新幾內亞，自然引起澳洲的大反感。他的研究機關，曾主張日本應該實行節制生育，也受到基督教徒的嚴厲反對。現在日本是獨立了，這根本問題，是否讓日本人自己解決呢？我們設身處地，日本能否關起大門來，節衣縮食，得到解決呢？

節制生育，無疑是應該可以實行的方法之一。但即使沒有阻力，恐怕也要四五十年之後，才能見效。目前怎麼辦呢？

有餘糧國家已把大門關閉起來

上面已經說過，亞洲國家如中國，印度和日本都是糧食不足的國家。另一方面，東南亞國家，如越南、泰國、馬來亞、緬甸、以至巴基斯坦、韓國和印尼，都是有餘糧的。過去日本想用軍事的力量向這些國家，求糧食問題的解決。現在日本軍事失敗了。但這些有餘國家不是用政治的方法便是用經濟的措施，把門戶關閉起來，不只人口不能隨便移入，生意也不易相通。防阻日本貨，恐懼日本商人的心理，已經普遍流行於東南亞各國。大家都想築起經濟壁壘，以求自保。日本在武裝解除之後，無疑是一籌莫展的事。但這些有餘國家能夠以此免禍嗎？現在越南和法國的力量已經擋不住中共和越盟的侵略，寮國已經岌岌不可終日，泰國和緬甸已經嗅到火藥的氣味。泰越緬一失，馬來亞和印尼乃至巴基斯坦和印度亦決難幸免的。

亞洲要免赤化必須自由國家經濟合作

現在要用武力侵略求糧食解決的，不是日本而是中共。而且中共的侵略，也不止於解決糧食，糧食之外還有其更險惡可怕的企圖。這形勢已經是很顯明的了。

今日的亞洲，要想避免中共奪取糧食有餘地區，要想避免全亞的赤化。必須有餘地區能協助已經工業化的日本解決其糧食問題，日本能以其工業成就和資本技術協助有餘地區的開發。雙方在經濟上互通有無，互相扶助，然後政治上方能互相合作，軍事上方能共同防衛。中共退出大陸之後，日本和中國經濟合作，則日本問題更易解決，防共力量更加宏厚。要實現共同防衛，必須以經濟的合作為合作基礎，舒曼的歐洲煤鐵計劃，足資借鏡。我們已聽到亞洲防衛軍的呼聲，還未聽到亞洲經濟合作的呼聲。不能不說是亞洲民主集團目前一大失策。

論集體農場制度（上）

許漢劍

集體農場制度就是新農奴制度，帝俄時代的農奴，奴役他們的是地主，現代鐵幕內的蘇俄與中國大陸，奴役他們的是俄共與中共！

南斯拉夫總理一席話

前幾天報載南斯拉夫總理巴克里曾對蘇聯施行的集體農場制度加以評論，認為現代農業技術的進步，將使蘇聯集體農場的計劃，巴氏並特別強調汽油與牽引機發明的重要性；他說：

『集體農場制度首為恩格斯所創始，後為列寧所採用。……自恩格斯與列寧時代而至今日，時勢確已起了一些變化。例如列寧的學說是以使用蒸汽機與電力於農業發展為根據，然而今日已有汽油與牽引機的發明，使農業發展已有若干十分不同的趨向，現代農業生產力已能有非常迅速的發展，同時亦能單獨利用牽引機等重要生產工具。牽引機能由一個人，一個農民來操縱使用，而蒸汽機的情形則非如此。一百年前，整個家庭只能耕種六十公頃的土地，但今日有了牽引機，單獨一個人即可耕種同樣面積的土地，而且牽引機最適用於一百公頃大小的農場，蒸汽機至少須五百公頃的農場始可適用。』

所以他的結論是：南斯拉夫已確定放棄集體農場制度。巴克里本身是一個農業專家，他的見地也純粹基於技術方面，其實蘇聯採用集體農場制度，政治的與經濟的因素比較技術因素更加重要，換句話說，縱使技術上證明集體農場制度有缺點，蘇聯基於政治和經濟的理由，決不會放棄這個制度的。

帝俄農奴的歷史

說明蘇聯為什麼要採用集體農場制度，須從歷史說起。

在第一次世界大戰以前，俄國還一個農業國家，根據一九一三年的統計，農業生產估百分之五十七，工業生產只佔百分之四十三。在帝俄時代，人民久處專制淫威之下，封建制度根深蒂固，地主控制力至強，所以俄國農村有一種特殊產物，就是農奴。在一七一八年，全國農奴的數目達三百萬，一七八一年增至五百萬，農奴佔農村居民總數百分之五十五。

到一八二五年十二月，有一班反對農奴制度起義，結果雖然被鎮壓下來，但這次是俄國人民揭櫫反對農奴制度的嚆矢，

農奴制度的廢除

一八五五年，亞歷山大第二即位，朝野都認為農奴制度已成為經濟發展的障礙，非加以剷除不可。當時農民騷動的風潮遍及全國，在一八五八年騷動的事件共八十六起，翌年增至九十起，再翌年再增至一〇八起。俄皇亞歷山大也感覺到農奴制度須要解決了，所以在一八六一年正式公佈廢除農奴制度，從此大多數農民從不自由的奴隸變為法律上的自由人了。

這些農奴由政府籌款給他們向地主贖回耕種的土地，規定在九十九年內還本息，交還國庫，到一九〇五年俄國第一次革命前，農民繳還贖款的已達二萬萬盧布，統計已獲解放的農奴達二千一百二十九萬人。

農奴制度的廢除，是俄國歷史上一個轉捩點。

十月革命後的農民

農奴在法律上雖已獲得自由，但在經濟上仍未能翻身。許多農民仍須向地主租佃耕地，一般地主於是向農民提出『對分制』的辦法壓迫農民接受。所謂『對分制』就是農民須以全部農產收成的一半交付地主作地租。所以俄國大革命前，農民的痛苦並未解除，農奴制度雖已廢除，俄國農民騷動的事件正方興未艾，計由一八六一年至一八六三年農民騷動達二千起以上。俄國農民一直到一九一七年十月革命才獲得真正解放。

馬克斯主張階級鬥爭由無產階級奪取政權以後由勞工政府專政，但列寧將「勞工政府專政」的口號修正為「勞農政府專政」。列寧深知欲保證革命的勝利，必須獲得佔全國百分之六十一以上的農民合作與擁護，所以列寧在十月革命成功以後，即提出一切土地歸於農民的口號，並於一九一八年成立貧農委員會，將五千萬公頃富農的土地沒收轉分配給農民，於是不但貧農對新政府竭誠擁護，就是動搖不定的中農也站在革命旗幟之下了。

一週展望

·雷嘯岑·

「應戰不如止戰」！

杜爾斯前天向其美國人民演說，主張「應戰不如止戰」，他以過去兩次大戰的情形為例證，覺得「應戰」的代價，是得不償失的。

能以「止戰」的方法和能力來遏制強權侵略行動，世界大戰根本就不容易發生，很顯明的例證即為韓戰。麥克阿瑟當年認定蘇俄不敢掀起大戰，主張對中韓共軍採取主動攻勢，衝過鴨綠江，摧毀中共巢穴，使其無法再戰。果如此，韓戰早已結束，東南亞亦不致有今日的戰禍了。麥帥的判斷現在業已證明為正確無訛，也就是「止戰」的上策。不幸，美國始終以「應戰」為限度，因而釀成整個亞洲烽火連天，不可收拾的現狀。

杜爾斯的「止戰」政策是對的，但需要有不惜一戰的實力和勇氣纔行，我們且以板門店的和談來作考驗罷！

以亞洲國為中立國

板門店和談恢復之始，共黨即反對以瑞士為監護戰俘的中立國，目的是要設法達成其強迫遣俘的陰謀，我在本刊已有所論列了。

共黨滿懷鬼胎，羞人答答，所以現出「欲言囁嚅」之態，不敢明白的要求以印度為中立國，而只說「亞洲國家」，所謂作賊心虛是也。

聯軍代表已斷然拒絕其建議，如果堅持不妥協，即有「止戰」的大作用。因為自由遣俘的事實確定後，俄共集團鑑於二次大戰時百萬以上的俄軍陣前投降叛變情形，心驚胆寒，即不敢輕啟戰釁，自速其土崩瓦解之禍了。

高棉要求獨立

越南戰事吃緊之際，高棉國王向法方提出完全獨立的要求，聲言如不獲許，高棉人民即將聽受越共「勸導」，實行叛離法國聯邦。這有些乘人之危的要挾意味，似非所宜。

然而，即此可見法國政府對其舊有殖民地政策並無多大的改善，這是深堪歎惋的事。法國官方人士前幾天尚否認越南戰事是有民族運動的性質存在，繼又表示願予越南各邦以最大的自主權利，這就是無計劃無誠意的態度，難怪高棉國王要乘機要挾了。

東南亞今後是否能免於赤禍蔓延，軍事對策尚屬次要，政治上沒有新的措施，那是極危險的局面。

英國工黨人士看越戰

英國工黨議員在議會要求政府及早促成韓戰結束，不要跟越南戰事混為一談，這是錯覺。韓戰停了，越戰又惡化，假使東南亞淪於鐵幕，馬來半島能相安無事嗎？即為英國自己的現實利害計，這種觀念亦是有害的！

民主陣營的政治觀點不統一，終將自食其果，悔之晚矣！

澳紐馬聯防之說

英倫方面有澳洲紐西蘭馬來亞聯防之議，這當然是對東南亞局勢發展的一項最後打算，即為「期固吾圉」的不得已之辦法。

太平洋聯防公約由於西方國家的政治歧見，始終無法實現，只為各人自掃門前雪的消極措施，結果是被敵人各個擊破。目前最低的防禦計畫，應將馬來亞、越南、香港、菲律賓、台灣聯成一氣，纔是共同安全之策，一切斷片的防禦手段，終歸是無濟於事的。

雷德福僕僕長途

美國太平洋艦隊總司令雷德福已由香港到了東京，不日即赴台灣。他此行走遍了東南和東北亞地區，且強調太平洋聯防主張，可見他的行動是大有作用的。

他在半年內，已兩次作同一地區的長途旅行，對於太平洋岸的安全措施，必有詳密策劃，我們希望他此行不虛，大有成就。

西德民族主義影響整軍

「美國新聞與世界報導」邦城通訊・羅貽譯・

民族主義運動正迅速在西德復活，勢將成爲一支強大勢力，對德國與自由世界的關係引起嚴重影響。在此西德重整武裝問題臨緊要關頭之際，民族主義情緒的激漲，已是一個不容忽視的重大因素。

未來最大的勢力

希特勒未興起前在德盛極一時的民族主義運動，最近已迅速在西德復活。納粹份子的擾亂，雖最受各方注意，但民族主義的復起，實更爲重要。不久以後，它可能成爲西德最大的勢力。

民族主義思想的萌動，已到了驚人程度，對未來西德與自由世界的關係，引起了嚴重影響。今日在佔領期間於盟軍中工作過的德人，都會受到其同胞的懷疑。到美國去訪問，受教育訓練的德人，也同樣受到社會上一般的猜疑。戰後獲得盟國許可的西德報紙，已被認作「特權報紙」。在法庭裏，一位辯護律師要求庭上對被告輕判時，只要指出被告在戰時盟軍的俘虜營裏受過苦難。

德國舊時的特殊民族主義趨向，今日也已重現。有教養的德人，已漸漸脫離了羣衆，自成一個較高的階層，而一般智識水準較低的羣衆，竟能安詳地接受這種情況。

工業家地位日高

德國過去的顯貴，雖然在社會上已失去了崇高地位，工業家們卻已取而代之。歐洲軍條約一旦實現，德軍重新成立之後，軍官勢將和這些工業家並駕齊驅，或甚至更超越他們。

德國人對軍人的態度，也表現了強烈的民族主義趨向。德人已不復批評戰時的德軍行爲。在一九四五年德國崩潰時常常可聽到了德國士兵集體逃亡的故事，今日已完全消失。盟國對德國戰時罪行的指責，已被德人對盟國戰時對德國特來斯頓和日本廣島大轟炸的指責所抵銷。

關於民間民族主義情緒的強烈，有一件事可作爲絕佳的例證：一個德國戰犯從英管區越獄脫逃，一個社會黨人發現了他的藏匿處後，便向警察報告，但受懲的不是逃犯，竟是這告密的社會黨人，他終於被市民逐出市境。

公僕還是主子

舊軍官的聲譽正日益增長，紐倫堡戰犯審訊所造成的損害並沒有延續甚久，德人普遍認爲對戰犯的懲罰太不公允。納粹時代的將領，目前正紛紛著書撰文，記述他們往日的戰役和勝利。新的退伍軍人的協會和組織，如雨後春筍，正在各地茁生，其領導者無不是往時的軍官。希特勒的衝鋒隊，其戰時罪行早已被大衆遺忘。

德國的新軍如經成立，它勢將成爲德國政治上的一支決定性勢力。德國有思想人士所顧慮的問題，乃是這支未來新軍將成西德的公僕還是主子。

如果這支新軍能如六國歐洲軍計劃所規定的，成爲這支聯軍的一部，其初步人數也限於計劃中的規定二十萬人，一般認爲西德政府還有控制他們的力量。但要是重整武裝的限制宣告消除，而徵兵五十萬人之多，則軍方的勢力必會迅速勝過政府。

蘇俄進攻的危機

關於這問題，西德政府的防禦設計部門中，業已引起了激爭。結果，二個力主保持小規模軍力，並加嚴格控制的二位官員，終於憤而辭職。目前的趨勢，指向未來的新軍勢力將籠罩於政治之上。

對於新軍成立後的形勢，西德報章雖沒有怎麼討論，但政府和民間卻已在激烈地私下談論着。其中最重要的問題，是在一旦發生危機時，這支新軍將負起怎樣的任務。人人都恐懼的危機，是西德邊境旁的俄軍將領有一天突然提出一個最後通牒，如有這類事件發生，俄軍將使德國將領面臨一個抉擇，一是聽任俄軍長驅直入，不予抵抗；二是在抵抗下使德國城市迅遭俄軍摧毀，人民大多被俄軍放逐。

對於這問題，德人都惴惴不安，他們完全不知道德國將領到這時候究將傾向那一邊。

德人認爲，對此問題的明顯答案，是在於西歐六國組成堅強的歐洲軍，使俄軍將領永遠不敢提出那樣的最後通牒。不過德人所聽到和看到了歐洲軍計劃前途，絕對引不起他們的興奮，他們所猜疑的法軍戰略，則更使他們爲之膽寒。他們認爲蘇聯一旦由西歐進攻，法軍的戰略便是將法軍先撤到非洲，等到獲得美軍前來應援時再圖復起收復西歐。德人這種想法的起因，是由於法國堅決要求法軍在歐洲軍保持獨立。

△西德新軍胚胎，特種警察的裝甲車

青年一代的思想

不過在西德的青年一代中，他們今日對德國軍事傳統的尊重及民族主義思想，會不如年紀較大的人那麼強烈。目前領導德國命運的較老一代，他們認爲對於德國，一種溫和的民族主義趨向卻是值得鼓勵的，這種傾向和納粹時代的不同，它祇是保持民族的自尊。但自三十五歲至四十五歲的人士間，其民族主義情緒則比較激烈，當這批人在數年內成爲西德的領導者時，他們的民族意識未必不會發展成極權制度。

所幸西德青年，尤其是中學生和大學生，對於過去和現在都表不滿，他們並不敢於參加德國新軍。有一次一位印尼外交官到柯龍大學演說，偶而對過去德軍加以讚揚，便受學生大噓，他當時不禁大爲詫異。

不過這批學生將來在參加德國新軍相當時期之後，是不是仍會保持這種態度，這是今日無人能回答的問題。他們如要堅持今日的態度，便必須努力對抗正在西德各地興起的民族主義情緒，否則他們會被這情緒所控制。

現在，歐洲軍條約由於法德兩國本身的政治問題以及相互的猜疑，迄今未獲批准，而美國爲了西歐本身的防禦，已一再強調德軍非早日建立，以充實西歐的防力不可，在此緊急關頭，關鍵就在德國和法國的政治家們能不能顧全大局，互相讓步，使德國能順利建軍，早日參加歐洲軍，合力保衛西歐了。如果他們猶對小節斤斤較量，致使歐洲軍再遭展緩，或甚至成爲泡影，即使蘇俄不進攻，德國和法國內民族主義情緒的激漲，也可能迫使他們改變路綫，到這時候，他們要組織歐洲軍，事實上或已絕無可能了。

中國官應知中國事

台灣通訊

台灣近來流行一句格言，叫做：「中國官應知中國事」。聞此言的來源，係由於台省近來洋化的風氣日盛，若干大員，均以能辦新洋務自負。至於本國歷史文化，國父遺教，國家情況，反不予用心，甚至不屑研究。胡適之先生是主張接受西洋文化最早的人，但他自己的國學根底卻頗爲深厚。吳稚暉先生是主張將綫裝書扔下毛廁二千年的人，但他一生的行值，卻深得儒家文化的精髓。只知洋務不知中國事者，實係淺薄浮俗之輩，但在今日卻多膺重任，因以社會上乃有此警語。

過份洋化

台灣在日本人治理之下五十年，日人當初竭力推行殖民地式的奴化教育，幷將台省同胞之能講日語者，列爲其所謂「國語家庭」，卽給享受，均異於常人。但是仍有若干老輩的人物，始終不習日語，幷禁止其子女說日語。惟社會上一般人，在日人的淫威之下，不得不學日語。迨台灣光復，則無論老幼男女，均踴躍學習中國的國語。且多自注音符號學起，說得一口上好的京片子。大陸來的人，南腔北調，曾一度使台省同胞，莫名其妙，發生究竟誰的國語算是標準的疑問。近年以來，他們聽慣了，方才知道大陸來的人多半不會說國語，倒是他們後來居上，合乎標準。但台省同胞自己交談時，除用台語外，亦仍不免常用日語。某次會議席上，政府大員深不以台省同胞仍用日語爲然，台省同胞則謂鈎座一句話中，有一半英文，也是和我們一樣，講的外國話幷非國語。他如許多不必用英文的地方，也用英文，的確予人民以不好印象。最尋常的現象，如交通指示牌，醫院旁邊不寫醫院，一定要寫H；學校旁邊，一定要寫S，這都是洋化過頭的地方。

前些時候，美國大使館武官處，曾非公開地招考國語教官以便送到美國，教授美國人士學中國國語。雖未公開招考，報名者仍將近一千人。許多人都經過了一番準備，才去應考。那知道主持考試的人並不注重英文，卻只注重中國國語，尤其是發音，辨字，解釋成語，及唐詩等都出人意料。原謂錄取四十人，即可赴美任職。但近日各應考人均接到通知，謂美國方面暫時不需要人，俟需要時，再行函達。雖則許多人白忙了一場，但可以證明美國人尚想多知道些中國事，則中國人，尤其是中國的大官，還不應該更多知道些中國事嗎？

自卑感和誇大狂

抗戰的時候，重慶的官是又大又多。今天台灣的官是又忙又雜。一天到晚，開不完的會，說不完的話，其所以費力多而成效少，恐怕仍就是對於中國民間的事了解得不足之故。我們從旁聽他們講國外的事情，的確頭頭是道；至於中國的問題，則不免有些隔閡。這種情形，在從前以金融界中人最爲普遍，現在則逐漸地傳染到各方面的人。凡是充分洋化的人，其實也只是在生活的享受方面，力求舒適，夠得上外國一個中等家庭的水準。對於眞的西洋文化，所知道的也並不多，而眞正能具有西方的負責服務精神的，更屬少數。

與洋化風氣相對比的，便是從自讀經問題發生以來的一片復古聲。因此有人說，中國官固然應該知道中國事，而現代的官也需要知道現代的事。只知有人不知有已是自卑感，只知有已不知有人是誇大狂。自卑感加上誇大狂，便造成了文化上不可救藥的局面。自由中國的官吏，其思想言行不但影響台灣同胞的心理，並且爲東亞安危之所寄，論壇上既然有了這樣一句格言，必有其可靠的來源，頗盼望當局諸公能自此轉變作風，毋負民望也。

天下小事

艾森豪聲望日隆

艾森豪總統就職三閱月的時候，美國蓋洛普民意測驗所曾舉行一次測驗，試測人民對他施政的反響。據說：他所獲得的人望已較他就職以來還要增加。計贊成他的施政的，達百分之七十四，反對者，百分之八。無意見者，百分之十八。一個月前，蓋洛普也曾有過一次測驗，那時贊成的是百分之六十七，一個月後，艾森豪的聲望又增高了百分之七。甚至民主黨人中贊同艾森豪的施政者也有許多，據蓋洛普的統計說，民主黨人中，贊成與反對的，是五與一之比。

波大使擬留美避難

波蘭駐美大使溫里維克茲在行動和思想上，與蘇俄暨一般附庸國家的駐美大使頗有距離，在私人談話間，他經常透露他對共產主義的失去信心，而且對俄共在附庸國中的壓制嚴橫，大表不滿。最近，波蘭外長史卡齊維斯基在紐約出席聯合國大會的時候，波大使也曾和他數次衝突。據接近波蘭大使館內人士說，溫里維克茲一方面厭惡蘇俄及共產主義的統制，一方面自知其地位即將不保，所以正計劃擺脫共黨的控制，向美政府申請以政治難民的身份留居美國。他這種意圖，雖已爲波共所探悉，但鞭長莫及，也奈何他不得。

傳戴高樂退出政壇

雖然戴高樂將軍一再否認，但巴黎仍盛傳他準備於現時退出政壇的謠言。據說，戴高樂將軍對他的若干黨人要弄政治手段，藉黨來謀一己利益的行動大爲不滿，他可能退出他協助創立的法國人民聯進黨，從此閉門家居，不再過問政治。

畢加索意態蕭寞

第六屆國際電影節在法國康尼斯揭幕的時候，各國名流和影星到會參加盛典的很多，當晚有一個盛大的晚會節目，規定出席舞會的男賓應穿燕尾服，女賓應穿夜禮服，與會的人依照規定，唯有一人例外，那便是因畫史達林像而遭黨申斥的法國畫家畢加索。當時畢加索穿了一件揭黃色天鵝絨的夾克，上面鑲了一條白色的皮邊，這種打扮，古怪，不禁都要圍上來欣賞一番。有人很禮貌地問他，他表示這是藝術家不受拘束的本色，但在場一位著名的心理學家卻說，這是一種自負狂，適足充分反映他內心的痛苦。

俄共內部傾軋日烈

莫斯科釋放猶太醫生，只是蘇俄權力鬥爭的一部份，由下面一件事也可證明。據外國觀察家說，捷克的史蘭斯基事件，是最顯明的排猶運動，如果俄共釋放猶太醫生，是有意改變路綫，廢棄排猶態度，則他們一定會重提史蘭斯基案，但到今天爲止，克里姆林宮還沒有準備翻案的跡象。（孟衡）

新聞人物

東埔寨國王——希哈魯克

最近東埔寨總理在法發佈聲明，支持國王希哈魯克在美訪問時發表的談話，要求法國予東埔寨獨立，並表示否則全國人民可能發動反法革命，在此越共侵寮戰火高燃之際，東埔寨已受重大威脅。它是中南半島法聯邦三國之一——越南，寮國，和東埔寨。它雖是三國中面積最小的一國，祇有五萬三千六百六十八方哩，它可是僅次於越南的人口數字可達三百七十五萬，比寮國加多百分之一百五十，寮國祇有一百五十萬人。東埔寨舊名扶南，眞臘，現稱高棉，位於越南的西南，北與寮國接壤，西界泰國，西南瀕南中國海的暹羅灣，遙遙的和星加坡相對望，是東南亞形勝之區。國王希哈魯克正由歐美取道日本歸國的途程中，在他未出國前，生活雜誌記者曾往訪問，對他的生活個性，報道甚詳，下面是該文的節譯：

鑽石袖扣

東埔寨國王希哈魯克，他住在一座金頂的王宮之內，他剛剛年滿三十，已是一個鰥夫，他有三十名舞女，是他在宮內獨居的歡樂對象。他有一間極其豪華的辦公室，他的飲食也極其講究，例外的加菜每餐有十樣之多，他最寶貴的是那付價值一萬五千美金的金鑽袖扣，那是前王所遺留下來的，當生活畫報採訪人給他拍照時，他說他的任何東西都不在意，祇有這個，他說到「這個」時，指指那付袖扣。

多才多藝

希哈魯克於一九四一年前王逝世後，因爲前王未曾指定繼承人，他以隆高的威望，繼承了王位，他是法國騎兵學校畢業，精於騎術，在御廐裏畜有二十四匹純種的駿馬，他也喜愛劇烈性的運動，更喜愛駕駛汽車高速度的奔馳，置有甚多高貴的名牌汽車。他是一位多才多藝的人，音樂家，畫家，劇作家，演員，在王家爵士樂隊裏他吹薩克斯風，並且吹奏着他自譜的歌曲。他常常在王宮外寫生，繪有甚多的油畫。在「一千〇二夜」戲劇裏，他扮演王子的腳色，他拍過三十二次電影。

削髮爲僧

東埔寨是信奉佛教的國家，希哈魯克也隨同和尚禮佛，他跪在一座銀製的塔裏，身旁陳着許多古時祭器和兵器，他在幼年時也曾削髮做和尚，那是依據他們的習俗，他得做三個月和尚，同時還得大大的佈施一番。東埔寨的人民相信星相，政府也有星相家的官員，國有大事，由星相家選擇日時。希哈魯克在徒步外出時，前面的侍衛，執着一根矛形的木棍前導，後面的侍衛，擎着一柄大傘罩蓋着他。

象陣平亂

越共胡志明的匪部，常常給東埔寨以煩擾，在這個魚米富裕的國家之內，由於氣候的不適，人民大都不願勤於工作，加上胡志明共黨的煽惑，國王也就成爲指摘的對象。上年還發生過一次宮廷變亂，幸而希哈魯克機警的及時由臥室逃出，他在京城百囊邦（PROMPENH——一譯百靈奔）結集兵力，在安康（ANGKOR）廢城附近，用象陣擊潰了那干在赤色鼓惑下的作亂暴衆。關於百囊邦京城的故事傳說，說遠在五百八十年以前，一位貴婦人於一個樹孔，發現四尊青銅佛像和一尊印度神像，才將國都移建於此，百囊邦的譯義，就是「佛靈聖地」。眼見這佛靈聖地，正在亟急蛻變中，它的前途，可不就是和東南亞整個局勢，具有同一的命運。（健超譯）

中共加緊剷除民營工商業
大陸廠商走頭無路
共黨細胞組織深入控制一切

毛澤東在「新民主主義」一書中所說允許「民族資本家」存在的謊言固早已揭穿；到目前爲止，即一般私營廠商的命運，也已到了徹底被中共侵吞佔奪而名存實亡的地步。據最近大陸各地的消息看，中共業已普遍在各私營工廠、公司、乃至規模并不很大的商店之中由工會或職業公會的組織而演進到黨的組織。中共各地黨部，已分區域和職業兩種範圍在所有私營工廠、公司及稍具規模的商號中建立共黨支部。此種支部，除嚴密地掌握了工會的領導權以外；并掌握了各私營廠商行號的資本、會計、生產、營業、人事等等的全部權力。該種共黨支部之「書記」，已取各私營廠商行號的主人或經理而代之，已成爲中共統治下的「合法」的新的「資產階級」，極爲一般中共黨員所嚮往而互相爭奪。當中共在私營廠商行號中之設立支部最先者爲北平、天津、上海三地。天津首先設支部者爲規模較大之普安堂國藥店；上海則爲新申紗廠。未幾，即迅速擴展，在大陸各都市及若干工廠區域，如南通、無錫等地相繼建立，到目前，大陸各地所有工廠、公司組織及職工大致在五十人以上之商號，皆已建立支部。故實際上目前大陸之私商，已眞正到了被消滅的階段。

被迫治淮勞役過度
民工傷亡慘重
共幹胡幹不顧人命

據開封共黨報紙揭露之消息稱：由於治淮監工幹部之操切從事及工地安全衛生措置極端忽視，致有大批治淮民工因工成疾、受傷、或死亡！據該地共黨報紙透露：目前治淮之基本勞工，係從河南、安徽、湖北、江蘇四省征用民工充任，爲數共有一百零三萬之多。分在南灣水庫、薄山水庫、白沙水庫、板橋水庫、石漫灘水庫、佛子嶺水庫、東湖逆水閘、王家壩進水閘、潤河集船閘、蘇北三河閘、邵伯節制閘、淮安節制閘、六垛南閘、六垛北閘、高良澗船閘、泰州仙女廟船閘、淮安船閘及洪河、潁河、包河、惠濟河、黑河、澥河、泉河、北淝河等支流從事挖泥、搬運、打椿等苦役惟因一般監工幹部只顧盲目要求任務，缺乏計劃、調度節制，與必要之安全措施，以致不僅工地秩序至爲紊亂，尤以疾病，受傷及死亡事件，層出不窮；而且日增月累，損失慘重！其中：因勞役過度，體力不支而隨地昏厥者有之，失足暴斃者有之，積勞成疾者有之，落水溺斃者亦有之。因盲目趕求任務而碰傷者有之，驟斃者有之，被水流去者亦有之。且由於醫藥衛生之缺乏，其中積勞成疾因不得適時及適當之醫療而無辜犧牲者，爲數亦極可觀。據共報在提出「迅即制止治淮傷亡事故」之呼籲時所揭露之傷亡統計數字稱，迄目前爲止，此等爲數百萬有餘之民工中，已有百分之十五以上積勞成疾，尚未得及時醫療；已有約百分之三左右的民工因工死亡！由此以觀，便可知中共奴役人民之情狀，是何等殘酷慘烈了！

牲畜交流運動
農民損失重大
集體購買徒耗雜費
供不應求普遍怨忿

【本報訊】由於共幹好大喜功、盲搞「運動」，使大陸人民飄遭無辜損失。最近雲南省各地共幹，會大搞其「牲畜交流運動」，均因表面宣傳大實際內容小而使各地農民大受損失。其中尤以該省之蒙自專區於本月五日在蒙自城舉行所謂「萬頭牲畜交流大會」，飭各地農會組織農民合購耕牛，而該專區實際準備可資供應之耕牛僅有四百四十餘頭，其他羊、猪、驢子等牲畜亦只三百餘頭，因而各地被組織到蒙自購買牲畜之農民十九都告落空，使各地以萬計的農民因被組織到蒙自購買牲畜而遭受徒勞往返、耽誤生產及旅雜等費用的損失異常浩大，而且即使能買到牲畜的農民，也因牲畜之供不應求，價格大漲而負担了較平時多百分之二十到三十間的損失。此種情形，雲南各地皆類似之，故已普遍引起農民之憤怨！

建築工人怠工現象嚴重
中共藉特務手段壓制

北平消息：自各地建築機構因計劃脫節造成普遍窩工現象而使建築工人蒙受生活打擊後，已普遍引起彼等之怨忿；乃於最近各工程絡續開工後，各地皆發現建築工人有普遍怠工現象，使工程效率，大爲低落。此一現象，即爲中共中央引起注意，經派員分赴各主要工地及上海、天津等建築機構調查研究後，已決定以「加強建築工人政治教育」爲名，在各建築機構及工地設置政治機構，以便用特務高壓手段，壓服工人之反抗行動。現中共「建築工程部」黨總支部」已通令大陸各地建築工程機構設立此一組織。此一組織之系統，曾規定省市工程局及各地「國」營建築工程公司設「政治部」，大工地設「政治指導員」，小工地設「政治教員」。部之內部組織，設宣教、組織、幹部及勞保四科。據悉：該一命令中曾指斥各地建築工程機構爲「只重業務，不問政治」；指斥此等機構之黨和行政都背棄了「政治教育重於一切」的原則。又據北平人民日報一篇檢討文字中指出，謂「建築工人係『基本建設』中的主要一環，今後必須提高建築工人的政治觀念，並提高其勞動熱情，消滅其懈怠落後的行爲，方能順利地完成大規模建設的任務」。因此，今後大陸各地建築工人，將更進一步遭受中共的殘酷壓制，殆無疑問。

農村饑荒城市蕭條
失業問題益見惡化
偽政務院令禁止城鄉流動

據偽政務院最近發出一嚴厲之指示中透露，大意謂：入春以來，以各地農村之春荒嚴重，均有大批受飢農民拋棄田地，盲目向就近城市竄湧；而城市方面，不僅工業建設之範圍尚不能容納城市本身過剩之勞動力（即失業群衆多），即商業情況，亦未達繁榮之階段，故無法安置自農村湧入之大量求職謀生之農民。爲維持各地之治安秩序，並促使鄉村春耕生產之大力推進，應即切實制止城鄉失業勞動群衆之盲目流動云云。簡明言之，即目前大陸各地，因農村普遍飢荒，城市工商業蕭條，兩地皆有嚴重之失業問題存在而無法解決。關於此種現象，據偽政務院舉例稱：除西南區最嚴重外（請參看本報二三〇，二三三兩期），東北、華北、西北等地極嚴重；僅瀋陽、鞍山、天津、濟南、太原等處，均有爲數約兩萬至四萬不等的鄉村飢民盲目湧至。此外如上海、蘇州、無錫、南京、南昌等地亦因有甚多農民盲目進入城市另求工作而加深了該等城市的勞動力過剩問題（即失業問題）。因此，現偽政務院已通令各地共幹硬性規定不准農民入城，並不准各工廠任意接受農民作工。故今後大陸農民不僅生活將益見蹙，且身體自由，將更受束縛矣。

天津共幹合作撈世界
訂立貪污攻守同盟
組織龐大遍佈工商機構

最近中共天津市委會曾會同天津市「人民法院」及「公安局」破獲一大規模之集體貪污案子，該案首先係在天津市「工程建築公司第六分社」抽到線索。緣該分社主任王煥如和祕書會計杜中禮，原係此一集體貪污之有力份子，上月由，總公司派一會計國葛林至該分社接充杜中禮專任會計時，王杜二人即千方百計拖其落水，詎葛林係一新被提拔之「積極份子」，然中「前途」，即向天津市委會密報情況，引起該會注意，即飭國葛林姑且虛與委蛇，俾進一步探測內幕，搜集罪證。迨最近，國已知王煥如等貪污甚多，且交際頻繁，生活闊綽，行動詭祕，乃向上告密，將王杜二人逮捕；王杜知無可隱，乃全部「坦白」；凡所交經者，均係其他各「國營」工商機構之科長級幹部，爲互相呼應之貪污「同盟」份子。由是，該等貪污份子即遭紛紛拘捕；主要者，計有天津紗廠材料科長趙明，天津染整三廠出納主任白仲仰，二區合作社會計主任張鵬雲，「人民銀行」天津分行第八營業所主任劉世承，天津「識字運動委員會」會計許世桐，天津工程建築公司總務科長，及該公司第二分社會計李忠霖等約十人。旋即展開訊問，不得不紛紛坦白，眞相乃全部揭露：原來此一貪污案，係以私人友誼爲基礎，逐漸形成一不露痕跡之組織，其目的在互相呼應，以逐漸增加貪污之「同志」，擴大貪污之範圍，造成貪污之風氣，俾沖淡彼等貪污之罪情。因而彼等曾訂有一「攻守同盟」。所謂「攻守同盟」，即倘其中一人被破案而受處分時，其他未破案之「同盟」應多方予以呼應，以減輕其罪刑；倘彼此皆被破案時，則應採取同一態度，加以頑抗。但結果，此一同盟究甚脆弱，一露綫索，終告全部敗露。至其貪污之分利方式，據供認：則係採各盡其能，各取其值」辦法，互不相關。據中共天津市委會統計，該批貪污份子之全部貪污數字，前後約共有五億六千多萬元云。查貪污一事，已爲目前大陸各地各階層共幹中之普遍現象，惟貪污而訂有此種「攻守同盟」者，則尚屬創聞。

中共發動挖蛹運動
疲勞政策愚民

中共以「春季愛國衛生」爲名，最近飭各地普遍大規模的發動一「挖蛹運動」。不惜勞民傷財，要各地人民用有限的人工翻掘屋角、牆脚、廁所、陰溝等處，尋覓蠅蛹，集中毀滅。此令一下，在東北、華北、西南、西北、華東、中南等區的城市中，即首先開始忙亂。尤以東北及西北更爲迅速，在該兩地區之部份農村所謂「少數民族區」目前亦已在發動之中。青島及上海兩地更爲別緻，發動員了一千多個青年學生，組織了所謂「挖蛹遠征軍」。據新華社宣佈各地在最近一個星期內已得的「成果」：瀋陽已挖到兩萬七千九百多斤；撫順五千六百多斤；濟南兩千五百多斤；上海一萬三千多斤；青島一萬一千多斤；鞍山三萬二千多斤，尤其是承德，竟說曾經一一加以清數，共已挖到了二百九十五萬六千多個，幾已近乎怪誕荒唐！但須知此種情形，若僅從現時代的科學立場觀之，只以爲其近似兒戲，彷彿神話，若從中共與此類似的各種措施加以研究，則我們即可對其動機恍然有所了悟，一言以蔽之，實爲愚民政策的手段之一！中共藉此特別着重以利用非從事生產的婦女，青年學生等投入此種極度浪費的勞動即可證明。蓋中共旨在勞動困乏其身體，而後乃可麻痺其思想，使無所用心，成爲愚民也。

正陽大鬧飢荒
千餘羣衆請願
數十人被捕下落不明

【本報訊】河南省正陽縣之飢荒程度，較該省一般地區尤爲嚴重；據統計：業有百分之三十以上的人民無法舉炊，都以野菜，草根之類裹腹，境況殊爲淒慘！本月十七日，因正陽共幹曾組織千餘年壯之飢民以極低代價使之運糧出口，致引起公忿，一度爲請願而大起騷動。蓋飢民眼見中共大批糧食外運固極不滿，復利用彼輩之飢餓而廉價利用勞力尤爲忿恨，乃紛紛擁至該縣「人民政府」門外，大事叫囂，要求留糧救濟。後經共幹以彈壓及說服並施，方分批散去。惟聞事後曾有數十人被捕，下落則不詳。

共區教員演戲出氣
指桑罵槐痛快淋漓

據重慶新華日報披露：四川師範學院曾有兩助教——萬舞年，羅忠鑑——於今年春節假「擁軍優屬文娛晚會」演出平劇鴻鸞禧的機會，指桑罵槐，痛詆現狀，以洩怨忿。據云：萬舞年於劇中飾化子頭金松，羅忠鑑飾落魄公子莫稽，於金玉奴賜飯而金松歸來時，萬在戲中問羅：「你這個沒種的窮秀才來幹嗎？」羅答：「窮秀才翻了身，毛主席叫我來要飯啊！不是我自己要來的。」萬說：「不是你自己要來的？毛主席准你要飯，我們段主任委員（即該校校長）可不曾把聘書請你這個窮秀才來到我這裏說教哩！」待當羅吃罷飯而將碗一摔時萬說：「你是個沒當官兒的窮秀才竟敢喘掉我這個人民的飯碗？要如你當了官啊，我們人民底當頭都要給你啃光了！」羅接着說：「嘿嘿！我不當官兒，還到罷了，要如我當了官兒，我就要造原子彈殺人機殺人！」又當莫稽進京趕考，金松陪送進京而移交化子頭職務時對新化子頭說：「歷史、任務、地位，都要交代淸楚，要不然，乃是擅離職守，說不定我這老骨頭到了京裏還要吃上中央文教部的官司！」……像這樣的對白，當然有問題，明明是在出氣駡人，當時無人注意，事後乃遭「檢舉」但目前如何「處分」，尚無消息。

長蘆鹽區鹽工
愈是拼命生產
生活愈是痛苦

【本報訊】天津消息：長蘆鹽區，原爲我國產鹽地之一，但由於中共對於鹽工極重剝削，鹽工生活，極爲痛苦；亦大爲減少；惟中共不因此放鬆管制，反愈益厲其手段，提出「保證質量，提高產量」口號，強迫該區鹽民一春完成任務，今年已自四月一日開始工作。全區鹽場自四月一日至二十五日之二十六天中，據共方發表統計數字，謂已完成任務百分之十二點五二，鹽質比去年提高，甲等鹽佔百分之七十五以上，全部消滅了丙等鹽。而鹽工實際生活情況，並未改善，雖拼命生產，亦不能換得一家溫飽。最近中共又在該區推行「柳國素先進扒鹽法」，強迫鹽工學習，使得鹽工更是疲於拚命。（木）

學生選科無自由
入校東調西轉
讀書一無所獲

現在大陸一般學校的忙亂及混亂現象尚未糾正，而朝三暮四地亂改科系及強迫學生硬讀某科某系的現象又到處發生；從任何一方面看，中共的「偏差」，實已到了無可挽救的地步！據北平人民日報透露：如湖南省進業高級商業技術學校（三年制），原定專學會計及統計，係由省財經委會節制，但只有「通用簿記」一專門科外，餘皆普通科，幾與普通高中無異；且不僅常告缺課停課，還在今年二月間被財經會將全體師生工友調去修洞庭湖；及至最近工程竣校，又被改歸省合作管理局領導，並當即改授「合作業務」。又如杭州土木工程學校，有一班學生原讀道路科，讀了兩個學期，即將該科改了建築科，再一學期，卻改了測量科。今年竟已改爲土木科，結果，使讀了幾年的學生依然一無所知。而且，據說學生選科的自由均已被奪：現在大多學生的選科，係由校方決定，而並非學生個人志趣所選擇。此種情形，實爲中共一貫摧殘青年，壓制自由的必然結果。

觀人於微

自由談

尚方

要想觀察一個人的品德如何，最妥當的結論，不如從日常生活的細微動態中求之。因為人們對這些動態是發乎自然之情，沒有矯飾的。我每每旁觀別人在交際場中飲酒吸煙諸動作，以推究其品性操行，頗有相去不遠之感。

勸酒鬧酒，原係人情之常，能飲的，不妨盡量，不能飲的，適可而止，彼此「不及亂」，這是正道。有些人，自己不能飲，或能而故意作態，專以捉弄別人強飲酩酊為樂，鬧個不休，其人必有好弄是非，自私自利的天性，不可與共患難，而他自己的任何事業，也不會有成就。勸人舉杯，不問對方飲否，輒先乾盃克己，或與人約盡若干觥，而毫不託詞狡賴者，其人處世接物，必崇信守，可交之友也。

於交際場中，不管生熟朋友在座，頻頻從懷中取煙自吸，而決不對座中人表示禮貌上之敬煙意態者，必慳吝刻薄，不可與通有無，其一生亦難有知己道義之交。對客談話而銜煙仰視，且以煙霧向上吐洩不輟者，必自視甚高，其驕倨程度常超過一個人應有的自尊心。以香煙垂置唇邊，如吞如吐，而俯視地下對客談事聊天者，必為機詐陰狠者流，避之則吉。

這些推斷，固不敢必其為百分之百的正確，但大致決不差。讀者試依此想像平日所接觸的親友們，必能發現若干類似的人物，恍然大悟，掀起會心微笑的妙趣哩！

懲共妙策

—聯合國一個小故事

祖．史密斯是一個年五十歲，溫和謙恭，安閒好靜的人，對人的態度佩和平得像古潭裏的水一樣，從不會泛起漣漪，與人有爭的，他是紐約一家報紙的記者，負責報導聯合國各小組的動態。

史密斯是一位五個孩子底父親、自己有一所寬暢的舊房子，座落在曼哈頓城聯合國總部鄰近，他把餘剩的兩間屋子分租給一位叫彼得、烏提沈柯的，是一個共產『人民共和國』的代表。

祖．史密斯很想同他這位鄰近居敦睦相處，除了偶然地在聯合國大廈走廊上碰過之外，很少見到他底影子，在起初的時候，史密斯曾摯誠地邀請烏提沈柯到他家裏吃飯，但這位代表總是陰沉冰冷地加以拒絕。

烏提沈柯所租的那兩間房子是跟整個的房子分開了的，當他想跟史密斯接頭的時候，多半是怨埋房子的事，常是用電話通知，『喂，我是烏提沈柯，我在洗澡室裏，發現了一隻老鼠』，祖．史密斯曾多次請捕鼠專人來查蹤殲滅，但連老鼠底影子也找不到，史密斯還不肯罷休，再請別的專家來勸查搜索。房客底電話又響了：『我是烏提沈柯，你底孩子吵得太兇，鬧得我不睡着覺。』此後，史密斯對他底孩子們下了一道嚴命，就是在九點鐘以後，不准講話！史密斯常想：「慢慢以親善，誠懇就會換到他底心的！」

但事實常和想像相反；一個夜裏，烏提沈柯到史密斯家裏來拜訪，這是年來的第一遭，這是一個不平常的拜訪！

「啊，烏提沈柯先生，怎麼啦？」史密斯站在門前瞪目結舌的問。「魏士巡長，有什麼事情發生嗎？」

魏士巡長在這個地段工作多年了，素知史密斯為人忠誠守法，他面顯然帶着很難為情的樣子，「烏提沈柯先生曾到警署控告！」

「控告我？」史密斯驚訝地說：「我真不明白！」

烏提沈柯站在巡長旁邊，緘默不語。他那陰沉的臉漸漸紅漲起來，兩目也黯暗無光。

「事情是這樣」巡長說：「這位烏提沈柯先生說：今天有人潛入他底房間裏，他疑心是這房子裏的人幹的！」

史密斯怔縮了一下，就彷彿魏士打了他一拳似的，「那：那簡直是令人不能相信的事！」

「得了，我相信你也許還不至于作那種事。」魏士巡長說，「因為他沒說丟失什麼東西，所以我來警告你一聲就算了」。

「烏提沈柯先生」史密斯問「別開玩笑，你真的……？」

烏提沈柯無聲無響地走了。巡長望着他底背影，然後轉過身來茫然地看着史密斯「我不明白，」他說，「我簡直不明白，但我得對這傢伙注意，再見，史密斯先生，別介意這回事！」

史密斯回到他底房裏坐下。

「哼！我從來沒見過……」他底太太先說：

「誰見過來？」史密斯說，「但我想我了解他，他是怕……」

「怕什麼？」他太太問。

「他怕人民思疑他，不是我們底人民，而是他們底人民。包括這裏的和他本國的。為了使他底人民相信他不喜歡我們，所以他纔僞造案件，以昭忠貞」

「約瑟」她氣憤地叫說：「約瑟，你快把他趕走吧！別再叫他在這裏住下去了！」

「我要對他說去！」史密斯說：

次日，史密斯在聯合國大廈底走廊上遇到了他，「我有話對你說，」史密斯對他說：

「喂！」史密斯說：「我知道我們不能以坦白真誠的友誼相處，即使你心裏想這樣，——你覺得應當這樣做……但我想同你講明白，以後不准再找警察，和發生類似這樣的麻煩！」

烏提沈柯注視着這個熱情流露的人，聳了聳肩說：「哼，你是一個法西斯走狗！」

「說真格的」，史密斯說：「我並不要求你喜歡我和我的家庭，但，你如果再逾格地來搗亂，我可要……」

「你要怎麼樣？」烏提沈柯說。

史密斯慢慢悠悠地說：「我可不開玩笑，我能要你底命，我真能夠這樣做……」他略沈頓了一下，數着手指說「我祇要能用幾字就成了。或者十個小字就夠了，今晚我先用其中的二個字。」

烏提沈柯傲然地冷笑起來。

「你常看報吧？」史密斯問。

烏提沈柯還是冷笑不答。

那天下午，史密斯用打字機打了一篇關于文化小組的報導。

烏提沈柯就在那個小組里作代表。報導是這樣寫着：「彼得．烏提沈柯是一位「愉快」、「熱誠」的人，現代表……」

第二天晚上，當史密斯在房里閒坐的時候，電話響了。

「喂！我是烏提沈柯，所看到你那篇荒誕無恥的東西了。我禁止你再提到我底名子……」

「唔，」史密斯從容的「但那不成，啊！明天的那篇稿子我已經寫好了，裏面有兩個字，也許你會感到興趣，好了，再見！」史密斯後來所想的有建設性的兩個字是「合作性」和「……」

以後，烏提沈柯又一天打電話來了，他底聲調裏帶點顫抖。「史密斯先生，」他說，「我禁止你！」

「禁止」？

「我請求你！」

「嗯，那還差不多」

「請你別寫下去了」。

「但那哪兒成！我已經寫好！」

「求求你」烏提沈柯急得叫起來，「再不跟你搗亂了，請你相信我底話，」

「誰敢相信你底話……」史密斯說，

「我懇求你……」

「好吧！但你要記住，我還有六個字未用呢？我纔用了四個！」

「我記得就是了」。

史密斯掛斷了電話，接着又撥叫報館排字房說話，「請排字房，」

「我是祖．史密斯，我有一篇關于聯合國的報導，現在那是已評定版了吧!?，一篇介紹一位叫彼得．烏提沈柯的東西，我稱他做「友善的」和「親西方的」，請你把這兩個形容字眼拿去！」

「好吧！你憎恨他嗎？還是有別的事情發生？」

「不，我不憎恨他，也沒有事，」說着就放下了電話。

「喂，你在那里嘀嘀些什麼？」他太太問。

「關于烏提沈柯的事，」史密斯說，「以後再不會有麻煩了，你也明白了吧!?」

「你假若要我祇要顯意，我就能把世界上大部分的共黨毀滅，起碼是離開蘇聯本土內那些外交人員，我能使得變輪船都載着被召回國受死的共黨。」

「你瘋了吧!?」

「沒瘋，這僅是我底一點想法而已，其實我才懶得去管它呢！」（梅楓譯自讀者文摘）

新世說補遺

死裏逃生記（二）

地震後兩日，旅館主人以缺糧為詞，對中國人下令逐客，囑往投本國公使館庇蔭。余等華籍學生三人，負書囊，載小衣褲，黯然徒步出發，由高田馬場至使館所在地麴町區，約有廿華里，烈日之下，枵腹前行，午後始達目的地，則見一片瓦礫，使館蕩然無存矣。投止無門，仍擬折回原寓，而飢渴難忍，道旁有販啤酒者，三人合購一瓶，將以止渴焉。忽有憲兵來，喝令止步檢查，啟視余書囊內有中藥「神麯」一塊，疑係毒藥，又指余等所購啤酒為火酒，謂為放火置毒之「支那人」，唯未開鎗格殺，押余等赴隊部審問。隊長先命一醫官檢驗藥物，因無仿單，不明「神麯」係何性質，雖經余詳為解說，仍不見信，入報隊長，未悉所云為何，但聞隊長厲聲答以「可殺的支那人！」余念生命將在頃刻，急求醫官許余吞此藥物入腹，願留該部一日，以測其是否有毒？醫官取得隊長同意，命以啤酒吞服該藥半塊，餘半留置部隊作證物，每隔半小時，進余溫水一盃，不特藉以解渴，且得止飢，暗自慶幸。但囑同行二友勿遠離去，倘有不測，幸為料理身後，二友亦誓必相伴，以覘究竟。該醫官坐余旁，時而揭視余兩眸內側，時又以聽筒偵余呼吸，時或按余脈搏，歷三小時，迄無異狀，疑恨心情似已降低。旋詢余留學時期及出生地，余詭言家在上海，彼笑頷之，謂將來頗欲赴上海一遊，余力言必盡東道誼，以酬今日維護之德。繼由彼將經過情形入報隊長，釋余等歸，惟「神麯」半塊不發還耳。

曾聞先慈言：是歲先君方在湘南某縣令任內，報載東京大地震，中國留學生多死亡，而三閱月迄不得余信，急乞命相家為余推論命理，謂為「馬走獨木」之運。先君悽然曰：休矣！吾兒十九已無生望。即請辭職。然則命運之說，果可信耶？是誠匪夷所思也已。

馬五先生

求籤趣話

・猬士・

吾鄉蔡士信是光緒朝的進士，他早年屢次考試都不中，一天他到城北的八境台游覽，台上供有呂洞賓神位，他隨意求得一籤，上說：「若問功名事，功名兩不成」他總以為毫無希望了，但是死不了的心，仍然每屆去應考，後來在戊戌那年他中了進士，細想起來籤上說的兩不成，果然戊戌兩字和成字都差不多。

其友鄉前輩謝敬虛告我，他民國元年偕前南海縣長王平秋、游曲江南華寺，在六祖肉身佛像前，王君求籤問欲再為縣長何時才有希望，籤上說：「若逢冷雨秋風至，依然恢復舊生涯」那時是夏季，但是到了九十月依然無實現之象，到了次年冷過秋，王君任廣東省長，是王君的舊友，於是委充大埔縣長，才恍然籤上冷雨秋的所指。

陳布雷某次代理教育部長，因不慣於政務繁劇，天天想辭，但是當局再三不准，心緒煩悶已極，一天登雞鳴寺，在觀音大士前偶然求得一籤云，「一朝丹詔從天降，珠玉豐餘滿載歸」，他以為文不對題，過後也忘懷了，不料他做滿了一年派朱家驊來接替，才想起這兩句籤的靈驗，那上句說政府命令，下句「玉豐餘」是說朱字旁的玉字是多餘的，明明是朱字，滿載是滿一年，真是神妙極了。

國軍英勇苦戰

一位民族英雄

奴役的藍圖（三）

麥柯米克神父著　陸逸譯

這位鄉長在吃飯時即覺得情勢可疑，遂託辭暫出，從後門跳牆溜走，奔向有一百個地方保安團駐紮的穀倉處，當共軍攻打縣城的時候，他恰好趕到。

一個身穿國軍制服的傳令員出現在穀倉前面，大聲叫說少校命令他們投降，他又說其他兩個連早已繳械了，鄉長拒絕投降，於是不久一股氣勢洶洶的共軍把穀倉團團圍住。

第二天，成羣結隊的共軍在市鎮街頭上巡邏，用門窗，棹椅做成的障礙物把穀倉圍得水洩不通，他們只要一露臉，便被穀倉裏的國軍放槍射倒。第二天像第一天一樣地過去了，在黎明的時候，倉門驟然大開，一百個國軍向共軍防禦工事的地方衝去，共軍狼狽潰散，而這一連民團在這忠勇的鄉長率領之下退入山區。

這對於共黨無疑是一個大丟面子的事，所以在其後的三個月裏，費盡千方百計來捕捉這些「反動份子」。鄉長底那一連人又有別的二百位「反動人士」加入，為了殲滅這三百人，共黨派遣了三千軍隊帶着嚴格的訓令來清算這位鄉長和他底部屬們。

這位鄉長很細心地選擇了一個防守據點——在一座大河環繞的山頂上，共軍要到那裏必先搭船渡河，鄉長不動聲色地任由共軍去集結船隻和準備進攻。他命令他的部屬屏息無動直到第一批已經快要抵岸，第二批已到達河中心的時候，他才下令放火，一時步槍及二挺機槍交叉掃射，共軍傷亡數百，共軍又作了兩次強渡，最後，這批共軍的機槍過熱，彈藥也將近殫絹，鄉長遂下令撤退。

在這次的遭遇戰裏，三分之一的共軍被殲滅了，這位鄉長領導着他底三百弟兄們向北轉進，其後滙合在反共游擊部隊裏，繼續反抗共黨。

當人民談起這位鄉長時都從心底泛起一種擊愛的敬意，他們希望他不久能回來解放他們，這便是揭發共黨宣傳中國政府官員貪污無能是一種謊言的明證。

那位叛變的少校不見了。那些投降的民團被調到別的地方去改造思想，後來編入紅軍。現在偶然有一封半封的家信從東北或北韓寄來，不過大多數已音訊飄渺了。

當地方民團撤走之後，共黨進入市鎮建立了一個地方政府，樣樣事情都是事先計劃好的，公告貼滿街市保證一切照舊，第一步是先把市面恢復舊日秩序，使人民安居樂業，但那祇是共產黨隨便說說而已，它們從來未兌現過。

（第一章完）

國際風雲帶來了財富

巴西富豪造屋投機

第二次大戰期中，南美洲已是大家所嚮往的安全地區，戰後幾年來，國際風雲險惡，當地更成為富翁們的理想憩居地點，巴西特別是物產豐富景色宜人的，尤是有錢人的世外桃源，再加上他本身的理財手腕，就由於這些因素的作祟，在短短的數年至十年期間，巴西造成了一個舉世聞名的富翁，他的財產多到無法估計，他的豪富使得巴西內閣的部長也要看他的眼色。他就是鼎鼎大名的金融家約丹。

他的豪富到了怎樣一種地步呢？最近，有許多巴西政府的部長向他求情，米拉斯吉拉斯省省長也向他打躬作揖，他才顯露笑容，大筆一揮，在一張借款合約上簽了字，這一張合約要他拿出一千二百五十萬美金貸給米拉斯吉拉里斯省，這數目是巴西歷史上最大的一筆，怪不得這一位禿頂而肥碩的約丹在簽字後，要用渾厚的葡萄牙語志得意滿地說：「我們都非常愉快，因為這對於巴西，將會有許多好處」。

其實，這筆巨大的借款，對於約丹本人也會有許多利益，他所開設的非達西里亞公司借出這宗巨款給米拉斯吉拉里斯省府，建築一個巴西最大的肉食工廠，建築廠的工程是由他的公司承包的，光是這借款工程的利潤和百分之十的借款利息，就使他在第一年間有機會賺到五百萬美金。

約丹原籍波蘭，二次大戰發生時逃至巴黎，納粹攻入法國前，再逃至葡萄牙，隨後決定移居巴西，當時他只有一點小數目的資本，於一九四○年達巴西，但卻是，以後他有豐富的經商手段，自增至一千五百萬美元左右，他純靠炒地皮和經營建築起家。他最初接到一筆六十萬元的交易，但在動工前就已賺到二十萬。目前他在里約熱內盧和聖保羅等大城市，擁有二十處三十二層的房屋，還打算建築七十二座美麗的多幢公寓，以每幢十五萬美元的價格出售。（由之譯自「時代」週刊）

中華民國僑務委員會頒發登記證台僑新字第一零二號

自由人

THE FREEMAN

（半週刊每星期三六出版）

（第二二七期）

每份港幣壹毫

督印人：李光華

社址　香港高士打道六十六號

電話：二〇八四八

GLOUCESTER RD. HONG KONG

TEL: 20848

承印者：東南印務出版社

地址：高士打道六十四號

台灣特派員辦事處　台北市館前街五十號

台灣總經銷處　台北中華路新號五九四之一

台灣郵政劃撥儲金帳號　九二五二號

新日本給我的新印象（一）

試答朋友們向我提出的幾個問題

左舜生

我不够了解日本，但我頗歡喜日本，若干年來也不斷的在注意日本，因此戰爭剛一結束，我便想到日本去看看。可是因種種的原因，種種的困難，始終不得成行，一直延到最近，日本的獨立又一年了，我才跑到日本去住了一個月，總算部分的滿足了我這個宿願。

回到香港，又已四天，連日有不少的朋友，都跑來向我問長問短，這無非表示他們對日本前途的關心；其實大家所提的問題，有的我勉強可以答覆，有的我簡直不能答覆，這完全由於我對日本知道得太少，實在是非常慚愧。在日本一個月的見聞，我另有一篇約三萬字的『東遊雜記』陸續在『中國晚報』發表，那一篇雜記的內容，只是就我所看見或聽到的一些具體事實，作成一種報告，並沒有多表示我自己意見；現在在這一篇裏，我却想就朋友們所提的幾個問題，擇要來說明我自己一些看法，當然只是請教的性質，我決不敢說我的看法便一定正確。

第一問題　先談教育文化

第一個問題：現在日本，正在向復興的途中邁進，究竟她這種復興工作的成就，已經到了怎樣一個階段？前途有無困難？今後的動向如何？

我是在抗戰的前一年到過日本一次的，就我這次所看見的，拿來和十七年前所見的一加比較，可以說除軍備一點而外，日本的復興工作，已大體完成，甚而有若干方面說她已突過戰前，亦非過譽。一個國家，最怕的是沒有立國的基礎，日本經過他們前數十年的慘澹經營，他們的教育文化基礎，政治基礎，經濟結構基礎，社會組織與秩序基礎……雖經過了一次的大敗，幾乎弄到亡國，但這些主要的基礎，並沒有根本敗壞，而且依然維持得相當的良好，把握得相當的堅實。

拿東京這一地來說吧，她的人口正與今天的台灣相當，他們的學術教育機關，眞可說是到處林立，人民日在教育學術空氣的陶冶之中，也在藝術文化空氣的涵泳之中，關於各部門學問的研究，科學與古物資料的整理與搜集，圖畫雕刻的展覽，音樂戲劇的演出，報紙雜誌閱讀者的普遍，出版事業的繁榮，體育獎勵倡導的不遺餘力，廣播與傳眞，集會與講演的到處皆是……我們只要稍一接觸，便可知道日本是一個有學之國，日本人民是有學之民，他們決沒有一種無知妄人，說像這樣一個七百萬人口的都會，只要有一個大學便已夠了，決不許第二個大學的出現；也決沒有一種無知妄人，偶然聽見一種稍稍離奇的言論，或稍稍怪誕的表演，便要去加以禁止或取締，在從前軍閥的時代，偶然翻閱一本日本的書籍或刊物，我們往往看見有不少經過檢查的叉叉，現在這種叉叉已久矣不復存在！依照我的直覺，我覺得日本的文化工作者在這種自由空氣中生息下去，在不久的將來，無論思想、科學、文學、藝術，一定會有更偉大的成績表現。尤其我這次參觀了五處畫展，一處雕刻展，聽過兩次音樂，三次歌劇，一次話劇，跑過百家以上的書店，看見無數藝術性的成品，我更相信日本的文學、藝術，在最近的將來，就會以新的面目與世人相見！一個物理研究者得着世界的獎金，一部影片畢得了世界影片的首座，這不過是從密雲中最初露出的一鱗一爪而已！

日本何以在一個短短的復興期間，會從學術文化方面表現這樣優良的成績？實在是由於他們的教育文化基礎，戰勝者既未予以摧殘，且曾加以愛護，而他們自身也確實有多數人競競業業在那裏埋頭苦幹啊！

進一步談政治

其次談政治：有不少的中國人，他們不羨慕自己的政治，一看見日本議會不能有一個絕對多數的大黨，便在那裏爲日本的政治前途担心。其實，從政治方面多少表現一點不安，這並不是可憂的；反之，只有政治情況凝靜得如一潭死水，或者如共產國家，永遠由一個大黨在那裏指揮操縱一切，而不能發現半點反對黨的力量，這才是眞正可憂的。我這次在東京，看見他們辦理一次選舉的始末，曾參觀了他們的國會議事堂，略觀他們議會政治的規模；同時在該議事堂，瞻仰了板垣退助，伊藤博文，大隈重信三位的峨峨銅像；我深信日本憑藉他們六十餘年的憲政基礎，斷然可以逐漸走上民主政治的軌道，即令隨時可能有一些小小毛病發生，但決無損於大體。下面我更要舉出日本政治幾椿顯著事實：

一、在日本從事政治的人，他們確乎要對人民有交代，人民也確實有權表示他們對政治人物與政治主張的去取與好惡。不問你是什麼人，（那怕就是現在最富有優越感的吉田吧）假如你要和民衆的關係脫了節，便立刻會發現你的政治地位不穩。所謂選舉者，便是訴諸民意，表示人民確有選擇之權，在選舉的結果沒有揭曉以前，誰也不敢說自己有絕對的把握。質言之，一般人民確把選舉看成一件正經事，而沒有把它看成一幕滑稽劇。例如這次的吉田吧，他曾再三表示他的自由黨仍有把握在衆院擁有二百席以上，可是聽憑他如何掙扎，究竟只得了一百九十九名；反之如鳩山與重光，他們也并不是沒有自信，但結果却歸於慘敗，以個人來說，例如號稱憲政之神年逾九十的尾崎咢堂翁，他自己和別人，總以爲他之當選是沒有問題的，但他這次却居然落選；反之，如久已被人遺忘的宇垣一成，（也在八十以上）大家並不覺得他有怎樣的把握，但他這次競選全國區的參議員，却得着出乎意料之外的成功。從這種地方看來，可見日本的選舉，決不是由有權有勢有錢的在朝黨可以爲所欲爲，而眞正可以左右選舉的力量，依然操於多數的選民之手。即令日本的選舉，還多少不免有一些毛病，但大體總算是不錯的。

二、日本的政黨，好像也相當的複雜，但實際角逐於今天日本政治舞台的，却只有兩個自由黨，兩個社會黨，夾在中間的，還有一個新興的改進黨，其餘如綠風，共產、勞農等等，舉不足道。日本這幾個較有實力的黨派，分開來既不出保守與急進兩途，合起來却可構成一個兩大政黨的形式。可惜今天日本的政界還缺少能符衆望的人物，否則加以調整與說服，把日本形成英國那樣一個兩黨更迭執政的局勢，并不是沒有可能。至於怕日本會要形成法國那樣一種小黨林立的局面，我覺得這是過慮。

三、這次我在東京的三越七樓，看見一個日本現代一百名人的照片展覽會，這個展覽會是由何種方面主催，我不會注意，但看他們所挑選的人物，却也相當公道。這一百個現代名人，除掉一二現已死亡以外（例如古島一雄），其餘的都還是生存人物。在每一名人的照片下，都附得有一篇小傳，同時也多附得有該名人一紙手書墨蹟。我把這一百名人大致的統計一下，政治人物僅佔十分之一，而教育家，科學家，實業家，藝術家，文學家，新聞事業家，出版家，社會運動家，……乃居十分之九。日本的第一流人物，並不必一定要向一條狹隘的政治路上去擠，而各有其安身立命之道，日本政治前途仍必有其光明，這是最重要的因素之一。

就以上三點看來，日本確有接近公明的選舉，政黨分野也有趨於簡化的可能，而社會有力人物，又可除政治以外，分途多方面的發展，這不是他們的政治有了良好的基礎，如何在敗後不及八年，即能給我這樣一個光明的印象呢？

論集體農場制度（中）

許漢釗

由於新革命政權逐漸鞏固，農村經濟也漸趨穩定，十月革命後農村耕地也漸復舊觀，到一九二五年耕地面積已增至一〇四三百萬公頃，接近第一次世界以前的耕地面積了（一九一三年耕地面積一〇五〇百萬公頃）。

五年計劃的實施

蘇俄由一九二八年起施行五年計劃，五年計劃是根據兩個政策編訂的，一個是全國工業化政策，另一個是農業集體化政策，集體農場制度就是實施農業集體化政策的辦法之一。第一個第二個五年計劃實行的結果，蘇俄已由農業國家變成工業國家，根據一九三七年的統計，工業生產的統計佔百分之七十七，農業生產佔百分之二十三。但在這兩次五年計劃裏，集體農場制度已有顯著的成績，從一九二九年至一九三三年，蘇聯組織了二十餘萬個集體農場，五千個國營農場。集體農場耕地在一九二七年是一百四十萬公頃，至一九二八年已增至四百三十萬公頃。一九三七年蘇聯再開始第三個五年計劃，後因德蘇戰爭爆發而中止，一九四六年起蘇聯再進行戰後五年計劃，亦已完成。

組織集體農場的先決條件是農業機械的製造與配備，在第一個五年計劃實施以前，只有二萬架耕種機，而且大半是輸入品，第一個五年計劃實施後已增至二萬七千架，大部分是國內自製品，到一九三八年已有四十八萬二千八百架耕種機，十五萬三千五百架複合機（即刈打兩用機），十九萬五千輛載重自動車。

政治因素

馬克斯主義者對農民階級性始終認爲富於游離性的，因爲農民階級中上至富農，下至自耕農，半自耕農，僱農，佃農，其經濟情況是相懸殊的，甚至有人把地主也列爲農民，更使農民階級性表現得模糊，嚴格的說，農民並不算無產階級，祇有出賣勞動力的普羅列塔利亞才算無產階級，馬克斯以農民爲無產階級的同盟者，其理在此。

列甯爲着保證革命的勝利，把農民與工人同列，祇是一種權宜的策略，施行新經濟政策的結果，證明布共（現改稱聯共）暫時向私有資本制度低頭，爲防微杜漸起見，斷不容坐視革命後農村的農民逐漸朝着富農的路走，所以必須使農民參加集體農場或國有農場，改變農民的素質爲農村的無產階級，把農民變成出賣勞動力的農村工人。

第二次世界大戰，德軍兵臨莫斯科城下，蘇聯卒能反敗爲勝，功於國有工業化與農業集體化政策。是的，全國工人農民都置於政府全部控制之下，沒有自由意志，沒有個人私產，無攜貳之心，也無反叛之力，於是天下定於一。

這是蘇聯採用集體農場制度的政治理由。

經濟因素

十月革命的目的，就是建立一個社會主義的國家，十月革命成功到現在已經三十六年了，蘇聯並沒有完全廢除私有資本制度，但蘇聯的經濟理想仍是朝這個方向走。去年十月左右，斯太林曾發表一篇文章，這篇文章可說是他臨終以前最後發表的文章，題目是「蘇聯社會主義經濟問題」，在這篇文章裏面，斯太林曾提出由社會主義過渡至共產主義的基本先決問題，先決問題有四個：

一、全部社會生產的不斷增長，而生產資料生產的增長要佔優先地位；

二、用逐漸過渡的辦法，把集體農莊的所有制提高到全民所有制的水平；

三、用逐漸過渡的辦法，使產品交換制來代替商品流通制；

四、使社會達到這樣高度的文化發展，保證社會一切成爲全面發展他們的體力和智力。

以上第一個先決問題是偏重重工業生產的建設，第四個是强調體力勞動者與智力勞動的地位不應强分軒輊，智力勞動者亦可作體力勞動者，同時體力勞動者可作智力勞動。第二第三個先決問題則可解釋爲集體農場制度設立的經濟因素。

半週展望

陳克文

寮王將降共耶？

曼谷合衆社訊，西撒旺王稱病困守王城，可能計劃投降。又稱共軍如進入王城，寮王即將政權移交其表弟蘇發那旺親王。消息雖屬離奇，但事實的發展是很有可能的。我們知道，現時東南各國的普遍心理，因爲宗教信仰，生活方式，以及政治獨立和經濟開發，對民主國家的傾向是遠勝於共產集團的。不過民主國家的力量遠在大西洋或太平洋彼岸，共產黨的力量却近在咫尺。因此平時以不開罪共黨爲能事，到了緊急有事之時，是很容易受共黨的威逼利誘，滲透分化，投入共黨懷抱之內的。

反對越戰國際化？

寮國覆亡已在眼前，泰緬馬來亞之陷入鐵幕亦不過是時間問題。共產集團藉韓戰緩和，併力南進，蘇俄亦已聲言這是不可避免的落後國家民族解放運動。可是西方國家對於防阻這一股赤潮的發展，還是躊躇不前。甚至對越戰國際化，提交聯合國的可能，還存猶豫心理。深恐在安理會中爲蘇俄否決權所阻，又怕會因此引起中共全面干預。試問在這種形勢之下，怎能夠鼓勵增强東南亞各國反共抗俄的決心？寮王之降共心理不是很自然的嗎？寮國而外，柬埔寨，泰國，緬甸，存着這種引狼入室的心理的人恐怕還是不少。這眞是東南亞現局的一大隱憂。

哀哉北韓的悲鳴

昨四日平壤電台廣播說，『北韓誠意求戰爭結束，但謂恢復談判便會招致朝鮮和平，未免太過樂觀。』韓戰到今，北韓差不多已經全爲戰火毀滅，北韓已再不能作抗戰到底的狂妄呼號，很自然的發出誠意求和的悲鳴了。既已誠意求和，爲甚麼又說談判不能招致朝鮮和平？可悲便在於此！我們知道，韓戰是蘇俄把北韓和中共當獵狗的，北韓雖近於毀滅，中共雖近於破產，蘇俄主子不准和，還是和不成的。蘇俄的遠東軍力正從去年的五十師團，增爲八十師團以上，中共和越盟侵略東南亞正在迅速進展之中。這正是蘇俄進一步征服遠東其他地區的千載一時機會。怎能夠把韓戰停下來，讓西方國家全力對付東南亞呢？談判不能招致朝鮮和平，原因便在於此。北韓毀滅與否，中共破產與否，蘇俄是絕不動心的。哀哉，附庸國的命運！

巴基斯坦照料戰俘

中共在板門店提出，要求由一個亞洲國家做照料戰俘的中立國，反對歐洲的瑞士或瑞典。現在聯合國已作讓步，提出巴基斯坦做中立國，中共還是不能同意。堅持要先商定不願意遣還的戰俘必須移送到中立國去。這可見平壤電台所說談判恢復不能招致朝鮮和平，不是沒有原因的。蘇俄從中作梗，中共和北韓怎能隨便作主？聯合國代表雖表示，共方如果還不接受，已經沒有問題和他們討論了。但我們相信共方還是會設法拖延下去的。

菲艦隊訪台

菲律賓海軍的兩艘巡邏艇和一艘掃雷艦，五月四日駛離馬尼刺灣，前往台灣作友好訪問，將於六日下午抵達台灣，訪問期間爲時五天。此舉對於中菲友誼的增進，和共同維護民主自由，團結反共，大有裨益，實爲吾人所一致歡迎。惟近月以來菲當局對於華僑集體拘捕，達三百餘人。不僅有礙中菲感情，且亦與菲國憲法有悖。菲國在防共防諜的措施之下，對於華僑事件的處理容有其顧慮不周，易釀偏激的苦衷。但大多數華僑是安份守己的良民，菲當局決不宜以一二害群之馬，牽累多數良民。民主國家必須以法律公平對待任何僑民。過去殖民地歧視華僑的落伍心理，萬萬不能復活。當此風雨同舟的危險世局之下，我們更希望賢明的菲當局，應注意中菲的友誼增進，以及共同的責任和義務。切勿感情用事，以至自陷於共產挑撥離間，陰謀分裂的詭計。我們謹乘菲艦隊來訪的機會，一貢其逆耳之言。

我駕米格機衝出鐵幕

波蘭空軍中尉卡里基述　黃霸譯

三月初，一位年青的波蘭空軍駕着一架俄製米格型噴射式戰鬥機逃入丹麥，使西方第一次有機會研究一架完整的米格機。以下是這位逃亡者經由翻譯口述的個人故事：

普遍憎恨俄人

波蘭華薩瓦．柯拉機場的總司令部入口處，掛着一塊牌子，上面寫着：「空軍同志們，你們應該向卡里基中尉學習，來執行你們的任務。」這是去年的事，我剛從合布林的波蘭空軍學校以全班第一名畢業不久。

我所以憎恨俄人的理由，在波蘭並不與衆不同。一九四〇年一月一個早晨，九歲的我住在斯坦尼斯拉夫附近一個村莊我叔叔的農舍裏，突然為一陣急促的敲門聲驚醒。這是第二次大戰的第一年，納粹德國和蘇俄已自行瓜分波蘭，我母親帶着我搬到我叔叔家裏去住，因為她以為那裏糧食比較充份。

三天饑寒交迫

我猶記得我們冒着風雪去到六哩外最近的火車站，然後搭上一列蘇俄火車的牛車，三天三夜沒有些微食物和水入口，挨餓又需挨凍。許多人都無法忍受而死亡，但我比較幸運，我祇捱了過去。一位蘇俄中尉經查明我父母不是叛徒而感到滿意後，我便獲許回到斯坦尼斯拉夫去。

遠在我學會駕駛米格機前，我早已決心逃出波蘭，共產主義下的生活使我實在無以忍受。我的脫逃，沒有受任何人賄賂。從我逃出波蘭後，我曾經聽說有鉅額懸賞鼓勵駕駛米格機逃到西方，但這和我的脫逃絕對無關。許多年來，甚至在我參加空軍以後，我一直沒有眞正的朋友。我不喜歡那種可能暗中偵察我的所謂朋友，我們都是受命偵查其他同僚的。

俄司令贈收音機

我素來希望做個飛行員，所以我成了八千考生之一，希望能在空軍學校的一百五十個學額得到一個。最後的資格考試多數是政治性的，最主要的是關於共產黨政治與社會使命的問題。我的答案完整無瑕，因為事前我已背熟了一個標準教科書中最長的一段。我於一九五〇年十月進了台布林的空軍學校。一九五二年四月六日畢業時，我得到了一架無線電收音機，這是波蘭空軍俄籍司令杜基爾將軍的禮品。這架收音機給我許多便利，後來使我能收聽英廣播公司、自由歐洲電台、及美國之音的廣播。

我調到華薩瓦．柯拉後，就被要求參加共產黨，我沒有其他抉擇。我甚至還願意擔任我小隊中的「安全官」，這是政治間諜的別名。不過我盡量避免認眞執行我的任務。

地圖上沒有丹麥

去年九月，我又調到駐在斯托爾普的第十戰鬥機團。這裏距離丹麥飛行祇要十分鐘。這時間之遙感到可以策劃我的逃脫了。當局發給我們的作戰地圖上，並沒有丹麥，不過我們聽到有丹麥的波荷姆島有一個巨大美國空軍基地。我想，祇要我能飛到波荷姆上空，美國噴射機便會引導我降落。

一九五二年末，我買了一本一九五三年的袖珍日記。平時我從袋裏拿出的時候，好幾次都翻到三月五日的一頁。我對脫逃已想了不知多久，這本日記既多次向我顯示這日期，三月五日便成了我命運的決定日子。我深信到了這天，我不是獲得脫逃，便是在脫逃時被擊斃。

六星期前，一天我進午餐的時候，對這事想得出神，竟不自覺的舉起手中的一杯伏特卡酒，喊道：「向三月五日祝福」，等我清醒過來，不禁大為驚恐，但幸而沒有人對我生疑。

一批新式米格機

一月二十日，我們得到了一批新的戰鬥機，共有十架，都是改進了的MIG十五型機。基地司令官一位叫巴布諾夫的蘇俄中校私下對我說，我們得到這批飛機，眞是運氣不錯，因為祇有十五架這型飛機運到波蘭，而其他蘇俄之外的共產國家還都沒有這麼新的飛機。其中四架不作訓練之用，而整日整夜保持警惕，準備對抗西方進攻，或執行「攔截行動」，這名稱在我看來是一種惡兆，因為它是指追逐和擊落任何設法脫逃的飛機。（譯自「生活畫報」）（上）

圖：卡里基在波共空軍學校時期學習滑翔機飛行。

國外通訊

美共傳將改頭換面

美國政府為了嚴密管制共黨，不許他們有叛國害民的行動，早就下令所有的美共黨員及十二個共黨陣綫組織必須向司法部登記。但美共於請示克里姆林宮後，也訂下了一個抵制的計劃。他們打算成立一個範圍更廣泛的，同時更隱蔽的陣綫組織，把現有各陣綫組織中的十二萬五千名以上的黨員全部收容在內，新組織將取名類似「政治自由調協委員會」一類的名稱，並將由身份不大顯露的共產黨員出任領袖。他們不僅擬改頭換面來逃避政府的注意，而且還計劃擴大組織吸收黨員，據消息靈通人士說，他們的初步計劃，企圖大肆抨擊居住問題，和攻擊參議員麥卡蘭與麥卡賽，來誘騙工會人士和自由黨員加入他們的新組織。

白宮內部的小風波

據華府熟悉內幕的人士說：對於如何應付國會，白宮內部頗有幕後的爭執。其中一派是「參謀長」亞當姆斯所率領的，贊成以更堅定的態度對付國會，很得到艾森豪總統的支持。另一派則由艾森豪的國會聯絡官皮爾遜少將所領導，主張繼續持以和軟的態度。這兩派暗中爭持漸烈，究竟何去何從，最近期內，艾森豪總統可望有一個明智的抉擇。

小史達林氣燄頓挫

史達林在世時，他的兒子空軍中將小史達林一向是一個天不怕地不怕的人物，空軍總司令奈何他不得，國防部長也讓他三分。但史達林死後，小史也跟着走上噩運，最近，紅軍高級軍官已經鄭重地警告過他，今後如果他還有什麼越禮或失職的行為，他不能再希望獲得特殊的優待。因此，從前不可一世的小史，現在已噤若寒蟬，再沒有往日的氣燄了。

越盟破壞美援機場

越盟軍於前不久破壞紅河三角洲法軍第二大軍火庫的消息早已見之報載，這是大家都知道的事，那次爆炸適在北寮軍侵的前夕，對於目前寮國戰局的逆轉，自然不無影響。殊不知還有一件比這更重要的新聞却被法國當局嚴密封鎖了，那是在軍火庫爆炸的前幾天，共軍還破壞了北圻唯一能起落噴射戰鬥機的機場，那座機場有部份經費是美國撥付的，但不料就在完工的時候，被越盟軍破壞了。

美陸軍將換新武器

在第二大戰期間，美國陸軍的一個班共有士兵十二人，戰後為了便於班長掌握士兵起見，每班兵額減為九人。但最近由韓戰所獲的經驗，一班九個實在不够調派，所以陸軍將於短期內改為一班十一個人的編制。不過，除了人力的增加而外，美陸軍部還計劃加強火力，現在美國兵所用的七五公厘無反挫力步槍即將廢棄，而改用一種口徑一〇五公厘的無後挫力新型武器。這種武器可以在一千七百碼內射穿現有任何型式的坦克，而且還可裝在吉普車上當作小砲使用。（孟衡）

天下小事

泰國準備三面應戰（上）

泰國雖然未下全國動員令，各項設施已反映出鑾披汶政府業已決心採取戰時準備。泰北形勢正隨着寮國軍事逆轉分外緊張，鄰邦的街頭充滿着戰時景象，一踏上寮土便易使人看到越盟的標語在衝要的[illegible]而彷彿置身於另一世界。邊境的六萬難民之中，縱不能確言其中有多少共黨分子，但越盟電台正向彼等號召「比肩作戰」。使泰國主管移民當局大為困惑。

寮國的侵略火燄在湄公河彼岸瘋狂作祟之時，平時對共產主義勢如水火的鑾披汶政府此時還該採取緊急行動了。然而它依然從容不迫沈着應付。這一個被中共蘇俄誣指為「美國新軍事基地」的國家，大概為了此種原因，避免中共或是蘇俄藉口「美國新軍事基地」而帶來新的軍事威脅，在行動上不得不特加審愼。就鑾披汶總理的態度和言行上反映出來的趨向，除非寮國局勢一旦更趨嚴重，是不會下令全國總動員的。事實上目下泰國的戰時準備工作，已自越盟侵入寮國之前，已經開始準備，不過這種準備工作當時並非為了應付越盟入侵，而係防止乃比里領導的「影子」傀儡組織——「自由泰國」——策動內變。大多數人認為泰國不是內變難以搖撼泰國，很少有人相信中共會掩護於「自由泰國」後面進侵。現時寮國的局勢已是十分危殆，侵略的火燄波及泰國，祇是時間的短暫而非企圖的有無了。中共越盟入侵已甚明顯之時，泰國朝野不得不提高警覺。

三面作戰的威脅

東南亞的許多反共國家，泰國是反共最烈而擁有國防力量較充分的一個國家，然而泰國陸海空軍以及警察的總數，祇不過五萬多人，歷年來在美國援助之下，戰鬥力確是已增強不少。不過目前的形勢將迫使泰國進行三面作戰，似乎窮於應付；南部防範馬共入侵；北部抗拒中共越盟的侵略；遏止國內潛共的騷擾。假如寮國局勢演變到入侵泰國北部之時下令全國總動員，顯然已有措手不及之勢。因此三月間內閣會議中便決定了一項做照馬來亞實施緊急狀態的辦法，擬組織「外僑反共志願團」，這一個機構將以三百五十萬華僑為唯一對象，因為大多數的華僑由於兩大困擾的激盪：一是受中共在大陸上對彼等家屬的迫害；二是他們具有眞正反共的意識；在頒布「非泰活動」法案所受到的束縛。對「外僑反共志願團」，無疑會激起極大的興趣。現時此一組織可望獲得當地僑領與領館方面同意協助。在另一方面，泰國國民救國熱忱也提高，此與正式下令動員，雖然有異，實際效果卻無大差異。

全力遏止騷亂

泰國政府對於內部騷亂的遏止，最近更為積極，上月三十日的一次大搜捕中，一批新聞工作者也被捲進，其中有「星暹日報」六名，「中原報」二名，「光華報」及「自由報」[illegible]。這些都是華僑報人，遭逮捕之理由係涉嫌「煽動及謀不軌」。[illegible]稀罕。試一般形勢而言，中部各省的情形甚好，北部卻已充滿戰時景象。[illegible]五省封鎖，並於湄公河沿岸布防。南部因[illegible]多林，泰軍方已抽調一師兵力，會同馬來亞保安部隊[illegible]增加到二千名的中共、馬共武裝進行圍剿，初步效果尚無消息傳來。（華英。五月二日寄自曼谷）

大陸收復後的國都問題

台灣通訊

台灣的論壇上，最近有很多討論大陸收復後的國都的文章。這個問題的開端，是因為台灣大學法學院長薩孟武在聯合國中國同志會作了一次講演。據趙右文君最近在新動力五卷第一期所寫的國策與建都一文，謂薩氏早經說過：「抗戰勝利沒有遷都北平，是我們的失策。」與薩持同樣見解的人，在自由中國並不在少數。國都問題的討論並不自今日始，遠在抗戰的後期，全國碩彥，便在重慶展開了廣泛而熱烈的討論。其時除主張北平與南京兩地者各有一大部份人外，尚有主張定都西安、蘭州、洛陽、開封、武漢、濟南、廣州等各地者，各有理由，不相上下。待民國三十五年十二月，制憲國民大會在南京開會，因主張定都北平與定都南京者，勢均力敵，爭持甚久，一時形成了南北兩派。中樞恐因此造成地方糾紛，影響團結，乃決定於憲法中刪去國都的一條，使其暫時成為闕文。

北平交通最便捷

台灣論壇上的意見，以贊成於收復大陸後定都北平者為多。這不但為原籍北方的人士所擁護，即南方人士，自受此次大陸淪陷的慘痛教訓，也多已贊同。如薩氏原籍福州，即為一例。仍主張還都南京者，其理由不外：（一）南京係　國父所指定之首都。惟　國父雖甚重視南京，但並無非在南京定都不可的明白宣示。而實業計劃的第一計劃中，主張在渤海灣的灤河口與青河口之間，開闢北方大港。并以大港為起點，建築鐵路，以多倫為門戶，經沙漠地帶，向北延伸到迪化。這是西北鐵路系統的幹線。復由幹線分出支線七條：第一條至大港正北的漢河；第二條經克魯倫以達中俄邊境；第三條經庫倫到恰克圖；第四條經烏里雅蘇台到邊境；第五條由外蒙西端到邊境；第六條從迪化向西到伊犁；第七條從迪化向東南經天山山峽，向西南，再經喀什爾到于闐。除鐵路的建築之外，並計劃將關內的人民向蒙古新疆遷移，以充實邊疆。疏濬中北部的河流，並開鑿運河以聯絡各水道與北方大港。開發河北山西的煤鐵礦，以奠定重工業的基礎。國父並謂此種鐵路實居支配世界的重要位置，由太平洋岸前往歐洲者，以經此綫為最近，因此，實業計劃第一部實現之日，全國交通當以北平為最便捷，全國重工業，當以渤海地區為最發達。（二）南京為國民政府成立以來之首都，上次抗戰，此次戡亂，中央政府均係自南京撤出。勝利以後既還都南京，此次重登大陸，亦應回至南京。此說實在從那兒來回那兒去，無非為心理上之榮譽感，與國防政策及國家需要無關。即令在反攻之初，政府可先行回至南京。但俟全國底定，亦自可有移都的可能。明朝初年，太祖定都南京，後即自覺其為不安。太祖晚年曾謂：「今朕年老，精力已疲。又天下新定，不欲勞民。與廢有定，只得聽天」。其後燕王南來，遂還都北京。明朝所以能有三百年的天下，成祖能及早遷都，為最大原因。但明亡之後，顧炎武著天下郡國利病書，猶對於太祖不知及早移都，深致惋嘆。

分設海都陸都

北伐之初，許多人都不贊成在北平定都，認為：（一）北平有東交民巷使館區域，我國內政往往受其干與。（二）北平天津還有官僚市儈習性，將使革命軍人襲其銳氣。但今日不平等條約早已廢除，東交民巷的特殊區域已不復存在。（二）平津昔日固有不良習氣，但抗戰勝利後的上海，其社會風氣之壞，更為全國冠。政府雖在南京，而事實上多受上海影響。會有人謂京滬之間，冠蓋往來，日夜不絕。京滬鐵路局，每逢星期日晚間的夜特別快車，均特選機頭機師，務使準點，蓋上海開車須不使跳舞者過早上車，而次晨到達南京，又能趕上紀念週，不致遲到。甚至有若干要員，「今日南京明日滬，一生半在火車中」。大陸淪陷方四年餘，往事昭昭，當尚未為人忘却。茲復有人主張以中國之大，國都可不必限定一處，如以南京為海都，以西安或蘭州為陸都，亦是一法。又有人主張於國都外，多設若干陪都，以為分區的政治中心。凡此均與日後省區是否重劃亦具有關係。惟無論如何，此次反攻大陸以後，國家必須作長治久安之計，所謀者遠，所慮者深，方可以使各項問題獲得合理解決。台灣論壇上對於國都問題的熱烈討論，是極有意義與貢獻的。

中共進一步迫害工商業者
擠出黃金白銀供搜刮
更令向海外招資再受剝削

偽全國工商業聯合會籌備委員會曾於上月二十日至二十六日在北平召開六省工商聯工作彙報會議，出席該會議的有河北、山西、浙江、河南、湖北、江西等省偽工商聯會的負責共幹陳國璋、李之成、盧化五、曾愉、李來之、朱緝章、鄭南宜、張修錫、革石等九人。會議由偽全國工商聯會主席陳叔通及祕書長主持。在此次會議之目的，係中共鑒於數年來鯨吞倂各大廠商並嚴厲控制商業大加壓搾以後，已因一般商人之消極抵制而使社會工商業極度蕭條，致已嚴重地影響了中共營業稅捐的收入。故在該會議中，曾決定喊出「擁護新稅制，繁榮工商業」的口號；並決定加強今後各省市縣工商聯合的「政治教育」部門，以從事一個全面性的改造商人的所謂「工商教育運動」。沙千里曾在該會議的「總結報告」中說：「目前大多工商業者正普遍而嚴重地存在着消極，機詐，乃至有計劃地違反政策的種種錯誤作風，此種作風已危害了新社會工商業的繁榮發展……故今後必須加緊改造此類工商業者的歪曲思想，加強其新的政治認識，務使他們改變態度，並說服他們將家藏的黃金白銀取出兌換，充實資金。尤須鼓勵他們向海外招來資金，充實營業。」最後，該會議中幷決定今後決全力加強各省市縣工商聯會的組織和人事及加強各級工商聯會與同級工、商、財政、稅務等主管機構之間的關係。由此以觀，可知今後大陸的商人，必將再臨劫難，進一步遭受中共的殘酷迫害！其中凡與海外有關之商人，尤勢將與「五反」時相仿，紛紛被迫向海外（特別是香港）乞求匯款相濟，以供中共榨取！

共幹無法無天駭人聽聞
干涉婚姻逼死男女
開棺剖屍挖出子宮

不管中共曾經宣傳「婚姻自由」而共幹干涉婚姻自由至於逼死人命之事仍到處發生。尤以最近安徽歙縣一夥高級幹部於逼死男女戀愛之幹部趙立品和江麗麗之後，復基於私人之研究興趣而擅將江麗麗「開棺剖屍，挖出子宮」一事，實屬千古罕有，駭人聽聞：

強迫承認強姦

據北平人民日報所載：綠江麗麗係該縣衛生院三陽區衛生所的護士，於兩月前曾與該所代理所長趙立品發生戀愛，縣「人民政府」得悉後，即將趙立品調縣反省，由人事科長鍾生明掌握處理。鍾生明於處理此事時，完全集中興趣於趙立品是否已與江麗麗發生肉體關係的問題上。趙立品當時憤於侮辱，即拒絕反省，默不發言。鍾生明乃與衛生院長張錦輝及祕書朱唯物商談，決定將江麗麗調該院反省。江麗麗回該院後，張朱二人即對她進行審訊逼供，常於午夜將她從床上強暴拉起，疲勞逼訊，迫她承認「曾被趙立品強姦」，她不允，朱即大加威嚇：「你不坦白，我叫醫生檢查你，開除你，叫你坐牢！」在此種威嚇下，江麗麗終於被迫屈服，揑造口供：「趙立品給我安眠片吃，我吃後無力掙扎，被他強姦了。」朱唯物等於得此口供後，即送交鍾生明。之後，縣「人民政府」決定通報全縣，擬作為「教育幹部」之典型事例。趙立品得悉後。即寫報告要求「縣長」劉文周弄清事實，但劉對此報告未予理會。鍾生明依然根據江麗麗被迫揑造的口供逼迫趙立品反省。趙無奈，在上月十日寫好「反省書」後即服毒自殺，雖幸急救未死，但「縣長」、「科長」等對趙立品之自殺毫不介意，反決定：「趙立品強姦江麗麗，畏罪自殺未遂，判處徒刑五年。」報請專署批准執行。

自殺了還受辱

江麗麗知聞趙自殺消息後，即痛哭失聲，大喊：「我害了人，小事弄大了！」當即要求朱唯物更正被揑造之口供，朱却說：「不能改，你自己做的事還會錯嗎？」且此後，張錦輝與朱唯物曾命令該院所有幹部不准與她接近，以致她到處遭受白眼，被人譏罵，痛苦不堪！終於在痛哭數日之後，投井自殺！自殺前曾寫有遺書，否認被姦，並說明被朱唯物逼供的冤曲情形。

更荒唐的，就在江麗麗自殺身死後，縣「人民法院」的祕書程定楷非但不追查自殺的冤情，反以個人的好奇之心，要看一看江麗麗究竟是否尚屬處女，抑是否已經懷孕？乃竟夥同縣「人民監察委員會」祕書洪嘯虎及「檢察署」之祕書，醫生等將江麗麗之棺木劈開，倒出屍體，剖開其下體，取出其子宮，帶回研究！而此種無法無天之惡行，竟無一人勸阻。可知共幹之作風，皆屬一丘之貉，豈能無今世何世之慨？

中共瀋陽商業系統
貪官無孔不入
三反後已發現百餘起損失偽幣十億

據四月二十三日北平「人民日報」揭露消息：謂瀋陽市各「國營」商業公司之貪污現象極為普遍而嚴重：謂在該一地區從去年三反後至今年二月底止，共發現貪污份子一百六十八人，其中包括舞弊、盜竊，勒索及撥款潛逃等。謂共被損失「國家財產」達九億八千餘萬元之多！據統計：其中貪污，盜竊在一百萬元至五百萬元的共有百廿二人；五百萬元至一千萬元的共有四十一人；千萬元至一億元的共有三人；一億元以上的二人。倘以貪污者之職務論，則其中担任營業員者五十一人；採購及押運員三十三人；會計及出納人員一十九人；課長以上中高級幹部二十二人；保管員一十五人；其他警衛、雜勤人員等共二十八人。又若以貪污者的參加工作的歷史論，則其中在三反以前的老幹部一百十一人；三反後從其他部門轉來的共五十七人。以此而觀，可見中共以反貪污為主的所謂三反運動，確未成功。關於三反後為什麼還會發生如此普遍而嚴重的貪污現象，據該報指出，是官僚主義作風盛行；是組織不純。覺悟不高，制度不嚴，領導不强；是貪污風氣沒有在三反時期作有效的撲滅。至於貪污者的貪污方法，則據云是表現積極，騙取信任，攫取有利機會，勾結私商，假報數字，並採取盜竊，抬價，壓價等手段云。

春荒日益嚴重
迫令婦女下田
各地婦女會手忙腳亂

【本報訊】目前大陸各地在普遍春荒嚴重聲中，中共已決定全力脅迫各地婦女下田從事春耕生產中之犂田、除草、積肥、捉虫等工作。現北平「全國民主婦女聯合會」已發出通令，飭各省、市縣、區、鄉、村等級之婦女幹部，全力「組織婦女」，「動員婦女」下田參加春耕。各地婦女會於接獲此項通令後，已紛紛大起騷動，為之手忙腳亂。尤以四川、雲南、湖南等省，已在各鄉村婦女會之間，喊出「挑戰賽」之口號，以誰能動員婦女之人數為多，誰即為「光榮勝利」。此種情形，諒不久即將擴大各地，且相信在共幹只求任務，不顧一死活之一貫作風下，大陸農村婦女必將一度再受殘酷之奴役無疑。

檢討、偏差循環不息
水利學校雜亂無章
教師辭職學生退學
黨團操縱一切任意胡搞

中共大多幹部低能幼稚之沉重，基本學能之低陋，盲目作風之積習難返，均使中共之偏差如春風野草，到處叢生！縱令曾以「檢討」為武器而並不完全諱疾忌醫，惟因幼稚，盲目之病已根深蒂固，致使「檢討」之本身亦皆屬偏差極倫！由是「檢討」與「偏差」兩詞往往便成為不同之意義而為相同之情形，循環遞進，終使錯誤永遠存在，而且愈陷愈深！

不知造就何種人才

例如據重慶新華日報所批評之西南水利學校為例：該校原係中共新辦之一大高級技術學習，有學生六百餘人，教職員七十餘人。但由有西南水利部及該校行政領導上的官僚主義作風，及盲目幼稚之種種措施，乃使黨團，教學等一切工作均處在長期混亂狀態之中！該校於前年七月成立，首先對應培養何種技術人才即無宗旨。開始時，規定辦三個月為期的短期訓練，後改為八個月結業，再後又改為三年畢業。其次是教學沒有計劃，教材沒有固定，黨團活動操縱一切，教職員學生被任意隨時抽調服務，教師的待遇沒有確定等等，皆使全校師生無法安心工作和讀書；於是教師希望他調工作，離開學校，學生紛紛要求轉赴別校求學，形成了一片混亂！

學生「過三關」

這種混亂情形當然要被視為「偏差」而加以「檢討」糾正。但在學校行政領導人副校長吳之平領導檢討下，並不深究病源，而用五十天之久的時間在全校展開了「澄清混亂思想，停止混亂現象，清除盲目性」的運動，訂出了「依靠工人（指教師），團結職員，辦好學校」的方針，把學校的混亂現象總結於學生打架、吵嘴、偷盜、損壞公物、不守校規等五類錯誤；並規定犯錯誤的學生要「過三關」，即要在小組，班，全校進行檢討。

同時，他還提出：「偷物還贓，打人陪禮，罵人道歉」以後「過去從寬，經檢討改正者從寬；今後從嚴，堅持錯誤者從嚴」等的處置辦法，從而展開了大規模的如火如荼的「檢討」，學生在此種情形下，自然服從照辦，於是，自然便鬧得滿城風雨，鷄飛狗跳，舊的混亂沒有在「檢討」中改去絲毫，新的混亂却在「檢討」中添上一陣，結果弄得笑話百出！

笑話百出滿城風雨

尤其在該校調整院系時，甚多高級班學生因不滿教學工作，要求轉到其他高級工業或水利學校去讀書，西南水利部竟指斥他們是「無組織」行為而大規模地發動了該校的青年團展開了鬥爭！此種情形正說明，舊的混亂不能解決，新的混亂不斷發生；「檢討」糾正不了錯誤，「檢討」的本身又在製造錯誤！諸如此例，不勝枚舉，舉一反三，可知其餘。

俄加緊準備南侵
趕工修建青康公路
動員十萬軍民

據上月二十七日西安發佈消息：最近在中蘇技術合作之名義下，有大批蘇聯高級築路顧問及技術人員經北平到達西安，準備轉赴西康省之西寧市，主持趕工修建青藏公路之工程任務。據該消息透露：中蘇雙方為合作貫通新疆、青海、西康、西藏之廣大高原腹地交通，特繼康藏公路的修建之後，加速修建青康公路，俾使青海省之西寧市與西康省之玉隆縣之間提早通車，以使該路銜接康藏路，貫通西寧與拉薩之間的交通。現為數約十萬左右的軍工與民工，已分別集中西寧與玉隆，正待命開工作兩端修建；並已在西北、西南區調用汽車七百餘輛，將大批器材及物資分別運送西寧與玉隆兩地。據云：一俟該批蘇聯專家到達西寧，即告動工。查青康公路，北起西寧，南至玉隆，全長一千一百三十餘公里，沿線大部地段，均在拔海四千五百尺以上，工程異常艱鉅。中共窮兵黷武，不暇建設，而由蘇聯代庖，其用意何在，實甚明顯。簡言之：即為蘇聯控制中國腹地交通陰謀之又一部份；目的在貫通南下西藏之孔道，既藉以掌握中國之交通命脈，復藉以加緊作南侵印度半島之準備。故此一舉動，極堪注意。

浙東游擊隊顯威
奇襲湯溪
共軍不備傷斃甚衆

【本報上饒訊】據四月廿六日從金華來此採辦糧食之客商口中傳出消息，謂金華以西之湯溪縣城，曾於本月廿四日午夜一度遭來自東西兩路之游擊隊約兩百人突襲。據云因共軍猝不及防，倉皇抵抗，一時秩序混亂，致為游擊隊所乘，勉強應戰約一小時待附近援軍趕到，方告解圍，結果曾被該批游擊隊擊傷十餘人，擊斃十餘人。該批游擊隊見共軍趕到後，即悄然分散路退去；共軍雖曾追擊，已影蹤杳然。無可奈何。湯溪為浙東從金華至衢縣間沿浙贛路的小縣，並無軍事或經濟價值，此次游擊隊突襲湯溪之原因，共軍諱莫如深，民衆亦不敢探究；惟據此間熟悉該處地形者之推測，或係浙南山區與浙北山區之游擊隊在利用空隙互相呼應而偶然作試探行動。

春荒未減天災又至
大批稻秧霉爛
贛桂等省損失嚴重

據上月二十五日偽農業部糧食生產司發出一「注意防止水稻爛秧」之指示中揭露消息稱：自三月下旬開始以來，江南許多地區發生種籽，秧苗霉爛現象。江西贛南之尋鄔、[illegible]南、龍南、虔南、信豐一帶霉爛的種籽，秧苗已佔播種總數的百分之三十到四十之間；福建省的上杭、武平、長汀及景江一帶已霉爛的種籽及秧苗亦已有百分之二十到二十五之間。蒙山、恭城一帶已霉爛百分之卅左右，該省最慘重要算富鎮縣一帶，竟已霉爛達全部播種的百分之五十之多；此外，廣西省之昭平縣一帶亦有程度不等之禾苗霉爛現象。據稱：發生爛種爛秧的主要原因，據各地調查，係播種以來，連日陰雨及天氣陰冷所致，其次則為種谷成分不合要求所致。又據稱：此種現象，目前尚有擴大之趨勢，故該司特發出一全「國」性之指示，飭各地盡力防止種籽及秧苗之霉爛。查目前大陸各地春荒之嚴重，尚未減退，春耕之成績至為低劣，目前再加上此一爛秧現象，實使大陸農村之情形異常憂慮！是以預料今年大陸秋收之情形，必多荒歉。尤以若中共一仍大事壓榨，則更嚴重而普遍之飢荒現象，恐至遲於今年冬季，即可發見。

遼河洪水泛濫
瀋毀屋二千幢
三萬災民流離失所
不獲救濟餓死百餘

查瀋陽石佛寺區位於遼河兩岸，常易遭受水災，尤以淪陷以後，因中共疏於防治，幾乎每年春季均有程度不同之山洪沖毀遼堤，釀成水災。據最近北平消息，遼河上游曾於上月下旬又因山洪暴發水勢下淌而將瀋陽石佛寺一段之堤塘沖塌，致大水一時泛濫，頓將該區魯家村、大丁泡、拉馬台、五間房等四個「行政」村淹沒，幸當地居民已有此種經驗而走避及時，致未喪生，惟此次水災中曾被冲毀房屋兩千餘間，故水退之後，仍有約三萬人流離失所，景況殊慘！且該地遭受水災以後，不儘因中共對此批災民未有安置辦法，或急切救濟措施而使災民流離街頭，飢寒交迫，致百餘人之無辜喪生！復因中共於水退後採用「因噎廢食」之策，竟不從修堤防水着眼，而盲目通令其他房屋未毀之災區居民一律拆遷，乃使一般尚有家可歸之災民亦告流離失所！且由於共幹一貫之強迫命令作風，出動軍警強制執行，一時如臨大敵，綜述天災之外，復加人禍，秩序為之大亂！結果，使此批災民因受急怨忿成疾而致死者，又有二十餘人之多！

華僑懷璧之罪

為方

自由談

菲律賓司法部長兼代國防部長卡斯特羅本月三日發表談話，保證菲政府「此後如無充分證據，決不逮捕華僑」云云。照他這項聲明看來，過去菲政府所拘捕的幾百名華僑，大概都是沒有充分證據的。沒有證據的嫌疑犯，必要時固然也可以拘傳偵訊，但不能久押在獄，不訊不釋。旅菲華僑之被拘者，竟至坐黑牢經年亦不知所犯何罪，這就太不成話了。難怪參院反對黨領袖芮闆說：「許多華僑被捕事件，其目的只是爲了索賄爲難的，尤其當殷富華僑被捕時，謠言四起」。原來華僑無罪，懷璧其罪，這就是「中菲友好」的表示罷！

年來在東南亞各地區的華僑，莫不受着當地政府的無理歧視，而其被歧視排斥的唯一因素，即是向華僑勒索金錢。或以法令（如暹羅）或以拘捕（如菲律賓）或藉社會惡勢力（如印尼）種種惡劣手段，不一而足。我幷不專是爲華僑鳴不平，尤其爲亞洲的新興國家可惜可恥。這些國家的政治人物，經常強調着民族獨立自主的言論，裝扮着了不得的形象，而其內政之腐敗貪污若是，對自己亞洲人之自相作踐若是。這種半吊子的言行，又怎能教那些具有民族優越感的西方人士不輕視我們呢？凡是商業貧乏文化落後的地區，貪污政治是必然的，而曾經殖民地生活的國家，其貪污無能與不自愛的程度，又更勝一籌，我常常抱着這樣的一種觀感。

新人村

楚三戶

險雨濛迷，籠罩着萬丈平沙，一列蜿蜒的小山環抱着幾千畝棉田，在這寂靜的海灘上形成了一個獨特的區域，阡陌之間，雖也點綴得有桃紅李白，然而，在重重雲霧之下，便不能使人摸索到人世間還有明媚的春光！

天還沒亮，呱呱的鳥啼已經驚破了人們的睡夢，很自然的爆起了陣陣的惶恐，在黯淡的桐油燈光之下，看得見這些帳蓬裏開始有人影活動；一陣嗚啦嗚啦的號聲，飄策着偷生在帳蓬裏的人們紛紛奔向一座紅色磚房前面的草坪。

忽然，一號帳蓬走進了一個五星帽花腰間掛有手槍的大漢，倉皇的到處張望：「史仁！史仁！你怎麼不去服務？」

「我病了！隊長！」從帳蓬角落的呻吟之中發出了這樣一個微弱的答覆。

「病了？他媽的！反動罪犯也生病？」

「眞是病了！」

「什麼？大聲點講！」

「什麼病？」

「遍身高熱。」

「眞是他媽的粧孫子，現在才春天就會那麼熱？分明是偷懶，和人民作對！當初要把你執行了，這時候不是在閻羅殿下滾油鍋？那你才知道緩刑兩年，參加勞動改造是人民的恩典！如今到了新人村，還不打算重新做人？立點功向人民贖罪？眞是他媽的頑固！」

史仁心臟跳躍的速度本來已較正常加快了好些，經過這番震驚，頓使還沒有完全冷却的血液沸騰起來，迷惘的腦海中便浮出了一個徒手奪槍的幻影，一咬牙，想坐了起來，偶爾清醒一點，意識到這樣虛弱的體軀那裏會敵得過那隊一個莽漢！轉念之間，由於聰明的作祟，凌雲的壯志便化作了倏忽的曇花！

「趕快起來！一隊人在等你一個！」

他只好支起了半截膀子。

「快點穿衣呀！你當還是從前！當軍長！騎在人民的頭上！有勤務兵伺候你！」

棉花地裏佈滿了幾百個服從紀律立志改造的新人，兩個人合抬着一桶由人體排洩出來的肥料，呼嗚之中吸進了許多惡心的氣味，也不敢掩鼻，表現出小資產階級的落後作風！灣着腰鋤草的，雙手捽住那冰冷而濕潤的鋤柄，也分不出那些是雨點！那些是汗珠！史仁雖然還沒有暈倒，高熱度的煎熬，滿口已經乾涸，他實在受不住了！偷一個空兒，料想隊長是不會看見的，順手摘了一顆青色的毛桃，想把牠當梅子來解渴，猛不提防，颼的一聲，他腦後着了一鞭！

「你作什麼？你怎麼這樣不愛惜人民的財產！」

吆喝的聲音，可以達到整個棉田，抬着糞的駐了脚，鋤草的也直了腰。

「你們大家看！史同志在改造的過程中竟然這樣不求進步，實在是太不覺悟了！」

大家張着口，把目光集中到了隊長的身上。

「你們提意見呀！我們什麼都是民主作風！」

任你如何民主，還沒有待罪的新人，發現沒有不說話的自由。

隊長看見沒人理，覺得似乎煞了他的民主風景，一陣發急，漲紅了頸子，又復握緊了掛在右手小指頭上的鞭子，走上前幾步，用那和上方寶劍有同等效力的鞭子指着一位同志：「指定你提意見！」

「隊長說的完全正確！」

「誰要你隨聲附和？隨聲附和就是盲從！那還民主的什麼？」

倒把這位同志爲了難，萬想不到他竟然會在一個死囚犯口中硬性的追索一個僞裝的民主！不說吧！他非不能印證他的民主，不會自己轉圜的！不會甘心的！眞的提出一個反面的意見吧！不知道將發生什麼嚴重的後果！在極端窘迫、彷徨無計之中，他那像走了氣的皮球似的臉龐，突然由臘黃色泛出了很濃的慘白！

「有意見趕快提吧！怎麼考慮這樣久？」

他知道不說是不行的，只好硬着頭皮，在腦筋中打了幾個轉轉：「照我的意見：這個事情究竟不大，或者還算不得是不愛惜人民的財產……」

他凹下去很深的眼睛中放出了兩道冷酷的試探目光。

「你接着說呀！」

他在內心裏咬了一下牙：「聽說城裏倉庫中的糧食發霉也沒人管，這才是不愛惜人民的財產呢！」

「這就是你的意見？你怎麼原先不說？城裏的糧倉都是老幹部領導保管的，他們替人民立過那多功！還辦不了這個事兒？你的證據在那裏？沒有證據就是捏造謠言，散佈反動思想！各位同志！你們說是不是？」他向空使勁舉了一拳，還昂起腦袋不斷的車動身子向四周打量。

「是！」幾百個不算隨聲附和的同時發出這樣一聲閧叫！

緊密的雨點打在帳蓬的頂上，不斷的碎碎作響，更增加了心靈空虛的人的忐忑不安，雨聲，雞聲，也壓不下病人的哼聲，分明是尋常的呻吟，偏偏能夠激起整個帳蓬每個角落裏的嗟嘆！似螢火般的桐油燈光，似乎在那裏發出

球迷尼克遜

艾森豪總統愛打高爾夫球，已是衆所週知的事實，他這種個人的嗜好，最近已逐漸形成華府高級政要間的一種新風氣，除參議員塔虎脫等人外，副總統尼克遜也變成了一位著名的球迷，他雖然沒有正常的打球時間，但每週總有兩三次要在公共的高爾夫球場上露臉，他的進步很快，現在已能打到一百一十三分，但和艾森豪比起來，還「拔差一皮」不止。有人希望他和艾森豪較一番高下，他自謙還不到那種程度，但他却表示和塔虎脫來一次正式比賽的勇氣是有的。（由之）

新·世·說·補·遺

詩壇怪人謝无量

四川詩人謝无量，青年即以詩才蜚聲大江南北，惟賦性脫略不羈，風流自賞，且嗜賭忘甚，雖號窮斷炊，無所怪。平生詼詭奇特之行綦夥，朋儕常受其玩累，然皆爽然不以爲侮，可謂異人也已。

抗戰以前，謝久居滬上，常爲法租界著名輪盤賭窟一八一號之座上客，然每賭必敗。一夕，囊已傾矣，猶留戀不忍去，覩鄰座婦人位前籌碼數叠，乃順手攫取若干枚投博之，不中，復取投如故，若無事然。婦人訝其荒誕不經，審其狀貌，又不似胠篋拆白者流，怪而問之曰：「先生尊姓？」謝舉首他視，僅答以「無量」二字，婦人嗔曰：「請教你尊姓，誰說我沒有度量嗎？」謝謂：「我叫謝無量，幷非說你無量啊！」婦人嫣然改容曰：「哦，原來是大詩家謝先生，失敬得很！」即以其餘籌盡付謝氏下注，全部損失乃已。蓋婦人亦好作詩者，素慕謝名，洎是即拜其門下執弟子禮焉。

民黨前輩鄒海濱先生長廣東大學時，謝自滬投書鄒校長，詢有教員缺額否，願南來執教鞭。鄒大喜，即聘其爲文學院教授，謝復函乞寄旅費數百元，急如數匯去。未幾，謝來廣州，住校內休息數日，又請借支薪水兩月，爲安家費，亦照辦。詎得款即乘輪回上海，留書鄒校長告別，謂因事北上，承贈多金，盛可感。鄒知其爲人，啞然搖首而已。

民國廿一年夏，川軍劉湘部師長范紹增在鄂西與共軍作戰負傷，赴上海醫療痊可後，謝設宴慰勞，倂約粵籍旅滬名人劉維熾梁寒操等作陪，謂藉此介紹范氏與諸人相識，情意稠叠，儀節鄭重，劉等亦素慕此現代之朱家郭解式人物，欣然應召，酬酢殊歡。席終時，謝先以現鈔十元當衆客給侍者作小費，語之曰：「酒席費若干，即由劉局長（指維熾，因其任鐵路局長也。）照付，速將帳單來！」劉雖驚愕，而謝意態莊重誠摯，似若與劉早有預約者，斯時范師長尚在座，未便爭論貽笑，唯有忍痛解囊焉。

謝有弟在緬甸闡揚佛法有年，頗著聲譽。對日抗戰軍興，謝以監委身份向于院長告奮勇，願赴緬從事國民外交，于深爲贊許，撥旅費五千元，又轉請蔣委員長給五千元以壯行色。謝挾萬金南行抵香港，轉赴澳門，沈湎賭窟，不旬日而金盡，竟無所歸，隱居長洲島上，與國內音問隔絕。太平洋戰事發生後，悄然歸成都，賭興猶昔，而醇酒婦人之癖好尤甚。外交部長郭泰祺曾游川西新都縣，（去成都四十里）寓旅舍中，忽聞鼓吹喧闐，有人舉行婚禮，出際之，新娘殊少艾，而新郎赫然爲謝無量也！相對大笑，蓋謝此時年近六旬矣。

詩人楊滄白（庶堪）先生晚年深以謝氏蕩檢踰閑，致其學殖荒落，無成就爲可惋惜，信然。

馬五先生

奴役的藍圖（四）

麥柯米克神父著　陸逸譯

第二章　共產黨的諾言和行動

除掉以宣傳戰來打擊政府的威信，和瓦解軍隊的士氣之外，共產黨更發動一種針對破壞交通和商業的總攻勢，這樣他們希望能製造人民的不滿情緒，和削弱商人的勢力，在他們口中，商人被稱爲「資本家」。共產黨游擊隊燒燬所有橋樑，爲阻止食糧和其他主要日用品的運輸，除了徒步可以旅行之外，一切交通陷入癱瘓，工業原料不能供應，糧價因此扶搖直上，因此產生大規模的失業，人民很快地都抱怨起來。

我聽見一位沒有政治興趣的老太太對我講過：「我希望共產黨來，因爲他們許下減低物價。」

這也就是共產黨所希望發生的現象。同時，共產黨對人民作下種種諾言，他們製造患難，却說是爲了工人和農民階級，他們許下建造新的工廠，給高的薪金，祇要他們成功，每個人都會快樂無窮。

反抗者一概殺盡

共產黨統治三年了，新工廠還在烏有之鄉，工資高，但是沒有工作，物價跌落是因爲共黨強硬平抑的關係。而人民也無錢去購買，遇到這種難題，共產黨又想出新的辦法，中國人口必須減低，爲了有效地執行這個政策，共黨預計要殺一千七百萬人——五百萬槍殺，一千二百萬餓死——其中大多數是反抗過他們的人。

在二次世界大戰結束不久，日本共黨領袖曾公開地被莫斯科指責和貶降過，因爲他曾說過日本可以用和平手段達成共產革命，當時我還不了解莫斯科的意向和態度，直到我親眼看到共產革命在中國所作所爲的一切，我才恍然大悟。

共產黨不願以和平手段來奪取政權，馬克斯主義說必須以暴力來劫奪，這是因爲暴力可以產生恐怖，而恐怖也就是共產統治的基礎。

恐怖成了主宰

沒有人情願去服從共產黨，沒有人願意去服共黨所頒佈的每一個法令，誰當田地財產被洗劫的時候，不加以抵抗，誰需兒女，自由、生命被搶奪的時候不加以維護，——若不是他們知道反抗就是死亡的話，所以恐怖便成了他們行動的主宰。

共產黨用殺戮有名望的人，來鎮壓人民的心靈，在每一個城市，鄉鎮，共軍都用殺一儆百的方法，來鎮壓民心。

在共軍初佔領我們城鎮之後，第一件事便是繳充私槍，當我正在瑪利諾會吃完一餐淡然無味星期晚飯時，廚夫跑進來對我說共軍正向我們的鄰居李亞生（譯音）家裏要槍，我輕輕地掀開窗帘向裏窺視，看看發生些什麼事。

成吉斯汗祭

·雋夫·

前日（舊曆三月二十一日）是成吉斯汗的祭期，從前這是蒙古內外蒙旗的一個大日子，中樞也規定在這一天舉行祭典。今年的成吉斯汗七百二十六年祭，恰巧輪着國歷的五月四日，「五四」這是一個不平凡的日子，是我們中國在近半個世紀裏的思潮狂飆掀起運動的日子。自由中國已定于是日上午向這位民族英雄成吉斯汗致祭，緬懷着當年成吉斯汗的「成功」想到而今我們身所遭受的種因，那干高踞於克里姆林宮內的羣魔，他們的祖先，可不臣服于成吉斯汗的大纛下，聽任「擺佈」過一番嗎？以今例昔，當然在人類世紀自由民主的時潮下，我們是該得另有一種看法，同時我們該得有一個想像，不，應該說該得有一個信念，就是由于時潮的順轉，人類的社會，該是自由的民主的所在，與諸和所與組合的，若然蘇俄和他的附庸，與所奴役的國家，自必會隨着時潮的淘汰，毛匪輩的殘暴政權，也自必隨着此一時潮的浪濤給淘汰掉。感觸萬端裏，簡略的說一說成吉斯汗祭。

成吉斯汗，本名鐵木眞，一作帖木眞，「成吉斯汗」即蒙古語「精一」之意。他生于一一六二年（南宋紹興三十二年），崛起沙漠，率領着精練的騎隊，直達裏海，征歐陸，亞洲全土，半歸統治，俄羅斯各藩邦，有的是納土稱臣，有的是俯首受降，「黃禍」之說，震撼了整個白種人的世界，他那枝精鋼鑄造的長矛，那柄明晃晃犀利的寶劍，另外還有他的一張弓一袋箭，現今都陳列在靈櫬左右，長矛上還繞着一束人髮，傳說他每斬一敵首取一髮繫于矛上，想見他的英勇，而今說來，可仍覺虎虎有生氣？「汗」爲蒙古語的「王」，應作平聲讀。成吉斯汗死于一二二七年（南宋寶慶三年），時年六十六歲，距今爲七百二十六年，建立元朝的元世祖（忽必烈）是他的孫。

成吉斯汗靈櫬原在綏遠伊克昭盟，其地名爲伊金霍洛，櫬並未下土，安置于一個蒙古包內，現在蒙疆從事游擊的德王，就是成吉斯汗的三十代嫡孫，不過有些蒙古人却說德王並不是成吉斯汗的子孫，不過是守護靈櫬的人員，同時也是靈櫬所在地的旗長（札薩克）。每當祭期之先，由該旗乘騎肩着成吉斯汗像分赴其他各旗，所經各旗都須奉獻白馬一匹，或者折價亦可，屆期各旗首長，齊赴伊金霍洛致祭。對日抗戰兩年（二十八年），才將靈櫬移至甘肅榆中的太白宮，除靈櫬外，有成吉斯汗靈后的靈櫬，一併遷來。靈櫬爲銀製，外鑲黃金，並嵌珠寶，汗櫬長一百二十公分，寬七十七公分，厚九十六公分，后櫬長一百公分，寬六十公分，厚七十公分，櫬中所藏係骨灰，並聞有甚多殉葬寶物在內。

西北海天遙遠，高原正在匪魔妖霧籠罩下，二三世紀時代英雄的靈櫬，可不知作何現狀？大風起兮，留在自由寶島的蒙古同胞，男婦老幼約三百多人，以沉痛激烈而悲壯的慨當之意歌舞，向成吉斯汗的英靈在歡上，我們告訴他，明年的大祭，不當在太白宮，我們當在伊金霍洛，那里有我們的牛羊，那里是我們的家鄉，願成吉斯汗的英靈永在。

中華民國僑務委員會頒發登記證台數新字第一零二號

自由人

THE FREEMAN

（半週刊星期三六出版）

（第二二八期）

每份港幣壹毫

督印人：李光澤

社址

香港高士打道六六號

電話：二〇八四八

GLOUCESTER RD. HONG KONG

TEL: 20848

承印者：東南印務出版社

地址：高士打道六十四號

台灣特派員辦事處

台北市館前街五十號

台灣總經銷處

台北中華路新號五九四之一

台灣郵政劃撥儲金帳九二五二號

新日本給我的新印象（二）

試答朋友們向我提出的幾個問題

左舜生

第三談經濟結構

說到日本的經濟結構，以黃馮明先生最近寫的一本『日本戰後工業』（已出版）和沈光沛先生一本『日本戰後經濟』（將出版）最爲詳明。我這次去日本以前，有機會讀到他們兩位這兩部稿子，實在得益不少。大抵日本整個經濟結構，植基於明治維新以來，擴大於甲午戰爭以後，再經過日俄一戰及世界第一次大戰，乃如日中天，確已成爲亞洲的驕子。過去日本軍閥，不懂得東洋持盈保泰的哲學，乃發動一次不必要的長期戰爭，既過度輕視了中國的潛力，又上了斯達林的大當，更盲目的去與英美爲敵，因此才遭遇一度無情的打擊，致軍需與民需二業設備，受到莫大的損害，而全國若干重要城市之被燬者，亦在百分之五十至七十不等。可是中英美三國，均不缺少遠見的政治家，他們覺得給予日本一個嚴重的懲戒雖不可少，但如果超過某種限度，則不僅是亞洲未來的一大損失，而且是世界的一大損失，因此對於戰敗的日本，一致主張寬大。美國在佔領期間，爲着實際的責任，更不惜出其全力，對日本加以多方維護，尤其以鐵道與造船業之迅速恢復，多數工廠的保全，金融與幣制未予以根本動搖，賠償幾於全部放棄，……實大有助於日本的復活！

在這八年的復興期間，斯達林與中共，乃又發動一個延長到三年以上的韓戰，確亦大有造於日本。本來日本經濟情況之所以有過去那樣一種景象，可以說無一次發展不是發的戰爭的財，（中日，日俄，尤其第一次世界大戰）就是這次的復興，又何嘗不是受的戰爭之賜？因此我想：世界任何一個國家，都有恐怖戰爭的理由，但日本却並無恐怖戰爭的必要。同時我也敢斷言：如果世界不再有一次的大戰，即有，而日本又不願以全力參加之，亦終無以完成其復興的大業！

就我這次在日本所見，日本各方面的經濟情況，不僅繁榮爲亞洲第一，其豪華也不能不說是亞洲第一！過度豪華只是一種病態，我希望日本的這種現象，只是創鉅痛深後一種反常心理的表現，在不久的未來，當仍可趨於平實的一途。

上面我還是就外在的一般情形說；進一步看，則日本的經濟結構，亦確有其堅實基礎：一，日本一般科學技術人才，並不比其他的先進國家落後；二，在投降後不久，一般財閥遭受整肅，原來集中的資本，已化整爲零，現在則又已化零爲整，而且不缺少暴發戶，質言之，日本並不過度缺乏可以運用的資本，亦絕不缺少吸收國內國際資本的信用；三，凡現代大規模經濟結構所不可或缺的交通，動力，金融機構，……等等，日本在戰時戰後，確曾有過一時間的混亂，現在却已全部恢復，而且管理良好；四，日本人原富有組織管理的素養，大而至於一工廠的設計，一農場或礦山的經營，一商店的裝置，細而至於一廣告的意匠，一商品的包裝，對一顧客的招待，幾乎無一處不可看出他們的方量；五，最根本的還是他們基本教育的良好，大抵人人都能按步就班，忠於所事，有持續力，有進取心，這更是他們成功的要素。據我的直覺：今天日本經濟方面的人才，似乎較優於政治方面的人才。

最後談社會組織和秩序

日本畢竟是一個憲政有了基礎的國家，人民在不牴觸國家法律與妨礙社會秩序的原則之下，確實享有集會結社的自由，乃至今天的共產黨，也還是以合法的地位儼然存在。至於一切非政治性的組織，無論是學術性的，地方性的，職業性的，……更是大大小小多到數不清的數目。這些團體有時也可影響到政治，但政治力量却很少無理去干涉這些組織，一切由人民自動自愛自發去相互團結，自求福利，絕對用不着什麼人去加以領導，就在他們開會的時候，也絕對不需要什麼『長官』去列席！同時也絕對不需要照例的方式，用『快郵代電』寫一篇毫無誠意，毫無意義的文字，向某人某人去致敬！因爲如此，所以他們的這種組織，才是有價值的，有生氣的，隱然形成社會的一種力量，國家或社會有不少的重大事件，大抵都賴這種組織在那裏推動，而顯出一種有朝氣的進步現象。

至於說到社會一般的秩序，這次我在日本走了八處地方，時間經過一月，我從來沒有看見兩個日本人在一處吵嘴，更不要說打架了。（自然可以有人舉出一種偶然事件來對我反唇相稽）凡是公共場所，無論是戲院，電影院，電車上，巴士上，乃至百貨公司，只要有一個不許抽烟的公告，我便沒有看見一人敢公然抽烟。（凡戲院，電影院以及百貨公司等，都有指定抽烟的地方）在電車或巴士上，因爲有時實在過於擁擠，事實上無法買票，但下車時却無人不把應交的錢交出，而買票員也絕不肯把收入的錢放入自己的荷包；我沒有看見所謂查票員，對於坐『霸王車』或買票員『揩油』的這類事，大概爲他們所不能想像。街頭上有一種木架，插得有各種的報紙，並無人管理，凡取得日報兩份者，即以十元投入一收錢的木箱，取晚報一份，即投入四元，據說並沒有人取報而不付錢的。我們的旅行團十四人，在東京以外遊了一個星期，沒有人遺失過一張紙；我在東京住了三個星期，一切情形都不熟悉，但我從來也沒有花過一文我所認爲不應該花的冤枉錢。大家不要以爲這都是一些小事，日本人過去打仗，勝有勝的道理，敗了也還是敗得有秩序，也就是這樣的一種精神，質言之，這是他們的國民教育收到了最高的效果，能說他們的復興之快，與這種精神沒有極密切的關係嗎？

論集體農場制度（下）

計劃經濟的實施

許漢釗

蘇聯要穩定其國立經濟基礎，不受外國資本主義的侵襲，必須把國內一切生產品完全置於國家經濟體系之下統籌兼顧，而國外的輸入也經由政府的對外貿易部採辦，這種經濟政策，蘇聯美其名曰計劃經濟。

蘇聯施行計劃經濟的先決條件，則在工業國有化與農業集體化。工業國有化是都市經濟的控制；農業集體化是農村經濟的集中。蘇聯要全部支配與控制農業生產，第一步必須把農民組織起來，置於各個集體農場之下。第二步則如斯太林所說，將集體農莊的所有制提高到全民所有制的水平，全民所有制即是私有資本制度的廢除，廢除私有資本制度，才可以邁步走進共產主義之域。

商品流通制即肯定商人階級的存在，社會主義必須取消中間階級的剝削，所以主張：產品交換制代替商品流通制，換言之，以農業消費合作社代替農村的商店，而農村消費合作社的組織乃以集體農場爲骨幹，如果沒有集體農場制度，此種農業消費合作社將無所依附。

斯達哈諾夫運動

集體農場制度建築在國家至上意識上，它完全漠視農民個人的利益，因此它的漏洞也從這裏透露出來。

凡參加集體農場的農民，無論如何努力，其利益將不屬於其個人，自然工作的情緒便會逐漸鬆弛，於是，聯共（蘇聯共產黨）設法填補這個罅隙，填補的方法便是斯達哈諾夫運動。

斯達哈諾夫是頓河流域一個煤礦工人，在一個輪班內掘了一百零二噸，比正常標準多十四倍的石炭而出名。聯共便以斯達哈諾夫作爲箭垛式的人物，鼓勵全國勞動者向他看齊，稱這種增產運動爲斯達哈諾夫運動，凡成績卓異的都尊爲勞動英雄。

但口裏而實不至的美名終不能滿足一班終日胼手胝足農民的物質慾望，斯達哈諾夫運動的魔術終有揭穿之時，則集體農場制度的缺點將再無法彌縫了。

中國大陸的集體農場

中共既揚言向蘇聯一面倒，所以實行土改後，也朝着農業集體化這條路走。第一步使『單幹』農民（就是個人獨立經營的農戶）參加互助組，第二步若干個互助組結合而成的農業生產合作社，第三步才是集體農場的組成，另外由中共設立若干個國營農場作示範。中共宣稱全國農民已有百分之六十參加互助組的組成，農業生產合作社有四千多個，集體農場有四十多個。

縱使中共用高壓的手段，強迫農民參加集體的組成，但由於生產資金與機械的缺乏，無從建設灌溉系統運輸系統，沒有足夠的技術人員，特別是農民羣衆和有財產觀念及自由生活方式的保守態度，和對中共猜疑恐懼心理，顯已限制了它的進展。有些已參加互助組的，也自動退出，恢復他們的『單幹』。中共雖用『勞動競賽』，『勞動英雄』的名義來騙誘農民，但把這些虛名和實際利益互相權衡，農民總知道如何抉擇的。

集體農場制度，就是新農奴制度，帝俄時代的農奴，奴役他們的是地主，現代鐵幕內的蘇聯與中國大陸，奴役他們的是聯共與中共。

△馬倫科夫的戲法，口吐和平鴿，雙手緊持手槍。

△馬倫科夫手提百衲和平鴿，遍尋買主。

本週展望

雷嘯岑

西歐國家的孤立主義

杜爾斯在美國參議院外交委員會討論共同安全計劃時說道：「西歐國家是孤立主義者，其孤立的程度，甚至於認爲不論亞洲將發生什麼事件，而他們歐洲的安全仍能得到保障」。這話毫無渲染過甚之處，恰如事實。但所謂「西歐國家」云云，應改爲西歐某些自私自利的國家，不可以偏概全，如西德等國，即絕無孤立思想存在，我們應該分別涇渭的。某些自私自利的西歐國家對亞洲問題何以有此孤立主義？根本的癥結，在於他們的舊有帝國主義思想作祟。他們認爲亞洲是落後民族的所在地，上帝早已預定應由西方人來統治的。只要能夠在亞洲地區，取得商業利益，藉以繁榮西歐的文明生活，亞洲人類的生死禍福，他們素來「好少理」哩！

美國安全總署主持人史塔生說：「任何一個自由國家之陷落，均足以妨害自由世界之整體安全」，這原是顯然可見的眞理。但在抱有帝國主義思想的人看來，則認爲「只有西歐國家被陷落，才是妨害自由世界的整體安全」，英國的工黨人物，滿腦子即充滿着這種觀點，所以他們在西歐積極反共，在亞洲積極親共，而美其名曰「民主社會主義」！

今日幸而有[illegible]唾棄帝國主義思想的美國來領導自由世界，亞洲自由人類的生存前途，尚不至完全絕望。然我們必須自愛自立，示人以值得同情扶助的事實，否則西歐的孤立主義終久要把亞洲的自由人類吞沒的！

悼念艾登先生

英國外交大臣兼保守黨副領袖艾登先生，因病纏綿，有辭職休養的消息，如果成爲事實，乃是自由世界的一大損失！這位穩練明敏的外交家，在當代的國際舞台上，誠屬不可多得的人才，他若以健康關係而退職，不僅是保守黨之不幸而已。英國現在雖然與我們所愛護的中華民國沒有邦交，然我們站在自由世界的立場，却懇摯地希望他的健康恢復，完成其時代使命！

戴高樂覺悟了！

法國「人民聯盟黨」領袖戴高樂將軍，正式宣佈解散他現在所領導的政黨，擬另組以軍人爲中心的政治團體，重新從事政治活動。理由是：人民聯盟黨的構成分子，多爲具有右傾思想的個人主義者，沒法表現集體生活的政黨力量。

無論古今中外，最不容易搞集體生活的人，無過於抱有濃厚而又褊狹的個人主義觀念之所謂智識份子了。遇事要以個人的利害得失爲前提，而個個又要以大好佬自居，誰也不願將大衆利益有所遷就忍讓。戴高樂以復興法國的民族英雄，戰後雖擁有常在議會佔着相當勢力的政黨爲政治資本，然始終不能取得政權。每次對國家大事在議會投票時，他的黨員即有數十名不聽從黨的決策，自由行動，充分地暴露着小資產階級個人主義的不治之症！

戴氏未來的新黨組織，不管其力量如何，內部意志一定比較單純淨化，遇事可以表現政黨的作風，前途是有希望的。他今日能有毀黨造黨的勇氣，就證明他的政治生命尚未完結啊！

國民黨的反共救國聯合運動

中國國民黨已發出聯合全國反共力量共同救國的主張，這是本刊所以創立的基本思想，我們連年來不斷地作此呼籲，欣聞執政黨有此主張，自覺興奮。反共救國的聯合運動，凡屬崇尚自由的中國人，誰也不會反對的，問題是在構成共同政治綱領的方法。據說，將召開一次反共救國會議，協商共同政治陣綫，這是對的。凡是居於政治領導地位的個人或團體，必須有寬容忍讓的精神，冤枉氣有時候也得忍受。美國出錢出力又出原子彈替自由世界救苦保鏢，然隨時還要遷就一些所謂盟邦的自私主張，忍聽一些無理的指摘和教訓。國民黨要完成這項聯合陣綫，請以美國爲鑑，拿出最大的容忍精神來，包得行！

聯軍戰俘的思想改造

他們被共黨洗腦後，回國後還要受幾個月的再教育，這種再「洗腦」的工作，還是盟國的新嘗試。

對於西方國家，洗腦似是狂熱的事情，但在韓的情報官員却在若干被共方遣返美俘的名單上，蓋上「不許訪問」幾個字。所有美國戰俘，甚至在飛抵東京後，仍分別安置在兩所陸軍醫院裏，訪客要進入他們的病室，必須具有兩張不同的通行證。南韓政府還計劃對易回的南韓俘虜，施行六個月的再教育，而受訓期間不許接見或寫信給他們的家屬。

厲行洗腦工作

共黨對聯軍俘虜的洗腦工作，是認眞而嚴厲的，他們的工作人員每天要會晤俘虜們好幾個小時，這些受過訓練的「思想改造者」强迫每一個俘虜供認過去的每一件經驗和每一種思想都是不「民主的」。然後他們即指出種種的政治罪惡而加以斷烈的抨擊，一點點的事情也不放過。他們告訴聯軍俘虜們，「人民」才是眞正的雙親，人民的利益必須擺在第一位。他們幷大肆宣傳，說那剝削的美國工人最挨餓和受苦的。

事後，每一個俘虜必須自己從頭至尾再坦白一遍，着重說明他自己的罪惡，並解釋個人的態度。在不斷的會議中，一再的悔悟和解釋。同時，那些執行洗腦工作的共軍政工人員還提出許多問題，如「美國爲什麼進侵朝鮮」之類的專題强迫俘虜們討論。此外，俘虜們還必須對他們朋友以及本人的思想，作批評性的「進步情形報告」。

倘若某個人的思想或言論，一時未能符合共黨的路綫，他即刻會受到共黨的矯正，一直到共黨的答案，機械地牢牢印入他的腦海中爲止。這種漸進的洗腦方法要繼續一個很長時期。但如果俘虜中反對洗腦或思想「頑固」的，共軍就會使用一種更嚴厲的辦法，殘忍地摧殘他們的腦筋，使他們的坦白書上完全看不到還有一己的思想，並須表示願意接受共黨的觀念，否則這種殘酷的方法還要繼續下去。

施以種種虐待

對於聯軍俘虜們，共幹並未普遍施以殘暴的體刑，但却使用縮短睡眠時間及飢渴的辦法來削弱俘虜們的身心。他們經常於半夜裏被從床上叫起來，然後拉到一間黑室中，然後再以强烈的燈光直射着他們的眼睛，經過多小時的疲勞審問，共軍政工人員再製造許多虛僞的口供，强迫他們招認，美國中央情報局認爲共軍還可能使用若干藥品或「說謊的血漿」來加强俘虜們身心的崩潰。

共軍洗腦的工作，自開始至完成，約須三個月之久，三個月後，如果共黨認爲某些俘虜的頭腦被洗得乾乾淨淨了，他們就要準備站在公開的法庭中，自己供招不會再有罪行發生，並肯定地表示他們將信奉共黨告訴他們的眞理。

據最近被遣返的美國俘虜說，上面所說的這些方法均在北韓的俘虜營中使用。俘虜們每天要上課十個小時，要做「進步報告」。據拉萊軍曹說：主要的教程是：「美國發動大戰，麥克阿瑟和杜魯門都是戰爭販子。」

嚴懲「惡意份子」

凡是甘心受共黨驅使的俘虜，共黨就命令其餘的俘虜稱他爲「第一名學生」，還備有許多獎品，如香烟，較好的食物，甚至還特許他住在俘虜營外面和女人們鬼混。對於「惡意份子」，則一律關在若干「反動營」中。還時時有囚在苦牢中的威脅。

有一小批俘虜繼然受到特別的洗腦教育，有些人曾赴蘇俄附庸國家作宣傳旅行，在共黨報紙上發表共黨口吻的談話，像美海軍陸戰隊舒瓦波上校和布萊少校就公開「供認」過他們曾進行細菌戰，曾親自投下過細菌彈。

被共方遣回的俘虜們都是遭共黨徹底洗過腦的，再洗腦的工作可能需要一個很長的時間，而且陸軍當局以前從未遭遇過這種問題，如何才是正當的處置方法也需要一番新嘗試。（第啓譯自「新聞週刊」）

伊朗危局益嚴重

多種因素紛集下

伊朗的局勢，由於多方面的角逐與衝激，已日形嚴重了。今年二月，伊朗總理穆薩德企圖迫使伊王巴拉維遜位而失敗之後，這一年老多愁善感的總理依然打算剝奪王權而成爲這一古老的波斯王國之唯一獨裁者。可是，擁王的陸軍軍官，對穆薩德至少是一個推翻王朝的重大阻礙。他所以在去年七月二十一日德黑蘭造成流血慘劇之時乘機攫取了國防部長職權，事實上他仍無法可以掌握兵符，軍權操在國王手中。

政府王室明爭暗鬥

今年三月，穆薩德和宮廷間表面上雖然已經和諧，而穆薩德攫奪王權之心並未消除，儘管他口口聲聲說是未嘗打算將伊朗的君主政體改爲共和國而自行出任總統。然而他的野心在四月六日廣播中已暴露出來，他說：「在君主立憲國家內，君王對政府並無責任，伊朗王應祗有主權而無治權。」却並沒有對於現實的伊朗局勢有何說明，且在廣播的同時復呼籲下院通過他的建議，要求伊王勿干涉國務行政，同時他對於這一建議釋爲「消除宮廷與政府間的歧見」。然後穆薩德又斥責國王中止出國的原因不是巴拉維接受羣衆的要求，而係政府沒有支給他五千萬美元。於是，宮廷大臣胡賽恩阿拉於八日對穆薩德之廣播作無情的反擊，力言伊王出國係由於民族陣綫的議員們堅力，並且巴拉維和穆薩德作出國前最後一次談話之時，曾將一張一百六十萬伊幣的支票親手交與穆氏請其掉換美金。此後胡賽恩阿拉已成爲穆薩德之最大仇敵，最近傳說胡賽恩阿拉因病辭職，其原因顯然是躲避穆氏的鋒鏑。

狂熱領袖躍躍欲動

現在，德黑蘭的恐怖氣氛仍難廓淸，穆薩德的近親伊朗國家警察總監陶斯於二十日晚上九時神祕失蹤之後，至二十六日屍首卒在德黑蘭東北郊發現，這件事情的發生，使人意味着下院現任議長加夏尼的兇殘暴行殆將死灰復燃了。而陶斯之死因究竟爲何，由於無人敢具領約合一萬五千美元的伊幣五十萬元之賞格，仍難判明，也儘管穆薩德欲獲得眞相，而下令赦免參與謀害者，仍無端倪。加夏尼現時與穆薩德雖然沒有什麼正面衝突，由於陶斯之死與擁護穆薩德剝奪王權之建議，兩人暗鬥勢難避免。美國大使韓德遜及第四點計畫執行官華德斯也震於危機而自行採取保護僑民措施。（卓繆）

二中全會的課題

臺灣通訊

中國國民黨第七屆中央委員會第二次全體會議，於五月五日至七日在台北市郊外舉行。關於開會的情形，各報章多已有報導。惟尚有數事值得予以申述者，爰就各方面聞見所及，略陳述之：

（一）此次會議，距上次一中全會適爲半年。是爲依照章則規定，按時召開之會議。但在改造以前，國民黨中央各種會議，每未能按時召開。如全國代表大會本規定每兩年舉行一次，而事實上自民國十三年改組至民國三十四年五月，歷時二十載，只舉行八次，始行改選。尤其第五屆中委任期延至十年之久，政黨組織，最注重新陳代謝作用，而政策之決定，尤賴於隨時檢討，配合環境。在行憲以前，依中華民國訓政時期約法之規定，全國代表大會乃係全國權力最高機關，而未經召開者達十年之久，不得謂爲非屬憾事。如今全會能按期舉行，又不得謂非改造後之新精神也。

改造以來重視黨紀

（二）中國國民黨自改造以來，特別重視黨的紀律。今日凡在自由中國者，均深知黨紀之強化，遠非在大陸時代所可比擬。如每逢小組開會，甚少缺席。昔日所謂大員要員，例不參加小組會議，一若小組係專爲低級人員而設者。今則任何人均自動按時出席，並於案件之討論，咸能熱烈進行。担任小組長者亦多遵守法令，勇於負責。至黨員違背黨紀者，更嚴格執行，毫無寬假。如上次台省各縣市的改選第二屆縣市議員，某縣原任議長某人，違背黨部決定，出而競選，應受開除黨籍的處分，該縣縣長因執行黨的命令不力，亦予以停止黨權一年。類此之事，在大陸時代，得未嘗有。設如當年選舉國大代表立監委員之日，國民黨中央早能如此對競選黨員嚴格執行紀律，則一切選舉糾紛，均可不致發生。而今日國大代表中之所謂雙包案三包案，更不致使當局者迄無法處理矣。

（三）二中全會之課題，未見正式公佈。中常委當須依例改選。從改選中，亦可推測政府人事之動態。但據目前迹象，台省府改組不久，俞鴻鈞氏就任後，除取消糧價限制，使民食問題得以寬舒外，尚未見有其他新猷。五月份公教人員配米，仍多搭發麵粉。凡公教人員眷屬中之小孩，仍配發食米，餘人則以麵粉代替。足見青黃不接時期未完全過去以前，尚不得不兼用麵米搭食辦法。俞氏屢次表示從安定中求進步，省府目前當尚在先求安定時期。觀乎財政廳舉行全省財稅會報，教育廳繼之舉行全省教育行政會議，其用意只在由新任廳長了悉情況，並非爲更動人事或有何重大改革之先聲。至行政院方面，以陳院長之忠誠謀國，各方面均表擁護。最近在立法院與二中全會報告施政，亦咸獲得在場人員之支持。至各部會或不免有局部調動，但此與全會無關。上年內政經濟兩部易長，即非在全會之時，可見一閣員在平時本可以進退，並非中央既舉行全會，必將有涉於重要人事問題也。

反攻大陸與聯合陣綫

（四）二中全會之主要課題，聞有三項：一爲反攻大陸時之各項政策；二爲聯合戰綫；三爲與國民大會有關問題。關於國民大會問題，一般看法，宜在今冬或明春舉行，蓋總統任滿前九十日須行集會選舉總統，乃憲法所明定。上年監察院彈劾副總統李宗仁案成立時，本有召集臨時會討論彈劾案並予以罷免之傳說。茲距正式會期爲時最多不足一年，似已無先開一次臨時會之必要。茲所謂與國民大會有關之問題者，當爲法定人數問題，開會時間問題，除改選總統副總統外，是否兼討論修改憲法案問題，以及尚有少數國大代表雙包案如何解決問題。凡此種種，各方面咸信中央必有明智之決定。蓋法定人數，照目前估計，相差不遠。開會時間，當依憲法之規定。修改憲法之目的，則多數人均認爲現非其時。因修改憲法，無論爲增加行政部門之職權，或擴大國民大會本身之職權，均將牽涉憲法上關於中央政制之整個體系，極難獲得各方面一致之贊同。至雙包案之處理，乃係少數人特有情況，當由主管選政之內政部設法解決，不必涉及國大全體。惟國大代表性質，近方由司法院大法官會議認爲公職，而在台之國大代表千餘人，生活均甚困苦，實無法與一般公職人員相比。蓋台省公職人員均有住宅或宿舍配給，因以得安居樂業。獨國大代表立監委員無此權利也。

（五）至關於聯合陣綫事，去年七全大會宣言及政綱中均會提及。日來各方盛傳將召集國是會議，並已派某人某人赴海外及港澳從事聯絡工作云云。此說恐未必皆爲事實。蓋在今日而言團結反共力量，其目的在充實對匪之政治作戰陣容而非對內之調整機構人事，以求安插。我國既已步入憲政時期，有舉國一致奉行之憲法與由憲法產生之政府。則任何會議必須尊重憲法法統，不得在憲法外爲個人有所希冀。如將憲法置之一旁，另組會議，則任何人日後皆可毀法違憲，其弊害將不可設想。所有反共人士必須先能體認此點，而後可言聯合陣綫。前此曾有人建議分新聞、文化、教育、工商等類召集會議，茲又有人認爲分類會議易於流入業務性問題討論，而忽略全般性國家大計，仍主張召集全體性會議。二中全會如何決定，尚不得而知。

（六）至反攻大陸時各項政策，年來迭有各種方案之設計與提出之意見。惟既曰政策，必須針對現實。現實者何，大陸上之匪情是也。今日大陸月刊社上月以反攻大陸我們應有的準備爲題，發生徵文信件數百封，限定每人寫一千字，聞繳卷者包括各階層各職業人士，已有數百份。其共同意見之一，即爲儘速準備人才。於此亦可見自由中國人心之所趨向，而人才問題亦確屬迫切重要。二中全會如能就反攻大陸各項政策妥切擬訂，則所謂國是會議舉行時，方有具體方案可資討論。若欲列舉政策內容，則除人才問題外，如接收之原則，地方政權之重建辦法，匪僞貨幣之處理，農地歸現耕農所有之實行，土地、勞資、婚姻，債務糾紛之解決，復興善後衞生救濟之方法，毒化思想之清除均係犖犖大者。二中全會既集國民黨黨內俊彥於一堂，必可詳慎討論，妥密決定，是可斷言。

我駕駛米格機衝出鐵幕

波蘭空軍中尉卡里基述　·黃霸譯·

決定逃亡計劃

三月四日，我聽到無綫電報告史達林病重。我想史達林的病對我有利。當我在四日下午走進作戰處總部時，那裏的官員恰巧不在，大概是去討論關於史達林病重的危機了，他走開時顯然異常忽忙，竟使地圖櫃沒有上鎖。我便偸了一幅有波荷姆島的地圖。

晚上六點鐘，我們舉行了一次簡短集會，指揮官向我們報告，第二天我們的任務是沿波羅的海海岸飛行，直到斯丹汀爲止，然後飛回。我們將直接飛過我認爲最好的逃脫點柯爾堡市，僅在波荷姆以南六十哩。當晚我無心進食，上床難於合眼，祗睡了幾小時。

我們的飛行隊伍有四架飛機，每兩架一組。我是隊長，所以我能決定命令，我指揮我的同伴在我前面，以一萬八千呎高度飛行，我準備在飛

我可以起飛嗎

我們把飛機滑到跑道的末端，我用無綫電和機場指揮塔通話，我故意用一種很淡然的聲音說：「這裏是七三一，利斯托柏德，我可以起飛嗎？」（利斯托柏德是斯托爾普指揮塔的暗號），指揮塔回答說：「七三一，七三一，你可以起飛了」。

當我開動米格機直衝霄漢的時候，我的心撲通撲通的跳個不停，雙手也不斷的顫動。那時正是九點零十分。

我們迅即升入充滿霧的空中，但五分鐘後，薄霧逐漸消失，天空漸漸晴朗，我可以很清楚地看見柯爾堡市，時間已經到了。

（中）

東德共黨即將改組

蘇聯最近任命尤丁爲駐東柏林的政治顧問，這件事實在非常重要，這可能表示蘇聯在東德的戰術將有急劇地轉變。尤丁是克里姆林宮的高級理論家，也是共黨國際情報局機關報的編輯，更引人注意的是，他還是共黨中央委員會委員之一。據說：尤丁派駐東德的主要任務是指導並監督東德共黨改組，並準備爲德國統一問題發動進一步的和平攻勢。

贈象之後另有文章

大家都知道尼赫魯要討好中共，最近已送了一隻大象給毛澤東，表面上是加强兩方的友誼，實際上是向中共獻媚，懇求勿派兵侵擾印度邊境。從前尼赫魯曾邀請毛澤東訪問印度京城，後來因毛魔忙於朝俄，故不了了之。但尼赫魯心還不死，趁此次乘贈象之便，復有一封親筆密函隨象送平，內中表示前次邀請訪印未蒙賞光，這一項邀請現在依然有效，希望「界面」來印一遊云云。

和平攻勢另有內幕

共黨附庸國家不斷傳出各種消息，如果把這些消息分析並歸納起來，就容易使人發現：蘇俄發動和平攻勢，其幕後的決定因素，乃是共黨國家中經濟困難日增所致。雖然各附庸國家的生產大多數均運往俄國，但莫斯科仍無力以充分的裝備來供應附庸國家，供他們執行其工業計劃。在此種情形之下，不僅蘇俄與附庸國家間的生產無法協調，而且久而久之，雙方的經濟都步上枯竭之境。觀察家相信，莫斯科現在似已看清楚東西間作大規模和平貿易，始是唯一的解決方法，再加上其他因素的促成，於是和平攻勢乃應時而生。

美將試飛雙倍音速機

美國有一位傑出的飛行人材，這人便是查理斯．伊格少校，一九四七年第一個駕駛超音速飛機的便是他。但時隔六年，伊格的技術却愈有進步，美空軍計劃在今後數月內，試飛第一架兩倍於音速的飛機，據說也已內定由伊格担任駕駛。目下伊格正在加州愛德華空軍基地準備一切，他將駕駛的雙倍音速機定名爲XI—A式，據專家預測，時速將快到每一小時達一千五百三十哩。

英國極力拉攏明仁

日本皇太子明仁赴英參加英女皇伊麗莎白二世加冕大典，極端受到英國官方的歡迎，英官方對明仁的款待，不下於對大歐元首的隆重，根據英官方訂定日程，單是晉謁英女皇的節目，就有好幾次之多，這對其他國家的皇室或元首，還是一種難得的殊榮。戰前，英日本有同盟，但二次大戰，美日的關係較英日間密切得多，英倫此舉無非在極力拉攏明仁，使英美在日本的地位能夠從此相等。（孟衡）

天下小事

普遍飢荒聲中民怨沸騰
江西大批糧食圖外運
被工人鑿穿船底沉沒
六千餘包大米落入贛江

【本報訊】大陸各地目前雖正在普遍而嚴重的飢荒之中，但因中共於史太林死時曾利用弔喪機會與蘇聯及匈牙利等國訂有以糧食交換軍火、機器、電器、電訊器材等的所謂「物資互助議定書」之後，故仍將各地大批存庫糧食紛紛北運集中平津兩地，分由水陸兩路輸送出口。但在各地運糧出境時，曾不斷發生事故。除廣東曾因此發生農民暴動及河南曾因此發生飢民與運糧民工之暴動外；最近江西清江大批糧食裝運出境時，曾發生被運糧民工祕密鑿破船底，沉沒大米六千餘包的情事。緣上月二十二日，清江「糧食公司」（中共糧管機關）奉命撥交南昌「江西省糧食公司」大米一萬包，當即用巨型民船十艘，征集民工三百餘人開始裝運，擬於二十五日用拖船沿贛江拖往南昌，詎甫將裝畢時，突起風浪，其中米船六艘，同時發生漏底，江水頃刻湧入，以船身甚重，不及搶救，傾告沉沒；船上民工大多識水，即紛紛於落水後游回岸上。事發後，中共即征雇大批漁民從事打撈，但船身過重，食米又無法一袋一袋拖浮，乃不得不用鈎將沉船中之食米拖出船外，而後將出空之沉船逐一撈起。詎該批沉船撈起之後，忽發現各船船底破洞皆有刀斧偽痕，共幹大起疑竇，乃大肆拘捕民工，凡當時在船及在岸之民工大多被捕，約共八十餘人，當即實施刑訊，經幾度嚴刑拷打後，終於招承因彼等飢餓過久，怨恨過深，見中共又將大批食米裝運出境，遂普遍大為激忿，相約實行破壞云。但共幹則堅認此批民工為有計劃破壞之「國特份子」，謂決予「嚴懲」。惟究將如何「嚴懲」？目前尚未揭曉，揆之中共一貫之殘酷作風，則大多凶多吉少無疑。

峯峯礦區工校學生
不堪欺騙起騷動
搗毀門房毆傷教職員
為首學生遭嚴刑拷打

【本報訊】據石家莊消息：最近峯峯礦區工業學校學生，因不堪該校中共行政當局之欺騙迫害，曾一度釀成騷動，當有教職員各一人被毆傷，公文收發室被搗毀，事後，十餘名有關學生曾被該校校長方正平派警拘捕，施用嚴刑拷打。緣該校於去年秋間開學時，曾由淮南、河北、西北等地保送大批學生，其中有一百八十餘人係向淮南煤礦職業學校抽調，當時該批學生都不願轉校；該校乃謊言調到該校後每人每月有一百十五斤米的助學金及棉衣一套，待該批學生到該校後發覺被騙，即普遍大為忿怒，但既入牢籠，迫於淫威，亦無可奈何。惟為禦寒及零用之需要，乃紛紛投函向淮南煤校或家中索款索衣，詎知此等函件一發，皆如石沉大海，毫無消息，乃普遍引起該校當局隱匿或毀滅學生信件之疑竇。上月上旬某日，該校學生數十人至收發室查詢時，正見該校收發員在收發室中大肆撕毀信件，當即引起該批學生之激忿，一聲呼嘯，即蜂擁而入，當將該收發員毆打成傷，並將收發室椅桌搗毀。事發後，幾全校學生為之響應，一時大起騷動！時該校教導主任張步瀛因聞訊趕至鎮壓，尤觸眾怒，乃揮拳相向，亦被毆傷。待至該校校長方正平聞訊派警趕至後，方告鎮平。該校長一時大怒，當指凡有為首嫌疑之學生，均予拘捕，並即施用嚴刑拷打；而後再行召開大會，以「鬥爭方式」，「儆誡」其餘學生。聞此次被捕刑訊學生，共有二十一人之多，惟最後結果如何，尚無消息。

中共推廣的農具
水車放了哨　步犂睡了覺

中共盲目胡幹的事例，實已數不勝數。據上月二十六日北平人民日報的指斥中揭露消息，最近中共在各地盲目強迫推廣水車、步犂及殺虫藥劑等物時，因大多不能適用，或農民不懂使用，致皆變成廢物。但各地共幹為了裝點門面，既不顧是否能用，亦不懂教農民用法，而強迫農民必須設置田中，裝模作樣。如山西省襄垣縣黃櫨兆村為例：最近共幹在該村強迫推銷新步犂八張，農民不懂用法，不肯用，共幹逼他們用，他們便請共幹教練用法，但共幹亦不懂，只不顧一切的要他們用，他們沒有辦法，便不得不在下田時扛去新舊兩張犂，舊的實用，新的則專為敷衍共幹而設。同時，共幹又在該村按戶攤派殺虫藥劑，也都不懂使用法，農民們推不掉，便不得不放着不用。此外，共幹又在該村強迫推銷水車多部，也都不能用；可是共幹又逼他們用，他們便不得不裝在陰水溝里裝裝樣子！因此，農民們便唱出了一首小歌：「水車放了哨，步犂睡了覺，農藥失了效！」可見中共盲目胡搞的情形，是何等嚴重。

共黨玩意原是如此
郵購貨物弊端百出
下令一律停止辦理

【本報訊】據北平消息，僞中央郵電部自去年春間開辦「郵局代購貨物」業務以後，各地郵局即絡續發現郵務幹部吞沒貨款或貨物的弊端，且此種弊端，隨着時間之延展而日益普遍、嚴重！惟彼時以各托購者深懼羅禍，故皆隱忍了事。迨至最近中共中央下令全面展開檢查後，方告紛紛揭發，弊情實異常普遍而嚴重！幾乎每一郵務單位，均有所犯，甚至有違犯三五十次以上者。由是，使僞郵電部大受指摘。現該部因無法整飭，乃斷然下令各地郵局於本月一日起一律停辦此一業務，並限於本月十日以前清理結束，以杜流弊之繼續擴大。

史魔遺著當作經典
中共頒令黨徒限期年半讀完
每日不得少於六小時

據上月二十五日北平人民日報披露消息：中共現以「為了適應全黨進入經濟建設時期的需要」為理由，業已規定全黨幹部理論學習的高級組和中級組在一九五三年七月到一九五四年十二月的一年半中，學習蘇聯的一切重要政治文件；其中除四種為列寧所著，一種為馬林可夫所著以事陪襯外，餘皆奉史太林遺著為中共的理論經典，計有一、在聯共（布）第十四次代表大會上關於中央政治工作的總結報告的蘇聯內部狀況部份及結論部份，二、論蘇聯經濟形勢與黨的政策，三、在聯共（布）第十五次代表大會上關於中央政治工作的總結報告第二部份，四、在糧食戰綫上，五、列寧與聯合中農問題，六、論聯共（布）黨內的右傾，七、大轉變的一年，八、論蘇聯土地政策的幾個問題，九、勝利衝昏頭腦，十、在聯共（布）第十六次、十七次及十八次代表大會上關於中央政治工作的總結報告第二、三兩部份，十一、論經濟工作人員的任務，十二、新的環境和新的經濟建設任務，十三、第一個五年計劃的總結，十四、在克里姆林宮舉行的紅軍學院學生畢業典禮大會上的演說，十五、在第一次全蘇聯斯哈諾夫工作者會議上的演說等共十七種之多。中共並規定對史魔該批遺著之學習每週不得少於六小時，且每人每週均須作學習報告。

渝一工廠半月內
工人死亡三十多
積勞成疾百餘人

【本報訊】重慶消息：目前大陸工人因被迫過度勞役而死亡的人數仍極嚴重、最近重慶「國營」二〇二廠僅從四月十六日到本月一日半個月就因工傷亡或積勞成疾而死亡了工人三十餘人之多。據悉：該廠最近製造暨司15型汽車鋼板前弓一千副，因設計不適，結果在全部完成時才發覺第一及第三中捲頭不合格，都不能用，須全部返工重製，但共幹只盲目要求任務，趕快出貨的時間，乃強迫全廠工人作三晝夜瞬息無間的過度勞役，結果，在三天內前後因體力不支，於昏厥時被捲入機器或吐血而死的工人就有三十二人之多！至於因此而積勞成疾，或因此而碰傷的工人，更有百餘人之多！景況殊為悲慘！惟雖然如此，共幹仍不介意，死人自死人，趕工自趕工，但終因工人疲勞過度所致，技術失常，二次重製之成品，結果仍有約百分之五十以上不合規格，成為廢品！又悉：因該廠此次死亡工人過多，已引起死傷工人家屬之騷動，情緒極為激忿！

共幹怎樣完成任務的？

一般不很明瞭中共內幕的人，對於中共一切「任務」的無不「超額完成」，似乎都不免有點驚奇之感！尤其其中生產數字底無不驚人龐大；捕鼠、滅蠅、治蝗、挖蛹等等統計數字底無不「精確詳細」，更不免為之匪夷所思！

其實呢？只要稍一說穿，這些謎便不難公然大白！現在，我們就根據中共最近自己在各地黨報上公開提出「檢討」和指斥的各種事例加以歸納，作一扼要的報導。

共幹們的完成任務，主要有三大方法：

首先使用軟誘

軟誘的方式說來並不新奇，其一是利用幼稚者的虛榮心理，以「英雄」，「模範」之類的美名哄人賣命、出錢，傻頭傻腦地盡其全力替中共做他們所要做的一切「工作」。其二是以「挑戰」，「競賽」，「互助」等方式去控制羣衆，挑撥羣衆，使他們互相造成虎騎難下之勢，使他們渾渾然入於瘋狂的或昏迷的狀態，從而驅使他們拚命地去完成共幹們所要完成的任務。其三是用謊言欺騙羣衆，要他們不顧一切，完成了當時的任務再說。例如最近山西共幹奉命推銷肥料，農民大多無力購買，共幹們便騙他們說：「買了肥料，就發農貸」，於是許多農民便賣了耕牛，糶了口糧，甚至拆了房屋去接受共幹們推銷的肥料，完成了他們的任務。農貸則根本就沒有這回事！

接着實施强迫

但「英雄」，「模範」，「挑戰」，「競賽」，「互助」以及謊言等等的玩意兒搞久了都要失靈的，於是便不得不施用強迫命令。而且強迫命令實還比那些軟誘的玩意兒要乾脆方便得多，因而極為共幹們所慣用。強迫的方式簡單得很，第一步是派定「任務」（包括一切勞動）或攤派負担（包括一切負担）；第二步是驗收「任務」或限期繳納負担；第三步是將不能完成「任務」或如期繳納負担的人拘捕、扣押、吊樑、拷打、（包括一切刑罰）判刑，或抄家、破產！總之「任務」非達成不可，人民的死活，根本在所不計！因而被逼殺人命的案例實多得不可勝計！

最後亂造總結

雖然如此酷厲，但往往由於上級分派下來的「任務」過多過重，仍無法一一完成；於是，共幹們便都不約而同地拿出了亂造總結報告的法寶。這種總結報告是在每一個「任務」交差時所必做的成績報告。起初，共幹們對它很傷腦筋，但久而久之，不僅已變成了交代「任務」的最佳手段，且已大多熟能生巧，演成公式，任何「任務」只要掉換若干文字數字，即可照報送。當然，其中所抄報的，到處是「超額完成任務」多少多少。下級如此，中級如此，乃至到省級及大行政區級亦復如此；各地黨報到中共中央的結果，便當然是一切超額完成了。

生產全靠虛報

中共為了大力搜刮以從事戰爭，鞏固政權，當以生產為一切「任務」之中的中心，特別非不顧一切地「勝利完成」不可；由是由上而下，層層逼迫，最為切峻！但下級共幹們在此種任務完不了時，固不得虛報數字以脫罪，即勉能完成時，亦喜虛報數字邀功，因而在生產數字中的虛僞情形，特別普遍而嚴重，幾乎全靠虛報。農村如此，工廠如此，機關如此，一切「國營」公司亦無不如此！證之中共之各種「勞動模範」類多虛報（見本報二一七期）一事，即可了然。

統計即是估計

最後是關於中共有些「任務」中，如捕鼠、滅蠅、治蝗、挖蛹（乃至撲蚊、捉蝨等）等，均有幾億幾萬幾千乃至幾百幾十隻的極「精確詳細」的統計數字公佈，若以為皆經過一一計數，實太不可思議！其實，這些都是各地隨便揑造或估計一個表面精細的數字所層層彙報的。上級共幹們雖仍明知如此，亦心不宣，便煞有介事的加以合計公佈出這種不可思議的數字來了。

說穿一句話：共幹們就是這樣在「完成任務」，或「超額完成任務」的！

摧殘文化古物
吉林石棺被毀

據上月二十四日北平人民日報揭露消息：謂一向存放於吉林省博物館的，對於研究吉林地區原始文化最重要資料之一的三千年以前金石並用時代的重要遺物——石棺，突於最近被中共吉林省「建設工程局」的幹部擊毀拋棄。緣最近因吉林房屋不敷中共機關應用，乃被吉林「建設工程局」佔用，當時該館以保護文物為由，曾向僞吉林省政府提出反對，要求該局遷出，但僞省府以房荒為由，飭博物館出讓部份館舍准工程局暫住，博物館無奈，乃一面與工程局約定在該館任何物件未搬走前，均不得移動或毀壞；一面即趕緊將各標本、書籍、古物等陸續搬移。惟其中古代石棺一口，因較為笨重，故決定押後搬移。詎知工程局佔住該館館舍不久，即有部份幹部，僅為使室內多放一張舖位之理由，當用鐵鎚將該一異常完整之石棺擊毀，待擊碎後，加以視同廢石，逐一拋出館外，待博物館人員發覺時，已僅存棺底一塊尚未拋出，雖急加搶阻，但為時已晚，一古代石棺已遭摧毀無遺。

共幹興建新屋
大事掘墳盜磚
四川各地枯骨纍纍

近來四川各縣在「基本建設」名義之下，均大興土木，建造各機關辦公廳屋及職員宿舍；惟一般共幹均以「節省建設費用」為名，竟紛紛下鄉指揮民兵征派民衆到處拆搬墳碑；凡屬有石碑之墳墓，不論新墳舊墓，也不論有主無主，十九皆無倖免！尤其因部份未曾派人下鄉拆墳之機關及認為有利可圖之中共各縣「專賣局」出價收購此種墳碑後，乃使各地鄉民亦乘機拆墳碑；出賣圖利！以致拆墳盜墓之事，一時成風！幾至毀拆一空，結果，自使各鄉間，處處窟窿，荒骨纍纍，一片淒涼殘敗！查盜墓一事，古已有之，原不足為怪；惟如中共之公然指揮民兵，征派民衆，從事大規模拆移墳碑造屋，並由「專賣局」公然出價收購等情，實屬千古罕聞！

台灣劇壇紀瑣

·姿婆生·

談到台灣劇壇的活躍，有一位色藝雙全的人物，就是毗陵盛岫雲女士。她出身名門，乃祖即清末煊赫在朝的盛杏蓀宣懷宮保。因爲嗜好程腔，自幼即研究戲劇，而配錄周長華。在素以「顯若館主」馳名歌台，其學程的功夫，除了高華而外，無人能及。以資質聰穎，而加長華之講授，幾乎無戲不能。（指程派各戲）平時輕易不肯露演，去多會爲中央大學校慶，犧牲色相，演出三堂會審。由長華操琴，每句之抑揚頓挫，以有好琴襯托，可謂無句不佳。今春歲首雅集，與張溫橋沈靈蕤之兩夫人合演四五花洞，因爲假金蓮學程，而眞金蓮宗梅，兩邊各顯才能，形成梅程競秀。由周長華趙高兩位琴師，分別托腔，煞是好聽，竟使闔座叫好不絕。再則爲華報慶三週年，由顯若與鴻英高華合唱全本碧玉簪，大家別苗頭，不肯相讓，故益精采。近今任何電台，有特別播音，則必有顯若之釵影履痕，亦票友之中心人物，具權威，爲寶島增色不少。

台灣名票之中，有一位奇特而不可多得之票友，爲天津李東園先生。舉世皆是非學言（菊朋）之生，即效馬（連良）之生行，而李君獨宗老鄉親孫菊仙，誠是魯殿靈光，余曾稱之謂古調獨彈。李於孫派各劇，無所不能。曾於四十年總統蔣公壽誕，在士林串演教子，使舉座爲之驚異。尤其絕無票友的架子，常在各茶樓清音自遣，因此幸聞佳奏者饜矣。其最精到者，厥惟逍遙津，所唱欺寡人，有十七句之多，正是一瀉無遺。據李君見告，此劇高慶奎唱九句，麒麟童唱七句，從前老伶工有二十餘句之多。今歲，東北四省聯誼晚會，又特懇李再演教子，始得見其描摹龍鍾情態，與忠義心緒，能具刻畫入微之致。李君精擅藝術，（一）爲收藏世界各國郵票至夥，並能製圖案，郵政局人常向其請益。（二）係採集蝴蝶標本，來台以後，已藏四千餘種。（三）善塑石膏立體模型，教育部曾邀其專爲製塑，成品極優美。（四）精於製革，頗有專門功夫，惜無以展其能。惟渠云一生嗜劇，爲學孫之唱，將所有積儲，消耗殆盡。誠道地之名票，平津一帶之嗜劇者，皆如是也。

在台票友之習生行，固堪稱登峯造極者，祗趙培鑫一人。尤其所唱韻調，則介乎譚余。回憶當年杜壽盛會，與孟小冬配全本搜孤救孤，眞是一時瑜亮。可惜來台避居，除了至好朋友宴集，偶爾清唱，絕不肯登台，一露色相。因此無論任何義務戲，皆無法請到。究其原故，（一）趙爲杜月笙義子，自杜逝世，爲其心喪三年，無法粉墨登場。（二）先有請其演唱者，已經趙氏婉謝，嗣後再唱，即開罪於友朋。（三）曾有諸誓，如果光復上海，願登台盡力演唱一週，以救濟一般難胞。人聞其言，知難以相強，即不復邀，而趙却減去不少煩惱。或謂趙之不允出演，有兩要點：一無絕好之琴師，二缺相當之配搭，實爲重因，遂成神龍不見首之景。

台灣劇壇初期之沉寂，以無活潑之人才，自從焦大姐鴻英來台，遂相當的活躍。焦實是多才多藝，既善平劇，又拍電影，復能演話劇。從前藝人，多是兩棲，焦竟三棲，可算難得。去春在大有演出花木蘭，歷時三週，頗得成功。就余觀感，此後電影，大姐眞可不必拍，倘能在話劇下功夫，則造詣當不下於平劇。當焦初抵台之時，爲獻機在中山堂義演，因其聲勢煊赫，以致探母一戲，台北名鬚生均不願爲其跨刀，祇好由新竹名票楊雪樵爲配，嗣後即改作風，結好人緣。綜其所演各劇，噱頭最大，却是全本法門寺，以一趕三，孫玉姣、宋巧姣、劉媒婆，三種不同的型典彙飾，大受歡迎，連演兩晚，座無隙地。此後在社會場合，因無焦即減少興趣，由其不斷活動，終至招致與江一秋分飛。自脫江東約，更爲自由，東奔西走，經常作勞軍之行，愛國之心，油然可見。近稅居屋，與前主席官邸對門，相居周旋者，皆元老華僑，焦直可自傲矣。

青衣名票王振祖，以嘯雲館主之名，馳名寶島。王宗梅派，音調嚮脆而圓潤，頗得梅之三昧。在抗戰時間，王於西南名城昆明，博得大衆交譽，早負盛名。其生死恨鳳還巢春秋配奇雙會教子等戲，確能酷似，即顧正秋有時或未逮之。因此在台之青衣票友，尚無人能與抗衡。王善居積，頗有蓄儲，自任新世界戲院經理，待人益加和藹可親，毫無票友習氣。每遇同道友朋艱困，輒願爲其幫忙，一如北方之搭桌然，分文不取。際此票友亦非錢不可的狀態中，眞是難得。其夫人亦能唱，可惜不肯粉墨登場，惟王氏每次出演，一切梳頭裝扮等工作，皆其夫人親任之，能得美善之祕訣，故於扮相有絕大功效。其兩女亦喜唱，偶扮汾河灣之丁山，或教子之倚哥，渾成可愛，聰明堪敎。

談「人之患」

爲方

「人之患，在好爲人師」，這句話是對舊時代實行「尊師重道」社會中之一般教老師的警惕語，提醒他們不要踞擁皋比，貽誤別人子弟，辜負了社會大衆的尊敬熱情。的確，在舊時代社會中的「人師」，位居西席，家長尊之爲上賓，學生敬愛如父母，情誼彌叠，發於自然，雖三家村的冬烘之師，亦具有這種社會地位。至於名師宿儒，那更是了不起，他享有天子不得而臣，諸侯不得而友的榮譽。人們儼這樣地尊師重道（道即學問也）爲人師者，當然非自愛不可的。即在現代歐美社會中，一個教授，也特別受到社會大衆的尊敬和禮遇。

但在現代的中國社會中，自革命之說興，「人之患……」這句話的意義，迴然別有解釋了，那就是說：人生最大的災害，即是當教師！按鐘點計工錢，學問變成商品，而其代價又不足以充飢；學生把教師當作江湖賣藝者流，說不上甚麼師生的風義。所以，前些時台大有些學生，爲着房屋分配問題，站在校長室前，大呼「錢思亮，你出來！」殊不足怪。誰教你們這般書呆子不去蠅營狗苟，弄上一官半職，而要來幹這份教老師的賤業呢！君不見鐘鳴鼎食者，盡皆立正開步走之英雄豪傑乎？學問，有鳥用？

近人頗倡讀經之論，即是重道的意思。但若視教老師如告化子，其結果，大家所能讀通的經，必非十三經，而是生意經，米湯經，狗皮膏藥經罷了！

新·世·說·補·遺

馬五先生

陳行其人其事

廿餘年來，在國民政府治下服務之公職人員，數以億萬計，然其生活享受之優渥，職責之輕鬆，位置之安穩，無有出於已故中央銀行副總裁陳行之右者，誠近代中國官場中之唯一福人也。命運使然乎？地靈人傑乎？吾不得而知之矣。

陳字健庵，早歲留學新大陸，歸國後，于役美商中華貿易銀行漢口分行，不過買辦人物而已。民十六年國民政府由粵移武漢，宋子文初任財政部長，以軍事發展甚速，財務繁頤，需才孔亟。宋固少識中國文字，任何公牘函札，非洋文即不與閱覽者，陳通洋學，且爲留美生，深受知遇，延入幕中相助爲理，遂成重要幹部。國府奠都南京，陳負財部方面之任，旋中央銀行成立，轉入央行，不旋踵而擢遷爲副總裁，不啻宋氏化身。日後貴爲糧財各部長之徐堪，當年即其直屬指揮下之一名科員也。陳氏於政治場中少露頭角，亦不似一般暴起新貴之好談國事，炫才智，謹守崗位，默默無聞，因而不爲人所嫉視。

國府財政金融業務，宋子文與孔庸之二人交互綜持垂二十年。陳爲宋氏舊幹部，宋去孔來，對陳任使如故；孔去宋來，對陳更深信賴。歷時既久，積資日深，雖有忌者，亦無以撼其副總裁之地位矣。陳氏平日除簽名於國幣票面外，即在公文上蓋章，少預他事。抗戰結束後曾一度聽其管理央行祕書處人事問題，未匝月而人事大亂，羣情譁然，總裁貝淞蓀急爲其節勞焉。

國家銀行職工待遇素豐厚，而以央行尤首屈一指，允稱「銀行之銀行」，一工役每月所得，亦超過各院部會之科長階級以上。至於總裁私宅中之男女傭工工資，固由銀行列爲公家支出，其他日用飲食之資，酬酢之費，器物之需，乃至廁所草紙，無不歸公家負担者。陳氏公館內，經常列有工役十五名之多，即此可概見其餘矣。民國卅七年劉攻芸兼主央行事，頗擬剔除濫費，滌盪侈風，規定副總裁公館工役不得超過五名，其他開支亦按比例減其十分之六，陳泰然無所容心也。迨上海將撤守之際，陳見大勢已去，方請辭職，至香港時，仍以副總裁名義在港行借支公帑港幣十萬元，而由滬以金圓券按官價付還之，總行斥其不當，拒予核准，然陳已赴台灣矣，越兩歲而病卒。

陳氏高據副總裁之位，養尊處優，與故國河山得失相終始，無責任，無煩惱，富貴逼人，人亦莫予爭鋒，有豪門官僚之實，而不蒙其名，更不爲世所指戟，官運之亨，福祿之美，自民國以來，未嘗有也。

第一位黑人主教

由之

宗教是不分種族的，這句話在黑人聽起來，多少還有些懷疑的地方，一直到最近，有一位名叫奧利華·波爾斯的黑人做了主教，才消除了大多數黑人的疑慮。

波爾斯原是英屬西印度羣島多明尼亞島的土著，一九二五年，他年僅十五歲，即來聖亞古斯丁，後來轉入聖亞古斯丁神學院求學，這一所學校規模不大，建築在密失西比州聖路易斯的城外一片棕櫚林中，一座小巧而精緻的建築物，即看見，也別小看了這一所神學院，這却是美國境內唯一黑人攻讀的羅馬天主教神學院，它成立於五年前，目的在訓練傳教士於國外及美國黑人與墨西哥人中作傳教工作。

波爾斯即專心研究宗教，經過十四年的訓練後，終於一九三九年授神父職位，一年後，他被派往西非洲英屬黃金海岸殖民地的亞克拉，爲當地黑人服務。對於非洲的種族問題，他很下過一番功夫，而他處理這一問題的得法，也贏得各族人民的讚賞。

上星期，波爾斯終奉教廷命令，晉升爲亞克拉區主教。亞克拉區現有天主教徒五萬八千人，學校一百九十六所。波爾斯在聖古斯丁神學院一百二十五位學生觀禮下，終成爲第一位出任主教的黑人。

典禮舉行時，有一千多人擁入聖路斯灣教堂中看波爾斯接受銀白與金黃色的主教法冠，在祝賀會中，更有三千人向他祝賀，不僅黑人親臨道賀，就是來賀的白人也和黑人一樣的多。

事後，波爾斯照了一張戴着法冠穿着主教衣服的像片，那時候，天色已經不好，背景已經暗黑，於是除了一頂發光的法冠，一件鮮明的衣服外，便只見漆黑一片了。（譯自「新聞週刊」）

奴役的藍圖（五）

麥柯米克神父著　陸逸譯

有十個共軍在李家，爲首的那一個我認識，因爲他住在離我一里多地的下街，他手中拿着一張名單，上面開列着他所有有槍的鄰居，跟他一塊兒的是九個綁擄了的中學生，李家和村中其他有槍的村民忍痛無言地交出了槍，從此共軍再不會有抵抗的威脅了。

那夜，約有十九個共軍到三個青年人的家裏，半夜少過，他們開始敲門，當門一打開時，他們令人不防地猛然地進去，把他們所需要的人抓住，當這三個青年被抓之後，他們被押到附近的一個蠣田里，在幾聲尖銳的叫聲之後，跟着一排清脆刮耳的槍聲，沒有人敢去詢視發生了什麽事，直到第二天才發現了三具充滿傷痕的尸體，這幾個青年先是被毒打半死之後又加以槍殺的，他們曾經對抗過共產黨。

被殺者與日俱增

日子過的越多，夜里捕人的事也就變得越普通，有些是立刻槍斃，另一些便是「失蹤」了。在那年年前的幾個月里，我們底共產黨鄉政府殺了二百個「土匪」，第二年殺了一千個「人民之敵」——凡反對共產黨的全稱爲「人民之敵」。

第一年的時候，除了對一些曾經公開反抗過他們的人手段凌厲外，對於一般老百姓大致還算客氣。他們普通很和善，喜歡接近人，而且也很熱心，他們大多數是青年學生，二十歲左右，每人有一個花枝招展的女朋友，其中多數是空想主義者，他們希望從鬥爭中去創造一個富強的新中國，另外一些便多是機會主義者，他們以爲將來中國同蘇聯一定能征服世界，不如趁早入夥爲妙，這樣可以在革命事業中混水摸魚，或是保持一份較好的飯碗。

商人在共黨統治之後，是最倒霉的。

商人當作聚寶盆

劉先生在我們那里是一位最富有的商人，在城里他有五間舖子，並從鄉間採辦稻米，農作物，木柴，木材，木炭等物向下河的大城市批發，在共軍來了後的一星期內，把他每一個商店派了一份公債，這份稅務和運輸正好相抵，而他們一言爲定，決不再減，像一些無有商業知識的年青人一樣，他們以爲商人的錢都是聚寶盆里跳出來的。

在舊政府統治的時代，劉先生對稅務問題周轉得很得手，這次，他也未曾對那些坐在稅務局辦公室里的小流氓們抗過議，他祇設法請稅務局局長和其他高級職員來吃二十四道的大餐，當豐富的大餐吃完之後，我們正在談笑風生的時候，劉先生提出稅務的問題——稅務局長握着他的手說道：「我知道你要說什麽，你底捐稅太重，照今晚這樣奢華的大餐，我相信我們低估了你底財富，從今天起，你底捐稅加多一倍。」

不久之後，劉先生自殺了。

失眠

健軍

我是一個生活恬淡的人，孤獨地躲在名利圈子之外，像古井裏的靜水，如果沒有外在的侵擾，是很少泛起漣漪來的，這樣自然與生龍活虎的鬥士們相比是缺乏勇毅了，和交遊廣闊的博學之士相比是孤陋寡聞了；然而就生活的另一方面來說，我却享受着一種鬥士們和智士們所渴求不得的清福，那就是生活的清閒優悠了，在我底記憶裏，祇有二次算是眞正地嘗到失眠的痛苦了。一次是聽到慈母去世的那一夜，那時我還在遙遠的故都讀書，噩耗像一陣無情的秋風，把母愛從我身上吹得一乾二淨，我感到一股彷徨無依的悵惘，和孤冷淒清的悲涼，從此天地雖闊，人海雖瀚，但那里有屬于我底溫暖呢？記得一時悲慟，哀思交衝而來，良久不眠，另一次是我得到留學獎金的時候，狂喜的心情使血液的循環沸騰起來，美麗的遠景把我引到幻虛的境界，狂遊漫覽，逸興遄飛，又使我遲晤周公。

心緒不寧的人容易患失眠症，這是人人共知的事，如果我們要問一下，世界上甚麽最使人心緒不寧呢，仔細想來就是名利二字了，爲了名，我們須要去苦幹，去傾軋，去竭思殫慮，爲了利，我們不惜奔波，去役形，去勞心費思，小名之後，謀求大名，小利之後，冀圖大利，日勞夜思，歲月往復，等到名成利就之後，多數已成爲長醒不眠的「夜遊神」了，這是失眠者的成功，也是失眠者底失敗。

失了眠去吃安眠藥片的人固屬芸芸衆生，不需要吃安眠藥片而喜歡去沈醉一下失眠情趣的，却也不祇孤君寡人，我常想偶然的失眠，對人生是有益的，因爲你可以在那凌亂的幻景裏找到許多與你生活脫了節的故人和往事，這也許會帶給你許多感喟，但那也就是你輾轉反側的代價了。當然一個常久失眠的人，他底痛苦是不可想像的！因爲糖偶然少吃幾塊是甘飴可口的，吃多了，不也是很苦嗎？何況是『衆人皆睡我獨醒』的滋味呢!?

中華民國僑務委員會頒發登記證台僑新字第一〇二號

自由人

THE FREEMAN

（半週刊每星期三六出版）

（第二二九期）

每份港幣壹毫

督印人：李光華

社址：香港高士打道六六號

電話：二〇八四八

GLOUCESTER RD.
HONG KONG
TEL: 20848

承印者：東南印務出版社

地址：高士打道六十四號

台灣特派員辦事處
台北市館前街五十號

台灣總經銷處
台北中華路新號五九四之一

台灣郵政劃撥儲金帳號
九二五二號

新日本給我的新印象（三）
試答朋友們向我提出的幾個問題

左舜生

上面我說明日本的復興之快，係由於他們的政治，教育，經濟，以及社會組織和秩序等等，各有其良好的基礎；而這七八年以來，日本又隨時有很像樣子的政治家產生，懂得對這些基礎去加以培育，即令在軍閥橫行時代，也總還有若干的豪傑之士，敢於去披還班軍閥的逆鱗，甚至以性命相搏，也不肯令這些基礎完全歸於破壞；這確實是他們經過一度慘敗之後，即令他們目前的政治人物，大抵都是一些中材，但在這樣一種的良好基礎之上，依然能按步就班，很迅速的又能建立起樂樸傑閣的基本原因之所在。至於問到他們前途有無困難，和今後的動向如何，則我擬在答覆下面第二第三兩個問題中來加以試答，在這裏便不多贅了。

第二問題：

日本建軍的實況，究竟如何？其遲遲不肯進行的心理與困難安在？

過去的兩三年，我也原有一種幻想：以為以日本的人力與軍事傳統，加上他們的工業潛力，再益以美國的支援，日本建軍總應該不十分困難，而且可能為他們的國民所歡迎。可是這次到日本一看，還和好幾位朋友加以相當的檢討，才知道確有問題。

日本建軍困難的原因

一、一班人民對過去軍閥誤國的反感，並未完全消釋。

二、日本目前還在經濟復興的途中，就經濟復興的本身而論，原已有困難不少，（例如原料太貴與市場難得）如立即建軍，勢必增加人民的負担，即無異對經濟復興前途，更加一層阻礙。

三、所謂美國的支援，本來也不太痛快；而一般人民的心理，更不願過度的依賴美援以增加自身的束縛。

四、強鄰逼處，待機而動，他們覺得，如暫不建軍，可能禍小而發遲；立即建軍，便可能禍大而發速；我們不要忘記，日本確實是第一次嘗過原子彈的國家！

五、共產黨正在向全世界發動普遍的攻勢，而他們對共產黨的認識，卻還不如我們的經驗豐富，一部分淺薄的知識分子和青年學生，很容易為這種和平的甘言所欺騙，而日共及其同路人，更藉此推波助瀾，以使擴大他們自己的力量。這次我在東京新宿某劇場看過一次話劇，名『真空地帶』即在暴露過去軍隊生活的醜惡，演出的技術並無可取，但在他們宣傳反對建軍的作用上，卻相當的成功。

六、一部分的新興財閥和暴發戶，他們為目前一種表面的暫時的，繁榮所迷惑，以為可以從此一帆風順，他們對於建軍的財政負担，確實也非常淡漠。

基於上述的這種原因，我這次在日本，乃看見如下的各種現象：

日本不願建軍的事實

一、舊日的軍人，雖追放或拘禁已經解除，但不獨政府未予起用，即社會對之也十分冷淡；日本因戰敗而流於沒落的，在今天確實只有舊軍人這一階層。

二、一般殘廢軍人，要募集一點更生基金，應者也寥寥無幾。

三、我曾遊過東鄉乃木兩個神社，在過去是日本人所崇為軍神的，但今天則門可羅雀。我曾在乃木故居低徊留連三小時以上，默默的為日本人招魂，但遊人卻始終只有我這一個不合時宜的異國遊客。

四、這一次的選舉，凡標榜正式建軍的均遭慘敗，相反的方面卻相當勝利。

五、吉田這個人，在度過他們國家第一難關的這一點，也總算不無微勞，但論其風格與器識，卻不能與明治時代的那班大老相提並論。他對建軍採取如目前的這樣一種灰色態度，目的只在維持一時的政權，根本談不上百年大計。

依據上舉的這些分析，我想讀者對日本建軍的前途，總可得一個相當明白的認識了。

這次我在東京，曾向朋友們發過這樣的感慨：人類總還是會要在戰鬥中才能生活下去的。能戰，敢戰，又為正誼而戰的，便是一等國家；即令其作戰的動機，不太純正，但能戰，敢戰，將仍不失為二等國家，既不能，又不敢，而只想仰仗他人保護，在和平世界坐享其成，則終於只是三四等國家而已。日本今天除軍備外，已具備了一切一等國家的條件，難道日本人會願意永遠停止在一個三等國家的地位嗎？我想這是決不會，而且是不可能的。

△韓國的春天——和談聲中，戰士們還是照樣的受傷死亡。

列寧遺囑史話（上）

·鄭學稼·

當史達林死訊傳來時，台北報紙曾討論列寧「遺囑」的事。列寧何以寫他的「遺囑」？它的內容是什麼？和它的後果又是什麼？

列寧大權旁落

熟悉布爾什維克初期黨史的人，當有這一結論：每次布派內部的分裂，對史達林的命運有極大的關係。亡命的列寧，愈感到孤立，就愈重視史達林。[illegible]，史達林被列寧圈定（不是選舉）為布派俄羅局的委員。由後門走進布派中委會的史達林，雖然在二月革命後，曾因所主持的「真理報」反對十月暴動，受列寧的斥責，但自十月革命成功起，他是列寧的追隨者。一直到一九二二年，列寧對於史達林的信任，是從未動搖的。在幾次托洛茨基與史達林的鬥爭中，列寧總是左袒史達林。對它的唯一解釋：史達林是老布爾什維克，托洛茨基到一九一七年七月才「加入」（如不說是「各區聯合派」與布派的「統一」）布爾什維克。

一九二二年五月末，情勢一變。那時，列寧第一次受動脈硬化麻痺病的打擊，離開政治領導的地位，史達林與加米涅夫、季里諾維也夫，就暗中勾結，操縱大權。在所謂「三巨頭」的政治蜜月中，史達林曾幹幾宗大錯誤的事，引起列寧的憤怒。內中最重要的：第一、違反列寧意志，進兵喬治亞和在該地厲行排除異己，引起喬治亞布派的抗議。同年十月，列寧的病好轉，接受喬治亞反史派的請求，曾主張開除該事件的直接負責人奧忠尼啓則的黨籍。（奧氏是史達林的死黨，到史達林登上獨裁寶座後，被史譖死）第二、史達林所主持的工農檢查局，本為防止貪污而設，卻變為最腐化的機關。不僅此也。就是以史達林的總書記的黨書局，也腐化到連列寧的手令都失蹤。一切的事，使列寧感到史達林不應掌握過大的權力。

列寧口述遺囑

同年十二月中，列寧第二次受同一麻痺症的打擊，一週後才恢復說話。他似已自知不久人世，於二十五日對祕書口述對黨的意見。那就是世人所謂的「遺囑」，它的內容如下：

『我從前曾說過要使中委會團結起來。我的意思，是要儘可能地採取一種處置，以防止分裂。因為俄羅斯白軍首領（我記得是歐登堡）的話，是有見地的；從事反蘇俄的活動時，第一他佇望我們黨發生分裂。其次，他希望那分裂由於我們黨中嚴重的衝突。

我們的黨，建立於兩個階級——農民與工人——之上，因此，它的不團結是可能的。這兩個階級如沒有融洽，黨的沒落是不可免的。在這種事態中，想用任何方法，或泛泛地討論怎樣團結我們的中委會，是無用的。在這種事態中，沒有十分有效方法足以防止分裂。不過，就眼下說來，我相信那該在很遠的將來；那或是不會發生的事。

我覺得在最近的將來，團結仍是分裂的一個保障。在這兒，我想對於純屬個人性格值得注意的地方加以檢討。從團結中委會的觀點而言，所以需要團結的根本原因，在於現中委會中有史達林及托洛茨基兩位最能幹的領袖。依我看來，他倆間的關係，實會產生分裂的大部份危機；這種分裂是不可避免的。依我意見，把中委會的人數加到五十名或一百名，就足增加避免分裂的力量。

史達林同志充當總書記後，把大權緊握在手裏，但我不敢相信，他是否常常知道怎樣審慎地行使那權力。另一方面，托洛茨基同志，由他對於交通人民委員部問題反中委會的鬥爭，不僅證明他是有特殊能力的人——的確，就人而言，他是現今中委會中最能幹的人——而且證明他太過自信，和他的秉性又太易被純粹行政方面事務所吸引。

現中委會中這兩位最能幹領袖的這兩種性格，會十分天真地引起分裂。如果我們黨不設法防止它，那分裂會出人意外地發生。

我不再論述其他中委們的性格。我只提醒你們：季諾維也夫與加米涅夫的十月插曲，自然不是偶然的；但要少用它攻擊個人，恰如利用托洛茨基的「非布爾什維克主義」去攻擊托洛茨基。

對於中委會年青的委員們，我要對布哈林與皮達科夫說幾句話。依我的意見，他倆是最年青人中的最能幹者。對於他倆，必需緊記下面的話：布哈林不僅是黨內最有價值的理論家，而且是最大的理論家，並且也可視為全黨的愛悅者。不過他的理論觀點，說是完全的馬克思主義者，那要有最大的保留，因為他帶有學究的氣味。（他從沒有學過辯證法，我認為他從沒有完全理解辯證法。）

其次說到皮達科夫——一位意志與能力無疑地都出衆的人。可是，給他負担行政方面的事務太多，和對於嚴重的政治問題過於信賴。

自然，我的這兩個論述，只就現時而言，或且根據這假定：這兩位能幹的及忠實的工作者，不會找到增加他們知識的及糾正他們偏面化的機會。』

本週展望

·雷嘯岑·

隨着俄共音樂而跳舞

史大林死後，自由世界的政治人物，儘管說是對極權鬥爭採取主動地位，事實上，依然隨着俄共集團所奏的音樂而盲目跳舞！

馬倫可夫說了一句「和平」的話，英美法這些自稱要爭取主動攻勢的政治家，即搶着表示願走到半路上去迎接俄式「和平」，這是第一回合。

越共侵寮的軍事行動稍停而向後撤退一點，自由世界又遍傳「情勢和緩」的樂觀論調，法國更不願使越戰問題提到聯合國了，實則越共已無端侵佔了寮邦四分一的土地，戰事縱然暫停，它已大有所獲。然自由世界的政治家卻以越共不大舉進攻為深堪慶幸的大事，這是第二回合。

共產黨人援用列寧所謂「退一步進兩步」的鬥爭策略，先把自由世界弄成緊張的情勢，然後利用人類惰性作用，乘機在某一點上表示讓步姿態，使對方的惰性勃發，自甘暴棄，這就造成了它們未來的勝利基礎。

無論冷戰熱戰，自由世界始終還是居於被動之中，韓、越的戰事前途，暗淡得很啊！

南韓的幹勁兒

近來南韓政府當局和軍民人等，堅決表示反對板門店的和談，聲言將單獨作戰到底。美國乃派人趕往勸說，無論如何，南韓的意見不會完全被抹煞了，這是自強自立的效用。自由世界是絕對需要南韓存在的，李承晚認清了這一基本原則，他就敢於採取破釜沉舟的強硬政策，可謂知己知彼矣。

台灣也同樣為自由世界所必爭之地，自由中國的幾十萬大軍正在那兒枕戈待旦。我以為乘韓戰尚在僵化中的時機，大可一顯身手，向大陸進擊討賊，不惜一拚。如果韓戰一停，形勢即另有演變，國軍縱然可以及時而拚，但各種因素都不如韓戰未停的時候為有利了！

我們讚美南韓的幹勁兒，有為者亦若是，因而期待自由中國也有同樣的表現。

五花八門的政治表演

中共的宣傳機構透露消息，說秩敬王朝準備把在大陸已經沒收了的英國財產發還，西方輿論界即說中共與英倫將要正式交換使節了。

邱吉爾在下院發表政策性的聲明，強調俄國內部已起變化，遠比俄共任何對外表現的軍事行動更為重要。因此，他極力主張「大國會議」，要跟俄共妥協。

杜爾斯向國會議員保證，美國對韓戰的談判問題，並未受有外來壓力，而有放棄其根本計劃的意念。

那吉勃向埃及人民鼓吹「為自由而戰」，要埃及人準備流血，表示其對英埃撤軍談判的不妥協態度。

這些都是最近幾天內，在自由世界中所表演出來的政治戲劇。邱翁的聲明是純粹以英國現實利害為前提的政治預言；杜爾斯的話，等於「此地無銀三百兩」；那吉勃要與英國流血，也是夜行吹口哨的作用。各人的表演姿態雖不同，而其為反應自由世界爾詐我虞，矛盾紛歧的內情則一也。祇有共黨那種發還財產的戲詞，對自由世界具有極大的催眠作用，使那久經憂患，行年八十的邱老相也怦然動心了，不亦怪哉！

可注視的珍珠港會議

美國的文武高級人員，正在珍珠港舉行會議，主其事者，是剛由太平洋沿岸地區視察回去的太平洋艦隊統帥雷德福，參加的人員，除在太平洋方面負有責任的海空將領外，有來自華府的決策人員，有來自東京的外交使節。看此陣營，即知這次會議是非常重要的。

這一會議的主要任務，必係為應付韓越戰事惡化後的緊急形勢，而其唯一對象即是中國大陸上的共黨暴力。會議決定的措施，與我們自身的未來禍福攸關，大家應該注視其一切動態，這對大局演變的觀察，是有益的。

反共聯合戰綫大團結

自從國民黨二中全會決議督促政府，及時召開反共抗俄會議，制定反共抗俄救國綱領，若干日來各方所矚目的團結問題，已漸趨具體化。自由中國與論界方面，對此舉亦極表贊同，團結的目標爲反共的力量，但什麼是反共的力量，尙缺少詳細的分析。茲綜合各方面的意見，就反共力量的本質與反共力量的內涵，作一歸納，以爲熱心團結問題者的參考。

台灣通訊

反共力量的本質

先就反共力量的本質說，則凡志在消滅中共，共產邪說，及蘇聯所領導的共黨政權與組織者，而爲反極權，反侵略的奮鬥者，凡在中華民國政府領導之下從事反共抗俄的鬥爭者，凡主張維持世界和平，人類正義與民主自由的制度者；凡在政治立場，及思想，信仰，道德觀念上，與中共不同者，凡在經濟或商業利益上與中共相衝突者，凡能打擊或削弱中共的力量者，凡曾爲共匪脅從誘迫而能眞心悔悟願從事反共工作者，以及凡爲中共迫害而志切反共者，都是反共力量。在今日而言團結，自宜廣爲結納，咸使其列入聯合戰綫的戰鬥序列，不可有所偏廢，或有所遺漏。因以，在反共抗俄會議舉行之前，各種調查的工作，與聯繫的方法頗爲重要。再就反共力量的內涵說：反共抗俄固然要恃軍事力量的增强，但也並非完全要倚恃軍事。因爲中共在中國大陸上出賣國家，毀滅文化，破壞倫常，施行極權統治。所以中華民族的固有道德與民族精神，中國人民的民族意識與國家觀念，以及全世界反極權反侵略的自由民主思想，都是反共抗俄的有效武器。近年以來，蔣總統一再昭示恢復中國固有道德的重要，與變化氣質的要旨，實屬具有灼見。所可惜者，在自由中國方面，對於這一方面的成就還並不多。今日自由中國的各種進步，日趨壯大，不僅使陷區人民及海外僑胞，均人心歸一趨，並且獲得國際間一切愛好民主自由國家的同情。這些也都是估計反共力量的時候，不應該加以忽略的。再則大陸同胞在俄帝共匪暴力統治之下所發生的反抗意識，與曾受俄帝共匪誘惑脅從的大陸人民與海外華僑，都趨於覺醒，也是在反共力量中頗佔有份量的因素。

外交陣容須加强

所謂聯合戰綫本可以有國際與國內的兩方面。但無論那一方面，其重心均在海外，而並不在台灣。國際的反共聯合戰綫，雖則在事實上尙沒有這個名詞，但美國的外交政策，顯然地早已從事戰綫的建立。二中全會決議的聯合戰綫，主要的是指中國國內的而言。惟雖則是國內的，也仍就要使其影響，擴大到國際方面。蓋今日的反共抗俄大業，本來具有國際性，尤其中國的反共工作，決不是中國一國之事。欲在國際方面擴大聯合戰綫的影響，必須加强外交的陣容，爭取全世界反共國家的合作與團結。半年以來，我國駐外使節，先後返國述職，較之民國三十八年三十九年的時候，內外不相聞問的情形，已大爲改善。最近蔣廷黻氏歸來，對於整個外交局勢，更必有通盤的說明，年來海外的反共力量，未能早日團結，趨向政府的領導，與外交人員的未能充分盡力，也不無一些關係。尤其駐外使節的陣容，有欠整齊，作風也不免互有長短，更早爲各方面久已呼籲亟加改進的問題。反共抗俄會議之日，海外必有甚多反共人士來台參加。他們在海外所親見的外交使節情形，當更有親切的陳述。

團結應切實履行

關於反共抗俄會議的出席人員，總如何邀請，聞中樞尙在審擬之中。但既爲建立聯合陣綫而從事團結的工作，則與會的人士，自不分黨派，地域，職業，宗教，種族。會議的主要任務，在表示反共力量的團結，與反共抗俄救國綱領的制訂。此與抗戰初期，由第一屆國民參政會通過抗戰建國綱領的意義相同。綱領係共同遵守共同奮鬥的準則，內容不必過份詳備，而卻必須爲切實可行。空泛的理論宜極力避免，當前的大計與反攻後的要策都宜明切規定。至於會議結束之後，各參加人員自宜仍行返歸其原來崗位，繼續爲反共抗俄工作而努力。但政府爲保持經常的聯繫起見，亦可設置較永久性的諮詢機構，以便隨時商討大計。至於現行憲法的法統與政府的體制，早獲得國際的承認，國民的擁護，自不在反共抗俄會議所討論的範圍之內，也非出席人員所當首先注意的事項。蓋會議的要旨，在團結反共力量，建立聯合戰綫以對匪俄，其目標固在彼而不在此。本刊提倡團結問題最早，亦最久，茲聞即可實現，尤感欣慰異常也。

我駕米格機衝出鐵幕

波蘭空軍中尉卡里基述　黃勳譯

丟下油箱俯衝而下

爲了增加飛機的速度，我要把油箱丟下，但我不想將油箱投在柯爾堡市內，所以，我命令飛在我前面的駕駛員七二八號略略飛往右邊。我用手去按投落油箱的電鈕，但我的手指冷有礙中，我再試了一次，我猶記得油箱突然離開飛機直落入海中那一剎間的愉快。然後我向右作直角的急轉升俯衝而下。

我立刻被發現了，由無綫電裏，聽到七二八號尖銳的叫聲：「七三一號逃跑了！哈囉利斯托柏德！哈囉和斯托柏德！七三一號飛走了」。我聽到後，心中暗笑，立刻也高聲大叫着：「是的，我飛走了！我飛去爲史達林爸爸取藥去了」！

我知道烈斯托巴的雷達站將發現我的飛機行蹤，執行「追截行動」的四架米格機幾秒鐘內便可昇空向我追來。不過如果我飛到一千五百呎的低空，雷達電波便找不到我了。我於是儘速飛到這高度，當我加足馬力，飛機接近音速的時候，我感到機身震動得厲害。現在，我主要的憂慮是有沒有俄人駕駛的米格機飛近我旁邊了。我把無綫電撥到「作戰」階段（我們有二種波長，一是訓練通話的，另一是作戰通話用的）。我立刻聽到四架米格機已經昇空，烈斯托巴發生的命令在說：「七二五號！七二五號！執行追截任務。」

俄人駕機緊追不捨

突然間，我已到了波荷姆島上空，但我聽說的美國基地在那裏呢？空中沒有一架戰鬥機迫我降落。的確，我前一天偷到的地圖上並沒有註明空軍基地，祗有一個小小的飛行跑道，當時我還以爲這地屬太窄的。我把速度放緩，在周圍盤旋，最後我始發現一個跑道，但顯然太短，不適於噴射機用的。如飛到哥本哈根去，即使我情願冒擊落的危險，汽油也不夠。

我祗得再在機場上盤旋一週，當第二次祗轉了三分之二的圈子時，我就再降低速度，衝了下去，這時候我才看清楚有一座鐵絲網攔住我去路。我慌忙把飛機昇高一點，越過了它。這次降陸如同神蹟，我的飛機一直滑到跑道末端才停，前面已經不留一點空位，下次我即使奉命這麼做，也無法照辦了。

重獲自由

我又把飛機駛到一叢矮樹下，我知道那四架米格機奉命須要時不惜破壞外國領空以防米格機落入敵手。它們極可能向這機場俯衝，擊毀我這架飛機。我聽見它們隆隆的聲音，在機場高空傳來，但我卻看不到它們。我想它們或以爲我已飛回哥本哈根去了。

我爬出飛機，向跑道盡頭一座小屋奔去。一個婦女攜着個孩子站在門口，看到我顯然不爲驚恐，但我自己何嘗不如此，我還不能確定我所降落的地方正是我所企求的。我高聲用蹩腳德語大喊：「這裏有共產黨嗎？」這婦人最後使我明瞭我已到了丹麥，一會，丹麥警察來了，於是我知道我終於得到了自由。（下）

「國是」刊物難產記

·悟因·

最近在廣告上看見本港文化界又有一種新刊物出現，名字叫作「國是半月刊」，創刊號的作家姓名已披露了，如伍憲子，黃宇人，周一志等都在其列。但，始終只聞廣告聲，不見刊物出，據說是遇到了難產之症。

這刊物的幕後支持人，傳說爲過去我們的「代總統」；因爲他近來曾分函海外各地反共非共的華人，聲明要放棄他的「法統地位」，願以個人資格，從事團結民主人士的工作。搞政治不能沒有宣傳機構，「國是半月刊」乃應運而生了。在香港辦刊物並不簡易，先得以港幣萬元依法登記才行，而支持人又每月只能投資美金三百元。如是，主其事者不能不另想辦法，想到的辦法亦很簡便，那就是過去曾經登記出版而又停刊了的某小型報的萬元保證金尙在官府庫存中，未能取回，將計就計地移注一下，豈不甚好！

停了刊的保證金何以未領回呢？原來某報當初登記時，是由一位曾任濱龍王祕書郎而又曾擔過「人民」的發行者出名，向當地政府簽字爲某報「東主」（PROPRIETOR）又稱爲「所有人」的。後來不知爲了何事，這位「東主」竟與某報的眞正「所有人」鬧翻了臉，因而釀成「打狗散場」的不歡情況，報紙宣告夭折。可是，要領回這萬元保證金，卻非原始登記有案的「東主」簽字不可，而「東主」又跟眞正的所有人「鬧情緒」，不肯到官府簽字，萬金乃被凍結了。

恰好「國是半月刊」的主持人又是過去某報的「所有人」，對於半月刊的登記費，正可移花接木，只要乙紙申請書說明一切，即無問題，在港府法令上亦不抵觸。因此，「國是半月刊」乃大胆地一面請人寫稿付印，一面遍登廣告，訂期出版，以爲這是十拿九穩，錯不了的事。誰料那位孫行者居心「鬧情緒」鬧到底，聞訊又以某報「東主」的資格，向當地政府提出異議，聲明他不承認這回事。當地政府是特別尊重法治和私人財產所有權的，原「東主」既不同意，只好對「國是」刊物的申請辦法，礙難照准，「如要訂期出版，乃可另繳萬元」。半月刊早已排印妥當，只待核准發行，有如嬰兒已經過十月懷胎之期，一切俱告成熟，急於要從娘胎出世了。不過遭孫行者一翻跟斗，走入母腹內大弄法術，因而發生了難產之症。現時正由友好斡旋接洽中，希望完成好事，「國是」先生是否會有「胎死腹中」的危險，那就看當事人的道法何如了！

美西談判夜長夢多

美國想在西班牙建立海空軍基地，兩國已經談判了很久，而且也幾度出傳即將簽訂協定的消息，但結果「只聽樓梯響，不見人下來」，談判仍在進行，並無一點快要成功的跡象。

原來當初談判的時候，美國願意在共同安全計劃下撥出一億二千五百萬美元，作爲援助西班牙的經費，而以此當作交換基地的條件，不料後來西班牙的索價漸高，以致快要完成的談判在緊急關頭又功虧一簣。據說：西班牙現在要求美國援助的款項，已提高至十億美元，雙方的距離較前更遠，短期內實難有達成協議的眉目。

塔虎脫成決策人物

參議員塔虎脫在艾森豪政府中的地位一天比一天重要，美政府的決策很多要受他的意見影響，因爲艾森豪總統根本不願作政治上的決定，甚至也不想參與這種政治上的決定，於是塔虎脫和衆院議長馬丁乃成爲美政府中最重要的決策人物。

波空軍立志赴韓抗共

最近駕駛俄製MIG—15式噴射戰鬥機逃抵丹麥的波蘭空軍中尉卡里基，已乘客機在紐約艾度威爾德機場着陸，他此行所攜的，是一張爲期兩月的旅行護照。根據他預定的計劃，卡里基打算旅行美國各地，訪問波美團體，然後他將申請歸化美國，並加入美國空軍，如果韓戰依舊拖延，他還準備請求調往韓國，在韓戰場一顯身手。

天下小事

煤油大王償夙願

美國煤油大王洛基斐勒的兒子小洛基斐勒和他的家人已捐出六百萬美元，以備「盡快」在懷俄明州建築一所巨大的旅客公寓，其大足可容納五千位專程前往傑克遜湖遊覽的旅客。這一筆厚禮已完成了洛基斐勒一生的心願，原來這一位煤油大王在二十五年前就已發下宏願，並祕密在傑克遜霍爾區購置了一大塊地皮，一九四九年，他還在這一塊地皮中劃出三萬五千英畝捐給政府，建成現在的國家公園，光由這一點，就可見他原定的計劃是如何的龐大了。（孟衡）

兩本日本問題新著

陳克文

（一）中日新關係的建立　唐瑩著　新世紀出版社本年三月初版

（二）戰後日本工業　黃馮明著　出版社和出版日期與前書同

新書評介

這兩本有關日本問題的新書，都是香港新世紀出版社最近出版的，該社列爲日本問題叢書，大概該社還會有同樣問題的新書繼續出版。我們對該社這種努力，認爲在目前很關重要，很值得贊許的。兩書扉頁，刊有該社發行日本問題叢書的簡短宣言，說道：

『中日兩國在歷史上淵源甚長，地理關係尤密，在近代雖曾於兩者間發生若干不愉快事項。但合則兩利，乖離則兩傷。……在最近未來的亞洲，將發生何等變化，今日尚難預測，然必中日互相提攜，始能以安定亞洲者進而安定世界，實爲中日兩國有志者的責任……本叢書的印行，意在增進一般人對日本各方面的了解。……』

這不僅說明了他們刊行叢書的宗意，也說明了了解日本的重要。這認識實在非常正確。

中日合作

兩書篇幅並不大，都是五萬字以上十萬字以下的中型著作。『中日新關係的建立』共分十章，敍述去年中日和約成立的經過甚詳，從中國被摒於盟國對日和會之原因說起，至中日和約簽字止。關於中國朝野的抗爭，日本對中國單獨媾和的遲疑，和談代表團的派遣，和談中的波折情形，以及和約內容，均有所紀述，足爲中日恢復邦交的信史。最後一章爲著者對於和約成立後今後兩國關係的意見。持論公平，見解正確。他認爲『現在共負時艱的過程中，兩國尙需堅强合作，即在將來自由中國收復了大陸之後，兩國尤需眞誠合作』。他認

財閥復活

『戰後日本工業』，全書共分十五章，最後還有一頁後記。前三章，敍述日本工業的萌芽，成長，進步，和戰前的特質。第四章述戰時工業的崩潰。第五至十二章，詳述戰後各種工業復興近況，分門別類，資料甚豐，共六十頁，佔全書五分之二，搜集之勤，至爲可佩。第十三章，分析工業復興的困難，第十四章述美援與韓戰對日本工業復興的影響，第十五章討論再武裝與工業復興的關係。這三章均爲了解日本目前工業情形與經濟狀況不可不讀。著者指出戰後日本工業原料的取給，已遠不如戰前便利，銷場更大受限制，日本通商大臣小笠原所說『日本將在國際競爭中成爲可悲的失敗者，』已不是無病呻吟之論。工潮迭起，左傾思想之泛濫，亦爲工業復興之隱憂。著者又認爲戰後日本雖抱着東方瑞士的觀念，但爲復興工業計，勢非走上建軍的路程不可，他認爲『日本軍需生產潛力是極可樂觀的。』許多人認爲日本建軍是政治問題，而忽略其經濟意義，這是値得讀者特別注意的。後記雖篇幅甚短，他將日本工業作概括的說明，指出日本工業本身的弱點，在國內資源缺乏與消費力薄弱，獨立性甚爲脆薄，日本工業發展在自由貿易，自由貿易的建立『只有寄托於民主陣營反共鬥爭的勝利』。關於今後日本工業的趨勢，著者指出中小企業漸趨消滅，財閥復活的傾向。這都是注意日本問題者，應該留心的。

俄人監督下中共加緊訓練騎兵
兩師將南下駐滇邊
準備南侵時展開森林戰

【本報特訊】據靈通方面自北平傳出祕密消息：謂中共目前正在綏遠包頭以北之固陽、百靈廟、黑沙廟、烏拉、官莊子等一帶，加緊從事騎兵部隊之訓練工作。據悉現在該等地區訓練中的騎兵，爲數約有十萬之衆。其中除約有兩萬左右係中共基本騎兵部隊外，其餘約有四萬人係傅作義、鄧寶珊等「起義」將官之舊部；約四萬人係中共於去年間在綏遠、寧夏及內蒙各地征集者。此十萬人業已被中共加以混編，大多以中共基本部隊中較優秀之士兵充任爲混編後之下級幹部，以予嚴密控制。隨此一訓練工作，係由一未署名之中共騎兵副司令所主持；並有爲數約百名的蘇聯騎兵軍官擔任高級教練。所有武器等配備，亦業已一律蘇聯化。據悉中共加緊訓練騎兵之目的，除爲適應未來在東北及西北一旦被進攻時以從事機動的防禦戰的需要外，乃爲積極準備以供進侵東南亞地區時的森林戰的需要。隨其中兩師，約共一萬八千人，將提早結束訓練，以調駐滇越邊境，乘機參戰。據推測：目前攻寮越共軍雖已經和攻勢，且有撤退模樣，但如蘇聯、中共南侵之陰謀不變，則此一騎兵部隊，最至遲於一個月內，即將調遣滇邊駐紮伺機蠢動。

浙共續殺義擺份子
王仲高戚丹雯槍決

義擺份子遲早終遭中共清除。頃據浙江方面來人談：杭州陷共後義擺之前浙江省黨部委員王仲高及前臨安縣黨部書記長戚丹雯業於最近遭浙共在杭州松木場槍決。據云：王仲高於杭州淪陷而義擺後，態度極爲「前進」，「積極」，曾被浙共利用任爲「反動黨團份子集訓所」的「調查組副組長」，彼對「坦白」浙江黨團組織及供給黨團幹部情報，對中共極表賣力，故一時甚爲浙共所「寵信」。戚丹雯則原係一投機詐僞之徒，彼因於書記長任內曾徇情解救當時擔任彼之秘書職務之中共地下份子沈子球之性命，故杭州淪陷後即在沈（一度曾任中共之天目山區專員）之庇護下實行義擺，曾出賣臨安之全部組織予中共，前後由沈介紹至上海擔任一所市立中學之圖書及國文教員。在中共歷次清除義擺份子時，因彼等關係特殊，故得倖免。但苟延迄今，終遭中共鎗決云。

蝗災預兆凶險
大陸將遭旱荒
僞農業部急謀對策

據中共僞農業部植物保護司於本月三日發出之「一九五三年飛蝗發生情況預報」中稱：據氣象研究機關報告，預測今年大陸本部各地氣象，極有於夏秋之間普遍發生旱荒之可能；因而今年飛蝗之災害情形，亦勢將較之過去任何一年爲烈。據該「情況預報」指稱：目前飛蝗蝗產區各省，包括河北、河南、山東、安徽、江蘇、新疆等省因去年冬天飛蝗卵之死亡率大多僅在百分之一至一百分之五之間，故今年蝗卵異常衆多。經調查後的不完全統計，全部蝗卵面積共有三百二十餘萬畝之多！且其蝗卵密度，最大的每畝竟達二千多塊！據稱：目前各該省之部份地區，業已發生旱象，部份水淹地亦已退水，故該等地區之蝗卵已在開始孵化，且因氣候漸熱，倘不加速有效防治，蝗災勢將無法避免。因此該司特通令大陸各省，特別是蝗災較嚴重各省，迅即成立「治蝗指揮部」，由各偽省主席兼任「主任」；各縣設「治蝗辦公室」，由「縣長」兼任「主任」，以大力展開防治。惟防治之方法，仍以人力爲主；雖已訓練三千名藥械手，對於使用藥劑殺虫之能力仍極薄弱，故想見成效依然甚微。查目前大陸大部地區因春荒極爲嚴重，故春耕尚無頭緒；而部份已撒種地區，又復發生秧苗萎爛現象；再加上蝗災已露端倪，且勢將無法撲滅，則天災人禍，交相煎迫，本已足使今年大陸農莊造成荒歉，設如中共所言又將發生旱荒，則今年大陸農村情形，誠不可設想矣。

中共強攬存款
貸款　發薪　搭付　存單
共幹胡搞邀功　怪事層出不窮

中共於大力搜刮之餘，仍感不數大量戰爭消耗所需，又恐發行僞幣過多，引起通貨膨脹，乃再展開一大規模之「鼓勵（實即騙誘與強迫）儲蓄運動」，以回籠通貨，控制物價。故該一「儲蓄運動」展開以後，便到處在共幹之一貫作風之下，實施強迫儲蓄，一時極爲猖狂，尤在農村中，各地皆曾最生因強迫儲蓄而至逼死人命的情事發生。目前因大陸各地農村大多正在嚴重之春荒及飢餓之中，故此種強迫儲蓄已逐漸移轉重心於城市之中。據天津日報透露消息，最近天津及青島，濟南等地「人民銀行」，皆曾會同當地機關、工會等團體，在「人民銀行」支付職工薪金時，皆搭發百分之四十的定期存款單，作爲此種儲蓄「存任務」中的基本存款來源。此外再在「人民銀行」中增設大批外勤人員四處出勸，「儲蓄是愛國，不儲蓄是不愛國」的大帽子強迫商人存款。共區人民因久已習知共幹之「任務」不達不肯干休，自不得不盡量敷衍，以免飛來橫禍！惟怨忿之情，自益激增！更怪誕者，因銀行幹部以多攬存款爲邀功手段，竟於各機關及「國營」工廠申請貸款時，要申請之機關、工廠增多申請款額，而以此中多貸之款項再存入銀行作爲定期儲蓄存款，並以此作爲順利批准申請貸款之交換條件。其欺人自欺，竟至於此，亦所罕聞。

中共勞動八會改名
內部傾軋嚴重
李立三被排擠

【本報北平消息】中共喧嚷已久的所謂「中國第七次全國勞動大會」，業於本月一日由所謂「中華全國總工會」第六屆的執行委員會委員長朱學範、劉寧一、委員劉長勝、賴若愚、許之楨、李頡伯、易禮容、陳郁、張維楨、周林、鍾、朱、候欣、栗再溫、張雲、康永和、楊之華、湯桂芬、徐錫章、趙國強、蔡畫彬、劉瀟潮、李明哲、張克俗、祝志澄、徐平、張福林、吳纓、宋新懷、蕭彩峯、趙占魁、甄榮興、陳少梁、廣、劉英源、歐陽敏、劉之久、劉潤等三十七人舉行第七次全國代表大會籌委會議，定名稱爲「中國工會全國代表大會」；並於次日上午十時舉行開幕典禮。出席「代表」除少數尚在途中外，到會者已有七百二十餘人。該「大會」係由朱學範、劉寧一、劉長勝輪流主持；由「秘書長」賴若愚作「冗長之檢討報告」。據悉：目前此一中共御用工具之一的工會組織，業已成爲中共黨內權勢傾軋的短兵戰場；其中最主要者有兩大派系，其一爲李立三所領導的以工會權益高於一切及工會獨立爲主旨的「工聯主義」集團；其一爲毛澤東親信幹部劉長勝、劉寧一、李富春等所領導的黨權高於一切的「黨治主義」集團。此兩集團，已形成一雖不公開而甚劇烈的「擁黨」與「反黨」之間的尖銳對立。（見組織部長許之楨的報告）。惟李立三的潛在勢力終仍不敵毛澤東的黨權控制一切的現存力量，故李立三業已開始遭受有力的排擠；在此次「大會」的籌備及開幕後的主席團中均未得掌握席位；僅能以「勞動部長」資格列席，指導。又悉：中共對此次「大會」召開的目的，即爲工會的領導權展開鬥爭，俾清除黨治的阻力，以加強其組織的控制力而更進一步奴役勞工。故已決定修改此一組織的章程，惟具體內容，尚未見公開。

湘共分贓不勻　大鬧派系鬥爭
「湖南支公司」經理
貪污發覺逃匿求救

【長沙通訊】湘共吸吮人民血液的百貨公司「湖南支公司」，是在卅九年三月偽政權建立後，逐步設立的；在富庶的三湘地區，壟斷市場，剝削人民，掠財物的一個最大機構。湘省共幹，對於「湖南百貨支公司」的總經理一職，向視爲肥缺，咸欲染指。該「湖南百貨支公司」設立於黃興路，被指爲「反動地主」，而沒收之余太華金號，做了永久的地址。三年來，主持該公司的總經理，原爲西北軍區匪首賀龍的老幹部孟子厚，孟雖爲參加二萬五千里流竄的「功臣」，但以出身店員，後變地痞，毫無學識能力，不能勝任其他工作，經理該行業務，尚屬輕車熟道。但湘省屬「中南軍區」的轄境，正是「四野」系統的幹部橫行範圍，孟以一野的舊部，而踞此肥缺，致引在湘共幹的不滿，明爭暗鬥，醞釀已久。加之孟出身鄉間無賴，偶得享受榮華的機會，平日聲色犬馬，酒綠燈紅。未免任意揮霍；更足貽人以攻擊的口實。「三反」運動期間，孟幸得僞湘省副主席袁任遠的庇護，幾經鬥爭，均未坍台，直至去月上旬，孟妻弟丁畢林係該公司出納人員，因虧空鉅款潛逃，被發覺後，畏罪逃至漢口時，在石家碼頭被拘獲，解返湘省，嚴刑逼供，其妻弟在酷刑煎熬下，供出平日所盜取公款物，全係孟支取，在湘共幹，全部開訊。「大軍政委會」正式向「中南大軍區」檢舉，任軍區經理袁任遠雖欲護此匪，亦有意彌縫，但亦無法挽救。結果，孟子厚被撤職查辦，並開除黨籍，其妻弟判處死刑。孟自恃功高，不服判處，潛逃西北，擬向其故主賀龍投訴。似此種派系鬥爭，在湖南已屢見不鮮，而貪污橫行的共幹，更是到處皆是。

成渝鐵路咄咄怪事
毛澤東選集失蹤
五百包大米不知去向

據重慶新華日報披露消息：謂最近成渝鐵路曾發生兩件聞所未聞之怪事：緣上月下旬成都糧食公司（係中共糧管機關）奉命撥付重慶糧食公司大米一萬包，該公司當將該批大米交由「國營運輸公司成都分公司」負責包運重慶。詎重慶糧食公司於點收完畢時，僅共收到約九千五百包，尚缺約五百包之多；乃向成都糧食公司查詢，但成都糧食公司被詢時當即答復已全部交成都運輸分公司，乃再分別向該運輸分公司查詢。結果，該運輸分公司亦謂當時即全部裝車川運，並無短少，惟允爲向各站查詢後再詳細答復。但向各站查詢結果，終告影跡杳然，不知去向！想大米五百包，並非細小之物，竟分明裝上火車，而失蹤，寧非咄咄怪事！同時，又據該報透露消息：謂今年一月間「毛澤東選集」第二卷川版兩大箱由重慶運至成都，由成都運輸分公司負責轉運雅安，直至上月但雅安方面仍未收到。經向成都方面再查詢，迄今已將一月，亦皆蹤杳然！此事在共幹心中自遠比大米五百包爲嚴重，故雙方均曾派出多名專差，實行逐站檢查，但終告石沉大海，徒呼奈何。

雲南少數民族
普遍劇烈反共
中共發動自治口號
企圖緩和詭計難逞

【本報昆明訊】滇西滇南一帶，廣約五個專區範圍之邊荒地區，素爲擺夷族、苗族、藏族、傈族、傈僳族、山頭族、傈族等十餘個少數民族聚居之區，該地區淪入鐵幕以後，以不堪共軍壓迫，反共情緒，原較一般地區爲濃厚，時有集體抗糧抗稅及小股游擊之具體反共行動。此種行動，雖缺乏統一之組織、領導及計劃，並歷受共軍之「鎮壓」摧殘，惟就近深受甸邊大規模反共武裝之鼓勵，并得地利優勢，致彼落此起，迄未平息。最近，因受此個反攻空氣之影響，此種行動，尤見劇烈，已使該一地區之中共各區縣當局，爲之疲於奔命，焦燥不已！偽雲南省政府乃向偽政務院緊急建議，闊運用「民族自治」之虛偽手段，以緩和各該民族之反共情緒。現偽政院已批准偽雲南省府之建議，迅即展開劃區自治之佈置工作。迄目前爲止，已建立之相當於縣、區、鄉各級的大小「民族自治區」約九十餘個。其中以傈僳族所建「自治區」爲較多，全省約有百分之七十的該族聚居之區，均已設立「自治」機構。中共雲南當局且特組有兩「民族工作隊」分赴該地各處進行虛偽之「自治」宣傳，并掌握各「自治」機構之人事佈置。查此種「自治區」之領導權，均以利用各族「親共」份子爲傀儡主席，而以熟習民族風俗民情之共幹任「副」之，以掌握實際領導權，此種組織名之爲「合作」，首要籠絡反共人士，惟成效如何，目前尚難斷言。

劉伯承大做「西南迷夢」
‧一厂‧

劉伯承是毛澤東的「四員大將」中較難控制的一個，緣於他的「老一軍系」的黨羽及擁立西南特殊風格，正在大圓其「西南迷夢」，而且他還倚賴著「國際派」的後台，「元老派」的歷史，「少壯派」的支持，並與朱德，張瀾，吳玉章，郭沫若，陳賡，陳毅，聶榮臻等有「一條戰綫」之默契，其潛力遠非葉劍英所可比擬，所以去年劉伯承一度有關平之暗潮，但結果反而促成劉伯承陣容之堅強。

區域特色

四川軍閥是現在「中共西南大行政區」的神經中樞，其粉墨登場的角色，仍然是以前「西南軍政委員會」的全般人馬。除劉伯承爲當然「僞主席」外，「副主席」就有九人之多。只有第一「副主席」賀龍與劉伯承是貌合神離，其他三個共籍「副主席」鄧小平，王爲舟，宋任窮及五個「義擺副主席」熊克武，劉文輝，龍雲，盧漢，鄧錫侯，都是劉伯承的心腹。所以現任「西南王」的劉伯承，可說是志得意滿，在西南樹立了一支特殊派系，從西南人民的習性上，地理條件上，與政治環境上，漸漸的蛻變爲另一種型態的「區域特色」。

熊克武授妙計

其次我們再看中共的附屬黨派在西南發展的情形。「民促」，「民建」，「農工」，「致公」，「九三」，連一點影子都沒有，但張瀾所號召的「民盟」與熊克武所號召的「民革」在西南反而潛孳暗長起來！中共對附屬黨派本來控制極嚴，「民盟」，「民革」在北平不過一個時的花瓶，永遠抬不起頭，爲什麼在西南能夠存在呢？這當然因爲四川是張瀾的老家，更乘熊克武爲劉伯承的幕後支持人，劉文輝，鄧錫侯，龍雲，盧漢等俱以熊克武爲馬首是瞻，熊是「四川老一軍系」的領袖，劉是他一手提拔的團長，曾密授劉伯承以錦囊妙計，就是培養西南特殊局勢，更利用地形的險要與人事關係的複雜，造成牢不可破的既成事實。

反共武力發展中

去年十二月十八日，重慶召開了一次「人民代表大會」，據鄧小平的報告：「西南的清反工作，現已告一段落，兩年來已將全部反動力量肅清，業已消滅了二十六個單位，俘獲人槍一萬五千八百六十二名，現在只有川西的雷，馬，屏，小股土匪，正待撲滅……」

同時十二月二十四日，新華日報載有這樣一段消息：雲南大馬關的匪首朱淵如已將殘部化整爲零，逃往佛耳山，涼風埡一帶已無匪蹤，預計將該區劃爲特區後，聯防圍剿，即可次第殲滅殆盡。

由此可見西南的游擊力量正在發展，鄧小平的報告，新華報的報導，都是支吾其詞，粉飾太平。

（上）

自由談

踐死神之約

方

美聯社本月九日新德里電訊：有一個芳齡廿七歲的美籍女教師梨曼女士，於一週之前，曾與兩位女明友定購英國航空公司的慧星式噴射機座位離印度，她臨時因事未行，而其女友二人，則以航機失事喪命了。她經過一禮拜後，改乘印度航空公司的客機出發，在飛赴孟買途中，亦以引擎出了毛病，機身墮毀，她與全部乘客同告死亡，因而美聯社記者說她是「履行死神的約會」！

人的生死禍福，確不可測，該遭禍的，無形中似有不期然而然者。民國卅七年多，前中宣部長彭學沛在滬訂講飛機座位來港，行期原較其老友馮有眞（上海中央日報社長）所定飛港時間先一日，臨時改與馮氏同機，遂罹非命。抗戰中期，金融家胡筆江由香港乘中航機赴渝，被日寇擊落殉難，當時寇軍誤以國府要人孫科等在其中，乃遽暴行，實則全部乘客中並無一達官顯宦也。

自航空事業發展後，人們旅行多以高飛爲快，然禍事亦以空中爲最多。車船如失事，尚有九死一生之望，飛機一出岔子，準死無疑，而坐飛機的人又都是有錢有勢的富貴朋友，這就證明「福兮禍所伏」的那句老腐敗格言，還值得一顧。貪生怕死之念固然不必有，但人們若非爲着緊急事項要搶時間的話，似不必一定要做飛得起的猛士，總可減少跟死神碰頭的機會。這是我爲着出門無力高飛，常常引以解嘲自慰的「貧困之哲學」思想，對不對是另一問題，然已藉此滌盪了一些自卑感，却係事實咧！

媒妁之言

・黃立・

王二嫂獨坐深思，依憑在窗口，凝視着屋外的枯樹發呆。丈夫爲了逃避「清算」，一去杳無音訊，往日一份溫暖的家庭，如今弄得零落淒涼，逃的逃了，關的關了，殺的殺了，依照「土改」辦法的規定，本當一律「掃地出門」的，總算吃人魔王居然也發了慈悲心，留了這二間小房給她母子兩人住着，叫她們自己設法「生計」度日，這在她原已十分心滿意足的了，假如不是這幾天給「新婚姻法推展運動」搞得「鬧陶陶」，她委實是沒有理由再不滿意「人民政府」的寬份「恩情」的了。

她呆然的孤坐着；腦海裏如走馬燈似的盤旋着，昨天的情景又一幕幕的湧現出來：朱大嫂、「婦女會主席」、「新婚法運動月」、改嫁：……還有俞獺子、光棍、賊涎涎的笑臉：……都像無數魅影，一陣陣掠過，重重地踏過她的心頭。

她正痛苦的陷在混亂的思潮中，像千百條害虫嚙噬着她的心坎，她茫然的落下了一滴淚水，却從模糊的淚水中隱約的看見有二個人影向她家走了過來，她猛然從夢中驚醒似的，連忙揩乾了淚水。不錯，果然是朱大嫂又同吳「同志」二人到她家裏來了。

她裝着笑臉迎了出去，然後請他們在床沿上坐了下來，他們沒有開口，而她的心已洞亂般的擾成一團，怔忡不安。

『王二嫂，怎麼樣？「思想搞通」了嗎？』

四隻眼睛一齊釘住在她窘迫不安的臉上，她畏縮的避開了他們的視綫，吃吃的答道：

『我的顧慮太多，孩子、生活環境的改變……再說我完全不了解俞「隊長」是個怎麼樣的人……』

今天不知是什麼力量支持了她的胆魄，使她抬起頭來言所欲言。

『怎麼你的思想竟愈來愈「頑固」了，俞「隊長」他說他是完全了解你的，而且他大胆承認他早就已愛戀着你了，以前因爲「階級觀念」作祟，他不敢大胆「坦白」地向你追求，現在他不但不嫌惡你是個「反動地主」的家屬，而且他願意全心全意的愛你，幫助你改變「階級成分」』朱大嫂究竟不失爲「婦女會」的「主席」，滿口「新辭藻」，說得娓娓動人的說。『你不要以爲俞「隊長」是個粗人、獺子、不識字、要曉得……』

『我來「說服」她，』吳「同志」不待朱「主席」說完，截住了話頭接下去說：『我觀察了好幾天，我發覺了你的思想根本癥結的所在，好在你是個「知識份子」，是不難自己「進步」的，說來說去，你在思想上還是犯了「形而上」的舊觀點；是「愛情至上主義者」，是「小資產階級」的「門當戶對」思想在作怪，這在「新社會」裏早已被「否定」了的，而且已確認這是阻礙「新婚姻法」推展的最大絆脚石，我深切期望你能擺脫「舊禮教」的桎梏，勇敢的向「勞動人民」靠攏：……王二嫂，你是個聰明的知識女性，我想你必能完全了解我的說話，我深切的希望你能在「新婚姻運動月」裏首先作一個榜樣，假如你有實際困難的話，我們是願意幫助你解決的。』

四隻眼睛又集中的盯在她臉上打轉，他們二人不斷地向她作疲勞的輪番「說服」，大有不達目的決不休止的意思，而太陽在話聲中已漸漸地西斜。王二嫂沒有話，當然沒有話，一個被命定爲「弱者」的女人，有什麼力量敢於向「統治者」反抗到底呢！

這時，她八歲大的兒子阿福從外面跑回來，看見二個穿「列寧裝」的男女同母親說話，他小心坎裏也早覺到這是怎麼一回事了，他躡手躡脚的走去依偎在他母親的身傍。

『怎麼樣？同意了嗎』二個口若懸河的「同志」在輪番疲勞轟炸之後，齊聲的發問道。

她無可奈何的點了點頭，臉上露出一絲堅毅險慘的笑痕。阿福仰望着他母親陰森而帶着鬼氣的氣色，不禁駭怕得低聲的搖撼着他媽的衣袖。

『媽！』

現在這兩個「聖教徒」完全勝利了。

『你眞是個最頑強的女性，勸了幾百遍，現在才答應了，眞是何苦來！』朱大嫂——啊！——應該說是朱「主席」——疲乏的伸了一個懶腰。

『王二嫂，可要記得請我們吃喜酒啊！媒人眞不容易做的呢。』吳「同志」帶謔的說。

他們走了後，她一個人枯坐在那裏，蠟像般毫無表情的呆着，儘管她的兒子哀憐的叫着她，她似乎已完全失去了知覺，木然的不動。

第二天，俞獺子（「民兵隊長」）興奮得幾乎一夜都未曾睡着，清晨就邀了「婦女會」的幾個女「幹事」，以及幾個先前在山區打游擊的老同寅，蜂湧去王二嫂家裏，準備拉他們來幫忙佈置新房。

門緊閉着，喊了幾百聲都沒有人答應，這使他們都楞住了：

『難道逃走了嗎？』有人這樣懷疑，最後由人從窗口爬進去將門打開了，一幅悽烈的圖畫，立刻呈現在他們的面前了——樑上懸着一具赫然的女尸，床上則躺着一個被勒死了的孩童。他們面面相覷，驚悍得彼此都手足無措，噤口無言。

俞獺子呆鷄般的立在一旁，半晌才說出了一句話：

『眞是一個頑強的女人！』

法國的小莫斯科

幾個月前，一個服裝很漂亮的青年跑到巴黎附近的巴查維爾小鎮中，拜訪一位專門介紹房產的女經紀。他說：他需要一幢合適的房子安置他年老的雙親，屋子要美好而清靜，價錢多少並不要緊。這些話把女經紀說動了，她立刻帶了里維利去看一所巨大房屋，這幢房屋外表上頗爲殘舊，走廊已經傾斜，屋頂也有許多漏洞，但房子的底子是很好的，建築非常堅固，還有一片廣達七英畝的葡萄園和菓樹，里維利很喜歡這塊地方，但他提出了一個條件，限令住客必須在十五天內遷出。女經紀却說，這是不可能的，法國法律不許匆匆收回房屋，而且屋主也是一個心地善良的老人。但里維利的意思很堅決，女經紀爲了不願錯過這一筆好買賣，最後只好把貧困的杜普斯一家遷到一間停業的商店裏去，並代他們償付租錢。里維利付清屋款後，還化了八萬六千美元左右來大事修飾一番，把主要的住屋重新改建並擴大了一倍。

上一個星期，他的「年老雙親」終於搬進了這幢巴查維爾的新莊，而事實上，這一位豪闊新房客，却經證實是適自莫斯科歸來的法共領袖陶雷士。

自從陶雷士遷進新居後，附近的村民都把它叫做「小莫斯科」，想到那裏訪問陶雷士的記者，也發現這幢「小莫斯科」實是一座道道地地的「小克里姆林宮」。它的大門是橡樹木做成的，前面有一層六呎高的石牆，旁邊圍着七呎高的有刺鐵絲網，四周有十個身軀健碩的衛士不斷地穿梭巡視，還有一頭嗅覺特別敏銳的獵狗和一隻德國警犬。

至於被迫遷的杜普斯一家怎麼樣了呢？記者們查悉他們住在八哩外一間骯髒不堪而堆滿着殘舊物品的茅舍裏。

（由之譯自「時代」週刊）

新・世・說・補・遺

梁啓超年譜案（一）

梁任公對中國文化思想上之鉅大影響力，世人類能言之。但自任公捐館迄今，尚未見有足以徵信之評傳或年譜問世，實爲吾國學術界之一大缺憾。梁與丁文江論交最久，相知最深，丁氏在生時，曾撰有任公年譜，雖非完璧，然於梁氏一生績業，十九皆已紀述無遺。惜丁逝世後，原稿竟爲翁文灝等所庋藏，閟不刊行，其中是是非非，可得而言也。

文江爲吾國現代治地質學兼究歷史學之通儒，平生爲作蕃多，然除時事短篇文字外，殊少露佈。當其臥病易簀之際，遺囑將所留文稿交由乃弟文淵負責整理保管之。詎事後檢查，並無片紙隻字存在，文淵大惑焉，曾叩詢乃兄生前深交至好翁文灝等是否已代保存，亦矢口否認。迨翁氏學優而仕，出任行政院祕書長時，傅斯年主持中央研究院歷史語言研究事宜，每有丁氏遺作載該院發行之刊物上，文淵即斷定此中必有蹊蹺，嗣又聞諸行政院中人士見告，謂乃兄所撰梁任公年譜稿，已由翁祕書長油印若干册贈閱友好云。文淵遂謁翁嚴詞抗議，翁以事洩，自承不虛，但謂原稿內容牽涉太多，未便公開於世，已交中央研究院什襲藏之，似無負於死友也。

抗戰軍興，文淵慮乃兄手澤罹兵燹，根據文江遺囑，於重慶向傅斯年索還，而傅揚言非得任公後嗣梁思成兄弟來函同意不可。正爭辯間，思成適來，聞訊即請傅將原稿璧還文淵，彼無異議，然傅仍推宕如故也。

翁傅終何以視丁氏遺作爲奇貨，靳而不予耶？其最大原因，謂係爲任公本人之信譽諱。蓋文江原著所引資料，胥從任公口說及其平日對親友兄女間之函札中擷取而來者，事皆信史，言無逆臆。如述任公之政治思想自始即與保皇黨人相聯納，即足以驚世駭俗，然事實固有然也。當戊戌政變後，任公逃扶桑，以其犀利之言論抨擊清政，錚錚有聲，孫中山先生頗愛其才，且認其言論思想亦與革命之趨相接近，乃欲引爲同志，曾親訪任公暢談國事，多相契合，梁亦對中山深致傾慕之忱。康有爲於南洋得孫梁過從消息，急函梁，謂國家之敗，多敗於亂臣賊子，若相從問業得道如吾子者，對保皇大業亦生異心，事之可痛，孰逾於斯，彼唯有蹈南海以死耳！任公素富感情，未忍過拂師意，遂勉強從康氏教。觀其入民國後即與康立異，民六張勳復辟之役，且贊段祺瑞軍幕討張，而其留東京時代所致友人手札中，復有「幾爲行者所惑」之語，足證其保皇思想之非眞矣。

馬五先生

奴役的藍圖（六）

麥柯米克神父著　陸逸譯

第三章　同情共產黨的人

就全中國來說，同情共產黨的人不够百分之十，這裏邊包括大部分共黨官員和幹部，和一些想在共產黨政權裏找事做的年青人，或是想在公費求學之後得一份職業的，除了這些人之外，我不知道還有其他憎惡國民政府，而更愛共產黨的人。有一些人迷戀於共產黨「富國強兵」的口號，相信共產黨能使中國強大起來，幷能征服東亞各國，而甘願忍受比日治時代更痛苦的日子。

商人們抱怨，因爲他們沒有生意可做。他們沒有東西可賣，而且更無法和「國營」事業競爭，這一個階層便在破產與失敗中消逝下去。

農民有苦難言

農民們訴苦，因爲捐稅太重，他們無法以耕稼爲生，一個農民曾經對我這樣地訴過苦，這也可以看作南中國的一般現象，他說：「我們所耕種的一點也剩不下，沒有工作，所以也賺不到錢，也沒有地方去取借，因爲沒有財主了，現在在窮的一方面，我們是平等了」。

在華南米就是錢，因糧可以代替捐稅，在共產黨統治下，糧米日趨匱乏，由我們會區村校裏的老師們的身上，可以看出稻米缺乏的一般，在國民政府時代，這個學校共有四百學生，一位校長，十二位先生，學校經費全靠學費維持，學費是每學期一年級學生交五磅米，六年級十二磅米，如果學生貧苦交不出學費來，他可以進入瑪利諾會辦的免費學校讀書，在共產黨佔領二年之後，這所瑪利諾義校被關閉了，而公立村校的學生也減到一百八十人了，學校裏的教職員也減爲一位校長，九位先生了。人民沒有剩餘的米，即使是幾磅米，來送子弟入學讀書了。

無數農民死於飢饉

就在那年春天，華南有幾處地方鬧飢荒，一九五〇年共產黨政權所催繳的田賦太重，農民們難以活到來年的收獲期，於是共黨命人民種冬麥，人民反對這樣做，因爲田地在一年之內已經收割過兩次了，再種地力恐怕不够，但在共區裏抗議是沒有用的，當冬麥快要將成熟的時候，雨和寒冷的氣候來了，整個的麥穗全霉爛在地裏，在以下的三數個月裏，無數的農民死於飢饉。

在我們自己的村子裏，我們有一個很成功，很蓬勃的合作社，它是我們瑪利諾會所發起的，社裏的業務由十一個人負責，全是由二百位會友當中自由選舉出來的。在一九五〇年七月，共產黨開始在裏面挑撥是非。他們開始發動倒社長運動。社長是會友們自己選舉出來的，他之所以被選因爲他爲人忠實負責。因爲經不起他們的多方刁難，社長因而去職。

窮與富

・健軍・

義大利有句俗語說：「窮是開始富的時候」。言外之意也就有富是開始窮的時候，我嘗咀嚼這句話的含義，覺得它除了暗示着人在窮苦的時候容易自勵闖強，和在富裕的時候容易鬆弛消沈的至理外，並蘊孕着一種物極必反，否極泰來的哲理，它簡淺地闡明了人生底經濟關係就是在貧富的輪綫上迴轉來去。與這句話有輝映之妙的是鄭板橋那付對天時變換的聯句，他說：「秋從夏雨聲中入，春在寒梅蕊上尋」。雨季爲夏之最，但在那時已有一股秋意潛含在裏邊了。在隆冬的時節，臘梅含苞待放。但就在那時候春神已經輕降在寒梅的蕊峯上了。所以說，人在窮的時候，用不着抱怨天地，嗟嘆命運，祗要你有「窮且益堅」硬骨作風，富貴便會在你不自知的當兒，悄悄地爲你敲開那艱塞的深扉。而人生在飛黃騰達的時候，也用不着張牙舞爪，陰陽怪氣，因爲你在風雲際會，洋洋自得的時候，窮神已經和你形影不離了。

窮與富都有一種無極的外延性，而兩者也祗是比較上的差異，關于前者，我們那句俗言「窮不知窮還得窮，富不知富還要富」可以引作注脚。（窮與富的外延性是無限的，在物質上這種無止的延展或許會受到阻遏，但在心理上它却是這樣永無止境地開展下去的）關于貧富祗是比較上的差異這點，讓我們且問一句，究竟何謂貧，何謂富？這個定義幾千年來還未聽有人下過，至于說窮到什麼地步算是窮，富到什麼程度算是富，這個標準相信誰也定不了。

（上）

中華民國僑務委員會僑務登記證台教新字第一零二號
自由人
THE FREEMAN
（半週刊每星期三六出版）
（第二三〇期）
每份港幣壹毫
督印人：李光華
社址
香港高士打道六六號
電話：二〇八四八
GLOUCESTER RD.
HONG KONG
TEL: 20848
承印者：東南印務出版社
地址：高士打道六十四號
台灣特派員辦事處
台北市館前街五十號
台灣總經銷處
台北市中華路新號五九四之一
台灣郵政劃撥儲金帳
九二五號

新日本給我的新印象（完）
試答朋友們向我提出的幾個問題

左舜生

最後請來試答

第三個問題：

日本當前的思想界，相當混亂，若干的知識分子與青年頗表現一種左傾的趨勢，日共既具有若干潛力，而左派社會黨又從而擁護之，加以厭戰與反美情緒，對此一趨勢更有推波助瀾的意味，究竟日本在短期間是否真有流於赤化的可能？

這個問題，確實也是我這次到日本想尋求解答的問題之一，因此我曾向若干深切了解日本的朋友們請教，而把他們的看法歸納起來，却剛剛得着兩種相反的意見。

赤化的可能

認爲僅有赤化可能的一面，舉出了六點重要的理由：

一、日本右派的力量，相當散漫，而左派却有較強大的組織，例如文教組合（教職員的團體）與勞働組合這類的團體，確擁有廣大的群衆，爲右派所不及。

二、新舊財閥及若干暴發戶，惟一的目的在找錢，對當前情勢，甚爲麻木，而戰後貧富的懸殊，較戰前有過之而無不及，環境如此，實大有助於左傾思想之滋生與傳播。

三、思想和行動左一點，在目前的日本也算一種時髦，如書籍，刊物，報紙等等，不染上一點左傾色彩，便會影響銷路，這正與中國過去認左傾分子爲『前進』，認右派爲『落伍』的情形差不多。

四、目前的政權依然掌握在右派的手裏，但右派的政治措施，却無法盡如人意，當權的吉田自由黨既把政權看成高於一切，而吉田及其左右，更富於優越感，絕對不肯犧牲，即對其他在野的右派，並無合作的誠意，是非不明，友敵不分，致使右派的力量，無法趨於團結，乃容易爲左派所挑撥分化，而被他們個個擊破。這也正與中國過去的情形相彷彿。

五、左派有強大的國際背景，且有最高的指導原則，例如附和和平，反對重整軍備，隨時都在對中國大陸轉念頭，并高呼調整中日日蘇的國交，這一切一切無一非直接間接爲蘇聯的陰謀所領導。

六、右派爲一種政權慾所麻醉，同時又過信自己的實力，對左派一種滲透分化的伎倆，每多忽視，在今天的吉田政府中，誰敢担保不會如過去的美國國務院或中國過去的政府一樣，而有左派若干的第五縱隊暗中在那裏面潛伏？

這一方面的朋友，因爲他們過去受過中國赤化的教訓太多，他們目睹日本目前這種種的現象，乃發出這樣悲觀的論調，甚至他們相信，如果日本的現狀長此不改，不出五年，日本便有不流血而高掛紅旗的可能！

比較樂觀的看法

可是相反的方面，却針對着上面這種可能赤化的理由，而提出一種比較樂觀的看法，他們覺得：

一、日本畢竟是一個有組織的國家，決不像中國這樣散漫；他們人民的教育水準，又比中國的高得多；加上他們自實行新憲法以來，人民確有思想言論自由的保障，左派可以自由鼓吹，右派也可自由說話，政府對兩者都不能隨便加以干涉；目前日本的思想界，儘管相當混亂，但經過長時間的折衷討論，人民自然會因比較而得着適當的選擇，可說日本的左傾思想，可以造成一個『一面倒』的形勢，這只有在中國這種落後國家才有可能，在日本是決不會的。

二、在今天的日本，決沒有人敢作一黨專政的夢想，右派的組織，儘管相當脆弱，但對於一個或若干個反共勢力的形成，決不會以[illegible]無理的摧毀，[illegible]。這一點，惟有一黨專政的國家，才最適於共產黨的發展，亦惟有民主，才能談得上真正的反共，日本在今天，[illegible]把握一切反共力量，是可以自由組織，既然這無疑義，如此，日本又何至於一定會爲共產的狂潮所捲去呢？

三、日本人也許不[illegible]忠君愛國的思想，從前那樣流於極端，但皇室却依然爲一般人民所愛戴，這一點也不失爲日本不容易捲入共產洪流的一個主要因素。

四、中國大陸赤黨之所以能在中國橫行，我們不要忘記中國確曾經過容共聯俄的一幕，又經過與中共的聯合抗日一幕，今天日本的左派社會黨，自然也主張容共，但他們之所謂容共，不過是容許日共存在的意思，是決不會把日共容納到社會黨裏面來的意思，今天日共既得不着有力的一個[illegible]，要在日本有組織的國家裏發展，實無異於平地上建起樓台，真是談何容易啊！

五、中共的這幾年來在中國大陸的行爲，日本人雖還不完全明白，但事實總是掩蔽不下來的，現在從大陸回來的日本僑民，已有不少，[illegible]他們的[illegible]日本人民的[illegible]，對中共的認識好話，已不能說一句了，日本可得到的教訓，血淋淋的相信日本會肯重蹈中國的覆轍嗎？

六、蘇聯是日本的敵人，[illegible]趁火打劫，會搶去日本許多土地和財產，[illegible]以勝利者態度[illegible]史達林[illegible]，但蘇聯[illegible]，日本人記憶猶新，除甘心[illegible]的人外，[illegible]。第七，日本恢復獨立[illegible]天下，否則[illegible]這是[illegible]七年之[illegible]餘，剛剛恢復[illegible]美國[illegible]，少也有一點不足怪的心理[illegible]。

可是這一點都是自然的理由，[illegible]今天的世界上，[illegible]美國以外[illegible]，日本[illegible]缺少什麼呢？[illegible]家，左傾[illegible]一定會提出適當的辦法。[illegible]我對於這兩種看法，還是比較相信後者，我今日本不同的意見[illegible]保守，分野[illegible]大黨[illegible]成[illegible]。

[illegible]有足，[illegible]日共[illegible]終於無法立足日本[illegible]而知，[illegible]所以[illegible]我們的朋友，[illegible]三個問題[illegible]日本的[illegible]建設[illegible]，但[illegible]赤化的[illegible]現在[illegible]比較[illegible]，如上。

更正：上期本文的第二段第二行，有『……而這一七八年以來……』一句，『七八』兩字之下，排脫了一個『十』字，特此更正。

列寧遺囑史話（下）

・鄭學稼・

列寧的話，說得非常愼重。他只暗示史達林濫用權力，還未說到別的。後五日，即「蘇維埃社會主義聯邦共和國」大會開會日，他對喬治亞的事件，口述由書記速記的文件，內指斥史達林與奧忠尼啓則犯「社會愛國主義」的行政上錯誤。他以有這一指斥，因爲前來莫斯科開會的代表們，向他報告史達林對黨、政措施的不對。到這時候，他感覺有免史達林職務或削弱史達林權力的必要，因此，到一九二三年正月四日，他又口述「遺囑」的後段：

史達林太粗暴

「再者：史達林是太粗暴。這缺點，就對我們共產主義者間的關係而言，是可以忍受的，但在担任總書記職務人的身上，實是不能容忍。因此，我向同志們提議：找一個辦法免史達林的總書記職，派另一個人接替，只要那個人在其他方面超過史達林就行了。那就是：對於同志們更有忍耐的、更忠實的、更客氣的、更留心的，而脾氣不至於更壞的。這或是無關緊要的小事，不過，從防止分裂的觀念而言，從我前面所說史達林與托洛茨基之間關係的觀點而言，我覺得不是小事，或者是一個終於要引起有決定意義的小事。」

當日，除了列寧祕書和列寧夫人克魯普斯卡婭外，誰也不知道有上述的「遺囑」。它，對於史達林的不利，是可以想到的。列寧所以要免史達林的總書記職，不僅爲着他所說過：「那廚子喜歡加辣椒」，還爲着他與史達林之間的關係極爲惡劣。同年正月二十五日，「真理報」登載列寧第一篇批評工農檢查局的論文，二月初列寧又寫第二篇攻擊該局主持人即史達林的論文，「真理報」編輯布哈林不登它，到列寧氣憤時，史達林的親信庫比雪夫想出這妙法：只印一張登列寧論文的「真理報」，而且只送給列寧看。後因托洛茨基的反對被迫把它向大衆公開。列寧不滿公開打擊史達林的威望，而且準備四月開第十二次黨代表大會時，與托氏聯合打擊史達林。三月五日，他寫一封短簡給史達林，說：此後「斷絕」私人的關係。翌日，他在給喬治亞反史派的同志們的信中，嚴斥史達林、奧忠尼啓則和捷爾任斯基。可是，到九日，他又第三次受麻痺症的大打擊！

列寧死早了幾個月

知道自己處境日危的史達林，馬上改變作風。他極力討好托洛茨基，提議托氏代列寧爲代表中委會的報告人即其一也。列寧的病況，年末逐漸好轉，最後能步行，並驅車赴克里姆林宮，但到一九二四年一月二十一日突然逝世。托洛茨基在他的「史達林傳」中，說可能是史達林用特別毒藥毒死的，但一般歷史家多不相信。可信的，只有一點，即在列寧死前，列寧夫人曾受史達林的辱罵。報導這宗事的人，是對史達林極友好的蘇維埃外交官狄米特里亞伏斯基。

列寧死後，克魯普斯卡婭把列寧「遺囑」交給史達林，在場的，還有史氏祕書後日紅軍政治部主任米克里亞及政治家西爾托夫。中委會爲它開會，每人有一張印刷的「遺囑」。當加米涅夫讀它時，史達林垂頭喪氣地坐着。在場的拉狄客曾給托洛茨基以一字條：「現在，他們不敢反對你了。」賴着加米涅夫及季諾維也夫的幫忙，中委會決定不發表它，也不免史達林的總書記職務。歐美人士首先知道那「遺囑」者，是現今美國反共思想家馬司曼，而伊氏在那時却是欽佩托洛茨基的人。史達林自己遲到一九二七年也承認它，但有這解釋：「同志們，我對於那類人是粗暴的。因爲他們粗暴地不忠毀滅及分化黨。」又到他打擊布哈林時，也曾念「遺囑」中有關布氏的一段。

總而言之，列寧的「遺囑」，只算布爾什維克黨史中的插曲，並無何等的作用。它所提及的人，後日都被史達林殺死，它的要求也無一實現。如果列寧的病，能延三個月後發作，史達林的政治生命，或可宣告結束，但這不等於說：紅色俄羅斯，就不會出現另一個伊凡大帝！

DONT YOU PAY ANY ATTENTION TO THAT---
--YOU GO RIGHT AHEAD AND ORDER!
WATCH YOUR HAT & COAT
LAOS
PEACE
TRUCE IN KOREA

△共黨小偷扶着大衣（寮國）奪門而出的時候，餐桌上的共黨男客對掉頭回顧的西方女伴說：「不要管他，你祇管看你的菜單（韓戰和談）」▽

半週展望

・雷嘯岑・

共方堅拒聯軍遣俘建議

板門店和談的共方代表，堅決拒絕聯軍所提遣俘新建議——即主張將不願回國的韓籍以外各俘虜，交由五國政治會議處理，限期六十天內辦理完畢。這是必然的現象。邱吉爾既認爲共方的八點建議值得同情考慮，艾登又主張凡與韓戰有關的國家都應派代表坐在圓桌會議席上，對美國大鬧別扭。共方在敵人陣營中得着這樣有力的同路人張目助勢，實爲意想不到的奇蹟，自然要把握這種有利機會，決不讓步的。

英國人對美國發牢騷的代價尚未取得，却已被俄共集團利用爲威脅自由世界的有效工具了，大槪這就是邱翁所謂「西歐的自由與蘇聯的安全可以併存」的道理吧！

英美爭論的觀點

艾德里指美國政治爲孤立主義者所主持，說美國「太不關心歐洲」。美參議員諾蘭答道：「那些相信他們能對歐洲國際共產主義孤立無關的人，才是真正的孤立主義者。他們正住在一個愚人的樂園！」

說美國「太不關心歐洲」，這是一種抹煞事實的昧良心的讕言。指美國議員們要削減歐援經費爲孤立主義作祟，也不公道，美國能以百分之九十五的人力財力爲韓戰而犧牲，更以千百倍於此的財力物力援助西歐復興與自衛，這能說是孤立主義嗎？沒有馬歇爾計劃，歐洲早被史大林統一了！

每日快報的爽快話

倫敦每日快報說：「美國人如此講話，實屬應當。因英國仍繼續接受美元救濟，正以此故，英國即已失去其獨立。英國不能一面靠美國接濟，一面反要領導美國！」該報最後結論謂：「英國此時應明白通知美國，我們一點也不要了，今後我們要獨立起來，再不受人支持」。這些話相當爽直而合理。

可是，不接受別人救濟，並不等於即可領導別人。要在國際間取得領導地位，物質力量是次要的條件，首先須有爲大衆服務的道義精神和偉大作風，博得被領導國家的信賴。英國到二次大戰發生爲止，一直執着世界政治經濟的牛耳，二次大戰後，英國的國力并未降爲二等大國，何以失去了昔日的榮光呢？這決非僅是由於經濟困乏之所致，還有其他更大的因素在。這些因果律，艾德里、貝凡各位「社會主義先生」，似乎不甚了了哩！

尼赫魯也要聲明

據說尼赫魯先生也要趕熱鬧，發表他的外交政策聲明，所要聲明的內容我雖然尚未見到，但其要旨總不外：關門的民族主義建設，灰色的社會主義運動，再加上姑息的和平政策，如是而已。

尼氏如能鑽幹苦幹，少出鋒頭，像印尼蘇卡諾的態度，對印度是有利的。拿着一副「二仔底」，拚命地跟進，要想偷雞的冒險家，實在危險！

日本政黨的反吉田運動

日本改進黨，左右翼社會黨，鳩山一郎系的自由黨，正在聯合醞釀反吉田運動，這是容易事！左右翼社會黨固然合作，鳩山系的自由黨不過三十個議席，改進黨的內部意見也難一致，起不了作用。只要吉田把官位給改進黨以相當滿足，即可拆散在野黨的聯合行動，所謂反吉田運動，不過說說罷了！

日本的前途

讀了本刊連載左舜生先生遊日歸來的日本感想，知道日本社會左傾勢力很大，所有最大的勞工團體和文教工作者的聯合機構，都在左傾份子掌握中，而右派力量大小不下兩三派以上，却始終不能聯成一氣。日共努力藉此積極滲透，這正是過去中國情形的再版模樣，日本的未來前途，未可樂觀啊！

蔣廷黻帶來佳音

台灣通訊

我國駐聯合國代表團團長蔣廷黻氏於本月九日自美返抵台北，此爲大陸淪陷後的第二次回國。兩年以前，台灣地位尚未脫離危險時期，蔣氏曾回台一次。其時所受到之歡迎與各方之推重，尤甚於今日。兩年以來，在自由中國人士，或以爲台灣的危疑震撼局面業已過去，但實際負責的當局，却深知今後局面艱難，並不遜於以往數年。尤其自史大林逝世後馬林可夫接連放出和平的烟幕，自韓國戰場上的換俘，板門店恢復停戰談判，以迄於最近中共所提的八點建議，固無一不影響世界的前途，也更與自由中國的未來，有着深切的關係。

聽取朝野意見

蔣氏抵台以後，除晉謁當局請示機宜外，復在台大作學術講演，在立法院出席茶會，在中國政治學會年會午餐席上發表演說，在聯合國中國同志會歡迎茶會中與各界人士周旋，其目的似均在於了解國內朝野的意見，以爲日後折衝樽俎的南針。我國駐外官員之囘多，與政府以外人員接觸，莫過於蔣氏今日在台所表現者。

蔣氏之任我國出席聯合國代表，已歷時六年。猶憶抗戰末期，蔣氏籌設配合聯合國救濟總署工作之中國行政院善後救濟總署，即著有成績。勝利復員期中，行總所表現者，亦大體使人滿意。

其後因與行政院長宋子文意見不合，宋另提霍寶樹爲署長，蔣遂交卸職務，準備仍回清華大學執教，當時中樞亦曾考慮畀蔣以其他地方行政職務，而蔣氏以原係共赴國難而來，茲勝利已臨，除政願回至教育界老崗位外，別無所願。後適因我國出席聯合國代表郭泰祺患病，遂派蔣往代。光陰似箭，轉瞬即已六年。其間我國自抗戰勝利一轉而爲大陸沉淪，國際地位，頓若天淵。乃以蔣氏在聯合國之努力，卒使代表權屹然不動，且聯合國於去年第六屆大會中，竟通過我國的控俄案，於是我國在聯合國中的地位乃更穩固。凡此艱辛的歷程，在國內視之或不覺其如何困苦，而在國外身歷其境者，自有其不可磨滅的功績。

不同尋常外交官

蔣氏連日在台，每謂向其長官請示而來，事實上在台之政府官員，對於蔣氏之推重與信賴，固均毫無異詞。因蔣氏在聯合國中所表現之風度，不僅爲其個人的學養，且適足以代表我國泱泱的大國之風。各國出席聯合國的代表，自均爲其本國的一時之選，論儀表，禮節或語言能力，固不免有優於蔣氏者，但一論及學識，尤其是中外歷史熟悉，與引證的確當，則蔣氏實勝於一般人。因此，蔣氏在聯合國中，人多尊稱之爲教授，並不以尋常外交官目之。

蔣氏在美國的聲望之隆，可以去年紐約每日時報所載某主婦的投函爲證。該函中謂，其家中小孩常收看聯合國電視節目，因之對聯合國大感興趣，乃自組小型安理會。長女性操，爭辯時每至面紅耳赤，遂飾美代表奧斯丁；次子最富思想，言論得體，遂飾中國代表蔣廷黻。幼男呀呀學語，不知所云則可飾蘇俄代表馬立克云。將能在國外獲得民間如此信仰，決非倖致，亦非他人所可效顰。蔣氏在國外，又常與蘇聯集團國家代表舌戰。彼等每謂帝國主義係由於資本主義，資本主義本富則爲侵略。蔣答謂中國在歷史上，最早受五胡侵略，後受遼金元滿侵略，除滿人當時在關外爲一半遊牧民族一半農業民族外，其餘均爲遊牧民族，有何資本主義之可言？彼等遂無詞以對。

蔣氏日前在中國政治學會年會席上，亦謂人類之有戰爭，乃與人類以俱來，未有歷史紀載以前，即有戰爭。今欲以一個聯合國組織及一紙憲章，即可完全消弭戰爭，自非易事。我國對聯合國所負担的義務，雖不在少，但不能視作投資性質，急於收回利益。故各方面對聯合國的工作固當尊敬，然亦不可期望過奢。蔣氏之言，與總統歷次所言求其在我自力更生的意旨適相吻合。故凡有人以問題詢蔣氏者，蔣謂此行係帶來了許多問題，回國來尋求答案，而不是準備了答案，來解答國人的問題者。

吳國楨赴美

蔣氏歸期，即在日內，適吳國楨氏亦將於本月底前偕夫人公子赴美，因以又引起外間的揣測。吳氏夫婦的護照，聞外交部業已發給，但此行純係私人行動，中樞並未賦與以任何使命。據吳氏自稱，到美後擬多作講演，除可爲中國宣傳國策外，並可酌收費用，以維生計。蓋其所撰英文回憶錄，特別注重其在上海市長任內與共黨鬥爭的經過，如應付學潮工潮的情形，是吳氏的希望能在美國權威刊物發表，可獲較高之稿酬。至於蔣吳二人無論係同時赴美，抑先後離台，並無職務上之關係，則可以斷言。

西德共報弄巧成拙
字謎引起軒然大波

一個只有四個字母的字，上星期却引起西德共黨報紙「眞理報」編輯們一篇又長又臭的「自我批評」文章，這篇馬克斯式的文章足足長達四百字。原來四月十一日的「眞理報」上載有一篇十字謎語，題目是「南斯拉夫政治家」，但共黨讀者却發現，它的謎底只是「狄托」（TITO）這個字，這事情引發了狂烈的風暴，指斥抗議的函電如雪片飛來，那些怒不可遏的共黨讀者厲聲責駡「眞理報」不應該諂媚「貝爾格萊德的變節者」。

這一個突如其來的打擊直把那些低能的編輯們打得頭昏眼花，他們直到四月二十八日，才清醒過來，知道應該在報上登一則長篇的道歉聲明和辯白。當然，這一則啟事是極盡卑劣之能事的，其中有幾段直可以引出來供讀者們一粲：『那是不對的，在我們的報紙上，即使是在十字謎語的一角上，所詢的問題會有害於我們正當的鬥爭。但我們不會故意利用「政治家狄托」一詞來發刊十字謎語，在我們報紙的其他篇幅上，我們盡情揭露了這個人是美帝國主義者的奴僕，列印這一則十字謎語，可能僅因爲負責同志在工作的時候，沒有充分的政治警覺。直到現在，供給這些十字謎語的，是一個資產階級的出版商，因此，編輯的工作應該是謹愼地檢查這些謎語，而所發生的錯誤，僅僅是由於編輯未細心的校讀原稿，也未注意到階級敵人在利用每一種機會散播他們的理論。

由於我們刊載的十字謎語，我們看到帝國主義者正在用各種方法，甚至娛樂性的十字謎語也不放過，來努力傳播他們之「人民的敵人」的觀念。

在我們的報紙上，將不會繼續登載這一類的十字謎語，我們只在未來的謎語篇幅上列載一些有意義的謎語，那些謎語要能執行我們對保持自由，爭取德國統一，反對戰爭，抵抗帝國主義者的鬥爭。』（由之譯自「新聞週刊」）

天下小事

小史達林被打入冷宮

據通常可靠人士說：在史達林去世前的兩星期，他的私人祕書兩人突然神祕失蹤，接近莫斯科而熟悉內幕的外交界人士認爲，這件事可能與外傳某些人奉馬倫科夫及貝利亞之命，毀滅史達林遺囑的消息大有關係。

同時，史達林死後，克里姆林宮的新統治者正在力求史達林在人民的記憶中消退。在五一勞動節蘇俄光榮的演說中，已沒有任何人再次提到史達林。而多年來勞動節所舉行的空軍大檢閱，都是史達林的兒子小史達林中將負指揮之責，但今年也不見小史達林在此種場合中露面。

華府英外交官的內幕

駐在美國的英國高級外交官員一共有兩個人，一位是英國駐聯合國首席代表傑布，另一位是英駐美大使馬金斯，他兩位都是雄心勃勃的人物，因而造成了他們之間一種微妙的局勢。論服務的資歷，傑布比馬金斯資格老得多，因此傑布雅不欲屈居於年青的馬金斯之下，一山不能容二虎，他們兩人的問題也因之愈來愈多了。倫敦英政府爲矯正此種弊病，現已計劃在英女皇加冕後，將傑布調任駐法大使。

英考慮艾登繼任人選

艾登外相的病兩三個月內還不能痊癒，倫敦外交部目下鄭重討論他的繼任人選。據說，最可能的繼任人有兩位，一是房屋管理委員會主席麥克米蘭，另一是勞動及國家服務大臣蒙克頓爵士。

艾登的纏綿床第，最傷腦筋的當然還是首相邱吉爾，目前，他不但要兼攝外相職務，而且原定的暑期休假計劃也因艾登的病全部推翻，今年整個夏天，一向怕熱的邱翁只好留在倫敦了。

傳東德總統皮克被捕

最近柏林盛傳東德共產政權總統皮克曾於數日前企圖逃亡瑞士，不幸事機洩露，終於被捕的謠言，這件事可信亦不可信，因爲最低限度還沒有得到任何方面的證實，不過有一件事却可以參照看的，那便是東德當局已經宣佈皮克在請假中的消息。

逃出鐵幕不只是傀儡總統的顯著，德國蘇區有一家最大的私營金屬工廠，這所工廠的董事及股東十四人，近已逃抵西柏林，據他們說：共黨正在大舉沒收私營工廠，他們的工廠尤是共黨所指的對象。

法共謀與戴高樂合作

戴高樂派在最近法國地方選舉中慘遭挫敗，他一怒之下，首先解散他的法國人民聯盟，繼則宣佈計劃成立較左的組織。據最可靠的消息說，法共領袖陶雷士於聆悉這些消息後，正在圖與戴高樂作祕密接觸，陶雷士此舉的動機，大概是探索法共與戴高樂派合作的途徑，以使聯合阻止法國會批准歐洲軍條約。（孟衡）

英埃僵局急轉直下

英埃對蘇彝士區問題的談判，甫告開始即陷入僵持，雙方原希望杜爾斯訪問，或可從中斡旋，協助打開僵局，導使英埃重以和平談判，解決爭執，避免衝突，但杜爾斯與英埃雙方會議後，除發表一紙聲明，重申希望英埃和解外，並無若何結果，旋即匆匆以去。於是英埃之爭，隨雙方互相指責而愈益惡化，英國仍襲其舊日手法，增兵運河區，表面表示藉以戒備防範，實則不脫以武力壓使埃及低頭讓步的企圖。適在此時，埃總理那奎勃將軍亦一再重申不惜流血爭取英軍無條件撤退的決心，致使世界視聽再度集中於中東危局。

雙方都要保持威望

今日，埃及之是否能成爲西方聯防中一個堡壘抑或陷於混亂，其關鍵即在於那奎勃將軍能否維持其政權之穩固，而此點又繫於解決運河區問題的成敗。英國在談判未開始前，即表示原則上已同意撤軍，埃及亦準備繼續留用英國技術人員，但談判中止，就因爲技術人員的數字及撤軍後的保證不獲協議，不過，另外還有一個重要因素，就是雙方都堅持本身的聲明，英國認爲，如果埃及不對未來戰爭中西方運用蘇彝士區的權利提出保證，英軍貿然撤退，英國民意必會大爲不滿，使保守黨政府難於應付。埃及政府則以爲如果允諾英人可以再回來，埃及人民又勢將猛烈反對那奎勃的新政府。如衆週知，那奎勃政權的基礎，就在於人民的支持，因此，他當然決不會採取任何可能危害這基礎的行動。

現在蘇彝士運河之爭，不但影響到埃及政府的存在問題，而對英國，也影響其對於各聯邦國家的地位，埃及壓言英軍留駐運河區，便隨時可能攻佔開羅，正如一支手槍指着埃及的腦袋，在這種情形之下，埃及實無獨立可言，英國也有其本身的說法，它認爲運河區基地的建立，多年來已耗費達十五億美元之鉅，它所以希望保有這些基地，並不意圖威脅埃及的獨立，而是把它們視作中東防禦的基石，英國雖願將軍隊撤退，但必須以埃及繼續保留基地的完整，及將來能供西方使用爲條件。

△埃總理那奎勃將軍▽

那奎勃闡釋立場

在這方面，那奎勃將軍曾對英國記者說，埃及將堅持英國無條件撤退爲先決條件，至於對西方的保證問題，埃及至多祇能以盡量保持基地的效率爲諾言。他說：「對於中東區的安全與防衛，埃及由於其切身關係，自然比其他國家最爲關注，這是我們的土地，我們當然會竭力加以防禦，隨時準備抵抗可能進攻我們這片領土的敵人。我們正盡力在各方面加強軍力，以保持這些基地的必要水準，要達到這個目的，我們勢必需要外國，特別是英國技術人員的協助，等到埃及人受到充份訓練以後，再完全接替這批外國技術人員。」

關於對英態度，他又說：「維持這些基地的最高工作效率，英埃必須相互友好和信賴。英軍撤退，是針對這方向的第一個重要步驟，英國如能接納，不但不會削弱中東的安全，反能予以加強。」

那奎勃且提出警告，說：「如果英埃談判完全破裂，雖然無人能預料其後果將如何嚴重，但有一點我所以預先說明：就是中東將決不能獲致穩定。這些基地縱爲英軍保有，但其周圍的我們人民不與合作，它們在軍事上將完全喪失效用。」

內部問題將惡化

事實上，埃及內部的問題尚多，祇是由於對英之爭成了目前的重心，一時轉移了人民的注意，如運河區問題更惡化，這些問題勢將隨之俱來，日益顯著。其中最重要的，是共產黨，一九五二年一月的開羅大暴動，現已證明是波蘭大使館暗中所策動，現在美國對英埃談判作袖手旁觀的姿態，已授與共黨以宣傳材料，埃及政府會要求美國對埃及的立場提出實際的支持與同情，藉以堵塞共黨之口，埃及認爲美國的支持，須以供給軍援來表現，美國如供以幾輛坦克，不知要比口頭上的同情要有用多少。

同時，埃及也面臨經濟困難，如那奎勃將軍因對英談判破裂而失敗，這些困難將會發展爲嚴重的危機。所以，埃及的前途，以及中東的安危，都已繫於運河區問題，而目前這問題能否解決，也已到了決定性階段。（司馬意）

貝隆瘋狂反美
掩飾國內經濟困難
美通訊社成替罪羔羊

阿根廷總統貝隆在五月一日勞動節演說中，再度抨擊美國，他沒有提到當天早晨在布宜諾斯艾利斯爆炸的七顆炸彈，但對美國務院却攻擊不遺餘力。在八十七屆國會揭幕典禮中，貝隆總統並利用他的國情咨文，來攻擊那些報導阿根廷刻正陷入危機中的「淺薄觀察家」。他還要求國會對美聯社、合衆社及國際新聞社實施「全面而迅速的調查，並嚴懲這些謠言及誹謗的傳播者」。他的請求立刻獲得國會的通過，各報也隨即拒登上述三通訊社的消息。

就在貝隆長達兩小時的演說完畢後不久，正午時分，美駐阿大使納佛爾即請求立即會晤阿外長，事後，美聯、合衆及國際新聞社的辦公處四周即佈了警察。

當天下午，在瑪約廣場舉行的群衆大會中，貝隆大肆斥責「我們的敵人…」，他說：「不論他們於何時何地傷害我們，我必定予以報復」。但他警告他的擁護者不要重演四月十五日群衆大會後所演的縱火故技。他說：「你們不要自己動手，如果還有必要的時候，我會領着你們前進的」由民主黨所主辦的官方報紙，週末還在響應貝隆的論調，報上說：「我們的敵人是誰？是美國——帝國主義——和國務院，」並說美聯社、合衆社及國際新聞社是「叛國者和說謊者」。甚至羅沙里約城的記者還隆重其事，宣誓永遠不用上述三社的任何新聞。

雖然出於其國內的根本問題（主要是經濟困難）未獲解決，而連帶使他的汚蔑運動也告失敗，但貝隆總統似仍決心在打擊某些人。貝隆對國會的報告自誇在農業方面有很好的收獲，但說：「因爲我們專心於農業計劃」，工業生產已形低落。貝隆並驕傲地宣佈阿根廷的黃金準備已增加百分之六十，如就最近六個月來說，準備金更增加一倍以上，但他並沒有提到在同一時期中，發行額也已加多了一倍。

他在經濟方面，除了上述的顧頭不顧尾的措施之外，還有一套嚴懲「奸商」的政策，光是在布宜諾斯艾利斯監獄中，被他拘押的商人就多達一千二百人，囚犯之多非國家監獄所可容納，甚至還要向地方政府去借，由於「奸商」商店關閉，阿根廷的商業和經濟問題已愈趨嚴重。

目前的阿根廷瀰漫着一片獨裁的作風，在外交方面，貝隆總統極力反美，對財政與經濟，他又一無辦法，但還要諱疾忌醫，自吹自擂，瞧樣子下去，阿根廷的局勢總有大爆發的一天。（第啓譯自「新聞週刊」）

中共工業管理混亂 建設遭受致命打擊

施工無人負責浪費現象嚴重

據最近大陸各地中共報紙披露之綜合消息：目前中共雖在竭力標榜大規模之「基本建設」，但由於一般工業領導幹部和技術人員低能與官僚主義作風的普遍盛行，及一般工人飽受剝削（以愛國節約爲名，改革工資制度為手段，減低工人報酬）和奴役（以挑戰、競賽、趕工、增產等手段或理由迫工人作超體力和時間的勞動）而普遍怠工和暗中破壞的結果，已使中共的工業秩序混亂，工作效率大為降低。尤以因缺乏完善之計劃，缺乏嚴格的分工負責，或一般幹部之苟安、頹唐、缺乏責任心，致使中共幾乎所有的工業單位中，都發生了極度嚴重的浪費現象。

浪費的主要現象，據北平「重工業通訊」雜誌第十一期社論中稱：一是質量低劣及質量事故（即工程粗糙草率或製造成品不合格規）所造成的浪費；一是設備、材料積壓所造成的浪費；一是不能按期竣工，長期積壓國家資金所造成的浪費；一是施工當中的各種浪費，如建築材料的浪費、勞動力浪費、運輸上的浪費、施工機械的浪費、管理費用上的浪費等。中共自己認承：「這種嚴重的浪費現象，給國家造成了重大損失，給基本建設帶來了奇災大禍！」又說：「產生這些浪費現象的原因，除了計劃不週，設計錯誤外，最主要的是由於施工部門存在着嚴重的無人負責與不顧負責現象。如機構不健全，職責不分明，許多行政事務沒有專人負責。每月施工計劃完成到如何程度沒有人監督檢查，發生許多質量錯誤無人負責。施工現場沒有技術操作規程，或有了操作規程，工人不肯遵守，也無人負責檢查。設備材料的採購、保管、驗收、分發等工作，也存在着許多混亂現象。在成本財務管理上，不少單位在施工前既無工程設計預算，施工完成很久又無工程決算，對國家投資、使用極端不負責任。」云。

此種混亂及浪費的現象，據大陸各地報紙各就當地情形提出的指摘看，確已極為普遍而嚴重，已無法一一舉例。僅就最近有名的「鞍山鋼鐵公司」建造職工宿舍一事而言，據中共東北行政委員會建築工程處在人民日報上提出的指責看，就以原定的四百億預算經費結果竟超用了八百餘億元之多，而且工程極度粗劣，未經使用，已告大部塌敗。

目前中共領導當局，深感此種情形嚴重阻礙其所謂「基本建設」的進行而展開一項「反無人負責及反浪費」的運動，能否改進，因問題過多，中共本身亦感未可樂觀。（署）

大陸按戶迫訂增產計劃

農民反抗共幹棘手

深受慘痛教訓人人少報

最近大陸各地農村正在大力推動一戶戶訂立「愛國增產計劃」的運動，但據北平人民日報透露消息，在共幹一貫的強迫作風之下，又使農民一度大受苛虐！

查中共訂立此種計劃之用意，為強迫農民增產以供壓榨的手段之一。但此一手段，由於農民生活艱苦，生產情緒低落，兼之文化水準不够，都無法應付共幹之強迫要求。即使由共幹執筆代庖，亦因學能低陋而無法勝任，致使此一「任務」，連共幹本身，亦大感棘手。

據該報指出：僅以湖北省京山縣滴水鄉一鄉為例，該鄉共幹為了便於向上交代任務，雖曾將此種計劃製成表式，擬用向農民口詢筆錄方法以挨戶訂定計劃。但全鄉經過半個月的訓練、開會、準備，再經過半個月忙亂工作，竟只填成了兩戶。且使被詢問的農民大感困擾：一般農民都抱怨着說：「訂計劃就像打官司，幹部上面審，我們下面供！」又說「訂計劃像做買賣，價還價，我們說了數目不算數，幹部還要加。」因一般農民根據以往的經驗，都不敢直說預計的生產量，彼等深知多報不如少報，故此次中共要農民訂立「愛國增產計劃」的一般結果，反比未訂計劃的往年實有生產量為低。此種情形，如人民日報指出，即一般身為黨員的農民亦屬如此。

官僚主義腐蝕合作社

濫發大量壞棉種

農民遭雙重損失

河北全省怨聲載道

據北平的共方報告：最近河北省合作社因官僚主義作風化極嚴重，曾造成全省農民的重大損失。緣該社最近曾奉偽農業部配給「斯字四號」良棉種籽五十萬斤負責轉發各縣合作社分配農民使用。但該社尚有舊存壞棉種籽三十萬斤儲在倉庫。因該社一般工作人員之作風太多均極顢頇草率，竟於良棉種籽裝包分發各縣時，將壞棉種籽大批裝包出運，直裝至約二十五萬斤左右時，方被發覺，但已大多運達各縣，且該社經理據報後，並不迅即通知各縣止配，反以此批壞種能乘機混出為得意事；惟為掩飾其責任計，除一面特通知各縣，強調該批棉種「極為優良」外，一面即將應裝運而尚未裝運的良棉籽中滲入尚未裝完之其餘壞棉種籽約五萬斤，繼續裝包出運，藉以含混。因此，該省農民於配得此種混雜之棉種後，或因從事揀選而蒙受種價負担及人力的兩重損失；或因草草播種未能生長而遭受種價負担、人力、耕作資本及收成上的四重損失；損失均極慘重，故該省農民，莫不怨聲載道！

又據該共方報告指斥該合作社稱：該社於去年冬季曾由河北省糧食局撥給大批玉米，但入庫後即告「萬事大吉」，未予檢查保管，迨今尚封未動。迨此次農業部及糧食部檢查人員到該社倉庫檢查，方被發覺已全部霉爛！其霉爛之主要原因，除入庫時未經必要的安置及隨時檢查外，係由於入春以後，水氣蒸發所致。據該報告指斥，尤以事發以後，該社各負責幹部，互相推諉責任而未予設法搶救一節，更屬「不可容忍」云。該批霉爛玉米之數字，在官方報告中未曾舉出數字，但據人民日報的消息透露，謂總數約有六萬包之多。又謂目前河北旱荒嚴重，農民生活極度艱苦之中，於知悉該社有大批玉米霉爛之後，均甚表「惋惜」，（實即怨忿）云云。

劉伯承大做「西南迷夢」 ·下·

劉家天下

西康大相嶺的人民反共救國軍，如火如荼的在組織，已成公開的祕密，中共機關報反而支字未提。西康的游擊隊力量是一般人民武裝與不甘屈伏的部隊所結合而成的，但這個游擊領袖宋文彪就是當過以前二十四軍的團長，他與劉文輝多少有點兒藕斷絲連的關係，他曾聯絡過雲南盧漢的殘部，創導「內織革命」。宋文彪領導的這支游擊隊伍在西南是比較「吃香」，深得廣大人民的同情與援助，熊克武亦暗中派人與之聯繫。

龍雲，盧漢兩人，在西南所串演的「政治雙簧」，更進一步的與熊克武，劉文輝合作，表演「四簧傑作」，這幕拿手好戲，再配上西南鼎鼎大名的「丑」角，別號「水晶猴子」的鄧錫侯，搭擋登場，不難看出這幕「時代劇」的苗頭。雲南的陳賡，貴州的宋任窮，雖是「湘幫」與「川幫」的紅色夾縫中的「綏靖人物」，但他們對這位譽為「天才的軍事家」劉伯承仍然是唯命是從，在「政治比軍」的天秤上，現在西南很顯然的是「劉家天下」了。賀龍雖然在成都與劉平分春色，然孤掌難鳴，主客勢易，亦不得不牽強附和，敢怒而不敢言。成都現在有一句「軍諺」：「四野是鋼軍，二野是鐵軍，三野是銀軍，一野是金軍，金軍就是御林軍，打起仗來別人拚！好玩好要諦官城。」這是成都四野軍官譏諷彭德懷部隊的良心話，亦可看出劉賀之間的鮮痕。

·經濟背景雄厚

劉伯承在西南竭力擴大軍備，樹立「劉王派系」，他經濟的羅掘辦法，又是怎樣填塞其龐大費用的漏洞？就筆者所知，劉伯承在西南的經濟資源共有兩處：一在雲南的昭通，曲靖，霑益一帶；一在西康的大金，蘆山，雅安一帶，這兩個地區，都設有大規模的鹽場與工廠，專門來「增產特產」與「製造特貨」，雲南是由陳賡負責主持，西康是由劉文輝負責辦理，他們並派有李松泉為全權專使，在臘戍開設「中國土產公司」，其實就是「西南特貨」的大本營。他們是把這些「特貨」利用人力和畜力從陸路運到雲南邊境，入緬甸的臘戍，到了臘戍，就可趁火車經曼德勒直接運到仰光了。入了緬甸，便可以到泰國北部的來清府，分銷泰國各地，再進一步到馬來亞，從新加坡渡海，可以銷到南洋群島一各地了。「特貨」運送的方法，是用一雙一雙的箱子裝着。上面貼着：「軍要出口物資，沿途軍警，不得檢查」的封條。貨物運送到一家辦事處集中，辦事處掛着什麼公司行號的招牌，這就是「特貨」的總機關。大清早或深夜經常有偽帶着最祕密特諦的「人民公安軍」押送這批「特貨」。所以劉伯承的經濟背景，是相當雄厚的。（下）

湘南農民抗暴 當場壯烈犧牲

激起普遍反共情緒 共幹承認後果嚴重

據長沙中共報紙最近披露的消息，湖南省寧鄉縣的橫市鎮於本月二日曾發生兩農民因不服共幹的兇橫蠻迫而忿然反抗共幹的情事，但該兩農民即當場被該共幹指揮民兵活活打死，壯烈犧牲！

該報透露的事實：像最近該鎮共幹曾奉命以「春耕積肥」為由，普遍向郊區農民強銷化學肥料，當有鎮幹張乃熾率民兵四人持槍至鎮北郊區分配農民購儲數量。但因大多農民當因生活無着無力購儲故紛予拒絕，張一時大怒，即實行強迫登記各農民購儲數量。當有農民趙根易及王凪發二人確因無錢購買，故仍堅決拒絕，詎該共幹謂言，認為有損彼之「尊嚴」，乃大發雷威，即命民兵加以拘捕，並大加辱罵，該兩農民以忍無可忍，乃於民兵上前拘捕時，即搶先快步竄至該共幹身前，揮拳痛擊，但寡不敵眾，且屬徒手，故未幾終被持槍民兵制住，並當場在共幹指揮下用槍托活活打死，壯烈犧牲！

此事雖小，但據中共自己承認：後果極為嚴重！易言之，亦可知目前大陸農民遭受共幹脅迫的慘重及其反共情緒的濃烈，皆已不可等閒視之。

共俘甫告釋歸 又將驅入虎口

殘廢者擴大宣傳反美

瀋陽方面消息：最近經聯軍釋放的中共俘虜，雖已在表面極為優待的情形下陸續送回東北，但該批俘虜除已成殘廢而無法再行服役者外，即將被中共再度編入「援朝志願軍」，歸回北韓前綫從事作戰。據悉：此一措置，係在「援朝志願軍」的「政治部」派出大批政工人員以慰問為名，從中挑撥，發動一「志願歸隊運動」之下所進行的。惟謂目前尚在裝腔作勢的宣傳期間，相信中共此一舉動之主要用意，以宣傳反美及鼓舞士氣兩端，遠重於北韓前綫兵員之需要。

再者：目前中共正利用換俘機會大規模宣傳美軍虐待戰俘，竭力強調殘廢俘虜係在聯軍俘虜營中被美軍虐待成為殘廢者。且為使人民相信此一宣傳計，已決定利用此種殘俘虜分組赴各大城市以「現身說法」方式，擴大進行反美宣傳云。

山東獎勵勞模 搞得莫名其妙

籍貫事蹟一片混賬

據最近的人民日報透露消息：最近山東省偽農林廳曾以鼓勵農民生產為名，大舉「獎勵」他們的「勞動模範」；但此一「獎勵」，乃是一筆令人莫名其妙的糊塗賬。據該報指出：最近山東省農林廳為主要負責機關召開的「全省農業勞動模範代表大會」上獎勵的勞動模範，是該廳少數負責幹部憑着個人的想像和願望來決定的。該省於去年八月間原曾成立「山東省農業增產競賽評獎委員會」，但此項評選勞模並未經此一「委員會」。在此次「代表會」上發獎時，農林廳副廳長仲星帆曾再三宣佈，說全省受到獎勵的單位和個人有四十二個。但山東「大衆日報」要發表新聞而去詢問該廳時，該廳的另一副廳長楊節卻說全省受到獎勵的單位和個人共有五十三個。後來該報向該廳查一查名單，卻開有五十二個。但該一名單中，並無受獎的籍貫和出身成份；尤其沒有說明受獎的事蹟，根本不知道他們究竟憑什麼條件受獎？該報再向該廳副廳長楊節詢問時，楊卻說：「五十三與五十二倒差不多，只是這個名單評選得不够台適，還是不發表好，否則就要鬧出意見來。」又說「反正獎勵一番給農民看看，鼓勵鼓勵生產就得啦，獎得對不對，何必太認真？」由此已盡可瞭然中共的所謂「勞動模範」究竟是怎麼一回事。

衛生檢查婦女為難

幹部忙亂農民遭殃

春耕生產紙上談兵

據最近人民日報透露，目前大陸一般鄉村的情形，因由於幹部任務過多過重，幹部低能顢頇，秩序至為忙亂糟糕！糟糕的主要現象除屬於經常的許多中心工作外，有下列幾種：

一是挨戶擬訂「愛國增產計劃」，（另有專題報導）幹部與農民皆大感困擾。

一是春季衛生檢查：中共曾利用鄉村非生產的婦女從事環境衛生，並組織婦女衛生檢查小組檢查本鄉衛生，命伊等經常彙報衛生情況。伊等無奈，不得不加敷衍，卻因此妨礙了他人生產。一般農民大為抱怨，致使此輩婦女進退兩難！說「不檢查要受幹部責備，檢查了不但誤了自己工作，還受別人批評」！

一是多頭佈置任務開會忙：最近大多鄉村都有銀行幹部下鄉開會要統計材料；區民兵幹部下鄉開會要登記民兵；縣建設科下鄉開會要訂建設計劃；以致大會、小會、擴大會等每天要開四、五次會之多，而且這些幹部一開會，便講話滔滔不絕，無邊無際，講上三、四個鐘點的題外廢話，逼得被迫來開會的農民焦急萬狀！

此外是本鄉正在大力領導春耕生產的幹部，也專在開會工作上團團轉。農民日間忙於下田耕作，此輩幹部睡覺休息；晚間農民倦極欲眠，彼等卻精神抖擻，強迫農民開會，而且往往通宵達旦，致使農民使無力再事日間的耕作。由是所謂「春耕生產」乃成紙上談兵！

垃圾堆中挖蛹 兒童疾病叢生

跌落糞坑 險遭淹死

目前中共正在大力展開「挖蛹運動」，特別驅迫非生產者的婦女、青年學生、兒童等從事大規模的挖蛹一節，本報前已詳為報導，並曾指出其用意所在。現據大陸各地消息：目前天津、青島、濟南、上海、南京、武漢、南昌、桂林等市之近郊及山東、河北、湖北、湖南、江蘇、浙江、江西、廣西、福建等省之大部農村地區之兒童，已因被迫挖蛹而普遍發生疾病！主要之病象為發痧、腹痛、頭暈及嘔吐等；原因係無知兒童被驅在極穢臭骯髒之廁所中，或糞堆上，或垃圾堆中用手指從事挖蛹，致有不少兒童或於當時被穢氣燻沖發痧、嘔吐；或於事後從手指間傳入病菌，發生頭痛、發熱、腹痛、腹瀉等疾病。目前各該地染病兒童之人數，雖尚無中共之官方統計，惟從各地消息看，情況殊為嚴重！此外，又據天津、南昌、濟南等處當地中共報紙披露之消息稱：各該地並有不少兒童於糞廁之廁中挖蛹時失足落入糞坑！且其中十歲上下之兒童因身軀短小，往往被屎糞淹沒頂；幸大多發覺及時而尚無被糞淹死情形，已不堪設想矣！

政治需要讀書人為方

自由談

中國的先賢人會經留下許多寶貴的格言或座右銘，其道理足以放之四海而皆準，行之百世而不敝者，不勝枚舉。例如：「為政不在多言」，「言多必失」這些富有妥當性的哲理名言，縱使人類用原子能飛船移住到月球中去，就能說是「為政貴在多言」，「言多必得」嗎？又如「朱子家訓」的全篇意思，那一點不是符合現代人所讚頌的日常生活規範呢？

革命二字不知貽害了中國多少青年人！為着要表示革命人物的前進姿態，不分青紅皂白，凡是舊有的文物制度和學說思想，都在唾棄之列。如是乎，中國書固然不值一顧，視為封建腐敗的玩藝，外國書呢，也祇是認識些「拜拜」「好賭有賭」這類買辦西崽人物所具有的文字而已。這般人一朝得志，即自以為學貫中西，才通新舊了。因為他既能識別「人手竹刀尺」這幾個中國字，又能唸A．B．C．D．E．這幾個外國字，那還了得！如是乎，遇事好逞才能，濫說廢話，而社會上一般以耳代目的不學之人，也認為在政治上地位越高者，其學識亦自豐富，盲目奉承，莫名其妙。中國政治之敗壞，社會之紛擾，生活之畸形，人心之虛孀，其病根即在此。

何年何時，中國政治上能有些真懂革命意義，讀通了中國書或者外國書的人，襄贊國事，不致於愚而好自用，賤而好自專，國家就有救了！

魔窟之春

·山禾·

「一杯水主義」精神底新婚姻法在魔窟里一大力推行，那兒便彷彿一年四季都到處漾溢着「春」意！

然而在這個魔窟里又實實在在有着一隻掛着「自由之神」底銀牌的巨大的魔掌，隨時隨刻地伸展到每一個角落裏，緊緊地箍住了每一個羔羊似的人們的頸項！

「中南木材公司」的出納員王佩珍雖然還只是一個十八歲的黃毛丫頭；可是受了這種「春」風底吹拂、撩撥，已經很急於要找個男人來溫存了。然而那只魔掌却老抓住了她，沒有一點自由！

當她在被調到廬山林業訓練班學習的時候，她就開始找對象了。她立刻找到了一個名叫李紀奎的同學做了她的對象，他對她很熱情；她開始初初嘗到了戀愛底甜味，滿感到春氣盎然！

然而好事多磨，當上級知道了她和李紀奎的戀愛關係之後，便以李紀奎已結過婚的理由警告了她不准她再和李紀奎戀愛。她一想滿倒是上級的好意，便毅然和李紀奎斷絕了關係。

但含苞既放，春風又那麼迷人，豈能再小姑獨處？自得另找新人。這一找，她同時找到了兩個對象，都是同學，一個陳貴芳，一個張廣立；她陶醉在溫暖的夾縫中！

可是上級又來干涉了；這回已不止是警告，而是鬥爭了！而且鬥爭她的還不止是屬於「現行犯」的「亂搞關係」，而且還翻到了她和李紀奎的舊事；上級召開了學員大會鬥爭她，要她當衆認承曾和李紀奎發生過性的關係！她不肯承認，輔導主任王大來却嚇她說：「李紀奎早已認承了，你還賴？」

「他……實實是：……是沒……沒有的事！」她顫抖地說。

「你不坦白，就不通過你的思想總結，不准你畢業！」王主任拿出了「政治武器」大加威嚇！

「噢！我，我：……我有！」雖然明明還不曾發生性的關係，但她終於不得不屈服說「有」。

於是，她受到了記大過一次的處分，並被「清洗」出班，調到中南林業總局去發落。這，她當然傷心已極，因而幾天沒有吃飯，還曾想跳窗自殺；但王主任認為她是拿自殺來威脅組織，便派了兩個女幹部把她押送到林業總局去。

林業總局原想不用她，但認為她能力尚行，便姑准派回到原服務機關的木材公司去工作。不過有個條件：該局的女幹部，人事科科長張淑芳要她寫一「以後再也不談戀愛」的「保證書」。「保證書」的稿子是張科長擬好了的，她不得不顫抖地提起鉉照抄不誤，用印如儀！

這以後，王佩珍一提到「戀愛」兩字，便會心驚肉跳！不敢再找對象。不過她看到公司裏的那些高級男女幹部却都是醜形惡狀地在辦公室裏公然打情罵俏，動手動腳的！她心裏實在有點搔搔，搔搔地難熬！她想了好久纔想通：原來高級幹部都是黨員，只有黨員纔有「亂搞關係」底自由與權利！

真巧得很；當她正在想通之後，同在公司中工作的一個中級幹部毛震儀來追求她了。起初她不敢接受她，但後來一想他是一個黨員，終不會再有人來干涉她，於是她答應了他和他去玩；她托詞家中有事請了兩天假，陪毛震儀到武昌去玩了兩天。但不幸得很；那隻鬼影幢幢底魔掌始終罩住着她！原來公司的人事科長孫庚寅也看中了她，在注意她的行蹤，他看見同時不見了毛震儀便起了疑心，乃趕到他家裏去調查，她當然不在家，於是她在銷假回公司之後，便遭到了他的斥詰。她起初不肯說，但他看見了她有許多新買的襯衫，汗衫和化粧品，被他一恐嚇，她便像將要殺頭的犯人一樣失了神魂；她終於又受到了更嚴厲的處分：公司里逼她寫「自動請求離職書」！她哭哭啼啼的向總局辦公室主任王東明哭訴：「只要不開除，甯願受大會鬥爭！」但王東明不加可否，且先派了張淑芳、昭鸞等八個「姐姐」（照共黨的稱呼）為她的「監護扶導人」，要她再寫一次不再談戀愛的「保證書」。

「一、決不私出一分鐘。二、一切聽姐姐們的指導。三、在工作了一定時候，以後，組織給我照顧，自己不私談戀愛。？……五、……」她又照組織起的保證書稿子抄了一遍。

但這案子沒有了定，公司里已派人事科長孫庚寅「動員」她回家，他送她回去，她一路在哭！

「別怕！婚姻有自由，我我……我愛你就就……就得啦？」

可是，曾干涉她和毛震儀戀愛的孫科長却又在向她求愛了！但她彷彿沒有聽到他的話，她彷彿只看到了一隻巨大的魔掌罩了下來！她驚叫一聲，暈倒了！

新·世·說·補·遺

梁啟超年譜案（二）

丁著任公年譜稿被翁文灝攫去後，昔日與保皇黨有關人物，與夫任公平生知交，胥已有所聞，翁之祕密油印原稿為非賣品，贈閱少數親友，諒係應此類人士之請求而然者。旋若輩表示不可刊行，託詞保持梁氏信譽，實則其居心與當年汪精衛任行政院長時禁刊清史稿之鄙念相同，蓋清史稿人物列傳中，對高陽相國略有微詞（做級一語，指其依違當政而已。）汪乃阿其所好，枉從相國後人私囑，竟頒禁令也。翁氏之劫持丁文江著作，用意殆若是耳。然任公一生治學與論政態度，原標不惜以今吾與故吾相戰之宗旨，縱使對保皇思想昨是今非，庸何傷乎？陳壽於曹魏篡漢祚居帝位時誌三國，猶以劉為正統，稱劉玄德為先主，作本紀，倘如汪翁等豎儒所為，則三國志不特付炬，作者首領亦必不保也。中國近代文化精神之衰敗淺陋，皆源於未聞大道之侏儒與武夫逢惡濟奸所致，可慨也夫！

使梁氏年譜稿未即問世之次要因素，即為任公女公子令嫻當時亦主慎重。但其宅心與乃父之政治言行無涉，祗以原稿取材於任公家書者甚夥，雅不欲使瑣瑣家庭事供世人談論之資耳。至梁思成昆季固無違言，因其姊意，遂無所可否。民國卅七年丁文淵氏於金陵晤及令嫻，談年譜案，令嫻亦覺歷時已久，往事如煙，似有刊行必要矣。唯斯時我馬日亟，政府播遷，而傅斯年又遠在美洲，無從商取稿本。越載，文淵入台灣，就詢斯年，原稿得未喪失否？傅謂珍藏在台大圖書館中，幸事也。

此外，翁傅等尚有一種基於政治性之顧忌心理，亦令年譜案懸而莫決。緣任公自民國以來，初與袁世凱釋嫌修好，敵視民黨；繼與岑春萱陸榮廷等起兵討袁，擁岑爲府司粵，對當時久在西南護法討賊之孫中山先生貌合神離，多所齮齕，終且使孫公憤而去滬。此為梁氏個人在政治上之顯著事業，其功罪是非如何，固難定論。然年譜中對此兩役紀述必詳，作者又素與任公採取相同之政治立場，述事撰詞，未必絕無主觀意識，而其關係人物復多見在為當代顯貴，遂有所怯，不敢率爾付之鉛槧矣。

歷史文物，貴乎存真，若從學術思想而論，不問梁氏平生政治言行奚似，此年譜固為其全部生活現象寫實之作，足為後世批判此一代學人之可靠資料也。愚望政府能斥資交由文化機關予以刊佈，且飭通儒主其事，對原稿毋妄刪竄乙，實深企幸。

馬五先生

窮與富

·健軍·

因為富與貧的內包不僅是物質的，也是精神的，不僅是有形的，也是無形的，阿里汗王子在今天可算是富豪了吧，私有的黃金是以噸位來計算的，但他自己除去在財產方面承認仍是一個窮小子外，婚姻的波折，使他在精神方面也感到空虛無依，古希臘的哲人戴吾占尼斯（DIOGENES）該說是窮的夠瞧了吧，睡在木桶裏用手抓飯吃，比宋朝范仲淹老先生的「斷虀畫粥」來得還簡單，還野蠻，可是權勢顯赫如亞歷山大帝還羨慕他，說他是精神財富最優裕的人。

人多是喜富嫌貧的，因富有可以使人在物質生活方面過得舒適，但這却不能說貧窮就不好了，說實了，如果沒有窮，富也就失掉意義了。古人把安貧看作一種美德，能發富不算什麼，能安貧，能「雖貧不濫」才是大丈夫本色。再從許多例子裏，我們可以看出貧窮鍛鍊人生，成全人格，而富貴則常是消沉人志，使人墮落。人在窮的時候能變，能適應和能支配環境，人在富的時候便失去這種能力了。所謂生於憂患，死于安樂，就是這個道理，在聖經裏，耶穌曾說過：「貧窮的人有福了，因為天國是他們的」，天國是不是他們的且不去管它，但貧窮的人（除了那些心病狂，窮極生瘋的人）在恬淡自樂的心境裏，常能反映和默察一些富人所悟不到的真理，那却是真的。（下）

奴役的藍圖（七）

麥柯米克神父著

陸逸譯

管制不了人民情感

這給了共產黨召開全體大會，重新選舉社長及董事會的藉口，大家都驚奇共產黨居然會提出減少董事為七人的建議，後來大家才明白那是因為共產黨找不出十一位親共的董事來。共產黨糾集了三十五票，包括他們底太太，子弟，及親友的票來投選親共份子。而別的會員却全無聯合。

即使這樣事前勾結羅致，共產黨在選舉上仍得不到決定性的勝利。結果大會選出五名共產黨，六名『反動份子』，而那位舊社長又當選了。

不顧人民的反抗，共產黨終於獲得最後的勝利了。我被逮捕，重新被選的舊社長也被關入監獄，迄今仍未獲釋。

在一個別的城裏，在我被拘留的六個月裏，除了共產黨的警察，我所逢到的人，全都對我同情，而且沒有一個人侮辱過我。雖然駭人的反美宣傳是那樣如火如荼地推動着。我看到許多反抗警察，反抗政府法令的例子，雖然人民被迫仇美，禁止教友們同我往來，但仍有許多人送我鷄蛋，水果，和設法來探望我，從我被囚的三樓窗子裏，我看見許多老朋友想法進來看我，然而，看守的兵士從未准許他們踰入一步，我知道有四個不同地方的人，全是老朋友，跋涉三十里的路程來送飯給我吃。

共產黨可以管制人民的行動，却管制不了人民的情感。

第四章 共產黨與青年

共產黨當對入伍的新幹部說：「假若你們的年齡超過三十歲，那麼你們很難做到一個優秀的共產黨員」超過卅五歲的人是太世故了，很難做到在共產黨心目中所認為的「進步份子」。

共產黨引誘中國青年的香餌有三：即理想主義，愛國主義，和性解放。

當一個青年到了十九歲或近廿歲的時候，便是一個自然的理想主義者，在這個時期的生活裏，每一個青年都展開了一種社會意識，在生理方面也接近成熟了，智慧也在急劇地拓展着，目光開始越出個人和家庭的籓籬，而開始在各方面覺到貧困，苦難，和不公平。

共產黨訓練了大批的宣傳員以樂觀的美景來誘致青年，并組成一支在地球上建立樂園的十字軍，他們告訴青年，共產主義在俄國已經把社會不公平的制度摧毀殆盡。資本家和地主們已經[illegible]除，蘇聯就是世界上的伊甸園，在那裏人們一律平等無殊，沒有失業，而且科學已經把疾病遠遏，中國必須造成第二個蘇聯。

一士諤諤論

·遯周·

際今之世，行古之道，在活生生的民主時代，像講古佬樣講死人的故事，也許不甚切合時宜。不過，有一淺鮮的事例，朋友，當你的臉龐上沾上污染，背後有甚不雅相點，弗得經別人道破指點，才得拂拭，才得改正，或者說你覺得頭髮還未整齊，領帶還未結好，是否該得向鏡子裏照照？所謂「以古為鑑可知興替」，古人的話，又何嘗不可以陳醋新醱的來酸它一下。

先引證「徐公之美」的話，明知自己的容，不及城北徐公的漂亮，可是：問及妻妾和臣僕，那在為着有所悅所懼與所求所得諸般種切的原因，誰肯誰敢又誰能當面說出真實的話？唯其如此，古人便有所謂諍臣諍友那套理論，所謂諫官御史那套制度，着實衆賢喏喏的連聲道好，不如一士諤諤的獨不謂然。怎奈任誰都是喜受「道好」的話，而不大願意有人「說不」，雖[illegible]者不免，換諸人情的喜諛而惡直，固亦宜然。惟是漸入至深，由習成慣，就不免積非亂是，越是有權勢的人，[illegible]

[illegible]

中華民國僑務委員會頒發登記證台教新字第一零二號

自由人

THE FREEMAN
（半週刊每星期三六出版）
（第二三一期）
每份港幣壹毫
督印人：李光華
社址：香港高士打道六六號
電話：二〇八四八
GLOUCESTER RD.
HONG KONG
TEL: 20848
承印者：東南印務出版社
地址：高士打道六十四號
台灣特派員辦事處 台北市館前街五十號
台灣總經銷處 台北中華路新號五九四之一
台灣郵政劃撥儲金帳號 九二五二號

激變中的世界局勢

·雷嘯岑·

世界兩極化的鬥爭形勢，自史大林一死，即已打破過去的僵持局面，或戰或和，必須有所變化了。這是雙方的客觀環境所使然，即令蘇俄的新政權不發出和平攻勢，而自由世界中，也會有人要求藉韓戰問題表示讓步妥協，以測驗極權集團之和平意嚮的。表演這項技藝的主角，當然非英國莫屬。所以，目前英美兩國政治人物對於外交政策的舌戰，並非偶然，而是大局激變中的必然趨勢。

英美眞要分道揚鑣嗎？

在政治意義上，我們不能想像邱吉爾會相信跟俄共集團妥協的結果，其利益將超過英美合作，即艾德里等人，亦不致天眞幼稚到這步田地。何以見得呢？記得去年二月終，邱吉爾在下院爲反駁貝凡一流人的責難，曾強調了兩點大政方針：一爲聲明他對韓戰政策，是依照過去工黨政府外長與美國所簽訂的「祕密協定」行事的；二爲工黨執政時期即已製造原子彈，只是祕而不宣罷了。當時貝凡會怒指邱翁洩漏國家機密，但無法反唇相稽。我們記住了這點事實，即知英美對於韓戰問題是訂有密約的！只要美國不違背這項密約的原則，英國即不能不履行其應有義務。大概邇麥克阿瑟之被免職，也與這項密約不無關係哩！板門店和談搞了二十幾個月，毫無成就，克拉克將軍以硬派作風，自動宣告停會，英國當時並無異議。現在史大林死了，馬倫科夫表示要和，英國一面依據密約意旨，一面嘗試其「亞洲狄托」的舊有主張，乃急求實現休戰協議，雖犧牲志願遣俘原則，在所不惜，因而對聯軍和談代表哈里遜的言談態度，亦多所指摘，主張另以文人充任。實則哈里遜的言態，何嘗超過了已往那些代表所表現的程度呢？然美國對於志願遣俘問題又絕對地不能讓步，英國基於其現實主義觀點，自不願爲着幾萬名自由戰俘而使和談破裂，影響大局，致冒大戰危險。如是乎，朝野兩黨一致公開向美國施展大壓力了！

英國今日如果已有可以一戰的把握，這次不愉快的口舌之爭即不致發生。無奈英國目前正被兩大問題所困擾，使她永遠無從培養其強大的國力，而美國對此兩大難題又始終採取袖手旁觀態度，未加過援，這實爲英國莫大的傷感。是那兩大問題呢？第一是貿易問題。戰後英國的市場日益縮小，而國內的工業設備及其生產水準，又不足以與美國抗衡，近年有許多產品且從香港輸入，因爲香港某些生產工具是最新式的美國貨啊！戰後美國雖以美元和美援大量給予盟邦，但美元市場卻對英國表示擋駕。去年大英聯邦經濟會議後，曾喊出「貿易而非援助」(TRADE NO AID)的口號，即是要求美國開放市場的堅決表示。然美國除了「互惠貿易」政策外，別無所應。第二是伊埃問題。英伊石油爭議，已使英國損失掉一筆很大的經濟利益，英埃撤軍糾紛，又使英國遭遇着國防上的一大危機。這兩事如果得不到合理解決，英國在中東的勢力便宣告完結了！唯一能夠從中爲英國作有效援助者，即是美國。但美國又不願完全站在英國立場說話，以免沾上「維持殖民地利益」的嫌疑。前幾天，埃及總理那吉勃發出反英的激烈言論，倫敦方面即認爲是爲着杜爾斯將到開羅，那氏才有此表演，乃專門說給杜氏聽的。即此可見英國爲中東問題對美國抱有怎樣的怨望心情了。

基於上述因素，邱吉爾和艾德里的言論，便如箭在弦上，不得不發。這一箭射出後，美國如能將就一些，實現苟和的局面，英國自可利用時機，從事經濟復甦，慢慢地培養國力，有備無患。否則美國必須對中東問題改變方針，爲英國助一臂之力，解決難題，然後英國對遠東問題亦不妨遷就美國，攜手合作。二者必居其一，再不會彼此悶在心中，欲言囁嚅，欲行趦趄了。英美尚未到分道揚鑣的境界，還要看美國的決策如何，不過，整個大局必然有所變，卻是無疑的。

聯合國的前途

大局演變的結果，如其出現苟和之局，自然是韓戰實現休戰協議。不管休戰後的政治問題能否解決，如何解決？在苟和局面之下，不外產生兩種情形：韓國的統一獨立問題必被擱置，而這又是聯合國的煌煌決議呀！中共加入聯合國問題必先提出，因爲英國想以此來孵化「亞洲狄托」！中華民國固然可以使用否決權，但其結果很可能致中共不只成爲普通會員，而據有常任理事國之位——如果美國採取灰色態度的話。南韓軍民打了幾年大戰，犧牲了無量數的人力物力，依然抱殘守缺，保有其半壁江山，幾年來的血汗，等於白流！這樣一來，聯合國的憲章精神，掃地以盡，又形成戰前「國際聯盟」的舊觀，聽由一二大國操縱把持，作爲營私舞弊的工具，一切弱小國家，只不過隨聲附和而已。

聯合國若讓中共加入，「壽終正寢」的命運便已註定。「國際聯盟」時代，當初僅有一個侵略主義的日本帝國從中搗亂，加上一個波蘭助桀爲虐，英國暗中袒日，其情恰如今日聯合國中的蘇俄與其附庸，而英國又是暗袒中共。迨納粹德國加入「國聯」後，問題就多了。今天日本帝國宣告退出，明天納粹帝國宣告退出，繼而法西斯意大利自由侵略阿比西尼亞，國聯一籌莫展，終於死亡。歷史事實是可能重現的，今日讓中共加入聯合國，與當年之請納粹德國入盟如出一轍，導演人亦原封未換，所差的，只是「國聯」當時沒有美國參預而已。聯合國是否如我國代表蔣廷黻所指出，沒有維護世界和平的能力，這就看導領自由世界的美國，在此大局激變之中，是以維護聯合國的存在爲前提呢？抑是讓它陷於危亡之境？

整個世界局勢，今年一定有變，變好變好，尚不可知。可知者，弱小國家不能恃聯合國爲護符，俄共集團不會變更其基本政策。自由中國在此環境之下，應該如何自力更生，不是很明顯的事實嗎？

△杜爾斯最近訪問埃總理那吉勃將軍，轉贈艾森豪的私人鍍銀手槍▽

艾森豪削減軍費

·羅易譯·

布萊德雷的警告

「我們相信蘇俄的原子能力正迅速進展，據我所知，沒有一個情報報告顯示蘇聯的態度已有任何改變，或使我們有任何理由可減少或展緩我們整軍的努力。」這是美現任聯合參謀部主席布萊德雷向衆院外交委會提出的供證。但就在這一天，艾森豪向國會提出的國防預算，如經通過，將激烈削減美國計劃中的空軍實力，政府建議將三軍可能在下屆財政年度（七月一日起）使用的款額（包括過去已撥付而未用完之基金在內）減少二十三億元，並建議將杜魯門政府所提出的一九五二年新撥款削減五十二億元。這兩項削減，主要部份是在於未來的飛機採購計劃，由於一架飛機由定貨至實際使用需時一年至八年之故，艾森豪第一個國防預算對空軍的影響，要到一九五六年才會開始顯露，而到一九六〇或一九六一年始能充分顯明。

二年前，國家安全委員會決定，美國空軍實力應達一百四十三大隊，但依照艾森豪的預算，到一九五六年，美國的空軍將僅擴爲一百二十個大隊。

即使達到一百二十大隊的目標，空軍當局也需要調整運輸和戰術性單位，並將其遠程進攻機隊（即可載原子彈的戰略空軍指揮部）自五十七隊減爲五十二隊。在這種情況下，目前的經費，猶需要杜魯門政府所撥出的剩餘款項來補充，到一九五六年，這筆餘款將告用罄，因此，除非在這時以前空軍預算再度增加，否則它將被迫削減爲七十九個大隊，即僅及目前實力（一百另三個大隊）的四分之三。

戰略觀念的改變

自一九四九年蘇俄舉行第一次原子爆炸以來，美國的全面戰略所根據的假定，一直是：要防止或對抗蘇俄的原子襲擊，唯一途徑是擴建美國空軍，尤着重於強大的報復力量，亦如戰略空軍。艾森豪的國防預算，由於激烈縮減空軍擴建計劃，可能含有二種意義：一、政府對上述戰略觀念，採取了某種保留態度；二、政府方面決定了，即使這種觀念是正確的，但實行起來卻不合實際。如果說，政府認爲蘇聯的威脅并未嚴重到促使美國必須擁有一百四十三個空軍大隊的地步，或蘇聯威脅已告減弱，政府削減空軍實力的決定，在軍事上便有其正當理由，但當局並未提出這樣的解釋。

根據華盛頓方面的消息，這個新國防預算的產生，並不是由於軍事觀點，而是由於財政部長韓弗萊提出的主張，他認爲，國防支出如繼續異常龐大，將使美國遭受經濟崩潰的危險。國防部長威爾遜最近也說：杜魯門政府所定的軍事目標，「雖在預期時限內造成，而也無法使國家預算能獲合理的平衡。」

國會將激烈反對

政府提出的預算削減方式，表明了國防部助理部長麥尼爾的勝利，他是第二次大戰中的海軍將領，當被稱作「國防部中不可或缺的人」，最早被已故國防部長福萊斯特起用，其後數任國防部長都因爲他對軍事預算的複雜困難具有特殊經驗，一直予以留用。他像多數海軍人員一樣，堅決支持福萊斯特的理論，即國防預算應由三軍均衡地分配。在國防部長威爾遜及副部長基斯準備削減國防預算時，麥尼爾即向他們建議了一個簡單的途徑，以美國武裝部隊的「均衡」爲目的，將空軍經費削減，使之能與陸軍與海軍的經費獲得比例的配合。他所提出的新軍事預算，陸軍和海軍都感相當滿意，它們相信這新預算能使它們保持最低的必要實力。

不過空軍官員卻素來反對所謂「三軍均衡」的理論，因此對於這次削減必會極力鬥爭。國防部預料將卸任的空軍參謀長范登堡在出席國會作證時，勢將力言在新預算之下，空軍將無法達到美國安全所必需的實力。而艾森豪大致亦難獲得新任空軍參謀長端寧對新預算作積極的支持。

同時，艾森豪也可能在國會中遇到激烈反對，因爲國會議員中，很多人過去即極力主張空軍擴爲一百四十三大隊，在一九四九年，八十一屆國會便忽視杜魯門的節約要求而將他的空軍預算增加了六億一千五百萬元。現在的八十三屆國會雖然主張撙節國家支出，可是也不會放棄美國應保持強大空軍以對抗蘇俄原子彈的觀念。（譯自時代週刊）

一週展望

·左舜生·

不幸的英美歧見

人與人相處，和國與國相處，都有其一定的分際，一超越這一定的分際，便難免不發生歧見和衝突。關於當前世界整個的局勢，英美間不無多少不同的看法，並且也曾採過若干不同的步驟，這是事實。可是這種不幸的事實在某種程度上不難諒解，也不難和緩消弭於無形，只看雙方負責當局的手法和態度怎樣。

還在兩年以前，我們便曾爲英美間可能發生的歧見而抱過憂慮，當時我們的建議是這樣的：

凡屬原則性質的方面，英國最好多尊重一點美國的意見；凡屬運用原則的技術方面，美國也最好多尊重一點英國的意見。在歐洲，尤其在英國利害關係複雜的地帶，美國最好多推重英國一些；在其他地帶，尤其是太平洋，則英國卻應該多推重美國一些。

我這種主張雖太近乎理想，但確實也只是一種低調，因爲我知道：人與人相處，不宜損害對方的尊嚴；國與國相處，更絕對不宜損害對方的尊嚴。

據我看，英美兩方最近所發生的爭執，雙方在言論態度上，都多少不無逾越範圍之點，最好能夠及時加以糾正。解決當前一切複雜的問題，一須訴諸我們的理智，激越的感情發揮得過度，確實是於事實無補的。

我們希望英美兩方，在一個英美不可分，不能分，不宜分的原則之下，彼此多作一番冷靜的考慮，尤其在最近期間，凡足以引起對方特別不快之感的行動，更宜極端的謹慎。舉例言之，如美國對援英的費用特別予以削減，或邱吉爾首相竟撇開美國單獨與馬倫可夫去會談，都是應該極力避免的。

日本明仁太子訪英

因爲英女皇加冕的典禮，日本鄭重其事，特以明仁太子前往參加，我覺得這實在是最有意義的一個舉動。最近我在東京看過幾次電影，凡涉及明仁太子在旅途中的新聞片，都極能引起一般觀衆的注意；尤其看見他在夏威夷舊金山，加拿大等處受着當地日僑那樣熱烈的歡迎，更使得大家非常感動。可是假定這位太子偶有一個舉動不大自然（例如帽子不曾戴得十分妥當）卻又引得大家鬨堂大笑。我覺得日本人的這種笑聲，絕不會影響到太子的尊嚴，我只覺得這是日本人民對皇室的一種親切之感。日本的皇帝已經不是一個神，而只是一個人，這是八年以來日本實行民主一個最大的進步。

在過去，無論是中國或日本，一位像太子這樣身份的人要到外國去走走，可說是不容易的。我記得在戊戌以前，即有人建議要光緒帝到外國去遊歷，儘管光緒帝本人并不反對，但格於當時的成見，究竟不能見諸事實。根據日本現行的憲法，日本皇帝在實際政治上原是不負什麼責任的，但他究竟是全國團結的一個象徵，讓他到外國去增加許多見聞，更多學習一點民主風度，這實際對於日本未來的政治，也還是間接有益。

日本當前的政象

這兩天日本的政象，好像吉田還是要倔強到底，我們只看他把對重光的約晤突告取消，便使人意識到這是日本未來政治的暴風雨將要發作的一個信號。

假定吉田所採的這種態度只是由於他本人的一種個性，關係尙屬輕微；假定吉田所以突然採取這種態度的真因是因爲他對於改進黨或其他黨派已經有了特殊的辦法，則對日本政治未來的影響，便可能更爲惡劣。好在事實在幾天之內便要揭開，我們且稍安毋躁的等待着吧。

我們覺得日本的政局需要安定，大家既無法抑止左派的趨於團結，便不能不希望一切的右派也能團結。我相信吉田也決不會反對團結，但團結之道，只能存在誠意與正當的方法之下行之始能有效，否則譬如治絲益棼，這對日本的政治是不會有什麼好處的。

法國政治動盪下的犧牲者
戴高樂將軍坦認失敗

人民續進黨宣佈解散後，保守性「世界報」評論說：「戴高樂的失敗，也是我們本身的失敗。」

・艾芝譯・

地方選舉中大敗

戴高樂將軍本月初宣佈解散他的法國人民續進黨，一時成爲轟動法國政壇的大事，雖然其影響並不嚴重，但已充份暴露了法國政局的動盪。在一九五一年的選舉他的人民續進黨會獲得四百三十萬選票，在國民議會（下院）中爭得八十五席，成爲第三大黨（僅次於共黨及社會黨），但在最近的法國三萬八千四百個城市的地方議會選舉中，他擁有百分之二十五議員席的勢力，竟銳降爲百分之十，使他不得不採取這個步驟。

對於政治，戴高樂向表憎惡，曾說：「這是無益的玩意。」人民續進黨解散以後，他在國民議會的八十五個議員，便頓時失去了政黨的憑藉，戴高樂對於這批議員的安置，是讓他們今後可以在現在這種議會制度的遊戲、娛樂和歡樂中隨意自由活動。」

國家缺乏領導者

他還發表了一篇感慨萬千的聲明，對法國政局大肆抨擊，他說：「法國正在缺乏領導者，已重新陷於過去的分裂，這使國家地位日降，實力已告纖減。除立場脫離了法國的共產黨諸不論外，左派份子雖然仍有進步的要求，但他們祇知謀促使國家衰弱和沒有定見。右派份子雖沒有完全忘却傳統，却不信任人民。右翼和左翼都無法執政，當他們試圖共同執政時，却祇會相互排擠，使大家都無法發揮其力量。」

他又說：「這種情形，世界已充份明瞭，因爲世界曾目擊法國政府更替的千變萬化；法國人民，包括由於本身習慣、情感、或利益而反對我的努力，以及以饑腸或傳厚來掩飾其悔悟的人士在內，也已感到這種情形；關於預算的悲劇、經濟困難、社會不平、北非動亂、越南的挫折、國家的昏聵、統治者的混亂等等事件又證明了這種情形。我國的主權已不是現在這批政治家所能掌握，對外國，我們失盡顏面，又放棄許多權益。」

指責美國支持右派

戴高樂指責美國以馬歇爾計劃和大西洋公約「造成某種安全感」，藉此支持法國的右翼。「因此，第二次大戰結束以來，我在堅定的法國人民支持下促成法國團體統一，且得到一個眞正的政府之努力，現在已無法達到預期的目標。這種失敗，我坦然承認，不想尋求任何遁詞爲自己辯護，不過，我相信我的失敗是不利於法國的。」

這位頑固而忠誠的戰時自由法國領袖，接着提醒左派份子說，他們雖會熱誠的和他合作，建立了第四共和國，但其後即反對他，造成他的退休，而他們本身却成了「他們自己所造成的權力混亂下的犧牲者」。他又對右派份子說，他於一九四七年組織人民續進黨而重登政壇後，曾削減了國內和外來的共產主義危險，「可是右翼份子感到勢力稍穩後，對我關於社會行動的主張產生敵意，再而受封建的財閥和報界互頭，以及維希時代殘餘份子與外國組織所影響」，隨即態度大變，轉而反對他。

但是戴高樂並沒有承認另一個重要事實：他之拒絕參加左翼或右翼的反共聯合政府，是近來法國歷任政府一直不能穩定的主要因素。他直到本年一月一大批黨員聲言脫黨時，才勉強允許他的議員支持總理梅耶爾。

續進黨解散以後，右翼和左翼少一重要政敵，原可以大爲高興，但並沒有人作此表示，其主要原因，是法國人民雖然反對戴高樂的激烈政治救藥，但多數贊同他對法國戰後政治無能的指摘。左翼的「鬥爭報」等論說：「不論我們各人對戴高樂將軍取什麼看法，他承認其失敗的光明磊落態度，却不容忽視。」保守性的「世界報」也說：「不論是敵人、朋友或旁觀者，都不能對戴高樂將軍這篇聲明，漠不關心，他的失敗，也是我們本身的失敗。」

（譯自時代週刊）

美國大兵用錢濶綽
金元荒中英人大喜

美國駐屯英國的軍人，對於協助解決英國的金元短絀問題，實比英國的蘇格蘭威士忌酒出口商和美國遊客更加有力，不過這個事實，至目前爲止，祇有少數人認識清楚。

英國曾努力吸引美國的遊客，在這加冕年，當局深信今年遊英旅客的化費，將遠超於去年八千七百萬元之數，不過即使如此，也仍遠遜於美國兵在英國所用的錢。

至於蘇格蘭威士忌，數年來英政府一直注重對美輸出，甚至大量減少對本國人民的供應量，並提高國內售價，結果雖在去年獲得六百五十萬金元，仍不及美軍在英的支出半數。

美國軍人在英的化費，不論是個人或美軍當局，每年幾達一億四千萬元，其中大部份是美國空軍所使用。目前駐英美國空軍人員超過四萬人，他們的在英家屬已有一萬七千人，他們住在三十個左右基地或倉庫，所以他們所化出的美元，廣泛地分佈於全英各地。

主要的是軍人的薪水，每年約有七千萬元兌換爲英國貨幣而在當地用去。

另外每年還有一千五百萬元就地購買英國貨物，儲存於美軍合作社，供各部隊的官兵和家屬購買。

美國空軍在英的經常維持費用，如購買汽油食物和設備，運輸費用與當地僱員的工資，每年又有三千七百五十萬左右。

至於噴射戰鬥機及轟炸機的機場擴展和重建，每年約需化費一千七百萬元。

美國海軍和國務院也在英國化出美元，不過和空軍比較起來，數額不多，每年祇二百萬元。

這些數字加起來，每年即有一億四千萬元，對於英國的金元缺乏之困難，自有大裨益，尤其在這英國出口貨遭遇激烈競爭的時期，其作用更爲重大。

美國官兵和家屬的用錢習慣，雖然相差極大，但有家室在英國的人，房租是主要支出，這種化費也曾經常受到指摘。他們都需要住在基地附近，但這些地方房荒，却比英國其他的地區更加厲害，因此他們常常不滿，指英國房東乘機抬高房租，形同勒索。除房租和食物外，美國大兵個別在都市戲院飯店俱樂部等處所化的錢，也爲數可觀，但由於過份散漫，無法獲得確切的統計。軍人眷屬在英國使用的錢，也多得驚人，她們似特別喜歡搜購英國古玩，而以銀器最吃香，自一九四八年第一批美空軍到達英國以來，其價格已漲起了三倍。

英國報紙去年曾對美國軍人的行爲頗多指摘，但自英國今春大水美軍人員英勇協助搶救以後，這種抨擊，則已告消失。（明）

立法院月底休會
立法與行政關係引起注意

台灣通訊

立法院第一屆第十一會期自本年二月一日開始，又將依法於本月底休會。第十二會期須至九月可開始，立委諸公有三個月休假期間，可潛心研究各項問題，或赴各地考察，較之終日在會場中坐而討論，收獲或可更多。依照憲法規定，立法委員由人民直接選舉，任期三年，計至民國四十年五月，業已任滿。行政院因無法辦理選舉，而立法權又不能一日中斷，特呈請總統咨商立法院繼續行使立法權一年。其後於四十一年五月，作第二次延長，本年五月，行政院復呈請總統，咨商立法院再延長一年。總統認爲根據目前實情，尊重憲政體制，似尚適當。立法院於接獲總統咨文後，提報四月十四日第十一次會議，決議同意。

立法院上一會期會有較爲熱烈而獲得民衆擁護之表現，一爲台灣電力公司濫行增加電費案，經詳密勾稽後，使電費得一合理增加之標準，減輕用戶之負担，仍不妨礙電業建設之計劃。二爲實施耕者有其田條例之制定，於會期屆滿後臨時延展數日，日夜討論，終將中國劃時代之土地改革法案完成立法程序，俾政府得於本年起，先在台灣實施。本年二月復會後，雖亦通過廢除中蘇條約，爲一件卓具意義之表現，但在一般法案方面，似不及上屆會期之具有重要性。

因立法院議事情況，與論界乃注意立法與行政的關係，是否適當。蓋照各民主國家先例，有向國會提案權者，只爲國會議員與政府。而我國憲法規定有提案權者，則爲：（一）立法委員，（二）行政院，（三）考試院，（四）大法官會議復會，第一號解釋謂，監察院亦有提案權，（五）總統咨商延長立法委員任期，總統似亦有提案權。具有提案權者若是之多，實足以增加行政與立法間關係上之困難。又，在各民主國家中，法案多由政府起草，送請國會討論；其由國會自行草擬法案者，甚爲少見。我國既除行政院外，其他機關亦可直接向立法院提案，往往造成行政院事先事後兩不接洽之情形。尤其每一法案通過後，常成爲新興事業或需要新設機關人員，換言之，需要增加支出。但主計預算之權，只在行政院，各院如以立法院已通過法案爲理由，向行政院支用款項，行政院則可以預算中無此項目謝絕之。立法院雖有審查預算之權，但係一年一度，決未能每次通過法案時，即同時補列預算所通過之法案，不因經費無着而成爲空文。惟尚有一事須加說明者，即對立法院享有提案權者雖有數個機關，而享有覆議權者，依照憲法規定，只爲行政院，其手續經過總統之核可。其他機關對於立法院所決議之法案，除遵辦外，別無救濟之道。

本月十日，中國政治學會，在台灣大學法學院舉行第四屆會員大會，亦即回遷台後第一次復會。會員杜光塤君曾發表論行政與立法的關係之專題報告。杜爲立法委員，而其論調處處不脫離憲法，且極爲持平公正，當博得合掌一致贊許。但不久以前，最高法院院長謝瀛洲，曾在法令月刊上發表就中華民國憲法試論立法與行政之關係，謂下列事項，均有發生之可能：（一）行政院之覆議權，須得總統之核可。苟不爲核可，則行政院即須接受立法院之支配。故元首與立法機關聯制行政院。（二）憲法無罷免行政院長之規定，如行政院長得立法院支持，則總統雖不滿意其措施，亦不能干涉。故行政院與立法院之聯合，又足以抵制元首。（三）行政院無解散立法院之權，立法院甚易濫用其權力。（四）立法院否決行政院所提議案，而行政院長如堅持非實行不可，提議結果維持原案時，行政院長可接受決議，亦可辭職。是則氣節之士，必拂袖而去，戀位之徒，亦可靦顏留任，憲法規定者，用意祇在淘汰氣節之士耳。謝氏之論，顯於制憲時之精神，尚欠了解。如謂行政院受立法院支配，兩院聯合抵制元首，用語均欠斟酌。至謂拂袖而去方爲氣節之士，虛心接受，即係戀棧之徒，完全不解政黨政治運用之原則。蓋立法院覆議是否維持原案，行政院長如何決定去留，均須透過政黨的決定，並非其個人立異鳴高或沽名釣譽所可決定。謝氏爲最高法院院長，而有此論，豈乃使對立法院求全責備者多一評論依據，實非正向民主憲政大道邁進的自由中國之幸事。以謝氏之言與杜氏所講述者比較，杜氏者顯然合乎憲法精神與當前情況，亦足見任何人立論發言，不宜輕率也。

天下小事

波蘭反共勢力活躍

鐵幕後面的反共勢力異常活躍，其中尤以阿爾巴尼亞與波蘭的反共游擊隊最使得克里姆林宮頭痛非常。據說波蘭的反共部隊日漸壯大，總數已達到十萬人以上，他們不時出動破壞共黨的交通和補給中心，有時滿載共軍的火車也受到他們的痛擊。波蘭傀儡政府想撲滅游擊隊的活動，但震懾他們的聲勢，又不敢貿然動手，爲加緊準備起見，一批以觀察家資格赴韓參戰的波蘭砲兵及坦克軍官已調回華沙，同時還另派出一批人赴韓戰觀場摩最新式的作戰戰術。

和平攻勢侵入體育

蘇俄的和平攻勢最近已擴展至體育方面，出席國際奧林匹克委員會的俄國代表最近告其他國家的代表說，再下一次的世界運動大會可能在莫斯科舉行。同時，俄政府已決定允許以色列籃球代表隊入境，參加本月底在莫斯科舉行的歐洲籃球錦標賽，此舉也可能表示蘇俄與以色列間即將恢復外交關係。

俄向狄托頻送秋波

蘇俄和狄托的關係最近顯得很不平常，無疑的，蘇俄已向南斯拉夫發動它的和平攻勢。俄外長莫洛托夫親自接見南國駐莫斯科代辦，舉行一次簡短但不尋常的會談後，第二天，俄國及所有附庸國報章上，突然停登一切抨擊狄托和南斯拉夫的言論和新聞。而且關於控制多瑙河的談判，也因蘇俄現已讓步而告完成。至於在南斯拉夫方面，狄托已召回駐倫敦、羅馬、巴黎和邦城的大使，連日來已舉行多次祕密的會商，據悉討論的主題是蘇聯對南國的新態度。由種種跡象看出蘇俄和南斯拉夫的關係將有新轉變。

美陸軍取消飛彈表演

美陸軍部原定舉行一次「勝利女神」定向飛彈表演，招待國會議員及新聞界參觀。但後來奉國防部長威爾遜的命令停止舉行。威爾遜爲什麼發出此種命令，據說這是他的顧問們所提供的意見，他們認爲這種表演除了增加陸空軍對控制防空問題的爭執以外，一無其他好處，因此，威爾遜突然下令取消表演，故事實上，經濟與安全都不是促成他作此決定的原因。

直升飛機可載客四十

由直升機担任客運，在美國三十二個城市中，現正入於計劃的階段。一俟直升機的生產能應付軍事上的需要並又轉爲民用生產後，美國上述三十二個大城市將立即開辦直升機客運服務。在今後數週中，世界上一種最巨型的直升機名爲XH-16者將作試驗飛行，這種直升機可載乘客四十名，較之現今可容乘客僅十二人的直升機，大到三倍以上。（孟衡）

新書評介

中共土改的分析

中共土地改革總論　金一鴻著　世紀出版社四月初版。全書一百卅四面。

著者對於目前的中國土地問題，除本書外，尚有『中共土改與中國土地問題』，『地租與地權』兩書，俱能根據事實與學理，作客觀分析研究。本書所根據的資料，有中共的官文書和中共頭目及其御用學者的著述，乃至於中共控制下的報章雜誌，凡所論述多能根據學理，不作無謂之攻擊，與膚淺之批評，足爲研究土改者有價值的參考。

全書分五大部份：（一）關於所謂封建性土地制的研究，（二）從文件上看中共的土改，（三）從鄉區縣的實質上看中共的土改，（四）中共土改的後果，（五）結論。

土改，在中共的宣傳上認爲是他們革命的最大成功，已經把農民的生活改進了，奠定了他們不可動搖的政權。根據本書的分析，事實恰好相反。農民分到的土地，僅有一畝至二畝。農民對於生產，已感到厭倦，發生所謂『生產到頂思想』，（即生產再不能發展了的厭倦思想）根據中共自己公布的標準，水稻區每畝平均產量爲谷二百斤，小麥區每畝平均產量爲麥一百斤，這樣不要說支付生產資料之後所餘無幾，即以農民個人每年食糧而言，也不夠吃，（農家以五口計，每人日吃米一斤至一斤半，年約五百斤以上），還說得上生活改善嗎？因此中共基層的農村老幹部也發生了普遍的『鬆氣思想』，（態度消極，不願爲幹黨的工作）。這思想便是中共政權的致命傷。中共的湖南省主席王首道便說：『這思想在全體幹部中，雖還不是多數，却是帶着普遍性的問題，它對於革命事業的危害性很大。』這幾句話便是中共土改結果最扼要的說明。全書許多事實的敍述和分析，必可以證明這結果是必然的，不可避免的，非中共政權的崩潰，是無可補救的。

・陳克文・

中共藉和談加緊增援前綫
大批軍需物資源源北運
上海各廠限期迫交大批定貨

據最近上海、武漢兩地共黨報紙以「加緊支援志願軍」為題披露之消息稱：中共繼大批交通員工及醫療衛生人員征調入韓後，最近復有大量軍用物品自上海武漢兩地源源運赴北韓。並據大陸逃出之難民稱，目前中共雖正從事韓戰之和平談判，但大陸各地之戰爭氣氛仍極濃厚，釀成此種氣氛之主要原因，即為大批交通員工與醫療衛生人員之繼續征調入韓，聯軍「虐俘」事件之大事宣傳，「繼續支持抗美援朝志願軍直到最後勝利」之瘋狂叫囂，以及大批軍需物資之源源北運與大批定貨之加緊製造。

目前上海甚多中共所經營之大規模工廠，尚在繼續為北韓共軍所需之大量用品加緊生產中，準備趕期北運。最後消息，並有新申紗廠、科發藥廠及上海醫藥器械製造廠於日前接獲自北平交下之蚊帳、配尼西林及甲種手術包（醫藥器械）等等的大批定單，亦係限期趕製，運往北韓者。

另據武漢方面消息，該地由平漢路北運之軍需物資大多係作為軍隊副食品之用的自華中及西南地區征集之榨菜、生油、肉類、藥品等土產；一部份即為工兵及救護所用之金屬器械，總數約共有三萬八千餘噸，係由北平轉運出關運往北韓者。據稱上海方面透露之消息，該地由海道北運之軍需物資，大多為汗衫、毛巾、油布、雨衣、膠鞋、蓬帳、水壺、等日用品及大批藥品、醫療用具與罐頭食品，總數約共有十二萬四千多噸，係由大連再分批轉運北韓者。

苗區人民反共怒火高燃
抗暴運動益激烈
政委視察糧倉被擊斃
共酋恐慌急調大軍圖鎮壓

【本報訊】赤氛籠罩在苗區，人民輾轉呻吟在鐵蹄蹂躪下，再也按捺不住心頭的怒火，紛起反抗，劫糧、破壞交通、截殺共幹、摧毀偽地方政權的事件，如火如荼的展開在苗區轄境沅西兩流域；使坐擁高堂的共酋共幹們，也喊出「星星之火，足以燎原」的悲聲，本來情勢嚴重，使中共感到頭痛，是不可否認的事實。

緣於去年九月以後，偽地方政權「苗區自治政府」成立於乾城，沐猴而冠的偽自治政府主席石邦智，完全是匪「中南軍區」鄧子恢一手導演的傀儡戲；暴政開始，偽黨以淫威達其懾服苗民的手法，橫征暴斂，屠殺鎮壓。苗民最初還忍辱含垢，委曲求全以自保；嗣後愈演愈烈，深知反暴才有出路，奮鬥才能生存，於是揭竿而起，掀起抗暴運動。永順上鄉鄉黃郭國，為上鄉鄉王村的大族，因秋收所得，被共幹征用殆盡，今年大鬧春荒，無法維持一家十一口的生活，又復迫其次子文杜參軍，一怒之下，於四月九日糾合鄉民，乘永順縣政委向乃昭來鄉視察糧倉，一鼓攻入匪三區政府，將匪政委向乃昭、區長彭百根當場擊斃，奪獲長短槍十餘支，並殺傷匪兵多人，焚燬區政府及上鄉鄉糧倉數處，得手後，即逃往古丈縣衣溪轉入雪峯山區的游擊根據地。

第五區石堤西鄉，即二十三年國軍十九師消滅蕭（克）賀（龍）股匪之處，鄉民受匪壓榨，亦較其他地區為甚，有鄉民彭海軒，被迫不過，號召族人，於三月十五日將鄉政府搗毀，擊斃共幹彭四海等三名，事後，向八面山方面逸去，經偽八區專署獲悉，派共幹張順田前往搜捕，結果，張大肆屠殺高粱坪一帶的鄉民百餘人，回署報功了事。

苗族領袖龍響飛的舊部，近復異常活躍，出沒於筆子坪、鴨保寨一帶，曾一度破壞湘黔公路之檢樹灣站，與匪九區專署保安大隊粟鴻鈞部激戰一整夜，因衆寡懸殊，即行引退。匪湘省府感覺情勢日趨嚴重，嚮陳逆渠珍、荊逆嗣佑前往安撫，終無結果，最後，陳荊兩叛逆，以「蓄意玩忽」罪受「中南軍區」的明令處分，並遭受黃匪克誠的嚴厲申斥。

目前沅西兩河流游擊隊勢力，日見擴大，匪不敢坐視，遂在「苗區自治政府」所在地——乾城，成立「清剿指揮部」，由陳匪策任指揮，派保安第五師及匪四野駐湘二十一師之一部，配合民兵，前往「清剿」云。（軍）

治淮民工情緒不穩
中共特務加强壓制

據許昌消息：近以百萬治淮民工之生活低劣、操勞過度，傷亡情形，依然嚴重。此一結果，終於逐漸導致民工之普遍怨恨，已發現甚為明顯之怠工現象；且一般民工之情緒甚為浮動，雖無積極公然反抗行動，却已在怨聲載道之中。但中共治淮總指揮部對民工此種情形，認係民工組織不嚴密及民工教育不推行之故，故即在該部增設一政治部，並在每一民工大隊派駐一政治指導員以加緊控制民工之組織，並以推行政治教育為名加緊監制民工，俾免意外云。

改造鬥爭雙管齊下
工商界陷入絕境
中共借刀殺人消滅「資本家」

據本月五日光明日報披露消息：自中共召開河北、山西、湖北、河南、安徽、浙江等六省工商聯會以後，已在大陸各地各級工商聯會的佈置下展開私營工商業者的進一步「學習改造」。中共曾虛偽地宣傳「依靠職工搞好生產的工商戶，營業已日趨暢旺。」但一口咬定：「各地仍有部份不法資本家對工人進行報復打擊，嚴重影響了勞資關係和生產經營的發展。」他們曾舉例指出：「今年一月二十五日光明日報及三月二十四日人民日報所載的蘇州、蕪湖、濟南等地部份不法資本家利用各種手段打擊「五反」中的工人積極份子因而發生了逼致工人自殺等事件，就是例證。」因而，中共最近已藉此為口實，由偽全國工商聯會發佈了一項「加強教育與學習，搞好勞資關係制止報復打擊職工等不法行為」的通知，要各地各級工商聯會督促展開所有私營工商業的進一步「學習改造」。據稱該一通知中曾強調「必須使私營工商業者進一步明確認識工人階級領導的意義」並強調指出「不容資方有消極退縮的思想，尤不容有打擊報復的違法行為。」查大陸私營工商業者與一般職工間的關係，衆所週知；早已在中共「政權」的強制下主客易勢，凡資方苟能未被中共利用加以職工「清算鬥爭」者，已屬萬幸，決無任何資方敢於打擊職工。故此種情形，論者以為顯係中共圖再度利用職工，鬥爭資方，以徹底消滅所謂「民族資本家」的一種借刀殺人的藉口。

祁山山洪暴發
冲毀天成鐵路

天成鐵路所延過之祁山，突於本月八日暴發山洪，洪水由西向東自峻峭之山坡下衝，水勢異常兇猛，當將天成鐵路之娘娘壩段長約二十五公里的枕木全部冲去，路基亦大多被毀，損失至為慘重！致使天成鐵路的修建工程，一時大受頓挫。查天成鐵路係於去年冬間開始修建，中共曾預期於今年六月間完成全部修建工程，以便通車。該項工程至最近甫將全路枕木舖設，正將進行分段舖設鐵軌，惜經此次娘娘壩一段突遭洪水冲毀後，該一工程已勢將延遲一時，無法如期通車矣。

綏共「廳長」新崇智
假公濟私大刮龍
貪汚三年始被發覺
偽幣千億已入私囊

據最近人民日報透露消息：綏遠省「人民政府財政廳廳長」新崇智因歷年單顧地方財政的充實違反了中共中央的利益，中共於此次大檢查中被發覺後，遭受了撤職及降低級職的處分。據稱該省財政廳自一九五〇年開始，即在新崇智主持下一貫的向中央偽財政部虛報支出、冒領經費，打埋伏（利用特殊機會向中央請撥專款，假造決算，移充省府）設小櫃（即自設不屬於中央管轄的金庫，存儲本省公款）嚴重地違反了「國家的財政紀律」。據指出：該廳僅於一九五〇年就虛報了決算二百卅七億元之多；歷年打埋伏的就有一百六十八億元之多；一九五一及一九五二兩年虛報的決算共有五百六十餘億之多；一九五一年以地方困難為名向中央騙取的小米就有二千八百八十萬斤之多，這些騙款都變成了省庫私有的財富。此種情形，在中共中央視之，自極嚴重，故新崇智於被撤職之後，按例須舉行「自我批判」，指出其「錯誤」之根源，以「教育」其他各省之高級財幹。據載新崇智於分析錯誤時指出：「首先是在思想上存在着嚴重的地方主義和本位主義，缺乏國家整體觀念。由於長期在游擊環境中工作，無形中養成一種自由散漫的『獨立小天下』的思想，在政治上不重視學習；對於革命勝利後集中統一的新形勢認識不足，存在着農村根據地時的那種分散經營的舊觀念。因此，考慮問題，往往單純從地方利益出發。片面地強調『綏遠窮，困難多，又是多民族地區，應特殊照顧』，從來不考慮中央的困難與國家整體利益。這種強調地方利益的作法，必然會違背和妨害中央的統一，損害國家利益。……」。根據此一招供，不難獲得兩點新的印象；即中共中央集權統治的酷厲程度和中共中央與地方之間的分贓矛盾。

中共運輸事故多
哈津路布車被焚

據本月五日人民日報披露消息：最近自東北齊齊哈爾至天津一段的鐵路運輸中曾發生一列車花布被焚毀的事故。中共運輸方面的事故本極繁多，但車上貨物被焚之事，則似尚屬初聞。據稱該批花布係滿洲里百貨站託齊齊哈爾鐵路管理局負責自滿洲里運往天津撥交「中國百貨公司天津市公司」者，因該一滿裝花布之列車人員態度草率，未曾妥為裝載和保護，致該車於駛至大興站與江橋站間時，車頭噴出之火星終於附着花布，頓告着火，因車速風大，迅即燃燒，待車上人員發覺，已成灰燼了。

不願結婚就要反省

在最近北平人民日報所載關於一篇青年團團員公開揭發懷遠公安幹部串同逼婚的控訴文中，曾暴露一件共幹以大吃小的野蠻醜惡的典型例子。該一例子中反映上級共幹之間狼狽為奸欺迫下級共幹，尤其暴欺迫所屬的女幹部方面，已極為輕易、惡劣、嚴重而普遍。

該文揭發的事實是：不久前懷遠公安局的戶籍股股長徐敬修意欲娶妻，當由該局保衛股股長陶立清（女）介紹其認識該局所屬城關區公安分局的戶籍員林麗琴。初見時，徐即向林表示婚娶之意，但林以不了解徐之情況及本身年齡過輕（十七歲）為由，未予同意。後為陶立清從旁多勸誘，方允與徐「暫且保持關係」，而誓不談婚姻問題。陶乃找該局副局長謝林世為「介紹」，林麗琴亦未允同意。謝林乃以「局長」地位即找林談話，以威脅的口吻向林：「你為啥不願和徐敬修戀愛？」林答以「我不想」，謝乃大發脾氣說：「你不想，就給我寫反省！」由是，林麗琴即被扣留在局，「反省」了一天。之後，陶即誣稱林已同意和徐訂婚；徐即向局長杜長智上報告請准與林結婚。林獲悉後，即向該局長哭，堅決拒絕。但該局長不允林麗琴有個人意志，予徐以袒護、支持，徐與陶二人乃即強迫林麗琴在報告上蓋章。林雖始終堅持不蓋，竟被徐陶二人從伊身上搜出圖章，代為蓋上。並即揚言林已同意，訂於上月四日先行婚禮。

女共幹反抗上級迫婚
慘被強姦親屬遭陷害
逃後被抓慘遭強姦

林聞訊後，驚懼欲絕，即於婚期逃至乃姐處暫避，但當即被城關區分局局長黃鳴奉命派出公務員丁佩方（林之表兄）找回，獻禁該局，次日晚即遭徐敬修在各上級幹部的包庇下，強迫姦污！又次日，徐恐林再逃，即派該分局另兩女戶籍員予林以監守，晚間，再度予以姦污！至黎明時，林終於乘機脫逃，遠赴蚌埠嫂家躲避，欲轉赴上海姐家隱匿，惟因無川資，故投函伊之表兄丁佩方借款。

詎該函當為分局局長黃鳴拆閱扣住，轉送縣局局長杜長智，經三數上級幹部商議後，即捏造「逃警」及「帮走反動逃亡登記表一册」等罪名飭令丁佩方陪同該局治安幹事劉文德赴蚌埠將林捕回。時徐敬修已知無望，乃將伊銬上手銬腳鐐，予以重刑監禁，一如「江洋大盜」！且以伊曾投函向丁佩方借款，乃銜恨於丁，即誣指丁與林「有不正當的男女關係」，亦予以監禁。

羣衆會上還要認錯

林麗琴被監六日後，局長杜長智深恐在此「整風檢查」期間，遭人舉發批評，為敷衍羣衆耳目計，乃即召開街坊羣衆大會，命林麗琴在大會上認承自己「錯誤」。林在暴力逼迫之下無可奈何，乃在號啕痛哭中承認說：「這都怨我自己，不怨政府，也不怨姓徐的！」凄涼狼狽！其時，伊之胞兄林麗題因聞悉詳情，極度忿懣，意欲控訴，詎事為杜、黃、陶、徐等一班共幹所悉，當即被加上一頂「有政治問題」的罪名，亦遭拘捕監禁！致一度為之鷄飛狗跳！醜相畢露！

蘇北突降冰雹
農田損失慘重

江蘇省長江以北之阜陽、漣水、鹽城、沭陽、東海一帶，曾於本月二日突然降下大小不等之冰雹，歷時約十餘分鐘之久，其中較大者，竟巨大如碗，當有無數行人雖急行奔避，仍大多遭此種巨形冰雹所擊傷。此次該地冰雹下損失最大，據謂首推農田中之小麥及稻秧，幾全部為冰雹所擊倒或壓死；其次則正收放在野外之牲畜如牛羊等物，被巨大冰雹所擊斃者，為數亦夥。此外，該地農村中較為脆弱之瓦屋及茅棚，亦有甚多被巨形冰雹擊穿屋頂，損失亦大！其全部損失，因該次冰雹未為中共報紙公佈，故尚無詳確之官方統計，惟據云在該來函中曾有「損失慘重」等字樣，可見損失必甚慘重。又該來函中透示，謂據年老者言：此種大冰雹為近百年來所罕見，實為一大可怖之天災。並謂該一地區於受此一災害後，民間即流傳一極不利於中共之近似迷信，但甚足反映民心反共，謂此種災害係天意不容中共之徵象。並謂係中共於今年必將垮台之預兆。

江南飢荒嚴重
農民買糠　充饑大排長龍
每人限購五升

目前大陸各地幾已普遍陷入飢荒之中，素稱魚米之鄉的江南地區，如蘇南、皖南，浙西等處，亦不例外。該一地區除南京、蘇州、無錫、上海、松江、杭州、嘉興、吳、歙縣等較大之城市尚有中共之「糧食公司」供應必要數量之食米以維民食外，凡一般農村及較小之城鎮，統已發生極為嚴重之糧荒。受糧荒之害最深者，尤為農村之農民及個別之勞動份子（中共對未納入勞動組織從事集體勞動者之統稱）。據悉該等地區之鄉村中除極少數人民尚勉能以麥粉、玉蜀黍、山芋、芋艿及蠶荳等雜糧裹腹外，大多已賴糠粃苟延性命。且購買糠粃亦受極嚴格之限制，一般地區均以每人至多准購五升為限，購者因極為擁擠，必須排着長龍，方得輪購。購得者大多以青菜及若干可食之野草，馬來頭、花草等物與糠拌煮成糊而食之，雖甚難下嚥，亦無可奈何！惟對中共怨恨之情，則自因此益形深刻！蓋一般人民之生活陷於絕境，因知一切皆受中共所賜，其生產糧食之農民而無米可食，尤知為中共苛征農業稅所致也。

口角之中見休養

為方

自由談

這次英美政治人物的一場舌戰，緊張熱烈，洋洋大觀。在此偶發的口角之中，很可以看出雙方鬥士平日的學識休養為何如。

當艾德里公開指摘美國的言論發表後，我最注意美參議員塔虎脫的反應。因為他素來主張削減援外經費，指說西歐各國未能盡到本身的防衛力量，致被稱為孤立主義派的領袖。然塔氏却只說了一句話，說艾氏的言論「對英國沒有好處」。可見此人確具有政治家所應有的休養，他在國會中的領袖地位，不是完全靠黨的力量取得的。

艾森豪總統那篇言簡意賅的答詞，不用說，是表現着十足的世界領導者的風格，而邱吉爾之聲明「不欲多言」，也不失其為大政治家的氣派。美國輿論界批判麥卡錫參議員不能從理論上駁復艾德里，有玷紳士風度，自係公評。但艾德里以一大黨領袖，又是曾經拜相當國的世界政治家，竟對一個盟邦說出「美國政府是由艾森豪主持，抑由麥卡錫主持？」的話來，亦不能不說是大大的失態啦！這些話，若由目凡先生們來說，倒無所謂，出之於艾氏的口，就有些不倫不類了。

政治人物平日若不從好學求智下工夫，以陶鎔其氣質，增益其智慧，無論地位抓得多麼高，遇到緊要問題，一開口就要現出醜像來的。所以，凡是沒有讀通書的官員人等，有辦法儘可好官自為，但須切記：少出鋒頭，免開尊口！

德共受騙記（上）

·鏡譯·

去年七月的一天西柏林廣播電台經常節目裏，突然加進了一項驚人報告。共產黨四十五個著名政治犯可能已經逃出東德集中營，跑到了西德的一隅躲起來。當這突如其來的消息傳來時，事情很明顯地表示眞相並未大白。其實，他們的僞錚逃出，是由於一紙僞造省部令，一個以司法當局口吻打的電話。

西德的人們正在為那事好笑，東德國家安全部人員與人民警察却在一邊東奔西竄尋找懸疑作劇的「作家」。六十名人民官吏免職。共產黨通訊社，電台狂叫審美國特務又在搗鬼。

事實上，這大膽勾當的設計人，原來是德國青年準共產黨哈索·林德曼與他的兩個朋友。

林德曼，文爾彬，二十三歲的法學生，在東德不平常的那種環境裏爬昇得快，不久成了共產黨頗有權力地位的人。一九五○年比萊錫共產黨當局把那地區大部份有經驗的法官和檢察官，加上了「政治不穩分子」的帽子免了職，一個送牛奶的，一個機器磨手，一個二十一歲的女孩子成了萊比錫「人民檢察官」。他們對那地區公民的掌握生殺大權，可是他們仍需要有人作適當程序上的顧問，林德曼在司法部充公職人員，又似乎很「前進」很靠得住。他被選中了當國家司法部門的助手。

林德曼同志是個聰明謹慎人，寫得一手漂亮的司法文書，尤其處理共產黨式的「欲加之罪」頭頭是道。幾個著名工業家經他審查後，財產充公外，判長期監禁（處理）。十二個反共逃亡分子關進牢以後，聰明的林德曼為他們開脫。林德曼使「人民檢查官」享受了這些事情的功果。結果，表面上他與主腦人物都搞得頂好。吃得好，住得舒服，比起一般人來收入也好，前途在他腦子裏簡直無限光明的燦爛。

可是，林德曼還有一般的人性。雖然做了共產黨員的他，但當共產黨蠻不講理，殘忍可怕的事實炫示于他辦公桌上時，他開始疑懼起來，進而要「反叛」那些罪行了。「所有共產主義哲學，」他說，「都絕不容許我暗中做的這些事。無論如何我在盡力從輕發判，甚至最好讓他們自由」。一個下午又當國家司法當局正在舉行週末「非官式集會」的時候，林德曼從主腦的辦公桌上拿起印好的官式公文信件，那是可以命令釋放一些囚犯的格式，然後他自己逃到了西柏林。「那些表格」，背上的衣服與一些「印信」是我僅有的東西了，」林德曼說，「至於另外的東西——職業、將來——我已把它丟在腦後。但是我覺得這樣做要好得多。」

五件案子是他決定要立刻辦的。七十歲的卡洛·曼德並不犯罪，甚或在共產黨法也下是如此，政府的目的只要他那間出名的玻璃廠，他却在怠工的罪名下判了六年苦役，工廠當然「充公」。作家柏其奧是一個著名毛織廠商的，在相似的情形下做了犧牲品：他要付一千七百名勞工比政府法令定得還高的「清算」工資。蘇斯特·蘇那貝，一個十七歲的高等學校學生，只判了兩年的「悔過」，是為拿了一本共黨的禁書在一輛運鉛鑛車後走着。朱琴·柏布滋與伊克哈得·蘇曼，都是二十歲的學生，判了四年，為的是燃放鞭炮使萊比錫人有了散發反共傳單的藉口。

林德曼要完成這些工作，似乎障礙重重，他從前既幹過共產黨，柏林的任何難民機構都對他懷疑。等到他證反共的幾個主要社團清楚了他的新熱的表白目標時，他已一個共黨法官所調來比錫那人的林德曼不知道這樣簽發名式樣。新任的共產黨法官還規定了：不經用電話通知的省釋令，不能隨便放人，接到命令，必須先通電話到法官辦公處查詢清楚，然後執行。

用了三個月的時間，林德曼才從萊比錫朋友處弄來一紙卷宗檔案，上面簽着國家司法當局最高執法官亞當的姓名字，他更要充份的時間來練習簽字。但他終於學會了，而對電話裏談話的口氣、暗號也都訓練純熟。（譯自「FREEMAN」）

馬克斯害了東德工人

共產黨的幾個首要人物中，列寧有他的列寧格勒，史達林有他的史達林格勒，直到上星期，共產黨的始祖卡爾·馬克斯也不甘為人之後，在東德有一座他的城。為紀念馬克斯一百三十五歲誕辰，東德共黨統治者特將工業城市開姆尼斯改名為卡爾馬克斯城，開姆尼斯在柏林南部，人口五十五萬人，他們曾極力反對改名，關於這一點，東德政府也承認這是經過一番解釋和努力的，從此，開姆尼斯將稱為卡爾馬克斯司塔德（司塔德在德文中和俄文的格勒同意）了。但是，改名的事看起來雖很簡單，但對於東德的工人而言，却是重大的不幸。某家工廠的工人，就奉命「志願」清好街上的瓦礫，作為獻給卡爾馬克斯司塔德的禮物，一共工作了七百二十個小時，而沒有得到絲毫報酬。（由之）

梁任公之風度

愚生也晚，無緣識任公，少時讀其文，心儀其人，迨壯，聞長老談任公軼事，於其立身行己之道，雖不盡以為可法，然對其偶遇橫逆之來時所持風度，則殊欣讚而私淑之也。

吾湘為任公足跡地，故其一生於湘事多所措意。民國七八年之交，湖南盛倡聯省自治，旨在超脫內戰之禍，時梁氏以清望馳騁政壇，識為研究系首領，與東南一帶專閫大吏，多所往還。曾漫遊長沙，備受各界歡待，爭以得親梁先生謦欬為幸。

一日，省議會特開大會，請梁出席講演，梁欣然至，暢論國事，侃侃發抒，而於議員應有職責，與夫湘政利弊得失，尤殷切指陳，情詞坦摯。詎有議員兼教育家彭國鈞者，殊不以梁氏言論態度為然，不俟其畫詞，突起大聲要求主席准予發言，即謂：「聽梁先生高論，並非向本會講演，而是對我們議員開教訓。我們是湖南三千萬人民的代表，湖南政治的好壞，議員是否稱職，只有湖南人民可以指摘批評，梁先生是廣東人，不配教訓我們。湖南現在是自治省份，梁先生以學者和國家政治人物的身份來遊湖南，不過是客人而已，客人豈可隨便對主人開教訓？因此，本席代表全體同人，對梁先生的訓詞聲明恕不接受！」詞氣倨慢峻，咄咄逼人。然梁氏夷然立台上，形色自若，迨彭止言後，仍繼續其論題，迄無一語對彭辯駁或解釋，詞畢怡然為禮退出。態度之雍容大雅，蓋有足多者！

新·世·說·補·遺

民國十三年多盡，孫中山先生應段祺瑞邀約北上商國是，孫公主開國民會議，廢除不平等條約，為段氏所拒卻，且通令尊重國際條約，孫公責段乖謬，示不合作。北京晨報乃研究系之宣傳機關，曾以「放尊重些！」為題，著論對孫公反唇相稽，民黨人士殊恭恐於懷也。

孫公下世後，北京各界人士集會追悼，儀制甚盛，屆時任公亦親往弔祭，於靈前敬禮後，入招待室茶話，接待者皆民黨名人，與梁固多素識，言談間，梁頗惋惜孫公所志未酬，詞意微寓褒貶，張溥泉聞之大怒，當場指梁申申而詈，其他民黨人物數十名亦表憤慨，相率包圍梁氏，詰詢是非，大有飽以老拳之勢，幸汪精衛從中排解，未告決裂。梁氏始終不露激辯情詞，亦未表失言之疚，鎮靜無譁，頗合份際。次日，民黨青年同志餘怒猶存，復將晨報搗毀，梁亦犯而不校，人稱其綽具政治家之風度焉。

馬五先生

戲馬五先生發牢騷

遯周

透視竹幕深處，所有掉筆桿以舞弄文墨之輩，伊誰能「自由」啓發性靈運用意志？甚而就是身在香港，而必須依賴尾巴報刊作文字生涯者流，又何能寫抑又何敢寫一則暴露性靈表見意志的文章，舍「致條」而外無一字，舍濫吹而外無一物，實在說來，文字之為用，要有其「忘我」意境，同時可更要有其「自我」靈感，能忘我才能大公中正，能自我才能眞善眞美，不然者，流為饗應影之犬吠，猖猖狂號，徒增人一番厭惡而已。轉而以視我輩，自由自在，無罣無礙，性靈所之，意興所及，儘可任情揮毫，快意弄墨，「馬五先生」所寫作，即其一例，排印無忌，發行不禁，間或偶涉「過氣」權要甚而當道顯貴之私，就地寫作，當場印行，自由流傳，伊誰禁餌？雖說「鑿本」新世說，無從「假購」一于自由寶島之上，但鱗爪片段，任君飛短流長于道路之悠悠，固然廟廊決策，與夫黎庶謳歌，高揭「反共抗俄」大纛，用以齊一趨向，可是文人寫作，絕無一八股程式之「硬性」圈套，尤其如我輩慣以筆墨排遣之人，斗室之內，拆傳無聞，邀約三兩知心友，無間風辰雨夕，無須折柬傳請，一日來數四，或數日不一來，來則相與拊掌放論天下事大，間亦促膝絮語兒女子私，有時片語觸觸，彼此反唇互稽，有時兩情僉同，相向會心一笑，老婆不來饒舌，小兒未諳偷聽，此中情趣，別饒勝概，誠個非身當其境躬親領略如此情趣的人，莫由體味到如此的勝概。假定轉而以語身在竹幕之內或心受「控制」之苦的人，又豈止天堂地獄今世何世之嘆異而已。尤其在那暴風雨般的爭執而後，又光風霽月似的嬉笑一番，固然也許是「言不及義」的為多？從而也就難得以登自由中國的報刊大雅之堂，當然更是轉念不得，轉念到廟廊之上的「同學少年」，轉念到市井之間的「竹馬舊侶」，伊誰不有一套，雖說有個「分寸」殊異，可是概而言之，那些精微與妙義，上而國計民生，下而個人衣食，有的給大家看看，有的給老婆子女看看。質直來講，眞個既幸生當明世，又復身幸自由，米煤鹽油而外，還有些須薪水以資澆裹，不免飽食終日，吃拉說笑罷，轉覺無所用心，閒居雖為「善」，說來實在有點捕熱熱耳辣辣，縱或人不以我為不肖，我可不能不自承為無能，百無一用是我輩，萬難一當也是我輩，那位給老婆鬧下堂求去的朱買臣，在兩千多年前早就說過：「肩不能扭扭，手不能提籃，又不能買賣作生涯」。實實，我不敢打誑語，我更無須說大話，像我，也可說並不祇我獨自的我輩，至多祇不過弄弄三寸筆，掉掉三寸舌，唯其如此，便自意與所之寫些些，友好到來談些些，允宜自樂，毋庸自詡，寫寫談談，也無非寫風月掌故，談朝野，寫漁樵之問答，談狐魅之幻形，寫連篇之鬼話，談片段之怪聞，寫高空之鳥飛，談深淵之魚沉，寫中外之奇事，談人獸之不經，不必考古，何須窮今，無庸洗腦，但事遣情，或一日可談數事，或經月不寫一文，積日累月，累月經年，也就不免成束成疊，集而計疊，如果是一字能升米換，一事能匹縑算，任令物值騰踊，廉入微薄，可不保儒飽欲死？不過為眞「正」人心，應得去「邪」詞，痛自鏨削，當為開卸跡近荒謬的「偉論」若干，事涉鋪張的「高論」若干，「可能」惑人性靈的勸世文又若干，「難免」撩人心意的女兒經又若干，此一若干，彼一若干，再加結算，所殘賸的而又自信大可公之于世且又能鄒通？「自由人」而又能獲得「順蛋」的也就為數無幾，又何濟其美？總而言之，統而言之，類此的「牢騷」，在「毛王朝」的轄境內，可能任人有感而發？牢騷發遣罷，願同此互事慰藉，妥敬謹而為之「醫」曰：世變方亟，不有世說，何以卒歲？大風不息，世說不已？香島千古，世說千古，補補遺遺，名山同壽。

奴役的藍圖（八）

麥柯米克神父著　陸逸譯

蘇俄軍官的話

就這樣共產黨把見義忘私的青年掌握了。成千累萬的青年絲毫不顧己身利害地甘願為共產忠貞地奮鬥着，但於那些想藉此一出風頭的人們，共產黨也常給予工作，權利上的優待，和一部份在羣衆面前的崇揚。

除了所謂「反動份子」無有一個人能給中國青年對蘇聯問題作一種眞實而明智的報導和分析，但他們的話是沒有人相信的。

除了這些「反動份子」也沒有人能夠告訴中國青年做一個弱者的中國人比做一個富強的蘇聯人要強得多。一個蘇聯軍官在廣州曾爽朗地、爽快地說過：「我們曾步行四十多天，從資本主義的手中把貧苦的中國人解放出來，但當我們到了這里一看，大多數窮苦的中國人都凸着肚皮，帶着手錶，而在蘇聯沒有人有這種東西」。

「愛國主義」給予中國青年一個有力的鼓舞。他們在歷史上看到中國近年來的沒落。他們渴望着恢復成吉思汗時代的光榮。共產黨的宣傳上常說：「從前我們統治過亞洲，甚至于遠征過歐洲，外國人能做的事為什麼我們不能做？蘇聯和中國聯合起來可以統治全世界」。

宣傳目標針對美國

這種「愛國主義」宣傳的主要目標是對付美國，在美國的國號上永遠加上一個「帝國主義」，報章上永遠充斥着反美的激烈論文，提到韓國戰爭，永遠說是「中國人民抗拒美帝國主義侵略朝鮮」，他們從來不提聯合國。

在共產黨的手冊中，有一本叫做「如何發動鬥爭會」一書，這本書是時事手冊的一部份。裏面有這樣的指示：「各種控訴必須集中在美帝國主義身上，稱它作與中國人民永遠不能和解的仇人」。又提到：「在美軍於第二次大戰中所駐留過的城市裏，一定要製造一些關于美軍暴行的控訴」。

大多數的中國人都希望美國人在韓戰中獲得勝利。人民現在對共黨政權感到不滿的主要原因是中共不應當同美國作戰。但是如果我們在韓戰中不能獲得一個鮮明而有決定性的勝利時，那麼中國人民將會相信中共的確是強大起來了，並且把美國打得落花流水。那樣中共在遠東將成為一匹無羈的野馬，而他們的「愛國主義」的煽惑，也將愈加成功。

性的誘惑

共產黨也利用性關係，來羅致青年來參加他們底「革命行列」。他們「性解放」的口號誘惑了大部中國青年。

中國人的家庭倫理觀念是極深的，特別是對于女性方面，共產黨鼓勵女青年脫離家庭，參加他們底「革命事業」，在革命事業裏她們將發現友愛的溫暖，再沒有誰阻她們的醒悟了。

在所謂解放戰爭之前的游擊時期，共產黨常派宣傳員到城市，鄉村，甚至於參入學校，誘導女學生參加革命義勇軍。共產黨對她們說：「假使你在家里不快活，或是父母對你太嚴，到我們這裏來吧」。或是：「假如你對你丈夫不滿意，一到我們這裏來，你底婚姻難題便解決了」。（第四章完）

中華民國僑務委員會頒發登記證台教新字第一零二號

自由人

THE FREEMAN
（中週刊每星期三六出版）
（第二三二期）
每份港幣壹毫
督印人：李光華
社址
香港高士打道六六號
電話：二〇八四八
GLOUCESTER RD.
HONG KONG
TEL: 20848
承印者：東南印務出版社
地址：高士打道六十四號
台灣特派員辦事處
台北市館前街五十號
台灣總經銷處
台北中華路新號五九四之一
台灣郵政劃撥儲金帳號
九二五二號

斥中共入聯合國的傳說

·左舜生·

這兩週來，國際盛傳中共將被許加入聯合國，我們固然不能相信上月份從美國傳出的托管台灣說與此事即有何種關聯，但證以我們出席聯合國首席代表蔣廷黻回到台灣以後的種種悲觀論調，確足以引起大家的一種不安情緒。

韓戰是快要打滿三年了，中共是聯合國所認爲的一個侵略者，過去以聯軍的決心不能一致，造成一個勝敗不分；現在則一個由戰場的勝敗不分，造成聯合國內的是非不明；目前乃進一步，在這種勝負不分是非不明的情況之下，更醞釀出一個邀請中共加入聯合國的傳說！我們認爲這件事影響未來整個世界局勢的變化者太大，不能不冷靜的加以考慮。

聯合國不可輕棄其理想

聯合國的理想，與過去國際聯盟的理想，本來是沒有什麼不同的，質言之，像這樣一種無所不包的團體，在根本上便只能站在正誼的立場，作一種在大體上的領導，而不能涉及若干的技術問題。聯合國既決定了中共是一個侵略者，此即所謂正誼的立場，這個立場便萬萬犧牲不得。既責中共侵略於前，又歡迎其加入於後，這便不是制止侵略，而只是鼓勵侵略。請問站在聯合國的憲章與旗幟之下，而有鼓勵侵略的行爲表現，則聯合國還有存在的餘地嗎？

強國會議可能促成戰爭

聯合國本來有所謂五強，即英美法蘇和中國，現在中國這一強算是弱了，而法國也事實上是一個挨打的國家，因此五強不復存在，而變成只有美英蘇三強。現在聯合國既只能退處於無話，而必須另行召集所謂強國會議，即令把法國勉強湊上，而英美既有若干歧見，則法國的祖英祖美，也就陷於左右爲難，以這樣一種陣容與蘇聯相見，不敗何待？聯合國失敗了，還可期待於強國會議，強國會議再失敗了，更期待什麼呢？以我們觀察，撤開聯合國而召集所謂三強或四強會議，這確實是蘇聯所求之不得的，以蘇聯原無意於聯合國，其所以一度退出而又終於不肯退出者，不過想藉聯合國作爲施展挑撥離間宣傳的一種工具，現在這一挑撥離間的工作既已漸次完成，試問她還要聯合國何用？因此我們覺得，以三強或四強會議去消除英美間的歧見，乃爲事實的不可能，以這一會議來打擊聯合國，卻是綽有餘裕。假定說使國際聯盟失其作用算是爆發第二次大戰的先聲，今日再使聯合國失其作用，誰敢擔保不是第三次大戰更趨於接近？以聯合國即不顧理想，究竟還有她的理想，以理想與理想爭，到底還有若干緩衝的餘地；一到強國會議，則一切只有現實，以現實與現實去碰，除掉短兵相接以外，試問還有什麼第二條路可走？所以強國會議的名義儘管是求和平，而實際的效用則只是促成戰爭。戰爭一旦實現，則聯合國根本瓦解，而所謂理想亦即完全毀滅，而一切一切便只有訴之於實力了。

一種太天眞的想法

還有人以爲把中共拉進聯合國，乃把中共升爲五強之一，這並不是蘇聯之所願，只要能實現到這一步，便是初步造成『亞洲狄托』的成功，這實在是一種太天眞的想法：其實世界上有的是資格製造狄托的只有一個蘇聯，蘇聯自己不去努力製造，即第一個狄托也未必即能實現，否則今日東歐的共產國家加入聯合國的已經不少，何以我們並沒有看見一個歐洲的狄托第二呢？

蘇聯不會變更主張

更有人以爲斯達林死後由馬倫可夫所表演的一套和平煙幕，也容或有若干的誠意，放棄了這樣一個機會，即無異自絕於和平，所以不妨姑試爲之以觀其究竟。其實我們看到消息報和眞理報同時答覆艾森豪威爾演說的一篇文章，則蘇聯立站之未肯加以一毫修正，乃洞若觀火。平心而論，蘇聯倒是有她的一貫的主張的，人以一貫的主張來，我乃以矛盾反覆的態度去作枝枝節節的應付，以此而想求得眞正的和平，豈不太近於兒戲？

力圖補救的四點

不過話雖如此，截至現在爲止，也還是有其補救的辦法：一、聯合國決不可輕棄其理想，參加聯合國的小國尤其不可輕棄其理想，小國只有在理想下還可求得她們的生存，一談現實，小國即失其生存之道。二、希望艾森豪威爾和杜爾斯兩位，就他們就職前後的言論一加檢查，務求自己的行動，不過度的與自己的言論相反。三、英國確有若干火燒眉毛的問題立待解決，她如果得不到美國實際的助力，則英美間的歧見，即無法消除於無形。四、希望合衆密切注意實際問題的解決，力改過去作風，要明白開會斷然無用，若干不能發言的人物，最好暫時停止他們的發言爲是。

△美記者訪問蘇俄時攝得的莫斯科平民窟一角△

美加緊管制對共貿易

英輪替中共運兵事，最近在美國會內激起新的風波，參院調查小組委員會主席麥卡賽老早就注意到英輪運貨資共的行動，而在他的要求之下，國務院也正在忙於草擬計劃，準備與英、法、希臘及其他北大西洋公約組織會員國簽訂協定，以加緊對中共貿易的管制。

自由國家的船隻載貨駛往中共區的，有百分之六十是懸掛英國旗幟，平均每個月有二十至三十艘之多，其次是希臘、丹麥和挪威三國。

同時，參院調查委員還發現一個嚴重的事實，那便是美國本身也有四十五艘輪船曾駛往中共港口貿易，這些是第二次大戰期間的商船，戰後由美政府以抵押方式售與其他國家商人的，但其中若干款項猶未清付，此外還有五十一艘其他同類的輪船曾駛往其他鐵幕國家貿易，這九十六艘船隻分別懸着希臘、義大利及法國國旗。

禁運管制已漸生效

這些船隻連同自由國家的其他輪隻，正受着新禁運法的管制。但雖然施行新的管制，仍有許多自由國家的戰略物資經香港、澳門及其他封鎖的漏洞祕密流往中共，但由於此種措施，共黨確也逐漸感到物資的缺乏。

東京的消息即已明白指出了共黨缺乏物資的跡象。譬如中共正力圖吸取埃及的原棉，他們不惜以低於世界市場三分之一的價格，自飢餓的中國大陸輸出穀米去易取錫蘭的橡膠。

美國財政部官員正忙於堵塞貿易上的漏洞，他們正採取有力的措施來封鎖中共對美國的輸出。中共的桐油和豬鬃只好運往東歐市場。美國對中共貿易所施的打擊是不遺餘力的。一家挪威的運輸商將一批價值四萬九千美元的機器運往中共，而假報爲沒有戰略價值的木料，美財部知道了這件事，立即凍結該運貨公司在美的四十萬美元資金，藉作對其他詐欺事件的警告。

日商人識破中共奸計

十個月前，中共向日本商人建議的貿易協定現在也已告吹，因爲日商人發現中共所需要的，盡是戰略物資名單上所列的物資，主要的尤是機器，而日本卻是執行禁運法令的一份子。

在此種情形下，大多數的中共貿易只有求之於俄國及其他附庸國家，一位由東京飛往冲繩島的美國人曾親見許多滿載貨物的俄輪朝上海、青島、旅順及大連港行駛。

根據中共所發表的統計數字，從前中共自俄國及其他附庸國以外地區所輸入的物資多達百分之七十，但現在卻降爲百分之一十，其中大部份是經由南中國海以合法及走私的方式運入的。

全面禁運的幾個漏洞

在垃圾尾附近，有大量的走私活動，許多帆船和舢舨麕集在英國、巴基斯坦和希臘輪船的四周，一批批滿載物資的大木箱由輪船上起卸至舢舨和帆船的艙中。

對此，香港和澳門當局很難爲力，因爲垃圾尾適在香港和澳門的中間，是中共轄據下的一塊土地。帆船載得物資後，再溯珠江駛往廣州。

至於葡屬澳門，這是走私者的另一個天堂。但葡萄牙官員說，他們正嚴厲管制對中國大陸的貿易。沒有人知道在澳門四圍活動的帆船究有若干艘，只見無數的帆船經常來往於澳門與中國沿海之間。

香港的英國大貿易商行很少或沒有與中共貿易。但據香港的專家估計，在英國開始禁運以前，中共的貿易百分之七十五是由英輪担任的，其中若干由倫敦駛往中共港口，若干則由香港啓椗，若干是合法的，也有若干是非法的，這些船隻經常都是中國商人租用的。

去年香港與中共的合法貿易總額達九千萬美元，其中尙不包括被禁運的物資在內，但內中有價值兩千四百六十萬美元的西藥。

自中共參加韓戰以來，他們由自由國家的輸入已痛受打擊，美國已要求實施全面禁運，根據一九五一年巴特勒法案（係議員巴特勒所提出），國會也提出加緊管制貿易的要求，而禁止將戰略物資輸入鐵幕國家，同時，美國也已通知所有接受美援的盟國停止將戰略物資運入共區，否則即停止美元援助。

現在世界上的自由國家，正一個個接受美國的請求，執行對共區的禁運，在廣大的洋面上，運入鐵幕國家的物資正越來越少，而忙於作戰的中共，更尤其感到禁運的苦痛。（鄭啓譯自「美國新聞與世界報導」）

半週展望

·雷嘯岑·

三頭會議之說

據說美英法三國行政首長將在大西洋的一個小島上，舉行三巨頭會議，目的是在調整三國間對俄共集團的歧見。

有了聯合國，而居於聯合國領導地位的大國，還要另找地方去竊竊私議，調整本身的私見，這根本就是對聯合國的一大諷刺！三頭會議如果僅是在消解各人的私見，而不以弱小國家作祭品，那還說得過去。假使又想搬演一場雅爾達式或慕尼赫式的舊劇，那就是人類的大不幸！

大國主宰世界的時代已經過去了，否則世界不會有許多新興獨立的國家出現。我祇希望美國的巨頭拿定主意，不要蹈了自己在世界上所創造的信譽。大家談談本身「有所蔽」的意見，是無妨的，若涉及一般的國際問題，最好是拿到聯合國來談，美國應該堅持着這種光明磊落的態度。

尼赫魯面色蒼白

前天美國務卿杜爾斯在印度外交部的一間小房屋內，與尼赫魯二人閉門談了一小時又五十分鐘的話。事後，杜爾斯見着新聞記者而露笑容，尼赫魯卻顏色蒼白，神情沉重，新聞記者認爲尼氏是說話太多之故。

我認爲尼氏的蒼白顏色，不一定是由於言多力疲所致，恐怕是他那套「國際第三勢力」的妥協主義，未能「說服」杜爾斯，因而羞憤於懷，表現於外了。證杜爾斯的微笑表情，和尼總理所說「我們明天還要再談的」詞色互相對照，我的推測似乎有些近於事實哩！

吉田茂新閣組成

日本大選後的新內閣，依然由吉田茂充當首相，正式成立了。不管新政府的陣容如何，吉田內閣的壽命，必較已往各次內閣的生存時間爲短，乃可斷言。

吉田之得以僅及半數的同意票受選爲新首相，是叨光於社會黨右派臨陣棄權，而改進黨又不願合作，聲明只在議會內「以建設性的反對黨相協助」，還是空話！衆議院議長亦爲反對黨所佔據。在這種形勢下的內閣，會有穩定的局面麼？

不過，已往是吉田茂握着政治鬥爭的契機，隨時選擇便利的時機，宣佈解散議會。今後這項訣竅大半落入反對黨手裏了。他們如果認爲時機未成熟，不妨對政府表示遷就，機會一到，隨時都可以迫使吉田下台的。

法國又有政潮

法國當局正爲着邱吉爾所提倡的「大國會議」，深怕被見外，而再三聲明「不能沒有法國參加」的緊要關頭，梅耶內閣卻宣告垮台了！

按照法蘭西政治史迹，一個新內閣之組成，很不容易，至少非消耗一兩個月的時間不成。

百慕達島上的巨頭會議，如不等待法國新內閣成立而舉行，那就眞是如邱吉爾所說，大國會議的單位「越少越好」了。爲着這點，這次的新閣或許可能趕快成立，維持「大國」的體面！

雷德福郎訪台灣

未來的美國三軍聯合參謀會議主席雷德福上將，據說將於下月初訪問台灣。

他上月纔歷訪東南亞地區，經台灣南韓回到檀島，舉行高級軍事會議，現在他又要舊地重遊，當然值得注意。

雷氏現負責着美國對太平洋的國防任務，不問韓戰談判能否達成停戰協議，而其基本的防務計劃是要積極進行的。美國的國防重點在太平洋，無論西歐人士怎樣吵嚷爭吵，也不能教美國放棄太平洋方面的國防佈置。

雷德福之匆促再訪台灣，亦可能是板門店和談不見吉兆的一種間接反映呢！

埃及積極籌備改制共和

埃及全國上下雖正一致對外，力求解決關於英軍撤出運河區的爭端，但國內的改制籌備工作與社會革新計劃，卻並未因此鬆懈，對英問題如獲和平解決，埃及實不難成爲中東的堅強反共支柱。

【本報開羅通訊】埃及雖然正全力對外，決心驅逐運河區的英軍，但對內關於改變國制的籌備工作，卻並未因此稍有鬆懈，埃及人民今日已普遍相信，王制的廢除，已祇是時間的問題，他們所考慮的，祇是王制廢除以後，將採取怎麼樣的共和制度。對於這個問題，他們的憂慮目前集中於這幾點：

改制的三點憂慮

一、如果埃及改爲議會共和國，政治權力會被削弱嗎？

二、如果是總統制共和國，是不是要成獨裁？

三、要是前兩者都對埃及不合實際，是不是可能由去年七月推翻法魯克王的那奎勃將軍來領導一個中間路線的共和國制度？

雖然關於保留王位抑或改制共和的主要問題，尚待舉行全國公民投票來決定，但目前全國的情緒，無疑業已摒棄了國王，即使未來的國王祇是不理政務的孩子。

那奎勃將軍所指派的憲法起草委員會，其小組業已議決取消以法魯克的稚兒福德二世爲王的君主立憲制，並宣佈該小組的決議，認爲埃及最適當的政體，是採取共和國制度，而政府以議會方式爲基礎。

法魯克遜位後，埃及輿論曾一致指責保留王位的不安，迄今猶未平息，最近據報界的民意調查，證明全國人民有百分之九十贊成改爲共和國。

那奎勃將軍和他的軍人集團，趁法魯克退後，至今猶在極力擊破埃及由來已久的士紳封建制度，這批所謂「巴夏」們，在埃及本是一支勢力極爲強大的政治和經濟勢力，高踞於社會的金字塔頂層，那奎勃等軍人少壯派，已決心把這勢力擊潰，並擴大中層階級，而解救廣大農民的苦難。

那奎勃將軍對於埃及的種種社會不公現象，正用審方法予以從根劃除，他在去年九月上台後不久，即由革命新政府發佈土改命令，廣泛實施，對私人土地限定二百畝爲最高額。

劃除封建殘餘

去年十二月，他又廢除一九二三年憲法，成立專門委會，修訂新憲，並昭告全國人民說；新憲法決不會像舊憲那樣「容許國王剝削人民」，而將使人民成爲國家權力的源泉。那個被廢除的舊憲法，過去確是國王的工具，用來鞏固和促進他的私人利益和野心。它且祖護當權的地主們，這班人，一向就是國王的傀儡，他們憑藉國王的勢力和憲法所賦出的特權，在社會得到了優越地位，對大多數係文盲的農民隨心所欲地加以剝削。

那奎勃將軍在成立新政府之後，便立刻要求各政黨自行整肅其腐敗份子，可是這些政黨的內部整肅卻祇做到表面，於是那奎勃祇得把各政黨一律解散，而另行組織一個「人民生命同盟」，作爲埃及的唯一政黨。

他隨即於二月間宣佈了一個臨時憲法，對革命運動的領導者授以統治埃及之權，他們有權任命和罷黜內閣部長，並實行「保衛革命運動與政權」所必需的步驟。其期限定爲三年，直到新憲法擬就而爲人民所認可時爲止。

不過，這臨時憲法中竟議最重大的一點，是對目前隨法魯克流亡義大利的幼王福德二世完全不提。

對英談判的後盾

內閣部長就職時的宣誓，雖由攝政王監督，但其誓語卻是，效忠於人民；一切法令，也都得人民名義發表。

埃及的政經問題雖然尚多，但那奎勃將軍的土地和工業改革，業已贏得埃及二千一百萬人民的普遍擁護，這成了他對英採取強硬態度的最重要後盾。他的對內改革目標，是要使全國各地農村的低劣生活，終有一日能和繁華現代化的開羅、亞歷山大港及蘇彝士港等大都市倫比，這雖然是一個遙遠的目標，那奎勃將軍和他手下的人，卻在朝此目標切實做去，如果對英國爭執能和平解決，埃及的前途自然異常光明，也不難實現那奎勃將軍的保證：「埃及必將成爲中東地區最堅強的抗共堡壘。」（五月十日寄）

國外通訊

馬來亞的政治陰影

越南戰局的影響，雖然也間接威脅着馬來亞，馬來亞今天的局勢發展，卻並不是嚴重的軍事威脅，而係政治暗流的激盪。這是三年來剿匪軍事的順利進展，以及距離終止緊急狀態策進獨立建國所構成的一大因素。

獨立黨分崩離析

號稱擁有十萬黨員的馬來亞獨立黨領袖拿督翁，一九五一年九月該黨成立以來，事實上並無甚大的發展。翁氏雖然是聯合邦內政部長，巫族中被目爲了不起的人物，終因背棄了他的黨綱，把獨立黨的宗旨推翻，企圖作爲私人的政治工具，造成了衆叛親離的分崩狀態。代之而起的東姑鴨都拉曼，他在巫族中具有崇高地位，爲巫統的唯一領袖。他的政治地位雖無翁氏之高，號召力則尤有過之。

馬來亞獨立黨雖然是拿督翁創設的，事實上倚恃了已故前英駐馬來亞聯邦專員葛尼爵士，及東南亞高級專員麥唐納；他們所以支持獨立黨的基本原因係調諧馬來亞各族間的關係，結成一個政治性集團，爲未來獨立建國開闢一條大道。因此翁氏制訂黨綱，發表宣言，擴大黨的組織。當時誰也對翁氏號召紛紛響應。然而，曾幾何時，獨立黨每況愈下，日形衰落了。

獨立黨衰頹的基本因素，由於組織散漫，以及翁氏態度的轉變，使人寒心，這一個作各族間的團結機構，竟然成爲翁氏打擊異族的私人政治工具，企圖利用其領袖的地位迫使各族低頭。這種錯誤的專制手段，造成了獨立黨的分裂，巫人對於這一個自私的領導人物，也失去了信心。

不明內部的人以爲華巫間已鬧出了一條很深的裂痕，但華巫兩族的合作並不因翁氏之獨立黨分裂有何影響，相反的，更加深了一層，這是可以從上月廿七日華巫聯絡委員會正式成立這一個具體事實中反映出來的。由於華巫聯絡委員會的誕生，使拿督翁及其獨立黨陷入了孤立狀態中。予翁氏的打擊不可謂不小。然而，翁氏何嘗不圖給予他們以拆散性的攻擊呢？三月間巫總領袖東姑鴨都拉曼爲了促進華巫團結，與各馬華領袖們在蘇六甲舉行一次華巫聯絡委員會的籌備會議，決定四月二十七日在吉隆坡正式成立聯絡委員會之時，翁氏面對此一不利於己的現實，對馬華極力詆毀，從三月二十五日以來，斷續發表謬論，企圖造成華巫間的分裂對立，不僅使馬華領袖大爲憤慨，而巫族有識之士亦大爲不滿，他們除了報紙上公開發表言論對翁氏的愚蠢悉力抨擊，並在聯合邦立法議會中提出彈劾案。雖然本月七日議會中由議員陳修信領銜提出革除拿督翁的議案被否決，一般認爲拿督翁三月廿五日所發表的誹謗華人之謬論，係代表其個人，絕非以內政部長地位發言，政司並且已經解釋，而翁氏目前顯然已陷於孤立，不致促使華巫間發生分裂作用。然而這種否決的理由，仍難使華人息怒的。

陳六使兩面受敵

中華總商會與馬華公會被翁氏作爲誹謗的對象；陳六使之南洋大學，亦同遭誣衊。但與此同時，某一星期周刊對南洋大學籌校之苦衷竟誤解，具有另一種「政治陰謀」，因此陳六使兩面受敵，直弄得啼笑皆非，星馬輿論界則極力替陳氏辯護。而事實上，南洋大學之設，係陳六使反共的具體成就，主要原因，不僅是容納大多數華人子弟失學，尤其杜絕一般大學生受中共利誘吊其滑赴大陸貢獻，絕無任何政治傾向可言。於是儘管馬來亞當局的反對，以及拿督翁居間挑撥與破壞，陳六使在馬華全民一致支持下，終於排除了當面的困難，而走上了建校的坦途。許多政治觀察家對於馬來亞的自治前途目前所籠罩的陰影，僉認除非拿督翁放棄自私觀念，殆將自毀其政治生命。馬華與巫總間在聯絡委會成立後，兩族合作之結果，必能發展經濟繁榮而藉其團結的力量造成馬來亞獨立建國之平坦大道。（司徒璧，五月十五日自吉隆坡寄）

台灣通訊

從進步中求安定

台灣省政府主席俞鴻鈞氏，某日在一集會中致詞，謂施政之道，固需在安定中求進步，但亦當從進步中求安定。此語當爲各方人士所讚賞，日來到處有人加以引用，頗成爲新格言。憶俞氏就職之初，曾對新聞記者謂在安定中求進步，當時即覺其未免偏重於消極方面。蓋台灣今日局面之安定，不但爲東南亞任何地區所不及，而上下一心，閭閻無擾，且爲抗戰勝利後大陸省份所未有。是則所謂安定，未詳其原旨何在。今反其言而謂從進步求安定，純係積極態度，自更適於人民心理上之需要，並符合近代國家職能的要求。

台灣省近年以來，最有進步者，除軍事外，厥爲生產建設。所謂經濟自立四年計劃，雖尚在美國方面研究中，未嘗發表，但據政府人員迭次透露，亦不外農業與工業生產兩部份。自俞氏接任前數日起，台省突鬧糧荒，米價上漲，公教人員配給米一度中斷，輿論指責，立監兩院及最高法院檢察署進行調查。俞氏就職以後，取消限價，准食米自由定價買賣，市面上雖再見米色，而價格迄未降落，且一度漲出每石三百元大關。以言糧食生產方面之進步，台灣省近數年來固極有成績。減糖增米政策之正確，以肥料換取農民稻谷方法之運用，種子之改良，水利之興修，三七五減租，公地放領及耕者有其田之推行，均大爲刺激農民生產糧食之情緒。但生產數字雖進步，而仍鬧糧荒，卻未能於進步中求安定實大可爲執政者反省之題材。糧荒原因之發生，說者謂係（一）現值青黃不接時期，但年年有此時期，何以往年不荒而今年特甚？（二）由於出口換取外滙，但開徵至四十一年十二月底止，去年一年度內出口者不足十萬噸，今年一月以後以迄上月底止，亦未逾十萬噸，在台省去年產糧已達一百七十萬噸之巨數內，出口者並不佔若何比重。（三）由於走私赴琉球、南韓、日本及菲烈濱等地，其數字雖不可知，但用帆船私運，數必難多。且台省緝私檢查機關甚衆，亦斷難有大規模走私之組織。（四）由於囤積，但最高法院檢察署督率各級法院檢察官巡迴檢舉，所已發表之囤積案件爲數均並不大，不可因若干零星囤積案件，造成全省糧荒。（五）由於施行三七五減租以後，農民生活改善，餘糧不願出售，而昔日可向大地主徵購餘糧，今大戶分散，無法控制糧源。但台省係產糧省份，天時炎熱，糧食不易久貯。且三七五減租係自民國三十九年開始，何以往年並未有糧荒現象，而今年獨有。（六）由於糧食生產量數字未盡可靠，而消費量統計尤欠正確。此確爲一重要因素。蓋台省自日據時代起，即在各縣市派有糧情調查人員。年來政府增產情殷，屬員爲生產數字之提高，層層轉報，以零合整，以致數字可能未盡確實。（七）由於肥料換谷辦法之改變。台省原辦法以實物換實物，去年改爲大部份折換現金，因以政府手中所掌握之實物大爲減少。此說或係糧荒之眞正原因，而未爲當局所明白宣示者。

與台省進步中最有關係者，仍爲經濟自主計劃。此項計劃之實行，又端賴於美援之配合。俞大維氏返國述職，已攜同我方希望之美援方案去美。俞氏回國之初，曾引起行政院改組傳說。自張茲闓氏仍留任經濟部長證實，俞氏入閣消息漸告沉寂。現俞氏已行，種種傳說均不攻自破。蓋政府目前對於人事之主要方針，適與俞鴻鈞氏最早之言吻合，即在安定中求進步是也。

天下小事

匈折散駐外官員家庭

匈牙利共產政權已頒佈一條命令，規定凡是派駐西方國家的外交人員，至少須把一個孩子留在國內。他們此舉的目的，是在防止駐外人員有叛變或背叛的行動，扣押一個孩子當作人質，也是沒有辦法中的辦法。爲安置這些人質，匈京布達佩斯已成立一間兒童保育院，儘管匈共怎樣宣傳裏面的生活如何愉快，教養怎樣得法，但強使孩子們和他們的父母隔離，幼弱的心靈上已受了創傷，一年之中實難見他們幾次天眞的笑容的。

蘇俄取消高射砲師

蘇俄紅軍中從前設有高射砲師，這是其他各國軍隊所沒有的編制，也是蘇俄喜歡標奇立異的地方。但經過多年來的體驗，俄國也自知殊無成立高射砲師的必要，所以最近已祕密廢除這種「多此一舉」的編制，而將高射砲隊歸併於砲兵部隊內。據西方觀察家說，俄國取消高射砲師，乃意味着防空戰術的轉變，因爲現代的空防，已不是高射砲所能担負的，美國空防的主幹，一種是渾名「無敵飛天鼠」的定向飛彈，另一種是高速度的攔擊戰鬥機。如果蘇俄仍保有高射砲師的番號，即無異自承空防仍居於落後的地位，這也是幕後的一個原因。

美空軍定造新機

美國空軍方面的預算雖然已遭削減，但空軍部在發展新武器上，依然不遺餘力，據說空軍部已向康瓦爾飛機製造公司定製一種新型的轟炸機，一共有四個噴射機引擎，名爲B—58式，顯然，這是一種裝載原子彈，較B—36式更新更快的飛機。同時，陸軍方面也新發明一種適合各種氣候的機油，無論在赤道的熱帶或北極寒帶均可適用，今後一尊大砲或是一輛卡車自巴拿馬運河往冰島，再無須經過一番繁雜的除油換油手續。目下美軍供不同氣候用的，至有六種不同的機油，這件事看起來雖然卑不足道，但在美國軍中，卻被稱作革命性的發明，還不僅在省錢省事而已。

和平攻勢背道而馳

共黨國家以往在紀念五一勞動節舉行遊行示威時，所貼的標語和所喊的口號都經克里姆林宮統一規定，大多大同而小異。但史達林死後，今年的勞動節已非昔比。莫斯科勞動節遊行中，有關西方國家的標語都較過去許多年爲溫和，眞正反映克里姆林宮現時的和平攻勢。但在北平方面，中共攻擊西方的標語和口號卻較往年更猛烈，更諷刺，更刻薄。光由這一點就可看出，共黨的和平攻勢實在毫無誠意。（孟衡）

日本經濟前瞻點談

吉田雖然獲得國會通過蟬聯首相，並閃電組成新閣，但日本的主要經濟問題，卻並不能因政局的暫告穩定而告解決。因此，新閣甫經宣佈，政界即普遍預料吉田新閣在新預算提出以後，不久又會垮台。新閣的財相因已更易，由小笠原三九郎接替向井忠靖，但這位新人是不是對處理財經問題能有若何成就，仍是重大疑問。日本的經濟，遠自一九五二年四月份佔領結束以來，唯一使它沒有陷入深淵的因素，是美國的直接和間接的援助（單是美國，每月即在日本用出二千萬元之鉅）。在蘇俄發動和平攻勢，韓境初露休戰曙光的初期，日會金融界曾引起重大恐慌，東京和大坂的股票市場也大起波動，年餘以來直綫上昇的幾種股票，竟有從最高價格遽跌八成之多。

很久以前，具有遠見的日本人士即曾提出警告說，除非美國繼續在日本保持對韓戰的化費，日本經濟必會遭遇嚴重危險。美國雖已保證在日運用的美元，在最近將來不會大減，不過日人的對未來經濟情況的憂慮，卻並未因此消除。

日本戰後喪失了領土百分之四十五，出口成了它的生命線，出口不足，無法購買它所需要的原料，也無法獲得充份糧食供應人民。但日本去年的入超仍達九億七千一百萬美元，由於聯軍在日購買物資所化的二億八千六百萬美元和「無形出口」（遊客和美軍在日的化費和新的外國投資等），對日本所造成的四億二千萬美元，才使日本有了三千五百萬美元的入超。甚至在韓戰以來，日本的出口貨就在世界市場受到品質較佳的德國、英國和印度貨物激烈競爭，今日日本的工業生產，僅及其充分能力的半數，實際出口數額，猶不足戰前之半。澳洲、南非、新加坡、英國等地削減輸入量，更影響了日貨輸出。至於對中共恢復貿易，雖然許多工商界和官方人士都作此希望，但由於今日的情況與戰前已完全不同，即使實現，也未必對日本經濟有何重大裨益。

日本的經濟危險是長期性的，不論韓戰如何變化，美國在日使用的美元，在未來二三年內不會大量減少，目前美國方面所躭心的，是在這二三年以後日本將如何應付其經濟困難。他們認爲日本實應利用今日韓戰所帶來的繁榮，減少其貨物成本和改進其技巧，以應付將來。不過日本的多數大商人卻並未作這種長遠的打算，他們所賺到的錢，大批化到新汽車和藝妓或建造新廈方面去了。（莫知）

太湖大批反共游擊隊登陸長興入天目會合

行踪秘密沿途民衆暗中協助慰勞

【本報訊】杭州方面消息：最近太湖方面反共游擊隊一部約五百餘人，曾自長興之夾浦登陸，經泗安、安吉、孝豐等地轉上西天目山。聞該部游擊隊，係國軍軍官楊某所率領，自太湖轉移活動地區至天目山與何某部會合者。該部係於本月三日晚間以全部「解放軍」之僞裝自長興之夾浦登陸，當晚挺進至長興之長潮岕、八都岕一帶；爲適應環境，避免犧牲，故夜行晝伏，行蹤極爲祕密，每至天曉時，即停止行進，就地駐紮，并即封鎖交通，以免走漏消息，爲附近共軍識破。當地村幹不知，且都曾以「解放軍」目之，予以招待，該部至晚間起行離村時，爲免打草驚蛇，對此輩無足輕重之村幹亦不予消滅。但於本月五日晚行進至安吉之遞鋪附近時，見該地共軍之防力薄弱，爲欲補充彈藥糧食計，乃突向該鎮包圍，當將該鎮之共方公安部隊及民兵百餘人制服繳械，並將該鎮糧庫打開，俾每人隨身攜帶之小糧袋裝滿後，即兼程向西轉移，待梅溪、小市等處共軍聞訊趕至時，該部已離去多時。據悉：該部離去時除槍決被俘之共幹十餘人外，對共軍之士兵極爲寬恕，故杭州方面曾祕密盛傳：認爲游擊隊仍能出沒活動，恐曾得各地民兵暗中協助。

千餘難民向共黨要飯吃 湧至南京起騷動

共幹拒入城大施鎮壓

【本報訊】上海消息：謂本月十二日南京下關有千餘來自蘇北各地之飢民，因被拒入城，且遭共幹驅迫渡江，當即引起衆怒，致一度發生騷動，秩序大亂，經出動大批警察鎮壓後，方告驅散，事後曾有百餘人被捕刑審。據云：該批飢民，大多係因蘇北各縣飢荒異常嚴重而絡續流至南京，圖轉赴上海一帶謀生者，其中且有一部份係中共之裁廢軍人，一部份則係上海等地工廠之工會幹部函約前來應雇者；但因南京方面共幹根據僞政務院不准農民流入城市之命令，乃一律不准彼等入城，先後被阻於下關及興中門外一帶。至本月十二日，此等飢民已絡續湧至一千三百餘人之多，當地中共機關見事態嚴重，乃派出大批幹部前往進行「說服」，限令渡江歸回原地。但因派往進行「說服」之共幹，大多態度兇橫，不顧一切，勒令此等飢民立刻渡江，並予以推擠驅趕，致當即激起衆怒，紛起反抗，羣向共幹毆擊，一時大起騷動，秩序爲之紛然！迨大批軍警聞訊趕至，迅即大施彈壓之後，方告制服。據悉除當即拘捕有爲首嫌疑之飢民百餘人予以刑審外，餘即被分批驅過長江，鑑別其籍貫，分別集體押送回原籍云云。

拉薩共幹耍詭計 誘騙藏民參軍

共軍編訓擴大展開

【本報訊】中共之「新民主主義青年團」拉薩總支部，曾於本月四日利用慶祝「青年節」機會召開團員大會。應召出席大會之藏族「團員」約有兩千三百餘人。中共駐西藏之「軍事代表」張經武及駐藏軍之「政治委員」譚冠山皆出席「指導」該一大會。該兩中共曾在該大會中以「保衛祖國邊疆，擴大人民隊伍」爲名「鼓勵」藏族青年參軍。而後，該大會中即在中共高級團幹之嚴密佈置下展開參軍之挑戰競賽，要求之名額爲一千名。該批無知之藏族青年當時迫於情勢，自不得不服從佈置，乃響應挑戰，結果，當有約一千一百人被迫在「志願參軍」之簽名冊上簽字。

又訊：中共近正在西藏擴大編訓軍隊，此一編訓工作，即爲中共駐藏之「軍事代表」張經武及中共駐藏軍「政委」譚冠山所主持。其擴充之士兵來源即係就地在西藏所征集。據悉征集之人數約需五萬人。中共駐西藏之軍事代表已於本月初發出發動藏民參軍之命令、現西藏各地對此一命令，已在大力推行。惟一般藏民對此極爲冷淡，非施行強迫，恐不易足額。據悉中共征用藏民參軍擴編部隊之目的，爲適應南侵時山嶽戰爭之迫切需要。

丈夫逃出竹幕 妻子被迫離婚

許多節婦自殺反抗

【本報訊】頃據本港若干流亡人士最近分別自上海、蘇州、無錫、杭州等地接獲間接之家書，均云彼等之妻子因迫於無奈，不得不登報聲明與業已多年「失蹤」之丈夫宣告離異，俾獲得生存。其中若干家書中，且曾明白告知：「不得不接受人民政府之照顧，另行婚嫁。」實際上，此種所謂「照顧」，乃係被迫改嫁無疑。其中若干家書中，則有謂因不願出嫁而已自殺者。據推算：該等地區目前不屈服於共幹之強迫改嫁而壯烈殉節之逃亡人士眷屬，爲數必甚衆多。

官僚檢查官僚主義 中共整肅製造趣劇

川聯運機構整肅腐敗 經理更易換湯不換藥

中共因各級幹部官僚主義作風非常普遍盛行，故曾自中央到地方逐級展開檢查；但檢查者本身往往在檢查中亦犯有官僚主義作風，故中共幹部的官僚主義病，實已病入膏肓，極難醫療！

例如最近重慶新華日報所載：「國營四川省運輸公司在反官僚主義鬥爭中不發動羣衆，不結合實際業務工作，只草率地敷衍一下，反使反官僚主義鬥爭形成了跑龍套、走過場！」緣該公司原係西南區聯運公司和重慶運輸公司合併，機構龐大，業務範圍廣。因一貫的以官僚主義作風進行工作，故運輸質量極差，事故極多，業務秩序極紊亂，工作效率極低。此種情形經人舉發批評後，上級即委派一新任經理江益城前往展開檢查並展開反官僚主義鬥爭；但該經理於上月十六日到職後，不僅只召開大會將上月八日新華日報關於反官僚主義的社論及中共中央西南局有關開展反官僚主義鬥爭問題的指示談了一遍，便告了事；且於會後通報所屬各單位規定以後必須選派代表經經理室批准後，才准向領導上提出意見或向報紙發佈消息。他曾規定這種代表的條件必是他所認爲「思想純正的人」方行。結果：因誰都怕提供意見被戴上「思想不純正」的帽子，而不敢當代表。因此，該一檢查鬥爭官僚主義的人，便成了官僚主義的新支持及製造者，乃使該公司的官僚主義，照行如故。

洞庭區水災

農田淹沒二十萬畝

中共促進水利的恩賜

【本報訊】在中共大吹大擂興修洞庭水利的功績下，濱湖的南（縣）華（容）、澧（縣）安（鄉）一帶，又打破了三個大垸子，毀田約二十萬畝，死人近三萬餘，損失財產及房屋不可以數目計，哀鴻嗷嗷，遍地皆是，空前浩劫，又到人間，一幅悽慘圖畫，都是中共統治大陸後「爲人民服務」的賜予。

這次的洞庭水災，是中共統治後第三次大水災，第一次是民三十九年五月，據統計，當時澧縣破垸十三處，漢壽一處，常德近一處，一共四處，安鄉南縣接壤兩處，死人即已超過兩萬名，財產無法統計；第二次大水災，是四十一年三月，毀垸以津市、新州、安鄉爲最慘，死人亦萬餘。今年毀田近十萬畝，今年的災比前兩年更甚，而損失之大，亦不遜於去年。今年釀成水災的原因，是長江水位報高，倒灌入洞庭湖，而南積水難消，而華容、安鄉一帶，是濱于澧水兩岸，另有北河由澧水直達長江的另一支流，澧水是集茹、澹、渚、涔、道、澧、津、灤、今等支流而稱九澧，今年九二月來，即霪雨連天，山洪陡發，九澧水位，振高於平日之七倍，北河之水原爲由長江注入澧水，因之又被堵塞倒流，洞庭湖無法納入，遂奔流澎湃，爭向低窪流竄。濱湖各縣堤垸，以前爲人民私有，隨時加以修理，雖未達成一勞永逸，但人民生命財產，幸能有所保護，今爲匪黨沒收，[illegible]橫流，人民袖手。[illegible]

中共「國營商業」焦頭爛額

現在大陸一般商業的經營，幾已全爲中共所攫奪、壟斷、專營、統制，凡屬人民生活及生活上所必需的物品，各地都已由中共各種性質的「公司」所包辦；此種公司，除中共中央所直接管轄經營者外，而分省與直轄市及縣與省轄市兩級歸屬於各該級的龐大的「國營貿易公司」所統一節制。但由於中共從事此種「國營商業」的幹部，大多低能顢頇，作風惡劣，使中共「國營商業」的經營爲之弊端百出、焦頭爛額，宣告失敗。

我們根據中共各地報紙披露的事例加以綜合，可以簡要說明中共經營商業失敗的一些主要原因和現象如下：

公司衙門化

首先是營商共幹們的官僚主義作風非常嚴重：上自經理，下至售貨員及採辦員，一般的都以做官的態度在經營商業。上級公司與下級公司之間尤多慣於在公文上兜圈子。而一般担任經理、主任之類的主管幹部，除了簽名蓋章以外，既不在實際的業務上下功夫，也缺乏領導經營業務的常識和能力。結果，便使公司變成了衙門，當然做不好生意，更談不到社會供求的調節了。

貪污風氣盛

其次是營商共幹們的貪污舞弊之風非常盛行：共幹的貪污現象，在各部門都所不免，尤在商業機構中因舞弊的機會較多，因而貪污的現象便特別嚴重！不久前本報所報導的瀋陽及天津兩大貪污案，就是很明顯的例子。其中貪污的主要手段是挪用資金、匿報盈餘、含混賬款，偷售貨物等。

浪費現象多

再次浪費現象很多：造成浪費的主要原因是不明業務情況，盲目調撥貨品，無辜消耗運費、積壓資金。例如甲地所需的貨品向乙地撥運，發覺時再運回，便浪費了運費，積壓了資金。例如不加計算地將存貨向外地盡量推銷，結果使本地發生貨荒，再向外地購運供應，無辜蒙受了運雜等費的消耗。

脫銷與積壓

最嚴重的是貨品的一面脫銷和一面積壓的現象非常普遍：由於共幹們不留意供銷情況，使許多當地必需的貨品脫銷了很久還不知道設法補進供應；例如綏化地區「百貨批發站」原有兩千種貨品長期售空了八百多種貨品都不知加以補進；「貴州貿易公司」有六百多種貨品大多脫銷在半年以上（均見人民日報）。由於共幹們無計劃的超額及盲目的收購物資或採購，往往將該公司的資金半數以上凍結在大批不能推銷出去的貨物中。尤其如東北工業器材公司，積壓商品達四千億，售全部存貨卻不夠償付銀行的利息。因此，一部份公司便不免偏廢停滯了其他必需貨品的供銷調節；一部份公司則根本連資金已蝕盡，如果不是「國營」，早已紛紛垮台了。

秩序一團糟

此外是整個公司的行政管理和業務的秩序非常混亂：混亂的主要現象是：職責不分明，互相敷衍推諉；賬目含混，盈虧都無數；貨物進出手續不精細，往往有大批貨物重發兩批；倉庫管理太糊塗，有貨無處找等等。

總括一句話：中共的「國營商業」在基本上已宣告失敗，雖已在設法挽救，恐甚難見效。

河北旱荒愈深 兩千萬畝龜裂

共幹慌亂但求治標

據最近北平人民日報透露消息：目前河北全省因仍無雨點下降，故原有之旱荒程度已日益深重：據稱：唐山專區所轄各縣的田地已有百分之六十以上無法進行春耕；遷西縣楊坡梯田的乾枯已有七寸之深；該縣其他田地已有百分之七十以上無法耕種；滄縣專區所屬九個縣的田地旱荒較輕，也已有百分之四十左右因龜裂而無法耕種；其他如保定、石家莊、通縣、定縣、張家口、邯鄲等專區也一般的已有百分之四十左右的田地無法耕種；統計目前河北全省因旱荒而不能耕種的田地，已由本報上月所報導的一千六百餘萬畝的面[illegible]

中共通飭各地幹部 全面實行學習 準備搬演普選

[illegible]

德共受騙記（下）

・鏡譯・

準備期間的種種苦痛，經幾個月努力後，最後克服了。林德曼的一個助手漢・斯乞米德先去動手。他原想自己來領頭幹，可是他的面孔對人民警察、國家安全部門人員太熟悉了。

對曼德與柏其與兩替清楚的案子，斯乞米德懷揣假造的省釋法令到萊比錫去投到國家司法當局經常寄信的特殊郵箱。

有兩次幾乎出事：兩個警官突然出現在他的車廂裏，命令他打開提包檢查。這種事在東德原是司空慣見的家常便飯。漢照做了，他的心都幾乎要跳出口來。警察看到信皮上「國家檢察官辦公廳」字樣。「你是辦公廳的信差。」一個警察叫着說。「是呀！」漢回答說。「對不起打攪了你，先生。」警察往後退，大家敬了禮，再也沒有問起這信裏的事，走了。

在信箱投郵的時候，漢碰到第二次倒霉。兩個人民警察看守着信箱，戒爲嚴查有沒有人把反共宣傳單投進這個郵箱。可是，檢查官辦公廳的頭銜又起了作用，使他們乖乖服從，甚至一個「人民公僕」捧起信箱來讓他投信。

那天晚上，萊比錫的斯乞米德與柏林的林德曼全都通夜不曾合眼。省釋令應該在次日早晨抵達孜威考集中營，假如那裏辦公的人先通電話詢問國家檢查官廳，這次的行動則全功盡棄功虧一簣了。

第二天一早，斯乞米德就拿起電話向孜威考通話：「人民檢察廳嗎？」他裝着那官腔吹起牛來，「立刻叫負責人講話。」那負責人戰戰兢兢接聽着電話：

「接到曼德與柏其與的省釋令了嗎？」斯乞米德氣勢洶洶地說。

「沒有，檢察官先生。但是我會特別關心留意的。」

「等着照辦。」斯乞米德大聲說。「不必再打電話來問了。清楚吧！」

「好，好，檢察官先生，我一定不去打攪您！」

斯乞米德打完電話後，全身都覺得舒服，可是這問題還有危險擺在前面：曼德與柏其與會以爲他們的省釋完全合法，不加遲疑，大搖大擺回家去，豈不一下子又會被捉回去？他們一定要一出來就往西德去。

省釋令送到達集中營已很晚，命令一到，曼德與柏其與立刻被召到政治委員那裏。

「國家最高當局決定寬恕你們的罪，」政治委員說，還用雪茄煙招待他們。當時兩個人都得到了預備好的普通服裝、錢、和配給食物，讓他們回家，他們走出獄牢大門，簡直昏昏沉沉不清楚是怎麼一回事。

但若不是林德曼從新計劃一番，他們的自由不會延續得長久的。再請斯乞米德去恐怕會遭到警察逮捕，林德曼又請一個朋友——克特・布勞恩——去把曼德與柏其與帶到柏林。途中經過軍軍檢查，但都沒有現出破綻，第二天清晨，曼德與柏其與終於安全抵達西柏林，簡直不信他們的遭遇，直到找到了他們的家屬，眞對林德曼感謝不盡。「天下事眞奇怪——囚犯與承辦他們的法官相見時都做了難民。」林德曼興奮極了爲：「眞過癮！尤其因這是我幹的。」

但還有三個在獄裏的人，也需要使他們重獲自由——一個在孜威考，其餘的是在威德漢姆。

斯乞米德按原定計劃準備再去一次萊比錫。那時候，兩個人「跑掉」的消息已經傳了出來，西德廣播電台將它公告了。

林德曼十分失望，突然他想起來那種詭計還可以試試，不過要立刻動手。所有共產黨警察與司法官員一定要在週末那天離開城裏到鄉村度假，不到星期一早晨十一點是不會回來的。林德曼很有把握，他的計劃可以再幹成功一次的。

他猜對了。送去孜威考與威德漢姆的假釋令如期而至。斯乞米德打電話通知集中營（反省營），星期一那天，三個迷迷糊糊的孩子在斯乞米德與布勞恩照顧之下跑到了西柏林。

但是，這次的經過異常危險。孜威考釋放囚犯的大門才關閉不到五分鐘，一輛大汽車便開到那裏去，這是國家最高檢查官亞當親自跑到那裏去巡行。

曼德與柏其與逃跑的消息晚到星期六由西德無綫電廣播才洩露出來。宣傳部長伊斯勒星期一一早在辦公桌坐着得到了這消息，盛怒之下大叫不已，拿電話各處聯絡不通，但是直到星期一中午才找到負責的警官。於是，全體國家安全人員與警察動員起來，都像瘋了一樣。火車被搜查，汽車停下來受檢查，無辜的街車經常被捉進警察局，全東德都緊張了起來。可是，未免太晚了。

在西柏林一間舒適的餐室裏，林德曼，他的助手和幾位「準」犧牲者在那裏慶賀重新獲得的自由。那位救星林德曼，用手托了一托眼鏡。「將來再另外想辦法，」他說：「不管怎麼樣我們總是還可以幹的。」（節譯自FREEMAN）

談妾侍問題

尚方

香港華僑總會諸公最近爲着社會上議論紛紛的「妾侍問題」，據說開過兩次座談會，第一次大家相視微笑，意在不言中；第二次實行討論，有的抱着中華民國的民法，有的拿着「人民政府新婚姻法」到會，頗有引經據典，辯論一番的氣概。結果還是由那位手持「新婚姻法」的高老總發表高見，認爲這問題「幾大都攪唔掂」，最怕的就是萬一廢除了妾侍制度，則社會上離婚糾紛必多，還是不作結論的好。

大概高老總是看了「新婚姻法」中對離婚的規定那來隨便，而且離了婚以後，男方如果不是赤貧的無產階級，一輩子也丟不掉這項似離了的無名包袱，教你累得死，所以未曾討論「釐定先」了！其實，中華民國的民法親屬篇也規定妾侍只是「同居關係」，女方如果要求離異，法律上是不保護男方權益的。香港既適用「大清律例」，華人如要革新，乃可先新律例，儘談「妾婦之道」，那是不得要領的！

一夫一妻制自然合理，但我在某些先進文明國家中，也常見有軋姘頭，養情婦的事實，洋文中更有CONCUBINE這個名字，而外交官之公然攜帶「情婦」（實際即是妾侍）出入國際政治場中，且成爲國際間的不成文法例。像蘇俄那樣「人盡可夫」的進步生活，更比搞妾侍還爛污呢！因此，我贊成羅文錦爵士的意見，讓其自生自滅。但禁止再說「妾侍」這個名詞，只許說「愛人」或「同居人」，因爲天下許多是非，都是名詞作怪啦！

新・世・說・補・遺

世運史話一頁（一）

馬五先生

去年世界運動會舉行於芬蘭首都，中華民國臨時以該會邀請中共政權預會之故，拒絕參加，且演出若干令人啼笑皆非之鏡頭。根觸往事，憶及一九三六年我國選手隊出席柏林揭幕之世運會情狀，舉告讀者，於意云何？

大會定期八月一日開始，德方主事者通知各參加單位選手，至遲須於七月初到達柏林，進駐其所特備之宿舍中，使各選手先期諳悉運動場所地形，並得從容休息，瞭解一切有關情事。日本騎術隊選手，五月間即已到達，其餘各隊亦於六月抵步。吾國出席健兒至七月初尚滯集上海待發，時有直航大西洋之德國巨輪，頗以其所備「經濟二等」艙位，按定價再對折，讓中國健兒乘風破浪而行。然總領隊王某已攜挾公費先期赴美國游覽，副領隊余日章亦朋分資斧早去英倫徜徉。政府所撥經費，胥在總副領隊手中，德輪雖便捷，而主持無人，徒呼負負，中國選手遂遲至七月廿四日方抵德京也。

德政府爲恪盡東道主誼，對每一單位指派軍官一名，協助其管理員執行職務。選手外出時，必先經其本國管理員簽字許可，然後交由德國軍官查核簽署，意在節制運動員精神，勿作無謂消耗也。詎我國管理員爲私人方便計，竟將所備全部假條概行簽字，置宿舍中，隨選手自由填用，不復過問。德軍官爲之愁歎不已，頗以中國智識份子之無組織無責任感爲可驚異焉。

運動員自由出入市街後，飲食起居皆失度，未數日，患腹瀉者若干人，而大會開幕在即，總副領隊猶未駕到，患者缺乏醫藥之資。時戴季陶先生方以政府特使地位蒞柏林參觀世運，乃就致焉，戴斥責延醫迅予治療。迨總領隊王某到來，聞訊猶對當時爲諸生設法醫療之我國使館參事丁文淵氏頗表不懌，聲言：「人吃五穀，那有不拉肚子的！」似譏丁氏爲多事然。

選手出場服裝，原規定以公帑每名製發白色桂綢各乙襲，草帽乙頂。然實際祇給短褲與草帽，上衣則缺如也。白布褲寄身三數日，即告污穢，又無同樣物品可資換用，若聽各人自擇，形色參差，寧不貽笑萬國！事聞於戴特使，認爲關係國家體面，未可漠視，即擬爲諸生添製白色小衣一襲，以壯觀瞻。詎領隊人認此大好機會不可失，即向戴氏晉一解，謂八月秋涼，諸生尚缺上衣，我公不如購贈諸生淡綠色襯衫各一，更覺需要，白袴固不妨濫用之。意在乞得戴特使贈給後，即可間執諸生之口，免其籍原有規定而索製上衣，再耗公款也。

倔強的聖人

・由之・

一個多月前，印度奇拉恩村來了一個外貌藹然的聖人，他名叫馬哈拉，雖然靠行乞爲生，但卻是位聖潔自愛的乞丐，他每逢日出的時候，便扶着拐杖拖着佝僂的身軀赴各村落乞食，他餓得老眼昏花，最後才收住疲倦的脚步，站在一家大木屋的門口。

這時，一個信奉印度教的中年主婦打開大門，給他兩塊新鮮的麥餅，馬哈拉高興得叫起來，連忙道：「神保佑你，」隨後又說：「保佑你再生七位貴子」。

馬哈拉還來不及吃第一塊麥餅之前，主婦便紅臉爭辯說：「先生，我已經有九個孩子了。我們還不能讓他們吃飽，請收回你的祝禱吧」。但這個聖潔的乞丐卻倔強得很，他說：「決不，我一旦爲人民祝禱後，便不能收回了」。主婦聽後更加焦急，終而痛哭失聲，低着頭慢慢步進家內去。一會兒，她的丈夫走出來，跪在馬哈拉的面前，哀求馬哈拉憐憫他，不要再使他添孩子，而迫使他破產。他大聲的懇求驚動了附近的鄰舍，一大羣鄰人圍集在他的身邊，他們對這個有九個孩子的丈夫深表同情，因爲他們的貧困和他並沒有兩樣，「撤回你的祝禱吧！撤回，撤回！」他們高聲叫起來，但馬哈拉仍毫無動於中，他閉着眼，任憑他們叫囂懇求，就好像完全沒有聽到一樣，於是這些憤怒的羣衆再也忍不住了，他們用手用棍毆打着這個堅強的乞丐，迫他說出「撤回」兩個字，馬哈拉一日不說出，他們的拳頭便一日不放鬆，這樣奇怪的場面相持達數十分鐘，直到大批警察聞訊趕來後才告停止。

這是一場古怪的打門，其起因也是任何其他國家的人民所絕難想到的，這場毆打過去後，馬哈拉被抬進了醫院，警察也逮捕了六個村民，這連那有九個孩子的父親也在其內。

奴役的藍圖（九）

麥柯米克神父著　陸逸譯

第五章　特務統治下的生活

「神父，你能借給我四塊錢去爲我丈夫買口棺材嗎？」

「你丈夫幾時死的？」我問。

「他是今天早晨被槍斃的，我正設法掩埋他，等我賣了牛之後，就把錢還給你。」

這個求助的女人是一個貧苦的農婦，住在離我們會院約三里地的一個村子裏；她底丈夫當過國軍裏的隊長。三年前他底部隊投降共軍，他被共產黨保安警察嚴格地調查過之後，又廣泛地受過共產主義的改造。在受訓過程完了之後，他被編入一個土改小組，遣返故鄉工作。

自從被釋以來，他一直未參加過任何政治活動。祇因爲他對共產主義表現得不够積極，便受猜疑了。最主要的還是他所領導的那個村子，對共產黨發動的土改運動未能大力推行，而這種行爲便稱爲反革命，而注定要受處罰的。

這位從前的隊長和其他五位爲首的幹部被捕了。他們在一個臨時的監獄裏被扣了一個月，最後他跟另外一個被槍決了，其他四名寫了決心書，保證將來全心支持政府的號召，並且許下他們底親友也要照做。

我借給這個貧婦四塊錢，但她却未能歸還我，因爲幾天之後，她底牛，豬，田地和房屋全被共匪黨充公了。充公的理由是她丈夫曾作過「人民的敵人」，她底孩子們寄養在親屬家裏，她本人則變成農奴，整天到晚爲人牛馬了。

全村屈服於恐怖下

這個隊長的村子再也不反動了，家家在稅期的第一天就繳清稅款。在鄰近的村子中，它是第一個設立婦女夜班的，凡政府推行的，它無不盡力以赴——如修路，遊行，參加鬥爭會等——全村子的人，對共產黨在口頭上是無不擁護，在表面上他們積極的態度並不下於共產黨，但這全是出於恐懼所驅，暗地裏在他們底心中，孕育着一種對共產黨憎恨和復仇的心情。

在一個暮色蒼茫的黃昏，一個人來看我，他那種詭密而驚慌的神色，使我不敢相信他是我們本地方上最受人尊崇的人。他是我們本鄉最高級學校的校長——當然那還是那些老教員們尚未從職業上被「解放」下來，和那些狂熱的青年教師還未登台之前的舊日子裏。他那種剛直不阿的性格，加上他份淵博的學識，在地方上博得光榮的地位。

他告訴我他是來警告我，他說「假若你有美鈔，銀元，或是金手錶，趕快埋地裏去，或者把它們設法弄出去，因爲共產黨幹部正在搜查村中不合法的貨幣」。

當我告訴他我早就沒有這種不合法的錢幣的時候，他才放心下來。

談台灣的拜拜（上）

健超

自由寶島之上的「拜拜」，據說是頗够「浪費」的一種習俗，因此主政有司一而再再而三的「呼籲」老百姓「節約」，而且規定了「統一」拜拜日期，用心良苦。所謂「拜拜」者，就是借着某一神道某一菩薩的誕辰或忌日，在這一天大大的「吃喝」一下，招親友，邀賓朋，有時還要迎神賽會，一個鄉鎮的「拜拜」，費用過上百萬新台幣，是常有的事。

懷想當年異族入主中原時，許許多多不甘屈服「他姓」的漢族子孫，他們乘桴浮海際，國社既屋，宗社難忘，甚多是攜着他們宗社之神以俱來，著名的台北萬華「祖師廟」，那位清水祖師，就是陳姓家族所奉以俱來的。即如全省性的「媽祖」神，也是由福建移奉而來，那就是福建人所崇奉的「天后娘娘」，福建會館的命名「天后宮」，便是由此。趁着「拜拜」這一天，以會親友，以娛賓朋，經過日本人五十年的「統治」，除此而外，還有什麼可以「故國喬木」的興思？當然，識時變遷，拜拜在「神棍」的迷惑宣傳裏不免「迷信神鬼」，從而「勞民傷財」，從而「傷風敗俗」，該得從事取締，不過習俗之積，其所由漸，談改革習俗，也自難驟然急就。

拜拜在台灣，如果由各鄉鎮「局部」性的拜拜，擴到擴大的全縣性甚至幾個縣合併舉行的大拜拜，眞是無日無之，最大的拜拜，在中南部的「媽祖」祭，是在農曆三月下旬舉行，全省性的大拜拜，是農曆七月「中元節」前後。當媽祖拜拜時，由媽祖的神座出巡，彰化而台中而南投，神之所至，萬戶歡騰，砲竹聲響個不絕，原來不甚熱鬧的鄉鎮，也是陡然熱鬧起來，男女老幼，都穿着新衣裳，婦女們更是全付盛粧，頭飾頸飾手飾，珠光寶氣，金碧輝煌，每個人家也都打掃洗滌個煥然一新，而且家家都是賓客滿座，遠地的親友，屆時全都趕來參加。有人統計某一個才八百多戶的小鎮，在一次拜拜裏，宰上三百多口猪，假定每口猪以百斤計，算算這是個什麼數目？而且猪肉祇不過其中一部份，牛肉，鷄鴨鵝，還有島上最豐富的魚，僅就這個吃的東西來說，就可想見這一天的熱鬧盛況。尤其酒的消費量，台灣同胞大都嗜飲，台灣酒味薄而性烈，所含酒精成分過多，容易致醉，所有拜拜這一天，無不是「家家扶得醉人歸。」

自由人

中華民國僑務委員會頒發登記證台教新字第一零二號

THE FREEMAN

（半週刊每逢星期三六出版）

（第二三三期）

每份港幣壹毫

督印人：李光華

社址：香港高士打道六六號

電話：二〇八四八

GLOUCESTER RD. HONG KONG TEL: 20848

承印者：東南印務出版社

地址：高士打道六十四號

台灣特派員辦事處：台北市館前街五十號

台灣總經銷處：台北中華路新號五九四之一

台灣郵政劃撥儲金帳號九二五二

為滇緬邊區人民反共軍設想

·王力航·

中美泰緬四國代表，正在曼谷會商如何撤退滇緬邊區的中國人民反共游擊隊問題。據外電報導，現在滇緬邊區的反共游擊隊一萬二千人之中，願意撤赴台灣的，只有八百名，而我政府亦聲明不採取強迫撤退的政策，這是符合人民意志的措施，我們十分贊同。站在民族本位，基於反共的世界觀點，我認為政府過去對這些義民的救國工作，實在顧慮過甚，未能獎勵扶助。今後要用反共的中國人民自己的力量，把海內外的中國自由人士，一致動員起來，聲援這部反共游擊隊，使它堅強鞏固，成為光復大陸的急先鋒。

要應援這些民間自動組織的反共力量，只有憑海內外的自由人自動地各盡所能，唯力是視。這問題須從三方面研究：

生存的三大要素

A．軍事的。先就三個軍事重點問題來說，即（一）幹部問題，（二）兵員問題，（三）裝備補給問題，這些問題如無法解決，必是困頓流離，難有展佈的。曾文正公治兵語錄：「孤軍無援，糧餉不繼，奔走疲憊，皆散亂必敗之道。」因此，我認為（一）（二）兩個問題的解決，應寄望於海外各地的反共同胞。這些地方多的是無職軍官與失學青年，大都生活情形困難，反共意志堅強，只要把邊區的大門敞開，給旅客以若干便利，他們便會如秋雁一般結陣南飛。其次便是因兵於敵，鐵幕低垂下，人民火熱水深，但看深圳這個刀鋒尖，橫插在自由天地的一綫生機之上，前面的可憐虫血淋淋的倒下去了，後面的冒失鬼竟又瘋狂的踏血湧過來，這是何等的激烈悲壯的事蹟！義民勇士，多於過江之鯽，四年來繼續不斷，我國五千年歷史，何曾有過這樣的紀錄，只要能使滇緬邊區，成為大陸同胞的避難所，風聲所播，他們定會餐風宿露，冒白刃，蹈湯火，逃出鬼門關來的。何況中緬未定界的怒江與隴川江，恩梅開江與伊洛瓦底江，同源同流，橫斷山脈與怒山山脈南下諸峯，無不通入緬境，這其間等於有無數的深圳，共黨又安能阻擋得住，這便是幹部和兵員的來源。

至於武器裝備和給養的接濟，便不能不寄其希望於國際反共的盟友，和握有支配權的紅藍鉛筆之下，你們不是以「孩子們不夠」和犧牲慘重為憂嗎？你們的倉庫裏不是堆滿了龐大的，過時的，未予使用過的武器裝備嗎？滇緬邊區並不太遠，為什麼不交給替你們拚命的盟友，讓他們去利用呢？

這三個軍事問題，如能獲得解答了，自能奮起軍事的鐵槌，粉碎敵人的攻擊，拿天然加人為的工事，建立邊區的要塞，這才是反攻勝利的基石。

B．政治的。僅憑武力的拓展是不夠的，必需運用政治的安排以相配合，才可使邊區穩定。這裏所說的政治，不是想要在緬建立什麼邊區政權，是要一個有組織有辦法的雲南地下政府，必需在雲南的邊境安置一個總的發動機。

而且緬甸自一九四八年一月建立聯邦共和國以來，到現在還不過五年歷史，在這短促的時間內，緬族的戰爭，和匪共的武裝叛亂，情勢嚴重，大大的削弱了草創的緬甸政府的力量，撐持危局，時感不足，當然更談不到什麼政治建設和所謂百年大計。我們習聞緬人迷信很深，安於現狀，所以中共和緬共黨徒，乃得乘機活動，日見擴大。邊區人民反共軍防守其間，如能除暴安良，因勢利導，樹立秋毫無犯的作風，打出親仁善鄰的旗幟，老百姓總是「撫我則厚，虐我則仇」的，這中間的安排與部署，經緯頗多。軍事取攻勢時，政治也要採取攻勢；軍事改取守勢時，政治仍要採取攻勢。這是參加反共聖戰陣綫的鬥士所應該認識的特點。

C．經濟的。沒有經濟的措施，一切活動，都落空，一切宣傳與計劃，老百姓對之都無興趣。反共軍孤懸在螞蝗、瘴蚊、毒蛇、猛獸的原始森林地帶，食用行職，處處感到缺乏與困難，在在都需要地方的協助，因此便與地方發生了密切的關係，但不可取之於民，取之則怨，卻要予之於民，予之則喜，這是最進步，最開明的善後救濟法則，應該妥當的予以運用。

邊區人民反共軍沒有外援來源源接濟，祇好憑着自己的辦法與努力，把邊區的經濟建設起來，開發起來，因為外援到底有限。談到建設邊區經濟，先要將邊區的經濟價值，作個概略的考慮。所謂滇緬邊區，原無固定的劃界，姑以緬甸的密支那、景東以北，八莫、臘戍以東，和雲南的騰衝、保山、緬寧、鎮越以南，劃作滇、緬邊區。這個廣大的地區，從密支那經八莫以至景東，距離九百五十四公里，從騰衝經保山、車里以至鎮越，長達一千二百七十三公里，其遼闊至少等於兩個台灣，半個韓國的面積。這裏山有橫斷山脈、怒山山脈之大且高，水有邁立開江、伊洛瓦底江、怒江、恩梅開江之長且深，風氣閉塞，狉狉榛榛，還是原始時代的社會。但在這亞洲高原地帶，於中古時代曾經一度急劇沉淪，故金屬礦藏極富，珍寶玉石亦多，騰衝的黃絲，琉璜，牛皮，和緬北所產的樹膠漆脂，普洱的茶葉，都是重要的戰略物資，我們如能控制集中，設法運出，自有偉大的經濟效用。同時在這原始的農業社會中，最需要的是鹽，布疋，針綫，及各種日用必需品，如從台灣、香港、曼谷、西貢、和新嘉坡等地設法輸入，必大受地方的歡迎。[illegible]把當地棄於地已久的戰略物資，和所需甚殷的外來物資交換，化無用為有用，變無物為有物，使我們的反攻準備，和人民的經濟生活，結成一個不可分的整體，這才是有效的自力更生方法。

歷史的實鑑

雖在唐朝初葉，點蒼山下的蒙舍國崛起大理，建立了一個奄有四川，西康，雲南，貴州，廣西的南帝國來，其國都便在去年李彌將軍攻至保山以北二五五公里的大理，兵強馬壯，唐高宗且和他結友好之誼。唐明皇興兵伐南詔，竟打下了大大的敗仗，傷亡二十萬人，唐僖宗還把安化公主嫁給南詔皇子為妻。可見這個滇西地方，是何等有聲有色，而有作為的所在！反共游擊隊如能攻下點蒼，觀兵洱海，實足以震撼中共半壁江山，這是有歷史根據的。

朱明失國的時候，永曆帝西幸騰衝，將軍李定國曾擊敗清軍於高黎貢山，就是現在的滇緬邊區。可惜永曆為一般昏庸卑劣的宦官羣小所誤，竟解除武裝，投奔緬甸，以為緬人必能基於千餘年來的宗主與藩邦關係，畏威懷德，予以收容，尚可徐圖恢復之計。不料才到瓦城，即遭拘禁，后妃從官，盡被集體屠殺，緬人且縛永曆帝獻之吳三桂，殉難昆明，雖有李定國白文選各統一軍縱橫緬境幾年，緬人奈何他們不得，清朝也奈何他們不得，但到永曆死後，江山無主，明祚盡亡！他們也祇有齎志以沒了！現在又有主張李彌軍繳械入緬的，回憶永曆這段愚昧的悲壯史事，還不警覺嗎？

民國四年袁世凱帝制自為，號稱洪憲，各省都俯首聽命，獨有湘人蔡松坡遄赴雲南，組織護國軍，首揭義旗，舉行討袁，總領師干，率軍北伐，一鼓攻下四川，全國紛起響應，卒使袁氏暴斃，帝制解體，復興中華民國，在建國史上寫下了最光輝的一頁。雲南實在是反抗暴政極權的理想基地，先烈已給我們鋪好了一條反攻復國的勝利之路！

對日抗戰中倭寇囊括了半個中南半島，孫立人將軍奉命統率駐印軍掃蕩緬北強敵，以貫通中印，滇緬公路，從列多，而胡康河谷，而孟拱河谷，席捲密支那，八莫，臘戍，進窺緬中，會師臘衛，鏖戰三年，大小百戰，殲滅頑寇，鹵獲無算，這驚人的戰果與輝耀的成就，使印緬人民驚歎傾服，世界友邦另眼相看，替我們積弱的民族揚威國外，增益聲光。當年孫部軍行所至，正是今日反共游擊縱橫馳騁之區，但願反共健兒繼往開來，繼踵前修，發揚而光大之。「前事不忘，後事之師」，反共的自由中國人士，和民主各國的反共盟友，對於這一大隊在東南亞沙漠裏尋找自由民主的駱駝，予以深切的同情和贊援，實為自由世界之幸！

雷德福將軍出主聯參

美軍事政策重點將轉移

雷德福將軍去年夏天曾對他的一位朋友說：「也許我該退休了，我已太政治化。」他這句話，充份表露了他對韓戰僵局的不滿，他對遠東局勢的意見，在許多方面而與麥克阿瑟將軍近似，對於仍在服役的職業軍人來說，是無法公開吐露的。

自艾森豪宣佈聯合參謀部整個改組後，他這種消極態度，自已成為過去。他已自太平洋艦隊司令昇到美國軍人的最高職位，聯合參謀部主席。這個任命受國防部長威爾遜熱誠支持，將使他對美國的國防政策具有重大發言權，雖然這發言權不是決定性的。

雷德福之下的聯合參謀部新人，是陸軍參謀長李治威將軍，海軍作戰部長（參謀長）干尼將軍，和空軍參謀長端寧將軍，他們在第二次大戰中，曾在世界各個戰場作戰，對各地都有廣泛的認識，而布萊德雷將軍手下的三軍參謀長，卻與此相反，他們的軍事經驗，大多數是得自歐洲。因此，五角大廈這次改組，已反映了艾森豪政府希望對美國的全球性戰略作一個新的遠大看法。

自然，此外還有一些改組聯合參謀部的近因：國防部長威爾遜，曾對艾森豪明白表示，他要一組完全的軍人來實行他的觀點，而布萊德雷和他的一組參謀長，仍是引起爭論的問題人物，塔虎脫曾要求徹底更易。

雷德福在三軍統一計劃實行時，曾提出激烈反對，他認為空軍方面以B三十六型巨型轟炸機發動報復空襲作為美國的基本戰略是不合理的，B三十六型太呆笨缺乏機動力，可能在未將原子彈投入敵人腹地前即為敵機阻截擊落，但是他和當時海軍作戰部長鄧非爾的論點，都未被採納。他隨即被調任大西洋區艦隊總司令。

他過去的戰略立場，也許為空軍不滿，不過等他担任聯參主席之後，為了環境和戰略上的需要，他必須調和海陸空三軍的敵對，在這種情形，由於他的正直和堅定，他的行動勢將不再使僅是屬於海軍的人，而是代表三軍的協調意見。

艾森豪這次改組聯參，不會引起軍事政策上的巨大轉變，這祇是重點的改變，並不會涉及方針。

其實，美國軍事政策重點的轉移，一部份已醞釀相當時日，而其他部份，則業已顯著地表露於艾森豪的二個行動：

一、增加對亞洲問題的重視。美國已在韓國參戰三年，但過去的國防觀念，仍側重於歐洲。美國對於北大西洋公約組織，自決不會縮手，但亞洲問題卻將從後方搬出，而予以更多考慮。

二、更重視輕型短程武器。小型的戰術性原子武器，雖然是現任聯合參謀部所發展的，但多數戰略理論，是根據巨型原子彈和遠程原子彈轟炸機而形成的，這種情形，即將改變過來。

關於雷德福昇任聯參主席是否表示美國即將封鎖中共區，和空襲東北基地而擴大韓戰的問題，雖然各方有此揣測，但事實上並無此種趨向。雷德福和他的三軍參謀長都祇是總統和國家安全委員會的顧問，而在總統和國防部長威爾遜下，目前的情形是對於軍事問題，政務官有最高決定權，如果雷德福能照他的意見，加強美國對遠東的軍事行動，也不過是因為他能運用他的個人影響，使艾森豪接受了他的意見。（黃明節譯新聞週刊）

本週展望

·左舜生·

和談忽然秘密！

板門店的和談停而再開，據說聯軍方面的新案已有重大的讓步，可是共方代表依然無權決斷，又得再行停會一星期，以靜待莫斯科和北平的訓令。這次的會議沒有公開，真象外間還不明白，但世界上的共黨，自有歷史以來，便從來沒有痛快過一次，萬一他們又有新的對案提出，聯軍是否準備再讓？

總之，六月是一個嚴重的關頭，所謂三國會議，也可能與板門店有所配合，假定六月內依然停不下來，恐怕便只好一直打下去了。

蔣代表回任

出席聯合國的首席代表蔣廷黻，據說已於今日飛返任所，這多少有點出我的意料之外，依照他在台灣所說的種種，我幾乎懷疑他不再作回任的打算了，但他畢竟回去了，蔣代表的忠勇，實在是令人感佩的。

年來我們也期待政府對外交陣容能夠相當的加強，最好除聯合國外，對美歐亞三方，各有一個像樣子的重點，站在這三個重點的人員，總儘量把做官和坐領外匯的人們減少，一定要他們有所活動，表現成績，否則單靠在聯合國內一處的奮鬥，實在是太孤單了。

英美法會議

英美法三國會議已在籌備中，美國已一再聲明，她之召集這一會議，並不是為開四國會議的預備，所謂五國會議，當然更是妙想天開！

英美間的歧見能否消弭，這一會議當然大有關係，但美國對英將有所讓步，是我們所不難想像的。不過讓步的條件只是民主一方團結的加強，而決不是向蘇聯諂媚；我們對邱吉爾首相的基本態度，依然不發生懷疑，但此老歡喜表演驚險的鏡頭，多少有點令人害怕就是了。可是假如您約略的知道英國當前內在的實況，則邱吉爾首相不得已而來這一手，您對於一個懂得現實的政治家，總還是可以諒解的。

台灣的米價

對於台灣的動靜，還是一切流亡在海外的人們所關心的，聽到一個關於台灣的好消息，大家一定欣然色喜的奔走相告；反之，聽到一個不好的消息，總希望它未必一定確實，或者有不容易為外間知道的特殊原因。

可是，有一件事，總是為大家所一致放心的，便是以臺灣可能生產的糧食，養活臺灣現有的軍民，總無論如何有多，而決不會不足。

他們的這一判斷，係根據下面的幾點事實：

一、農復會這幾年仍繼續在台工作，且得着美國較多的經援，大家都相信他們的工作，一定於糧食增產有益。

二、軍隊的經理，一致公認比以前辦得好，像在大陸上那樣的浪費，應該早已絕跡。

三、台灣的地面不大，而且四面環海，加以稽查嚴密，如過去走私屯積那類的惡劣現象，也應該沒有發生的可能。

四、台灣中央與地方的行政當局，都曾表示過台灣的糧食有多，每年有十萬至二十萬噸可以出口。

五、最近台灣並沒有發生什麼不可抗的災害。

如此等等，都足以說明台灣的糧食決無問題。

但不幸最近竟發生了一度糧價的波動，數字而且相當的可驚，一直要等到美援的小麥和麵粉大批湧到，（見二十五日香港時報）才使得這個形勢漸趨和緩，而且誰也不敢担保類似的事實，在將來便絕對不會再度發生。

這究竟是什麼原因？是不是台灣當真發生了糧荒的事實？或另有其他的理由？我們確實不大明白，希望有關當局加以合理的說明，使得一切關心台灣前途的人們，減去他們一種不必要的憂慮。

曼谷四國秘密會商撤退反共部隊難題

中美泰緬四國會商雲南反共救國軍撤離緬甸邊境問題，於二十四日起在曼谷假美國大使館舉行，會議在秘密方式中進行，內容並不宣布。但數達一萬二千名的反共部隊的性質及其所担任之職責為何，與能否接受中國政府之影響，願意放下武器撤離中緬未定界地區，殊為各方所重視。

國外通訊

這一支反共武裝部隊怎樣組成的？就名稱而言，此一反共武裝過去大多數人是不大注意的，有的稱為李彌部隊；也有冠以雲南反共救國軍的，或是中國反共游擊隊。事實上它的正式番號為：東南亞自由人民反共聯軍，係括有中、緬、泰、越、寮、馬（來亞）反共志士組成的。而這一批反共人士中，不乏甚多知識份子及農工商各階層，他們大多數因直接遭遇着共產黨的迫害，在家破人亡環境下不得不參加抗共，以苟全其生命，使精神物質亦有所憑藉。受李彌精神感召來歸的，却是很少的一部分。李彌將軍率部退出滇省之時，充其量不過千幾百人，假如沒有緬泰越寮馬滇五部分人力，絕難組成一支一萬二千名的部隊，這是很明顯的事實。但是迄今世人很少明瞭李彌部發展之主要因素，及其構成的分子有如此之複雜。這就更足反映出該部組織的嚴密了。

反共聯軍志願效忠聯國

這一支反共武裝部隊，并不是中國政府可以直接指揮的。即李彌將軍也僅是他們的一位象徵性的領袖。當聯合國刪去了「中國侵略緬甸」之字句重行修正緬甸提案之後，僅能要求中華民國政府本與國友好立場，運用影響力量使這一支反共部隊撤離中緬未定界的區域。當時蔣廷黻代表的答復祗限於過去屬於中國政府指揮的李彌部隊。但並不提出該等反共軍的組織及其構成分子。顯示蔣氏不願把這件事牽涉到其他國際問題上去。大致聯合國也已意識到這一支龐大的反共力量，尚有其他微妙問題，自非單純的中國問題，且緬甸的控訴祗限於中國反共部隊。現時中美泰緬四國會商撤兵問題，顯然要將這些基本原因提出討論了。然而在此以前，東南亞自由人民反共聯軍的高級首腦部為了宣示其反共共作戰的立場及其本質，揭示七大重要主張，於本月十五日，致函聯合國秘書處，重申反共到底之決心，力言該軍願在聯合國旗幟下在任何地點為聯合國阻遏共產集團侵略而戰；只有在給予彼等一新反共作戰機會之條件下，彼等始能撤離。

國際自由人組成的兵團

東南亞自由人民反共聯軍，係由中國自由人民軍丁作昭、李希哲、段希文、李甌科；中國回族軍馬守一；中國僑民志願軍潘子明；中緬撣族軍方克勝、罕裕卿；中緬山地民族軍石炳鈞；嗐族軍明帽；蒙族軍乃沙仟；東度軍吳拉培；克仁尼軍蘇瑞；緬軍蘇山波陣等領導所部組成的，實為一大國際自由人民組合之兵團，它唯一目的為反共及阻遏共產集團侵略勢力危害自由與生存，決無意於危害緬甸政府。而希望於為獲得自由世界之援助，發揮反共作戰之潛力以負起東南亞反共戰線之前衛責任。他們對於上月緬甸政府向聯大控訴彼等為受中國政府影響之「侵略者」一點極為悲憤，強調彼等並未由任何政府獲得實際的援助。力指中共為蘇俄之代理人，中共且係聯合國公認之侵略者。故要求彼等接受中國政府影響停止反共戰爭，彼等認為實為不合邏輯之舉。因此就此決提出他們的主張：為自由之目的及自身之榮譽，不能接受繳械或拘禁；即令聯合國宣佈停止反共；即令中國政府宣佈停止反共；即令李彌將軍感受中國政府之影響，亦不能改變其整個反共到底之決心。

由於此種原因，中美泰緬四國在曼谷會議之結果，至多能撤回過去受李彌統率之一部分部隊，則其數量恐怕不足佔總數十分之一；一般相信中國政府的權力僅限於此，儘管不能滿足緬甸政府欲望，然李彌軍隊這一部分如不受任何阻力而接受中國政府之影響，已經不是一件輕易之事。事實上自由中國之目標為反共，決不能說某一地區應反共，某一地區停止攻擊的。鑒於此種複雜的問題，大多數人認為這一次四國軍事代表們的會談，恐非短期中可望迅能達成協議的。（華英五月二十四日寄自曼谷）

暑假轉瞬到臨 教育問題待決

台灣通訊

四十二年的暑假，又快要到了。每年暑假開始之前，照例要發生幾方面的問題。在政府方面，要為本年應屆畢業的大學專科師範及高級職業學校學生分發工作，并在分發之前，先行集中作短期的就業訓練。在學生的家長方面，要為家庭中應屆升學的子弟謀取升學的機會。因為台省人口的增加甚速，原有的學校不敷容納，所以每年暑假中，必定有許多青年，見拒於學校的門外，發生失學的問題。

大專學生輔導就業

自去年暑期起，台省開始舉辦大學專科師範學校畢業生的預備軍官教育，為期一年。政府方面自三十八年度暑假起，即已開始舉辦畢業生就業訓練，統一分派工作，以期消滅昔日「畢業即失業」的現象。去年暑期，因辦理集中軍訓，故專科以上學校畢業生可不必立即分派工作，政府方面會減少了一次分發工作的事務。但預備軍官教育至今年暑假即行屆滿，故政府今年仍須為之輔導就業。在目前財政狀況下，突增加數千人的支出，確是一件難事。尤其台省各機關自從建立了人事制度，新陳代謝的作用不易發揮。但台省既已辦理了多年的輔導就業，對於這批甫受預備軍官教育歸來的去年大專畢業生，一定會分別予以適當的工作。惟關於此後的大專學校招生，應即配合台灣省經濟自立四年計劃，重新予以考量，不宜由各校自由招考。並一面准許私人興學，以宏造就。台省當局近年所以不許私人設立專科以上學校之原因，在於顧慮及畢業後出路之困難。若其所設科系確為建設台灣反攻大陸所必要者，則政府亦似應加以鼓勵。

學制配合國家計劃

台灣省經濟自立四年計劃內容，迄今尚未由政府公布，聞因配合美援關係，已達諒解。但既曰經濟自立，則其內容自必注重於農業與工業之生產。我國多年以來，因學制的不合理，教育與生產往往脫節。當局年來屢次宣示提倡職業教育，惟如按諸實際，所謂職業學校，仍多偏於理論講授。若干工科職校，尚係承襲日據時代的設備，陳舊破損，已不足以供今日之用。此後除須積極擴充設備外，並宜放寬入學限制，使有實際經驗的技術工人，獲得進修的機會。修業的年限並宜保持彈性，如各廠及生產事業機關的員工，需要繼續進行深造者，不必一律規定為高職初職各二年。職業學校如不與生產事業機關配合，決不能做到手腦並用的程度。至於社會上所需要的一般技能訓練，如從事駕駛無線電修理等，亦不妨准其用學校名義，並不必硬性規定為三年方可畢業。這些都是使社會上重視職業教育的方法，也是外國所早已實行的。

各方注視留學辦法

在暑假來臨之時，還有一件事是社會上十分注意的，便是政府改訂的留學生辦法，迄今尚未公布。若干已在國外取得大學獎學金的學生，及其家長，正密切注視着這一件事。以往的辦法是只要高中以上畢業，在國外學校獲得獎學金與入學許可證者，就可以出國，並可以由政府准其用結匯證價結匯旅費等等。去年下半年，改為女生可以立即出國，男生須先集中接受軍訓四個月。今年的新辦法，聞有兩說，一說是必須大學畢業方可出國，其為專科學校畢業者，須先在國內服務兩年。惟高考及格者，雖非大學畢業，亦可出國。台省近年每次應高考者人數，每達萬餘人。今年高考復提早於八月中舉行，如留學辦法確係如此，則應考人數將較往年更為增加。二說是原則上與第一說同，但習理、農、工、醫四科者，只要高中畢業，就可以出國。此說為培養建國人才計，固無可議。但出國後是否會改轉他系，似應慮及，以免有取巧的情事發生。一般輿論界意見，以為只要其獎學金是真的，并非如過去有人以捐納的方法，換取獎學金的名義，再經過國家留學考試，凡合格者都應該讓他們出國。現代國家，限制學生出國深造的究並不多。而我國日後建設，需用的人才却又太紫也。

中小學生升學不易

至於暑假中中小學學生的升學問題，台灣省教育廳，已經決定增加班次收容。估計小學畢業升入初中者，可有百分之五十以上的機會，最難的一關仍係自初中升入高中的階段。小學教育雖曰國民義務教育，但台省立各小學，仍非經過考試不能入學。在社會上，遂形成省立小學與一般國民學校之間的不同看法。去年暑假，台北各省立初中的新生，其由國民學校出身者反佔多數。事後各省立小學力自檢討，對於今年各屆畢業的小學生，早已施行各種方法，使學生一意以準備升學考試為主，致有若干學生體力感覺不支。台灣省教育廳為使省立小學與一般國民學校入學機會平衡計，曾有一律採用學區制的計劃，即凡居住在本學區的兒童，概可免考進入省立小學，竟因而有學生家長遷移住所，或將兒童戶籍移入學區內親友家中，以圖獲得入學機會。總之，既患寡，又患不均，難怪每逢暑假，學區內政府，家長，學生，皆如過關一般，忙得滿頭大汗了。

參謀長應是美國人

現任歐洲盟軍統帥部參謀長葛倫室將軍，已被艾森豪總統提名繼李奇威將軍出任歐洲盟軍統帥的職務。葛倫室將軍最近會與美國防部官員接洽，希望將來接任新職的時候，能以法國的瓦魯將軍出任統帥部參謀長，瓦魯將軍現任統帥部後勤處副處長，為人精明能幹，與葛倫室將軍最交莫逆。但若干國防部高級官員都反對這種意見，他們指出統帥部參謀長要負責處理原子祕密文件，因此必須由美國將領出任。

白宮智囊幕後活動

若干美國政府和白宮的高級官員刻在進行祕密的幕後活動，以促使老虎參議員塔虎脫發表一項支持艾森豪總統援外和互惠貿易計劃的演說，他們認為要阻止國會否決或修改此等計劃，這可能是唯一的途徑。

艾德禮一石兩鳥

英工黨領袖艾德禮最近曾發表演說，談到美國政府的政策，這件事引起美國會的軒然大波，參議員麥卡錫就曾逐點辯駁，要求英國向美國道歉。其實艾德禮這篇措辭激烈的演說不僅是向美國發出的，據倫敦觀察家說，他實在另有彌縫他與工黨劇烈反美左翼領袖勃凡間裂隙的企圖。據稱，艾德禮認為除他與勃凡間的裂縫得以縫合，否則工黨永遠沒有贏得普選的希望。艾德禮的一石兩鳥政策究竟有沒有成功呢？至少在黨內方面是發生了相當作用的，因為當他演說的時候，勃凡派議員曾發出「贊成！贊成！」的歡呼，連勃凡的胖太太也拍掌叫好。

全面禁運的逆流

儘管美國在加緊管制對共貿易，促使盟國實施全面禁運，但實際上，在禁運的潮流之下，仍有許多逆流在洶湧滋長。譬如說，丹麥與俄國訂立易貨協定，大規模交換各種非戰略物資。而義大利的第羅爾市各公司更與俄附庸國家從事軍火與戰略物資的貿易。此外波蘭的貿易商也正在西歐搜購西藥，然後經海陸兩路運往中共區。

美空軍工餘塗蠟

在飛機上塗上一層汽車所用的光蠟，可以增加飛機的速度，這是在韓作戰的美空軍所實驗出來的，因此，若干美空軍駕駛員近來都在服勤的餘暇從事塗蠟的工作，但空軍當局迄今還沒有正式供應這種光蠟，有些駕駛員所用的蠟都是家人遠從美國寄來的。他們認為由塗蠟所增加的特殊速度，已在許多危急的空戰場合，拯救了他們的性命。（孟衡）

天下小事

．克里姆林羣魔縮影之一．
名義總理——馬倫可夫

丁匡華

馬倫可夫至少在表面上已繼承了史達林的政權，在蘇俄政治史上，以一個黨齡不高，資格不深的青年，凌駕於若干革命英雄，聯共元老之上，一躍而登總理寶座，可說是一個「奇跡」。馬倫可夫是怎樣成功成名而至登峯造極呢？說起來並不是偶然的。

平步青雲

他一九〇二年生于烏拉爾的俄倫堡，俄國大革命時他纔十五歲。他十八歲參加紅軍，做了軍隊的政治指導員。一九二〇年四月，加入共產黨。國內戰爭結束以後，在莫斯科高等技術學校學習，這個學校，實際是一所共產黨的職業訓練學校，除了多教一點工業技術外，便以授馬克思主義教育為主，據說列寧和托洛斯基都親自在該校授過課的。

從一九三〇年前後起，他就和史達林接近了，由於他的辦事才和精力，後來就當了中央委員會組織部科長，繼又任黨機關的指導部長。對於從肅清托洛斯基為始的大肅清「人物辭典」，貢獻極大。他忠於領袖，不斷記憶人名來歷的卡片索引，不會放過起擬交替者名單的良機，專供給史達林的「祕密情報」，以致思想稍有偏差的人，紛紛倒下去，而被整肅了。這是馬倫可夫「平步青雲」的第一「炮」。

二次世界大戰時，他担任飛機和戰車的生產管理，因成績優而聲名益彰。一九四一年六月，德軍進攻蘇聯後不久，史達林組成戰時祕密內閣，其人員為史達林、馬倫可夫、莫洛托夫、日丹洛夫（已故，傳係被謀害），貝里亞等五人。在俱樂部中，史達林常使馬倫可夫坐在自己的上位，于是史達林命令這位打破難關的馬倫可夫增產坦克車及飛機，以便戰勝挾全歐洲生產力而來的納粹。

飛來橫禍

中年的馬倫可夫，在蘇聯政壇上，好像升降機一樣；他自獲選為中央委員後，風雲一時，不久並被擢為聯共的靈魂，搞黨組織大本營的書記處書記。不久再被擢為黨政決策機構的政治局候補委員，至一九四六年，他被選為政治局正式委員，可是，橫禍突然飛來，是年加拿大間諜案破獲，他的部屬牽涉在內，使他大受打擊，地位無形降落了。不過，這是近因，蘇俄領導階層的內爭，使他遭排擠，才是重要的因素。但冷落不到多久，一九四七年「國際情報局」設立，他和日丹諾夫同負主持責任，由於他在書記處潛力日增，組織力量遍及其附庸國家，又回復其原來的地位，一九四八年，他的主要政敵日丹諾夫暴卒，遂接替了其所遺的職位，在政府為部長會議副主席，在黨內為第一副書記，以奠定今日繼承史達林的基礎。

馬倫可夫，除了一九四七年在華沙舉行第一次共產黨國際大會與日丹諾夫一同出席外，一次也不曾出過蘇聯國門，故國際上對馬倫可夫很陌生。

去年十月蘇聯共產黨在莫斯科舉行第十九屆大會，照例是一件大事，重要政治報告都由首領宣讀。但史達林竟讓馬倫可夫担任這重要工作。這無異告訴與會的代表們：「我已指定馬倫可夫是我的繼承人了」。史達林深知獨裁者的地位很少能順利相傳，他本人繼承列寧之位前，也曾殘殺多少異己。他年來都運用手段，使覬覦這寶座的人勢力均衡。故他在生時，不指定誰人繼他的職位，客觀看起來，這種措施，是大有助長馬倫可夫成功的。

本報各版歡迎投稿

蘇俄一手包辦下 擴建瀋陽兵工廠 增築巨大水力發電廠

據瀋陽消息：在蘇俄控制下之東北，刻正加緊擴大軍火工業的規模，在蘇俄一手包辦下，已決定擴大瀋陽兵工廠的基礎，並加以改進，以大量生產蘇式輕型武器及彈藥。為數約兩百名的蘇俄軍火專家及技術人員，已於本月六日至八日分三批先後到達瀋陽。據瀋陽方面負悉其擴建之大概情形稱：此等蘇俄專家計劃下擴建的瀋陽兵工廠的廠基，將佔四十三萬多平方公尺的土地，所需全部建築及機器設備的費用，約達三萬兩千億偽幣，預計約於明年三月前可以趕工完成。且悉該一擴建之兵工廠，將由蘇俄及中共雙方派員主持廠務，生產之範圍，暫時以輕型蘇式武器彈藥為主，俾供應韓戰及東南亞方面各股共軍。必要時，且可生產大炮坦克等重武器。又據稱該一兵工廠之擴建工作，目前已至計劃完成階段，不久即將動工。

又訊：據北平「人民日報」透露瀋陽方面消息，謂：「在四月份內，我國第一台自動化大型水力發電機已經在東北某地安裝成功」，且謂即將發電以供該地工業上所需的強大動力。中共對此一發電廠之位置，雖祕而不宣，但據熟悉東北地形之人士推測，大致當在遼河上游無疑。其供電之主要對象，相信必為瀋陽兵工廠及鞍山鋼鐵公司。

中共整風愈整愈糟 科長偏袒虐殺工人

重慶官辦公司發生慘劇

自中共中央發出「整風」口號後，各地已紛紛展開揭發和檢查，但檢查人員本身違法亂紀的病根非常深重，結果便又使整風越整越亂：反在整風中製造了新的亂子！如最近「重慶市美術公司」，因經理楊濟川犯有官僚主義作風，遇事不認真處理，且不及時向上級報告請示；而該書記林石均（該公司黨支書記）存心篡奪經理職位，拉攏小集團，與楊濟川爭名奪利，鬧得烏煙瘴氣！偽重慶市文化局乃派了行政管理科副科長劉盛興到該公司領導「總結工作」並檢查他們的官僚主義與內部磨擦。但該副科長本身在執行此一任務時即犯有嚴重的偏袒、武斷、主觀及胡亂處罰的官僚主義作風：該副科長一到該公司時，自始即以黨組的關係而偏袒林石均，企圖幫助林石均推翻楊濟川而爭取領導權，當即召開會議，由林石均以黨支書記職權担任主席，鬥爭楊濟川，在林事先佈置下的幹部即紛紛發言攻擊楊濟川，並有人提出，說木工場領班朱吉成是楊濟川的「貼心豈辯，心腹人」，也應鬥爭，朱也被毆了一陣，大受刺激，情緒乃失常，故於次日西南軍區有人向該公司訂貨，而剛問到朱時，朱以非其所管，乃順口推說「我不接頭」，未予理會。詎知當被工人唐世平（青年團員）向團支部反映，並被林石均派的團負責人即誇大情節向劉盛興報告，劉乃即氣冲冲地趕到工場，立即召開全體工人大會，鬥爭朱吉成。劉一開口就判定朱吉成的罪狀是「二十年的資本家」！要他坦白與楊濟川的勾結情況，朱不承認，劉即破口大罵：「狗×的！放你媽的屁！跟我跪倒！」並當即命一木工將他揍倒，踢了兩腳，向他臉上吐了一堆口水，而後又親自上前，摘了朱的帽子，吐上一陣口水，並說：「不招，便脫光你的衣服洗冷水澡！」最後，寫了一張保證書要朱吉成捺手印，要他保證工場不發生火警及放毒，並要他保證今後絕對不與楊濟川來往。因此，朱一回到家，便哭着對他妻子說：「我有冤枉，要你替我伸冤！」一待他妻子外出時，便懸樑自縊了！

強迫改變生產 農民羣起反抗

最近四川省之開江、通江等縣大批共幹被派下鄉督促農民春耕生產時，因盲目強迫農民硬做「新式秧田」，曾將農民已撒就之秧田糜毀甚多，乃普遍引起農民忿懣；一般農民於忍無可忍之際，即與共幹發生衝突，時起毆鬥。綜計該兩縣被農民毆傷之共幹，已不下五十人，毆鬥之農民事後被共幹派兵拘捕吊打以報復者，為數尤衆。現該兩地共幹，盲目強迫農民改變生產之事，雖已為中共當地之上級機關飭令制止，惟受害農民之餘怒未息，反抗情緒，仍極濃厚。

共幹盜賣官糧 平民受累喪生

狂嫖濫賭無法交差 誣報被盜嫁禍船主

鄂共「運輸公司」，於上（四）月二十七日轉運稻谷一批約二十萬斤赴漢，因風阻於洞庭湖區的銅版湖，被押運共幹盜賣殆盡，誣報船主偷售，釀出十數條人命。

緣此批稻谷，係湖共於去年秋收搜刮地方人民膏血所得，儲存於津市對岸黃牯山麓新建的「人民糧倉」，近來迫於外運傾銷的需要，強征民船四艘為一組，由津市沿澧口、百蚌口、狗頭洲、草尾、盤官等地，穿洞庭湖經岳陽城陵磯而赴漢；此批民船，均為載重四百石（合市斤五萬斤）的小型帆船，亦即湖省民船業中之稱為「低平板」者，行走湖沼，最為穩健，往來湖沼，倘嫌笨滯，因其船身堅實笨重，不甚靈捷，因此，沿途河水時漲，更多暴風，嘗停泊於沿河碼頭，不敢駛行。押船共幹，以宜昌「民船指揮所」副所長鄧裕如為首，另共幹宋某等兩人，與吸大烟成癮疾，且習性嗜賭如命。當押運糧船至狗頭洲時，因該地由各大城市驅逐來此妓女甚多，更是酒賭之窟，鄧等留連黑甜之鄉，日作消魂擲骰之嬉，所運稻谷，為其經濟來源；從此沿途耗蝕，稻谷即已盜賣大半。迨至銅版湖，阻風將及半月，比及風息船行，在岳陽城陵磯被稅關檢查，船皆空倉，遂拘送鄧等於岳陽「人民法院」，鄧等反誣船主盜賣；因以牽連船主周東明及水手田根等十餘人被拘去槍殺。（軍）

迫死老父

「部長」一封信

中共「小柱階級人物」范玉璠，係湖西大棚范伯翼的愛子，范兄玉藩，力農為生，家徒四壁，窮無鼠糧；范父執教謀生幾四十年，縣人多其手植桃李，因一生耿介，從無積蓄，平日清苦，尚能自我陶醉於陋巷的樂趣。

范於民廿三年在學校唸書時，即被共匪夏曦部裹脅以去，十餘年無消息。嗣後赤潮淹沒大陸，范以紅朝新貴出現，担任「北京食品供應部」部長，范因年老，處境更形艱窘。匪地方政府，又以其思想頑固，若不是赤貧一生，幾遭清算。大陸變色數年，范父兄從未得范片語隻字，有子不如無，范父唯有自嘆自解；不意老境頹唐，一病不起，范兄於今春三月間，只好親身赴「紅都」北平，尋弟設法。范接見後，大罵其兄，不能為「人民服務」，努力生產，竟遠道北來，冀圖倚賴其「攀龍附鳳」。並寫信一封交其兄帶回；信內責其父為「老頑固」、「封建餘孽」……。連川資也分文不給。其兄奔波長途，得此結果，歸告其父。父閱信後，一氣之下，幾次昏厥。於四月初間，乘家人不覺，竟懸樑自盡以死，地方人民，莫不為之憤慨，咸歎「為共產黨養兒子，眞是養虎遺患哪！」

中共勞大草草終場

賴若愚突竄升主席 劉少奇握幕後大權

據北平人民日報披露：中共所扮演之「中國工會第七次全國代表大會」業於本月十一日草草終場。在劉少奇、饒漱石等佈置下，已將「第七屆執行委員」九十九人的名單通過假選舉的形式產生。該一執委名單中主要者，有李富春、孔祥楨、許之楨、范長江、黃火青、吳玉章、劉長勝、劉寧一、蔡暢、賴若愚、蔡書彬、饒漱石、朱學範等人。接着，在第一次「全體執委會」中，是饒漱石佈置下亦通過選舉的形式產生了「主席」和「副主席」，佈置的結果是：原任「祕書長」賴若愚突竄升當了「主席」，劉長勝、劉寧一、朱學範為「副主席」。并在劉、劉寧一的所謂「提議」下，「一致推舉」劉少奇繼續担任「名譽主席」。此一結果均顯示，是「七屆勞大」之後，李立三的任何席位，已被排擠淨盡，毛澤東的「黨治」派操縱了一切，今後大陸中共御用工具的「工會」，勢將更進一步成為中共奴役工人的一條皮鞭。

川滇黔巨雹成災 農作物損失過半

災民哀號遍野死者草草掩埋

四川省之遂寧、安岳、蓬溪、潼南、中江，雲南省之昭通、魯甸、巧家、會澤、貴州省之畢節、大定、納雍、黔西、織金、普定、安順、郎岱、鎮寧、晴隆、普安、興仁、興義、安龍、貞豐、關嶺、龍里、貴定、麻江、都勻、鑪山、丹寨等共三十一縣，突於上月二十六日至二十八日三日間，同時降下數陣巨大而緊密之冰雹，當即造成程度大致相等之重災！據當地中共報紙經初步調查「公佈之受災情形稱：受災地區的小春作物、小麥、菜子、葫豆、豌豆等，一般約損失三分之一，強的被全部打光，輕的亦至少損失百分之十五到二十。」受災區却有大量人畜遭受傷亡，其中尤以貴州貴定區的傷亡最為慘重！雲南昭通區的農物而因同遭巨雹而有相當損毀或受死亡外，且並有房屋二百餘間，被降雹時的猛風所吹倒，故人畜的死傷亦格外慘重！又悉上述各地區於巨雹成災後，除死者已草草掩埋外，尚有一般傷者大多未得及時的醫療，一片呻吟，他幸至而為未死傷之農民，因受災過重，或無法生活，或屋宇損毀，致流離失所者，已遍地皆是，一片哀號。亦令人酸鼻！現該等地區受災人數及因雹災所死傷的災民人數，雖尚無中共官方之詳確統計，但據當地中共報紙所載「西南區行政委員會」已迅即通令受災地區各縣就地安埋死者及盡力設法，安頓災民與居住問題兩點，加以推測，災民人數，必皆甚驚人！尤以中共報紙承認：此次該地區之雹災程度，乃係「空前慘重」者，可信無疑。

大陸農村補征千捐萬稅 到處雞飛狗跳怨聲載道

無物不征無稅不補

中共為了大力搜刮民脂民膏，捐稅名目之多，稅率之重，為亙古所罕有。且於征無可征之餘，復製造名目，發動一「鄉鎮清稅補稅運動」，由上而下，逐層分派要求數字，強迫征收。命令既下，這些收稅幹部，便不得不為「任務」而胡作妄為：不僅無物不征，而且無稅不補，甚至有追補到遠在一九三五年所買進的壽材者，倘有不從，便以非刑拷打，這種結果，當然有的遭使人民破產，有的甚至遭使人民自殺！眞是弄得雞飛狗跳，怨聲載道！現將大陸各地此種情形加以綜合，大致可作簡明之報導如下：

棺材稅追繳十三年

關於捐稅名目方面：除征補工、商、農、屠宰各稅不計外，有吃死猪稅、移瘟猪稅、燒紙錢稅、買棺材稅、婚喪酒席臨商稅、工資稅、折房子稅、賣舊貨舊料稅、紡棉紗稅（婦女在家紡紗生蚕也要征稅）、碾水車稅、編淘籮稅（農民編淘籮自用也要征稅）……以此為例，推及其他，捐稅實多得不可勝計！

關於追補捐稅的時限方面：屠宰稅一般的追收到一九四八年。棺材稅最遠的追收到一九三五年。燒紙錢稅一般的追收到一九四九年；（如四川遂寧縣新民鄉農民羅洪仁於一九四九年喪妻燒了六十二斤紙錢，被補稅二十九萬元，還加罰稅二十九萬元，結果竟被逼吊頸自殺！再遠一點，甚至有被追收到「解放」以前的。至於其他各稅大致都追要追收到一九五〇年。在這種情形之下，農民被迫售去農具、幼畜、及折賣房屋的情事至為普遍，被迫至於自殺者亦到處皆有！致民間怨忿之氣，至為濃烈！現大陸各地農村已流行一口頭語，謂之：「寧可充軍，莫見稅幹，見了稅幹，難過鬼門關」！

妻子脫光冷水淋身

在補稅稅額計算方面：中共現在並不按物征稅，而是為需要多少稅款而實施補稅，致在補稅稅額方面，要多少便多少，無理可講。如四川雲陽縣補征煤業稅，當地稅局先決定要補八萬噸，然後將八萬噸向十六個煤商頭上分甲乙丙丁四級一派，煤商當然補繳不了，他們便將所有煤扣押拷打，其中甚至有一個煤商（孫仲如）的妻子却被綁了來一同被脫光了衣服，大潑冷水，逼其補繳。此種情形，雖曾被當地行政幹部認為越權而加以反對，但稅務幹部即反向「講理」，誰能完成任務？」終以「任務」的帽子太大而照行如故。

因此，目前大陸一般地區的鄉村，已被此一補稅運動弄得雞犬不寧，叫苦連天！且據悉因此一「任務」大部尚未完成，正在加緊進行，故大部地區，勢將益見慘厲云。

訓練變成招待

工人訓練原來如此 學員無事終日遊蕩

新華日報本月八日，刊出了一篇重慶「西南建築工程局技術訓練班」的「全體學員」的「公開信」，這封信對於中共的「訓練工業人材」的內容有典型的說明。實際建築工程局於今年一月間，舉辦了一個技術訓練班，其目的是「為了適應祖國目前的大規模基本建設工程的需要，培養一批先進的施工人員，以推廣先進施工管理經驗及各種平行流水操作法」。但是工程局在開學前既無領導計劃，不積極準備，開學後也不積極設法組織與領導學習，一直是以致我們的學習是白費。開學兩個月後，浪費了我們的時間，自三月五日起才叫我們進入工地實地學習，這時計劃上已在進入「第五句」，頭不明，尾不見，根本不能從情況下領導，又不選學起。派教員講課的，是不作必要的講解和實習，結果是不聞不問。大家一天到晚東遊西蕩，看看什麼也學不到。有些同志乾脆請假回家，或上街玩要。我們以為工程完結時「終要叫我們上課了」，但結果只叫我們自修，包括看報、讀書報、打撲克、擺龍門陣……我們有些同志就笑說：「訓練班即是先進工人招待所！」這等官僚主義、形式主義，也是中共「訓練」的又一個典型的新例子。

反抗俄式教育 甘受整肅

共黨學校竟有硬漢

據北平光明日報透露消息：最近北平偽財政經濟學校副校長張序九，因反對所謂「蘇聯先進經驗優越性」的「教學改革」，公然抗拒偽高等教育部及偽北京高等教育局的命令，致遭偽高級教育部及中共中央華北局黨政雙重的處分，被撤職「教育」，並「整黨」停黨（停止黨籍）。據稱張序九對於偽高級教育部命令根據「蘇聯先進教學經驗」改革課程的計劃，曾指出現實條件的師資困難問題，繼提出許多批評與建議，其中尤以三年改為兩年半制及一年級後有專業科和物理、化學兩課的課時太多等等，根據彼之「教學經驗」，極表反對。後雖經偽高等教育部中等技術教育司司長李曙森及偽北京文教委員會副主任委員廖沫沙先後找其談話，力圖「說服」，但張序九仍固執所見，虛與委蛇而不予「改革」；且對此種所謂「蘇聯先進經驗」有所觸犯，彼認為中國的教育實施係基於中國的教學條件及社會的需要，不應徒求適應蘇聯的形式而盲目改制。不予改制尚屬其次，此種批評在中共而言，却是冒瀆神聖，大逆不道之事，自非尋常，因此該一「副校長」終遭偽高等教育部指示偽北京文教委員會執行「撤職教育」處分，并被中共中央華北局「整黨」，「教育」停黨籍的處分。

讀外電有感

高方

最近十天以來，有一連串關於蘇俄集團的新消息，出現於報紙上，而這類消息，又盡是發自歐洲方面的某大通訊社。電訊內容是這樣的：

蘇俄各衛星國家皆對馬倫科夫不表忠實，即不承認其爲史大林的繼承者；中共正與蘇俄爭奪亞洲共產革命的領導權，李立三已經失了蹤；馬倫科夫對大國會議感興趣；狄托已與蘇俄改善外交關係，且派有使節在莫斯科。這些「權威」消息，只有最後一項已被狄托正式否認，其餘各項，俄共集團既未闢謠，在自由世界中當然變成「權威」報導了！

這些「權威」消息的眞實性如何，明瞭世界大勢的人，自然一望而知。但芸芸衆生之中，多半都是以耳代目，誰願捲空心事來研究這些離夾二的問題呢？如是乎，這類電訊的宣傳作用大矣。它是爲着配合邱吉爾所倡導的姑息主義而發的，它告訴世人，尤其是告訴美國人，蘇俄集團內部已經內鬨甚劇，素爲史大林恨之欲其死的狄托，亦已改變作風，跟馬倫科夫要好了，你們還要自尋煩惱，談甚麼建軍反共的話嗎？共不必反即會倒，只要停止韓戰，承認中共政權，恭請它進入聯合國來，蘇俄就會完蛋，共產世界就會與我們和平共處，讓我們通商牟利，予取予求，詎不懿歟？

這就叫作宣傳技術，是有計劃的宣傳政策。如果這些「權威」消息，發之於唐寧街政府發言人之口，其作用即等於零，其方法即成爲鴨屎臭了！

榮歸

沙汀

趙大榮歸了！

這是上級的恩賜。因他是老實人，不會講話，只知道上級和組織。還有什麼苦頭的事都閉嘴不響，埋頭忍受。上級就揀中他這一點，在幾萬榮軍「光榮回去」的羣中，讓他留一條活命，確確實實地衣錦榮歸一番。

K城「人民政府」早接到通知，準備大會歡迎「革命」戰士，並且喜報飛貼鄉政府，要把歡迎「革命」壯士回鄉生產大會舉行得略大熱烈。

喜報貼在趙大家門口，趙大的爹高興得流喜淚。趙大的娘興奮得幾夜不能睡覺。村子上的親朋好友都來恭祝道賀。

「恭喜你家趙大光榮回來生產啦！」

「嘿嘿，多謝你們，等趙大回來請你們喫一頓酒，我相信他回來了，村政府總會發給他一點八一麵的。」趙大爹興奮地說。

「說不一定村政府會趕一匹驢子的九二米來的。」趙大娘得意地插嘴說。

遠遠地傳來一遍鑼聲，村政府召集村民開會歡迎趙大，全村老百姓扶老攜幼地都到趙大家門口的空地混雜坐着，等候光榮回家的趙大。

拍拍，礴礴，一陣鞭炮聲；觀音鄉的大路上，一個身穿解放裝，騎一匹大馬，面帶酒意的斷臂英雄，策馬駛馳來。後面跟着一羣村政府人員。

地方上的積極份子熱烈地高叫着鼓着掌，全村的人們更加熱烈地歡呼着。

趙大翻身下馬，像感動似地站在一塊歡迎者面前激動樣地說：「親愛的同志們，你們都是我的好鄉友，我去抗美援朝，承你們關照我的父母，今天我回來，又蒙你們來歡迎我，我很感動，我回K縣時，縣長同志對我說：我回家來生產，我們的政府不但分給我的土地，而且還要發給我十石米的生產補助金。我回到鄉政府時，村長同志又告訴我說：我們家過得很好，我老爹和我娘都受的「革命」戰士家屬的優待，所以田裏出的糧食，除繳少數糧捐外，我家裏還有餘糧。因此我想把政府補助我的十石米拿來請你們喫一頓。」

說完，響來一陣熱烈的掌聲。趙大得得意地點一點頭。然後轉身過來望着他的爹娘，他的爹和娘都驚訝地望着他。

他正要開口問他的爹娘安好，忽然聽見一陣單調地掌聲之後，有個人叫着：「各位，今天趙大同志光榮的回來生產，人民政府對趙大同志可以說給他最大的恩情。他在韓戰場沒有光榮地犧牲，也給他光榮地回來生產，又要配給田給他。還要給他十石米的生產補助金，還可算是光榮的待遇。」他停一停又說：「我們知道你們村子上今年的收成都好，趙家人絕不會餓肚子。同時，我們人民政府正在實行反對反動派舊社會留下來的貪污、腐化、浪費，每個人民都應該遵守節約，不然革命就不夠澈底。」他又停一停說：「趙大同志到鄉政府的時候，我們就準備好十石米給他帶回來。後來看見趙同志斷了手臂不好帶，我們就想替趙同志分了田過後，再發給他。現在聽趙同志說把十石米拿來請客，我們就想到政府正禁止腐化浪費，同時，趙同志已經覺得家裏很好過。這樣浪費我們要替政府制止的。所以，我們主張把趙同志這十石米的光榮待遇取消。你們可贊成不贊成。」

誰敢說一聲不贊成。

趙大聽着取消他十石米的待遇，心裏很不服，但，他是很服從組織的，在部隊上一班十幾個人，就要服從好幾個組織的領導他都忍受得了，現在他更會忍氣吞聲。因此，他等到鄉政府人員走後，悄悄地問他的爹：「怎麼辦？我們家是不是可以拿點東西出來招待他們。」

「那裏有呢？」趙大爹說。

「我們平素吃的呢？」趙大問：

「吃的黃臘猪呀！」

「喝的呢？」趙大淒涼地問。

「喝的白乾」。

趙大悄悄地離開衆人，跑到村後河灣跳了下去。

記銅官感舊圖（上）

太希

民國七年，我隨着我的長兄到北平，有一天在顧鰲（籌安會的中堅份子）家裏，鑒賞他收藏的古蹟字畫，其中有個手卷，那時我雖然年少，但是印象很深刻，因爲那時離洪楊之役還不甚遠，當時所謂「中興人物」如曾胡左李的遺聞軼事，傳說得最多，無形中影響了一般人好奇的心理，所以我對於這個手卷，翻看了半日之久，一面並將其中認爲有趣的詩文，抄了幾段，這是一個什麼卷子呢？就是「銅官感舊圖」，這個圖的本事是這樣的：曾國藩和洪楊作戰的初期，洪楊勢力很盛，有幾次曾氏幾乎全軍覆沒，某一次在離長沙不遠的靖港，打了一個大敗仗，敵人的船已經距離曾氏的帥舟不遠了，曾氏在那間不容髮的時候，投江自裁，先一晚曾氏已經蓄意犧牲，預寫遺書遺表之類，那時他的學生章价人，窺見曾氏神色有異，雖然不敢動問，但已經有一種非常的疑慮，於是日夜緊隨曾氏左右，次日天明，激戰最烈，曾軍落水死者無算，曾氏痛憤之餘，自念不免，遂湧身投水，价人曾習水軍，頗諳水性，當時即由內艙奔出，奮身入水，力援曾氏上船，曾氏鬚髯怒張，罵其多事。

新・世・說・補・遺

世運史話一頁（二）

大會揭幕之日，德元首希特勒出席致詞，儀制堪隆。各國在場運動員，例應對此主人敬禮。然究用何種姿式以表敬意，殊費斟酌。吾國選手隊所戴草帽，既非童軍式之圓邊形，乃前後皆突出之所謂巴拿馬帽式，而童軍禮與普通軍禮均非所宜也。會商禮節問題時，有人主張爲尊東道主，不妨行納粹式禮，伸右手向前上伸，亦甚簡便省事，而當時我駐德使者大不可，指其有傷國體。有人乃謂：然則行吾國國粹式之拱手禮可乎？衆又不以爲然。辯論再三，無成議。次日希特勒到場行經各國選手之前時，法國隊行納粹禮，全場數十萬觀衆大歡呼，各報備加讚譽；英國隊行軍禮，其他各國亦多採取軍禮；中國隊則以右手急取草帽置於左胸旁與脇下，作抱物狀，觀衆初不識此係中國何時創行之怪禮？迨希特勒行至美國隊前，見其選手敬禮制式一如吾國隊員然，方知我爲效法美式禮節者，蓋以行美式禮即不傷國家體面也，可哂孰甚！

吾國選手技能，他皆不足與各國抗衡，惟舉重與撐竿跳高二者，自信差堪與世界羣雄一較身手，至少不致於得零分也。裁判員皆操德語或英語，各單位得自派翻譯員在場，防選手屆時因不諳語言而枉遭損失。吾國舉重選手出場之際，裁判員曾將世運會新訂舉重規則，向其詳細說明。顧翻譯員竟不見到來，而選手又不通德語，英語亦不甚了了，仍按照其在國內所諳練之舊法施技，裁判員認爲犯規，給以零分焉。

旋撐竿跳高之競賽節目登場，各國參加人數視舉重者爲多。裁判員先按英文字母所列各國次序，呼點選手姓名入場。中國列爲「C」字，居前茅，裁判員依英德文所拚中國文字姓名管讀呼名，且出諸西方人士之口，字皆自不準確，連呼三聲，我國選手未覺其爲在被呼喚中，譯員復不在場，裁判員以中國選手逾時不到，逕置之，急呼別國健兒依次獻技。如是，中國選手無端被擯，又痛得一項零分也。

各項競賽既畢，中國隊黯然無光，乃要求作國術表演，而選手祇十名。西方人士對於吾國之拳技，原少興趣，且僅有演員十人，置於數十萬觀衆之世運會場中，有如大海一粟，誰能瞥及耶？主事者謂非有二百人出場，殊不足觀，婉却之。

馬五先生曰：此段史話，乃吾友丁君本其身經目擊情事爲余慨然道出者，謂有絲毫虛構，願負道德與法律責任也。余因此而憬悟我國政治腐敗貪污之本質，其源也遠，其疾也深，文教界猶若是，它復堪問耶？嚮壁欷歔，隱痛無旣矣！

馬五先生

奴役的藍圖（十）

麥柯米克神父著 陸逸譯

全家數口不得一飽

「這年頭眞可怕」，他說：「看我穿的衣服，縫了又補，如果我稍穿的乾淨一點，我就會被人疑心爲資本家了。我太太不敢到市上去買肉，因爲怕人看見向公安局報告說我們發財了」。他出門之前，叫我先到院子里看看有沒有人在外邊，他怕叫人家看見他從一個美國人底住宅裏出來。我謝過他來警告我的好心。並替他在外面看過了——這眞是一個膽小如鼠的人，但他却是這村子裏最有面子的紳士啊！

那兩年的捐稅太重，人民多半陷於飢餓。在華南是以糧代稅的。所以在每一期的收穫里，有一部份糧米是屬於政府的，共產黨故意把捐稅提高，以使農民陷於窮困，農民們爲了使家庭免於飢餓，便祇有向政府借糧，這樣便使人民整個地生活在共產黨底掌握之中了。

我認識一個曾經猛烈地批評過共產黨底田賦政策和行政，當稅款繳過之後，他已是窘窘如也，爲了生活，他祇好向共產黨預借下期農獲的糧米，但遭絕拒，在以後的數月中，家人當數日不得一飽，這就是共產黨懲罰不服從它的農民們的例子。

這種借糧政策，眞是消除反政府份子的好方法，這種政策還有別的一種好處，就是可以逼着農民們在共產黨隨意定出來的公價下，預售他們下期收穫中的農作物，而這種定出來的公價，常是比市價低得多，政府在狂收猛購之後，再以市價賣出，轉眼之間，利錢變倍。

親共份子被捕

共產主義的潛在力量便是恐懼。我親眼見過年青力壯的小夥子，聽到敲門而面轉蒼白。一個中學生從朋友處給我帶來一個便條，但他那種惶恐不安的樣子，連讓我念完這張便條的時間都等不及，最後倉倉忙忙地離開了，生怕叫人看見他在美國人的房子里落過脚。

一天早上，住在一週的十四個人被警察捕去，他們被綁着拖進監獄，直到今天他們底家人都未能見到他們，對于這些人底被捕和監禁，共產黨一直隻字未提。

解放前，有一個曾對共產主義狂熱過五年，那時候他雖然在國民政府裏作事，但却接受共產黨底指令來從內部擾害國民政府。解放後，他一度出任高級職務，但一年後，他以被猜疑對共產主義缺乏熱誠而被捕入獄了。

第二天，他底太太，我也認識，被警察局召去詢問，這位太太以爲離開時間，必然不長，所以連孩子也帶去了，到了警察局，一字不問，同着小孩一齊被關入牢獄，幾天之後，她丈夫的幾個同學也被瓜連入獄，而另外和她住在一塊兒的幾個太太也被拘留，對這些人說來，眞是無妄之災。

當一位太太表示抗議的時候，一位共產官員對她說：「我們甯捕多二十個清白無罪的人，也不能讓它逃走一個犯人」。

談台灣的拜拜（下）

健超

最近毗近台北的「板橋」，據說在「天烏娘娘」的拜拜裏，一家宴客最多的達三十席，耗費近萬元，那一個小鎮在那一天，耗費的新台幣就數達五十萬元。在拜拜那一天，家家都儘其所有的來事「比賽」，比方各家門口所陳列的香燭所燃放的炮竹，以着于用作祭神的犧牲（猪），香燭的高大，一家賽過一家，當然還得稱其家的有無，猪隻那是飼養的工夫，我見過重達六七百斤的猪隻，躺伏在小張方桌上，背部鑲滿着猪內臟的花油，插着標明寶號的籤條，其他猪內臟如肝肚肺等，也全都用磁盤或木盆盛着，擺上一些花朵，另外還有鮮果，頂大的鳳梨，有重過十斤的，頂大的西瓜，有重逾五十斤以上的，頂多的香蕉串，差不多有在百隻以上的！尤其那些用糯米捏製的「藝術品」，走獸人物，山珍海錯，以至于吉祥喜慶兆徵之物，莫不唯妙唯肖，値得一家的主婦們，個個都在煞費心思的賣弄聰明，更有從海裏得來的海產物，幾經挑選，幾經品評，祇一不是光怪陸離難得經見，一家比一家，誰家的東西「稀罕」，稀罕可不就是「名貴」，名貴就給這家主人帶來了「榮譽」。在「觀摩」和「競賽」的意識上說，拜拜也就是值得稱道的了，當然像價值過百元的香燭，長逾丈餘的炮竹，那是値不得稱做榮譽的。

演戲也是大拜拜裏一個應有的節目，台灣戲，我聽不懂，看不懂，它對於「風化」的影響無從估計。但是它演出的大率是愛情戲爲多，對于少男少女們，也許不會較良好的「教育」作用。福建朋友說，是和福州戲相類似。

在小拜拜裏，如我所居的附近一座土地廟，在舊曆二月初二這一天，說是這位「福德正神」的誕辰，也有幾個「嗇妹」在那里清唱，似乎頗有殷東風味？總之台灣的神廟，是全省的個國的化，不過名稱有時是小有差異，台灣的大小鄉村，可說是有人家住處，就有一間廟宇，由一條之隔至宮室之器，不拘大小，就都有一個「拜拜」。不過，台灣的廟宇，縱大不夠大陸的觀瞻，至多有三進大殿，而大殿也至多不過容上百來個人而已。

標準女秘書

英國最近選出了一位「標準女秘書」，由現年二十二歲的珍妮．詹維玲小姐當選，詹維玲原在一家倫敦報紙社長室服務，她於獲選後，即乘機至美國作十八天的免費旅行。依照競選時所定的規則，這是她獲得的第一件獎品。

不過，詹維玲雖然免費赴美旅行，但她此行也算是得不償失，因爲她將錯過參觀英女王加冕大典的機會。她在抵美後，即受到紐約書記文員協會的熱烈歡迎，她向記者說：她每分鐘可打字八十個，每分鐘可速記一百二十個字，這和美國一般的男女書記比起來，實在要高出一些，而且此外，她還有和藹、溫柔、及其他的種種特點。

但詹維玲的待遇和美國一般祕書比起來，却低得太多了，她在英國的薪津，每星期約合美金二十三元八角，而美國祕書們的薪金，平均每週都在七十五元以上。（由之）

中華民國僑務委員會僑務登記證台敎新字第一零二號
中華民國郵政登記第一類新聞紙類

自由人

THE FREEMAN
（半週刊逢星期三六出版）
（第二三四期）
每份港幣壹毫
督印人：李光華
社址：香港高士打道六六號
電話：二〇八四八
GLOUCESTER RD. HONG KONG
TEL: 20848
承印者：東南印務出版社
地址：高士打道六十四號
台灣特派員辦事處
台北市館前街五十號
台灣總經銷處
台北中華路新號五九四之一
台灣郵政劃撥儲金帳號
九二五二號

論反對黨的成立

・陳克文・

反對黨的成立，不是靠政府的默許，也不單是靠法律地位。祇有清議不能成爲反對黨，反對黨應該是門內運動，不是門外運動。反對黨的主張應該隨時準備兌現。成立反對黨運動，不應爲一個人幾句話所氣走。

最近民主評論半月刊（四卷十期），有一篇劉博崑先生論立法院的文章，題爲『十字街頭的立法院』，他最主要的意思是『眞正的民主政治，一定需要一個有健全反對黨的國會』，便是說目前的立法院最大缺點是沒有反對黨存在。又本月十七日中央社消息，蔣廷黻先生在台灣大學公開演講，也說到，『中國政治最大問題，一則在反對黨是否有法律上反對的權利，二則在反對黨的反對是否負責任，具有建設性的，及能代表民意的』。

劉先生是立法委員，蔣先生是出席聯合國首席代表，他們同時提出同樣的問題來，可見此一問題已成爲目前實際政治中極關重要的問題。他們的話，並不僅是個人意見，是代表許多人而說的。其實這問題在近兩三年來說過的已經不少，不過以他兩人的政治地位，適於今日在自由中國中央政府所在地說出來，遂覺得特別有意義，更覺令人注意而已。

反對黨怎樣才可成立

民主政治爲甚麼一定要有一個反對黨？反對黨的重要性如何？蔣先生說的雖頗簡單，劉先生的文章却說得十分詳盡，這兩三年政論家說得更爲不少，這裏不打算再爲論述。現在我們想討論的，是反對黨怎樣才可以成立？

反對黨爲甚麼不能夠成立起來？蔣先生雖沒有直接說出原因來，但他說中國政治最大的問題在反對黨是否有法律上反對的權利，也等於間接說沒有法律上反對的權利，反對黨是不能成立的。劉先生在他的文章中，詳細敍述了立法院的內部情形後，認爲立法院絕對可能產生一個有力的反對黨。但爲甚麼竟產生不出來呢？他說是客觀環境不許可，和主觀力量之不足。關於客觀環境不許可這一點，他說立法院內部雖然早有一個主流，『是尋覓一個方向，要求進步，要求改革……擔當得起一個健全反對黨的工作。如果當局果能心領神會，體察默認……頗可把這些同志（代表上述主流的立法委員）看成神聖的反對派。』要當局『體察默認』也可說和蔣先生『法律權利』的意義是相近的。

要政府給反對黨的合法地位，或事實上默認其地位，然後反對黨才能成立起，這是蔣劉兩先生相同的意見，其實也是兩三年來多數政論家的共同要求，這意見無疑是正確的。不過我們從民主政治發展的歷史看，一個反對黨的成立，並不是先有了法律上的反對權利，或者先得到當局的默認，才出現的。須知政治便是權力，歷史上從沒有那一個政權願意養成一個反對力量，來牽制本身權力的。也沒有那一個政治團體可以在政府卵翼之下，成爲眞正反對力量的。

梁啓超自由書有一篇記日本初期政黨領袖的談話，敍述反政府黨所受之痛苦，與其艱苦奮鬥情形。最後梁氏嘆息道：『今之志士，燕居談笑而道革命，酒食徵逐而言破壞，無惑乎其心不細，機不警，志不卓，行不堅，運動不進，而條理不立也。』現在如果做反對黨的，只希望當局的『體察默認』，只希望『法律上的反對權利』，豈不將仍爲梁氏所竊笑？

不過，劉先生也不是見不及此，他關於上述主觀力量不足一點，尚有如下一段：

『民主不是上帝或君王賞給的，而是對民主有信心，有誠意的人，自己去奮鬥，去爭取。也可以說，一定要以人民的利益爲利益，不以統治者的利益爲利益，更不是以個人的利益爲利益，這樣的人士，才能爲民主而作堅強長期艱苦的奮鬥。』

反對黨本身的實任問題

這一段話和上述蔣先生的第二點也是很相近的。反對黨的成立，不能先問政府是否願意給予法律地位，是否默許其活動，只問其本身是否眞誠，是否負責，主張是否眞足以代表國家和人民利益，奮鬥是否能始終不懈，不計利鈍。如其然，則遲早總可以成功。如其不然，則雖置身於反對黨內地位，亦不過如劉先生所說，現時立法院中之友黨而已。

中國歷史上從事政治運動的人，對於一個政權的反對態度，最普通的約有兩種：其一即明明意見不合，惟懾於情面，或因其他複雜人事關係，情願唯唯諾諾，共同分謗，絕不肯做『一士諤諤』，不敢直說。這便是劉先生文中所說立法院中求進步求革命的主流始終不能成爲眞正反對黨的原因，亦由雖居於反對黨地位，而竟成爲友黨的原因。論其過，不完全在當局。又一類，則因不滿意於政權，而潔身遠引於政壇之外，避之若浼，雖一有清議以摘指得失，且課以實任，又並無坐言起行勇氣。此即蔣先生所說『負責任』的意思。清議雖爲民主政治所不可少，但純爲清議，并不能成爲眞正的反對黨。反對黨的言論和主張，應該隨時準備兌現的。反對黨不是站在舞台之外，祇發清議的，必須爭入舞台之內，隨時準備出演的。有清議而不肯負責，也是反對黨不能成立的另一原因。

最近台灣準備召開國是會議，成立反共抗俄聯合陣線，用意不爲不佳。惟政府發言人對這事發表談話，引起許多誤會。發言人的話如果眞的代表政府態度，實在難怪大家懷疑政府誠意。不過平日以做反對黨運動爲職志的人士，如果對此而站在門外，不肯到門內去努力，也未嘗不可惜。須知反對黨運動，決不是門外運動，也該是門內運動。門內才是我們的家，家事要到門內去求解決。我們都有回家去的權利，也有解決家事的義務，我們不要負氣離開我們的家。一個發言人的話，便把我們氣跑了，反對黨還能夠成立嗎？雖成立還會有力量嗎？

須知眞正的反對黨其所受的壓迫決不止於口頭上幾句不中聽的話的。

日本最近各黨派的鬥爭，看他們那種不妥協的精神，不論是反對黨也好，政府黨也好，明治維新後，初期的政黨精神，依然存在，我們知道日本的反對黨是有力的，故執政黨也是有力的。日本民主政治前途因此也是有希望的。可惜梁啓超三四十年前對我國政黨所慨嘆的話，至今還是一樣可以適用！言之能不慨然。

促成團結・加強外交

——有感於蔣廷黻先生之言

黎晉偉

我國外交戰士蔣廷黻先生，最近返國述職，大受朝野人士的歡迎。頃蔣氏已於二十六日飛美返任，行前，在機場對報界發表談話稱：「台灣在各方面都有長足進步，但是我們的困難尚多，我覺得自由中國一切反共力量都應該團結，我希望最近擬議中的反共救國聯合戰綫，能夠完全的做到。」這一節「臨別贈言」，若是出於別人之口，我們沒有覺得什麼，但是出於我們的駐聯合國首席代表之口，這便引起我的甚深感觸，認爲其中意義，絕不尋常。

臨別談話語重心長

據說這次蔣先生回來，並非政府召喚，而是自動請求，這可反映蔣先生的任務，相當重要，有許多事情，在文書上不能報告的，都要利用這次述職機會，對政府當局詳陳利害，請示機宜。因此，我對蔣先生在機場上說的簡單幾句話，便覺得他語重心長，絕非客套。

團結，團結，我們喊了兩年多，但眞正的團結局面，却始終沒有形成，有的祇是空氣，但這種空氣還是並不十分濃厚的。在共黨已佔有整個大陸，而人人都感到國破家亡的今天，幸而未被摧毀的台灣及海外的反共力量，還有甚麼理由不能團結呢？難道我們非到山窮水盡，走頭無路的時候，才覺得團結之可貴嗎？因此，「自由中國的一切反共力量都應該團結」這一點，其正確性實無可懷疑，問題祇在我們有無這種誠心，有無這種勇氣，有無互相砥礪與互相容忍的雅量？因爲團結是一種精神結合，道義結合，在甲與乙之間，他對國家民族都負有同等責任，同等義務，既非甲向乙歸附，亦非乙向甲投降。故參與團結的人，若無一種互相砥礪與互相容忍的雅量，簡直就無從談起。過去之不能團結，大家都似乎是受了傳統觀念之作祟，有人恐怕團結失了身份，有人顧慮團結會上大當，結果是互相猜疑，互相警戒，要團結嗎？「條件」不能不談。這便造成了今天難於團結的局面。

反共團結刻不容緩

反共勢力不能團結，毫無疑問是益了共黨、因爲共黨雖然也知台灣是他胸膛上的一把尖刀，稍一疏於防備，就會有被這把尖刀洞穿胸腹的危險。但是，要使這把尖刀能夠發動，內外反共力量之集中，是幾乎不能缺少的。故大團結的局面一日不形成，共黨便儘可深溝高壘，自鳴得意，以坐視我們這些反共力量之分散消耗無形，削弱；而它則加緊鑽隙異己，僞裝「建議」，故意製造「和平」空氣，以破壞西方國家對我的同情和援助。所以反共力量爲甚麼還不急於團結，和何以不知道團結與分散之厲害，我實在想不出一點道理來。

蔣廷黻先生此次返國，他當然不會是單純爲了團結問題，而不惜萬里奔馳，促其實現。但我想他這幾年來在國外觀察之所得，他一定有一種痛切感覺，確信自由中國必須團結才有出路，如我們的反共力量始終不團結，外人不察，誤解滋多，對我們任何一方，均無好處。蔣先生是外交鬥士，他更知道他所代表的國家，其反共力量團結與否，與他的發言份量的關係至大。現在正是中國眞正需要外交的時期，也更是中國需要加強團結以充實外交力量的時期，我們無論爲了爭取外援或對抗強敵，都得要有一完整陣容，以作我們外交戰士的後盾。如果我們還知道敬佩蔣先生這幾年孤軍苦戰的辛勞，還知道我們過去外交成果得來之不易；那麼，我們便應該力排萬難，促成團結，使得我們這一艘「自由中國」之舶，更能乘風破浪，衝開逆流，向着最光明的地方前進！

蔣先生又要回到聯合國的戰鬥崗位去了，我們有感於國際間的姑息主義猶熾不滅，我們感於外交道義之可爭而不可恃，因此我們覺得要珍視蔣先生的臨別之言，我們要反共，我們就得要團結，不團結的反共力量，最易增加我們外交上的不必要的困難。我們熱望蔣先生能對自由中國作更大的貢獻嗎？請自組成聯合戰綫始！

◁英美怒目而視，馬倫科夫在一邊教唆，喊道：「爲什麼不打一架？」▷

半週展望

・雷嘯岑・

艾森豪的語病

由於國會議員們反對讓中共進入聯合國的激昂情緒，且決議要停止美國對聯合國的財政支持，艾森豪總統不得不說話了。他表明在目前的國際環境下，中共沒有獲許加入聯大的可能，因爲中共是「在蘇俄控制下」！

就一個領導自由世界的美國元首地位來看，艾氏這句話不但是不漂亮，而且有些語病。

波蘭，捷克，匈牙利等等，乃至於烏克蘭這一大堆俄帝的衛星國，那一個不在蘇俄控制下呢？然他們都已獲許加入聯合國了，那又怎麼解法呢？

很正大光明的理由，是聯合國業已決議指認中共爲侵略者，而中共又爲對聯合國作戰的戰犯，當然不能容許它僭竊會員國的資格，侮蔑聯國憲章。

艾克不說這類合法合理的話，自然別有會心，那就是暗示中共，如果不受蘇俄的控制，即可以請進聯合國來！這是姑息主義者害着多時的單相思病，不料這病菌竟潛入了美國總統身上，實在可怕啦！

美國議員的憤懣

華盛頓的國會內，近來對韓戰及其有關問題，表現了忿忿不平的各種主張和論調，如要停止對聯合國財政支持一案，即其明證。我認爲這是他們換膽受氣的反應，因爲美國民族性是富於青年氣質，不願意委曲求全的。

記得卅年前，美國會新訂移民法案，日本政府對該法案頗不贊成，訓令駐美大使埴內向白宮提出照會，希望勿照原案執行，中有將產生「嚴重後果」（CONSQUICESSION）一語，議員們聞之大怒，馬上一字不易的照原案通過，他們就不怕甚麼「嚴重後果」，即爲青年人昂藏之氣的表現。

那時的美國，並未以經援軍援給日本，且不受此要挾威脅之詞，今天的美國人民代表，對別國人的指摘詬詈，更不肯顧安承教了！

美英法三外長垂頭喪氣

開了一百幾十次會議而毫無結果的美英法俄對奧和約預備會，前幾天又舉行一次。美英法三國頗以馬倫科夫的和平誠意爲可信，對這次會議特別起勁，以爲蘇俄外長一定惠然肯來，爲未來的大國會議鋪平道路，以便美英法各國政治家「走到半途」去迎接俄式和平。

不料馬倫科夫却不來氣，雖經三外長再四呼籲要求出席，結果是得到一個「會議不合法」的答復，輕輕地吃到了一支悶棍，啼笑不得，只好垂頭喪氣，各自散歸。

得到了這次教訓，大概西方那些姑息主義者的幻夢，將有若干清醒的成份了吧！

蘇俄加緊控制東德

蘇俄最近改組其駐德機構，設高級專員負責管制政務，駐軍司令今後專管軍事，把原有的「管制會」撤消。這是進一步加緊控制的積極措施，也是備戰狀態的應有現象！

對奧和約不感興趣，對德控制更見加強，我不知邱吉爾先生是否還有赴莫斯科搶購「和平」的勇氣？

吉田茂的廢話

日本首相吉田茂最近又發表談話，說日本對中共區域沒有增進貿易之可能，希望向東南亞發展。

我記得這類言論他在舊金山和會中也曾侃侃而談，後來却不斷地支持日本工商業者對中共區域進行通商。中日媾和時，吉田那副傲慢態度，至今栩栩然如在目前，而日本全國亦充滿着親共氣氛，目的只在與中共通商而已。

無誠意的欺人之談，何必重複播送？我們聽膩了，希望把這類廢話收起來，毋再曉曉作態爲幸！

「一肩問題」蔣廷黻歸去

蔣氏回國時，帶了許多問題回來覓取答案，並不是攜了答案來答覆問題，近來國際情勢陰晴不定，以蔣氏在國內親歷的見聞，必仍然帶了無數尚未得到答案的問題回美。

台灣通訊

我國駐聯合國首席代表蔣廷黻，於本月九日回國，原定十九日回美。蔣氏於抵台之日，即以所購來回飛機票示往訪友人，以示并無在國內久居之意。後因事延期數日，於南下參觀國軍訓練後，乘機返聯合國任所。蔣氏在台共勾留十八日，曾三謁總統，並與朝野人士頻頻接觸。蔣氏在台，特別強調內政乃係外交的資本。一方面意在謙虛，將年來在聯合國奮鬥所得之成績，胥歸功於自由中國政治方面之進步。另一方面則亦可謂其對政治上期望甚爲深切，有勸告國人勿以目前成就自滿之意。蔣在台茲次談話，均未涉及內政的具體問題，惟聞其對於現行憲法法統及即將召開之反共抗俄救國會議，曾甚表關切。我國駐外人員，倒不十分關懷國內政事，甚至完全不甚了解。蔣因曾在行政院任事，熟知政局內幕，並了悉其癥結所在。如曾有具體建議，必屬在國際上觀感有關，而又爲當局所可採行者。惜乎蔣氏究竟曾有建議與否，吾人不得而知耳。

送別場面盛大熱烈

吳國楨於蔣行前三日先赴美，在機場送行者達三百餘人，可謂爲冠蓋雲集。但送行者之心理，有羨慕其因病辭職而健康上又即可勝任長途之航行者，有羨慕其以任在重慶與上海市長任內均能適可而止，今在台灣，又能說走就走者。亦有羨慕其官職甫卸，即可用官員護照，而又以私人身份借眷赴世界著名生活那樣之美國居住者。總之，羨慕者雖多，而心情各異。自尚另有一部份送行者完全爲應酬性質，不得不到者。至蔣廷黻氏之行，送行者人數雖尚不若送吳者之多，但在心情上完全出於敬佩心理。蓋蔣氏回台時，曾謂係帶了許多問題回國覓取答案，不是攜了答案來答覆問題。而日來國際間情勢之陰晴不定，並以蔣氏在國內所親歷之見聞，必仍然係帶了無數尚未有答案的問題回美。國人實無以慰此在聯合國中爲國爭光之老戰士，故於其行也，特鄭重送之。故雖同一機場，同一送行，送蔣者之內心，與送吳者迥不相同。因吳蔣之行，極易使人回憶當日迎送胡適之之場面。歡迎胡適之之前無古人，後無來者。送者雖不若迎者之衆，亦有三百餘人。胡氏以一在野之智識份子，而獲得朝野之一致推崇，確屬不易。惟胡氏返美以後，消息稍覺沉寂。對於台灣之報導，似亦不多。聞其抵美後，身體即感不適，曾在數處美國人集會中，作關於台灣現況之說明。惟未曾有人譯及其講稿，外國報紙上亦少有紀載。蔣廷黻在台之時，亦曾有人問蔣以胡氏返美後曾與作長談否，蔣謂會談過，因彼此忙碌，不能算是長談。至所談內容，無人再問，問亦未必能獲得蔣之答覆。蔣在台搜集資料，似較胡氏爲有興趣。官方文件固不必論，坊間出版之反共抗俄書籍，尤其從鐵幕中逃出者之報告，搜集甚多。至吳國楨氏既在台主政三年，其所有之資料必更充實。兩人到美後，當可向友邦人士多所說明，不致如胡氏之沉默。

臨別否認組黨之謠

在蔣初宣佈不及於十九日回美之時，曾一度有將改任國內工作之謠言。此項謠言，不旋踵即告破滅。又傳其將組中國自由黨，亦爲蔣在機場中所否認。蓋以目前國際局勢而觀，聯合國中之代表任務，其重要實在國內工作之上。在國內工作，尚可隨時向上級請示，在國外者雖亦應聽從政府訓令，但審度時勢，必須有隨機應變之才，而此項才能，要點在老謀深算，不在亂耍花槍。蔣氏在聯合國中之聲望，雖其自謙爲係由於國內政治進步所造成，但實在基礎，乃在於其本身所具備之優越條件。姑不論蔣已在聯合國工作數年。即今日而欲爲事擇人，蔣氏亦爲上選。茲蔣氏已行，足證當局信任之專，與其臨事之勇，均可使國人安慰。至其組黨之說，尚係民國三十八年台灣局勢最劣之時，聞蔣曾向胡適之提出，勸胡組織。胡因向無意於組黨，未表積極。蔣本人既爲政府現任官吏，在未卸職前，自不能另組新黨也。

日來，國際動態，一方面美英法正籌備百慕達的三國會議，一方面韓戰和談，正休會以待蘇聯與中共之表示。自由中國上下，早具有以不變應萬變的信心，雖密切注視國際局勢之發展，但決不因之而憂喜。政府方面之各種配合反攻計劃，仍在積極草擬或研究中。尤其反攻人才之儲備，更多方進行。行政院設計委員會爲草擬反攻配合計劃之主要機構，現亦定下月六七兩日，舉行第七次全體大會，商討要案，可見自由中國對於反攻信心之堅定。蔣氏回國後，所可以攜回任所以正告世人者，亦在於此信心。惟如於反攻配合計劃之外，就現有各項政治問題，先作研討，力圖改進，當更合於蔣氏所謂外交資本之眞意。其著者，如民主法治精神之表現，政黨政治之靈活運用，公教人員待遇之調整，文化教育質量之增加，均爲其在國外發言時所最需引證者。

蘇俄控制下的波蘭空軍

波蘭空軍卡里基中尉三月間駕了一架新式米格機衝出鐵幕，降落於丹麥的波爾姆小島，這是第一架落到西方手裏的完整米格機，事後雖已交還波蘭，但曾由英美專家詳加檢查，得到了各種有關米格機性能的情報。卡里基脫逃經過，業經本報報導，最近卡氏經英抵美，已獲衆院司法委員會通過特許在美居留，關於波蘭及其他蘇俄附庸國的空軍作戰能力與士氣，他向「新聞週報」記者答覆問題時，提供了一些綫索，茲譯述如后：

問：你爲什麼要逃離鐵幕，奔向自由？

答：我不願被人監視，也不願監視別人（我在波蘭空軍中任政治指導員時，監視別人是我的必要任務）。我要加入在英國的安特斯將軍下的眞正波蘭軍（實際上，這支自由波蘭軍已於戰後解散）。對安特斯將軍，共黨宣傳經常加以攻擊，因此我相信他必是一個波蘭的美國志士。

至於我的生活情況，我並無怨尤。我的月薪有一千二百波幣（合三百美元），每日且有四十波幣（十美元）的津貼，我還不久就可以昇級。

不過我一直憎恨共產黨和俄人，他們把我許多親屬在一九四〇年放逐到西伯利亞，至今音訊全無。

問：共黨宣傳的情形如何？

答：我的任務之一，是每星期內對我的部屬講授共產主義二小時。他們每星期必須受六小時的政治訓練，每天有二十分鐘作讀報學習，此外每週至少須參加二三次特別集會，這種小組會議都呆板得令人生厭。

我所以服服貼貼地參加過這些集會，因爲我知道，只要稍表反對，我便會立刻入獄。

問：米格機的性能是不是很好？

答：米格機是很好的戰鬥機，時速七百二十五哩，如作水平綫飛行，更可以更快，操縱也便易，不會引起麻煩。如果它也有美國F八十六型軍刀機那樣的電子瞄準器，將是世界最優秀的戰鬥機。我們的教官，有些曾在韓國作戰，對於美國飛機的性能知道得很清楚。F—八十六型重四千五百磅超過米格機，而衝力方面，祗略勝於米格機，所以米格機的爬昇力和速度超過了軍刀機。

問：你認爲波蘭空軍是不是很強大？

答：波蘭空軍有八個師，約共有飛機八九百架。各師的飛機配備，多數未達到充份實力，而人員却頗多。據我所知，第一綫飛機至多三百架，其中約有米格機一百二十架。但波蘭不久就可得到蘇俄供應所需要的飛機。

問：波蘭能自造飛機嗎？

答：能，波蘭飛機工業已較戰前爲大，正製造若干種蘇俄設計的飛機，且已開始製造米格機。

問：共黨在波蘭有沒有重轟炸機？

答：祇有PE二型和TU二型的，都是二引擎式，翼部是木質。PE二型能載二噸炸彈，TU二型則可載三噸。我沒有見到任何四引擎的轟炸機。

問：你們的基地設備好不好？

答：我們有良好的三合土跑道，都是二千五百碼長。在我所駐屯的斯督普斯克基地，空軍團長是個烏克蘭人。我的高級軍官多數是俄人。波蘭的八個空軍師，祗有一個師是受波人指揮。他是以前保安警察的上校警官，但對飛行却可說毫無所知。

斯督普斯克並無防空設備，必要時高射砲將迅速運到，但我並未見過任何高射砲。消防設備異常惡劣，有一次我們一個同僚駕米格機起飛時突然失事，我們祇好眼看他活活燒死。

不過雷達網却十分完善。地面部隊也很充足，佈滿沿海各地。有時我們輪値夜班，徹夜戒備，據上級告訴我們：「強大美軍已集中於瑞典，對我們的進攻迫在眉睫。」對於這種說法，我們自然會相信不疑的。（黃鶴譯）

國外通訊

菲島競選奇兵突出

菲律賓下屆總統大選雖然要到十一月纔舉行，五個月來的競選形勢却有重大的變化，初時大多數人的目光集中於國民黨領袖羅里爾身上，迨後又轉移到退出自由黨的馬格西塞；現在呢？自由黨已成分裂之局，羅慕洛組黨競選；季里諾也不肯放鬆，極力改善內政、外交，以使其在未來選舉中獲得最後勝利。

菲律賓國民黨是執政黨（自由黨）的一大勁敵，在地方上擁有二個特別市長與二十四個省長及參院二十四個席位，這種優勢係首屆地方選舉中造成，自由黨的實力被剝奪了。作爲國民黨領袖的羅里爾，今年一月間的氣勢很兇，他聲言在下屆總統的競選中，決以全力來爭取。因此自由黨便用「揭瘡疤」的手段去打擊他，力斥這一個六十一歲的國民黨領袖，在陷日之時作過菲奸，也曾做了十八個月的傀儡。因此，羅里爾不得不放棄他的計畫，而與聲譽崇高的馬格西塞打交道了。馬氏辭去國防部長，宣布脫離自由黨參加國民黨後，自由黨的實力更形薄弱了。然而羅里爾雖然聲明放棄下屆總統競選，國民黨正式提名馬格西塞爲下屆總統候選人。幕後仍由羅里爾操縱，以實現他一石兩鳥政策，使自由黨失却了一個有聲望的幹部，助長了國民黨的絕對優勢。這種優勢現時却已逐漸地減少了。

馬格西塞赴美爭取支持

國民黨拖走了馬格西塞，儘管馬氏并非季里諾「核心內閣」的幹部，予自由黨之打擊倘重。當美國民主黨落選之總統候選人史蒂文生訪問菲律賓之日，美駐菲大使曾爲史氏設宴洗塵，馬格西塞被邀作陪。季里諾於事後獲悉，便大肆攻擊了，並且還向美國國務院提出更換駐菲大使要求。誰知馬格西塞赴宴的原因並不是對下屆總統選舉有何牽涉，史蒂文生祇是要看看馬氏係怎樣一位英雄人物。迨美國力誡菲島美僑不可捲進兩黨競選漩渦，這件不愉快的事情也就告一段落。但是季里諾多少還存有戒心：因爲馬格西塞不久將去美國作政治旅行，在美人心目中馬氏聲譽無疑比季里諾高。

季里諾輕棄美人重政治

季里諾今年六十三歲了，一九二二年一月十六日和西基亞女士結婚後，生過子女五人，不幸於一九四五年馬尼剌戰爭中慘遭日軍屠殺，至今仍是鰥居。當世界小姐阿咪遊菲之時，季氏頗有意於娶這一位十八歲的芬蘭少女，但在一轉念間便堅決的放棄了。誰也很驚異的，然而季氏去年曾經邀請泰國女相士康蒂賽・克臘佩爾來馬拉加南（總統官邸）看相，克臘佩爾告訴他：「你的左手有黑色紋，注定要結婚兩次；在它附近有功名細紋，而這些細紋一經結婚可能會消失，對下屆選舉是不無有關礙的。」因此，季里諾對於他的政治生命及家庭間的幸福，不能不作一次慎重的抉擇，於是他決定捨美人而參加競選。

自由黨提名季里諾

羅慕洛從美國回來，季里諾是很高興的，他希望羅氏告訴他一些關於國際間對菲律賓未來大選的傾向。但是非僅沒有聽到，却是一個壞消息：這一位駐美大使和出席聯大的代表竟然向他反叛了。他要求准許他辭職參加競選。季里諾顯然是耐不住要發怒了。於是，這一位忠於黨國的幕僚，竟成爲季里諾又一勁敵，使他怒得說不出話，而批准了他的辭呈。五月二十四日自由黨舉行全國大會中，擁護羅慕洛的反對羅氏祕密投票主張而退出會場之後，自由黨提名季里諾爲十一月總統大選中的候選人。羅慕洛斷言他和季里諾候選地位脫離關係，并指季氏係以「邪惡」之詭計「獲得了提名。然而他畢竟在自由黨中已經失勢了。而不得不另樹一幟和季里諾對抗。使季氏的實力再減。

羅慕洛組新黨參加大選

羅慕洛作爲政治資本的「民主黨」，於二十六日正式宣布成立，他的宣言中對季里諾及其政府大肆抨擊，力斥爲「病態」的總統和患了重病的政府。然則季里諾在最近的政治設施確有甚多的改變，也許已往積習太深，一時難望扭轉失去的威信。羅慕洛雖然具有很好的國際背景，與現任副總統羅貝茨同被提名爲民主黨總副總統的候選人；還缺乏廣大的民衆支持，難與馬格西塞匹敵的。就目前的形勢而言，馬格西塞和季里諾尚可一爭優劣，羅慕洛殊難望其項背。（陶彬五月二十六日寄自馬尼剌）

天下小事

副秘書長杳如黃鶴

聯合國祕書處中，有一位俄籍副祕書長齊臘科，專門負責安理會的事務，他於今年一月間請假返國後，隨即來電稱病告假一月，但到了二月三日病假滿期的時候，依然蹤影全無。在他請假期間，祕書處原照付他每年兩萬三千美元的薪俸，但自二月三日以後，因防止他繼續拿乾薪而不作事起見，即改爲留職停薪。惟聯合國新任祕書長韓馬歇接事以來，對祕書處公務力加整頓，齊臘科久不銷假視事，他認爲既違反辦事規則，又屬妨害公務，因此，最近特電俄方促其解釋。

齊臘科以前，主管安理會事務的副祕書長也是一位名叫索波里夫的俄國人，他也是告假多月，最後終未返職，現在聯合國中已深知俄人這種脾性，因此若干代表正提出要求，力主副祕書長的重要職位不應由俄人担任。

義俘被迫担任間諜

爲蘇俄拘禁多年的日本戰俘最近已有信致他們的家屬，信中報道他所獲，優厚待遇，當然，這已足證明日俘們在蘇俄多年「洗腦」下，已成爲俄共的宣傳工具和應聲蟲了。因此許多日本觀察家認爲這是蘇俄短期內將釋放部份日俘返國的先兆。

同時，在莫斯科郊外，還有幾所特設的學校，裏面關有一千名左右的義國俘虜，正由俄共施以間諜和破壞技術的訓練，準備將來遣回義國，加強義國共產黨的工作。

美國製造原子火箭

美國軍事科學家正在研究一種名叫「小橄欖」的定向飛彈，這種飛彈只是有最簡單的電動裝置，將由地面的「電腦」控制發射，「電腦」並不附在飛彈的本身上，所以射出後，電腦依然可以發射許多枚目標的飛彈，如果「小橄欖」研究成功，定向飛彈的生產和用途勢必較現在大增。因爲目前的定向飛彈，其主要困難乃在它們以本極高的電腦是裝置在飛彈本身上的，飛彈一經擊中目標，電腦也即隨之毀滅。此外，美陸軍部方面還獲准製造一種附有原子彈頭的火箭，這種火箭定名爲「誠實的約翰」，命中率極爲準確，甚至對敵軍防線後五十哩以上的目標，亦可百發百中。

傳共軍今秋進攻泰國

雖然共軍對寮國及泰國的威脅已較前減弱，但華盛頓認爲共軍將在今秋發動眞正的進攻，那時候，他們主要的目標將不是寮國，而是泰國。據美國情報人員所獲消息，一九四九年發動政變失敗，隨後逃往北平的泰國前總理鑾會隆，現已奉令回到泰國北部，準備奪取政權。（孟衡）

本報各版歡迎投稿

中共分化少數民族反共力量
在甘肅實行分區控制
樹立傀儡任意指揮操縱
個別擊破便於加緊壓榨

幾年來少數民族爲維護其本身傳統：文化、信仰、生活方式及生存利益而堅強抗拒中共的武裝的或非武裝的鬥爭，爲中共統一特務統治中的一大阻礙，極感困擾！故目前中共已決定普遍使用分化的各個擊破的策略而將各地區的少數民族，分別予以虛僞的「自治」，紛紛劃設「自治區」。目前除西藏、內蒙、滇西、桂西、西康涼山等地已成立「自治區」的僞政權外，已在籌備而即將成立的「自治區」，其中相當專區級的計有：雲南保山專區怒江以西地區的「傣族山頭族聯合自治區」，甘肅東部西海固的「回族自治區」，甘肅南部的「藏族自治區」；相當於縣級的計有：甘肅省之寧定、張家川、涇源等處回族自治區，酒泉撒里維吾爾族自治區；相當於區級及鄉級的，將在甘肅省內建立三十餘個。此等「自治區」，純係有「自治」之名而無「自治」之實的傀儡組織，「自治區人民政府」之主席係由中共製造一該族之傀儡擔任，而由中共派駐一「副主席」掌握一切權力。從中共對此種手法之種種迹象看，似可指出其如下幾項主要作用：一、標榜中共虛僞之「民主」；二、緩和少數民族之反共情緒；三、造成少數民族之閉關自守，從而予以各個擊破，各個擊制；四、分散少數民族之團結，消滅其反共力量。現中共對此種陰謀，正在積極而且擴大施行中，相信可能將於本年內全部完成其企圖。

山西熱河強迫擴大植棉
各地收成告絕望
農民受嚴重打擊
枯死仍要殺虫購棉挨戶抄家
紡車全被砸碎農民凍寒號啕

據僞農業部最近在一篇指斥熱河山西兩省盲目強迫擴大植棉面積的偏差一文中透露消息：說該兩省因「不够體會中央鼓勵棉花增產的正確意義」，並缺乏農業地質的常識，不顧一切地自上而下的全面強迫農民在不宜於植棉的土地上盲目植棉，致使所有農民因大多棉地不得收成，浪費大批人力及資本而蒙受非常慘重的損失！

盲目增產　適得其反

以山西省而言：晉南係產棉區域，但並非所有耕地皆適於植棉，但該省共幹普遍在盲目的「任務」觀念之下即強迫農民擴大植棉，且採用各樣挑戰競賽方式，一時蔚爲風行，平均每縣原在十萬畝左右的棉田面積，一時竟擴大至平均三十萬畝以上；結果：因此種被迫植棉之土地或係山坡，或爲純沙地，或灌溉不便，致大多絕無收成！

而在熱河省，除朝陽、阜新一帶外，原非產棉區，但該省共幹亦不顧一切，盲目強迫推廣，據稱平均每縣亦有五萬畝至十萬畝之多，亦大多絕無收成！此種情形，本已荒唐絕倫；而共幹之顢頇橫蠻，尚不止於此！

據指稱：該兩省於強迫擴大植棉以後，復有以下四大慘事：

一、該兩省大部農民於被迫胡亂植棉時，因明知有害，乃於被迫不得不種之下，附帶夾種少許芝蔴，以防棉花無收時以芝蔴之收成抵補部份損失，但此種夾種之芝蔴，於逐漸長成而被共幹發覺時，竟一律被共產黨強迫拔除！

雙重損失　服毒自殺

二、發覺此種棉枝已逐漸枯萎時，共幹歸咎於棉花害虫之紅蜘蛛，竟強迫推銷殺虫藥劑，監督農民撒播，乃使農民損失復加損失，致曾發生農民忿而吞服此種殺虫藥劑自殺的慘案多起！

三、該兩省於強迫農民擴大植棉後，曾向僞農業部虛報產量，擴大佈置購棉任務；但收購結果：僅得所報產量之半數，乃實施按戶搜查，逼迫農民將留作自用之棉花亦掃數強購，致使農民無棉翻衣，備受凍寒！

四、農民留用之棉被被搜購一空後，壯者尚可忍受，老少無法支持，乃不得不紛紛設法向外地搶購棉花，以應急需，詎共幹竟謂農民尚有棉花藏匿，竟於再度按戶搜查之時，將農民購得之棉花沒收，並將農民之紡車一一加以砸碎！

農民於慘遭損失之後，復受凌虐、凍寒，怨忿之餘，莫不號啕痛哭！景況之慘，不忍卒聞！古諺云「酷吏猛如虎」，觀之今日中共幹部之一貫作風，豈「猛虎」二字所足比喻？其兇殘惡毒的情形，已可謂空前絕後矣。

共幹不管工人死活
箇舊錫鑛發生怠工
重要機器被秘密破壞

【本報訊】年來大陸各地各種工人因在中共高壓下盲目生產而遭受慘重死亡的情形，本報迭有報導。此種慘重的死亡雖曾於去年因引起公忿而推行過一個所謂「安全檢查運動」，但此一運動僅爲暫時闢撫忿忿的手段之一，大多敷衍了事，故工人傷亡情形，依然嚴重，而且有增無減！如最近有名的箇舊錫鑛工人，在三月廿五日至卅一日一週間，便連續因工傷了五十餘人，死了十餘人！其中選鑛車間運輸工人姚永順於操勞過度，係於推車時不支倒斃於途。生產小組長李凱爲被迫冒險重打啞炮眼（不會爆炸了的炮眼）而遭炸斃。搬運工人劉家祿因被迫同時搬運電池雷管及炸藥而遭炸斃。開鑛工人李根法等四人竟爲被迫鑽入鑛洞取一燈泡電而連續死於洞內。其他搬選工人張寶法等七人均在選鑛車間倒鑛塊時被瀉下來的鑛塊埋沒斃。類似此種死因，均屬非不可免者，工人曾一再提出要求改善，均爲領導共幹所峻拒。致該廠死亡工人數日增月累，據統計，前年一年死傷共三百六十二人，去年即增至七百九十九人，而今年一至三個月中的傷亡人數就已有三百三十五人之多。

現！因此，該鑛工人已怨忿，而祕密採取怠工抵抗。並祕密設法將該鑛機器加以破毀。在三月廿八日至本月七日共十日間，已將變壓機一部故意燒壞，大鑛機小牙輪多只及大磨鋼機兩部亦損壞；此外各部門機器之零件失蹤者亦甚多，致已嚴重影響該鑛生產，據二三兩月統計，生產率顯已降低了平時的百分之三十。故損失甚爲慘重！且憑目前該鑛領導共幹對生產率大降一節，除已予以激查外，對工人仍未加以安全問題，則正如該鑛工人以法意所說：「見了棺材不吊淚！」實屬預殘忍至極！

奴化藏族兒童
大施賣國教育
康藏遍設赤化小學

據最近光明日報透露消息：中共已決定在青海、西康、西藏等地普遍設置特種制度之小學；預定目標，將在該等地區共設一百三十五所。目前已開始籌備者，約有五十餘所。此種學校之校舍大多係用蓬帳搭蓋；師資，係經專門訓練，派出三百餘人。此種學校之課程，係以實施赤化教育爲主，將俄文、漢文、藏文三種基本文字同時教授。在此種「教育」中，中共曾強調灌輸「愛國主義」（即赤化），及「國際主義」（即奴化）的政治思想，以澈底消滅少數民族的民族意識而甘心臣服於蘇俄。現設於甘肅之「民族學院」及青海之師範學校，均已增設「民族師資班」，以加緊訓練此種師資，適應其迫切之需要。

重慶搬運工人
死傷數字激增
三月內達千餘人

【本報訊】中共在盲目「生產任務」下奴役工人的情形已日見殘酷：僅最近重慶搬運工人方面因被迫作遠超體力及時間的勞動而致死傷的人數，就空前激增；由原有平均每月百餘人的死傷率，自今年二月份起突增至每月三百餘人。據重慶中共報紙的調查統計，該項工人，自二月份起至目前止，竟已死傷一千一百餘人之多！其造成如此慘重死傷的主要原因，據悉：除必要的安全衛生設備過於簡陋外，均爲共幹強迫彼等作遠超於體力及時間所支持的勞役所致。此輩工人被驅於碼頭與倉庫間往返搬運物資時，一般的挑伕，均被強迫肩挑至三百斤之多！一般的板車伕，均被強迫由五人拖拉裝載三千餘斤之多的板車！而且還要作每天平均十二個至十六小時之間極少間歇的勞動。因而，便有的因體力不支而暴斃路上；有的因積勞成疾至於大多不治而亡；有的因板車上下坡時無力控制而遭輾傷或輾斃。據中共自己統計：此種搬運工人於今年二月份起至目前三個月中竟共發生了八百五十餘次之多的因工傷亡事故，其中輾傷的約有兩百二十餘人；重傷的約有兩百四十餘人；積勞成疾而告殘廢或病損難治的約有一百九十餘人；當場暴斃的約共有三百六十餘人，眞是慘絕人寰！

西南災禍頻仍
春荒未止夏荒又來
五十餘縣發生乾旱
饑民日增湧向城市

【本報訊】重慶消息：西南各省，災禍連連，景況日慘！春荒尚未制止，夏荒又已露頭。據悉：除四川、雲南、貴州大部地區因曾遭空前慘厲之風雹及時疫而造成人畜農物之嚴重損傷外（見前期本報）目前雲南省之騰衝、保山、大理、永勝、祥雲、楚雄、武定、開遠、瀘西等九個專區的四十多個縣，及西康省的會理、鹽邊、寧南、德昌、鹽源等縣業已普遍發生程度大致相等的旱荒。其枯旱的程度，據僞西南行政委員會據各縣報告後的發出的公開指示中透露：謂已大多不能插秧，且甚多秧苗亦已呈露萎黃現象。因此，該會已發出緊急搶救夏荒的口號。

另據昆明及成都兩地的消息：雲南、四川大部地區及西康東部部份地區，因去年多旱，再加上風雹及夏旱等災，已使民間的饑荒程度層層加深。照一般的估計，該等地區的農村居民，平均當已有半數以上陷於斷糧狀態中。此等饑民大多已依賴拔取野草、野獸以挣扎求生。部份則盲目流轉於城鄉之間，因而，因饑極暈倒於途，或完全被餓死者，各地皆有所見；尤慘者，因生活絕望，饑餓難耐而自殺者，已日見繁多，各地幾已一時成風！但中共各地當局，除以口惠實不至的「救濟」口號，迄無應有之緊急措施，致景況不僅已極悽慘，且尚在有增無減之中！

共幹精通等因奉此
公文來往空前熱鬧
一紙文卷過關五十餘道
各式表格竟有塡報專家

中共由流寇而一躍爲傀儡皇朝之後的初期，對於公文一項，簡直太不成話：任意批上一張紙（草紙和香烟壳子都行），塗上幾個鴉字，蓋上一個圖章，便到處飛舞！之後，毛澤東認爲這種「游擊作風」必須改變，乃要他的幹部一律學習公文處理，靠攏的或被暫時留用的那些舊公務人員就充任了他們的「老師」；結果，很快的使「青出於藍」——使「游擊作風」作極端的轉變而成了推、拖、擱、轉的公文政治，迂腐得空前嚴重！

中共公文政治的嚴重現象，據大陸各地中共報紙所檢討認承的加以綜合，約如下述：

公文往來長途旅行

由於中共極權統治，故下級機關動輒須向上級機關行文請示；且以「加強各部門聯繫」爲理由，上級機關接到請示的公文之後，凡在行政業務上稍有牽涉的機關，必須會簽意見，方能予以指示，甚至有時上級機關爲減輕自己的責任，還須再向上級機關請示。因此，最簡便的話，假定一個「縣人民政府」跳出專區一級，直接向省請示一件事務，那末這張公文便開始在省級有關的各廳處間兜圈子，照中共自認，最快須三個月方能獲得指令。如果省級再轉向上級請示的話，那末這張公文便投入了更遠更久的旅行。這還不够，下級等得心急了還要辦一張公文催催，也投入了很遠很久的旅行；益使公文旅行熱鬧！據中共認承：此種公文的經還，最快要五個月，慢的竟要一年之久！迂腐得實在驚人！

辦稿手續五十餘道

其次是辦稿的手續太慢而且太煩複：據說一件無須會稿的公文，經總收文到文書股分稿，科級發收文、科員分稿、科長核稿、祕書核簽，主管批示判簽辦、科長核簽、繕、校、印、發、二道歸檔，最低限度須三十道手續。如須經別科會稿，則每會一科，須經七道手續。照中共統計，平均每稿會三個科室計算，那末一張公文從收入到還出，便共須五十多道手續，最快須一個月，慢一點竟至辦上三五個月都還不會辦好。

塡報表格已有專家

再次是中共各級機關的無謂公文實在太多，一舉一動，就有所謂學習報告、傳達報告、檢討報告、總結報告等等，忙得不可開交！上級下級雖都明知已流於形式，演成公式，仍不得不照「中央」的規定經常敷衍。尤其是各種報表，據中共統計：差不多每一個專區以上的機關，都有五十種至百餘種不等的報表向下飭報，各上級機關發到縣級機關時，便多至三百種以上。因此，單爲這些報表而言，每個機關便須在公開祕密情形之下派很多專人專門估計數字和情況，加以僞造。這些人已被其他的幹部謔稱爲「報表專家」。尤妙的，工業單位的塡表人，已被稱之爲「工程師」；設計單位的塡表人，已被稱之爲「報表設計師」！

總之：這些結果，已使中共凡應該或可以及時進行的事務或解決的問題，都不能及時進行、解決。大多幹部幾乎成天都陷落在「等因奉此」的鬼混之中，確已使中共各部門的工作效率，已受到致命的傷害！尤其在一般工業單位中，中共說「連技術人員都已脫離了實際工作而在公文上團團轉！」便可見其嚴重的程度了！

中共動員婦女增產
孕婦被迫勞動
甚多流產喪生

據最近大陸各地中共報紙透露消息：最近各地孕婦因被共幹強迫參與過度辛勞之運糧、積肥、捐崭及農田耕作等工作，致時有不支或受傷而造成流產、難產、乃至死亡等情事！其中尤以運糧及春耕中之積肥兩項勞動，爲目前各地共幹「動員」農村勞力之主要「任務」，其操勞之程度亦最爲沉重。目前中共各省之糧倉正在紛紛外運，輸往蘇俄、匈牙利、捷克等國，同時農村婦女大多被征與男子担負自倉庫運往碼頭、車站之肩挑工作，孕婦亦不例外。又，目前大陸農村，正在中共逼促下「動員」一切勞力從事緊張之春耕生產中，婦女在此項生產中之主要勞動爲挑積肥料，孕婦亦一律在「動員」之列，即已懷孕至九月餘而接近臨盆之孕婦，亦不能倖免。且孕婦在該兩項肩挑所負之份量，亦不減於常人，體力自所不支，勢必損及胎兒，輕者流產，重者喪生，此種悲慘之事故，據報載，尤以四川、湖南兩省爲最多。以四川渠縣及湖南醴陵兩個縣的統計爲例：該兩縣孕婦從事近一月來的春耕生產及運糧出口的勞動中受傷者，已各有一百五十人以上，其中有百分之七十五左右係傷而流產；百分之二十五左右係傷而流產後宣告不治而死亡！雖然如此，各地一般共幹，仍未加以注意，其殘忍成性，可見一斑！

陳嘉庚的思想

為方

自由談

中共黨徒近來忽然發動清算陳嘉庚思想的運動，理由是陳氏過去所寫那本「新中國觀感集」中，除歌頌毛朝功德外，說了幾句本國內地衛生事業不及星嘉坡進步的話，且謂「新中國」對於講究新生活的情形，尚不如十年前的國府時代。因此，這位受毛朝欽賜爲「華僑首席代表」的陳民主人士，便犯下了「侮辱國家」，「爲殖民地辯護」，「敵我不分」這一連串的罪過，理合清算鬥爭了。

陳嘉庚是否有思想？其所謂思想是否值得清算？這且按下不表。單說他那項「新中國觀感集」大作，早在兩年前就印刷了兩百萬册，散佈於大陸各地，並且由毛朝通令指定爲中小學教員的必讀之書，何以到今天纔由陳氏的親信人物夏衍出而舉發呢？可見這不是甚麼思想不思想的問題，而是這一只「民主工具」已經失了作用，有如爛草鞋一樣，應該將它拋棄於道旁了。

「陳首席代表」那部捧場的大作中，只有說內地到處遇見隨地吐痰之人，以及人們狂吸香烟那幾句觀感語，是發於良知的老實話。惟替共黨作尾巴，而不能汨沒良心，揚棄溫情，以無機體的機械人自居，當然有此下場，毫不足怪。陳嘉庚之遭清算，乃其必然的註定命運，沒有惋惜之處。但他却比一般「文化浪子」躲在殖民地，過着資本主義社會生活，而高談親共媚共論調，然又自命爲進步的「第三種思想」者，較勝一籌，所以還值得談談。

．鐵幕悲慘故事．

死有餘辜？

．沈著．

共產黨殺人的方法已日新月異；不僅已「機械化」地集體屠殺；而且已用飢餓、疲勞、疾病和精神生活底凌虐等等造成了一部殺人不見血的殺人大機器，使成千成萬的人民被吞滅在這部大機器裏！

這，當然本來已夠慘了；但上天也似不憐憫，帶來了災禍。從去年冬天到今年春天，旱災虫災連至，幾乎到處使農民們多耕不成，春收無望，陷入在一片飢荒和死亡之中！

就拿湖北麻城縣的楊林區來說吧；竟已四個月不見老天爺掉下一滴雨來了。本來灰色而油潤的泥土已變成了一片焦黃慘淡的顏色，而且到處也像饑餓得發了慌的人一樣：一條條地裂開了嘴巴——已乾枯得龜裂了！不用說，河水已淺涸得像潺潺細流的溪澗一樣；原來用作飲料的井水已變成了土腥的稀薄的泥漿；百草樹木都已憔悴枯萎得彷彿奄奄一息；尤其是老百姓們的「命根子」小麥，十顆有九顆都未老先黃，東折西歪地倒了下來，被枯死了！照共產黨湖北「省委會」的統計，麻城縣的小麥收成，只有百分之五！

於是，當然要餓死人啦！有的吃野草中毒死啦！有的吃觀音土脹死啦！有的在屋子裏餓死啦！有的忍不住飢餓投井死啦！有的在路上餓得倒斃啦！沒有死而還在掙扎的呢？老年們在呻吟；壯年們在呼號；孩子們在啼哭！整個地方上是一片恐怖淒涼！

「報告區長！餓死了這麼多人怎麼辦啦？」

「報告區長！我們村裏已餓死了八十多人啦！」

「報告區長！我們鄉裏天天餓死人；已餓一百多啦！」

餓死人的報告從各鄉各村像前方吃敗仗而告急一樣的紛紛報到了「人民區長」劉金波那兒。

「嗯！知道啦。別慌！」可是劉區長對於這種人民的哀報彷彿早已「胸有成竹」似的，鎮靜異常！照例都以這樣輕鬆的口吻打發了鄉幹們。

「五金魁！六六順！你喝，你喝！哈哈！」而且當飢民們正在一個個倒去下的時候，區長公館里卻正在三日一小宴，五日一大宴的與同志們猜拳豪飲哩！那種酒氣肉香，跟死人的爛臭實在是一個太強烈的對照！而且，他們喝的是天津高粱，吃的是廣東臘腸、金華火腿、湖南燻魚和區長自己家里養着的猪啦、羊啦、雞啦、鴨啦，大塊文章，一應俱全！這剛應着了古人那句路有餓死骨，朱門酒肉臭的話了！

「報告區長！人越死越多啦，老百姓要搶鬥爭果實的存糧啦！怎辦？像家？」

各鄉的鄉幹們差不多一樣的情形和口吻第二次向區長告急了。

「派兵保護！不必大驚小怪！誰敢動？他媽的！」劉區長也差不多這樣的口吻再打發了來告急的鄉幹們。他有點光火了！

「喂！我說區長！趕快向上面報一報吧，不報，我們有責任呢？」楊林區的女區委書記張晉林爲瞞而不報的責任有點發急了。

「對！喂！李同志，馬上查一查一共死了多少人啦？」劉區長當即叫區幹部查報餓死的人數。

「到前天爲止，全區約一共死了五百七十多個人了。」

「好說。我知道死人沒啥關係，但你就報告上級說他們都是害腫脹病死的就得啦。」區長很懂得上級的心理。

「但光是報告還不行。區長！我們得下鄉走一趟，將來有話好說。」區委書記懂得其中三昧。

於是，區長和區委書記下鄉了。

爲了「說服」災民，於是，他們到各鄉舉行了羣衆大會。

「區長！有那麼多的鬥爭糧爲什麼不救救我們？」在第一個羣衆大會上就遭到了羣衆叫囂！

「那是公家的，怎麼能動？」區長很有「理」。

「公家的？可是幹部同志和農會主席怎麼倒可以拿來大吃大喝請客呢？」反正要餓死而無畏懼的羣衆們進一步提出了反駁。

「沒有的事！誰敢造謠？」區長發怒了！

「不管有沒有，你家要救救我們！」兩個飢民勇敢地提出了要求。

「對！硬是要救我們！」飢民們喊聲四起！

「笑話！我不是糧食公司，你們餓死是活該！活該！你們都是懶漢！跟我鬥爭來！」區長已大發雷霆！

於是，立刻起了抓人的騷動，跑的跑了，跑不了的抓住了五十多個，一個一個的加以鬥爭、拷打，其中竟有十七個人不曾餓死，倒被打死了！

於是，「鬥爭懶漢」竟被當作了說服災民的「先進經驗」，大加推廣！又於是，所有的共幹都認爲饑們「死有餘辜」！於是如火如荼地到展開了「鬥懶」大會！區長和書記是巡迴督導，指揮若定！也於是，到處是餓死與鬥死，形成了一個陰風慘慘的活地獄！

但人民究竟是不是「死有餘辜」呢？天知道！

楊綽庵之下場

新．世．說．補．遺

前上海市糧食緊急購儲會主任楊綽庵，於卅七年多擢任財政部政務次長後，對政府不接不離，首鼠兩端。迨卅八年五月十九日，楊自廣州回滬，竟向其親信聲言不願再作「末朝」遺婦，決意投靠秧歌政權矣。

綽庵投共，受其僚友兩楊之影響頗鉅，一爲前善後救濟總署湖北分署長，現任北平秧歌政府農林部副部長楊顯東，一爲其購儲會專門委員楊卓臣，兩楊皆老共也。上海撤守後，三楊意氣投洽，兩老共力捧楊立功自效，故其購儲會之移交特別清楚，絲毫不漏，當時甚讓共幹稱許，賜以民主人士嘉名，綽庵受寵若驚，一心以爲好官將至，即施展全身技能，釀成萬言書，附以精美圖表，託楊顯東獻之「周總理」恩來，對機關管理法，以及改良江西磁器生產方法等，多所建議。蓋彼素好挾此長策，干謁於當代一般無知寡識之權要闊佬前，深得讚賞，視爲奇才，因而飛黃騰達者，嘗忖新朝起自草莽，尤易乞得青睞也。詎獻書半載，渺無音息，投函請纓，亦鮮反響，不免惄然憂思，乃北走幽燕，先巧人說項，加入李濟深之「民革會」，再懇李介謁周恩來，周避之，傳語往晤「統戰部」主持人李維漢，維漢虛與委蛇，且獎其識時前進，忠誠移交購糧機關財物之功能。但囑其安居故都若干時，以便「統戰部」澈底了解，量才借重焉。楊以家在春申，且不知共黨本質與其對所謂民主人士之策略，竟悄然遄返滬上，遍告親友，謂已取得新朝信任，不患無出路矣。

羈留滬數月，新朝迄無徵辟之命，遂暫屈就鹽業銀行王某所設立之「祥泰木材公司」總經理職，月入有乙千單位以上之報酬，生活頗充裕安閒，漸亦樂不思官矣。常與二三友好，擇地雀戰，楊氏固以遇事守時號於衆，雖博奕之約，亦不爽片刻。一日，約定上午十一時入局，然候至正午仍不見楊來，以電話速駕，亦始終無接話者，事殊突兀，諸友乃聯袂赴楊氏卜居之福開森路「諾曼第公寓」探視，則見大隊軍警正圍搜其居室，即天花板及沙發椅皆拆開檢查，情形極端嚴重，楊氏已由囚車解去。蓋共黨仍認楊係僞裝前進之間諜人物也，此爲一九五一年事。

楊被捕後，不許家屬探訪，亦無消息外露，究竟作何處置，是何罪行，無人得知，亦無人敢問。迨去歲上季，其妻公開改嫁，始悉楊已解赴哈爾濱處死。緣楊氏於抗戰結束後受任哈市市長時，曾發生當地共幹李兆麟被人暗殺案，共黨指爲楊氏主謀，遂拘解哈市就地槍決也。余友沈君，久從楊氏服務，去夏方自上海逃出，爲余述其經過如此。

馬五先生

記銅官感舊圖（中）

．太希．

价人說，老師切勿如此，我正來報告上游的捷音呢，曾氏怒說，拿捷報來看，坐在船頭，不肯換下濕衣，這時值有這樣湊巧，果然上游有捷報到了，於是曾氏不再尋死。价人對曾氏雖有救生之德，多少門生故吏，由州縣而司道而督撫，可是對於价人，終曾氏之世，不過浮沉牧令而已，所以後來許多人都批評曾氏寡恩，這張圖是价人於曾氏卒後回湘，經過靖港的銅官山，回首前塵，留畫以誌感念的意思，此圖二丈多長，所有咸、同、光、宣四朝名流，題詠殆遍，平江李元度一篇序文上有「不言祿祿亦弗及」的話，分明說曾氏寡情，但是亦有很多人爲曾氏辯護的，如新昌胡搜唐「思敬」的序文就說：

「若夫哲人，浩氣在天地間，固非一死生而齊得喪，生寄也，死歸也，人臣盡瘁事國，惟一死爲足恃，文正驟獲死所，方自艱劬以趨逸，而价人必欲力任其勞，价人於天下借有功矣，而論者翻以此責報於文正，是婦孺蠶豆之見。」長沙章行嚴曾同胡氏此論，他的序文中說：「君一一授手間，六十年興亡大局於是乎定，而一時盛衰隆替思想通局，誠不禁廢然心傷，幾於是湖盡，而得驗之，而歎搜唐所稱婦孺蠶豆之見，深植於人心，與衰亞德，扶危救難，無所爲而爲之者，事例太少，不足以發恆、之思趣，一旦有之，相與震其迹而全昧其義，號爲大人，言亦爾爾。」

國軍登陸之謠

那個女人告訴我說：在廣州她被監禁的那個監獄里，有一千多個犯人，像這樣大的監獄在廣州另外還有五個，但這些監獄祗是爲拘留那些消極反動份子的，至于那些罪大惡極的反動份子像：游擊隊、間諜、散佈謠言的，是立刻就地槍決的。

奴役的藍圖（十一）

麥柯米克神父著　陸逸譯

在一個村子里，有一個謠說，自由中國底軍隊已經從海上登陸了，並且向內陸挺進中，這個消息立刻哄傳遠近，共產黨見情大慌，急忙澈查消息來源，結果把第一個談這個消息的人槍斃了，這一次共產黨非不祕密，反而在報上大登特登，藉收殺一儆百之效。

在安全如美國的社會里，人們是很難想像到這種祕密警察國度裏的生活的，在中國大陸，人人都生活在恐懼中——連共產黨自己也不例外。這種恐懼與一個人有罪無罪無關，在共產主義國度裏，猜疑即能構成死罪。（第五章完）

第六章　怎樣發動鬥爭會

在所有共產黨恫嚇人民的方法裏，鬥爭會是最惡毒的一種。人人都有一種隨時可能受誣告，逮捕，監禁或是被處死的恐懼。鬥爭會中瘋狂暴亂的羣情，和震耳欲聾的嘶叫，對人民所造成的驚駭常比鬥爭會本身底折磨和痛苦來得更可怕。

被控訴的人，用繩索或鐵練綑着，拉到台上。他朝羣衆抬頭望去，希望能看到一個對他憐惜的面孔，但他所看到的全是對之歪曲宣傳所煽動的臉，和握緊欲打的拳頭。

這些羣衆多是由共黨和他底同路人，或小學生所組成的。大多數的老百姓，對于這種鬥爭會都十分憎惡，如非強迫參加，多設法避而不去。

有一個被迫參加鬥爭會的，回來對我說，在他一生裏沒有再比這次參加鬥爭會使他更感到羞慚和悔悄難安的了，在這次鬥爭會裏被鬥爭的人，是一位基督教醫院訓練出來的醫生，他在內地裏的一個市鎮上，曾謹慎誠懇地行了十年醫，但他因爲曾批評過共產黨的宣傳政策，而於一個清晨被捕了，他被關了三個月。

正在這個時候，人民因爲饑荒雖然，而對共黨泛起怨言，共產黨鄉政府認爲公開鬥爭這位醫生的時機已至，這樣可以給人民一個下馬威。公審醫生的消息，在每個鄉公所裏的佈告欄上公佈了，幹部們於是到各學校去作講演，另外在農工會，婦女會，及進步青年協會底週會中，也進行瘋狂宣傳。

台灣三位花衫

娑婆生

台灣有三位著名的花衫，是戴綺霞周慧如郭淑英三小姐。惟三位格調宗派，實有不同。

綺霞演劇，是近乎慧生翠花而兼有之，爲純粹花衫，具大鵬劇團之中堅人物，可算唯一的王牌。因其表情既能細膩，手腳功夫亦可以，做作更富有熱情，幸未涉乎蕩，確是可喜。且能反串小生，木蘭從軍爲其拿手傑作，堪稱到家。自經農教公司將其拍成「軍中芳草」，則戲小姐聲名，更加流播，有時到全省得個角落。有時也能唱蹦蹦戲之馬寡婦開店，味兒也夠。曾見其演大溪皇莊之八美跑車，可戲爲最嬌擬靈活，可謂不負王叔銘將軍之栽培，克盡其職。戲之活躍玲琍，與焦鴻英異曲同工，不過南北情調大異，似乎戲近於天賦。

慧如則在川拜王瑤芳之門，從而學戲，以師事之。故其戲路極爲正派，不以花俏取長，纖微不苟，韻味周至，完全是京朝正宗。其能戲比較豐，長於小家碧玉之一類，因此慧如之演鴻鸞禧棒打，表情說白唱工，可算獨步。其次與名票關文蔚演全本殺惜，則鬧院的潑辣，與坐樓的狠毒，也刻畫盡致。嗓音較戴郭爲佳，對於純粹青衣戲，頗能勝任。曾與李心佛演武家坡帶登殿，李東園演教子，應付裕如，唱來甚好。東閩評其唱得悉循規矩，與余所見略同。慧如有賢德，其夫婦結合，完全自由戀愛，因此失歡於翁姑。來台以後，迄以教徒鬻藝所得，供養夫婿生活，自強不息，值得稱許。今春票界聯誼晚會，慧如怨串帆蜡廟之褚彪，英氣勃勃，頭頭是道，毫不示弱，實是可異。聞其全副衣箱行頭，均留昆明，由友保管，故每遇演出，輒感裝扮之不能如意，每起煩惱，心不愉快，爲嘆奈何。

郭淑英爲王泊生主辦之戲劇學校高材生，曾經折肱苦練，故功夫不差。抗戰期間，在渝蓉兩地，已露頭角。避禍來台，在鐵路局服務。而該局適有完備之平劇研究社，且角一門，祇有盧智是工於做派的花衫，不善於刀馬一類，淑英出其所學，鋒鋩遂顯，亦成了鐵路局的王牌，幾可與大鵬對壘。淑英曾於四十年在中山堂串演三日，爲辛安驛帶洞房，大英節烈，全本穆柯寨，皆荀派名劇。擬以試探觀衆之情緒，結果爲局方所不滿，幾至停職，不得不銷聲匿跡，仍度其公務員生活。今春爲慶祝總統復職紀念，始行再出，反串法門寺之趙廉，神態十足，嗓音瀏亮，音調高，好腔多，郿塢縣之大段唱工，一氣呵成。大審之卑恭屈節，恰到好處，洵爲能才。郭能劇不少，尤精於穆桂英一角，極饒英姿，彷彿當年之路三寶王蕙芳也。

中華民國僑務委員會僑發登記證台僑新字第一零二一號
中華民國郵政登記第一類新聞紙類
自由人
THE FREEMAN
（半週刊每星期三六出版）
（第二三五期）
每份港幣壹毫
督印人：李光謀
社址
香港高士打道六六號
電話：二〇八四八
GLOUCESTER RD.
HONG KONG
TEL: 20848
承印者：東南印務出版社
地址：高士打道六十四號
台灣特派員辦事處
台北市館前街五十號
台灣總經銷處
台北中華路新號五九四之一
台灣郵政劃撥儲金帳號
九二五〇號

國際魔術與自由中國

雷嘯岑

這幾年間，鄙與朋儕談論世界局勢時，對自由中國前途的看法，我始終認爲：「台灣的地理價值是穩定的，政治價值却有早晚行市不同之象」。所以，我對於西方國家時而主張承認中共政權，要請它加入聯合國，時而傳出託管台灣，或成立「台灣共和國」種種謠言，并不覺得詫異。這是國際政治行情的迅代變幻，是政治掮客從中興風作浪，自屬意料中事。即對艾森豪總統在其關於外交政策時未提及自由中國，也無所用其疑惑。我們不必管別人會不會出賣我，只問我能否具有別人不敢出賣的內在力量？國際政治市場上，奸商市儈有的是，消極的防範是無用的！

建立積極的心理防綫

過去常聞自由中國人士發揚鄭成功的言行，我就不敢苟同的，曾於某報上撰文指鄭成功是失敗了的民族英雄，我們今日如要復興中華民國，光復大陸，即不必私淑鄭氏，以免養成消極的心理狀態。記得前任台灣主席吳國楨氏所宣佈，前幾年他家裏預備有毒藥，以爲一旦共黨攻佔台灣時，作殉國之用等情，也認爲是消極的意志，不足爲訓。今天每一個自由中國的人士，必須有「反共必勝，救國必成」的堅強自信心，每一個負擔國事重任的政治人物，尤貴能以救世主自況，告訴大家，只有奮鬥即可生存，只有隨我來一致奮鬥即是生路，却不必號召大家都作殉國的烈士，漫說生死義士，即令國人個個都是文天祥史可法的後身，願以一死殉國，然如南宋與南明那種政治情況，又何補於宋明之危亡呢？只要大家具有爭取生存的熾旺心情，即與共黨勢不兩立，因爲共黨決不容許我們這些「反動的階級敵人」存在的。有了求生向上的積極精神，覺得前途無限光明，遇事自然即會從好的方面去做，而含污腐敗之風也將自動消弭。這決不是無裨實際之形而上的玄學空論，民十五年國民革命軍北伐時，有甚麼必勝的把握呢？唯一的必勝因素即是積極的心理作用，大家都覺得前途光明，希望甚大，如是乎不顧一切地努力苦鬥了。

因此，我們對於台灣的安全觀念，萬不可以美國第七艦隊之協防與否爲憂樂，應先問自身有無自衛的能力與勇氣，如其六神無主，那就是敗象，最多也不過是偏安之局，我們甘願長此偏安一隅嗎？生於憂患，死於安樂，這是眞理。台灣的地理價值固然是穩定的，但政治行情却風險甚大，爲國際政治市儈有出賣我們的暗盤交易出現，我們怎麼樣？有不少推翻這種暗盤交易的對策呢？南韓軍民苦戰了幾年，立功不少，且有被出賣的可能？然而南韓自信具有不怕被出賣的能耐，乃敢於理直氣壯地否定板門店的協約和談條款。我們在舊金山對日和會時，已經被出賣一次了，今後難免沒有第二幕戲劇演出，如果大家祇是陶醉於台灣的安全感，而忽視國際政治市場上的危機，那是惰性的心理表現，要不得！

同時也不能迷信國際友邦的保證諾言，因爲我們政治上的利害觀點，在國際友邦心目中是有其不同角度的看法，必要時，他是可以背棄諾言的。當年張伯倫慕尼黑協定之際，連那位博學多識的政治家貝奈斯亦被他的保證迷惘了，一躍不變，坐視國土淪喪。戰後又以相信國際友邦的諾言而使國家陷於鐵幕，我們應該以此爲殷鑑。一句總話，先剷除倚賴心理再說！

國力不完全在軍事

所謂積極的心理防綫，并非空口說大話的阿Q精神，必須從各方面下工夫，憑着這種精神的動力，構成國家的總體戰鬥力。軍事固然是總體戰鬥力的重要成份，然若在政治經濟文化上不能跟軍事配合起來，齊頭并進，還是不够復興的條件。何況我們現有的生產力和技術，皆不足以自給近代化的軍力，十九是要仰賴外援的。假使政治經濟文化各方面沒有復興的氣象，即可使援我者感到失望，而外援終有不可恃之日，世界上也沒有完全憑外援以立國的前例。

當此強權政治支配世界局勢，姑息主義充溢國際政壇之秋，我們當前的燃眉急務，就是如何集結人力物力，形成自由中國一種不可輕侮的總體戰鬥力，這需要政治、軍事、經濟、文化各方面一致發動，使在政治上有成就，能獲得全國反共非共人民的信賴，在文化上有適應時代要求的創進作風，在經濟上有自力更生的潛能，配以軍事上的新改造，還是上述的強國，自由中國在亞洲首屈一指的國家，誰敢妄作出賣我們的幻想？這些話說來簡易，要做到，却不是那個單位的政府當局，先得有此決心，計劃與實行的步驟，次須有施展這項中心大業的方法和人才，一種很好的政策，行不得其道，與預期相反，主持不得其人，一言一行即可招致全盤的失敗呵！

所謂政治效用問題，在我看來，就是「人」的多寡問題。人多了，智勇辯力之士都有，還愁國事不好做嗎？宋江與王倫，成敗得失，即係人的多寡關係所使然，國家大事亦復如是，在國運艱屯之中，欲謀復興，更是如此。世界上最具有排他性猜忌心情的人，無過於共黨徒了，然毛澤東却可以與滿身血債的共黨仇人李濟琛之流合作，還不是爲着利用政治效用的關係，不得不爾麼？軍事上需要兵源，政治上更需要人源。明乎此，則今日自由中國的團結運動應該如何進行，思過半矣。

兵法有云：「先爲不可勝，而後求爲可勝。」現時自由中國之「不可勝」的對象，不是大陸上的共黨魔力，而是國際間的姑息魔道。偪制魔鬼的有效方法，畫符唸咒都不頂事，最緊要是養成不怕鬼怪的膽氣，且有降伏它的正氣。那末，國際上儘管常有「曹社鬼謀亡國」的怪事出現，我們亦有恃無恐了。

△背道而馳▽

彼得洛夫斯基受勛內幕
——克里姆林宮內鬨之一例——

鄭學稼

自史達林死後，「三巨頭」不斷地暴露史達林生時的暴政。五月初，「眞理報」登載老布黨彼得洛伏斯基（G.I.PETROVSKY）受勛的消息，即該暴政之一。就新聞的價值而言，它不亞於猶太醫生的平反冤獄，惟爲人們所忽視。

列寧的忠實信徒

以鋸旋工出身的彼得洛伏斯基，於一八九九年加入俄國社會民主工黨，時二十三歲。就黨齡而言，他遲列寧七年；正被梯弗里斯正教中學開除學籍的約瑟夫・朱加施維里（即斯大林），在該年不過是「麥撒墨．達西」社之一社員。至於貝里亞，在那一年才呱呱墜地。

到二十世紀初，彼得洛伏斯基是列寧思想的忠實信徒。當一九一二年布黨的「布拉加會議」前，他已是工人的領袖，因此被工人區選爲「第四杜馬」的議員。在「杜馬」的布黨六個議員中，他是列寧的信任者。他曾與斯達林共同參加列寧所召集的科拉科夫會議——他是爲商討「杜馬」內布黨團的戰術而出席的，斯達林則因所主持之「眞理報」採取妥協立場並拒登列寧論文被召往申斥。一九一四年第一次世界大戰發生，他在「杜馬」內勇敢地發表「非戰」的演說，因之被捕。受審時，他的革命家立場，恰與加米湼夫之屈服，適相反。沙皇政府給他的處罰，是充軍於耶爾庫茨克；比其他議員們遠得多。十月革命成功後，他曾任俄羅斯共和國的內務人民委員。自一九一九年起，他由候補中委被選爲中委。自一九二〇年，他由烏克蘭蘇維埃議長，同時又是聯共中委、政治局候補委員。當二十年代初，就他在布黨內的聲望而言，實不亞於斯達林。例如，一九二一年十二月布黨第十次臨時會議，使後日斯達林御用黨史家耶魯斯拉夫斯基所提的主席團名單中，有他而無斯達林。

一九三四年十二月一日基洛夫被刺死於列寧格勒（注一案件，許多布黨史家反證是史達林的諸大謀殺之一），斯達林利用它大開殺戒。他的鋼刀的對象，是全部有名望有權力的「老布爾塞維克」。屠殺的工作，由一九三四年末至一九三八年止，到一九三九年，才開始封刀。就在那一年，獨裁者斯達林六十壽辰，以「社會主義勞動英雄」的尊榮，酬報自己的屠殺辛勞。在這四整年的殺戮中，彼得洛夫斯基與柯西爾同時「失蹤」。他的最後職務，是烏克蘭政府首長，柯西爾是烏克蘭的黨魁。繼承柯氏職務的，就是現聯共第一書記赫魯曉夫。「失蹤」的反證，是一九四七年布黨革命三十週年有五百個未死和未失蹤的「老布爾塞維克」聯名向斯達林致敬的名單中，沒有眞正的老布黨彼得洛伏斯基。

三點重大意義

感謝斯達林的早死，彼得洛伏斯基和別的虎口餘生者，因「大赦令」而釋放（按烏克蘭黨獄發生後，彼氏當被判爲「有齋孝鑑國主義」，不是「反革命」）。由於他的入獄，是在雅戈達或葉佐夫任特工的階段，所以，貝里亞不僅釋放他，且給他以「勞動紅旗勳章」，那勳章是授與「有大功於國家」的人。爲掩飾彼氏在這十六年內的冤枉，「眞理報」說授勛是舉行于他的七十五歲壽日。這叫做欲蓋彌彰，因爲生于一八七七年的彼得洛伏斯基，今年七十六歲。

彼得洛伏斯基事件，有這些的意義：第一、它恰似猶太醫生的冤獄，是在貝里亞任特工頭領之前發生，現在平反它，可提高貝氏的聲望。第二、烏克蘭的老布爾塞維克們在赫魯曉夫高壓下，岌岌自危，現在彼得洛伏斯基的授勛，公然給赫氏以難堪。這又是克里姆林內鬨之一反證。第三、兩月來，貝里亞實力的比重，似日在增倍。如他的老部屬巴吉羅夫，當斯達林活時，並未列身合併政治局與組織局的主席團，現在突然榮任該機構的主席團。大家應該明白：克里姆林宮的內鬥愈烈，愈會扮演假「和平」的戲。可是，從另一方面說，也愈增加向外冒險的機會。如果民主集團忽視後者而專注目前者，那決不是世界眞正和平之福。民主國家的領袖們，該當明白和理解；對付狡猾的列寧黨徒，不是會議而是實力。

每週展望

・左舜生・

日本有力者發起防衛協會

據前天（六月一日）路透社和中央社東京專電，日本一部分舊軍人與金融界領導人物，已聯合發起組織『日本防衛協會』，並於今天（三日）即可宣告成立。所謂舊軍人包括前駐美大使海軍大將野村吉三郎，海軍中將河邊正三等；所謂金融界領導人物，包括日銀總裁一萬田尚登，東京工商界聯合會會長藤山愛一郎，及前工商大臣岸信介等。

據中央社說，該組織係全國性的，第一步計劃，即準備以日金五千萬元用於文藝集會等方面，以激起日本民衆的愛國主義與自衛精神云云。

我覺得，日本在今天有這樣一個推動再軍備的組織發起，可謂正合時宜，而且可預卜其前途無量。

無論世人怎樣愛好和平，只要像蘇聯這樣一個侵略的野心國家還不會倒下去，戰爭終於是避免不了的。

日本在上次戰爭中之所以失敗，乃失敗於他們軍閥的政策錯誤及科學之確不如人，決不是失敗於他們人民之不够勇敢。所不如人者，日本目前的一切一切，已十足具備一個一等國家的資格，所僅僅只有軍備一點。

以日本目前人口的繁殖之速，土地之小，資源的貧乏，各方面市場不容易打開，她當然是非向外發展不可的，所謂『防衛』云云，這不過是一種初步的說法，就將來論，當然不是『防衛』所能了事。

像蘇聯這樣一種國家，自己既領有廣大無邊的土地，擁有取之不竭用之不盡的豐富資源，已經奴役了全世界七億以上的人民，然而還是野心不死，仍在繼續不已的隨時隨地發揮她侵略的凶燄，請問：我們除掉齊心協力把這樣一個魔國家打倒，支解以外，還會有什麼眞正的和平道路可走？

在今後的十年，全世界自由人類的歷史使命是很顯然的：一、切實制止蘇聯及其走狗當前的一切侵略行爲，例如目前的韓戰越戰，斷不能敷衍了事；二、從歐洲把東歐一切被奴役的國家解放，至少把蘇聯人一律驅逐；三、從亞洲把中國大陸包括新疆，蒙古，西藏全部解放，使她成爲一個統一，獨立，和平的民主自由國家；四、支解蘇聯，她所能領有的土地，只能以足够她們兩億人民營和平生活爲度，所多餘的，應分配於世界一切土地不足的國家。

日本目前還有不少搖擺不定的毛頭小子，也有不少迎合潮流的投機專家，但我確信：日本這個民族，總有其優良本質，她決不會背棄自由世界而爲這一股悲觀潮流捲去。所謂『日本防衛協會』的發起，這不過是日本人發揮這種優良本質的一個開始而已。

蔣胡組黨

假定果如最近國民黨發言人沈某所說，這一部『中華民國憲法』還是依然有效，還是應該由大家去一致擁護，那末，凡屬中華民國的公民，便應該人人有組織政黨的自由！不問你用公開的、或祕密的；直接的，或間接的手段，去妨礙或制止別人組黨，便是一種無可辯護的『違憲行爲』！

據前天（六月一日）合衆社和泛亞社同時從台北發出的專電，說出席聯合國的首席代表蔣廷黻，在他最近的留台期間，曾向人表示準備組織『中國自由黨』，而胡適教授也可能參加爲發起人之一。這個消息，在蔣胡方面只是舊話重提，也毋寧也值不得驚異；所可引起我們注意的，只有他們兩位都是最近曾在台灣作過多方面接觸的人物。

就我所知道，今天還有少數的落伍分子，天天在那裏從事反民主，反自由的運動行爲。可是今天台灣在海外的青年人，中年人，老年人，都是百分之百的要爭取民主自由的。他們這種爭取民主自由的決心，是可以說已經到了白熱化的程度。

我主張：不問蔣，胡爭取的組黨能否成功，一切愛好民主自由的人士都應該堅守立場，好好的分別團結，組織，不怕小，一樣可以有力；等到時機成熟，便不難滙爲一股洪流，使那班落伍分子在這洪流中活活的淹死！

美工商界積極準備 開展原子能新時代

科學會毀滅世界嗎？對於這嚴重問題，至少尚有許多科學家和工業家並不悲觀，他們正努力於迎接原子能新時代，為人類謀求福利。原子能供民用的日子，已較一般人所揣測的更為接近，美國私人工業界已在積極準備，一待國會通過，將立刻從事原子工業的興建。原子能發電，可能在二年內即告實現，原子能工廠的藍圖，業已繪就，正開始尋覓適當的廠址。種種跡象都顯示，光明的原子時代，正向我們眼前展開。

美國私人工業的工程師，現刻已在尋覓適當的地點，準備建立第一座商用原子能發電廠，原子能的運用，並不限於製造炸彈，用以毀滅人類，而用於為人類謀求福利的日子，已比多數人士所想像的更為接近。

工業家合作籌劃

二年前，專家們都認為原子能的商用，至早也要到一九七〇年，或甚至一九八〇年才有實現的可能，但現在，美國多數原子能權威却相信，只要國會放寬關於原子能的禁例，私人工業在一九五五年以前，即能建成幾座小規模的原子發電廠了。到一九六〇年，或甚至在今後五年內，美國可能出現六座至十二座大型的原子發電廠，足供大都市電力之需。對於常人，它們的外貌與普通電廠無異。主要改變是電廠的蒸氣爐，它將摒棄煤或石油的燃料，而由原子堆來發出熱力，轉而產生蒸汽，推動發電機。

西屋電力公司已在畢茨堡郊外劃定地點，將建築一座二百萬美元的工廠，製造私人原子反應器所用的種種設備，這是第一筆巨大私人資金，投資於原子能發電的工業。其他幾百家公司，對發展原子能民用的興趣，也正與日俱增，輻射性同位素，在一九四七年供工業方面使用者，僅五十批，但今年則已增至一千五百批，激增了三十倍。

同時，工業界的第一個合作研究原子能，以解決原子能反應機設計與運用的實際問題的計劃，已有重大收穫，全國最大的幾家化學品與電力公司專家所組成的四個組織，已在原子能委員會的指導下完成了這計劃的初步階段，他們的工作，集中於工業原子能反應機的設計，他們所獲得的結果，即將由華府原子能委員會加以發表。

他們已繪成幾座工業原子能反應機的藍圖，目前已達成從事實際興建的階段。第一座工業原子能工廠，為了安全關係，大致將設在比較荒僻的地區。

原子堆的控制室

技術問題已解決

美國會方面，對原子能的民用也甚為興趣。而現原子能聯合委員會，已準備考慮修改原子能法案，使原子能的發展，不復由政府原子能委員會所壟斷，國會已定期開始召請政府負責原子能的人員出席作證，工業界也將提出有關原子能使用的意見。目前各方的注意，集中於原子能委員會的建議，該會大致將由國會提出開放一部份原子能發展工作的計劃，但民間的未來原子能研究與實際使用，仍將受到政府的嚴格管制。

至於在原子能民用的技術方面，其進展實足令人震驚，原子能委員會的反應機，已表明運用原子能發電，在技術上是可行的，私人原子能工廠，且可能產生若干種副產品，再供工業界使用。原子能委會二種型式不同的實驗性原子反應機，業已對發電試驗成功而產生小量的電流。不過，原子能委會目前的工作重心，仍在於製造潛艇及飛機運用的原子引擎方面。稱為「馬克I型」的流動原子引擎模型，已試驗成功，將按裝於第一艘原子潛艇「鸚鵡螺」號。第二架原子潛艇「海狼」號的原子引擎，也在建造中。此外，該會並已開始設計飛機用的原子引擎，並已訂立合同，製造巨大軍艦（如航空母艦）所用的大型原子引擎。這種原子反應機的研究和製造工作，正迅速推廣了有關民用反應機的器械與材料的智識。

一艘航空母艦所用的原子引擎，如用於私人工業上，其所產電力，足供五萬人口的城市使用，在許多主要部份，它與民用的發電引擎並無不同。

今日的關鍵，已不在技術方面，而在於政府對修改原子能法案的態度，如果這法案獲得開放，原子能的民用，已祇是時間問題了，而這時間也不會很久的。在初期，由於大型原子工廠的建造費用異常龐大，私人工業家也許非賴政府的某種貼補無力建立，但小規模反應機，祇要國會一經准許民間建立，必然會立刻迅速出現了，這時候，原子能替人類帶來軍大福利的新時代，將在我們面前展開，而射出無限的光明。（春田節譯「美國新聞與世界報導」）

台灣通訊

國大組織法將修改

自中國國民黨第七屆第二次中央委員全體會議決議商請政府依法召開國民大會，沉寂多日的國大問題，又成為自由中國論壇上之話題。蓋自中央政府移駐台灣以後，最早召開國大臨時會的呼聲，尚係在三十九年夏秋兩季。其時的根據是民國三十七年三月第一屆國民大會在南京集會時所議決的臨時條款第四項。該項規定國民大會應於三十九年十二月二十五日以前召開臨時會，如屆時動員戡亂時期，尚未依前項規定，宣告終止，臨時會應決定臨時條款應否延長或廢止。惟三十九年時之國內情形，一方面大陸全部沉淪，一方面台灣亦尚未完全安定，而已到台灣國大代表人數，與開會法定人數相差尚遠，故政府未予召集。第二次召集醞釀則盛於四十一年一月監察院提出彈劾副總統李宗仁案之後，依照憲法規定，因彈劾案而需要召集國民大會臨時會予以討論時，召集權在立法院院長，而不在總統。後亦因代表人數問題，遷延迄今，立法院長迄未發出召集通知。但一部份國大代表則認為臨時會如果召集，除討論彈劾案外，兼須討論憲法的修改案，故會由國大憲法研究會以集體名義，提出了一份憲法修正案的稿本，將國大的職權擴充到無所不包，兼有英美法三權憲法的議會制度之下的民意機關所具有一切的職權，與五權憲法的建國大綱所擬賦予國民大會的職權。茲國民大會既須依法召開，則最關重要的人數問題與修憲問題，自為開會的先決問題。

先說人數問題，茲代表總額既有三千零五十四人之衆，依國民大會組織法第八條的規定，須有過半數出席方得開會，則至少需有一千五百二十三人到會。現在台灣與海外者離此數尚差若干，未經主管選政的內政部公布，但從傳聞所及，如將業已出缺者予以遞補，或可能湊足此數。惟以千餘人之大會，不能絕對沒有因病因事請假者，或報到後偶因事故未能每日出席者，如不將開會法定人數修改，在會期中可能常有因出席人數不足需臨時宣佈休會。故日來修改組織法第八條之說甚盛，大致將修改為有三分之一代表出席即可開會。修改之權在立法院，第十一會期的立法院本應至五月底休會，茲已經行政院函商延會半個月。或謂係國大組織法急待修正之故，然就常理推測，似不盡然。

將國大組織法修改，減低其出席法定人數，固為適應目前之狀況。但平心而論，原規定國大須過半數出席，本屬過高。立法院有各種重要職權，如宣戰，媾和，締結條約，通過國家預算決算，同意行政院長的任命，而其開會法定人數占為全體委員五分之一。國大之重要職權只為選舉總統與修改憲法。修改憲法的人數，在憲法上另有規定，為代表總額五分之一（六百零九人）之提議，三分之二（二千零三十八人）之出席，及出席代表四分之三（一千五百二十三人）之決議。則國大例會只為選舉總統，有分三之一出席，已不為少。至國大職權，原規定於憲法，憲法未修改前，雖以擴充。修憲人數又規定於憲法，非任何人所得變更。故國大組織法即使修改，而憲法仍不致修改，此可使愛護憲法者先行獲得安慰。至國大開會時，得聽取政府報告，檢討國是，並得提出詢問或建議，乃係第一屆國民大會自己所制定的議事規則中所規定，誠如雷震先生最近在自由中國所寫的國民大會要走到那裏去一文中所說，這是國大代表們未經過法定手續而任意創造的「惡例」。

東西貿易冷戰

史達林在死前不久，曾誇言共產主義國家已剝奪了資本主義國家八億潛在顧客——即蘇俄帝國中的貧乏羣衆。並預料資本主義的國家將被擠出其餘的市場，而導成英法德日「擺脫美國的束縛，而謀求獨立發展。」但史達林和馬克斯一樣，忽視了這個事實：健全的資本主義可憑藉提高其人民的生活水準和開闢新的地區（如非洲）來建立和擴充其本身市場。不過最近在歐美若干地區，却有一部份不屬共黨的人士也認為史達林預言或有實現的可能，英國新任駐美大使馬金斯也說，祇有經濟問題可分裂英美。

西歐和日本同樣的恐懼它們艱苦得來的復興，可能因為迫處於鐵幕與美國的關稅壁壘之間而宣告崩潰。自大戰結束以來，西歐在美國鼓勵之下，已大量提高其生產量，其至超過戰前，但它的傳統性市場，主要在蘇俄和中國大陸，却幾已全部喪失。今年荷蘭法國和德國的東歐貿易，輸出僅及一九三八年之半，輸入僅及同年的四分之一。而日本對中國大陸的貿易，一九三八年佔其對外貿易總額的百分之二十一，目前竟縮減到千分之一強。

史達林死後，他的繼任者會一再以「東方巨大市場」來引誘自由世界；美國政策雖反對對共貿易，特別是對中共，却並未提出「巨大的西方市場」來代替，使歐洲能出售其剩餘的製成品而求取生存。自由世界各地都普遍發生怨言，認為封鎖共產集團，在戰略上的論點，與經濟上的必需性發生衝突。

英人焦灼

英國的生存，即依賴世界性貿易，目前對於在亞洲的美國的市場日益縮小，自然大為憂慮，於是前工黨大臣威爾遜去了莫斯科，求取木材供國內建築計劃之需，工黨勃凡派議員弗曼也對下院說：「我們祇想法把產品輸往並不需要它們的美國，而不去利用等待着它的共產市場，誠已可笑之至。」甚至財相巴特勒也耽心美國共和黨控制下的國會，或可能再度提高民主黨二十年來減低了的進口稅。因此，英國對中共區的貿易，在本年第一季內，已突增十倍。英國雖然表示仍然遵守聯合國的禁運條例，但對禁運條例中的戰略物資定義，却比美國寬大得多，外交部過去對英國旗商輪載運物資至中共區，也是視若無睹，祇要它們發貨的港口不屬英國及其屬地。

法國由於對東歐的貿易，僅及一九三八年的半數，也大為不安，已定期和蘇俄展開貿易。右翼商人普拉斯已先赴莫斯科，再至北平去談生意，他雖然立場右傾，却認為「做生意不管政治。」

美如何應付

西德因為最近和保加利亞簽訂了四千萬美元的貿易協定，一時興高采烈，立刻宣佈也將與蘇俄進行「直接談判」。同時，西歐國家中，希臘正準備以烟草易取波蘭的機械，義大利也難以拒絕輸入保加利亞檸檬。日本工業家驚於美國的煤與鐵苗價格，適中共區產品的二倍，而後者無法獲得，曾一再表示：「除非和中共恢復貿易，否則日本經濟將沒有復興的希望。」

在另一方面，歐洲和日本商人，普遍不安美國的關稅藩籬和輸入條例。一個日本商人大發牢騷說：「美國叫我們不要和共黨做生意，他們自己却又提高了一些貨物的進口稅，眞是胡搞。」

共黨深切瞭解這種情形，於是利用上月聯合國歐洲經濟委員會在日內瓦集會的機會，以大批物資引誘西方代表，為本身攫取利益。更嚴重的事實，是蘇俄是把貿易視作政策的工具，它所爭取的，不是金錢上的利益，而是戰略利益，它和各附庸國為了求取其擴軍和建設計劃所需的金屬和機器，不惜付出十倍於國際市場的價格。

這種激烈的貿易冷戰，西方國家如何能團結應付，問題關鍵，自在於美國，而到目前為止，美國還沒有提出確實有效的辦法來彌縫自由世界在這方面的裂痕。（章伯麟節譯「時代週刊」）

天下小事

杜爾斯怕誤會不去伊朗

美國務卿杜爾斯最近遍訪中東及南亞各國，唯伊朗獨付闕如。當國務院草擬杜卿旅行計劃之初，對訪問伊朗與否即曾大費躊躇，他們認為杜爾斯如訪問伊朗，必將引起外間甚或英國的揣測，以為他攜有解決英伊油爭的方案，為避免這種誤會，他決定省略伊朗之行。不僅如此，連美國民主黨領袖史蒂文生作環遊世界的旅行時，國務院也勸告他放棄訪問伊朗的計劃。

邱吉爾不肯認老

英國老首相邱吉爾還不曾有在短期內退休的打算。他時常提到：「我還只七十八歲，格拉斯登八十三歲的時候，仍在担任首相」。據他的左右說，自他擊敗工黨再度出任首相以來，特別是在艾登患病期間，他兼任外相以來，這位倔強的老頭子的精力實際上已經增加。他還能工作至半夜，並喝幾杯白蘭地。最近，邱吉爾還向人津津樂道，一九四七年醫生為他施行手術的時候，雖然他已高齡七十二歲，但醫生們發現他仍有「一副四十歲人的內臟。」

軍心不穩躭誤噴射機

現時留居東德境內的前德國納粹空軍駕駛員已奉命向東德共黨登記。因為東德傀儡政府正在籌組一支小型的空軍，需人孔亟，他們感到徵調前空軍官兵，無論在時間與金錢上，都較訓練新人為合算。但由於波蘭空軍駕駛員屢次駕新式米格噴射機逃亡的原故，東德空軍所配備的，大多數都是殘舊的俄德活塞式機。俄共當局雖允諾大量供給噴射式機，但附庸國軍心不穩，供應的計劃也連帶受了影響。

卅萬元爭取加冕鏡頭

對於英女皇伊利沙白二世加冕大典的熱鬧情形，英美兩國的廣播和電視公司都已不惜工本，期使其他各地未能躬逢盛會的人民，可以由電視上親睹加冕盛典的實況。英國廣播公司為此化掉的費用是一萬三千美元，至於美國國家廣播公司和哥倫比亞廣播公司的成本更屬驚人，兩公司估計共用掉三十萬美元之譜。

印度摸不着中共頭腦

新德里的印度觀察家最近對「中共駐印大使館」的一舉一動，已更感大惑不解。原來一個半月前，中共「大使館」人員尚經常和印官方往來，但最近六週中，他們不僅和往常一樣的杯葛西方外交代表，而且根本就沒有一個人前往印外交部接洽。印官方自認在過去一個半月中，他們並無開罪中共的地方。中共「大使館」的此種行為，實令他們有丈二金剛摸不着頭腦的感覺。（孟衡）

大陸災害普遍嚴重 中共着慌下令搶救

小麥收成絕望春耕都未完成 今年氣候失調天災疫癘必多

據上月十七日北平「人民日報」以巨大標題刊出僞總理周恩來的關於加強增產糧食和救災工作的指示中及在該日社論中認承：目前大陸各地的災荒已極爲普遍而嚴重，不僅冬耕的小麥和小春作物的蠶豆、豌豆等物已大多極少收成的希望，且大秋作物的播種亦尙多困難，原因是去冬以來，安徽、江蘇、河南、山東、山西等主要產麥省份，先後遭受寒流、晚霜、虫、雹等災害的程度極爲嚴重，致使小麥等的收成，大受損害；河北、四川、雲南、貴州各省及西康、廣西之部份地區同時遭受乾旱、風、雹等災的程度亦空前嚴重，大多尙未能如期插秧；福建、江西、廣西及浙江部份地區的晴雨失調，致使大批秧苗已發生霉爛。

尤嚴重的，據周恩來的「指示」中指出：根據氣象研究的報告，由於今年氣候失調，關於情勢非常惡劣的洪水、內澇、旱、虫、雹等災，隨時隨地有突然發生的可能。同時，受災地區，且有發生瘟疫的可能（按：西南部份地區，現已發現腦膜炎等症的流行）。

因此，該報的社論中已提出：「把增產糧食和救災工作作爲我們在農村中壓倒一切的中心工作」的口號；周恩來的指示中，則強調「救麥保秋」（保秋，即完成春耕，保障秋收之意）是當前糧食生產工作的基本要求，也是受災地區當前救災工作的基本要求；並向全「國」各地「政府」指令：要他們「普遍深入地動員和組織羣衆與自然災害作鬥爭」。

此外，在周恩來的指示中又認承：目前一般幹部對此種嚴重的災害，尙在麻木不仁之中，一部份幹部則面臨災荒顯現一片慌亂之色，不知所措。而一般農民，則面對災荒，大多表示悲觀，已失去生產熱情和信心，故亦提出指示，飭幹部正視災情，全力搶救或預防，並竭力設法安定農民之生產情緒。但實際上，農民之對生產普遍表示悲觀。據大陸各地報紙披露之事例看，原因尙不僅在災荒嚴重！而尙有甚多人爲之災害逼使農民厭棄農業生產，較主要者：一爲農業稅過重，農民之收成幾有百分之七十以上爲中共所征去，農民無法生活，終年操勞結果，徒作中共牛馬；一爲幹部盲目強迫農民「改良生產」，如強迫在不合條件之土地上擴大植棉，強迫採用中共「推廣」之各種農種；強迫購積肥料；強迫製訂生產計劃；強迫夜間開會等等，無不使農民造成生產上之損失及情緒上之折磨。是故，目前大陸之農村生產，實已瀕臨破產地步！中共固不免着慌，農民尤屬悲苦！

飢荒日甚人心浮亂

學生輟學耕者棄田 農民湧入城市現象更嚴重

據近北平「人民日報」透露山東、河南、陝西、河北各地之消息：目前各該地區農村居民盲目湧向城市之現象，仍極嚴重。該報曾指斥各地鄉村幹部對「政務院」所頒佈的「制止農民盲目流入城市」的指示，未能切實執行。謂目前該等地區之部份農民，對農業耕作生產的重要性缺乏認識，對生產的前途缺乏信心，致已普遍產生一種「棄田從工」的僥倖思想，各地仍極有零星的或集體的農民盲目向城亂竄；而各地幹部，則仍不知動員農民的春耕生產，安定農民的生產情緒，制止農民的盲目行動。

又據稱：目前該等地區農村中完全小學的五六年級小學生，亦都有放棄學業，盲目竄向城市求工作的現象。僅以山東即墨縣一縣所有的完全小學而論，幾乎每校都有六人至二十人不等的年在十三至十六歲之間的小學生擅自脫離學校，甚至瞞着家長，私向城市而行。謂彼等幼稚盲目之意識，竟爲一入城市，即能找到工做而獲得較佳之生活，乃爲一嚴重而危險之錯誤！

關於發生上述情形之原因，中共除指斥各地幹部不知安定生產情緒及指各城市工廠不通過勞動部門私用工人以外，雖諱忌不提其他，但根據其他消息加以參證：顯示此種現象之基本原因，實爲目前大陸一般農村中之飢荒程度，已日深一日，大多居民已無法生活，不得不另謀出路以求生存。尤以兒童學生之常因輟學以從事工作一點，更爲明顯。故目前大陸一般農村的人心，已極爲浮亂。

內蒙赤化教育

課本供應脫節

據最近北平「人民日報」披露消息：中共正在內蒙古加緊進行其赤化教育，但因所用課本，均須自北平特別撰定印發，而此種課本之編撰印發則極緩慢，致赤化課本之供應，常告不繼，使內蒙學生讀完一學期課程之後，不得不再讀半學期乃至一學期的舊課程，因而敗亂了該地赤化教育的教學秩序。查中共在內蒙古實施赤化教育，係假借控制「內蒙古自治區人民政府」之「文教部」以全面推進，所用師資，均係由該部嚴格訓練甄選後派充者，其中漢、蒙籍的各佔半數，其所授語文，亦漢、蒙並重。據悉其課本內容，除一般的係照中共整套的赤化思想與奴化思想灌輸外，對內蒙之歷史、政制，特編有一套歪曲的宣傳講義，以吸引內蒙青年之親共意識。

中共利用「民建」加緊改造商人

傀儡走狗開會商討

中共爲加緊改造商人，以徹底消滅私營經濟，繼「六省工商聯會」，決定加強各級「工商聯」組織全面「改造」商人後，復於上月二十二日至三十日間欲由「中國民主建國會」在北平召開爲時一週有餘的所謂「工商情況彙報會議」。出席該會議者均係大陸各大都市的負責人，其中少數且係中共佔據大陸以後投靠「民建」的所謂「民族資本家」。該會議係由中共的走狗黃炎培、章乃器、李燭塵等所主持。討論及決議的主題，即：加緊推進商人的「思想改造」及該會幹部（以工商人居多）依據中共標榜之「自我改造」。

衆所週知：中共在「新民主主義論」中允許所謂「民族資產階級」存在的初期政治陰謀，係運用「民主建國會」等去籠絡商人而加以利用。尤其是一般苟安糊塗的所謂「民族資本家」，多認「民建」爲護身符而加以歸附的。但現在中共的所謂「國營經濟」，業已樹立規模，壟斷市場；且中共劫奪「民族資本家」及一般中產以上的商人的所謂「民族資產階級」的財產，業已山窮水盡，此種什麼「家」和「階段」實已到了可以消滅的階段，因而中共乃決定利用「民建」加緊去實行「改造」商人。至此，大陸商人，已愈益走入末路了。

中共保密・幹部糊塗

五年計劃竟遺失

幹部鑑定表整批出售

「保密精神」，爲中共訓練黨員或幹部的重要課題；對鐵幕以外固要守祕密；對鐵幕以內亦要守祕密。但不論中共如何要求保密，而幹部糊塗仍時有洩漏祕密的行爲，且洩露祕密者以高級幹部爲多，洩露的程度亦極嚴重！

上月十八日北平「人民日報」在「讀者來信述評」中曾謂該報接到不少讀者（實即該報各地通訊員）來信，反映某些機關和幹部不重視保密工作，甚至發生洩密、失密事件的情況。謂有些機關在清理文件中太粗率，將不少祕密文件當廢紙出售了。據舉例：「原甘肅省人民政府在機構撤銷時把商業廳的一些內部報告和幹部鑑定表等密件當廢紙出賣」。謂有些幹部隨帶機密文件外出，且不注意保管，致發生丟失文件的事件。據舉例：「如中央重工業部有色金屬工業管理局一個工作人員竟將該局的機密文件『五年建設計劃說明』在北京市安東市場內丟失」。又：「如青年團北京市東郊區工作委員會書記劉玉竟將一個放有很多機密文件和機關出入證的公文包丟失在青年宮電影院」。謂有些幹部，則在公共場合便隨談論有關國家機密的問題。例如：「在理髮室、浴室、公共汽車上，常有許部旁若無人地大談機關內部的情況或軍政大計」。因此，該報末後提出嚴厲的警告，大意是要幹部：「注意敵人，提高警惕，加強保密，嚴肅懲處洩密人員」。

先生滅絕人性 學生生病拖死

中共爲集體管制青年，現在大陸學生，除小學外，均須住讀，但中共之學校行政幹部及教師，除管制學生之思想、行動外，對於學生之健康、飢寒、疾痛，皆漠然不管，致時有學生害病後被無辜拖死的情事發生。如最近重慶新華日報披露：四川江北縣誠善中學又有一學生游培銳被處於此種情形下無辜喪生！該生游培銳起初因受涼患重感冒，精神甚感不支，要求請假休息，但校方置之不理，不僅未予醫治，且仍命其忙於功課，致病勢日漸惡化，終於轉成腸膜炎症，臥倒，不能起床。但校方除默認其請假外，既不予醫治照顧，且飲食亦不予送，同學偶而送杯茶水外，無人過問，竟一臥六天，又無食，更不通知其家長，如此，幹部不管學生，先生至於不問，必致該生拖病的程度無可救治之後，方由校方派同學三人將其抬回家中，終於一氣息奄奄之人，隨而死去！此事在大陸學校之所謂教職員，今日對學生之人性態度，但尙且如此，則中共治下的其他一切的人性之滅絕的情形，更可見一斑。

浙共恐懼突擊 加強沿海巡邏

舟山新增巡邏艇一批

【本報訊】浙江鎮海方面消息：浙東沿海共軍，深懼我海上游擊隊登陸突擊，除沿海岸陸軍加緊戒備外，並已加強沿岸海面之海軍巡邏，巡邏之範圍，經常在溫嶺與定海之間。據悉此種經常巡邏之共方海軍部隊，共有六組，除每組配有小型砲艇三艘至五艘不等外，各有小型巡邏艇十艘左右，約等於一個加強大隊的兵力。原有之海軍巡邏隊則爲四組。

又訊：舟山羣島之共軍，近爲加強海防，已由上海方面撥增小型巡邏艇一批，係上海造船廠在俄籍工程師特別設計製造者。據悉已駛抵定海沈家門碼頭者，約有十五艘左右。且悉此等新型之小巡邏艇之裝甲甚堅，並配有俄式機砲四門。

開十五個會・做一件小事

——記中共小題大做的忙亂現象——

據說京滬杭一帶的居民於宣告「解放」之後不多久，便對共產黨有了一個代名詞，叫做「會稅」。出典是中共各式各樣的會議太多，無奇不有的捐稅太多；突如其來的戶口檢查太多！

捐稅與戶口檢查姑且不說，僅就會議太多一項，這裏有一個很簡明的例子：

據七月六日天津日報揭露的消息稱：最近該市在展開「春季愛國衛生運動」的工作中，僅僅爲了開會一事，便使黨、團、政、工等各系統中瘋狂犧牲了很多時間和精力；以天津自行車廠爲例，就爲了只辦這一件簡單易行的工作，開了十五個會議之多！

十五個會

一、四月一日：全市愛國衛生運動幹部動員大會，正副廠長，黨總支書記代表該廠前往參加。

二、同日：全市愛國衛生運動廣播大會，組織全廠職工收聽。

三、四月二日：中午十二點到一點，工會召集車間主席，車間文教委員、勞保委員、工會小組開會，佈置搞愛國衛生運動。

四、四月三日：青年團分支委員會，研究如何搞好愛國衛生運動。

五、同日：市委宣傳部召開愛國衛生運動大會，青年團分支書記、分支委員、宣傳員等全體前往參加。

六、同日：重工業黨委召開愛國衛生運動大會，總支書記率六十餘人前往參加。

七、同日：五金工會召集開會，工會主席、生產委員、勞保委員、工人小組長全體前往參加，聽取一切指示。

八、四月四日：黨總支委員會、全體組長列席，研究愛國衛生運動的計劃。

九、四月五日：工廠管理委員會，組長以上幹部全體列席，研究如何搞好愛國衛生運動。

十、同日晚：全體職工大會，動員展開愛國衛生運動。

十一、四月六日：晚間八點到十一點召開全體黨團員大會，動員搞好愛國衛生運動。

十二、四月八日：宣傳員大會，佈置愛國衛生運動的宣傳工作。

十三、四月九日：愛國衛生運動委員會開會，研究分工及如何執行工作。

十四、同日：團分支團員大會，號召團員參加清潔大掃除突擊隊。

十五、四月十日，各車間小組長聯會，車間主席下班佈置突擊大掃除。

一件小事

四月十一日動員全體工人，揩擦機器、掃除垃圾，裝點門面，組織秩序，目的是——迎候全市高級共幹組成的「愛國衛生運動檢查團」蒞臨檢查，以「光榮而勝利」地交代「任務」！

武漢大學檢查體格

發現大批學生染有肺病

學習情緒大受影響

【本報訊】近來武漢各地之學校、機關、工廠等集體生活之處所，肺病至爲流行，尤以武漢大學，情形更爲猖獗。該校共有學生一千九百六十餘人，一九五一年度總檢驗時，全校有二百二十餘人患有程度不等之肺病；一九五二年度總檢查時，已增至三百六十餘人；最近又舉行一次總檢查的結果，發現已增至四百七十餘人之多！其中初度的約佔百分之六十七，計共三百十餘人；中度的約佔百分之二十二，計共一百十餘人；嚴重的約佔百分之十一，計共五十餘人；致該校全體學生之情緒，殊感恐慌不安，已嚴重影響一切學習工作。尤以目前大陸普遍缺乏肺病特效藥，並不獲最低限度的休息機會，極少痊癒之希望，致患者都在絕望之恐怖之中。至不同校之未患者，則因深慮傳染而爲之惶惶不可終日。

中共積極佈置退路

新疆等省展開軍事屯墾計劃

耕作與軍訓並施

【本報訊】中共近爲企圖徹底制服新疆、青海、寧夏、甘肅等省人民之反共活動，並鞏固其全面軍事控制，積極佈置廣大之軍事腹地，以備戰爭一旦爆發時充作軍事基地之用起見，已決定在上述各省實施軍事屯墾制度。此一制度之實施，係由各省之「軍區」所統一指揮，司令部在各該軍區之下，設「農業生產部隊」之編配，配合行政系統：一縣編成一團，由縣長指揮；一個行政區編成一師，由專員兼軍分區司令指揮；一省編成一軍，由省主席兼軍區司令統一指揮，均配以武器，以連爲單位，列定駐所及耕地，設立農場，從事集體耕作，並經常施予軍事、政治及農業生產技術等訓練，此外，並在新甘青寧等地，均駐有一般的以團爲單位的中共正規部隊，亦經常從事屯墾等生產及訓練工作。

說老實話的人

方為

自由談

報載香港國際婦聯會為妾侍問題，徵求婦女界意見，總計收到各方寄來意見書卅多封，只有一封是贊成妾侍制度的。理由是：她從前嫁與一位窮漢做太太，隨時啼飢號寒。現在她改作一個有錢人的妾媵，生活甚為優裕安閒了。

這年頭，言不由衷說假話的人滔滔皆是，上自王侯將相，下至販夫走卒，旁及聖賢教主，莫不僞言欺世，滿口禮義廉恥，滿腹貪鄙勢利，幾曾見有忠信，行篤敬的君子人也？越是擅長說假話，裝模作樣以自欺欺人者，搞政治是忠貞份子，從事商工業是職業界領袖，在社會被譽為名流賢達。總而言之，統而言之，不能說假話做假事的人，是不容於當今之世的落伍者，窮困固屬罪有應得，餓死也是活該的！

在此「說謊世界」中，居然尚有這位說老實話的女同胞，雖欲不頌讚其為魯殿靈光，不可得也！即以妾侍問題而論，這原是基於經濟規律的社會現象，不從發展生產力以改造社會結構的基本問題設想，徒然斤斤於社會現象的是非，舍本逐末，怎能得到有效的結論呢？這位女同胞所說的幾句老實話，即可以證明這社會經濟規律的現實性了。

假如世人都能像她這樣肯說老實話，不事虛矯，不但妾侍問題可以研究出合理的解決方法，即反共復國那類天下大事，也不須天天高叫團結，而其成功必拭目可俟哩！

英皇御林軍

健超譯

一八〇九年一月，在一個最冷的一天：摩爾爵士（SIR JOHN MOORE）率領他那陣容不整的部隊，因為迷途進入西班牙海岸的康諾奈城（CORUNA），被拿破崙久經訓練的部隊追逐，在零度的寒冷下翻上一個山峯，他遙望兩軍陣前，有一隊身着紅褂的步兵；服裝整齊，鼓聲雷動，集精聚神的步伐齊一，摩爾爵士他看了一會確定的說道：「他們，一定可以守衛得住」。就在這一年伊利沙白一世在倫敦舉行加冕典禮，御林軍是選自蘇格蘭愛爾蘭威爾士各地世族的精華，還有一枝配備華美的騎兵，在護送女皇赴西敏寺的御林軍中，紅褂的服裝，那是人人敬佩羨慕不置的正如史傳所記述，這些女皇的兵，他們那英雄的氣概，踏着光榮的步伐前進。英國君主從前常常雇用一批人保衛他的城堡或為他作戰，自一六六〇年以還，查理二世因為他的父皇是死于非命，他才命令建立一枝裝備精美訓練嚴格的御林軍，他們一身着紅褂，三百年來在歷史戰役與，發揚了不列顛軍隊的傳統光榮，滑鐵盧一役，威靈頓的兩千衛隊，抵抗法軍一萬三千，戀戰竟日。

幾番考驗

加入御林軍，固然是每一個英國人都嚮往的事，可並不是一件太容易的事，首先必得通過醫生的體格檢驗，普通軍隊的規定，五呎八吋高的身材就可入伍，當御林軍，得要六呎二吋高。同時在檢驗體格是否健康而外，態度是否文雅？行動是否敏捷？主考官常常會用一些難以解決的問題，測驗應徵人的應變的智力。總之所有應對進退儀容行止，都必得合格，才可入選。此外還常常挑選原來充當御林軍的子弟。因為他們得自父兄們的薰陶，自更是御林軍的適宜人選。應徵人幸運的被選後，還得經過九天的考驗，如果不遭淘汰，才得正式補入御林軍，進入在倫敦郊外的訓練營，受着艱苦而嚴格的訓練。英國人對于經過御林軍訓練的觀念，是態度文雅，舉止端詳，平時是一位瀟洒俊逸的紳士，操練時是一西獷悍無比的獅子。

嚴格訓練

訓練營的生活，是艱苦而又嚴肅的，他們像棋盤的卒子，任憑教官的口令，時東時西，一聲令下，言行、容儀，整齊劃一，教官像企鵝，筆直的站在排列的隊形前，受訓的人就像一羣豬，訓練期間是十六周，每天是十六小時的活動，個個是既極盡艱苦而又備極嚴肅的生活。他們不拘任何事件，在發語時必得先來一句「先生」（SIR）的冠詞，若果是答復，那是「先生」之外，還得加上「是」（YES），文雅有禮，也是訓練時的一個要目，正如訓練官所說，對于入伍，單是這種訓練精神，就可使他變成一個好的御林軍。此外更有十一周的野外操練，類如露營演習，衝鋒作戰，兼程行軍，障礙前進，武器運用。値勤守衛時姿態，身正、腰直、而仰，露着頸項，活像一隻企鵝似的。在快步時，限定每分鐘要跑一百一十六步以上，而且步伐必須一致，起動停止，不容有絲毫的混亂現象。

艱苦值勤

據說洛賓和阿麗絲，走過白金漢宮，見到禁衛軍那付木立不動的神態，阿麗絲是一位禁衛軍的妻子，她說「這個兵的生活，是可怕的艱苦」。這個每天在值勤前，就得有六小時的準備，梳洗穿着，都須「一律如儀」設非動作敏捷，就難得完全畢事。值勤是六小時，制，他們在崗位，在巡行。他們戴二十寸高的毛帽，帽帶是金屬物的寬帶，它必得緊在嘴巴的下面，不拘是在烈日或大雨之下，他是不能移動的，在大雨下也不能披雨衣，因為那會掩蓋了禁衛軍的輝煌服裝。發生了遇着麻煩他的人，他祇可叫警察，他自己可不能移動他的站立崗位。他雖握有一技來復槍，可不准裝進子彈，但是他却担當着衛護女皇的責任。

訓練完畢後，他們那儀容動定，不祇是一位勇士，而且像一位官吏，他們原出身良好的家庭，受過良好的教育，他們或許是少數的來自鄉間，未嘗沾染倫敦城市生活的習氣，樸實而不浮華。同時他們的任務不定，並非固定的在倫敦禁衛皇宮。弗烈希，他是一位蘇格蘭衛隊長，他在御林軍服役達十一年之久，他的主要職責，固然是在衛護皇宮，可是他參與過諾曼第登陸之役，巴勒斯坦和特洛波力之役，而且還在馬來亞和共產黨徒打過仗。在倫敦時，他穿着便服過度假期，不過按照御林軍的習慣，他也有一套規定，深色外衣，黑皮鞋，手杖，帶把傘也無妨，他可以帶一個小包，但不能帶小袋，在電話時他們從不說「倫敦」是「城」，亦即說他們從不說過于抽象的簡語。弗烈希公務很忙，十一年僅得回家鄉一次，他的家是在蘇格蘭西部，那里是漁獵勝區，原野幽谷，大足流連，他甚喜愛他的家鄉，他退役後一直住在那里。

一表人才

在倫敦的康諾特花園，那有名的御林軍歌劇團，是維多利亞女皇為她的御林軍而設的娛樂，她選擇御林軍裏的歌劇人員，間或公開表演。說來御林軍的公務實在繁忙，守衛的地方，除白金漢宮外，還有聖詹姆士宮女皇母親所住的克拉冷士宮，瑪麗太皇后所住的馬爾巴洛宮，此外具有歷史性的溫沙堡，倫敦塔上的瞭望，英格蘭銀行的防護，禁衛軍也是它的保護人，防護銀行的禁衛軍，每夜由銀行侍者供應茶水和一頓晚餐，而且有一瓶酒。特別節期，如國家大典以至皇家舉行婚典和生日慶典，他們是全付盛裝的列隊參與其他軍隊的行列，聽候檢閱，參加遊行，顯示他們不祇是皇家的禁衛軍，也曾有歷史戰役的紀錄，正如藥中的甘草，他們是必備的而又有用的不可少的一味藥，英國人都認為御林軍不祇是保衛皇家，而是保護大英帝國第一綫上的軍隊，實在的，御林軍的訓練，在外表上的壯觀瞻而外，那內在的精神訓練，儀容言行，御林軍確實是當得起第一表人才。（譯自生活畫報）

新世說補遺

馬五先生

沽壇趣聞

民國廿二年（一九三三）夏間，我國行政院副院長宋子文赴倫敦出席經濟會議時，常乘暇遊巴黎，頗為西歐各國所重視。納粹德國政府與吾國交誼原不惡，曾由其外交部正式邀請宋氏便訪柏林，藉示親睦。然宋復電婉却，德方殊感沮喪，其遠東司長慨然語我使館人員曰：「吾德國誠貧乏，不能以金元借助貴邦，然吾人可能援貴國之事，其效用或許更勝於金錢也。宋院長何藐視我國若是耶？」怨望之情，溢於詞色。

迨八月下浣，宋忽電告我駐德使館，即來柏林訪問，飭通知德政府，德方聞訊極慌張，緣每年八月為德國政治大員例定之休假期間，自希特勒以次各顯要，胥遠赴別墅，非有緊急事故，不還首都。然宋氏既決定來訪，唯有以上賓之禮，接待如儀耳。

宋抵德京後，以該國元首與外交部長皆離京休憩，鮮作外交活動，日與德商禮和洋行西門子洋行諸大腹賈周旋，德政府人士謂我使館曰：「德國之財經軍事力量，並非握在商人手中也！」二十一日，我駐德大使館舉行外交宴會，藉使宋氏與當地政府留京主持政務諸次要人員晤面，依外交通例，先請德國外交部開列應約赴宴之名單，中有該部遠東司專負對華事務責任之專門委員階級人物兩名，使館以奉宋院長諭，因其位卑職小，免予邀請。德方據我通知，大駭異，謂此兩員係負有當場為宋氏介紹與德國政要相見之禮賓任務者，决不可缺，否則殊乖外交儀制也。然我方仍持前議，翌日，該被擯之兩員，即乞調任其他職務，不願再問對華外交事，賓主間情緒極不愉快。

宋氏將離柏林時，其隨從祕書楊光泩，以電話囑我使館參事梁龍，向德外交部索給免費火車票十餘張，德方勉強照辦。詎逾兩日，楊祕書又告以車票尚少乙張，謂臨時雇有打字之法國女子一名，應補發。德方以其瑣瑣非外交常軌，且聞其為法國女子，遂置不理焉。

殊趣事層出不已，宋氏臨行前夕，楊祕書忽謂梁龍曰：「我們前數日曾經向「托婦科克斯」車站訂購頭等座位票十餘張，後以德政府贈給免票，即赴車站退票，不料該站可惡之極，要敲我們竹槓，非付十分之一票價不可，豈有此理！請你趕緊與外交部交涉，教車站不要濫敲竹槓，以免院長發脾氣！」實則德國鐵道皆國營，臨時退票依法必須付此什一之費也。梁氏恐見譏於院座，明知車站絕非勒索，然不敢據實告，仍以電話與德外交部商洽，對方不待其詞畢，即答謂：「宋院長一行既已自購車票，此大佳事，原贈免票作廢可也」。話機嘎然止歇，不屑再言。梁氏固失格受侮，而宋氏等亦不得不斥資購票，黯然去德矣。

奴役的藍圖（十二）

麥柯米克神父著　陸逸譯

共幹指揮下的叫囂

這位醫生被指控作美帝間諜（僞證），地下反共份子（僞證），謀殺過十二個病人的同路人（僞證），私藏軍火（僞證），多次強姦青年婦女（僞證），最後這一項，無論在那個鬥爭會裏都有。

公審的那一天早上，村上所有的學生，在學校裏接受臨時訓練，教師教他們如何喊：「打倒美帝的侵略」，「槍斃美帝間諜」，「打死他」，「殺死他」，「槍斃他」等口號，這些口號先是由教員們領着喊，然後再由學生們扯破嗓子跟着叫。簡直跟足球比賽中的啦啦隊差不多，當學生們完滿地接受了臨時訓練之後，便排了隊，像行軍一樣，挑着旗，打着鼓，氣勢洶洶地走向鬥爭廣場去。

學生隊的後面，跟着村中大部份的青年，他們也被編入各種會團，在共幹領導之下高喊着他們底口號。成年人很少參加，除非出于逼迫。當學生隊和青年隊浩浩蕩蕩地抵達會場之後，便立刻混合在其他別村來底青年團體裏。會場中設有擴音器，控訴的聲音，可以安全抵達每一個與會者的耳鼓里，羣衆多設法往台前擠湊，熙熙攘攘，像趕廟會一樣，好不熱鬧。

「打碎紙老虎」

最後，叫囂的羣衆突然緊張地靜下去，一個頗善言詞的身着制服的共產黨員慢步登台，對大衆解釋「愛好和平」的人民政府舉行這次公審會的意思，他說：中國共產黨要使中國強大起來，外國帝國主義的枷鎖必須摧毀，中國必須奪回失去的版圖，必須重新征服高麗，日本，台灣，菲律賓，甚至于新加坡，中國既為泱泱大國，所以也應當是獨一無二的頭等強國，中國應該統治遠東，共產主義應該統治世界，在每一節講完之後，啦啦隊必狂叫一番。

這位身着制服的共幹，慢慢地煽熱羣衆情緒之後，他開始指出阻止中國征服東亞的唯一國家是美帝。

「美帝」，他大聲狂叫着，「祇是一個紙老虎！」一拳就把它打碎！」

他告訴羣衆美帝如何擾害中國，中國人民必須消滅這個敵人。

異口同聲要求打死

「今天我們開會公審一個美國間諜，一個侵略中國美帝底特務，」他高聲喊着。「我們應當怎樣辦他？」

回答他的高叫，是一陣有組織的口號複習，這時候，那個嚇得魂不附體的醫生，被十幾個武裝警察解押上台，他被鎖鍊綑綁着站在那里。一個是事前訓練好的）一個設法壓低他的腔滑調的誣衊，一個更激烈，更玄妙。在每一個的迫害之後，照例又是一陣叫囂。

最後，共幹叫羣衆共黨預先指使好了的骨幹衝地跑到台上叫喊一番，台上對羣衆說這個醫生如何取他做美國間諜，一個女人說醫生如何打傷了她，因為她拒絕和他通姦，講到這里，羣情激忿，異口同聲地要求用亂棒打死醫生。

記銅官感舊圖（下）

太希

至於价人對於這個圖卷的自序後段說：「某年秋季，余歸長沙，道出靖港，舟中望銅官山，山川無恙，而公已功成事竟，返馬帝鄉，於時風波乍鳴，水濱林壑，猶隱隱作戰鬥聲，因歎公為一大事而生，即不能忽焉而死」价人這篇自序，毫無自伐和觖望的意想，可見此君的修養了，我記得左宗棠題的一篇序，意氣橫厲，不可一世，大意是即使曾氏那次死了，洪楊之亂，亦可以由他來收拾，因我不滿意左氏這種態度，所以他的文詞，也不去記他的了，最後我將鄭蘇戡「孝胥」題的一首詩，寫在后面作結，鄭氏此詩的末句即諷李元度也！

『曾公靖港敗，章侯救以免，功名震一世，雲泥隔歲晚，歸舟近長沙，父老話兵燹，山邱易零落，銅官長在眼，作圖名感舊，自記極微婉，未如湘綺歌，文藻邁年序，猶能亦殊健，往矣，意氣固同違，時鶩論紛騰，何事挾餘慍，道高迹可卑，子賢身不泯，報恩賤者事，豈以律世顯，彼哉李子言，徒示丈夫淺。』

中華民國僑務委員會僑發登記證台僑新字第一零二號
中華郵政登記認爲第一類新聞紙類

自由人

THE FREEMAN
（半週刊每星期三六出版）
（第二三六期）
每份港幣壹毫
督印人：李光華
社址：香港高士打道六十六號
電話：二〇八四八
GLOUCESTER RD. HONG KONG
TEL: 20848
承印者：東南印務出版社
地址：高士打道六十四號
臺灣特派員辦事處：台北市館前街五十號
臺灣總經銷處：台北中華路新號五九四之一
臺灣郵政劃撥儲金帳號九二五二號

從韓越台灣馬來論遠東形勢

楊孝權

自共黨發動韓國侵略戰爭，迄今時近三年矣，當聯合國安全理事會斷然採取「警察行爲」之際，固已審知中共之必將介入韓戰也。故美國前總統杜魯門於迅速以駐日美軍援韓之外，同時下令第七艦隊保護台灣，阻隔國軍與中共軍之相互攻擊，美其名曰「台灣中立化」。其用心無非欲避免戰局之擴大也。蓋當時遠東局勢，遠不如今日之穩定，以南韓擋北韓，有如螳臂當車，戰爭初期，曾成「一面倒」之形勢。越南局勢，其惡化尤有甚焉，馬來亞騷亂情形有加無已，日本和約未訂，武備空虛，較爲具體有力量者，僅台灣一隅而已。

全球戰略均勢之發展

惟國軍於大陸新遭挫敗，元氣未復，人心士氣，兩台浮囂，雖有台灣海峽隔離，究非天塹，倘中共妄圖一逞，傾師來犯，猝然孰能禦之？聯合國方有事於韓，美國在遠東之軍力有限，若倉卒間當韓台兩面作戰之任，一時或力有未逮，且中共尚可藉口「內戰」，美國縱有餘力，亦未便作正面之迎擊，故必須防患未然，先將台灣地位「特殊化」，構成「複雜之國際形勢」，而後方可以專心致力於韓國。此一措置，在當時乃最爲明智者！厥後韓戰形勢轉易，聯合國軍反攻直薄鴨綠江，吸引中共軍之精銳盡投韓國，雖令韓局相持不下，然中共已因韓戰之牽制，無力侵犯東南亞或台灣矣。

當時越南局勢，其嚴重程度或有增無減，馬來情況則較前大爲安定，台灣亦在當局勵精圖治與美援不斷增強之下，不僅徒具防衛力量，且正秣馬厲兵，伺機出擊。吾人試僅就戰略觀點以爲據論，則韓戰三年來之世界形勢，實已發生極大變化：北大西洋公約組織，南希土聯防協定，中東防衛系統，不止西歐已如金城湯池，中東近東日臻穩定，遠東之日本，亦隨世界局勢之緊張而漸復舊觀，構成東方一較大之安定力。

凡此種種，皆爲自由世界全球戰略均勢之發展，所謂「重歐輕亞」與「厚此薄彼」之情狀，實際已不復存在。然此種形勢之演變，並非謂已可高枕無憂，須知吾人在爭取時間上力量增厚一分，敵人之力量，亦可能在同一時間內增多一分，姑不論蘇聯在此時間內其戰爭準備之成效如何，單就中共而論，其力量之膨脹，亦足驚人。韓戰三年，固已造成極大傷害與負累，然在中共極權統治與軍國主義極度擴張下，所苦者無非中國人民，對于中共政權及其軍事力量損害不大。反之，中共軍事力量之擴張，適足以形成對東南亞各國乃至日本台灣非律賓以樹大威脅，目前幸而尚有韓戰吸住其大部力量，若韓國一旦停火，則此一團火焰，自北而南，未來亞洲局勢，吾人實有不堪設想者！惟自莫斯科北平相繼展開和平攻勢以來，板門店和談，現已屆入成熟階段，韓戰或將暫時休止，美國在英法各顧其本身利益之聯合壓力下，不得不委曲求全，以謀韓局之苟安，而將其用於韓戰之物力，轉而投之越南馬來亞與台灣，此乃必然之趨勢。

共黨「蠶食」「鯨吞」並用

蓋共黨世界革命戰略「蠶食」與「鯨吞」並用，始則蠶食，繼則鯨吞，強則鯨吞，弱則蠶食，無論過去與現在，在歐或在亞，其手段如出一轍。韓戰雖可暫停一時，戰爭之因素依然存在，不但韓戰隨時復發之因素存在，即越南馬來亞台灣之戰爭因素與戰爭形勢，固無往而不存在！甚者韓戰停火，正可視爲越南與台灣爆發大戰之前奏曲，而馬來亞局勢，亦必因中共之鼓勵，大爲騷亂，泰緬印巴，殆無一處是安寧之地。如此，是何異結束一韓戰，招來無數類似之韓戰，爲英美法列強乃至整個自由世界計，未免太不合算矣。實則西方國家對於遠東局勢，自有高瞻遠矚，猶憶美國共和黨執政之初，「用亞洲人對亞洲人」之口號，高唱入雲，如台灣之解除「中立化」，使國軍得自由反攻大陸；美國積極訓練與裝備南韓軍至二十師團；法將朱恩之東來，將模做美國助南韓建軍方法，行之越南。凡此皆爲「亞洲人對付亞洲人」之步驟，吾人若就純軍事性質觀之，此法似屬可行，至其效果如何，又當別論，若就政治觀點言之，則爲失策之尤！如此策用之於台灣及南韓；尚無不可，台灣爲中華民國合法政府所在，以國家之政府，討伐叛亂，名正言順。南韓爲求達成[illegible]國家之統一，和平統一既不可得，迫而使用武力，亦屬理有固然。越南之情況則不然，越盟以獨立運動反殖民政策起家，一九四五年，且得法國之承認，其後法國將越南分而爲三，雖在形式上建立三個聯邦，實際上仍是換湯不換藥，其一貫的殖民政策依舊，保大王朝之建立，正和日本侵華時在東北建立滿洲王國及南京汪僞政權之手法相同。此在精神上已予越南人民以極大打擊，世界輿論亦極不同情，故胡志明乃得在其「民族戰線」之號召下，日益坐大。今日法國強大軍隊尚在越南作戰，已呈捉襟見肘，形勢危殆，若一旦以越南之事委之越南保大政權，吾恐其不旋踵而越南亡矣！馬來亞動亂，以英國防衞力量臨之，本不難一鼓盪平，然週旋逾年，了無好轉，若更加上中共在精神物質技術乃至人力上予以應援鼓勵，此形勢可能全改觀。此無他，亦殖民政策之弱點暴露，所給予亂者以利用，「民族革命」爲口實之機會也。

中共威脅整個亞洲

如所週知，遠東形勢之緊張，乃因此數年間崛起一強大之中共，目前威脅整個亞洲安全者，無非中共而已。中共政權及其軍國主義一日不倒，此種威脅與顧慮將一日存在。顧中共心腹之患，厥惟台灣。就政治上言，國民政府仍爲中國之合法政府；就精神上言，國民政府仍然佔有大陸上大多數之人心；就軍事上言，台灣擁有亞洲唯一無二之強大國軍；就技術上言，國民政府之軍隊可以隨時選擇有利形勢進攻大陸，而無任何顧忌。故中共雖在亞洲「莫予強焉」，而其內在之憂患——來自台灣之攻擊——亦「莫此爲甚」也。尤有進者，韓戰縱或停止，李承晚之南韓軍業已建立，美援供應不輟，當非殘破之北韓所能抵禦；北韓非藉中共之力，無以自全，更無南犯之力，是亦爲牽制中共大部兵力之一法。台灣國軍在韓戰三年之有利時間內，整軍經武，戰力雄厚，一俟韓戰結束，便可因美援之運用，對中國大陸進行攻擊，雖未必一舉即能擊潰中共，最低限度亦可構成對中共心臟之一威脅，可以斷言。或謂台灣何不利用中共精銳在韓作戰之日，乘虛直搗，而必須在韓戰既停，中共回師之後，披銳攻堅？此無他，方聯合國用兵於韓，止限于局部戰爭，蓋恐事態擴大，招致蘇聯參戰，導爲世界大戰，故東北亦在不容攻擊或轟炸之內，設若台灣于此時進攻大陸，即不免使戰爭擴大，況台灣在韓戰期間，保置于美軍防衛戰略體系下，自不便一舉。現在美國已第一步解除台灣「中立化」，任國共雙方自由行動，仍令第七艦隊保護台灣，以防來自大陸之攻擊，其性質正與在聯合國集體安全下保障會員國之免受侵略意義相同。第二步謀韓國戰事之局部結束，以和緩因韓戰而引起之世界緊張形勢。第三步將爲美國以大量物資軍火器械助台反攻，以國軍對中共，乃屬中國內政問題，當不處因此而引起蘇聯之干涉，或英法之掣肘，其消耗中共，因援中共之效用則一也。美國此時乃可一面從容整理西方及中東近東之防衛部署，一方面支持英法有效應付越南馬來亞乃至泰緬印巴之紛亂局勢，進而逐步完成對俄帝之「基地包圍戰略」，進可以攻，退可以守，可以言和，可以言戰，此固「全球戰略」之當然措施也。

吾人茲就韓國越南馬來亞台灣乃至東南亞各國之情況發展，以觀遠東形勢，則前途，並不悲觀。吾人既當了解反共戰爭，爲全球性之戰爭，則在某一時間某一地區之進退得失，實關乎政戰兩略之密切配合，所謂「重歐輕亞」，所謂「慕尼黑軍演」之恐懼，皆不必要。韓戰結束，並非對共黨屈服，尤非自由中國之不利。反之，正是給予自由中國政府與堅持反共之中國人民以極大之機會和極大之鼓勵，如何迎接此一時代使命之來臨，願台灣當局及全體國人勉旃！

義選民向共黨攤牌

明天（六月七日），義大利就要舉行全國普選，三百萬義國選民將投票改選他們的參衆兩院，這是戰後以來義大利的第三次大選，也是八年中最重要的一次選舉。

義總理喀斯貝里所領導的基督民主黨（天主黨）在一九四八年普選中獲得壓倒的勝利，在當時五百七十四席的衆議院中，他獲得三百零七席，參院百三十七席中，他也獲得一百三十席的多數。

喀斯貝里前途艱阻

那個時候，基督民主黨在兩院中獲得絕對的多數，主要是由於義人恐懼共產黨與左翼社會黨的密切合作可能取得控制國家的地位，所以選民投票的異常踴躍，投票的選民總額百分之九十二以上，中產階級和婦女選民都競往選舉所投票，以求避免「赤色」的威脅。

喀斯貝里出任義國總理已達七年半以上，七年半中他雖然六度改組內閣，但他本人的總理地位依然固若金湯，他在義大利歷史上騷動的時期中建立了安定的新紀錄。如果在明日的大選中，基督民主黨仍然獲得勝利，喀斯貝里執政的時期，更可能超越戰前義總理吉羅里蒂所創的九年紀錄。

但目前義大利已有種種跡象，顯示即使民主黨在大選中獲勝，喀斯貝里的前途依然相當坎坷。

其中的主要原因之一，乃是喀斯貝里的基督民主黨在如何攻擊義國共產黨問題上，已經陷於分裂。

喀斯貝里主張以和緩而微妙的方法對付共黨，但他黨內的某些有力份子卻對此感到不耐，他們力主管制共黨報紙，拘禁共黨領袖，並粉碎共黨對勞工的控制。

同時，在目前的義國政黨中，支持喀斯貝里最力的，除了他本人的基督民主黨外，還有三個較小的民主政黨，那是社會民主黨、自由黨與共和黨。在傳統上說，這些小黨派本是反宗教的，但他們對基督民主黨中天主教勢力的恐懼猶不如他們對共產黨的害怕。但在六月七日的大選中，基督民主黨右翼的實力卻有大爲增強的可能，如此一來，勢必影響到右翼與上述三小黨間原已很緊張的關係。而喀斯貝里也將不可能再延攬社會民主黨、自由黨共和黨與他的右翼合組一聯合政府，來抵抗共產黨、左翼社會黨和新法西斯蒂黨的聯合攻勢了。

魯斯夫人提出警告

喀斯貝里的許多支持者認爲，喀斯貝里可能會辭去總理的職位，而不願完全斷絕與上述三小黨的關係。但如果喀斯貝里果眞退出了政治，這將是基督民主黨和義國政府的不幸，無論就黨和政府來說，都將從此失去了安定。因此許多希望喀斯貝里交出政權的人，他們已提出了一個解決的方案，那就是義總統埃瑙第任期於一九五四年終了的時候，推選喀斯貝里出任義大利共和國總統。

當然，這是可能的，明年喀斯貝里很可能感到他已完成了他的主要工作，對堵截共產主義，建立民主政治，促進社會步上，他都已有了重大的貢獻，他很可能認爲一九五四年是他退位讓賢的時候。

但大多數喀斯貝里的支持者卻以爲他仍將像過去最危險的時際一樣，在艱危中鼓起勇氣，呼籲大衆團結共同渡過難關。因爲事實上，他的艱巨工作並沒有到達全部完成的階段。

他曾推行了一項龐大的土地改革計劃，這是迄今爲止歐洲最大規模的土地改革計劃，但這項計劃還只在開始的階段，尚須竭全力推行。

喀斯貝里並已在改革義國落伍而不公平的賦稅制度上大下功夫，他已在開發南部落後區域上，投下了義國歷史上最大的資本，他且經常表示要在提高生活水準與改善貧民生活上作最大的努力。

如果喀斯貝里眞的卸除了政府的總理職位，這將是義國不安的訊號，不僅義國國內會動盪不安定，西方盟國與整個反共陣營都會受到影響。無怪最近美國駐義大使魯斯夫人，要預先提出警告，希望義國選民在明日的大選中，擁護其前途了。（第啓）

本週展望

·雷嘯岑·

板門店和談重開

板門店和談前天重開後，又休會一天，據說是共方提有反建議，聯軍代表要請示華府再談。現在雙方都高唱和平曲，誰也不願意蒙受破壞和談之名，而誰也不敢相信對方有和平誠意，爾詐我虞，互玩手段。只有南韓政府是說的老實話——反對屈辱的和議！南韓儘管反對，休戰談判終歸要告一段落的。不過，板門店和談縱成功，並不等於韓戰完全結束，問題還多着呢！如果我們認爲二十多年前的中國「九一八」事變，是促發二次大戰的禍根，那末，韓戰更將成爲醞釀三次大戰的酵母。大家切莫忙着迎接和平之神，好戲還在後頭啦！

美國參議院的新結子

艾森豪說世界糾紛的結子要慢慢地解開，不能急於用刀來割掉。他保證今後不會有慕尼黑悲劇出現，大戰危機亦當設法消弭。其人其言，誠然可觀，很像個故裝擬雙的「家翁」氣派。然而，他的人民代表參議員，卻重新替世界糾紛再打上了一個死結——一致通過不許中共進入聯合國來！這一個新結子，不特使艾森豪不容易解開，更使那位雄心萬丈，要爭取世界領導地位的邱吉爾先生，爲之打一寒怔。百慕達會議中的問題，已減去一大半的重要性了！

麥卡錫的言行

美國大砲式參議員麥卡錫否認他有作總統的野心，他認爲一個人如能終身作參議員，其成就並不下於任何總統！

他這話替美國的民主生活增加了不少的價值，因而使我憶及民主黨總統候選人史蒂文生上月在印度的談話了。有新聞記者詰問史氏：像麥卡錫那類瞎胡鬧的參議員，美國人民何以還要贊成他呢？史氏答道：這要看你從甚麼角度來觀察他，譬如他堅決要求每一個公民均須效忠於美國，這當然博得大衆的贊許。至於他那種隨便指控別人的作風，美國人就不見得擁護他了。

這意思就是說，眞正的民主政治是尊重理性的，是非黑白，人民分辨得很清楚，任何勢力也不能強姦民意，以自己的好惡爲好惡。麥卡錫原爲民主黨最厭惡的人，然史蒂文生卻有此平正通達的批判，若不是美國的政治社會中，能有這種奇蹟存在嗎？

近來常聞我國人士高談「反對黨」和「合法的批評」這類民主論調，我希望大家把麥卡錫之所以成爲麥卡錫的道理，愼思之，明辨之，然後即可以得出合理的答案了。

日本人的「防衛協會」

日本改進黨人士和舊時的軍人與金融鉅頭等，最近在東京正式組織「防衛協會」，目的是在促進日本的再軍備，培植自衞力量。

這「防衛協會」在目前的日本社會中，恐怕難有大成就。保守性的政府當局，都是些縱橫捭闔，唯近利是務的政客，文文武武，沒有一個像明治維新時代的人物，而左傾勢力又特別瀰漫。他們所採取的策略相當厲害，即一致讓保守黨人如吉田茂這類先生們去執政，讓他充分地發揮其腐化惡化的性能，先在人民心目中造成普遍的惡劣印象，間接即是替左傾黨派創造其急速發展的潛力。等到瓜熟蒂落之際，一躍而奪取政權，易如反掌。試看左翼社會黨議席近年來急劇增加，趕上了改進黨的情形，即可知他們的策略大爲奏效。

一次大戰後的德國，即因共產黨和左傾黨派勢力之猖獗，纔逼出了一個希特勒的納粹主義。當時在背後支持希特勒的，就是一些金融寡頭——蒂森與克虜伯財閥等。我相信日本共產化的可能性不大，但又相信日本有步德國後塵的可能。日本這「防衛協會」將來如不幻滅，即將變成新興日本的「褐衫軍」。我們是不希望日本新興爲法西斯國家的，這就看保守黨派有沒有高瞻遠矚的政治家了。

台灣看百慕達會議

（台灣通訊）

自由中國對這個會議，自然十分注意，但參加的三個國家，英法的國內政權，並不穩固，美國已不能轉向，必須堅持其既定政策，所以自由中國各界都認爲，以這樣三方面的人舉行會議，自不會有若何重大收獲。

美英法三國的百慕達會議，即將舉行。自由中國的各方面，對於這個會議自然十分注意。但是各方面都相信這個會議未必有若何重大的收穫。因爲法國的梅耶爾內閣，本來想藉這個會議的召集，以維持其政權。但事實上，會還沒有開，梅耶爾已經倒了台。此後無論由誰組閣，都難以在國會中取得長久的信任。英國最近的地方選舉，工黨又佔了優勢。邱吉爾在國會中的多數，本來就很勉強。如果重辦選舉，保守黨能否獲勝，也是疑問。在美國方面，艾森豪於就職之初，曾發表了一連串的積極政策。最主要的，是將對蘇聯的圍堵政策，改爲解放政策。言猶在耳，又怎樣可以自己退居妥協遷就的地位？何況在美國國會中，塔虎脫已經提出了不滿意艾森豪遷就聯合國其他會員國的措施，而提出了異議。所以，參加百慕達的三國，其中有兩個國家的當局，在其國內的政權，並不穩固，換言之，并不足以代表其人民的意見。有一國是不能轉向，而必須堅持其既定的政策的。以這樣的三方面的人，舉行會議，自不會有什麼好的結果。

東南亞危機甚於韓戰

現在世人都注意着韓國的停戰問題，而自由中國的各方面則認爲今日東南亞的局勢，遠較韓戰爲可慮。正在韓國戰場上辦理換俘的時候，越共由於中共的後援，却在越南入侵了寮國。猶憶在我國抗戰時期，日本先多方面威脅法國當時的維琪政府要求法國將越南讓給日本和平接收統治。珍珠港事變便在日本入侵越南之役的五個月發生。所以太平洋戰爭，與其說是從珍珠港事變開始，不如說是從日本入侵越南開始。美國最早凍結日本在美國的資產，並禁止石油輸往日本，都在越南被侵之後，與珍珠港事變發生以前。在上次的大戰期中，日本既然得了越南，便以越南做海空軍的基地。並且很容易地席捲了泰國、緬甸、印尼、新嘉坡、菲律賓，所有南洋與印度洋的地區，都在日本海空軍的控制勢力範圍之內，至各種戰略物資，如石油、如糧食、如橡膠、如錫鋁，都爲日本所利用。可制英美國家的死命。所以英美一向重視越南，失去了越南便會失去了整個的南洋地區資源。蘇聯與中共早就看出了這一點，兩年以來，籌可在韓國戰場上談和，以便將力量轉向越南與東南亞。法國久爲越南的宗主國，其不願放棄越南，更屬當然。百慕達會議不論對韓戰的決定如何，只要能對寮國的戰事，有積極有效的佈置，使中共無法在東南亞插足，才可以說是獲得結果。否則韓國的停戰無論實現與否，俄共必定繼續向東南亞侵入。如果東南亞爲俄共囊括以去，則民主國家的封鎖，便完全失效，只要英美法三國不忘記太平洋戰爭中所受到的教訓，自不會再讓俄共，重新拾得日本所曾得到的甜果。上次日本軍閥，兵不血刃，得到了整個東南亞，以致美國要逐島作戰的去奪回。時隔十年，如果竟再蹈覆轍，則英美法三國實無以自解。

△百慕達會議中二巨頭，艾森豪和邱吉爾▽

不會產生密約

百慕達會議中似不會涉及到所謂政治問題。即使要涉及，也必無效果。所謂政治問題，包括南北韓的統一，中共的加入聯合國，與台灣的前途等等。韓國的問題，從李承晚總統最近的表示看來，他國似不能越俎代謀。除去由全民投票，用民主方式統一全韓外，實在也想不出其他統一的方法。李承晚近年以來，整軍經武，以獨抵抗外力的侵入的能力，已漸增強，他最近聲言如果有外國軍隊到南韓去監管戰俘，他將用武力阻止其入境。李承晚的態度與力量，爲美國所深知。至於中共加入聯合國，不但我自由中國可以在安全理事會中，行使否決權；並且所有愛好民主和平的若干會員國，也必定會一致予以拒絕。若論台灣的地位，在聯合國內尚且不能成爲討論的題目。在聯合國以外的少數國家，更無權討論。英國自未始不在幻想從百慕達的三國會議，擴充到包括蘇聯在內的四國會議。蘇聯是否會與三國開會，固不可知。即使參加會議，也必定要有收穫才肯出席。對於一個蓄意侵略世界的國家，假如可以用會議的方式使其化干戈爲玉帛，則近五百年以來的世界歷史，都要重寫了。

艾森豪就職之初，曾對全世界宣示過不再有祕密會議，不再簽訂任何的祕密條約。已有的祕密條約，都要廢除。美國素以信義著於世界，此次即使爲遷就英法二國參加百慕達會議，應該仍是積極性的提議爲多，不會造成第二次的慕尼黑。自由中國各方面的人士早已以自力更生爲反攻復國的信心所在，雖則密切注意着世界上每一角落的動向，但并不因之而有所惶惑疑慮。何況百慕達會議，在先天上，就不是一個會有結果的會議？

靠攏文人「感恩圖報」自食惡果

開明書局被迫關門 中共機構正式接收

商務純技術性舊書忽准出版

據最近由北平來港之人士稱：素以「親紅色主義者」自居之開明書局，業已被迫停止營業，由中共青年團所辦之「青年出版社」接收。

開明書店係靠攏份子夏丏尊及葉紹鈞、豐子愷等所創辦，所發行之「中學生」及「開明少年」兩雜誌，大陸易手前曾銷行甚廣，易手後亦因平素中間偏左之姿態，得以繼續發行，夏葉等遂亦「感恩圖報」，極爲賣力。——但在中共摧除異己的「文化政策」之下，竟亦不能逃於厄運。

中共青年團所辦之「青年出版社」，於接收開明書店後，將改名爲「中國青年出版社」以適應「擴展」後之新環境。此種接收吞併工作，已由四月十五日開始，將於六月十五日以前完成。今後之「出版路線」，已奉批准爲「專以中等學校學生及社會青年」爲對象，編印「社會科學文藝，思想領導」的叢書。原開明書局所出版之優秀書籍，如林語堂之開明英文法等，均因內容未含馬列毒素，概將予以銷毀。

商務印書館自去年被「中國圖書公司」吞併後，至本年五月中旬，忽由「中國圖書公司」任發行人，再版舊書二十餘種。全係醫學、農藝、化學等純技術性書籍。——此爲商務被吞併後由「中國圖書公司」發行舊版書籍之第一次。在中共新採的懷柔政策之下，純技術性的書籍，可能在檢查後陸續重予發行，但事先均須呈請，非奉令不得擅自行動。「專出科學技術叢書」，關係「中國圖書公司」的「出版路綫」云。

匈共「功臣」盡遭毒手

一九四八年匈牙利共黨曾拘禁匈國紅衣大主教明眞諦，當時這件事很得克里姆林宮的讚賞。但現在獲悉，那些當時囚禁明眞諦的「功臣」却已被蘇俄祕密解決了。在一九四八年前後的三個內政部長，其中兩人已被絞決，另一人則自殺斃命。當時的司法部長也因間諜罪入獄，後來就在獄室中處決，他的妻子也被送到西伯利亞充任苦工。至於看守明眞諦的獄吏現時正在奴工營中過着非人的生活。當時領兵逮捕明眞諦的軍官事發後曾企圖越過邊界逃入奧境，不幸爲哨兵發現當場死於非命，總計牽連在這一椿案中者共有十九人，但設法逃出匈牙利而獲得虎口餘生的，僅一人而已。

美削減空軍預算幕後

艾森豪總統所提的新預算，把前總統杜魯門所建議的空軍經費削減了五十億美元，這事情很引起一些空軍高級官員的指責，行將卸職的空軍參謀長范登堡上將在參院撥款小組委員會中就曾抨擊此舉的不當。

但在新政府方面，大量削減空軍預算却也有他們不得已的苦衷，若干高級決策人員認爲如果繼續執行建軍一百四十三個大隊的計劃，則到了一九五六年，空軍部門的經費可能要高出目前水準百分之五十，因爲那時候不僅建立一支龐大的空軍需要鉅額的經費，而維持費與活動費也是一筆可觀的數目，在這種情形之下，預算能否平衡，就是一個大問題了。

蘇俄宰殺匈牙利戰俘

據最近自鐵幕逃亡的難民說，蘇俄目前正在想方設法來消滅身體不適於作奴工的匈牙利戰俘。爲了節省糧食，並省却管理上的麻煩，他們不惜師法希特勒的故智，表面上說是把那些可憐虫送往「健康營」，但將他們裝上嚴密封閉的卡車後，半路上却以事先安設的廢氣管，把卡車所排除的廢氣統統注入車廂內。那些戰俘的身體在蘇俄摧殘之下，本已衰弱到了極點，關入密不通風的卡車後，更接近死亡的邊緣、再經上這一巨大的打擊，鮮有不被窒息斃命的。

航空的「金字塔」時代

美國的航空公司打算大舉改進現時的客機服務，他們計劃在今後六至八年中，單就新飛行設備一項，就要動用十億美元，以便實現工業領袖所希冀的「金字塔」航空制度。

不少美國工業家都認爲理想的航空飛行應該分爲三種，在同溫層飛行的，應該是時速六百哩的噴射式客機，路程比較短的，由時速四百哩的螺旋槳推進式客機在普通高空中担任，再近的距離，則由時速兩百哩的直升機在低空中飛行。將來高、中、低空中，有三種不同型式的客機，陸續飛過那便是航空史展開「金字塔」新頁的一日。

（孟衡）

天下小事

越南法軍進退維谷

新「馬奇諾」戰略証明無效 巴黎又吹來對共談和空氣

（國外通訊）

東南亞最近的局勢並無顯著發展，一方面由於雨季來臨，另一方面亦因國際形勢晦澀；韓國休戰談判的影響以及法國的政治危機，均構成了國際共黨侵略的有利因素。儘管巴黎傳來法闢斯主張與越盟談和的消息，越南的作戰計劃與部署並不鬆弛，那伐爾蒞任後，雖然尚無扭轉全局跡象，事實上越南的局勢已非法國政策可以左右的了。

當五月二日侵寮的共軍開始後撤之後，法越軍事當局也就特別重視了，究竟是否爲了有利於韓國休戰談判抑係因雨季受到了阻礙。使越南的軍政首要們大爲困擾。就實際情況而言，越盟軍的烽火逼近寮國之首都龍勃喇邦之時，越共竟然不圖攫取而放棄了原定計劃，並不是沒有原因的。第一、共黨侵略東南亞計劃，目前尚未完成，胡志明的兵力一下子把個寮國侵蝕了三分之二，距離理想發展得太快，使越盟的準備工作發生窒礙；第二、由於侵略軍事的進展過速，因侵寮激起了東南亞各國間廣泛的注意而提高了警覺；假如繼續發動南侵，或是侵佔了琅勃喇邦及越曾，無疑構成了無從掩飾而極顯著的侵略行爲，將會受到聯合國的干涉，對韓國休戰談判，更無法遂行它的陰謀。因此，雖然雨季中阻遏了法國空軍活動予越盟軍造成有利形勢，亦祗有暫時終止軍事進攻，轉而對紅河三角洲及那山泰族區增強壓力。使孤立中的河內重臨危機。

馬奇諾防綫不能持久

越聯軍最高統帥那伐爾五月二十日抵達西貢接替薩蘭將軍這一天，恰當河內三角洲局勢十分嚴重之際，越盟軍換兩師精銳向河內的「馬奇諾防綫」開始進攻了。扼守此一地帶之法軍地面部隊司令爲柯尼將軍，這一位驍勇善戰的著名軍事領袖，他承認目前越盟共軍的素質正在大大的改進中，用甚多的軍砲來對抗法軍的新式武器。現時越共的多次一行動雖然沒有顯著的徵象，但仍有隙掠那山的可能，那山在北圻的軍事戰略上佔有極端重要的地位，其得失安危，對越南整個局勢具有決定性的影響，雖然河內與紅河三角洲及那山間已呈孤立之勢，越盟共軍也儘管採取各個包圍態勢，然而法越軍的防禦仍能屹然而立無法搖撼。但在雨季中由於空中活動受到限制，危機仍難疏解。然越盟軍的實力業已擴充到三十萬人的現階段，假如法越聯軍的戰術仍採防守而不圖展開攻勢，力挫敵人鋒鏑，則「馬奇諾防綫」即令是銅牆鐵壁，決不能長期可以扼守。而目前的情勢僅能維持一個短時期。那伐爾蒞任未久，對扭轉全局的部署，似未有周密計劃；但法國的政治危機，已見十分嚴重，予越局雖無直接影響，法提名總理法闢斯的言論已使大多數越南人倒抽冷氣，這一個新總理是否可以經議會通過任命現在還不知道，但是越南人已大爲困惑。（編者按：法闢斯業經被法國會否決）

越盟圖困擾北圻法軍

保大政府對於法國的政治局勢并無反應，越南參謀長阮文興對越局也沒有具體的表示，使越南的情勢陷入了軍事膠着與政治窒息狀態，這種趨勢無形中助長了越盟軍的軍事部署及政治進攻機會。明顯的事實已證明了越盟軍的主力，對北圻的法越守軍採取困斃戰略，另一方面則加強共黨政治滲透，大多數人士對於共黨潛伏於非戰區的間諜極端疑懼，並且對法越軍今後如何扭轉全局與取勝機會尤感懷疑。這種疑惑，係自去年秋天及五月二十二日先後有兩架飛機受到越盟地面炮火的襲擊而起，前者爲新任法越區法軍司令林納萊將軍，後者爲新任法越軍統帥那伐爾，曾親歷險境，倘非越盟軍事先獲有情報，殆無此種巧合的。但目下越盟之政治滲透事實上正加速進行着。寮國、高棉尤然，寮國之僞組織已在參諾亞粉墨登場，寮奸梭發羅馮發表宣言，號召全民「効忠」於彼之「解放戰爭」。這是旬日來軍事侵略鬆弛之後的政治進攻。就越共歷年來的政治滲透的手段看來，寮共與高棉共黨的政治謀略，由於客觀環境所形成的趨勢，比軍事侵略尤有過之。因此越共在表面上對東南亞的軍事侵略已呈遲緩，但內在的政治更危機，不僅難望擺脫政治局勢，由於法國政治的混亂，予越南三邦軍事上、心理上之威脅極大，一般以爲越南的局勢，已非法國政策可以左右；越南當局料將正式發布聲明。

（張友鄉六月一日寄自西貢）

川北川東連降巨雹
十八縣災情空前嚴重
農物幾全毀人畜死傷驚人

據重慶遲到消息，四川省之遂寧、安岳、蓬溪、潼南等縣於四月二十六日至二十八日降下數陣巨雹成災後，災民尚未安頓，而江津、萬縣、涪陵、遂寧、南充等五個專區內的十八個縣於上月八日，亦遭巨雹襲擊。該十八縣中包括遂寧、安岳等四縣係第二次再遭雹災者，災況尤為慘烈。據偽西南行政委員經調查後透露的災況稱：其中大足、綦江、彭水、忠縣、安岳、遂寧、潼南、蓬安等縣的災情比較嚴重，菜子損失約達百分之九十，豌豆損失約達百分之八十，胡豆損失約達百分之五十，南麥損失約達百分之六十，「中大二四一九」小麥損失約達百分之三十，稻秧損失輕者約達百分之三十至五十，重者幾全部打毀！其他各種農作物的損失，一般的都在百分之三十與五十之間。此外，開縣、安岳等縣有不少河堰和田埂被打垮，並有不少樹木及百餘間房屋被降雹時的猛風吹倒。據云各縣皆有人畜死傷，墊江縣份，死傷尤多。人畜死傷數字雖未透露，惟據民間傳言，為數似甚驚人！並云因四川各地自去冬迄今，災禍連連，人心本已浮亂，此次上述各縣連遭雹災後，人心尤為恐慌，即在未受災害之農村之中，亦深慮天災不測而惶惶不安，一種悲看氣氛，似已瀰漫社會，即一般鄉村共幹，亦不例外。

中共嗾傀儡組回教協會
鮑爾漢籠絡回民
圖緩和反共情緒
利用宗教信仰予以澈底控制

【本報訊】北平中共為網羅和回族同胞及維吾爾族、哈薩克族、烏孜別克族、柯爾克孜族、塔塔爾族、塔吉克族、東鄉族、撒拉族、保安族等九個極少數民族的反共情緒，業於上月九日利用偽新疆省主席鮑爾漢在北平成立「中國伊斯蘭教協會」。在成立大會中，出席經中共所塑造的各族傀儡代表共一百十一人，但「選」出「委員」達八十九人，其中以鮑爾漢為「主席」，楊靜仁、馬玉槐、達浦生、馬震武、依明·馬台爾木等五人為「副主任」，張玉珍等八十三人為「委員」。又其中以回族居多，計共六十六人，維族次之，計共十人，哈薩克族又次之，計共四人，餘僅一人或二人。該一傀儡團體，係由偽政務院民族事務委員會副主任委員劉格平及偽內務部副部長陳其瑗所佈置設立，其用意，與本報前所報導之對少數民族實行「分區自治」大致相同，旨在偽裝民主、籠絡少數民族、緩和其反共情緒，以進一步利用其在少數民族中之爪牙，達成其澈底控制之目的。蓋宗教信仰，素為中共所不容者，目前一反其基本態度，乃係出於無奈之一種權宜措置，無疑。此一措置，在表面形式上，為放鬆對少數民族之思想統制，而在實際陰謀中，則為進一步以較為溫和的手段，「改造」少數民族的宗教思想。

中共動員春耕
强迫少秧密植
四川農民憤然拔秧

目前中共各地縣鄉幹部，正在中共中央的通令下忙於「動員」、「組織」以從事救災及「搶耕」大秋作物中（即春耕），惟「任務」過於急迫而繁重，一般幹部，又多採取了强迫命令的作風，雷厲風行，緊張一時，尤在四川省方面，據重慶新華日報記載：該省各縣下鄉督促，指導春耕的幹部在推廣「少秧密植」的所謂「先進經驗」時，一般的對於不信任這一「先進經驗」的農民採取了極為暴燥的態度，將農民已插就而未合此一「少秧密植」的辦法重新栽插，但此種秧苗一經拔出，並經太陽晒射，都已受損，雖經立即重插，已大多發生萎黃，致使一般農民都蒙受嚴重的損失，情形至慘。查中共的所謂「少秧密植」的「先進經驗」，乃係指減少每棵稻的枝數，縮少每棵之間的距離，但一般共幹，只知「少秧密植」一詞的解說，卻不知所謂「密植」係以何種距離為標準？有的認為是一尺？有的認為是七、八寸；有的甚至認為三、四寸，由是，各照各的標準強迫指導，甚至為表示以身作則，親自下田，插成榜樣，強迫農民照樣栽插，農民無奈，不得不加敷衍，待共幹走後，再將不願照之稻田，照原有經驗（約為一尺二寸）糾正。但凡被共幹發覺者，即被強行拔除，乃造成空前未有之拔秧慘劇。

工人慘遭酷刑
職業自由全遭剝奪
調廠工作也成罪名

【本報訊】上月五日，鄭州「國營棉紡新廠」突有工人趙孟新、賽德成、張德山等八人被陝西省「公安廳」派警十餘人捕去，施行拘押拷打。事後據該廠共幹透露該批工人之被陝共捕訊之原因，謂係犯有「擅自跳廠」之罪。緣該批工人原係陝西「國」營紡織印染廠之技術工人，因不滿該廠所予之職位、工資及壓制，乃於今年一月間藉故請假，逕至鄭州，經鄭州棉紡廠技術員張成祥介紹入該廠分任主任、領班、師傅、技工等職。旋被陝西紡織印染廠查悉，即派員至鄭州，一面通知鄭州廠方解雇，一面命令該批工人立即回廠，但因此批工人為鄭州廠方歡迎而未予解雇，而工人方面，則以為既有鄭州廠方支持，故不遵命回廠。陝西廠方乃勃然大怒，即通知該省「公安廳」，即由該廳飭西安市「公安局」派警至鄭州予以拘捕。據悉：該批工人刻尚在西安「公安局」扣押拷問中。以彼等擅自跳廠，係犯有嚴重之「破壞生產及組織」之罪狀，並須追究其此一「破壞」是否另有所謂「反動」的嫌疑？據鄭州廠方推斷，諒無「反動」嫌疑，惟最低限度之處分仍可能判繫獄，或交回陝西廠方管訓工作云云。由此以觀，可見現在大陸工人職業，身體自由之喪失，及遭受壓迫之情形，已非常悲慘！

中共搜刮民糧外銷
遭工人消極破壞
運費貨物受重大損耗

最近中共各地糧食正在紛紛外運，業誌前期本報。現據中共各地報紙透露，目前各地糧食的外運工作，已普遍發現秩序忙亂的現象，使運輸及糧物都蒙受嚴重的損耗。其忙亂及損耗的主要現象是：一、各地承運糧食出口的「國營」運輸單位在船隻、車輛的調配方面缺乏計劃，時有變更，裝載量與裝載時間，糧食自倉庫駛往碼頭、車站類多徒勞往返，不僅損失工資，且多糟蹋食米。據重慶新華日報就成都方面的情形加以估計，謂糧食一次返往搬運，要損耗全部搬運量的百分之三。二、在突然通知撥給船隻車輛時，往往限定開行時間極為急促，中共糧管機關不得不增雇工人並加點加班，連夜趕裝，但並不增加工人因加點加班所應加的工資，工人乃採取消極抵抗辦法，一方面怠工，一方面暗中蹧蹋食米，不僅使工作時間延長而使中共增加工日工資的支出，且使糧食搬運的損耗量亦增加而蒙受極大損耗。據悉：此種情形，尤以安徽、湖南、江西三省為甚。

上海趕造軍品
限期交貨運韓
大批工廠日夜開工

韓戰目前雖正在進行和談，但中共對積極備戰的一切工作，仍在加緊推動，中共各地「抗美援朝」組織，正在忙於會議及發動一切所謂「支援志願軍」的羣衆活動，加強宣傳，另一方面，物質準備亦絕未鬆懈，不久，前上海及武漢兩地大批軍需物品運往北韓後，上月六日至十日數日內復有大批為韓戰專用之軍需品定單先後發交上海二百餘家工廠日夜開工，限期趕製出運，為韓戰積極補充給養。

據上海解放日報披露消息：謂「上海工人為中國人民援朝志願軍趕製大批多夏兩季用的各種服裝、日用品、食品、裝備、的工作還在全面緊張地進行着。」中共所發下趕製的定單，包括有坑道防水蓄布、夾膠雨衣布、汗衫、襯衫、襪子、膠鞋、皮鞋、蚊帳、水壺、奶粉、蛋粉、藥片、香烟、電筒、電池、罐頭猪肉等約共三十餘種之多。其各種定貨之數量除服裝的數量為一百萬套，膠布為二十萬疋外，餘皆在三百萬單位至五百萬單位不等，從數量上看，即可見中共此等補給乃非臨時性或消耗性而係長期性及積極性者。

衡·陽·近·貌

饑荒遍地農民宰耕牛

廟宇上課木炭當鉛筆

【本報衡陽特約通訊】衡陽「解放」到現在快要四個年頭了，共報大吹大擂，說「土改勝利完成後，生產提高，城鄉交流頻繁，已促成人民生活的上升。」但事實上，都無非是自欺欺人而已。

中共的搜括，並未因民窮財盡而稍減，反之。其搜括的手段和花樣卻更加多更巧妙。「人民保險事業」，實行後，現正加緊强迫推行，已成立「衡南人民保險公司」，從城市到鄉村，幾無所不保，房屋貨物要保險，牛羊雞鴨也要保險。每人每月至少要繳保險費偽幣七萬九，陷在飢餓綫上的人民，無不叫苦連天，據「公司」方面透露，祗有城市工人投買勞動保險較多，而鄉村農民投買耕牛保險很少，耕牛在民農眼中原來視若生命，年來遍地飢荒，飼料缺乏，都餓得瘦弱不堪，這時農民自然無力也不願再拿錢去買保險，有的甚且將耕牛宰殺，以免麻煩，「衡南人民日報」也不得不堅認，被加上「破壞國家財經」，「不重視鬥爭得來的果實」，「不接受政府的照顧」的罪名而遭拘押者，已有第六區永康鄉農民王繼成賀端甫，第十一區樟木鄉農民祝華山胡明清等二十餘人。

共匪為加强奪化兒童，乃盡量擴展鄉村學校，寺廟祠宇充作校舍，簡陋得令人難於想象，有的連桌椅黑板也付闕如，學生是「翻身」的工農子弟，因為家庭較前更窮，故多穿着爛衣破褲赤足出入校中，應用文具如鉛墨練習本當然更談不上了，有的用一根木炭當作鉛筆，無怪峴山鄉農民會××憤慨地說：「土改時，我們貧雇農分的是瘠田，肥田收歸公有，而所得收成，納過稅後，不足半年吃粥之用，誰願去打腫臉充胖子送兒女上學呢？何況共產黨的天下未定，讀洋書又有什麼用處。不過替他當炮灰而已」。這幾句話，正是今日大陸農民的心聲。

資金枯竭陶瓷業崩潰

衡陽鄉村所產桐茶油，偽縣府最大宗之農產品，現中共成立運銷處，實行壟斷統制，賤價強買，以致農民蒙受極大損失。西北鄉界牌之陶瓷業，（可與醴陵出品相匹）經「五反」後，全遭摧毀，如生生陶瓷等幾家規模較大的廠商，遭「清算」後被迫「聯營」，至今年元月，因資金枯竭，不能支持，祗得自動請求接收，完全收歸「國營」，店主皆「淨身出戶」，原有工人，解雇約達三分之二，因生活無着，乃推出代表向「總工會」求助，結果不得要領而返，留用之工人，激於義憤，乃罷工支援，偽「區府」派隊「鎮壓」，不料反抗情緒愈趨激烈，遂捕去所謂「潛伏國特」「首惡份子」黃奇李輔臣等二十七人。

貧農病重官醫院拒收

由於人民購買力銳減，市面蕭條，為歷年來所僅見，各種商店差不多都在下午十時關門休市。黃昏時，在幾處偏僻的馬路上和公共廁所中，就有不少「勞工大衆」到這裏來臥歇，因為春荒的嚴重，近月來，在雁峯寺下泰梓碼頭粵漢碼頭大關頭（小西門外）等地，自早至晚，充滿乞丐，他們申出骨瘦如柴的手向路人絮絮不休。三月二十日上午，我在泰梓碼頭親眼看見一個十二三歲的男孩向一個穿列寧裝的共幹乞錢，他說：「我兩天沒有吃飯了，父親又重病在家中」。那共幹竟毫無表情，不顧而去，後來我問他：「你父親為什麼不上人民醫院去治病」？他凄然回答說：「我家是貧農，沒有錢，醫院不肯收的」。（黃蕪五月十八日寄）

中共貸款剝削農民
傾家蕩產仍難清償
共幹下鄉討債如狼如虎
農民誓不再借寧願餓死

由共黨誘使農民「愛國增產」，從而擴大壓榨，曾由各地「人民銀行」利用強攬存入的「愛國節約儲蓄」款項移作「農貸」之用，此種「農貸」的出發點即不為幫助農民的生產困難，而在使農民「增產」以後增加其農業稅的征收，故實為一中共所包辦的變相的高利貸。且此種「貸款」曾規定以生產品作抵，故農民每在收成之後，即被共幹逼索，限令歸還，而農民於收成時經繳納農業稅後，實已無力償還貸款，由是而被逼破產者甚多，被迫自殺者亦不少，景況殊慘！

此種情形，目前「人民日報」已有公開的批判承認，謂各地大多都有過此種情形，但歸罪於銀行幹部個別的官僚主義作風，而硬推卸了中共「政策」上的責任。

設以河南正陽縣的韓莊鄉為例：據該報透露，該縣人民銀行去年十一月間秋收完成時，即派了十餘個幹部到該鄉各村限令催收貸款，農民曾要求展緩期限或分批拔還，但銀行幹部即以關牢、吊打相威嚇，結果有的被逼自殺，有的被逼將「公糧」移作了還款，有的賣去了牲畜，房屋或傢具還了貸款，弄得一片悽慘，怨聲載道！因此農民們都剴誓說：「以後餓死也不要貸款了」！但事實上中共現在控制了農村的一切生產，掌握了大量的通貨，並抓住了農民不得不賴貸款以苟延生命或繼續生產的弱點，仍在繼續「推廣」此種「農貸」，致農民雖剴誓不要貸款，亦身不由主，極為可悲！

成渝公路
大批貨物
神秘失踪

中共運輸部門，肇禍事故既多，貨物失蹤的怪事也層出不窮，尤以四川地區，繼不久前成渝鐵路失蹤五百包食米及兩箱「毛澤東選集」後，最近成渝間的汽車運輸，又失蹤了大批貨物。據最近重慶新華日報透露：「中華全國合作社聯合總社西南區生活資料批發經理處」於三個月前，由上海運交「西南聯運公司」負責轉運該處區內各批發站的大批貨品，到目前各站都沒有收到，經向該聯運公司查詢，也不知貨物的下落。該批貨物的價值共值五十餘億，可見其積量甚多，竟至已失蹤。又謂該處於去年交由該公司重慶分公司轉運成都的一千餘件貨品中，到目前亦尚有八百多件下落不明。想成渝之間相距非遠，貨品積量不多，竟至下落不明，寧非咄咄怪事！

中共農奴計劃
已擴及內蒙古
劃地萬畝闢農場

中共之集體農奴計劃，目前已擴及內蒙古。中共已在內蒙古之前呼納盟阿榮旗劃定面積約有一萬市畝之大的土地設立一蘇式的機械化農場，該農場為中共在內蒙逐步推進農奴計劃的第一個「示範性」的「國營機械農場」。該農場的機械工人係偽農業部所調派前往者，農工則係就地强制蒙族農民納入組織者，約共有一千二百人，並有俄籍的政治及技術人員數人常駐該農場担任指導。聞該農場已定名為「那吉屯」農場，已趕期着手試作，一俟取得經驗，必將繼續擴大此一計劃的推行。

找刺激

為方

本月二三兩日，香港各界慶祝英皇加冕的各種游藝場面，在我看來，確够熱烈偉大了。但，事後許多「睇會景」的人，皆認爲不盡過癮。尤其有些來自遠方的朋友，只看了一二小時的玩藝，感覺得不够刺激。在一般的意識中，似乎要狂歡極樂，晝夜不歇的熱鬧兩天，才告滿足哩！

現在是亂世，亂世的人類心情是變態的，最普遍的心理就是找刺激。所以，在任何一個都市內，一般的商業儘管蕭條凋敝，而娛樂場所，賭博事業，酒食徵逐之地，總是一枝獨秀，人海滙流，大家都抱着「有花堪折君須折，莫待無花空折枝」的人生觀，及時行樂，來個痛快。至於明日之事，誰知是怎麼回事？管它娘的！

還有，就是看相算命之道大行。漫說賣漿引車者流，隨時不惜斥其血汗之資，請教休咎，一聞「半仙」或「哲學家」指點，「閣下馬上好運來臨了！」爲之眉飛色舞，忘却了一切痛苦；即袞冠博帶，讀書有得的大夫君子，也樂聞此道，趨之若鶩。這些都是找刺激的心理反應，窮人若是，富人亦然，平民如此，貴人更無例外。

這種社會現象之形成，即爲天下大亂的朕兆。因爲人的慾望無窮，而刺激即無止境，刺激又刺激，結果非演出「六國大封相」的場面，更不過癮了。我說三次世界大戰一定免不了，這亦是原因之一啦！

夢入蟬國

吁嚱

「閩人天氣日初長」，適又值百慕三巨頭會議之消息傳來；益增時局之苦悶，頓感城市之煩囂，偶登千佛山，再宿東普陀。寺側，建亭於古木樞欏間，可供棲憩，綠蔭覆蓋，迎薰風以送爽，翠色垂簾，聽金蟬而逸志，一覺黃粱，誤入蟬國，爰作通訊，遣我愁懷。

我初不知走入的是大蟬民主自由聯邦共和國；見熙來攘往的人羣，穿的是薄薄的輕羅，住的是恬逸的綠宮，發的是大自然的露珠，滿口的「知了」「知了」；心知有異，爲何我走入了這個奇異的國度？好在我是幹新聞業務的人，既來之，則安之，如此世界，像這樣的一個奇異的國家，應該入境問俗，更進一步，對它有個深切了解，把它內部的情形，作爲外界的借鏡。

我鼓起勇氣，向繁華的鬧市走去，因爲接觸的都是格格不入的事物，茫然無知，不曉得從何方下手；心想買一張當天報紙，或可從中得到些輪廓。誰知走遍大街小巷，既沒遇到販報童子，更沒發現報館的設立，只好走入大商店裏，找他們借報，商店的店員，都是滿口「知了」，他們所說「知了」，成了口頭禪，也是這個聯合國家的專有語言；因此費了幾許周折，才弄清楚他們國家內，除了一些政務法令，用他們絕對自由的，專有的綠風電台，隨時公布廣播外，並沒有報紙一類新聞機構的設立。因爲人民的言論，百無禁忌，國家事務，一律公開，用不着利用新聞機構作喉舌，或掩耳盜鈴的報導。

同我談話的店員，知道我的身份，特地指示我一條跑新聞的路子，說今天聯邦共和國正在舉行各國元首會議，商討由若干民主自由國家所組成的特殊國度一切問題；這是千載難逢的機會，我高興極了，按照着店員的指點，轉彎抹角，走入他們的會所，他們這個聯合國家，眞自由極了，我以一個外國記者，竟毫不費周折的進入會場；會場場面偉大，綠磚綠瓦，而是一幢八十層的摩天大廈，一切尚綠，是唯一特色，若照一般的稱美爲白宮，蘇爲紅場，那麼，稱他們爲綠宮綠場，實在也沒有不合適的。

可恨我來太晚，許多小國家的元首報告，已經過去，讜論弘言，沒有聽到。我剛坐上記席，適走上主席台報告的，是一位大腹便便而且老疯橫秋的人物，聽他第一句發言：「我們大蟬民主自由聯邦共和國，『知了』『知了』，就是我唯一主張的『知了主義』，主義的基本精神，是唱高調，我們餐風食露，享受大自然界的賦予，唯有大唱其高調，才能爭取人民的同情和擁護。」他又說：「世界上兩系的爭持，只要不侵犯綠色國度的權益，我們忍辱與讓步，甚至損害他人也不能違背唱高調的原則。」末了他說：「我們願犧牲他人，成全自己，只要於我們有利的話，可以與任何魔鬼妥協。」當他走下主席台時，固博得一部份的掌聲，但噓噓之聲，也因之起於四角。

最後一個登台報告的，是個油頭粉面花花公子的打扮，好像才「從世界花都」走出來的，睡眼惺忪的，語言溫柔，缺少骨氣，有時也含有刁皮尖刻語調，他說：「本已飢已溺之懷，是庸腐者流的見解，消弭世界上一切相對的歧見和糾紛，惟有向強暴低頭，對弱懦抑然，」他更強調說：「自己的利益，決不能因任何人類的救助而放棄。」他並說：「讓人非示弱。何況我們的國度，與世界上任何集團，不相衝突；我們享受的是大自然的風露，與人無爭，與世無忤，我相信他們不會侵犯我們，只要我們能避免他們兇鋒。」

這位公子型的元首報告完畢後，接着就是聯邦共合國的主席作結論，主席身着戎裝，糾糾昂昂，尚有幾分英雄氣概，他沉重的發了言，他說：「諸位的見解，各有千秋，可是時代的變遷，環境的互異，一味唱高調，是無濟於事的。只知唱高調的『知了主義』，僅能欺騙人民，誘導人民就範；可是，對於外患的侵略，若仍徒托空言，則完全失效。他們以實力來對付我們，不是唱高調能足退兵禦侮。我們沒有足夠的精神國防，雖有堅強的海陸空軍的實力，但不協調，各持歧見，互不協調，或顧慮私利，或企圖混水漠魚，或向敵人暗送秋波，或打算賣友求榮，畏首畏尾，瞻前顧後；倘一朝敵軍壓境，像這樣意志薄弱，毫無精神力量，散漫泛濫，作蟲蛀危巢，終是要遭受『覆巢之下無完卵』的大禍，等到玉石俱焚時，那就悔之晚矣。」他更沉痛地說：「我們蟬國無文字，歷史給予我們悲慘的遭受，是無從稽考的紀載可證實；我記得我蠹年留學中國時，曾讀過一本莊子巨著，上面紀載有關於我們蟬國的一段史實，我們背誦給大家聽：『莊周遊乎雕陵之樊，覩一異鵲，蹇裳躩步，執彈而留之。覩一蟬，方得美蔭而忘其身；螳螂執翳而搏之，見得而忘其形；異鵲從而利之，見利而忘其眞。莊周怵然曰：噫，物固相累，二類相召也，捐彈而反走，虞人逐而誶之。』——所以在中國，稱之爲螳螂捕蟬，黃雀在後；這是隱于挾彈乘其後，又戢，我們蟬國的歷史紀載，是可見我們在早就是被侵略的對象，當匪螳螂，也把我們作刀俎上的魚肉；這是可恥可痛的事，我們仍若執迷不悟，後患眞是無窮。希望大家不要唱高調，糾正『知了主義』，打破『蠶大吃飯』的惡習，面對敵人，伸張正義，只有是非的澄清，沒有利害的顧忌，整齊步伐，一致向共同敵人搏鬥，向侵略者聲討，才能生存，才有安樂，決不要爲了一時生存的繁榮而忘記未來的大難，」語畢，痛哭流涕，全場爲之愴然以驚，潸然下淚。大會在悽然中而告休止。余隨衆步出會場，爲了大蟬民主自由聯邦共和國主席的言論感動，惻然良久，記之以饗讀者。

新·世·說·補·遺

馬五先生

毛澤東之恇怯

民國卅四年冬初，毛澤東由延安乘坐美國飛機，在美大使赫爾利，國府政治部長張治中隨行保鑣之下，飛至重慶，扮演馬歇爾特使所編導之「政治協商」滑稽劇，此在中國近代政治之理亂興亡史迹上，誠可大書特書之事也。關於政協經過之成敗得失，後世史家必有翔實而公正之批判，非愚所敢置喙，姑述一二項事軼聞焉。

毛之飄遙至渝，原出無奈，蓋爲博得美方與本國一般不滿現狀人士的同情，實逼處此耳。當其到達渝郊機場時，迎候者固濟濟多士，然政府方面之文武要員，僅邵力子一人而已。毛降陸觀狀，自卑感不覺油然而興，在渝與政府最高當局晤談時，踧踖如也，執禮甚恭。平生熟讀水滸與三國演義之心得，乃獲實踐考驗機會矣。

彼之來渝，其志既不在取得「政協」成果，而在誘惑國內外主張國共合作者之觀感，爲共黨製造社會潛力，故其心中念茲在茲，寢饋難忘者，即此行能否保全首領，重返老巢？有兩事足以證其恇怯之隱衷：毛留渝期間，常與湘籍長老周旋，一日司法院副院長覃振（理鳴）宴毛於其私宅，毛先時早來，與覃密談移時，突詢覃云：「理老，你看我此行能生還延安嗎？」覃笑慰之曰：「放心吧！蔣先生不是那種人」。然毛顏色仍沉鬱，狂吸香烟無他語。未幾，張治中假軍委會大禮堂公宴毛氏，且有堂會戲劇助興。毛與周恩來王若飛等皆坐前列觀劇。忽張岳軍氏自外來，形色緊張，招周恩來離座密談片刻，周復座後，即與王若飛耳語，王急轉達毛，再回頭低聲附語同座某民主人士曰：「我們一位同志（按即廖仲愷之女婿）被暗殺了，他坐的就是毛主席那輛汽車！」斯時毛仰首仰視天花板狂吸不已，一言未發，沉思遐想，將何以策安全也。實則毛此行有蕭何（張治中）項伯（赫爾利）人物在旁，何愁無脫身之術？是夕，毛在講演中，暢言「和爲貴」之理，詞畢大呼「蔣委員長萬歲」，皆其內心恇怯之具體表現。此豈爲賦沁園春詞句，藐視漢祖唐宗「略輸文采」者所應有之氣宇耶？

延安方面，此時亦故作反毛運動，揭出「反對妥協投降的毛澤東」標語，且讓政府派駐延安之聯絡人員揭下此項標語，大作情報。內外呼應，戰備各別，而其目標則一也。共黨之無誠意合作，毛澤東固胸有成竹，政府當局亦瞭如指掌，民主黨派人士則明知而故昧之。懵然無知，深信共黨爲至誠謀和者，唯馬歇爾與司徒雷登之流耳。

愧煞鬚眉的女飛行家

法國總統歐禮的媳婦賈克蘭，是世界上著名的女飛行家，去年十二月，她駕駛噴射機飛行一百公里，曾創下時達五三四·三七五哩的女子飛行紀錄。但最近美國的柯蘭小姐却在加州愛德華空軍基地大顯身手，她所表現的成績較之賈克蘭尤好出多多，防空界已公認她應該榮膺世界上第一位女飛行家的寶座。

她在愛德華基地駕駛一架加製「F-86」軍刀式噴射機起飛，環繞機場飛行約一百公里，平均時速達每小時六五二·三三七哩，因此，她成了：（一）第一位飛行速度超過音速的婦女。（二）超過賈克蘭前創的五三四·三七五哩的飛行紀錄。（三）較之美空軍上校奧斯康尼於一九五一年八月所創的六三五·六八六哩紀錄尤高出少許，因此，柯蘭小姐不僅不讓鬚眉，專美於前，而且還使鬚眉感到愧煞。

這件事傳到歐禮總統媳婦的耳中，她也非常不服，立志在最近時期內，要突破柯蘭小姐所創的紀錄，歐禮總統也從旁加以鼓勵，希望她爲法國的婦女，也爲法國整個國家多爭一些榮譽。可是柯蘭小姐也不以六百五十二哩的紀錄而驕躊滿志，她準備再刻苦訓練，力求上進，以不斷造出新紀錄，看來，她們兩位女航空家的競爭，實大有創出更新紀錄的可能。（由之）

奴役的藍圖（十二）

麥柯米克神父著　陸逸譯

真爲人民服務者之死

這個女控訴人拾起在台上預備好了的鐵棒，劈頭照醫生打來，這一棍把醫生打伏在台上，這時候，那位第一次講演的共幹，又走到擴音器前，問大家有沒有反對政府這次鬥爭會的措施的，台下鴉雀無聲。然後一位法官，（本地方上共產黨頭號特務），從腰裏掏出一張事先預備好了的判決書，大聲念道：「判決槍斃」。

一時號鼓喧天，一隊兵士打開道路，犯人被武裝警察架着走向城外的大操場，犯人身前掛着一個大紙牌，上邊開列他底「罪狀」。由靜立二點半鐘而漸感疲憊的羣衆，又再次興奮起來，把武裝警察圍得水洩不通。

在操場裏，因爲地面廣闊，大家散開，都能看見這最緊張的一幕。醫生跪下來祈禱了一會，執行的士兵托着一支沉重的大槍，站在他身後，淒厲的槍決號聲吹過之後，一聲淸脆的爆炸聲劃徹大地，子彈穿過醫生底後腦，他遂即向前倒去，羣衆無聲地木立了一會，然後一夥夥地悄然離去。他們開始覺悟了他們在一個曾對他們慈善地服務過的人底死亡裏，所扮演的角色。至于那些喪失了理智的狂熱共黨，仍是吹打不息，興高彩烈地歸去。（第六章完）

第七章　「祇是土地改革者」

自從我由中國回到瑪利諾城之後，時常有許多人問我共產黨是否祇是土地改革者，我底回答是一個嚴肅而沉痛的「不」字。共產黨底主要目的是想把遠東的人民加以赤化。從我自己底地區裏所見到的，及從別的地區裏的中國人所告訴我的，我確切地相信所謂「土改運動」，祇是爲清算和澈底消除那反共人士的一種藉口而已。

在「土改運動」的幌子下，凡在過去二十四年裏當過軍政要員，而從事過反共的人，全被根尋出來，加以殺戮，他們底田產都被沒收，而重新分配給他人了。

凡在土改裏被清算了的廣大階層，全被稱作「暴虐的地主們」。不錯，中國有許多粗獷殘酷的地主們，他們眞是早就應當被正義判處了的，但這種整個階層的屠殺，祇是用來爭取人民底擁戴，其中百分之九十是農民。

窮苦無依的人喜歡得點惠助，這是人之常情，但土改之後，農田仍舊不敷分配，在我熟悉的一個鄉區裏，一個共黨官員說：全區農田所出產的米，祇够養活全區人口的四分之一，在別的地方，米產祇够維持全人口的百分之四十。

但，所有的地主，並不全是惡霸財主！譬如以「宗親會遺產」來說吧，這種宗親會在中國各地方都有，像是一種信託基金似的，這種產業是屬于全氏族的，有幾世紀都文風不動過的，我知道的一個共傳了十八代了。這種財產不僅不動用，而且還爲全氏族的人苦心經營，以資擴展。

台灣劇壇

兩位坤票

娑婆生

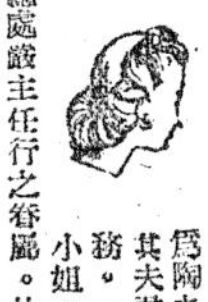

台灣有兩位坤票，名是小姐，實爲夫人。一爲陶夫人陳瑛小姐，聞其夫君似在保安機關服務。一爲嚴夫人楊劍芬小姐，則係中央信託局總處嚴主任行之眷屬。此兩小姐，皆露名不過一年，均學青衣，嗓音很可以，能得低迴之妙。猶記一年以前，中國廣播公司，每值星期，有平劇特別節目，兩位時常輪流播音。不過陳瑛所唱，爲硃痕記生死恨等劇。而楊劍芬則唱春秋配鴛鴦殿教子一類，堪稱英芬並輝。陳近今正學醉酒，凡吊嗓之夕，場面配好，另闢精舍，不許閑人旁聽，抑揚試喉，較班頗闊。而楊則較隨便，均背小奏，其夫嚴君習生，學言菊朋，每爲配搭，相得益彰，尤爲美滿。夫婦兩人，曾登台串演鴛鴦殿戰太平，工力悉敵，頗爲旅台顧曲者所讚賞，將來造詣當無止境。

此外坤票，尚有名傳全島之四夫人，亦甚活躍於歌台劇壇。在四十年時候，此四夫人，翟溫橋夫人，爲毛人鳳夫人，談峻聲夫人，龐會之夫人。雖均學青衣，但其資造詣多年，而各人宗派不同。翟夫人是近乎尚小雲，毛夫人純粹學梅。因其嗓音特剛，則是學荀。談夫人音調較鏗，也擅長紅娘鴻鸞禧，紅樓二尤等劇。自從三合作社連合倒閉案發，牽涉金融頗大，談峻聲以幕中人而受縲絏之苦。夫人吳寶琛遂謝絕歌場，韜光養晦。至四十一年，有沈靈基夫人，以學程成功，出而代吳，四夫人仍無缺額，沈夫人所唱，爲碧玉鐲，鎖麟囊，金鎖記等，音調不壞。不過有了程派青衣，而無荀派，是一憾。據余所見也。此四夫人之外，加以周長華夫人，翟元軸，陳一夫人沈盛鸞，較爲適合程度。以此四人之中毛翟兩位，相當有年之習。後，初學沈，兩位如此，均可來配台於梅尚荀程，四家各有但是見仁見智，四夫人滋味不同，猶甜酸辣，迄今之恰當掄選，未能定判也。（上）

中華民國僑務委員會頒發登記證台僑新字第一零二號
中華民國郵政登記第一類新聞紙類

自由人

THE FREEMAN
（半週刊每星期三六出版）
（第二三七期）
每份港幣壹毫
督印人：李光華
社址
香港高士打道六六號
電話：二〇八四八
GLOUCESTER RD. HONG KONG
TEL: 20848
承印者：東南印務出版社
地址：高士打道六十四號
台灣特派員辦事處
台北市館前街五十號
台灣總經銷處
台北中華路新號五九四之一
台灣郵政劃撥儲金帳號
九二五二號

民族國際論

時代的進展，已由海權時代進到空權時代，這是時代賦予亞洲復興的機會，而亞洲的復興，必要從亞洲民族結成一個以民族爲立場的民族國際爲前提。

·許漢劍·

自十八世紀以來，一般政治家都能深切認識民族運動的洪流，祇有順應這個洪流，才能穩得站，才能進一步解決世界問題。歷史上許多煊赫一時的豪傑，如拿破崙，如梅特涅等，因爲拂逆這洪流，結果都倒下去了。我們深佩第一次歐戰以後美總統威爾遜提出民族自決口號的高瞻遠矚，可惜格於許多政客的短見，威爾遜終於賫志而歿了。儘管民族自決的主張未爲世人所重視，然民族主義的潮流仍方興未艾，一直且有民族國際組織的醞釀。

民族國際的起源

故事發生的地點是在中國武漢，時間是在民國十五六年，國民革命軍北伐到達武漢以後。國民黨遵守孫中山先生民族主義的遺訓，國內外求民族的自由平等，進一步聯合世界上的弱小民族共同奮鬥。當時軍事上雖節節勝利，但在國際地位上是相當孤立的，各帝國主義正虎視眈眈，欲維持其搖搖欲墜的在華特殊權益，國民政府益感聯合世界弱小民族的必要，於是有民族國際的創立。各弱小民族代表紛集武漢，使各帝國主義者馬上改變態度，前倨後恭。團結便是力量，旨哉言乎！

後來因爲共黨搗亂，國共分裂，於是民族國際亦於密羅緊鼓之際，頓告胎死腹中了。

亞剌伯國家同盟

時迄今日，許多民族相同的國家也認識到合則互全離則共亡的道理，而由理論見諸行動，便是阿剌伯國家同盟的成立。

阿剌伯集團國家是指在中東地區的許多阿剌伯民族所建立的國家，如伊朗，伊拉克，沙地阿剌伯，敘利亞等都是。這些國家因爲地勢和煤油產量的關係，舉足輕重，而且其本身因民族利害相同，又同處於西方美國與蘇俄集團迫角逐之下，於是有組織阿剌伯同盟的企圖。上次聯合國討論到韓戰問題，以阿剌伯集團國家爲骨幹的十四國挺身而起，奮勇以調人自居，雖未如願，但已在國際坫壇初試啼聲，引起各方面的注觀。最近英國與埃及因爲蘇彝士運河問題劍拔弩張，阿剌伯國家居然以阿剌伯同盟政治委員會的名義發表宣言，一致願爲埃及後盾，更使英埃爭執增加其錯綜複雜的國際性。

此外如伊朗煤油國有案的實施，伊拉克沙地阿剌伯乃至巴基斯坦都紛紛發生煤油國有化運動，巴基斯坦最近更有改組共和國的要求，阿剌伯援助敘利亞反抗以色列。這都表示阿剌伯民族開始怒吼，民族主義之火在亞洲中部一帶燃燒起來了。

亞洲國家的民族國際觀

除了阿剌伯同盟之外，亞洲許多民族都感覺到結成一個國際組織的必要，這種意識會若隱若現地潛伏在亞洲的國家中。

如北大西洋公約締結以後，澳洲內政部長即發表談話，說亞洲十分需要訂立同樣的公約，土耳其，伊朗，巴勒斯坦也考慮訂一個同盟，但他們的見地是局部的，如澳洲只是希望太平洋上若干島嶼的國家能訂一個軍事的攻守同盟，而土耳其，伊朗等國家因密邇蘇俄，希望聯合起來攻守相助，菲律賓倡導太平洋同盟，曾於一九五〇年五月召集碧瑤會議，參加的有菲，澳，紐，印，巴勒斯坦，印尼等國，各國顧忌太多，而且各國利害，未能一致，同床異夢，只是空洞地強調出經濟文化合作的必要。

他們的立場是國家主義的，不是民族主義的，這種各自爲政的國際論，距離民族國際的理想相去不可以道里計。

亞洲民族的地位

英國著名的地理學者麥根德氏（H. MC KINDER）寫過一本書叫做「民主的理想與實現」，他說：「未來的世界將是陸權與海權之爭，海權可以封鎖陸權，但陸權藉面積之廣大，地域之遼闊，如能經濟自給，必將操最後勝利之左券。」

他認爲世界陸權之中心在亞洲中部。亞族民族是偉大的，他佔據全世界三分之一的土地，養育着全世界三分之二的人口，這一千八百萬方英里的土地，和十三億人口所組成的亞洲，在未來世界中佔一個多麼重要的地位呢？

時代的進展，已由海權時代進到空權時代。以後將是空權支配一切世界。在空權時代，需要廣大的陸地爲基點，來組成空中交通網，陸權將重行抬頭，大陸上許多偏僻的地方，以前在海權時代不能發生多大的效用，現在可藉空中交通的工具加以利用。以前許多地理上的缺點，現在都無形中消滅，反成爲新時代的地理優點了。

這是時代賦予亞洲復興的機會，而亞洲的復興，必須從亞洲的民族結成一個以民族爲本位的民族國際爲前提。

誰領導民族國際？

如果亞洲民族的民族國際運動由理論進到實踐，誰來領導這個運動呢？

蘇俄自然是第一個想要爭取這個領導權的國家，有人說，第三國際至現在止根本沒有撤消，不過轉爲祕密活動，它是直接領導世界民族運動的中心機構，有人說蘇俄有亞洲情報局的設立，其性質任務與歐洲共產主義情報局相同。有人說聯共已把亞洲民族運動領導權交給中共。無論如何，蘇俄只能對若干民族施其利用的伎倆，發生不了領導的作用。

從內部發出的領導作用，才是真正領導者的要素，所以目前不必揣測誰能發生領導作用，不必妄斷誰配或誰不配做領導者。但我們可以指出的是：違背民族主義立場的，向任何國家一面倒的，國內政權不穩定的，不能有明確國際政治路綫的，以中間路綫自詡而欲投機取巧混水摸魚的，都不能發生領導作用。

中國與民族國際

中國在過去失掉了兩次組織和領導民族國際的機會：一次是上文所說民國十五六年國民革命軍北伐到達武漢的時期，另一次是第二次世界大戰結束，我國躋登五強之一，國際地位增高，儼然執亞洲各民族的牛耳。如果自由中國能反攻大陸，光復中原，則領導的希望仍可寄於將來的。

李承晚誓死苦鬥

·第啓譯·

大韓民國總統李承晚爲什麼反對聯軍最新的休戰計劃？他對他飽受戰災蹂躪的國土究竟有甚麼野心？美國新聞週刊副編輯哈洛德．拉維曾多次晉謁李承晚總統暢談韓戰問題，他對上述兩大問題提供了如下的綫索。

李承晚總統是一位固執的人物，他今年七十八歲，但其中六十年中，這位大韓民國的總統却只在爲韓國奔走，他酷愛他的國土，他爲了韓國，曾經入獄，備受嚴刑的拷打，在國外過着流亡的生活。他爲了韓國，曾經冒過一百次生命的危險，如果能使韓國自由，他樂願立即貢獻他自己的生命。

美韓間的歧見

美國現在正和李承晚總統發生相當重大的糾紛，按外交詞令說。歧見的所在是關於美國所提出的韓戰停火的條件，但實際上，却是我晉訪李承晚總統時，他屢次明白宣示的那樣，問題乃是：美國需要停火；而李承晚總統却需要一個自由的韓國，始能滿意。

我與李承晚總統最後一次晤談是在一九五二年十一月，當時新當選的艾森豪總統正在赴韓途中以履行他競選時的諾言。而李承晚總統則已自釜山移駕至漢城總統府等候艾克。那時我問李承晚總統，他將向艾森豪說些什麼，他回答我說，他沒有什麼事情要告訴艾森豪，除非艾森豪問他。我跟着又緊迫着他說：「你以爲應該做些什麼呢？」他回答道：「攻擊」。

那時候，韓戰已形成目前的僵局。李承晚說：「我們的人民和軍隊已近乎完全失去忍耐。我們需要前進。這總比坐待一個讓敵人進攻和襲擊我們好得多。」

進軍鴨綠江

李承晚說：如果美國以大砲、空軍和海軍支持他，他將下令部屬前進。他確信他的陸軍能前抵鴨綠江。他說：「韓國全體官兵都深信能攻抵鴨綠江。讓我們前進，我們現在就可以攻到鴨綠江，我們不害怕四億五千萬中國人民，因爲四億五千萬中國人都不是共產黨。一旦中國人民知道共產黨正在失敗的時候，他們將起而反抗共黨」。

我告訴李承晚總統未免過於樂觀，如果南韓揮軍北攻，他們可能全被消滅。李承晚回答說：「韓國人民和士兵需要用這個方法或其他辦法來解決韓戰。」

他又說：「不論我們力能擊敗中共與否，我們需要前進。如果我們力量不夠強大，我們仍將前進，寧爲玉碎，我們決不瓦全。」

李承晚總統反對任何種將使韓國成爲一分裂國家，一半自由，另一半國土在共黨暴虐統治下的協定。他坦白表示，如果美國及聯合國簽訂上述任何種協定，他將不受此種協定的約束。他明白表示他將下令部屬破壞此種停火協定並揮戈北攻。他雖然沒有實際上提出如下的問題，但他的意思顯然是：「如果南韓陸軍似已陷入全被肅清的危機上，你們將怎麼辦？眼看着我們戰敗？」

印度是共黨的幫兇

他一再說明：「所有這些停火談判都是浪費時間的事情，因爲大韓民國完全不接受沿現有戰綫所定下的和平。我們將不接受任何不能獲致一統一韓國的和平計劃。如果只有我們單獨堅持，我們也將如此。我們將單獨作戰，我們所選擇的，只是死或是統一」。

李承晚總統特別強調拒絕印度所建議的計劃，這一個計劃是目前停火談判的基礎，他說：「印度在企圖作有利於共方的調停。我們不認爲印度是我們的朋友。印度政府的政策違反我們的願望」。

我問李承晚總統他是否認爲進軍至鴨綠江即將結束韓戰，他的回答是一個「不」字。

他說：「韓國問題正是世界問題的一部份，除非世界有了和平，我國始有和平之可言。而在世界上仍有共產主義的時候，這個世界決無和平的希望」。

我說：「總統先生，閣下認爲如果不經世界大戰，我們也能消滅共產主義？」

李承晚總統嚴肅地回答道：「看看我的國家，看看我國受戰禍的蹂躪已到了何種程度，算一下數以百萬計的墳墓，我們對第三次世界大戰還有什麼畏縮的餘地」。

（譯自「新聞週刊」）

半週展望

·雷嘯岑·

中共進入聯合國問題

美出席聯大的首席代表洛奇說：「美國將採用一切必要的行動，包括使用在安理會的否決權，以防中國在聯合國的席位於朝鮮休戰後，落入中共之手」。

倫敦方面又盛傳邱吉爾決定於韓戰休戰協定簽訂後，主張無條件使中共加入聯合國，並且將向百慕大三強會議正式提出。這兩說都是事實。如果美國的主張失敗，那聯合國的死亡即在眼前；若邱吉爾的主張不成功，聯合國亦只是奄奄一息地苟延殘喘而已。經過這次板門店談判的惡作劇後，聯合國好像是被醉漢投到毛坑裏的金身觀音大士，再把她擺放在神龕上，供奉如儀，可是不靈了，人們對她已失去虔敬之心，還有甚麼作用呢？

邱翁還有妙計

邱吉爾先生對拉攏中共，確是煞費苦心，他主張將來對韓戰善後的政治會議中，邀請中共北韓都來參加。這樣，就等於美國在事實上已經承認秧歌政權了，否則美國代表何以跟它同桌會議乎？

這是一種「心裏想」的妙計。不過，聯合國大會席上，前年就曾經邀請中共代表伍修權出席演說過了。雖然只是大鬧了一陣「帝國主義者」，但那些有帝國主義嫌疑的代表們，却未予以否定反駁，這可謂聯合國早已事實上請中共加入了，邱翁何須乎另想心事，多此一舉呢！

南韓的反休戰態度

杜爾斯說南韓李承晚的反休戰態度可能改變，參議員諾蘭亦呼籲南韓勿阻止休戰協定，艾森豪又約請麥克阿瑟胡佛諸人到白宮宴會，這些都可能是使南韓改變態度的因素。

不管南韓態度是否會改變，假使李承晚這次的行動，真是出於不甘被人出賣犧牲的憤激之情，毫無其他作用，那末，艾森豪這回的姑息把戲，比當年張伯倫的慕尼赫協定更醜惡，其後果將來一定要親自嘗到的。

看休戰以後吧！

停火協定簽字之後，光是換遣俘虜問題，就須耗費四個月的工夫，其他政治問題如統一朝鮮等等，夠得協商。在今年內，還是兩軍對峙，相互隨時警戒的局面。南韓既已拒絕參加休戰談判，保持其行動的自由，誰敢保證在此武裝和平的情勢下，不會再有問題發生呢？

目前南韓的激昂態度，間接對美國也有兩點副作用：使共方覺得韓戰頗有再起的危險，在未來的政治會議中，少提無理要求；使艾克在百慕大會議中，對邱吉爾的親共主張，有詞拒絕。

因此，南韓的態度縱使有改變，也不致變到與聯軍代表簽署休戰協定。南韓軍可以不北進，但緊張局面非等到相當時間以後，不會鬆弛的。

蘇俄靜以制動

莫洛托夫告訴印度一個衛生部長：「世界和平大有希望！」這話是對的。

自馬倫科夫的和平攻勢展開以來，「資本主義世界」的大小國家，一直吵吵鬧鬧，內鬨不已，而蘇俄却靜以制動，樂得旁觀。

史大林的遺教很明白地指出：資本主義國家間自相殘殺的戰爭，必先於對俄共集團的戰爭而發作。所謂「戰爭」，並非單純的軍事行動，政治的爭執，經濟的競爭，國際中立主義之倡行，無一而非資本主義國家間的戰爭行爲哩！

在此劇化的冷戰時期中，最上當的必然是美國，自己被別人捏住了小辮子，登山入水，沒法完全自主。只有克里姆林宮的惡魔們，好整以暇，沉機觀變，始終居於主動地位，有得無失。如果它教毛澤東今後再表示一點「和平」姿態，資本主義世界的大國間，更將如瘋狂，有如埋首沙漠中的鴕鳥！

百慕達陰霾密佈下
蘇俄突改變對德政策

在邱吉爾醞釀將百慕達會議變成大國談判的預備會議中，蘇俄突然更動駐德人事，改變對德政策，這是蘇俄爭取主動，利用西方歧見，以促成四國會議的先聲。但艾森豪總統在邱吉爾壓力下，仍不改變初衷，堅持既定政策。

蘇俄戰時史達林格勒英雄邱可夫將軍是一個粗暴而倔強的人物，他很少發笑，這樣也隱蔽了他一嘴鄙俗的金齒。他常常酗飲伏特加酒，使得他更粗鄙俗氣。對於外國人，他可能像朔風一樣的冷酷和刺骨。但相反的，以蘇俄外交部軍頭人物出名的西米諾夫却是和藹而儒雅的。他經常掛着一幅外交上的笑容。他的言談像英國人，動作像法國人，外表像德國人一樣——但他的思想却是莫斯科一鉢相傳的。

上一週，克里姆林宮突然首先解除邱可夫兼任駐德蘇聯管制委員會的主要職務，僅讓他仍統率當地三十萬俄軍，同時並將邱可夫的政治顧問西米諾夫擢升為「蘇聯駐德高級專員」，隨後又於五日進一步免除邱可夫的駐德俄軍總司令職位，改由葛萊契科准將担任。因此，克里姆林宮終也模做一九四九年西方三強的行動，以民政高級專員代替了軍政府。

俄展開統一德國攻勢

在華府、倫敦和巴黎方面，這些新聞只引起輕微的激動，但在西德的邦城，却使得西德政府上下充滿憂懼的心情。因為對西德人來說，這是迄今為止最確實的象徵，表示蘇俄正準備鄭重向西方建議召開統一德國會議。

這是共黨可能使愛特諾爾（西德政府）政府蒙受最大損害以及其加入西歐集團計劃遭受最大挫折的行動。蘇俄的上項提議可能粉碎歐洲軍的整個觀念。並將增加愛特諾爾的對手，西德社會民主黨在九月間全國大選中獲勝的機會。

克里姆林宮正採取行動，以圖促成東西間舉行高級會議，談判德國高級問題。但他們却拒絕參加討論奧國次要問題的低級會議。他們拒絕西方所提召開四強外長代表會議的邀請，依然將奧國和平談判放入冰箱。他們對西方挑釁，促其對特別試驗其誠意的事件，以行動而非以空言來證明其和平的誠意。但他們建議以照會的方式交換意見。

△西米諾夫▽

同時，邱吉爾所中意的舉行最高級會議以交換意見的計劃，正使英美關係形成新的緊張局勢。邱吉爾私下堅持在七月底以前，必須「有人」與俄領袖舉行會議。有人詢問英國官員，如果艾森豪總統不同意舉行四國會議的話，邱吉爾首相將否單獨參加，那些英國官員聳聳他們的肩膀說，「我們希望他不會如此」。

使得邱吉爾作力持召開大國會議決定的，有幾個私人的因素。

邱吉爾的如意算盤

首先，邱吉爾是戰時三巨頭的碩果僅存者，他感到對於應付俄國人，他有無比的經驗。他渴望能與馬倫科夫一晤，試一下他這種經驗與才能。

第二、由於蘇俄新陣容而引起他的好奇心，他經常自問：馬倫科夫喜歡什麼？貝利亞又喜歡甚麼？總之，他希望自行判斷蘇聯的最高級階層中是否眞有傾軋和爭權的情事發生，如果有，又如何為西方國家利用此種形勢。

第三、一九四六年，邱吉爾在美國密蘇里州的富爾頓發表著名的演說，而開冷戰的先河，他需要採取此戲劇化的步驟來結束此種冷戰。而且，他感到對他，已是謀求東西方和平的時候。

所以，邱吉爾不顧一切的反對，堅決主張與蘇俄舉行會議。他不理眞理報五月二十四日社論，那篇社論對西方三強百慕達會議的觀念，大加抨擊。

艾克反對對蘇會議

雖然邱吉爾可能向艾森豪表明他的決心，並闡釋他的論據，但在蘇俄迎合艾克正式宣佈的先決條件以前，殊難看到艾森豪會改變他自己的政策而與俄國人共同會議。英國及若干美國外交代表認為，如果艾森豪總統在邱吉爾影響之下決定修改他的政策，則邱吉爾在美國的聲望之隆，足以平息美國對艾森豪的抨擊。但美國也有許多人會採取公平的觀點。

不幸的，百慕達會議將不能像標準公報所說的那樣：「雙方對所有共同利益問題均已獲致協議」。當邱吉爾鄭重宣佈百慕達會議是對蘇會議開端的時候，艾森豪總統却說不是的。現在美國務院和英外交部專家正在試圖覓致一超級方式，準備在雙方均不讓步的時候，吸取雙方主張的精華而構成一折衷方案。（迪華譯自六月八日「新聞週刊」）

史太林的謀殺案（上）

本文是「恐怖史料」（GRISLY HISTORY）中之一，作者亞歷山大沃洛夫（ALEXANDER ORLOV）參與共產黨政治局內層工作達二十一年之久，所有蘇俄領袖，他都稔識，且有甚多，是他的知己好友，他歷任最高法院檢察官，經濟指導員，軍隊旅長，外交官，西班牙內戰時，他是史太林駐在西班牙的代表，一九三八年他才逃出史太林的魔掌，過着亡命客的生涯，他所寫的「恐怖史料」，是他所躬親身歷的事實眞相，將陸續在生活雜報發表。基洛夫案件是史太林許多大謀殺案中的最大一案，這些的老布爾塞維克和列寧的親信同志，都在這一案被害，現在的馬倫可夫正面臨着當年（一九三四年）史太林的局勢，他是否要進行一個大謀殺案？特將該文節譯，留待他日作事實上之參證。（譯者註）

基洛夫被刺

一九三四年十二月一日，年青的共產黨人尼克拉耶夫（LEONID NIKOLAYEV），進列寧格勒的斯莫雷大廈，槍殺政治局委員列寧格勒地區首長基洛夫（S. M. KIROV）刺客當場就逮，立即組成一個以史太林為首的特別委員會，處理這個案件，史太林由莫斯科來到列寧格勒。第一次官報宣布，刺殺基洛夫的兇手，他們是屬于白俄保衛隊的隊員，他們是由芬蘭拉特維亞波蘭等國潛入。幾天以後蘇維埃官報公告政治警察已逮捕一百〇四名白俄保衛隊員，經過了十六天，說是兇手供稱，是受兩個極有聲望的老布爾塞克命令，他倆是反對史太林政府的，同時報紙公布這個反對政府組織的消息，這個首領是季諾維夫（GRIGORI ZINOVIEV）和克米尼夫（LEO KAMENEV），他倆和許許多多的「反對」史太林政府份子，均已被捕。季諾維夫深得列寧的信任，他是參與一九一七年革命的活躍份子，在布爾塞維克中負有崇高的聲譽。克米尼夫是托洛斯基妹婿，歷任中央執行委員會主席，莫斯科蘇維埃首長，駐劄意大利大使。

十二月二十八日法官對尼克拉耶夫和其他十三人提出控訴，翌日報紙登出這十四人被判死刑的新聞。

那時，我（本文作者自稱）不在蘇聯，僅由宣判那一百〇四名白俄保衛隊死刑的文書裏，其中有前邊防軍的首長，我知道這些人是不易通過嚴密的邊境而潛入蘇聯的，其次，關于季諾維夫和克米尼夫，那更是可笑的難以令我相信，最奇怪的是史太林聽到基洛夫被刺的訊息，他便急遽的前往列寧格勒，他竟然不顧慮到他自己的安全，想見那時列寧格勒局勢的紛亂。我對于基洛夫被刺案件頗為懷疑，不久我就回國，我知道前列寧格勒政治警察首長和他的助手，並沒有因基洛夫的被刺案件入獄，而且奉着史太林的任命，他們去西伯利亞，主持最富的一個金礦。

在莫斯科，我聽到的更多。傳說在一九三四年的春天和夏天，隨着列寧格勒區的工業生產計劃，基洛夫和政治局發生重大的意見。一次，基洛夫為列寧格勒區的防軍和工人的口糧供應，和人民保衛委員伏諾希洛夫（YOROSHILOV）大大的爭吵過，基洛夫認為若果需要工人來生產，就得餵飽他們，伏諾希洛夫認為那便會損耗國家的財力。事件鬧到史太林那裏，史太林質問基洛夫是不是列寧格勒的工人應該比別處的工人喫的好些？基洛夫彼時似乎失却了自我控制，他暴怒的答復史太林，說出「我想現在該是廢除軍隊口糧配給我們工人的適當時候」的話。從此史太林基洛夫間發生裂痕，同時基洛夫與中央政治局的關係也日趨惡化，雖說基洛夫常去莫斯科，可仍不能調和彼此間的情感參商。在一九三四年第十七次黨的會議上，更明顯的昭示史太林對於基洛夫的不滿，基洛夫的態度也是倔強萬狀，即如史太林邀他前往，他却故意遲遲其行。在這種種的情勢下，史太林是非除掉基洛夫不可了，他嗾使人刺殺基洛夫，却移禍于季諾維夫和克米尼夫，這些列寧所引為心腹的親信同志。健超譯。

西伯利亞俄軍叛變

當史達林去世的消息傳抵西伯利亞的時候，當地某俄軍重要兵營曾發生大規模叛變，這件事蘇俄當局曾壓制了許久，直到最近始透露出一點風聲。據說因這次叛變而被就地處決的俄官兵，約有兩百人。此外還有一千人已被解往某黑海城市受嚴厲軍法審判。

美海軍薰走俄間諜

說來也許大家不相信，美國海軍部確實薰走了若干蘇俄間諜。不久以前，俄國駐美大使館曾在柏杜遜河畔租了一幢房子，用作他們週末或假期休憩的地方，但那一所房子適在美海軍試驗新機基地的附近，俄國人可以利用望遠鏡與長程攝影機來窺探美海軍的祕密。海軍部本想轉告國務院取締，但柏杜遜河畔原是規定外國外交人員遊息的所在，根據規定，却也奈何他們不得。後來，還是海軍部想出一則奇妙的辦法，他們在每逢新機試飛的時候，即在靠近俄使館別墅的一邊大放烟幕，這樣一連幾次，俄國人毫無所得，最後他們終於退掉了這所房子。

鮑克夫人將東山再起

羅馬尼亞的共產政權短期內即將改組，以前被黜的前羅馬尼亞外長鮑克夫人又將在新政府中重膺要職。據悉，蘇俄祕密警察首腦貝利亞已祕密派遣親信特務兩人前往羅京布加勒斯特，重行調查鮑克夫人的被控案。據說鮑克夫人深得貝利亞和馬倫科夫的恩寵。她已設法通知貝馬兩人，說她的垮台完全是受目前羅馬尼亞最高級傀儡狄耶偽造控案的影響。

雷德福官階不變

雖然雷德福海軍上將在八月間就要擢升為美國聯合參謀部主席，但他仍將保持現時的四星官階，而不致晉升為五星元帥。因為國防部普遍認為五星官階應留至戰時授予有特殊勳功的將官，艾森豪總統也同意此項意見，他認為聯合參謀部主席已是衆所熟知的最高級軍事首長，并不一定需要這種表面上的五星威望。

新型飛機將成廢物

法國早於一九五二年初即準備製造神祕式噴射戰鬥機，當時美國根據海外購貨計劃，曾以八千六百萬美元定購兩百七十五架。但現在獲悉，這些飛機非到明年下半年，無法完工交貨。因此，美空軍部已大感恐慌，深懼到那個時候，所謂新型的飛機都將變成落伍的廢物。（孟衡）

天下小事

台灣通訊

提高軍公教待遇 應首先壓平物價

在台省糧價尚未下降到原定的限價的時候，市場上各種物價，都已經受了糧價的影響，或多或少的在上升着。公營的台北市公共汽車票價的增加案，亦已由台北市政府提請台北市議會討論中。記得去年台灣電力公司增加電費的時候，經濟部長曾在立法院中保證決不因此影響物價。而今年的糧荒却無法使當局再說這一句硬朗的話，台省糧食局長李連春是決定糧食政策的人，也是執行糧食政策的人。中樞迭次昭示要推行行政三聯制，而與民生最關重要的糧政，却由李連春一個人在自己設計，自己執行。李會一再表示台省的新穀在六月一日就可登場，屆時糧價必然下跌。而公教人員六月份所領到的配給品，却仍就是麵粉，而不是白米。有若干每天非坐小汽車不可的人，自己隨時在消耗外滙，却要求別人改吃麵粉，節省食米以便外銷，去換取外滙。飲食多本諸習慣得來，決非立即可以改變。許多公教人員，不得不將配到的麵粉，在市場上以每包七十元（重二十二公斤）以內的代價售出，再照市價買進白米煮飯吃。這在無形中又增加了公教人員的負担，加以其他物價的上升，使公教人員的生活，更為艱困。

不能增發通貨

正在這艱困的時候，忽然由台北大華晚報，傳出公教人員待遇可增加百分之五十的喜訊。這一句話，已經說了一年。猶記得去年此日，台灣全省財政會議開會的時候，其時的台省財政廳長任顯群就公開地宣佈過這個消息。現在任氏業經交卸，支票並未兌現。據聞如提高百分之五十，政府每月所增加的支出，為一千六百萬元。以台省目前的社會經濟情形觀察，要籌這筆錢並不一定很困難。籌款的方法，第一是決不可以用增加通貨發行的方法。

軍隊有優先權

要增加公務員待遇，最好是先提高軍隊的待遇，蓋軍隊待遇較之一般公教人員尤苦。軍隊的待遇能提高到一定的標準之後，則軍援的使用才能發揮最大的力量。其次提高教育人員，尤其是負有國民教育責任的小學教師。如果再不重視教育人員，則建國復國的人才，必將無從培養。再其次，及於一般公務人員，但須特別提高鄉鎮以下的人員，以期達到人才下鄉的目的。至於待遇向較優厚的金融機關與公營事業機關人員，應限制其暫時不得援例增加。如其不用等差的辦法，並規定先後的次序，則高者應高，不是立足點上求平等的辦法。

要說增加待遇的財源，宜從政府專賣的物品上着想。台省有產量最多定價最低的東西，如果略為增加一些價格，因為產量多，而每個人的消耗又并不大，則各人所增加的負担有限，而政府的收入却頗為可觀。

提高待遇是公教人員人人關心的問題，自從大華晚報的消息露佈後，又成為街頭巷尾最流行的新聞。但因為糧價物價的上升，却使得一般人的希望，先集中在政府應該有壓制物價歸還原位的鐵腕，而後再來增加待遇。如果因糧價物價無法回跌，才考慮到增加待遇，則物價與待遇循環追逐，大家在[illegible]上已經吃過了的杯，沒有人願意再來杯了。

捷共剝奪民財
三大階段手法毒辣 人民積蓄盡化烏有

捷克共產黨在剝奪了捷克人民的自由以後，上星期又開始強奪他們的財富。這種捷共強奪民財的勾當分為三個階段：第一個階段是布拉格電台廣播：「一九四五年以後所有的國家借款和公債均宣佈無效」。這表示以前捷克工人被迫把他們辛勤儲蓄所購存的捷克「E」字公債，現在都變成了不值一文的廢紙，這一筆公債總數達十一億五千二百萬美元。

第二個階段是提高物價。捷共劇烈貶低幣值，規定將五個舊克郎（捷幣名）兌換一個新克郎。從前月入五千克郎的工人以後僅獲得一千克郎，等於減低了工資百分之八十。物價雖也降低，但僅降低百分之三十一，所以眞的工資幾乎減少了百分之七十。

第三個階段是剝削銀行的儲蓄存款和民間的祕密私蓄。捷共下令所有的舊克郎須以五十對一至五五對一的比率兌換新克郎。因此，擁有最大額存款的捷克大富，只收回最少額的新幣，只有存款在五千克郎（相當美金一百元）以下的才能按照五對一的比率。結果，工人和農民的儲蓄，盡遭剝奪，他們寡然一身，今後須更辛苦的工作來在生死綫上掙扎。（由之譯自「時代週刊」）

中共加緊實行奴化教育
大學教材將全盤俄化
首批預趕譯二百四十種

【本報訊】北平消息：據僞高等教育部透露消息，中共爲使大陸之高等教育儘速符合蘇俄的標準，已定於下半年度起開始進行大規模而有計劃的蘇俄教材的譯印工作。並決定此項工作，限於年內完成，俾自明年度起，使所有大學及專科學校皆改用蘇俄教材。現此項譯印蘇俄教材的工作，已由僞高等教育部通令大陸所有大專學校約教師立即開始研究、翻譯。預定第一期翻印的教材共有二百四十餘種，約共有七千五百餘萬字，其中以「政法」、「財經」及工程爲主。據悉，中共對於此種教材之譯稿，將予以極爲嚴格之審查，將特別重視其是否有基本觀念、科學原理等原則性的錯誤，是否有所謂「僞選」唯心論的觀點等等。

又訊：據最近光明日報透露：現華北區的「北京鋼鐵學院」、「北京航空學院」，東北區的「哈爾濱工業大學」、「東北農學院」，華東區的「交通大學」、「同濟大學」等三十餘校，業已首先成立「蘇聯教材編譯委員會」或「蘇聯高等學校教材翻譯組」，或在教務處設置專人主持編譯工作。據云：一般教授，因俄文經驗尚淺，深恐失誤，故審慎地採取了合譯互校辦法。換言之，亦無異謂一般編譯俄國教材之教授，深恐稍有不慎，飛來橫禍，不無裹足不前之情。惟中共命令既下，斷無不完成之理，是以，相信明年以後，大陸高等教育之教學，將全盤蘇化矣。

奴役無度生產廢弛生活艱難
大陸民兵情緒普遍不穩
中共令加强黨系控制嚴格整訓

【本報訊】北平消息：最近中共鑒於大陸各地民兵因雜役過多，生產廢弛，生活艱難，情緒普遍不穩，已有局部動亂（反正）現象，故已下令各軍區迅即轉變「領導作風」，並即自垂直的軍事系統節制，改由各地的黨委領導，以加强黨系的控制，實施嚴格的政治訓練，以防範意外。此一命令，係由僞軍委會，政務院及共黨中央分別發佈者。

據上海、武漢、重慶等地報紙披露消息：各大行政區的軍區司令部於接獲上項命令後，業已準備召開，或已召開「人民武裝工作會議」，以進行檢討，並研究執行上項命令的具體計劃。

民兵管理發生嚴重錯誤

據最近重慶新華日報披露西南軍區「人民武裝工作會議」中檢討承認的錯誤情形稱：「我區人民武裝建設工作已經做出很大成績，但在領導上還存在着缺點。主要表現在軍區系統，尤其是人民武裝部門，只重視軍事系統的領導，不重視地方黨委的領導，人民武裝幹部對民兵工作的意義認識不足，安排工作，常從主觀願望出發，犯有嚴重的錯誤！」

鄉幹部外出民兵做跟班

據該會又認承民兵勤務過多影響生產的嚴重情形稱：「如雲南省某些地區組織民兵『輪戲隊』，『武工隊』，代替部隊遠征剿匪，一年來就誤工六十四萬個。有些縣公安中隊文化學習成績不好，就隨便調用民兵代替他們執勤；借玉溪軍區就會調用民兵數百人看押人犯，連續八月不能回家生產。四川省達縣軍分區民兵警衛勤務（包括防空、護林、護路、守護渡口、橋樑、涵洞等），每天需用民兵數千人，如以該分區數字推算，西南全部軍分區每天耗費民兵竟達二十四萬七千餘人。除以上戰勤任務和警衛，治安勤務外，民兵還担負着許多雜役，名目之多無奇不有。如鄉村幹部出外，派民兵「跟班」；合作、貿易部門人員下鄉，派民兵扛行李；銀行人員派民兵扛箱子；區鄉政府派民兵担水、砍柴、做飯、掃地、守衛、送信、洗衣。甚至婦女開會，派民兵看守孩子。」總之，凡軍區支部的「任務」外，區鄉的一舉一動，無不以民兵爲差役，一如上述，無所不予役用。據稱平均每一民兵每年都有一半以上時間，被迫放棄生產，從事此等雜役，而民兵之生活，則仍須自行担負，故生活無不艱苦異常，怨恨之情，自極激盪，稍有機會，自不免集衆反正。由此一檢討看，可見目前大陸民兵之情緒，問題確甚嚴重。而大陸各地疑神疑鬼，風聲鶴唳之情形，於此亦可窺見一斑。

中共集訓幹部排演選舉醜劇
各鄉派組長佈置提名

據最近北平人民日報披露：目前中共在各省掌握所謂「普選」的高級幹部，業已全部派定，各省的「選舉委員會」已次第成立，在中共各省委的嚴密控制下，已紛紛開始分省集訓各縣的選舉幹部。此一訓練，各省大多分兩批訓練，限於七月前全部訓畢。受訓者，係由各縣以各一鄉之一黨幹中抽調，以一鄉一人爲原則，俾於訓練時由中共各省高級黨幹授予機宜後，即派赴各鄉担任「基層選舉工作組組長」，嚴密佈置基層選舉之提名，導演假選舉的形式的演出。據云，訓練此種幹部，首先已取得經驗者爲東北之松江、吉林、旅大等省市。關內各省開始訓練較早者，爲山東及山西兩省，該兩省第一批訓練幹部約一萬五千名的幹部，已在訓練中。據悉此種訓練之內容，主要者，除佈置基層「代表」之提名以排除各尾巴黨派之原有「代表」外，並對一切已公開之選舉文件，進一步作文字以外的解說，俾此班幹部於導演此一假選舉時，能作靈活之運用。

大陸公務人員的悲劇
「花圈留着別燒，準備下次再用」

近年來，我們常常在「紅色報」上看到許多大吹大擂的宣傳中共統治下的中國大陸人民生活如何富裕的報導，及連篇累牘的宣揚他們生產繁榮的刊載，但實際上公務人員與人民過的都是牛馬不如的「地獄」生活了。茲就今年北平出版的「中國金融半月刊」內所載的銀行職員底生活情形爲例，便可想到其他了。

銀行幹部肺癆猖獗

據該刊所登「各級銀行領導應重視員工健康問題」一文中所說：「……在山西的榆次、陽泉、平遙的三個支行中，因積勞成疾而死的幹部約佔榆次專區幹部人數百分之四十三，各行目前每天早晨學習二小時，上下午辦公九小時，晚上又學習二小時，實際上，担任會計和出納的人員，很少能在晚間十二時以前睡覺的。又如遼西和黑龍江的兩分行，常常加班，弄得通夜得不到休息……各幹部們因長期的過度疲勞，身體受到嚴重的損害，普遍的患病，如肺癆、胃病、和神經衰弱症等，而造成嚴重的死亡現象。如邯鄲支行亦在一年半之中，死亡幹部達九人之多。故在追悼杜秉楠時，有人說：『花圈留着別燒，準備下次再用』。

伙食惡劣管理不良

我們再看山西「人民銀行行長」李進軍在自我檢討中所承認的事實，他說：「本行員工的死亡現象，是從一九四九年建行以來，長期發展造成的。……由於我們的官僚主義的態度，所以才造成這種死亡現象……在伙食上，四百多人一個灶，既無飯廳，管理又不好。……在營業室裏，五六十個人集體辦公，常常工作十小時以上，地方太狹，空氣又壞，容易得傳染病……」。

此外，中共的官僚主義作風到了什麼程度呢？與他們上級機關「同志」對下級機關「同志」之間的虐待情形如何？我們只須看「山西省行政幹部學校」學員陳耀明，因他弟弟陳曙遭受虐殺而死，特在「山西日報」撰文控訴，他在那篇控訴文中說：

貧病交迫折磨而死

『我弟弟陳曙，是洪洞支行的秘書，今春患病，由支行送回省行要求治療，不料省行同志十分冷酷無情，把他扔在義豪客棧，一連九天，無人理會，我們只有自己想辦法，連走三天，方在太原市醫院掛了號，經醫生診斷之後，證明患的肺病，但是不准住院，我們只有再請求省行設法，但省行還置之不理，我弟弟痛哭不休。後來費盡心機，才把省行人事股王股長請示，向他請求代爲設法住山西大學醫學院，他還是拒絕，經我弟弟哭着說：「你若不設法，就死也送我回家吧！」至後，這位王股長才答應把他送回家來。可是，除了派人送來一封村幹的介紹信外，便再也沒有人來管一下了……我弟弟回到家中之後，因無醫無藥，不久就被折磨死了』。試想：一個支行的秘書，尚且遭受這樣殘酷的待遇，其他職位更小的人員，如有疾病，困難時，其遭遇是更不堪想像的了。（谷風）

大陸肺病蔓延日廣
津各廠羣情恐慌
無藥療治共黨承認嚴重

【本報訊】天津消息：目前天津各工廠的肺病流行已日見嚴重，其中尤以天津紗廠，天津第一、二棉紡廠，天津建築工程公司，天津烟草廠等處之工人，經最近天津衛生勘員檢查後表示，認爲患者較一般工廠特多，各該廠的工人，幾已有全部工人的百分之三十至五十間都患有肺病！其中病況之比例，一般的約爲重病者佔百分之十五左右，次之佔百分之三十左右，輕者佔百分之五十左右。且謂因缺乏有效的醫療及必要的隔離，問題極爲嚴重！據天津之中共報紙於批評各工廠之衛生健康狀況中所露透的消息，謂目前一些患有肺病的工人因「担心病好不了」，「精神變態」等思想顧慮，情緒極爲悲觀、恐慌，且已影響一般未患肺病的工人的生產情緒，羣情極見惶恐。

中共暴動自食其果
大同煤田大火數年不息
工人冒死工作怨聲不絕

據最近北平人民日報披露消息：謂大同煤田，年來日夜燃燒不息，火勢日益蔓延，情形極爲險惡，已嚴重妨礙煤礦之開採工作。據云在該煤田的七峯山，白土窰，馬脊梁，胡家灣等處，幾已全部燃燒，所見燃燒的景象，令人觸目驚心！謂在距七峯山五公里以外的高地，即可望見七峯山上冒着騰騰的煤烟和水蒸氣，有如雲朶，晚間，更是一片火光。在黃土溝的煤層燃燒，已使地面張裂，已冒烟冒火的裂縫長達一公里。該等區域，已使工人無法接近。其他一般礦洞，亦不時冒烟冒火，致常有工人因不及走避而被灼傷或燒死，使工人工作情緒，極度恐懼不安！但該礦領導幹部仍盲目驅迫工人冒死工作，故已普遍引起工人之怨忿！

關於該一煤礦之所以燃燒不息，據該報紙紹地不打自招的承認，說根據礦區附近的群衆及該礦的老工人指出，係「反動統治時期」，「極苦的生活和殘酷的壓迫激起了採煤工人的暴動，暴動的工人一把火點燃着煤窰，煤層便一直燃燒下來，無法息滅」。所謂工人暴動，盡人皆知，係中共當年所一手製造的把戲，當時只知破壞社會秩序，製造社會動亂，何曾想到國家財產的慘重損失，更何曾想到今日居然據有大陸而自食其果！

又據該報最後透露：現該一礦田，已部份停止開採。僞華北煤礦管理局，僞大同礦務局，僞山西省和僞大同市政府等單位並已會同成立一大規模之消火委員會，據云：倘再不設法防火，將釀成巨災。

湘西運糧出口饑民搶糧暴動
湖南農民普遍罷耕合作互助紛紛垮台

【本報訊】長沙消息：最近中共正將湖南各地存倉之糧食大量趕期北運，據此間傳聞，湘西苗區飢民，曾於上月下旬一度乘運糧機會搶奪糧食，發生若干起無組織之零星暴動，大部糧民工，亦乘機將糧包搶走，秩序一時大亂，結果如何，因此種消息，極爲中共諱言，故傳聞不詳，惟知事後曾有百餘人被捕。

又據長沙中共之報紙披露，謂湖南各地農民之生產情緒極不穩定，普遍有消極罷耕的情狀。據云農民所以普遍消極原因，主要有下述幾點：其一、一部份農民的生產資金缺乏，借貸的關係不正常，幹部沒有採取有效的辦法加以解決，此等農民都抱有「聽天由命」的思想。其二、一些勉能生活及生產的中農，爲幹部及貧農的歧視，有變相的「清算鬥爭」行爲使此等農民亦喪失生產力。其三、農業生產合作社的信用已經破產，生產互助組因「互而不助，互助而不利」（中共語）而亦已紛紛垮台，而中共之鄉村幹部則仍强迫農民「互助」，結果反使生產陷於停滯。其四、幹部不顧農民生產習慣，竟强迫農民更改生產季節作物，最顯著者，共幹竟强迫農民提前二十天插秧，使結果發生了爛秧，且農民蒙受了損失，無法補救，農民怨恨之餘，便採取消極之態度以示抵抗。

共黨朝令暮改學生不知所從
蘇北一學校情緒不安

據中共北平人民日報五月十二日刊載：蘇北運河師範學校「一九五四級」學生的修業期限，半學期內竟連續更改四次之多。下面，是一字不易的該報原文：——

「蘇北運河師範學校學生李文來信：『我校有一班同學，原應在一九五四年春季畢業，一九五二年春，原蘇北文教處通知我校，我班決定提早半年在一九五三年暑假畢業。

今年開校後第四週，我校接到江蘇教育廳的命令，我班仍在明年春季畢業。這個決定打亂了我們同學的學習計劃和老師的教學計劃。但我們感到國家的決定高於我們的計劃，很快地安定了情緒，重行擬訂教學計劃。

不料，在接到前個通知的第二週，我校又接到了江蘇省教育廳的通知，仍要我班提早半年畢業。——我們有些同學的學習情緒很不安，但大家還是服從教育廳的指示，積極趕做畢業的準備。

但又過了兩個月，我們畢業準備做好了，江蘇教育廳又改變決定，讓我們仍在一九五四年畢業。……』」

——一個學校一班學生的學期時間，可以由教育廳一紙命令，便隨意縮短學期，則這學校究竟能教些什麼，已可想而知。而教育廳隨意縮短伸長，前後更改四次之多，其視青年爲何物，把學校當成什麼玩意，則更不言而喻了！

江蘇教育廳如此，其他部門能夠不如此？其他省份又能夠不如此？——今日大陸的人民究竟被「人民政府」怎樣搞來搞去，這短短的新聞已足以說明一切！

西康新龍森林大火

據最近重慶新華日報透露：上月三十日，西康省「藏族自治區」之新龍縣大森林，突起大火焚燒，因樹木密集而高大，故火勢特別兇猛，一時火光瀰天，狀極恐怖，當地共幹見狀，大爲慌亂，除出動全部駐軍施救外，並征集當地所有壯年藏民全力撲救，但終因樹高火猛，一時無法息滅，直燒至兩日夜，方被密雨澆熄，損失異常慘重！並有救火藏民多人受傷，其中有三人當場燒死。

自由談

生意經

尚方

無論任何一種大小事業，要想做成功，必須有配合實際需要的作法，又名曰訣竅。這作法在政治上稱之爲政略政術，在商業上叫作生意經。

少時在日本東京讀書，見有一二規模較大的書店，每天讓人們隨便進去翻閱各種待售的新書，而且備有椅凳，供人坐閱，只要不污損其書頁，聽你坐閱若干時候，沒人來干涉的。你閱後把書本放置原架上，昂然而出，店員們還得說聲「謝謝你！」因此，那書店內晝夜擠滿了人，形成顧客盈門，高朋滿座之象。原來立意祇是進去看書而不買書的人，次數多了，心理上不免本能地感到有些慚愧，終於揀購一二本。路上行人見書店內常有那麼多的顧客，也好奇地踱進去瞧瞧，逢人宣揚那書店的老板之能。結果那書店的生意自然興隆，名利雙收。

在咱們貴國的書店裏，當然少有這種奇蹟。其他一般的商店呢，顧客進門時，如果衣衫欠整齊，那些店員們首先就提防你是小偷，假使你請他拿出貨品來給你看看後，你又說不合式，不中意，準是當場給你顏色看，教你啼笑皆非，甚至於受到侮辱。其意若曰：顧客進門來，就負有欣賞貨色，解囊選購的義務。不買些東西，表示「賞襯」本店，你進來幹嗎？我的店中又不是游樂場所！

這兩種商情，成敗得失之間，就在懂不懂得生意經，道理甚顯著。這訣竅如運用到政治上，其利弊得失亦間總的如響斯應，絲毫不爽喔！

·鐵幕眞實故事·

禽獸世界

·山禾·

山東濱縣楊集鄉的王翰林村自從「解放」以後，便在共產黨的「感召」之下湧現了一批「積極份子」；應該說是「人傑地靈」，全靠他或她們掌握了全村的「人民政權」。

他們都是些生龍活虎似的了不起的「新人物」：不說別的，就拿民兵隊長、村長和婦女會主席來說吧，民兵隊長趙承先兇狠威猛得像一只老虎；村長趙英賢毒辣陰險得像一只狼；婦女會主席趙春蘭妖淫狠毒得像一條蛇！加上在上領導他或她們的鄉委書記趙培章像一只凌厲殘暴的獸中之王的獅子。

由於這些新統治者的兇狠毒辣，人民們當然都變成了待宰的羔羊！但牠們既然都像一些毒蛇猛獸的人物，自然，除了吃人之外，還得互相蹂躪、吞噬！

× × ×

趙承先自從積極地參加了中共地方部隊，調出去打了一陣仗、掛了彩、做了共產黨的黨員，並榮歸鄉里當了民兵隊隊長以後，自恃「革命」有功，對雖然也是黨員，但未曾經過「白刀子進、紅刀子出」的村長趙英賢不大服貼。他常常逢人便拍一拍胸脯，揮一揮拳頭對人說：「老子革過命」！

如果有人在他面前提起村長趙英賢，他就會發出呼嚇，他決定要推翻趙英賢。吃掉他！

圍繞他的週圍有他的集團：黨員趙光彩、積極份子趙襲會、張羅春，是他的大將。

趙英賢自從「解放」後由「積極份子」而做到黨員，再做到「村長」以後，也自恃在一連串的從「支前」開始，一直到「五反」、「五查」等等的「德政」中有不可一世底功績。他想「一統江山」，跋扈驕傲的民兵隊長成了他的眼中釘！他也想拔了他！

在他控制「政權」的便利下，曾形成他的「班底」！農會主任趙家俊、民兵自衛團團長趙學良、指導員趙汝賢都是他的大將。還有，婦女會主席兼他的姘頭的趙春蘭，更是他的得力助手。

可是，民兵隊長棋先一着，在前年的「反奸訴苦」運動中，被趙承先挾持「猛鬥大會」鬥了他一下，除了趙春蘭以外，趙英賢和他的班底全部垮了下來，弄得焦頭爛額！

趙英賢和他的「班底」被搞垮以後，點負「滔天喝冷水，點在心頭」！他一算，趙承先既有槍桿挾持，威力自不尋常；他想「君子報仇，三年」，要打倒趙承先，鞏固「政權」，還要得耐性子下長功夫。

突然，他靈機一動，想到了走支部書記趙培章的路線的方法，既要靠錢，也要靠女人。送錢很便當，關於女人，他便和婦女會主席兼他的姘頭的趙春蘭商量。

趙春蘭剛好是生得像蛇那麼一條的女人：妖冶、淫蕩、潑辣，對於男人，她是多多益善，何況是貴爲支部書記的趙培章，她那有不肯主演美人計的道理；她滿口答應，立即照辦。

趙培章又剛好是色鬼。趙英賢在自己的內房中設了酒席侍趙培章和趙關英拉綫，邀扯了妖豔、淫蕩、不遜於趙春蘭的他自己的太太作陪。待酒過三巡，他兩夫婦悄悄引退，便讓趙培章和趙關英當場在他們房中幹將起來！一切想藉支部書記打倒趙承先的計謀，都由趙關英在她和趙培章醺醺自出要死要活的時候撒嬌提出要求。

但這還不夠，趙嬌英告訴趙英賢說他對他的太太也很有興趣，於是，趙英賢又將他的太太也送去陪支委書記睡了覺！

送了幾筆錢兩和兩個女人的結果，終於使趙英賢有了辦法。

（上）

關於女性（上）

·揖士·

以前我認識一位服務上海的英國醫師。當他奉召回國時，他的太太整天的擺着嘴鬧脾氣。這事眞奇怪，久居異國者常有所謂「思鄉病」，何以這位醫師太太獨不然，而且相反地視故國爲畏途？

這位醫師的太太鬧得不願回國的理由，太太說：「我住在中國每天可以吃一隻雞，假使回到英國，雞價那麼貴，那有常吃的機會？我住在這兒有女工服侍，有廚師替我們燒菜，假使回到英國，我自己還得當女工，那有這樣的舒服？我住在這兒有大洋房和大花園，假使回到英國只有三間頭鴿籠式公寓可住，那有這樣的消遙自在？」這位洋太太除說了以上這些理由外，她的肚子裏還有另一個理由：「我住在這兒，和悅而有禮貌的中國人把我奉承得像女王；假使回到英國，雖是高鼻綠睛，那有這樣高貴？」

都市繁榮、物質享受，只是歐美各國的外貌；可是裏層呢，卻包孕着物價昂貴，失業嚴重，生活不安定等等可怕的魅影。

從表面看起來，歐美的太太們昂頭挺胸，高貴得像上帝的女兒，丈夫像妻子的馴羊，但我們要知道，除特殊階級外，歐美普通家庭的主婦在家庭中得戴上尖尖的帽，披上白白的圍腰，丈夫在街上或社交界是活潑溫和，在家中卻是一個懶鬼，一切一切都要太太們料理，他們只懂得張口吃飯，伸着腿睡覺，不料近來我國太太們學會了洋太太的威風，在街上或在社交界也懂得昂頭挺胸，高貴得像上帝的女兒，而回到家庭裏自有廚師炒菜，自有女工服侍，還要搭架子奴顧丈夫，洋太太的好處一點未學得，壞處行行都有，此之謂「摩登」，此之謂「歐化」，嗚呼「摩登」，嗚呼「歐化」，幾多罪惡假汝之名以行？

結婚乃人生過程中最愉快之一頁，但我國名人中也有把它當作一件苦差的，吉青納說過：「我以身許國，不願爲婦人所累。」以前各國元首中也有許多的單身漢，如土耳其的凱末爾、德國的希特勒等。

新·世·說·補·遺

吃在成都

馬五先生

飲食之道，吾國獨步世界，已成定論。然國人因地因俗，口腹習好多端，未可概言，亦不能強事軒輊。愚足跡所至，全國都市，除西北陝甘一隅外，客游殆遍。詳考各地飲食情形，其精美完備，而又適合一般社會大衆之需求者，莫成都若，重慶則異是矣。

益州物產浩穰，氣候溫和，人民殷富而尚文采，故其飲食特具風格，所謂「價廉物美」四字，足以當之無愧。抗戰前，愚奉檄入川，于役成都，晨興操作後，趨飲食店果腹，兩盃「冒兒頭」（蒸熟米飯，川諺名冒兒頭也）熱氣騰騰，計洋一角，一碗清燉牛肉，濃香適口，計洋兩角，大快朶頤，腹便便矣，他處絕無如斯平易者，有之，亦無其精潔性，多屬餕餘雜俎，若識其情，令人作三日嘔也。

凡屬日常必需諸食品，在錦官城中，不特值廉，且皆專門化，六畜之味，各有專司，而其門面皆簡樸雅靜。「竹林小餐」之白肉片，精美無匹，非他人所能泡製也。其他牛羊食品莫不皆然。城南「至德號」之小籠蒸牛肉，夾「鍋盔」（即燒餅）併食，吳稚暉先生偶所贊美，每至成都，常爲座上客。愚初次嘗試，適在「跑警報」後，飢腸轆轆，一氣而盡噉廿籠，傳爲美談。「吳抄手」之餛飩，全國鮮有其佳賀美味者。城北惜字街之「少奶奶湯丸」，皮薄僅及棉紙之半，有如今之尼龍絲襪質料，然以沸油煎之而不破，成都著名大餐館「榮樂園」以炸湯丸一肴饗客，即非用「少奶奶湯丸」不可，他皆遇沸油輒炸裂也。家禽類食品則有商業場街旁之「鮮餐市」專門經營，自雞鴨全身內外各部，以及猪頭足等，或鹵或煎，分門別類，色色俱全，臨餐購用，極其簡便。水餃亦鐘案各有專業，愚於民國二十四年多，與友人初至一專製粢飯點心之店，招名「忙休來」，曾笑語友曰：此店主性情必不和易，觀其店名，思過半矣！櫃台主人聞而啞然對曰：「否否！客來食，每求速，催呼萬急，然火候未到，味即欠佳，吾人爲保持信譽計，必不潦草從事，故揭此市招，對客示意警覺也」。余等爲之掩口匿笑，然亦足知其用心之苦。成都市一切別有風味之大小食品，皆具普遍性，東西南北之人，無不宜者。獨有「麻婆豆腐」一項，則非一般「下江人」（川人對外省人之總稱，猶香港人之呼非粵籍者爲上海人也。）所能入口，驚其辛辣滋味，雖嗜辣椒如吾湘人者，亦自慚小巫見大巫也。

眞正之川味大酒菜館，在成都只得「榮樂園」一家，他若「明湖春」「敬業飯店」等，皆摻海派作風，不可同語矣。次則陝西街之「不醉無歸小酒家」，尚不失其正宗，然小吃猶可，宴席終不免野狐禪氣味矣。

奴役的藍圖（十三）

麥柯米克神父著　陸逸譯

農民的四個階級

我讀到所說的是一個由幾位族長所管理的一份宗親遺產。在這個氏族的全部中，有六百餘人留居故里，其餘的多僑居泰國和馬來亞。族人多同居一村，合力耕耘祖先留下來的田產，在每一期農收之後，抽出一部份稻米作爲宗親基金，用作祭祀祖先，開辦義學，修路架橋，共衆福利，及恤養金之用。

另外一種型典的「惡霸」，但是那些屬于學校，廟宇，教會的「贈地」，這種義產多是靠收入維持。

最後一種主要的地主階級是那些擁有較多田產的人，他們多是因爲自己人手不夠而把過剩的田畝租給里人代耕。我們應該明白，中國底農業全是靠雙手來操作的，如果照這樣計算，一家人所能耕耘的田數實在有限。

照共產黨「分配田地手册」的指示，農民應當分成四種階級。

一、地主階級：包括逝世的地主，附產，及一切擁有超過其本身所能耕耘的田數的人。

二、富農：即自耕自地的農人。

三、中農：有足夠田畝，可以維生的人。

四、貧農：即無田可耕，或所耕不足以維生者。

按照共匪毛澤東的統計，地主，富農，商人佔中國全人口底百分之二十，農民佔百分之二十，貧窮的工農佔百分之六十。

農民更加憂鬱

今天的地主階級大部分已被鏟除了。共產黨的暴民們取而代之，富農在地方上也被均田了，這種均田的方法是以地區裏的全畝數，除以同地區裏的人口總數，任何一個人祇要他底田超過平均每人平均應得數量的二倍，他便是地主了。

在農民階層裏，有些喪失田產，有些仍能維持原有的數量，也有些能分到幾畝薄田，除此之外，所有的田畝全屬于貧農了。

經過分田之後，我仍見不到農民喜悅，相反，我看到的祇是更憂鬱的，和更不滿的面孔。無人因分到田地而感到高興，從來沒有付過田租的佃農，現在也發現這種隨田而來的沉重租稅，比過去作佃農時期的痛苦有過之而無不及。

均田使人喪失自動的競爭心了；家庭與家庭間的仇恨發生，大家都想不勞而獲，土改之後，會有大批「激進份子」，在協助政府分田之後，自動參軍。但這種自動參軍的動機，並非出于「愛國心」；而是農民們底憤怒的火燄，使他們不敢在鄉村裏住下去了。

台灣劇壇

兩位坤票

婆婆生

毛夫人向新之唱做，從前祇在軍中各晚會露演，非一般人所能普遍得聞，遂成不同凡響。今年春台雅集，毛特告奮力，唱春秋配之半節，而正聲電台四週紀念，更播唱全本祭塔，余始得飽耳目之福。其選調尖銳圓亮，爲人所不及，惟轉換爽氣之間，稍差功夫，因是有腔形成過於尖銳，不能渾圓，希望注意鍛練換氣，此謂大聲而小疵，不足以掩瑜。其拿手傑作，爲宇宙瘋代金殿，已幾度公演，頗博好評。近復聚精會神，潛研祭塔一劇，擬在金門勞軍彩串，使前綫堅苦將士，可獲聆佳奏，當感無限興奮，必能收殊死之反攻，誠堪嘉之。

龐夫人馮瑞玉，爲川省大家眷屬。來台之初時，不善於唱，因與吳寶珍女士交往甚密，受其酷嗜平劇之薰陶，同氣相求，開始頗感興趣，於是延師講授，從腔調板眼過門而入室，經二年之專練，益以資質之秀慧，卒酬其願，而致成功。在學習期間，先從練習春秋配。惟學成而後，小心翼翼，僅偶爾清唱，終未登台。今三月，慶祝總統復職，初見其在鐵路局禮堂演春秋配，動作皆中肯，音如出谷黃鶯，宛轉清晰，亦稱美妙。如能繼續不斷的從事國劇，則將來不難專據一席，隨名欲台，絕可預卜。

羅夫人胡夢蕾，爲溫樹先生之寵姬，唱在上海時，已於交際場中，雅有聲譽。其能劇並非自來台始，早有根底。行腔吐詞，卻有幾分像梅，故能適圓轉之境，漫清嚮之聲，功力似較毛龐爲深。在聯誼會串中，領導演金蓮之一方，與顧若對峙。身段姿勢，表情，皆能自然，不顯矯造。倘得經常扮演，必可臻爐火純青之候。聊爲寄語，色藝正在及時，尤爲吾國發揚文化，望精進不懈，以存國粹。

四十年耶誕之夜，值台北女師校慶，舉行同樂晚會。猶記有徐譚小姐之女起解，時年十五，飾其動作表情，均老練不慌，即語同座，稱爲神奇小使。不意纔過兩載，徐小姐的技藝進步，實可驚人。蓋已能獨演整齣，成爲大鵬劇團名譽社員，常爲該團盡力，演出之劇，已有多起，始知余之眼光，未失鑑別。今春在鐵路局劇社，又發現有薛娥小姐，與范登齊演桑園會代陪情，其印象彷彿如徐之在女師一般，其行腔之穩簡，表情之細膩，眞是未來之人才。鐵路劇社擁有此秀，異日自可不弱於大鵬。

前在首都，供職於鐵道部之歐壽南，工彩子，曾有南京鐵道部梅蘭芳之稱。現在服務於台灣鐵路局，因膝下兒女已有，將可繼孫，業經謝絕粉墨登場。今春爲慶祝最高領袖，不惜捐棄成見，反串法門寺之傅朋。其扮相依然玉琢可愛，漂亮異常。不過步履之間，仍露且角扭捏態，引起全場哄笑。但與孫玉姣調情，眉來眼去，極盡風流勾引之能事，幾句南梆子，更彩。幾聲熱烈之喝，清暢可聽，名票不凡，道地是功夫到家，絕難倖得。惜乎年華已老，重見旖旎，殆已無法可求，使劇壇減色矣。

（下）

中華民國僑務委員會頒發登記證台新字第一零二二號

自由人

中華民國郵政登記第一類新聞紙類

THE FREEMAN

（逢星期三六出版）

（第二三八期）

每份港幣壹毫

督印人：李光華
社址：香港高士打道六十六號
電話：二〇八四八
GLOUCESTER RD. HONG KONG
TEL: 20848
承印者：東南印務出版社
地址：高士打道六十四號
台灣特派員辦事處：台北市館前街五十號
台灣總經銷處：台北中華路新號五九四之一
台灣郵政劃撥儲金帳：九二五二號

韓戰和聯合國

• 陳克文 •

韓戰是不大不小的國際戰爭，韓戰表明聯合國與國際聯盟有別。蘇俄發動韓戰，重要目標之一，爲測驗聯合國的態度及其反應力量。韓戰也暴露了聯合國的矛盾和弱點，聯合國的前途還是大可憂慮的。

打了將滿三年的韓戰，現在快可以結束了。南韓總統李承晚和他的政府雖然還在竭力反對停戰協定，認爲這不單是宣佈韓國死亡的協定，惟大勢所趨，已成定局，恐再無法加以變更了。

三次大戰可避免？

這一場不大不小的國際戰爭，雙方死傷人數已達一百五十萬以上，參戰的國家在聯合國方面有會員國十四國，在共產黨方面有中共和北韓，蘇俄卻在暗中操縱。就其影響所及，可以說這是一場小型的第三次世界大戰。這一場戰爭初起的時候，誰都不敢預料是否會就此引起眞正的第三次大戰。現在經過了將滿三年的流血，已經看出任何國家似乎都沒有發動三次大戰的勇氣和決心，也證明了戰爭不能夠解決國際的糾紛。

話雖如此，韓戰結束後，遠東的國際問題乃至世界各地的紛爭，依然沒有解決，第三次大戰是否就此可以避免？現在恐怕誰也不敢加以預言。

第一次大戰後，世界政治家認爲國際聯盟是維持世界和平和國際安全的最好組織。只要大家遵守聯盟約章，各盡其應盡的義務，世界和平便不難實現。後來，日本侵略滿洲，成立滿洲傀儡政府，國際聯盟除了調查和不承認之外，毫無作爲。跟着意大利侵略阿比西尼亞，國際聯盟的經濟制裁竟至無法實施，坐視孤立無援的弱小被侵略國滅亡。經過這兩大事件的打擊，國際聯盟便等於宣告死亡，第二次大戰也終於不能避免了。

聯合國地位暫保全

一九五〇年的韓國被侵略，和阿比西尼亞的被侵略是一樣的。第二次大戰後的國際和平組織，聯合國，比之國際聯盟，總算略勝一籌。美總統杜魯門劍及履及的援韓行動，和以後聯合國十四會員國的出兵，總比國際聯盟空言對意經濟制裁有效得多。共產黨征服世界的企圖，已因韓戰而受到打擊，現在最少已經延緩其侵略的時間表。越南和馬來亞的共產黨，未能大得勢，東南亞各國乃至日本菲律賓之得免侵略，都和韓戰有關。韓戰的三年流血，使聯合國的命運得暫時與國際聯盟有別。聯合國到底還有幾分主持世界正義，維持世界秩序的能力。韓戰所流的血，不是沒有代價的。

蘇俄爲甚麼發動韓戰？可以說其主要的目標有四：（一）測驗美國的新武器及其威力；（二）測驗聯合國的態度及其反應力量；（三）考驗中共和北韓的軍事合作效率；（四）考驗滿洲的防衛力量。我們應該記得第二次大戰前，蘇俄曾發動對芬蘭的侵略戰爭以測驗其本身的軍事力量。一俟明白了本身的力量之後，便斷然有所行動了。三年韓戰，蘇俄測驗的結果，各項答案到底如何？我們無從判斷。最少他們對於聯合國的態度及其反應力量，不會看做是國際聯盟第二。這一點也許使克里姆林宮暫時把侵略的野心抑制相當的時期。史太林死後，馬林可夫放出和平空氣，在世界間表示若干妥協和讓步的態度，未始不是出於這一原因。但絕不能夠認爲他們已經放棄侵略的企圖。

以上我們在韓戰中看出聯合國之有別於國際聯盟，這是樂觀方面的看法。另一方面，聯合國的弱點也充分暴露於專制獨裁國家的面前了。

聯合國的弱點

對敵禁運和經濟封鎖，聯合國各會員國意見始終不能一致，還有些會員國乘機發財，暗中資敵。除出兵赴韓的會員國，美國外，又有幾個不是象徵式的出兵呢？美國對韓作戰，雖負担廿分之十九的作戰責任，但參加作戰的各國卻盡力要求平等的發言權，多方阻撓美國在戰場上的自由行動。聯合國在韓戰中本來可以獲得軍事的勝利，但始終陷於有限度的作戰範圍，許戰不許勝的局面，可以說大部份的原因是會員國之間的牽制。還不止此，會員國一方面與中共作戰，一方面承認中共政權。現在更有准許中共加入聯合國的趨勢，這不啻一方面和強盜作戰，一方面承認強盜的地位。政治和軍事互相矛盾，這便是聯合國的最大弱點。這種弱點，到史太林死後，蘇俄取急劇的和平攻勢而更加暴露。現在英美雙方已經互相對壘了。韓國被迫到以武力反對停戰協定的表示，漢城的遊行羣衆甚至有喊出『美國人回去』的口號來。這一切都顯示聯合國的團結力量大有問題，會員國對於約章遵守和責任担負的精神，和國際聯盟的時代，還沒有實質上的改變。國際間的自私自利，眼光短淺，犧牲弱小，以換取一時的苟安，依然如故。克里姆林宮看出了這樣的測驗結果，也許今後在表面上雖還利用聯合國作世界性的宣傳，實際上更輕視聯合國這一機構，亦未可知。

因此，韓戰結束之後，聯合國可能增加其維持世界和平的作用，成爲謀取國際安全的基礎，亦可能因爲暴露其內部的矛盾和弱點，而引起侵略者的野心，加速第三次大戰的來臨。韓戰的血雖可以暫時不流，被侵略的弱小國家安全並無保障，世界強盜依然耀武揚威，並且堂堂皇皇進入世界舞台的可能。我們眞看不出，韓戰結束後，聯合國有甚麼力量，用甚麼方法，處理這弱肉強食的混亂世界。聯合國的前途，還是充滿荊棘，能否免於國際聯盟的同一命運，還是未知之數。

我與自由人一條心

吳文蔚

六月三日，雷嘯岑先生在自由人報上發表了一篇極其精闢的文章，題爲「國際魔術與自由中國」，我讀過後，對文中論點，萬分贊同，敬仰無以名狀。願意暢發共鳴的心聲，藉以表明我贊佩雷先生謀求國是的正確見解。同時呼籲政府當局仔細考量，確定方案，制定步驟，下定決心，着手實行！

我首先所要申述的一點，就是我們中華民族傳統精神的氣節問題。先就「氣」字來研究，氣就是一種氣體，萬物的生殖演化，都靠着空氣，人類的生存發展，除空氣之外，還要有一種正氣。正氣是一種浩大無比的力量，有了它，凡事皆無所懼，這裏面充分的含有一種自強不息的意思。所以孟子嘗說：「我善養吾浩然之氣」，「我四十不動心」一類的話。「節」是一個距離範圍，從這裏到那裏，是一節，最顯著的物例，如竹節，便是它的涵義，是具有一種限制的意思。所謂「貧賤不能移，富貴不能淫，威武不能屈」，就是「節」的精神表現。把「氣節」二字合攏起來，歸納解釋，就是用自強不息的龐大力量求創造，以與當前的惡劣環境奮鬥，萬一到了力量用盡而不能成功的時候，不惜以生命相殉，便叫做氣節。像黃花崗的七十二烈士，當時每個人都把定了拋頭顱、洒熱血的無比勇氣，至死不屈，才算是發揚了中華民族傳統精神——氣節的效用。雷先生不主張今日反共救國人士僅以私淑鄉黨或功名的事蹟爲滿足，並以吳國楨臧啟芳霸之舉是消極辦法，不足爲訓，這使我想起了閻錫山院長在軍事危急的時候，閻揆在召集閣員會議席上討論應付當前的危急局勢時說：「我前在太原，常準備些毒藥在身，應付萬一」。即有一位閣員（大概是劉航琛吧）站起來說：「院長，我們現在成功第一，成仁還在其次」！這話頓時給會中人以莫大興奮，精神爲之一振，而會議亦就很圓滿的結束了。

雷先生不惜不主張只作消極的殉國觀念，而且以「反共必勝，救國必成」的信念，來號召國人奮鬥圖存，實是一種至理名言。同時他還望當政諸公，都能以救世主自況，「告訴大家，只要隨我來一致奮鬥，就是生路」的見解，更令人振奮不已。的確，如果自由中國的朝野人士，都能以「有我」的觀念，來應付國家的艱危情勢，我想，國家至少不會轉到今天這步田地！目前政府雖是處於台灣一隅之地，若人人都能以「有我」的觀念共同努力，我認爲自由中國的前途是很樂觀的。因此，我想把雷先生對於自由中國前途的看法那兩句話，改作：「台灣的地理價值是穩定的，政治價值要靠中國人自己決定」！

說到生機創造生力的話，不禁使我引起一段慘痛的回憶了。當年東北戰場在共軍發動七次攻勢之際，剿總諸公，都覺得局勢嚴重，已到無可挽救之地，自處長以上人物，各個都喊沒辦法。以後共軍停止攻勢，直至翌年麥收節，兩方尚在對峙狀態中。這時我觀察雙方準備的程度，已到成熟階段，如果不在這時發動制先決戰，其所準備的力量，將歸於徒勞的。於是我便擬就部署，以七月初爲發動制先決戰時期，當時不蒙剿總負責人採納。繼又呈報最高當局，並請撥三個軍，由我來担任這制先決戰任務。大概是因爲人微言輕的關係吧，至八月底，這建議還不會接到批示。但九月初，共軍即包圍了錦州，繼陷長春，再佔瀋陽，東北戰場，就是如此這般地收場了！這就是證明當時我們的生機觀念的缺乏和消逝。如果人人圖強，以當時的情勢與兵力來說，那裏會失敗得那樣澈底呢？所以，雷先生以民國十五年北伐之役爲例證，乃是一個絕好的榜樣。

至於維護正義自強這一點，雷先生更是說到痛處了，他說：「萬一國際政治奸商眞有出賣我們的暗盤交易出現，我們怎麼樣？有不有推翻這種暗盤交易的對策呢」？

我們試問：美國現在援助歐亞諸弱國，其動機究竟是完全仗義援助別人？還是爲給她自己佈署戰略據點？同樣，美國的軍事援台，和用第七艦隊之協防台灣，其動機究竟是爲自由中國打算呢？還是爲她自己的戰略佈署打算？如果美國是純粹以道義的美德來爲人類爭取自由的話，何以在我們的戡亂戰爭正值嚴重艱危之際，杜魯門政府不惜不加援助，反來落井下石，發表白皮書，停止援助，以懈怠我國的民心士氣呢？在政治軍事上，有「與國」這一個名詞，其意義就是同一戰線上的戰友。我們始終認爲美國是我們的與國，但不能視爲我們的保護國。台灣是中華民國的領土，其政治價值應由中國人自己來決定。否則，亡給國際政治掮客，與亡給俄共集團，有何分別呢？凡有出賣台灣的國家，都一律是自由中國的敵人，我們就沒有甚麼客氣，動員全體戰鬥力量，跟它拚到底！

雷先生提倡自立自強的精神，主張「先剷除倚賴心理，再說『自立』」！他舉出當年張伯倫在慕尼黑協定中出賣捷克的那段事實，希望國人不要輕信「與國」的保證諾言。這卻是鐵一般的史事，因爲國際政治掮客，是只有利害毫無信義的，韓戰和談的經過及其結果，即是眼前的活證。自己能爭氣自立，有自強的作法，絕對不愁沒有出路。近人羅斯福夫人有言：「我們沒有甚麼恐懼，唯一的是怕我們本身」！閻錫山氏亦說過：「不能隨着時間轉動的錶，叫做廢錶！不能隨着時代潮流前進的人，叫做廢人！」我們現在要靠我們本身來對付國際掮客，執行復國政策，要以自由、獨立、平等爲原則，建設自由新中國！末了我再重複一句：「台灣的地理價值是穩定的，政治價值是絕對要靠中國人自己決定」！

本週展望

• 左舜生 •

南韓的悲壯

從純正的觀點看韓戰的現狀，確實是令人憤慨的：韓戰之所以擴大，又由於蘇聯命令中共參加；[illegible]

[illegible]美國倡導聯合國毅然對共匪加以反擊，[illegible]

蘇聯從這一戰獲得了三年的備戰時間；從這一戰暴露了民主國家無數的弱點；從這一戰，她加強了對東西衛星國家的控制，也確實試探了她的唯一對手美國作戰的能力，乃至美國所能領導其他民主國家的一種限度！

最近兩年，我們在本刊曾不斷的呼籲美國要選擇她的對手，千萬不可費出很大的氣力和北韓中共這類的下駟去糾纏，因爲我們明明白白的知道；不痛擊蘇聯，世界問題永遠不會解決；不痛擊中共，亞洲一局部也永遠不會安寧；不幸美國既無打蘇聯以解決世界問題的企圖，又無打中共以解決亞洲問題的打算，於是一錯百錯，乃陷於如今天這樣一種苦境，而完全墮入了蘇聯所預設的一個陷穽！

麥克阿瑟在兩年前知道打中共決不會引起世界大戰，實際上美國如果在開始干涉韓戰的時候即以同等的力量來壓迫中共，則韓戰也許三個星期即可結束，何至要延長到三年？即令不幸因打擊中共之故而引起蘇聯的參戰，等到斯大林一命嗚呼，蘇聯在歐亞一切的衛星國，乘此時機也便會紛紛樹起獨立的旗幟，而使蘇聯趨於瓦解，而所謂三次大戰也就早已光榮的結束了哩！

截至目前爲止，韓戰的前途大致會如下面的一種形態：

一、南韓儘管作一種悲壯的表示，但一時的休戰總是要休下來的。

二、所謂「政治會議」，在半年內斷然談不好，[illegible]

三、所謂中立、所謂五個監視國，[illegible]

四、南韓是作戰的主體，[illegible]

五、[illegible]

六、[illegible]

七、[illegible]

八、[illegible]

美民主黨要援救艾森豪

提出新路綫籌備未來國會改選

本月初，美民主黨在密西西比州傑克遜市舉行盛大聚餐，宴席上，參院少數黨領袖約翰遜提出了一個民主黨驚人的新路綫。它的要點，是：艾森豪是個偉大的好人，但需要民主黨把他從共和黨人手中救出來。

頑固份子極力阻撓

約翰遜說，共和黨的頑固份子，正極力阻撓艾森豪總統「總統要求國會將互惠貿易協定延長，共和黨閣之雀鴉無聲，面面相覷。也許我們應該找幾個支持艾森豪的共和黨議員和我們聯結起來，把這議案通過。……艾森豪又要求採取行動，加強我們盟國共同對抗共黨的力量，但那些共和黨頑固份子卻說，他們不能支持。因此，祗有民主黨才能挽救這個計劃。艾森豪還請求加強我們財政地位的步驟，國會一個委員會的共和黨主席卻準備把它擱置一邊，也祗有民主黨才能挽救這個計劃，使它得以通過。」

於是，約翰遜轉到他所談論的主題，說：「美國人民推選艾森豪爲總統，是希望他維護美國的力量、繁榮和自由。要實現這個目標，美國人民非在明年的國會改選中支持民主黨不可，使民主黨能控制國會。我們應該不容共和黨頑固份子將艾森豪的聲望作盾牌，藉以破壞我國人民建立起來的自由繁榮。我們也不能以爲艾森豪願意讓他的聲譽被共和黨頑固份子用於破壞的目的。」

借重艾森豪聲望

約翰遜本身便是堅決仰慕艾森豪的，他這篇演說，顯然表明民主黨已認清艾森豪自就職以來，在人民間的聲望日增，民主黨必須利用這一點來加強本身的力量。密西西比，是美國選舉中舉足輕重的一州，但該州的民主黨却陷於嚴重的分裂，雖然隸屬於民主黨勢力範圍，但在去年總統大選中，共和黨却獲得百分之三十九的選民，形成空前現象，約翰遜在這裏提出這條驚人路綫，自有其特殊意義。而約翰遜的演說，正好符合民主黨領袖的一般意向。他們知道，要在明年的國會改選中取勝，他們非採取新的競選方式不可，借重艾森豪的聲譽，可說是最輕易而有效的辦法。不過由此也可證明艾森豪得到美國人民擁護的程度了。

出版刊物

同時，民主黨全國委會宣佈了在美國政治上空前未見的一個計劃，該委會將於七月份起出版一種袖珍型的月刊，定名爲「民主文摘」每本二角五分。其內容，三分之一是著作，其餘部份將是其他報刊材料的删節轉載。它的目的，是提出民主黨的觀點，希服能打擊許多報紙的親共和黨論調，力求重振民主黨聲譽。（央廣）

台灣通訊

消滅財政上的「死角」

台灣的軍事機關，尤其是部隊中，近正推行消滅死角運動。這個運動初由某部隊發起，經過最高當局的審慎核定，方許其推行。但一般人士意見，軍隊中的死角固應消滅，而政治經濟上的死角，也要趕快予以消滅，才可以獲致安定，謀求進步。所謂死角，就是各部門內最切近的部份，因之最容易被忽略。

台灣自從糧價波動以後，糧食問題的死角已經被發現出來，那就是生產與消費的數字有欠準確，與下級糧倉的管理不善，以致虧空累累。現在政府方面已經在擬訂糧食管理的具體辦法，在本月底前可告完成。

糧食問題以外，另一個大的死角，就是財政。一般人士對於財政的看法，只注意收支預算是否平衡。從表面上看，任何預算在編擬技術上都是平衡的，否則立法院不會通過。但是這種平衡，只是形式上的，並非實在。我國自抗戰以後，國家預算中的赤字，曾經有一年達百分之九十以上。三十八年下半年，政府自穗遷渝，再由渝遷蓉，由蓉遷台，預算係以銀元爲單位，赤字達百分之八十七。自三十九年以後，赤字逐漸減少，是年決算中所表現的差額，只爲百分之三十八，四十年只爲百分之二十二，四十一年決算尚未編成，但據財政部的計算，只爲百分之六。自由中國財政狀況的進步，一方面得力於美援的協助，一方面也得力於各級財政人員的努力。

但是自由中國的財政情形，並不能因之而可以樂觀。其一，是台灣最大的生產品，也是最多的出口貨，是糖。財政方面本估計出口的糖價每噸可得美金一百四十元，但現在國際市場的糖價只爲每噸美金九十元。台糖去年產量因品種改良，單位面積產量增加，已達八十二萬噸，出口者須七十萬噸，而每噸差價竟達美金九十元。又如台灣所產之鹽，每年本可達十八萬噸，去年因受風雨影響，實際所產者只爲半數。台鹽售價實屬過低，酌予增加，亦屬合理。台灣經濟自立四年計劃，今年方開始實施，尚難即有成效可言，

主管機關太多

台灣財政經濟的死角之一，便是主管財政經濟的機關太多。聞與財政經濟金融貿易有關的機關達二十餘單位，有的屬於中央，有的屬省，有的爲國省所合組。其中如台灣省生產事業管理委員會，職權最大，美援運用委員會開支最多。

這些機構在民國三十八年大陸局勢動盪之時，台灣因爲應付危局，不得不有各種措施。但自中央遷台，此種情形早已不復存在，久該統籌調整，使這些具有臨時性的機構，早日撤消。茲聞中樞已注意及此，擬將此等重複駢枝機構徹底整理，其原則爲：（一）機構簡化，（二）事權統一，（三）責任明確。以期不但便民，也可以便官。尤其這些機構的人員，多係彼此互兼，用款雖多，人並不衆，今如予以歸併，並不會引起失業的問題。

如何開源節流

台灣財政的另一個死角，便是預算外的開支太多，而又認爲稅收無法再增。所謂預算外的開支，固然有些是臨時性與緊急性的，譬如緬甸在聯合國中控訴李彌的部隊，聯合國要我國撤退。這些人的輸送以及到台灣後的給養，自爲預算中所未曾列入的。除此之外，也有本係經常性的支出，而卻於編造預算時故意少列或漏列，以便用追加手續或動用預備金方法，逃避各方面的注意。這種情形，聞行政院已予以注意，即將預算外的支出，必須經過一個特設的小組通過，而該小組由行政院院長親自主持。在台灣目前的情況之下，要消滅財政上的死角，不外開源與節流兩個方法。開源的第一個方法，仍應該是增加稅收，至於增加美援，則應該放在第二位。

至於節流的工作，目前以軍事機關的成績爲最好，爲國家省下了不少的錢。如果要節流，即便應該財經機關自己做起。若干重疊的機關能予以裁併，自可以節流一部份錢。其次應該節流的，是合省縣市地方政府。如台北市政府在市長將快改選之前，堅持要耗七百萬巨款，拆毀幾百戶的民居，建築一個運動場，實在是不急之務。全體公教人員提高一半待遇，每月也要一千六百萬元而已。俞鴻鈞主席下令暫行停工，實合於消滅財政死角的要求，值得讚揚。

史太林的謀殺案（下）

暗地的安排

政治警察首領耶哥達（GCNRIKH YAGODA）奉着史太林的密旨，暗地佈置，他命令列寧格勒區負責人柴巴洛次（VANIA ZAPOROZHETS）物色行兇人，尼拉克耶夫，原是他們的夥計，柴巴洛次時常對尼克拉耶夫一點金錢上的接濟，並派人偵探他的行動，考驗到尼克拉耶夫可以信任，然後給他一筆錢和一枝手槍，要他去行刺這個聲譽全國而有反抗行爲的老布爾塞維克，尼克拉耶夫無異議的接受了這份差使。一天，尼克拉耶夫拿着一個小盒進斯莫雷大廈，在司令官室領得一張通行證，一個衛兵對他的小盒看了看，盒裏藏有一本日記簿一枝手槍，便將他扣留起來，照規定攜帶武器進入司令官室，那得判處三年以上的徒刑。司令官看了尼克拉耶夫的日記簿以後，尼克拉耶夫却安全無事的走出了斯莫雷大廈，那便是柴巴洛次所指示佈置的。大約經過有十天的時間，尼克拉耶夫接受了最後的決定，就在十二月一日這天晚上，他走進了斯莫雷大廈仍舊像每次來斯莫雷大廈一樣，帶那麼一個小盒，藏着日記簿和手槍的小盒，這時柴巴洛次已爲佈置一切，尼克拉耶夫利用他的通行證，順利的通過第一道崗位，他直赴基洛夫佔有的那部份的走廊，那裏可以走進基洛夫的祕密書室，平常是有衛兵守衛，這天奇怪，除了一個名叫巴里沙夫的中年男子在爲基洛夫預備茶和三文治外，沒有第二人，尼克拉耶夫靜待了一會，基洛夫走出會議室，關好了門，立即聽到了槍聲，基洛夫躺在血泊中，尼克拉耶夫也就當場爲政治警察逮捕。

栽害異己者

當史太林和耶哥達快到列寧格勒以前，柴巴洛次爲安排史太林對尼克拉耶夫的審訊，他倆之間作過一度「誠懇」的商談，柴巴洛次要尼克拉耶夫供認行刺基洛夫是由季里諾維夫和克米尼夫所主使，似乎尼克拉耶夫並沒滿足柴巴洛次的意圖。

史太林來到列寧格勒，斯莫雷大廈在嚴密戒備中，他和柴巴洛次，在密室裏談了一點多鐘，然後再命人把尼克拉耶夫帶來，他要尼克拉耶夫走近他的辦公桌，他用假作親切的聲調問尼克拉耶夫，「你爲什麼要殺這樣的好人」？我相信史太林從未用如此親切的聲調和人談過話。尼克拉耶夫的回答，是「我是爲黨殺他，我對他個人沒有什麼」。史太林再問「你的槍由那里得來」？「你問我，你問柴巴洛次好了」，史太林發怒了，他命人把尼克拉耶夫押走。接着關上了門，就聽得躁腳聲當，耶哥達也在擁着「笨傢伙」的臀。從此尼克拉耶夫沒有公開審訊，那是在祕密判決中執行了死刑。

基洛夫的遺體，由史太林伴到去莫斯科，在報紙上報道着史太林對于「死友」的哀悼，他俯伏屍身和死者親吻，表示他倆間的友愛。

在一九三五年一月十五日，在祕密審訊中，耶哥達所加于季諾維夫和克米尼夫的罪名，是「政治的道德的對基洛夫被殺負責任」，判處季諾維夫十年徒刑，克米尼夫五年徒刑。可是爲着懾服人心，必得來一個公開審訊，而且要獲得犯人的「自認有罪」，怎奈季諾維夫和克米尼夫都是硬漢，不大容易屈服，經過種種圈套，威脅利誘，甚而至于以家人的安危來脅迫，終得不到季諾維夫和克米尼夫的「坦白供認」。史太林曾在克里姆林宮親自審訊過季諾維夫和克米尼夫，中央政治局委員全在座，伏諾希洛夫坐在史太林右邊，史太林左邊坐的是葉沙夫（YEZHOV），「好，你有什麼說的嗎」？史太林猝然地向他倆發問，克米尼夫回答的話是「我們祗能在中央政治局的正式會議上來說」，「現在你們正在中央政治局委員會議之前，我們聽你的說話好了」，史太林這樣駁復，克米尼夫，克米尼夫聳他的肩頭，季諾維夫接着發言，他說在過去的幾年裏，他和克米尼夫得到耶哥達許多的諾言，脅迫他倆直承「基洛夫案內道德的負責人」，但史太林便用最後把他倆當做祭禮中的供物。威嚇的語句脅迫他倆，「你爲着黨爲着你自己的生命爲着你家人的安全和幸福，你必須放棄你那頑固的觀念」。克米尼夫便問「有什麼保證你不槍決我們」？「保證？什麼叫做保證？或者你需要政府與你簽訂契約嗎？你倆塞爾維人顯然忘卻自己的分，在老布爾塞維克中央政治局的若果人身支持你們，老實說我們認爲必要時又何嘗不可以不經審訊處決你們」，史太林向季諾維夫和克米尼夫這樣的行詭使詐。

結果死刑還是免不了的，家人的生命也是不能保全，而且所有對這個案件表示反對的人，也全都在日後借故處死。史太林的話，是「滾蛋，不許說」。

米與國際政治的關係

中共以高壓手段向農民壓搾搜刮米糧。不理大陸上餓死千千萬萬的老百姓。他們却拿這些米去換取戰略物資和作宣傳。

我們亞洲人大多數以米爲主要的糧食。所以這個「飯」字幾乎包含有「生活」的涵義。例如「找飯吃」，即指維持生活。「飯碗」代替了維持生活的職業。在今年四五月之交台灣也鬧了米的嚴重問題，米對於我們很有切身的關係。

在東南亞洲有幾個產米極豐富而有餘輸出的國家，在戰前輸出米最多的，有如下的次序：（一）緬甸、（二）印度支那、（三）泰國。至於菲律賓、印尼差堪自足。那些產米不足自給的有印度、錫蘭、中國、日本和馬來亞。

越南的米一向給法國操縱。戰前日本有賴於台灣及韓國。至於中國、馬來亞、和印度、錫蘭，便有求於泰國和緬甸了。英國在那時還控制着緬甸，那時的掮客操縱緬甸米，有些運往歐洲和非洲。

戰前東南亞幾個產米國的輸出遠多於戰後。例如一九三四年國際的輸出達九，〇〇〇，〇〇〇噸。至戰後一九四八年降至三，三〇〇，〇〇〇噸。雖然一九五二年回升至五，〇〇〇，〇〇〇噸，但仍遠落在戰前之後了。戰後的米所以出產少，因戰時農民受摧殘，東南亞因戰爭而成荒地達一二，〇〇〇，〇〇〇英畝。其次是因政治的擾亂，和交通受窒礙。越南受此種影響最深，泰國情形比較良好。因爲國際政治形勢變化，亞洲人多少爭回點米的操縱權。減少些中間人的剝削。購售合同由各國政府間簽訂。

戰後緬甸的米產在一九四六年比一九三四年少了一半。而米的出口由三，五〇〇，〇〇〇噸降至五〇〇，〇〇〇噸。越南的米出口由一九四〇年的一，五〇〇，〇〇〇噸降至一九四七年的九〇，〇〇〇噸。泰國少受戰爭影響。至大戰結束時還輸出八〇〇，〇〇〇噸，一九四六年五月六日大英聯邦，美，泰曾訂三角協定。其分配由聯合糧食局主持。但到了一九四九年國際分配又告結束。一九四六年緬甸實行米的國營化。（旭軍節譯外交季刊夏季號）

（上）

天下小事

丹鼓勵共軍機師逃亡

波羅的海上月來風濤洶湧，在海上航行的瑞典和丹麥輪船曾多次發現V—2式飛彈，在高空中飛過，據說，德國科學家爲蘇俄設計的改良V—2式飛彈已經製造完成，刻正在大規模試驗階段，最靠近西方國家的飛彈基地，是設在東德的悉根島，當地適在柏林正北，是波羅的海上一處有良好港灣的島嶼。

同時，丹麥也正在計劃加長並改進波爾荷姆島上的機場跑道。他們相信這樣將可鼓勵更多的共機駕駛員逃來西方。

美軍官望麥帥出山

在遠東服務的美陸軍軍官，一般來說，都對李治威將軍出任陸軍參謀長有點感到不滿。他們抱怨美國陸軍已受「歐洲派」的軍官所控制，凡是陸軍中的高級職位，大都被上次大戰時曾在歐洲作戰的軍官佔去。他們認爲對於這種情勢的改善，李治威將軍出任參謀長不可能有所幫助，只有麥克阿瑟元帥才是他們唯一的希望。原因是麥帥本來擬有遠東軍區美軍官的晉級名單，但李治威將軍繼麥帥出長遠東司令部後，對這張晉級名單卻置之一旁不理。

匈牙利司機走上厄運

匈牙利的士（營業汽車）司機現正遭遇着空前的惡運，匈共規定他們必須向共黨祕密警察報告他們的收入及支出，有時候共黨特務喬裝乘客坐在車子上，來調查他們是否遵行政府的規定。如果司機不是交正確的收支報告，他一定會被吊銷執照，而且還有入獄的危險。

而且，在匈京布達佩斯方面，共黨政府已派出一千名特務担任巨宅大廈的司閽人，他們的首要職責是監視屋內住客並調查來客的身份。

蘇俄潛艇佈下圈套

美空軍當局獲悉，近數月來，俄國潛艇經常駛入日韓兩國的附近海面發出無線電信號，引誘美機駕駛員入彀。他們所發信號的周波與設在日本的美軍台完全相同，美空軍一不小心，就會誤受俄潛艇的指引，如此，悲劇便要開始了，因爲俄潛艇電台的主要目的，是誘使美機飛入山間，在萬山叢中撞毀。

邱翁將寫「政治遺囑」

邱吉爾的「第二次大戰回憶錄」出版以後，曾經風行一時，他本人所獲版稅，也在百萬美元以上。目下他又在計劃另寫一部新著，據他自己向密友說，這將是他最後一部著作，也就是他本人的「政治遺囑」，但非至他擺脫外交部部務重担的時候，他將無法動筆，因爲艾登患膽囊病後，他除了綜管全國政務以外，還要兼理外交部公務。（孟衡）

普遍嚮往城市逸樂 鄉村幹部情緒浮動

縣長羨慕經理呆讀理化 鄉幹逃避訓練只想進城

最近北平人民日報在「把春耕生產作為農村壓倒一切的中心工作」一文中批評農村幹部對農村工作不安心的現象時，曾坦然透露出目前一般農村幹部的工作情緒內浮亂情形，其浮亂的主要現象是農村幹部普遍厭煩瑣碎的，煩忙，又是左右為難的農村行政及生產工作，是思想動搖不安，紛紛要求調職。他們的願望都想從農村進入城市，他們想當城市的行政幹部，尤其想當工業單位的幹部，他們認為工業幹部的任務輕，待遇好，有奔頭（即較有發展）。一般縣長一級的縣級高級幹部，很羨慕工廠或公司里的經理職務。他們水準稍高，便一心想研鑽數學、物理、化學，以準備轉業，因而人民日報批評他們「充耳不聞農村事，一心鑽研數理化」；一般區鄉級幹部則一心只想離開農村，他們認為農村的工作已「沒啥搞頭」，當工幹是他們的理想，次之，只要是城市里的工作，都所嚮往，因而他們往往婉拒鄉村行政幹部的調訓，而竭力爭取工幹的訓練機會。

造成農村幹部此種浮亂情緒的原因，據人民日報的披露，有其遠因與近因兩種。遠因是農村的災荒太多，環境太殘敗惡劣，工作不容易推進，而鄉村的任務則偏偏極為繁重，不出力，要受批評，出了力，即犯上強迫命令違法亂紀的罪人，便要受檢討，實在左右為難！加上待遇差，生活苦，層層命令，隨時隨地要聽官話，他們已視為畏途。近因是中共最近大量抽調農村幹部到「基本建設」部門去，便撥動了一般未被調動的幹部的慾望，乃紛紛乘機要求調動，由是情緒普遍為之波盪不安！此種情形，據人民日報認承，已嚴重影響農村的行政效率及生產工作。

怠工·傾軋·跳廠 工人反抗情緒激烈

中共加緊政訓管制 各地試辦夜訓班尚無頭緒

據北平消息，偽工會於七屆勞大閉幕之後，因鑒於大陸各地工人情緒普遍不穩，所謂「勞動紀律」的廢弛情形極為嚴重，乃即於新選出之第七屆第一次常委會中決定首先加強各地工人之政治訓練及組織工作，以加緊管制其行動，提高其業已普遍低落之生產效率。該一決定，業於上月十五日左右由偽工會之新任「主席」賴若愚命令各級工會迅即實施。據悉目前已首在東北之瀋陽、鞍山、撫順、旅大等市，華北之天津、青島、大同等市，華中之漢口、長沙、鄭州等市，華東之南京、濟南、上海、杭州等市及西南之重慶、成都兩市分別其建築、鋼鐵、鑛務、紡織等等各種不同的性質普遍設立「工人夜訓班」，以在不妨害生產時間的原則下分期抽訓各種工人，俾加強所謂「工人階級的政治意識」，並乘機在受訓工人中擇其「積極份子」使培養成工人政工的「基層輔導幹部」在工人的基層組織中」，以進一步加強其政治思想的控制及生產行為的監視管制。

指導員低能 只知背教條

目前上述各市之首先展開此種訓練工作，乃係樹立典型性質，冀求先行取得經驗，進一步作重點之發展，而後再作普遍之發展。惟中共此一訓練計劃一開始即遭受甚多困難，一方面是工人的文化水準太低，聽課時，正如工人所說：「這個耳朵聽，那個耳朵就冒了」，根本格格不入；小組討論時，誰都不發言，因為根本這題目也解釋不通。一方面是中共從事此項工作的幹部既不夠分配，水準也太低，如撫順有一千四百多名受訓工人，只有十個「政治指導員」，而這些指導員的知識也極淺陋，上課時只知背書本，說教條，討論時，不知道誰的意見對，誰的意見錯，沒有歸納，沒有結論，正如工人所說：「討論了半天，鬧個稀里糊塗」！

工作效率普遍激降

至於大陸工人情緒普遍不穩的現象，中共官方雖尚未作有系統的公開的承認或檢討，惟據最近北平人民日報、上海解放日報、重慶新華日報的片段揭露，主要的可歸納為暗抗、怠工、傾軋、跳廠等四大現象。所謂暗抗，是工人消極的抵制工幹的領導，緩拒「先進經驗」的採用。所謂怠工是以表面緊張忙碌而實際延緩生產工作的速度，使工作效率大降。所謂傾軋，固定工人（長工）與臨時工人間的忌視與妒恨，形成集體內鬥爭，甚至毆打，擾亂了工作秩序，影響了工作效率。所謂跳廠是工人不安於職位，不滿於資工，加上一般幹部的所謂「本位觀念」亂拉技工，使造成了工人的浮亂心理，動輒辭工、請假，甚至擅離，偷往別廠。此種種現象，似已不約而同也在工人中形成一「風氣」。

蘇加緊掠奪我資源 派員勘測東北內蒙

【本報訊】北平消息：最近蘇聯地質部以幫助中共探採有色金屬為名，曾派遣地質技術人員十二人至北平，會同偽地質部組織七個地質勘探隊，決定在熱河、松江、吉林和興安嶺山脈及內蒙東部地區勘測有色金屬，黑色金屬及其他油、煤等重要鑛藏。該七個勘探隊均係由蘇聯技術人員擔任隊長，中共派員副之。該七個勘探隊的組織，均係測量、鑽探、坑探力量的綜合性質；每隊約有十人，業於本月二日同時分途出發赴上述各地開始勘探。據悉，倘勘測成功，將來可能仿照新疆石油公司，「中蘇合營」的方式組設類似的鑛務公司，以達成蘇聯加緊劫奪我工鑛資源的目的。

中共工程低劣一實例

哈爾濱建機械廠 大興土木成廢品

目前中共工程機能的腐敗，隨已日見普遍嚴重，其中尤以建築工程部門，不僅浪費、混亂、工作效率低，而且常有大批建築工程發生返工補修、拆改、甚至造成廢品，全部重建的現象。此種現象，本報前已略有報導。現據最近北平人民日報披露的哈爾濱機械十四廠全部建築工程造成廢品一事，即為又一典型例子。據稱該廠的建築工程，質量異常低劣，全為混凝土工程，幾乎沒有一處是完整的，「露筋」、「狗洞」、「蜂窩」、「麻面」，到處都有。尤嚴重的是該廠兩根巨大的吊車橫樑，經過技術檢查，已證明無法行駛吊車，致使整個廠房變成了廢品，無法開廠，也無法移作別用。據說此一建築變成廢品的主要原因是技術管理無人負責，工人工作熱情太差。工人的技術粗糙，精神怠惰，並違反操作規程，而在施工中，又無負責幹部監工，更沒有幹部及時檢查，全部工程是在無組織、無紀律、無技術的情形下進行的。

但此種情形，目前大陸各地工廠、工場、工地，已極為普遍，中共雖已喊出建立「責任制」的口號，仍無濟於事。

機器廠藉大官撐腰 粗製濫造惹來官司

滙款旅行工廠關門兩月

【本報訊】中共各階層的幹部，其貪污腐化的程度，說來令人咋舌，難於置信，尤以四川各偽機構，更為普遍而嚴重。據悉：「重慶戰力合營機器製造廠」，偽渝「市人民政府」掠奪而來的工廠之一，主持該廠的幕後人物，係偽市長吳燊新，慣以粗製濫造的出品，銷售各地，盈利自肥。於本年四月初，與三台偽「花紗布公司」訂立合同，訂購彈絲機打包機一部，載明價值三千二百萬偽幣；該廠經理陳再新，為貪圖心腹，乃串通工人，將拆收破爛打包三部，從新拼湊起來，搽以油漆，當作出品按期售交「花紗布公司」，從中漁利。當打包機運至三台時，按裝實驗後，始發覺機器鍊輪與鍊環不相吻合，鍊輪空隙比鍊環長大，繼續轉動時，鍊條竄高鬱於鍊輪空隙的突出部份，致使機器無法使用；該公司迫於急需應用，只好僱工改造，經過設計繪圖、鑄模型、翻沙、鎔鐵、車璇等過程，又花了五十多萬偽幣，始終不能作用，變成廢鐵。

該公司不甘損失，遂向該廠理論，該廠恃偽市長庇護，相應不理；於是向渝市「人民法院」提出賠償的控訴，一場貪污風波，迄今尤懸而未決。

又悉：渝市「西南工業部四川水泥公司第三廠」，派共幹運必中赴巴縣鄉溝鄉購運石膏二百噸回重慶，遍某抵達該地，洽妥各項手續，於三月十五日即電告「水泥公司」滙款到渠，以便在合川雇船運渝，去電以後，久無消息（重慶到渠縣電滙需時一日），購貨無法啟運，廠內工作，也告停頓。嗣後一查，才知該「水泥公司」接到電訊後，積壓至三月廿六日始從容辦理電滙手續，已積壓了十日；渝「人民銀行」又積壓了半個月，到四月十三日始將款滙出；渠縣郵局又將滙款通知單誤投三滙鎮，往還二十餘日，直至五月初間，始將滙款通知單轉到鄉郷鄉共幹運必中手裏；一筆滙款的旅行，影響工廠裏兩個月不能開工，其腐化無能，顢頇敷衍的作風，真是絕無僅有了。

糧食外運民怨沸騰 共報造謠掩人耳目

亂說運濟華東日久敗露

【本報訊】據南京消息：自蘇州逃避來港之一米商談稱，近兩三月來中共在大陸普遍飢荒聲中將大批糧食裝運出口以向蘇聯、捷克、匈牙利等國換取戰略物資一節，已普遍引起各地人民之怨忿！中共有鑒於此，故目前已由中共各地之報紙分別散佈調運糧食供應某地某地之假消息以掩各該地人民之耳目，俾緩和其怨忿之情緒。惟此一手法，或能在一般人民之前掩飾一時，卻無法掩飾熟悉各地糧食情形之米商。據云：華東各省，除山東外，素為重要產米區之一，自給有餘；華中之安徽、江西及湖南、湖北濱湖地區，廣西部份地區，亦為大產米區，足可調劑鄰近各地之缺糧地區。但自今年二月間開始，華東區之大批糧食首先裝運出口，先撥錫蘭，繼撥匈、俄兩國，故使此一產米區亦造成嚴重之糧荒。華東大批糧食出運後，中共即轉而將華中地區及四川省之糧食繼續出運，撥付蘇聯、捷克等國；但該地區之民性較為強悍，故於怨忿之餘，時有小規模之搶糧、請願、暴動情事發生。目前全大陸各地民間之飢荒業已普遍嚴重，但中共基於與俄、捷、匈等國之物資交換協定，仍須續將大批糧食自各地存倉中源源出運，惟為緩和民忿，掩人耳目計，乃於華中及四川等地之報紙以大標題發佈關於運糧出口之假新聞，謂幫助該等地區活躍人民經濟，續將餘糧運濟華東之糧荒，隨即設立該地各省之「糧食調運委員會」，以動員鐵道、航運等，以極快的速度，俾將該等地區之糧食「安全」運出，通過華東地區，由海道運往國外。而在華東方面，則由報紙發佈各省調節糧食，減除糧荒之假新聞，以配合華中等地糧食通過華東出口之機會，繼續將華東之倉存糧食湊合出運。既掩護華中方面「運濟華東」之假新聞，亦掩飾本地糧食繼續出運之耳目。據謂此一手段固甚巧妙，惟仍不能掩盡天下人之耳目。

西南交通學校 已成人間地獄

衣食不周穢氣沖天 蚤蝨猖獗疾病流行

據最近重慶新華日報承認，謂中共西南區交通部設在重慶南岸，規模甚大之西南交通專科學校，已成人間地獄。據云該校的學生衣服都穿得很髒，極少替換；伙食吃得很差，營養不良，一般的體格都很瘦弱，精神極為委靡、頹唐、怠惰。尤其因全校上下都不重視清潔衛生，致學生身上的白蝨、跳蚤、非常猖獗，學生疾病的傳染，極為流行！謂全校一千三百多個學生幾已有三分之一染有程度不等的頭暈、腹痛、腹瀉、嘔吐、發痧、肺病及腦膜炎等症。其不重視清潔衛生的情形，據稱：倒洗碗水的水溝不疏通，蚊、蛆滿溝，已有令人噁心的腐臭沖天；食堂中從飯檯面上漏下夾層的飯菜經年不加抹除，已臭氣四佈；盛菜盛飯的碗都黏着殘餘菜飯，未洗乾淨；痰盂經久不倒，已積成黃黑色的濃痰，令人噁心；學生到處吐痰，滿地痰痕斑斑；學生四、五個月不洗被頭，不換衣服，蚤蝨到處亂爬；學生破鞋髒襪到處亂丟，惡臭難擋；廁所久不打掃，蛆虫已爬滿牆壁！這簡直已使學校成為豬欄，成為一個人間地獄了！堂堂西南區的高等學府如此，這真是中共自己對自己的一大諷刺！

湘共排除異己 展開大屠殺

縣長等廿五人送命

【本報訊】湘共在加緊排除異己、肅清不穩份子聲中，最近在澧水各縣又展開了一次屠殺悲劇，份子胡開材等五人，均遭槍斃，胡開材兔死狗烹，還是靠攏者應有的悲哀！

據悉：此次屠殺者，有：前臨澧縣長胡開材，澧縣警察局長侯方宇，澧縣警察局長黃乾初，毛裏湖白楊湖五雷山等地土共雷秀仁、郭傑等五名，事件發生於本年五月二十日清晨，罪名是「革命立場不穩，勾結游擊隊活動，蓄意背叛人民」。

胡開材等的投共經過，是完全由其同鄉陳采夫所勾結；陳匪是老共幹，曾担任毛朱匪幫井岡山時代的「湘贛邊區政治部主任」，向為毛匪倚重；老巢突破後，湘省主席何鍵逮捕其夫婦於長沙三何公祠，陳匪趁機自首，呈獻密名冊，因之將共匪潛伏份子郭亮、夏曦等一千七百餘人捕獲。陳匪立功後，一向在政府優遇下充要職。湖南易手前夕，派充四區專員，乃故態復萌，又暗中與共匪勾結，並收胡開材等為腹心爪牙，在五雷山區密培植土共勢力。胡開材得陳匪支持，暗中使警察局長侯方宇，派人聯絡白楊湖、毛裏湖的湖匪雷秀仁及五雷山土匪郭傑等，進行顛覆政府工作；澧縣警察局長黃乾初也被其煽動。侯方宇在臨澧原有土皇帝之稱，他們是[illegible]人物，他們五人沿澧水上流一帶的[illegible]，共匪立了不少的功績。嗣後湘省完全淪入匪手，陳采夫居於偽四區專員柴保中（匪）之下，[illegible]名義，胡開材[illegible]「慈利縣長」，大[illegible]，雷秀仁派任「[illegible]」，公安[illegible]侯黃兩人派出任所[illegible]，而侯黃兩人，則任長[illegible]專署」担任閒職，在[illegible]因此胡開材等，不滿湘共的處置，積蓄不滿「立功受獎」「未踐的諾言」，怨懟形於辭色，引起湘共早就注意胡等行動，等待機會，予以剷除。

自從本年二三月間來，八面山及五雷山的游擊隊日見活躍，澧江流域的糧倉被焚，茹水河流的[illegible]，遂為湘共屠殺胡等的藉口。胡等於三月初間即被逮捕，拘禁於常德偵坪匪「軍事管制委員會」，酷刑嚴訊，錄取口供，確定罪名，然後交由「警備司令部」執行，匪佔據在白雲中學的[illegible]，並張貼罪狀，押赴南門外屠場槍決。胡等槍決後，陳匪采夫也感到慄慄自危，旁皇歧路了。（犖）

積極鎮壓少數民族

中共普設民族學院

【本報訊】北平消息：中共近來對少數民族之征服及鎮壓工作，正以溫和迂迴之方式積極演進之。繼虛偽之「分區自治」及成立少數民族之宗教協會後，最近又決定在各行政專員區級以上的「自治區」普遍設立「民族學院」，以積極改造各該區內少數民族的青年，使成為絕對效忠於中共的爪牙。此種學院之主持者，多為中共派駐各「自治區」實際掌握統治權之「副主席」，並由偽民族事務委員會會同各大行政區之偽教育機關派遣師資及政治人員前往各學院展開特種之訓練工作。此種學院現已籌備成立者，除原有之西南、西北兩院外，計有廣西、貴州、四川、西康、新疆、寧夏等省及內蒙之「自治區」。

·鐵幕真實故事·
天山淚影
·吁嘯·

一曲流水，環繞矗立而靜寂的天山，裸裎在天山山麓的一具屍體——並且是個秀髮撩亂而容憔悴的女屍，是剛從仙人溪的深淵裏撈起來的；她是在一個悲慘的夜裏投水自殺，還有兩個黃口孤兒，倚偎在冰冷的屍側，作着有聲無淚的悲號，間有行人，雖有無限的惻隱和悽愴，但，祇能寄予同情的一瞬。惟有夏虫唧唧，反映着那慘酷的陰影，在泣訴人間的悲哀。

究竟是怎麼一回事呢？靈居在天山百里的村莊人民，雪亮的眼睛，看得非常清楚；不平的憤火，惟有蘊藏在內心罷了。當A城淪陷的第二個年頭，那正是晚節黃華，涼風九月的時候，也正是這幕悲劇的開始。她（死者）是孤苦伶仃的弱女，被收養的仁翁長者，是當地譽為慈善家的趙佬頭兒，早十年前就死去了；趙佬的兒子文彬，是個克肖家聲的後裔，雖家境不寬裕，年歲還青春，仍然遵乃父遺訓，把她當作自己的妹妹來管教撫養，數口之家，過得很安然。

她——名叫阿珍，是在趙家長大的，只有趙家，才是她相依為命惟一的樂園；文彬是有了兩個兒子的父親，他同他的太太，對阿珍最愛護，曲意體貼她，許多應做的事情，從不讓她過份操勞。阿珍嘗被這些人間的溫暖，觸動她剛剛萌芽的感情，幻覺起在心頭，總是寧靜不下去，她愛文彬的太太，更愛文彬，像這種敏感是為什麼，自己也找不出答案。

趙家是個破落世家，除了他（她）們五口之外，還有個遺下來的男僕阿根，沾染一身壞習慣，村子裏螞蝗李，是一間賭場的老闆，也是阿根常去的地方。一天清早，阿根又賭輸了，踉蹌歸來，瞥見阿珍在廚房操作，朝曦射入窗簾，映在她渾圓的臉蛋，更顯得如出水芙蓉，阿根破進去，悄立在她的背後，吻嗅她的秀髮，阿珍折身，見是阿根，惱怒於色的詈責他，因為這種非禮的行動，阿珍碰到他侮辱不只一次。

「我來幫妳的作事，不要辜負我的好意」。阿根嘻皮涎臉地：

阿珍氣不過，拾起火鉗，擲了過去，阿根也惱羞成怒，兩人扭做一團，哭叫聲，打罵聲，器物撞擊聲，一陣陣傳入文彬的臥室，兩夫婦走入廚房，痛斥阿根，拾起一支木棍，還打了阿根幾下，這時阿珍受到這無緣故的欺負，哭得像個淚人兒。

阿根見不是頭，倉促的向外逃逸，一面還發出咆哮的叫嚷：「小妖精，我那點不配，看妳要作姨太太啊！」

日子過得真快，轉眼就是三年，A城「解放」了，文彬的房子，雖離城較遠，因為那是越過大門去湘川公路的孔道，倍大的一所樓宇，變成了獸跡濁集的窠巢，剛開走了一隊烏合之衆，又來了一批血腥的野獸，從沒寧靜過。

禍後，獸軍過境完了，房子又成了「區公所」，把他（她）們五口趕出，蜷蝸在旁邊的茅房，糧食也被征光了，田畝也被瓜分了，「底財」挖不出，受盡了煎熬，生活漸漸逼得他（她）們窒息。

像這樣度日如年的過了一個年頭，冤家路窄，換了一個區長，那正是三年以前失蹤的阿根；土頭土腦的樣兒，常發出一些血腥的氣味，胸前配有粗笨的大銅塊，據說是「積極份子」的獎章。當阿根一回到趙家大屋子，看見了文彬夫婦，看見了阿翠，不時露出陰森的微笑。

一個風雨交加的黃昏，天山的村子，共拘捕了十多個居民，這是新區長到任後第一當頭棒；文彬夫婦更是被捕人中最重要的一個。因為事出倉促，阿珍心如刀割，帶了兩個孩子，只有噙着眼淚，到處探詢，找不出頭緒。

第二天「婦女會」來了通知，傳阿珍問話；阿珍硬着頭皮到「婦女會」，問話的指導員，開場白就要阿珍鬥爭文彬夫婦，繼續要阿珍遵照「新婚姻法」，配了阿根。阿珍嚴詞拒絕了。

過了幾天，文彬夫婦公審了，蹌蹌的遊場，在鞭子下的人羣，任憑共幹們擺佈，在「趙文彬是惡霸地主，有仇報仇，有冤報冤」一陣高呼口號下，糊糊塗塗把他倆夫妻生命就斷送了。

阿珍搶出人羣，擁抱着倆夫妻的屍體，痛哭了一陣；晚上「婦女會」的共幹們，又來說服阿珍。阿珍想橫了心腸，走了天山山麓仙人溪畔，尋覓她終身的歸宿。

自由談
想起八股文調
高方

我出生太晚，不及趕上以八股制藝弋取功名的時代，殊覺可惜。但，我的祖若父，都是此道中人，少時每承庭訓，談八股文法，津津有味。八股文之妙，就妙在其命意措辭之善鑽牛角尖，遞雕虫小技，竊取功名。例如：我的伯父應府學考試時，試題為「逃墨」兩字，他的破題文句為「開善逃之漸，天下又少一異端矣」。主考大加激賞，拔置第一名，這文章亦一時傳誦了四方。據說，文章之妙處，即在一個「漸」字和一個「少」字。漸字是暗示着「逃楊」的作用，少字是解釋「必歸」於「楊」或「儒」的結果，而又含蓄不露，所以妙不可及也！像這種文章之道，在今日看來，豈非笑話？然而，今日雖然已無八股取士的考政，而八股文的流毒似乎猶深中於人心。如近來有人大談其「反共救國會議」的性質，說它既不同於「國是會議」，又非「政治協商會議」，而是商討反共國策的救國會議云云。反共救國事業既非「國是」（大家事同議）又非「政治」，然則它是啥玩意呢？這與上述八股文法，眞有異曲同工之妙了！若說這會議只是敎預會人士對既定的反共方案無異議通過，對「國是」不必可否，也無須「協商」，那又何必開會？反共救國這題目是沒人反對的呀！

許多事情應該正名定分的地方，却無人注意，而專門喜歡鑽牛角尖。現代士大夫的癖好如此，我建議考試院，今後除以經義取士外，再恢復八股制藝如何？

新·世·說·補·遺
蜀道腥風血雨

巴蜀為愚第二故鄉，十年留住，親友良多。國變以來，常以川情為念，蓋不特縈懷其山明水秀之地，更難忘其和諧可親之人也。年來道路傳聞，所識朋儕，呻吟顛頓，宛轉摧折於虐政之下者，比比然，簡述一二，以誌隱痛焉。

前川省主席鄧錫侯（晉康）平生待人接物，八面玲瓏，綽號「水精猴子」。降共後，曾被欽定爲「成都市人民代表會議」之出席代表。有素演川劇丑角，藝名「當頭棒」其人者，赫然爲當選之「人民代表」也。大會時，當頭棒昂辭指語鄧曰：「鄧晉康！你有啥子資格來參加老子們的人民代表會？你龜兒還記得過去那些欺侮人民的罪惡嗎？」即席歷數其種種罪行，申申詈詈，會衆獸然曰：「好，先給他龜兒當頭一棒！」鄧報顏承敎，認錯不違。同任川省主席王纘緒（治易）投共之初，表情特示積極，頗蒙青睞。俄而，有「人民」檢舉王氏窖藏大量銀於其文廟後街之舊屋地下，勒令交還「人民」，王誓言烏有，迄鳩工發掘，終不可得。然「人民」以據王氏家人所密報，必不虛，將王交由「街政府」管制，非使獻出不可。街政府乃每隔旬日，即迫王跪於其「主席公館」大門前數小時，讓路人揶揄唾駡，求死不能。蓋共黨在「地財」未搾獲前，不欲速其死也。民生公司總經理盧作孚自殺前夕，聞共黨嗾使其相從多年之僕役於次日出面，向公司員工大會中鬥爭主人，盧爲避受奇辱，急吞安眠藥十六片畢命。

前任立法委員黃鷹乾，於大陸淪亡時逃至香港，未幾，北去平津投靠，經過洗腦訓練三閱月，共幹指其「血液不清」，有花柳舊潛伏，不予總結及格。黃大慌張，急延醫清血外，幸得其故主歸國獻夫金二十萬元之餘蔭，奉派爲「川西政委會」參事，其經常任務，指定爲「人民」公審「反動份子」時之主席人。每當公審惡作劇開場之際，主席必蒞台前向大衆報告受審者姓名及其各項罪惡，最後例須大聲詰謂：「你們看他該死不該死？」跪伏台下受審者，固無一而非其舊日親朋知交也。有目擊其情者告愚，黃氏固近視眼，迨最後大聲發問，其聲淒楚嗚咽，如泣如訴，蓋其內心之痛苦抑鬱，無由鎮定自持也。共黨固以泯滅人性爲其革命哲學，對智識份子之凌虐摧殘，殆意中事，於黃氏何責焉，愚唯有哀矜太息耳。

川西袍界名人包平章，人稱「包大爺」，愚曾與交往，其爲人朴質無俗氣。共黨捕繫之，訂期公審，參列公審台上者，皆其鄉里流痞，常受「包大爺」澤惠之各色人等也。包氏跪地始終閉其目，台上人大呼：「包平章！你睜開眼睛看看我們是些啥子人？」包答：「何必看喲，還不是幾個熟臉面！今天你們『歪』了（按「歪」爲有威勢之意，猶粵語「巴閉」二字也。）要怎樣就怎樣，快點把我斃死罷！」對其他問罪之詞，則絕口不答。當場於棍石刀槍交加之下，從容死去。噫乎，壯士也！

馬五先生

關於女性（中）
·捐士·

結婚是否爲事業的阻力？本來極難得一正確的答案，不錯，大家都以事業爲重而不顧爲婦人所累，那麼人類生機將絕，還有什麼事業可做？人類一切問題發端於夫婦，西人謂「偉大人格建立於家庭中」與我國「齊家治國」的原理正復相同。不過，從相反的方面看，不良婚姻確足爲功名事業之累，近來一般摩登太太們把丈夫當做自己的俘虜，她自己像家庭中的女皇。我國女權雖不發達，但大多數家庭中都有一個高高在上的專制女皇。比方丈夫是化學師，正在專心致志的研究一種驚人的發明，他的太太陡然走過來驚道，「死人，我氣悶極了！快陪我看電影去。」她的丈夫只好露着一種苦笑，服服帖帖地做太太的「忠實隨員」。所以有人爲現代做丈夫的訂出了「新三從四德」，何謂三從呢？第一、太太的一切命令要服從；第二、太太去那裏要隨從；第三、太太有什麼主張要盲從。四德呢，第一、太太的脾氣不好，打駡要受得；第二、你有事，太太八圈麻將未了，要等得；第三、太太和男朋友看戲跳舞要忍得，第四、太太要買名貴衣物要捨得。

奴役的藍圖（十四）
麥柯米克神父著　陸逸譯

第八章　商業凋零了

「生意好嗎」？我問一位姓黃的商人，他是一家百貨店的老闆，店裏雇着五位夥計。

「我沒有貨賣，哪兒來的生意？」他悵然無趣地答說。

「店子還好吧，夥計呢」？

「店子和夥計倒是還有」，商人答說。「但我們不能再來貨了。祇有政府才能購買車胎、汽油之類的東西。再說人們也買不起這種奢華的東西了。現在我們也脫去了皮鞋，像農人一樣，換上木屐了」。

「但，如果你沒有貨賣，你底商店怎樣支持呢」？

「政府不准我關門」，他回答說。「我是祇有一天天地賠下去。我必須付營業稅，和夥計們底工資，雜稅名目越來越多，稅率越來越高。還得爲韓戰，獻飛機，坦克。在我底財產未賠光之前，政府不准我關門。我已經被宣佈爲資本家了，我沒有說話的權利。上月店鋪所賣的錢，還不夠付電燈費的」。

「別的店子怎麼樣」？我問。

「全是「一樣」，黃先生繼續說。「現在什麼都不准賣，除了就本地造的木和竹器，或土造肥皂和布匹。蔬菜市場好像是蓬勃起來了，但那算得了什麼！在你沿路來的時候，你看見有賣米的嗎」？

「沒有」我答，「眞的，我沒看見」。

前途茫茫

「糧米現在是政府的專業」，黃先生說。「我們祇准在公家米店購買一天的糧食，而且必須付現款」。

「米店商人都幹什麼了」？

「他們必須照常開門。有些想改行了，我們對門那間米店，已經改成土瓷店了，但生意清淡得厲害，因爲無有人來買東西了，再說賣出去的碗碟，也買不回來了」。

「假若沒有生意可做」，我問，「你們怎樣生活呢」？

「我們第一步先當着吃」，黃先生說，「再者我們都是從鄉間來的，我們在鄉間還有多少田產，我們可以依田過活，但是田賦也是奇重，說老實話，鄉村也是一樣難活下去的」。

「那麼說，你們還沒有國民政府時代好呢」！

「喂！小點聲！」黃說着向四下偷望了一下，怕有人偷聽見。「國民黨時代，我們商人是政府的台柱，我們底稅款是政府收益的一大部份，自從共產黨來了，我們閒得可以白天睡覺，其先，他們說如果我們底資產不超過一萬元，我們將不算是資本家，我們其中很少有超過一萬元的，但後來我們都被扣上一頂資本家的帽子，他們不守信約」。

「現在眞正日常需要的東西，祇有政府商店才准賣，他們賣得雖然便宜，但我們也買不起。共黨說現在物價跌落了，這是對的，但他們買進的時候，更便宜啊，人民窮得厲害，即是有點錢，還得吃飯呢！生活眞是困難，我不知道我們將來怎麼辦」！（第八章完）

一個共黨的復職
·明譯·

畢吉拉是個瑞士和義大利人的混血兒，五十七歲，孱弱而好靜，似乎終日愁眉不展，早年移居美國，於一九四二年正式入籍，成了美國公民，十年來，他一直是紐約市政府的職員。去年政府公務員受忠誠調查時，他承認曾在一九三六年參加共產黨，但到一九三九年即脫離了，因爲他反對蘇俄和納粹的互不侵犯條約，致被開除黨籍。不過由於這點關係，他還是被市政府民衆服務委員會開除了，他向法庭提出控訴，要求復職，到七月底，紐約最高法官史特爾裁決此案，批覆說：「以畢吉拉的公務員身份，他是否能作有利於國家敵人的行動，頗成疑問。」於是他高興地重新得到了舊日的公職：紐約市一個民衆休息室的盥洗室侍役。

禽獸世界
·山禾·

剛好這當兒，鄰村發現了游擊隊，趙培章一面叫趙春關出面到「聯防主任」那兒告一狀，說趙承先私通「反動派」，一面他以「支部書記」的威權向「聯防主任」打個招呼。就這樣，不管趙承先怎麼狠，他和他的大將們便全部鋃鐺入獄！

這下子，趙英賢和他的全副「班底」便立刻「官復原職」；並立刻將趙承先等四個人的家屬大小總十八人全部也給關起來，把他們的男女老少的衣服統統剝光，他們的混身抽打得條條流血！然後，叫他們取保回家，予以管制。規定他們：一、不准出班，二、不准告狀，三、不准翻案，四、違者打死不論，五、罰他們穿紅、綠衫布給趙英賢和趙春關做奴工三個月！

這「當然」還不夠：非打死趙承先這只老虎不行，這便當得很，支部書記趙培章再打個招呼，他便在獄中被硬硬地打死了！

趙承先的屍體，他的家人去哭，哭哭啼啼的抬回來了；但是，趙英賢立刻派出了十幾個民兵去攔住屍體，執行他的命令：一、不准進村；二、不准家屬穿孝服；三、不准家屬哭；四、不准用棺材……。

但這還不夠澈底，因爲還有趙雲會、趙光彩、張福春三人的禍根子沒有除去，於是，趙英賢就假慈悲地去保了他們回來，却在半路上派人埋伏，打死了他們！

從此，趙英賢當了「村長」，趙春關和趙英賢的太太給趙培章收作了黨員，在紅色的恐怖中發出了陣陣的獰笑！

（註：故事內容的根據，見「人民日報」）（下）

中華民國僑務委員會頒發登記證合救新字第一零二號
中華民國郵政登記第一類新聞紙類

自由人

THE FREEMAN
（半週刊每星期三六出版）
（第二三九期）
每份港幣壹毫
督印人：李光雅
社址：香港高士打道六六號
電話：二〇八四八
GLOUCESTER RD. HONG KONG
TEL: 20848
承印者：東南印務出版社
地址：高士打道六十四號
台灣特派員辦事處
台北市館前街五十號
台灣總經銷處
台北中華路新號五九四之一
台灣郵政劃撥儲金帳戶
九二五二號

有關韓戰休戰的幾個問題

雷嘯岑

這次韓戰的休戰經過，即使不是東亞「慕尼赫」醜劇，而爲自由世界「光榮的和平」，然其「光榮」亦是屬於西方白種人的強權主義者，與東亞的自由人類不相干。因爲這「光榮」乃由出賣併肩作戰，受禍最烈的大韓民國而得來的！有了這項大教訓之後，東亞人以至於全體的亞洲人，應該知所警悟，自立自強，好自爲之了。

南韓應有的作爲

南韓政府既已表明其反對那詒禍無窮的休戰協定，人民亦一致擁護，衆志成城。今後無論受到外來的任何威脅，甚至於迫不得已而採取以實力維護生存的行動，有兩點信義必須鍥而不捨：第一是決不被迫與參戰國家的代表共同簽署休戰協定，讓他們去享有「光榮的和平」！對其未來的政治會議，南韓亦不必參加，但聲明該會議中對韓國問題的一切決定，南韓政府決不受其約束。假使大家將來對韓國統一問題，眞能實現『和平，民主，自由』的統一情形，南韓自表歡迎，屆時且願盡力促進，以示其一貫的愛國意志。第二爲南韓曾聲明不願見有共黨同路人的軍隊開入韓境，否則即與作戰。如果所謂「中立國」，而實際又是爲共作倀的印度軍來了，韓軍即應視爲新的侵略者，劍及屨及，驅之出境，以保持自由世界的乾淨土地，亦使「藉寇自重」的國際政治奸商，知道正義與自由是不能隨便蹂躪的。這兩點消極的信義如不能固持，則南韓這次激昂慷慨的愛國表示，即成爲歷史上的滑稽插曲，徒供世人諷刺漫畫的資料而已。或者有人說：這樣一來，不特李承晚政權有沒落之虞，即南韓亦將難保其獨立自由的生存。這當然有此可能，但在現有休戰協定之下，南韓已等於失去了獨立自由的生存權，李承晚如其眞是一個愛國主義者，即以七十高年，何必爲貪戀個人的權位，而使國家蒙亡國之苦果，與其被人玩弄欺詐而亡，何如自己光明正大的奮鬥一場，即使「均亡」，也亡得有代價。南韓若亡了，那些享有「光榮的和平」者，馬上就要禍及其身的！

中韓聯盟問題

南韓國會決議授權政府，與自由中國締結反共軍事同盟，這固然不失爲弱小民族一種自覺自立的表示，値得同情共鳴。不過，我認爲今後亞洲人的生存之道，需要大家能有普遍的覺悟，認定對強權主義者決不可一心倚賴，誤信共「有蓬之心」的保證諾言。亞洲人一定是要衛向世界中，取得獨立自由平等的生存權，爲無疑問，這股必然湧現的洪流，西方強權主義者是無法抗拒的。在現階段中，我們正受着俄共集團和西方強權國家的擺佈壓迫，我們要聯合廣大的亞洲人類，共同奮鬥，至少要使東亞地區的民族國家，一致覺醒，精誠團結，而其先決條件，必須與立共信互信的心理陣綫。李承晚總統過去不贊成自由中國派兵參加韓戰，恰爲西方強權主義者作義務宣傳員，更反對日本志願軍入韓協助討共，聲言不惜先與日軍作戰。這種狹隘的民族思想，跟緬甸，印尼，印度政府並無兩樣，結果是沒有出路的。

南韓目前與其盼與自由中國攻守同盟，不如先跟日本設法恢復邦交，彼此消除宿嫌，建立新友誼。

激我們對西方國家的忍讓精神，以對付同屬亞洲人的日本，相信其必能博得事半功倍的效用。韓日兩大民族的友誼確立以後，再進而從事以中日韓爲主幹的反共聯盟，東亞人團結起來，自立自強，解決自己的事，才是有意義的生存之道。自由中國與大韓民國是患難之交，利害相同，彼此早已無形中存在着聯盟的關係，雖無具體的條約，卻有團結的事實。此刻只使兩國的盟誼形式化，對大局似無多大裨益哩！

日本人還不覺悟嗎？

日本議會正爲着建軍問題，激烈爭辯，若干自以爲進步開明的「和平」主義者，高呼非武裝之聲，連美軍租用一塊沙崗地方作練習打靶之用，也表示反對；一般財閥則千方百計地急求與中共通商，好像日本眞可以遺世獨立，大享「中立」之福。看看南韓的現狀，想想未來的趨勢，日本人如果不想投入鐵幕中，此時對內即應趕建自衛力量，對外實行與東亞自由國家睦鄰善交。南韓如果爲共所吞沒，日本立刻岌岌可危，光靠美日安全互助協定，那是俯仰由人的求生方法，結果未必是生路。日本民族性素來對亞洲人緯具優越感，而對西方強權主義者卻恭維羨慕之不遑。這種現實的卑怯心理，至今未變，即爲日本人永遠無法在亞洲取得領導地位的致命傷！

日本人如要自由生存，且想在未來亞洲人類的自由運動中發抒其主幹作用，目前唯一急務，即須對南韓表示尊重互助的友誼，揚棄舊有觀念，拿出「以大事小」的精神來，恢復邦交，再謀東亞各自由國家之大團結。日本以其內在的工業潛能和科學技術，無疑地將居於領導地位。計不及此，而欲以投機取巧的手法，混水摸魚，坐收復興之利，那是無可救藥的幻想！

韓戰休止後的東亞風雲，依然是險惡的。每一個東亞地區的自由國家，應知來日大難，禍將不測，非自立自強無以圖存，非團結奮鬥無法獨善其身。中日韓三國的政治家如不能高瞻遠矚，立己立人，自助他助，即將成爲東亞悲劇的導演者，罪過之至！

韓休戰一旦實現——艾克面臨的嚴重問題

韓戰和談雖已解決易俘問題，排除了一道重大障礙，但即使達成停戰，確實和平仍然渺茫得極，緊急情況還是十分嚴重，亟待解決的問題多得驚人，困難自然可能隨時發生。

如果休戰成立，將有什麼意義？對在韓美軍來說，它仍需要保持警惕和戒備，因此不安的時期宣告延長，它必須準備應付戰事或會再度燃起，並注意休戰協定會不會被共軍破壞，以及其實效如何？

至於美軍何時能撤回的問題，目前難以預斷，但至少在短期內祇能撤退少數的一部份，許多部隊尚有相當長的時期留駐韓國，不過輪調制當可加速進行了。

這會引起國內輿情的不滿嗎？由於美軍的延遲返國，美政府和國會都會遭受民意的巨大壓力，希望把他們子弟立刻從韓國調回，不再延宕。不過對於[illegible]軍努力的運動，艾森豪必會極力抵抗。艾森豪的態度，現在已十分堅定，決不容反共盟軍的警覺因韓國休戰而鬆懈，他認爲，如果鬆懈，美國戰士犧牲生命而爭取的目標，勢必全遭破壞。

在政治上，韓國休戰是有利於美政府的。艾森豪自就職以來，聲望日隆，但韓境停戰將更加強他的聲譽。對於選民來說，他已履行了去多競選時提出的最重要諾言，即謀求解決韓戰的途徑。

對於共和黨，韓戰停戰將大大的增加他們在明年國會改選中獲勝的機會。在艾森豪方面，韓國休戰如能在短期內實現，時機對他極爲有利，目前政府所遭受的指摘，正愈來愈激烈，認爲政府行動上不夠積極。

在最近將來，有一點是可以斷定的，即艾森豪將需要運用人民對他的熱烈支持，來克服業已開始滾滾而來的新問題。停戰雖然是他任總統以來的最大勝利，但也立刻使他遭遇更多問題和新的壓力。

現在艾森豪則已與國會中力主節約的集團發生麻煩，韓國停戰後，這方面的困難必將增倍，共和黨內部也可能發生激烈衝突。

國會中主張節約的人，以衆院軍事委員會共和黨主席李特爲首，他們以爲韓國停戰將是他們的有力武器，可用以要求削減政府支出。他們希望可能獲得國會通過立刻減稅，並深信可以拒絕艾森豪保持過額利得稅的要求。同時，這批議員也正磨刀霍霍，[illegible]大量削減軍事和外援，這和艾森豪的目的[illegible]衝突，[illegible]且涉及重大危險，總統堅決[illegible]國的防力至少須保持目前的水準，才有保障和平的可能。

美政府在韓境休戰後的下一步驟，將是强力地向人民提出他們的論點，爭取人民支持。這個演說運動，將由艾森豪領導展開，這是一個縝密設計的計劃之一部。艾森豪事先已知道，他將遭遇重重困難，而也知道他最有說服群衆的力量。

當然艾森豪的問題並不是僅僅限於美國的。各方面（特別是英國）都會對美大施壓力，主張容許中共進入聯合國；在經濟上，將有更多國家堅持對蘇聯中共擴大貿易，要求放寬對共禁運。關於早日和蘇俄舉行四國會議，謀求解決冷戰的呼聲，也將日益高亢。

對於這些，艾森豪必然極力抵抗，他仍相信蘇俄迄今并沒有提出政策已有改變的證據。在未來百慕達大會議中，艾森豪和邱吉爾將有意見衝突，殆成定論。邱吉爾是以政治元老的姿態來參加百慕達會的，他將堅持他的要求，其中最主要便是和馬倫科夫舉行會議。艾森豪爲了避免西方分裂計，也許將不得不對四國會議問題讓步，他認爲防止西方分裂，較其他問題更爲重要，否則正好墮入克里姆林宮的詭計。

韓國的停戰也將使美國更難使歐洲國家加緊進行，或甚至維持防共擴軍，這種情況，以法國尤烈。它爲經濟困難和政治勢力所迫，正極力爭取鬆弛擴軍的機會。

不過對於這現象，美國已在擬訂應付計劃，必要時將運用有效的壓力。西歐在擴軍過程上落後的國家，他們將會發現，他們可能得到的美援，將較預期中的大爲減少。（黎[illegible]譯自新聞週刊）

△美副總統尼克遜，逗弄一頭張牙舞爪的雄獅▽

艾森豪反對焚書

每週展望

·左舜生·

大凡一個複雜的事象，或經過周密的設計而構成了一種力量，便不是用一種簡單的方法所能對付得了的。

共產黨在中國的宣傳，已經有了三十年以上的歷史，一個投機騎牆的分子，自然多少受了這種宣傳的欺騙，但一個眞正的反共者之所以形成，也還是因爲他對共產黨的錯誤宣傳未肯加以忽視，或就一步更能予以澈底的研究。

共產黨控制了全世界的八億人口，即不爲蘇聯勢力所直接控制的地面，也感到日益不安，隨時都受着共產黨嚴重的威脅，這不完全是憑藉他們的武力，實際是巧妙的運用宣傳做了他們的武器。要鑑別共產黨一切宣傳品（包括文藝作品）所含的毒素，自然是不太容易的，但假如你只採取一個簡單的方法，運用政治力量，一律加以禁止，或一舉而焚之，這不但無損於共產黨的毫末，並且適足以增加其氣燄，因爲自來歷史上執行焚書禁書的人，並沒有一個是成功的，而只足以證明你除此以外，別無其他更有效的辦法。

如何才是防止共黨宣傳有效的辦法，說來話長，但舉例言之，則有如以下的各點：

一、一個國家的正常教育，必須辦到充分的健全，對一般青年學子，必須使他們有較多方面的興趣，假如他們懂得共產主義不過是世界許多荒謬學說的一種，而且今天許多共產國家所實行的，比較這種學說更荒謬到一百倍，只要他們有這樣一種基本認識，你就讓他們去接近接近共產主義的讀物，也就不會有什麼害處，或者還可能使他們認得更清楚，而增加他們反共的決心。

二、人總是要去尋求精神食糧的，大凡一個擁有高度文化的國家，他們一定是百家爭鳴，各說各的理論，各舉各的事實，他們出版的書刊，眞可說是滿谷滿坑；這些東西不一定都很健全，但儘多了，究竟讓大家可以比較，可以選擇，可以抵消，至少利多於害。假如你把一個國家造成了文化的眞空地帶，或對共產主義以外的任何刊物，也一定要吹毛求疵，加以一筆抹煞，老實說，這倒是共產黨所求之不得的。

三、說到最基本的，還是要政治能給予人以正當的希望，要使大家感到民主政治的推行，確實比共黨專政爲合理，爲比較的多有人味，然後大家才會對共產黨『惡惡然去之』，否則『猶吾大夫崔子也』，狗肉與羊頭並不覺得有什麼了不起的區別，你儘管說你的是如何如何好，共產黨是如何如何壞，也還是難於使人加以接受的。

最近艾森豪總統曾對美國一部分的學生演說，他不贊成麥卡賽這類的『焚書論者』，而主張學生不妨到圖書館去看看共產黨的書籍，這證明艾森豪對美國的政治與教育確實有了相當的把握，站在民主的立場，我覺得他這種說法是相當穩健的。

日本再軍備的重提

最近日本吉田內閣的保安廳長官木村，曾有建一個二十萬人保安隊的提議，這確實是一種最合時宜的說法。

像日本這樣一個國家，就她所處的環境與工業潛力，假如沒有足够自衛的力量，確實是太危險了！

立國絕對不能專靠別人，最近的情勢便是一個鮮明的教訓，說美國的駐軍可以保衞日本，這眞是滑天下之大稽！

『可恃惟有希臘軍，可恃惟有希臘刀，自由非可將人托，自由托人空徒勞！』這是拜倫『哀希臘』詩中的警句，願爲一切日本反軍備者誦之。

明日的武器——定向飛彈

美國的飛彈發展，正躍飛猛進，三軍當局都一致認為所謂「明日的武器」將是定向飛彈。它可能終有一天迫使飛機落伍，也可能實現一些人所幻想的所謂「按扭戰爭」。自二次大戰結束後，美國三軍一直在秘密進行着飛彈的研究，希望他們所想像的一天能及早來臨。

納粹在大戰末期用以轟炸英國的V型火箭，驚醒了盟國，使它們認識了飛彈戰爭的潛在可能性。大戰結束後，蘇聯和西方國家都極力搜集德國的技術人員，未爆的飛彈和另件，結果兩方都得到了一些。

飛彈將稱霸戰場？

自一九四五年以來，美國陸海空三軍都加緊推動飛彈的發展，所發的經費逾四十億美元，但尚未全部用罄。鹵獲的德國V一和V二型火箭，曾在美國的試驗場加以試放，若干德國科學家也被送到美國，希特勒的重要火箭科學家馮布倫亦在其中。研究計劃大規模地擬訂，有的在初步試驗後即遭放棄，有的則開始實行，準備大量生產飛彈武器。

飛彈戰爭專家，預料定向飛彈最後終能接替由人類駕駛的轟炸機與阻截機的大部份工作，不過在還以前將有二三十年的過渡時期，在這時期中，飛機和飛彈將擔負同樣重要的任務，此後，飛彈可能稱霸戰場；不過，有些人則認為飛彈決不能完全取得現在那些武器的地位而代之。

定向飛彈，以其定義來說，乃是一種在發射以後，其推進路線可能改變的武器，或藉遠程操制，或藉武器內部的某種機器構造，飛最大的利益，顯然是不需要人類在其中加以操縱，這不但可在戰時減少人命犧牲，且能在和平時期以較低代價保持防力。在軍事上，它有三種利益：一、能出其不意突襲敵人；二、能在任何氣候中使用；三、在某些情況下，它的機械腦，反應比人類更為迅捷。

飛彈有許多種類，有的運用汽渦輪噴射引擎，有的運用火箭；有的裝有斜翼，與新式戰鬥機類似。有的係巨型彈，裝有穩定舵；有的使用液體燃料，有的使用固體燃料；有的是向空中發射，有的能以本身的力量飛出；速度也有極大不同，最速的遠超音速機逾每小時數千哩；有的在大氣層中飛翔，有的竄至大氣層以上，再向目標投落。

不過，它們有一點是相同的，這是結構異常複雜，且製造費用高昂。平均說來，每個飛彈，有百分之七十是電子機械。飛彈的設計，也面臨許多困難，諸如其可靠程度，材料，航程，和管導制度，還有就是不能由駕駛員在飛彈中昇空記錄其飛翔情況。因此必須設計一副特殊儀器，裝入飛彈，用以記錄試驗的經過，然後再由科學家加以分析。最嚴重的問題還在於管導，那是保持飛彈飛出後的路線，還要給它一個「頭腦」，使它能自行糾正錯誤，而又不能被敵人放在電波加以騷擾。基本的管導制度約有五種：

飛彈的管導

一、起飛前的管導——實際上這不算「管導」，這種制度是在飛彈起飛前將其機器擬定飛行路線，飛出後即不能改變。

二、地象管導——這制度是使飛彈內部的管導機器能隨地面的磁力，電力或地心吸力產生反應，因而轉移或保持飛彈進路。

三、天象管導——這制度是使飛彈機器能依照一個星或幾個星的方向而調整飛彈路線，正與海上導航相同。不過這種制度最不易受敵人所干擾。

四、無綫電管制——飛彈接受一個或幾個地面指揮站或一架母機所發出的無綫電訊號而調整其方向。

五、內部管導——這是運用回轉機和加速率等，而不用電子機，來指揮飛彈而對飛彈路線上錯誤作必要的糾正。（上）（伯銘譯自新聞週刊）

△美海軍的「屠牛士」型飛彈，外形略如噴射機▽

談台灣的電影

台灣通訊

自由中國人民最普遍的娛樂，是電影。政府多年以來的政策，要將電影作為社會教育的工具。因此，有一個時期，各方面都想掌握電影事業。但實際上，却從來有好好地建立電影事業的輔導制度，聽任原有的國產片公司奄奄一息而外，尤其是美國片與日本片充斥市場。台灣的每一鄉鎮都有電影院，民間因為看電影的消耗，每年要達美金二百萬元以上。台灣本以糖為換取外滙的主要產品萬，按目前國際糖價計算，即全省人民每年看電影消耗的外滙，要等於二十二萬噸特級砂糖，佔全年糖產的三分之一弱。從社會教育的意義說，化去了這麼多的外滙所進口的外國影片，多的是由西部打鬥片，神怪片，偵探片，大腿片，根本與反共抗俄無關。

在台灣看電影，有幾點是與在他處不同的，第一是觀衆之多，任何一家電影院，在任何一天任何一場，都會客滿。譬如從星期一到星期五的下午，本來是工作時間，而台灣却多的是閒人。如令下着大雨，仍舊要排長龍才買到票，否則就要向黃牛手中設法。最近台北各電影院採用了全日預售制，不論上下午，都可以買當天任何一場的戲票。第二是觀衆欣賞力并不高，許多觀衆是抱着有片必看的宗旨，因之，片子無論好壞，新舊，乃至於經過剪接，都還是有人看。甚至於有些人一天會週看幾個影戲院，藉以消閑。第三是票價相當便宜，第一輪影院的樓下，只售新台幣三元五角，照市價只合港幣七角，並且兒童可以隨父母進去，不要買票，軍警更有對折的優待。

電影在台灣放映，表面上要經過內政部電影檢查處的檢查，並且也有許多條的檢查標準。但是如果真的照標準檢查，外國片就很少可以合格。電影檢查處對外片的放寬，其理由是國片太少，不足以應全省影院的需要。但在國片的製片公司則謂國片出產之所以不多，乃是因為外片進口太濫，國產片難與競爭。在進口的外片中，日本片特別有問題。日本電影戰後雖力爭世界地位，但影片商人會鬮省錢，買到台灣放映的，多是日本影片中的三四流作品。許多到台灣來觀光的日本人，都說這些片子，連他們在日本都不會看的。

試再反觀國產公司的情形，則深可同情。假如以每年外片進口消耗的二百萬美金逐年以一部份扶植國片，必可大有成就。也會有人顧慮此後美國影片進口，須附帶一個條件，即各美國電影公司必須於影片進口時同時代為進口多少電影器材，由政府有計劃地分配給各公司。台灣最大的公司是農教，本年預定拍攝六部長片，現在半年過去了，一部還沒有成功。再則以台灣現在的情況，實在宜於集中力量，統一起來，不需要分設幾個公司與製片廠。凡文教宣傳機構所需電影，廣播等器材進口稅率，應該予以減低，但是不可以浪費。至於在香港的自由影人，與自由片商，宜鼓勵其來台設廠製片，其入台的手續及自備外滙輸入製片材料，都應該予以便利。所製成的影片，無論在台放映或輸出海外，在稅率方面，都宜優待。這些事在政府方面只要立定原則，指定人員，就立刻可以做。否則在表面上說是電影要負担反共抗俄的社會教育使命，而實際上一任美國片與日本片在那兒教育人民，真是南轅北轍，太不合於總統所一再宣示的「新簡速實」的要求了。

泰局外弛內張

國外通訊

泰國內在的危機并未因為最近越共侵寮的行動迁緩稍呈鬆弛。雖然十二板納的「自由泰國」表面上並無顯著活動，它的「政治瓦解」陰謀與滲透策略，依然加緊進行。然則泰國軍事當局下令嚴密封鎖邊境，海面上的潛艇却不時防範。傳說流亡於國外的鑾訕旺海軍少將預備乘潛艇回來了，連日在各地搜索。却並無結果。

當寮國的侵略火燄燃向泰國邊境之時，泰國的局勢確呈十分緊張，全國軍警出動戒備，被當局認為足以危及泰國本身的湄公河畔之六萬難民，現已陸續向南部移置，這一批其中多數被共黨利用的泰人，雖然也可以把它當作叛逆，但在目前的情形之下，並沒有採取過激行動，他們的待遇和一般外國僑民一樣，受移民法律管制。而大部分軍警自北部緬境迁迴沿東部高棉向南以迄馬來亞邊境築成了一條堅強防綫。這種刁斗森嚴的情形，緊張的成分正逐漸減退。向聯合國控訴越共侵略也就暫時擱置。就一般政府人士的概念看來，他們認為這種萬木無聲待雨來的困厄局勢，決不是一種好的現象，儘管邊境的防禦鞏固，百密之中終難免有一時間的疏忽，共黨的滲透陰謀，至今不僅並未放鬆，反而比前加劇。連續在海面不斷發現潛艇，已使當局對防止滲入的措施，大大感到棘手了。

神秘潛艇不斷出沒

鑾訕旺海軍少將是一九五一年政變中的主角，事後會被披汶政府下令通緝，此一潛赴中共區托跡的海軍中有力分子，最近傳說已乘潛艇回來，因此許多人便意味着這是共黨企圖策動一項有計劃的內變，海軍署和警總曾因此調動大批部隊搜索，但並沒有任何結果。警察副總監拍拔匿中將也承認最近泰國的領海不斷出現的潛艇，可能是載運泰國流亡政客預備潛入活動。海軍署現已派出軍艦四艘，由海軍准將率領，配有充分作戰火力在海面日夜巡[illegible]當局對能否杜絕[illegible]上的政客偷[illegible]無把握。

國內的叛謀分子的逮捕工作，依然加緊進行，但囚禁中的重要反政府人物，從去年十一月十日以來，從未正式審訊，這對於泰國政府心理上也是一種不釋的負担，從上月二十七日以來，刑事法庭剛開始初級偵查，迄本月八日為止，還沒有找到頭緒，控方的主要證人為警察總監乃炮上將，被告方面由律師乃瑪尼出庭辯護，在過去三次偵訊中，除了被告律師向乃炮質問之外，還未曾向被告偵查。然而被告律師的盤問，好像對於本案並無干係，第一次的質詢，完全是共黨對本國關係間的理論了，對案情并沒有幫助之處；第二次則為外國與中共間關係的分析，乃炮答不遲疑答復關於英國與中共之間，僅存在着外交上的聯繫。第三次才涉及中共對泰國的威脅，乃炮否認去年十一月十一日在博浪卡是拉大廈舉行聯合黨大會上發表宣言中說「外國會提出忠告指責泰國政府尚不肯頒布取締共黨條例，就連本人（乃炮）也被懷疑是傾向中共；……」。他力言取締共黨的條例須布，完全為適應國內的情勢，以遏止中共在泰的飛揚跋扈的禍患行動。這一次審訊，一般預料恐非三兩個月可以結束的。（華英六月九日寄自曼谷）

米與國際政治的關係

中共以高壓手段向農民壓搾搜刮米糧。不理大陸上餓死千千萬萬的老百姓。他們却拿這些米去換取戰略物資和作宣傳。

東南亞及遠東需米國每年先在收穫期前六個月便向曼谷和仰光預先簽訂合約。本來泰國很是吃虧的，因為米的供求情形在六個月後變化很大。所以有一個時期有政府執照的購價每噸美元五十元，而私人貿易價格為六十五元。

日本戰後因為缺米，所以出口貨力爭南亞市場，以求換取米。

目前世界米則不足，而小麥生產過剩。且小麥耗費成本比米少百分之四十。但東南亞產米國是否適於種米還成問題。若改變種麥，生出許多問題。由收割至製造成麵粉當中的消耗也比由穀變成飯的消耗費用也較多。

說到中共的「政治米」，可見他們費了許多心思大做宣傳文章。前年中共大吹大擂說中國一向是依賴外國米以補不足，現在「新中國」居然能以三十萬噸的米輸給印度和錫蘭，可見「新中國」的政治良好，農業建設已突飛猛進了。其實是以高壓手段向農民壓搾刮削，不理大陸上餓死千千萬萬的人，他却拿着這些糧食去換取戰略物資。中共以米去換取錫蘭的橡膠。據說所定的價格比世界市場略高，但他們多是貨物交換，這層沒大關係。

至於前年中共之答應供給印度五萬噸米其真相如下：

那時美國杜魯門總統建議以二百萬噸糧食援救印度的饑荒。但因印度對韓國問題的態度令美國生出政治不良的反應。遲遲不獲國會通過。給予印度不良好的印象。於是蘇聯選擇此一時機，為達到其政治上目的，對印度實施小惠。但中國糧食素來不足，如慷中國之慨，則中國老百姓必更受苦。蘇聯宣稱以五萬噸穀換取蔴、棉茶。後來知道印度有餘的。所以索性拿五萬噸中國米作宣傳，還要分三批運去，（中國同意以印度蔴袋一六五○○○包換中國米五萬噸）那時祗是西江區已有飢民二十餘萬，平均每日有數十人餓斃。

還有中共自打嘴吧的證據，是：北平人民日報說，大陸在一九三六年有二四六○○○噸糧食入口，同時又稱現年產米比不上一九三六年。試想中共和錫蘭訂合約，以二五四○○○○噸米換取錫蘭的橡膠。那麼這些米從何而來，那中國大陸老百姓為此而更餓死多人，是可以想見的了。

中共是從「人類導師史太林」學到這個法寶的。早在一九二○年史太林向烏克蘭刮擄了許多穀類，換取外滙。但現在中共更利用這個方法，向世界宣傳，所謂「中國已進步」，作政治攻勢，更藉此以換取戰略物資。（旭軍節譯外交季刊夏季號）（下）

天下小事

邱吉爾冷淡百慕達

若干熟悉內幕的人士獲悉，最近俄駐英大使馬立克訪英首相邱吉爾作四十五分鐘的長談時，曾促請邱吉爾取消百慕達會議。當時馬立克曾鼓其如簧之舌，力稱在舉行四國會議之前，沒有舉行百慕達會議的必要。自是以後，邱吉爾對百慕達會議的態度大為改變，由熱情而變得冷淡異常，以致美國報紙一度傳出百慕達會議將中止舉行的消息，害得英國外交部連忙出面否認。不過，邱吉爾對百慕達三強會議遠不如以前起勁却是千眞萬確的事實，據這些靈通人士揣測，倘若百慕達會議果眞胎死腹中的時候，法國的國內政治危機極可能被用作無限期延期的藉口。

威爾遜難倒衆軍官

美國國防部長威爾遜原任美國通用汽車公司董事會主席，艾森豪當選總統後，即邀他棄商從政，主持國防。當時很多人懷疑大商人是否適宜當國防部長。但現在事實證明了威爾遜確有一個極端精密的頭腦。他就任還不到五個月，許多前任多年來所未想到的問題，他在短短的幾個月內多已想到。譬如最近他已請求空軍部解釋何以蘇俄擁有空軍官兵五十萬人，他們所管理與駕駛的飛機竟為一百萬美空軍人員所能運用的機數的一倍。他說，如果美空軍部對蘇俄空軍實力的估計是正確的話，他建議美國軍官應研究一個俄國人如何做四個美國人的工作。

波蘭西陲築新防綫

今年三月間波蘭空軍中尉查萊基駕駛一架MIG—15式噴射戰鬥機逃抵丹麥的波爾荷姆島上後，波蘭共產政府立即逮捕了三個波籍低級軍官，指控他們有幫助查萊基逃亡的陰謀，這件事雖遠在兩個多月前發生，但一直到現在，西方消息靈通人士才知道捕人的消息。同時，據說與查萊基頗為要好的青年軍官十六人也已被分別調到其他單位服務。共黨對查萊基的西逃，最担憂的是兩件事，除了怕西方知道米格機的全部祕密外，第二是共軍新近在波蘭西部完成了一長列要塞，他們深怕查萊基向西方情報人員吐露新防綫的祕密。

轟炸機快過戰鬥機

美國新近又試驗成功一種快速重轟炸機，這種轟炸機稱為B—52型，性能、構造及裝備如何，仍為高度祕密，但有一件事已知道的，乃是它極快的速度甚至使空軍圈內人士也驚異不置，目前美國最快的戰鬥機，是F—86型軍刀式噴射戰鬥機，但在飛行試驗中，軍刀式機竟然望塵莫及。（孟衡）

共黨特務學痞製造鬥爭 學生受迫害悲氛瀰漫

重慶女生被栽誣懸樑慘死

【本報訊】目前大陸一般大中學校之中，由於共黨職業學生之依仗黨組織勢，操縱一切，盲目鬥爭青年學生，業已使「鬥爭」惡劇，一時成風，致使一般秉性較為純厚之青年學生，陷於恐懼、消極、悲觀之中，因而時有被逼自殺的情事發生！本報亦迭有報導。此種情形，上月二十六日重慶新華日報所載「重慶市教育局嚴肅處理『陳世文事件』」一文中已有較為坦白之檢討承認：謂「一方面由於學校平時對學生的思想教育和管理很差，一方面是部份學生中普遍用粗暴的鬥爭方式來對付同學，致造成部份學生的精神負担很重，甚至很多產生悲觀自殺的念頭」！即以所謂「陳世文事件」為例：便可見一斑。蓋陳世文係一清華中學初中三上甲組的女生，因有學生丟失手表一只，鋼筆一支，即被「班委會」的黨員學生誣指為「黑頭兒」（即小偸之意），並即被向黨支委員兼班主任趙南軍反映（其中可能有挾嫌報復打擊成份），趙不問情由，即召開學生大會強迫「鬥爭」，脅迫其「如不坦白，即打屁股」，並說：「陽關道，獨木橋，看你走那一條？」伊因確未偸竊，自無可「坦白」，乃被監押搜查皮箱等全部行李，雖無結果，趙南軍等一班黨幹及黨員學生仍堅指偸竊，予以百般難辱，伊忍無可忍，乃終於被逼去廁所懸樑而死！現以重慶中共當局已因此召開全市中學幹部大會進行檢討，決定設法制止此種事件之繼續發生，由此亦可見此種情形之普遍而嚴重的程度！

中共機構壟斷市場

西南區物價混亂

共幹剝削營利大多虧於損耗 農民慘遭打擊生活益形艱難

【本報訊】重慶消息：目前西南各省一般地區，物價波動之幅度，極為驚人；一般生活主要用品，除食米供應有極嚴的限購數量及一定價格外，其他如油、鹽、糖及雜糧等物品之價格，時在狂漲或暴跌之中。如雲南之菜油，一度由每百斤七十八萬元左右突漲至一百另八萬元左右，未幾又突跌至三十萬元左右。如四川及雲南之鹽巴，原來標準市價在四百元左右一斤，曾一度跌至一百二十元一斤，未幾竟一度漲至一千三百元一斤。此外如食鹽、紅糖、桐油、榨菜及其他一般土產品的價格，無不以極大的幅度在朝夕無定的漲跌之中。又此外，一般布疋、雜貨的價格，亦時有極為兇猛的漲跌，目前，如雲南、貴州，一疋龍頭細布的代價，需大米五百斤才能換到，一根縫衣針的代價，需苞穀一斤方能換到。（上述情形，五月二十四日重慶新華日報都曾認承）由於此等價格之突然狂漲猛跌，業使該一地區之居民生活，益形艱著、困難。尤以一般農民，因土產品價格之漲跌不定，且差價甚大，無不蒙受慘重之打擊，不僅已危及生活，且已使生活資料在無度的漲跌之中被剝削殆盡。

據悉：目前西南地區所以造成上述情形之原因，據偽西南行政委員會的調查，曾坦然認承係由於各省商業廳及所屬「公營商業機構」的「盲目營利思想」所致。如雲南、貴州之菜油及四川、雲南之鹽巴為例：先由「公營商業機構」低價收購淨盡，再以高價拋售，目的純為營利。但由於此等機構之經營管理不當，所得暴利，「政府」並無好處，而多在各種損耗（物資之脫耗、損壞、霉爛等）中抵銷。謂偽以四川萬縣一土產公司而論，在去年一年中，即損耗一百五十餘億元之多。至於在農民方面，除生活受打擊外，其生產亦蒙受影響，致產量大減，造成各種農產品的供應荒，發生嚴重的市場脫銷現象，結果中共本身亦蒙受其害。故該會就此對各省商管及「公營機構」提出嚴厲之批判、指摘。

滇西游擊隊兩百 突襲大殺共軍

達成目的後即撤移

【本報訊】昆明遲到消息：上月十八日左右，滇西方面，曾有反共游擊隊一部約兩百人突襲瀾滄江以東之洱源縣，激戰約三小時，卒將該縣之民兵及部份中共正規駐軍制服，除共軍倉皇南撤僅略受損失外，大部民兵當場被該部游擊隊解決，繳去械彈甚夥；共軍及民兵約有五十餘人傷亡，游擊隊僅死傷五、六人，事後即向西北方面迅速撤去。該部游擊隊之番號傳聞不詳，惟知輕重武器甚為齊備，全為美式配備，並有牲口二十餘頭，馱有糧彈。據聞：洱源遭突襲後，洱水及大理一帶之中共駐軍曾分頭向西北「搜剿」，惟無所獲云云。

四川農民排隊購米

輪候兩天只購三升

長途跋涉飢餓疲憊不堪 生產躭誤莫不叫苦連天

【本報訊】成都消息：最近四川各地糧食正在趕期紛紛外運，川共當局，深知民間飢荒嚴重，民心怨忿，恐受湖南等地搶糧風潮影響亦發生暴動，乃略施小惠，決在該省各專區專署所在地設立糧食供應站，以少許食米，敷衍當地飢民。惟人民無知，均紛紛籌款到各供應站購米，結果大排長龍，凡在上午十時以後排入長龍者，須候至次日傍晚方得輪購，但准購之數極為微少，每人僅准三升，無不大失所望。據悉：目前該省農民尚能籌款購米者，為數已甚寥寥，惟從五、六縣，或七、八縣集中到一地購米時，為數即甚擁擠。購米者大多為正在春耕生產中之農民，有遠自兩百里外趕至供應站購米者，經長途跋涉，無不在飢餓與疲憊之煎熬之中，但排隊兩天，僅購三升，實無濟於事！而此等自遠道跋涉購米者，往返與排隊之時間，都在四、五天左右，躭誤生產之情形極為嚴重，無不叫苦連天！又悉：購米農民因經濟普遍困難，故欲購之數，大多皆限於三斗以內，但結果排隊兩天，僅購得三升，無不懊喪欲泣！據此等農民表示，彼等已有三月不見食米，故此次對購米一舉，甚感興趣，凡能勉強籌得少許款子者，皆望能一嘗隔絕已久之大米滋味，言來不勝辛酸！

贛東民兵兩隊相約反正游擊

大殺共幹燒燬糧倉

【本報訊】據上饒消息，上月二十一日深夜：上饒東南廣豐縣曾有民兵兩隊，一百三十餘人，相約反正，登上廣豐與浦城間的閩贛山區從事游擊。此間的反正經過內容，為此間參差的祕密傳聞者大致相同，謂該兩隊反正之民兵，一為廣豐杉溪區民兵隊，約七十人，由隊長耿忠揆率領；一為廣豐洋口區民兵隊，由副隊長張某率領，係相約行動，臨行時，會合上山，殺死杉溪區區幹三人，民兵指導員一人，殺死洋口區民兵隊長指導員各一人，會後搗毀杉溪區糧倉一座云。

既春耕又掃盲

兩派共幹打架

【本報訊】最近四川銅梁縣曾發生一件共幹在盲目任務觀念下的典型笑話，領導春耕生產的共幹與發動掃除文盲運動的共幹各數人各為任務而發生爭執，繼而動武，為之頭破血流！緣該縣東廓鄉於今年一月間曾由縣派來負責掃除文盲運動的幹部張經九、李文等七人在該鄉設立數所「識字速成班」，要農民每天下午四時至七時聽課三小時，農民無奈，不得不依。但該鄉鄉幹部於最近接到負責動員農民春耕生產的命令之後，即常到田間監耕，當不見農民在田耕作時，即四出找尋、檢查，追問農民，責為「怠忽生產」，迨農民告以在速成班聽課後，此種共幹即予厲辭呵斥，嗣後不准再往聽課，因此農民從不再到班聽課。掃盲幹部聞悉原委後，即大為震怒，集合幹部七人同去田間強迫農民到班上課，當與在場監督春耕之幹部發生爭執，各執一理，都認為「任務」，互不相讓，終因「掃幹」文弱，結果乃大打出手，不敵鄉幹強壯，故有三人被擊破頭顱，不得不鼠竄而逃。事後因掃幹不甘吃虧，即回縣告訴，但終無可奈何，不了了之。

中共西南工管機關 官僚主義空前驚人

損失浩大展開激烈鬥爭

上月二十七日重慶新華日報曾以首版大標題刊載以「西南各專業工業管理局反官僚主義鬥爭逐步深入」為題的綜合通訊稿，該稿經吹擂一番，謂「反官僚主義鬥爭已在西南各專業工業管理局相繼展開：……逐步走向深入」云云以後，曾對各該局的官僚主義情形，舉出若干例子。僅以此等例子而言，其顢頇、荒唐的程度已足驚人，令人咋舌了！

茲節錄其原文如次：

「絲一廠的蚕繭因管理不好，霉了十二萬多公斤，損失九億元以上。西南鋼鐵公司三年來的賬一直沒結清，所領導的各廠共積壓呆滯材料一千二百五十種，其中僅一〇一廠呆滯材料積壓的資本就達一千四百多億元。某次，沒有接到中央的正式指示，只是鐵道部提了一下意見，該公司就指示一〇一廠軋四十三公斤重的鋼軌，指示一〇四廠軋四十三公斤的鋼軌的墊板，待兩廠把一切生產技術設備、原料、材料等都準備齊了，結果，又指示不軋了，造成人力物力的很大浪費，積壓資金三十餘億元。由於領導對工作的督促檢查不夠，把天成鐵路需用的一千五百噸墊板錯運到漢口去了，往返運費損失五億餘元。據查：造成上面這些缺點的原因，是公司領導陷入了事務圈子，對業務的鑽研很差，經理、處長不看供應計劃，計劃處的幹部不知道一〇一廠高爐的容積和平爐的面積，因此都不知道一〇一廠高爐全年需用多少礦沙？」

「在西南鹽務管理局的反官僚主義鬥爭中，揭發出來的文牘主義的害處亦甚嚴重！如該局二月二十六日發自貢鹽場局通知，自三月一日起，自貢至內江段的汽車運輸回空費減低費百分之五，但該文竟誤發至成都四川鹽務管理局，因此減低回空費的規定，不得不推遲十二天於三月十三日起實行。該局與中南區雙方撥濟鹽斤，經稅務總局同意「仍暫免征營業稅」，發出的通知竟誤寫為「仍暫征營業稅」。中華全國總工會西南辦事處函請該局在十日內提供關於西南區私營鹽廠安全衛生情況及解決辦法，領導幹部沒有仔細研究，竟批「存查」歸檔。」

準此，對於中共官僚作風的情形，可作更進一步的認識了。

推廣「一杯水主義」 西藏性病流行

共軍官兵患者特多

【本報訊】近因西藏地區之性病患者，日益衆多，病況嚴重，且在繼續擴大蔓延中，故北平偽中央衛生部已應西藏「軍事代表」張經武之要求，特組織一「衛生大隊」，配以醫生、化驗員、護士、藥劑師、衛生宣傳員等約一百二十人，開往西藏，進行治療，並進行宣傳「防制性病傳染」的衛生常識，以阻遏蔓延。據悉：西藏之性病患者，其中以中共駐藏部隊之士兵為特多。原因係「一杯水主義」觀念的中共士兵入藏以後，到處強迫或誘騙藏族婦女與之發生性行為，而中共士兵中之原患性病者既極衆多，西藏婦女中之患有性病亦素較其他一般地區之婦女為多，經互相雜交的結果，乃廣為傳染；共軍士兵患者固驚人激增，西藏男女患者亦空前衆多。據中共衛生部揭露的初步估計：目前藏民成年男女中患有性病者，已約有百分之二十二左右；駐藏共軍士兵之患有性病者，已約有百分之三十五左右之多！

又悉：現偽中央衛生部為圖根治西藏流行之性病，除已飭該衛生大隊兼程趕往拉薩展開分組巡迴治療與宣傳外，並已飭西藏擇地籌設三所醫院，以展開經常之治療工作。

華北虫災威脅秋收 中共動員滅虫

新疆亦發生蝗災

【本報訊】據最近北平「人民日報」列出偽中央農業部關於防治虫害保護秋苗的通知中指出，目前大陸不少地區的秋苗已受到虫害的侵襲。謂河南省之潢川、淮濱、固始、新蔡等十四個縣已發現分佈極密的粘虫、土蠶、棉蚜等害虫，嚴重地損害了麥子和秋苗。謂山東省已在三百八十餘萬畝之多的耕田上發現金針虫、螻蛄、地老虎、棉蚜、蝗虫、土蠶、螟蛾、鐵甲虫、負泥虫等害虫，其中以金針虫、螻蛄、地老虎等虫為害最烈。謂東北氣候較冷，但金龜子、砂潛虫也已發現，僅熱平一縣，就已有一萬餘垧（約二十萬畝）耕地上發生上述害虫。此外，謂各地棉苗，都已發生棉蚜為害。因此，該部急令各該省迅即動員幹部及羣衆，展開一大規模之滅虫運動。

又據該報刊出新疆方面消息：謂新疆之蝗虫，業已普遍孵化，形成災害。尤在迪化、綏來、景化、烏吉、乾德、阜康、烏蘇、沙灣、和碩等九個縣災況最重，已非人工所能治滅，故除動員幹部三千二百餘人分赴各該縣組織羣衆捕蝗外，已急向偽農業部請求使用飛機或調撥器械展開藥劑治虫。

湖南煉砒廠

百餘人中毒

【本報訊】長沙消息，據該地共黨報紙披露，本月一日午後，湖南坪塘煉砒廠突有職工一百八十餘人中毒，當有年事較高及體格較弱之職工十餘人不支斃命，餘則正在施救之中。據云中毒之原因，係平時該廠行政方面對廢料之處理過分疏忽，在煉爐房內堆積大批鋼皮、鍋腳及灰渣，此等廢料，均含毒在百分之四十以上，近因該地連日大雨，上月卅一日晚雨量尤大，廠外雨水不及流去，浸入爐房，將該批廢料浸透，毒汁化入水中，待雨停後，此種含毒之泥水漸漸流去，部份流入該廠之水井，本月一日中午照常取井水烹煮飯菜，乃使在廠進食該一午餐之職工，皆被毒倒。事發時，情形大為恐慌，不明中毒原委，待當地衛生機關派醫到廠檢查研究後，方悉此一中毒之情形。據稱：該廠集體中毒之慘案，已非初次，去年七月間亦曾有七十餘人在類似情形下中毒，平時在工作中因衛生安全設備簡陋亦時有工人傷亡，但該廠行政方面，迄未提高警惕、加以改進，乃復造成此次更大之慘劇云。

滙款石沉大海

查了八月徒然

據重慶「新華日報」披露，謂目前一般郵局官僚主義作風及辦事糊塗情形仍極嚴重。據舉例，謂「國營中國五金機械公司」該市分公司有一職員張仲康，於去年十月三日以單掛號於該市民權路郵局滙款十二萬元至四川省南部縣水觀鄉土橋村彼之家人張天鵬收。詎月餘後，彼接家信謂未會取到，乃函郵局查詢，經半月後，方接郵局批函，囑將執據交去，並付查詢費二千四百元，彼當即照辦。經月餘後，方接該局回單，因單上已蓋有「南部縣水觀鄉政府」條戳及「任正發」私章。彼乃執回章前往郵局查詢，詎結果，查問再三，經過半年，仍屬一筆混賬，於後再往郵局查問究竟如何，郵局竟告以「我們未查過，不曉得」，以致該筆滙款，查詢八月有餘，依舊石沉大海！其事雖小，卻可見一般。

本報各版 歡迎投稿

自以為是的紳士

‧方為‧

自由談

英國有位保守黨議員碧克爾先生，不滿意美國參議員麥卡賽的言行，說他不懂得民主政治。碧氏主張請麥氏到英國游歷游歷，并教麥氏住在英倫鄉下的波蘭小村裏，因爲那兒住有兩名「可親近」的共產黨人，一定使麥卡賽「大吃一驚」！

這套觀念就是十足地表示西歐紳士們對俄式共產黨本質之無知無識，而又自以爲很懂得，胆大臉厚，竟敢教訓別人，實是可哂已極！俄式共產黨徒在他們手中無武器，實力不足以從事革命暴動之時，對其心目中的階級敵人，豈但「可親近」而已哉，他們還隨時表示着比麥卡賽的反共言行更死硬的態度哩！英倫人叨地理之光，環海生息於孤島上，藉外方的商業利潤過活，英共勢力未能革命暴動，即以爲這是民主政治之功能，其幼稚淺薄，更令人「大吃一驚」！

如果俄共集團國家願意把鐵幕稍爲打開一點缺口的話，我主張請英國工黨的貝凡，保守黨的碧克爾這類仁兄們，到中國大陸上的農村裏居留若干時日，尤其要請他們隨時參加「人民公審」和「清算鬥爭大會」那些場合，教他們多知多識，目睹其情，看是作何感想？

我若住在月球上，而又能博取地球上人類「血腥的利潤」來悠然生活，那不特認爲麥卡賽一流人之反共行爲是多事，即邱吉爾之流的甚麼大國會議，和平主張，都是無聊的廢話啦！

自投羅網

‧江南人‧

李樹人一手拿着行李，一手拖着一搖三擺的小玲兒，左彎右折的走上了碼頭，他此行是「回到光榮祖國的懷抱」去。進了船，揀定了座位，開始做起他「光榮」的美夢來。

他本是南洋僑商，在南洋雖然說不上什麼「富商巨賈」，但溫飽還可勉強維持，他有一位太太，一個白髮蕭蕭的老母，本應很知足了，然而，自從習了一些「天方夜譚」式的報章後，裏面登些什麼「工人當起家來！」和「歡迎華僑投奔祖國懷抱」呀之類的東西，就開始有點不滿現實起來，認爲自己屈在這裏就是一種「人才的糟蹋」，於是毫無猶疑的結束了業務，安置了妻母，攜着玲兒跑到香港來，在香港，那些「同志」「服務得積極週到」，購船票啦！辦入境手續啦！什麼都替他做得一絲不苟，臨上船時還煞有介事的對他說：「放心，祖國正需要你這樣人材！你回去一定得到工作」，就這樣，他心安理得的走上船來。

船到了廣州，好容易換過軍車檢查，他被帶到所謂「華僑登記處」。

這是一間佈置華麗的小洋房，而担任登記工作的「同志」卻是一個三十來歲的「烟鬼」，穿着「解放裝」，敞着胸，把腳卻高高的擱在辦公桌上，咬着烟斗，見到他來，慢條斯理的問道：「唔！你是從那裏來？」李樹人見到這位「同志」不檢點的態度，就有點不順眼，但仍恭而敬之的答：「是的，主任，我是從南洋來的商人，取道香港，」「什麼名字自己也不先說，還用我來問，老昏你了，快說在南洋幹的什麼生意？」那位「同志」見他動作不夠「積極」，不禁勃然大怒，拍着桌的問，李樹人雖然覺得這位「同志」有點「那個」，與他理想的和報章所載的大有出入，然而爲了表示「服從上級」起見，不得不和顏悅色的說：「我的名字是李樹人，主任，在南洋幹的是五金業。」「那麼，你爲什麼又走回祖國來，那邊不是很好嗎？」，「報告主任，我不想做「帝國主義」的奴隸，而且，我知道「偉大的祖國」正在建設中，正需要各種人材，所以就結束了南洋的業務，「投奔祖國的懷抱」，我相信，祖國必有用得着我的地方」，「那很對，祖國實在需要人材，不過，你知道什麼是「帝國主義」，它的壞處在那裏？」「主任」咬着煙斗，徐徐噴着煙圈，忽有所悟的李樹人，「帝國主義嘛……就是，就是……」他設急的搔着頭皮，一時想不出來，他雖然對「祖國」一向嚮往，但平常都是人云亦云的，關於這一套「特有商品」的「修辭學」卻沒有下過多大工夫，如今一旦擱起文墨來，當然技窮了。那位「主任」見他噥噥唔唔，催促說：「帝國主義是什麼，快講！」他翻滾着眼珠，瞪目結舌起來，但轉念一想，與其束手待斃，不如胡謅一下，也許僥倖解圍，於是便滾出滿口進步的新名詞來，「嗯！帝國主義嘛！就是反對共產主義的主義，換句話說，就是革命得不夠積徹，反動派，它的壞處就是不夠前進，和溫情主義，和……」，他說得滿頭大汗，以爲自己言多必失，所以睜着眼睛，留心着那「主任」的動態，不料事實剛和他所想的相反，那位「主任」不但沒有異議，而且拍手叫好：「唉！同志，你學習得眞夠成功，佩服，佩服」說完又低下頭來摸着他的腳指，以後怎樣，卻沒有提到，李樹人見他愛理不理的樣子，焦急得冒着汗，單是「佩服」是不夠的，目前他所需要的就是「工作」，於是他不耐煩的說：「主任，請你派給我工作，因爲我想快點替人民服務，」那位「主任」將搔過腳指的手湊過鼻尖嗅着的滋味的說：「工作麼，不打緊，暫時還沒有，不過你可以等着，一有空缺的時候就通知你，」他說着掏出一支「五一」來，把李樹人的名字記上，對他說：「現在，你可以走了」，李樹人這時才知道被騙，原來「光榮」歸國是這麼一回事，不過既臨虎穴，不得不硬着頭皮下去，便返問道：「那麼我以後的生活呢？」「那是你自己管的事，不過，你如不方便，可留在這裏，只要每月寫信到南洋匯款來接濟便得了，這是祖國優待你們的辦法」。

李樹人每天等着工作，每個月也有人迫着他寫信，祖國一切如何好，如何進步，不過要多匯款來，因爲要踴躍參加捐款運動。

初嘗軍中生活

民國十五年二月初，愚方僑寓北京西城太平湖民國大學教員宿舍，某晨，有急足至，謂民黨前輩李烈鈞、張繼兩先生約往西直門車站一晤，急馳去。二公告以即日專車赴天津助直隸軍務督辦老同志孫禹行（岳）禦奉軍張宗昌李景林，命愚從往一嘗軍旅生活，且屬毋須攜帶行李，汽笛一聲，火車向津沽進發矣。

抵津門，下榻曹家花園（曹錕私宅）美奐美輪，不覺旅行之苦。既而前綫軍情緊急，聯戰於馬廠滄州一帶，我方主力軍爲鹿鍾麟所指揮之國民第一軍大部，孫部爲國民第三軍任先鋒。李公受孫督辦託，赴前敵視察，愚偕行司記室之役，樂馬廠鄉壤一茅舍駐足焉。是夕戰鬥殊劇，李爲日本士官砲兵科出身者，對砲戰殊留意，不時以無綫電對前綫將領指示，彼口說，愚筆錄，忽一迫擊砲彈飛落茅舍旁，陡然奇響，而步槍彈聲復吱吱然掠耳過，愚驚悸不復能執筆，李大笑曰：文人固胆怯若是耶？余與君同命也，何懼爲？旋詢愚：自津市車行至馬廠，沿途計有橋樑涵洞若干？全程歷時幾何？答以未注意。李謂：此爲軍旅生活之普通必備常識，不可忽視也。復將戰地諸應留心各點，娓娓解說，兼及大小砲彈性能與放射遠近之理，殆在壯愚膽耳。

新‧世‧說‧補‧遺

逾月，國民軍敗績，傳檄向北京市郊撤退。某夕三更後，李張孫攜愚悄然登火車離津，顧驛站兵車擁塞，不易駛行，愚酣臥車廂內，怡然待發，忽侍應生來告，謂三公已改乘小汽車去，敵人便衣隊正出現市郊，何不早爲之所？愚大慌張，立攜補戲密電碼本及督署大印之手提箱，與同事田君擬逃至日本租界暫避。然兩人皆不諳路徑，先過大橋，盲目急走，見一高圍鐵絲網之小巷，遂入息焉。探頭窗口有老人詰曰：君等乃國民軍人士耶？此巷無後路，不可藏跡，幸勿自誤。訴之果然。經老人指點日租界方向，拔足狂奔，達「三不管」地帶，天曙矣。有教師裝束之婦女距前丈許，挾書包于亍道中，忽槍聲突起，女教師中彈倒地，愚知敵人已臨市區，自忖生命即在頃刻間，向僻巷下竭力趨避，幸達目的地，難民蠢提箱物喧闐租界柵門四週，日軍以長鎗刺刀禁人入，情勢嚴重。愚偕身擠過人叢，操日語乞守兵放進，亦不許，正回身間，日軍警帽中綴有日本早稻田大學之小校徽，諭曰：君係今晨由大沽口登陸者耶？答然。蓋海輪到津，例須候潮汐方能靠岸也。旋延愚等入界內，寓照來飯店，即遇前廣州大本營參謀本部顧問日人井上謙吉，爲述逃難經過，彼啞然曰：君誠書生也，密碼印信猶不投諸溝壑，而攜帶自珍，倘遇敵人搜查，十命亦將不保，足見君爲初嘗軍中生活者，後其慎諸！愚則謂：租界他皆無可取，唯今日之事，尚覺百害中亦有一利耳。相與大笑。

馬五先生

關於女性（下）

‧捐士‧

我以爲當丈夫致力於正當工作時，妻子不應因個人氣悶不氣悶的問題去攪亂他的心情，同時做丈夫的每天也得抽點工夫勉盡隨員的義務，不可成天做死人，惹得太太動氣。

女子擇夫標準是女子畢生嚴重關頭，過去虛榮心旺盛的中國女子希望做軍官太太，即在革命初期，女子願嫁軍官的心理仍無改變，但後來女子的對象由軍官移到官吏了！這由於文官工作較清閒，薪俸較優厚，而出賣腦力的工程師，化學師，新聞記者，著作家等及出賣勞力的工人，整天埋首工作，工作既畢，一天的精力亦隨之而畢，那有餘力勉盡「家庭侍應」的責任？所以他們都不是女子擇夫的對象，至於腦滿腸肥的商人，因職業及環境關係大半錙銖必較，不能儘量供給太太們的揮霍，看來看去還是官吏較勝一籌。

美國一般浮薄女子的結婚哲學，每人至少嫁兩次，頭一次嫁以年紀老而金錢多者爲合格，年紀愈老，閻王早晚下請帖，其大部財產穩穩付與愛妻之手，第二嫁以年紀輕而金錢愈少者爲合。金錢愈少，處處仰太太的鼻息，大可指揮如意，同時那些頭童齒豁的富人雖明知女人的心理如是，但他們毫不在乎，他們另有一套「及時行樂」的哲學，做一天丈夫擁一天嬌妻，何苦斤斤計較？至於中國情形雖常有老少夫妻的家庭，而老頭兒將進棺材的時候還要反覆叮嚀，縱不強迫嬌妻與之同死，至少亦不願其琵琶別抱，而一般未嫁的女兒身願嫁饔飧不繼的小白臉，不願嫁老鬼沒絡，這是重「人」而不重「財」的另一心理。

奴役的藍圖（十五）

麥柯米克神父著　陸逸譯

第九章　共產黨統治下的教會

當我們那個市鎮被共產黨游擊隊佔領之後，他們出了一個公告，聲言保障教會底絕對自由。

不久之後，正式共軍開到了，一個兵士送來一張佈告，上面蓋着地方政府的關防，和專員底印鑑，寫着保護教會產業的字樣，並寫明如果沒專員底書面許可，教會底一樹一木都不許動。

雖然共產黨底書籍和理論方面完全充滿反宗教的氣息，但有些下級幹部，仍然深信宗教必會獲得完全自由的，至于高級幹部，則另有心謀，不過在政權未穩定之前，不對他們發表而已。

我第一次聽到反宗教的論調，是在共軍進城一個月之後，那正是聖神降臨瞻禮的早晨，一千二百多人集聚在聖堂中望彌撒，這時候我聽到一個幹部說：

『明年這個時候，這個教堂就空了』。附近的教友們雖然感到惶恐，但他們[illegible]心反而更提高了。

當秋季村立學校開學的時候，學校底校長和先生們全換了新人了，新教員們全是教育局派下來的，並約好誰進堂誰撤差。

一天，在兒童輔祭團開會的時候，孩子們告訴我說：共產黨告訴他們，以後再不准來聖堂了。

『每天晚必須讀書』，老師告訴他們說：『誰再進堂念晚課，給誰記一個黑點，即便他考試的成績怎樣好，頭三名也沒他的份』。

不久之後，教員每晚必須到學生家裏去調查，看他們是否在作家庭作業，如果有不在的，便記下名來。後來，八位輔祭的小孩告訴我，他們被排擠出隊了，他們本來是籃球校隊中的基本隊員，因爲他們時常來輔祭，便被迫出隊了，但他們一出隊，校隊的成績，便一蹶不振了。

民衆熱愛教會

共產黨佔領後的第一個聖誕節，教友們參與彌撒的數目，打破歷年紀錄。當新年過後，我們爲拉吉村民所辦的學校開學的時候，一教育局派來的代表團，到我們這裏來訪問，他們對教員說這個學校必須到教育局去立案，這也就是說，以後我們祇能用那些共產黨派來的，反宗教的教員了，而我們除了發薪水之外，什麼權利都沒有了。我發給每位教員半年足數的薪金之後，我很傷痛地把學校關閉了。

從一九四九年五月至一九五〇年年底，也就是共產黨初到本地的頭十個月裏，教友們熱愛教會的態度，眞使人感動，他們了解了共產黨和教會的對立，他們也明白教會正瀕臨教難的前夕。所以他們對教會的熱愛，倍加熾烈。每逢星期日，教堂裏擁擠不堪，神父們祇好多開彌撒。教堂中原祇有八百個位置，但如果使孩子們站在祭台的兩邊，和通道上的話，我們可以擠下一千二百人。其中有一些是對宗教素無興趣的外教人。在這個期間裏，有三百人聽道入教，全教區裏的傳道所，也擠滿要接受福音的人。

談放蠱

‧健超‧

放蠱之說，盛行於黔滇桂川湘之苗鄉夷區間，究其事之有無，人各一說，有謂確有其事，有謂荒謬離稽，更有謂或由于「民族歧視」與「民族隔閡」之故，我曾親歷黔滇桂川湘各省作民俗訪問，于黔之鑪山，就該縣監獄一個以放蠱罪所羈押的老婦，加以盤詰，該老婦面容消瘦，兩眼紅腫，似正患眼病狀，身着一破爛短棉襖，時正中秋季令，山地早寒，着棉亦正其時，雖者謂該棉襖即係蠱蟲附着物，且謂放蠱傳授係憑該棉襖類之穿着物，一如儒家之衣砵云。據談一日老婦担柴入城出售，路中撞倒一個七八歲的男孩，男孩抱回家去，第二天就已死去，距爲老婦柴担撞倒恰正一個對晝，孩父爲當地大戶，又爲漢人，鑪山爲黑苗區，老婦亦屬黑苗，因此人皆以男孩之死，係由于老婦放蠱所致，在當地傳說中，紅眼眶即爲放蠱婦人的特徵，我訪問時，老婦被押已五六月之久，縣長對此案，殊難定讞，孩戶既未剖解檢驗，又無實證。苗鄉多令大華燒柴取暖，就地生火，門窗緊閉，因此間男女，一過中年，老婦則無一不眼眶紅腫，瞠目撟舌，莫知所對。但在當地一般人，傳說放蠱確有其事，而且放蠱婦女，姑傳之媳，母傳之女，且每年必得一放，否則蠱神必降及己身，至家人，因此有時雖親人亦難逃免放蠱之禍，云云。中蠱後，有謂立即死亡者，其狀或遍身潰爛，骨腫，甚且肚腹破爛，亦有謂經時數月以至一年兩年者，並無若何顯著病狀，但祇覺精神恍惚，食慾不振，或遍身癱瘓，日漸趨于死亡。然亦道聽途說之詞，至蠱之爲物，有稱係一種世傳毒蟲，有稱係一種神靈性的無形物，有稱蠱是由人製成的毒物，每年端午日正午時分，搜集五毒即蛇蜈蚣蜘蛛蝦蟆蜥蜴，置一土缸中，封固埋藏，等待明年端午日正午時分掘取揭封，其所僅存的一毒即成爲蠱。苗鄉夷區婦女之招贅外人爲婿者，如歸省必定歸期，預爲下蠱，如過期不歸，則蠱發不治，必致于死，當歸能及期，則安全無恙，在我故鄉（湘西）就有少年人莫入苗鄉，更不能和苗女相戀的傳說，或許也即民族歧視下之隔離作用，而在苗鄉說來，由于山地生活之艱苦，甚難迎娶外地婦女，苗鄉性差別，又往往男比女多，防止苗女嫁于外地人，亦屬必然應有之舉。（上）

中華民國僑務委員會頒發登記證台數新字第一零二號
中華民國郵政登記第一類新聞紙類

自由人

THE FREEMAN
（半週刊每星期三六出版）
（第二四一期）
每份港幣壹毫
督印人：李光華
社址
香港高士打道六六號
電話：二〇八四八
GLOUCESTER RD.
HONG KONG
TEL: 20848
承印者：東南印務出版社
地址：高士打道六十四號
台灣特派員辦事處
台北市館前街五十號
台灣總經銷處
台北中華路新號五九四之一
台灣郵政劃撥儲金帳號
九二五二號

因小失大的美國作風

雷嘯岑

韓境聯軍統帥克拉克對新聞記者說：「我沒有在韓國宣佈戒嚴之權，有如外間所傳說者，因為韓國乃一獨立國家！」這話很合理。假如美國在處理韓戰問題的過程中，始終以尊重獨立國家應有地位和職權的作法來對待南韓政府，我相信今日的釋俘糾紛，決不致發生了。美國人的青年氣質太濃厚，在世界上常常幹出許多無心的錯誤行為，而且因小失大，這是很可惋惜的事。

美國不惜任何代價以換取韓戰的協議，這在自由世界的觀感上，雖有各種不同角度的看法，言人人殊，但從全韓性的戰略利害設想，大體是能得到各方諒解的。南韓政府在主觀上極不贊成在目前態勢之下言和，自係理有當然的意料中事，美國若事前懇切予以說服，臨事不將南韓置諸局外，而僅由英美間獨斷獨行，與敵人進行祕密交易，形成公然出賣一個併肩苦戰的患難朋友之景色，李承晚未必即會那麼悲壯激昂，不顧一切的硬幹吧！

李承晚勢成騎虎

現在南韓已經釋放的戰俘二萬多人，事實上萬難一一拘回了，而李承晚又表示：如休戰協定簽字，南韓軍隊即脫離聯軍建制。戰事既告休止，戰鬥序列自可解散，南韓政府當然有權自由調遣其所屬的國軍，這是獨立國家的應有主權，聯軍不能加以強迫的。南韓軍歸還建制後，他們無論作何打算，有何行動，更非聯軍總部或聯合國所能過問，然其後果又必對聯軍有大影響，自不待言。南韓實逼處此，騎虎難下，美國卻可以懸崖勒馬，見機而作。目前只是派大員游說，還函電解釋，都不頂事了。美國當時一念之差，鑄茲大錯，而英國邱吉爾一面將南韓的反抗言行，視若沒有自主生存權的北非土人之「叫囂」，認為有美國的「強大力量」可以制服，一面又向韓政府提出嚴重抗議，這不啻火上加油，唯恐天下不亂，任何一個有自尊心的民族，那能忍受這種侮辱？漫說南韓軍尚持着武器，即使赤手空拳，亦非拚命反抗鬥爭不可呢！美國當年既已仗義勇為，出兵數十萬為南韓的生存而作戰，今日心血來潮，被人玩弄之餘，竟不顧南韓的未來禍福，而作此衝動性的祕密休戰交易，充分表現其「以義始而以利終」的凶終隙末姿態，因小失大，何其不智之甚也！李承晚致艾森豪總統的信上說：南韓之反對屈辱的休戰條款，并非為着事前毫不知情，而是感到這就地休戰辦法，乃係致韓人坐以待斃云云。這是表面的大道理，實際即為聯軍總部不把南韓看作獨立國家的那種優越感使他受不了。美國本來沒有瞧不起弱小國家的素養，毋寧隨時皆對被壓迫民族表同情，這次對處理韓戰手法的錯誤，應該有自認不諱的勇氣，立予補救，最簡要有效的補救之法，只有一項：即趕速接受南韓的願望，在休戰協議完成以前，訂立美韓安全互助協定。除此以外，都將治絲益棼，不得要領！

日本人為何有反美論調？

戰後美國對於日本的扶持愛護，眞是冠絕當世，無話可說了。目前自由世界任何地區的人，可以表示反美的態度，唯有日本人絕對不應該！然而，據前天的外電消息，日本全國人民中，現在對美國懷有友好情誼的，只佔得百分之廿七的統計數字了！

日本人素尚感情，重氣誼，惟其如此，才有此意想以外的反美情調，最大原因，就是美國人平時的一些不重要和不必要的作風所使然，也就是青年氣質過甚的結果。因小的無心之錯，失大，太不值得。前年美日簽訂安全互助協定時，一位日本報紙特派員向我表示反美，根本非理由並非互助協定，論調成此項互助協定，乃不滿意美國的作法。他說：「日本非倚仗美國即不得安全，這是婦孺皆知的事實。假使舊金山和約簽署後，再談此問題，日本必自動提出安全互助要求，地位毫無疑問。然美國卻一手提着和約，一手以安全協定示之，要日本先簽互助協定，然後才和約運行，等於威脅，所以令人發生反感，這種民族自尊心普遍潛存於一般智識份子思想之中，再加以日常的偶發不正大兵們行動，人有日共及其同路人又自然宣傳鼓吹，社會上嘲美國了。究其實，反美的，對日本是不錯的！政府方面，實在美國已經日本安全互助協定未急於簽訂不可；美國非要求安全互助的，美韓安全互助條約始終不肯答應。而經三提出，若說這是關係美國國防大計，南韓不在美國太平洋防線之內，未可與日本相提並論，自屬無可厚非，但美國不能專替別人擔當不必要的義務。但艾森豪總統又以函電向南韓保證，休戰以後，即與南韓簽立這項協定，戰前一簽與戰後一簽，固然不無研究之利害得失，何以竟因此而使南韓陷於絕大困處，韓戰和談亦不顧呢？依常識推測，艾總統的文字保證若非號召，就是為要維持其對休戰措施的優越感，不顧在南韓的反抗休戰談判中，答應這件事。從大處看來，這不是因小失大的作風嗎？

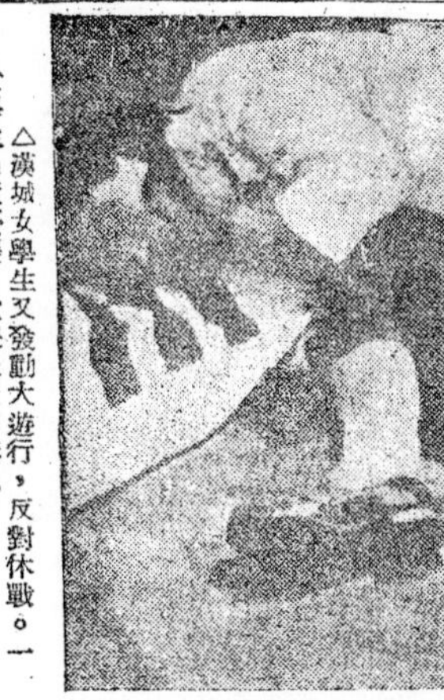

△漢城女學生又發動大遊行，反對休戰。一女學生過度緊張，大哭後暈倒旗上▽

蘇俄對歐鬆弛冷戰　西方需要嶄新對策

表面上，蘇俄似已準備鬆弛冷戰，其最近一些行動，在在都表現企圖藉此進一步困惑西方集團的目的，在東德，蘇俄放緩了鐵幕統化計劃；在韓國，蘇俄縱下的共黨已在紙上劃定停戰界線，雖然慘烈戰爭仍在進行；在奧地利，蘇俄放鬆了它的箝擊；在南斯拉夫，它又對狄托播出和平曲。總之，他們承認戰後政策上曾造成若干「錯誤」，在全球各處東西衝突的地點，冷戰的緊張氣氛中頓時充滿了克里姆林宮的新姿態，有些讓步，有些姿態，也有退縮。

列寧主義的策略

這一連串新行動，造成了新的外交氣氛，西方在外交上如何對付，自然也必需新的方式。克里姆林宮的新主子，不論其動機如何，其行動顯然具有高度技巧而異常詭詐。史達林在死前的數年中，其頑強態度，實際上曾有利於西方：他對東德牢不放鬆，迫使西德傾向西方；他在韓發動侵略，驚醒西方重整軍備；他的任所欲為，造成狄托憤而擺脫蘇俄鐵腕。但他的繼承人所採取的新行動，對共黨的目標既無顯著危險，反使克里姆林宮重新獲得若干動力。

最近一期莫斯科的俄共高級刊物「共產黨人」曾寫道：「列寧主義的策略，需要平穩與活動的能力。正確的策略領導，其主要條件之一，乃是一直能在事態演變的鎖鏈中找出適當的一個環節，把握了這環節，便能把整個鎖鏈任意操縱。」

慎密設計把握時機

蘇俄最近的種種活動，無疑都經慎密設計，每一行動，必預期在西方引起重大反響，而對本身，既不需付出若何代價，且不致鬆弛其控制權，例如釋放美記者奧蒂斯及開放東德邊境等等都是如此。它所選擇的時機，更力求有利於自身。最近它所展開的行動，其時適當法國內政潮而全國動盪，邱吉爾爵士正談論訂立「新的羅加諾條約」；而美國新政府希把握其實際的實任，一面認為必需從莫斯科奪回主動，一面又恐墮進共黨詭計。

到目前為止，西方的戰略，乃是要求蘇俄必須表現何等樣的實際行動，才有與西方舉行四強會議的資格，並未鄭重考慮在這樣的會議中能得到什麼成就。今日鮮明的事實，乃是在這一九五三年的新時代，沒有一個西方政治家，尤其是美國總統，會以為尚能和蘇聯在祕密外交中支配弱小民族的命運，而不致引起人民的公憤。波茨坦和雅爾達那些戰時以祕密談判擺佈小國的時代，早已過去。

蘇俄最近的狡獪手段之一例，是將預期西方可能代德國和奧地利提出的若干要求，首先自動給予德奧，使西方無法向德奧表示，蘇俄所以作了若干讓步，必須歸功於西方。在這個方式下，蘇俄的立場，可獲得國外許多人的讚揚，以為它確已自動緊弛了冷戰。西方如何應付這個龐大的和平攻勢，到目前為止似還沒有找到有效的方法。

對歐和平攻勢種種

至於蘇俄最近對歐和平攻勢中所採的行動，約可列舉如下：

一、東德：甲、和教會言和，雙方訂立正式協定：不再迫害教會領袖和青年團體，歸還被沒收的教會財產，承認教會自由，國家津貼教會學校中可恢復宗教課目；乙、停止備受人民反對的集體農場計劃；丙、降低強迫繳糧限額；丁、誘勸逃往西方之一百八十萬東德人回國，允諾歸還其被沒收的財產，恢復公權；戊、對已全部消滅的「私人工業」、小商人可向國家請求貸款；己、停止整肅教員，東德人甚至可申請往西德就學；庚、放寬東西德間旅行限制；辛、大赦判刑一至三年的次要罪犯；壬、二百萬被取消配給證的人可重獲配給。

雖然這些行動是蘇俄出於其在東德所遭受的反抗，但顯然企圖藉以誘使西德人民重做統一之夢，因而破壞西德參加六國歐洲軍。

二、奧國：甲、改派非軍事管制；乙、取消奧國邊境檢查站；丙、伊里契夫任駐奧大使；丁、貨物可自由出入蘇區。久經延擱的奧國和約及撤退駐奧軍隊的問題，雖然仍無解決的跡象，但這些步驟已足令奧國人還大感愉快，也使美國當局驚訝不已。

三、與南斯拉夫恢復國交：蘇俄提議交換大使，已為南斯拉夫所接納。對於這事，狄托曾說：「俄人已對我們微露笑容，但我們不會被這笑容所迷惑。」這些話給西方的印象，顯然是在南國的觀察家與西方關於南斯拉夫與蘇俄未來關係的認識，可以下面三點作為觀測的基礎：一、狄托將繼續堅信共產主義；二、他和蘇俄的史達林衝突，個人主要方面的；三、他和他的共黨同志願再祇要他和平相處，他將樂意如此。

三、土耳其：蘇俄放棄在韃靼尼爾設立基地的要求，僅主張對韃靼尼爾問題作友好解決。傳土耳其政府已準備參加關於修改蒙特羅條約的會議，祇要各簽字國（土、英、法、蘇、希、日、保、羅）及美國也被邀參與。該約是關於韃靼尼爾及波斯普羅斯海峽（介於黑海與地中海間）的管理方法。蘇俄並承認土耳其對其東北部兩邊區的主權。同時，土俄邊境伊格迪爾流域的共同灌溉。（章伯麟節譯時代週刊）

一週展望

·左舜生·

李承晚沒有錯

韓戰十足打了三年，戰爭始終是在韓國境內進行的，南韓作戰最勇，犧牲最大，但是愈戰愈強，至今聯軍的半條戰線，還是由南韓軍扼守着的。

把韓國分成南韓北韓，完全是蘇聯的侵略行為；裝備北韓去攻擊南韓，又嗾使中共去越境幫凶；當然更是侵略之尤。前杜魯門總統發動聯合國援助南韓是對的，聯合國宣布中共為侵略者更是對的。

把戰爭的意義與目標完全弄清楚了，當然便應該義無反顧的作戰到底，以求得絕對的勝利，根本不應該有所謂『局部戰爭』，『有限度的戰爭』這類說法。聯軍其所以打了三年而陷於如目前這樣一種不生不死不勝不敗的局面，乃至不能不忍痛言和，便完全是由於這類不正當的說法所造成的一種失敗主義。

自美國以次所有參與聯軍的國家，一旦和議成立，當然都可以陸續退出韓國，束身事外，充其量不過算是丟了一回面子，受了或多或少的一些損失，原沒有什麼十分的了不起。

可是你叫南韓怎麼辦呢？蘇聯多的是武器，再度裝備北韓是不費吹灰之力的；中共可能名義上退出，但搖身一變，雜在北韓軍中作戰，還有什麼人可能去加以鑑別？就鑑別出來了，又把他們怎樣？因此，所謂停戰也者，在聯軍中其他的國家，總算還有多少意義，在南韓卻是絕對沒有意義，共產黨的侵略永遠不會停止，南韓軍的應戰，也就永無了日。

至於所謂『政治會議』，更是笑話：共產黨是開會的專家，說到打仗，他們還是可勝可敗；說到開會，他們便只有勝而絕不會敗，凡會議之所以可貴者，乃在作成的決議能由雙方一致遵守，不幸共產黨卻絕對無此遵守決議的習慣；而且進一步，凡決議於他們有利的，他們一定充分利用；於他們不便的，他們便隨時可以視同廢紙！他們其所以有這樣一種態度，是有他們的哲學的：世界上只有他們才是人，你們是資產階級，根本不是人；在他們想來，以人玩弄非人，這與人玩弄猴子並沒有半點區別。

如果你用資產階級常用的名詞如『信義』之類去責備他們，他們便只有好笑，因為在他們的哲學上，他們剛剛是以不與資產階級講『信義』為『信義』的！在最近的三十幾年，中國人飽受了這種教訓，所以認識得最為明白，因此凡看見有人主張與共產黨去開會，我們便只有笑破肚皮！

李承晚總統畢竟是一位老革命家，他對這些道理已深深認識得十分明白，所以他發為行動，才能如目前這樣堅決，他沒有錯，他完全是對的，單單有他這樣一種明白的認識，便足以戰勝共產黨而有餘。

話雖如此，我們還是希望美國和南韓對這件事要平心靜氣的協商，只要雙方都有反共決心，這其間便不是沒有兩全之道，至於共產黨的態度如何，這倒是可以置之不理的。

羅森堡夫婦之死

經過各處共產黨及其同路人一番叫囂之後，羅森堡夫婦終於執行了死刑，這總算是最近一件差強人意的事。

自從俄國有了共產黨的政權出現，這三十幾年之間，全世界直接間接死於共產黨手裏的人，至少以數千萬計，我們今天不談人道主義則已，如果要談人道主義，便當然應以撲滅威脅整個人類的共產黨為第一義。

羅森堡夫婦出賣原子彈的最高祕密與蘇聯，這不僅只是一種單純的賣國賊，實際已成了整個和平人類的公敵，艾森豪總統不為各方的浮言所動，而出以毅然的處置，這是很值我們讚賞的。

共產黨要保全這兩個罪犯，因為他們本來是共產黨的功臣，這是一點也不奇怪的；奇怪的乃是法總統赫里歐也居然為他們說話，這種地方我覺得邱吉爾首相採取緘默的態度畢竟是不錯的。

捷共機關報公開承認
人民掀起大暴動
反共武裝衝入市區

鐵幕反共運動記程碑

五年前，共黨藉勞工階級名義奪取了捷克政權，今日，捷克勞工却成了近代最大騙局的主要犧牲者，五月三十日，共產主子宣佈了所謂「幣制改革」，把勞工的積蓄剝奪殆盡，取消了他們被迫購買的公債，又將他們的工資削減百分之七十（其詳細情形已載六月十日本報）。次日，他們的憤怒終於爆發成暴動，他們的行動沒有計劃，沒有領導，沒有預謀，一切都出於高壓下所產生的一股強烈反抗力量。他們的義舉，將永久銘誌於全世界尚有人性的人心裏，成爲鐵幕後反共抗暴運動的記程碑。

關於這次暴動的最完整報導，不是來自通常消息靈通方面，而來自捷克的重要列寧工廠所在地比爾遜的共黨機關報「眞理報」。共黨的報導，自不脫其慣用的歪曲事實的術語，但由此暴露了這次事件的眞相。據該報說：「六月一日，一些政治上認識不淸的勞工，竟聽信謠言，以爲這次幣制改革是對付他們的，他們得到的新工資，將無法活命。於是他們發動了反國家示威……暴徒衝進市政府，撕下捷克國家領袖的照片而懸起帝國主義走狗貝納斯（最後一任非共總統）的像。這批美帝豢養的暴徒，更踐踏史達林和葛德瓦的照片，汚辱蘇聯國旗。市政府檔案室竟被縱火焚燬」。

游擊隊架起機槍

該報繼續說：「六月三日至四日夜間，發生槍聲。四日至五日，武裝暴徒又衝進市區，在列寧工廠及政府大廈前架起機槍……列寧工廠的勞工們並未及時制止反動份子，此種情形不容再度發生。」

捷克的奧煤區奧斯特拉伐的「新自由報」也公開承認說：「在勁費省伐克泰夫市的捷克先鋒煤礦與布赫明鋼鐵工廠，以及李斯柯維克的史達林格勒鋼鐵工廠，若干勞工竟被小資產階級收買的搗亂份子所挑撥，鼓動了相當重大的騷動與擾亂。國家與勞工紀律遭受嚴重影響……但忠誠勞工終於壓服了這些顚覆活動。」

共黨本身所承認的已有這許多，暴動的規模如何巨大，當可推想而知。設在捷克邊境不遠的自由歐洲電台，將來客與難民的報導，作綜合分析後，廣播了以下幾節可靠的報告：

一個難民說：「奧斯特拉伐礦場的礦工罷工了五天之久，軍隊拒絕對他們開槍。有些共黨覺悟了，撕下共產黨符號，加以踐踏唾吐。工場中的民兵殺了三個礦工，一個女民兵因爲槍殺一個礦工，被礦工們發起活活毆斃。」

一個派到布拉格去的德籍技工回來後報告說：「布拉格被軍隊所圍困，工廠進入了戒嚴狀態，工廠紛紛發生暴動，一個工人用德語對我說：『我們什麼都不管，不過對於宣傳和騙局已告厭倦，如果我們得不到應得的工資，我們便停工。』」

重嚐自由滋味

另一個難民說：「柯布利尼斯的泰特拉工廠，一萬勞工在廠中無線電中聽到幣制消息後，立刻發動罷工，罷工一開始，民兵便在各處出入口架起機槍，廠中共幹企圖勸說，但絕無任何反響。勞工們高聲大喊：『還不閉嘴！你們飽食終日，一事不做，趕快滾蛋！』祇有少數共黨工棍還想繼續工作。」

但反共怒潮終於在武力鎮壓下表面上宣告平息。捷克總理柴普托基帶着六個副總理走到布拉格的主要軍火工廠對勞工們演說道：「我們將從這次錯誤中得到一個教訓，把一切糾正過來，我們將採取行動，我們將大力實行；但國家的政治局面決不改變。」

捷克雖然再度恢復平靜，但至少在短短的數小時中，捷克人民已發揮了自由的力量和重新嘗到自由的滋味，這滋味的甜蜜溫馨，決不是短時內會被遺忘的。（周明譯自時代週刊）

台灣通訊

薩凡奇對台灣的貢獻

在許多從美國來的朋友中，最近聯合的薩凡奇氏是將有極大的貢獻的。薩爲美國的水利及水力發電工程的專家，他在美國所完成的T．V．A．工程，曾解決了美國當時的經濟恐慌，並且爲美國人民留下了永久的幸福。我國抗戰勝利之後，薩曾到過中國，實地勘測揚子江的水力發電環境，並提出了他的設計要點。據薩氏的意見，中國天賦的河道環境，可稱爲世界第一，徒以人爲的不減，以致於水利建設的功效，不能著於世界。僅揚子江三峽水庫，就可以發出一千一百萬瓩的電量，薩氏稱之爲Y．V．A．計劃，Y即係揚子江的英文名稱的第一個字母，惟完成之期需二十年。

台灣可成東方瑞士

世界各國的水力發電的水庫，除極少數情形外，都採取多目標的方式進行，以資經濟。薩氏所完成的美國T．V．A．工程，其主要目標，本爲防洪與航運，但今日却以水電爲其最大的收益。每年從水電上所收得的電費，可以維持其整個機構的開支而有餘。美國西部的四大名壩，其設計與目標，本亦爲灌溉與防洪，但其中有三個壩都發出極大的電力，對於西部的繁榮與工業的促進，助力極巨。薩氏計劃Y．V．A．的時候，浙江省也擬從錢塘江上游建設水庫，作合灌溉航行發電爲一體的C．V．A．計劃。但以錢塘江係發源於皖南的新安江，水庫的地址，須設在安徽境內。大陸不久淪陷，Y．V．A．與C．V．A．都只留下了書面上的計劃。

但是薩凡奇並不因此灰心，却爾次來台灣，願意爲自由中國的水利事業有所致力。他認爲台灣的人口數字與歐洲的瑞典國相當，台灣的面積則與歐洲的瑞士國相當。日人佔據台灣的時候，雖已經爲台灣建設了嘉南大圳，及日月潭水力發電廠，但是並不能認爲完美。以瑞典言，其動力的來源完全倚靠着水，通常約佔百分之九十五至九十七。瑞典水力資源每年達四〇〇億度，現已開發了一半。現在每人每年平均可以用電二、一〇〇度，等於美國再加上瑞士的總和。按照估計，十年以後，瑞典的水電量可以再增加一倍。至於瑞士，其唯一的動力資源，也是水電，如以每度面積的發電量計算，無論就已開發者與蘊藏者，均佔全世界第一位。已開發者達二百五十萬瓩，佔全部資源之半。

返國後將提出有力計劃

台灣的日月潭，係人工造成的湖，水用以發電，其在灌溉方面的功用極小，航行的效用全無。嘉南大圳，完全爲了灌溉，並且只完成了一半計劃，所以台省西南最肥沃的農作區域十四萬甲田地，現在仍因爲水源不足，只能採用三年輪作制，即一年種稻，一年半種甘蔗，半年種雜糧。茲糖價日跌，糖價日高，也無法一律改種稻穀。至發電的效果極小，航行也全無。今欲使台灣工業化，必須再增加電力，目前，即需要着手的，是台中達見的高水位壩，此壩的高度佔全世界第二位。以及從達見到天輪的八個發電廠的陸續完成，另一個鑾壩工程便是南投縣的萬大，完成之後，可以使早已裝好尚未發動的兩架發電機開始轉動。或者有人以爲一旦反攻大陸之後，台灣是否仍需要這麼多的電力？這一點其實不成問題，因爲初收復的大陸，一切必皆已爲共匪所破壞，輕重工業必須仍留在台灣生產。要從廢墟中重新建立工業的基礎，並不是短期間中的事。即使大陸工業復興之後，台灣仍可以成爲再生產與加工的所在地，將各項工業品行銷南洋海外，則今日電業的建設，決不會沒有用處。薩凡奇此次除親到上述的水電工程地方詳細勘察提出建議外，並特別去看了桃園的石門水庫，這是以灌溉爲主的工程。行人經過從桃園到中壢的公路的時候，常會發生一項疑問，便是佔有台灣西北部這一大片平原，爲什麼都種茶葉而不種稻，那便是因石門水庫未曾完成，給水不足的緣故。石門水庫的工程相當巨大，並且需要長久的時間。薩氏看了之後認爲工程的價值很高，效果極大。他將於回到美國之後向主管美援的機關作有力的說明。以期能獲得美援的協助，並配合台灣原有的人力物力，共同促成台灣水力的充分利用，與農業工業的廣大開發。以其在美國完成T．V．A．的經驗，指導幫助台灣，則台灣必可與他言談中最愛稱道的瑞典與瑞士，鼎足而三焉。

印度對埃野心勃勃

·王可·

潘尼迦曾說，過問中東是「我們印人不可推卸的責任」。印度曾三次要求埃及承認中共，此次尼赫魯訪埃，勢必舊事重提。

國外通訊

兩位「先鋒」大使

【本刊特約開羅通訊】尼赫魯的野心與領袖慾在印度獨立以前即已漸露端倪，不過當時無人深加注意罷了。據說在戰時尼赫魯訪問重慶歸來，便大肆批評的說：「中國的地位印度可取而代之。」以是時我全國上下對印度的獨立如此的熱情擁護，猶敢大言不慚發此謬論，其居心險詐，可以想見。果然勝利後不到一年，在印度某次開亞洲教育會議，有關各國的代表都已請到，惟獨我國向隅，專經質問後雖仍然邀我入席，而其故意冷落之情，志在打擊我國際上的地位，殆無疑義。

尼赫魯的爲人固屬可鄙，然他曉得一個大國圖有無敵的與國方能在國際林中立於不敗的地位，他看到中東回教國家的重要，而其中埃及又居領導地位，所以獨立後不久與中東發生外交關係時，一切活動的中心就放在埃及的開羅。從研究他的大使人選，當可知道他政策的趨向。

印度駐埃首任大使爲胡洵博士（DR. SYUD HOSSAIN），談到這位先生，到有相當的來頭，他原同甘地一鬧革命，充任尼赫魯的祕書，後不知怎樣與尼氏的妹妹（現今的潘迪特夫人）發生戀愛，兩個打得火熱，原擬結婚，而以宗教信仰的不同，遭受雙方家庭的反對，胡從此遂抱獨身主義，遠離開並蒂之花，往美國一居廿五年，在南加利佛尼亞大學教書。

印度獨立後，潘迪特夫人即力薦胡洵任駐埃使節一職，且於一九四八年多特來開羅與胡氏會晤，小住數日，拒見賓客，可見兩人情誼久而彌篤，不過話要說清，胡氏雖有此裙帶關係，然絕不足以晦其日月之明，他的才能學識的確够得上當一個大使，且以之使埃可謂人地適宜，最好不過。因爲當時的埃及環境是同情巴基斯坦，而對印度則異常冷淡，必須有一個敦睦的印度代表，具相當的學術修養與和藹可親的灑脫風度，方能拉攏兩個民族的情感，僅就這一點而言，他已算是大大的成功了。

不幸胡洵於一九四九年二月突犯腦充血而死，繼任者乃一印度的回教法專家費澤（ASAF A. FYZEE），他早年留學英國，歷任律師，孟買法政大學校長，以及第三屆文教會議的代表等，著作甚多，爲印度有數的教育家與政壇人物。一般人對他的觀感不惡，惟其專門學問雖有餘，而外交常識似乎不够，語言乾燥無味，時有格格不入之態，至於熱情與誠意方面亦遠不如其已死之前任，這是比較言之，但在大體上他仍能繼續加強在埃及的聯絡工作，並未有辱使命。他於一九五二年初任滿回國，繼他而來的即前駐北平僞共政府的印使潘尼迦。他的大名遠東人士耳聞已熟，不過因他出使埃及，我們早已斷定印度對中東的政策業已有一最大之轉變，最近事實的表現證明一點都沒有錯。

一個「大炮」潘尼迦

潘尼迦是一個大砲，作法與前二人完全兩樣，一九五二年九月走馬上任抵達開羅時，頭一砲就是大罵美國與宣揚中共的德政。當時埃及報上即有人質問，謂「貴大使來埃到底是辦理埃印外交，抑是宣傳共產主義？」潘氏碰了這一個釘子後，祇得暫爲斂跡，不再公開的胡說八道了。縱有人提及中共時，亦僅答以「情形已是相當的隔膜了」。不過他暗中仍在極力的爲中共宣揚。

在潘氏未來埃之前，多少使館曾接到新德里的密報，說這位新印度大使有赤化的頭腦，乃一極危險的人物，所以外交團許多人對他都是敬鬼神而遠之。他漸漸的看清了這不和好的環境，而又鑒埃及革命之後，美大使賈非利（CAFFERY）正當吃香，他於是打定了主意先行爭取。以後與賈氏見面時，不惟一改從前「駡美國」的態度，並且恭維得美國無微不至，賈氏祗好一笑置之。某日探悉埃及著名的實業家亞波德邀請了美使夫婦在其別墅渡聖誕假期（一九五二年），他靈機一動，認爲機會難得，不可錯過，比即於電話中要求亞波德也請他夫婦過聖誕節，亞氏聞之礙於情面未置可否，後乃徵求美大使的意見，美使怫然作色曰：「我們怎能同這種人在同一個房頂下呼吸！」亞氏祗好婉拒了。

潘氏的神氣因人而殊，某次土耳其大使杜凱（從前在重慶做過大使的）約定回拜，惟驅車至印度大使館時，發現這位「大炮」業已外出未歸，杜氏靜候了十分鐘掃興而返，情緒已是欠佳，不料剛回到土館不久，印使館祕書來一電話通告，謂「印度大使閣下現已回館，請即前來」。杜凱聞之，認爲這是莫大的侮辱跳起大罵「混蛋」。自此以後他們兩人見面時也不打招呼了。

潘氏去年首次往亞歷山大城，堂堂「大使」之尊竟臨小邑那還了得，於是抵達後即以電話要求該地商會及福亞德大學（FUAD UNIVERSITY）舉茶會歡迎。因事屬創舉，史無前例，弄得他們啼笑皆非，莫名其妙，一時全城哄動，目爲最大的滑稽劇。然而他不管這些，仍是任性爲之。

（上）

天下小事

埃及改制共和內幕

埃及於本月十八日晚間宣佈改制共和，由那奎勃將軍出任總統兼總理，表面上看來，這自然是那奎勃將軍的一大勝利。但據熟悉埃及內幕的人士說，因爲埃及共和國的成立，那奎勃當權的時日或反而不久了。他們說：目前埃及的大權已落於他年青時的對手納塞爾中校手中。納塞爾原是那奎勃的心腹，但近來羽翼長成，已不大肯聽那奎勃將軍的提調，他在新共和國中，已取得副總理兼內政部長的職權，而更重要的，他還是革命委員會的重要幕後份子。據說：這次埃及廢除五千年來的專制政治，改制爲共和國，是出於革命委員會的決議，其動機在把那奎勃將軍推選爲高高在上的總統，而由納塞爾中校掌握實際的大權。現在那奎勃雖仍兼任總理要職，但革命委員會第一步改制的計劃既已成功，將來難保沒有由納爾塞繼任總理的一天。

鄧浦勒將調歐洲副帥

在今後幾個月甚或一年的時間內，英國軍政人事上可能有兩項重大的更動。艾登纏綿病榻多月，英國財相布特勒現已一致被認爲邱吉爾的可能繼承人，邱吉爾一旦退休，他將繼任保守黨領袖和英國首相。

另一項可能的變動是屬於軍事方面的，而且發現的日期可能比第一件要早。那便是一旦馬來亞局勢比較緩和，英國駐馬來亞高級專員鄧浦勒將軍可以離職的時候，英政府將把他調往歐洲，繼蒙哥馬利元帥出任歐洲盟軍最高統帥部副統帥，作美國葛倫塞將軍的副手。

蘇俄備戰變本加厲

今年正月間，俄國海軍曾非法拘捕了日漁民五人，把他們囚禁在西伯利亞，一直到現在，俄當局始自動將其中三人釋放，遣回日本，顯然這是和平攻勢的一種姿態。但在另一方面，蘇俄的備戰姿態却變本加厲，匈牙利西陲所有通往西方的公路與橋樑現在都已加駐了重達六十噸的史達林式重坦克，這些坦克從來沒有在匈牙利出現過，顯然是最近由俄國開來的。同時，在挪威、瑞典和芬蘭北部一帶最近已發現更多的飛彈，據悉，這些飛彈都來自俄國北極海上的基地新地島。

美設計噴射運輸機

美國波音飛機公司刻在設計第一架美國噴射式運輸機，這種飛機兩翼後斜，將可載客一百至一百三十名。新機的優點不僅在容量，高度與速度才是它優於普通運輸機的特點，據說：它將能在三萬至四萬呎的高空中，以四個半小時橫越美國。（孟衡）

大陸水災益發不可收拾

洞庭濱湖區洪水氾濫

稻田無數被淹沒災情慘重

【本報訊】武漢消息：近來中南區各地因連日大雨，湖南各江河上游地區和大山區，已接連暴發山洪，洪水順勢大多注入洞庭湖，致該湖水位陡漲，已超過警戒水位，水勢一時氾濫，已將濱湖地區大部稻田淹沒，災況極爲嚴重！

據悉：此次湖南各大山的山洪，以零陵最爲巨大，該地洪峯的水位，有一百多公尺以上。洞庭水系的湘、資、沅、澧水水位，均直綫上漲在四公尺左右，衡陽水位上漲三點四公尺之多。

又訊：湖北濱湖地區各江上游及大山間，亦有多處暴發山洪，致使洞庭水位益加高漲，石首、監利、沔陽、嘉魚等縣，已有部份地區被淹沒稻田，損失亦甚慘重。據悉湖南濱湖區受災最重者，爲湘陰、益陽、沅江三縣，據中共之初步統計，已有八十餘萬畝稻田之秋苗被冲毀或淹沒，當地農民因而逃災者甚衆，情緒一片惶恐。且據中共天文台預測，近期尚有大量之雨水相繼下降，在湘鄂兩省及其上游各省，必將續發山洪，災況勢將有增無減，故中共中南區當局，已急令湘、鄂、贛、桂等省動員救災防洪云云。

晉閩粵山火連連

前後發生八百次

毀樹三百萬株焚山四百萬畝

嫩江亦起大火連燒二百餘里

頃據北平「人民日報」透露：近數月來，各地山林不斷發生大火，在山西、福建、廣東三省的一百三十四個縣及黑龍江、河北、河南、安徽、江西等省山林地區，以及內蒙古的昭烏達盟一帶，自今年一月至四月間，前後已焚燒約八百次之次，被焚林山面積，達四百萬畝之廣，焚毀林木共達一百二十餘萬株之多，損失異常慘重。

據該報披露：山西省被焚的有雁北、忻縣、榆次、長治、臨汾、運城等六個專區的五十個縣，共燒一百八十七次，焚去林山六萬三千餘畝，毀樹十六萬餘株。福建省四十四個林業區都有火災，共燒二百二十餘次，燒毀面積三十五萬多畝，幾佔全省今年造林總面積的百分之四十四，損失林木五十二萬八千多株。其中甯洋縣在最近一次大火中，就燒去林木十七萬三千多畝。廣東省據博羅、佛岡等三十四縣的統計，即發生山火約三百次，燒毀林山二百四十多萬畝，燒去林木約一百八十萬餘株。其中黑龍江、河北、河南、安徽、江西等省及內蒙古，災況較輕，但綜計前後共燒亦約一百餘次之多，燒去林山約百萬畝多，毀樹約五十萬株之多。其中黑龍江嫩江縣之一次林山大火中，竟自該縣直燒至愛輝縣境之新開嶺地區，長達二百餘里，經黑龍江僞副主席陳雷和嫩江僞縣長劉廷春動員四萬人撲救十餘日之久，方被阻延，其勢猛烈，災況之嚴重，可見一斑！關於此種普遍發生山林大火之情形，中共曾含糊其詞，吐露兩點，一爲各地幹部護林疏忽，一爲當地一般農民對山林收歸「國有」甚表不滿，故此一現象，甚足透視人民反共之心理。

川西游擊隊

俘共軍一營

【本報訊】據成都消息，四川之漢流（俗稱袍哥）弟兄，組織之川西反共救國軍，由楊萬賢率領，以岷江上游之灌縣汶川之邛崍山脈爲基地。月前與圍剿之共軍保安師激戰數日，俘獲共軍一營，步槍四百餘枝，輕重機槍三十餘挺，彈藥甚夥，曾一度攻克灌縣之紫坪堡，獲共軍糧倉存儲糧秣七百多包。匪共川西日報稱「剿匪」戰役中最大之損失云云。

又訊：被擒之國軍九十五軍黃隱民部，因不滿共方「正統」與「非正統」之分，和政治人員之凌辱，營團級幹部逃亡者甚多，並傳黃隱民已被李井泉扣押。（秋）

湘發生反飢餓運動

災民數十萬人大舉暴動奪糧

共軍鎮壓捕殺數千

【本報訊】湖南消息：此次春雨綿延，山洪暴漲，三湘幾成澤國，災情嚴重，前所未見，可是中共當局，對此百餘十萬之災民，竟一籌莫展，所謂善後救濟辦法，亦不過是徒託空言，不見實惠，數十萬災民在腹飢難忍中，只有挺而走險，向中共控制下的各倉庫實行搶糧，此等事件現已發生者計有：

常德德山大小糧庫十五座中，有六處被搶，當場把守庫共幹打死，將庫門打開，蜂湧搶挑，但於事後，被中共捕殺之災民，爲數達千人以上。

此一消息傳到長沙之後，接着衡陽柴埠門外及益陽桃花崙的草尾等地糧倉，均先後發生災民於黑夜集體搶糧事件，湘共現正爲此事加緊派部隊鎮壓防止中，並且把這種事件發生的原因，又歸咎於「國特」搗鬼。（巧）

蘇皖小麥歉收

農民情緒低落

共黨乘機貸款剝削

據北平光明日報透露：蘇北皖北地區之小麥業已勉強收割，惟收成空前荒歉，稍佳的，僅收四成左右，一般的，約在兩成之間，粒麥無收的爲數極多，故該地區之平均收成，僅在兩成左右，一般農民對此荒狀，無不惶恐萬狀！據云該一地區所以如此荒歉之原因，爲去冬經寒流襲擊，霜凍嚴，大風吹折，及巨雹打擊所致，其災荒程度之嚴重，爲該數十年來罕見。又據云，該一地區之春耕雖已完成，但秋苗較往年爲稀疏，農民之生活情形較往年爲艱難，農民之生產能力，較往年爲薄弱，農民之生產情緒亦較往年爲低落，故今年秋收亦必受重大影響。故蘇、皖二僞省府已決定在該一地區發放農貸，號召「保秋」（保障秋收之意），惟此種「農貸」爲中共變相之剝削、壓榨手段之一，農民視爲畏途，受貸款者，爲數極少，即願受貸款，亦勢難解決此種嚴重之災荒問題。且恐一般農民對於中共之救災之目的表面爲「幫助農民生產」，實際則爲保障一共秋季大農業稅的征收一節，心中有數。故農民異常消極，大多均有放棄農田，另去城市謀生之浮動心理。

中共如此優待工人

臨盆不許請假

女工暈倒礦場

【重慶消息】最近重慶「國營四零五煤礦」曾發生兩孕婦人在臨盆期被迫繼續工作數天而致難產死亡的慘事。緣有該礦礦工詹芝珍因已接近產期，體力不支，向礦場當局請求產假，詎遭領導該礦之共幹拒絕，聲言短假不准，長假則可，（長假即是辭工）該婦深慮失業，乃被迫繼續掙扎工作，但數天後，即腹痛，乃不得不忍痛請求長假，回家生產，卒以因工作過度，胎兒已受損傷，致遭受難產而亡！但此一慘事，並不爲共幹同情，接着另一女工黃秀華亦因接近產期而請假時，仍遭該等共幹拒絕，故該一女工仍不得不繼續掙扎，致竟至暈倒工場，當場流血臨盆，亦因同樣原因造成難產，不治而亡！

中共建設工程上下脫節

造成三不管五不知現象

由於中共在各地所謂「基本建設」的建築工程中普遍犯有嚴重的浪費及無人負責現象而蒙受了極大的損失，乃於最近在所有統治區內展開了一項「建立責任制」的運動以圖挽救。現據北平「人民日報」就華北區一區各工地爲例調查研究的結果提出批判，指出各工地在施工中所以都有浪費及無人負責的現象有一個通共的情弊，謂之：「三不管，五不知」。

所謂三不管

所謂「三不管」，一是各建築工程局或公司管不了工區，二是各工區管不了各工地，三是各工地管不了各工人。所謂「管不了」，並不是說層層無權管理，而是層層缺乏能力管理，上層管不好中層，中層管不好下層。所以會層層「管不了」，據說有三大原因：一、一般從事工程管理或設計等等的幹部，水準太低，既大多缺乏基本的知識，又大多未能專業的訓練；建築工程局或公司的或工區各領導幹部既缺乏行政管理領導的能力；各工地幹部更缺乏督工、檢工、調度等等的能力，加上積極工人的盲目快幹和消極工人的暗中怠工，便到處發生了粗建濫造的情形，乃使材料浪費，工日增多，設計走樣！二、各級工程幹部的官僚主義作風嚴重，使各層間的公文往來太流行而脫離了實際領導，形成了「紙上談兵」和「隔靴搔癢」！三、由於公文政治的迂緩和上下隔膜，使下級對上級的信任破產，加上施工一般問題都須及速解決，乃勢必發生了各行其是的現象，中共稱此種現象，謂之「工程自流」！

所謂五不知

所謂「五不知」，是在各級工程管理單位中：一、工資部門不知道工資情況，二、企業部門不知道一切賬目，勞動部門不知道工人人數，人事部門不知道幹部情況，工程部門不知道工程進度。此種情形，據「人民日報」首先舉出「華北建築工程局直屬第一工程公司」的例子說：該公司器材部接受了四十多億材料堆了一年多不知道處理，受了損害。第一工區有一千多捲油氈未經爲存放，日久失效，調回公司，材料部門不知道，又發給第一工區，該工區因不能用再退回，使運費及工時都受了損失。「華北人民革命大學」工地有二千多根杉稿剩餘給移作利用還不知道而報銷了損失，零散用工不記賬，有兩萬工工額不知道用在何處。第四工區要二十多個灰土工，公司不知道，却派去了二十多個石頭工。該公司承建九座油庫和營房混凝土工程中有蜂窩的佔百分之二十，露筋的佔百分之十也都不知道便交了工。此外，如天津建築公司推廣「雙手擠漿辦法」時不知道講解清楚，結果「雙手擠」變成了「雙手擺」還不知道錯，工地幹部在砌牆工人砌牆時後面派三個修補小組一路砌一路修補的無謂浪費，公司也不知道，該公司在天津王串場蓋了三千間房屋因不合規格，有二千間必須返工重建，到完工時都還不知道。如邯鄲建築公司給磁山礦設計澡塘，竟把倉庫的圖樣送去了也不知道，直到造了一半時方才發覺。

總括一句話：中共在建築工程中的失敗也相當嚴重了的！

大陸紗廠女工

患關節炎特多

據最近北平光明日報透露：目前各地一般紡紗廠之女工，患關節炎症者極爲衆多，而以西南區之各紡紗廠，患者特多。據估計，平均每百名女工中，已有二十五人到三十五人之間患有程度不等的關節炎症。據稱此等女工患關節炎症之原因，主要在廠房不合規格，車間設備過差，既缺乏防熱層的必要設備，廠地又都係水泥地或泥地，異常潮濕，致水份受熱蒸發，濕氣鑽入人體，日久便釀成此症；其次則女工體格之抵抗力本較男工爲弱，加上營養不夠標準，工作時間過長，缺乏適當的休息調劑，致體力日形衰弱，乃易受疾病侵襲云云。據悉：目前西南區工管當局雖已注意此一問題，但尚無有效辦法加以改良，且因生產任務緊迫，大部患者，仍在力疾工作，情形殊爲悽苦，故此等工廠，已無異人間地獄矣。

二十年鷄零狗碎的事

婚姻調查名目繁多

搞得共幹目瞪口呆

爲了交差祇好胡造亂報

最近中共河北省委員會宣傳部在北平「人民日報」刊出了一張石家莊專區貫徹婚姻法辦公室發給所屬各縣查報的「調查貫徹婚姻法類型統計表」。這張統計表的名稱十二個字是否讀得通，姑不去管它，單就這張統計表的繁瑣、複雜的程度及年限的久長，便足令人驚訝不置！

該一統計表的調查年限是從一九三四年起（不知根據何在？）到一九五三年二月止，共達十九年，據稱其中還劃分爲七個階段，如何劃分法，則未說明。

該一統計表的調查範圍以村爲單位，調查內容，共分四大類，每類又有許多小項目：

其一爲「婚姻類型」，包括：包辦婚姻有多少？買賣婚姻有多少？變相買賣婚姻有多少？童養媳有多少？奶媳有多少？重婚有多少？早婚有多少？離婚有多少？寡婦結婚的有多少？自主婚姻的有多少？半自主婚姻的有多少？

其二爲「違法亂紀類」，包括：打胎的有多少？溺嬰的有多少？貪錢的媒婆有幾個？不貪錢的媒婆有幾個？因婚姻糾紛而被逼自傷的有多少？被逼自殺的有多少？被殺的有多少？受虐待的有多少？受虐待中還要分受丈夫虐待的有多少？受公婆虐待的有多少？受同輩虐待的有多少？

其三爲「貫徹婚姻法類」，包括：處理了多少件離婚案子？辦了多少件虐待案子？介紹改嫁了多少寡婦？新結了幾對婚？判處了幾件違法婚姻法的案子及其人數？

其四爲「其他類」，包括：全村的土地畝數、戶口數、男女、老少人口之比數，寡婦和光棍的人類，而有關男女人口和寡婦、光棍的人數的調查中，還要分青年、壯年和老年三大類。

當然，像這樣的統計表，別說幾個鄉村幹部查不了，即使是擬訂這張統計表的「專家」，自己也無法查得了。因而，這一張表一發到該區各縣，便弄得鄉村幹部張口結舌，這些鄉村幹部不知所措，別說調查，連這張表的內容也瞭解不清。於是，不得不照實向上級「反映」，請求指示，最好是免填，但該專署的指示是「還是填一下好」。鄉村幹部沒辦法，不得不派人調查，但一開始，便碰上了釘子，一個老年人對共幹說：「你們要查到二十年的鷄零狗碎事，別說小夥子，連我老頭子親身經歷的事也說不明白了！」既然如此，鄉村幹部自不得不跟其他的統計表一樣，來一個胡亂造報以便交差，但據說有些鄉村連亂造都無法填起來，可知這張統計的妙處，確已妙不可言了！

俄花布源源運到

強迫銷農村無人要

【本報訊】大陸老百姓的生活，是苦不堪言的，十家有八家只能吃稀飯或雜糧度命。可是却有一點怪現象，在大陸農村間普遍發生，即一般農村婦女，多穿着花布衣衫在田裏工作，破除我國數千年來農村婦女好穿青藍布衫的質樸風氣，原因是：這些花布盡是俄國「老大哥」的出品，運來大陸後，中共便分配到各農村合作社，強迫着要老百姓購買，老百姓只好以糧食來交換，所以，現在大陸農村中有一種民謠流行着：「身上穿得光，肚裏餓得慌；送去打游擊，一夜一張床。」前者是指一般農村老百姓以不足的糧食，被中共強迫拿去換俄國花布做衣服穿；後者是指一些年青婦女，被生活所迫，又受中共幹部的威脅利誘，只好露出賣肉體來混一天兩餐了。（楓）

人權與賊脏

為方

自由談

美國最高法院經過了兩年多的偵查審訊辯論，才決定判處兩個盜取國防機密與敵國的間諜罪犯——羅森堡夫婦——以死刑。臨執行之前，還由律師出面，幾次申請總統特赦，大法官准予延緩刑期，最後又經總統拒絕赦免，然後請他倆坐上電椅，身受國法制裁。

拿自由世界對羅森堡夫婦間諜案的處理經過，與俄共世界對所謂「反動」「間諜」，以及「地主」「惡霸」等人的隨意屠殺各情相比較，即知自由世界的人權是怎樣地尊重寶貴，給人類以生存的機會哩！光是這層道斷，共產暴徒之必須反抗剷除，乃至於「食其肉而寢其皮」，不是千該萬該的麼？

然而，俄共世界的暴徒們，却恬不知羞，竟大作其營救羅犯運動，指美國冤殺好人，而以「從容就義」這些字眼加之於羅犯夫婦，眞是滑天下之大稽！這還無知無識的暴徒，既否認以金錢收買羅犯替俄帝作間諜，竊取原子彈機密，又對羅犯之伏法如喪考妣，不管自認其主子的教唆罪行，有如「此地無銀三百兩」的告白，豈不可憐可哂！

共產黨人的狼腐只有一樣，即臉厚心黑，不知人間有羞恥事。西方民主國家若還「以己之心度人」的作風來反共，那徒然爲共黨所竊笑而已！

荒島探奇

·呼嘯·

一個住在不夜國裏紳士型的大亨，鑒於世事日非，人心浮動，影響它壟斷國際市場的貿易競爭，很想找一個經常不變的仙島，開闢它謀取更多財富的第二戰場；於是收買了一批探險家，組成一個探險大隊，並以重金禮聘一位體料博士（法學博士兼神學博士）；監視這些探險人員，開始尋覓它理想中的樂園，完成它永久據住世界經濟命脈的迷夢。

有一天，這位體料博士，監督這批探險人員出發了；博士是照例駐在探險的海港上，或者一個飛機起飛的基地，靜候探險人員，隨時用無綫電傳遞，向它報告探險經過。

探險人員費了幾許的周折，竟然找到一個特奇的仙島，確是一個永恆不變的樂土；趕快向博士拍了一個冗長的電報，把詳細情形，毫不憚煩的向博士報告。

據報：這裏的一切，是永久不變最適合大亨們理想的地域；第一、這裏的人、動物以及植物，是長生不死，永久沒有變動過。從天地開闢直到現在，始終是保持原封不動，不死也不生，不食也不動，不必就心有什麼革命；和叢起反抗或爭取獨立的事件發生。

其次，他們不需要生子，沒有家庭負担，物價的波動，是不會在這塊地方起若何影響，更不必就心企業革命和經濟崩潰，對大亨們財富的保障，是比任何地區還要妥當可靠。從來沒有爭執，沒有苦悶，如果把大亨所要實行的制度拿來此地運用和實施，通人遵制度一定可能與上帝同壽。

再次，因爲他們沒有負担，人工是最低廉的，從不計較過工資的厚薄，並未發生過請求加發工資一類的勞資糾紛，至於罷工和怠工更用不着杞憂了。尤其關於政治問題和思想問題，這裏毫無沾染，闃寂而安靜的荒島，確是大亨理想中的樂園。

體料博士收到這個電報後，趕快搭機飛到目的地，落實地考察一下，好向大亨們復命，實現它們幻覺中的永恆世界。

博士到了島上，由幾個探險隊員陪着他，向島的中心走去，不知走了多少路，一個想發現一朵花，一棵菜，是沒有的。茫茫大地，偶或發現幾叢荒草，但，雞生在那裏，若是紋風不動。

又行走了幾許路，才看見一隻禿頭的白鶴，靜靜的蹲在行將乾枯的樹枝上，博士在最初以爲是個陳列的標本，比及走近一步，才知道是活的；以後，見到一個蛤蟆，一個四腳蛇，一隻黃雀，都是機械的屈伏在原來的地方，一個探險員說，他們三天以前來此，就看見牠們原封未動的蹲在這裏，如今，仍保持牠們的常態，沒有變動過。

看到了一些人，無論立着或臥着，行着或坐着，都是目不邪視，好像是啞子，從沒聽到說一句話；博士遊目四顧，心想像這樣死寂沉沉的荒島有什麼用？表現非常失望，對探險員們說，難道這就是你的樂園，就是這樣得手嗎？一個探險員向他解釋，這個仙島，從古至今，就是這樣，他們不生，也不死，旅居仙島悠久的人，沉默寡言，甚至永久不發一言；假使要想徹底了解這個仙島的奧祕，祇有旅居本島北部一個剛來不久的仙人，可以向他追根溯源，探個究竟；因爲他倚未斷盡人間烟火氣，尚能接受人們的詢問。其他，是不會和你多所交談的。

尋到了這位仙人，正假倚在一顆紅色枯木的底下，游絲一樣，似很疲倦，博士伸手爲禮，向他打過招呼，他仍是冷冰冰地向博士瞟了一眼，兩人開始攀談起來。

博士：「你們這座仙島上，爲什麼沒有花，也沒有葉，空氣是這樣的沉寂，生物一點也顯露不出欣欣向榮的姿態。」

仙人：「這裏是長生不老的仙境，什麼動物或植物，都是不繁殖的，有了花和葉的話，不是變成同人間一樣了嗎？」

博士：「你們既不食，又何必替人家作無代價的勞工，個人又那樣的機械，連話也不說，好像被人鉗住了口舌，牛馬般的生活過下去，啞口無言，有什麼意義。」

仙人：「爲了表現理想的樂園，祇有服從一個人的指揮，用不着我們去插嘴，用不着我們去插言多事；爲了減去紛擾，大家瞪目而視，一切無謂的爭執，都讓它無形中消失去了。」

博士：「像這樣的世界，也不是我理想中的樂園。」

仙人：「只要你們常川的住在此地，時間一久，一切也習慣了；初來的人，大半詫異地用新奇的眼光來看我們，實在是少所見而多所怪了。」

博士嘆了一口氣，表示非常失望。

仙人：「假使你要永保長生，過着經久不變的環境，歡迎來此共渡這荒漠的歲月；若是要開關新貿易職場，或者永久維持經濟權益，這地方恰恰是你希望相反的途徑。」

博士頹喪極了，再沒有答他的問話，率領着探險員，離開了荒島，飛返不夜國，向大亨報告這一般經過。

大亨聆聽報告之後，把頭腦冷靜一下，反復地考慮這個問題，他想：「時代是進化的，這個荒島，正是退化，到了洪荒的原始時代，把它當作理想中的樂園，與它發生經濟上的關係，甚至把它闢成另一個商業市場，不僅我的財富地位要消失或者完全破產，而且，我的一貫政策和制度，也隨之走入了上古時代，豈不是完全的完了蛋嗎？」他漸漸地有點覺悟。

等到大亨一夢醒來時，博士和探險隊員的一羣，爲着探險而把牠消耗了一大部份資金。僥倖的是在狂怒驚險的海濤中，舵還轉圜得快，不然的話，恐怕要蹈上覆舟的危險咧！

知命而罹非命

新·世·說·補·遺

鄂人江文波，清末以秀才入湖北文普通學堂，與現今中共頭目董必武同硯席。民國以後，偕董于役教育界有年，旋董崇信共產主義，彼此思想鑿枘，遂分道不相爲謀，江氏改趨仕途，歷膺州邑令，有政聲。居常好研易卦，喜言命理休咎，多奇驗。

民國廿二年江氏長鄂西松滋縣，縣治偏在北境大江濱。時有縣人熊玉庭者，當國會議員也，居武昌，爲鄉縉紳，爲當道所敬憚，以其家在縣境南鄉，糾合鄉人，懇請遷縣治於其里鄰附近之磨盤洲地方。大府不能即決，命赴當地查勘之。愚偕江氏馳赴當地，乃一山谷間之小茅村，居民不及二十戶，三面環山，僅一徑通出入，全洲面積約周圍兩華里，實爲狹小盆地，絕無設治條件也。然鄉人倚仗熊氏權勢，已於山頭自行建成縣政府一座矣。愚詢江令：君精命理，亦通地理否耶？江正色而對曰：「縣治若卜設此間，其縣長必罹非命之禍，倘大府竟許遷，吾決掛冠去，免遭不測」。既而，省府曲徇熊氏意，罷愚實地考察報告不顧，遷令遷治，而江氏亦任職如故，頗以爲異。

廿三年八月，共黨賀龍以爨等率衆自湘邊進擾鄂西，松滋縣境首當其衝，而新治所在之南部一帶，尤爲共軍隨時出沒之據。夏曆一股竄陷磨盤洲，江氏聞警，倉皇雜羅衆中逃走，然體胖不良於行，以乘輿隨其後，共軍指此目標疾馳追及，捕江氏去至深山巢穴，以鈍刃凌遲處死，果如其所預言，時遷治才兩閱月耳。

禍作後，縣府移原舊治，省府固不復異議，縉紳亦噤口無言。愚再往視察，檢於其公文皮包中，見有以信箋親書字條一張，內註：「立秋後，有大不利，愼之愼之」等語，尾記「七月十八日」。愚嘗詢其祕書：江君固早知新治爲不祥之地，縣令必膺奇禍，而禍發前月，又推斷其命運有大不利，奈何不早爲計，竟坐以待斃耶？祕書愛然曰：「居停非戀此不去也，奈有不肖子，私斷舊公帑，擬勉留三數月，如數彌補，即謀他調。蓋居停清貧，設使東窗事發，則名譽掃地，更無可爲矣」。愚聞而太息悼歎久之。如江氏者，乃爲兒女而殉身也！當年江氏曾得高僧詳究命理，竊囑待屆五十之年，務閉門卻掃三五載，諸事皆不宜問。愚疑其虛誕未足信，漠然不從，詎知所言歷歷奇驗無爽，追悔莫及。每思亡友，豈勝黃壚之痛！

馬五先生

媽咪駕車記

·由之·

若干年前，有一位青年軍官的太太，因爲在美國德克薩斯州里奧斯比林軍營附近找不到合適的房子，只好搬到三十哩以外的小聖安大略居住。他們夫婦的感情非常之好，但由於那位青年軍官很少獲得假期的緣故，她一人獨居安大略鎮上，既沒有親友來，也無孩子解悶，內心中實在有說不出的孤寂與苦悶。

有一個週末，她靜候丈夫歸來，但到了應回來的時候，還不見丈夫的影子。她知道丈夫的假期又靠不住了，她決心自己前去探望。那時候，車房中停了一輛她父母借給她的車子，但她自己又不懂得駕駛，一時又找不到司機人。後來她跑到隔壁鄰居家裏，請教如何開動車子和怎樣操縱駕駛盤的方法，隨後匆匆駕着汽車去探望她的丈夫。

那時候，在里奧斯比林軍營門外，有一個青年軍官在接到他妻子的電話後，即焦急地在門外等候。最後，一輛他所熟悉的汽車終於來了，車子沒有破損，慢慢的朝他駛來，他高興得合不攏嘴吧，兩手不斷揮舞。

「艾克」，媽咪向艾森豪呼喊說：「跳上車子，快一點！我不知怎樣停車的」。

奴役的藍圖（十七）

麥柯米克神父著　陸逸譯

第十章　殺害教士

美國浸信會在我們鄉裏有二位年長的女傳教士，她們整個的生命全奉獻給在華的傳教工作了。她們熱心于她們底工作，但更熱愛中國人，她們決定在她們所喜愛的中國來渡其殘年，但共產黨却千方百計地刁難她們，最後其中的一位變了主意，要求離華回國。

她要求離境的申請，如石沈大海，幾個月都沒有回音，她三番五次地去詢問，總被不負責的官詞搪塞回來，她底健康愈來愈壞了，最後，經過九個月的折磨，共產黨才許她回國。

一九五一年二月，另外那位浸信會的女傳教士也同着瑞士路德會的會士們，一同回國了，她們都不願意離開中國，但她們却被共產黨冷酷地趕了去來。

在這個期間，共產黨下令叫所有的外籍人士到指定的公安局裏去辦「外僑登記」，有些去登記的傳教士，竟沉一去不回，有些就被關在房里，另外一些被押起來，準備公審，更有一些就被驅逐去境。

一九五〇年十二月廿八，共產黨頒佈命令，凍結美僑在華財產，包括錢財、房產、家具、以及私人用品，一九五一年八月，又下了一道命令，徵用美國在華各種事業工廠學校。又于一月十八日下令所有教會事業全部移交給華人教士。接着就是『獨立教會運動』的開始，各種會派都奉令舉行座談會，討論成立『愛國獨立教會』事宜，在頻頻的會議裏，共產黨勸令人民簽立『三自運動國公約』，所謂三自就是『自給、自立、自傳』，大會要求保證以後與中國以外的教會斷絕關係。

排外運動擴大

說來也頗可笑，「三自」中的「二自」其實全是教士們過去工作的目標，他們最後的目的也是使教會能自給自足，再不依賴國外教友的惠助。他們也造就本地教士、修女，及傳道員，使教會在將來能達成「自傳」，再不需外來教士作幫助了。至於說『自立』這一項，共產黨底意思是中國教會必須和梵蒂岡教皇斷絕一切關係。照這樣說，教會祇能稱作國教了，再也不是從聖教徒傳下來的聖而公教會底一部份了，這點與公教教義大相逕庭。我知道有十個中國教士，都是我底朋友，直到現在仍關在牢獄裏，就是爲了不肯去組織這樣一個「教會」的原故。

傜山風光

·隽夫·

傜民是中國民族之一，一稱「莫傜」，他們住居在廣西湖南（南部）廣東（北部）等省，大率都是山居地帶，因此普通稱傜民聚居地爲傜山。傜山，現正高舉着反共的大纛，廣西的「傜王」李順保（？）傳說已受匪誘押，其實千千萬萬的傜民，是誘押不盡的，廣東北部連陽三屬，連縣、陽山、連山、三縣，現在加在多一個連南縣，由原來的連陽安化管理局轄境改設，連南縣七萬多人口，傜民佔百分之九十以上，在這些傜山裏，許許多多的人，正爲着爭生存求自由與匪共拚命奮鬥。我曾在對日抗戰期間隨廣中山大學社會學系邊疆社會研究組教授胡耐安先生跑遍粵北有傜的縣份，欣聞傜胞們反抗匪共的消息，就記憶的所及，寫一點傜山風光。

傜山風光好

傜山通稱傜排，他們的排，等于我們的鄉或村，因爲他們都是依山築屋，屋全用木材構造，板壁爲「牆」，杉樹皮作「瓦」，屋是一行一行的排列着，因此名之曰排。遠遠望去，恍若我們在九龍遙望香港半山區的房屋，當然那是不够半山區的豪華壯麗。傜山的屋宇，進門爲一騎有地爐的廳堂（火房），那是他們招待客人也是敬奉神靈祖先又是煮飯的地方，冬令更是家人團聚取暖的地方。屋不開窗，緣云魔鬼會從窗口入屋。

傜民喜愛山居，習慣自然，所以不拘男女，都善于翻山越嶺，女人們背負幼兒，肩挑粗柴，平步如飛的走上高達千尺的山路，而不改色，口不喘氣。傜有八排傜過山傜之分，八排傜自承爲傜的正宗，他是盤古皇的後裔，姓盤的是八排傜的大族，也可說是貴族。過山傜似乎「經濟環境」較優。（上）

本報各版
歡迎投稿

自由人

中華民國僑務委員會頒發登記證台數新字第一零二號
中華民國郵政登記第一類新聞紙類

THE FREEMAN
（半週刊每星期三六出版）
（第二四二期）
每份港幣壹毫
督印人：李光華
社址
香港高士打道六六號
電話：二〇八四八
GLOUCESTER RD. HONG KONG
TEL: 20848
承印者：東南印務出版社
地址：高士打道六十四號
台灣特派員辦事處
台北市館前街五十號
台灣總經銷處
台北中華路新號五九四之一
台灣郵政劃撥儲金帳號
九二五二號

日本願再使時機坐失嗎？

當心將來有追悔莫及的一天！

左舜生

從整個世界的各方面加以透視，並從當前所發生的種種事象去加以分析，假定日本人依然是悠悠忽忽，錯過大好時機，不能乘時崛起以提高亞洲的比重，這實在是太可惜了。

我們期待日本的正常心理

照情理上說，中國人曾吃過日本軍閥半個世紀的苦頭，如果要反對日本的重整軍備，應該沒有比中國人更感到迫切需要的了。可是，今天除掉擁有四百萬正規軍，千萬民兵，而且已從事了三年對韓侵略的中國共產黨以外，所有愛好自由的中國人，對於日本的戰後復興以及武裝重建，幾乎莫不以好意迎之；此何以故？我們決沒有意思期待日本軍國主義的復活，也決沒有意思鼓勵她再度發揮對外侵略的野心，實實在在，為整個的世界着想，為亞洲的一局部着想，尤其為我們總覺得日本確實有十足完成自衛力量的必要，也確實有排除障礙以完成其和平發展的必要。

照理說，我們自身有一大串的問題須待解決，我們原不必『捨其田而耘人之田』，來為日本借箸代籌；可是，儘管今天多數日本人對中國問題漠不關心，一部分日本人對中國問題的看法又建立在一種錯誤的假定之上，但我們依然覺得中國問題與日本問題在實質上為不可分，中國問題如果不能得到合理的解決，則日本問題的處理必將陷於治絲益棼，甚至終於找不出一個合理解決的途徑。

日本不願武裝的五點原因

日本今天依然有大部分的人對再武裝抱持一種反對或搖擺不定的態度，這決不是偶然的；要分析他們的心理，不出下舉的種種事實：

一、戰爭的結束，究竟還不到八年，一部分人對於過去軍閥的顢頇招禍，實在是談虎色變，這種創鉅痛深的心情，是不難理解的。

二、最近幾年日本經濟的漸趨繁榮，一半固由日本人的自身努力，一半亦由時局給了她良好的影響；但不幸這種一時的景氣，却招致了一部分工商界的錯覺，他們幾乎忘了自身的根本弱點，以為只要維持着某種程度的和平，他們的事業便不難扶搖直上，而不會遭遇着難於克服的困難，他們誤會再度武裝足以擾亂他們的錦片前程，因而他們對這件事始終不能十分起勁，或疑信參半。

三、共產黨的和平攻勢，不能說沒有影響：真正的日共，自然也只能和他們的祖國蘇聯一鼻孔出氣；其餘淺薄的知識分子，喜新好弄的幼稚青年，昧於事實，不肯深思熟慮，對國家又缺乏責任感的投機政客，也往往容易而為這種和平攻勢所迷惑；他們幾乎是有意或無意的在為共產黨張目，而認日本的重整武裝為多餘。

四、也還有一種自命穩健的老成人，他們覺得蘇聯的力量不可侮，觀察蘇方在遠東的一切軍事布置，又顯然以日本為主要的對象，如果日本在此時忽視了這一危險的環境，即大吹大擂的來整軍經武，豈不適足以招亂速禍？

五、最後我不能不說到美國。截至現在為止，美國人始終還只有一個反共的原則，對於如何反共的技術，或者說她對於一個環球反共策略的安排，却依然是捉摸不定！在過去的七年間，美國在日本的一切措施，在一般日本人的眼中，只是毀譽參半，這由於他們幫助別人的心情，超過了尊重別人的心情，而又不能虛心去理解別人的心理，因而引起了許多不必要的誤會；再加以共產黨及其同路人，又把反美確定為他們的基本政策，更從而多方煽動之，以致使得多數的日本人誤解日本的再武裝只是美國人的需要，而並不是日本自身的需要，因此乃召致他們對這件事的一種懈怠，甚至於加以阻撓。

吉田政府並非不要武裝

平心而論，吉田政權始終是依存於美國而繼續的維持着的。吉田本人乃至他的重要閣僚如緒方岡崎之類，他們對於再武裝的一種想法，原與鳩山重光蘆田等人是沒有多少區別的，不過一方他們在等待着美國一個真實的態度，一面他們也確實是有意採取這樣一種摸稜態度，藉以緩和對內對外的刺激，以求得更能[illegible]他的政權。以現實觀點來說，我對吉田內閣的這一態度，毋寧是不願加以反對的，不過在這裏却可能包含了一個重大的危機：大凡一個政府過度的看重了它對於政權的維持，而忽視了國家的大計，即難保不給予共產黨一個巧於[illegible]的間隙，而促成它自身的腐化與怠惰；因為共產黨所怕的只是你的堅決，而最歡迎的便是你的摸稜，他們便不愁你不會不流於妥協與遷就；你一經妥協遷就，他們的蹈瑕抵隙的技術，乃可以運用裕如，而達到他們所要達到的某種程度的目的。

日本的責任感與亞洲前途

日本今天已儼然是一個獨立國家，在日本人儘管表面上是謙讓未遑，但[illegible]人並不會忽視她所處的地位的重要；可是以實力未充之故，乃至對當前亞洲所發生而於日本有切身利害的重大問題，例如目前的韓戰問題，所引起的紛擾，雖欲堂堂正正的作一正面有力的發言而不可得，不得已，乃只能一再表示對南韓的復興願加以相當的助力，其缺之責任感與軟弱無力，實不令人失望。反過來說，如果日本不悠悠忽忽虛度最近兩年的時間，已擁有二十萬以上的陸海空軍，實力差足以自保，求得亞洲其他反共國家對她的合作，且能保持一較為密切的聯繫，則今天敗象畢露的蘇聯與中共，決不敢對日本加以任何威脅，又即整個亞洲的局面，何至於聽人擺布而陷於目前的這樣[illegible]！老實說，以最近所表現於國際間的種種事實，赤裸裸的是一種以和平言辭的姿態出現，什麼理想，什麼正義，依然是可望而不可即的，[illegible]一些共同的保障，本還不是自身的力量，而想在這種虛偽的和平空氣中，以確保其自身的安全，并以求得其應有的發展，致使時機坐失，將來終有追悔莫及的一天！

讀書人的團結問題

牟力非

讀書人的特質

讀書人是最具堅毅性格與反抗力量的。這種特性並非與生俱來，是除了外在的刺激和內在的修養而成。究其先天來源，第一是因讀書人最易接受外界的刺激，對於一切現象特別敏感；第二是由於他們從讀書經驗中鑒定其辨是非判善惡的基礎，以貶惡揚善為己任，因而養成其堅毅不苟，捨身取義的習慣。

有了體察外象的敏感，和堅毅不屈的習慣，不管他是不是一個文化工作者，却已具備讀書人的氣質了。若能博覽群籍，或潛心研究專門學術，以其所知，用於社會，正是讀書人的責任，即令無大貢獻，亦無害於人羣。這樣，一旦臨到是非善惡關頭或危急存亡之際，必能知所抉擇，取善拒惡，勵是明非。讀書人的地位即因此提高，社會譽之為正義的維護者，奉之為羣倫的領導人。自古以來，讀書人確曾走過紅運，創造且改變過歷史命運。但時至今日，問題來了：為什麼讀書人竟有趨沒落之象呢？

讀書人會沒落嗎？

我國由來對於「讀書人」這名詞的概念頗為含混。有的稱之為「士」，有的稱為「士大夫」，有的稱為「書生」，晚近更統稱曰「知識份子」。近來有人把士與大夫分開，否認大夫具備完整的讀書人氣質。實際上，士與大夫，書生與知識分子，均各令人有其不同的觀念。就我們習見的情況而言，大夫的官僚氣味太濃，書生的頭巾氣太重，知識分子的涵義又太廣。（這名詞在中國，似覺包括所有粗通文字或不識字而附庸風雅的人在內。）唯有「士」與本題所稱的「讀書人」相近，但依習俗觀念又把它看做高傲迂闊而不合時宜的人物。不如乾脆把它們各個分開，以顯示「讀書人」的特點。

人類如果不回返到原始的荒蠻時代，讀書人絕不會沒落，沒落的應是士大夫書生之流。歷來被凌辱殺害的士大夫，真能具備讀書人氣質的亦不多，所以不能視為讀書人的沒落命運。

古時以「富貴不淫，威武不屈，貧賤不移」列為士的節操，實際說來，純正的讀書人決不志在富貴，他們能安貧樂道，倘遇不平，更有凜然不屈的精神。像這樣純潔的讀書人，會沒落嗎？

讀書人團結起來

今日的知識分子雖多，而純正的讀書人確亦不少。讀書人之逐漸增多，便是國家起死回生的潛能。因為由他們可蔚成新風氣，新力量，孕育國家的新希望。

世人不要以為讀書人不做官即好與官為敵；相反的，他們可以彌成政治的修明。凡是能夠尊重讀書人而講求「養士」之道的國家，就是其生命力充沛的表現。古時純正讀書人維持生活的路子，只有設館講學之一途，今在數千年後，除了少數獻身自由職業以外，仍以教書者為多，實在值得我們反省。

讀書人每易受政治人物的誤會或憎惡，不是說「他們愛發牢騷」，就說「某某故意搗亂」，這是不合事實的偏見。讀書人的可貴處，端在於他們能明辨真理，擇善固執。他們批評時政，永遠持着「勵其是而責其非」的態度，政治人物應有「為拜昌言」的雅量來接受批評，才是求治的上策。年來自由中國對讀書人頗能尊重與寬容，但讀書人本身的表現還不夠積極。當此反共團結高唱入雲之時，希望讀書人團結起來，各盡所能，為國家民族而努力，否則必然要趨於消沉沒落的。

有人說，讀書人最不容易團結，甚至不可能團結。因為他們有「文人相輕」和「秀才造反，三年不成」的先天特性！我不贊成這種說法，那些「相輕」的，是不曾真正讀通了書的讀書人，「三年造反，一事無成」的，也只是頭巾氣甚重的腐儒而已。真是讀書明理，不甘自暴自棄的讀書人，他就一定懂得歷史教訓，理解天下興亡，國事成敗的因果律，決不願自相作踐或孤芳自賞的。

讀書人的團結，既不需要指派什麼「讀書官」來指導，也用不着選舉什麼「讀書人代表」去喊八股口號。憑着興亡有責的[illegible]理，天下為公的精神，聲應氣求，人同此心，有甚麼不能團結之理呢？

塔虎脫（右）腎病嚴重，參院共和黨領袖任務，已暫由諾蘭（左）代理，圖為塔氏最近受檢查後，出席參院時與諾蘭同攝

一週展望

•雷嘯岑•

前倨後恭的作風

美國文武大員，近來絡繹於南韓道上，為的是要說服李承晚，不再堅持其反抗休戰的態度。這作法是對的，可惜太遲了！假使在南韓代表聲明不參加板門店和談的時候，就有此「以大事小」的循循善誘作風，又何至弄成現在這種僵局呢？當時視南韓為無足輕重的小夥伴，頤指氣使，拿她當作串演姑息醜劇前的祭品，無所顧惜。狗急且要跳牆，而況人乎？事已至此，一切口頭上的解釋保證，姿態上的威脅恐嚇，都不濟事了。如果李承晚亦以前倨後恭的作風，無條件地忍受他所認為足以招致亡國大禍的休戰條款，那他將何以自解於韓人呢？李氏近日所提示的三項折衷辦法，即是妥協的表示。美國如有不還就西方盟邦壓力的勇氣，見機而作，先與南韓進行安全互助協定的談判工作，形勢立可和緩，其他兩項，儘有商量之餘地。

這不是李氏個人的利害問題，而是全體韓人民禍福存亡的國命攸關之事。他已經騎在虎背上，怎能悄然地走下來呢？英國工黨人士大發「趕走拘禁李承晚」，「改組南韓政府」的怪論，除非聯合國能夠將南韓託管，而以某一外國人來繼承李氏職位，否則「趕走」或「拘禁」一個李承晚，還有千千萬萬比他更倔強而不相信「羊上樹」的愛國韓人在，又將如之何呢？

「中立國」軍隊的安全保証

外電消息，尼赫魯向美國要求保證印度軍將來執行「中立國」監俘任務的安全云云。既是「中立」的和事佬，當事人雙方自然會敬重的，何須乎請強人來保鏢呢？

要請人保鏢，內心裏即有不可告人的隱，所謂「作賊心虛」是也。貌飾「中立」，內藏詭謀，那就得不到別人的諒解與同情，「耗子過街，個個喊打」，雖有鏢客，亦屬無用！

據說，印度又主張把戰俘移出韓境，以便「中立國」可以安全實行其監護任務。唯一安全可去的處所，只有西伯利亞或堪察加那些地方，包管安全穩妥，使「中立國」的主幹國家——印度，功德圓滿，名利雙收！

記得第一次世界大戰後，產生了一個新的英文名詞，叫作「看貌弗類己」（CAMOUFLAGE偽裝之意）第二次大戰的結果，現在又發明了一個印度式的『中立國』美名，若要譯成英文，似應該給它一個專門化的稱呼，可叫作「印度的看貌弗類己」！

法國小姐搔首弄姿

法國內閣的無政府狀態已延續了幾十天，政潮依然洶湧不已，安南的民族獨立運動，又正隨着越盟而日益激化，內外形勢都很緊張不寧，非急求自救之策不可。

但法政府却有閒情逸致，對南韓政府居然亦提出「嚴重抗議」，指其反對休戰之不當，要與英國看齊。唯恐被人忘却她那「四強之一」的大國地位，何其可哂之甚也！

曾記當年俄共集團的代表在聯大反對自由中國時，南斯拉夫代表亦跟着吆喝，自由中國代表蔣廷黻告訴他：今日我若被蘇俄反對掉，明天就要輪到閣下了！法國像煞有介事地向南韓抗議，其情與南斯拉夫在聯合國指摘自由中國的行為，可稱難兄難弟啦！

敬答台灣讀者

最近接到了若干台灣讀者來函，對我們多所指教：有的指出我們對民主自由思想之宣揚還不夠積極；有的對本刊某篇言論有所共鳴或商榷；有的對左舜生先生和區區有所鼓勵或責難。總之，都是一種愛護本刊的盛意表示，我們唯有拜感自勉。

左先生說，有人寫信來鼓勵責難，即是本刊兩年多來孜孜耕耘的好收穫。謹以此言答覆各位來函的讀者，兼以自慰焉。

台灣通訊

俞鴻鈞採取新措施 健全台灣地方自治

胡適之與蔣廷黻回到台灣的時候，都很關心台灣實施地方自治的情形。他們認為從台灣的地方自治中，可以看出台灣的民主趨勢，並可以用之袪除國外人士對台灣政治尚不夠民主的疑慮。葉公超上次出席聯合國大會回來，也說美國朝野對自由中國的讚揚，在於軍隊的改進，土地的改革與地方自治的實施。美國人聽說台灣的縣市長已經都出於民選，而非由上級政府任命，皆認為是出乎他們意外的措施。但是台灣自從三十九年四月實施地方自治以來，轉瞬已經三年有餘。若從地方自治的真正意義去看，則除去縣市長已辦到民選外，其餘尚相差很遠。本年五月，中國政治學會在台北舉行第四屆會員大會，就曾對之作過一次澈底而有系統的檢討。吳國楨在台灣省主席任內，本其在各縣市親自觀察的結果，也曾指出基層組織脆弱的情形，並且大呼要從頭改造，建立金字塔式的政治基礎。惜終吳氏之任，迄未決定改造的辦法，以致地方自治的真正基礎，始終未能充實。俞鴻鈞氏繼主台省以後，首先遭遇到糧價上漲的難題。最初糧食當局提出了糧荒的許多原因，惟經俞氏親自到各縣查察，才發覺那些原因並不是主要的因素，而重要的關鍵乃在於地方自治的基礎太欠健全。如各縣鄉的農會與糧食事務所所有的糧食數字，並不正確；且各級糧政人員，竟虧空舞弊，總計起來，數字異常驚人。俞氏回省以後，除着手改革糧政，另定方案外，并先行核定了健全地方自治的辦法，可謂得其要領。蓋糧政的改革如不從充實基層組織入手，而只在糧食局方面設法，必不能謀得根本上的解決。從這一點也可以看出俞氏的力行精神。

金字塔式政治

俞氏核定的健全地方自治辦法的要點，在於實施吳氏所謂金字塔式的政治，而並不增加經費的支出。台灣地方自治的最基層組織是村里鄰，村里同為一級，相當於大陸上的保，在城市曰里，在鄉曰村。鄉則相當於大陸上的甲。台省現有十六個縣，五個省轄市，一個陽明山管理局，計為二十二個單位，所屬共有六千五百二十二村里。其中有一百九十一村，係山地同胞的區域。以往雖則規定每一村里設置幹事一人，戶籍員一人，事實上已設的只有一千八百〇九人，只為總設的數字六分之一。此次的健全辦法，即將縣市政府與鄉鎮公所的過剩人員，保留原資原薪，派赴一村里工作，以一村里一人為原則。在少數地區，暫以每二三村里，合設一人。蓋台灣過去有一個很奇特的現象，就是村里雖然空虛，而縣市政府與鄉鎮公所的編制卻頗擴大。縣市政府人員之多，可與大陸時代的省府各廳相比，鄉鎮公所且每每超過大陸時代的縣政府。再則台省規定每一村里，都要按時召開村里民大會，並合併舉行村里民月會。村里民大會是直接民權的行使機關，又具有傳達政令的教育意義。但因一村里中，需要出席的人數過多，鄉村間又往往缺乏適當的開會地址。以致村里民大會很難開得很好，不是流於形式，就是要藉會後的娛樂節目，以引起人民出席的興趣。台省府此次的健全辦法，在村里民大會之上，另行組設鄰長會議及戶長會議，以決定當地的興革事項，實是一大進步。

自治員銓敘

另一件重要的改革，就是承認地方自治員也是公務員。准其銓敘。這一件事所關甚大，如說過去在大陸上所以未能將地方自治辦好，是因為地方自治人員未能取得公務員資格，亦不為過。蓋過去強將行政人員與自治人員之間，劃下了一道鴻溝。凡在鄉鎮以下的工作人員，均不許其銓敘，取得公務員資格，因以優秀的人才都不願意下鄉。現台灣既已實施地方自治，縣市長與鄉鎮長均出於民選，而縣市政府工作人員，可以銓敘，鄉鎮公所者則否，自牴不合。且現行法令對於鄉鎮人員之須負刑事責任時，又當作公務員看待，更為不平。俞氏此次能不顧中央銓敘法令的拘束，打破傳統的行政人員與自治人員的分別，實值得讚揚。

台灣省的鄉鎮人員有一萬六千人之多，而教育程度則極低，其中三分之二僅小學畢業。自治人員多係中年人士，換言之，係日據時代出生成長的公民，其所受的小學，也還是日本人的教育，因此，他們對於祖國文化，國父遺教，政府政策，現行法令等皆未曾有了解的機會。其工作的內容雖甚為繁重，而工作的能力却頗為低落。這是台灣地方自治前途的一個基本問題，台省府此次通過了地方自治人員的訓練辦法，將較高級的由省府統一訓練，中級以下的由各縣市訓練。因為人數太多，自不得不如此。惟其基礎太差，短期訓練能否收效，實為問題。治本的大計，還是要全省的各級學校，注重地方自治的科目，寓自治訓練於經常教育之中。

俞氏此次尚有一項措施，甚為重要，即統一鄉鎮公所的事權。此後凡設在鄉鎮中的警察分駐所，或派出所，衛生所，國民學校，農會，水利委員會，漁會，合作社等，都要受鄉鎮公所的指揮監督，一反昔日各有上級系統各自為政的作風。又在鄉鎮公所中設立兵役課，辦理國民兵組訓及民防業務，而將原有的國民兵部隊等裁撤。

△俞鴻鈞巡視至花蓮時與阿眉族山胞携手同舞▽

新書評介

「鴕鳥」介紹

·建君·

「鴕鳥」係亞洲出版社最近刊行的一本創作，由於編者在書前所加的介紹，始知作者林適存先生，便是寫作「紅朝魔影」的南郭。

因為許多原故，數十年來反共文藝一直歉收，直到最近四年，紅禍之如洪水決堤，文壇上仍然甚少的作品，牠們若非八股，便係大同小異的濫調，研究原因，或許正是本書所說的，文壇中的鴕鳥太多，故以苟全性命於亂世為得計。至於缺少鼓勵，與乎不夠生活體驗的理由，那些都在其次。

這本書一共十二萬言，以流亡知識份子為主題，拿香港作小說的背景，寫一種人在變亂之後，不敢正視現實，鴕鳥般偷生苟存下去，反襯着的另一面，却是許多嚴肅地尊崇高工作的人。故事現實，描寫生動，較之尖酸潑辣的「紅朝魔影」，却是另一種風格。

誠如為本書寫序的胡秋原先生所說，因為作者提出了重要的問題，為了激發熱忱與知識大眾的責任感之故，希望這本書發生巨大的影響，為了這點，他為「鴕鳥」寫了一章精彩的序。同樣的，我們願意將這良好的作品，推薦於讀者之前，也是因為這個問題是我們自己的，所寫的人物，正是我們自己扮演的角色之故。

天下小事

美駐法使館錯了

在美國原子間諜羅森堡夫婦處決前不久，美國駐法大使館曾兩次請求艾森豪總統將羅森堡夫婦減處無期徒刑。駐法大使館認為處死羅森堡夫婦將無異援助共黨，因此屢轉刺激法國人民頗激烈的反美情緒。艾森豪接獲這些請求後，斷然拒謝，仍堅持初衷，不作干涉的打算。結果，羅森堡夫婦終遭電刑處死，但處決消息傳到法國後，巴黎雖然有零星的遊行示威，但決談不上是廣大法國人民的反響。據說法國人的冷淡態度，大出美國大使館的意料之外。

蘇俄大力離間英美

蘇俄離間西方國家的伎倆最近已更加露骨，他們一方面盡量挑撥和諷刺美國，另方面卻向英國頻送秋波。捷京布拉格電台前幾天一再廣播，李承晚總統反對休戰的立場和釋放俘虜的行動都是美國教唆的。但在六月三日那天，俄共真理報卻以十四欄地位刊載英女皇伊麗莎白二世加冕的新聞，其中三分之一的篇幅更滿載俄大使馬立克和其他俄官員出席盛典的經過。

南美冷淡「弟弟特使」

據相當可靠但無法獲得證實的消息說，南美洲各國對艾森豪總統的弟弟密爾頓·艾森豪的訪拉丁美洲之行，都表示不大愉快，因為在拉丁美洲一帶，各國總統多將待遇優厚的閒空差事留給他們能力薄弱的親屬，在他們心目中，密爾頓·艾森豪大概也屬於這一類，他們不清楚密爾頓·艾森豪的資歷與聲望，因此他們感到艾克只派「弟弟」充當特使，未免太小看南美洲國家了。

傳波倫大使即將請辭

不論波倫使俄有無成就，但華府若干方面對波倫略有不滿却是事實，最近華盛頓謠傳波倫將於八月間自莫斯科返國，向白宮提出辭呈，此事雖經國務院出面否認，但謠言迄未平息，一般人都認為不是空穴來風。

美空軍籌辦「魔毯」空運

韓國休戰協定尚未簽訂，但美空軍部目下都在祕密計劃，籌備於今夏間舉辦「魔毯」空運，將有資格解役的美國大兵自韓戰地空運返國。空軍部正在進行收回已租與各航空公司的客機，就是這個原因，如果韓戰果能順利結束，據悉首先返美的，已內定為海軍陸戰隊。（孟衡）

國外通訊

印度對埃及野心勃勃

·王可·

有一日他見了埃首相拉吉布將軍，大約談話中提到「印度的五年計劃」，拉氏隨即表示埃及也在準備來一個五年計劃，不久以後埃政府果然正式的宣佈了，於是潘氏對新聞記者大誇海口的說：「這個計劃是我向拉吉布將軍建議而被採納的，拉吉布頗不錯，無論做什麼他都先問了我的意見」。此語傳出後，埃及朝野為之側目，認為無比的狂妄。

你真以為潘尼迦神經失常嗎，那就錯了。大約兩三月以前，某國公使問潘氏云「閣下何以對埃及事體如此的熱心」？潘氏喟然嘆曰：「不得已耳」。續謂：「一個如印度的大國，自必有其勢力範圍，在大英帝國的時代，中東的政策，全部決之於新德里，我們既繼承了大英帝國的衣鉢，中東事情，自非過問不可」。某公使聞之甚為駭然，乃反駁曰：「那麼這還不是十足的帝國主義」？「決不」！潘氏很懇切的答道：「這是我們印人不可推卸的責任」。聆之可以了然一切了！

已經到了「領導」時期

在這短短五年之中印度在埃及工作的進展確是迅速。上面已經從「人」方面說了一個大概，現在更從「事」的出發分作三個時期略述於左：

一、準備時期：從一九四七年至一九四九年，印度與巴基士坦因分家獨立，所爭執最激烈的即為哈什米爾問題。中東國家包括埃及當然因宗教關係，都同情巴基士坦。所以印度的頭一步工作，即在如何消除此種困難。恰好是時埃及政府乃為沙的黨與憲政黨所組成的混合內閣，因英埃糾紛正忙於向安全理事會控訴英國，在國際間亦竭力尋找與國，是以對印度之表示好感樂得接受，加之一班知識份子，感知印度為一文明古國，人口眾多，地大物博，故認為與該國之人士來往，殊為榮幸。況且印度設使時氣魄甚大，不惜以五十萬美元之巨款，自購富麗堂皇的館舍，加上武官署，新聞處等組織龐大。發行了印度新聞（INDIAN NEWS）以重價請埃及報人哥大（GOUDA）主持，並大量的津貼其他大報的訪員及寫作家。印政府又派一「馬哈那加」PRINCE NAWAB OF PALANPUR携巨資及隨員，以溝通文化為名，經常周旋於埃及朝野之間，成立了所謂「埃印文化協會」，並設置印學組，鼓勵埃及學生往印度求學，更請埃及名流，至印研究甘地主義，贈以名譽學位等頭銜，新聞界及政壇人物之訪問埃及者尤屬絡繹不絕於途，效力所及居然作到感情融洽，公開因哈什米爾問題而對印度作嚴正批評者殆已甚少。

尼赫魯尚不以此為滿足，他發現是時埃及在野之最大黨為瓦夫黨，明知此黨有朝一日，定必捲土重來再行執政，所以不顧一切的與該黨領袖拉哈斯信使往來，後來兩人竟成了莫逆之交。迨一九四九年英人復施慣技，藉口解決英埃問題必須政府黨能代表全國方可，亦即要求埃王改組當時的混合政府而以在野的瓦夫黨代之。蓋後者素係親英，故英人以為可靠耳。埃王無奈祗得解散國會籌備選舉。

二、影響時期：一九五〇年正月十二日舉行大選，結果瓦夫黨得最大勝利。旋拉哈斯奉命組閣，摯友當政，尼赫魯之自然心悅神怡。惟當時遠東的大陸發生巨變，印度，英國均已先後承認中共，正月廿七日英外相貝文特地訪埃，目的在試探新政府的外交方針，牛刀小試，乃於內閣的宴會中公然提出承認中共問題，首相拉哈斯未及作答，在座的不管部長查基博士（DR. ZAKY）即突然的反問：「英國何以承認中共，是不是因為有四萬萬鎊投資的原因？」貝文答云：「沒有這麼多，些微少點」。該博士笑曰：「那麼你曉得我們埃及一文錢投資都沒有」。全堂哄然，終無結果而散。

不過這事的繼續工作，須由尼赫魯自告奮勇的担任了。他以為憑着與埃首相過去的老交情，當可毫不成問題的辦到。是年七月尼氏寫了一封親筆信令他駐埃大使帶了去見拉哈斯，大意是請他認清環境迅速即承認中共。拉氏婉謝云：「我們剛組閣不久，所要考慮的問題甚多，這事暫時不能討論。」尼赫魯得此答覆當然不滿意，不到兩個星期第二次的親筆信又來了，謂埃政府不宜忽視代表四萬萬五千萬人民的中共，應以世界和平為念，早日承認。拉哈斯給了他一個斬釘截鐵的答復：「埃及因為替世界和平着想，所以決不承認中共」。這個失望的結果，實在出於尼氏意料之外，然亦無可奈何，祗得放棄。

印度在這一點上雖未成功，而在鼓吹「中立」方面則在埃及發生了影響。以後的兩年中，在瓦夫黨與英國的關係因英埃糾紛弄得很僵，所以其外交態度漸與印度合流，都是標榜所謂「中立路綫」，而實際上想借討好蘇俄增高自己的地位。

三、領導時期：瓦夫黨在一九五二年正月廿六日大火之後下台，以後的內閣對英並未放鬆，甚至進一步的要求各國承認「埃王為蘇丹王」。是時因局勢欠穩，故阿拉伯國家對此亦多遲疑不前，惟印度竟採取了主動，首先承認。在當時埃及朝野視之實為莫大友誼的表現，所不湊巧者即潘尼迦於一九五二年九月趕到開羅赴任時，埃及業已革命，王室溜之大吉，濃厚的政治意義遂因之大大的沖淡了。（中）

中共剝削勞力拖欠工資
長春八千工人大罷工
會寫集體控訴書發出怒吼

【本報訊】北平消息：上月二十八日至三十日間，伊春森林區之五道庫曾發生八千餘林業工人罷工三天的事件，工人罷工的原因，係中共之伊春（伊通與長春合稱）森林工業局五道庫分局欠發工資四個月所激起。以中共對工人黨國控制及行政管制之嚴密，工人罷工事件向所不易發生，故此次該地終於發生八千工人之罷工事件，雖無其他暴亂行動，亦已足使當地中共當局極度震驚。而該地罷工事件之所以得能演出，係工人曾遍激於忿慨而有工人中之中共黨團份子參與並支持者。會對五道庫分局寫有集體控訴書發出怒吼。罷工歷時整整三日，後由伊春森林工業局派出大批幹部進行「說服」，並允徹查分局賬目，限期補發欠薪，方告復工。聞事後除五道庫分局爲當幹部因欠薪過久而受檢討並記過處分外；對於參加罷工之工人中之黨團份子，亦會分別開會予以訓斥，責該批黨團份子爲「領導無知」，犯有可能引起嚴重後果（意指可能激起其他地區之工人罷工事件）的危險錯誤云。

據悉：五道庫分局所以欠薪如此之久的原因，係幹部工作態度幼稚，盲目及官僚主義作風嚴重所致。鑒驚人的浪費，提高了木材的成本，降低了木材的銷路，使活動金陷於積壓而無法發薪。行政管理混亂，工程定額與工資標準皆未確定，常在變更。拖延中故意欠發工資。無計劃的盲目擴大伐木任務，開支擴大，工人工資被移用，亦造成欠薪。

按：「伊春森林工業局」係中共設於吉林省伊通與長春森林區的「大林管機構」，其下所轄分局有十餘個之多，伐木等工人不下十萬人，範圍極爲廣大，故此次五道庫發生八千工人罷工事件，極爲中共所注意、震驚。

西南區災禍頻仍
農民百萬告斷炊
救濟飢荒空喊口號
補種搶秧竟發爛種

【本報訊】重慶消息，據僞西南區行政委員會在指斥各縣「救災不力」的文字中公認：由於近來該一地區的災禍特別衆多而且嚴重，而各縣對救災搶秧的工作又多犯嚴重不力的缺點，致已使民間顯現一片恐慌不安和消極悲觀的氣氛。據云：該區四川、雲南、貴州大部地區及西康東區於去年冬季發生大旱荒時，會使冬耕不成，春收絕望，乃造成嚴重的大飢荒，有數以百萬計的農民宣告斷炊，有數以兩百萬左右人民基本上斷糧。今年四月杪及五月初，該一地區發生大風雹，又造成極爲嚴重的災害，其時大部春耕因田地乾裂及農民缺乏種穀（大多係於飢餓難耐時食去）而尚未播種，部份已撒種之秧苗及去冬旱荒勉強保留的少數小麥、豌豆、菜子等物，幾十九於該次大風雹中毀去，且有甚多之人畜傷亡及屋宇塌毀，災情極爲慘重。而隨旱荒及風雹等災而來的疾病流行等災禍，更加深了災害飢荒的程度。該區災荒形成後，該委員會曾發出「救災搶耕」的口號，但一面很多縣幾千萬元的救濟金固屬敷衍災民的象徵性措施而無濟於事；一面各縣共幹對救災工作的麻木不力，終使旱荒造成的飢民與風雹造成的災民均不得應有的安置，致該會認承：到目前爲止，飢荒人民盲目流動的現象迄未制止，彼等到處流轉、騷擾，已從使民間顯現恐慌的情形。

此外，據重慶新華日報指出，謂西南區甚多縣份於受災後展開的「補種搶秧」工作中，又犯有「不可寬恕的過錯」，如四川遂安等縣，雲南昭通等縣，貴州貴筑等縣竟於貸放農民穀種時，將已存有兩年以上之種谷發放，業已霉爛的種谷撥發，農民撒種，農民當時雖提出反對，共幹竟以「已經過檢驗，保險可用」爲詞，硬飭農民使用，結果又造成了不必要的和無可挽回的一大損失云云。

共軍抽征藏民
編民團供利用
滅藏陰謀又進一步

【本報訊】頃自北平獲得消息：中共爲圖控制西藏壯丁，以徹底消滅共反抗勢力起見，業已由中共派駐拉薩實際統治西藏政權之「軍事代表」張經武及駐藏共軍政委譚冠山合作展開一項陰謀行動，以編組「藏民自衛團」爲名，抽征年壯力强之藏族男子，予以訓練、改造，俾予有組織的控制與利用。據悉，此種「藏民自衛團」組織，係配屬於駐藏共軍各團訓練節制、指揮者，目前僅發給不堪使用之象徵性武器，除每日操練、聽課外，並在共軍所辦之大農場中從事集體勞動，爲共軍生產給養。又悉中共對控制並利用藏民之計劃，原擬抽征五萬名混編若干師，乘機調離西藏。惟西藏人口稀疏，且藏民對中共之抽征曾多方逃避，故原則已略有變更，目前僅抽得兩萬名左右，暫編十個團，分駐各地先予訓練云。

浙共普查戶口
杭人兩千被捕
大逮捕向各地展開

【本報訊】上海消息：浙江方面僞當局，以準備大規模檢查戶口，實施「普選」爲名，業已飭令杭州市及各專區僞政府於本月一日起作戶口總檢查之重點試驗，圖取得經驗，予以推廣。惟此一檢查之實際用意，在搜查以前大屠殺中被遺漏的黨、團、公務人員、商人及所謂「漏網地主」，表面理由爲「清理選舉權」，實際上則欲加以新的迫害。據浙江方面之共黨報紙公開披露，杭州在重點試查戶口中，已有約兩千人加以拘押，謂正在督令「交代歷史」，予以追查。此外，在各專區所在地縣份的重點試查戶口中，謂亦有甚多「嫌疑份子」加以拘捕，進行追查。據其初步透露的數字，以永嘉、鄞縣、紹興三地爲最多，約各有一千餘人，金華、吳興兩地約各有一千人，其他衢縣、麗水、黃岩、建德、嘉興、於潛各地，各有五百至八百人不等。綜計浙江在此一重點試查中已被捕的居民，已不下一萬二千人之多，咸信在該省全面總檢查開始時，各市縣必將有更多居民被捕。故中共之「普選醜劇」，業已引起民間之恐慌。

被驅做苦工
兒童斷足

【本報訊】大陸小學教員驅迫幼年兒童從事苦役勞動因而造成兒童染病、受傷、乃至死亡的事仍在層出不窮之中。頃據重慶新華日報披露的消息，最近四川銅梁縣關濺鄉完全小學，又發生因教員驅迫學生從事很重的勞役而造成兒童多人受傷的慘事。緣該校因原有操場不夠應用，決定在校後之斜坡上另闢一長六丈餘，寬二丈餘之運動場，校方不管該一工程多少艱難，竟下令全校自三年級至六年級之學生全體動員工作，由七、八教員臨場監工，迫學生拼命勞動，當有一僅只八歲之三年級女學生王玉梅因人小鋤頭重，在被驅掘土地鋤斷了自己的脚背。一僅只九歲之三年級學生鄭華山則在被驅拾石頭時壓斷了手指。另有學生十餘人則在移去棺木及屍骨時中穢氣昏倒。奴役而至於此，眞是千古慘事。

大陸藝人命運慘
男伶遭迫害女伶受凌辱
賣命難生存唯有自殺

據大陸各地綜合消息：由於一般共幹之頤指氣使，荒淫無度，殘酷成性，致年來大陸大多男女伶人，時遭共幹之迫害欺弄，因而被迫自殺喪生者，各地時有所聞。大陸伶人之遭受迫害之一般現象是被迫通宵演戲，被迫無酬演戲，被迫停演，藉故扣押拷打及無辜被毆等，其中尤以女性伶人，常遭共幹借機姦污或調戲，極盡侮辱之能事。僅舉最近大陸各報所披露者爲例：如福建泉州大衆劇社女演員林秀來曾被社長羞辱欺迫而自殺致死；如同社演員傅建德曾被無辜扣押、鬥爭；如安徽貴池縣共軍官兵曾集體調戲「友聯京劇團」女演員，並毆打男演員；逼死男演員二人；又如該省泗縣治淮處主任許國強，曾强令該縣劇班整夜演戲，竟不給酬金，不給飯吃，致使演員們在忍氣吞聲之餘，爲之全班號啕痛哭；如江蘇興化縣縣長仇江，因該縣有一劇團不愜其意，竟下令解散全縣所有七個劇團；如安徽合肥劇團，因招待「公安局」人員不週，全部演員竟在「戶口問題」之下一律被扣押虐待。（見人民「光明」．新華各報）諸如此例！實不勝枚舉，但僅以此少數實例，亦已足說明目前大陸除所謂「名藝人」以外，凡一般小伶人的命運，實大多已陷於水深火熱中的之悲境。

官僚作風腐蝕北平郵局
積壓代收書款萬筆
讀者催詢置之罔聞

據本月七日北平人民日報認承，官僚主義作風已深入腐蝕了郵政機關辦事謹細、準確、有效率的優良傳統，其懶散、顢頇的程度，謂簡直令人咋舌！

僅以有「全國第一郵局」之稱的僞都所在地的北平郵局發行期刊一事爲例，據云：該局工作的混亂情形，極度嚴重，刊物多發、少發、遲發及擱置不發的情況經常發生。如最近的「華北人民」四一期少發濟源郵局千八百冊。「中國青年」第八期少發南京郵局五千冊。杭州郵局原訂三千一百二十冊竟只發給了三百十二冊。「新觀察」第七期多發山東郵局七千冊。「世界知識」第多發上海郵局二千冊「時事手冊」第五期有十六萬份遲發二十天，等各地郵局收到第六期而向該局查詢時，方在倉庫內找出。但說這些還是平常的情形，更嚴重的是各地讀者給該局的訂單及刊物費竟有一萬三千多宗未予處理，既不退款，又不發刊。各地郵局或讀者因未收到刊物而向該局查詢的信件有八千多封未予答復，僅西安郵局從一到四月間向該局催問刊物的信件就有一百四十多封，竟一封也未答復。

此外，有許多刊物供不應求，竟不知增加發行；有許多刊物銷路不佳，竟不知減少發行，以致造成了嚴重的積壓現象。據說到五月底止。該局倉庫中已積壓了三四十萬冊之多。由此以觀中共的官僚作風，確已空前嚴重；北平如此，餘自可想而知。

孕婦台上翻鴿子
嚇得觀衆汗滿身

據本月二日北平「人民日報」披露，說東北軍區後勤政治部文工團一個女團員給該報寫信提出批評，說她最近在蛟河縣親眼看到該縣評劇團演出「忠烈鴛鴦」時，劇中飾寨主女兒及飾小卒的兩個女演員，都是腹大便便，接近產期的孕婦。說其中尤以飾寨主女兒的演員的戲還特別繁重，從頭到尾，差不多台台出場，除了唱戲、做戲之外，還要與人打武，還要在台上翻鴿子，臥魚，還要拖着槍大旋身子等等，雖然她很賣力，但畢竟戲太重，太吃力，表現非常困難，呼吸非常緊迫，動作非常生硬，不但戲不好，反使台下的觀衆替她急得淋汗，有不少觀衆在吃力關頭替她驚叫云云。

俄人雲集漳州

共酋接駕忙

【本報漳州訊】漳州在一個餘月來，共酋們十分忙碌，原因是從福州及廈門蘇聯老大哥的軍事顧問，及技術人員絡續紛紛抵達，截至目下來數已超過二百五十人以上，但尚在繼續前來中。「市長」張希良「副市長」蔡竹撑，每天下午，均得驅車往新橋頭接駕，漳州原有官用小型轎車二輛，不敷應用，新近已向廈門「市府」借來棕紅色新型轎車三輛，暫作「先進們」之駕座，但尚感不足，無奈只得以吉普車權充之。俄人抵漳下榻於本市「人民文化宮」，「人民教育宮」此二「宮」平素術備非常幽雅專爲侍候「先進」之用，但此次「先進」要與，不敷供應，除封借馬底之九龍飯店外（此飯店乃漳州第一流之旅邸，有如上海國際飯店）並將西門外沒收「華僑地主」楊淑玉之洋房一幢日夜趕工修葺，以供急須。公安局又在俄人下榻之處各派公安隊一排担任外勤防衛，戒備森嚴。

男女共幹垂首侍候

內勤侍從由市中蘇友好協會選派能通俄文之幹部男女七人分配侍候，不足之數，近日由廈門市婦女民主協會抽來廿三人添補。重慶酒家、廣州酒家、大新酒家這三家淪陷被佔爲「御用酒家」，自俄人大批來後已停售門市小酌，日夜忙在洗塵歡宴中。市商協會主席王杏雨，及工協主席黃曉初，日前曾陪「先進」廿餘人，專車往碧溪參觀漳州市人民織布習藝廠，隨車有地方駐軍派二排警快部隊護送，沿途又有民兵隊警戒森嚴。

查此批俄人來漳，有一組係往龍岩華安平和一帶探測礦苗者，爲數約五十餘人。另一組係往駐汀州機場之地面工作人員，爲數約三十餘人。餘者多爲來漳審還現在擴建中之本市機場，來來去去，份子甚爲複雜。

機場大規模擴建

漳州機場，位於本市新橋頭西角，此機場乃抗戰時所闢，但始終未經應用，原因是面積太小，陸地又是沙泥，歉濕異常，飛機無法降落，雖有機場之名，但地面一概設備均無徒負虛名而已。本市淪共第二年（即民國四十年），共黨着手改建，動員七縣民工，不分晝夜以競賽方式劃區分隊沿九龍江畔擴展，係自安華、新墟，一支江洗，沿浦南，注漳州，石碑，鄧村莊二鄉，機場擴展爲長三華里，闊一華里，初步工程乃把機場跑道填上石板，並設機庫，油庫，建氣象塔，營房等等，此工程已於去年春完成，但年餘以來并無裝置設備，聞此次俄人來漳，係裝設器械，因此漳州一時頗成要隘。

煤鐵礦將加緊開採

龍岩之礦，有煤藏之煤及鐵，抗戰時曾有土法開採煤礦，但爲數極微。前些時曾聞傳數次俄人即往以新法大量開採，但遲遲未現，今俄籍之技術人員雲集漳市，並且絡續而來窺其情形，龍岩之礦藏加緊開採之日已近。又於去年冬本市成立之「礦藏開發訓練所」，所址徵用東浦頭禮拜堂及新州仔尾禮拜堂二所，學員由各地而來，總計不下三百人，本期三個月畢業即調往礦區實地工作，然至今尚在學習中，但此次已有一批隨俄人往龍岩，據說本市及小溪、平和，一帶不久亦將設立礦區後勤站。（萬凌六月十日寄）

祇用耳朵不用手
共幹做了收音機
引起農民普遍反感

本月十二日重慶新華日報所載：「農民爲什麼不肯給我們說老實話？」一文中，會說現在一班下鄉共幹，由於農民們普遍對他們採取敷衍的消極的不合作態度，不肯對他們說老實話一點，都感到非常困擾。農民們已普遍給共幹們起上一個綽號，叫做「收音機」。原因是共幹們只知向農民們「聽取情況」而「不解決問題」。同時，該文中又會認承一項極有意義的事實，說「以前我們領導農民轟轟烈烈地進行減租退押、土地改革，農民對我們很歡迎，而現在我們領導農民組織起來發展生產是件好事情，爲什麼反會遭到羣衆普遍的冷淡呢？」這無異他們承認農民已普遍存有反共的情緒。雖然，中共會將造成農民消極反抗的現象，完全歸咎於農村幹部的甚多錯誤作風。

為邱爵士獻一計

為方

自由談

英首相邱吉爾主張聯合國召集特別大會，對付南韓李承晚的「叛逆」行為。他要求聯大譴責李氏不與聯合國合作，再進以「鐵腕」繼其後！至於工黨人物之惡罵李氏，必須去之而後快，自不待言。

我認為邱老漢的譴責建議大可不必了，聯合國早已決議斥責過中共為侵略者，而現在又要向它低頭告罪賠禮哩！一個金身塑像的靈驗菩薩，被狂人摔到糞坑裏，再拾起洗滌，頂禮供奉，還能教人們對它發生信心嗎？

邱爵士既氣憤不過那位「衰弱而倔強的老頭兒」李承晚，主張採用鐵腕政策，我願意進呈一項有效的對付方法，不必麻煩聯合國召開甚麼特別大會，祇由邱爵士一道命令就行了，那就是：把英國現時正在準備中的原子彈爆炸，毋須送到澳洲荒原去實行，而改由英國在韓境參戰的「大軍」，實地試驗，投入漢城的總統府中去，包管李「叛逆」馬上活不成，南韓軍亦即會向聯軍投降，然後另由聯合國派一名總督管制大韓民國——這總督人選以工黨的貝凡最適當——如是乎，韓人俯首帖耳，唯邱首相之命是從，一勞永逸，善莫大焉！

如其計不出此，而欲揸着那塊已經腐爛不堪的聯合國招牌來嚇唬衰小民族，那即是敝同胞廣東人所說的一句話：「唔衰攞來衰！」

小尼姑結婚

·秦我·

我們的「指導員」張下留先生跟蓮花庵的女尼妙影結婚了，理由是「清除舊社會不合理制度，促進男女間純潔愛情」，（其實，舊社會並沒有提倡這種制度）。這一天，張大員的府上大事裝飾，紮綵掛紅，好不熱鬧，尤其是我們的「偉大指導員」更滿面春風，容光煥發，筵席已張羅好了，各式各樣的「指導同志」也依次到齊，一律熱烈的掌聲後，輪到我們的「指導員」發表演說了，他聳聳肩，擠擠眉弄眼一陣，就張開血盆大口說：「各位同志，今天小弟結婚，蒙各位賞光，實感榮幸之至，至於小弟為什麼能有今日的榮幸呢？也是拜我們「偉大的導師」，「光明的太陽」馬倫可夫和毛澤東同志之賜，他深明大義，洞悉男女間愛情的真締、純潔、所以才頒下「新婚姻法例」，給我們指出一切戀愛的路徑，實在戀愛是至高無上的，為了戀愛，我們不妨多革幾次命，多流幾次血，以求達到我們的目的，像今天我跟妙影「小姐」的戀愛成功，就是最好的一例，我們要剷除「封建殘餘」，「階級觀念」，和「信仰異同」，我希望各同志努力學習我，這樣才夠「積極」，才配得上稱列寧，史太林和毛澤東的忠實同志，才稱得上稱「新中國」的青年……」他口沫橫飛的說完這一段，接着又是一陣鼓掌聲，他得意極了，頻頻勸酒，大約過得四五分鐘後，有人提議請「新娘」出來講述他們「戀愛」經過，大家當然鼓掌贊成，張下流更是「正合孤意」了，便吩咐下人請「新娘」出來，不料等了差不多半小時，還不見「新娘」出來，張「指導員」急極了，破口大罵，認為下人做事不夠「積極」，應該送去小組受改造，正罵得震耳欲聾的時候，忽然見老四氣急敗壞的跑來回，顫危危的說：「報告指導員，事情不好了，小姐忽然失蹤了，我們到她房子裏找她，只見衣物凌亂，其餘半點蹤跡都沒有」，「失蹤了」，指導員錯愕的說，但一下間面色變得很難看，把剛吸上的雪茄用力向地上一擲，忿忿的說下去，「這、子，我看妳怎逃出我掌握之中」。他急急地走出去，幾百隻眼睛集中看着他。

說到張指導員跟妙影的「偉大戀愛史」，那真是人間悲劇，慘不忍聞，這種荒唐、罪惡、污穢的醜行，只有在「光明的太陽」，我的鋼」的口號下才能夠產生出來，是強姦、是剝奪、是欺詐，還美其名曰「改造」，「前進」和「剷除封建」，這是鐵幕同胞的悲歌，亂世人類的劫運！原來我們的「指導員」對蓮花庵內的女尼妙影早有意思，見她年輕漂亮，溫柔婉爾不覺動了「改造」之念，三番四次藉着「指導」的名目，單人匹馬的到蓮花庵去「遠交近攻」，引誘妙影，無奈這位誠心事佛的女尼却心如止水，不理不睬，本來，以我們「指導員」的勢力，什麼事不可為？何況這區區一個小尼姑？但，萬事總得「退一萬步」想，在「新婚姻法例」未確實執行的時候，他不能太明目張胆的，萬一觸犯公憤，認為有辱佛門清規，指謫起來，可不是玩的，所以，張「指導員」雖然「急不及待」，却不能不勉強擺模作態，象徵民主，但却一直把妙影視為禁臠，不肯輕易放過。這一次，巧藉「毛主席」皇恩大赦，推行「新婚姻法例」，無論狗女雞男，翁媳叔嫂，一律都可以在這名目護蔭下「自由戀愛」，「自由婚嫁」，於是，我們的「指導員」先生蠢蠢欲動了，先糾集幾組流氓無賴的「同志」，聯群結隊的闖到蓮花庵去，不由分說，首先縛起庵裏的主持老尼，指她思想不夠「前進」，及「阻撓革命」，和不時嚷嚷不休，所以歸入「清算」之列，一時驚恐不堪，而我們的「指導員」却威風凜凜，指揮若定，把平常偕尼們香火膜拜的「菩薩」，「佛爺」們搗亂得七零八落，手足不全，最後，才把哭哭啼啼的妙影強拉出去，推上「指導員」的專用車，一溜煙的載返辦事處。

就這樣，我們的「指導員」跟妙影姑娘「自由戀愛」成功了？

但，現在酒筵感開「新娘」妙影忽然失蹤了，這對「自由戀愛成功」的令譽大打折扣，我們的「指導員」不能不作垂死掙扎的，而于要緊，個「哼」的一聲噴了一口冷氣後，帶了幾個隨身「同志」，直往蓮花庵去，在他心目中，妙影實在不能逃得多遠，她畢竟是個纖弱的女子，頂多不過是回到老家去，所以他毫不猶疑地打開了蓮花庵的大門，一手執着老主持的胸口，粗聲說：「妙影在那裏？快說！」「我不知道，大爺」，「大爺」，什麼大爺？是指導員，「嗯！是的，指導員，我委實不知道」，張「指導員」見得就算迫死她也沒有用，便一手將她摔開，逕自往妙影房中去，那幾位「同志」一路着把守大門，跟隨左右戒備毛手毛腳，他走進房中後，只內闃無一人，衣物凌亂不堪，他機警地抓開床簾，引長頸項窺探，不料剛伸過去他就突然慘叫起來，原來他背上被一把尖利的剪刀深深地插進去，急湧地冒着血。神智迷濛中，他彷彿看見有一個女子（妙影）披着長髮，追留着吃人的了」兒光，眼睛纖細吐的雙手暴露着青筋，漸漸向他逼近來，他暈過去了……。

這是新的費宮人刺虎的故事，流行在赤色的國家中，向罪惡滿盈的魔鬼作垂死的掙扎。

不祥之學使

自民國廿四年迄卅年間，四川省教育廳長前後四人，皆怏怏去職，其中兩楊（楊廉楊全宇）被戮後，且死於非命。巴蜀士大夫一時視教長為不祥之官，相戒趨避，誠現代官場奇聞也。

川政於廿四年秋莫始告統一，尊奉國家號令，而以劉湘綜持軍民兩政焉。教廳長為前國會議員川人李伯玉（維綸），越歲，以「行為不檢」被中樞撤職，新命蔣志澄繼任。然主席劉湘抗議不從，謂李廳長律己謹愉，衆所見信，且年逾大衍，素無不良嗜好，所謂行為不檢之說，適從何來？與李氏同時因同樣罪行受譴者，尚有民政廳長嵇人王又庸，劉氏亦併予袒護之。省府與中央齟齬不已，鄂主席楊永泰從中疏解，先令蔣志澄到職。蔣視事後，憂讒畏譏，踧踖如也，未幾，悄然投劾去，而楊全宇楊廉相繼來矣。

全宇川南西充人，留法學生，原受職內政部參事，為所謂汪系改組派份子，亦因汪故，衣錦還鄉，縮領教育，仍鬱鬱不得志。抗倭軍興之始，川人楊廉以皖省教長量移巴蜀，其為人也，布衣布履，狀若老儒，愚於成都初晤時，見其言態木訥樸質，兩鬢已霜，側聞楊素受知於蔡孑民先生，頗敬重之。既而，忽經吏議報罷，且置於理，指其於皖任內避寇撤退之際，對公帑公物，不無舉行，旋告正法，而，然未見罪行受審讞佈，道路紛傳，實以女禍致死也。蓋楊青年游學西洋後，數十年未暇涉足桑梓，在外成家立業，生活美滿，一旦榮歸故里，糟糠之妻深感異數，言念夫子，欣然相從，而閫閾之難乃大作。後妻固智識界中翹楚，且門第高貴，多識當代顯要，曾茲意外侮辱，自難忍受，而楊氏遂不免於以身殉情矣。然與否歟？未可必也。

新·世·說·補·遺

全宇掛冠卜居錦官城，迨其鄉人王纘緒主川政，因緣時會，出為成都市長，號稱王氏智囊。廿九年夏，王主席被劉文輝潘文華鄧錫侯等傾軋，全宇殊為王氏不平，多所睥睨。王出川領軍抗戰後，楊留任市長如故，然成都一帶忽大鬧糧食恐慌，市郊常有所謂飢民掠取民食，並一度闖入蓉市內，聲稱「吃大戶」，騷然鑑動，省府甚感棘手，認係人造禍端。繼有人密報楊氏私向外縣囤購糧食居奇情事，大府緹騎四出，偵得楊在合川縣曾購存麥七十石，乃依懲治貪污與戰時緊急法令，逮楊赴軍區訊治，棄於市。實則當時地方紳商官吏三位為體，大量囤聚糧食牟利者，比比然，全宇不過犧牲之旒耳，竟誅死，亂世官吏之不可為，深足甚戒熱中之士。然政治場中之撲燈蛾，仍稱坑滿谷，蔽日狂飛，可怪也夫！

馬五先生

瑪麗皇太后的睿慧

故瑪麗皇太后的睿慧，在英國皇室中是不易多見的。根據白金漢宮的規例，每一次打掃之後，宮廷總監要拿相片在每一處地方核對，清查是否有遺失物品或搬離原來地點的情事發生。有一次，瑪麗皇太后偶然經過一處走廊，她隨即轉身向宮廷總監李格爵士說：「愛德華七世的遺照離開了原放地點三寸，趕快將它放正」，李格爵士取出古本對照，果然證明瑪麗皇太后的記憶和眼力一點也不差。而據說當時瑪麗皇太后已有三年未曾到過那地方，三年前的情形他依然毫厘不差，歷歷在目，至今白金漢宮中人談起來，仍欽仰備至哩。（由之）

奴役的藍圖（十八）

麥柯米克神父著　陸逸譯

大學校長被控間諜

就在這個時期，排外運動便大力地展開了，這個運動的重點特別加在美僑身上。共產黨的宣傳員也在這時大耍花樣，用種種怪誕荒謬的理由來控訴美僑。廣州嶺南大學裏的美國教授被控有間諜行為，及散播文化細菌。有些中國教授被指為親美，含冤若獄，迄於今日。

天津的工商大學，是天主教耶穌會創辦的，在中國算得上第一流的工科學校了。校長是一位法籍會士，居留中國幾達五十年之久，被控為美帝間諜，結果被逐出境，事後還大事宣傳一番，以收歪曲事實之效。

北平輔仁大學是中國有名的大學之一，為天主教聖言會所創辦，校務長芮歌尼（REV.FR.RIGNEY）主持校政，因其為美國人，便屢加迫害，一九五〇年秋，這所舉世聞名的學府，便被共產擾奪而去，芮校長及若干美、德籍神父的羈留獄中未釋。

就我私人的統計，至少有七位主教，一百位教士為共產黨殺害了，實在說來，決不祇這個數字，如果加上喑殺教友，修士，修女等，殉教者的數字當以千萬計。目下有不同國籍的傳教士，包括十九位主教，三百位神父被監押獄中，至於華籍神職班被殘害的實難以數計。

受一萬人公審

我認識的一位美國神父，被關在會院達六月之久，在此期間，各式各樣的反美宣傳，集會，和遊行，整天地威脅着他，最後他以「美帝間諜」的罪名正式被捕入獄，過了二個星期，他被押出來了，蓬頭垢面，來受一萬人的公審，至於罪名，還是那些在普通公審會中所沿用的。

第一個控訴人是一個共產教員，說這位神父曾姦污他底姑母，說完用木棒猛擊，幾個人把被猝擊倒的神父扶了起來，還他[illegible]時候，二個別的控訴者用拳頭痛打他。第二個控訴人是一個老村婦，說神父曾在抗戰時期在集中營裏，把她丈夫活活餓死。第三個控訴人又是一個教員，說神父虐待一個老人，後來這個老人吃青草自殺了。

這些控訴全是捏造的，荒謬絕倫的。這位受審的神父，素以仁慈和悅，聞名遐邇的，[illegible]，在抗日時期，他不知拯救了多少生命。但他受哄騙了的群衆，居然要求槍斃他，法官從衣袋裏取出一張判決書，怪聲朗讀：「判決終身驅逐出境」。

我自己所受過的一個審判：被共黨審教士的[illegible]，在無數次的強迫詰問中，[illegible]個月後，我當問：「我未犯過任何罪，你們為什麼要把我監起來？」

他們厲聲答道：[illegible]「你並未被捕，我們不過[illegible]」。

這就是在中國共產黨統制下的「宗教自由」。

傜山風光

·雋夫·

男女服飾

不拘是八排傜過山傜，服飾裝束是大同小異的，沒大差殊，男子上為對襟短褂，下為短褲，女子上褂較男子略長，下則短裙，祇有曲江乳源樂昌各縣所屬號稱西山傜的婦女，才裙而不褲，西山傜也是屬于過山傜，他們直承是「狗皇」的苗裔，唯其如此，必得遵循「女裙不褲」的遺制。所有傜民不拘男女的上褂，沿着領口，鑲有一條繡花的貫綴，背後也有垂條約四五寸長，男子前胸後背，都有一塊織花的方補，前胸的較小，叫做小背搭子，後背的較大，叫做年叨，頗像前清的官服。女子褲短僅過膝三四寸，褲腳鑲有她們自繡的花邊，腳肚裹綁腿，綁腿也大都繡有花紋。無論男女，無間冬夏，全都「徒跣」，至多加上一雙草鞋。

，男女皆蓄髮，男椎髻，却裹頭巾，女髮髻若高冠，未婚者分做兩翅狀，已婚者[illegible]形的一塊，[illegible]臘膠[illegible]，得融臘，[illegible]的，因[illegible]，常常帶有[illegible]嗅覺的怪味。男子喜插「雉尾[illegible]」，女子愛戴花[illegible]，也多戴上[illegible]，在過山傜[illegible]是結着髮[illegible]，八排傜裏[illegible]髮辮的人。

婦貞女淫

傜山婚[illegible]一種「族內婚」制，同姓可以結婚，却有一個範圍，比方一個叫做「大鼻唐」族姓唐的和一個叫做「打鐵唐」族姓唐的，他不能自己同是大鼻唐族姓唐的通婚，當然可任意與其他的通婚，和[illegible]的甚少，[illegible]男的那是絕無。夫死兄或弟有優先繼婚的權利。[illegible]

史地傳記類　PC0267

自由人（二）

編　　者／陳正茂
責任編輯／邵亢虎
圖文排版／彭君浩
封面設計／陳佩蓉

法律顧問／毛國樑　律師
印製經銷／秀威資訊科技股份有限公司
　　　　　114台北市內湖區瑞光路76巷65號1樓
　　　　　電話：+886-2-2796-3638　傳真：+886-2-2796-1377
　　　　　http://www.showwe.com.tw
劃撥帳號／19563868　戶名：秀威資訊科技股份有限公司
　　　　　讀者服務信箱：service@showwe.com.tw
展售門市／國家書店（松江門市）
　　　　　104台北市中山區松江路209號1樓
　　　　　電話：+886-2-2518-0207　傳真：+886-2-2518-0778
網路訂購／秀威網路書店：http://www.bodbooks.com.tw
　　　　　國家網路書店：http://www.govbooks.com.tw

2012年12月復刻版
定價：2500元

國家圖書館出版品預行編目

自由人 / 陳正茂編. -- 一版. -- 臺北市 : 秀威資訊科技,
2012. 12-
冊 ; 公分. -- (史地傳記類)
BOD版
ISBN 978-986-326-020-2(第1冊 : 精裝). --
ISBN 978-986-326-016-5(第2冊 : 精裝). --
ISBN 978-986-326-017-2(第3冊 : 精裝). --
ISBN 978-986-326-018-9(第4冊 : 精裝). --
ISBN 978-986-326-019-6(第5冊 : 精裝). --
ISBN 978-986-326-022-6(第6冊 : 精裝). --
ISBN 978-986-326-023-3(第7冊 : 精裝). --
ISBN 978-986-326-024-0(第8冊 : 精裝). --
ISBN 978-986-326-025-7(第9冊 : 精裝). --
ISBN 978-986-326-026-4(第10冊 : 精裝). --

1. 報紙 2. 香港特別行政區

059.92 101021409

讀者回函卡

感謝您購買本書，為提升服務品質，請填妥以下資料，將讀者回函卡直接寄回或傳真本公司，收到您的寶貴意見後，我們會收藏記錄及檢討，謝謝！如您需要了解本公司最新出版書目、購書優惠或企劃活動，歡迎您上網查詢或下載相關資料：http:// www.showwe.com.tw

您購買的書名：______________________________

出生日期：________年________月________日

學歷：□高中（含）以下　□大專　□研究所（含）以上

職業：□製造業　□金融業　□資訊業　□軍警　□傳播業　□自由業

□服務業　□公務員　□教職　□學生　□家管　□其它_____

購書地點：□網路書店　□實體書店　□書展　□郵購　□贈閱　□其他

您從何得知本書的消息？

□網路書店　□實體書店　□網路搜尋　□電子報　□書訊　□雜誌

□傳播媒體　□親友推薦　□網站推薦　□部落格　□其他__________

您對本書的評價：（請填代號　1.非常滿意　2.滿意　3.尚可　4.再改進）

封面設計____　版面編排____　內容____　文／譯筆____　價格____

讀完書後您覺得：

□很有收穫　□有收穫　□收穫不多　□沒收穫

對我們的建議：______________________________

____

____

____

請貼
郵票

11466
台北市內湖區瑞光路 76 巷 65 號 1 樓

秀威資訊科技股份有限公司　　收

BOD 數位出版事業部

....

（請沿線對折寄回，謝謝！）

姓　　名：＿＿＿＿＿＿＿＿　　年齡：＿＿＿＿　　性別：□女　□男

郵遞區號：□□□□□

地　　址：＿＿＿＿＿＿＿＿＿＿＿＿＿＿＿＿＿＿＿＿＿

聯絡電話：(日)＿＿＿＿＿＿＿＿＿＿　(夜)＿＿＿＿＿＿＿＿＿＿

E-mail：＿＿＿＿＿＿＿＿＿＿＿＿＿＿＿＿＿＿＿＿＿